CHICAGO PUBLIC LIBRARY
P9-AOL-609

Chicago Public Library
Ref
POL/
RC
81
.A2
E5
2000 v. 1
C
P
L
REFERENCE
Form 178 rev. 1-94

ENCYKLOPEDIA ZDROWIA

tom I

ENCYKLOPEDIA ZDROWIA

Pod redakcją
Witolda S. Gumułki
i
Wojciecha Rewerskiego

Wydanie ósme

WYDAWNICTWO NAUKOWE PWN

Opracowanie graficzne okładki i stron tytułowych
MONIKA GRABAN i RADEK DĘBNIAK

Redaktorzy naukowi działów
WIESŁAW GRABAN, WITOLD S. GUMUŁKA, HENRYK KIRSCHNER,
LONGIN MARIANOWSKI, WOJCIECH NOSZCZYK, WOJCIECH REWERSKI,
JANUSZ SADOWSKI, MARIA SIENIAWSKA, REGINA STAŃCZYK,
MAREK SZNAJDERMAN, ZBIGNIEW WRONKOWSKI

Redakcja i prowadzenie
ZOFIA PLUCIŃSKA, ANNA GŁAŻEWSKA-CZURYŁO,
KRYSTYNA WOJTALA

Redaktor techniczny
BARBARA PENSZKO, JOLANTA CIBOR

Korekta
BOGUMIŁA ŁYSIAK, JAWIGA KOSMULSKA, KRYSTYNA KUBIAK,
BARBARA WALCZYNA

ISBN 83-01-11680-3

Wydawnictwo Naukowe PWN SA
ul. Miodowa 10, 00-251 Warszawa
tel.: (0-22) 695-43-21
faks: (0-22) 826-71-63
e-mail: pwn@pwn.com.pl
http://www.pwn.com.pl

WYDAWNICTWO NAUKOWE PWN SA
Wydanie ósme
Arkuszy drukarskich 71,25+3,5 ark. wkładek
Druk ukończono w lutym 2000 r.
Druk i oprawa: Drukarnia Wydawnicza im. W. L. Anczyca S.A.
Kraków. Zam. 1061/99

OD WYDAWCY

Wydanie siódme *Encyklopedii zdrowia*, w porównaniu z jej pierwszymi wydaniami, jest znacznie rozszerzone i uzupełnione, szczególnie w dziedzinach, w których dokonał się znaczny postęp wiedzy. Dotyczy to szczególnie takich działów, jak: fizjologia, immunopatologia, choroby układu krążenia, choroby układu oddechowego, choroby reumatyczne, choroby nowotworowe, ginekologia i położnictwo, pediatria, choroby jamy ustnej i zębów, laryngologia, nowoczesne metody diagnostyczne, chirurgia, chirurgia plastyczna, przeszczepianie narządów, zatrucia, higiena, leczenie dietetyczne, fizykoterapia, pielęgnowanie chorego w domu, kosmetyka lekarska.

Encyklopedia zdrowia PWN powstała przy współudziale wybitnych specjalistów. Dostarcza Czytelnikowi możliwie najaktualniejszych i interesujących danych o obecnym stanie wiedzy medycznej.

Mimo wszechstronności nie może ona zastąpić podręcznika z żadnego działu medycyny ani – w przypadku zachorowania – fachowej porady lekarskiej.

Zaletą *Encyklopedii zdrowia* PWN jest przystępność, wszechstronne pokazanie dorobku polskiej medycyny i dostosowanie treści do realiów polskich.

SPIS TREŚCI

SPIS TABLIC

Tablice jednobarwne

Tablice wielobarwne

ANATOMIA

Anatomia jest nauką o budowie i kształcie ciała ludzkiego. Wyodrębnia się w niej **anatomię makroskopową**, która bada i opisuje organizm widziany gołym okiem, bez użycia przyrządów powiększających, oraz **anatomię mikroskopową**, zajmującą się badaniem przy użyciu mikroskopu struktury tkanek (**histologia**) oraz poszczególnych komórek (**cytologia**). W zależności od metody badania i opisywania budowy ciała, w anatomii makroskopowej odróżnia się kilka kierunków.

Anatomia opisowa przedstawia wyniki swych badań opisowo. Mogą one dotyczyć poszczególnych narządów lub grup narządów, czyli układów. Anatomię opisową, zwaną dawniej **normalną**, obecnie nazywa się **anatomią prawidłową**. Znajomość prawidłowej budowy narządów i układów pozwala określić różnorodne w niej odchylenia i nieprawidłowości. Mówi się wtedy o **anatomii patologicznej**. Metodą opisową posługuje się również **anatomia topograficzna**, zajmująca się rozmieszczeniem oraz wzajemnym stosunkiem narządów ciała. Gdy przedmiotem badania i opisywania są okolice ciała ważne dla chirurgii, nosi ona nazwę **anatomii chirurgicznej**. Nauka badająca proporcje ciała, rzeźbę powierzchni żywego organizmu oraz wpływ narządów leżących pod skórą na zewnętrzne kształty ciała, zwana jest **anatomią plastyczną**.

I. KOMÓRKA

Ogólna budowa komórki

Komórką nazywa się najdrobniejszą strukturę, zdolną do samodzielnego wykonywania podstawowych funkcji życiowych. Wielkość i kształt komórek są różne; cechy te są stałe lub zmienne w ciągu życia komórki. Ciało człowieka zbudowane jest z ok. kilkudziesięciu bilionów różnokształtnych komórek. U człowieka największa komórka (komórka jajowa) ma średnicę do 100 μm, najmniejsza – 4 μm (niektóre komórki móżdżku). Wymiary innych komórek wahają się w granicach 10–20 μm. Komórki występują w wielu postaciach, np. komórki naskórka są płaskie, komórki krwi – kuliste, komórki układu nerwowego – gwiazdkowate z wypustkami. Istnieją też komórki pełniące wiele funkcji, jak np. makrofagi, oraz komórki o wąskiej, wysoko wyspecjalizowanej czynności, takie jak komórki nerwowe.

Komórka jest zbudowana z żywej substancji białkowej, zwanej *protoplazmą*, która stanowi materialne podłoże życia. Protoplazma zawiera wodę, związki nieorganiczne i dużą ilość związków organicznych. Ze związków nieorganicznych aniony chloru (Cl^-) i kationy sodu i potasu (Na^+, K^+) odgrywają ważną rolę w utrzymywaniu równowagi kwasowo-zasadowej i ciśnienia osmotycznego, natomiast magnez, miedź, cynk, nikiel, wanad są niezbędne do zachowania aktywności komórki. Związki organiczne tworzą w komórce stałe struktury zwane makrocząsteczkami i wtrętami. W komórkach zwierzęcych i człowieka makrocząsteczki te stanowią trzy rodzaje związków: 1) cukry, 2) białka i peptydy oraz 3) kwasy nukleinowe.

Cukry (węglowodany) dzieli się na cukry proste (monosacharydy), dwucukry (bisacharydy) oraz wielocukry (polisacharydy). We wszystkich komórkach cukry stanowią źródło energii. Wielocukry wchodzące w skład tkanki łącznej nadają jej sprężystość i elastyczność. Występujące w otoczkach i błonach komórek bakteryjnych po wniknięciu bakterii do organizmu człowieka wyzwalają wytwarzanie przeciwciał, są więc antygenami; przeciwciała te swoiście łączą się tylko z tymi antygenami, pod wpływem których powstały.

Białka występują w dwóch postaciach: jako białka strukturalne i jako enzymy. Białka strukturalne wchodzą w skład włókien mięśniowych, naskórka oraz w formie kolagenu – tkanki łącznej: właściwej, chrzęstnej i kostnej.

Kwasy nukleinowe dzieli się na dwa typy: kwasy rybonukleinowe (RNA) i kwas dezoksyrybonukleinowy (DNA). W komórkach zwierzęcych organizmów wielokomórkowych i człowieka RNA występuje w cytoplazmie i plazmie jądra komórkowego, DNA natomiast tylko w plazmie jądra. Kwasy nukleinowe odgrywają bardzo dużą rolę w syntezie białek.

W *protoplazmie* komórki wyróżnia się (przy badaniu mikroskopowym) cytoplazmę i plazmę jądra komórkowego, tzw. *karioplazmę* albo *nukleoplazmę*. *Cytoplazma* składa się z otaczającej ją błony komórkowej, cytoplazmy podstawowej oraz zawieszonych w niej różnych stałych struktur zwanych organellami i wtrętami komórkowymi. Wśród organelli rozróżnia się: mitochondria, lizosomy, siateczkę śródplazmatyczną (endoplazmatyczną), aparat Golgiego, centrosom, rybosomy i liczne włókienka (zob. Fizjologia komórki, Czynności struktur wewnątrzkomórkowych, s. 76).

Błona komórkowa zbudowana jest z lipidów, białek i z niewielkich ilości węglowodanów (cukrów). Reguluje ona wymianę substancji pomiędzy komórką a jej środowiskiem zewnętrznym. Transport substancji może odbywać się przez błonę komórkową dzięki różnicy stężeń na obu jej powierzchniach (*bierne przenikanie*) oraz w następstwie wydatkowania energii, pochodzącej z procesu chemicznego związanego z transportem (*aktywny transport*). Komórka ma również zdolność pobierania substancji stałych (*fagocytoza*) i płynnych (*pinocytoza*) bez ich przenikania przez błonę

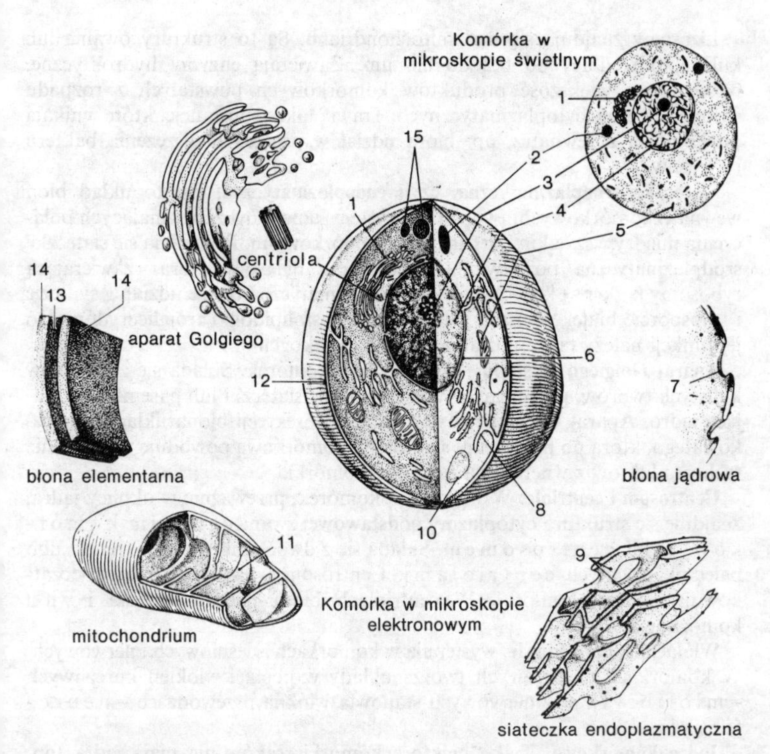

Schemat budowy komórki z uwzględnieniem organelli: 1 – aparat Golgiego, 2 – lipidy, 3 – jąderko, 4 – jądro, 5 – mitochondria, 6 – błona jądrowa, 7 – por, 8 – siateczka endoplazmatyczna, 9 – rybosomy, 10 – lizosom, 11 – grzebień, 12 – błona komórkowa, 13 – warstwa lipidowa, 14 – warstwa białkowa, 15 – ziarenka wydzieliny

komórkową (e n d o c y t o z a). W podobny sposób może dokonywać się wydalanie produktów z komórki (e g z o c y t o z a). Do dokonania się endocytozy lub egzocytozy niezbędne jest dostarczenie energii. Zob. Fizjologia komórki, Błona komórkowa s. 76.

Cytoplazma podstawowa wypełnia wnętrze komórki. Substancja ta ma konsystencję gęstego płynu lub masy galaretowatej. Występują w niej enzymy glikolityczne i szereg czynników biorących udział w syntezie białek. Są w niej rozproszone elementy strukturalne komórki.

Mitochondria to bardzo drobne struktury występujące w komórkach roślinnych i zwierzęcych. Mają kształt ziarna lub pałeczek, o średnicy od 0,2 do 2,0 μm i dlugości do 5 μm. Wytwarzają one w komórce energię oraz zawierają enzymy biorące udział w oddychaniu komórkowym, czyli utlenianiu biologicznym. Liczba mitochondriów jest zależna od rodzaju komórek; zajmują średnio 6–15% objętości komórki.

Lizosomy znajdują się nad mitochondriami. Są to struktury owalne lub kuliste, o średnicy od 0,2 do 0,8 μm. Zawierają enzymy hydrolityczne, rozkładające większość produktów komórkowych powstałych z rozpadu różnych tworów cytoplazmatycznych. Trawią także substancje, które wnikają do komórki z zewnątrz, np. biorą udział w procesach niszczenia bakterii i wirusów.

Siateczka śródplazmatyczna, czyli **endoplazmatyczna**, jest to układ błon wewnątrzkomórkowych, tworzących system kanalików zapewniających połączenia między wszystkimi organellami komórkowymi. Rozróżnia się siateczkę śródplazmatyczną pozbawioną rybosomów (gładką) oraz zawierającą rybosomy (szorstką). Siateczka śródplazmatyczna bierze udział w syntezie i transporcie białek, syntezie cholesterolu, fosfolipidów i trójglicerydów. Do jej funkcji należy także udział w rozpadzie glikogenu.

Aparat Golgiego występuje w większości komórek. Składa się z zespołów kulistych tworów, połączonych w nieregularne siateczki lub pasemka otaczające jądro. Aparat Golgiego otacza produkty sekrecji błoną układu siateczkowatego, która po połączeniu się z błoną komórkową powoduje przenikanie tych produktów z wnętrza na zewnątrz komórki.

Centrosom i centriole. W większości komórek, przeważnie w okolicy jądra, znajduje się struktura cytoplazmy podstawowej zwana centrum komórkowym lub centrosomem. Składa się z dwóch lub więcej ziarenek albo pałeczek, zwanych centriolami. Centrosom i jego centriole zapoczątkowują podział komórki. W centriolach biorą początek rzęski i witki komórkowe.

Włókienka, czyli **fibryle**, występują w komórkach mięśniowych i nerwowych. W komórkach mięśniowych tworzą układy w postaci włókien kurczliwych – miofibryli, a w nerwowych stanowią włókna przewodzące – neurofibryle.

Jądro komórkowe. Tylko niektóre komórki ssaków nie mają jądra (np. erytrocyty). Większość zawiera pojedyncze jądro o kształcie kulistym, owalnym, pałeczkowatym lub segmentalnym. Niektóre komórki mają dwa jądra, a nawet kilka. Głównymi składnikami jądra są: 1) kwas dezoksyrybonukleinowy (DNA), determinujący specyficzne cechy morfologiczne i biochemiczne komórki oraz regulujący jej aktywność metaboliczną, 2) kwas rybonukleinowy (RNA) oraz 3) białka, którymi są histony (białka zasadowe) i białka niehistonowe (zasadowe lub kwaśne).

Na zewnątrz jądra komórkowego znajduje się błona, która otacza jego protoplazmę zwaną kariopla zmą. Błona jądra zawiera liczne otworki, przez które selektywnie przenikają różne składniki w głąb i na zewnątrz jądra. Plazma jądra jest jednorodną substancją; zawiera ona jąderko i chromatynę. Chromatyna, główny składnik jądra, podczas podziału komórki układa się w pasemka zwane chromosomami. Ich liczba jest wielkością stałą dla danego gatunku. U człowieka wyróżnia się 22 pary chromosomów somatycznych (autosomów) i 1 parę chromosomów płciowych (heterochromosomów), oznaczonych jako chromosomy X i Y. Podwójna (diploidalna) liczba chromosomów jest typowa dla wszystkich komórek organizmu, z wyjątkiem komórek płciowych (plemników i jaj), które zawierają zredukowaną do połowy liczbę chromosomów, tj. 22 autosomy i 1 heterochromosom X lub Y (liczba pojedyncza – haploidalna) (zob. Fizjologia komórki, Jądro komórkowe, s. 84).

Jądro komórkowe kieruje rozmnażaniem i przemianą materii komórki. W jądrze są syntetyzowane kwasy nukleinowe (RNA i DNA), skąd przenikają przez błonę jądra do cytoplazmy. Komórka nie mająca jądra nie może się rozmnażać i ginie.

Rozmnażanie komórki, zob. Fizjologia komórki, Podział komórki, s. 89.

II. TKANKI

T k a n k ą nazywa się skupienie komórek jednakowego pochodzenia i budowy, wykonujących podobne czynności.

Wyróżnia się cztery zasadnicze rodzaje tkanek: nabłonkową, łączną, mięśniową i nerwową.

Tkanka nabłonkowa

T k a n k a n a b ł o n k o w a, czyli n a b ł o n e k, pokrywa powierzchnię ciała, powierzchnie wewnętrzne narządów przewodu pokarmowego, narządów układu oddechowego, narządów moczowo-płciowych i ścian jam ciała, wchodzi też w skład ścian naczyń krwionośnych i chłonnych oraz tworzy wszystkie gruczoły. Wszędzie, gdzie występuje, pełni różnorodne czynności, do których przystosowuje się budową. Nabłonek bierze udział w metabolizmie organizmu poprzez wchłanianie substancji ze środowiska zewnętrznego oraz wydalanie określonych substancji z organizmu na zewnątrz. Wszystkie substancje, które organizm pobiera lub wydala, muszą przejść przez nabłonek.

Nabłonek dzieli się według kształtu komórek i ich ułożenia w warstwy. Komórki nabłonka są płaskie, sześcienne (czyli brukowe) i walcowate (czyli cylindryczne). K o m ó r k i p ł a s k i e są cienkimi płytkami, których wysokość jest znacznie mniejsza od szerokości i długości. K o m ó r k i s z e ś c i e n n e, o wyglądzie kostek, na przekroju poprzecznym są kwadratowe. K o m ó r k i w a l c o w a t e mają dużą wysokość oraz kształt nieregularnych prostopadłościanów. Wszystkie rodzaje komórek mogą być wyposażone na swej wolnej powierzchni w ruchome rzęski.

Uwzględniając kształt komórek, z których są zbudowane nabłonki, oraz warstwy utworzone przez te komórki, wyróżnia się: 1) nabłonki jednowarstwowe – komórki tworzą jedną warstwę leżącą na powierzchni tkanki łącznej, przylegając brzegami ściśle do siebie; 2) nabłonki wielorzędowe – komórki walcowate mają różną wysokość i wszystkie dochodzą do tkanki, na której leży nabłonek; 3) nabłonki wielowarstwowe – komórki tworzą kilka warstw,

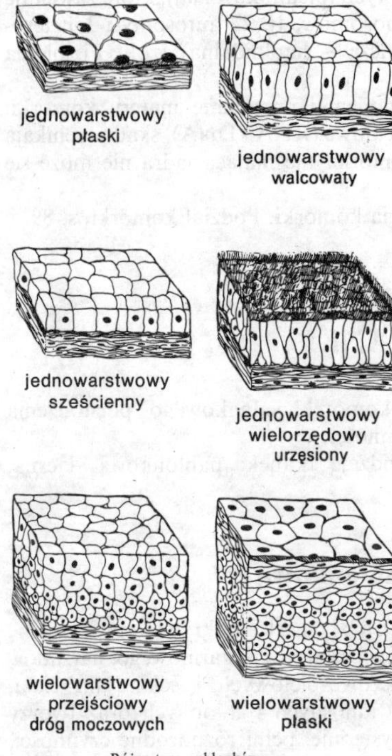

Różne typy nabłonków

z których każda zbudowana jest z komórek różniących się kształtem. W warstwie podstawowej, przylegającej do podłoża, które tworzy tkanka łączna, występują komórki walcowate, w warstwach środkowych – komórki o nieregularnych kształtach, w warstwach powierzchniowych kształt komórek bywa różny.

Nabłonki jednowarstwowe. Nabłonek jednowarstwowy płaski występuje w błędniku błoniastym ucha wewnętrznego. W naczyniach krwionośnych i chłonnych tworzy warstwę wewnętrzną ich ścian, zwaną śródbłonkiem. W pęcherzykach płucnych stanowi wyściółkę powierzchni wewnętrznej ściany pęcherzyka. Nabłonek płaski występuje również na ścianach jam serca oraz pokrywa błony surowicze: otrzewną, opłucną i osierdzie. Nabłonek jednowarstwowy walcowaty występuje na błonie śluzowej żołądka i jelit, jajowodów, macicy oraz w gruczołach i przewodach tych gruczołów. Nabłonek jednowarstwowy sześcienny występuje w gruczole tarczowym (w tarczycy), na powierzchni jajowodów, w kanalikach nerkowych, a także w oskrzelikach oddechowych płuc.

Nabłonek wielorzędowy ma zwykle rzęski. Pokrywa on jamę nosową, tchawicę, oskrzela, a w uchu jamę bębenkową i trąbkę słuchową. Ruch rzęsek nabłonka w oskrzelach, tchawicy i w jamie nosowej pozwala na wychwytywanie cząsteczek pyłów dostających się do światła narządów oddechowych z powietrzem oddechowym.

Nabłonki wielowarstwowe. Nabłonek wielowarstwowy płaski występuje w naskórku, w jamie nosowej, w przełyku, w pochwie oraz w cewce moczowej kobiety. Nabłonek wielowarstwowy sześcienny pokrywa narządy o ścianach wiotkich, ulegających rozciąganiu i obkurczaniu. Występuje on w narządach odprowadzających mocz i w pęcherzu moczowym. W pustym pęcherzu nabłonek ten ma cechy nabłonka sześciennego, a w rozciągniętym (gdy pęcherz moczowy jest wypełniony moczem) uzyskuje cechy nabłonka płaskiego. Taki nabłonek nazywany jest również nabłonkiem przejściowym. Nabłonek wielowarstwowy walcowaty występuje w spojówce oka i w cewce moczowej męskiej.

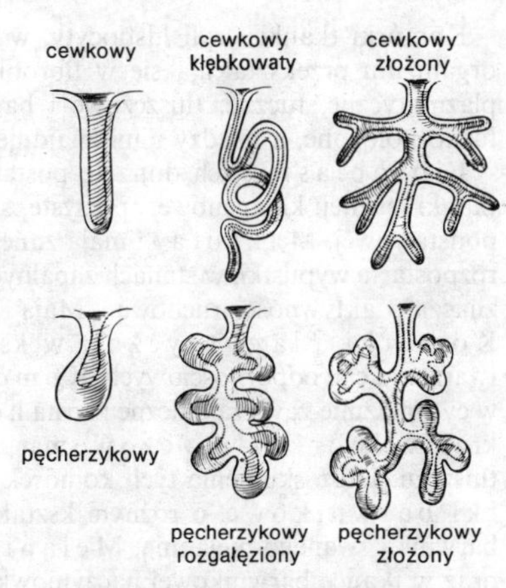

Typy budowy gruczołów zewnątrzwydzielniczych

Gruczoły powstają z nabłonka gruczołowego, który ma zdolność wytwarzania wydzieliny. Wydzielina może być produktem komórek bez ich uszkodzenia – jest to wydzielanie merokrynowe, może powstać w wyniku częściowego rozpadu komórki gruczołowej – jest to wydzielanie apokrynowe, może być też następstwem całkowitego rozpadu komórki wydzielniczej – mówi się wówczas o wydzielaniu holokrynowym. Wydzielina wytworzona przez gruczoły może być wydzielana przez przewody wydzielnicze lub bezpośrednio do krwi. Przyjmując za podstawę sposób wydzielania, rozróżnia się dwa rodzaje gruczołów: gruczoły mające przewody wydzielnicze, czyli gruczoły o wydzielaniu zewnętrznym, oraz gruczoły nie mające przewodów wydzielniczych, czyli gruczoły dokrewne lub wydzielania wewnętrznego. Wydzielina gruczołów dokrewnych nosi nazwę hormonu (zob. Fizjologia, s. 233 oraz Endokrynologia, s. 781).

Tkanka łączna

Tkanka łączna, bardzo rozpowszechniona w organizmie, występuje w różnych postaciach. Wszystkie one mają wspólne pochodzenie (wywodzą się z mezenchymy) i zdolność wytwarzania włókien w istocie międzykomórkowej.

Wyróżnia się 3 grupy tkanek łącznych: 1) tkankę łączną właściwą, 2) tkanki łączne o charakterze swoistym oraz 3) tkanki łączne szkieletowe. Do grupy tkanek łącznych zalicza się również krew i szpik kostny.

Tkanka łączna właściwa

Spośród różnych postaci tej tkanki wyróżnia się tkankę łączną włóknistą luźną i tkankę łączną włóknistą zbitą (zwartą).

Tkanka łączna włóknista luźna jest najmniej zróżnicowaną i najbardziej rozpowszechnioną w organizmie tkanką łączną. Nie tworzy narządów, a pokrywa ich powierzchnie, tworzy torebki stawowe oraz osłonki naczyń krwionośnych i nerwów, a także wypełnia przestrzenie międzykomórkowe. Tkanka łączna włóknista luźna zbudowana jest z substancji międzykomórkowej i elementów komórkowych.

Komórki tkanki, czyli histiocyty, w zależności od stanu czynnościowego organizmu przekształcają się w fibroblasty, fibrocyty, makrofagi, komórki plazmatyczne, tuczne, tłuszczowe i barwnikowe. Wszystkie te komórki są luźno położone, a między nimi znajduje się substancja międzykomórkowa.

Fibroblasty i ich dojrzałe postacie fibrocyty wytwarzają włókna tkanki łącznej: kolagenowe, sprężyste, siateczkowe, oraz składniki substancji podstawowej. Makrofagi mają zmienne kształty. W spoczynku posiadają rozpostarte wypustki, w stanach zapalnych przyjmują kształt kulisty i uzyskują znaczną aktywność ruchową. Mają zdolność fagocytozy i pinocytozy. Komórki plazmatyczne, w kształcie owalne, biorą udział w wytwarzaniu ciał odpornościowych. Komórki tuczne, o kształcie zmiennym, w cytoplazmie zawierają liczne ziarna heparyny, która obniża krzepliwość krwi. Komórki tłuszczowe mają zdolność gromadzenia w cytoplazmie tłuszczu. Duże skupienia tych komórek tworzą tkankę tłuszczową. Komórki barwnikowe, o różnym kształcie, w cytoplazmie zawierają ziarnka barwnika zwanego melaniną. Melanina występuje w tkance łącznej skóry oraz w tkance barwnikowej naczyniówki gałki ocznej.

Poza wymienionymi komórkami, w tkance łącznej włóknistej luźnej można napotkać komórki, które w zmiennej liczbie przenikają doń z układu krwionośnego i chłonnego. Mogą to być leukocyty, limfocyty i monocyty. Komórki te mają powstawać z niezróżnicowanych komórek tkanki łącznej.

Substancja międzykomórkowa tkanki łącznej włóknistej luźnej zawiera włókna kratkowe, kolagenowe i sprężyste. Włókna kratkowe są zbudowane z substancji białkowej zwanej retikuloną. Włókna kolagenowe, czyli klejorodne, zbudowane z substancji zwanej kolagenem, są bardzo wiotkie i odporne na rozerwanie. Nadają one tkankom elastyczność. Włókna sprężyste, czyli elastyczne, zbudowane z substancji białkowej zwanej elastyną, są rozciągliwe i nadają tkankom sprężystość.

Tkanka łączna włóknista zbita zbudowana jest z nielicznych elementów komórkowych sprężystych i kolagenowych. Włókna te mają utkanie nieregularne, np. w skórze właściwej, lub regularne, np. ścięgna.

W zależności od rodzaju włókien przeważających w tkance łącznej włóknistej zbitej, wyróżnia się tkankę łączną włóknistą zbitą o przewadze włókien kolagenowych oraz tkankę łączną włóknistą zbitą o przewadze włókien sprężystych. Pierwsza tworzy budulec dla powięzi, torebek stawowych, więzadeł i ścięgien, a druga – dla więzadeł.

Tkanki łączne o charakterze swoistym

Tkanki tej grupy wyróżniają się cechami swoistymi, wynikającymi z pełnionych przez nie czynności. Do grupy tej zalicza się tkanki: tłuszczową, barwnikową i siateczkową.

Tkanka tłuszczowa zbudowana jest z komórek wypełnionych tłuszczem, który w postaci wielkiej kropli spycha na obwód cytoplazmę i jądro komórkowe. Tkanka ta magazynuje tłuszcz zapasowy, który stanowi materiał energetyczny niezbędny do wytwarzania ciepła. Dzięki właściwościom fizycznym tłuszczu, tkanka tłuszczowa podskórna jest izolatorem termicznym oraz amortyzuje wstrząsy.

Tkanka barwnikowa ma liczne komórki zawierające ciemny barwnik zwany melaniną. Występuje ona w dużej ilości w błonie naczyniowej gałki ocznej, zwłaszcza w jej części przedniej – tęczówce.

Tkanka siateczkowa jest zbudowana z komórek gwiazdkowatych. Komórki te wraz z wypustkami protoplazmatycznymi tworzą siateczkę, w oczkach której położone są limfocyty. Tkanka siateczkowa stanowi zrąb dla szpiku kostnego, śledziony i węzłów chłonnych. Komórki tkanki siateczkowej są zdolne do fagocytozy i pinocytozy, mogą magazynować substancje koloidalne oraz mogą poruszać się ruchem pełzakowatym.

Tkanki łączne szkieletowe

Tkanka chrzęstna powstaje z tkanki łącznej właściwej w obrębie mezodermy. Zbudowana jest z dużych okrągłych komórek chrzęstnych – chondrocytów – które pojedynczo lub po dwie albo trzy otoczone torebką są ułożone w jamkach. Substancja międzykomórkowa jest utkana cienkimi włóknami. W zależności od rodzaju i liczby włókien w substancji międzykomórkowej, wyróżnia się tkankę chrzęstną szklistą, sprężystą i włóknistą.

Tkanka chrzęstna szklista występuje na powierzchniach stawowych, w ścianach dróg oddechowych i w żebrach. Ma ona stałą konsystencję, jest giętka i sprężysta. W jej substancji międzykomórkowej znajdują się głównie włókna kolagenowe.

Tkanka chrzęstna sprężysta. W substancji międzykomórkowej tej tkanki przeważają włókna sprężyste, które tworzą gęste siateczki. Występuje ona w małżowinie usznej, w trąbce słuchowej oraz tworzy niektóre chrząstki krtani.

Tkanka chrzęstna włóknista zbudowana jest z pęczków włókien kolagenowych, wśród których ułożone są szeregami chondrocyty. Ten rodzaj chrząstki występuje w krążkach międzykręgowych, w spojeniu łonowym i w niektórych więzadłach (np. w więzadle głowy kości udowej).

Tkanka kostna odznacza się wytrzymałością na ściskanie i rozciąganie, ma znaczną twar-

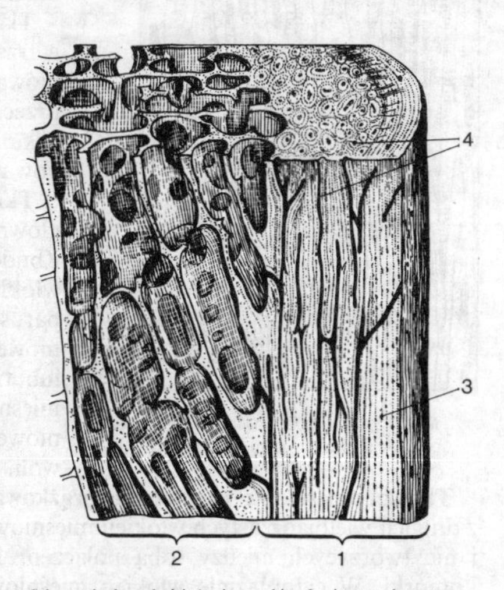

Schemat budowy kości: 1 – istota zbita, 2 – istota gąbczasta, 3 – blaszki kostne, 4 – kanał Haversa

dość. Jest zbudowana z komórek zwanych osteocytami i z substancji podstawowej zawierającej sole wapnia i substancje organiczne. Tkanka kostna tworzy elementy strukturalne zwane blaszkami kostnymi. W skład blaszki kostnej wchodzą pęczki włókien kolagenowych zespolonych substancją podstawową, zawierającą sole mineralne. Komórki kostne – osteocyty mieszczą się w jamkach rozproszonych w substancji międzykomórkowej. Jamki są połączone między sobą cienkimi kanalikami kostnymi, w których leżą nitkowate wypustki osteocytów. Blaszki kostne stanowią jednostki morfologiczne i czynnościowe kości. W zależności od ich układu wyróżnia się tkankę kostną zbitą i gąbczastą. Tkanka kostna zbita ma zwarty układ blaszek i znajduje się zawsze w częściach zewnętrznych kości. Tkanka gąbczasta mieści się wewnątrz kości.

Tkanka mięśniowa

Tkanka mięśniowa zbudowana jest z komórek mięśniowych zwanych włóknami mięśniowymi. Każde włókno jest otoczone cienką błoną – sarkolemą. W cytoplazmie, nazywanej sarkoplazmą, znajdują się włókienka kurczliwe, czyli miofibryle, układające się w pęczki oraz jedno lub kilka jąder.

Tkanka mięśniowa ma zdolność odpowiadania skurczem na wszystkie podniety, czyli bodźce. Istotą skurczu jest zmiana kształtu komórki, objawiająca się jej znacznym skróceniem.

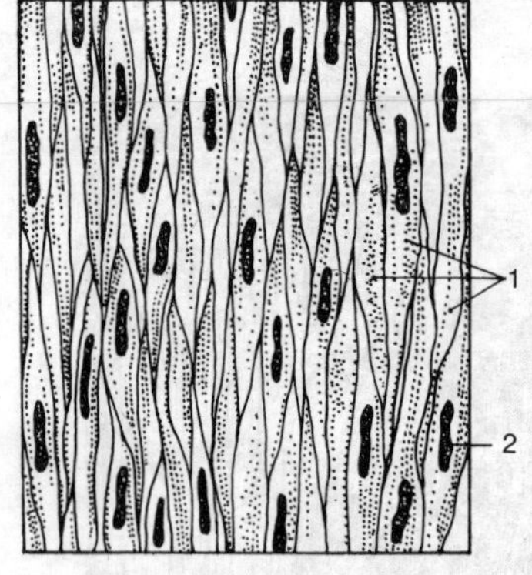

Mięsień gładki (przekrój podłużny): 1 – komórki mięśnia, 2 – jądro komórkowe

Tkanka mięśniowa występuje w trzech postaciach, jako tkanka mięśniowa gładka, tkanka mięśniowa poprzecznie prążkowana szkieletowa i tkanka mięśniowa poprzecznie prążkowana serca.

Tkanka mięśniowa gładka występuje głównie w narządach wewnętrznych. Zbudowana jest z wrzecionowatych włókien różnej długości, od kilku do paruset mikrometrów. Włókna mięśniowe gładkie występują pojedynczo lub tworzą skupienie w postaci błon mięśniowych. Czynność tkanki mięśniowej gładkiej nie zależy od naszej woli.

Tkanka mięśniowa poprzecznie prążkowana szkieletowa zbudowana jest z długich wielojądrzastych włókien mięśniowych, leżących jedno przy drugim i nie tworzących między sobą połączeń. Jądra znajdują się na obwodzie komórki. W cytoplazmie włókien mięśniowych znajdują się bardzo liczne włókienka kurczliwe – miofibryle. We włókienkach tych, oglądanych

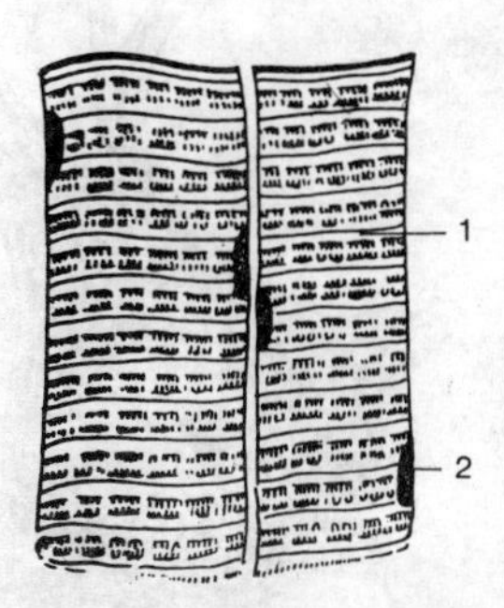

Mięsień poprzecznie prążkowany (przekrój podłużny): 1 – odcinek włókna mięśniowego z charakterystycznym prążkowaniem, 2 – jedno z jąder komórkowych

przez mikroskop, można wyróżnić naprzemiennie ułożone jasne i ciemne prążki przebiegające poprzecznie (stąd nazwa – mięśnie poprzecznie prążkowane). Odpowiednie prążki leżą równolegle w sąsiednich włóknach mięśniowych. Odcinki jasne załamują światło pojedynczo, odcinki ciemne – podwójnie.

Z tkanki poprzecznie prążkowanej zbudowane są mięśnie szkieletowe. Czynność tych mięśni podlega naszej woli.

Tkanka mięśniowa poprzecznie prążkowana serca zbudowana jest również z włókien mięśniowych wielojądrzastych, ale jądra ułożone są centralnie w osi włókien. W przeciwieństwie do mięśni szkieletowych, włókna w sercu tworzą rozwidlenia, którymi łączą się między sobą w sieć przestrzenną. Poprzecznie do osi włókien przebiegają charakterystycznie zbudowane granice międzykomórkowe – są to błonki zwane wstawkami. Tkanka mięśniowa poprzecznie prążkowana serca kurczy się niezależnie od naszej woli, pod wpływem bodźców powstających automatycznie w układzie przewodzącym serca.

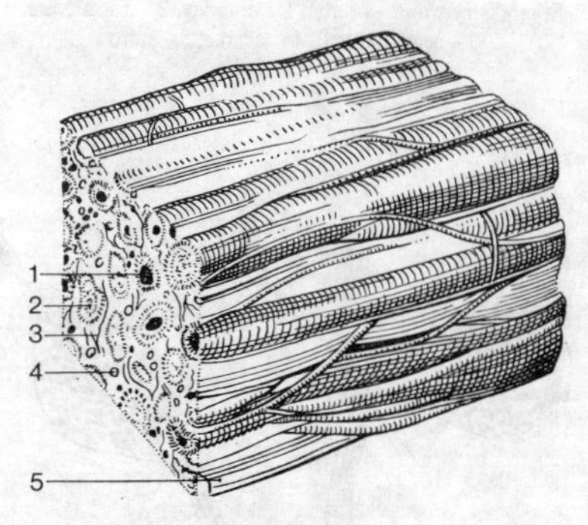

Mięsień sercowy (plastycznie): 1 – jądro, 2 – włókno mięśniowe, 3 – tkanka łączna, 4 – naczynie krwionośne, 5 – włókno mięśniowe

Tkanka nerwowa

Tkanka nerwowa jest zbudowana z komórek nerwowych zwanych neuronami. Neuron składa się z ciała komórki oraz wypustek. W ciele komórki znajduje się neuroplazma oraz jądro. W neuroplazmie mieszczą się włókienka przewodzące, czyli neurofibryle. Od ciała komórki

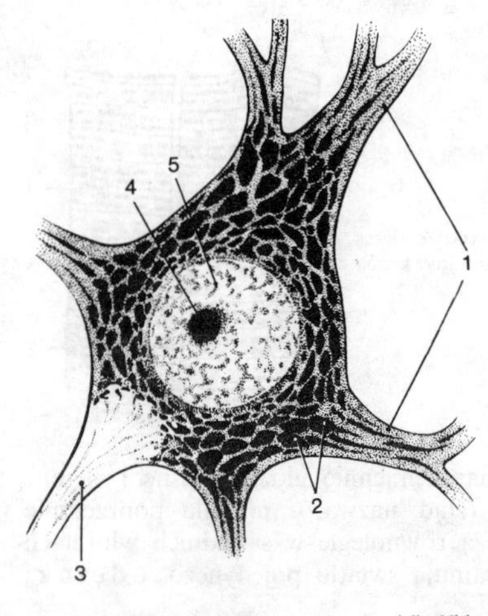

Komórka nerwowa – neuron: 1 – dendryty, 2 – ciałka Nisla, 3 – neuryt (akson), 4 – jąderko, 5 – jądro

odchodzą dwa rodzaje wypustek; dłuższa wypustka zwana jest zwykle n e u r y t e m albo a k s o n e m, inne, krótsze wypustki, drzewkowato rozgałęzione, noszą miano d e n d r y t ó w. Neuron, niezależnie od kształtu, ma tylko jeden neuryt, który przewodzi pobudzenie od ciała komórki na obwód. Dendryty są wypustkami protoplazmatycznymi i ich liczba zależy od kształtu ciała komórki. Dendryty przewodzą impulsy nerwowe do ciała komórki.

W tkance nerwowej występują różnokształtne neurony. Kształt ciała komórki może być kulisty, wrzecionowaty lub wieloboczny. Wyróżnia się neurony zwojowe, dwubiegunowe i wielobiegunowe. Neurony zwojowe i dwubiegunowe

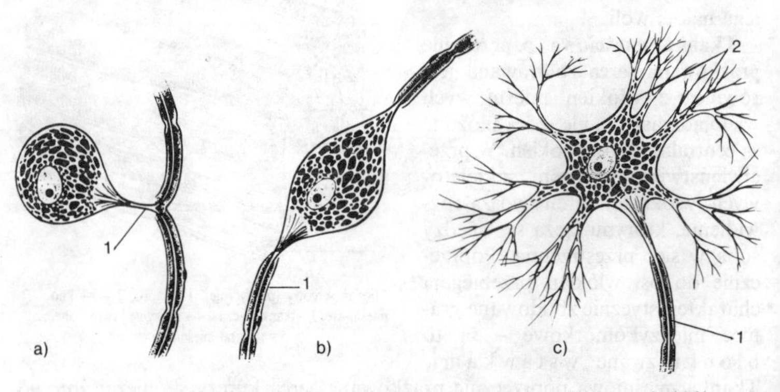

Typy komórek nerwowych – neuronów: a) zwojowa – pseudojednobiegunowa, b) dwubiegunowa, c) wielobiegunowa; 1 – neuryt (akson), 2 – dendryty

mają po jednym neurycie i dendrycie, natomiast neurony wielobiegunowe mają tylko jeden neuryt i kilka dendrytów. Neurony zwojowe tworzą zwoje nerwowe, dwubiegunowe występują w siatkówce gałki ocznej i w nabłonku pola węchowego jamy nosowej. Neurony wielobiegunowe występują w mózgowiu i w rdzeniu kręgowym.

Pęczki neurytów lub dendrytów tworzą w ł ó k n o n e r w o w e, czyli n e r w.

III. KOŚCI, WIĘZADŁA I STAWY

Ogólna budowa kości

Kościec zbudowany jest z kości, chrząstek, stawów i więzadeł. Stanowi on rusztowanie całego organizmu, określa jego kształt, wielkość i wytrzymałość. Wiele kości spełnia rolę dźwigni, do których przymocowane są mięśnie powodujące ruchy jednych kości w stosunku do drugich lub poruszanie się całego ciała. Niektóre kości łącząc się ze sobą tworzą osłony dla wielu narządów, np. kręgosłup chroni zawarty w jego kanale rdzeń kręgowy, czaszka chroni mieszczące się w jej jamie mózgowie oraz leżący w oczodole narząd wzroku, a w kościach skroniowych – narząd słuchu i równowagi. Ponadto kości są siedliskiem szpiku, którego czynność polega na wytwarzaniu krwinek czerwonych i białych.

Budowa kości. Kość zbudowana jest głównie z tkanki kostnej (zob. s. 9), która w zależności od układu blaszek kostnych tworzy istotę zbitą i istotę gąbczastą. Od zewnątrz pokrywa kość mocna warstwa łącznotkankowa zwana okostną. Istota zbita występuje zawsze na powierzchni kości. Zbudowana jest z blaszek kostnych ułożonych w słupy kostne nazywane osteonami. W środku osteonu biegnie kanał, do którego z okostnej poprzecznymi kanałami dochodzą naczynia krwionośne. Istota gąbczasta jest również zbudowana z blaszek kostnych, ale tworzą one grube beleczki, płytki lub różnokształtne bryły. Ich układ zależy od przebiegu sił działających na kość. Przestrzenie między beleczkami wypełnia szpik kostny.

Pod względem chemicznym kość składa się z wody (15–40%), z różnych soli wapniowych (30–35%) oraz związków organicznych (30–50%). Związki nieorganiczne nadają kości dużą wytrzymałość na zgniatanie, a związki organiczne sprężystość i elastyczność.

Kształt kości. W zależności od kształtu kości dzieli się na długie, krótkie, płaskie i różnokształtne. Kości długie składają się z części środkowej – trzonu – oraz dwóch nasad, czyli końców: końca bliższego (górnego) i dalszego (dolnego). Grubościenny trzon, długi, zbudowany jest z okostnej, grubej warstwy istoty zbitej, wyściółki jamy szpikowej oraz z jamy szpikowej wypełnionej szpikiem kostnym. Końce bliższy i dalszy zbudowane są z cienkiej warstwy istoty zbitej i grubej warstwy istoty gąbczastej wypełnionej szpikiem kostnym. Ich powierzchnie stawowe pokrywa chrząstka szklista.

Kości krótkie mają wszystkie swe wymiary prawie takie same. Kości te występują tam, gdzie mocna budowa łączy się z niewielką ruchomością, np. kości nadgarstka.

Kości płaskie zbudowane są z dwóch warstw istoty zbitej. Między nimi znajduje się istota gąbczasta, czyli śródkoście, wypełnione szpikiem kostnym. Kości płaskie mają kształt szerokich, mniej lub bardziej powyginanych, cienkich płyt, np. kości ciemieniowe, mostek, łopatki.

Kości różnokształtne nie mieszczą się w żadnej z powyższych grup.

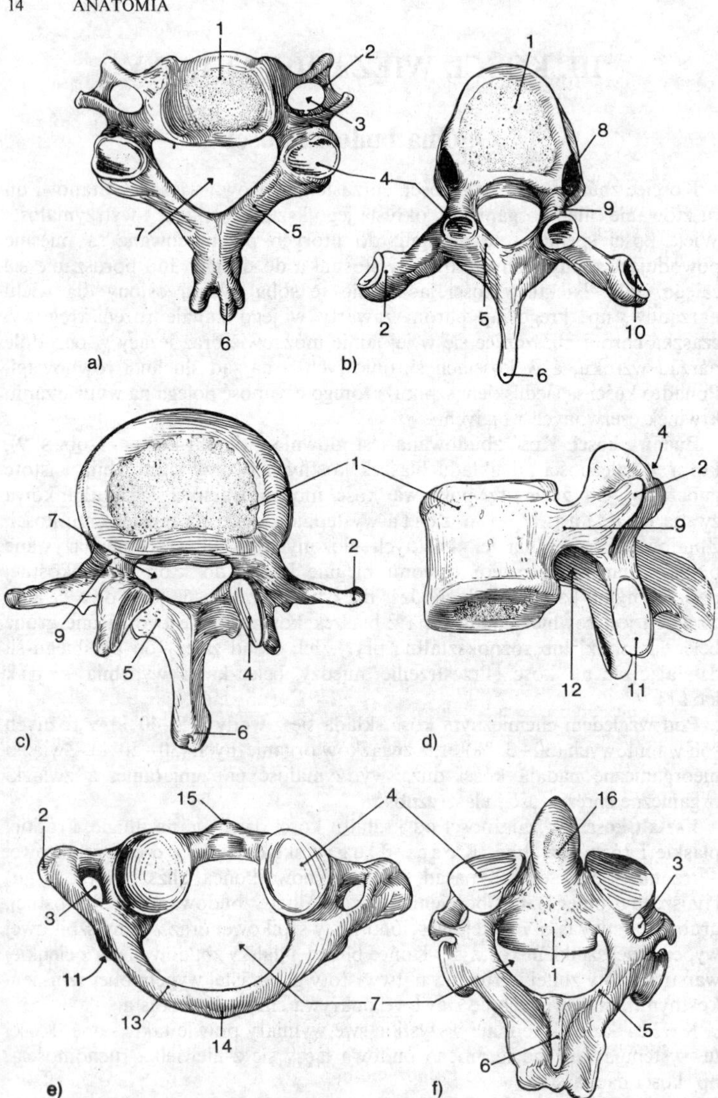

Typowe kręgi kręgosłupa widziane z góry: a) kręg szyjny, b) kręg piersiowy, c) kręg lędźwiowy, d) kręg lędźwiowy z boku, e) kręg szczytowy, f) kręg obrotowy; 1 – trzon, 2 – wyrostek poprzeczny, 3 – otwór wyrostka poprzecznego, 4 – wyrostek stawowy górny, 5 – łuk, 6 – wyrostek kolczysty, 7 – otwór kręgowy, 8 – dołek żebrowy górny, 9 – nasada łuku kręgowego, 10 – wyrostek poprzeczny z dołkiem żebrowym, 11 – wyrostek stawowy dolny, 12 – wcięcie kręgowe dolne, 13 – łuk tylny, 14 – guzek tylny, 15 – guzek przedni, 16 – ząb kręgu obrotowego

Połączenie kości. Poszczególne kości mają różny stopień ruchomości, co zależy od sposobu ich połączeń. Wyróżnia się połączenia ścisłe, półścisłe i ruchome. Połączenia ścisłe dzieli się na więzozrosty, chrząstkozrosty i kościozrosty. Więzozrosty tworzy tkanka łączna właściwa. Zalicza się do nich więzadła, szwy i wklinowanie. Chrząstkozrosty tworzą chrząstki włókniste lub szkliste. Kościozrost powstaje na skutek skostnienia więzozrostu lub chrząstkozrostu. Połączenia półścisłe i połączenia ruchome stanowią stawy. W połączeniach tych kości przylegają do siebie powierzchniami stawowymi. Powierzchnie te, pokryte chrząstką szklistą, a czasem włóknistą, powlekają główkę i panewkę stawową. Elementy te z zewnątrz otacza torebka stawowa. W torebce można wyróżnić warstwę zewnętrzną włóknistą i warstwę wewnętrzną maziową, która wydziela lepką ciecz zwaną mazią stawową. Ponadto w stawach istnieją struktury pomocnicze, do których zalicza się krążki stawowe, obrąbki stawowe, łąkotki stawowe, więzadła i kaletki maziowe.

Kościec

Cały kościec składa się z kręgosłupa, klatki piersiowej, kończyn górnych i dolnych oraz z czaszki.

Kręgosłup (*columna vertebralis*) zbudowany jest z 33 lub 34 kręgów: 7 szyjnych (C_1-C_7), 12 piersiowych (Th_1-Th_{12}), 5 lędźwiowych (L_1-L_5), 5 krzyżowych (S_1-S_5) i 4 lub 5 guzicznych (Co_1-Co_{4-5}). Kręg jest zbudowany z trzonu i łuku kręgowego oraz z odchodzących od łuku 7 wyrostków, spośród których 4 to wyrostki stawowe górne i dolne, 2 skierowane ku bokom wyrostki poprzeczne i zwrócony do tyłu wyrostek kolczysty. Trzon od przodu, a łuk z boku i od tyłu ograniczają otwór kręgowy. Otwory nałożonych na siebie kręgów tworzą kanał kręgowy; leży w nim rdzeń kręgowy. Łuk w miejscu przyczepu do trzonu tworzy u góry i na dole wcięcia kręgowe górne i dolne. Wcięcia kręgowe dwóch sąsiednich kręgów tworzą otwory międzykręgowe prawy i lewy, przez które wychodzą z kanału kręgowego nerwy rdzeniowe.

Spośród kręgów szyjnych, pierwszy zwany jest kręgiem szczytowym lub atlasem, a drugi kręgiem obrotowym. Kręg szczytowy nie ma trzonu, tylko dwie części boczne oraz połączone z nimi łuki: przedni (mniejszy) i tylny. Trzon kręgu szczytowego zrasta się z trzonem kręgu obrotowego, tworząc ząb kręgu obrotowego. Wszystkie kręgi szyjne w swych wyrostkach poprzecznych mają otwory. Kręgi piersiowe na wyrostkach poprzecznych i na powierzchniach bocznych trzonów mają dołki żebrowe, będące miejscami połączenia żeber z kręgosłupem. Kręgi lędźwiowe cechuje bardzo masywna budowa trzonów. Kręgi krzyżowe zrastają się w jedną całość zwaną kością krzyżową, podstawą skierowaną ku górze, a wierzchołkiem ku dołowi. Od strony miednicy powierzchnia kości krzyżowej jest wklęsła, od strony grzbietu – wypukła i dwie części boczne kości mają powierzchnie uchowate. Wewnątrz kości krzyżowej znajduje

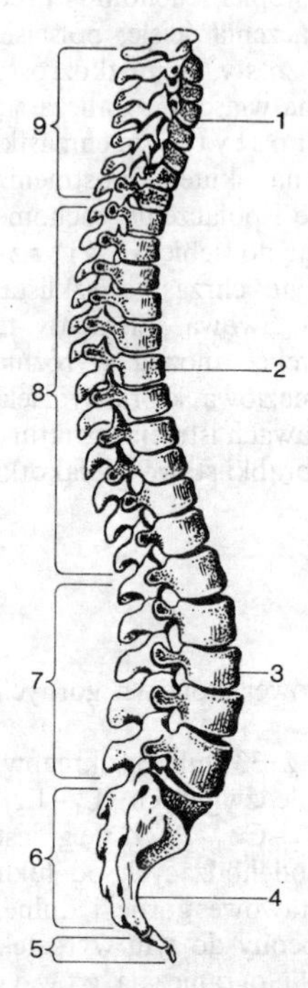

Kręgosłup (od strony prawej): 1 – krzywizna szyjna, 2 – krzywizna piersiowa, 3 – krzywizna lędźwiowa, 4 – krzywizna krzyżowa, 5 – kręgi guziczne (kość guziczna), 6 – kręgi krzyżowe (kość krzyżowa), 7 – kręgi lędźwiowe, 8 – kręgi piersiowe, 9 – kręgi szyjne

się kanał krzyżowy. Kręgi guziczne występują u człowieka w postaci szczątkowej; połączone ze sobą tworzą kość guziczną.

Wszystkie kręgi zespolone w jedną całość tworzą kręgosłup. Kręgi w kręgosłupie połączone są ze sobą za pomocą chrząstkozrostów, więzozrostów i stawów. Chrząstkozrosty kręgosłupa tworzą krążki międzykręgowe, zbudowane z części obwodowej – pierścienia włóknistego i części środkowej – jądra miażdżystego. Krążki międzykręgowe są połączone z powierzchniami trzonów kręgowych za pomocą cienkiej warstwy chrząstki szklistej. Połączenia włókniste kręgów stanowią więzadła długie i krótkie. Stawy międzykręgowe są utworzone przez powierzchnie stawowe wyrostków stawowych górnych i dolnych sąsiednich kręgów. Dzięki tym połączeniom kręgosłup uzyskuje dużą wytrzymałość i niezbędną ruchomość. Ruchy zachodzą tylko w odcinkach nadkrzyżowych kręgosłupa. W odcinku szyjnym możliwe są ruchy zginania i prostowania, zgięcia boczne oraz ruchy obrotowe. W odcinku piersiowym odbywają się ruchy obrotowe, zgięcia boczne oraz – w czasie wydechu i wdechu – nieznaczne ruchy zginania i prostowania. W odcinku lędźwiowym kręgosłupa możliwe są ruchy zginania, prostowania, zginania na boki oraz ruchy obwodzenia.

Kręgosłup stanowi oś tułowia, jest więc narządem podporowym ciała oraz narządem ochronnym, łagodzącym wstrząsy, które działają podczas chodzenia. Zapewnia też ruchomość głowy, zaś zawarty w nim szpik kostny pełni funkcję krwiotwórczą. Do pełnienia tych funkcji, jak również ze względów statycznych, kręgosłup w rozwoju filogenetycznym zmienił swój kształt. Pierwotnie prosty słup wykształcił 4 krzywizny leżące w płaszczyźnie strzałkowej: szyjną i lędźwiową (*lordosis*), zwrócone wypukłością ku przodowi, oraz piersiową i krzyżową (*kyphosis*) – wypukłością skierowane ku tyłowi.

Klatka piersiowa (*thorax*) składa się z mostka, żeber i części piersiowej kręgosłupa. Mostek (*sternum*) jest płaską, podłużną kością. Wyróżnia się w nim część górną, zwaną rękojeścią, środkową – zwaną trzonem i część dolną nazywaną wyrostkiem mieczykowatym.

Żebra (*costae*) u człowieka występują w liczbie 12 par. Dzielimy je na prawdziwe i rzekome. Żebra prawdziwe – 7 par górnych (I–VII) – łączą się bezpośrednio z mostkiem. Żebra rzekome – żebra VIII, IX

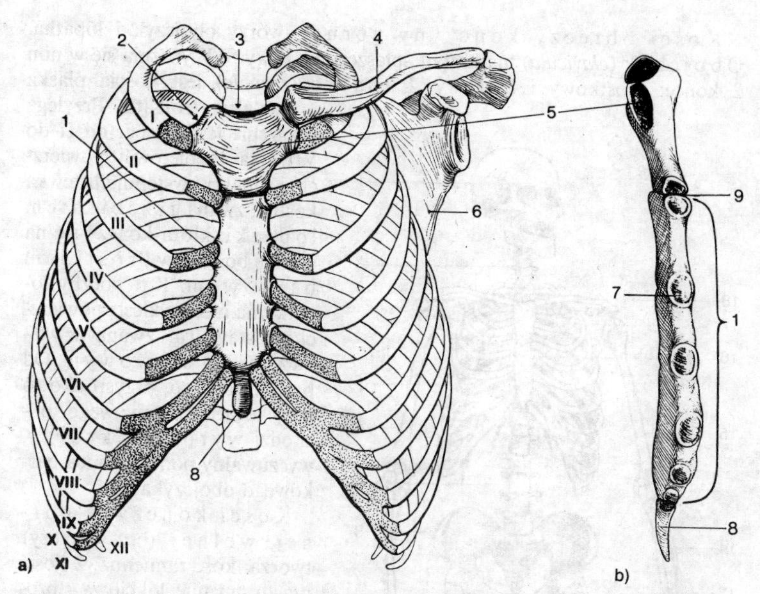

Klatka piersiowa: a) widok ogólny (chrząstki zaznaczono kropkowaniem), b) mostek (widok z boku); 1 – trzon mostka, 2 – wcięcie obojczykowe, 3 – wcięcie szyjne, 4 – obojczyk, 5 – rękojeść mostka, 6 – łopatka, 7 – powierzchnia stawowa dla chrząstki żebrowej, 8 – wyrostek mieczykowaty, 9 – kąt mostkowy, I – XII – żebra

i X łączą się pośrednio z mostkiem i tworzą prawy i lewy łuk żebrowy, żebra XI i XII są żebrami wolnymi i kończą się swobodnie między mięśniami brzucha. Każde żebro składa się z części przedniej, zwanej chrząstką żebrową, i części tylnej, czyli kości żebrowej (żebra kostnego). Kość żebrowa dzieli się na głowę, szyję i trzon. Kość żebrowa łączy się z odpowiednimi kręgami piersiowymi.

Klatka piersiowa ma kształt spłaszczonego stożka. Wyróżnia się w niej ścianę przednią, 2 ściany boczne, ścianę tylną oraz 2 otwory: górny i dolny. Między żebrami znajdują się przestrzenie międzyżebrowe. Klatka piersiowa stanowi ochronę dla serca, płuc, tchawicy, przełyku, wielkich naczyń krwionośnych oraz nerwów. Otwór dolny klatki piersiowej, o wiele szerszy od górnego, zamknięty jest przeponą, która oddziela klatkę piersiową od jamy brzusznej. Klatka piersiowa tworzy zamkniętą przestrzeń o zmiennej objętości, dzięki czemu może zmieniać się w niej ciśnienie, a to warunkuje z kolei wentylację pęcherzyków płucnych. Objętość klatki piersiowej zmienia się na skutek ruchów mostka, żeber, odcinka piersiowego kręgosłupa i przepony. Objętość klatki piersiowej zwiększa się podczas wdechu, a maleje w czasie wydechu.

Kości kończyny górnej. Szkielet kończyny górnej dzieli się na kości obręczy kończyny górnej i kości kończyny górnej wolnej.

Kości obręczy kończyny górnej tworzy obojczyk i łopatka. Obojczyk (*clavicula*) ma kształt spłaszczonej litery S. Wyróżnia się w nim 2 końce: mostkowy i barkowy. Łopatka (*scapula*) jest kością płaską w kształcie trójkąta. Przylega na grzbiecie do żeber od II do VII. Na grzbietowej powierzchni łopatki występuje listewka kostna, zwana grzebieniem łopatki, która kończy się na stronie bocznej wyrostkiem barkowym. Kąt boczny łopatki ma nieco wklęsłą powierzchnię stawową, zwaną wydrążeniem stawowym. Od brzegu górnego, przyśrodkowo od wydrążenia stawowego, odchodzi wyrostek kruczy, wyczuwalny poniżej końca barkowego obojczyka.

Kości kończyny górnej wolnej (bez obręczy) tworzą: kość ramienna, 2 kości przedramienia: łokciowa i promieniowa, oraz kości ręki: nadgarstka, śródręcza i kości palców. Kość ramienna (*humerus*) jest kością długą. Na jej końcu bliższym (górnym) znajduje się głowa kości pokryta powierzchnią stawową. Na granicy końca bliższego i trzonu jest przewężenie, zwane szyjką chirurgiczną. Na końcu dalszym (dolnym) znajduje się pokryty chrząstką kłykieć, składający się z części bocznej, zwanej główką, i części przyśrodkowej, nazywanej bloczkiem. Kość łokciowa (*ulna*) położona jest po stronie przyśrodkowej przedramienia. Na końcu bliższym tej kości, z przodu, leży wyrostek dziobiasty, a z tyłu wyrostek łokciowy. Między obu wyrostkami znajduje się wcięcie bloczkowe.

Kościec (szkielet) człowieka: 1 – czaszka, 2 – kręgosłup, 3 – klatka piersiowa, 4 – kończyna górna, 5 – miednica, 6 – kończyna dolna, 7 – kości stopy, 8 – kość piszczelowa, 9 – kość strzałkowa, 10 – rzepka, 11 – kość udowa, 12 – kości ręki, 13 – kość łokciowa, 14 – kość promieniowa, 15 – kość ramienna, 16 – mostek, 17 – łopatka, 18 – obojczyk

Koniec dalszy, zaokrąglony, zwany jest głową kości łokciowej. Kość promieniowa (*radius*) na końcu bliższym ma głowę i szyjkę, a na końcu dalszym skierowaną ku dołowi powierzchnię stawową nadgarstkową. Kości nadgarstka (*ossa carpi*) ułożone są po 4 w dwóch szeregach: bliższym i dalszym. W szeregu bliższym, od strony palca pierwszego, czyli kciuka, położone są następujące kości: kość łódeczkowata, kość księżycowata, kość trójgraniasta, kość grochowata. W szeregu dalszym: kość czworoboczna większa, kość czworoboczna mniejsza, kość główkowata i kość haczykowata. Kości śródręcza (*ossa metacarpi*) jest pięć, liczy się je od kości promieniowej. W każdej z nich wyróżnia się: podstawę, trzon i głowę. Kości placów ręki są nazywane paliczkami. Kciuk składa się z dwóch paliczków: bliższego i dalszego, pozostałe palce z trzech paliczków: bliższego, środkowego i dalszego.

Stawy kończyny górnej. Kończyna górna jest połączona z tułowiem za pomocą dwóch stawów obręczy kończyny górnej: stawu mostkowo-obojczykowego i stawu barkowo-obojczykowego. Ruchy stawów są sprzężone i polegają na ustawianiu barku w stosunku do tułowia przy ruchach ramienia. Łopatka może być unoszona ku górze, obniżona ku dołowi, wysuwana do przodu oraz przesuwana do tyłu. Ruchom łopatki towarzyszą ruchy końca barkowego obojczyka.

Obręcz kończyny górnej jest połączona z kończyną górną za pomocą stawu ramiennego. Tworzą go wydrążenie stawowe łopatki i głowa kości ramiennej. Staw ramienny wykonuje ruchy zginania i prostowania, odwodzenia i przywodzenia oraz obrotu do wewnątrz i na zewnątrz.

Staw łokciowy jest utworzony przez główkę i bloczek kości ramiennej oraz wcięcie bloczkowe kości łokciowej i głowę kości promieniowej. Wykonuje on ruchy zgięcia i prostowania oraz ruchy nawracania i odwracania przedramienia i ręki.

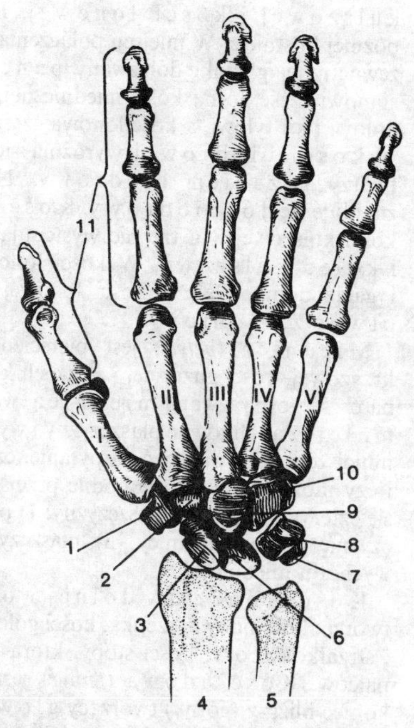

Kości ręki: 1 – kość czworoboczna większa, 2 – kość czworoboczna mniejsza, 3 – kość łódeczkowata, 4 – kość promieniowa, 5 – kość łokciowa, 6 – kość księżycowata, 7 – kość grochowata, 8 – kość trójgraniasta, 9 – kość główkowata, 10 – kość haczykowata, 11 – paliczki palców, I–V kości śródręcza

Staw promieniowo-nadgarstkowy jest utworzony przez

powierzchnię stawową nadgarstkową kości promieniowej i szereg bliższy kości nadgarstka (zob. s. 19). W stawie tym zachodzą ruchy zginania i prostowania oraz odwodzenia promieniowego i odwodzenia łokciowego ręki.

Stawy nadgarstkowo-śródręczne są utworzone przez kości szeregu dalszego nadgarstka i podstawy kości śródręcza. Staw nadgarstkowo-śródręczny kciuka wykonuje ruchy: przeciwstawiania i odprowadzania oraz odwodzenia i przywodzenia kciuka. Pozostałe stawy nadgarstkowo-śródręczne są stawami półścisłymi.

Stawy śródręczno-paliczkowe wykonują ruchy zginania i prostowania oraz odwodzenia i przywodzenia. W stawach międzypaliczkowych możliwe są tylko ruchy zginania i prostowania.

Kości kończyny dolnej. Szkielet kończyny dolnej dzieli się na kości obręczy kończyny dolnej i kości kończyny dolnej wolnej.

Obręcz kończyny dolnej tworzy kość miedniczna (*os coxae*), powstała ze zrośnięcia się trzech kości: kości biodrowej, kości kulszowej i kości łonowej. Pierwotnie łączy je chrząstka, która później kostnieje. W miejscu połączenia tych kości tworzy się na powierzchni zewnętrznej głęboki dół zwany panewką biodrową. Kość biodrowa stanowi część górną kości miednicznej, kość kulszowa – część zwróconą ku dołowi i ku tyłowi, a kość łonowa część skierowaną ku górze i ku przodowi. W kości biodrowej wyróżnia się trzon i talerz. Górny brzeg talerza tworzy grzebień biodrowy. Na powierzchni wewnętrznej talerza znajduje się dół biodrowy. Kość kulszowa dzieli się na trzon i gałąź kości kulszowej. Na trzonie występują dwie wyniosłości: guz kulszowy i kolec kulszowy. W kości łonowej wyróżnia się trzon, gałąź górną i gałąź dolną. Gałęzie kości łonowej i gałąź kości kulszowej ograniczają otwór zasłoniony.

Miednica (*pelvis*) jest pierścieniem kostnym, utworzonym z kości krzyżowej, kości guzicznej i z dwóch kości miednicznych. Miednica dzieli się na część górną, zwaną miednicą większą, i część dolną – miednicą mniejszą. Umowne płaszczyzny i wymiary pozwalają ocenić jamę miednicy mniejszej i odpowiedzieć na pytanie, czy jama ta jest wystarczająco obszerna i czy może zapewnić swobodne przejście płodu w czasie porodu. Wyróżnia się cztery następujące płaszczyzny: 1) płaszczyzna wchodu miednicy, 2) płaszczyzna próżni miednicy, 3) płaszczyzna cieśni miednicy, 4) płaszczyzna wychodu miednicy.

Kości kończyny dolnej wolnej. Szkielet kończyny dolnej wolnej tworzą: kość udowa, rzepka, kości goleni, do których należy kość piszczelowa i strzałkowa, oraz kości stopy, którą tworzą kości stępu, śródstopia i kości palców. Kość udowa (*femur*) jest kością długą. Wyróżnia się w niej: koniec bliższy (górny) tworzący głowę osadzoną na szyjce, część środkową stanowiącą trzon oraz koniec dalszy (dolny) mający kłykieć boczny i przyśrodkowy. Rzepka (*patella*) ma skierowaną ku górze podstawę oraz zwrócony ku dołowi wierzchołek.

Kość piszczelowa (*tibia*) leży po stronie przyśrodkowej goleni. Na końcu bliższym znajdują się dwa kłykcie: boczny i przyśrodkowy, pokryte powierzchnią stawową górną. Poniżej kłykci jest trzon kości piszczelowej. Na końcu dalszym wyróżniamy kostkę przyśrodkową i powierzchnię stawową dolną. Kość strzałkowa, czyli strzałka (*fibula*), leży po stronie bocznej goleni. Na końcu bliższym posiada głowę, a na dalszym – kostkę boczną.

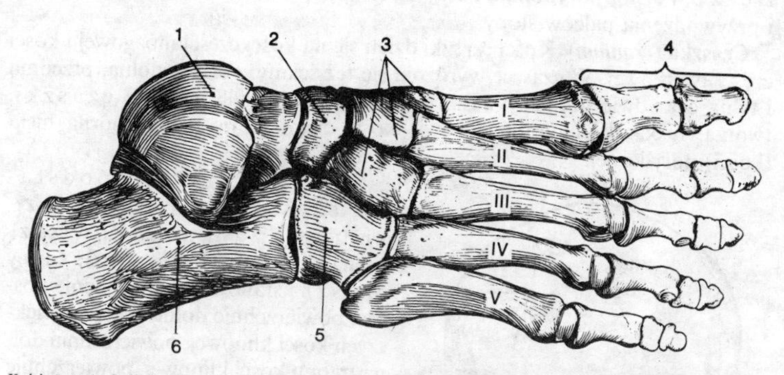

Kości stopy: 1 – kość skokowa, 2 – kość łódkowata, 3 – kości klinowate, 4 – paliczki palców, 5 – kość sześcienna, 6 – kość piętowa, I – V – kości śródstopia

Kości stępu (*ossa tarsi*) ułożone są w dwóch odcinkach – przednim i tylnym. Odcinek tylny (bliższy) stanowi kość skokowa (*talus*) i pod nią leżąca kość piętowa (*calcaneus*). Kość piętowa ma silnie wysunięty ku tyłowi guz piętowy. Odcinek przedni (dalszy) kości stępu składa się z kości łódkowatej, kości sześciennej i kości klinowatych: przyśrodkowej, pośredniej i bocznej.

Kości śródstopia (*ossa metatarsi*) jest pięć. Każda kość śródstopia posiada podstawę, trzon i głowę. Kości palców stopy stanowią paliczki. Palec pierwszy, czyli paluch (*hallux*), składa się z paliczka bliższego i dalszego. Pozostałe palce stopy mają po trzy paliczki: bliższy, środkowy i dalszy.

Stawy kończyny dolnej. Kończyna dolna jest połączona z tułowiem za pomocą stawów obręczy kończyny dolnej: dwóch stawów krzyżowo-biodrowych, które utworzone są przez powierzchnie uchowate kości biodrowych i kości krzyżowej, oraz spojenia łonowego – chrząstkozrostu utworzonego przez kości łonowe, prawą i lewą.

Obręcz kończyny dolnej jest połączona z kończyną dolną wolną za pomocą stawu biodrowego, będącego stawem wieloosiowym. Staw ten tworzy głowa kości udowej i panewka kości miednicznej. Zachodzą w nim ruchy zginania i prostowania, odwodzenia i przywodzenia oraz ruchy obrotowe. Staw kolanowy tworzą kości: udowa, piszczelowa i rzepka. Jamę stawową dzielą dwie łękotki: boczna i przyśrodkowa. W stawie kolanowym możliwe są ruchy zginania i prostowania oraz przy zgiętej kończynie – ruchy obrotowe.

Staw skokowo-goleniowy łączy kości goleni z kością skokową. Wykonuje ruchy zginania i prostowania. Staw skokowo-łódkowo-piętowy pozwala na wykonywanie ruchów odwracania i odwodzenia. Stawy międzystępowe i stępowo-śródstopne stanowią połączenia półścisłe. Stawy śródstopno-paliczkowe i międzypaliczkowe stopy wykonują ruchy zginania i prostowania oraz odwodzenia i przywodzenia palców stopy.

Czaszka (*cranium*). Kości czaszki dzieli się na kości części mózgowej i kości części twarzowej. W czaszce wyróżnia się też ściany: górną i dolną, przednią i tylną oraz dwie boczne. Ścianę górną, czyli sklepienie czaszki, tworzą: łuska (kość) czołowa, dwie kości ciemieniowe i część górna łuski (kości) potylicznej.

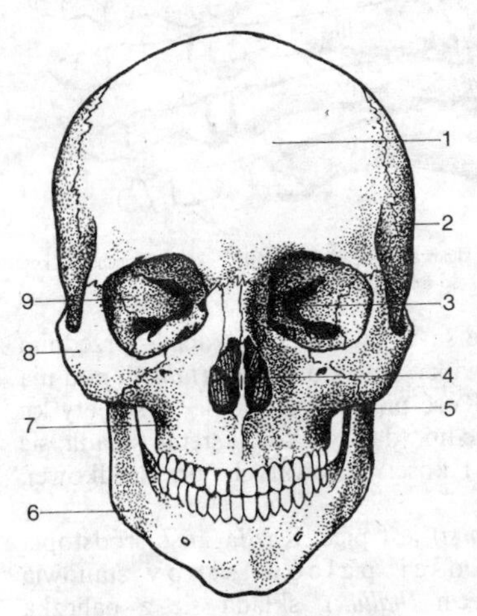

Kości czaszki: 1 – kość czołowa, 2 – kość skroniowa, 3 – kość nosowa, 4 – przegroda kostna nosa, 5 – małżowina nosowa dolna, 6 – żuchwa, 7 – szczęka, 8 – kość jarzmowa, 9 – oczodół

Ściana dolna, czyli podstawa czaszki, ma powierzchnię zewnętrzną i wewnętrzną. Powierzchnię zewnętrzną podstawy czaszki stanowią: podniebienie kostne, powierzchnie dolne skrzydeł większych kości klinowej, powierzchnia dolna trzonu kości klinowej, powierzchnie dolne piramid kości skroniowych i powierzchnia dolna kości potylicznej. Na powierzchni dolnej kości skroniowej leży dół żuchwowy, kanał tętnicy szyjnej i wyrostek sutkowaty. Kość potyliczna ma otwór wielki i dwa kłykcie potyliczne. Otwór szyjny ograniczony jest piramidą kości skroniowej i częścią boczną kości potylicznej.

Powierzchnia wewnętrzna podstawy czaszki podzielona jest na trzy doły: przedni, środkowy i tylny. Dół przedni czaszki od środkowego oddzielają brzegi skrzydeł mniejszych i bruzda skrzyżowania wzrokowego kości klinowej, natomiast dół tylny od środkowego odgraniczają brzegi górne piramid kości skroniowych i grzbiet siodła tureckiego. W dole przednim, pośrodku, leży blaszka sitowa przebita licznymi otworami, a w częściach bocznych – stropy oczodołów i kanały wzrokowe. W dole środkowym w części środkowej mieści się dół przysadki, a w częściach bocznych – szczeliny oczodołowe górne oraz otwory: okrągłe, owalne i kolcowe. W dole tylnym znajduje się otwór wielki, a po jego stronach bocznych – otwory szyjne. Powyżej tych otworów, na powierzchniach tylnych piramid kości skroniowych znajdują się otwory słuchowe wewnętrzne prowadzące do przewodów słuchowych wewnętrznych.

Ścianę przednią czaszki, czyli twarz kostną, tworzą: kość czołowa, kości nosowe, kości jarzmowe, szczęka i żuchwa. W ścianie przedniej biorą początek: układ oddechowy (jama nosowa) i układ pokarmowy (jama ustna) oraz mieszczą się narządy zmysłów: wzroku, węchu i smaku. Narząd wzroku leży w oczodołach, narząd powonienia w jamie nosowej, a narząd smaku w jamie ustnej.

Ściana tylna czaszki utworzona jest głównie przez kość potyliczną oraz częściowo przez kości ciemieniowe i skroniowe.

Ścianę boczną czaszki (parzystą) tworzą: kość skroniowa, kość jarzmowa i kość klinowa. Na ścianie bocznej znajduje się łuk jarzmowy i otwór słuchowy zewnętrzny stanowiący wejście do przewodu słuchowego zewnętrznego.

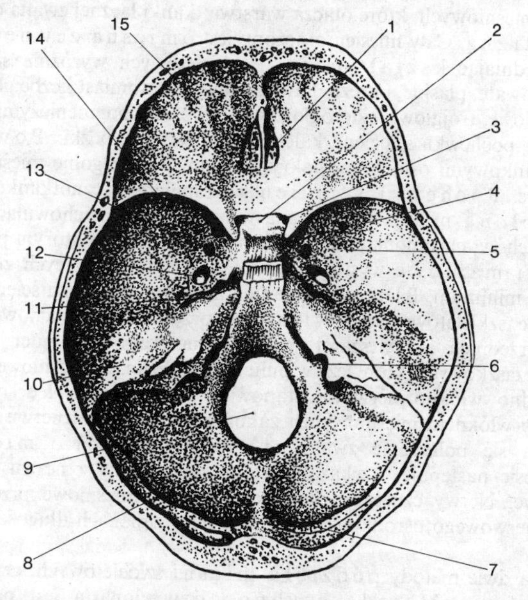

Powierzchnia wewnętrzna podstawy czaszki: 1 – blaszka sitowa kości sitowej, 2 – bruzda skrzyżowania wzrokowego, 3 – kanał wzrokowy, 4 – dół przysadki, 5 – skrzydło większe kości klinowej, 6 – otwór szyjny, 7 – guzowatość potyliczna wewnętrzna, 8 – kość potyliczna, 9 – otwór wielki, 10 – część skalista kości skroniowej, 11 – otwór kolcowy, 12 – otwór owalny, 13 – otwór okrągły, 14 – skrzydło mniejsze kości klinowej, 15 – część oczodołowa kości czołowej

Połączenia pomiędzy kośćmi czaszki są różnorodne. Tworzą je szwy, chrząstkozrosty, kościozrosty i stawy. Staw skroniowo-żuchwowy – parzysty – utworzony przez głowę żuchwy i dół żuchwowy kości skroniowej, zawiera krążek śródstawowy, który tworzy ruchomą panewkę. Ruchy obu stawów są sprzężone. Stawy te wykonują ruchy żucia, otwierania i zamykania ust oraz wysuwania i cofania żuchwy.

IV. UKŁAD MIĘŚNIOWY

Mięśnie są zbudowane z tkanki mięśniowej (zob. s. 10). Cechuje je pobudliwość oraz silna kurczliwość. Dzięki pobudliwości będącej zdolnością reagowania na bodźce, w mięśniach powstaje pewien stan czynny, prowadzący do ich skurczu. Mięśnie kurcząc się zmieniają swoją długość lub napięcie.

Mięśnie szkieletowe, zbudowane z tkanki mięśniowej poprzecznie prążkowanej, są narządami ruchu czynnego. W pojedynczym mięśniu wyróżnia się: brzusiec, ścięgno lub rozcięgno początkowe oraz ścięgno lub rozcięgno końcowe. Ścięgna i rozcięgna przyczepiają mięśnie do kości i przenoszą pracę mięśni na szkielet. Ścięgna i rozcięgna zbudowane są z pęczków włókien tkanki łącznej właściwej zbitej. Brzusiec składa się z pęczków włókien mięśniowych, które otacza warstwa tkanki łącznej zwana omięsną wewnętrzną. Cały mięsień otoczony jest omięsną zewnętrzną.

Uwzględniając kształt mięśni szkieletowych wyróżnia się: mięśnie wrzecionowate, płaskie, okrężne, uwzględniając natomiast liczbę głów – mięśnie dwugłowe, trójgłowe, czterogłowe itp. Tworami pomocniczymi mięśni są: powięzie, pochewki ścięgien, kaletki maziowe i bloczki. Powięzie są łącznotkankowymi osłonkami pokrywającymi poszczególne mięśnie i grupy mięśniowe. Pochewki ścięgien są kanałami łącznotkankowymi wysłanymi błoną maziową. Biegną w nich ścięgna, zachowując określony zakres ruchów, chronione przed tarciem o podłoże, nad którym przebiegają. Kaletki maziowe występują w miejscach wymagających zmniejszenia tarcia do minimum. Bloczki określają kierunek przebiegu ścięgna.

Mięśnie szkieletowe unerwione są przez włókna ruchowe komórek rogów przednich istoty szarej rdzenia kręgowego lub jąder ruchowych nerwów czaszkowych, które leżą w pniu mózgu. Włókna mięśniowe unerwione przez jedno włókno nerwowe stanowią tzw. jednostkę ruchową. Pomiędzy włóknem mięśniowym i zakończeniem włókna nerwu ruchowego wytwarza się połączenie zwane synapsą nerwowo-mięśniową. W synapsie następuje przekazanie stanu pobudzania z nerwu na włókno mięśniowe. Nerwy czuciowe otaczające włókna mięśniowe przekazują do układu nerwowego ośrodkowego informacje o zmianach długości i napięcia mięśnia.

Istnieją dwie metody podziału mięśni szkieletowych: czynnościowa i topograficzna. Metoda czynnościowa oparta jest na działaniu mięśni na stawy; w zależności od czynności wyróżnia się mięśnie: zginacze, prostowniki, odwodziciele, przywodziciele, zwieracze, mimiczne itp. Metoda topograficzna oparta jest na stosunku mięśni do szkieletu. Zgodnie z tą zasadą wyróżnia się mięśnie: grzbietu, głowy, szyi, klatki piersiowej, brzucha, kończyn górnych i kończyn dolnych.

Mięśnie grzbietu układają się po prawej i lewej stronie kręgosłupa, od kości krzyżowej aż do kości potylicznej. Dzielą się na dwie warstwy: powierzchniową i głęboką. Mięśnie warstwy powierzchniowej mają przyczepy początkowe na kręgosłupie, a przyczepy końcowe na kościach obręczy kończyny górnej, kości ramiennej i na żebrach. Mięśnie warstwy

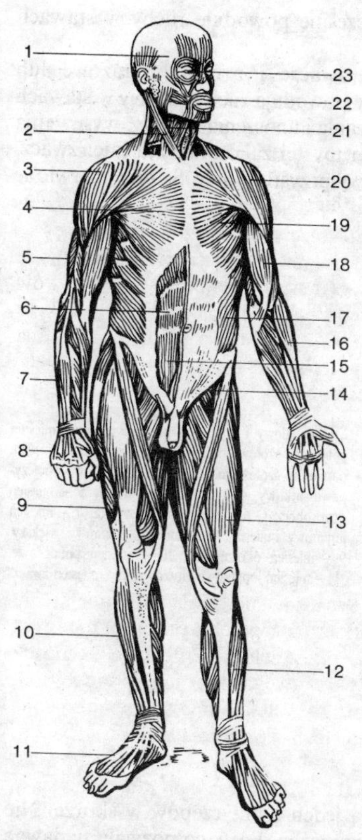

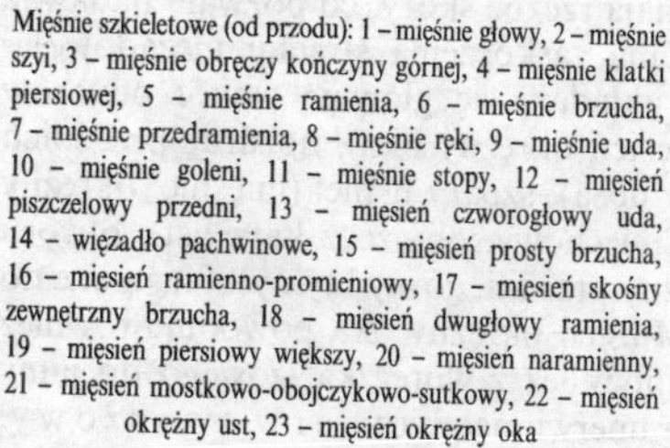
Mięśnie szkieletowe (od przodu): 1 – mięśnie głowy, 2 – mięśnie szyi, 3 – mięśnie obręczy kończyny górnej, 4 – mięśnie klatki piersiowej, 5 – mięśnie ramienia, 6 – mięśnie brzucha, 7 – mięśnie przedramienia, 8 – mięśnie ręki, 9 – mięśnie uda, 10 – mięśnie goleni, 11 – mięśnie stopy, 12 – mięsień piszczelowy przedni, 13 – mięsień czworogłowy uda, 14 – więzadło pachwinowe, 15 – mięsień prosty brzucha, 16 – mięsień ramienno-promieniowy, 17 – mięsień skośny zewnętrzny brzucha, 18 – mięsień dwugłowy ramienia, 19 – mięsień piersiowy większy, 20 – mięsień naramienny, 21 – mięsień mostkowo-obojczykowo-sutkowy, 22 – mięsień okrężny ust, 23 – mięsień okrężny oka

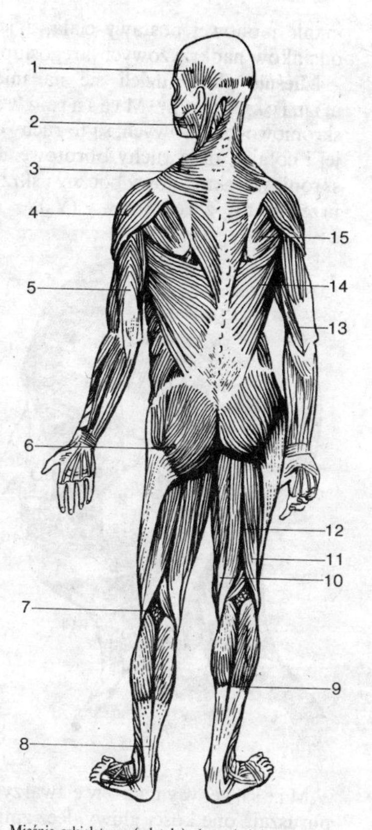

Mięśnie szkieletowe (od tyłu): 1 – mięsień skroniowy, 2 – mięsień żwacz, 3 – mięsień czworoboczny, 4 – mięsień naramienny, 5 – mięsień trójgłowy ramienia, 6 – mięsień pośladkowy wielki, 7 – dół podkolanowy, 8 – ścięgno piętowe (Achillesa), 9 – mięsień trójgłowy łydki, 10 – mięsień półbłoniasty, 11 – mięsień dwugłowy uda, 12 – mięsień półścięgnisty, 13 – mięsień ramienny, 14 – mięsień najszerszy grzbietu, 15 – mięśnie obręczy kończyny górnej

g ł ę b o k i e j tworzą mięsień p r o s t o w n i k g r z b i e t u i mięśnie p o d - p o t y l i c z n e. Mięśnie powierzchniowe powodują ruchy szyi, obręczy kończyny górnej i ramienia. Działają również jako p o m o c n i c z e m i ę ś - n i e w d e c h o w e. Mięsień p r o s t o w n i k g r z b i e t u warunkuje utrzymanie pionowej postawy ciała, a jednocześnie powoduje ruchy w stawach odcinków nadkrzyżowych kręgosłupa.

Mięśnie głowy dzieli się na mięśnie żwacze i mięśnie wyrazowe lub mimiczne twarzy. Mięśnie żwacze powodują ruchy żuchwy w stawach skroniowo-żuchwowych; są to ruchy obniżania i unoszenia żuchwy, wysuwania jej i cofania oraz ruchy obrotowe. Do grupy tej zalicza się mięśnie: żwacz, skroniowy, skrzydłowy boczny i skrzydłowy przyśrodkowy. Są one unerwione przez nerw żuchwowy (V_3).

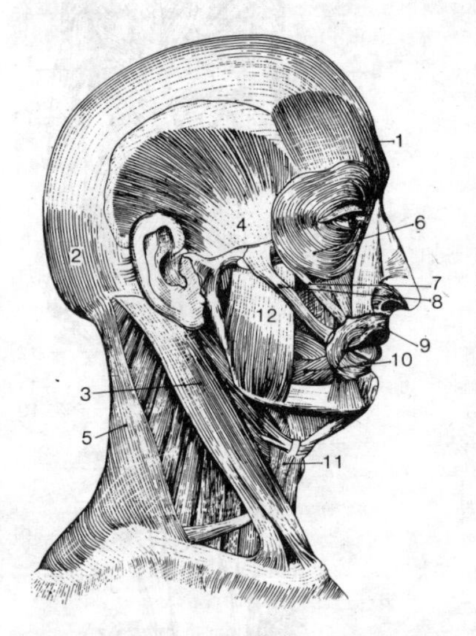

Mięśnie głowy i szyi: 1 – brzusiec czołowy mięśnia potyliczno-czołowego, 2 – brzusiec potyliczny mięśnia potyliczno-czołowego, 3 – mięsień mostkowo-obojczykowo-sutkowy, 4 – mięsień skroniowy, 5 – mięsień czworoboczny, 6 – mięsień okrężny oka, 7 – mięsień jarzmowy mniejszy, 8 – mięsień jarzmowy większy, 9 – mięsień okrężny ust, 10 – mięsień policzkowy, 11 – mięsień łopatkowo-gnykowy, 12 – mięsień żwacz

Mięśnie wyrazowe twarzy mają jeden z przyczepów w skórze. Nie poruszają one kości głowy, lecz zmieniają rzeźbę skóry, co pozwala nadawać twarzy wyraz radości, spokoju, zdziwienia, zaskoczenia, strachu, niezadowolenia, gniewu itp. Mięśnie wyrazowe układają się głównie wokół otworów naturalnych: szpar powiekowych (mięsień okrężny oka), nozdrzy przednich (mięśnie: nosowy, obniżacz przegrody nosa), szpary ustnej (mięśnie: okrężny ust, dźwigacz kąta ust, policzkowy, śmiechowy, obniżacz kąta ust), otworu słuchowego zewnętrznego (mięsień uszny przedni, górny i tylny). Służą one do regulowania wymiarów tych szpar. Mięsień okrężny oka powoduje również odruchy powiekowe oraz ułatwia odpływ łez z woreczka łzowego do jamy nosowej. Mięśnie wyrazowe twarzy są unerwione przez nerw twarzowy.

Mięśnie szyi układają się w trzy warstwy, symetrycznie dokoła narządów szyi i szyjnego odcinka kręgosłupa. Warstwę powierzchowną stanowią: mięsień szeroki szyi i mięsień mostkowo-obojczykowo-sutkowy, który powoduje pochylenie i obrót głowy w stronę przeciwną; może on działać również jako pomocniczy mięsień wdechowy.

Mięśnie warstwy środkowej dzielą się na mięśnie podgnykowe i nadgnykowe. Mięśnie podgnykowe rozpoczynają się na mostku, obojczyku i łopatce, kończą się na kości gnykowej. Działanie ich warunkuje ustalenie kości gnykowej, co umożliwia opuszczanie żuchwy i pracę języka. Mięśnie nadgnykowe biegną od kości gnykowej do żuchwy i podstawy czaszki (do kości skroniowej). Unoszą kość gnykową (podczas połykania), a przy ustalonej kości gnykowej obniżają żuchwę. Mięśnie warstwy środkowej unerwiają: splot szyjny (pętla szyjna), nerw twarzowy i nerw żuchwowy (V_3).

Mięśnie warstwy głębokiej przyczepiają się do kręgów szyjnych i do I i II żebra. Mięśnie tej grupy przy działaniu jednostronnym zginają część szyjną kręgosłupa do boku, a przy obustronnym – zginają do przodu. Przy ustalonym kręgosłupie mięśnie pochyłe szyi unoszą żebra i mostek ku górze, są więc pomocniczymi mięśniami wdechowymi.

Mięśnie klatki piersiowej dzielą się również na trzy warstwy: powierzchowną, środkową i głęboką. Mięśnie powierzchowne przyczepiają się do mostka i żeber oraz do łopatki, obojczyka i kości ramiennej. Grupę tę stanowią mięśnie: piersiowy większy, piersiowy mniejszy i zębaty przedni. Wszystkie współdziałają przy ruchach obręczy barkowej i ramienia oraz działają jako pomocnicze mięśnie wdechowe. Do grupy mięśni warstwy środkowej należą mięśnie międzyżebrowe zewnętrzne (wdechowe) i wewnętrzne (wydechowe). Do mięśni warstwy głębokiej należy mięsień poprzeczny klatki piersiowej rozpostarty między mostkiem i żebrami oraz przepona. Przepona oddziela jamę klatki piersiowej od jamy brzusznej i przyczepia się do kręgów lędźwiowych, do żeber od VII do XII i do mostka. W przeponie znajdują się trzy otwory: 1) rozwór aortowy leżący ku przodowi od kręgosłupa; przechodzą przez niego aorta i limfatyczny przewód piersiowy; 2) rozwór przełykowy, przez który przechodzą przełyk i nerwy błędne (prawy i lewy) oraz 3) otwór żyły głównej, przez który przechodzi z jamy brzusznej do klatki piersiowej żyła główna dolna. Przepona podczas skurczów obniża się ku dołowi. Jest ona najsilniejszym mięśniem wdechowym. Bierze również udział w wydalaniu kału i moczu, a u kobiet działa w czasie porodu. Unerwiona jest przez nerwy przeponowe.

Mięśnie brzucha są mięśniami płaskimi. Mięsień prosty brzucha biegnie podłużnie od mostka do spojenia łonowego. Mięsień czworoboczny lędźwi leży między XII żebrem, grzebieniem biodrowym i kręgami lędźwiowymi. Przestrzeń pomiędzy obu mięśniami oraz łukiem żebrowym i więzadłem pachwinowym wypełniają mięśnie: skośny zewnętrzny i wewnętrzny brzucha oraz mięsień poprzeczny brzucha. Więzadło pachwinowe biegnie od kolca biodrowego przedniego górnego do guzka łonowego.

Mięśnie brzucha pełnią szereg funkcji: 1) działają podczas wydechu; 2) działają podczas kaszlu, śmiechu i wydawania głosu; 3) są antagonistami mięśnia prostownika grzbietu; działając wspólnie z tym mięśniem warunkują pionową postawę ciała; 4) współpracują z innymi mięśniami podczas wydalania kału i moczu, u kobiet także podczas porodu. Mięśnie brzucha są unerwione przez nerwy międzyżebrowe i gałęzie splotu lędźwiowego.

W ścianie przedniej brzucha jest wiele miejsc o zmniejszonej wytrzymałości, które mogą stanowić wrota przepuklin. Na szczególną uwagę zasługują tu kanał pachwinowy i pierścień pępkowy. Kanał pachwinowy przebija przednią ścianę brzucha i biegnie równolegle do więzadła pachwinowego. Ma on dwa pierścienie: pierścień pachwinowy powierzchowny, leżący w rozcięgnie mięśnia skośnego zewnętrznego brzucha, i pierścień pachwinowy głęboki, położony w powięzi poprzecznej brzucha. W kanale pachwinowym u mężczyzn biegnie powrózek nasienny, a u kobiet – więzadło obłe macicy. Kanał ten jest miejscem częstego powstawania przepukliny pachwinowej. Pierścień pępkowy leży w obrębie kresy białej i pokryty jest pępkiem. Kresa biała, utworzona przez włókna rozcięgien mięśni płaskich brzucha, biegnie od wyrostka mieczykowatego mostka do spojenia łonowego.

Mięśnie kończyny górnej dzielą się na mięśnie obręczy kończyny górnej i mięśnie kończyny górnej wolnej, do których należą mięśnie: ramienia, przedramienia i ręki.

Mięśnie obręczy kończyny górnej łączą łopatkę i obojczyk z kością ramienną. Grupę tę stanowią mięśnie: nadgrzebieniowy, podgrzebieniowy, obły większy, obły mniejszy, podłopatkowy i naramienny. Mięśnie te współdziałają we wszystkich ruchach w stawie ramiennym, biorą również udział w ograniczeniu jamy pachowej (pomiędzy powierzchnią przyśrodkową ramienia a ścianą boczną klatki piersiowej). W jamie pachowej znajdują się węzły chłonne pachowe, splot ramienny oraz przebiegają naczynia krwionośne i limfatyczne kończyny górnej. Wszystkie mięśnie tej grupy unerwia część nadobojczykowa splotu ramiennego.

Mięśnie ramienia rozpoczynają się na łopatce, obojczyku i kości ramiennej, a kończą się na końcach bliższych kości przedramienia. Tworzą one dwie grupy: przednią i tylną. Grupę przednią stanowią mięśnie: kruczo-ramienny, dwugłowy ramienia i ramienny, unerwione przez nerw mięśniowo-skórny. Mięśnie te zginają kończynę w stawie ramiennym i łokciowym oraz odwracają przedramię i rękę. Grupę tylną tworzą prostowniki stawu ramiennego i łokciowego: mięsień trójgłowy ramienia i mięsień łokciowy, unerwione są przez nerw promieniowy.

Mięśnie przedramienia biorą początek na końcu dalszym kości ramiennej i na kościach przedramienia, a kończą się na kościach ręki po stronie dłoniowej i grzbietowej ręki. Mięśnie te zginają i prostują rękę i palce ręki oraz nawracają i odwracają przedramię i rękę. Zależnie od topografii, mięśnie przedramienia dzieli się na trzy grupy: przednią, tylną i boczną. Grupę przednią stanowią mięśnie: zginacz łokciowy i promieniowy nadgarstka, nawrotny obły i czworoboczny, dłoniowy długi, zginacz długi kciuka, zginacz powierzchowny i głęboki palców. Mięśnie tej grupy unerwione są przez nerw łokciowy i nerw pośrodkowy. Grupę tylną tworzą mięśnie: prostownik długi i krótki kciuka, odwodziciel długi kciuka, prostownik palców, prostownik wskaziciela, prostownik palca małego, prostownik łokciowy nadgarstka. Mięśnie te unerwione są przez nerw promieniowy.

W skład *grupy bocznej* wchodzą mięśnie: ramienno-promieniowy, prostownik promieniowy długi i krótki nadgarstka, unerwione przez nerw promieniowy.

Mięśnie ręki ułożone są na dłoni w trzy grupy: 1) *mięśnie kłębu*, które powodują ruchy kciuka – zginanie, przywodzenie, przeciwstawianie i odprowadzanie; 2) *mięśnie kłębika*, które zginają, odwodzą i przeciwstawiają palec mały oraz 3) *mięśnie środkowe*, powodujące ruchy prostowania, przywodzenia i odwodzenia palców II, III, IV i V. Mięśnie ręki są unerwione przez nerw pośrodkowy i nerw łokciowy.

Mięśnie kończyny dolnej dzieli się na mięśnie obręczy kończyny dolnej i mięśnie kończyny dolnej wolnej, do których należą: mięśnie uda, goleni i mięśnie stopy.

Mięśnie obręczy kończyny dolnej biorą początek na kręgach lędźwiowych, kości krzyżowej i kości miednicznej, a kończą się na kości udowej. Grupę tę stanowią mięśnie: biodrowo-lędźwiowy, zasłaniacz wewnętrzny i zewnętrzny, pośladkowy wielki, średni i mały, gruszkowaty, czworoboczny, bliźniaczy górny i dolny. Mięśnie te współdziałają we wszystkich ruchach w stawie biodrowym, odgrywają dużą rolę w utrzymywaniu pionowej postawy ciała, w chodzeniu po pochyłym terenie (np. po górach, schodach), w tańcu oraz w czasie siadania i wstawania. Są unerwione przez nerwy: udowy, zasłonowy, pośladkowy górny i dolny.

Mięśnie uda rozpoczynają się na kości miednicznej i udowej, a kończą się na końcach kości goleni. Tworzą one trzy grupy: przednią, tylną i przyśrodkową. *Grupę przednią* stanowi mięsień czworogłowy uda, powodujący zginanie w stawie biodrowym i prostowanie w stawie kolanowym. Mięsień ten unerwia nerw udowy. Do *grupy tylnej* należą mięśnie: dwugłowy uda, półścięgnisty i półbłoniasty, współdziałające przy prostowaniu uda w stawie biodrowym i zginające kończynę w stawie kolanowym. Unerwia je nerw kulszowy. *Grupa przyśrodkowa* składa się z mięśni: grzebieniowego, smukłego oraz przywodziciela wielkiego, długiego i krótkiego. Mięśnie te powodują ruch przywodzenia w stawie biodrowym. Wszystkie są unerwione przez nerw zasłonowy.

W górnej części uda pod więzadłem pachwinowym biegnie *kanał udowy*. Rozpoczyna się pierścieniem udowym, a kończy na powierzchni przedniej uda rozworem odpiszczelowym; jego ścianę boczną stanowi żyła udowa.

Mięśnie goleni biorą początek na końcu dalszym kości udowej i na kościach goleni, kończą się na kościach stopy. Topograficznie dzieli się je na trzy grupy: przednią, tylną i boczną. *Grupę przednią* stanowią mięśnie: prostownik długi palców, piszczelowy przedni, prostownik długi palucha. Mięśnie te prostują stopę i palce stopy oraz współdziałają w ruchu odwracania stopy. Są unerwione przez nerw strzałkowy głęboki. *Grupę tylną* stanowią mięśnie: trójgłowy łydki, którego ścięgno piętowe (Achillesa) przyczepia się do guza piętowego, piszczelowy tylny, zginacz długi palców, zginacz długi palucha. Mięśnie te powodują zginanie stopy i palców stopy, przywodzenie i odwracanie stopy. Unerwione są przez nerw piszczelowy. Do *grupy* b o c z n e j należą mięśnie: strzałkowy długi i krótki, powodujące odwodzenie i nawracanie stopy. Są unerwione przez nerw strzałkowy powierzchowny.

M i ę ś n i e s t o p y dzielą się na mięśnie grzbietu stopy i mięśnie podeszwy. M i ę ś n i e g r z b i e t u s t o p y stanowią: mięsień prostownik krótki palców i mięsień prostownik krótki palucha. Unerwia je nerw strzałkowy głęboki. M i ę ś n i e p o d e s z w y to mięśnie: palucha, palca małego (V) i środkowe. Mięśnie podeszwy zginają, odwodzą oraz przywodzą palce stopy. Mają również duże znaczenie w utrzymaniu prawidłowego wysklepienia stopy. Są unerwione przez nerw podeszwowy boczny i przyśrodkowy – gałęzie nerwu piszczelowego.

V. UKŁAD TRAWIENNY

Układ trawienny (pokarmowy) składa się z przewodu pokarmowego z jego gruczołami oraz narządów pomocniczych – zębów i języka. Przewód pokarmowy rozpoczyna się szparą ustną a kończy odbytem. Do przewodu pokarmowego należą: jama ustna, gardło, przełyk, żołądek, jelito cienkie (dwunastnica, jelito czcze i kręte), jelito grube (jelito ślepe, okrężnica, odbytnica) oraz wątroba i trzustka (tablica I).

Ściana przewodu pokarmowego składa się przeważnie z trzech warstw: błony zewnętrznej, błony mięśniowej i błony śluzowej. B ł o n ę z e w n ę t r z - n ą, osłaniającą narządy przewodu pokarmowego, tworzy tkanka łączna właściwa wiotka lub zbita. Narządy położone w jamie brzusznej i w miednicy mniejszej są dodatkowo pokryte b ł o n ą s u r o w i c z ą zwaną o t r z e w n ą. B ł o n a m i ę ś n i o w a zbudowana jest przeważnie z tkanki mięśniowej gładkiej. Tkanka mięśniowa poprzecznie prążkowana występuje tylko w jamie ustnej, gardle, częściowo w przełyku i odbytnicy. Błona mięśniowa w ścianach narządów przewodu pokarmowego, z wyjątkiem żołądka, ma dwie warstwy włókien – podłużną i okrężną. Warstwa podłużna układa się zewnętrznie, a warstwa okrężna – wewnętrznie. B ł o n a ś l u z o w a zbudowana jest z nabłonka płaskiego lub walcowatego oraz z tkanki łącznej i warstwy włókien mięśniówki gładkiej.

Jama ustna

J a m a u s t n a (*cavum oris*) ograniczona jest od przodu wargami górną i dolną, po bokach policzkami, od góry podniebieniem twardym i miękkim, a od dołu mięśniami tworzącymi tzw. p r z e p o n ę dna jamy ustnej. Jama ustna rozpoczyna się szparą ust, a kończy się otworem łączącym ją z gardłem, zwanym c i e ś n i ą g a r d z i e l i. Cieśń gardzieli jest ograniczona z góry podniebieniem miękkim, z boków łukami podniebiennymi, a na dole – nasadą języka. Łuki zębowe szczęki i żuchwy dzielą jamę ustną na część przednią, zwaną przedsionkiem jamy ustnej, i część tylną, czyli jamę ustną właściwą.

Wargi, górna i dolna, łączą się z boków w kątach ust. Utworzone są przez skórę, mięsień okrężny ust i błonę śluzową. Na pograniczu skóry i błony śluzowej znajduje się czerwień wargowa, której zabarwienie spowodowane jest przez znajdujące się pod cienką warstwą nabłonka liczne naczynia krwionośne. Błona śluzowa warg ma liczne gruczoły śluzowe. Gruczoły wargowe są gruczołami ślinowymi.

Policzki układają się od kąta ust do ucha i łuku jarzmowego. Zbudowane są z kilku warstw: ze skóry, tkanki tłuszczowej zwanej poduszeczką tłuszczową, powięzi, mięśnia policzkowego, warstwy gruczołowej i błony śluzowej. Poduszeczka tłuszczowa u dzieci jest silnie rozwinięta i nadaje twarzy charakterystyczny wygląd, zwany w potocznej mowie pucołowatością. Poduszeczka tłuszczowa nie zanika nawet w wieku dojrzałym (w starości). Gruczoły policzkowe wydzielają ślinę. Błona śluzowa policzka tworzy wyniosłość tzw. brodawkę przyuszniczą, na której mieści się ujście przewodu ślinianki przyusznicze).

Podniebienie dzieli się na część przednią, czyli podniebienie twarde, i część tylną – podniebienie miękkie. Podniebienie twarde składa się z podniebienia kostnego i błony śluzowej. Podniebienie miękkie jest fałdem błony śluzowej, zawierającym mięśnie unoszące, napinające i obniżające podniebienie oraz mięśnie zbliżające do siebie łuki podniebienne. Łuki podniebienne ograniczają cieśń gardzieli. Biegną one od brzegów bocznych podniebienia miękkiego do nasady języka i ściany bocznej gardła. Między łukami podniebiennymi leżą migdałki podniebienne. Podniebienie stanowi górną ścianę jamy ustnej i dolną ścianę jamy nosowej.

Dno jamy ustnej tworzą mięśnie biegnące od kości gnykowej do żuchwy (mięśnie nadgnykowe). Od strony jamy ustnej dno pokryte jest błoną śluzową. W jamie ustnej znajdują się: zęby, język i ślinianki.

Zęby tworzą dwa łuki – szczękowy i żuchwowy. Człowiek ma uzębienie heterodontyczne, czyli zęby jego są różnokształtne: sieczne, kły, przedtrzonowe i trzonowe, oraz dwurzędowe, co oznacza, że występują dwa pokolenia zębów – zęby mleczne i zęby stałe. Zęby są ułożone w dwa łuki zębowe, górny i dolny. Zębów mlecznych jest 20, po 10 zębów w każdym łuku. W każdej połowie, zarówno łuku górnego jak i dolnego, występują: 2 zęby sieczne, 1 kieł, 2 zęby trzonowe. Zębów stałych człowiek ma 32, po 16 w każdym łuku zębowym. W każdej połowie obu łuków występują: 2 zęby sieczne, 1 kieł, 2 zęby przedtrzonowe i 3 zęby trzonowe.

Budowa zębów. Każdy ząb składa się z korony, szyjki i korzenia w zębach jednokorzeniowych (zęby sieczne, kły i przedtrzonowe górne) lub z korzeni w zębach wielokorzeniowych (zęby przedtrzonowe dolne i zęby trzonowe). Korona jest częścią widoczną zęba; jej zewnętrzną warstwę tworzy szkliwo zbudowane z bezstrukturalnych pryzmatów. Szkliwo jest najtwardszą substancją organizmu. Szyjka przykryta dziąsłem i korzeń tkwiący w zębodole są pokryte kostniwem, tkanką o budowie zbliżonej do tkanki kostnej. Głębszą warstwę zęba pod szkliwem i kostniwem stanowi zębina. Otacza ona przestrzeń, która w koronie zęba zwana jest jamą zęba, a w korzeniu – kanałem korzenia zęba. Wewnątrz jamy zęba znajduje się miazga, zbudowana z tkanki łącznej, nerwów i naczyń. Dziąsła tworzy błona śluzowa jamy ustnej. Przykrywają one szyjki zębów i wyrostki zębodołowe szczęki i żuchwy. Dziąsła są silnie unaczynione i unerwione, nie zawierają gruczołów ślinowych. Zęby szczęki mają kształt elipsy, zęby żuchwy – zbliżony do paraboli.

Zęby żuchwy znajdują się w pewnym określonym stosunku do zębów szczęki. Rozchylając wargi, możemy określić rodzaje zwarcia. Zwarciem nazywamy wzajemny stosunek zębów szczęki do zębów żuchwy w położeniu nieruchomym, natomiast ułożenie zębów podczas żucia nazywamy zgryzem. Rozróżniamy następujące rodzaje zwarcia: 1) zwarcie nożycowate, najczęstsze – zęby sieczne szczęki zachodzą przed zęby sieczne żuchwy na przestrzeni od 1 do 3 mm; 2) zwarcie dachówkowate – zęby sieczne szczęki dachówkowato pokrywają siekacze żuchwy; 3) zwarcie obcęgowate, najrzadsze – zęby sieczne szczęki i żuchwy stykają się krawędziami żucia.

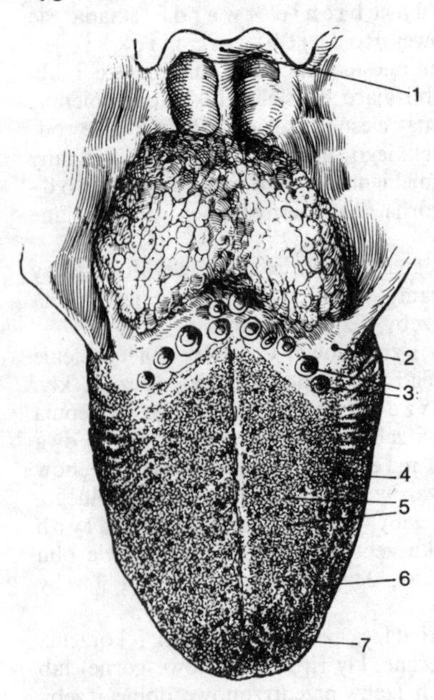

Grzbiet języka. Brodawki i obszary odczuwania smaków: 1 – nagłośnia, 2 – smak gorzki, 3 – brodawki okolone, 4 – smak kwaśny, brodawki liściaste, 5 – brodawki grzybowate, 6 – brodawki nitkowate, 7 – smak słodki i słony

Inne, od opisanych, stosunki zębów szczęki i żuchwy są wadliwe (przodozwarcie, tyłozwarcie, zwarcie otwarte i zwarcie krzyżowe) i należy je leczyć w wieku dziecięcym. Można im nadać właściwe położenie przez zabiegi ortodontyczne.

Język utworzony jest z mięśni pokrytych błoną śluzową. Odróżnia się w nim: koniuszek, trzon i nasadę oraz grzbiet, powierzchnię dolną i dwa brzegi boczne.

Mięśnie języka dzielą się na tzw. własne: mięsień podłużny górny i dolny, mięsień poprzeczny i pionowy języka, oraz zewnętrzne: mięsień gnykowo-językowy, mięsień bródkowo-językowy i mięsień rylcowo-językowy. Mięśnie własne spłaszczają, poszerzają, wydłużają lub pogrubiają język. Mięśnie zewnętrzne wysuwają język z jamy ustnej do przodu, cofają do tyłu, unoszą go ku górze oraz przesuwają na boki.

Błona śluzowa języka na

grzbiecie i brzegach bocznych tworzy brodawki, które pełnią rolę mechaniczną i zmysłową. W części brodawek (grzybowate, okolone i liściaste) znajdują się kubki smakowe, zawierające zakończenia włókien nerwów smakowych. Podrażnienie tych zakończeń wyzwala odczuwanie wrażeń smakowych: słodkiego i słonego (brodawki grzybowate), kwaśnego (brodawki liściaste) oraz gorzkiego (brodawki okolone). Na języku znajduje się również narząd dotyku oraz gruczoły ślinowe.

Ślinianki jamy ustnej dzielą się na małe i duże. Śliniankami małymi są gruczoły: językowe, podniebienne, policzkowe i wargowe, śliniankami dużymi – gruczoły parzyste, mające przewody uchodzące do jamy ustnej. Do ślinianek dużych należą ślinianki przyuszne, podżuchwowe i podjęzykowe (tablica II).

Ślinianka przyuszna leży do przodu od małżowiny usznej na mięśniu żwaczu; ślinianka podżuchwowa położona jest poniżej kąta i trzonu żuchwy, na mięśniach nadgnykowych; ślinianka podjęzykowa leży na mięśniach dna jamy ustnej pod fałdem podjęzykowym błony śluzowej.

Gardło i przełyk

Gardło (*pharynx*) biegnie od podstawy czaszki, z przodu od trzonów kręgów szyjnych ku dołowi do wysokości kręgu szyjnego szóstego, gdzie przechodzi w przełyk.

Ściana gardła zbudowana jest z trzech błon: śluzowej, mięśniowej i zewnętrznej. Błonę mięśniową tworzą mięśnie dźwigacze (rylcowo-gardłowy i trąbkowo-gardłowy) i mięśnie zwieracze (zwieracz górny, środkowy i dolny gardła). Jama gardła dzieli się na trzy części: górną nosową, środkową ustną i dolną krtaniową. Część nosowa łączy się ku przodowi za pomocą nozdrzy tylnych z jamą nosową, część ustną łączy z jamą ustną cieśń gardzieli, a część krtaniową łączy z jamą krtani wejście do krtani. Na ścianach bocznych części nosowej gardła znajdują się ujścia gardłowe trąbek słuchowych i tuż obok migdałki trąbkowe. Nieparzysty migdałek gardłowy, zwany trzecim, leży w miejscu przejścia stropu gardła w jego ścianę tylną. Migdałki gardłowy i trąbkowy (parzysty) oraz migdałki podniebienne i językowy tworzą pierścień limfatyczny gardła, zwany również pierścieniem Waldeyera. Cechą migdałków jest to, że pod warstwą nabłonka są skupienia grudek chłonnych mających zdolność wytwarzania limfocytów. Migdałki spełniają funkcję obronną przez bezpośrednie niszczenie bakterii bądź przez wytwarzanie tzw. przeciwciał, zwiększających odporność ustroju na szkodliwe działanie bakterii lub ich toksyn. W gardle krzyżują się dwie drogi: pokarmowa i oddechowa.

Przełyk (*esophagus*) łączy gardło z żołądkiem. Dzieli się na część szyjną, piersiową i brzuszną. Na szyi leży za tchawicą, w klatce piersiowej za lewym przedsionkiem serca. Przez rozwór przełykowy przepony przechodzi do jamy brzusznej. Błona śluzowa przełyku, pokryta nabłonkiem wielowarstwowym płaskim, tworzy fałdy podłużne przełyku. Błona mięśniowa w górnym odcinku jest zbudowana z tkanki mięśniowej poprzecznie prążkowanej, a w dolnym – z tkanki mięśniowej gładkiej.

Otrzewna

Otrzewna (*peritoneum*) jest cienką, gładką błoną surowiczą, pokrywającą narządy i ściany jamy brzusznej oraz miednicy. Zewnętrzną warstwę otrzewnej stanowi nabłonek jednowarstwowy płaski, a wewnętrzną tworzy tkanka łączna włóknista. Otrzewna jest bardzo bogato unaczyniona oraz unerwiona, zawiera liczne naczynia chłonne.

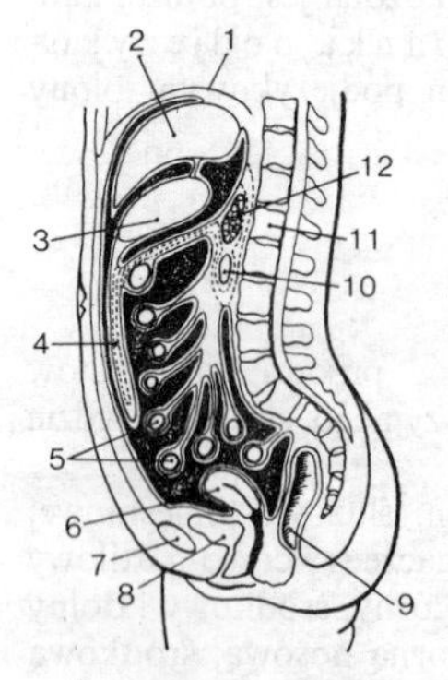

Jama otrzewnej (kobiety): 1 – przepona, 2 – wątroba, 3 – żołądek, 4 – sieć większa, 5 – pętle jelita, 6 – macica, 7 – kość łonowa, 8 – pęcherz moczowy, 9 – odbytnica, 10 – dwunastnica, 11 – kręgosłup, 12 – trzustka

Otrzewną pokrywającą ściany jamy brzusznej i miednicy nazywa się otrzewną ścienną, część, która pokrywa narządy – otrzewną trzewną. Narządy pokryte otrzewną całkowicie są położone wewnątrzotrzewnowo, narządy pokryte przez nią częściowo są położone zewnątrzotrzewnowo. Otrzewna ścienna przechodząc w otrzewną trzewną tworzy fałdy składające się z dwóch blaszek, zwane krezkami lub więzadłami. Między blaszkami otrzewnej znajduje się włosowata przestrzeń zwana jamą otrzewnej. Wypełnia ją, wydzielany przez otrzewną, płyn surowiczy zwilżający powierzchnie narządów i ścian.

Otrzewną cechuje olbrzymia zdolność wchłaniania (5 l płynu na godz.), zdolność do tworzenia przesięków i wysięków oraz właściwości bakteriobójcze. Unerwienie otrzewnej ściennej pochodzi od nerwów międzyżebrowych i splotu lędźwiowego. Otrzewna ścienna ma dużą wrażliwość na bodźce bólowe, termiczne, mechaniczne i chemiczne. Podrażnienie nerwów otrzewnej ściennej prowadzi do odruchowego skurczu mięśni brzucha w postaci tzw. obrony mięśniowej. Otrzewna trzewna jest unerwiona przez nerwy układu nerwowego autonomicznego. Zmiany chorobowe dotyczące otrzewnej trzewnej wywołują bóle „rozlane", które chory najczęściej lokalizuje w okolicy pępkowej.

Żołądek

Żołądek (*gaster*, *ventriculus*) leży pod przeponą, w nadbrzuszu i pod lewym łukiem żebrowym. Kształt żołądka jest bardzo zmienny: w pionowej postawie ciała przyjmuje najczęściej kształt haka. W żołądku odróżnia się część wpustową, której wpust łączy się z przełykiem, dno, trzon i część odźwiernikową z odźwiernikiem – jest to miejsce przejścia żołądka w dwunastnicę. Ponadto w żołądku wyróżnia się ściany przednią i tylną. Ściany te po stronie prawej łączy wklęsła krzywizna mniejsza, a po stronie lewej – wypukła krzywizna większa żołądka.

Błona śluzowa żołądka wytwarza fałdy podłużne, przebiegające równolegle do krzywizny mniejszej żołądka. Na fałdach tych tworzy mniejsze fałdy zwane pólkami żołądkowymi, zawierające tzw. dołeczki żołądkowe, w których znajdują się ujścia gruczołów błony śluzowej żołądka. Gruczoły występują głównie w trzonie i w dnie żołądka. Zbudowane są z komórek głównych, okładzinowych, srebrochłonnych i śluzowych.

Błona mięśniowa żołądka składa się z trzech warstw: podłużnej, okrężnej i skośnej. Włókna mięśniowe warstwy okrężnej otaczające odźwiernik tworzą mięsień zwieracz odźwiernika. Zewnątrz cały żołądek pokrywa otrzewna.

Ściana przednia żołądka wzdłuż całej krzywizny mniejszej przylega do wątroby, część odźwiernikowa przylega do pęcherzyka żółciowego. Dno i większa część trzonu w górnym odcinku graniczy ze śledzioną, a w dolnym z okrężnicą poprzeczną. Powyżej okrężnicy żołądek graniczy z trzustką, a powyżej trzustki – z nerką lewą i nadnerczem lewym.

Jelito cienkie

Jelito cienkie dzieli się na dwunastnicę i jelito krezkowe, składające się z jelita czczego i jelita krętego.

Dwunastnica (*duodenum*) ma kształt podkowy. Wyróżnia się w niej części: górną, zstępującą, poziomą oraz wstępującą. Początkowy rozszerzony odcinek części górnej zwany jest opuszką dwunastnicy. Część górna dwunastnicy położona jest wewnątrzotrzewnowo, pozostałe odcinki – zewnątrzotrzewnowo.

Dwunastnica leży na ścianie tylnej brzucha, na wysokości od pierwszego do trzeciego kręgu lędźwiowego. Jej część wklęsła obejmuje głowę trzustki, powierzchnia tylna części zstępującej pokrywa wnękę nerki prawej i jej korzeń. Do powierzchni tylnej części poziomej przylega żyła główna dolna i aorta brzuszna, a części górnej – żyła wrotna i przewód żółciowy wspólny. Błona śluzowa dwunastnicy, z wyjątkiem opuszki, tworzy bardzo wysokie i gęsto ułożone fałdy okrężne, a na nich drobniejsze fałdy zwane kosmkami jelitowymi. Na przyśrodkowej ścianie części zstępującej znajduje się tzw. brodawka dwunastnicza większa. Znajduje się na niej wspólne ujście przewodu żółciowego wspólnego i przewodu trzustkowego, otoczone mięśniem zwieraczem bańki wątrobowo-trzustkowej – Oddiego.

Jelito krezkowe rozpoczyna się po lewej stronie kręgosłupa, na wysokości drugiego kręgu lędźwiowego, zgięciem dwunastniczo-czczym, a kończy się w prawym dole biodrowym ujściem krętniczo-kątniczym do jelita grubego. W ujściu znajduje się utworzona z błony śluzowej i błony mięśniowej jelita zastawka krętniczo-kątnicza. Jelito krezkowe przymocowane jest do tylnej ściany brzucha krezką. Brzeg krezki (15 cm) przyczepiający się do tylnej ściany brzucha jest znacznie krótszy od brzegu jelitowego (ok. 5 m). Ta różnica powoduje, że jelito jest silnie pofałdowane w tzw. pętle jelitowe. Pętle jelita czczego i krętego wypełniają większą część jamy brzusznej i miednicy mniejszej.

Błona śluzowa ściany jelita krezkowego wytwarza fałdy okrężne, na których mieszczą się kosmki jelitowe. W błonie śluzowej występują grudki chłonne pojedyncze i skupione.

Wysokość i liczba fałdów okrężnych oraz kosmków jelitowych w miarę przesuwania się w kierunku jelita grubego zmniejsza się, wzrasta natomiast liczba grudek chłonnych skupionych.

Jelito grube

Jelito grube stanowi końcową część przewodu pokarmowego. Dzieli się na jelito ślepe, okrężnicę i odbytnicę.

Jelito ślepe (*cecum*), zwane również kątnicą, leży w prawym dole biodrowym. Ma kształt worka rozszerzonego na dole, u góry przedłuża się w okrężnicę. Od ściany przyśrodkowej tylnej jelita ślepego odchodzi wyrostek robaczkowy (*appendix vermiformis*). Ma on kształt cienkiej rurki długości ok. 8 cm. W tkance podśluzowej wyrostka robaczkowego leżą bardzo liczne grudki chłonne, dlatego zwany jest on migdałkiem jamy brzusznej.

Okrężnica (*colon*) ma pofałdowane ściany; uwypuklenia na zewnątrz zwane są wypukleniami okrężnicy, wpuklenia do światła jelita fałdami półksiężycowatymi. Uwzględniając położenie, okrężnicę dzieli się na: wstępującą, poprzeczną, zstępującą i esowatą. Okrężnica wstępująca biegnie po prawej stronie jamy brzusznej od prawego dołu biodrowego do wątroby. Okrężnica poprzeczna biegnie spod wątroby pod śledzionę, zataczając łuk wypukły ku dołowi i przodowi. Więzadła i krezka łączą ją z żołądkiem i tylną ścianą brzucha. Okrężnica zstępująca spod śledziony zstępuje w dół do lewego dołu biodrowego, w którym przedłuża się w okrężnicę esowatą, czyli esicę, tworzącą pętlę w kształcie litery S. Ramię górne esicy leży w dole biodrowym, ramię dolne położone jest w miednicy mniejszej, gdzie na wysokości drugiego lub trzeciego kręgu krzyżowego przedłuża się w odbytnicę.

Ściana okrężnicy ma budowę trójwarstwową. Warstwa środkowa tworzy trzy pasma mięśni gładkich o podłużnym przebiegu, zwane taśmami okrężnicy. Biegną one od podstawy wyrostka robaczkowego do początku odbytnicy. Ich napięcie skraca okrężnicę, tak że ściana jelita układa się w fałdy.

Odbytnica (*rectum*) leży w miednicy mniejszej, biegnie w dół wzdłuż kości krzyżowej, przebija mięśnie dna miednicy i kończy się otworem zwanym odbytem (*anus*). Odbytnica dzieli się na część górną, nazywaną bańką odbytnicy, i część dolną, otoczoną mięśniami krocza, tworzącą kanał odbytowy. Bańka odbytnicy u mężczyzny z przodu graniczy z pęcherzem moczowym, sterczem, pęcherzykami nasiennymi i moczowodami. U kobiety przed odbytnicą leży macica i pochwa, oddzielone od odbytnicy zagłębieniem odbytniczo-macicznym otrzewnej (jama Douglasa).

Błona śluzowa odbytnicy w bańce tworzy 2 lub 3 fałdy poprzeczne, a w kanale odbytowym fałdy podłużne, zwane słupami odbytniczymi. Pod nimi bliżej odbytu leży bogaty splot żylny. Błona mięśniowa w pobliżu odbytu tworzy mięsień zwieracz wewnętrzny odbytu. Z zewnątrz kanał odbytowy otoczony jest mięśniem zwieraczem zewnętrznym odbytu wchodzącym w skład przepony miednicy.

Gruczoły trawienne

Trzustka (*pancreas*) leży zewnątrzotrzewnowo na tylnej ścianie brzucha, na wysokości drugiego kręgu lędźwiowego. Prawa część trzustki, zgrubiała, zwana jest głową trzustki, część środkową stanowi trzon, a część lewą – ogon trzustki. Głowę trzustki obejmuje pętla dwunastnicy, trzon leży za żołądkiem, a ogon przylega do śledziony. Trzustka jest gruczołem zewnątrzwydzielniczym i wewnątrzwydzielniczym. Część zewnątrzwydzielnicza zbudowana ze zrazików wydziela sok trzustkowy biorący udział w trawieniu pokarmów. Sok trzustkowy odprowadzany jest przez przewodziki zrazikowe do przewodu trzustkowego, którym spływa do dwunastnicy. Część wewnątrzwydzielniczą (dokrewną) trzustki tworzą komórki skupione w wyspach trzustkowych, zwanych wyspami Langerhansa. Komórki A tych wysp wydzielają glukagon, komórki B – insulinę, komórki D – somatostatynę, a komórki F – polipeptyd trzustkowy.

Wątroba (*hepar*) leży pod prawym łukiem żebrowym i w nadbrzuszu, poniżej przepony. Wątroba ma kształt skośnie przeciętego jaja kurzego. Wyróżnia się w niej powierzchnię przeponową, skierowaną do przodu i ku górze, oraz powierzchnię trzewną, skierowaną do tyłu i ku dołowi. Powierzchnie oddziela brzeg dolny. Wątroba ma cztery płaty: prawy (największy), lewy, ogoniasty i czworoboczny. Dwa ostatnie znajdują się na powierzchni trzewnej wątroby. Płaty wątroby dzielą się na segmenty zbudowane ze zrazików utworzonych z komórek wątrobowych, czyli hepatocytów.

Na powierzchni trzewnej wątroby biegną strzałkowo dwie bruzdy (prawa i lewa) i łącząca je poprzecznie bruzda zwana wrotami wątroby (wnęka wątroby). Przez wrota wątroby przechodzą naczynia krwionośne i chłonne, nerwy oraz przewody żółciowe. Tętnica wątrobowa właściwa tworzy w wątrobie krążenie odżywcze (układ tętniczo-żylny), zaś żyła w r o t n a prowadząca do wątroby krew zebraną z narządów przewodu pokarmowego i ze śledziony – u k ł a d c z y n n o ś c i o w y (układ żylno-żylny). Krew z układu odżywczego i czynnościowego wątroby odprowadzają ż y ł y w ą t r o b o w e, uchodzące do żyły głównej dolnej.

Komórki wątrobowe wytwarzają ż ó ł ć, która kanalikami żółciowymi odpływa do dwóch p r z e w o d ó w w ą t r o b o w y c h, prawego i lewego. Przewody wątrobowe opuszczają gruczoł przez wrota wątroby; wkrótce po wyjściu z wątroby łączą się w p r z e w ó d w ą t r o b o w y w s p ó l n y odprowadzający żółć do pęcherzyka żółciowego lub do przewodu żółciowego wspólnego, a dalej do dwunastnicy. P ę c h e r z y k ż ó ł c i o w y (*vesica fellea*) leży w dole pęcherzyka żółciowego (część przednia bruzdy strzałkowej prawej). W pęcherzyku wyróżnia się dno, trzon i szyjkę. Dno skierowane jest do przedniej ściany brzucha (na wysokości łuku żebrowego prawego, w miejscu skrzyżowania się mięśnia prostego brzucha prawego z łukiem żebrowym), a szyjka zwrócona jest do wrót wątroby, gdzie zaginając się przechodzi w p r z e w ó d p ę c h e r z y k o w y. Przewód pęcherzykowy zespala się z przewodem wątrobowym wspólnym w p r z e w ó d ż ó ł c i o w y w s p ó l n y (*ductus choledochus*), który uchodzi w części zstępującej dwunastnicy na brodawce dwunastniczej większej razem z przewodem trzustkowym. Pojemność pęcherzyka wynosi 30 – 50 ml. Żółć zostaje w nim dziesięciokrotnie zagęszczona i zmagazynowana.

VI. UKŁAD ODDECHOWY

U k ł a d o d d e c h o w y tworzą narządy, których zadaniem jest pobieranie z powietrza tlenu niezbędnego dla procesów życiowych organizmu i usuwanie dwutlenku węgla. Proces ten nazywa się o d d y c h a n i e m. Do układu oddechowego zalicza się: nos zewnętrzny, jamę nosową, gardło, krtań, tchawicę, oskrzela główne i ich gałęzie oraz płuca wraz z opłucną. Czynnościowo układ oddechowy dzieli się na drogi oddechowe górne i dolne oraz płuca.

Nos i jama nosowa

Nos zewnętrzny (*nasus externus*) jest zbudowany z kości i chrząstki pokrytych skórą, która zawiera gruczoły potowe i łojowe. W nosie zewnętrznym wyróżnia się: nasadę, grzbiet, koniuszek i skrzydła, które ograniczają owalne otwory, zwane n o z d r z a m i p r z e d n i m i.

Jama nosowa (*cavum nasi*) rozpoczyna się nozdrzami przednimi, które prowadzą do przedsionka nosa, a następnie do jamy nosowej. P r z e d s i o n e k pokryty jest skórą zawierającą włosy, gruczoły łojowe i potowe. P r z e g r o d a nosa, zbudowana z kości (blaszka pionowa kości sitowej i lemiesz), chrząstki oraz z przodu ze skóry i tkanki podskórnej (część błoniasta), dzieli jamę nosową na połowy prawą i lewą. Ze ściany bocznej uwypuklają się do światła jamy trzy małżowiny nosowe: górna, środkowa i dolna, które dzielą każdą połowę jamy na trzy przewody nosowe: górny, środkowy i dolny. Z przewodami nosowymi łączą się zatoki przynosowe, będące przestrzeniami pneumatycznymi w kościach czaszki; ich ściany pokrywa błona śluzowa. Wyróżnia się zatoki szczękowe, czołowe, klinowe oraz komórki sitowe. Do przewodu nosowego górnego otwiera się zatoka klinowa i komórki sitowe tylne, do środkowego – zatoki szczękowa i czołowa oraz komórki sitowe przednie. W przewodzie nosowym dolnym kończy się przewód nosowo-łzowy. Z tyłu wszystkie przewody nosowe łączą się z przewodem nosowo-gardłowym, który przechodzi przez nozdrza tylne w część nosową gardła.

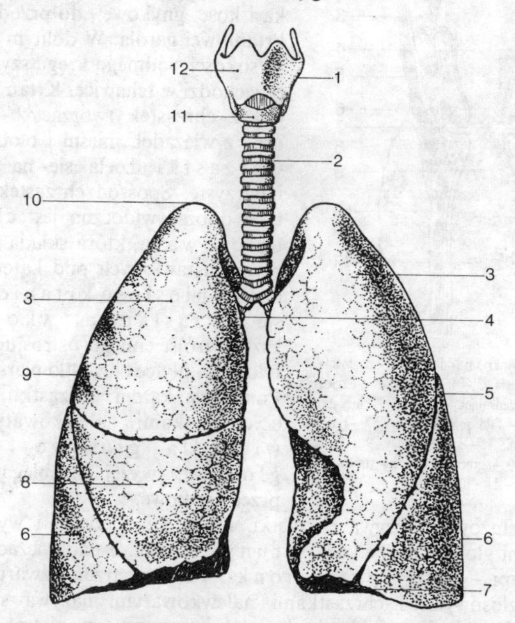

Narządy układu oddechowego (od przodu): 1 – krtań, 2 – tchawica, 3 – płat górny płuca, 4 – oskrzele główne, 5 – płuco lewe, 6 – płat dolny płuca, 7 – podstawa płuca, 8 – płat środkowy płuca, 9 – płuco prawe, 10 – szczyt płuca, 11 – chrząstka pierścieniowata, 12 – chrząstka tarczowata

Ściany jamy nosowej pokryte są błoną śluzową, w której można wyróżnić pole oddechowe i pole węchowe. Pole oddechowe zajmuje dolną i środkową części jamy nosowej. Okolica ta zawiera nabłonek wielowarstwowy urzęsiony oraz liczne gruczoły surowicze i mieszane, tkankę łączną siateczkową i pojedyncze grudki chłonne. Pod nabłonkiem leży warstwa naczyń żylnych w postaci gęstych sieci, szczególnie obfitych w obrębie małżowin. P o l e w ę c h o w e zajmuje górną część jamy nosowej i pokryte jest nabłonkiem węchowym zawierającym p r ę c i k i w ę c h o w e, mające zdolność odbierania wrażeń węchowych.

Gardło i krtań

Gardło (*pharynx*) jest następnym odcinkiem dróg oddechowych górnych. Opis gardła podano w części dotyczącej układu trawiennego (zob. s. 33).

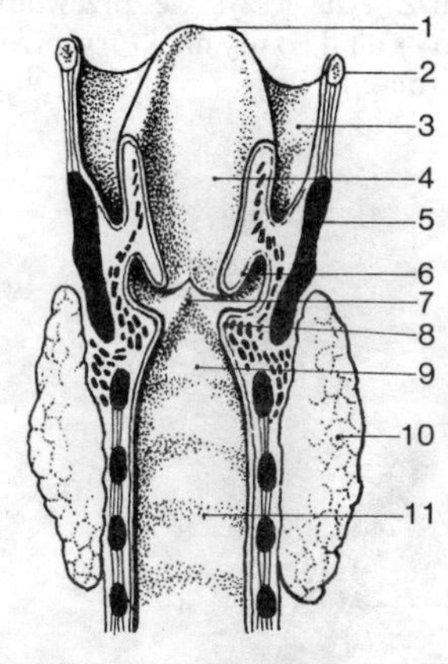

Przekrój czołowy krtani (od tyłu): 1 – nagłośnia, 2 – kość gnykowa, 3 – fałd nalewkowo-nagłośniowy, 4 – przedsionek krtani, 5 – chrząstka tarczowata, 6 – fałd przedsionkowy, 7 – jama pośrednia krtani, 8 – fałd głosowy, 9 – jama nagłośniowa, 10 – gruczoł tarczowy (tarczyca), 11 – tchawica

Krtań (*larynx*) leży poniżej nasady języka i kości gnykowej, do przodu od części krtaniowej gardła. W dolnym odcinku na wysokości siódmego kręgu szyjnego krtań przechodzi w tchawicę. Krtań zbudowana jest z chrząstek tworzących jej szkielet oraz z więzadeł, mięśni i błony śluzowej. C h r z ą s t k i dzielą się na nieparzyste i parzyste. Spośród chrząstek nieparzystych dobrze widoczna jest c h r z ą s t k a t a r c z o w a t a, która składa się z dwóch płytek ustawionych pod kątem – tworzą one w y n i o s ł o ś ć k r t a n i o w ą. Parzyste c h r z ą s t k i n a l e w k o w a t e mają kształt trójściennego ostrosłupa i leżą ku tyłowi na płytce chrząstki pierścieniowatej. Pomiędzy kątem chrząstki tarczowatej a chrząstkami nalewkowatymi biegną w i ę z a d ł a g ł o s o w e i m i ę ś n i e g ł o s o w e, wyżej przebiegają więzadła przedsionkowe.

Błona śluzowa pokrywa chrząstki, mięśnie i więzadła i wytwarza nad więzadłami głosowymi f a ł d y (s t r u n y) głosowe, a nad więzadłami przedsionkowymi – f a ł d y p r z e d s i o n k o w e. Przestrzeń zawartą pomiędzy fałdami głosowymi i chrząstkami nalewkowatymi nazywa się s z p a r ą g ł o ś n i. Wymienione fałdy dzielą jamę krtani na trzy piętra: przedsionek krtani (piętro górne), sięgający do fałdów przedsionkowych, jamę pośrednią (piętro środkowe), leżącą pomiędzy fałdami przedsionkowymi a fałdami głosowymi, i jamę podgłośniową (piętro dolne), która zajmuje przestrzeń od fałdów głosowych do tchawicy. Szpara głośni łączy jamę pośrednią krtani z jamą podgłośniową.

W górnej części krtani leży n a g ł o ś n i a. W czasie połykania zamyka ona wejście do krtani, zapobiegając przedostawaniu się pokarmów z gardła do jamy krtani. Wejście do krtani łączy jamę gardła z jamą krtani.

Mięśnie krtani warunkują zwężanie i rozszerzanie szpary głośni, która jest inna przy oddychaniu i fonacji, oraz regulują napięcie więzadeł i fałdów głosowych, przez co decydują o sile i wysokości głosu.

Tchawica i oskrzela

Tchawica (*trachea*) jest przedłużeniem krtani ku dołowi. Na wysokości czwartego kręgu piersiowego, po prawej stronie kręgosłupa, dzieli się na oskrzela główne prawe i lewe, tworząc rozdwojenie. Tchawica ma kształt rury zbudowanej z chrząstek o podkowiastych kształtach, połączonych więzadłami obrączkowatymi. Ściana tylna tchawicy nie ma rusztowania chrzęstnego i nazywa się ścianą błoniastą. Zawiera ona tkankę łączną i mięśnie gładkie działające podczas kaszlu. Wnętrze tchawicy wyściela błona śluzowa pokryta nabłonkiem wielorzędowym urzęsionym, zawierająca gruczoły śluzowe i surowicze.

Oskrzela główne (*bronchi principales*) mają budowę podobną do tchawicy. Oskrzele główne prawe jest krótsze, ma większą średnicę i przebiega bardziej pionowo. Oskrzele główne lewe jest dłuższe, ma mniejszą średnicę i biegnie poziomo. Oskrzela główne dzielą się we wnęce płuca na oskrzela płatowe. Oskrzele główne prawe dzieli się na oskrzela płatowe górne, środkowe i dolne, a oskrzele główne lewe – na oskrzela płatowe górne i dolne.

Płuca i opłucna

Płuco (*pulmo*) jest parzystym narządem położonym w klatce piersiowej i częściowo w szyi (szczyt płuca). Każde płuco mieści się w oddzielnej jamie opłucnej. Wyróżnia się w nim podstawę płuca skierowaną ku przeponie, szczyt płuca oraz powierzchnie żebrową, przyśrodkową i przeponową, a pomiędzy poszczególnymi płatami – powierzchnie międzypłatowe. Na powierzchni przyśrodkowej znajduje się wnęka płuca wraz z korzeniem płuca, który tworzą: oskrzela płatowe, tętnica płucna, dwie żyły płucne, naczynia oskrzelowe, nerwy i węzły chłonne oskrzelowo-płucne.

Płuco prawe jest podzielone szczeliną skośną i poziomą na trzy płaty: płat górny, środkowy i dolny. Płuco lewe ma tylko płat górny i dolny, które oddziela szczelina skośna. Płaty dzielą się na segmenty w kształcie stożka, którego wierzchołek skierowany jest do wnęki. Segmenty mają własne naczynia krwionośne i chłonne oraz własne oskrzela segmentowe. Segmenty dzielą się na zraziki, a zraziki na gronka.

Oskrzela główne we wnęce płuca dzielą się na oskrzela płatowe, które dzielą się wewnątrz płuca na oskrzela segmentowe. W wyniku dalszych podziałów powstają oskrzeliki o średnicy ok. 1 mm. Oskrzeliki dzielą się na oskrzeliki końcowe, a z tych każdy na dwa oskrzeliki oddechowe o średnicy 0,3 mm. Od oskrzelików oddechowych odchodzą

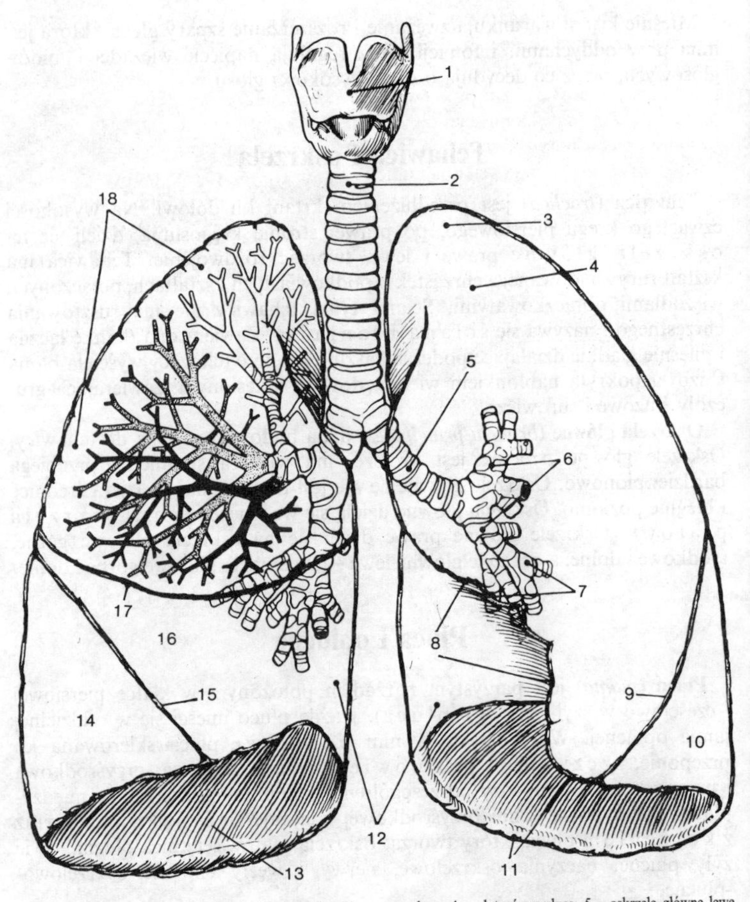

Drzewo oskrzelowo-płucne: 1 – krtań, 2 – tchawica, 3 – szczyt płuca, 4 – płat górny płuca, 5 – oskrzele główne lewe, 6 – oskrzela płatowe górne i dolne, 7 – oskrzela segmentowe, 8 – brzeg przedni, 9 – szczelina skośna płuca, 10 – płat dolny płuca, 11 – brzeg dolny, 12 – powierzchnia śródpiersiowa, 13 – podstawa płuca, 14 – płat dolny płuca, 15 – szczelina skośna płuca, 16 – płat środkowy płuca, 17 – szczelina pozioma płuca, 18 – płat górny płuca

przewodziki pęcherzykowe, a następnie woreczki pęcherzykowe i wreszcie pęcherzyki płucne. Oskrzelik oddechowy wraz z pęcherzykami płucnymi tworzą gronko; kilka gronek tworzy zrazik płuca. Oskrzeliki nie zawierają chrząstek, a jedynie dużo włókien sprężystych i mięśni gładkich. Skurcz tej mięśniówki decyduje o szerokości oskrzelika, a tym samym wpływa na objętość powietrza dochodzącego do pęcherzyków płucnych. Grubość ściany pęcherzyka wynosi 0,15–0,2 μm i odpowiada drodze przenikania gazów ze światła pęcherzyka do światła naczyń włosowatych otaczających pęcherzyk.

Opłucna (*pleura*) dzieli się na opłucną płucną otaczającą płuca i opłucną ścienną pokrywającą ściany klatki piersiowej. Pomiędzy opłucną płucną i opłucną ścienną znajduje się szczelinowata przestrzeń zwana jamą opłucnej, zawierająca płyn surowiczy, który zmniejsza tarcie przy oddychaniu. Opłucna ścienna dzieli się na opłucną żebrową, opłucną przeponową i opłucną śródpiersiową. Opłucna nad szczytem płuca tworzy osklepek opłucnej. Opłucna w kącie żebrowo-przeponowym i żebrowo-śródpiersiowym tworzy zachyłki opłucnowe, do których podczas wdechu wślizgują się płuca zwiększające swoją objętość.

Opłucna jest cienką błoną surowiczą, gładką, lśniącą i wilgotną. Jest bogato unaczyniona i unerwiona. Opłucna płucna nie ma zakończeń nerwów czuciowych odbierających wrażenia czucia bólu, dlatego zmiany chorobowe płuc przebiegają bez dolegliwości bólowych. Opłucna ścienna jest bardzo obficie unerwiona nerwami czuciowymi.

VII. UKŁAD MOCZOWO-PŁCIOWY

Narządy moczowe i narządy płciowe stanowią jeden układ moczowo-płciowy (tablica III), ponieważ pochodzą ze wspólnego zawiązku mezodermalnego.

Narządy moczowe

Do narządów moczowych należą nerki wytwarzające mocz oraz narządy odprowadzające, przez które mocz jest wydalany z organizmu. Do narządów odprowadzających należą: kielichy nerkowe, miedniczki nerkowe, moczowody, pęcherz moczowy i cewka moczowa.

Nerka (*ren*) jest narządem parzystym, położonym w przestrzeni zaotrzewnowej z boku kręgosłupa, na przestrzeni od dwunastego kręgu piersiowego do drugiego kręgu lędźwiowego. Kształtem przypomina fasolę. W nerce wyróżnia się koniec górny i dolny, powierzchnię przednią i tylną, brzeg boczny wypukły i brzeg przyśrodkowy wklęsły. Zagłębienie na brzegu przyśrodkowym, zwane wnęką nerki, prowadzi do przestrzeni zwanej zatoką nerkową. Przez wnękę wnika do nerki tętnica i nerwy, a wychodzi żyła, moczowód i naczynia chłonne. Z zewnątrz nerkę okrywa torebka włóknista, którą otacza torebka tłuszczowa, tworząca miękkie podłoże amortyzujące wstrząsy. Kolejną osłonkę nerki stanowi powięź nerkowa, łącząca się z powięzią przeponową i lędźwiową. Miąższ nerki składa się z dwóch warstw: leżącej na obwodzie jaśniejszej kory i ciemniejszego rdzenia. Rdzeń nerki zbudowany jest z piramid, których podstawy przylegają do kory. Wierzchołek każdej piramidy tworzy tzw. brodawkę nerkową, która leży w dnie zatoki nerkowej i jest objęta kielichem nerkowym mniejszym (tablica IV).

Najmniejszą częścią morfologiczno-czynnościową nerki jest nefron, złożony z ciałka nerkowego i kanalików nerkowych. Ciałko nerkowe, położone w korze, składa się z kłębuszka naczyń włosowatych, tworzących sieć tętniczo-tętniczą, i torebki kłębuszka. Torebka kłębuszka składa się z dwóch blaszek, między którymi znajduje się przestrzeń przechodząca w światło kanalików nerkowych. Miejsce to zwane jest biegunem kanalikowym; odchodzi od niego kanalik główny, składający się z kanalika krętego i prostego. Kanalik prosty przechodzi w pętlę nefronu, mającą ramię zstępujące i ramię wstępujące. Dalszą część nefronu stanowi wstawka i kanalik zbiorczy. Z kilku kanalików zbiorczych w obrębie piramidy powstaje przewód brodawkowy, który kończy się ujściem na szczycie brodawki nerkowej. Brodawki nerkowe są objęte kielichami nerkowymi mniejszymi. Dwa lub trzy kielichy mniejsze łączą się w obszerne kielichy nerkowe większe, z których połączenia powstaje miedniczka nerkowa. Kielichy i miedniczka nerkowa znajdują się w zatoce nerki.

Moczowód (*ureter*) jest przewodem długości ok. 30 cm i średnicy 0,5–0,8 cm, biegnącym od miedniczki nerkowej w dół (po tylnej ścianie brzucha i bocznej ścianie miednicy mniejszej) do dna pęcherza moczowego. Ściana moczowodu jest zbudowana z trzech warstw: błony śluzowej tworzącej fałdy podłużne, błony mięśniowej utworzonej z mięśni gładkich oraz z warstwy zewnętrznej, którą tworzy tkanka łączna luźna.

Pęcherz moczowy (*vesica urinaria*) jest zbiornikiem moczu położonym między spojeniem łonowym, macicą i pochwą u kobiety, a przed odbytnicą u mężczyzny. Dno pęcherza u mężczyzny spoczywa na gruczole krokowym. Od tyłu do pęcherza dochodzą moczowody, ku dołowi biegnie odchodząca od pęcherza cewka moczowa. Ściana pęcherza moczowego zbudowana jest z błony zewnętrznej, błony mięśniowej i błony śluzowej. Błona mięśniowa tworzy w pęcherzu moczowym dwa mięśnie: wypieracz moczu i zwieracz pęcherza, który otacza okrężnie ujście wewnętrzne cewki moczowej. Błona śluzowa tworzy różnokształtne fałdy, tylko na dnie pęcherza wytwarza gładkie trójkątne pole, zwane trójkątem dna pęcherza moczowego. Podstawa trójkąta skierowana jest ku tyłowi, a wierzchołek do przodu. W kątach przypodstawnych znajdują się ujścia moczowodów, w kącie wierzchołkowym leży ujście wewnętrzne cewki moczowej.

Cewka moczowa (*urethra*) biegnie z pęcherza moczowego (ujście wewnętrzne) i kończy się u mężczyzny na wierzchołku żołędzi prącia, u kobiety w przedsionku pochwy (ujście zewnętrzne). Długość cewki u kobiety wynosi 2–4 cm, u mężczyzny 15–20 cm, a średnica ok. 5 mm. Cewka moczowa mężczyzny dzieli się na trzy części: sterczową, błoniastą i gąbczastą. Część sterczowa przechodzi przez gruczoł krokowy. Wpadają do niej przewody wytryskowe i przewody wyprowadzające gruczołu krokowego. Część błoniasta przechodzi przez przeponę moczowo-płciową krocza. Część gąbczasta jest objęta przez ciało gąbczaste prącia.

Cewkę moczową męską i żeńską dokoła ujścia wewnętrznego otacza mięsień zwieracz pęcherza moczowego, którego działanie nie zależy od woli. Drugi zwieracz zależny od woli, zbudowany z włókien mięśniowych poprzecznie prążkowanych, otacza cewkę w miejscu jej przejścia przez przeponę moczowo-płciową krocza.

Narządy płciowe męskie

W skład narządów płciowych męskich wchodzą: jądra, najądrza, nasieniowody, pęcherzyki nasienne, gruczoł krokowy, prącie i moszna. Wyodrębnia się narządy płciowe zewnętrzne (prącie i moszna) i wewnętrzne.

Jądro (*testis*) jest parzystym narządem wytwarzającym plemniki i wydzielającym hormony płciowe (gruczoł wewnątrzwydzielniczy). Ma ono kształt jajowaty o wymiarach 3 – 5 cm długości, 2 – 3 cm szerokości i 1 – 2 cm grubości. Oba jądra mieszczą się w m o s z n i e, czyli w worku skórnym podzielonym łącznotkankową przegrodą na dwie części. Jądro bezpośrednio otoczone jest b ł o n ą b i a ł a w ą, zawierającą dużą ilość zakończeń nerwowych, zwłaszcza czuciowych. Błona biaława, od której w głąb miąższu odchodzą przegródki, dzieli jądro na p ł a c i k i j ą d r a. Wierzchołki płacików zwrócone są do brzegu tylnego jądra, gdzie znajduje się wypełnione tkanką łączną ś r ó d j ą d r z e.

Płaciki jądra zbudowane są z cewek (kanalików) nasiennych krętych, w których zachodzi proces s p e r m a t o g e n e z y (zob. Fizjologia, Czynności rozrodcze mężczyzny, s. 250). W pobliżu wierzchołków cewki nasienne kręte przechodzą w cewki nasienne proste. Pomiędzy cewkami nasiennymi znajdują się k o m ó r k i ś r ó d m i ą ż s z o w e, w których zachodzi synteza hormonów płciowych męskich – androgenów. Z cewek nasiennych prostych powstaje w śródjądrzu sieć kanalików zwana s i e c i ą j ą d r a, z której biegną przewodziki odprowadzające jądra, uchodzące w najądrzu do przewodu najądrza.

Najądrze (*epididymis*) przylega do jądra od góry i tyłu. Wyróżnia się w nim: głowę, trzon i ogon. Zbudowane jest z bardzo licznych pokręconych przewodzików odprowadzających jądra. Z przewodzików tych powstaje p r z e w ó d n a j ą d r z a przedłużający się w n a s i e n i o w ó d.

Nasieniowód (*ductus deferens*) jest przedłużeniem przewodu najądrza; kończy się w części sterczowej cewki moczowej jako p r z e w ó d w y t r y s k o w y. Początkowo biegnie równolegle do najądrza, dalej przechodzi przez kanał pachwinowy do miednicy mniejszej jako część składowa powrózka nasiennego. W miednicy biegnie pod otrzewną ku tylnej ścianie pęcherza moczowego, na wysokości dna pęcherza rozszerza się tworząc b a ń k ę nasieniowodu. Następnie zespala się z przewodem wydalającym pęcherzyka nasiennego, tworząc p r z e w ó d w y t r y s k o w y.

Pęcherzyk nasienny (*vesicula seminalis*) jest narządem parzystym o kształcie gruszkowatym, leżącym między pęcherzem moczowym a odbytnicą. Pęcherzyk nasienny ku przodowi zwęża się i przechodzi w przewód wydalający.

Gruczoł krokowy, czyli **stercz** (*prostata*), podobny z kształtu do jadalnego kasztana, leży pod dnem pęcherza moczowego na mięśniach krocza. Wyróżnia się w nim: podstawę, wierzchołek, płaty prawy i lewy oraz powierzchnie przednią i tylną. Powierzchnia tylna gruczołu krokowego przylega do odbytnicy. Gruczoł krokowy zbudowany jest z gruczołu cewkowo-pęcherzykowego i z mięśni gładkich. Przewodziki gruczołu tworzą kilka przewodów wydzielniczych gruczołu krokowego, które uchodzą do części sterczowej cewki moczowej.

Prącie (*penis*) jest narządem kopulacyjnym i służy do wprowadzania treści nasiennej do pochwy; zawiera również cewkę moczową. Składa się z: odnóg, nasady, trzonu i żołędzi prącia. Prącie zbudowane jest z dwóch ciał jamistych i z nieparzystego ciała gąbczastego, w którym przebiega cewka moczowa. Ciała jamiste z tyłu oddzielają się od siebie i tworzą zaostrzone na końcach odnogi prącia. Odnogi przyczepiają się do okostnej gałęzi dolnych kości łonowych. Końce przednie ciał jamistych pokrywa rozszerzenie ciała gąbczastego zwane żołędzią prącia. Żołądź ma kształt stożka o zaokrąglonym wierzchołku. Ciało gąbczaste, w kształcie walca, przy końcu tylnym tworzy zgrubienie nazywane opuszką prącia.

Ciała jamiste i ciało gąbczaste są otoczone mocną osłonką zwaną błoną białawą. Wewnątrz tych ciał znajdują się beleczki łącznotkankowe zawierające włókna mięśniowe i ograniczające małe przestrzenie zwane jamkami. Ścianki tych jamek wyściela śródbłonek, a światło wypełnia krew, której obfitość jest zmienna. Z zewnątrz prącie pokrywa skóra, która ponad żołędzią tworzy podwójny fałd zwany napletkiem.

Narządy płciowe żeńskie

Do narządów płciowych żeńskich należą: 1) jajniki, w których dojrzewają komórki płciowe – jaja; jajniki pełnią również rolę gruczołu płciowego; 2) jajowody, czyli drogi odprowadzające komórki jajowe; 3) macica, będąca narządem umożliwiającym rozwój zarodka i płodu oraz jego wydalenie; 4) pochwa, stanowiąca narząd kopulacyjny i rodny oraz 5) narządy płciowe zewnętrzne – przedsionek pochwy, łechtaczka, wargi sromowe mniejsze i większe oraz wzgórek łonowy.

Jajnik (*ovarium*) jest narządem parzystym, kształtu migdałowatego, leżącym na bocznej ścianie miednicy poniżej kresy granicznej. Na przekroju można w nim wyróżnić korę i rdzeń. Kora jest bogato unaczynioną tkanką łączną luźną, w której leżą pęcherzyki zwane mieszkami pierwotnymi. Pęcherzyki jajnikowe pierwotne przekształcają się w pęcherzyki jajnikowe wzrastające, a te w dojrzewające. Pęcherzyk jajnikowy dojrzały osiąga średnicę 10 mm, wewnątrz zawiera komórkę jajową i płyn pęcherzykowy. Cykl dojrzewania pęcherzyka jajnikowego trwa 14 dni. Po tym okresie następuje przerwanie ściany pęcherzyka i wydalenie komórki jajowej. Zjawisko to zwane jest jajeczkowaniem lub owulacją. Pęknięty pęcherzyk przekształca się w ciałko żółte.

Jajowód (*tuba uterina*) jest parzystym przewodem ciągnącym się od okolicy jajnika do macicy. Rozpoczyna się ujściem brzusznym, a kończy ujściem macicznym. W jajowodzie wyróżnia się lejek, bańkę, cieśń i część maciczną. Od wolnego brzegu lejka, który ogranicza ujście brzuszne jajowodu, odchodzą pędzelkowate wypustki zwane strzępkami. Wychwytują one jaja do jajowodu.

Ściana jajowodu jest zbudowana z błony zewnętrznej (surowiczej), błony mięśniowej i błony śluzowej, pokrytej jednowarstwowym nabłonkiem walcowatym urzęsionym.

Macica (*uterus*) jest położona w miednicy małej między pęcherzem moczowym a odbytnicą. Kształtem przypomina spłaszczoną w osi strzałkowej gruszkę. W macicy wyróżnia się zwrócone ku górze i do przodu dno, część środkową – trzon i część dolną – szyjkę, dzielącą się na część nadpochwową i część pochwową. Na granicy trzonu i szyjki znajduje się cieśń macicy. Ponadto w macicy odróżnia się powierzchnię pęcherzową i jelitową oraz dwa brzegi boczne. W obrębie trzonu znajduje się jama macicy, która na wysokości cieśni przechodzi w kanał szyjki macicy, otwierający się ujściem do światła pochwy.

Ściana macicy składa się z trzech warstw: zewnętrznej, środkowej i wewnętrznej. Warstwę zewnętrzną stanowi błona surowicza (otrzewna) zwana omaciczem. Warstwę środkową tworzy mięsień macicy, zbudowany z trzech warstw mięśniówki gładkiej. Warstwa wewnętrzna to błona śluzowa łącząca się bezpośrednio z mięśniem macicy. W błonie śluzowej wyróżnia się cieńszą warstwę podstawową, przylegającą do mięśnia macicy, i grubszą warstwę czynnościową, która ulega zmianom podczas cyklu miesiączkowego.

Pochwa (*vagina*) jest kanałem mięśniowo-błoniastym, który w części górnej obejmuje część pochwową szyjki macicy, a w części dolnej otacza ujście pochwy, łączące pochwę z jej przedsionkiem. Ujście pochwy u dziewcząt jest zamknięte półksiężycowatym fałdem błony śluzowej nazywanym błoną dziewiczą. Ściana przednia pochwy przylega do pęcherza moczowego i cewki moczowej, ściana tylna graniczy z odbytnicą.

Ścianę pochwy tworzą dwie błony – mięśniowa i śluzowa. Z zewnątrz pochwa pokryta jest tkanką łączną. Błonę śluzową pokrywa nabłonek wielowarstwowy płaski nie mający gruczołów. Błona śluzowa zwilżana jest śluzem szyjki macicy i wydzieliną z rozpadłych, złuszczonych komórek nabłonka.

Srom niewieści (*pudendum femininum*). Ponad spojeniem łonowym leży wyniosłość w kształcie trójkąta, podstawą zwróconego ku górze, zwana wzgórkiem łonowym. Poniżej niego znajdują się wargi sromowe większe zespolone spoidłem przednim i tylnym warg, ograniczające szparę sromu. Przyśrodkowo od warg sromowych większych znajdują się wargi sromowe mniejsze ograniczające przedsionek pochwy. Do przedsionka pochwy uchodzą: cewka moczowa, pochwa i gruczoły przedsionkowe. U podstawy warg sromowych mniejszych znajdują się sploty żylne noszące nazwę opuszki przedsionka.

Łechtaczka (*clitoris*) pod względem budowy odpowiada prąciu (zob. s. 46). Składa się z dwóch ciał jamistych, otoczonych błoną białawą i zakończonych żołędzią łechtaczki.

VIII. UKŁAD KRĄŻENIA

Układ krążenia składa się z serca i naczyń krwionośnych wypełnionych krwią. Krew przenosi do tkanek tlen, substancje odżywcze i hormony, odprowadza zaś dwutlenek węgla i produkty przemiany materii. Krążenie krwi w organizmie odbywa się w zamkniętym układzie naczyń krwionośnych krążenia małego i dużego. Krew krąży w naczyniach pod wpływem pracy tłoczącej serca. Z serca na obwód płynie tętnicami, natomiast do serca transportują ją żyły.

Serce (*cor*) jest położone w śródpiersiu. Z przodu przylega do mostka i żeber, z boków do płuc, z dołu do przepony, a z tyłu do przełyku. Ma kształt spłaszczonego stożka, podstawą zwróconego ku górze, tyłowi i ku stronie prawej (tablica V), a koniuszkiem do przodu, w lewą stronę i ku dołowi. Ponadto na sercu wyróżnia się: powierzchnię mostkowo-żebrową, powierzchnię płucną, powierzchnię przeponową i brzeg prawy serca. Z zewnątrz serce otoczone jest błoną surowiczą zwaną osierdziem (*pericardium*), zbudowaną z blaszki ściennej i blaszki trzewnej, czyli nasierdzia (*epicardium*). Pomiędzy blaszkami osierdzia znajduje się szczelinowata jama osierdzia, zawierająca nieznaczną ilość płynu surowiczego.

Ściana serca zbudowana jest z trzech warstw: wewnętrznej – wsierdzia, środkowej – śródsierdzia i zewnętrznej – nasierdzia. Wsierdzie składa się ze śródbłonka i błony łącznotkankowej zawierającej naczynia krwionośne i nerwy. Śródsierdzie jest utworzone ze szkieletu serca, mięśnia sercowego i układu przewodzącego serca. Szkielet serca, zbudowany z tkanki łącznej włóknistej, składa się z czterech pierścieni, z dwóch trójkątów i z części błoniastej przegrody międzykomorowej. Wśród pierścieni włóknistych dwa stanowią pierścienie włókniste przedsionkowo-komorowe, a następne dwa – pierścienie włókniste ujścia pnia płucnego i ujścia aorty. Trójkąty włókniste położone są między ujściami przedsionkowo-komorowymi a ujściami tętniczymi. Mięsień sercowy dzieli się na część przedsionkową i część komorową. Część przedsionkowa składa się z warstwy powierzchniowej okrężnej i głębokiej podłużnej. W części komorowej wyróżnia się warstwę zewnętrzną włókien skośnych, warstwę środkową okrężną i warstwę wewnętrzną, której włókna biegną podłużnie. Włókna mięśnia sercowego przyczepione są do włóknistego szkieletu serca. W mięśniu sercowym znajduje się układ przewodzący serca, składający się z węzła zatokowo-przedsionkowego, węzła przedsionkowo-komorowego i pęczka przedsionkowo-komorowego, zwanego pęczkiem Hissa, którego odnogi (prawa i lewa) biegną wzdłuż górnej części przegrody międzykomorowej. Odnogi pęczka przedsionkowo-komorowego rozpadają się na komórki mięśniowe przewodzące serca, zwane włóknami Purkinjego, wnikające pod wsierdzie.

Wewnętrzne serce składa się z dwóch przedsionków i dwóch komór. Przedsionek prawy i lewy oddzielone są od siebie przegrodą międzyprzedsionkową, a komora prawa i lewa przegrodą międzykomorową. Przedsionki od komór oddzielone są przez przegrody przedsionkowo-komorowe (prawą i lewą). Na powierzchni serca na granicy przedsionków i komór biegnie bruzda wieńcowa, natomiast na granicy komór – bruzda międzykomorowa przednia i tylna. W bruzdach serca układają się tętnice i żyły serca. Serce zaopatrywane jest przez krew, którą doprowadzają dwie tętnice wieńcowe (prawa i lewa), odchodzące od aorty wstępującej. Tętnica wieńcowa lewa zaopatruje przedsionek lewy, 2/3 przednie przegrody międzykomorowej, prawie całą komorę lewą i mięsień brodawkowaty przedni komory prawej oraz przylegającą do niego część komory prawej. Tętnica wieńcowa prawa zaopatruje przedsionek prawy, przegrodę międzyprzedsionkową, prawie całą komorę prawą, 1/2 tylną przegrody międzykomorowej, mięsień brodawkowaty tylny komory lewej i przylegającą do niego część komory lewej.

Krew z mięśnia sercowego odprowadzają żyły sercowe do zatoki wieńcowej, która wpada do prawego przedsionka serca.

Przedsionki serca tworzą uwypuklenia zwane uszkami. Do przedsionka prawego wpadają żyły: główna górna, główna dolna i zatoka wieńcowa serca. Do przedsionka lewego uchodzą dwie żyły płucne prawe i dwie płucne lewe. Z komory prawej wychodzi pień płucny, natomiast z komory lewej tętnica główna, czyli aorta. Przedsionki z komorami łączą ujścia żylne. W ujściu przedsionkowo-komorowym prawym znajduje się zastawka przedsionkowo-komorowa prawa zbudowana z trzech płatków – trójdzielna, zaś w lewym zastawka przedsionkowo-komorowa lewa zbudowana z dwóch płatków – dwudzielna. Do brzegów wolnych i powierzchni dolnych każdego z płatków dochodzą struny ścięgniste rozpoczynające się na mięśniach brodawkowatych komór. W ujściach tętniczych również znajdują się zastawki: zastawka pnia płucnego i zastawka aorty; każda z nich składa się z trzech płatków półksiężycowatych.

Krążenie małe rozpoczyna się w komorze prawej serca pniem płucnym, który po odejściu od komory biegnie skośnie ku górze w kierunku łuku aorty. Pień płucny dzieli się na tętnice płucne prawą i lewą. Obie tętnice towarzysząc oskrzelom dzielą się dalej, aż do naczyń włosowatych tętniczych. Tętniczki włosowate przechodzą w naczynia zawłosowe, które łączą się w żyły. Pniem płucnym i jego gałęziami płynie do płuc krew odtlenowana – bogata w dwutlenek węgla. Żyły płucne prawe i lewe wychodzą po dwie z każdego płuca, po krótkim przebiegu wpadają do przedsionka lewego serca. Żyłami płucnymi płynie do serca krew utlenowana – bogata w tlen.

Krążenie duże rozpoczyna się w komorze lewej serca i tworzy pień tętniczy w kształcie laski (tablica VI).

Aorta dzieli się na: aortę wstępującą, łuk aorty i aortę zstępującą. Aorta zstępująca na wysokości przepony dzieli się na aortę piersiową, leżącą w obrębie klatki piersiowej, i aortę brzuszną, biegnącą po kręgach lędźwiowych, która na wysokości czwartego kręgu lędźwiowego dzieli się na tętnicę biodrową wspólną prawą i lewą. Aorta wstępująca rozgałęzia się na tętnice wieńcowe lewą i prawą, których gałęzie unaczyniają serce. Od powierzchni wypukłej łuku aorty odchodzą: pień ramienno-głowowy (rozpadający się na tętnicę szyjną wspólną prawą i tętnicę podobojczykową prawą), tętnica szyjna wspólna lewa, tętnica podobojczykowa lewa.

Tętnice szyjne wspólne prawa i lewa biegną na szyi obok tchawicy i krtani i dzielą się na tętnice szyjne zewnętrzne i wewnętrzne. Tętnice szyjne zewnętrzne unaczyniają szyję i głównie powierzchnię głowy, natomiast szyjne wewnętrzne zaopatrują w krew mózgowie, narząd wzroku, słuchu i jamę nosową.

Tętnica podobojczykowa biegnie między obojczykiem a pierwszym żebrem i przedłuża się w tętnicę pachową, której przedłużeniem jest tętnica ramienna, dzieląca się w dole łokciowym na tętnice promieniową i łokciową, przebiegające pomiędzy mięśniami przedramienia. Po stronie dłoniowej ręki zespalają się one i tworzą łuki dłoniowe (powierzchowny i głęboki), od których odchodzą naczynia do palców.

Aorta piersiowa rozpada się na 10 par tętnic międzyżebrowych, tętnice przeponowe górne oraz tętnice narządów klatki piersiowej.

Aorta brzuszna i jej odgałęzienia zaopatrują w krew ściany brzucha i narządy jamy brzusznej. W jej przebiegu odchodzą od niej gałęzie ścienne (tętnice lędźwiowe i przeponowe dolne), gałęzie trzewne nieparzyste (pień trzewny, tętnice krezkowe górna i dolna) oraz gałęzie trzewne parzyste (tętnice nadnerczowe, tętnice nerkowe, tętnice jądrowe u mężczyzn i tętnice jajnikowe u kobiet).

Pień trzewny odchodzi od aorty na wysokości pierwszego kręgu lędźwiowego. Pień ten unaczynia żołądek, wątrobę, śledzionę, dwunastnicę i trzustkę.

Tętnica krezkowa górna odchodzi od aorty poniżej pnia trzewnego. Jej gałęzie unaczyniają jelito czcze i kręte, jelito ślepe z wyrostkiem robaczkowym, okrężnicę wstępującą i poprzeczną oraz dwunastnicę i trzustkę.

Tętnica krezkowa dolna wysyła gałęzie do okrężnicy poprzecznej, zstępującej i esowatej oraz do odbytnicy.

Tętnica biodrowa wspólna (prawa i lewa) dzieli się na tętnicę biodrową zewnętrzną i wewnętrzną. Tętnica biodrowa wewnętrzna zaopatruje w krew narządy miednicy i krocze, natomiast tętnica biodrowa zewnętrzna wychodzi z miednicy pod więzadłem pachwinowym na udo i przedłuża się w tętnicę udową. W dole podkolanowym tętnica udowa przechodzi w tętnicę podkolanową, która dzieli się na tętnice piszczelowe przednią i tylną.

Tętnica piszczelowa przednia biegnie na powierzchni przedniej goleni, na wysokości stawu skokowo-goleniowego przedłuża się w tętnicę grzbietową stopy. Tętnica piszczelowa tylna za kostką przyśrodkową dzieli się na tętnicę podeszwową boczną i przyśrodkową. Z połączenia ich powstaje łuk podeszwowy, od którego odchodzą gałęzie do palców stopy.

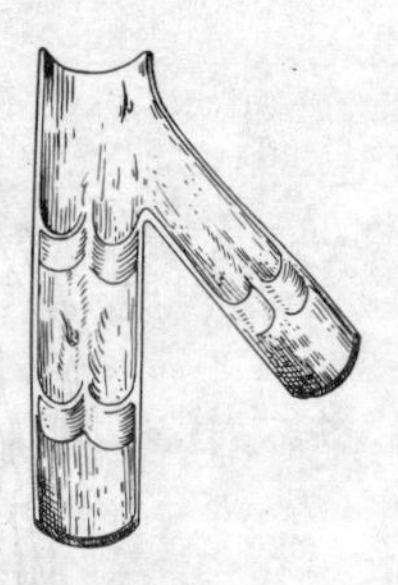
Zastawki żylne

Krew płynąca tętnicami do tkanek powraca z tkanek do serca żyłami. Żyła główna górna powstaje z połączenia prawej i lewej żyły ramienno-głowowej. Każda z nich powstaje z żyły szyjnej wewnętrznej i żyły podobojczykowej. Żyła główna górna zbiera krew z głowy, szyi, kończyn górnych oraz z klatki piersiowej. Żyła główna dolna rozpoczyna się na wysokości czwartego kręgu lędźwiowego w jamie brzusznej. Powstaje z prawej i lewej żyły biodrowej wspólnej. Biegnąc ku górze przyjmuje krew z żył nerkowych, wątrobowych oraz z żył ścian brzucha. Z jamy brzusznej dostaje się do śródpiersia i wpada do przedsionka prawego serca.

W kończynach górnych i dolnych występują duże żyły powierzchowne, zwane podskórnymi. W kończynie górnej są to żyły odpromieniowa i odłokciowa, a w dolnej – odpiszczelowa i odstrzałkowa.

IX. UKŁAD CHŁONNY

Układ chłonny, zwany również limfatycznym, jest ściśle związany z układem krążenia. Należą do niego: naczynia chłonne, węzły chłonne, grasica, śledziona oraz chłonka.

Naczynia chłonne, czyli **limfatyczne**, dzielą się na naczynia chłonne włosowate, naczynia chłonne małe oraz naczynia chłonne duże. Układ chłonny rozpoczyna się zamkniętą pętlą naczyń włosowatych, które leżą w przestrzeniach międzykomórkowych prawie wszystkich narządów. Nie występują tylko w chrząstce, szkliwie i zębinie, włosach, rogówce i w ciele szklistym gałki ocznej. Naczynia chłonne włosowate wchłaniają w tkankach produkty przemiany tkankowej, bakterie, komórki nowotworowe oraz niektóre składniki zewnątrzpochodne: białka, cząsteczki zawiesin, lipidy, w jelitach kuleczki tłuszczu.

Naczynia chłonne małe stanowią ogniwa łączące sieć naczyń chłonnych włosowatych z naczyniami chłonnymi dużymi. W bieg naczyń chłonnych małych są włączone węzły chłonne. Naczynia chłonne małe odprowadzają chłonkę z narządów lub okolic ciała do węzłów chłonnych regionalnych (naczynia doprowadzające) lub do innych węzłów oraz do pni i przewodów chłonnych (naczynia odprowadzające).

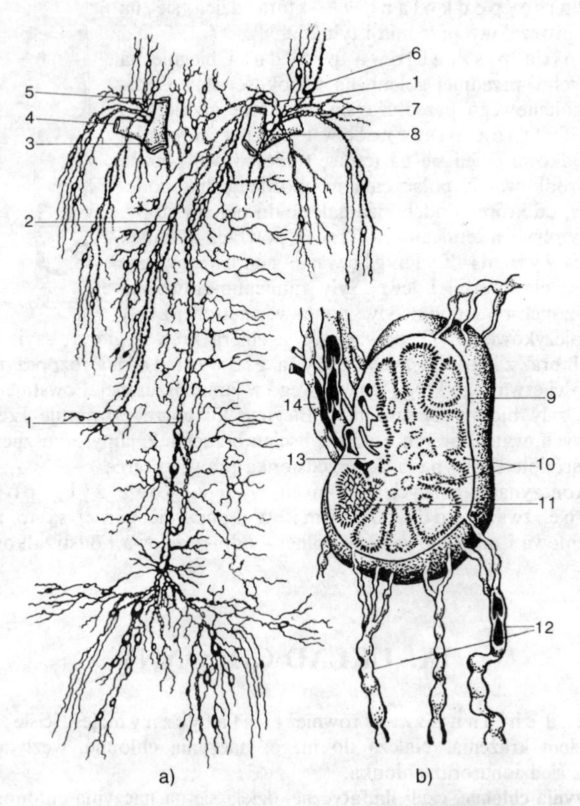

Schemat naczyń chłonnych (a) i węzła chłonnego (b): 1 – przewód piersiowy, 2 – przewód chłonny prawy, 3 – żyła ramienno-głowowa prawa, 4 – żyła podobojczykowa prawa, 5 – żyła szyjna wewnętrzna prawa, 6 – pień szyjny lewy, 7 – pień podobojczykowy lewy, 8 – kąt żylny lewy, 9 – torebka węzła chłonnego, 10 – zatoki węzła chłonnego, 11 – rdzeń węzła, 12 – naczynia doprowadzające, 13 – zatoka końcowa, 14 – naczynia odprowadzające

N a c z y n i a c h ł o n n e d u ż e są odcinkami układu chłonnego zespalającymi się pośrednio lub bezpośrednio z naczyniami żylnymi w tzw. k ą t a c h ż y l n y c h. Naczynia chłonne duże dzielą się na p n i e c h ł o n n e: lędźwiowe, jelitowe, oskrzelowo-śródpiersiowe, podobojczykowe, szyjne, oraz na p r z e w o d y c h ł o n n e: piersiowy i chłonny prawy. P r z e w ó d p i e r s i o w y (*ductus thoracicus*) powstaje w jamie brzusznej z połączenia pni lędźwiowych, które odprowadzają chłonkę z kończyn dolnych i narządów miednicy, oraz pni jelitowych odprowadzających chłonkę z narządów jamy brzusznej. Z jamy brzusznej przewód piersiowy biegnie ku górze do śródpiersia tylnego i kończy się w lewym kącie żylnym między żyłą szyjną wewnętrzną lewą a żyłą podobojczykową lewą. Odcinki piersiowy i szyjny przyjmują chłonkę z lewej połowy klatki piersiowej, lewej kończyny górnej, lewej połowy szyi i lewej połowy głowy. Przewód chłonny prawy (*ductus lymphaticus dexter*) zbiera chłonkę z prawej połowy klatki piersiowej, z prawej kończyny górnej oraz prawej połowy głowy i szyi. Przewód ten ma ujście do prawego kąta żylnego.

Węzły chłonne (*nodi lymphatici* s. *lymphonodi*) leżą w sąsiedztwie narządów lub naczyń krwionośnych. Mają kształt zaokrąglony lub nerkowaty. Po jednej stronie węzła znajduje się zagłębienie zwane wnęką. Naczynia doprowadzające wnikają do węzła w różnych miejscach, odprowadzające opuszczają go przez wnękę.

Węzeł chłonny pokryty jest torebką łącznotkankową, która wnika do węzła i tworzy w nim beleczki. Pod torebką znajduje się miąższ, składający się z kory i rdzenia. Beleczki dzielą korę na płaciki, w których leżą grudki chłonne. Części środkowe grudek stanowią ośrodki rozmnażania limfocytów, części obwodowe składają się z dojrzałych limfocytów. Rdzeń węzła chłonnego tworzą pasma tkanki łącznej, w której oczkach leżą limfocyty i komórki plazmatyczne. Pomiędzy torebką, beleczkami i miąższem węzła znajdują się zatoki węzła chłonnego. Ściany zatok pokryte są komórkami tkanki siateczkowej. Światło zatok wypełnia tkanka siateczkowa; w jej oczkach znajdują się limfocyty, monocyty i granulocyty.

Węzły chłonne pełnią różnorodne funkcje. Do najlepiej poznanych należą: 1) czynność krwiotwórcza – wytwarzanie limfocytów; 2) filtracja przepływającej chłonki – jako filtry biologiczne węzły wychwytują i niszczą bakterie, toksyny, pyły, komórki nowotworowe; 3) udział w wytwarzaniu przeciwciał; 4) udział w powstawaniu reakcji odrzucania przeszczepów; 5) rola „serca chłonki".

Grasica (*thymus*) leży przed tchawicą w dolnym odcinku szyi i w górnej części śródpiersia przedniego. Zawiązek grasicy widoczny jest już u dwumiesięcznych płodów. Intensywnie wzrasta w pierwszych latach życia, po okresie pokwitania stopniowo zanika, przerasta tkanką tłuszczową. Grasica składa się z dwóch płatów, prawego i lewego, mających kształt trójkątny. Płaty grasicy dzielą się na płaciki, których zrąb tworzą komórki gwiaździste. Grasica wydziela hormony tymopoietynę i tymozynę. Ponadto spełnia zasadniczą rolę w rozwoju swoistej komórkowej odpowiedzi immunologicznej i jest ważną częścią układu odpornościowego organizmu (zob. Patologia, s. 306 oraz Pediatria, s. 1160).

Śledziona (*lien*, *splen*), o kształcie owalnym, leży pod przeponą w lewym podżebrzu. Ma powierzchnię przeponową i trzewną oraz koniec przedni i tylny. Na powierzchni trzewnej znajduje się zagłębienie, zwane wnęką śledziony, przez które przechodzą naczynia i nerwy.

Śledziona otoczona jest błoną surowiczą i włóknistą, tworzącą jej torebkę. Od torebki odchodzą przez wnękę, w głąb śledziony, pasma tkanki włóknistej, które tworzą beleczki. Przestrzeń zawartą pomiędzy beleczkami a torebką wypełnia tkanka siateczkowata w postaci miazgi białej i czerwonej. Śledziona jest zbiornikiem krwi, wytwarza limfocyty, wychwytuje i niszczy stare i zmienione erytrocyty, wytwarza ciała odpornościowe. W życiu płodowym wytwarza erytrocyty, granulocyty i limfocyty. Zdolność wytwarzania erytrocytów i granulocytów traci wkrótce po urodzeniu się dziecka.

Chłonka (*lympha*) jest przezroczystym, bezbarwnym lub lekko żółtawym płynem wypełniającym układ naczyń chłonnych. Jej właściwości fizykochemiczne są zbliżone do osocza krwi i płynu międzykomórkowego. Skład chemiczny chłonki zależy w dużym stopniu od narządu, z którego ona odpływa. Chłonka składa się z osocza chłonki i komórek. Osocze chłonki jest pochodną osocza krwi, komórki są wytwarzane w węzłach chłonnych, grasicy i w śledzionie.

X. UKŁAD NERWOWY

Wiadomości ogólne

Układ nerwowy zawiaduje czynnościami i zachowaniem całego organizmu. Swoją czynność regulacyjną wypełnia na zasadzie złożonych mechanizmów samoregulacji. Układ nerwowy odbiera informacje ze środowiska zewnętrznego i wewnętrznego poprzez swoiste receptory. Informacje te docierają do układu nerwowego ośrodkowego, ulegają analizie i zakodowaniu. Efektem tego jest odpowiednie zachowanie się względem środowiska zewnętrznego oraz wpływ na czynności narządów wewnętrznych i przemianę materii.

Topograficznie układ nerwowy dzieli się na układ nerwowy ośrodkowy i układ nerwowy obwodowy. Układ nerwowy ośrodkowy składa się z mózgowia i rdzenia kręgowego. Układ nerwowy obwodowy utworzony jest przez nerwy czaszkowe i nerwy rdzeniowe oraz związane z nimi zwoje i sploty.

Czynnościowo układ nerwowy dzieli się na układ nerwowy somatyczny i układ nerwowy autonomiczny, zwany też wegetatywnym. W układzie nerwowym somatycznym, którego narządami wykonawczymi są mięśnie poprzecznie prążkowane, wyodrębnia się układ piramidowy, kierujący wykonywaniem ruchów świadomych, i układ pozapiramidowy, zawiadujący ruchami zautomatyzowanymi oraz regulujący napięcie mięśni. Układ nerwowy autonomiczny odpowiada za czynność narządów wewnętrznych i reguluje środowisko wewnętrzne. Czynność tego układu nie zależy od woli człowieka. Dzieli się on na część współczulną (sympatyczną) i przywspółczulną (parasympatyczną).

Układ nerwowy rozwija się z zewnętrznego listka zarodkowego – ektodermy. Na powierzchni grzbietowej zarodka powyżej struny grzbietowej rozwija się cewa nerwowa. Jej szersza część (przednia) jest zawiązkiem mózgowia, a węższa i dłuższa (tylna) – zawiązkiem rdzenia kręgowego. Z przedniej części cewy nerwowej wykształcają się pęcherzyki mózgowe pierwotne, które później dzielą się na pęcherzyki mózgowe wtórne.

Pęcherzyki mózgowe pierwotne	Pęcherzyki mózgowe wtórne
1) Przodomózgowie	a) kresomózgowie b) międzymózgowie
2) Śródmózgowie	
3) Tyłomózgowie	a) tyłomózgowie wtórne b) rdzeniomózgowie

Kresomózgowie dzieli się na kresomózgowie parzyste (półkule mózgu), w skład którego wchodzą: kora mózgu, jądra podkorowe, istota biała półkul i komory boczne, oraz kresomózgowie nieparzyste, do którego zalicza się: ciało modzelowate, sklepienie, przegroda przezroczysta i spoidło przednie.

Z pozostałych pęcherzyków mózgowych tworzy się pień mózgu.

Układ nerwowy zbudowany jest z tkanki nerwowej (zob. s. 11) i glejowej. Tkanka glejowa spełnia funkcję podporową oraz pośredniczy w wymianie produktów przemiany materii pomiędzy komórkami nerwowymi a istotą międzykomórkową.

Układ nerwowy ośrodkowy

Mózgowie

Mózgowie (*encephalon*) mieści się w jamie czaszki. W jego skład wchodzą: dwie półkule mózgowe, móżdżek i pień mózgu.

Półkule mózgowe stanowią mózg właściwy, osadzony na pniu mózgu. Oddzielone są od siebie podłużną szczeliną mózgu, w głębi której leży ciało modzelowate, zwane również spoidłem wielkim mózgu. Łączy ono ze sobą obie półkule, mające kształt jajowatej bryły. Na każdej z nich można wyróżnić trzy powierzchnie i cztery bieguny. Wyodrębnia się powierzchnie: górno-boczną (wypukłą), przyśrodkową i podstawową, oraz bieguny: czołowy, ciemieniowy, potyliczny i skroniowy. Z zewnątrz półkule pokrywa istota szara, czyli kora mózgu. Składa się ona z kilku warstw różnokształtnych komórek nerwowych. Wewnętrzną warstwę półkul tworzy istota biała, zbudowana z włókien nerwowych kojarzeniowych, spoidłowych i rzutowych. Włókna kojarzeniowe tworzą drogi kojarzeniowe, które łączą ze sobą różne ośrodki w tej samej półkuli mózgu. Włókna spoidłowe tworzą drogi spoidłowe, zespalające

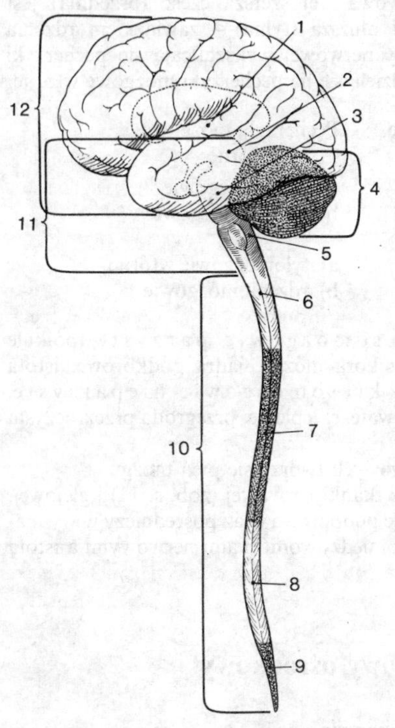

Ośrodkowy układ nerwowy: 1 – przodomózgowie, 2 – śródmózgowie, 3 – most, 4 – móżdżek, 5 – rdzeń przedłużony, 6 – odcinek szyjny, 7 – odcinek piersiowy, 8 – odcinek lędźwiowy, 9 – odcinek krzyżowy, 10 – rdzeń kręgowy, 11 – pień mózgu, 12 – mózg

jednakowe ośrodki leżące w obu półkulach mózgowych. Największym skupieniem dróg spoidłowych jest ciało modzelowate. Włókna rzutowe łączą korę mózgu z ośrodkami pnia mózgu i rdzenia kręgowego jako drogi rzutowe. Dzielą się one na drogi zstępujące, czyli ruchowe, i wstępujące, czyli czuciowe. Drogi ruchowe biorą początek w korze mózgu, a kończą się w efektorach (narządach wykonawczych), drogi czuciowe biegną od receptorów do kory mózgu. W istocie białej mózgu wśród jej włókien znajdują się różnokształtne skupienia komórek nerwowych, tworzące jądra podkorowe (ciało prążkowane, składające się z jądra ogoniastego i soczewkowatego, ciało migdałowate i przedmórze; jądra soczewkowate i ogoniaste oddzielone są od wzgórza torebką wewnętrzną), które zawierają ośrodki układu pozapiramidowego i układu limbicznego.

Powierzchnia kory mózgowej jest pofałdowana i tworzy uwypuklenia zwane zakrętami, które ograniczone są przez zagłębienia nazywane bruzdami i szczelinami. Dzielą one korę mózgu na płaty: czołowy, ciemieniowy, skroniowy i potyliczny. Najważniejszymi zakrętami kory mózgowej są: zakręt przedśrodkowy (ośrodek ruchów dowolnych), zakręt zaśrodkowy (ośrodek czynności czuciowych), zakręt obręczy (obszar koordynujący złożone czynności układu nerwowego autonomicznego), zakręty potyliczne (ośrodek wzroku), zakręt skroniowy górny (ośrodek słuchu). Pozostałe obszary kory mózgowej stanowią tzw. pole kojarzeniowe, biorące udział w scalaniu czynności różnych ośrodków kory mózgowej oraz zapamiętywaniu wrażeń. Kora mózgowa sprawuje nadrzędną funkcję nad czynnością ośrodków położonych w pniu mózgu i rdzeniu kręgowym.

W kresomózgowiu leży komora boczna mózgowia.

W **międzymózgowiu** rozróżniamy dwie zasadnicze części: grzbietową i brzuszną, oddzielone od siebie bruzdą podwzgórzową (parzysta), która przebiega między wzgórzem a podwzgórzem. Część grzbietową międzymózgowia stanowi wzgórzomózgowie (parzyste), w którym odróżniamy: wzgórze, zawzgórze i nadwzgórze. Zawzgórze składa się z ciała kolankowatego przyśrodkowego (zawiera drogę słuchową) i bocznego (zawiera drogę wzrokową). Do nadwzgórza zaliczamy: szyszynkę, uzdeczkę, trójkąt uzdeczek, spoidło uzdeczek i spoidło tylne mózgu. Do części brzusznej międzymózgowia należy podwzgórze i niskowzgórze. Podwzgórze składa się z dwóch ciał suteczkowatych, guza popielatego, lejka, przysadki, skrzyżowania wzrokowego i pasm wzrokowych.

Międzymózgowie z przodu i z boków łączy się z półkulami mózgu, a z tyłu ze śródmózgowiem. W międzymózgowiu leży komora trzecia mózgowia.

Przez międzymózgowie przechodzą wszystkie bodźce czuciowe z obwodu do kory mózgu. Ponadto w międzymózgowiu odbywa się regulacja gospodarką wodną, pobierania pokarmu i czynności płciowych. Mieszczą się mechanizmy regulujące sen i czuwanie.

Śródmózgowie stanowi krótki odcinek pnia mózgu, z przodu łączy się ze wzgórzami, z podwzgórzem i nadwzgórzem, natomiast z tyłu z mostem. Wyróżniamy w nim: część grzbietową – pokrywę śródmózgowia, i część brzuszną – konary mózgu, dzielące się na nakrywkę i odnogi mózgu. W odnogach mózgu biegną drogi ruchowe rozpoczynające się w korze mózgu. Nakrywka zawiera drogi czuciowe oraz jądra nerwu okoruchowego (ruchowe i przywspółczulne) i nerwu odwodzącego (ruchowe). Pokrywa śródmózgowia zawiera drogę słuchową oraz podkorowy ośrodek słuchu.

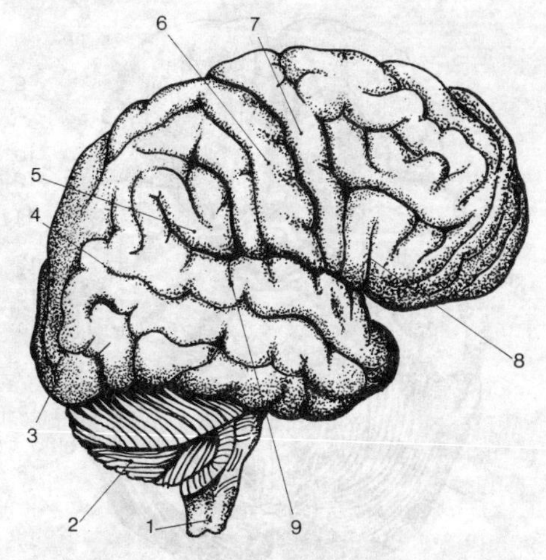

Ośrodki korowe na powierzchni wypukłej półkuli mózgowej: 1 – rdzeń przedłużony, 2 – móżdżek, 3 – zakręty potyliczne – kora wzrokowa (ośrodek wzroku), 4 – ośrodek wzrokowy mowy, 5 – ośrodek czuciowy mowy, 6 – zakręt zaśrodkowy – kora czuciowa (ośrodek czynności czuciowych), 7 – zakręt przedśrodkowy – kora ruchowa (ośrodek ruchów dowolnych), 8 – zakręt czołowy dolny – ośrodek ruchowy mowy Broca, 9 – zakręt skroniowy górny – kora słuchowa (ośrodek słuchu)

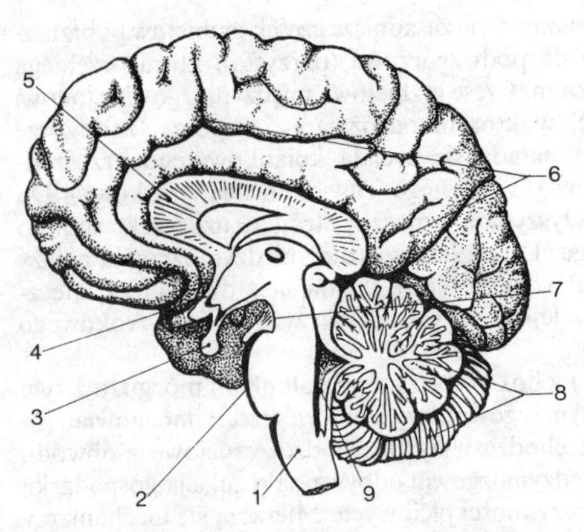

Mózgowie (od strony przyśrodkowej): 1 – rdzeń przedłużony, 2 – most, 3 – przysadka, 4 – podwzgórze, 5 – ciało modzelowate, 6 – półkula mózgowa, 7 – śródmózgowie, 8 – móżdżek, 9 – komora czwarta

Przez śródmózgowie przechodzi w o d o c i ą g mózgu, podłużny kanał łączący komorę III mózgowia z komorą IV.

Tyłomózgowie wtórne różnicuje się na móżdżek i most.

Móżdżek (*cerebellum*) jest częścią mózgowia leżącą poniżej płatów potylicznych półkul mózgowych, ku tyłowi od mostu i rdzenia przedłużonego. Parzyste konary łączą móżdżek ze śródmózgowiem, mostem i rdzeniem przedłużonym. W móżdżku wyróżnia się dwie p ó ł k u l e i zespalający je tzw. r o b a k m ó ż d ż k u. Podobnie jak w półkulach mózgu, w móżdżku powierzchnię zewnętrzną tworzy i s t o t a s z a r a, a w głębi leży i s t o t a b i a ł a, w której znajdują się jądra móżdżku.

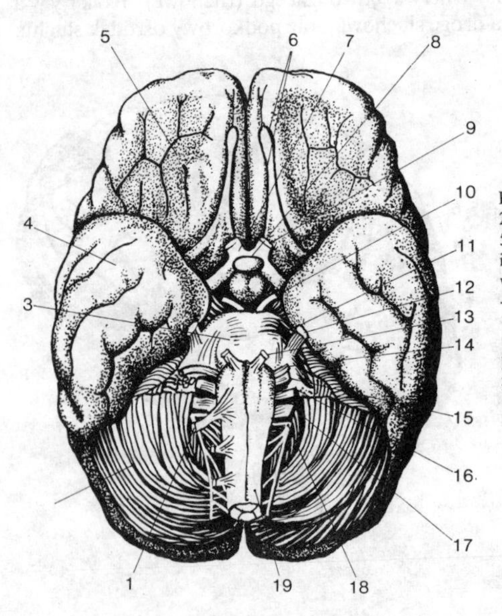

Podstawa mózgu: 1 – nerw podjęzykowy, 2 – móżdżek, 3 – most, 4 – płat skroniowy, 5 – płat czołowy, 6 – opuszka węchowa i pasmo węchowe, 7 – skrzyżowanie wzrokowe, 8 – przysadka, 9 – nerw wzrokowy, 10 – nerw okoruchowy, 11 – nerw bloczkowy, 12 – nerw trójdzielny, 13 – nerw odwodzący, 14 – nerw twarzowy, 15 – nerw przedsionkowo-ślimakowy, 16 – nerw językowo-gardłowy, 17 – nerw błędny, 18 – nerw dodatkowy, 19 – rdzeń przedłużony

Most (*pons*) jest czworoboczną wyniosłością, z przodu łączącą się ze śródmózgowiem, z tyłu z rdzeniem przedłużonym, a z boków i od góry z móżdżkiem. W obrębie mostu wyróżniamy część podstawną (brzuszną) i grzbietową. W części podstawnej biegną drogi zstępujące (ruchowe). Część grzbietowa mostu zawiera drogi wstępujące (czuciowe) oraz jądra nerwów: twarzowego (ruchowe, czuciowe i przywspółczulne), przedsionkowo-ślimakowego (czuciowe) oraz trójdzielnego (czuciowe i ruchowe), jak również ośrodki krążenia, oddychania, związane z czynnościami przewodu pokarmowego i regulujące napięcie mięśni szkieletowych.

Rdzeniomózgowie przekształca się w **rdzeń przedłużony** (*medulla oblangata*), który bezpośrednio przedłuża się w rdzeń kręgowy. Granicę stanowi skrzyżowanie piramid. U góry rdzeń przedłużony łączy się z mostem, a z boków – z móżdżkiem. Rdzeń przedłużony, podobnie jak most, w części grzbietowej zawiera drogi czuciowe i jądra nerwów: językowo-gardłowego (czuciowe, ruchowe i przywspółczulne), błędnego (przywspółczulne, ruchowe i czuciowe), dodatkowego (ruchowe) i podjęzykowego (ruchowe), a także ośrodki regulujące czynności układu krążenia i układu oddechowego. W części brzusznej rdzenia przedłużonego biegną drogi ruchowe.

Komory mózgowia

Komory mózgowia jest to układ czterech łączących się jam, wytwarzających płyn mózgowo-rdzeniowy, który je wypełnia. Komory boczne (I i II) znajdują się po jednej w obu półkulach mózgu. Łączą się one z leżącą w międzymózgowiu komorą III, która z kolei poprzez wodociąg mózgu (zob. s. 58) łączy się z komorą IV. Ta ostatnia ma dno utworzone przez powierzchnie grzbietowe mostu i rdzenia przedłużonego oraz strop, który stanowi móżdżek. Komora IV łączy się z jamą podpajęczynówkową mózgowia.

Rdzeń kręgowy

Rdzeń kręgowy (*medula spinalis*) leży w kanale kręgowym. Ma kształt wydłużonego i spłaszczonego w kierunku przednio-tylnym stożka. Koniec rdzenia leży na wysokości pierwszego lub drugiego kręgu lędźwiowego i przechodzi w nić końcową sięgającą do drugiego kręgu guzicznego. Rdzeń kręgowy ma budowę metameryczną. Składa się z segmentów zwanych neuromerami, z których każdy wysyła parę nerwów rdzeniowych – prawy i lewy.

W budowie wewnętrznej rdzenia kręgowego wyróżnia się warstwę zewnętrzną, którą stanowi istota biała, oraz warstwę wewnętrzną, którą stanowi istota szara. Biegnące na powierzchni rdzenia bruzdy ograniczają

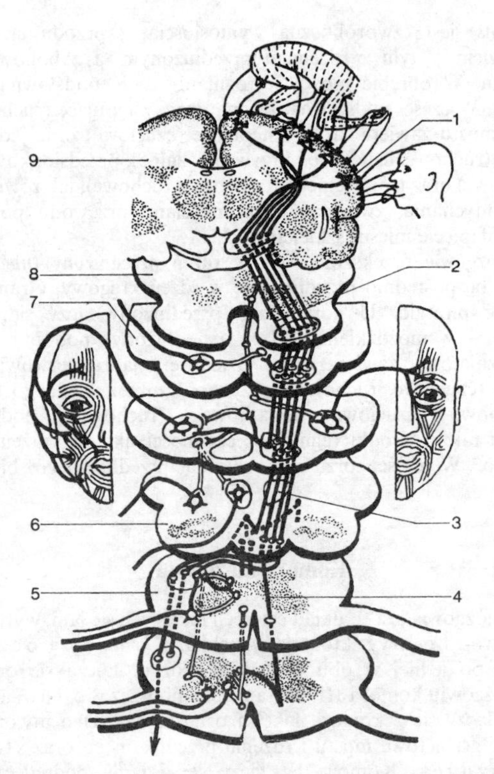

Drogi ruchowe (zstępujące) – korowo-jądrowe i korowo-rdzeniowe: 1 – zakręt przedśrodkowy, 2 – droga korowo-jądrowa, 3 – droga korowo-rdzeniowa boczna, 4 – droga korowo-rdzeniowa przednia, 5 – rdzeń kręgowy, 6 – rdzeń przedłużony, 7 – most, 8 – śródmózgowie, 9 – półkula mózgu

utworzone przez istotę białą sznury: przedni, boczny i tylny. Istota szara tworzy słupy: przedni, tylny i boczny (parzyste). W słupach przednich leżą skupienia neuronów zwane jądrami ruchowymi nerwów rdzeniowych, w słupach tylnych skupienia neuronów noszące nazwę jąder grzbietowych lub czuciowych. W słupach bocznych neurony tworzą jądra pośrednio-boczne i pośrednio-przyśrodkowe, wysyłające włókna nerwowe współczulne i przywspółczulne.

W sznurach rdzenia kręgowego biegną drogi, które dzieli się na krótkie (własne) i długie (korowo-rdzeniowe, rdzeniowo-wzgórzowe, rdzeniowo-móżdżkowe, opuszkowo-rdzeniowe i drogi układu pozapiramidowego). W sznurze przednim i bocznym biegną drogi ruchowe i czuciowe, w sznurze tylnym biegną tylko drogi czuciowe.

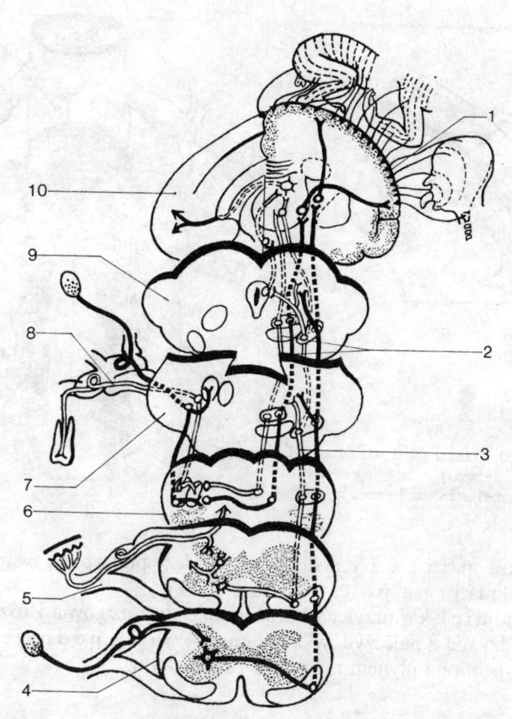

Drogi czuciowe (wstępujące) do kory mózgu: 1 – zakręt zaśrodkowy, 2 – droga jądrowo-komorowa, 3 – droga rdzeniowo-wzgórzowa, 4 – rdzeń kręgowy, 5 – nerw rdzeniowy, 6 – rdzeń przedłużony, 7 – most, 8 – nerw trójdzielny, 9 – śródmózgowie, 10 – półkula mózgu

Opony mózgowo-rdzeniowe

Mózgowie i rdzeń kręgowy są pokryte trzema oponami. Idąc od zewnątrz wyróżnia się kolejno: oponę twardą, oponę pajęczynówkową i oponę miękką.

Opona twarda jest grubą błoną, której blaszka zewnętrzna stanowi zarazem okostną kości tworzących jamę czaszki i kanał kręgowy. Blaszka wewnętrzna opony twardej mózgowia, zwana blaszką mózgową, tworzy trzy fałdy, które wpuklają się w szczeliny mózgowia. Są to: sierp mózgu, sierp móżdżku i namiot móżdżku. Pomiędzy blaszkami opony twardej mózgowia znajdują się zatoki żylne, odprowadzające krew z mózgowia do żyły szyjnej wewnętrznej.

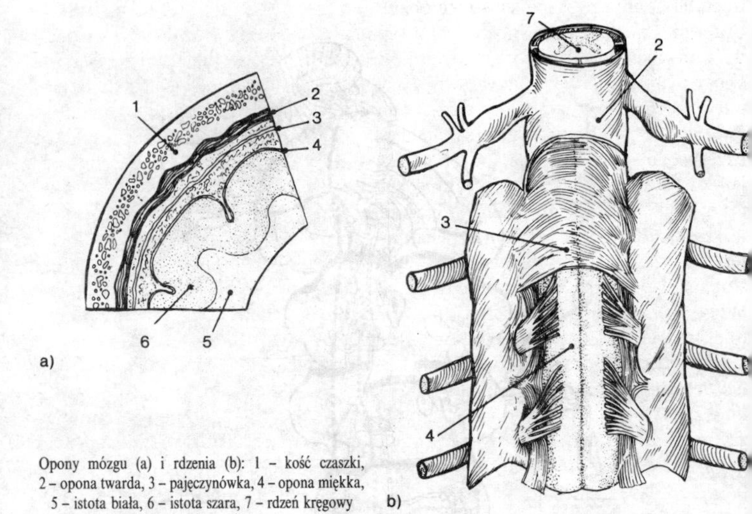

Opony mózgu (a) i rdzenia (b): 1 – kość czaszki, 2 – opona twarda, 3 – pajęczynówka, 4 – opona miękka, 5 – istota biała, 6 – istota szara, 7 – rdzeń kręgowy

O p o n a p a j ę c z y n ó w k o w a leży pod oponą twardą i jest od niej oddzielona j a m ą p o d t w a r d ó w k o w ą.

O p o n a m i ę k k a przylega bezpośrednio do mózgowia i rdzenia kręgowego. Między nią a pajęczynówką znajduje się j a m a p o d p a j ę c z y n ó w k o w a, wypełniona płynem mózgowo-rdzeniowym.

Układ nerwowy obwodowy

Nerwy czaszkowe, w liczbie 12 par, odchodzą od podstawy mózgu i wychodzą z jamy czaszki przez otwory podstawy czaszki (tablica VII). Idą od przodu ku tyłowi w kolejności są to n e r w y: I – węchowy, II – wzrokowy, III – okoruchowy, IV – bloczkowy, V – trójdzielny, VI – odwodzący, VII – twarzowy, VIII – przedsionkowo-ślimakowy, IX – językowo-gardłowy, X – błędny, XI – dodatkowy, XII – podjęzykowy. Nerw I – w ę c h o w y jest nerwem c z u c i o w y m. Włókna tworzące ten nerw rozpoczynają się w polu węchowym błony śluzowej jamy nosowej. Nerw II – w z r o k o w y jest także nerwem c z u c i o w y m. Przewodzi bodźce świetlne z siatkówki gałki ocznej do mózgowia. Nerw III – o k o r u c h o w y, nerw IV – b l o c z k o w y oraz nerw VI – o d w o d z ą c y unerwiają mięśnie zewnątrzgałkowe i wewnątrzgałkowe oraz mięsień dźwigacz powieki górnej. Nerw V – t r ó j d z i e l n y mieszany, prowadzi włókna czuciowe i ruchowe. Dzieli się na t r z y n e r w y: nerw oczny (V_1), nerw szczękowy (V_2) i nerw żuchwowy (V_3). Nerw o c z n unerwia skórę czoła i nosa, gałkę oczną i aparat ochronny oka, jamę nosową oraz zatokę czołową, klinową i komórki sitowe. Nerw szczękowy oddaje włókna czuciowe do jamy nosowej, podniebienia, zębów i dziąseł szczęki oraz skóry twarzy. Nerw żuchwowy wysyła włókna czuciowe do języka, dziąseł i zębów żuchwy, małżowiny usznej i policzka, a włókna ruchowe do mięśni żwaczy i mięśni dna jamy ustnej. Nerw VII – twarzowy prowadzi włókna ruchowe do mięśni wyrazowych twarzy, włókna czuciowe – do brodawek języka, a włókna przywspółczulne przekazuje do ślinianki podżuchwowej i podjęzykowej oraz do gruczołu łzowego. Nerw VIII – przedsionkowo-ślimakowy jest nerwem czuciowym. Jego część przedsionkowa związana jest z narządem równowagi, natomiast część ślimakowa łączy się z narządem słuchu. Nerw IX – językowo-gardłowy jest nerwem mieszanym. Włókna czuciowe prowadzą do brodawek języka, włókna ruchowe unerwiają mięśnie gardła i podniebienia miękkiego. Włókna przywspółczulne nerwu językowo-gardłowego unerwiają śliniankę przyuszną. Nerw X – błędny jest nerwem mieszanym i przebiega przez całą długość szyi i klatki piersiowej, kończąc się w jamie brzusznej. Oprócz włókien czuciowych i ruchowych zawiera największą liczbę włókien przywspółczulnych. Unerwia gardło, krtań, przełyk, serce, płuca i narządy jamy brzusznej. Nerw XI – dodatkowy prowadzi włókna ruchowe do mięśnia mostkowo-obojczykowo-sutkowego i mięśnia czworobocznego. Nerw XII – podjęzykowy unerwia ruchowo wszystkie mięśnie języka.

Nerwy rdzeniowe. Od rdzenia kręgowego najczęściej odchodzi 31 par nerwów rdzeniowych: 8 – szyjnych, 12 – piersiowych, 5 – lędźwiowych, 5 – krzyżowych oraz 1 – guziczny. Nerwy rdzeniowe są nerwami mieszanymi, zawierają włókna czuciowe, ruchowe i autonomiczne.

Każdy nerw rdzeniowy powstaje w kanale kręgowym z połączenia się dwóch korzeni nerwu rdzeniowego – brzusznego, przewodzącego włókna ruchowe i współczulne, oraz grzbietowego, zawierającego włókna czuciowe. Każdy nerw rdzeniowy przez otwór międzykręgowy wychodzi z kanału kręgowego i dzieli się na gałęzie: oponową, brzuszną, grzbietową i łączącą nerwu rdzeniowego. Gałęzie oponowe (czuciowe) wracają do kanału kręgowego i unerwiają okostną kręgosłupa oraz opony rdzenia kręgowego. Gałęzie grzbietowe unerwiają skórę i mięśnie grzbietu. Gałęzie brzuszne (poza nerwami piersiowymi) zespalają się i tworzą sploty.

Splot szyjny powstaje z gałęzi brzusznych czterech górnych nerwów rdzeniowych szyjnych. Nerwy odchodzące od splotu unerwiają skórę i mięśnie szyi oraz przeponę.

Splot ramienny powstaje z połączenia się gałęzi brzusznych czterech dolnych nerwów rdzeniowych szyjnych i pierwszego piersiowego. Splot ten leży w dole nadobojczykowym (część nadobojczykowa) i w jamie pachowej (część podobojczykowa). Gałęzie krótkie odchodzące od części nadobojczykowej unerwiają skórę i mięśnie obręczy kończyny górnej i klatki piersiowej, gałęzie długie części podobojczykowej splotu ramiennego unerwiają skórę, stawy i mięśnie kończyny górnej wolnej (tablice VIII i IX).

Gałęzie brzuszne nerwów rdzeniowych piersiowych układają się w przestrzeniach międzyżebrowych i zwane są nerwami międzyżebrowymi. Unerwiają one skórę i mięśnie klatki piersiowej i brzucha oraz przeponę ruchowo, a czuciowo opłucną ścienną i otrzewną ścienną.

Splot lędźwiowo-krzyżowy jest utworzony przez gałęzie brzuszne nerwów rdzeniowych lędźwiowych i krzyżowych oraz gałąź brzuszną nerwu rdzeniowego guzicznego. Splot ten dzieli się na splot lędźwiowy i splot krzyżowy. Splot lędźwiowy otrzymuje włókna od gałęzi brzusznych trzech górnych nerwów lędźwiowych i część włókien z gałęzi brzusznej czwartego nerwu lędźwiowego. Splot krzyżowy powstaje z gałęzi brzusznych dwóch dolnych nerwów lędźwiowych, z gałęzi brzusznych wszystkich nerwów rdzeniowych krzyżowych i nerwu guzicznego. Splot lędźwiowy unerwia skórę i mięśnie brzucha oraz mięśnie grupy przedniej i przyśrodkowej uda. Splot krzyżowy wysyła nerwy do skóry i mięśni obręczy kończyny dolnej i krocza oraz do narządów płciowych zewnętrznych. Największym nerwem splotu krzyżowego jest nerw kulszowy, unerwiający mięśnie grupy tylnej uda, skórę i mięśnie goleni i stopy.

Układ nerwowy autonomiczny

Układ nerwowy autonomiczny, zwany też wegetatywnym, kieruje czynnościami, które nie podlegają naszej woli. Reguluje on czynność mięśnia sercowego, mięśni gładkich, gruczołów oraz czynności związane z oddychaniem, trawieniem, wydalaniem, przemianą materii i rozrodem. Układ nerwowy autonomiczny (tablica X) dzieli się na część współczulną (sympatyczną) i część przywspółczulną (parasympatyczną) działające przeciwnie. Obie części składają się z części ośrodkowej i obwodowej.

Część ośrodkowa leży w mózgowiu i rdzeniu kręgowym tworząc ośrodki autonomiczne i jest z nimi ściśle związana. Ośrodki korowe za pomocą dróg nerwowych mają połączenia z ośrodkami podkorowymi, ośrodkami podwzgórza, pnia mózgu i rdzenia kręgowego. W podwzgórzu leżą ośrodki przemiany węglowodanowej, tłuszczowej, białkowej, gazowej i ośrodek gospodarki wodnej. W pniu mózgu leżą ośrodki części przywspółczulnej układu nerwowego autonomicznego. Są to ośrodki naczynioruchowe wydzielnicze, oddechowe, połykania i motoryczne dla mięśni gładkich i mięśnia sercowego.

W rdzeniu kręgowym ośrodki współczulne leżą w słupach bocznych istoty szarej, od 8 segmentu szyjnego do 2 lub 3 segmentu lędźwiowego. Wśród nich wyróżnia się ośrodek odruchów źrenicy na światło i rzęskowych (8 segment szyjny oraz 1 i 2 segment piersiowy), ośrodki włosoruchowe naczynioruchowe i regulujące wydzielanie gruczołów potowych (1 i 2 segment lędźwiowy). Część przywspółczulną reprezentują ośrodki defekacji wydzielania moczu, erekcji, ejakulacji i motoryczne dla mięśnia macicy

Ośrodki te leżą w części krzyżowej rdzenia kręgowego, zwłaszcza na przestrzeni od 2 do 4 segmentu krzyżowego.

Część obwodowa części współczulnej składa się z pnia współczulnego (parzysty) i wszystkich jego odgałęzień. Pień współczulny jest zbudowany ze zwojów współczulnych, leżących przy trzonach kręgów, połączonych gałęziami międzyzwojowymi. Nerwy odchodzące od pnia współczulnego dochodzą do narządów razem z gałęziami nerwów rdzeniowych albo z tętnicami. Włókna współczulne dochodzą do wszystkich narządów wewnętrznych, gruczołów i naczyń krwionośnych i chłonnych.

Część obwodową części przywspółczulnej stanowią włókna przywspółczulne biegnące z nerwami: okoruchowym, twarzowym, językowo-gardłowym i błędnym, oraz włókna przywspółczulne odchodzące od części krzyżowej rdzenia kręgowego, tworzące nerwy trzewne miedniczne. Włókna nerwu okoruchowego unerwiają mięsień zwieracz źrenicy i mięsień rzęskowy (akomodacji oka). Nerwy twarzowy i językowo-gardłowy unerwiają ślinianki jamy ustnej i gruczoł łzowy. Włókna przywspółczulne nerwu błędnego unerwiają serce, oskrzela, przełyk, żołądek, jelito cienkie, jelito grube (tylko do 2/3 okrężnicy poprzecznej), wątrobę, trzustkę, śledzionę, nerki, miedniczki nerkowe i moczowody. Włókna odchodzące od części krzyżowej rdzenia kręgowego unerwiają pozostałą część jelita grubego, pęcherz moczowy i narządy płciowe.

XI. GRUCZOŁY WYDZIELANIA WEWNĘTRZNEGO (DOKREWNE)

Gruczoły wydzielania wewnętrznego, zwane też dokrewnymi, nie mają przewodów wyprowadzających. Wydzielina ich, nazywana hormonem, dostaje się bezpośrednio do układu krążenia (do krwi), płynu mózgowo-rdzeniowego lub tkanek. Hormony wywierają wpływ na różne procesy życiowe organizmu.

Gruczoły dokrewne położone w różnych częściach ciała mają różny kształt, wielkość i budowę. Zalicza się do nich: przysadkę, szyszynkę, tarczycę, przytarczyce, nadnercza, narząd wyspowy trzustki i gruczoły płciowe – jajniki u kobiet, jądra u mężczyzn.

Przysadka (*hypophysis*) leży w dole przysadki, który znajduje się na powierzchni górnej kości klinowej (siodło tureckie) na podstawie mózgu. Wielkość jej można porównać z pestką czereśni, masa zaś wynosi 0,5–0,9 g. Z podwzgórzem przysadka łączy się za pomocą lejka.

Przysadka składa się z dwóch płatów: przedniego (część gruczołowa) i tylnego (część nerwowa). Płat przedni jest zbudowany z komórek, których liczba i powinowactwo do barwników zmienia się w zależności od ich stanu czynnościowego. Pomiędzy płatem przednim i podwzgórzem biegnie wzdłuż łączącego je lejka układ wrotny żylno-żylny. Przez układ ten dostają się do przysadki wytwarzane w podwzgórzu hormony uwalniające lub

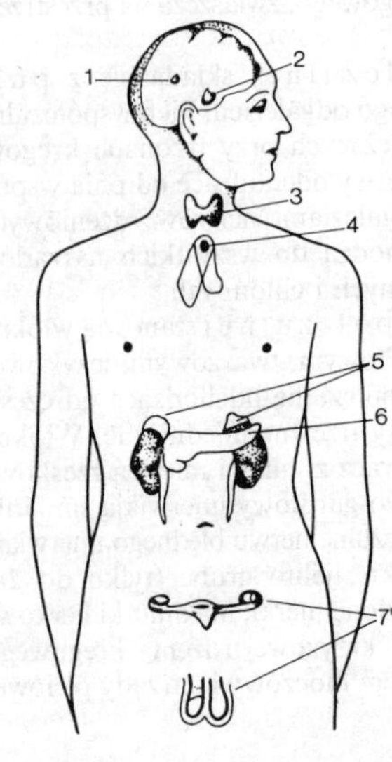

Ważniejsze gruczoły wydzielania wewnętrznego: 1 – szyszynka, 2 – przysadka, 3 – tarczyca z przytarczycami, 4 – grasica, 5 – nadnercza, 6 – trzustka, 7 – gruczoły płciowe (jajniki i jądra)

hamujące wydzielanie hormonów przysadkowych. Przedni płat przysadki wydziela następujące hormony: hormon wzrostu (GH), czyli somatotropinę (STH), hormon tyreotropowy (TSH), kortykotropowy (adrenokortykotropinę, ACTH), folikulotropowy (folikulostymulinę, FSH), hormon luteinizujący (LH), prolaktynę (LTH), hormon melanotropowy (MSH).

P ł a t t y l n y przysadki jest zbudowany z obficie unaczynionego łącznotkankowego zrębu, w którym rozsiane są bardzo liczne włókna nerwowe bezrdzenne i pituicyty. Między komórkami zrębu znajduje się substancja wytwarzana w jądrze nadwzrokowym i przykomorowym podwzgórza, przekazywana do tylnego płata przysadki przez lejek. Substancję tę stanowią dwa n e u r o h o r m o n y: wazopresyna argininowa (AVP), nazywana również hormonem antydiuretycznym (ADH), oraz oksytocyna. Hormony te w tylnym płacie przysadki zostają uwolnione do krwi.

Szyszynka (*corpus pineale*) jest częścią nadwzgórza w międzymózgowiu. Leży pod płatem ciała modzelowatego, kształtem przypomina spłaszczony stożek, ma długość 8–12 mm i masę 20–40 mg. Jej miąższ tworzą komórki zwane p i n e a l o c y t a m i. Szyszynka wydziela hormon m e l a n i n ę oraz związki polipeptydowe.

Tarczyca, czyli **gruczoł tarczowy** (*glandula thyroidea*), leży na szyi po obu stronach krtani i przed górną częścią tchawicy. Składa się z d w ó c h p ł a t ó w b o c z n y c h i części środkowej, zwanej w ę z i n ą. Powierzchnię tarczycy pokrywa torebka łącznotkankowa, która wnika w głąb i dzieli gruczoł na z r a z i k i. Zraziki są zbudowane z pęcherzyków gruczołowych wypełnionych koloidem zawierającym hormony tarczycy. Ściany pęcherzyków pokryte są nabłonkiem jednowarstwowym, w którym wyróżnia się komórki główne – t y r o c y t y – wytwarzające hormony tarczycy: t y r o k s y n ę i t r ó j j o d o t y r o n i n ę. Oprócz komórek głównych w przestrzeniach międzypęcherzykowych występują komórki pęcherzykowe – parafolikularne, wydzielające hormon k a l c y t o n i n ę (CT).

Rola tarczycy polega na wychwytywaniu jodu z krwi, syntezie hormonów, magazynowaniu hormonów w koloidzie i uwalnianiu hormonów do krwi.

Przytarczyce, czyli **gruczoły przytarczyczne** (*glandulae parathyroideae*), występują najczęściej w liczbie czterech; są to: gruczoły przytarczyczne górne (prawy i lewy) i gruczoły przytarczyczne dolne (prawy i lewy). Leżą one na tylnej powierzchni płatów tarczycy. Wielkość ich oraz kształt są zbliżone do ziarna grochu. Miąższ gruczołów przytarczycznych jest zbudowany z komórek głównych jasnych i ciemnych oraz komórek kwasochłonnych. Gruczoły przytarczyczne wydzielają hormon zwany parathormonem (PTH).

Grasica, zob. Układ chłonny, s. 53.

Nadnercza, czyli **gruczoły nadnerczowe** (*glandulae suprarenales*), są parzystym gruczołem leżącym w przestrzeni zaotrzewnej jamy brzusznej na końcu górnym nerek. Mają kształt trójkątny i półksiężycowaty. Masa gruczołu wynosi średnio 8,5–10 g. Gruczoł nadnerczowy zbudowany jest z kory (80–90%) i rdzenia.

Kora nadnerczy składa się z trzech warstw: kłębkowatej, pasmowatej i siatkowatej. Warstwa kłębkowata leży pod torebką nadnercza, jej komórki wydzielają mineralokortykosteroidy. Warstwa pasmowata, zbudowana z wielobocznych komórek ułożonych w podłużnych pasmach, przebiegających prostopadle do powierzchni gruczołu – wytwarza glikokortykosteroidy, spośród których najważniejsze są kortyzol i kortykosteron. Warstwa siatkowata, przylegająca do rdzenia nadnerczy, wydziela androgeny nadnerczowe.

Rdzeń nadnerczy zbudowany jest z komórek, które są odpowiednikiem części współczulnej układu nerwowego autonomicznego. Wytwarzają one dwa hormony: adrenalinę i noradrenalinę.

Narząd wyspowy trzustki składa się z wysp Langerhansa, leżących w miąższu trzustki i stanowiących 1% masy gruczołu. Wyspy Langerhansa zawierają: komórki A wydzielające glukagon, komórki B wydzielające insulinę, komórki D wydzielające somatostatynę i komórki F wydzielające polipeptyd trzustkowy.

Jądra i jajniki, zob. Fizjologia, Hormonalna regulacja czynności płciowych mężczyzny, s. 253 i kobiety, s. 255.

XII. NARZĄDY ZMYSŁÓW

Kontakt organizmu z otoczeniem zależy od działania receptorów i narządów zmysłów. Wyróżnia się 6 rodzajów narządów zmysłów: powonienia, smaku, wzroku, słuchu, równowagi i dotyku. Każdy z nich ma swoiste receptory, wrażliwe wyłącznie na określony typ bodźców.

Narząd powonienia

Narząd powonienia znajduje się w błonie śluzowej jamy nosowej, w miejscu zwanym okolicą węchową. Jest to skupisko komórek węchowych, których wypustki tworzą receptory węchowe. Neuryty tych komórek tworzą n e r w w ę c h o w y, który stanowi początek drogi węchowej, kończącej się prawdopodobnie w zakręcie hipokampa i w zakręcie obręczy (w mózgu).

Narząd smaku

N a r z ą d s m a k u stanowią kubki smakowe brodawek języka. Niewielka liczba k u b k ó w s m a k o w y c h znajduje się również w nabłonku podniebienia miękkiego, nagłośni i śluzówki jamy ustnej. Kubki smakowe są unerwione przez nerw twarzowy i nerw językowo-gardłowy. O ś r o d k i e m s m a k o w y m jest zakręt zaśrodkowy w mózgu.

Narząd wzroku

Narząd wzroku składa się z gałki ocznej i narządów dodatkowych (tablice XI i XII).

Gałka oczna leży w oczodole, otoczona ciałem tłuszczowym oczodołu i ma strukturę sferyczną. Wyróżnia się w niej biegun przedni i biegun tylny. Linia łącząca oba bieguny stanowi o ś o p t y c z n ą o k a. Ściana gałki ocznej zbudowana jest z trzech błon: zewnętrznej – włóknistej, środkowej – naczyniowej i wewnętrznej – siatkówki.

B ł o n a w ł ó k n i s t a dzieli się na część przednią – rogówkę i część tylną – twardówkę. R o g ó w k a (*cornea*) ma kształt wypukłego szkiełka zegarka, jest przezroczysta, nadaje gałce kształt i stanowi jej narząd ochronny. Nie zawiera naczyń krwionośnych. T w a r d ó w k a (*sclera*) jest nieprzezroczystą błoną łącznotkankową.

B ł o n a n a c z y n i o w a składa się z trzech części: przedniej, która tworzy tęczówkę ze źrenicą pośrodku; środkowej, która stanowi ciało rzęskowe, oraz tylnej – nazywanej naczyniówką. T ę c z ó w k a (*iris*) zawiera naczynia krwionośne, skupienia barwnika nadające jej barwę i mięśnie gładkie: zwieracz źrenicy unerwiony przez włókna przywspółczulne (nerw okoruchowy) i rozwieracz źrenicy unerwiony przez nerwy współczulne. Średnica źrenicy pod wpływem mięśni może się zwiększyć lub zmniejszyć. Ź r e n i c a (*pupilla*) u człowieka jest okrągła. C i a ł o r z ę s k o w e (*corpus ciliare*) tworzy aparat wieszadłowy soczewki oraz zawiera mięsień rzęskowy odgrywający główną rolę w akomodacji oka. Skurcz tego mięśnia przystosowuje oko do patrzenia na przedmioty bliskie, rozkurcz nastawia oko na oglądanie przedmiotów dalszych. N a c z y n i ó w k a (*choroidea*) stanowi największy odcinek błony naczyniowej. Składa się z bardzo obfitej sieci naczyń tętniczych i żylnych oraz z tkanki łącznej.

B ł o n a w e w n ę t r z n a, czyli s i a t k ó w k a (*retina*), składa się z warstwy barwnikowej i warstwy mózgowej. W warstwie barwnikowej wyróżnia się części: tęczówkową, rzęskową i siatkówkową. Warstwa barwnikowa jest niewrażliwa na światło i nosi nazwę c z ę ś c i ś l e p e j s i a t k ó w k i. Warstwa mózgowa, światłoczuła, zwana jest częścią wzrokową siatkówki. Stanowi ona 2/3 tylne siatkówki i przylega do naczyniówki. Część wzrokowa siatkówki jest cienką błoną, przezroczystą, o zabarwieniu czerwonym. W siatkówce występują światłoczułe komórki nerwowe, pręciki i czopki. Ich wypustki dochodzą do komórek dwubiegunowych łączących się z komórkami zwojowymi, których aksony skupiają się w tarczy nerwu wzrokowego, nie mającej ani czopków, ani pręcików. Nieco niżej tarczy nerwu wzrokowego leży tzw. plamka żółta, którą cechuje największa wrażliwość na barwy i światło.

We wnętrzu gałki ocznej znajduje się ciecz wodnista, soczewka i ciało szkliste. Ciecz wodnista wypełnia komorę przednią i tylną gałki ocznej. Komora przednia jest przestrzenią ograniczoną rogówką i tęczówką, natomiast komorę tylną ogranicza z przodu tęczówka, a z tyłu soczewka i ciało rzęskowe. Obie komory komunikują się ze sobą.

Soczewka (*lens*) jest zawieszona na obwódce rzęskowej, znajdującej się pomiędzy soczewką a ciałem rzęskowym. Składa się z torebki, kory i jądra i ma dwie wypukłe powierzchnie – przednią i tylną.

Ciało szkliste (*corpus vitreum*) wypełnia przestrzeń z tyłu za soczewką, przylega do siatkówki. Jest to bezbarwna, przezroczysta masa o galaretowatej konsystencji. Łagodzi drgania wywołane ruchami gałki ocznej i przyczynia się do utrzymania ciśnienia śródgałkowego.

Narządy dodatkowe gałki ocznej stanowią mięśnie i aparat ochronny gałki. Mięśnie gałki ocznej leżą w ciele tłuszczowym oczodołu. Są to mięśnie proste (górny, dolny, przyśrodkowy, boczny) i skośne (górny, dolny). Mają one przyczep początkowy na pierścieniu ścięgnistym w okolicy kanału wzrokowego, a końcowy na twardówce. Ich rola polega na poruszaniu gałką oczną i dogodnym jej ustawieniu, w celu najwyraźniejszego widzenia.

Aparat ochronny oka składa się z brwi, powiek, spojówki, narządu łzowego i ciała tłuszczowego. Brwi zbudowane są ze skóry bogatej w gruczoły łojowe i potowe. Ze skóry wyrastają mocne włosy, układające się poziomo lub łukowato. Powieki, górna i dolna, są fałdami skórno-śluzowymi nasuniętymi na gałkę oczną od przodu. Pomiędzy skórą i warstwą śluzową znajduje się płytka łącznotkankowa, tzw. tarczka. Zawiera ona gruczoły łojowe, których przewody otwierają się na brzegu powieki. Pomiędzy skórą a tarczką leży część powiekowa mięśnia okrężnego oka i mięsień tarczkowy. Brzeg powieki, z którego wyrastają rzęsy, ogranicza szparę powiekową. Spojówki (*tunica coniunctiva*) pokrywają tylną powierzchnię powiek i przednią powierzchnię gałki ocznej. Przestrzeń zawarta pomiędzy spojówką powiek a spojówką gałki zwana jest workiem spojówkowym. Narząd łzowy zbudowany jest z gruczołu łzowego i dróg łzowych. Gruczoł łzowy leży w górno-bocznej części oczodołu. Jego przewody odprowadzające kończą się w worku spojówkowym. Drogi łzowe rozpoczynają się na brzegach powieki górnej i dolnej punktami łzowymi. W następstwie ruchów powiek łzy odpływają przez punkty łzowe worka spojówkowego do woreczka łzowego, który przechodzi w przewód nosowo-łzowy kończący się w przewodzie nosowym dolnym jamy nosowej.

Narząd słuchu i równowagi

Narząd słuchu i równowagi, czyli ucho (*auris*), jest pomieszczeniem dla receptorów zmysłów słuchu i równowagi. Część słuchowa narządu służy do odbierania bodźców dźwiękowych, część statyczna przystosowana jest do odczuwania zmian położenia ciała w stosunku do otoczenia. Ucho dzieli się na trzy części: ucho zewnętrzne, środkowe i wewnętrzne (tablica XIII).

Ucho zewnętrzne składa się z małżowiny usznej i przewodu słuchowego zewnętrznego dochodzącego do błony bębenkowej. Małżowina uszna zbudowana jest z owalnej i pofałdowanej chrząstki sprężystej pokrytej skórą. Pomiędzy skórą a chrząstką leżą szczątkowe mięśnie uszne. Przewód słuchowy zewnętrzny składa się z części błoniasto-chrzęstnej bocznej i z części przyśrodkowej. Od środka przewód pokrywa skóra, która jest przedłużeniem skóry małżowiny usznej. Obie części przewodu słuchowego zewnętrznego układają się pod pewnym kątem w stosunku do siebie, tworząc wygięcie w kształcie litery S. Skóra części błoniasto-chrzęstnej przewodu zawiera mieszki włosowe oraz gruczoły woskowinowe. Wydzielina tych gruczołów, nazwana woskowiną, może się gromadzić w świetle przewodu.

Ucho środkowe składa się z jamy bębenkowej, znajdujących się w niej kosteczek słuchowych, z trąbki słuchowej oraz jam obocznych, tj. jamy sutkowej i komórek wyrostka sutkowatego.

Jama bębenkowa jest nieregularną przestrzenią w kości skroniowej, ograniczoną sześcioma ścianami. Pomiędzy ściany przyśrodkową i boczną wbudowany jest łańcuch trzech kosteczek słuchowych. Idąc od ściany bocznej do przyśrodkowej są to: młoteczek, kowadełko i strzemiączko. Przenoszą one drgania błony bębenkowej na płyny ucha wewnętrznego. W jamie bębenkowej wyróżnia się ściany: górną, dolną, przednią, tylną, boczną i przyśrodkową. Ścianę górną stanowi nakrywka jamy bębenkowej; dolną tworzy blaszka kostna ściany dołu żyły szyjnej; przednią stanowi ściana kanału tętnicy szyjnej wewnętrznej; tylną – ujście jamy, którym jama bębenkowa jest połączona z jamą wyrostka sutkowatego; boczną stanowi błona bębenkowa, a przyśrodkową – ściana błędnikowa. Błona bębenkowa jest prawie okrągła, kształtu płaskiego stożka, wierzchołkiem skierowanego do jamy bębenkowej. Miejsce wklęśnięcia, zwane pępkiem błony bębenkowej, jest miejscem przyczepu młoteczka. W ścianie przyśrodkowej znajduje się otwór zwany okienkiem przedsionka; zamyka go podstawa strzemiączka. Obok okienka znajduje się okienko ślimaka zamknięte błoną bębenkową wtórną.

Jama sutkowa jest to przestrzeń mieszcząca się w wyrostku sutkowatym kości skroniowej.

Trąbka słuchowa (Eustachiusza) jest przewodem długości do 4 cm, łączącym ucho środkowe z częścią nosową gardła. W trąbce słuchowej wyróżnia się część kostną od strony jamy bębenkowej i chrzęstną od strony gardła. Część kostna trąbki jest zawsze otwarta, natomiast część chrzęstna otwiera się w czasie połykania i ziewania dzięki działaniu mięśni podniebienia miękkiego.

Ucho wewnętrzne, zwane **błędnikiem** (*labyrinthus*), składa się z błędnika kostnego i ułożonego w nim błędnika błoniastego.

Błędnik kostny dzieli się na: część środkową, tzw. przedsionek, część przednią, zwaną ślimakiem, i część tylną, czyli kanały półkoliste. Przedsionek leży po stronie bocznej dna przewodu słuchowego wewnętrznego. Z przodu przedsionek łączy się ze ślimakiem, a z tyłu pięcioma otworami z kanałami półkolistymi. Ślimak ma podstawę i wierzchołek nazywany osklepkiem ślimaka. W osi długiej biegnie wrzecionko, dokoła którego owija się kanał spiralny ślimaka, wytwarzając 2 i 3/4 skrętu. Kanał ślimaka jest podzielony na dwa przewody, które jak kręte schody biegną dokoła wrzecionka. Przewody te nazywane są schodami przedsionka i schodami bębenka. Kanały półkoliste, w liczbie trzech: przedni, tylny i boczny, tworzą łuki stanowiące 2/3 obwodu koła. Kanały te leżą w różnych płaszczyznach. Przedni jest ustawiony prostopadle i poprzecznie do osi długiej części skalistej kości skroniowej, tylny leży w płaszczyźnie strzałkowej, a boczny w płaszczyźnie poziomej. Wewnątrz błędnika kostnego leży znacznie mniejszy błędnik błoniasty. Przestrzeń pomiędzy błędnikami wypełnia płyn zwany przychłonką, której skład zbliżony jest do płynów tkankowych. Wnętrze błędnika błoniastego wypełnia śródchłonka o budowie podobnej do płynów wewnątrzkomórkowych.

Błędnik błoniasty dzieli się na woreczek, łagiewkę, przewody półkoliste i przewód ślimakowy, w którym znajduje się spiralny narząd Cortiego. Woreczek i łagiewka położone są w przedsionku, przewody półkoliste leżą w kanałach półkolistych, a przewód spiralny z narządem spiralnym – w ślimaku. W woreczku i łagiewce oraz w przewodach półkolistych znajduje się narząd równowagi, natomiast narząd spiralny jest narządem słuchowym.

XIII. POWŁOKA WSPÓLNA

Powłoka wspólna składa się ze skóry i jej tworów – włosów, paznokci i sutków.

Skóra (*cutis*) zbudowana jest z naskórka, skóry właściwej i tkanki podskórnej.

Naskórek jest nabłonkiem wielowarstwowym płaskim, składającym się z pięciu warstw. Warstwa powierzchowna jest warstwą komórek rogowaciejących, warstwy głębsze tworzą komórki nierogowaciejące. Naskórek ma zagłębienia, czyli bruzdy skóry, oraz wyniosłości zwane grzebieniami skóry, które tworzą linie papilarne. W najgłębszej warstwie naskórka, zwanej warstwą podstawną, znajdują się ziarenka barwnika melaniny. Ochrania ona organizm przed nadmiernym nasłonecznieniem.

Skóra właściwa tworzy podłoże dla naskórka. Zbudowana jest z tkanki łącznej i elementów komórkowych. W skórze właściwej występują: gruczoły potowe i łojowe, mieszki włosowe, naczynia krwionośne i limfatyczne oraz zakończenia nerwów czuciowych. Twory te układają się w dwóch warstwach: powierzchownej brodawkowatej i głębokiej siateczkowej. W warstwie brodawkowatej znajdują się cieńsze i liczniej ułożone włókna klejorodne oraz brodawki zawierające naczynia krwionośne. W oczkach sieci włókien warstwy siateczkowej leżą gruczoły, włókna nerwowe, mięśniówka gładka i cebulki włosów.

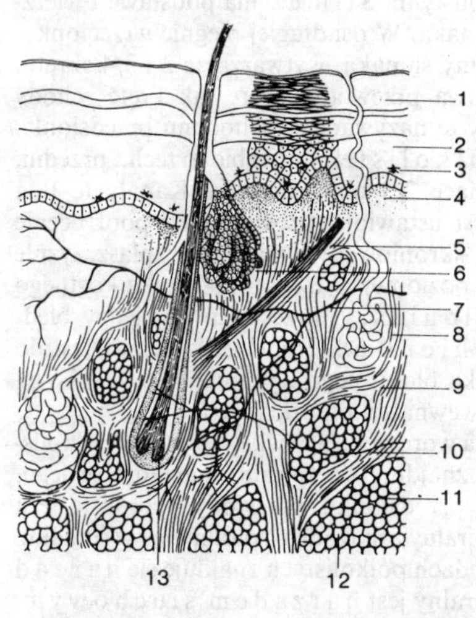

Przekrój przez skórę: budowa tkanki podskórnej: 1 – naskórek, 2 – skóra właściwa, 3 – melanocyty, 4 – brodawka skórna warstwy brodawkowatej, 5 – mięsień przywłosowy, 6 – gruczoł łojowy, 7 – naczynie krwionośne, 8 – gruczoł potowy, 9 – warstwa siatkowata, 10 – nerw, 11 – tkanka podskórna, 12 – komórki tłuszczowe, 13 – mieszek włosowy

Tkanka podskórna jest zbudowana z tkanki włóknistej wiotkiej oraz ze zmiennej liczby komórek tłuszczowych. Jest podścieliskiem dla skóry, zapewnia jej przesuwalność, a przebiegające w tej tkance tzw. troczki skóry łączą skórę właściwą z powięziami, rozcięgnami lub okostną.

Gruczoły skóry dzieli się na łojowe i potowe. Gruczoły łojowe należą do gruczołów pęcherzykowych. Ujścia ich przewodów otwierają się do mieszków włosowych (gruczoły łojowe włosów – 9%) lub na powierzchni skóry (gruczoły łojowe wolne), warg, napletka, łechtaczki, powiek. Nie ma ich w skórze dłoni i podeszwy. Łój skórny działa bakteriobójczo, nadaje skórze miękkość, chroni przed utratą wody.

Gruczoły potowe mają kształt cewkowaty, kończą się na powierzchni skóry. Najliczniej występują na czole, grzbiecie, dłoniach, podeszwach. Pot składa się z wody, chlorku sodowego, cholesterolu, mocznika, kwasu moczowego. W okresie dojrzewania płciowego mogą pojawiać się gruczoły potowe zapachowe, wydzielające pot pod wpływem bodźców emocjonalnych. Pot tych gruczołów zawiera substancje zapachowe. Dużo tych gruczołów mieści się w skórze dołu pachowego, narządów płciowych zewnętrznych, krocza.

Gruczoł sutkowy (*glandula mammalia*), czyli sutek, jest u człowieka narządem parzystym. U mężczyzn gruczoły te zanikają po urodzeniu, u kobiet rozwijają się. Gruczoł sutkowy składa się z 11–20 płatów, ułożonych promieniście w stosunku do leżącej pośrodku sutka brodawki sutka. Płaty sutka dzielą się na szereg płacików, zbudowanych z gruczołów pęcherzykowatych złożonych. Przewody wydzielnicze przed brodawką sutkową rozszerzają się i tworzą zatoki mleczne; ich ujścia znajdują się na wierzchołku brodawki. Dokoła brodawki znajduje się ciemno zabarwiona otoczka brodawki, w której rozmieszczone są mięśnie gładkie, gruczoły potowe i gruczoły łojowe.

Włosy (*pili*). Wyróżnia się trzy grupy włosów: meszek, włosy długie oraz włosy szczeciniaste. Meszek pokrywa skórę tułowia, kończyn i twarzy. Włosy długie występują na głowie, w dołach pachowych, na wzgórku łonowym i na brodzie u mężczyzn. Włosy szczeciniaste tworzą brwi i rzęsy oraz włosy nozdrzy i przewodu słuchowego zewnętrznego.

Włos składa się z części wystającej ponad skórę, zwanej łodygą, oraz z części leżącej w głębi skóry, zwanej korzeniem. Korzeń położony jest w zagłębieniu nazywanym mieszkiem włosowym. Ujście mieszka włosa znajduje się na powierzchni skóry. Do mieszka włosowego otwiera się ujście gruczołu łojowego. Dolna część korzenia tworzy cebulkę włosa, powodującą jego wzrost. Występujące na niej zagłębienie zwane jest brodawką włosa. Pośredniczy ona w odżywianiu włosa. Korzeń włosa otacza łącznotkankowa torebka, do której przyczepia się mięsień przywłosowy. Skurcz mięśnia przywłosowego powoduje opróżnianie się gruczołu łojowego oraz reguluje „ustawienie” włosa i napięcie skóry.

Paznokieć (*unguis*) powstaje z nabłonka jako zrogowaciała płytka ochraniająca od strony grzbietowej opuszkę palca. W lekko wygiętej płytce paznokcia wyróżnia się: brzeg wolny, brzegi boczne ograniczające ciało paznokcia oraz korzeń paznokcia. Paznokieć spoczywa na macierzy paznokcia, z której powstaje. Ciało paznokcia jest częścią widoczną, a korzeń częścią niewidoczną.

FIZJOLOGIA

WSTĘP

Przedmiotem badań fizjologii jest funkcjonowanie organizmu jako całości i jego części składowych. Fizjolog traktuje człowieka, będącego żyjącym organizmem, nie jako budowlę (tak czyni anatom), lecz jako funkcjonującą supermaszynę. Tak ujęty przedmiot badań nie jest łatwy do opisania, ponieważ nie można w sposób prosty podzielić na części czy strefy czynności bardzo skomplikowanego urządzenia, którego niezmiernie liczne fragmenty funkcjonują jednocześnie i nie mogą się wzajemnie bez siebie obejść. Nerki np. mogą prawidłowo spełniać swoją funkcję wydalniczą tylko wtedy, gdy: serce wtłacza do układu naczyniowego odpowiednią ilość krwi, naczynia doprowadzają tę krew do nerek w odpowiedniej ilości, krew jest odpowiednio utlenowana dzięki prawidłowo działającemu oddychaniu, ma odpowiednie stężenie glukozy dzięki prawidłowej przemianie materii itd.

Ta prawidłowość czy odpowiedniość działania poszczególnych fragmentów organizmu nie jest dziełem przypadku, ponieważ zarówno czynność serca, naczyń krwionośnych, układu oddechowego, właściwe stężenie glukozy, jak i czynność nerek są kierowane przez dwa bardzo rozbudowane układy regulacyjne, a mianowicie układ nerwowy i układ hormonalny. Układy te złożone z wielkiej liczby przeplatających się pętli sprzężenia zwrotnego ściśle ze sobą współdziałają.

Ujęcie fizjologii jako nauki o funkcjonowaniu człowieka – makrosystemu, złożonego z wielkiej liczby podsystemów, jest ciągle jeszcze pewnym uproszczeniem. Jest to ujęcie jakby dwuwymiarowe, zakreślające sztucznie granice tam, gdzie ich właściwie nie ma, gdyż każdy z analizowanych podsystemów ma swój trójwymiarowy kształt, do którego opisu trzeba posłużyć się dorobkiem i pojęciami nauk, które już wiele lat temu wyodrębniły się z biologii jako nauki o życiu. Mikrosystemem jest każda ludzka komórka. Dlatego też jej fizjologię i biologię w opracowaniu tym wyodrębniono, wprowadzając elementy biologii molekularnej, a także pewne podstawowe informacje z zakresu genetyki komórkowej. Elementy biochemii, a więc podstawowe informacje o przemianach chemicznych i źródłach energii żywego organizmu podano w rozdziale o przemianie materii. Elementy biofizyki omówiono w miejscach, gdzie było to potrzebne, aby zrozumieć mechanizm przewodzenia impulsów we włóknach nerwowych i prawa rządzące przemieszczaniem się wody i związków w niej rozpuszczonych między poszczególnymi przestrzeniami płynów ustrojowych. Wyższe czynności nerwowe przedstawiono do niezbyt wyraźnej granicy, poza którą rozciąga się już domena psychologii.

Podstawową cechą organizmu ludzkiego jest jego plastyczność, czyli zdolność przystosowania się do zmieniających się warunków środowiska, w którym żyje. Dobrze ilustrującym przykładem tej plastyczności jest umiejętność przystosowania się do zmiennej temperatury otoczenia. Ale prawdziwym wyzwaniem dla zdolności adaptacyjnych człowieka, sytuacją, w której niemal wszystkie podsystemy pracują jakby na zwiększonych obrotach, nie przekraczając jednak stanu normalności, czyli fizjologicznego, jest wysiłek fizyczny.

Granica między prawidłową i nieprawidłową funkcją układu czy całego organizmu nie zawsze jest łatwa do uchwycenia. Przekraczając ją wchodzimy w dziedzinę fizjopatologii, zwanej też patofizjologią, zajmującej się już chorym organizmem.

I. FIZJOLOGIA KOMÓRKI

Komórka jest najmniejszą strukturą żywych organizmów, zdolną do wykonywania wszystkich podstawowych czynności życiowych. Może ona: 1) wybiórczo pobierać z otoczenia składniki materii i przetwarzać je, 2) wykorzystywać energię uwalnianą w toku przemian substancji organicznych – do różnych procesów biologicznych, 3) syntetyzować białka oraz 4) rozmnażać się i przekazywać swoje cechy komórkom potomnym. Komórka może stanowić samodzielny organizm lub elementarną jednostkę budowy organizmów wielokomórkowych. W skład tych ostatnich wchodzi wiele rodzajów komórek, różniących się wielkością, kształtem i budową wewnętrzną. Są one wyspecjalizowane w wykonywaniu określonych czynności. Część komórek, które osiągnęły w toku rozwoju osobniczego wysoki poziom zróżnicowania (specjalizacji) traci zdolność rozmnażania się.

W hierarchicznej strukturze organizmu wielokomórkowego komórka stanowi najniższy szczebel. Grupy wyspecjalizowanych komórek tworzą tkanki, z których zbudowane są narządy, te zaś wchodzą w skład układów, spełniających określone czynności fizjologiczne.

Wszystkie komórki w organizmie dorosłego człowieka pochodzą od jednej komórki macierzystej, którą jest zapłodniona komórka jajowa. W najwcześniejszych stadiach rozwoju zarodkowego komórki powstające w wyniku podziałów komórki jajowej są jednakowe. W pełni ukształtowanym organizmie człowieka istnieje natomiast ok. 200 rodzajów różnych komórek. Proces różnicowania się komórek przebiega równolegle z ich mnożeniem się, głównie w okresie rozwoju zarodkowego i płodowego. Niektóre komórki podlegają dalszemu różnicowaniu w życiu pozapłodowym, np. niezróżnicowane komórki mezenchymy, z których rozwijają się różnego rodzaju komórki tkanki łącznej.

W kształtowaniu się ostatecznej struktury narządów, poza mnożeniem się i różnicowaniem komórek, istotną rolę odgrywa przemieszczanie się komórek wewnątrz zarodka oraz wybiórcze przyleganie do siebie określonych ich rodzajów, uwarunkowane właściwościami ich powierzchni zewnętrznej. Dzięki tym właściwościom powstają skupienia komórek, stanowiące zaczątek tkanek i narządów, a bezładnie poruszające się komórki mogą być wybiórczo naprowadzane w kierunku tych formujących się narządów.

Czynności struktur wewnątrzkomórkowych

Mimo zróżnicowania komórek, ogólny plan ich budowy jest podobny (zob. Anatomia, s. 1). Wszystkie są otoczone błoną komórkową i zawierają wewnątrz cytoplazmę (podstawową), w której zawieszone są liczne struktury: jądro, siateczka śródplazmatyczna (endoplazmatyczna), aparat Golgiego, mitochondria, rybosomy, lizosomy, a także substancje zapasowe, barwniki itp.

Błona komórkowa

Błona komórkowa jest strukturą zbudowaną z płynnej warstwy lipidów, w której zanurzone są cząsteczki białek (rys. na s. 77). Białka tworzą kanały (pory), przez które przenikają drobnocząsteczkowe substancje nierozpuszczalne w lipidach. Niektóre białka błon komórkowych mają właściwości: a) **enzymów** lub regulatorów aktywności enzymów, b) **receptorów** swoiście wiążących różne substancje, albo c) **nośników** czynnie transportujących substancje chemiczne przez błonę. Pod wpływem czynników fizycznych lub chemicznych białka te mogą zmieniać swoje właściwości i przemieszczać się wewnątrz błony. Powoduje to zmiany ich wzajemnego oddziaływania i zmiany niektórych cech błony, m.in. jej przepuszczalności dla różnych substancji chemicznych.

W skład błony komórkowej wchodzą ponadto **glikoproteidy i wielocukry**, tworzące jej warstwę powierzchniową. Warstwa ta pełni rolę osłony komórek, warunkuje zdolność ich przylegania do siebie lub do innych powierzchni oraz adsorbowania na powierzchni komórki różnych substancji. Warstwa powierzchniowa błony komórkowej nadaje ponadto komórkom **właściwości antygenowe**.

Do najważniejszych **czynności** błony komórkowej należą: a) kontrola wymiany substancji chemicznych pomiędzy środowiskiem wewnątrz- i zewnątrzkomórkowym i b) kontrola wymiany informacji pomiędzy tymi środowiskami lub bezpośrednio pomiędzy komórkami.

Wymiana substancji chemicznych między środowiskiem zewnętrznym i wewnętrznym komórki może zachodzić na drodze: 1) przenikania cząsteczek tych substancji przez błonę komórkową, 2) transportu z udziałem nośników lub 3) endocytozy i egzocytozy. Pierwsze dwa sposoby wymiany dotyczą substancji drobnocząsteczkowych, trzeci zaś – substancji wielkocząsteczkowych.

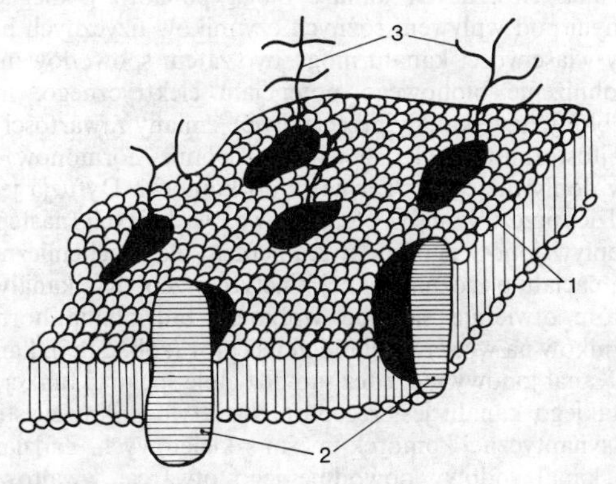

Schemat struktury błony komórkowej: 1 – warstwa lipidowa, 2 – białka, 3 – glikoproteidy

Przenikanie i transport cząsteczek. Przenikanie wody i substancji rozpuszczonych w wodzie zachodzi poprzez specjalne pory (kanały) w błonie komórkowej, utworzone przez cząsteczki białka. Substancje rozpuszczalne w tłuszczach mogą przenikać przez warstwy lipidowe błony. Transport z udziałem nośników polega na swoistym łączeniu się substancji chemicznych z białkami błony komórkowej (nośnikami) i przemieszczaniu się powstałych w ten sposób kompleksów w poprzek błony.

Przemieszczanie się cząsteczek (lub jonów) substancji chemicznych przez błonę komórkową ze środowiska o większym ich stężeniu do środowiska o mniejszym stężeniu nosi nazwę dyfuzji, a ruch cząsteczek w kierunku przeciwnym – transportu czynnego. Transport czynny wymaga nakładu energii.

Dyfuzja bierna polega na samorzutnym ruchu cząsteczek (lub jonów). Na przenikanie cząsteczek mających ładunek elektryczny oprócz sił dyfuzji wpływają także siły przyciągania lub odpychania elektrostatycznego. Przepływ takich cząsteczek zależy nie tylko od różnicy stężeń, ale również od różnicy potencjalu elektrycznego pomiędzy wnętrzem komórki i zewnętrzną powierzchnią błony komórkowej. Ponadto przenikanie cząsteczek mających ładunki elektryczne może być ułatwiane lub utrudniane oddziaływaniem elektrostatycznym polarnych grup białek tworzących kanały jonowe, przez które odbywa się ruch jonów. Dyfuzja wspomagana przez siły elektrostatyczne lub specjalne nośniki białkowe nosi nazwę dyfuzji ułatwionej.

Kanały jonowe cechuje specyficzna przepuszczalność dla określonych jonów, związana z rozmieszczeniem ładunków elektrycznych i rozmiarami kanałów. Dyfuzja jonów przez błony komórkowe może być kontrolowana poprzez zmianę liczby kanałów w błonie lub ich właściwości. Liczba kanałów zależy od tempa syntezy i degradacji białek, z których są one zbudowane, a także ich przemieszczania się z wnętrza komórki do błony i odwrotnie. Cząsteczki białek tworzących kanały mogą ponadto podlegać zmianom konformacyjnym pod wpływem różnych czynników fizycznych lub chemicznych. Zmiany właściwości kanału mogą być zatem spowodowane np. przez wzrost lub obniżenie błonowego potencjału elektrycznego, mechaniczne rozciągnięcie błony (tzw. kanały przeciekowe), zmiany zawartości w komórce adenozynotrójfosforanu (ATP), a także działanie hormonów lub neuroprzekaźników dopływających z zewnątrz do komórki. Dyfuzja jednego jonu może zachodzić przez: kanały przeciekowe, w których następuje ciągły, powolny przepływ jonów zgodnie z gradientem elektrochemicznym, kanały zależne od potencjału o zróżnicowanej kinetyce przepływu, kanały zależne od receptora, które otwierają się pod wpływem zadziałania hormonów lub neuroprzekaźników na właściwy dla nich receptor (zob. dalej), kanały zależne od ATP i in. Kanał jonowy może też samodzielnie spełniać funkcję receptora. Przykładem takiego kanału jest receptor N acetylocholiny występujący np. w błonie postsynaptycznej komórek mięśni szkieletowych. Zadziałanie acetylocholiny na kanał sodowy powoduje jego otwarcie, gwałtowny napływ jonów sodu do komórki i depolaryzację błony (zob. dalej).

Transport glukozy przez błonę komórkową zachodzi za pośrednictwem dyfuzji ułatwionej z udziałem specyficznych białek nośnikowych. Ten rodzaj wymiany substancji między środowiskiem a wnętrzem komórki charakteryzuje na ogół ograniczona pojemność. Z chwilą wysycenia nośników wymiana ustaje mimo sprzyjającej jej różnicy stężeń przenoszonych substancji. Białka nośnikowe mogą przemieszczać się z wnętrza komórki do błony komórkowej i odwrotnie. Ilość nośników glukozy w błonie komórek wielu tkanek kontrolowana jest przez hormon insulinę (zob. Układ wydzielania wewnętrznego, s. 244), istnieją jednak również nośniki glukozy niezależne od insuliny.

Wśród mechanizmów transportu czynnego przenoszącego substancje przez błony komórkowe wbrew gradientowi stężeń rozróżnia się transport czynny pierwotny i wtórny. W pierwotnym transporcie czynnym jonów biorą udział białka enzymatyczne błon komórkowych zwane pompami jonowymi. Posiadają one miejsca wiążące jony i podjednostki katalityczne, które rozkładają adenozynotrójfosforan (ATP). Rozkład tego związku dostarcza energii, dzięki której konformacja cząsteczki białka pompy podlega zmianie. Zmianę tę można sobie wyobrazić jako obrót cząsteczki o 180° z jednoczesnym przeniesieniem jonów na drugą stronę błony. Przykładem transportu czynnego pierwotnego jest działanie występującej w komórkach wszystkich tkanek pompy sodowo-potasowej. Pompa ta ma miejsca wiążące zarówno dla jonów sodu, jak i potasu. Pierwsze z tych miejsc wykazują największe powinowactwo do jonów wtedy, kiedy skierowane są do wnętrza komórki, a drugie odwrotnie. Wzrost stężenia jonów sodu wewnątrz komórki lub jonów potasu na zewnątrz aktywuje pompę. Prowadzi to do rozkładu ATP, a następnie „obrotu" cząsteczki pompy. Każdy obrót pompy związany jest z usunięciem 3 jonów sodu z komórki i wprowadzeniem do niej 2 jonów potasu. Działanie pompy sodowo-potasowej odgrywa zasadniczą rolę w utrzymywaniu wewnątrzkomórkowego ujemnego potencjału elektrycznego, od którego zależy pobudliwość komórek (zob. dalej). Pompa ta jest także niezbędna dla utrzymania objętości komórek, ponieważ liczba cząsteczek wody związanych z jonami sodu jest większa niż liczba cząsteczek związanych z jonami potasu. Zahamowanie aktywności pompy prowadzi do obrzęku komórek. Zarówno liczba pomp w błonie, jak ich stan funkcjonalny, są kontrolowane. Wzrost stężenia sodu wewnątrzkomórkowego i niektóre hormony, np. aldosteron i trójjodotyronina, stymulują syntezę pomp sodowo-potasowych, natomiast katecholaminy i insulina (zob. Układ wydzielania wewnętrznego, s. 243) zwiększają ich aktywność. Przedsionkowy peptyd natriuretyczny (ANP, s. 246) i glikozydy nasercowe hamują aktywność pompy sodowo-potasowej.

W przypadku t r a n s p o r t u c z y n n e g o w t ó r n e g o energia niezbędna do przeniesienia substancji wbrew gradientowi stężeń nie pochodzi bezpośrednio z rozkładu ATP przez własny układ katalityczny transportera. Przeniesienie substancji następuje na drodze sprzężenia z transportem innego jonu, dla którego istnieje właściwie skierowany gradient elektrochemiczny. Transport wielu substancji jest sprzężony z transportem jonów sodu wykorzystując w ten sposób energię dyfuzji tego jonu. Energię tę nadaje jonom sodu działanie pompy sodowo-potasowej, dzięki któremu stężenie jonów sodu jest wielokrotnie większe w płynie zewnątrzkomórkowym niż w komórce. Jon sodu jest w tym układzie głównym jonem transportowanym. Transport wtórny zachodzący w tym samym kierunku co transport jonu głównego nosi nazwę w s p ó ł t r a n s p o r t u, kotransportu lub symportu. Transport wtórny skierowany przeciwnie do transportu jonu głównego zwany jest p r z e c i w t r a n s p o r t e m, wymianą lub antyportem.

E n d o c y t o z a i e g z o c y t o z a są to procesy, za pośrednictwem których do wnętrza komórki (endocytoza) lub na zewnątrz (egzocytoza) transportowane są makrocząsteczki. Endocytoza obejmuje zarówno transport makrocząsteczek występujących w roztworze, np. białek, jak i ciał stałych, np.

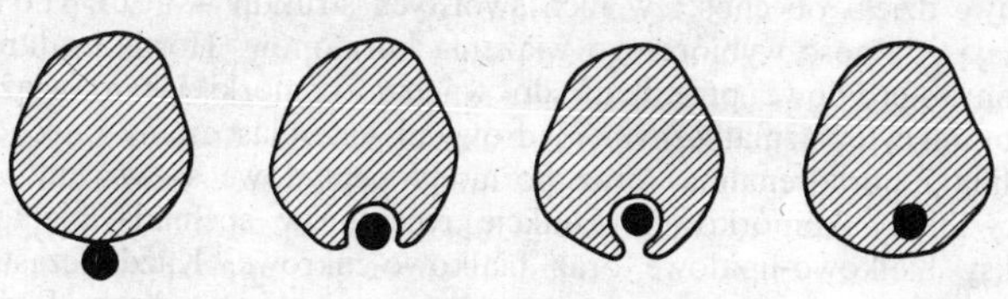

Pinocytoza

fragmentów zużytych komórek, bakterii itp. W pierwszym przypadku proces nosi nazwę pinocytozy, a w drugim fagocytozy. Mechanizm obu procesów jest podobny: cząsteczki są najpierw adsorbowane na powierzchni błony komórkowej, która następnie wgłębia się do wnętrza komórki i otacza je. Powstałe w ten sposób pęcherzyki – endosomy – odrywają się od wewnętrznej powierzchni błony komórkowej i wewnątrz komórki łączą się najczęściej z lizosomami, które zawierają enzymy rozkładające białka. Egzocytoza przebiega w ten sam sposób, w kierunku przeciwnym.

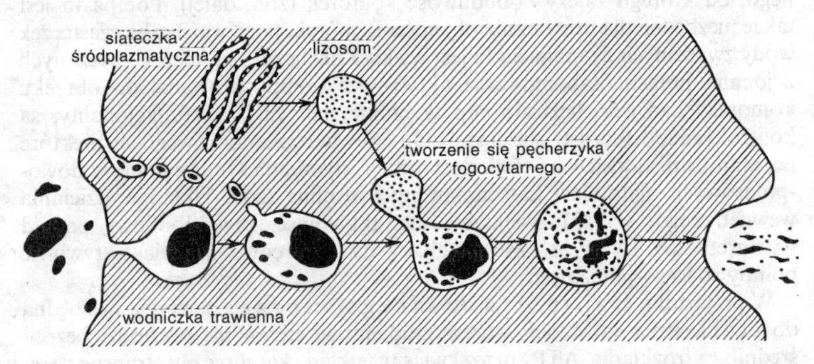

Fagocytoza i trawienie lizosomalne cząsteczek pobranych z otoczenia

Wymiana informacji między wnętrzem komórki a środowiskiem zewnątrzkomórkowym może odbywać się poprzez wymianę substancji chemicznych za pośrednictwem jednego z opisanych wyżej mechanizmów. Informacja może być również przez błonę komórkową przetwarzana. Sygnał chemiczny docierający do zewnętrznej powierzchni błony komórkowej może być zamieniony na inny sygnał chemiczny, wytwarzany po wewnętrznej stronie błony – zwany przekaźnikiem II rzędu. Sygnały chemiczne lub inne mogą być także przetworzone na sygnały elektryczne, tj. prądy czynnościowe.

W organizmie człowieka nośnikami informacji, odgrywającymi podstawową rolę w koordynacji czynności narządów, są hormony i impulsy nerwowe.

Sygnały zakodowane w strukturze hormonów docierających do wszystkich komórek są odbierane tylko przez te, dla których są przeznaczone. Jest to możliwe dzięki obecności w nich swoistych struktur – receptorów, które mają zdolność wybiórczego wiązania hormonów. Hormony tarczycy i hormony steroidowe przenikają do wnętrza komórki i tam wiążą się z receptorami cytoplazmatycznymi i jądrowymi, natomiast aminy katecholowe (adrenalina i noradrenalina) oraz hormony peptydowe są wiązane przez receptory błony komórkowej. Funkcję receptorów spełniają białka lub kompleksy białkowo-lipidowe oraz białkowo-cukrowe. Każdą cząsteczkę wiążącą się specyficznie z receptorem nazywa się ligandem. Receptor „aktywowany” przez przyłączenie ligandu oddziałuje na inne białka zapoczątkowując ciąg reakcji prowadzący do ostatecznej odpowiedzi komórki na sygnał.

Przyłączenie ligandu do receptorów błonowych powoduje ich interakcję ze specyficznym białkiem błonowym zwanym białkiem G, które wiąże guanozyno-trójfosforan (GTP). Za pośrednictwem białka G dochodzi do aktywacji enzymów odpowiedzialnych za wytwarzanie przekaźników II rzędu. W ten sposób sygnał zostaje przeniesiony przez błonę komórkową i wzmocniony. Do najważniejszych enzymów aktywowanych przez białko G należy cyklaza adenylowa powodująca wytwarzanie cyklicznego adenozynomonofosforanu (cAMP) z adenozynotrójfosforanu (ATP) i fosfolipaza C, która rozkładając dwufosforan fosfatydyloinozytolu prowadzi do wytwarzania trójfosforanu inozytolu (IP_3) oraz dwucyloglicerolu (DG). Za pośrednictwem białka G dochodzi także do otwarcia kanałów jonowych i zwiększenia napływu jonów wapnia do komórek. Przekaźniki II rzędu, takie jak cAMP, IP_3, DG, jony wapnia, wywierają wpływ na enzymy i inne białka regulatorowe w komórkach. Najważniejszym mechanizmem tego wpływu jest aktywacja swoistych enzymów – kinaz białkowych, które powodują fosforylację cząsteczek białek, czyli przyłączenie do nich fosforanu. Fosforylacja białek zmienia ich właściwości, przez co pośrednio wpływa pobudzająco lub hamująco na różne procesy chemiczne i fizyczne zachodzące w komórkach. Fosforylacja może zmieniać właściwości białek chromatyny w jądrze komórkowym i w ten sposób wpływać na ekspresję genów odpowiedzialnych za syntezę specyficznych białek. Równolegle z fosforylacją przebiegają w komórce procesy defosforylacji białek katalizowane przez swoiste fosfatazy, których aktywność również podlega kontroli przez hormony.

Impulsy nerwowe są to sygnały elektryczne wytwarzane w komórkach nerwowych i przewodzone przez włókna nerwowe. Różnego rodzaju bodźce, np. chemiczne, mechaniczne, świetlne, cieplne, mogą powodować wytwarzanie impulsów lub modyfikować częstotliwość ich wysyłania. Impulsy nerwowe są więc nośnikami informacji o zmianach w środowisku zewnętrznym lub wewnętrznym organizmu albo o stanie samych komórek. Przekazywanie tych informacji innym komórkom nerwowym lub komórkom innych tkanek zachodzi za pośrednictwem substancji chemicznych wydzielanych przez zakończenia włókien nerwowych. Substancje te, zwane neuroprzekaźnikami lub neuromediatorami, są – podobnie jak hormony – wiązane przez swoiste receptory błonowe komórki, do której przekazywana jest informacja. Konsekwencją przyłączenia ligandu do receptora może być, podobnie jak w przypadku hormonów, wytwarzanie przekaźników II rzędu, a następnie aktywacja odpowiednich kinaz białkowych i ostatecznie modyfikacja przebiegu reakcji chemicznych zachodzących we wnętrzu komórki. Efektem aktywacji receptorów błonowych przez neuroprzekaźniki może być modyfikacja kanałów jonowych, prowadząca do przemieszczania się ładunków elektrycznych i powstania w ten sposób nowego sygnału elektrycznego. Sygnał ten inicjuje specyficzną odpowiedź, np. skurcz komórki mięśniowej.

Zdolność wytwarzania sygnałów elektrycznych w komórkach określana jest mianem pobudliwości. Właściwość ta jest związana z elektryczną polaryzacją błony komórkowej, czyli z utrzymywaniem się w nie pobudzonej komórce różnicy potencjałów pomiędzy dodatnio naładowaną powierzchnią komórki (jej otoczeniem) i jej ujemnie naładowanym wnętrzem. Różnica ta, zwana spoczynkowym potencjałem błonowym, wynosi od kilkudziesięciu do 100 mV.

Potencjał spoczynkowy spowodowany jest niedoborem jonów dodatnich (kationów) w stosunku do ujemnych (anionów) we wnętrzu komórki. Stan ten utrzymuje się w nie pobudzonej komórce, ponieważ nośniki ładunków elektrycznych – jony – nie mogą swobodnie przenikać przez błonę komórkową. Ujemnie naładowane aniony organiczne, występujące wewnątrz komórki, są zatrzymywane przez błonę komórkową z powodu dużych rozmiarów cząsteczek. Kationy sodowe (Na^+) występują w wysokim stężeniu w płynie pozakomórkowym, ponieważ są one czynnie z komórki usuwane przez pompę sodowo-potasową. Ten sam układ transportuje czynnie jony potasowe (K^+) do komórki. Jony potasowe nie mogą jednak zrównoważyć ujemnego ładunku anionów wewnątrzkomórkowych, ponieważ na 3 jony sodowe usunięte z komórki wprowadzane są do niej tylko 2 jony potasowe. Ponadto siły dyfuzji zależne od różnicy (gradientu) stężeń powodują ucieczkę jonów potasowych z komórki dopóty, dopóki przyciąganie elektrostatyczne anionów nie zrównoważy tych sił. Ostatecznie, w jednostce czasu taka sama ilość kationów wchodzi do komórki i opuszcza ją. Przez błonę komórkową nie pobudzonej komórki nie płynie prąd elektryczny mimo różnicy potencjałów.

Z chwilą pobudzenia komórki następuje otwarcie kanałów dla jonów sodowych. Powoduje to natychmiastowy przepływ tych jonów do wnętrza komórki (tzw. prąd sodowy), depolaryzujący błonę komórkową. Powierzchnia części komórki, w której doszło do opisanych zmian, staje się elektroujemna w stosunku do wnętrza – powstaje potencjał czynnościowy (zob. też Mechanizmy funkcjonowania układu nerwowego, s. 95). Czas trwania tego potencjału nie przekracza w większości komórek kilku milisekund. Swobodny przepływ na zewnątrz jonów potasowych oraz usuwanie z komórki jonów sodowych powodują repolaryzację błony komórkowej, czyli jej powrót do stanu spoczynkowej polaryzacji.

Rozprzestrzenianie się stanu czynnego w komórce zachodzi za pośrednictwem prądu elektrycznego, który płynie od miejsca pobudzonego do sąsiednich odcinków błony komórkowej po jej powierzchni i w kierunku przeciwnym wewnątrz komórki. Prąd ten powstaje na skutek różnicy potencjałów pomiędzy miejscem pobudzonym i nie pobudzonym. W niektórych tkankach, np. w mięśniu sercowym i w mięśniach gładkich, dzięki połączeniom międzykomórkowym stan czynny może być przenoszony bezpośrednio z jednej komórki do drugiej.

Potencjał czynnościowy powstający w opisany wyżej sposób jest podporządkowany prawu „wszystko lub nic", tzn. każdy bodziec wielkości progowej lub większej powoduje maksymalną odpowiedź. Taki typ pobudze-

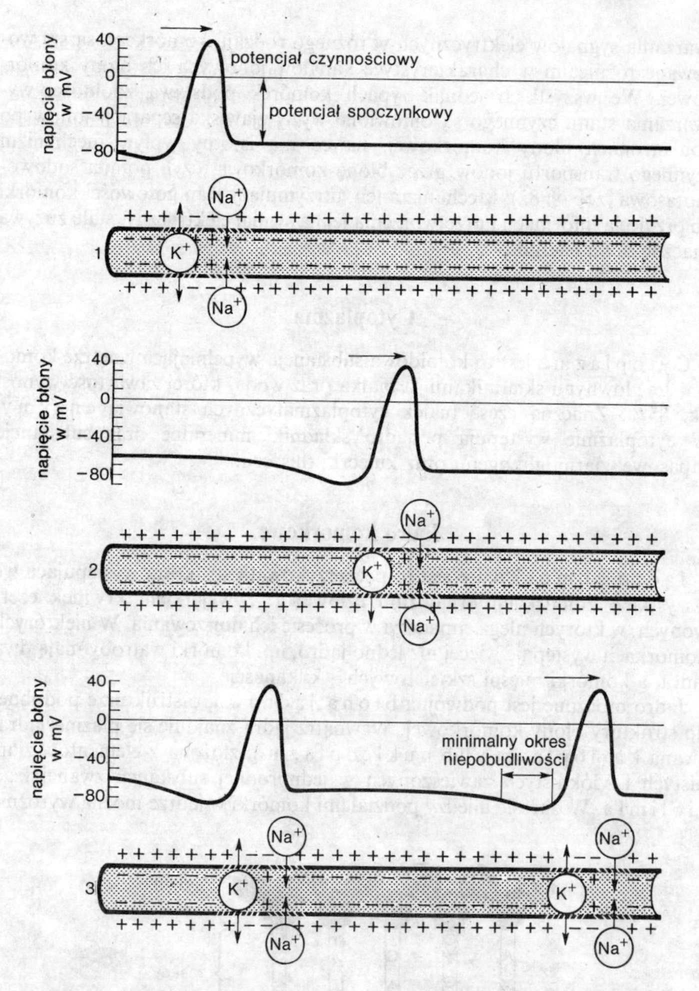

Powstawanie potencjału czynnościowego i przesuwanie się impulsu nerwowego we włóknie nerwowym

nia występuje np. w komórkach mięśni szkieletowych. W odmienny sposób powstanie sygnał elektryczny w wyspecjalizowanych włóknach mięśnia sercowego (układ przewodzący serca, zob. s. 174) i mięśni gładkich oraz w niektórych komórkach nerwowych. Potencjał czynnościowy wytwarzany jest tam bez udziału jakichkolwiek bodźców i charakteryzuje się powolnym, spontanicznym narastaniem fazy depolaryzacji. Różnice w sposobie wytwarzania sygnałów elektrycznych w różnego rodzaju komórkach są spowodowane różnicami w charakterystyce kanałów jonowych ich błony komórkowej. We wszystkich jednak typach komórek podstawą zdolności wytwarzania stanu czynnego są omówione wyżej zjawiska separacji jonów po obu stronach błony komórkowej, na co ma istotny wpływ mechanizm czynnego transportu jonów przez błonę komórkową, czyli pompa sodowo-potasowa (zob. s. 82). Mechanizm ten, utrzymujący stan gotowości komórki do przyjęcia informacji i przetworzenia jej na sygnał elektryczny, stale zużywa znaczne ilości energii.

Cytoplazma

Cytoplazma jest to koloidowa substancja wypełniająca wnętrze komórki. Jej głównymi składnikami są białka oraz woda, której zawartość wynosi ok. 85%. Znaczną część białek cytoplazmatycznych stanowią enzymy. W cytoplazmie występują ponadto składniki mineralne oraz substancje zapasowe: ziarna glikogenu oraz kuleczki tłuszczu.

Jądro komórkowe

Jądro komórkowe jest to pęcherzykowata struktura występująca we wszystkich komórkach organizmu człowieka, z wyjątkiem krwinek czerwonych, w których ulega ropadowi w procesie ich dojrzewania. W niektórych komórkach występuje więcej niż jedno jądro, np. komórki wątroby mają dwa jądra, a komórki mięśni szkieletowych – kilkanaście.

Jądro otoczone jest podwójną błoną jądrową, o strukturze podobnej do struktury błony komórkowej. Wewnątrz jądra znajduje się plazma jądra, zwana karioplazmą lub nukleoplazmą, złożona z elementów ziarnistych i włóknistych zawieszonych w jednorodnej substancji zwanej kariolimfą. W okresie między podziałami komórki w jądrze można wyróżnić

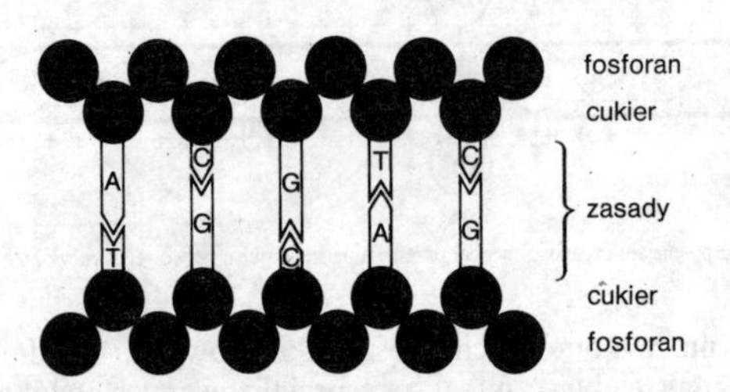

Uproszczony schemat budowy DNA. Cząsteczka DNA składa się z dwóch łańcuchów fosforanowo-cukrowych połączonych ze sobą poprzecznymi pomostami par zasad azotowych: zawsze adeniny (A) z tyminą (T) i zawsze guaniny (G) z cytozyną (C). Każdy z tych łańcuchów jest dokładnym uzupełnieniem drugiego. Oba łańcuchy ściśle do siebie przylegają, splatając się nawzajem wokół siebie i tworząc podwójną spiralę, jak na rys. na s. 85). Charakterystyczna sekwencja par zasad stanowi genetyczny kod cząsteczki DNA

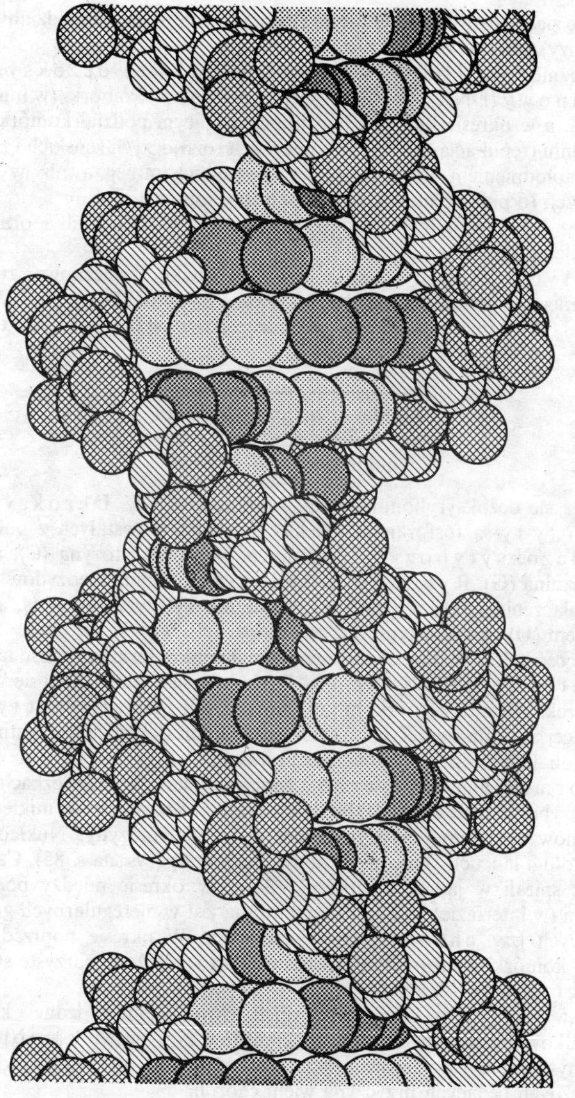

Model struktury DNA

strukturę ziarnisto-włóknistą, zwaną j ą d e r k i e m. W czasie podziału komórki (mitozy) jąderko znika.

Najważniejszym składnikiem plazmy jądra jest k w a s d e z o k s y r y b o n u k l e i n o w y (DNA). Ilość jego między podziałami komórki (w interfazie) jest stała, a w okresie bezpośrednio poprzedzającym podział komórki ulega podwojeniu (replikacja DNA). W komórkach rozrodczych żeńskich i męskich przed zapłodnieniem ilość DNA jest o połowę mniejsza niż w innych komórkach (o połowę mniejsza liczba chromosomów).

Oprócz DNA w jądrze znajdują się różnego rodzaju białka oraz kwas rybonukleinowy (RNA).

K w a s y n u k l e i n o w e są to związki wielkocząsteczkowe, tworzące długie łańcuchy polinukleotydowe zbudowane z wielu nukleotydów. W zależności od składnika cukrowego wchodzącego w skład n u k l e o t y d ó w

$$\overbrace{\underbrace{\text{zasada} + \text{cukier}}_{\text{nukleozyd}} + \text{fosforan}}^{\text{nukleotyd}}$$

wyróżnia się dezoksyrybonukleotydy i rybonukteotydy. D e z o k s y r y b o n u k l e o t y d y są fosforanami n u k l e o z y d ó w powstałych z połączenia cukru d e z o k s y r y b o z y z zasadami: tyminą (T), cytozyną (C), adeniną (A) i guaniną (G). R y b o n u k l e o t y d y to fosforany nukleozydów tworzących połączenia cukru r y b o z y z zasadami: cytozyną, adeniną, guaniną i uracylem (U) (zamiast tyminy).

Czynność jądra. W okresie między podziałami komórki czynność ta polega na k o n t r o l i procesów syntezy białek, a w okresie rozmnażania się komórki – na przekazywaniu komórkom potomnym i n f o r m a c j i g e n e t y c z n e j dotyczącej rodzaju syntetyzowanych przez komórkę białek strukturalnych i funkcjonalnych (np. enzymów, receptorów).

I n f o r m a c j a g e n e t y c z n a „zapisana" jest w cząsteczkach kwasu dezoksyrybonukleinowego (DNA) w postaci sekwencji 4 nukleotydów: fosforanów tymidyny, cytydyny, adenozyny i guanozyny. Nukleotydy te tworzą długi łańcuch skręcony w podwójną spiralę (rys. na s. 85). Całkowita długość spirali w jądrze wynosi ok. 2 m. W okresie między podziałami komórki (w interfazie) spirala ta upakowana jest w nieregularnych grudkach tworzących tzw. c h r o m a t y n ę j ą d r o w ą. W okresie poprzedzającym podział komórki z chromatyny formowane są wydłużone parzyste struktury zwane c h r o m o s o m a m i.

Zestaw sfotografowanych wszystkich chromosomów jednej komórki, uporządkowany według ustalonych kryteriów nosi nazwę k a r i o g r a m u. Porównywanie kariogramów z wzorcami służy do wykrywania defektów genetycznych będących przyczyną wielu chorób.

W o k r e s i e m i ę d z y p o d z i a ł a m i w jądrze komórkowym odbywa się t r a n s k r y p c j a DNA, czyli przepisywanie. Proces ten zapoczątkowuje syntezę białek. Polega on na wytwarzaniu cząsteczek RNA na nici DNA.

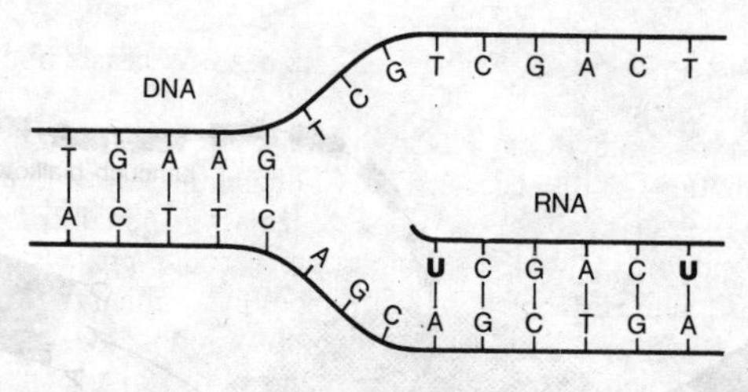

Transkrypcja RNA

Ułożenie nukleotydów w tym RNA odpowiada określonym odcinkom DNA. Odcinki te noszą nazwę genów i zawierają informację o określonym łańcuchu peptydowym, mogącym spełniać funkcję enzymu, białka strukturalnego itp. Cząsteczki RNA wytworzone w jądrze komórkowym, zwane RNA informacyjnym (*messenger* RNA, mRNA), przedostają się z jądra komórkowego do cytoplazmy, gdzie łączą się z rybosomami. W rybosomach – strukturach wytwarzanych przez jąderko – odbywa się translacja, czyli odczytywanie informacji zawartej w mRNA i synteza białek. W procesie tym uczestniczy RNA zawarty w rybosomach, zwany rybosonalnym, oraz RNA przenośnikowy. Kolejność nukleotydów w cząsteczce mRNA decyduje o rodzaju aminokwasów użytych do budowy łańcuchów peptydowych białek i o kolejności przyłączania poszczególnych aminokwasów (rys. na s. 88).

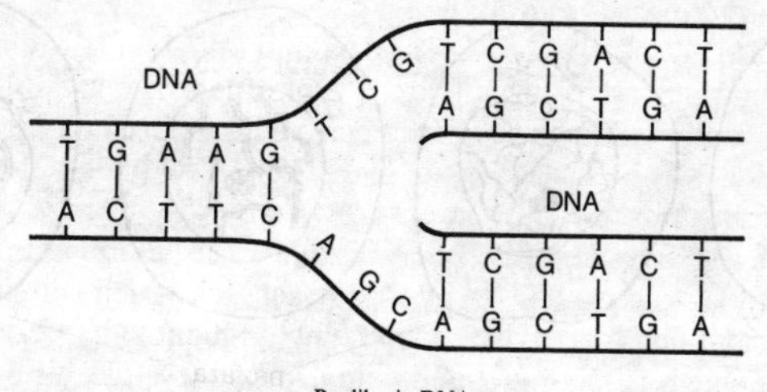

Replikacja DNA

W okresie bezpośrednio poprzedzającym podział komórki dochodzi do replikacji DNA, czyli podwojenia jego ilości w jądrze komórkowym. Podwójna spirala ulega wówczas rozdzieleniu i na każdej z jej nici syntetyzowana jest nowa nić DNA o takim samym składzie. Chromatyna w tym czasie organizuje się w chromosomy. Są to twory złożone z dwu nici zwanych chromatydami, o bardzo zbitej strukturze. Liczba chromosomów w komórkach danego gatunku zwierząt jest stała. U człowieka wynosi 46 we wszystkich komórkach, z wyjątkiem komórek rozrodczych. Chromosomy te tworzą 22 pary chromosomów somatycznych i 1 parę chromosomów płciowych oznaczonych jako X i Y. U osobników płci męskiej para

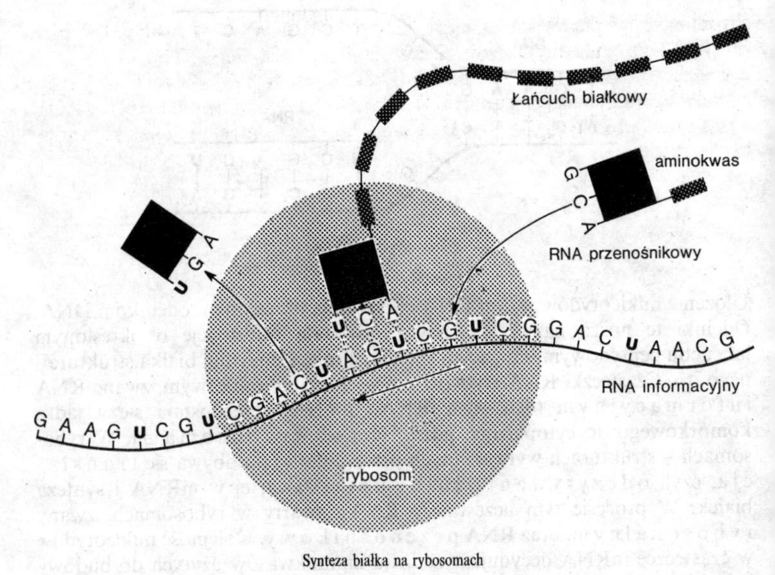

Synteza białka na rybosomach

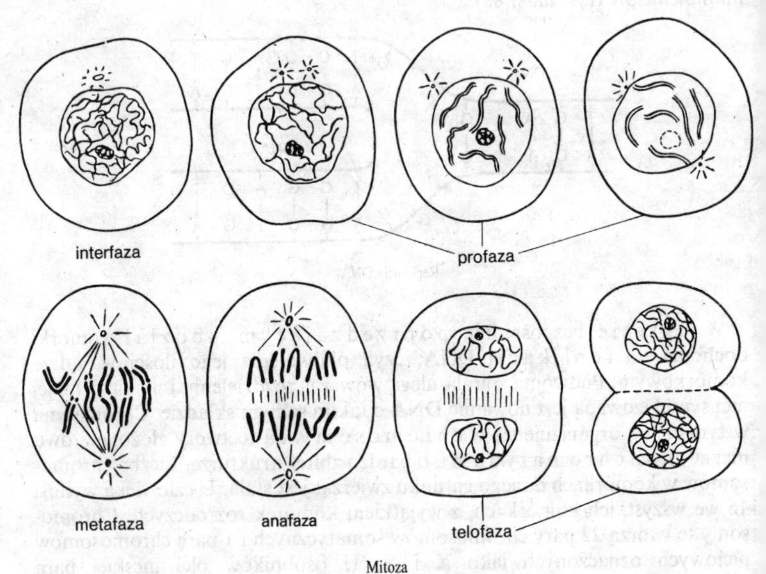

Mitoza

chromosomów płciowych zawiera chromosom X i Y, u osobników płci żeńskiej 2 chromosomy X (zob. Genetyczne podłoże płci, s. 249).

Podział komórki. W okresie podziału komórki – m i t o z y – każdy z chromosomów ulega podziałowi na dwie części (chromatydy), każda z komórek potomnych ma więc taką samą liczbę chromosomów jak komórka macierzysta.

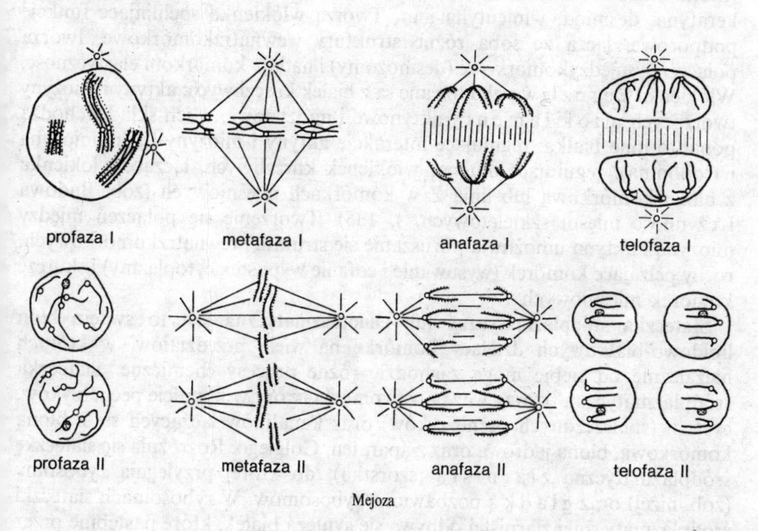

Mejoza

W k o m ó r k a c h r o z r o d c z y c h, w wyniku podziału redukcyjnego zwanego m e j o z ą, powstają komórki zawierające tylko połowę liczby chromosomów. Podczas mejozy występują dwa kolejne podziały komórek (tzw. p o d z i a ł y d o j r z e w a n i a), w czasie których zachodzą dwa podziały jądra i tylko jeden podział chromosomów. Przed zapłodnieniem komórki rozrodcze mają zatem ilość DNA zmniejszoną do połowy. Zapłodniona komórka jajowa zawiera natomiast normalną ilość DNA, ponieważ jedna połowa pochodzi z komórki jajowej, a druga z plemnika.

Struktury cytoplazmatyczne

Cytoszkielet. W cytoplazmie występują białkowe struktury włókniste nadające im odpowiedni kształt i sztywność. Umożliwiają one ponadto przemieszczanie się wewnątrz komórek różnych składników, np. pęcherzyków wypełnionych wydzielinami, rybosomów, ziarnistości itp., oraz ruchy całych komórek. Najważniejszymi składnikami cytoszkieletu są mikrotubule, filamenty – 10 nm i struktury kurczliwe zbudowane z miofilamentów.

M i k r o t u b u l e są długimi rurkowatymi strukturami. Są one rozmieszczone luźno w cytoplazmie, a ponadto wchodzą w skład różnych struktur, takich jak witki, rzęski, aparat Golgiego, centriole (zob. dalej) oraz jądra komórkowego, w którym tworzą wrzeciono podziałowe. Mikrotubule są zbudowane z białka tubuliny i białek towarzyszących; stanowią one przede wszystkim tory nadające kierunek przesuwanym wewnątrz komórki strukturom. F i l a m e n t y – 10 nm zbudowane są z białek włóknistych, takich jak keratyna, desmina, wimentyna i in. Tworzą włókienka spełniające funkcje podporowe, łączą ze sobą różne struktury wewnątrzkomórkowe, tworzą połączenia międzykomórkowe (desmozomy) i nadają komórkom elastyczność. Włókienka k u r c z l i w e zbudowane są z białek kurczliwych: aktyny i miozyny tworzących m i o f i l a m e n t y aktynowe i miozynowe, w ich skład wchodzą ponadto inne białka: regulujące interakcję aktyny i miozyny (tropomiozyna i troponina), regulujące długość włókienek kurczliwych, łączące włókienka z błoną komórkową lub linią Z w komórkach mięśniowych (zob. Budowa i czynność mięśni szkieletowych, s. 135). Tworzenie się połączeń między miozyną i aktyną umożliwia poruszanie się struktur wewnątrzkomórkowych, ruchy pełzające komórek (wysuwanie i cofanie wypustek cytoplazmy) i skurcze komórek mięśniowych.

Siateczka śródplazmatyczna lub **endoplazmatyczna** jest to system błon lipidowo-białkowych dzielący komórkę na wiele przedziałów, w których niezależnie od siebie mogą zachodzić różne procesy chemiczne. Siateczka śródplazmatyczna tworzy wewnątrz komórki twory w kształcie pęcherzyków, cystern (spłaszczonych pęcherzyków) oraz kanalików łączących się z błoną komórkową, błoną jądrową oraz z aparatem Golgiego. Rozróżnia się siateczkę śródplazmatyczną z i a r n i s t ą (szorstką), do której przylegają rybosomy (zob. niżej) oraz g ł a d k ą pozbawioną rybosomów. W rybosomach siateczki śródplazmatycznej ziarnistej odbywa się synteza białek, które następnie przez system kanalików siateczki transportowane są wewnątrz komórki lub poza komórkę.

W pęcherzykach i kanalikach siateczki śródplazmatycznej zachodzą różne procesy, np. w komórkach kory nadnerczy – synteza hormonów steroidowych, w komórkach mięśniowych – gromadzenie i uwalnianie jonów wapniowych itp.

Aparat Golgiego. Jest to również system błon tworzący strukturę złożoną z kanalików i pęcherzyków, znajdującą się zwykle w pobliżu jądra komórkowego. W aparacie Golgiego syntetyzowane są wielocukry i glikoproteidy, ulegają tutaj zagęszczeniu wydzieliny komórkowe oraz formowane są pęcherzyki wydzielnicze.

Mitochondria. Są to kuliste lub pałeczkowate struktury licznie występujące we wszystkich komórkach, z wyjątkiem dojrzałych krwinek czerwonych. Struktury te otoczone są podwójną błoną, której część wewnętrzna tworzy liczne fałdy, tzw. g r z e b i e n i e m i t o c h o n d r i a l n e.

Mitochondria spełniają bardzo ważną rolę w komórce. Zachodzą w nich procesy utleniania z udziałem tlenu oraz sprzężone z tymi procesami wytwarzanie kwasu adenozynotrójfosforowego (ATP). Jest to związek wysokoenergetyczny, w którym magazynowana jest energia uwalniana w procesach utleniania. Rozkład ATP umożliwia ponowne uwolnienie energii i wykorzystanie jej w procesach biologicznych. Wszystkie procesy wymagające nakładu energii, np. reakcje syntezy różnych związków chemicznych, czynny transport przez błonę komórkową, skurcze komórek mięśniowych itp., są sprzężone z rozkładem ATP. Związek ten nie jest magazynowany w komórce w większych ilościach. Jest on stale wytwarzany w mitochondriach, w których ciągle zachodzą procesy utleniania. Tempo tych procesów jest dostosowane do szybkości rozkładu ATP w komórce, czyli do aktualnego zużycia energii.

W mitochondriach również występują kwasy nukleinowe (DNA i RNA) i zachodzi synteza białek. Zawartość tych kwasów jest jednak niewielka, tak że większość białek mitochondrialnych jest syntetyzowana w rybosomach cytoplazmatycznych.

Rybosomy i polisomy są to ziarniste struktury zbudowane z kwasu rybonukleinowego (RNA rybosomalny, rRNA) oraz białek. Rybosomy są połączone z siateczką śródplazmatyczną lub występują jako pojedyncze, wolne struktury albo w grupach od kilku do kilkudziesięciu sztuk. Zgrupowania te noszą nazwę polirybosomów lub polisomów. W rybosomach odbywa się synteza białek zgodnie z instrukcją zakodowaną w strukturze RNA informacyjnego (mRNA) pochodzącego z jądra komórkowego.

Lizosomy. Te kuliste struktury otoczone błoną zawierają hydrolazy – enzymy rozkładające białka. Spełniają one funkcję trawienną – rozkładają białka zużytych struktur wewnątrzkomórkowych oraz białka wprowadzone do komórki z zewnątrz drogą endocytozy (zob. s.79). Błona otaczająca lizosomy chroni białka komórkowe przed działaniem enzymów lizosomalnych. Ich działanie ujawnia się tylko wtedy, kiedy błona ta ulegnie uszkodzeniu. Zjawisko to występuje przy łączeniu się lizosomów z pęcherzykami powstającymi podczas endocytozy lub w czasie łączenia się lizosomów ze sobą. Ten ostatni proces umożliwia rozkład zużytych struktur wewnątrzkomórkowych – łączące się lizosomy otaczają jednocześnie fragment komórki, który ma być strawiony.

Centriole. Są to parzyste, cylindryczne struktury z charakterystycznym układem mikrotubul (zob. s. 89), przypominającym wirnik turbiny. Centriole odgrywają ważną rolę w tworzeniu tzw. wrzeciona podziałowego w czasie podziału komórki (zob. s.89). W początkowym okresie podziału centriole dzielą się i po dwie wędrują w kierunku przeciwległym do biegunów komórki. Od każdej pary rozchodzi się wiązka mikrotubul: jedna ku obwodowi, a druga ku środkowi komórki. Wiązki mikrotubul biegnące ku środkowi umożliwiają przemieszczenie się chromatyd powstałych z podziału chromosomów.

Zróżnicowanie czynnościowe komórek – tkanki

Grupy wyspecjalizowanych komórek tworzą tkanki. Rozróżnia się cztery podstawowe ich rodzaje: tkankę mięśniową, tkankę nerwową, tkankę nabłonkową i tkankę łączną. Każda z nich obejmuje wiele rodzajów komórek.

Tkanka mięśniowa. Komórki tej tkanki, zwane włóknami mięśniowymi lub miocytami, cechuje zdolność kurczenia się, umożliwiająca im zmianę długości lub napięcia. Tkankę tę tworzą trzy podstawowe rodzaje komórek: 1) włókna poprzecznie prążkowane, budujące mięśnie szkieletowe, których skurcze powodują ruchy kończyn, tułowia i głowy, 2) włókna poprzecznie prążkowane mięśnia sercowego, które kurcząc się tłoczą krew z przedsionków serca do komór i z komór serca do tętnic oraz 3) włókna gładkie, tworzące mięśnie gładkie występujące w ścianach narządów wewnętrznych i naczyń krwionośnych; skurcze tych mięśni powodują takie czynności, jak rozdrabnianie, mieszanie i przesuwanie treści pokarmowej w przewodzie pokarmowym, opróżnianie pęcherza moczowego, zmianę objętości krwi przepływającej przez naczynia krwionośne w różnych narządach itp.

Skurcze włókien mięśniowych wyzwalane są przez impulsy nerwowe lub przez impulsy wytwarzane w specjalnego typu komórkach mięśniowych, które same się nie kurczą. Komórki takie występują w niektórych narządach, np. w sercu (zob. Powstawanie i przewodzenie pobudzenia w sercu, s. 174). Umożliwiają one tym narządom pracę automatyczną, nie wymagającą stałego dopływu impulsów nerwowych. Włókna mięśni gładkich mogą być ponadto pobudzane do skurczu przez niektóre substancje chemiczne, np. hormony.

Tkanka nerwowa. Tkankę tę budują dwa rodzaje komórek: 1) komórki nerwowe, zwane wraz ze swoimi wypustkami (włóknami nerwowymi) – neuronami lub neurocytami, oraz 2) komórki glejowe.

Komórki nerwowe, czyli neurony, mają zdolność wytwarzania sygnałów elektrycznych i przewodzenia ich przez swoje wypustki. Sygnały te – impulsy nerwowe – mogą być przekazywane innym komórkom nerwowym lub komórkom innych tkanek, w których inicjują właściwe im czynności, np. skurcz włókien mięśniowych, wydzielanie określonych substancji przez komórki gruczołowe itp. Układ nerwowy, zbudowany z komórek nerwowych, kontroluje w ten sposób czynności wszystkich narządów i organizmu jako całości.

Komórki glejowe tworzą utkanie podporowe dla komórek nerwowych i izolują je od innych tkanek. Komórki glejowe wpływają na przemianę materii komórek nerwowych tworząc wybiórczą barierę, za pośrednictwem której kontrolowana jest dostępność różnych substancji, np. odżywczych, dla tych komórek.

Tkanka nabłonkowa. Tkankę tę stanowi wiele rodzajów komórek. Część z nich rozmieszczona jest na powierzchni ciała i narządów wewnętrznych. Komórki te izolują ciało oraz poszczególne narządy wewnętrzne od otaczającego je środowiska i spełniają rolę selektywnych barier, umożliwiających wymianę różnych substancji chemicznych pomiędzy tkanką narządów i otoczeniem. Przykładami komórek wyspecjalizowanych w transporcie substancji chemicznych są komórki nabłonka pęcherzyków płucnych, jelit, kanalików nerkowych, śródbłonka naczyń włosowatych.

Innego typu komórki nabłonkowe charakteryzuje zdolność wytwarzania i wydzielania różnych wydzielin, takich jak np. pot, śluz, łzy, enzymy trawienne, hormony. Są to komórki gruczołowe. Część z nich tworzy specjalne narządy – gruczoły. Do tkanki nabłonkowej należą również komórki rozrodcze żeńskie (komórki jajowe) i męskie (plemniki).

Jeszcze inne komórki tkanki nabłonkowej spełniają rolę receptorów wrażliwych na działanie różnych czynników środowiska. Są one oplecione siecią zakończeń dośrodkowych włókien nerwowych, w których powstają impulsy nerwowe, przynoszące do ośrodkowego układu nerwowego informacje o zmianach zachodzących w otoczeniu komórek receptorowych. Przykładem takich komórek są komórki tzw. kubków smakowych w jamie ustnej oraz komórki włoskowe narządu Cortiego w uchu wewnętrznym.

Tkanka łączna. Komórki tej tkanki stanowią niejednolitą funkcjonalnie grupę komórek wywodzących się z mało zróżnicowanych komórek siateczki, które tworzą luźne utkanie występujące niemal we wszystkich narządach. Z tych komórek rozwijają się w okresie płodowym i pozapłodowym bardziej zróżnicowane komórki tkanki łącznej. Do najważniejszych z nich należą komórki tkanki łącznej właściwej (fibroblasty i fibrocyty), komórki kostne (osteoblasty, osteocyty i osteoklasty), komórki chrzęstne (chondroblasty i chondrocyty), komórki tłuszczowe (adipocyty) oraz komórki krwi (krwinki czerwone, krwinki białe oraz płytki krwi).

Komórki tkanki łącznej właściwej, kostne i chrzęstne cechuje zdolność wytwarzania żelowatej substancji międzykomórkowej o różnej gęstości oraz rozmieszczonych pozakomórkowo włókien zbudowanych z glikoproteidów i białek.

Tkanka łączna właściwa tworzy spoiwo i utkanie podporowe narządów, a także ich pochewki oraz ścięgna i więzadła. W uszkodzonych narządach rozrastająca się tkanka łączna tworzy blizny wypełniające ubytki innych tkanek.

Tkanka kostna. Komórki kostne, osteoblasty i osteocyty odróżnia od innych komórek zdolność odkładania w substancji międzykomórkowej składników mineralnych, przede wszystkim fosforanów wapnia, dzięki którym kość zyskuje odpowiednią twardość. Inne komórki kostne, osteoklasty, zwane też komórkami kościogubnymi, niszczą kość, powodując jej rozpuszczanie. Umożliwia to odnowę kości oraz uwalnianie wapnia i fosforanów do płynu pozakomórkowego. Oprócz czynności podporowej, kości spełniają rolę magazynu wapnia i fosforanów, z którego substancje te mogą być uwalniane i transportowane z krwią do innych tkanek.

Tkanka chrzęstna tworzy elastyczne części szkieletu. Zbudowane są z niej chrząstki stawowe, tarcze międzykręgowe, a także szkielet krtani, ucha zewnętrznego i nosa. Znajdujące się w kościach długich chrząstki nasadowe spełniają dużą rolę w tworzeniu i wzrastaniu tych kości.

Tkanka tłuszczowa. Komórki tłuszczowe mają zdolność syntetyzowania i magazynowania tłuszczów oraz uwalniania z nich do krwi wolnych kwasów tłuszczowych. Kwasy te stanowią substrat wykorzystywany przez większość tkanek w procesach dostarczających energii. Komórki tłuszczowe powstają z komórek siateczki w okresie płodowym i w dzieciństwie; przy znacznej otyłości powstają także w wieku późniejszym.

Krew. Komórki krwi powstają z komórek siateczki narządów krwiotwórczych, do których należą: szpik kostny, śledziona, węzły chłonne i grasica. Krwinki czerwone, powstające w szpiku kostnym, transportują tlen z płuc do wszystkich tkanek organizmu. Krwinki białe, powstające w szpiku kostnym i innych wymienionych wyżej narządach, biorą udział w różnego rodzaju procesach odpornościowych. Płytki krwi wytwarzane z komórek siateczki szpiku kostnego odgrywają dużą rolę w procesie krzepnięcia krwi i hamowaniu krwawienia.

Do tkanki łącznej należą także komórki plazmatyczne występujące w różnych narządach, przede wszystkim w błonach surowiczych, oraz histiocyty – komórki wędrujące do miejsc objętych stanem zapalnym. Obydwa te rodzaje komórek biorą udział w procesach odpornościowych.

W tkance łącznej skóry, błon śluzowych i surowiczych występują ponadto komórki tuczne wytwarzające heparynę (substancję zapobiegającą krzepnięciu krwi) i hormon tkankowy – histaminę.

Środowisko zewnątrzkomórkowe – pojęcie homeostazy

Tylko komórki zewnętrznej powłoki ciała, nabłonka układu oddechowego i przewodu pokarmowego kontaktują się bezpośrednio ze środowiskiem zewnętrznym organizmu. Dla pozostałych komórek środowiskiem zewnętrznym jest płyn zewnątrzkomórkowy, obejmujący płyn międzykomórkowy (śródmiąższowy) i osocze. Dla prawidłowej czynności komórek bardzo ważne znaczenie ma zachowanie stałości fizykochemicznych cech tego środowiska, takich jak: temperatura, ciśnienie, stężenie jonów wodorowych (kwasowość, tj. pH), osmolalność (globalne stężenie substancji drobnocząsteczkowych rozpuszczonych w wodzie), stężenie poszczególnych jonów oraz ciśnienie parcjalne tlenu i stężenie substratów energetycznych, np. glukozy. Zachowanie stałości tych cech środowiska zewnątrzkomórkowego nosi nazwę homeostazy. Pojęcie to wprowadził francuski fizjolog Claude Bernard w XIX w., a rozwinął je Walter Cannon na początku bieżącego stulecia.

Utrzymywanie homeostazy stanowi jeden z podstawowych przejawów życia. Zakłócenia jej, wywołane działaniem czynników środowiska lub czynnością narządów organizmu (np. podczas wysiłku fizycznego), są wykrywane przez system receptorów. Należą do nich: baroreceptory wrażliwe na zmiany ciśnienia krwi, termodetektory wykrywające zmiany temperatury ciała, chemoreceptory wrażliwe na zmiany składu chemicznego krwi lub płynu międzykomórkowego i inne. Za pośrednictwem receptorów uruchamiane są złożone mechanizmy regulacyjne (homeostatyczne) przywracające stan homeostazy. W mechanizmach tych współuczestniczy w sposób skoordynowany wiele narządów.

II. UKŁAD NERWOWY I NARZĄDY ZMYSŁÓW

Mechanizmy funkcjonowania układu nerwowego

Układ nerwowy składa się z części ośrodkowej – ośrodkowego układu nerwowego i obwodowej – obwodowego układu nerwowego. Ośrodkowy układ nerwowy obejmuje mózgowie i rdzeń kręgowy. Obwodowy układ nerwowy stanowią nerwy, zwoje i sploty nerwowe.

W ośrodkowym układzie nerwowym rozróżnia się ośrodki o różnym znaczeniu czynnościowym i łączące je drogi, zwane też szlakami. Za pośrednictwem obwodowego układu nerwowego ośrodki te kontaktują się z narządami odbiorczymi i przekazują polecenia do narządów wykonawczych.

Budowa i czynność komórek nerwowych

Układ nerwowy jest zbudowany z komórek nerwowych, zwanych neuronami, które wzajemnie kontaktują się ze sobą za pomocą styków, czyli synaps. Oprócz neuronów w układzie nerwowym występują komórki glejowe (glej), spełniające wobec neuronów rolę odżywczą.

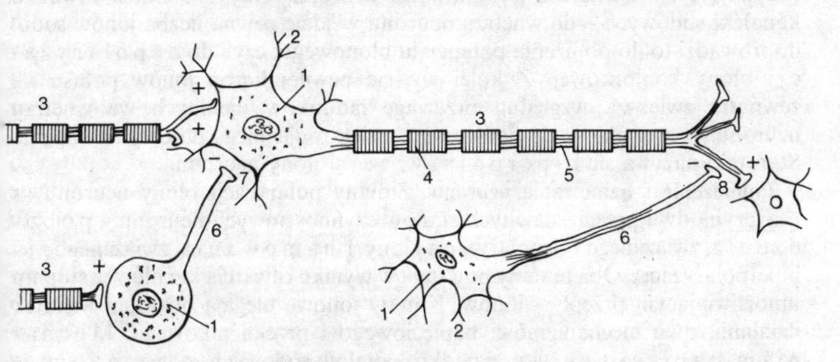

Neurony i synapsy: 1 – ciało komórkowe (perykarion) neuronu, 2 – dendryty, 3 – neuryty (aksony) z osłonką mielinową, 4 – mielina, 5 – przewężenie Ranviera, 6 – neuryt nie mający osłonki mielinowej, 7 – synapsa hamująca (hamowanie postsynaptyczne), 8 – synapsa hamująca (hamowanie presynaptyczne, blokujące przepływ impulsów); (+) – synapsy pobudzające, (–) – synapsy hamujące

Neuron jest otoczony błoną komórkową o właściwościach błony półprzepuszczalnej. Błona ta zatrzymuje wewnątrz neuronu elektroujemne aniony białkowe – składnik jego cytoplazmy, natomiast z różną łatwością przepuszcza jony. Dlatego wewnątrz neuronu występuje przewaga ładunków ujemnych nad dodatnimi. Ładunki ujemne gromadzą się w pobliżu błony komórkowej i przyciągają dodatnie ładunki z otoczenia neuronu. Połączenie się tych ładunków uniemożliwia błona neuronu, która w tej sytuacji spełnia podobną rolę jak dielektryk w kondensatorze. Takie rozmieszczenie ładunków elektrycznych sprawia, że błona neuronu jest spolaryzowana. W wyniku polaryzacji błony między wnętrzem neuronu a jego otoczeniem powstaje różnica potencjałów, nazywana *potencjałem błonowym*. W warunkach spoczynkowych potencjał ten jest ujemny.

Wielkość potencjału błonowego nie jest stała; jej zmiany zależą od zmian stężenia jonów we wnętrzu neuronu. W stanie spoczynkowym wewnątrz neuronu znajduje się niewiele jonów sodu, natomiast więcej elektrododatnich jonów potasu. Jony te wpływają na elektroujemny potencjał wnętrza, który jest nieco niższy niż by to wynikało jedynie z obecności anionów białkowych. Z kolei duże stężenie jonów sodu i małe stężenie jonów potasu występuje na zewnątrz neuronu. Ta różnica stężeń jonów utrzymuje się dzięki działaniu mechanizmu zwanego *pompą sodowo-potasową*, która pokonując siły przyciągania elektrostatycznego, czynnie usuwa jony sodu na zewnątrz i wprowadza do wnętrza neuronu jony potasu.

Ruch jonów między wnętrzem neuronu a jego otoczeniem jest możliwy dzięki porom w błonie neuronu, zwanym *kanałami*. Kanały te są przeważnie utworzone przez cząsteczki białka, którego zmienna struktura, zwana konformacją, sprawia, że są one w pewnych warunkach otwarte, w innych zamknięte dla przechodzących przez nie substancji. Niektóre z tych kanałów są specyficznie przepuszczalne dla jonów. Ta ich właściwość ma decydujące znaczenie dla pobudliwości neuronu. Gdy – wskutek otwarcia kanałów sodowych – do wnętrza neuronu wejdzie pewna liczba jonów sodu, doprowadzi to do obniżenia potencjału błonowego, czyli do *depolaryzacji* błony komórkowej. Z kolei wyjście pewnej liczby jonów potasu na zewnątrz zwiększa względną przewagę ładunków ujemnych we wnętrzu neuronu i przyczynia się do podwyższenia elektroujemnego potencjału wnętrza. Stan taki nazywa się *hiperpolaryzacją* błony neuronu.

Pobudzenie i hamowanie neuronu. Zmiany polaryzacji błony neuronu są przyczyną dwu przeciwstawnych stanów czynnościowych neuronu – *pobudzenia*, związanego z depolaryzacją błony, i *hamowania*, związanego z jej hiperpolaryzacją. Oba te stany powstają w wyniku otwarcia kanałów w stopniu umożliwiającym przepływ jonów. Kanały jonowe ulegają otwarciu wskutek działania dwu mechanizmów: napięciowego i przekaźnikowego. *Mechanizm napięciowy*, w przypadku kanałów sodowych, polega na tym, że przy pewnej wstępnej depolaryzacji błony dochodzi do otwarcia kanałów wrażliwych na napięcie. Jony sodu w dużej liczbie wchodzą wówczas do wnętrza neuronu powodując znaczną depolaryzację błony, a nawet chwilowe odwrócenie jej potencjału z ujemnego na dodatni. *Mechanizm przekaźnikowy* natomiast jest związany z działaniem na błonę neuronu substancji chemicznych zwanych przekaźnikami lub mediatorami, które zmieniają konformację białka kanałów jonowych i powodują ich otwarcie dla przepływu jonów.

Rola synaps. Neurony kontaktują się ze sobą za pośrednictwem specjalnych struktur zwanych synapsami. Najczęściej synapsy występują między neurytem (aksonem) jednego neuronu a ciałem komórkowym lub dendrytem drugiego neuronu. Na swoim zakończeniu akson rozgałęzia się na wiele cienkich włókien, zwanych p r e s y n a p t y c z n y m i. Na ich zakończeniach znajdują się gruszkowate twory – k o l b k i s y n a p t y c z n e, bezpośrednio wchodzące w skład synaps. W kolbkach tych, w specjalnych tworach – p ę c h e r z y k a c h s y n a p t y c z n y c h – magazynowany jest p r z e k a ź n i k. Pod wpływem impulsu nerwowego dochodzącego do kolbki synaptycznej pęcherzyki przesuwają się do jej błony i zawarty w pęcherzykach przekaźnik uwalnia się do szczeliny synaptycznej. Proces ten jest regulowany przez jony wapnia. Uwolniony przekaźnik oddziałuje na specyficzne miejsca w błonie następnego neuronu, zwane r e c e p t o r a m i p r z e k a ź n i k a.

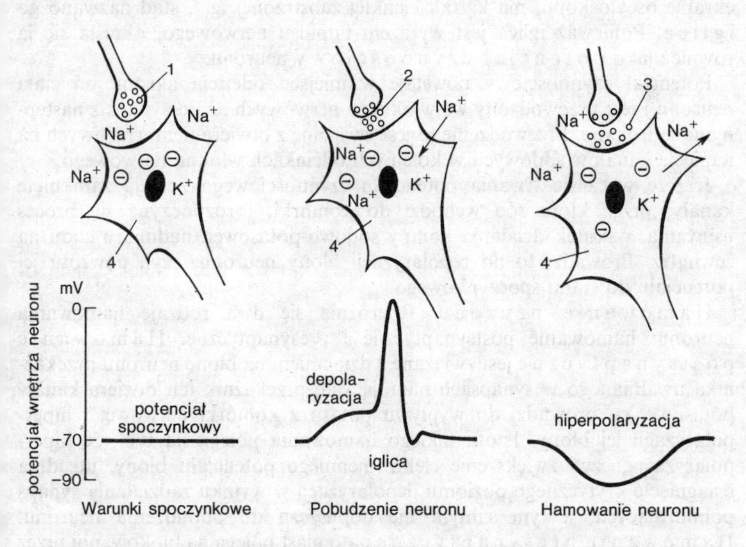

Pobudzenie i hamowanie neuronu: 1 – przekaźnik zawarty w kolbce synaptycznej, 2 – przekaźnik w synapsie pobudzającej uwalnia się do szczeliny synaptycznej, 3 – przekaźnik w synapsie hamującej uwalnia się do szczeliny synaptycznej, 4 – komórka nerwowa; (–) ujemne ładunki elektryczne we wnętrzu neuronu, Na^+ – dodatnio naładowane jony sodu, K^+ – dodatnio naładowane jony potasu. Strzałki określają kierunek ruchu jonów sodu przez błonę komórki. U dołu: obrazy zmian potencjału wnętrza neuronu podczas pobudzenia i hamowania

Działanie przekaźnika polega na otwarciu wrażliwych na przekaźnik kanałów jonowych. Otwarcie kanałów sodowych powoduje wejście jonów sodu do wnętrza neuronu i depolaryzację błony neuronu, a zatem jego pobudzenie. Natomiast otwarcie kanałów potasowych powoduje wyjście pewnej liczby jonów potasu na zewnątrz i w konsekwencji hiperpolaryzację błony neuronu – jest to przyczyna procesu hamowania w neuronie.

Rozróżnia się zatem s y n a p s y p o b u d z a j ą c e, związane z otwarciem kanałów sodowych, i synapsy hamujące, w których przekaźnik otwiera kanały potasowe.

Pobudzenie neuronu. Depolaryzacja błony neuronu, powstała w wyniku otwarcia kanałów sodowych przez przekaźnik, najczęściej jest zbyt mała, by spowodować pobudzenie neuronu; stanowi ona niejako etap wstępny pobudzenia. Dopiero gdy depolaryzacja ta osiągnie odpowiedni poziom krytyczny, czy to wskutek sumowania się skutków działania wielu synaps, czy też w wyniku narastania depolaryzacji przy powtarzającym się uwalnianiu przekaźnika w tych samych synapsach, dochodzi do otwarcia kanałów sodowych wrażliwych na napięcie, co powoduje lawinowe wejście sodu do wnętrza neuronu i gwałtowną depolaryzację błony, z odwróceniem znaku potencjału błonowego z ujemnego na dodatni. Taki potencjał, oglądany na ekranie oscyloskopu, ma kształt cienkiej zaostrzonej igły, stąd nazwano go iglicą. Ponieważ iglica jest wyrazem impulsu nerwowego, określa się ją również jako potencjał czynnościowy neuronu.

Potencjał czynnościowy powstaje w miejscu odejścia aksonu od ciała neuronu i jest przewodzony we włóknach nerwowych aż do synaps z następnymi neuronami. Przewodzenie to jest związane z otwieraniem wrażliwych na napięcie kanałów sodowych w kolejnych odcinkach włókna nerwowego.

Jeszcze w czasie trwania potencjału czynnościowego zostają zamknięte kanały, przez które sód wchodzi do komórki, i rozpoczyna się proces usuwania, wskutek działania pompy sodowo-potasowej, nadmiaru sodu na zewnątrz. Prowadzi to do repolaryzacji błony neuronu, czyli powrotu jej potencjału do stanu spoczynkowego.

Hamowanie neuronu. Rozróżnia się dwa rodzaje hamowania neuronu: hamowanie postsynaptyczne i presynaptyczne. Hamowanie postsynaptyczne jest związane z działaniem na błonę neuronu przekaźnika uwalnianego w synapsach hamujących; przekaźnik ten otwiera kanały potasowe, co prowadzi do wypływu potasu z komórki nerwowej i hiperpolaryzacji jej błony. Istota takiego hamowania polega na tym, że hiperpolaryzacja, czyli zwiększenie elektroujemnego potencjału błony, utrudnia osiągnięcie krytycznego poziomu depolaryzacji w wyniku zadziałania synaps pobudzających, a tym samym nie dopuszcza do pobudzenia neuronu. Hamowanie presynaptyczne natomiast polega na blokowaniu przez jeden neuron przepływu impulsów we włóknach presynaptycznych drugiego neuronu, a zatem uniemożliwia uwolnienie przekaźnika w synapsie. Hamowanie to jest wynikiem działania specjalnych synaps akso-aksonowych. Ma ono m.in. znaczenie dla regulacji przepływu impulsów czucia bólu (zob. s. 104).

Przekaźniki (mediatory) procesów pobudzenia i hamowania

Przekaźniki uwalniają się zarówno w obrębie synaps między neuronami, jak też na zakończeniach włókien nerwowych unerwiających narządy wykonawcze (efektory). Przekaźnikiem pobudzenia między zakończeniami nerwów ruchowych a mięśniami szkieletowymi jest acetylocholina. Natomiast oddziaływanie układu wegetatywnego na narządy wewnętrzne odbywa się przy udziale acetylocholiny, adrenaliny i noradrenaliny (zob. s. 125).

W ośrodkowym układzie nerwowym rozróżnia się cztery klasy mediatorów. Te same związki występują w różnych strukturach nerwowych, choć niektóre z nich odgrywają szczególną rolę w regulacji określonych funkcji fizjologicznych.

Do klasy I zalicza się kwas gamma-aminomasłowy i glicynę o właściwościach hamujących oraz kwas glutaminowy i asparaginowy występujące w synapsach pobudzających. Do klasy II należy acetylocholina – mediator przekazujący pobudzenie w wielu ośrodkach mózgowych, regulujących różne funkcje organizmu. Do klasy III zaliczane są aminy: noradrenalina, dopamina i 5-hydroksytryptamina (serotonina). Noradrenalina występuje zarówno w synapsach pobudzających, jak i hamujących, dopamina – w hamujących. Noradrenalina jest mediatorem m.in. w ośrodkach regulujących głód i sytość (zob. s. 128), dopamina – w strukturach sterujących nastrojem (zob. s. 128). Serotonina występuje w ośrodkach sterujących snem oraz hamujących ból (zob. s. 128).

Klasę IV mediatorów stanowią neuropeptydy – związki zbudowane z kilkunastu–kilkudziesięciu aminokwasów. Ich działanie często polega nie na bezpośrednim pobudzaniu czy hamowaniu neuronu, lecz na modyfikowaniu jego metabolizmu i wrażliwości na działanie innych przekaźników. Dlatego często związki te nazywane są *neuromodulatorami*. Do neuropeptydów należą m.in. epioidy – substancje o morfinopodobnym działaniu, występujące w ośrodkach hamujących ból. W tej grupie przekaźników znajdują się też związki o charakterze hormonów, np. wazopresyna, oksytocyna, cholecystokinina, somatostatyna, uwalniane na zakończeniach nerwowych w mózgowiu i rdzeniu kręgowym. Ich budowa chemiczna, mimo nietypowego miejsca powstawania i odmiennej spełnianej przez nie funkcji, jest identyczna z budową tychże substancji produkowanych przez właściwe gruczoły wewnętrznego wydzielania.

Skuteczność działania przekaźnika zależy nie tylko od jego właściwego stężenia w szczelinie synaptycznej, lecz także od odpowiednio szybkiego znikania po wykonaniu swej roli. Acetylocholina i peptydy są rozkładane przez specyficzne enzymy na biologicznie nieczynne związki, zaś aminy: noradrenalina, adrenalina, dopamina i serotonina są wychwytywane przez zakończenie synaptyczne i ponownie wykorzystywane jako przekaźniki.

Przewodzenie impulsów nerwowych

Przewodzenie impulsów nerwowych związane jest z przesuwaniem się wzdłuż aksonu (włókna nerwowego) fali depolaryzacji błony komórkowej. Wyraża się to tym, że pobudzony w danej chwili odcinek aksonu staje się elektroujemny w stosunku do sąsiednich odcinków.

Po przejściu każdego impulsu włókno nerwowe jest przez pewien czas *niepobudliwe*. Stan taki nosi nazwę *refrakcji*, która najpierw jest absolutna, bezwzględna, przy całkowitej niepobudliwości włókna, później względna, gdy włókno stopniowo odzyskuje pobudliwość. Następny (kolejny) impuls może przejść przez dany odcinek włókna dopiero wówczas, gdy ustąpi stan refrakcji. Długość okresu refrakcji ogranicza zatem liczbę impulsów, jaka w jednostce czasu może przejść przez włókno. Liczba ta wynosi 1000–2000 impulsów na sekundę w grubych włóknach, natomiast kilka impulsów na sekundę we włóknach cienkich.

Szybkość przewodzenia impulsów nerwowych zależy zatem od grubości włókna, a także od tego, czy włókno ma osłonkę mielinową, czy też jej nie ma (rys. na s. 95). Właściwości te stanowią kryterium podziału włókien nerwowych na grupy A, B i C, a grupy A na podgrupy: alfa, beta, gamma i delta. Włókna alfa są najgrubsze i przewodzą impulsy najszybciej (do 120 m/s), natomiast najmniejszą szybkością przewodzenia (poniżej 1 m/s) odznaczają się włókna bezmielinowe należące do grupy C.

Odruchy

Podstawowym elementem działalności nerwowej jest o d r u c h, czyli reakcja organizmu na bodziec zewnętrzny lub wewnętrzny, zachodząca przy udziale ośrodkowego układu nerwowego. Odruch jest wynikiem przejścia impulsów nerwowych po ł u k u o d r u c h o w y m, w skład którego wchodzi 5 elementów: receptor, droga doprowadzająca, ośrodek ruchowy, droga odprowadzająca i narząd wykonawczy (efektor). W skład najprostszego łuku odruchowego wchodzą 2 neurony: doprowadzający i odprowadzający. W odruchach złożonych uczestniczy wiele neuronów.

Istnieją o d r u c h y w r o d z o n e i odruchy n a b y t e, nazwane przez I.P. Pawłowa w a r u n k o w y m i. Odruchy nabyte powstają w wyniku

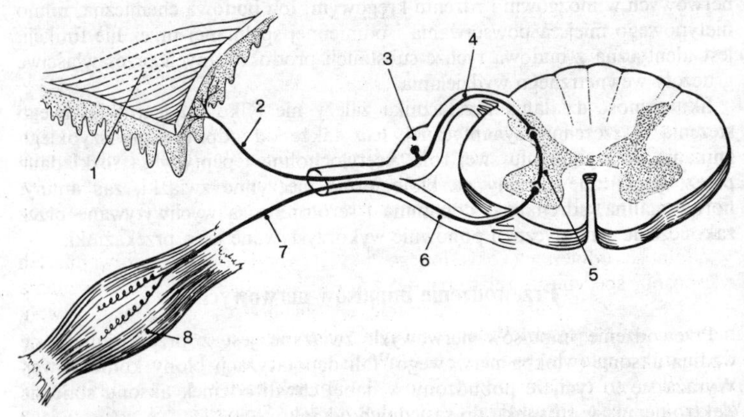

Schemat prostego łuku odruchowego: 1 – receptor (skóra), 2 – droga doprowadzająca (dośrodkowa – neuron czuciowy), 3, 4, 5, 6 – ośrodek ruchowy (3 – zwój korzenia grzbietowego, 4 – korzeń grzbietowy rdzenia kręgowego, 5 – neuron przełącznikowy w rdzeniu, 6 – korzeń brzuszny rdzenia), 7 – droga odprowadzająca (odśrodkowa – neuron ruchowy), 8 – efektor (narząd wykonawczy – mięsień szkieletowy)

wielokrotnego kojarzenia bodźca bezwarunkowego (np. podawania pokarmu) z jakimś bodźcem obojętnym (np. zapalaniem lampki). W miarę powtarzania tej kombinacji bodziec obojętny staje się bodźcem warunkowym, który w warunkach doświadczalnych u psa wywołuje takie samo wydzielenie śliny, jak obecność pokarmu w jamie ustnej.

Odruchy warunkowe odgrywają ważną rolę w regulacji wielu funkcji fizjologicznych u człowieka. Na przykład wydzielanie śliny i soku żołądkowego czy też skłonność do snu pojawiają się w określonych porach dnia (odruch na czas), niekiedy pod wpływem odpowiednich bodźców zewnętrznych.

Funkcje układu nerwowego

Czynnościowo układ nerwowy dzieli się na układ nerwowy somatyczny i układ nerwowy autonomiczny (wegetatywny). *Układ somatyczny* odbiera bodźce środowiska zewnętrznego i kieruje czynnościami ruchowymi. Natomiast *układ autonomiczny* reguluje czynności narządów wewnętrznych, stosownie do informacji pochodzących z tychże narządów, jak również spoza organizmu. Układ nerwowy nie tylko reaguje na bodźce działające w danej chwili, ale kształtuje również czynność organizmu na podstawie informacji otrzymanych wcześniej i zakodowanych w odpowiednich ośrodkach. Zdolność przechowywania informacji oraz korzystania z nich w późniejszych okresach stosownie do potrzeb nazywa się *pamięcią*. Wyspecjalizowane ośrodki mózgowe sterują *popędami i emocjami* oraz procesami leżącymi u podłoża wyższych czynności psychicznych.

Czynności czuciowe

Organizm człowieka odbiera informacje o środowisku zewnętrznym i wewnętrznym za pośrednictwem *receptorów*. Część tych informacji – dochodzących do świadomości – jest źródłem poznania otaczającego nas świata, pozostała natomiast – nie uświadamiana – służy do regulacji procesów fizjologicznych. Kolejnymi etapami poznania są: recepcja, czucie, wrażenia i spostrzeganie (*percepcja*).

Zdolność odbierania określonego rodzaju bodźców i odczuwania ich w sposób specyficzny nosi nazwę *zmysłów*. Pierwszy etap poznania – *recepcja* – polega na zamianie energii bodźca w energię procesu nerwowego. Najbardziej elementarnym doznaniem spowodowanym pobudzeniem receptorów jest *czucie*. *Wrażenia* są to odczucia związane z określonymi cechami przedmiotów, takimi jak barwa, kształt (krawędzie, kąty), kierunek poruszania się przedmiotu itp. *Spostrzeganie* polega na *integracji wrażeń*. Opiera się na informacji nabywanej bieżąco oraz na otrzymanej w przeszłości i zakodowanej w postaci śladów pamięciowych.

Receptory

R e c e p t o r a m i bezpośrednio pobudzanymi przez bodźce środowiska są zakończenia nerwowe włókien czuciowych albo odrębne komórki receptorowe. Niektóre receptory, np. wzrokowy, wchodzą w skład złożonych narządów zmysłów. Pod wpływem swoistego dla danego zmysłu bodźca dochodzi do zmiany potencjału elektrycznego receptora, a zmiana ta powoduje powstawanie we włóknie czuciowym impulsów nerwowych, które są następnie przewodzone przez to włókno do o ś r o d k a c z u c i o w e g o.

Wrażliwość receptorów na bodźce zmniejsza się w miarę działania bodźca i właściwość tę nazywa się a d a p t a c j ą receptora. Receptory szybko ulegające adaptacji reagują tylko na zmiany intensywności bodźca. Natomiast receptory wolno adaptujące się reagują na stale działający bodziec.

Analizatory

Informacja pochodząca ze świata zewnętrznego jest opracowywana w organizmie przez a n a l i z a t o r y. Każdy analizator składa się z danego narządu zmysłu, drogi doprowadzającej impulsy do ośrodkowego układu nerwowego oraz ośrodków podkorowych i korowych, które dzielą się na pola (ośrodki) projekcyjne i kojarzeniowe (asocjacyjne). Analizator odbiera i przetwarza informację dotyczącą tylko jednego rodzaju czucia, czyli tzw. m o d a l n o ś c i z m y s ł o w e j. Rozróżnia się zatem analizatory: wzrokowy, słuchowy, dotykowy, węchowy itp.

Integracja bodźców otoczenia odbieranych przez narządy zmysłowe odbywa się w ośrodkach korowych. P o l a p r o j e k c y j n e kory stanowią reprezentację powierzchni recepcyjnej lub narządów zawierających receptory. Są też miejscem, w którym powstają elementarne wzorce podstawowych cech przedmiotów, np. linii, kątów i krawędzi w analizatorze wzrokowym. Informacja zakodowana w postaci poszczególnych wzorców jest dalej scalana przez o ś r o d k i a s o c j a c y j n e.

Z wymienionych etapów poznania r e c e p c j a odbywa się w narządach zmysłów (zob. s. 106), c z u c i e – na poziomie ośrodków podkorowych, w r a ż e n i a – powstają w polach projekcyjnych i częściowo asocjacyjnych kory, natomiast w mechanizmie p e r c e p c j i współdziałają pola asocjacyjne i części mózgu sterujące uczeniem się, pamięcią i emocjami.

Pola recepcyjne

W obrębie powierzchni recepcyjnych (np. skóry, siatkówki oka) istnieją p o l a r e c e p c y j n e danego włókna lub komórki, unerwione przez jedno włókno lub jedną komórkę czuciową. Im mniejsze jest pole recepcyjne, tym mniej receptorów przypada na unerwiające je włókno lub komórkę, a tym samym większa jest zdolność rozróżniania dwóch bliskich przestrzennie bodźców, ponieważ działają one wówczas na dwa różne pola.

Czucie somatyczne

Do czucia somatycznego zalicza się doznania powstałe w wyniku pobudzenia receptorów znajdujących się w skórze i w narządzie ruchu. Pierwsze nosi nazwę czucia powierzchownego, skórnego, drugie – czucia głębokiego. Do czucia skórnego należą: czucie dotyku, temperatury i bólu.

Czucie lub **zmysł dotyku** dostarcza nam informacji o zetknięciu się (lub stałym kontakcie) przedmiotu ze skórą, o cechach tego przedmiotu (gładkość, chropowatość) itp. Czucie dotyku współuczestniczy z czuciem głębokim w rozpoznawaniu (bez udziału wzroku) przedmiotów obejmowanych ręką.

Czucie temperatury. W skórze występują receptory ciepła i receptory zimna, nazywane wspólnie termoreceptorami. Receptory zimna reagują na temperaturę w granicach 12–35°C, przy czym szczyt aktywności

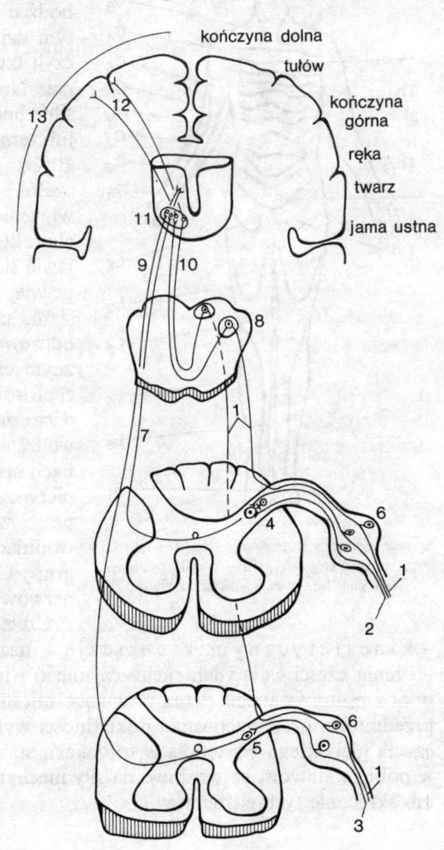

Przebieg dróg czucia somatycznego: 1 – neurony przewodzące impulsy czucia głębokiego i czucia dotyku, 2 – neurony czucia bólu, 3 – neurony czucia temperatury, 4 – układ bramkujący dla impulsów bólowych w rogach tylnych rdzenia kręgowego, 5 – ośrodek czuciowy temperatury w rogu tylnym rdzenia kręgowego, 6 – zwój rdzeniowy, 7 – szlaki rdzeniowe czucia bólu i temperatury, 8 – ośrodki czucia głębokiego i czucia dotyku (w górnej części rdzenia kręgowego), 9 – drogi czucia bólu i temperatury, 10 – drogi czucia głębokiego i czucia dotyku (wstęga boczna), 11 – ośrodek czuciowy wzgórza, 12 – połączenia wzgórzowo-korowe, 13 – kora mózgowa (przekrój czołowy przez pole projekcyjne czucia somatycznego)

wykazują przy 25°C, zaś receptory ciepła na temperatury 25–45°C, ze szczytem przy 35°C. Oznacza to, że poniżej 25°C pobudzone są tylko receptory zimna, powyżej 35°C tylko receptory ciepła, a w granicach 25–35°C w różnej proporcji oba rodzaje termoreceptorów.

Pobudzenie receptorów termicznych skóry uruchamia mechanizmy wytwarzania ciepła lub jego wydalania z organizmu, a zatem ma znaczenie w regulacji temperatury ciała.

Czucie bólu. Receptory bólowe występują obficie w skórze, w opłucnej, otrzewnej, w oponach mózgowych, okostnej, stawach i narządach wewnętrznych. Mają przeważnie postać wolnych zakończeń nerwowych. Są nazywane nocyceptorami (od łac. *nocere* – szkodzić), ponieważ pobudzają je bodźce o potencjalnym lub rzeczywistym działaniu uszkadzającym tkankę, czyli tzw. bodźce nocyceptywne. Nocyceptory skórne reagują na silne bodźce mechaniczne (np. ukłucie) lub termiczne (powyżej 45°C i poniżej 10°C).

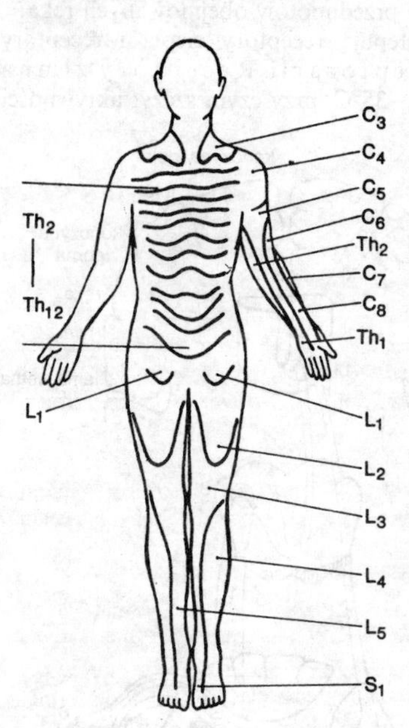

Schemat unerwienia korzeniowego skóry: C – odcinki szyjne rdzenia kręgowego, Th – odcinki piersiowe, L – odcinki lędźwiowe, S – odcinki krzyżowe

Ból, jaki odczuwamy po nagłym włożeniu ręki do gorącej wody, ma charakter dwuetapowy: najpierw pojawia się krótkotrwały, ostry ból, a po pewnej przerwie druga fala bólu określana jako pieczenie. Ta właściwość odczuwania bólu jest związana z różnym czasem trwania pobudzenia receptorów bólowych po zadziałaniu bodźca oraz z różną szybkością przewodzenia impulsów bólowych we włóknach nerwowych. Impulsy powodujące pierwszą falę bólu są przewodzone przez włókna grupy A delta, a powodujące drugą falę – przez włókna grupy C (zob. Przewodzenie impulsów nerwowych, s. 99).

Czucie głębokie. Czuciem głębokim – kinestetycznym, kinestezją – nazywa się zdolność odczuwania ułożenia części ciała i ich ruchu czynnego i biernego, zdolność odczuwania oporu pokonywanego przez pracujące mięśnie (np. ciężaru podnoszonego przedmiotu) oraz szacowania dokładności wykonywanego ruchu. Receptory czucia głębokiego występują w torebkach stawowych, więzadłach i okostnej w pobliżu stawów, są wrażliwe na siły mechaniczne powodujące rozciąganie lub skręcanie tych elementów.

Czucie głębokie wchodzi w skład szerszego pojęcia – propriocepcji, obejmującej także odbieranie i przekazywanie informacji z receptorów mięśniowych (która nie jest uświadamiana, lecz ma znaczenie dla regulacji napięcia mięśniowego) i z narządu równowagi.

Przewodzenie impulsów czucia somatycznego. Impulsy czucia somatycznego są przewodzone do ośrodków przez komórki (neurony) czuciowe. Ciała komórkowe tych neuronów znajdują się w zwojach rdzeniowych oraz w zwoju półksiężycowatym Gassera w czaszce. Każda komórka czuciowa ma dwie wypustki: wypustkę obwodową, która spełnia rolę dendrytu i podąża ku receptorom, oraz wypustkę centralną, która wchodzi w obręb ośrodkowego układu nerwowego jako neuryt (akson) komórki.

Wypustki obwodowe komórek czuciowych z różnych zwojów rdzeniowych skupiają się tworząc nerwy czuciowe, albo wchodzą w skład mieszanych nerwów czuciowo-ruchowych. Nerwy te unerwiają różne obszary ciała. Ponieważ układ nerwów obwodowych nie pokrywa się z układem korzeni nerwowych (tzn. jeden nerw zawiera wypustki komórek z różnych zwojów i odwrotnie – w jednym zwoju mogą skupiać się włókna z różnych nerwów), rozróżnia się dwa rodzaje unerwienia czuciowego ciała: nerwowe i korzeniowe.

Wypustki centralne neuronów czuciowych, które przewodzą impulsy czucia głębokiego i dotyku, wchodzą do powrózków tylnych i biegną do ośrodków czuciowych w górnej części rdzenia kręgowego. Tam tworzą synapsy (zob. s. 96) z następnymi neuronami, których aksony dochodzą do ośrodków czuciowych wzgórza po przeciwnej stronie ciała. Wypustki, które przewodzą impulsy czucia bólu i temperatury, kończą się w rogach tylnych rdzenia kręgowego. Znajdujące się tu neurony wysyłają aksony na przeciwną stronę ciała, które biegną dalej, w obrębie powrózków bocznych, do ośrodków czuciowych wzgórza.

Impulsy czucia bólu dochodzą do sieci nerwowej w rogach tylnych rdzenia kręgowego. Rozróżnia się ból ostry, pojawiający się na zadziałanie bodźca szkodliwego (jak ukłucie skóry igłą) i ból toniczny, występujący np. po zabiegach operacyjnych. Mechanizm obu rodzajów bólu jest odmienny. Impulsy bólu ostrego są przekazywane z rdzenia bezpośrednio do ośrodków bólowych w pniu mózgu, natomiast impulsy bólu tonicznego powodują pobudzenie neuronów rdzenia, utrzymujące się przez pewien czas po impulsie. To pobudzenie jest źródłem impulsacji wtórnej przekazywanej dalej do pnia mózgu. Przepływ informacji bólowej przez rdzeń pozostaje pod kontrolą zespołu neuronów w rogach tylnych, zwanego układem bramkującym. Układ ten zapobiega przedostawaniu się nadmiernej liczby impulsów bólowych do ośrodków bólu w pniu mózgu. Układ bramkujący jest uruchamiany w wyniku działania akupunktury – zabiegu powodującego zmniejszenie czucia bólu, a polegającego na wkłuwaniu igieł do wyznaczonych okolic skóry. Na układ bramkujący działa też, hamując czucie bólu, ośrodkowy system przeciwbólowy (zob. s. 129).

Podkorowe i korowe ośrodki czuciowe

Główną podkorową stacją przekaźnikową dla wszystkich rodzajów czucia jest w z g ó r z e. We wzgórzu i sąsiadujących z nim strukturach znajdują się główne ośrodki czucia bólu i prawdopodobnie temperatury. Natomiast impulsy czucia głębokiego i czucia dotyku są przekazywane ze wzgórza dalej, do k o r y m ó z g o w e j.

Pole projekcyjne czucia somatycznego znajduje się w zakręcie środkowym tylnym, w płacie ciemieniowym. Są w nim reprezentowane w określonym porządku poszczególne obszary ciała. Wskutek skrzyżowania dróg czuciowych do pola w każdej półkuli mózgowej dochodzą impulsy z przeciwległej połowy ciała. Ku tyłowi od pola projekcyjnego znajdują się o b s z a r y a s o c j a c y j n e, gdzie odbywa się scalanie informacji otrzymanej z receptorów czucia głębokiego i dotyku. Proces ten jest niezbędny m.in. dla rozpoznawania przedmiotów obejmowanych ręką.

Narząd wzroku

Narząd wzroku człowieka jest wrażliwy na fale świetlne długości od 400 do 750 nm (nanometrów). Odbiór informacji za pośrednictwem tych fal nazywa się w i d z e n i e m. W czynności widzenia rozróżnia się: 1) powstanie ostrego i odpowiednio oświetlonego obrazu oglądanego przedmiotu na powierzchni

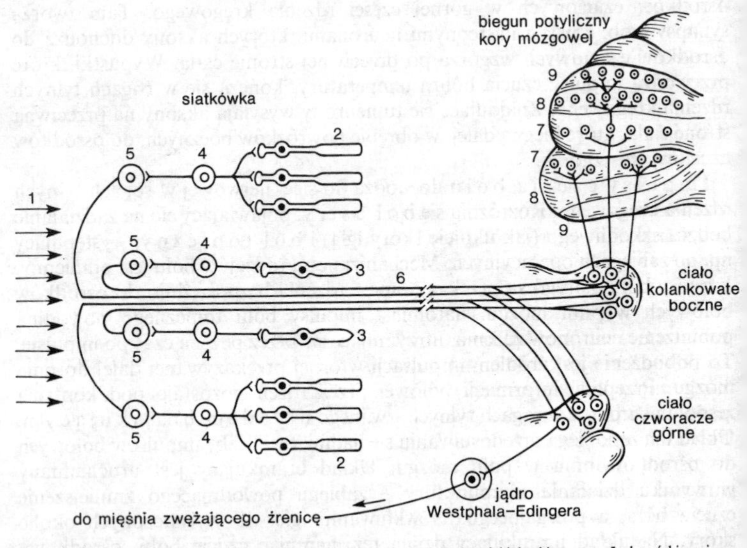

Schemat drogi wzrokowej: 1 – promienie światła, 2 – pręciki, 3 – czopki, 4 – komórki dwubiegunowe, 5 – komórki zwojowe, 6 – aksony komórek zwojowych siatkówki (nerwy wzrokowe), 7 – wzrokowe pola projekcyjne, 8, 9 – wzrokowe pola asocjacyjne

narządu odbiorczego, czyli siatkówki, 2) pobudzenie receptorów wzrokowych, 3) kodowanie i przesyłanie informacji wzrokowej oraz 4) pobudzenie ośrodków wzrokowych w korze mózgowej. Etapy te przebiegają w układzie (analizatorze) wzrokowym, do którego zalicza się: gałkę oczną, drogi wzrokowe oraz podkorowe i korowe ośrodki wzroku.

Budowa gałki ocznej, zob. Anatomia, s. 68.

Układ optyczny oka. Układ ten stanowią: soczewka, ciało szkliste oraz rogówka. Załamuje on promienie świetlne w taki sposób, że obraz przedmiotu, na który patrzymy, pada na tylną powierzchnię ściany gałki ocznej. Wypukłość soczewki jest zmienna i zależy od skurczu mięśni akomodacyjnych oka. Właściwość ta umożliwia akomodację oka, czyli dostosowanie stopnia załamania światła w układzie optycznym do odległości oglądanego przedmiotu, a więc decyduje o ostrości widzenia. Ekran, na który padają obrazy przedmiotów, stanowi siatkówka – wewnętrzna warstwa ściany gałki ocznej, zawierająca fotoreceptory, czyli elementy wrażliwe na światło.

Siatkówka składa się z trzech warstw. Fotoreceptory, tzn. czopki i pręciki, są umieszczone w najgłębszej warstwie sąsiadującej z naczyniówką. W warstwie środkowej mieszczą się komórki dwubiegunowe, pośredniczące w przekazywaniu pobudzenia z czopków i pręcików do komórek zwojowych, które leżą w warstwie powierzchownej, zwróconej ku wnętrzu gałki ocznej. W komórkach zwojowych powstają impulsy, przekazywane drogami wzrokowymi do ośrodków podkorowych i korowych.

W obrębie siatkówki rozróżnia się część środkową, leżącą na linii osi optycznej oka, oraz część obwodową. Część środkowa ze względu na charakterystyczne zabarwienie nazywa się plamką żółtą. W niej znajduje się zagłębienie – dołek środkowy, który jest obszarem najostrzejszego widzenia. Pola recepcyjne komórek zwojowych unerwiających ten obszar są niewielkie, ponieważ z każdą komórką łączy się niewiele czopków (często tylko jeden). W miarę oddalania się od plamki żółtej w kierunku obwodu siatkówki maleje liczba czopków, natomiast wzrasta liczba pręcików. Pola recepcyjne komórek zwojowych unerwiających część obwodową siatkówki są duże, ponieważ kilkadziesiąt, a niekiedy nawet kilkaset pręcików przypada na jedną komórkę zwojową. Powoduje to, że ostrość widzenia w części obwodowej siatkówki jest mniejsza niż w części środkowej.

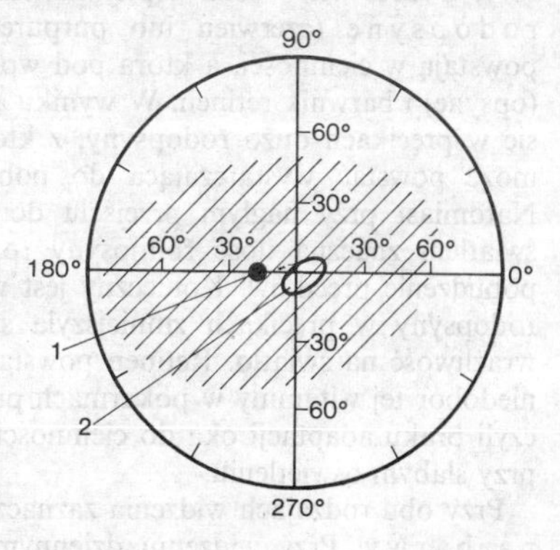

Pole widzenia (obszar zakreskowany) oka lewego: 1 – plamka ślepa, 2 – dołek środkowy, tj. obszar najostrzejszego widzenia

Przyśrodkowo od plamki żółtej znajduje się tarcza nerwu wzrokowego. Tędy opuszczają siatkówkę aksony komórek zwojowych tworzące nerw wzrokowy. Z uwagi na zupełny brak w tym miejscu fotoreceptorów, tj. czopków i pręcików, nosi ono nazwę plamki ślepej. Przedmiot, którego obraz pada na tarczę nerwu wzrokowego, nie jest widziany.

Pole widzenia jest to zakres przestrzeni, której obraz pada na siatkówkę przy nieruchomych gałkach ocznych. Najostrzej są widziane przedmioty znajdujące się w centralnej części tego pola, odpowiada ono bowiem dołkowi środkowemu siatkówki. Nie są natomiast widziane przedmioty w obrębie plamki ślepej, czyli w miejscu pola widzenia odpowiadającym tarczy nerwu wzrokowego.

Widzenie dzienne i widzenie o zmroku. Widzenie dzienne albo w pełnym oświetleniu jest funkcją czopków, widzenie o zmroku – funkcją pręcików. Czopki, mniej wrażliwe na światło, wymagają intensywniejszego oświetlenia niż pręciki. Pobudliwość pręcików natomiast jest większa, a ponadto wskutek większej ich liczby przypadającej na jedną komórkę zwojową następuje sumowanie się efektów pobudzenia fotoelementów w obrębie tego samego pola recepcyjnego.

Oko może przystosować się do widzenia przy silnym lub słabym oświetleniu – proces ten nazywany jest adaptacją oka do światła lub do ciemności. Gdy nagle znajdziemy się w słabo oświetlonym pomieszczeniu, początkowo wydaje się ono nam całkiem ciemne i dopiero po pewnym czasie, dzięki adaptacji oka do ciemności, zaczynamy dostrzegać otaczające nas przedmioty. Jeśli wówczas ponownie przejdziemy do pomieszczenia jasnego, oświetlenie wyda się nam nadmiernie jaskrawe i zaczniemy oceniać je jako normalne dopiero wówczas, gdy dokona się adaptacja oka do światła.

Adaptacja oka do ciemności i światła wiąże się z fotochemicznym mechanizmem pobudzenia receptorów siatkówki. W wyniku zadziałania światła na siatkówkę powstają substancje chemiczne pobudzające fotoreceptory. Proces ten został lepiej zbadany w pręcikach. Wykryto w nich rodopsynę (czerwień lub purpurę wzrokową), której znaczne ilości powstają w ciemności, a która pod wpływem światła rozpada się na białko (opsynę) i barwnik retinen. W wyniku adaptacji oka do ciemności gromadzi się w pręcikach dużo rodopsyny, z której, nawet przy słabym oświetleniu, może powstać wystarczająca do pobudzenia receptorów ilość retinenu. Natomiast przy nagłym przejściu do pomieszczenia oświetlonego silnym światłem znaczna ilość rodopsyny rozpada się, co powoduje nadmierne pobudzenie pręcików. Konieczny jest wówczas pewien czas, aby zawartość rodopsyny w pręcikach zmniejszyła się i nasze oczy uzyskały normalną wrażliwość na światło. Retinen powstaje w organizmie z witaminy A, stąd niedobór tej witaminy w pokarmach prowadzi do tzw. kurzej ślepoty, czyli braku adaptacji oka do ciemności i w konsekwencji do niedowidzenia przy słabym oświetleniu.

Przy obu rodzajach widzenia zaznacza się też różna wrażliwość oka na barwy. Przy widzeniu dziennym (czopkowym) oko jest najbardziej czułe na barwę żółtą (długość fali 550 nm), zaś przy widzeniu o zmroku – na barwę zieloną (długość fali 505 nm). Różnica ta jest przyczyną tzw.

zjawiska Purkinjego. Gdy przy zapadającym zmierzchu obserwujemy kwiaty w ogrodzie, spostrzegamy, że najpierw kwiaty czerwone wydają się nam czarne, później pomarańczowe i żółte, natomiast kwiaty niebieskie najdłużej zachowują swą barwę. Dzieje się tak dlatego, że przy zmniejszającej się intensywności oświetlenia stopniowo przechodzimy z widzenia dziennego na widzenie zmierzchowe i szczyt wrażliwości oka na barwy przesuwa się w kierunku fioletu.

Widzenie barw. Wrażliwe na barwy są jedynie czopki. W siatkówce występują trzy rodzaje czopków: „niebieskie", pobudzane najsilniej przez fale długości 420 nm, „zielone" – przez fale długości 540 nm i „czerwone" – przez fale długości 580 nm. Oko wykrywa poszczególne barwy zawarte w widmie słonecznym na zasadzie stopnia pobudzenia każdego z tych rodzajów czopków. I tak światło o długości fali 500 nm pobudza czopki „niebieskie", z intensywnością równą ok. 35% maksymalnej, czopki „zielone" z intensywnością ok. 70% i „czerwone" – z intensywnością 30% maksymalnej. Taki rozkład pobudzeń jest interpretowany przez oko jako barwa zielona.

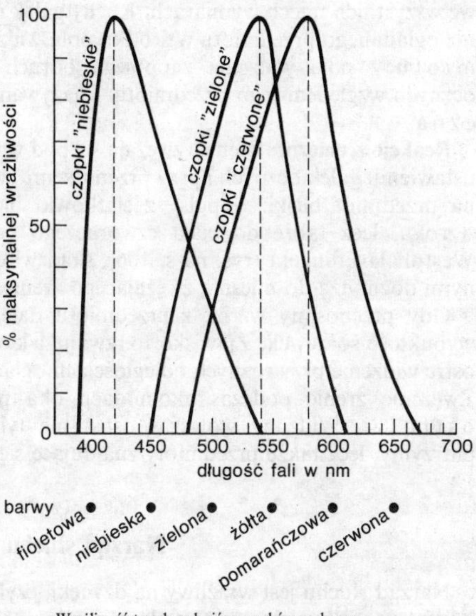

Wrażliwość trzech rodzajów czopków na barwy

Drogi i ośrodki wzrokowe. Aksony komórek zwojowych siatkówki tworzą nerwy wzrokowe. Wypustki pochodzące od przyśrodkowych (przynosowych) połówek obu siatkówek krzyżują się w miejscu zwanym skrzyżowaniem nerwów wzrokowych i przechodzą na przeciwną stronę ciała, natomiast te, które pochodzą od połówek bocznych (przyskroniowych), pozostają nie skrzyżowane. Aksony te docierają do ciała kolankowatego bocznego – podkorowego ośrodka wzroku. Pewna ich liczba dochodzi do ciała czworaczego górnego (rys. na s. 106).

W ciele kolankowatym bocznym biorą początek neurony, które przekazują informację z siatkówki do ośrodka wzroku kory mózgowej w płacie potylicznym. Neurony tego ośrodka reagują na złożone bodźce będące albo fragmentami figur geometrycznych, albo elementami oglądanych przedmiotów. Świadczy to, że spostrzeganie nie polega na prostym sumowaniu się elementarnych wrażeń, lecz na całościowym reagowaniu na pewne kompleksy sygnałów.

Ruchy gałek ocznych. Gałkami ocznymi poruszają mięśnie (tablica XI), których czynność jest koordynowana przez ośrodki w pniu mózgu i w korze mózgowej. Ruchy gałek ocznych odgrywają ważną rolę w widzeniu przestrzennym (stereoskopowym), prowadzą bowiem do takiego ustawienia oczu, że ich osie optyczne przecinają się dokładnie w miejscu oglądanego przedmiotu. Obraz tego przedmiotu pada wówczas na korespondujące miejsca siatkówek, co zapobiega podwójnemu widzeniu, a wskutek drobnych różnic między obrazami na obu siatkówkach – umożliwia ocenę wielkości przedmiotu we wszystkich trzech wymiarach. Ruchy gałek ocznych ułatwiają utrzymywanie oglądanego przedmiotu w środku pola widzenia. Uciekaniu przedmiotu z pola widzenia zapobiega odruch korygujący położenie gałek ocznych względem tego przedmiotu – nazywany reakcją optokinetyczną.

Reakcje źreniczne. Źrenice zwężają się pod wpływem światła, przy zbieżnym ustawieniu gałek ocznych i przy przenoszeniu wzroku z przedmiotu odległego na przedmiot bliski. Impulsy z siatkówki biegną nie tylko do ośrodków wzroku, lecz także do ciała czworaczego górnego i następnie do jądra Westphala-Edingera (rys. na s. 106), skąd włóknami nerwowymi współczulnymi dochodzą do mięśnia zwężającego źrenicę.

Gdy przenosimy wzrok z przedmiotu dalekiego na bliski, zwiększa się wypukłość soczewek. Zjawisko to, zwane akomodacją oka, umożliwia ostre widzenie przy różnych odległościach oglądanych przedmiotów od oczu. Zwężenie źrenic podczas akomodacji oka powoduje zwiększenie głębi ostrości. Widzimy wówczas ostro nie tylko ten przedmiot, na który patrzymy, lecz także przedmioty znajdujące się dalej i bliżej.

Narząd słuchu

Narząd słuchu jest wrażliwy na dźwięki, czyli drgania podłużne cząsteczek powietrza, odbywające się w płaszczyźnie zgodnej z kierunkiem poruszania się fali dźwiękowej. Narząd ten tworzą: ucho (zewnętrzne, środkowe i wewnętrzne), drogi słuchowe oraz podkorowe i korowe ośrodki słuchu.

Przenoszenie fali dźwiękowej w narządzie słuchu. Fale dźwiękowe dochodzą do narządu słuchu przez przewód słuchowy zewnętrzny i wprawiają w drgania błonę bębenkową rozpiętą między uchem zewnętrznym i środkowym. Drgania te udzielają się kosteczkom słuchowym w uchu środkowym, a przez nie przenoszą się na ucho wewnętrzne.

Ucho wewnętrzne, czyli błędnik, zawiera jamę kostną, zwaną ślimakiem kostnym. Znajduje się w niej ślimak błoniasty, mieszczący złożony system recepcyjny narządu słuchu. Ślimak ma kształt rurki spiralnej o 2 i 3/4 skrętu, wypełnionej płynem. Przez jego środek biegnie błona podstawna dzieląca jamę ślimaka na dwie części, tzw. przestrzenie płynowe. Zawiera ona receptory słuchowe.

Ucho środkowe jest oddzielone od ucha wewnętrznego blaszką kostną, w której znajdują się dwa otwory zasłonięte elastyczną błoną. Jeden z nich nosi nazwę okienka okrągłego, drugi – okienka owalnego. Z okienkami tymi kontaktują się przestrzenie płynowe ślimaka, a błona podstawna ślimaka przyczepia się do mostka kostnego między obu otworami. Drgania kosteczek słuchowych przenoszą się na błonę

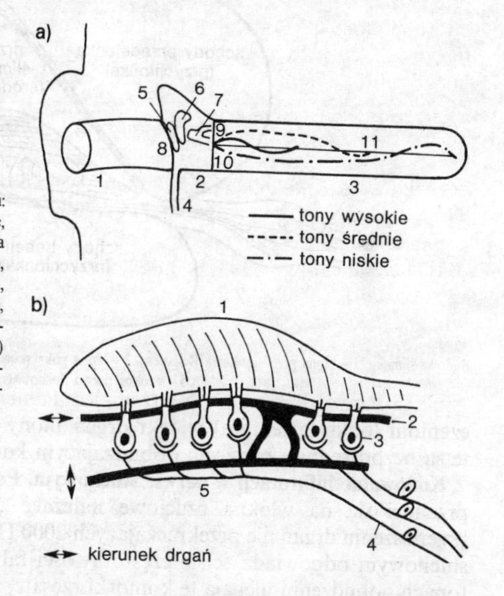

Narząd słuchu: a) części narządu słuchu: 1 – ucho zewnętrzne, 2 – ucho środkowe, 3 – ucho wewnętrzne, 4 – trąbka słuchowa (Eustachiusza), 5 – młoteczek, 6 – kowadełko, 7 – strzemiączko, 8 – błona bębenkowa, 9 – okienko owalne, 10 – okienko okrągłe, 11 – błona podstawna; liniami falistymi zaznaczono przebieg drgań błony podstawnej; b) narząd Cortiego: 1 – błona pokrywająca, 2 – blaszka siateczkowa, 3 – komórki rzęsate, 4 – włókna nerwu słuchowego, 5 – błona podstawna

okienka owalnego, wskutek czego błona ta, w takt drgań dźwiękowych, staje się naprzemiennie bardziej wklęsła i bardziej wypukła. Ruchy błony okienka owalnego udzielają się płynowi wypełniającemu ślimak. Przeciwwagą dla tych ruchów, wskutek nieściśliwości płynu, jest błona okienka okrągłego, która drga z tą samą częstością, ale w fazie przeciwnej do drgań pierwszej błony.

Drgania płynu wypełniającego błędnik udzielają się błonie podstawnej. Właściwości elastyczne błony sprawiają, że przebiega przez nią fala od podstawy (tj. od miejsca przyczepu do blaszki kostnej) do szczytu (tj. zakończenia błony w głębi ślimaka). W miarę wędrowania wzdłuż błony podstawnej fala ta stopniowo zmniejsza się i zanika – tym szybciej, im większa jest częstość drgań. Szybkie drgania, wywołane tonami wysokimi, zostają wytłumione już w początkowym odcinku błony, natomiast drgania o niższej częstotliwości docierają do dalszych odcinków błony. Ponadto, dzięki własnościom rezonansowym błony, różne jej fragmenty są wprawiane w drgania o największej amplitudzie przez fale o określonej częstotliwości (rys.).

Pobudzanie receptorów słuchowych. Na błonie podstawnej ślimaka znajduje się układ recepcyjny, zwany n a r z ą d e m C o r t i e g o (rys. b. na s. 111). Jego głównym składnikiem są komórki rzęsate, mające włoski (rzęski). Dzięki specjalnemu osadzeniu komórek rzęsatych ich włoski ulegają przemiesz-

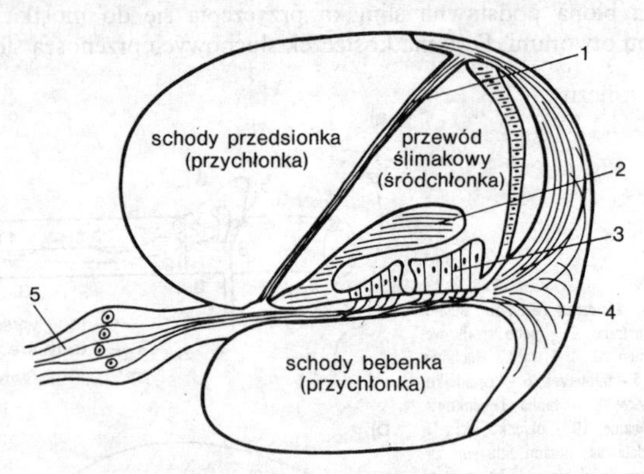

Budowa ślimaka: 1 – błona przedsionkowa Reissnera, 2 – błona pokrywająca, 3 – narząd Cortiego, 4 – błona podstawna, 5 – włókna nerwu słuchowego

czeniom (odkształceniom) w takt drgań błony podstawnej. Przemieszczenia te są bezpośrednim bodźcem pobudzającym komórki rzęsate.

Kodowanie informacji w nerwie słuchowym. Pobudzenie komórek rzęsatych przenosi się na włókna czuciowe należące do nerwu słuchowego. Przy przenoszeniu drgań nie przekraczających 2000 Hz częstość impulsów w nerwie słuchowym odpowiada ściśle częstotliwości fali dźwiękowej. Przy wyższych tonach pobudzeniu ulegają te komórki rzęsate, które znajdują się w najsilniej drgającym fragmencie błony podstawnej, zgodnie z jej własnościami rezonansowymi. Tym samym są wybiórczo pobudzane włókna nerwowe kontaktujące się z tymi komórkami.

Amplituda fali akustycznej, tj. n a t ę ż e n i e d ź w i ę k u jest kodowane przez objęcie procesem pobudzenia różnej liczby włókien nerwu słuchowego.

Ośrodki słuchowe. Nerw słuchowy doprowadza impulsy do ciał kolankowatych przyśrodkowych, skąd impulsy są przesyłane do ośrodka korowego w zakręcie skroniowym górnym, przy czym tony niskie powodują pobudzenie części przedniej, a tony wysokie części tylnej obszaru tego ośrodka. W bliskim sąsiedztwie znajduje się obszar asocjacyjny, niezbędny do rozróżniania dźwięków złożonych i związanych z czuciowym ośrodkiem mowy.

Wrażliwość narządu słuchu. Ucho ludzkie odbiera dźwięki o częstotliwości od 16 do 20 000 Hz, przy czym jest najbardziej wrażliwe na drgania 1000–3000 Hz. Człowiek odróżnia w tym zakresie dwa tony różniące się częstotliwością o 0,3%, a więc np. 1000 i 1003 Hz.

Do pomiarów subiektywnego odczucia głośności tonów służy s k a l a d e c y b e l o w a, według której

$$\text{głośność} = 10 \cdot (\log S - \log Sp),$$

gdzie S oznacza moc mierzonej fali dźwiękowej, a Sp – moc progową, którą przyjmuje się jako 10^{-16} W/cm². Tak więc bodziec o mocy progowej (tj. najmniejszej wywołującej wyraźny efekt subiektywny) ma głośność 0 decybeli (dB), bodziec o mocy dziesięciokrotnie większej – 10 dB, o mocy stokrotnie większej – 20 dB itd. Głośność dźwięków podczas rozmowy wynosi ok. 60 dB, hałas uliczny – 70 dB, hałas świdra pneumatycznego – 80 dB, samolotu – 90–120 dB. Wrażliwość narządu słuchu bada się za pomocą audiometru.

Węch

Za pośrednictwem zmysłu węchu, zwanego też powonieniem, odczuwamy w powietrzu wdychanym obecność cząsteczek substancji wonnych, tj. wydających zapachy. Receptory węchowe znajdują się w błonie śluzowej górnej jamy nosowej. Są nimi komórki węchowe, będące jednocześnie komórkami receptorowymi, reagującymi na zapachy, i komórkami zwojowymi, przenoszącymi proces pobudzenia do opuszki węchowej. W opuszcze węchowej bierze początek nerw węchowy, który doprowadza impulsy węchowe do ośrodków węchomózgowia. Człowiek wyczuwa kwas octowy w stężeniu 10^{-10} g/cm³ powietrza.

Smak

Za pośrednictwem zmysłu smaku odczuwamy obecność niektórych substancji pokarmowych w jamie ustnej. Substancje te, rozpuszczone w ślinie, działają na receptory w kubkach smakowych umieszczonych w błonie śluzowej języka, jamy ustnej, podniebienia, gardła i krtani. Receptory smaku słodkiego są rozmieszczone najgęściej na czubku języka, gorzkiego – u nasady języka, a słonego i kwaśnego – w części środkowej i na bokach języka. Ocena rodzaju spożywanych pokarmów i rozpoznawanie ich opiera się na zintegrowanych doznaniach węchowo-smakowych.

Czynności ruchowe

Czynności ruchowe człowieka można podzielić na: 1) czynności umożliwiające człowiekowi utrzymanie właściwej postawy ciała, 2) ruchy lokomocyjne pozwalające na poruszanie się oraz 3) ruchy manipulacyjne, dzięki którym człowiek aktywnie oddziałuje na otoczenie.

Narząd ruchu zbudowany jest z kośćca, czyli szkieletu, i związanych z nim mięśni, zwanych mięśniami szkieletowymi. Wzajemne położenie kości jest ustalone i zmieniane dzięki przyczepionym do nich mięśniom. Mięśnie kurcząc się powodują zbliżanie się kości do siebie. Czynnością mięśni kierują ośrodki ruchowe rdzenia kręgowego i pnia mózgu. Ważną rolę w funkcjonowaniu tych ośrodków odgrywa informacja pochodząca z narządu ruchu. Powstaje ona w receptorach znajdujących się w torebkach stawowych, więzadłach, okostnej i mięśniach.

Budowa i czynność mięśni szkieletowych, zob. s. 135.

Unerwienie ruchowe mięśni. Komórki nerwowe pobudzające mięśnie szkieletowe tułowia i kończyn znajdują się w rogach przednich

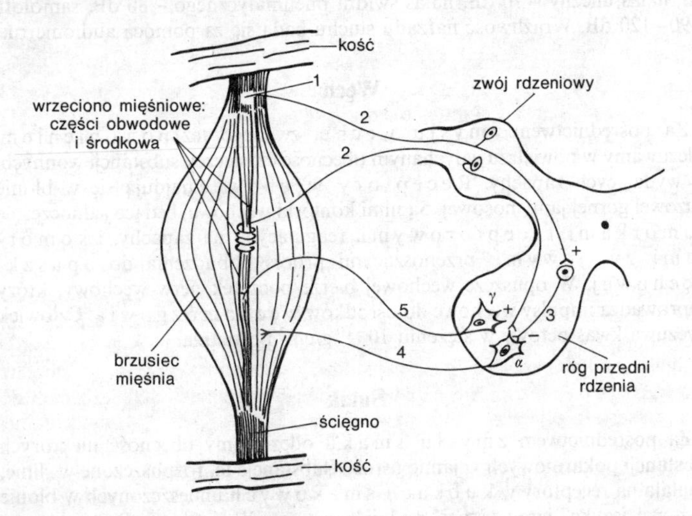

Schemat regulacji napięcia mięśniowego: 1 – narząd ścięgnowy Golgiego, 2 – włókna przewodzące impulsy od receptorów mięśniowych i ścięgnowych, 3 – neuron pośredniczący, 4 – aksony neuronów ruchowych alfa (α) unerwiające „robocze" komórki mięśniowe, 5 – aksony neuronów ruchowych gamma (γ) unerwiające włókna mięśniowe wrzecion; (+) – pobudzanie, (−) – hamowanie

rdzenia kręgowego, zaś unerwiające mięśnie obszaru głowy – w jądrach ruchowych nerwów czaszkowych. Komórki te noszą nazwę neuronów ruchowych albo motoneuronów. Rozróżniamy motoneurony alfa i gamma. Pierwsze zaopatrują „robocze" komórki mięśniowe, od których zależy praca mięśnia, drugie pobudzają do skurczu włókna mięśniowe we wrzecionach mięśniowych.

Aksony neuronów ruchowych, po opuszczeniu ośrodka, tworzą nerwy ruchowe albo wchodzą w skład mieszanych nerwów ruchowo-czuciowych. Każdy akson unerwia pewną liczbę komórek (włókien) mięśniowych, tworzących wraz z nim tzw. jednostkę ruchową lub motoryczną. Wszystkie komórki mięśniowe należące do danej jednostki po otrzymaniu impulsów kurczą się jednocześnie i z maksymalną siłą, co jest zgodne z prawem „wszystko albo nic" (odnoszącym się do wielu zjawisk fizjologicznych). Siła skurczu mięśnia zależy od „zaangażowania" różnej liczby jednostek ruchowych. Im mniej komórek mięśniowych w danym mięśniu unerwia jeden akson, tym precyzyjniejsza jest regulacja siły skurczu tego mięśnia.

Unerwienie czuciowe mięśnia. Narządami czucia mięśniowego są wrzeciona mięśniowe i narządy ścięgnowe Golgiego (ciała buławkowate). Każde wrzeciono (rys. na s. 114) jest zbudowane z włókien mięśniowych ułożonych w obwodowych częściach wrzeciona i w części środkowej. Włókna mięśniowe wrzeciona końcami obwodowymi przyczepiają się do torebek otaczających pęczki komórek mięśniowych, zaś ich końce centralne dochodzą do części środkowej wrzeciona. Włókna te są pobudzane do skurczu przez neurony ruchowe gamma. Skurcz włókien mięśniowych wrzeciona uwrażliwia znajdujące się we wrzecionie receptory na siły rozciągania.

Receptory znajdują się w części środkowej i w częściach obwodowych wrzeciona i są pobudzane podczas napinania wrzeciona, gdy cały mięsień jest rozciągany. Siły rozciągania mięśnia działające na receptory są większe, gdy wrzeciono, wskutek skurczu jego włókien mięśniowych, jest skrócone. A zatem, dzięki unerwieniu wrzeciona przez neurony ruchowe gamma możliwa jest regulacja wrażliwości receptorów wrzeciona na siły rozciągania.

Narządy Golgiego znajdują się w ścięgnach i, podobnie jak receptory wrzecionowe, są wrażliwe na rozciąganie.

Napięcie mięśniowe. Wszystkie mięśnie pozostają w stanie pewnego skurczu, zwanego napięciem mięśniowym. Napięcie to jest niezbędne do precyzyjnego i płynnego wykonywania ruchu w zależności od aktualnej potrzeby.

Napięcie mięśniowe jest wynikiem odruchu zapoczątkowanego pobudzeniem receptorów we wrzecionach mięśniowych i zakończonego skurczem tego samego mięśnia, w którym zostały pobudzone receptory. Do pobudzenia receptorów dochodzi podczas każdego przypadkowego rozciągnięcia mięśnia, napięcie mięśniowe jest więc odruchem na rozciąganie. Przykładem odruchu na rozciąganie jest odruch kolanowy. Wywołuje się go uderzając młoteczkiem w ścięgno mięśnia czworogłowego uda – prowadzi to do nagłego, krótkotrwałego rozciągnięcia mięśnia i do jego skurczu.

Pobudzenie narządów ścięgnowych Golgiego prowadzi do obniżenia napięcia tego samego mięśnia. Jest to mechanizm chroniący mięsień i ścięgna przed uszkodzeniami w wyniku działania zbyt wielkich sił rozciągających.

Współdziałanie mięśni. Każdy ruch jest wynikiem skoordynowanego działania wielu mięśni. Na przykład do sprawnego wykonania ruchu zgięcia kończyny niezbędny jest nie tylko skurcz mięśni zginaczy, lecz także jednoczesny rozkurcz antagonistycznej grupy mięśni prostowników. Współdziałanie mięśni antagonistycznych umożliwia specjalny rodzaj ich unerwienia, zwany unerwieniem recyprokalnym. Polega ono na tym, że pobudzenie receptorów w jakimś mięśniu wyzwala skurcz tego mięśnia i jednocześnie hamuje napięcie mięśni antagonistycznych, np. gdy kurczą się zginacze, równocześnie rozluźniają się prostowniki.

Sterowanie czynnościami ruchowymi przez ośrodki mózgowe

U człowieka rdzeń kręgowy steruje jedynie najprostszymi elementami czynności ruchowych, natomiast bezpośrednią kontrolę ruchów sprawują ośrodki mózgowe. Ośrodki te wchodzą w skład kilku układów funkcjonalnych, takich jak: układ piramidowy, układ pozapiramidowy, układ przedsionkowy, jądra przedsionkowe i narząd równowagi oraz móżdżek. Złożonymi ruchami kierują obszary kory mózgowej zaliczane do okolic asocjacyjnych, w których zakodowane są wzorce czynności ruchowych, a także programy działań.

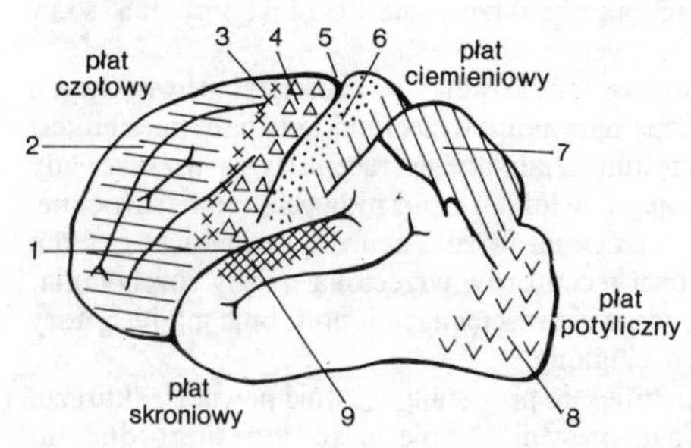

Ośrodki czuciowe i ruchowe kory mózgowej: 1 – szczelina boczna (Sylwiusza), 2 – okolica przedczołowa, 3 – okolica przedruchowa, 4 – okolica ruchowa, 5 – bruzda środkowa (Rolanda), 6 – okolica projekcyjna czucia somatycznego, 7 – okolica asocjacyjna czucia somatycznego, 8 – okolica wzrokowa, 9 – okolica słuchowa

Układ piramidowy kieruje r u c h a m i d o w o l n y m i, tj. tymi, które składają się na świadomą działalność człowieka. Układ ten tworzą neurony, których ciała komórkowe (perykariony) w kształcie piramid znajdują się w okolicy ruchowej kory mózgowej. O k o l i c a r u c h o w a znajduje się w obrębie zakrętu środkowego przedniego kory mózgowej. Ku przodowi od okolicy ruchowej znajduje się o k o l i c a p r z e d r u c h o w a, zaliczana do układu pozapiramidowego.

Schemat reprezentacji różnych grup mięśniowych w okolicy ruchowej przypomina organizację okolicy czuciowej. Najbardziej bocznie znajduje się przedstawicielstwo mięśni jamy ustnej, a dalej – w kierunku przyśrodkowym – mięśni twarzy, gałek ocznych, kończyny górnej, tułowia, a na powierzchni przyśrodkowej półkuli mózgowej – mięśni kończyny dolnej. Najrozleglejszy obszar zajmuje reprezentacja mięśni artykulacyjnych (umożliwiających mówienie), mimicznych twarzy i mięśni ręki.

Aksony komórek piramidowych tworzą d r o g i (s z l a k i) p i r a m i d o w e, które po przejściu na przeciwną stronę ciała docierają do ośrodków ruchowych pnia mózgu (dla mięśni obszaru głowy) i rdzenia kręgowego (dla mięśni tułowia i kończyn), gdzie przekazują pobudzenie neuronom ruchowym (motoneuronom) alfa.

Układ pozapiramidowy wspomaga działanie układu piramidowego, a mianowicie: 1) reguluje zakres i precyzję ruchów dowolnych, 2) bierze udział w automatyzacji ruchów (np. chodu) i powstawaniu nawyków ruchowych oraz 3) w razie uszkodzenia układu piramidowego przez proces chorobowy częściowo przejmuje jego funkcje.

Układ pozapiramidowy tworzą o ś r o d k i k o r o w e (m.in. okolica przedruchowa) i p o d k o r o w e: ciało prążkowane składające się z jądra ogoniastego, skorupy i gałki bladej, istota czarna, jądro czerwienne, układ siatkowaty zstępujący i inne. Impulsy z tych ośrodków są przekazywane do ośrodków ruchowych pnia mózgu i rdzenia kręgowego za pośrednictwem d r ó g (s z l a k ó w) p o z a p i r a m i d o w y c h, z których większość kontaktuje się z motoneuronami gamma.

Układ przedsionkowy. J ą d r a p r z e d s i o n k o w e, umieszczone na granicy rdzenia przedłużonego i mostu, regulują równowagę ciała zarówno w warunkach statycznych (np. podczas stania i siedzenia), jak i dynamicznych (podczas chodzenia i zmian pozycji ciała). Do jąder przedsionkowych dochodzą impulsy z narządu równowagi i receptorów narządu ruchu, niosące informację o położeniu głowy względem środka ciężkości ciała, o rozkładzie napięcia w różnych grupach mięśniowych, o ułożeniu części ciała względem siebie, a w warunkach dynamicznych – także o zmianach szybkości i kierunku poruszania się (przyspieszenie liniowe i kątowe).

Narząd równowagi, umiejscowiony w błędniku (zob. Anatomia, Ucho wewnętrzne, s. 71), jest zaliczany do narządów zmysłów. Tworzy go błędnik

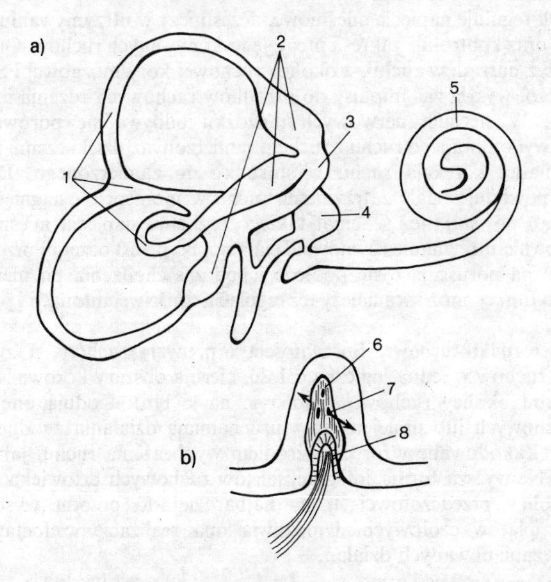

Narząd równowagi: a) schemat błędnika, b) schemat bańki błoniastej; 1 – przewody półkoliste, 2 – bańki błoniaste, 3 – łagiewka, 4 – woreczek, 5 – ślimak, 6 – osklepek, 7 – otolit, 8 – komórki rzęsate; strzałki oznaczają kierunek przemieszczania się osklepka podczas ruchów głowy

błoniasty, składający się z kilku przestrzeni wypełnionych płynem (śródchłonką), a mianowicie z woreczka, łagiewki i przewodów półkolistych. Ściany tych przestrzeni zawierają nabłonek zmysłowy zbudowany z komórek rzęsatych (mających włoski), kontaktujących się z zakończeniami włókien nerwowych. Włoski zlepione są galaretowatą substancją i tworzą uwypuklenia wystające do wnętrza przestrzeni płynowych błędnika. W woreczku i łagiewce w galaretowatej substancji zlepiającej włoski zawarte są zwapniałe kamyki – otolity. Przy zmianach położenia głowy, wskutek bezwładności otolitów, włoski odchylają się od położenia spoczynkowego, co powoduje pobudzenia komórek rzęsatych i zakończeń nerwowych w nabłonku zmysłowym. Receptory woreczka i łagiewki reagują na bodźce stacjonarne, wynikające ze stałego utrzymania się zmienionego położenia głowy, a receptory łagiewki także na nagłe ruchy głowy do przodu i tyłu, tj. na przyspieszenie liniowe. W podobny sposób receptory w przewodach półkolistych reagują na zmiany ruchu obrotowego głowy w różnych płaszczyznach, czyli na przyspieszenie kątowe.

Impulsy z narządu równowagi dochodzą do jąder przedsionkowych (zob. wyżej) i modulują ich oddziaływanie na ośrodki ruchowe rdzenia kręgowego. Wskutek tego napięcie w różnych grupach mięśni jest ustalane w taki sposób, aby zapewnić utrzymanie równowagi podczas siedzenia, stania i chodzenia.

Móżdżek reguluje napięcie mięśniowe, uczestniczy w utrzymywaniu równowagi ciała oraz kontroluje zakres i precyzję wykonywanych ruchów. Otrzymuje informacje z narządów ruchu, z okolicy ruchowej kory mózgowej i z układu wzrokowego, wysyła zaś impulsy do ośrodków ruchowych rdzenia i do kory mózgowej. W sieciach nerwowych móżdżku odbywa się porównywanie przebiegu wykonywanego ruchu z ruchem zamierzonym, dzięki czemu możliwa jest optymalna korekcja ruchu w stosunku do zamierzonego. Działanie móżdżku powoduje nagłe zatrzymanie ruchu w momencie osiągnięcia celu. W móżdżku powstaje też schemat takiego rozkładu napięcia mięśniowego, który zapewnia utrzymanie równowagi ciała np. po przeskoczeniu przeszkody, po wejściu na poruszające się podłoże i podczas chodzenia po nierównym terenie. Do funkcji móżdżku należy też regulacja właściwej intonacji i płynności mowy.

Wyższe ośrodki ruchowe. Sprawnością i precyzją ruchów, a zwłaszcza łączeniem ruchów w jedną logiczną całość, kierują obszary korowe leżące ku przodowi od okolicy ruchowej (zob. rys. na s. 116). Kodują one wzorce aktów ruchowych lub umiejętności i uruchamiają działania zgodne z tymi wzorcami. Zakodowane wzorce są źródłem wyobrażenia ruchu, jaki mamy wykonać. Najwyższa forma integracji aktów ruchowych człowieka odbywa się w okolicy przedczołowej, tj. w najbardziej do przodu wysuniętych obszarach płatów czołowych. Umożliwia ona realizację wieloetapowych, uprzednio zaplanowanych działań.

Czuwanie i sen

Czuwanie i sen są podstawowymi stanami czynnościowymi mózgu. Podczas czuwania organizm pozostaje w łączności z otoczeniem, podczas snu łączność ta jest przerwana.

Czuwaniem kieruje układ siatkowaty, czyli sieć nerwowa znajdująca się w środkowej części pnia mózgu (rys.). Do układu siatkowatego docierają impulsy nerwowe ze wszystkich narządów zmysłów, a układ ten oddziałuje na korę mózgową i ośrodki podkorowe. Oddziaływanie to jest niezbędne do utrzymania kory w stanie napięcia (tonusu) czynnościowego.

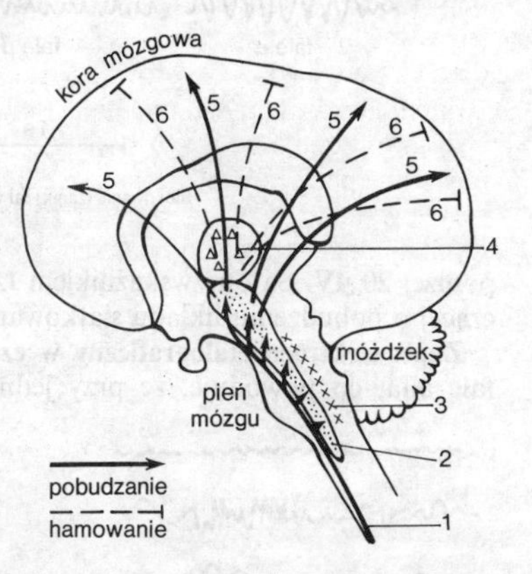

Działanie układu siatkowatego na korę mózgową: 1 – swoiste drogi czuciowe, 2 – układ siatkowaty wstępujący, 3 – jądra szwu, 4 – część środkowa wzgórza, 5 – połączenia siatkowato-korowe, 6 – połączenia wzgórzowo-korowe

Podczas snu dochodzi do czasowego zablokowania układu siatkowatego, a tym samym do utraty świadomości. Rozróżnia się sen wolnofalowy i paradoksalny. Nazwy te pochodzą od obrazu elektroencefalograficznego charakterystycznego dla obu rodzajów snu. Snem wolnofalowym sterują ośrodki umiejscowione głównie w części środkowej wzgórza, snem paradoksalnym natomiast jądra znajdujące się w tylnej części pnia mózgu.

Czynność bioelektryczną mózgu bada się za pomocą metody zwanej elektroencefalografią. Polega ona na odprowadzaniu z powierzchni głowy potencjałów elektrycznych wytwarzanych przez mózg i analizowaniu ich. U człowieka potencjały elektryczne odbiera się najczęściej za pomocą elektrod przyciskanych lub przyklejanych do skóry głowy. Potencjały te są doprowadzane do elektroencefalografu, czyli przyrządu wzmacniającego je i zapisującego ich przebieg w postaci krzywej zwanej elektroencefalogramem (EEG), w której można wyróżnić fale szybkie i fale wolne o różnej amplitudzie, czyli wysokości mierzonej w mikrowoltach (μV).

Zapis elektroencefalograficzny w czasie czuwania. U człowieka czuwającego występują dwa główne rodzaje fal w zapisie elektroencefalograficznym (EEG): fale alfa i fale beta. Fale alfa (α) rejestrowane są najliczniej w odprowadzeniach z tylnych obszarów głowy (głównie z okolicy potylicznej czaszki), w warunkach odprężenia psychicznego przy zamkniętych oczach, gdy nie jest wykonywana praca umysłowa. Ich częstotliwość wynosi 8 – 13 Hz, a amplituda ok. 50 μV. Natychmiast po otwarciu oczu lub podczas wysiłku umysłowego fale alfa zanikają (rys. na s. 120), a w ich miejsce pojawiają się fale beta (β) o częstotliwości powyżej 13 Hz i amplitudzie

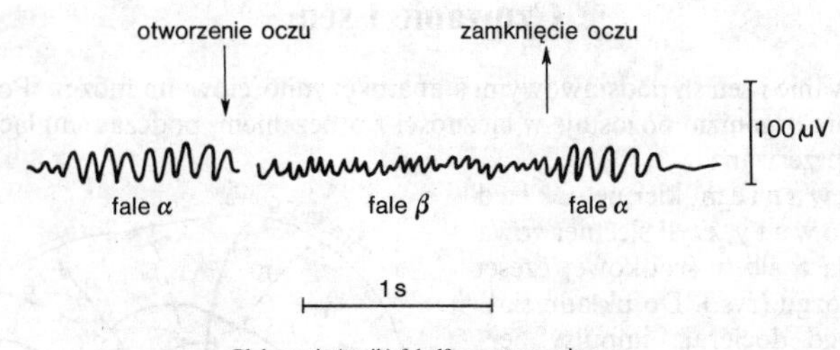

Blokowanie (zanik) fal alfa po otworzeniu oczu

poniżej 20 μV. Są one wskaźnikiem tzw. r e a k c j i w z b u d z e n i a, świadczącej o pobudzeniu układu siatkowatego.

Zapis elektroencefalograficzny w czasie snu. Podczas zasypiania zanikają fale alfa, co powoduje, że przy jednoczesnym braku fal beta zapis EEG staje się płaski (rys.). W miarę pogłębiania się snu w EEG pojawiają się w coraz większej liczbie f a l e w o l n e o wysokiej amplitudzie, tzw. w r z e c i o n a, czyli zespoły fal o periodycznie narastającej i opadającej amplitudzie i o częstotliwości 14–16 Hz, nazywane f a l a m i g a m m a, f a l e d e l t a o częstotliwości niższej od 4 Hz oraz zespoły K złożone z iglicy i następującej po niej fali wolnej. Sen o takich cechach EEG nazywany jest s n e m w o l n o f a l o w y m. Co pewien czas u śpiącego człowieka pojawia się płaski zapis EEG, podobny do występującego podczas snu płytkiego. Mimo to głębokość snu jest wówczas największa. Stąd ten rodzaj snu nosi nazwę s n u p a r a d o k s a l n e g o.

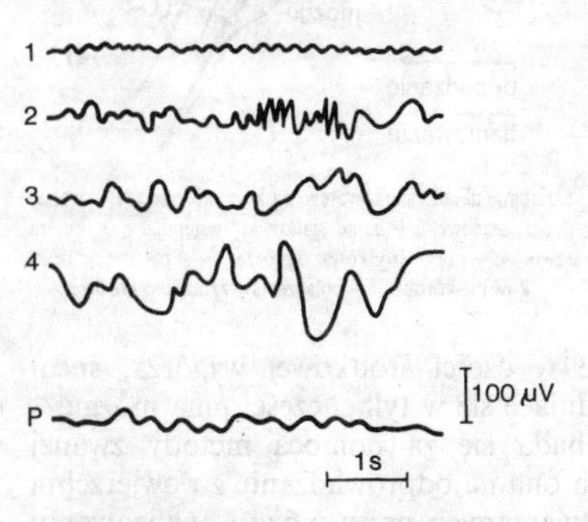

Elektroencefalogram podczas snu: 1 – zasypianie, 2 – 4 – pogłębiający się sen wolnofalowy, P – sen paradoksalny

Uwaga. Jest to proces psychiczny występujący podczas czuwania i zależny od czynności układu siatkowatego, nastawiający mechanizmy percepcji na odbiór wybranych bodźców otoczenia. U w a g a s p o n t a n i c z n a jest skierowana na bodźce będące przedmiotem naszego zainteresowania, u w a g a d o w o l n a zaś dotyczy sygnałów, których źródłem jest np. środowisko pracy lub sytuacja związana z wykonywanymi obowiązkami. Utrzymanie uwagi na stale powtarzających się bodźcach, zwłaszcza monotonnych, wymaga wysiłku psychicznego przeciwdziałającego h a b i t u a c j i, tj. procesowi powodującemu zmniejszanie się, a nawet zanikanie reakcji na te bodźce. Habituacja, gdy zapobiega niepotrzebnemu reagowaniu na bodźce nie mające istotnego znaczenia, jest korzystna dla organizmu. Jeśli jednak rozwija się w wyniku działania bodźców jednostajnych, lecz ważnych, np. ze względu na bezpieczeństwo pracy, powoduje zmęczenie psychiczne, obniża wydajność pracy i może być przyczyną wypadku (np. zasypianie kierowców na autostradach).

Sen. Noworodek przesypia większą część doby i budzi się zazwyczaj w porach karmienia. U małych dzieci zaznacza się już dobowa rytmika czuwania i snu, jednak z elementami policykliczności (jeden lub więcej okresów snu w ciągu dnia). Dopiero u starszych dzieci rytmika dobowa jest w pełni ukształtowana.

Ogólny czas trwania snu w ciągu doby zależy od wieku. Różny jest też w różnych okresach życia udział snu paradoksalnego – najwięcej jest go u niemowląt. U człowieka dorosłego sen paradoksalny występuje 4–5 razy w ciągu nocy w postaci 20–30-minutowych epizodów przedzielonych okresami snu wolnofalowego.

Podczas snu paradoksalnego występują szybkie ruchy gałek ocznych, polegające na rytmicznie powtarzających się drganiach gałek w płaszczyźnie pionowej i poziomej (zjawisko to można łatwo zaobserwować zwłaszcza u małych dzieci), oraz marzenia senne. Marzenia senne występują też w okresie snu wolnofalowego, charakteryzującego się występowaniem fal delta, kiedy głębokość snu jest największa.

Sen jest formą wypoczynku dla tych elementów nerwowych, które sterują procesami czuwania, uwagi i uczenia się. Szczególna rola pod tym względem przypada fazie snu z falami delta, której ogólny czas trwania wydłuża się po wymuszonej bezsenności. Na temat roli snu paradoksalnego panują sprzeczne poglądy. Niektórzy badacze sądzą, że w tym okresie włączają się mechanizmy sterujące głębokością snu.

Synchronizacja rytmiki dobowej czuwania i snu. Kolejne następstwa czuwania i snu, czyli ich sekwencja, zależą od wewnątrzustrojowego „zegara biologicznego" oraz od czynników zewnętrznych. Działanie „zegara" wykazano w eksperymencie na ludziach całkowicie izolowanych od otoczenia, którzy zachowywali rytm czuwania i snu zbliżony do 24-godzinnego. Mechanizm fizjologiczny „zegara" jest zlokalizowany w podwzgórzu. Steruje on także rytmiką innych zjawisk, takich jak temperatura ciała, przemiana materii, wydzielanie niektórych hormonów itp. Czynniki zewnętrzne to głównie warunki oświetlenia i bodźce wynikające z organizacji życia społecznego. Ich rola polega na ścisłym dostrojeniu wewnątrzustrojowym rytmu okołodobowego do dobowej rytmiki zjawisk astronomicznych i życia codziennego.

Regulacja procesów wewnątrzustrojowych

Ośrodkowy układ nerwowy dostosowuje czynność narządów wewnętrznych do potrzeb organizmu i uczestniczy w utrzymaniu homeostazy, czyli względnie stałego poziomu parametrów środowiska wewnętrznego ustroju (zob. s. 94).

Odbiór informacji o potrzebach organizmu odbywa się za pośrednictwem receptorów znajdujących się w ośrodkowym układzie nerwowym i w narządach wewnętrznych (te ostatnie receptory noszą nazwę interoceptorów). Ustalanie poziomu regulacji (np. zakresu wahań temperatury ciała) odbywa się dzięki integracyjnej działalności ośrodków mózgowych. Ośrodki te oddziałują na narządy wewnętrzne za pośrednictwem hormonów i układu wegetatywnego.

Regulacja wydzielania hormonów przez układ nerwowy

Hormony, tj. substancje wydzielane przez gruczoły wewnętrznego wydzielania (dokrewne) do krwi, są przenoszone przez krew do narządów docelowych, na które działają pobudzająco lub hamująco. Czynność większości gruczołów dokrewnych pozostaje pod wpływem ośrodkowego układu nerwowego, ale np. wydzielanie insuliny regulowane jest przeważnie przez czynniki pozanerwowe.

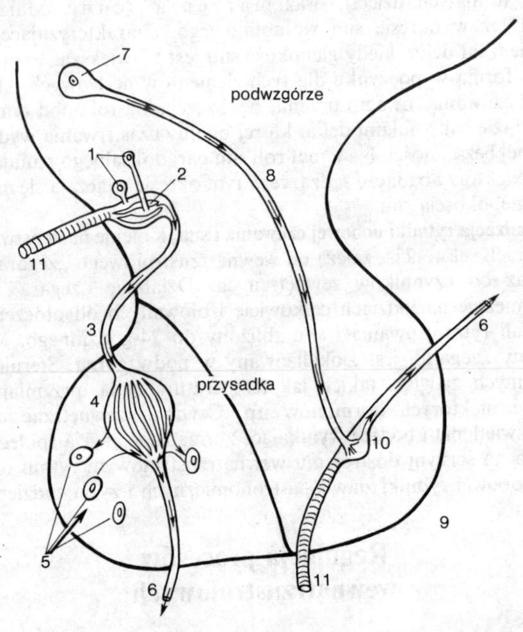

Oddziaływanie układu nerwowego na przysadkę: 1 – komórki podwzgórza wytwarzające hormony uwalniające i hamujące wydzielanie hormonów przedniego płata przysadki, 2 – sieć naczyń krwionośnych w podwzgórzu, 3 – naczynia wrotne przysadki (podwzgórzowo-przysadkowe), 4 – sieć naczyń włosowatych w przedniej części przysadki, 5 – komórki przedniej części przysadki wytwarzające hormony, 6 – żyła odprowadzająca hormony, 7 – komórki neurosekrecyjne podwzgórza, 8 – aksony komórek neurosekrecyjnych przenoszące ich wydzielinę do przysadki, 9 – część tylna przysadki, 10 – sieć naczyń włosowatych, 11 – tętnica

Gruczołem o funkcjach nadrzędnych w stosunku do innych gruczołów dokrewnych jest przysadka. Jej czynność jest regulowana przez podwzgórze (rys. na s. 122). Przednia część przysadki jest połączona z podwzgórzem naczyniami krwionośnymi. Przez naczynia te docierają do przysadki hormony wytwarzane w podwzgórzu, które pobudzają lub hamują wydzielanie hormonów przysadkowych. Do części tylnej przysadki dochodzą aksony komórek podwzgórza (tzw. neurosekrecyjnych) wytwarzających hormony i stykają się z obfitymi w tej okolicy naczyniami krwionośnymi. Umożliwia to przedostawanie się wydzieliny tych komórek bezpośrednio do krwi i następnie jej oddziaływanie na tkanki. Taki mechanizm wydzielania hormonów nazywa się neurosekrecją.

Nadmiernemu w stosunku do potrzeb wydzielaniu hormonów zapobiegają ujemne sprzężenia zwrotne. Funkcjonują one dzięki hamującemu działaniu hormonów na te ośrodki podwzgórza, które pobudzają ich wydzielanie.

Ośrodki podwzgórza regulujące czynność przysadki pozostają pod kontrolą układu rąbkowego (limbicznego, zob. s. 127).

Układ wegetatywny

Nerwowy układ wegetatywny, zwany też autonomicznym (zob. Anatomia, s. 64), reguluje czynność narządów wewnętrznych, szerokość naczyń krwionośnych i przebieg procesów przemiany materii w tkankach. Tworzą go ośrodki wegetatywne oraz zwoje i włókna nerwowe. Te ostatnie skupiają się w nerwy wegetatywne lub wchodzą w skład splotów wegetatywnych.

Układ wegetatywny składa się z układu współczulnego (sympatycznego) i przywspółczulnego (parasympatycznego). Oba te układy działają przeciwstawnie na narządy, choć w istocie ściśle współpracują w ich regulacji.

Ośrodki układu współczulnego znajdują się w części piersiowej rdzenia kręgowego, zaś przywspółczulnego – w części krzyżowej rdzenia i w pniu mózgu (rys. na s. 124). Włókna nerwowe wychodzące z tych ośrodków dochodzą do zwojów wegetatywnych, stąd są nazywane włóknami przedzwojowymi. W zwojach włókna przedzwojowe tworzą synapsy (zob. s. 97) z następnymi neuronami. Neuryty tych neuronów, zwane włóknami pozazwojowymi, opuszczają zwoje i podążają do narządów.

Zwoje współczulne są umiejscowione w pobliżu kręgosłupa, stąd są nazywane zwojami kręgowymi. Przez liczne połączenia między sobą tworzą pień współczulny. Zwoje przywspółczulne natomiast leżą bardziej na obwodzie, tj. w sąsiedztwie, a niekiedy w obrębie unerwianych narządów. Takie położenie mają także niektóre zwoje współczulne w jamie brzusznej.

W obrębie pnia współczulnego wyróżnia się najwyżej położony i największy zwój gwiaździsty. Wychodzące z niego włókna unerwiają mięsień

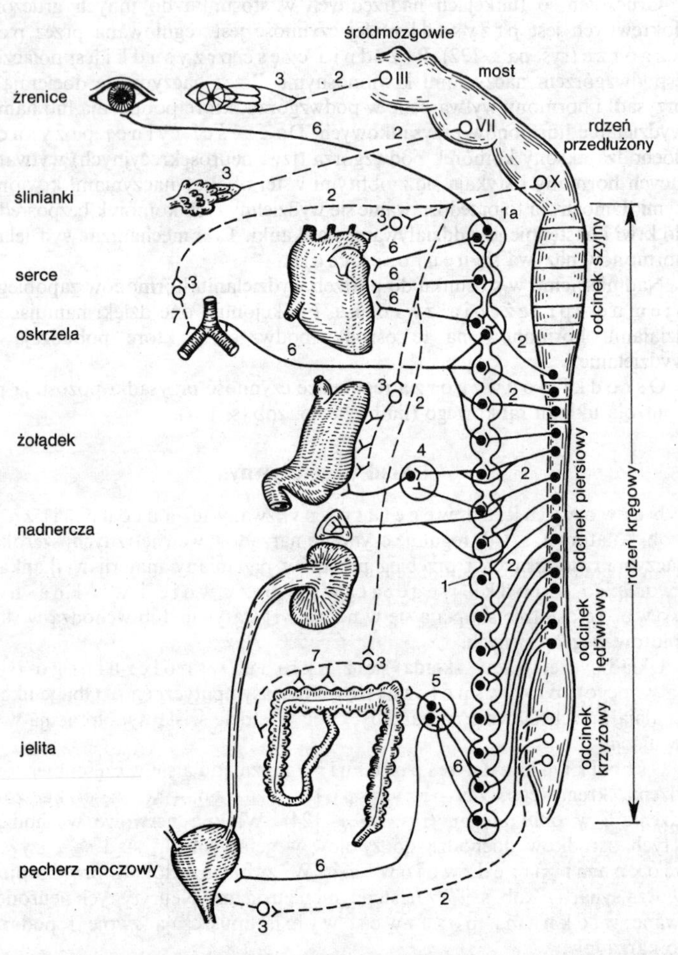

Układ wegetatywny: 1 – zwoje kręgowe, 1a – zwój gwiaździsty, 2 – włókna przedzwojowe, 3 – zwoje przywspółczulne, 4 – zwój trzewny, 5 – zwój krezkowy, 6 – włókna pozazwojowe współczulne, 7 – włókna pozazwojowe przywspółczulne III – trzeci nerw czaszkowy, VII – siódmy nerw czaszkowy, X – dziesiąty nerw czaszkowy (nerw błędny)

rozszerzający źrenicę, a także dochodzą do serca. W jamie brzusznej są dwa duże sploty współczulne: trzewny i podbrzuszny. Ze splotu trzewnego wychodzą włókna unerwiające głównie żołądek i wątrobę, ze splotu podbrzusznego – włókna unerwiające jelita i pęcherz moczowy.

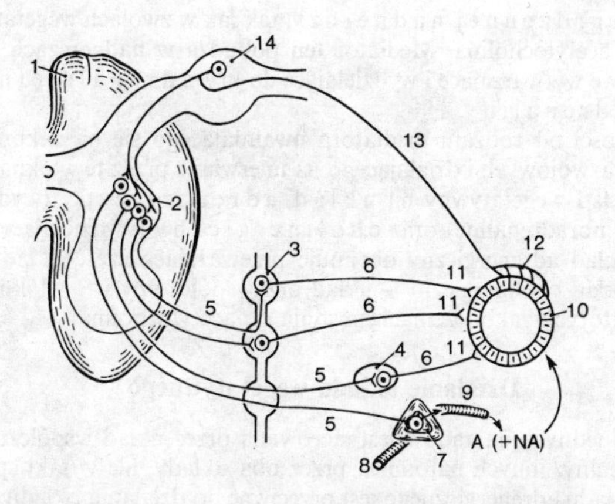

Łuk odruchu wegetatywnego: 1 – rdzeń kręgowy, 2 – ośrodek odruchu wegetatywnego w rdzeniu kręgowym, 3 – zwoje kręgowe, 4 – zwój przedkręgowy, 5 – włókna przedzwojowe, 6 – włókna pozazwojowe, 7 – rdzeń nadnerczy, 8 – tętnica nadnerczowa, 9 – żyła nadnerczowa, 10 – narząd wewnętrzny, 11 – synapsy między włóknami wegetatywnymi i narządem przez nie unerwianym, 12 – receptory w narządach wewnętrznych, 13 – włókna przewodzące impulsy z receptorów w narządach wewnętrznych, 14 – zwój rdzeniowy, A – adrenalina i NA – noradrenalina, hormony uwalniające się do krwi

W skład układu współczulnego wchodzi też rdzeń nadnerczy, zaliczany również do gruczołów dokrewnych. Wytwarza on i wydziela do krwi dwa hormony – adrenalinę i noradrenalinę.

Największą częścią układu przywspółczulnego i jednocześnie największym nerwem wegetatywnym jest nerw błędny, mający ośrodek w rdzeniu przedłużonym. Unerwia on wszystkie narządy w obrębie klatki piersiowej i wiele narządów w jamie brzusznej. Inne włókna przywspółczulne wychodzące z pnia mózgu unerwiają gruczoły ślinowe i mięsień zwężający źrenice.

Układ wegetatywny zawiera też włókna czuciowe, odprowadzające impulsy interoceptorów. Większość tych impulsów nie dochodzi do świadomości, lecz uczestniczy w odruchach wegetatywnych (rys.).

Mediatory (przekaźniki) układu wegetatywnego

Przekazywanie impulsów w nerwowym układzie wegetatywnym odbywa się za pośrednictwem trzech substancji chemicznych – mediatorów: acetylocholiny, noradrenaliny i adrenaliny. Acetylocholina wydziela się na zakończeniach wszystkich włókien przedzwojowych (tj. w obrębie zwojów wegetatywnych) oraz na zakończeniach wszystkich włókien pozazwojowych w układzie przywspółczulnym. Mediatorem wydzielającym się na większości zakończeń włókien pozazwojowych układu współczulnego jest noradrenalina. Wyjątkiem są włókna współczulne unerwiające gruczoły potowe, gdzie mediatorem, jak w układzie przywspółczulnym, jest acetylocholina.

W części rdzennej nadnerczy, tak jak w zwojach wegetatywnych, uwalnia się acetylocholina. Mediator ten pobudza w nadnerczach komórki chromafinowe wytwarzające i wydzielające do krw adrenalinę i niewielkie ilości noradrenaliny.

W zależności od rodzaju mediatora uwalniającego się na zakończeniach włókien pozazwojowych i działającego na unerwiane przez te włókna narządy dzieli się układ wegetatywny na układ adrenergiczny (wydzielający adrenalinę i noradrenalinę) oraz cholinergiczny (wydzielający acetylocholinę). Układ adrenergiczny obejmuje przeważającą część układu współczulnego, układ cholinergiczny – układ przywspółczulny i te włókna współczulne, na których zakończeniach uwalnia się acetylocholina.

Działanie układu wegetatywnego

Czynność jednych narządów jest sterowana przez układ współczulny albo przywspółczulny, innych natomiast przez oba układy, ale w taki sposób, że działanie układu adrenergicznego jest przeciwne do działania układu cholinergicznego (tabela). Poszczególne narządy w różny sposób reagują na noradrenalinę i adrenalinę, np. rozszerzanie źrenicy jest głównie skutkiem działania noradrenaliny, a pobudzenie procesów przemiany materii – adrenaliny. Zależy to od rozmieszczenia receptorów adrenergicznych.

Układ wegetatywny funkcjonuje w oparciu o mechanizmy odruchowe, mimo to czynność jego jest regulowana przez układ rąbkowy. Na

Działanie układu wegetatywnego

Narząd	Układ adrenergiczny	Układ cholinergiczny
Oko	rozszerza źrenice	zwęża źrenice
Serce	przyspiesza czynność zwiększa siłę skurczu	zwalnia czynność
Oskrzela	rozszerza	zwęża
Żołądek	–	zwiększa skurcze, zwiększa wydzielanie soku żołądkowego
Gruczoły ślinowe	–	pobudza działanie
Wątroba	powoduje rozpad glikogenu i uwolnienie glukozy	–
Przemiana materii	nasila	–
Ciśnienie tętnicze krwi	podwyższa	obniża

przykład po spożyciu pokarmu zwiększa się strumień krwi płynącej przez naczynia w jelitach (co ułatwia trawienie i wchłanianie składników pokarmowych), a podczas wysiłku fizycznego – strumień krwi płynącej przez mięśnie (dzięki czemu jest lepsze zaopatrzenie mięśni w tlen i substancje odżywcze).

Czynności popędowo-emocjonalne

Mechanizmy nerwowe, które wzbudzają aktywność organizmu (zachowanie się) do zaspokojenia odpowiednich potrzeb, nazywa się p o p ę d a m i albo m o t y w a m i. Rozróżnia się: a) p o p ę d y b i o l o g i c z n e (organiczne), takie jak głód, pragnienie, popęd seksualny, które wpływają na utrzymanie osobnika przy życiu i zachowanie ciągłości gatunku, oraz b) p o p ę d y p s y c h i c z n e, kształtujące życie społeczne, zawodowe i rodzinne człowieka.

Wyzwalaniu i zaspokajaniu popędów towarzyszą u c z u c i a, które, gdy są odpowiednio intensywne, nazywane są e m o c j a m i. Emocje, np. strach przed oczekiwanym zagrożeniem, mogą, podobnie jak popędy, uruchamiać skierowane na cel działania. Stąd formy zachowania zmierzające do zaspokojenia potrzeb organizmu nazywa się c z y n n o ś c i a m i p o p ę d o w o - e m o c j o n a l n y m i – inaczej m o t y w a c y j n y m i. Czynnościami popędowo-emocjonalnymi steruje zespół ośrodków korowych i podkorowych zwany u k ł a d e m r ą b k o w y m albo l i m b i c z n y m.

Układ rąbkowy (limbiczny)

Do lepiej poznanych części układu rąbkowego należą: ciało migdałowate, podwzgórze i przegroda przezroczysta. Układ rąbkowy: 1) wykrywa potrzeby organiczne ustroju (np. niedobór składników pokarmowych), 2) steruje popędami i mechanizmami prowadzącymi do ich zaspokojenia, 3) kieruje oceną zjawisk w aspekcie przyjemności i przykrości, 4) reguluje czynności układu wegetatywnego i hormonalnego.

Sterowanie popędami. Poszczególnymi popędami sterują wyspecjalizowane obszary układu rąbkowego, zwane o ś r o d k a m i tych p o p ę d ó w (rys. na

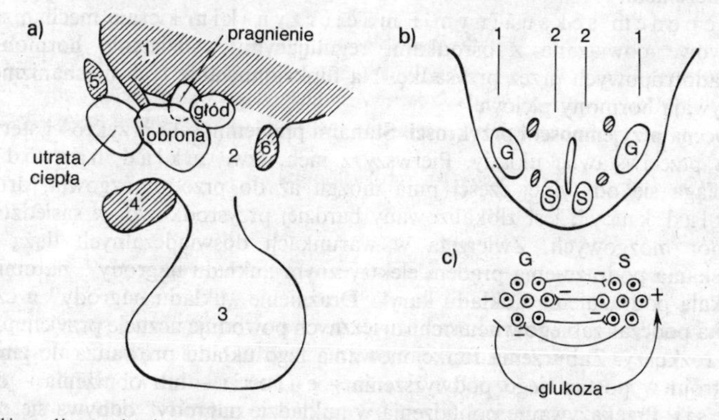

Ośrodki popędów w podwzgórzu: a) przekrój w płaszczyźnie strzałkowej: 1 – wzgórze, 2 – podwzgórze, 3 – przysadka, 4 – skrzyżowanie nerwów wzrokowych, 5 – spoidło przednie, 6 – ciało suteczkowate; b) przekrój w płaszczyźnie czołowej: 1 – część boczna podwzgórza, 2 – część przyśrodkowa podwzgórza, G – ośrodek głodu, S – ośrodek sytości; c) wzajemne stosunki między ośrodkiem głodu (G) i sytości (S); (+) – pobudzanie, (–) – hamowanie

s. 127). Niektóre popędy mają ośrodki o przeciwstawnym działaniu – pobudzającym lub hamującym.

Ośrodek głodu mieści się w bocznej części podwzgórza. Współdziała on z antagonistycznym ośrodkiem sytości umiejscowionym w jądrze brzuszno-przyśrodkowym podwzgórza. Oba te ośrodki mają wspólną nazwę: ośrodki pokarmowe. Ich czynność jest regulowana przez stężenie glukozy we krwi dopływającej do podwzgórza. Gdy stężenie to jest niskie (hipoglikemia), ośrodek głodu przeważa nad ośrodkiem sytości, i odwrotnie – ośrodek sytości dominuje nad ośrodkiem głodu podczas podwyższonego stężenia glukozy w krwi (hiperglikemii), np. po posiłku. Wysokość stężenia glukozy we krwi jest wykrywana przez glukoreceptory znajdujące się w obrębie ośrodków pokarmowych. Wykryto tam również receptory wrażliwe na stężenie innych składników pokarmowych, takich jak aminokwasy i kwasy tłuszczowe. Gdy przeważa ośrodek głodu, odczuwamy głód, zaś pobudzenie ośrodka sytości powoduje uczucie nasycenia pokarmowego i hamuje jedzenie. Jądro brzuszno-przyśrodkowe podwzgórza reguluje zapotrzebowanie energetyczne (kaloryczne) organizmu w dłuższych odcinkach czasu – dni i tygodni. Zakłócenie tej regulacji może prowadzić do otyłości.

Z ośrodkiem głodu sąsiaduje ośrodek pragnienia. Pobudzenie tego ośrodka przez krew o zwiększonym stężeniu osmotycznym powoduje uczucie pragnienia i równocześnie prowadzi do wydzielenia przez tylną część przysadki hormonu antydiuretycznego (ADH), który hamuje wydalanie wody przez nerki.

Popędami strachu i wściekłości sterują ośrodki podwzgórza i ciała migdałowatego. Pobudzenie tych ośrodków u zwierząt wyzwala ucieczkę lub agresję. U człowieka agresywność jest ograniczona wymogami życia społecznego. Jej substytutem jest uczucie gniewu lub konfliktowość z otoczeniem.

Popędem seksualnym i macierzyńskim kierują mechanizmy nerwowe powiązane z ośrodkami regulującymi wydzielanie hormonów gonadotropowych przez przysadkę. Na funkcjonowanie tych mechanizmów wpływają hormony płciowe.

Ocena przyjemności i przykrości. Stanami przyjemności i przykrości sterują dwa przeciwstawne układy. Pierwszy z nich, tzw. „układ nagrody", rozciąga się od tylnej części pnia mózgu aż do przodomózgowia, drugi, „układ kary", jest zlokalizowany bardziej przyśrodkowo, w sąsiedztwie komór mózgowych. Zwierzęta w warunkach doświadczalnych dążą do uzyskania podrażnienia prądem elektrycznym „układu nagrody", natomiast unikają podrażnienia „układu kary". Drażnienie „układu nagrody" u człowieka podczas zabiegów neurochirurgicznych powoduje uczucie przyjemności lub rozkoszy. Zaburzenia funkcjonowania tego układu prowadzą do zmian nastroju w postaci jego podwyższenia – euforii – lub obniżenia – depresji. Przekazywanie pobudzenia w „układzie nagrody" odbywa się przy udziale dwóch mediatorów – noradrenaliny i dopaminy.

Ból jest nie tylko zjawiskiem subiektywnym (czucie bólu), lecz także popędem, którego rola polega na ochronie organizmu przed niebezpieczeństwem. Oprócz ośrodków bólu zlokalizowanych głównie we wzgórzu wykryto system ośrodków umieszczonych w pniu mózgu, osłabiający czucie bólu. Ośrodkowy system przeciwbólowy blokuje przepływ impulsów przez układ bramkujący w rogach tylnych rdzenia kręgowego. Pobudzają go substancje (peptydy) wywierające działanie biologiczne podobne do morfiny. Do substancji tych należy beta-endorfina wydzielana przez część przednią przysadki oraz enkefalina metioninowa i leucynowa, powstające w ośrodkowym układzie nerwowym.

Anatomiczno-fizjologiczne podłoże czynności psychicznych

Budowa kory mózgowej

Mózgowie człowieka rozwijało się w długim procesie ewolucji. Ślady tego rozwoju, nazywanego filogenetycznym, są szczególnie widoczne w budowie kory mózgowej. W jej obrębie rozróżnia się zarówno obszary uformowane na wcześniejszych etapach ewolucji, tj. u gadów, płazów i ptaków, zaliczane do prakory i starej kory, jak też obszary rozwinięte dopiero u ssaków, nazywane nową korą. Nowa kora osiągnęła najwyższy stopień rozwoju u naczelnych, a zwłaszcza u człowieka. Jest ona siedliskiem procesów psychicznych i czynności intelektualnych.

Prakora i stara kora spełniają funkcje o bardziej pierwotnym charakterze w porównaniu z czynnościami nowej kory. Do prakory należą ośrodki węchu – starego pod względem filogenetycznym zmysłu chemicznego. Niektóre części starej kory i prakory wchodzą w skład układu limbicznego – rozległego systemu sterującego popędami i emocjami. Hipokamp – formacja zaliczana do starej kory – jest niezbędna dla konsolidacji śladów pamięciowych.

Nowa kora jest największą strukturą ośrodkowego układu nerwowego człowieka, utworzoną z kilku płatów. W obrębie każdego płata rozróżnia się wypukłości zwane zakrętami oraz rozdzielające je wgłębienia zwane bruzdami albo szczelinami. Wyróżniającymi się wgłębieniami są: bruzda środkowa (Rolanda) oddzielająca płat czołowy od płata ciemieniowego oraz szczelina boczna (Sylwiusza) odgraniczająca płat skroniowy od płatów czołowego i ciemieniowego. W płatach ciemieniowym, skroniowym i potylicznym znajdują się okolice, do których dociera informacja z narządów czucia somatycznego, słuchu i wzroku; domeną tych płatów są zatem funkcje czuciowe (sensoryczne). Płat czołowy natomiast zawiera ośrodki sterujące prostymi ruchami oraz złożonymi formami zachowania się.

Nowa kora jest zbudowana z 6 warstw komórek, z których każda spełnia inną funkcję fizjologiczną (rys. na s. 130). Informacja z narządów zmysłów dociera głównie do warstwy IV, dlatego warstwa ta jest najsilniej rozwinięta w obrębie ośrodków czuciowych. Z kolei warstwa V i częściowo VI, dominujące w obszarze ruchowym płata czołowego, zawierają duże komórki piramidowe, których wypustki podążają do ośrodków ruchowych pnia mózgu i rdzenia kręgowego; ich zadaniem jest sterowanie czynnościami

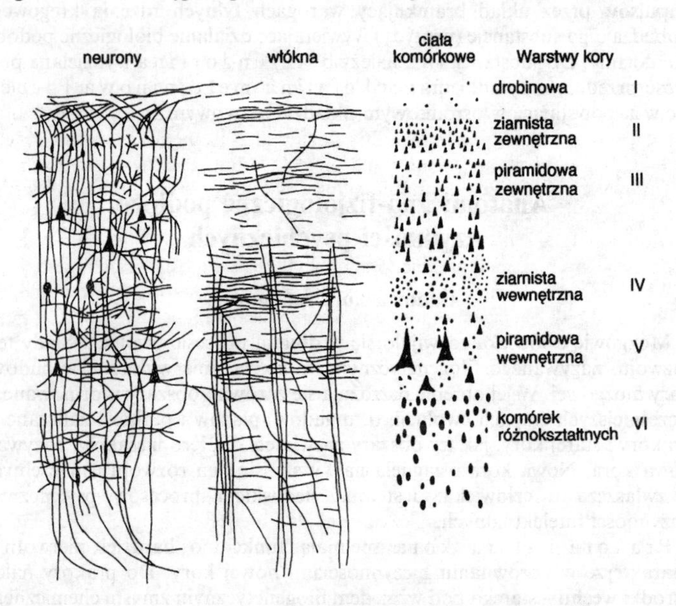

Warstwy kory mózgowej. Rysunek wykonany z preparatów histologicznych barwionych trzema metodami, pozwalającymi uwidocznić: zarysy neuronów, tj. ciał komórkowych wraz z włóknami (metoda Golgiego), włókna nerwowe (metoda Weigerta) i ciała komórkowe (metoda Nissla). Modyfikacja wg V. Bonina

ruchowymi. Natomiast powierzchownie położone warstwy I–III spełniają czynności kojarzeniowe: otrzymują informację z innych obszarów kory i ośrodków podkorowych i wysyłają wypustki swych neuronów do tychże obszarów. Funkcje kojarzeniowe kory mózgowej są szczególnie rozwinięte u człowieka i spełniają ważną rolę w czynnościach intelektualnych.

Organizacja ośrodków kory mózgowej

Ośrodkami kory mózgowej o stosunkowo prostej organizacji są p o l a (obszary) p r o j e k c y j n e typu sensorycznego i motorycznego. Pierwsze stanowią reprezentację czucia somatycznego, wzroku i słuchu, drugie – czynności ruchowych. Cechą charakterystyczną tych pól jest układ topograficzny, polegający na tym, że różne części ciała są reprezentowane w różnych częściach ośrodka ruchowego i ośrodka czucia somatycznego. Podobnie informacja z różnych części siatkówki dociera do różnych części ośrodka wzroku, a w ośrodku słuchowym w taki sposób jest reprezentowana różna wysokość tonów. W pobliżu pól projekcyjnych typu sensorycznego znajdują się pola asocjacyjne. W nich to, na podstawie układu jednostkowych pobudzeń pola projekcyjnego, zostaje opracowany wzorzec tych pobudzeń – podłoże wrażenia zmysłowego.

Pola asocjacyjne cechuje układ hierarchiczny polegający na tym, że w miarę przechodzenia informacji do coraz wyższych ośrodków zachodzi coraz bardziej złożony proces jej integracji. Na przykład pobudzenie projekcyjnego pola wzrokowego powoduje doznania o elementarnym charakterze (np. widzenie błysków światła), natomiast pobudzenie asocjacyjnych pól wzrokowych o różnym stopniu integracji wywołuje widzenie elementów figur geometrycznych (np. krawędzi, kątów) i złożonych z nich obrazów. W asocjacyjnych polach sensorycznych zachodzą zatem procesy fizjologiczne będące podstawą takich zjawisk psychicznych jak wrażenia i spostrzeganie (percepcja). Asocjacyjne pole ruchowe znajduje się ku przodowi od ruchowego pola projekcyjnego i ze względu na swe położenie nazywa się okolicą przedruchową. O ile pobudzenie pola projekcyjnego powoduje skurcze poszczególnych mięśni, o tyle pobudzenie okolicy przedruchowej wyzwala akty ruchowe wymagające współdziałania wielu mięśni, np. zgięcie kończyny. Dzieje się tak, ponieważ okolica przedruchowa i współdziałające z nią ośrodki podkorowe są miejscem kodowania wzorców tych ruchów.

Pola asocjacyjne wyższego rzędu. Czynności psychiczne człowieka są ściśle związane z mową, czyli zdolnością wyrażania myśli za pomocą symboli słownych. Podłożem czynności psychicznych są trzy duże obszary kory mózgowej: okolica ciemieniowo-potyliczno-skroniowa, okolica przedczołowa i dolna część płata skroniowego.

Okolica ciemieniowo-potyliczno-skroniowa jest zlokalizowana w miejscu styku trzech płatów kory mózgowej: ciemieniowego, potylicznego i skroniowego. Ponieważ obszar ten ma połączenia z okolicami asocjacyjnymi czucia somatycznego, słuchu i wzroku, uważano go za strukturę integrującą informację otrzymywaną za pośrednictwem tych narządów zmysłów. Tego rodzaju integracja umożliwia transfer intermodalny, czyli zdolność rozpoznawania przedmiotu na podstawie informacji z innego zmysłu niż ten, za pomocą którego przedmiot ten został pierwotnie poznany (na przykład odnalezienie dotykiem właściwego klucza w kieszeni). Obecnie wiadomo, że jest to część kory niejednorodna czynnościowo, o podstawowym znaczeniu dla czynności psychicznych człowieka.

W jednym z obszarów tej okolicy, w obrębie płata ciemieniowego, jest zakodowany schemat ciała, czyli zespół danych o wzajemnym ułożeniu części ciała względem siebie. Informacja ta jest niezbędna dla planowania i wykonywania skoordynowanych, złożonych aktów ruchowych. Z kolei w obrębie płata skroniowego znajduje się ośrodek czuciowy (słuchowy) mowy Wernickego. Uszkodzenie tego ośrodka powoduje zaburzenie zwane afazją czuciową (zob. s. 133). Gdy uszkodzenie to jest rozległe, dochodzi do głębokiego upośledzenia czynności intelektualnych. Ku tyłowi od ośrodka Wernickego, w obrębie płata potylicznego, znajduje się ośrodek otrzymujący informację z pola wzrokowego, niezbędny do rozumienia czytanych słów. Brak tej zdolności nazywa się dysleksją.

Okolica przedczołowa zajmuje biegun, czyli najbardziej do przodu wysuniętą część płata czołowego. Jest to u człowieka najsilniej rozwinięta część kory mózgowej. Jej rola polega na sterowaniu złożonymi aktami ruchowymi i formami zachowania się, przy udziale okolicy przedruchowej i ruchowych ośrodków podkorowych. Chory z uszkodzeniem okolicy przedczołowej sprawia wrażenie człowieka niezwykle roztargnionego; nie jest on zdolny do realizacji planu działania, ponieważ przypadkowe sytuacje łatwo odwodzą go od wykonywania kolejnych sekwencji tego planu.

Dolna część płata skroniowego jest obszarem o niejednorodnym znaczeniu czynnościowym. Jej pobudzenie wywołuje widzenie złożonych scen i obrazów, co sugeruje rolę integracyjną dla informacji wzrokowej. Przypuszcza się też, że ma udział w mechanizmach pamięci. Na powierzchni brzusznej płata skroniowego i ciemieniowego znajduje się obszar, gdzie są zakodowane wzorce poznanych twarzy ludzkich. Jego uszkodzenie powoduje niemożność rozpoznawania osób na podstawie wyglądu ich twarzy.

Asymetria funkcji półkul mózgowych

Drogi nerwowe przekazujące rozkazy z kory mózgowej do niższych ośrodków są skrzyżowane, tzn. przechodzą na przeciwległą stronę ciała. Stąd pobudzenie ośrodka ruchowego w lewej półkuli powoduje ruchy prawych kończyn i odwrotnie. Podobnie skrzyżowane są drogi czucia somatycznego: impulsy wywołane dotknięciem skóry lewej połowy ciała docierają do prawej półkuli i odwrotnie. Praca obu półkul jest skoordynowana. Zapewnia to potężny system dróg kojarzeniowych łączących symetryczne ośrodki w obu półkulach. Między półkulami drogi te przebiegają w obrębie struktury widocznej po rozsunięciu półkul, zwanej ciałem modzelowatym.

Mimo takiej organizacji półkule mózgowe nie są jednorodne czynnościowo. U ponad 90% ludzi występuje dominacja półkuli lewej. Konsekwencją tego jest praworęczność, czyli większa sprawność prawej ręki. Dzieje się tak dlatego, że ośrodki, w których zakodowane są wzorce złożonych ruchów, są lepiej rozwinięte w półkuli lewej. Gdy w wykonywaniu złożonej czynności zaangażowane są obie kończyny górne czy również i dolne, sterowanie czynnością ośrodków ruchowych w prawej półkuli odbywa się za pośrednictwem międzypółkulowych dróg kojarzeniowych.

Innym ważnym skutkiem dominacji lewej półkuli mózgowej jest obecność w niej ośrodków mowy. Przez to uszkodzenia lewej półkuli, obok niedowładu prawych kończyn, powodują także zaburzenia mowy, zwane afazjami (zob. s. 133) – nie występujące w przypadku uszkodzenia półkuli prawej.

Asymetria półkul mózgowych ma znaczenie dla sterowania przez mózg czynnościami intelektualnymi. Badania za pomocą testów psychologicznych wykazały, że również prawa półkula uczestniczy w tym procesie i to w stopniu znacznie większym, niż poprzednio sądzono. U chorych z uszkodzeniem w obrębie prawej półkuli często występują zaburzenia orientacji przestrzennej oraz przejawia się trudność w całościowym ujmowaniu zjawisk i planowaniu działań. Wynika to z nierównorzędności obu półkul w sterowaniu procesami myślenia: lewa półkula steruje myśleniem konkretnym, domeną prawej półkuli jest myślenie abstrakcyjne. Są ludzie, u których występuje wyraźna przewaga lewej lub prawej półkuli w zakresie sterowania procesami myślenia. Gdy przeważa lewa półkula, człowiek jest wrażliwy pod względem artystycznym, ma uzdolnienia lingwistyczne i jest skłonny do myślenia typu analitycznego. Natomiast ludzie, u których myśleniem kieruje głównie prawa półkula, odznaczają się myśleniem syntetycznym i uzdolnieniami matematycznymi.

Mowa

Człowiek, w odróżnieniu od zwierząt, ma zdolność myślenia abstrakcyjnego. Zdolność ta związana jest z mową – specyficznie ludzkim sposobem porozumiewania się za pomocą symboli słownych reprezentujących pojęcia ogólne. Mową kieruje kilka ośrodków zlokalizowanych w dominującej półkuli mózgowej. Rozróżnia się trzy główne ośrodki mowy: 1) *ośrodek ruchowy* mowy Broca, 2) *ośrodek czuciowy* (słuchowy) mowy Wernickego i 3) *ośrodek* niezbędny *do formowania* dłuższych *całości logicznych* oraz do posługiwania się pojęciami ogólnymi, leżący w sąsiedztwie ośrodka czuciowego mowy. Podobnie jak myślenie abstrakcyjne, mowa jest zdolnością właściwą wyłącznie człowiekowi.

Uszkodzenie ośrodków mowy prowadzi do zaburzeń zwanych afazjami. Uszkodzenie ośrodka ruchowego mowy (Broca) jest przyczyną *afazji ruchowej* (motorycznej), która objawia się niemożnością wypowiadania słów i zdań przy prawidłowym ich rozumieniu i przy braku porażeń mięśni artykulacyjnych. Uszkodzenie ośrodka czuciowego mowy powoduje *afazję słuchową* w postaci nierozumienia słów, zarówno słyszanych od innych osób, jak i wypowiadanych przez chorego, przez co jego mowa staje się niezrozumiała, jakby należąca do obcego języka. Uszkodzenie pola leżącego ku tyłowi od ośrodka Wernickego powoduje upośledzenie rozumienia znaczenia ogólnego słów. Na przykład chory nie rozumie, że nóż jest tym

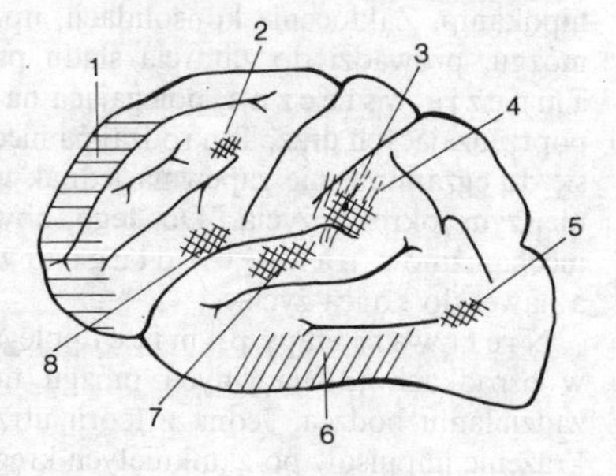

Ośrodki kory mózgowej sterujące czynnościami psychicznymi i mową: 1 – okolica przedczołowa (kodowanie planów działania), 2 – ośrodek sterujący pisaniem, 3 – ośrodek sterujący posługiwaniem się pojęciami ogólnymi, 4 – okolica styku ciemieniowo-skroniowo-potylicznego (tworzenie pojęć ogólnych), 5 – ośrodek rozpoznawania znaków pisarskich, 6 – okolica dolnoskroniowa (siedlisko złożonych śladów pamięciowych), 7 – ośrodek czuciowy mowy (Wernickego), 8 – ośrodek ruchowy mowy (Broca)

samym przyrządem, gdy służy do krojenia chleba, obierania owoców lub ostrzenia ołówka.

W pobliżu ośrodka słuchowego mowy znajduje się ośrodek umożliwiający rozumienie słów pisanych (zob. s. 133). Podobnie w pobliżu ośrodka ruchowego mowy jest położony ośrodek umożliwiający pisanie; jego uszkodzenie powoduje brak tej umiejętności, zwany agrafią.

Mowa pozostaje w ścisłym związku z myśleniem, które z reguły odbywa się za pomocą słów, czyli werbalnie. Psychologowie dopuszczają jednak istnienie również pewnych form myślenia bezsłownego (niewerbalnego).

Pamięć i uczenie się

Układ nerwowy nie tylko reaguje na bodźce działające aktualnie, lecz także przechowuje wzorce bodźców, które działały w przeszłości. Przechowywane są także wzorce prostych i złożonych ruchów, nawyków ruchowych i form zachowania się. Zdolność przechowywania tych wzorców nazywa się pamięcią, a same wzorce – śladami pamięciowymi lub engramami. W procesie pamięci rozróżnia się zapamiętywanie, czyli powstawanie śladu pamięciowego, przypominanie, czyli odtwarzanie zakodowanej informacji oraz zapominanie, czyli zatarcie śladu.

Istnieje kilka rodzajów pamięci, o różnym stopniu trwałości, zwanych też etapami pamięci. Najkrótszą pamięcią jest pamięć sensoryczna, o czasie trwania poniżej sekundy, zapewniająca ciągłość percepcji, na przykład przy oglądaniu obrazu lub scenerii, albo przy czytaniu tekstu, kiedy poszczególne znaki pisarskie muszą być zapamiętane na czas niezbędny do zrozumienia utworzonego przez nie słowa lub zdania.

W życiu codziennym nieustannie korzystamy z pamięci bezpośredniej, trwającej do kilkunastu sekund. Jej przykładem jest zdolność zapamiętywania kilkucyfrowego numeru telefonu na czas potrzebny do wprowadzenia go do aparatu albo kolejnych fragmentów tekstu przy jego przepisywaniu.

Bardzo ważnym etapem jest pamięć krótkotrwała, o czasie trwania od kilku minut do kilku tygodni. Ślady pamięciowe powstałe w tym etapie są jeszcze stosunkowo labilne – do ich utrwalenia konieczny jest proces zwany konsolidacją śladu pamięciowego, w którym ważną rolę odgrywa hipokamp. Zakłócenie konsolidacji, np. w wyniku urazu czaszki i wstrząsu mózgu, prowadzi do zatarcia śladu pamięciowego. Występuje wtedy tzw. amnezja wsteczna, polegająca na niepamiętaniu zdarzeń bezpośrednio poprzedzających uraz. Ten rodzaj pamięci umożliwia np. dobre przygotowanie się do egzaminu, nie zapewnia jednak wykorzystania nabytej wiedzy w późniejszym okresie życia. Do tego bowiem konieczne jest zaangażowanie mechanizmów pamięci długotrwałej, utrzymującej się przez lata, a nawet do końca życia.

Nietrwałe etapy pamięci polegają na tym, że pobudzenie neuronów w ośrodkach asocjacyjnych mózgu utrzymuje się przez pewien czas po zadziałaniu bodźca. Jedna z teorii utrzymuje, że istotą śladu jest wówczas krążenie impulsów po zamkniętych kręgach neuronalnych. Ostatnio sugeruje się możliwość zwiększonej aktywności synaps w tym procesie. Natomiast pamięć długotrwała polega na zakodowaniu śladu w strukturze chemicznej neuronów.

Człowiek zdobywa informacje o świecie otaczającym w procesie uczenia się. Jedna z jego form – uczenie się percepcyjne – polega na przyswajaniu sobie cech środowiska. Natomiast uczenie się asocjacyjne umożliwia poznawanie związku między bodźcami i reakcjami oraz ocenę zachowania się w danych sytuacjach; jest ono podstawą powstawania odruchów warunkowych (zob. s. 101).

Do uczenia zalicza się też habituację (przywykanie). Jest to umiejętność niereagowania na bodźce nie mające istotnego znaczenia dla organizmu. Habituacja przeciwdziała niepotrzebnemu obciążaniu układu nerwowego zbędnym materiałem pamięciowym. W niektórych jednak sytuacjach bywa niekorzystna, gdy bodziec – choć monotonny – niesie ważną informację, np. jest przyczyną zmniejszonej uwagi u kierowców po długiej jeździe.

III. BUDOWA I CZYNNOŚĆ MIĘŚNI SZKIELETOWYCH

Czynnościowy podział mięśni szkieletowych

Mięśnie szkieletowe są to twory zbudowane z tkanki mięśniowej i łącznej, mające zdolność kurczenia się. Skurcze mięśni powodują wytwarzanie sił poruszających dźwignie zbudowane z kości i stawów.

Masa mięśni szkieletowych stanowi ok. 40% masy ciała. Anatomicznie w organizmie człowieka można wyróżnić ok. 400 mięśni. Czynności ruchowe rzadko wykonywane są za pomocą pojedynczych mięśni. Z fizjologicznego punktu widzenia bardziej uzasadniony jest więc podział układu mięśniowego na grupy mięśni wykonujących określone ruchy, np. grupa zginaczy palców, prostowników stawu kolanowego itp.

Na ogół wyodrębnia się cztery grupy mięśni biorących udział w wykonaniu ruchu: 1) mięśnie protagonistyczne, czyli podstawową grupę mięśni, których skurcz powoduje dany ruch w stawie, 2) mięśnie synergistyczne, które ułatwiają ten ruch i zwiększają jego skuteczność (np. zgięcie grzbietowe w stawie promieniowo-nadgarstkowym ułatwia zaciskanie palców przy uchwycie jakiegoś przedmiotu), 3) mięśnie antagonistyczne, które wywierają na dźwignie kostne siłę skierowaną przeciwnie do kierunku ruchu i w ten sposób ograniczają zakres i szybkość ruchu, zwiększając jego precyzję i płynność, oraz 4) mięśnie stabilizujące, które stabilizując stawy zapewniają utrzymywanie określonej pozycji ciała lub kończyn w czasie wykonywania ruchu.

Budowa mięśni szkieletowych

Mięśnie szkieletowe zbudowane są z wydłużonych, walcowatych komórek mięśniowych, zwanych włóknami mięśniowymi (rys. a), oraz z tkanki łącznej. Komórki i rozmieszczone pozakomórkowo włókna tkanki łącznej tworzą błony otaczające komórki mięśniowe oraz mocne pasma łączące mięsień z kością, czyli ścięgna.

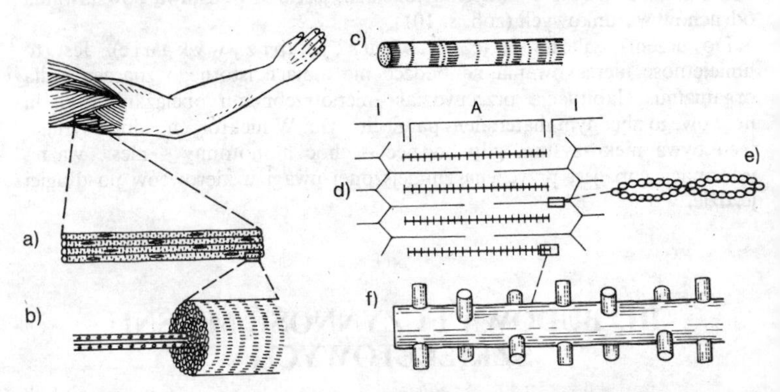

Budowa mięśnia szkieletowego: a) włókna (komórki) mięśniowe, b), c) włókienka kurczliwe, d) sarkomer: A – prążek ciemny (anizotropowy), I – prążek jasny (izotropowy), e) włókienko aktyny, f) włókienko miozyny

Wnętrze komórek mięśniowych wypełniają włókienka kurczliwe (rys. b, c) zbudowane z białek kurczliwych: aktyny i miozyny. Białka te ułożone są w cytoplazmie w bardzo regularny sposób, powodujący w obrazie mikroskopowym mięśnia poprzeczne prążkowanie.

Włókienka kurczliwe podzielone są – przez prostopadle do ich długiej osi ułożone błony – na odcinki długości ok. 2,5 μm, zwane sarkomerami (rys. d). Środek sarkomeru zajmują grube nici miozyny (prążek ciemny, A), natomiast części obwodowe – cieńsze włókienka aktyny (prążek jasny, I) zachodzące pomiędzy nici miozyny.

Nici miozyny (rys. f) mają liczne, regularnie rozmieszczone wypustki poprzeczne zwane mostkami, które w czasie skurczu mięśnia łączą się z włókienkami aktyny. Włókienka aktyny zbudowane są z cząsteczek białka tworzących strukturę przypominającą podwójny, skręcony sznur korali (rys. e). Do cząsteczek aktyny przylegają (nie uwidocznione na rys.) cząsteczki białek regulatorowych: troponiny i tropomiozyny. Białka te tworzą kompleks uniemożliwiający łączenie się nici miozyny z aktyną wtedy, kiedy mięsień pozostaje w spoczynku.

W cytoplazmie komórek mięśniowych, pomiędzy włókienkami kurczliwymi, rozmieszczone są liczne mitochondria, a na obwodzie komórki kilka do kilkunastu jąder komórkowych. Ponadto w komórkach tych występują liczne ziarna glikogenu i kuleczki tłuszczu, bogata sieć siateczki śródplazmatycznej (endoplazmatycznej) oraz czerwony barwnik – m i o g l o b i n a, który ma zdolność wiązania tlenu, podobnie jak hemoglobina w krwinkach czerwonych.

Mechanizm skurczu mięśnia

Podstawą skurczu mięśnia jest skracanie się włókienek kurczliwych. Zjawisko to jest spowodowane łączeniem się mostków miozyny z aktyną i wciąganiem włókienek aktyny pomiędzy nici miozyny. W obrazie mikroskopowym mięśnia widoczne jest wówczas zanikanie prążków jasnych.

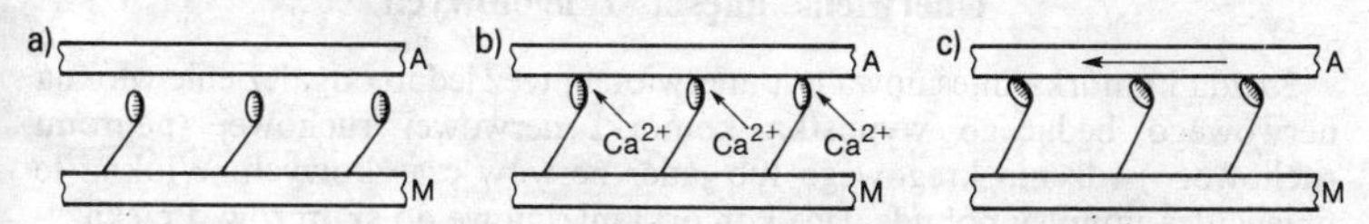

Mechanizm skurczu włókienek kurczliwych: A – włókienko aktyny, M – włókienko miozyny z mostkami łączącymi; a) stan spoczynku: brak połączeń między mostkami miozyny i aktyną; b) pod wpływem jonów wapniowych (Ca^{2+}) mostki miozyny tworzą połączenie z aktyną; c) zmiana kąta ustawienia główek mostków łączących powoduje przesuwanie włókienek aktyny

Aby mogło dojść do s k u r c z u m i ę ś n i a w warunkach fizjologicznych, komórka mięśniowa musi być pobudzona przez impuls nerwowy, który dociera do niej przez włókno nerwu ruchowego. Impuls nerwowy za pośrednictwem acetylocholiny, substancji przekaźnikowej oddziałującej na błonę komórkową komórki mięśniowej, powoduje powstanie w komórce p o t e n c j a ł u c z y n n o ś c i o w e g o (zob. s. 82).

Pobudzenie komórki mięśniowej wywołuje uwolnienie z pęcherzyków siateczki śródplazmatycznej jonów wapniowych. Jony te, łącząc się ze specjalną substancją, zwaną t r o p o n i n ą, powodują zmianę konfiguracji kompleksu troponinowo-tropomiozynowego i odblokowanie punktów uchwytu dla mostków miozyny na aktynie. W konsekwencji dochodzi do natychmiastowego tworzenia połączeń między tymi elementami i skracania się włókienek kurczliwych.

R o z k u r c z m i ę ś n i a spowodowany jest wychwytywaniem jonów wapniowych przez siateczkę śródplazmatyczną po przeminięciu stanu pobudzenia (potencjału czynnościowego). Usunięcie jonów wapniowych z cytoplazmy przywraca pierwotną konfigurację kompleksu troponinowo-tropomiozynowego, uniemożliwiającą interakcję aktyny i miozyny.

Pobudzenie komórki trwa zaledwie 1 – 2 milisekundy (ms), natomiast czas pojedynczego skurczu komórki mięśniowej wynosi od kilkudziesięciu do 100 ms. Przed rozkurczem możliwe jest więc ponowne pobudzenie komórki mięśniowej. Jeśli częstotliwość pobudzeń jest dostatecznie duża, włókno mięśniowe nie rozkurcza się, ale utrzymywane jest w stanie skurczu przez dłuższy czas – jest to tzw. s k u r c z t ę ż c o w y z u p e ł n y. Przy nieco mniejszej częstotliwości impulsów pobudzających komórkę mięśniową, po każdym pobudzeniu następuje skurcz i niepełny rozkurcz. Taki typ skurczu nazywa się skurczem tężcowym niezupełnym. W warunkach fizjologicznych skurcze pojedyncze występują bardzo rzadko, większość ruchów wykonywana jest za pomocą skurczów tężcowych niezupełnych i zupełnych.

Siła rozwijana przez kurczące się włókno mięśniowe rośnie wraz ze wzrostem częstotliwości pobudzeń. Jest to spowodowane zwiększaniem się w cytoplazmie stężenia jonów wapnia, które w krótkim czasie pomiędzy pobudzeniami nie są usuwane całkowicie.

Unerwienie mięśni szkieletowych

Każda komórka mięśniowa jest unerwiona przez jedno odgałęzienie włókna nerwowego będącego wypustką komórki nerwowej ruchowej (neuronu ruchowego) rdzenia kręgowego lub jąder nerwów czaszkowych. Włókna te przewodzą impulsy pobudzające komórki mięśniowe do skurczów. Przekazywanie impulsów zachodzi w obrębie tzw. płytki ruchowej, czyli złącza nerwowo-mięśniowego. W skład płytki ruchowej wchodzi: 1) błona komórkowa zakończenia włókna nerwowego (błona presynaptyczna), 2) część błony komórkowej włókna mięśniowego obejmująca zakończenie nerwowe (błona postsynaptyczna) i 3) zawarta między tymi błonami szczelina synaptyczna.

Neuron ruchowy i unerwiana przez jego odgałęzienia grupa komórek mięśniowych nosi nazwę jednostki ruchowej. Wszystkie włókna wchodzące w skład jednej jednostki są jednocześnie pobudzane do skurczu. Liczba włókien mięśniowych jednej jednostki ruchowej może wynosić od kilku (w mięśniach wykonujących szybkie i precyzyjne ruchy, np. w mięśniach poruszających gałkami ocznymi), do ponad 100 (np. w mięśniach stabilizujących kręgosłup).

Do skurczu mięśnia może być angażowana różna liczba jednostek ruchowych. Im więcej jednostek ruchowych kurczy się jednocześnie, tym większa jest siła skurczu.

Unerwienie czuciowe. Nerwy czuciowe mięśni szkieletowych przewodzą impulsy do komórek nerwowych znajdujących się w zwojach międzykręgowych lub jądrach czuciowych mózgu. Impulsy te powstają we włóknach nerwowych pod wpływem zmian fizycznych lub chemicznych zachodzących w mięśniach.

Informacje przesłane do ośrodkowego układu nerwowego z mięśni za pośrednictwem nerwów czuciowych odgrywają ważną rolę w kontroli ruchów i napięcia mięśniowego oraz w wywoływaniu odruchowych reakcji innych narządów w czasie wykonywania pracy mięśniowej, np. reakcji układu krążenia.

Istotne znaczenie w kontroli ruchów i napięcia mięśniowego mają informacje wysyłane przez proprioreceptory mięśniowe. Do najważniejszych z nich należą tzw. wrzeciona mięśniowe wrażliwe na rozciąganie mięśnia. Zbudowane są one ze specjalnego typu włókien mięśniowych, zwanych włóknami śródwrzecionowymi lub intrafuzalnymi. Są to komórki zawierające włókienka kurczliwe tylko w obwodowych częściach, natomiast część środkowa, stanowiąca właściwy narząd receptorowy, jest pozbawiona zdolności kurczenia się. Część środkowa włókna śródwrzecionowego opleciona jest przez włókno nerwowe dośrodkowe (czuciowe), w którym powstają impulsy pod wpływem rozciągania mięśnia.

Innego typu proprioreceptorami wrażliwymi na rozciąganie są narządy Golgiego (ciała buławkowate) występujące w ścięgnach. Impulsy w tych receptorach powstają w czasie rozciągania ścięgna, np. przez kurczący się mięsień lub w wyniku uderzenia w ścięgno za pomocą młoteczka przy badaniu neurologicznym. Zob. też Czynności ruchowe, s. 113.

Rodzaje włókien mięśniowych

Wśród włókien mięśni szkieletowych wyróżnia się dwa podstawowe typy, różniące się właściwościami skurczów i charakterystyką biochemiczną. Są to: 1) włókna czerwone, wolno kurczące się, nazywane też włóknami typu I, których skurcz narasta powoli i trwa dłużej, oraz 2) włókna szybko kurczące się lub włókna typu II, które cechują się dużą szybkością skurczów i większą ich siłą niż włókna typu I. W grupie włókien szybko kurczących się wyróżnia się dwie podgrupy: włókna szybko kurczące się białe (typ IIb) oraz włókna szybko kurczące się czerwone (typ IIa). Włókna czerwone typów I i IIa są bardziej wytrzymałe na zmęczenie niż włókna białe typu IIb. Włókna czerwone zawierają więcej czerwonego barwnika mięśni – mioglobiny (stąd nazwa) i mają więcej mitochondriów niż włókna białe. Włókna czerwone mają większą zdolność do wykorzystywania przemian tlenowych w procesach energetycznych.

W większości mięśni szkieletowych włókna typu I stanowią ok. 50% wszystkich włókien. U poszczególnych jednak osób mogą występować różnice w składzie włókien mięśniowych różnych mięśni. Różnice te mogą kształtować wrodzone predyspozycje niektórych ludzi do wykonywania określonego typu wysiłków, np. wysiłków szybkościowych, siłowych, wytrzymałościowych.

Rodzaje skurczów mięśni

Jeśli jeden przyczep mięśnia jest wolny, to skurcz mięśnia powoduje zmniejszenie się jego długości bez zmiany napięcia – jest to skurcz izotoniczny. Jeśli obydwa przyczepy są unieruchomione, skurcz mięśnia spowoduje wzrost jego napięcia bez zmiany długości. Taki skurcz nazywa się izometrycznym. W warunkach fizjologicznych skurcze mięśni związane są na ogół z pokonywaniem pewnego oporu. Początkowo więc skurcz mięśnia powoduje wzrost napięcia mięśnia bez zmiany jego długości, kiedy jednak siła mięśnia przekroczy wielkość oporu, następuje skracanie się mięśnia. Taki typ skurczu, w którym występuje faza izometryczna i izotoniczna, nazywa się auksotonicznym.

Źródła energii do pracy mięśniowej

Energia do skurczów mięśni jest czerpana bezpośrednio z rozkładu wysokoenergetycznego związku chemicznego – kwasu adenozynotrójfosforowego, zwanego też adenozynotrójfosforanem (ATP).

ATP → ADP + Pi + energia.

Reakcja ta polega na odłączeniu od ATP fosforanu nieorganicznego (Pi). W wyniku rozkładu ATP powstaje kwas adenozynodwufosforowy (ADP) i uwolniona zostaje energia. Około 30% tej energii jest zużyte do skurczu mięśnia, a reszta zostaje rozproszona w postaci ciepła. Rozkład ATP jest katalizowany przez enzym adenozynotrójfosfatazę (ATP-azę) miofibrylarną, która aktywowana jest przez jony wapniowe uwalniane do cytoplazmy przy pobudzeniu komórki mięśniowej.

Zapasy ATP zgromadzonego w komórkach mięśniowych wystarczają na kilka sekund pracy mięśnia. Nigdy jednak, nawet przy długotrwałym i ciężkim wysiłku, nie dochodzi do wyczerpania się ATP w komórkach mięśniowych, ponieważ rozkład tego związku powoduje natychmiastową aktywację procesu resyntezy ATP, czyli przyłączania fosforanu do ADP. Reakcja ta wymaga nakładu energii. Dostarcza jej szereg innych procesów, takich jak rozkład fosfokreatyny, która jest również związkiem wysokoenergetycznym występującym w komórkach mięśniowych, oraz utlenianie węlowodanów i tłuszczów. Pośrednio więc te właśnie procesy stanowią źródło energii do pracy mięśniowej.

Do węglowodanów wykorzystywanych przez pracujące mięśnie należy glikogen, zawarty w komórkach mięśniowych, oraz glukoza, wychwytywana przez te komórki z krwi. Utlenianymi substratami tłuszczowymi są wolne kwasy tłuszczowe (WKT), które powstają z rozkładu tłuszczów zawartych w komórkach mięśniowych i w tkance tłuszczowej. WKT pochodzące z tkanki tłuszczowej są dostarczane do mięśni z krwią.

Utlenianie białek w normalnych warunkach odgrywa małą rolę w procesach energetycznych pracujących mięśni. W warunkach głodu udział białek w pokrywaniu zapotrzebowania energetycznego mięśni może jednak zwiększać się.

Podczas pierwszych sekund pracy mięśni najważniejszym procesem dostarczającym energii niezbędnej do resyntezy ATP jest rozkład fosfokreatyny, później wzrasta udział utleniania najpierw węglowodanów, a następnie tłuszczów.

Największe ilości ATP podczas pracy mięśniowej uzyskiwane są w wyniku tzw. fosforylacji oksydacyjnej, czyli fosforylacji ADP sprzężonej z utlenianiem zachodzącym w mitochondriach. Utlenianiu w toku tego procesu podlega kwas pirogronowy (powstały z rozkładu glikogenu lub glukozy) oraz wolne kwasy tłuszczowe. Produktami utleniania są dwutlenek węgla i woda.

Pewna ilość ATP uzyskiwana jest także w wyniku fosforylacji ADP sprzężonej z przemianą glikogenu lub glukozy w kwas pirogronowy. Proces ten, noszący nazwę glikolizy, przebiega w cytoplazmie i nie wymaga tlenu. Jeśli zaopatrzenie mięśnia w tlen jest niedostateczne lub gdy wytwarzanie kwasu pirogronowego przewyższa tempo jego utleniania (przy dużej intensywności pracy mięśniowej), związek ten podlega przemianie w kwas mlekowy. Kwas mlekowy dyfunduje z komórek mięśniowych do krwi.

Wytwarzanie dużych ilości kwasu mlekowego prowadzi do zakwaszenia środowiska wewnątrz komórek mięśniowych. Wywiera to niekorzystny wpływ na ich zdolność do skurczów. Przy bardzo intensywnej pracy mięśniowej może dojść również do zakwaszenia krwi.

IV. PŁYNY USTROJOWE, LIMFA, KREW

Płyny ustrojowe

Przestrzenie wodne ustroju

Woda stanowi środowisko, w którym przebiega większość niezbędnych dla życia reakcji chemicznych oraz transport cząsteczek do miejsca, gdzie te reakcje mogą zachodzić.

Całkowita woda organizmu stanowi 45–65% masy ciała. Jej zawartość w poszczególnych tkankach waha się w dość szerokich granicach. Do tkanek o bardzo małej zawartości wody należy tkanka tłuszczowa. Procentowa zawartość wody w organizmie jest różna u kobiet i u mężczyzn, zmienia się także wraz z wiekiem (tabela).

Woda całkowita rozmieszczona jest w dwóch głównych przestrzeniach wodnych: zewnątrzkomórkowej i wewnątrzkomórkowej, oddzielonych od siebie błoną komórkową.

Zawartość wody w organizmie (w % masy ciała) w zależności od wieku i płci

Wiek	Płeć	
	mężczyźni	kobiety
0–1 mies.	76	
1–12 mies.	65	
1–10 lat	62	
11–16 lat	59	57
17–39 lat	61	50
40–59 lat	55	47
powyżej 60 lat	52	46

P r z e s t r z e ń z e w n ą t r z k o m ó r k o w a (pozakomórkowa) składa się z kilku przedziałów. Obejmuje ona o s o c z e k r w i (4–5% masy ciała), p ł y n ś r ó d m i ą ż s z o w y nazywany też t k a n k o w y m (16% masy ciała), l i m f ę (2% masy ciała) oraz tzw. p ł y n t r a n s k o m ó r k o w y (2–4% masy ciała). Do płynu transkomórkowego zaliczany jest płyn mózgowo-rdzeniowy, płyn maziowy torebek i jam stawowych, płyn w worku osierdziowym serca, w jamie otrzewnej i opłucnej, ciecz wodnista gałek ocznych, płyn wypełniający przewody gruczołowe oraz przewód pokarmowy.

Skład elektrolitowy płynów ustrojowych

Stężenie elektrolitów (zespołu jonów) w osoczu, płynie śródmiąższowym i płynie wewnątrzkomórkowym przedstawia załączony rysunek.

Miarą sumarycznego stężenia wszystkich substancji w płynach ustrojowych jest s t ę ż e n i e lub c i ś n i e n i e o s m o t y c z n e, czyli o s m o l a l n o ś ć p ł y n u.

Niewielkie różnice między stężeniem elektrolitów osocza i płynu śródmiąższowego wynikają z różnic w rozmieszczeniu białek. Osocze zawiera znacznie więcej białka niż płyn śródmiąższowy.

Do najważniejszych jonów płynów ustrojowych należą jony sodu (Na^+), potasu (K^+), chloru (Cl^-), wapnia (Ca^{2+}) i wodorowęglanowe (HCO_3^-).

Sód. Całkowita zawartość sodu w organizmie wynosi ok. 96 g (u człowieka o masie ciała 70 kg). Tkanka kostna zawiera 40–45% całkowitej ilości sodu. Pozostała część sodu rozmieszczona jest w płynie zewnątrzkomórkowym i w płynie wewnątrzkomórkowym. Prawidłowe stężenie sodu w osoczu wynosi średnio 140 milimoli/litr (mmol/l). Sód jest podstawowym kationem płynu zewnątrzkomórkowego, decydującym o stężeniu osmotycznym tego płynu. Regulacja stężenia sodu jest w związku z tym ściśle sprzężona z regulacją mechanizmów kontrolujących bilans wodny (zob. Kontrolowanie bilansu soli i wody przez nerki, s. 197). Sprawne funkcjonowanie tych mechanizmów oraz szybka wymiana dyfuzyjna sodu między poszczególnymi przestrzeniami płynów ustrojowych umożliwia utrzymanie stężenia tego jonu w osoczu w bardzo wąskich granicach, mimo dużych wahań całkowitej zawartości sodu w stanach jego niedoboru lub nadmiaru. Zakłócenie funkcjonowania tych mechanizmów może prowadzić do obniżenia (h i p o n a t r e m i i) lub podwyższenia (h i p e r n a t r e m i i) stężenia sodu w osoczu nawet przy niewielkich wahaniach całkowitej zawartości sodu w organizmie.

P r z e j ś c i o w a h i p e r n a t r e m i a występuje po spożyciu posiłku zawierającego dużą ilość chlorku sodu (np. soli kuchennej) lub w wyniku szybkiej utraty wody podczas pocenia. W warunkach prawidłowych hipernatremia jest szybko wyrównywana, ponieważ nawet niewielki wzrost stężenia sodu w osoczu (2–3%) i związany z nim wzrost osmolalności prowadzą do aktywacji układu pragnienia i wzrostu wydzielania wazopresyny. Wypicie odpowiedniej ilości wody prowadzi do rozcieńczenia płynów ustrojowych i wyrównania stężenia sodu. Utracie wypitej wody zapobiega wydzielona jednocześnie wazopresyna, pod wpływem której wzrasta wchłanianie zwrotne

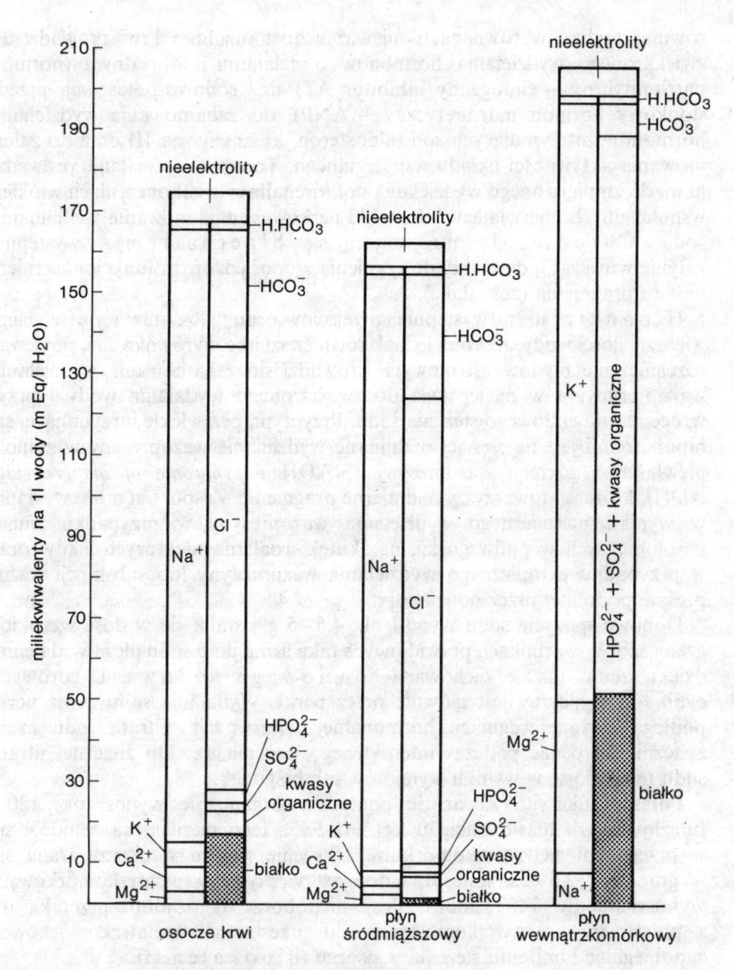

Skład elektrolitowy płynów ustrojowych

wody w kanalikach nerkowych. Dzięki temu znaczna część wypijanej podczas hipernatremii wody zostaje zatrzymana w organizmie, aż do momentu przywrócenia stężenia sodu do prawidłowych wartości. Woda zostaje zatrzymana w organizmie w zwiększonych ilościach, a zatem przywrócenie prawidłowego stężenia sodu odbywa się kosztem zwiększenia objętości płynów ustrojowych. Z tego względu dieta bogatosodowa sprzyja tworzeniu obrzęków. W warunkach prawidłowych objętość płynów ustrojowych zostaje jednak również szybko wyrównana, ponieważ wzrost objętości krwi prowadzi do zwiększonego wydzielania hormonów o działaniu sodopędnym (hormon natriuretyczny – endogenny inhibitor ATP-azy sodowo-potasowej, przedsionkowy hormon natriuretyczny – ANP), do zahamowania wydzielania hormonów zatrzymujących sód (aldosteron, angiotensyna II) oraz do zahamowania aktywności układu współczulnego. To ostatnie działanie prowadzi m.in. do zmniejszonego wydzielania noradrenaliny na zakończeniach włókien współczulnych unerwiających kanaliki nerkowe, i zahamowania wchłaniania sodu. Chronicznie utrzymująca się hipernatremia występuje jedynie wówczas, gdy mamy do czynienia z upośledzonym funkcjonowaniem układu pragnienia (zob. dalej).

Hiponatremia występuje przejściowo po każdorazowym wypiciu większej ilości wody. Jest ona jednak również szybko wyrównywana, ponieważ rozcieńczenie płynów ustrojowych prowadzi do zahamowania wydzielania wazopresyny, a w następstwie do zwiększonego wydalania wody i przywrócenia prawidłowego stężenia sodu. Przyczyną przewlekle utrzymującej się hiponatremii jest najczęściej nadmierne wydzielanie wazopresyny w zespole niewłaściwej sekrecji wazopresyny (SIADH – *syndrome of inappropriate* ADH), któremu towarzyszy nadmierne pragnienie. Zespół ten może wystąpić w wyniku nadmiernego wydzielania wazopresyny w przypadku zmian patologicznych w podwzgórzu, na skutek działania niektórych leków oraz w przypadku ektopicznego wydzielania wazopresyny lub substancji wazopresynopodobnej przez nowotwory.

Dobowe spożycie sodu wynosi ok. 4,5–5 g i waha się w dość szerokich granicach. W warunkach prawidłowych taka sama ilość sodu ulega wydaleniu, dzięki czemu zostaje zachowana równowaga sodowa. U zdrowych osób sód wydalany jest głównie przez nerki. Wydalanie sodu przez nerki podlega złożonej regulacji hormonalnej i nerwowej. Utrata sodu może znacznie wzrosnąć podczas intensywnego pocenia się. Do znacznej utraty sodu może dojść w wyniku wymiotów lub biegunek.

Potas. Całkowita zawartość potasu w organizmie wynosi ok. 120 g (u człowieka o masie ciała 70 kg). Aż 98% tego pierwiastka znajduje się w przestrzeni wewnątrzkomórkowej. Stężenie potasu w osoczu waha się w granicach 3,5–5,0 mmol/l, natomiast w płynie wewnątrzkomórkowym wynosi średnio 146 mmol/l. Przy niedoborze tego jonu, przenika on z przestrzeni wewnątrzkomórkowej do przestrzeni zewnątrzkomórkowej, zapobiegając obniżeniu stężenia w osoczu (hipokalemii).

Transport potasu między przestrzenią wewnątrz- i zewnątrzkomórkową podlega regulacji hormonalnej, w której uczestniczą m.in. insulina i aldosteron. W warunkach prawidłowych istnieje równowaga między przyjmowaniem i wydalaniem potasu. Wydalanie potasu przez nerki regulowane jest głównie przez aldosteron, którego wydzielanie jest pobudzane przez wzrost stężenia jonów potasu. W wyniku działania aldosteronu na dystalną część kanalika nerkowego wydalanie potasu wzrasta. Niedobór aldosteronu w niedoczynności kory nadnerczy prowadzi do podwyższenia stężenia sodu w osoczu (hiperkalemii), natomiast nadmierna sekrecja aldosteronu może spowodować hipokalemię. Ważną rolę w rozmieszczeniu jonów potasu między przestrzenią wewnątrzkomórkową i zewnątrzkomórkową odgrywa insulina. Pod wpływem insuliny potas wchodzi do komórek posiadających receptory dla insuliny (mięśnie szkieletowe, mięsień sercowy, tkanka tłuszczowa). Nadmiar insuliny może doprowadzić do znacznego obniżenia stężenia potasu we krwi (hipokalemii), podczas gdy jej niedobór (w cukrzycy) usposabia do wystąpienia hiperkalemii. Na ogół jednak hiperkalemia prowadzi do wzrostu wydzielania aldosteronu, wzrostu wydalania potasu i powrotu jego stężenia do wartości prawidłowych. Utrata potasu może wzrosnąć podczas wzmożonego pocenia się, a także podczas wymiotów i biegunek.

Chlor. Całkowita zawartość chloru w organizmie wynosi ok. 80 g (u człowieka o masie ciała 70 kg). 70% chloru znajduje się w osoczu, płynie śródmiąższowym i limfie. Stężenie chloru w osoczu wynosi 104 mmol/l. Stosunkowo dużo chloru zawiera tkanka kostna, gdzie pierwiastek ten mieści się głównie w przestrzeni zewnątrzkomórkowej.

Wapń. Całkowita zawartość wapnia w organizmie wynosi ok. 250 g (u człowieka o masie ciała 70 kg). Aż 99% tego jonu znajduje się w tkance kostnej. Stężenie wapnia w osoczu wynosi 2,5 mmol/l i utrzymywane jest w wąskich granicach dzięki istnieniu złożonych mechanizmów hormonalnej kontroli wchłaniania tego jonu z przewodu pokarmowego, wymiany z tkanką kostną i wydalania z moczem. Do najważniejszych hormonów kontrolujących poziom wapnia w osoczu należą: parathormon, kalcytonina oraz kalcytriol (czynna postać witaminy D_3). Około 45% całego wapnia w osoczu stanowi tzw. wapń zjonizowany, który swobodnie przenika (dyfunduje) przez błony. Jedynie frakcja wapnia zjonizowanego wywiera bezpośrednio działanie biologiczne.

Jony wodorowęglanowe. Około 50% jonów wodorowęglanowych (HCO_3^-) znajduje się w płynie zewnątrzkomórkowym. Podlegają one swobodnej wymianie dyfuzyjnej z przestrzenią wewnątrzkomórkową.

Wymiana wody i elektrolitów między przestrzeniami wodnymi

Wymiana wody i elektrolitów między komórkami i przestrzenią zewnątrzkomórkową. Woda przenika swobodnie przez większość błon komórkowych. Czynnikiem decydującym o kierunku ruchu wody oraz objętości, jaka ulega przesunięciu, jest gradient stężeń, czyli różnica stężeń osmotycznych po obu stronach błony. Woda jest transportowana biernie z przestrzeni o niższym stężeniu osmotycznym do przestrzeni o wyższym stężeniu osmotycznym (czyli zgodnie z gradientem) aż do momentu wyrównania stężeń.

Wymiana jonów między komórkami i przestrzenią zewnątrzkomórkową jest procesem złożonym. Ważną rolę odgrywają tutaj: wielkość jonu i jego ładunek elektrostatyczny, a także właściwości poszczególnych błon komórkowych decydujące o ich przepuszczalności dla określonych jonów. Ponadto rozmieszczenie jonów po obu stronach błony komórkowej jest regulowane przez procesy transportu czynnego (pompa jonowa). Transport czynny odbywa się przeciwko gradientowi elektrochemicznemu i wymaga nakładu energii ze strony komórki.

Transport przeciwko gradientowi elektrochemicznemu jest to przechodzenie jonów w kierunku wyższego stężenia, a także przechodzenie jonów ujemnych (anionów) do środowiska jeszcze bardziej elektroujemnego lub jonów dodatnich (kationów) do środowiska jeszcze bardziej elektrododatniego.

Transport bierny odbywa się za pośrednictwem wbudowanych w błonę komórkową wyspecjalizowanych białek tworzących tzw. kanały jonowe. Większość kanałów odznacza się wybiórczą przepuszczalnością dla określonych jonów, zależną od budowy białka tworzącego kanał i przestrzennego rozmieszczenia ładunków elektrycznych. Podstawową siłę napędową transportu biernego stanowi gradient elektrochemiczny, jednakże w większości przypadków nie jest to zależność prosta, tzn. wielkość tego transportu podlega regulacji. W wielu kanałach występują specjalne mechanizmy bramkujące, których funkcja polega na tworzeniu odpowiednich zmian konformacyjnych w cząsteczce białka, prowadzących do zamknięcia kanału. Mechanizmy te określają stan czynnościowy kanału (prawdopodobieństwo i czas otwarcia). Mechanizm bramkujący może być regulowany przez zmiany potencjału błonowego (zależne od wymiany jonowej przez inne kanały lub od transportu czynnego), wewnątrzkomórkowe czynniki regulacyjne (np. ATP, białka regulujące G).

Transport czynny (aktywny) polega na przesunięciu jonów wbrew potencjałowi elektrochemicznemu. Siłą uruchamiającą ten transport jest energia powstająca w wyniku reakcji chemicznych, z którymi sprzężony jest transport. Uczestniczą w nim białka transportowe o właściwościach enzymatycznych wbudowane w błonę komórkową, nazywane pompami. Białka transportowe składają się najczęściej z podjednostki wiążącej jony i podjednostki katalitycznej rozkładającej ATP. Najbardziej rozpowszechnionym przykładem transportu aktywnego jest transport jonów sodu i potasu przez ATP-azę Na^+, K^+ (pompa sodowo-potasowa). Transport ten jest aktywowany pod wpływem wzrostu stężenia jonów sodu wewnątrz i jonów potasu na zewnątrz komórki. Pod wpływem energii powstającej podczas rozpadu ATP dochodzi do zmiany konfiguracji białka tworzącego pompę, w wyniku czego miejsca wiążące jony sodu zostają skierowane na zewnątrz, a miejsca wiążące jony potasu do wewnątrz komórki. Transport ten wzrasta również pod wpływem aldosteronu, hormonów gruczołu tarczowego, insuliny i aldosteronu. Jest on hamowany przez hormon natriuretyczny oraz leki z grupy glikozydów nasercowych. Transport aktywny wytwarza gradient elektrochemiczny warunkujący bierny transport jonów, z którym sprzężony jest także transport niektórych substratów (glukoza, aminokwasy). W ten sposób od transportu aktywnego zależy też wiele transportów biernych, które w związku z tym nazywane są wtórnie aktywnymi.

Wymiana wody i elektrolitów między osoczem i przestrzenią śródmiąższową. Wymiana wody i elektrolitów przez ścianę naczyń włosowatych odbywa się w przeważającym stopniu na drodze dyfuzji. Woda przenika przez pory znajdujące się w błonie komórek śródbłonka oraz między tymi komórkami. Ruch wody jest ruchem biernym, odbywającym się zgodnie z gradientem stężeń osmotycznych. Jony dyfundują przez pory znajdujące się między komórkami śródbłonka lub kanały jonowe błony komórkowej. Tempo dyfuzji zależy od gradientu elektrochemicznego oraz od różnicy ciśnień hydrostatycznych po obu stronach naczynia włosowatego (zob. Mikrokrążenie, s. 186).

Naczynia włosowate w różnych narządach odznaczają się różną przepuszczalnością. Bardzo dużą przepuszczalność wykazują naczynia włosowate zatok wątroby, natomiast w naczyniach włosowatych mózgu komórki śródbłonka ściśle przylegają do siebie, co uniemożliwia swobodną wymianę substancji (w tym również wody). Tworzą one tzw. b a r i e r ę krew – mózg, która zabezpiecza komórki nerwowe mózgu przed gwałtownymi zmianami środowiska wewnętrznego. Jony a wraz z nimi woda transportowane są przez barierę za pośrednictwem transportów aktywnych lub wtórnie aktywnych, a substraty za pomocą selektywnych nośników.

Regulacja objętości i stężenia osmotycznego płynów ustrojowych

W warunkach prawidłowych objętość i stężenie płynów ustrojowych utrzymywane są na stałym poziomie dzięki istnieniu niezwykle precyzyjnych mechanizmów regulujących przyjmowanie wody (pragnienie) oraz wydalanie

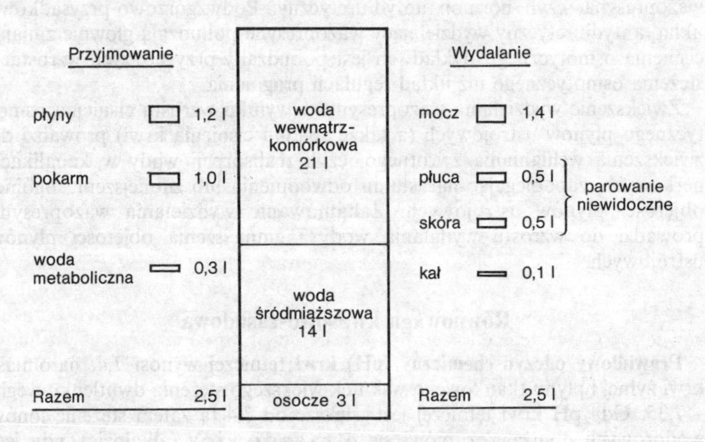

Bilans wodny organizmu

wody i substancji osmotycznie czynnych. Stężenie osmotyczne osocza wynosi przeciętnie 290 mmol/l. B i l a n s w o d n y uwzględniający utratę wody przez główne drogi tej utraty jest przedstawiony na rysunku. W y d a l a n i e w o d y z organizmu zachodzi głównie p r z e z n e r k i (zob. s. 197). Wydalanie moczu ulega znacznym wahaniom w zależności od stanu nawodnienia organizmu. Wydalanie wody poprzez płuca, drogą niewidocznego parowania, może ulec podwojeniu przy znacznym wzroście wentylacji płuc. Wydalanie wody poprzez skórę (parowanie) znacznie wzrasta podczas intensywnego pocenia się. Zdrowy człowiek wyrównuje objętość utraconej wody przez wypicie odpowiedniej ilości płynów.

Przyjmowanie wody jest regulowane przez zespół struktur ośrodkowego układu nerwowego nazywanych układem regulacji pragnienia lub mechanizmem pragnienia. W skład układu regulacji pragnienia wchodzą: przednia i boczna część podwzgórza, otoczenie przedniej części trzeciej komory mózgu oraz szereg struktur należących do układu limbicznego (ciało migdałowate, przegroda i stara kora). Głównym bodźcem pobudzającym pragnienie jest wzrost stężenia osmotycznego płynów ustrojowych, wywołujący odwodnienie komórek i prowadzący do pobudzenia neuronów osmowrażliwych, tzw. osmoreceptorów ośrodkowego układu nerwowego. Następnie dochodzi do pobudzenia ośrodków ruchowych związanych z aktem ruchowym przyjmowania wody. Stężenie osmotyczne płynów ustrojowych, przy którym dochodzi do aktywacji mechanizmu pragnienia, nazywane jest osmotycznym progiem pragnienia.

Układ regulacji pragnienia bierze także udział w regulacji objętości płynów ustrojowych poprzez ujemne sprzężenie zwrotne między objętością krwi i aktywnością mechanizmu pragnienia.

Wydalanie wody z organizmu reguluje przede wszystkim hormon wazopresyna, czyli hormon antydiuretyczny. Podwzgórzowo-przysadkowy układ antydiuretyczny wydzielający wazopresynę pobudzają głównie zmiany ciśnienia osmotycznego. Układ ten jest pobudzany przy niższych wzrostach stężenia osmotycznego niż układ regulacji pragnienia.

Zwiększenie wydzielania wazopresyny w wyniku wzrostu ciśnienia osmotycznego płynów ustrojowych (a także spadku ciśnienia krwi) prowadzi do zwiększenia wchłaniania zwrotnego, czyli reabsorpcji wody w kanalikach nerkowych, zapobiegając narastaniu odwodnienia lub zmniejszeniu ogólnej objętości płynów ustrojowych. Zahamowanie wydzielania wazopresyny prowadzi do wzrostu wydalania wody i zmniejszenia objętości płynów ustrojowych.

Równowaga kwasowo-zasadowa

Prawidłowy odczyn chemiczny (pH) krwi tętniczej wynosi 7,4, natomiast krwi żylnej i płynu tkankowego wskutek większego stężenia dwutlenku węgla – 7,35. Gdy pH krwi tętniczej jest większe od 7,4 (a zatem stężenie jonów wodorowych obniża się), mówi się o zasadowicy (alkalozie), gdy jest mniejsze (tzn. gdy stężenie jonów wodorowych wzrasta) – o kwasicy. W warunkach fizjologicznych pH krwi ulega nieznacznym tylko zmianom, które są szybko wyrównywane dzięki sprawnie działającym mechanizmom regulującym. Ta stałość odczynu chemicznego krwi będącej płynem zewnątrzkomórkowym jest jednym z elementów homeostazy, czyli stałości środowiska wewnętrznego organizmu. pH płynu wewnątrzkomórkowego jest mniej stabilne i waha się od 4,5 do 7,4 w różnych komórkach.

Stałość odczynu chemicznego (pH) krwi zapewniają trzy czynniki: 1) układy buforowe krwi, 2) czynność układu oddechowego i 3) czynność nerek.

Układy buforowe krwi. Buforem nazywany jest roztwór dwóch lub więcej związków chemicznych zapobiegających zmianom pH po dodaniu kwasu lub zasady. Odczyn chemiczny krwi reguluje układ (bufor) wodorowęglanowy, układ fosforanowy, a ponadto białka osocza i hemoglobina.

Układ wodorowęglanowy jest roztworem kwasu węglowego (H_2CO_3) i wodorowęglanu sodu ($NaHCO_3$). Gdy do takiego roztworu zostanie dodany silny kwas, np. kwas solny (HCl), wystąpi reakcja:

$$HCl + NaHCO_3 \rightarrow H_2CO_3 + NaCl.$$

Ponieważ kwas węglowy powstały w wyniku tej reakcji jest słabym kwasem, pH roztworu obniży się bardzo niewiele, znacznie mniej, niż gdyby taką samą ilość kwasu wlano do czystej wody. Podobnie, jeśli do buforu doda się silną zasadę, np. wodorotlenek sodowy (NaOH), zostanie ona zobojętniona w reakcji z kwasem węglowym:

$$NaOH + H_2CO_3 \rightarrow NaHCO_3 + H_2O.$$

Powstaje wówczas słabo zasadowy wodorowęglan sodu ($NaHCO_3$), przeto dochodzi tylko do bardzo niewielkiego wzrostu pH.

Odczyn chemiczny (pH) roztworu zawierającego bufor wodorowęglanowy oblicza się z równania Hendersona-Hasselbacha:

$$pH = 6{,}1 + \log \frac{HCO_3^-}{CO_2},$$

w którym liczba 6,1 wynika ze stałej dysocjacji kwasu węglowego. Przy normalnym pH krwi, równym 7,4, stosunek stężenia jonów wodorowęglanowych (HCO_3^-) do stężenia dwutlenku węgla (CO_2) wynosi ok. 20.

Układ fosforanowy składa się z anionów fosforanowych jednozasadowych ($H_2PO_4^-$) i dwuzasadowych (HPO_4^{2-}). Jeśli do roztworu zawierającego fosforany zostanie dodany kwas solny (HCl), przebiegnie reakcja:

$$HCl + Na_2HPO_4 \rightarrow NaH_2PO_4 + NaCl.$$

Jednozasadowy fosforan sodu (NaH_2PO_4) ma słaby odczyn kwaśny, dlatego pH roztworu obniża się nieznacznie. Podobnie po dodaniu wodorotlenku sodowego występuje reakcja:

$$NaOH + NaH_2PO_4 \rightarrow Na_2HPO_4 + H_2O,$$

w wyniku której powstaje dwuzasadowy fosforan sodu (Na_2HPO_4) o słabym odczynie alkalicznym. Zapobiega to znaczniejszemu podniesieniu się pH roztworu.

Białka osocza są związkami amfoterycznymi, zawierającymi w swojej cząsteczce zarówno grupy karboksylowe (COOH, kwaśne), jak i aminowe (OH, zasadowe). Dzięki takiej budowie mogą neutralizować pewne ilości kwasu lub zasady.

Hemoglobina. Buforowa rola hemoglobiny polega na tym, że jej forma utlenowana, *oksyhemoglobina*, jest dość silnym kwasem, a więc ma zdolność oddawania jonu wodorowego (H^+), natomiast hemoglobina odtlenowana jest słabym kwasem (a więc silniejszą zasadą) i wiąże pewną liczbę jonów wodorowych.

Krew dopływająca z płuc do tkanek zawiera dużo oksyhemoglobiny, która oddaje tutaj tlen i staje się odtlenowaną hemoglobiną. Jednocześnie z tkanek przechodzi do krwi, w tym także do krwinek, dwutlenek węgla (CO_2). W krwinkach czerwonych pod wpływem enzymu anhydrazy węglanowej powstaje z niego kwas węglowy (H_2CO_3), którego część dysocjuje na jony wodorowe (H^+) i jon wodorowęglanowy (HCO_3^-). Nadmiernemu zakwaszeniu krwi zapobiega wówczas wiązanie się jonów wodorowych z hemoglobiną (HB—H). Cała reakcja przebiega następująco:

$$CO_2 + H_2O \xrightarrow{\text{anhydraza węglanowa}} H_2CO_3,$$

$$H_2CO_3 \longrightarrow HCO_3^- + H^+,$$

$$HbO_2 + H^+ \longrightarrow Hb - H + O_2,$$

gdzie Hb oznacza hemoglobinę, a HbO_2 – oksyhemoglobinę.

Rola oddychania w regulacji równowagi kwasowo-zasadowej. Jak wynika z równania Hendersona-Hasselbacha (zob. s. 149), zwiększenie stężenia dwutlenku węgla we krwi (tzw. *hiperkapnia*) powoduje obniżenie pH krwi, zaś zmniejszenie jego stężenia (*hipokapnia*) – podwyższenie pH. Ponieważ stężenie dwutlenku węgla we krwi zależy od nasilenia wentylacji płucnej, oddychanie spełnia ważną rolę w regulacji równowagi kwasowo-zasadowej. Zwiększenie stężenia dwutlenku węgla we krwi powoduje pobudzenie ośrodka oddechowego, a w konsekwencji nasilenie czynności oddechowej, wydalanie nadmiaru dwutlenku węgla przez płuca i normalizację pH krwi.

Dwutlenek węgla tworzony jest w sposób ciągły w procesach przemiany materii. Wzrost stężenia dwutlenku węgla lub jonów wodorowych pobudza aktywność chemowrażliwych neuronów oddechowych (*chemoreceptory ośrodkowe*), znajdujących się w tzw. strefach chemowrażliwych mózgu. Największe ich skupienia zlokalizowane są obustronnie w pobliżu brzusznej powierzchni rdzenia przedłużonego. Pobudzenie z tych neuronów przekazywane jest do innych części ośrodka oddechowego (grzbietowa grupa neuronów oddechowych, brzuszna grupa neuronów oddechowych, ośrodek pneumotaksyczny). Zmiany stężenia jonów wodorowych i dwutlenku węgla są również wykrywane przez tzw. *chemoreceptory obwodowe*. Są nimi zakończenia włókien nerwowych zlokalizowane w kłębkach szyjnych i kłębkach aortalnych, a także w pobliżu innych dużych naczyń. Chemoreceptory obwodowe reagują głównie na zmiany ciśnienia parcjalnego przepływającej przez nie krwi. Ich wrażliwość na zmiany pCO_2 i pH jest słabsza niż chemoreceptorów ośrodkowych, jednakże reagują one znacznie szybciej niż chemoreceptory ośrodkowe, odgrywając w związku z tym istotną rolę w regulacji czynności oddechowej podczas gwałtownie zachodzących zmian równowagi kwasowo-zasadowej.

Rola nerek w regulacji równowagi kwasowo-zasadowej polega zarówno na usuwaniu jonu wodorowego (H^+), jak i na regulacji zasobów buforu (układu) wodorowęglanowego poprzez wchłanianie zwrotne lub wydalanie wodorowęglanów. Komórki nabłonkowe w części proksymalnej, w części wstępującej pętli Henlego i w części dystalnej kanalików nerkowych wydzielają jony wodoru do światła kanalików na drodze transportu wtórnie aktywnego, w którym jony wodoru wymieniane są na jony sodu (wymiana Na^+, H^+). Jony sodu dyfundują zgodnie z gradientem stężeń do komórek kanalika, a jony wodoru usuwane są do światła kanalika. W ten sposób wydzielana jest większość jonów wodoru. Pewna ich część (około 5%) wydzielana jest w kanaliku dystalnym i miedniczce nerkowej na drodze transportu pierwotnie aktywnego, który jest w stanie zwiększyć stężenie jonów wodoru 900-krotnie, w wyniku czego pH moczu może obniżyć się do 4,5 (jest to najniższa możliwa wartość pH moczu). Transport ten odbywa się za pośrednictwem ATP-azy, transportującej jony wodoru (H^+ ATP-aza).

Nerki odgrywają też ważną rolę w oszczędzaniu jonów wodorowęglanowych. Jony wodorowęglanowe znajdujące się w przesączu kłębuszkowym reagują z wydzielonymi do światła kanalika jonami wodoru tworząc kwas węglowy, który następnie dysocjuje na wodę i dwutlenek węgla. Dwutlenek węgla swobodnie dyfunduje do komórek kanalika, wchodząc tam ponownie w reakcję z wodą i tworząc kwas węglowy, który ulega dysocjacji na jon wodoru usuwany do światła kanalika i wodorowęglan dyfundujący do przestrzeni zewnątrzkomórkowej otaczającej komórki kanalika. Dzięki temu wodorowęglany zatrzymywane są w organizmie, zapobiegając powstaniu kwasicy. Przy nadmiernej produkcji jonów wodorowęglanowych, ich nadmiar, nie wchodzący w reakcję z jonami wodoru, usuwany jest z moczem, co zapobiega powstawaniu zasadowicy.

Nadmiernemu zakwaszeniu moczu zapobiegają bufory fosforanowy i amonowy. Dzięki zagęszczeniu moczu (zob. s. 198) jednozasadowe i dwuzasadowe aniony fosforanowe tworzące bufor występują w dużym stężeniu w dystalnej części kanalika nerkowego. Istnieje tu również optymalne pH dla działania tego buforu. Istota działania buforu fosforanowego w świetle kanalika polega na wiązaniu wydzielonych do światła kanalika jonów wodoru, które uprzednio powstały w komórkach kanalika w wyniku rozpadu kwasu węglowego. Proces ten umożliwia równocześnie oszczędzanie zasad, ponieważ pozostałe wodorowęglany są wchłaniane zwrotnie do krwi.

Komórki kanalika nerkowego (z wyjątkiem cienkiej części pętli Henlego) wytwarzają w sposób ciągły amoniak (NH_3), który jest wydzielany do światła kanalika i wiąże tam jony wodorowe, tworząc jon amonowy (NH_4). Jon amonowy wydalany jest najczęściej w połączeniu z jonami chloru, jako

NH_4Cl, związek o słabym odczynie kwasowym. W komórkach kanalika amoniak powstaje przede wszystkim z glutaminy przy współudziale glutaminazy. Synteza tego enzymu, a co za tym idzie tempo tworzenia amoniaku wzrastają pod wpływem utrzymującego się obniżenia pH.

Zaburzenia równowagi kwasowo-zasadowej

Oddechowa kwasica i zasadowica. Dwutlenek węgla swobodnie dyfunduje przez błonę oddechową i dopiero poważne upośledzenie wentylacji prowadzi do wzrostu stężenia CO_2 w płynach ustrojowych. Dwutlenek węgla tworzy z wodą kwas węglowy; w wyniku dysocjacji tego kwasu powstają jony wodoru, obniżające pH płynów ustrojowych. *Kwasica oddechowa* towarzyszy zaburzeniom oddychania pochodzenia neurogennego oraz upośledzonej wymianie gazowej w płucach, do której dochodzi na skutek zniszczenia dużej liczby pęcherzyków płucnych lub zamknięcia dróg oddechowych. Nadmierna wentylacja (hiperwentylacja) prowadzi do usunięcia CO_2 i wzrostu pH. *Zasadowica* występuje znacznie rzadziej od kwasicy oddechowej i najczęściej ma podłoże neurogenne (psychonerwice). Może też wystąpić na dużych wysokościach. Niskie ciśnienie parcjalne tlenu w powietrzu oddechowym powoduje wówczas hiperwentylację, której towarzyszy usuwanie nadmiernych ilości dwutlenku węgla.

Metaboliczna kwasica i zasadowica. *Kwasica metaboliczna* występuje najczęściej w chorobach nerek, które uniemożliwiają efektywne usuwanie kwaśnych metabolitów, oraz w cukrzycy, w której nieprawidłowa przemiana materii jest przyczyną nadmiernej produkcji kwaśnych metabolitów (ciał ketonowych). Przyczyną kwasicy metabolicznej mogą być również biegunki i wymioty zawierające jelitową treść pokarmową, ponieważ prowadzą one do utraty wodorowęglanów. *Zasadowica* (alkaloza) *metaboliczna* występuje rzadziej niż kwasica. Może ona rozwinąć się w toku stosowania środków moczopędnych, których mechanizm działania polega na hamowaniu wymiany sód–wodór w kanalikach nerkowych, po spożyciu dużej ilości związków alkalizujących (np. w chorobie wrzodowej) lub w wyniku wymiotów treścią żołądkową.

Limfa

Limfa, zwana też *chłonką*, jest płynem śródmiąższowym płynącym w naczyniach limfatycznych. Około 90% (18 l w ciągu doby) płynu ulegającego filtracji w odcinku tętniczym naczyń włosowatych powraca do układu krążenia na skutek wchłaniania zwrotnego (reabsorpcji) w odcinku żylnym mikrokrążenia (zob. s. 186). Pozostała część (2 l w ciągu doby) zostaje odprowadzona drogą naczyń limfatycznych (chłonnych).

Skład limfy jest różny i zależy od tkanek, w których limfa powstaje. Różnice dotyczą głównie stężenia białek, które waha się w granicach 20 – 50 g/l (w limfie odpływającej z tkanek obwodowych wynosi ono 20 g/l, a w limfie odpływającej z wątroby i narządów przewodu pokarmowego – 50 g/l).

Układ limfatyczny stanowi jedyną drogę odprowadzania białek z przestrzeni śródmiąższowej do krwi. Transportuje on też wiele innych składników pokarmowych, a przede wszystkim tłuszcze w postaci chylomikronów. Skład limfy odpływającej z narządów przewodu pokarmowego zmienia się po spożyciu pokarmu.

Krążenie limfy

Układ limfatyczny lub **chłonny** składa się z naczyń limfatycznych (chłonnych) oraz ze znajdujących się na ich drodze węzłów limfatycznych (chłonnych). Naczynia limfatyczne rozpoczynają się w obrębie mikrokrążenia, gdzie płyn śródmiąższowy wchodzi do naczyń limfatycznych włosowatych. Naczynia limfatyczne włosowate mają charakterystyczną porowatą strukturę, ułatwiającą wnikanie białek. Naczynia te łączą się w większe przewody i pnie limfatyczne. Największym pniem limfatycznym jest prawy przewód piersiowy zbierający limfę z kończyn dolnych, wątroby i przewodu pokarmowego. Duże pnie limfatyczne doprowadzają limfę do prawej i lewej żyły podobojczykowej.

Naczynia limfatyczne znajdują się prawie we wszystkich tkankach, z wyjątkiem ośrodkowego układu nerwowego, głębokich części nerwów obwodowych, kości i powierzchownych warstw skóry. Na całym przebiegu układu limfatycznego, począwszy od naczyń włosowatych aż do dużych przewodów, znajdują się liczne zastawki umożliwiające jednokierunkowy przepływ limfy.

Ciśnienie tkankowe. Płyn tkankowy wchodzi do naczyń limfatycznych pod wpływem różnicy ciśnień. Najważniejszym czynnikiem określającym szybkość przepływu limfy w układzie limfatycznym jest ciśnienie płynu śródmiąższowego. Jest to ciśnienie wywierane przez wolny płyn znajdujący się w przestrzeni śródmiąższowej, stanowiące składową całkowitego ciśnienia tkankowego. Całkowite ciśnienie tkankowe jest sumą ciśnienia płynu śródmiąższowego i ciśnienia wywieranego przez elementy stałe tkanek (włókna kolagenowe, włókienka żelu śródmiąższowego i inne). Ciśnienie płynu śródmiąższowego określa szybkość dyfuzji płynu przez pory naczyń włosowatych oraz w samej przestrzeni śródmiąższowej. W większości tkanek ciśnienie to jest w warunkach prawidłowych ujemne, a przepływ limfy jest bardzo wolny. Przepływ ten jest możliwy pomimo ujemnego ciśnienia tkankowego, ponieważ ciśnienie w żyłach podobojczykowych jest jeszcze bardziej ujemne, co zapewnia odpowiedni gradient ciśnień. Przepływ całkowity wynosi zaledwie 2–3 ml/min.

Wszystkie czynniki, które zwiększają ciśnienie tkankowe, przyspieszają także tempo przepływu limfy. Należą do nich: wzrost ciśnienia w naczyniach włosowatych układu krwionośnego, obniżenie ciśnienia onkotycznego (tj. ciśnienia osmotycznego wywieranego przez koloidy, głównie białka), wzrost ciśnienia onkotycznego w przestrzeni śródmiąższowej, zwiększenie przepuszczalności naczyń włosowatych układu krążenia.

Pompa limfatyczna jest to mechanizm wspomagający ruch limfy. Limfatyczne naczynia włosowate kurczą się kilka razy na minutę dzięki istnieniu w komórkach ich śródbłonka *kurczliwych włókienek* mięśniowo-śródbłonkowych. Podczas każdego skurczu ciśnienie w naczyniu wzrasta, co powoduje otwarcie pierwszej zastawki i przepchnięcie płynu do zbiorczego naczynia limfatycznego. Zastawka jest umocowana w taki sposób, że otwiera się tylko w jednym kierunku i po przepłynięciu limfy zamyka się. Jednocześnie naczynie włosowate zostaje pociągane wstecz przez specjalne *włókienka kotwiczące*, które łączą naczynie z elementami tkanki łącznej. Dzięki temu zostaje ono rozciągnięte i tworzy się w nim *podciśnienie*, które ułatwia wejście następnej porcji płynu tkankowego.

W ścianach dużych naczyń limfatycznych znajdują się komórki mięśni gładkich. Rozciągnięcie odcinka naczynia limfatycznego przez napływającą limfę powoduje automatyczny skurcz mięśniówki gładkiej, ułatwiający przepchnięcie limfy przez zastawkę do następnego odcinka naczynia limfatycznego. Zamknięcie zastawki uniemożliwia cofnięcie się płynu.

Zewnętrzne czynniki wspomagające. Czynniki te odgrywają dużą rolę w regulacji przepływu limfy. Należą do nich: czynne ruchy mięśni szkieletowych, bierne przemieszczanie różnych części ciała, ucisk na tkanki wywierany z zewnątrz, ujemne ciśnienie w klatce piersiowej oraz rytmiczny ucisk ze strony mięśni gładkich przewodu pokarmowego i pulsujących naczyń tętniczych.

Obrzęk. Przepływ limfy może maksymalnie wzrosnąć 20-krotnie. Dzieje się tak wówczas, gdy ciśnienie tkankowe wzrośnie z prawidłowych wartości ujemnych do ok. 0 mm Hg. Przy dalszym wzroście ciśnienia tkankowego przepływ limfy ulega ograniczeniu.

Zakłócenie równowagi między tempem wytwarzania płynu śródmiąższowego w obrębie mikrokrążenia i tempem odprowadzania tego płynu przez układ limfatyczny powoduje gromadzenie się nadmiernych ilości płynu w tkankach, nazywane *obrzękiem*. Rozróżnia się następujące rodzaje obrzęku: zapalny, alergiczny, zastoinowy, onkotyczny i limfatyczny.

Obrzęki zapalny i alergiczny są spowodowane nadmiernym wzrostem ciśnienia hydrostatycznego w naczyniach włosowatych i zwiększeniem ich przepuszczalności.

Obrzęk zastoinowy powstaje na skutek wzrostu ciśnienia hydrostatycznego w naczyniach włosowatych, spowodowanego wzrostem ciśnienia w krążeniu żylnym. Dzieje się tak przy niewydolności prawej komory serca albo przy „lokalnym"zamknięciu lub zwężeniu naczynia żylnego.

Obrzęk onkotyczny powstaje na skutek obniżenia stężenia białek krwi. Maleje wówczas koloidowe ciśnienie osmotyczne (onkotyczne), co prowadzi do przewagi filtracji płynu z naczyń do przestrzeni śródmiąższowej nad jego wchłanianiem z tkanek do układu krążenia.

Obrzęk limfatyczny jest wynikiem upośledzenia funkcjonowania układu limfatycznego na skutek zwężenia naczyń limfatycznych przez rozmaite zmiany patologiczne toczące się obok lub w samym układzie limfatycznym. Układ limfatyczny jest jedyną drogą transportu białek z przestrzeni śródmiąższowej do układu krążenia. Jeśli odpływ limfy jest utrudniony, dochodzi do gromadzenia się białek w przestrzeni śródmiąższowej. Ciśnienie onkotyczne w przestrzeni śródmiąższowej wzrasta i może osiągnąć wartość bliską wartości ciśnienia onkotycznego osocza. Płyn przenika z naczyń do przestrzeni śródmiąższowej aż do momentu, gdy wzrost ciśnienia płynu śródmiąższowego zrównoważy wzrost ciśnienia onkotycznego w przestrzeni śródmiąższowej.

Krew

Krew jest jednym z płynów ustrojowych. Spełnia swe wielorakie funkcje tylko wówczas, gdy porusza się w naczyniach krwionośnych. Krew składa się z elementów morfotycznych: krwinek czerwonych i białych, płytek krwi oraz z płynnego osocza. Wiele z podstawowych informacji o krwi zestawiono w tabeli na s. 156.

Krew spełnia czynności transportowe i obronne. Pierwsze polegają na dostarczaniu do tkanek tlenu i substancji odżywczych i odprowadzaniu z nich produktów przemiany materii oraz na przenoszeniu związków biologicznie aktywnych, np. hormonów z gruczołów wewnętrznego wydzielania do narządów. Czynności obronne krwi umożliwiają wykrywanie czynników szkodliwych (bakterii i ich jadów, wirusów, niektórych trucizn) i ich unieszkodliwianie.

Elementy morfotyczne krwi

Elementy morfotyczne krwi (komórki krwi) są zawieszone w osoczu i mają większy niż osocze ciężar właściwy, dzięki czemu we krwi pobranej do probówki zawierającej środek przeciwkrzepliwy (np. cytrynian sodu) opadają na dno naczynia. Szybkość opadania krwinek zależy także od właściwości fizykochemicznych osocza i jest przyspieszona w niektórych chorobach (np. zapalnych, nowotworowych).

Objętość elementów morfotycznych w stosunku do ogólnej objętości krwi nazywana jest hematokrytem albo liczbą (wskaźnikiem) hematokrytową. Wynosi ona średnio 42% u mężczyzn i 38% u kobiet, jest niższa w niedokrwistościach, wyższa w stanach odwodnienia. Hematokryt decyduje o lepkości krwi, która normalnie jest 3–4 razy większa od lepkości wody.

Elementy morfotyczne krwi są wytwarzane w narządach krwiotwórczych, głównie w szpiku kostnym, a także w śledzionie, węzłach chłonnych i układzie siateczkowo-śródbłonkowym. Proces ten, zwany hemopoezą (hematopoezą), odbywa się przez całe życie człowieka, ponieważ stale nowo powstające składniki zastępują składniki ulegające rozpadowi i niszczeniu. Hemopoeza obejmuje erytropoezę, czyli wytwarzanie krwinek czerwonych, leukopoezę, tj. wytwarzanie krwinek białych, oraz trombopoezę – wytwarzanie płytek krwi. Zob. też Powstawanie komórek krwi, s. 840.

Krwinki czerwone, czyli **erytrocyty**, są najliczniejszym składnikiem spośród

Prawidłowe wartości niektórych składników krwi u dzieci i dorosłych

Składniki krwi	Noworodek	1 rok	7 lat	Dorośli	
				mężczyźni	kobiety
Hemoglobina (g/100 ml)	20,0	11,9	12,5	15	14
Krwinki czerwone (mln/mm^3)	5,6	4,6	4,9	5,1	4,4
Wskaźnik hematokrytowy (%)	60	35	37	40–54	37–47
Krwinki białe (tys./mm^3)	20	9,5	8,2	4–10	
Granulocyty obojętnochłonne (%)	62	38	52	58–66	
kwasochłonne (%)	2–4				
zasadochłonne (%)	0–0,5				
Limfocyty (%)	25	55	43	20–45	
Monocyty (%)	10	5	6	4–8	
Płytki krwi (tys./mm^3)	180	250	270	200–300	
Białko osocza (g/100 ml)	6,6	5,8	6,1	7–8	

elementów morfotycznych krwi – w 1 mm^3 jest ich przeciętnie 4–5 mln. Są to komórki w kształcie dysków, wklęsłych po obu stronach, średnicy ok. 7 μm, nie mające jądra. Duża zdolność odkształcania umożliwia im przeciskanie się przez wąskie naczynia włosowate. Głównym składnikiem krwinek czerwonych jest h e m o g l o b i n a, nadająca krwi czerwone zabarwienie. Maksymalna ilość hemoglobiny, jaką mogą magazynować krwinki, wynosi 34 g/100 ml krwinek, co przy normalnym h e m a t o k r y c i e wynosi 15 g hemoglobiny w 100 ml krwi u mężczyzn i 14 g/100 ml krwi u kobiet.

Hemoglobina. Podstawowym składnikiem krwinek czerwonych, odgrywającym kluczową rolę w transporcie tlenu jest hemoglobina. Jest ona syntetyzowana w proerytroblastach, erytroblastach i retikulocytach. Cząsteczka hemoglobiny składa się z 4 podjednostek zbudowanych z części hemowej i globinowej. Pierwszym etapem tworzenia części hemowej jest powstanie grupy pirolowej. Następnie 4 grupy pirolowe tworzą protoporfirynę. Jedna z protoporfiryn (IX) łączy się z jonem żelaza tworząc cząsteczkę hemu, który po połączeniu z polipeptydowym łańcuchem globiny tworzy podjednostkę hemoglobiny. Cząsteczka tlenu zostaje przyłączona do jednego z sześciu wiązań koordynacyjnych atomu żelaza tworząc luźne połączenie, które może łatwo opuścić w otoczeniu o odpowiednio niskim ciśnieniu parcjalnym tlenu. Istnieją różne odmiany Hb o różnym powinowactwie do tlenu. U dorosłego człowieka najczęściej występuje Hb A. U płodu występuje tzw. h e m o g l o b i n a p ł o d o w a, która odznacza się większym o 20–30% powinowactwem do tlenu. Jej stężenie we krwi jest również większe o 50%. Dzięki temu pojemność tlenowa krwi płodu jest znacznie większa.

Każda cząsteczka hemu ma zdolność przyłączania jednej cząsteczki tlenu (O_2). Proces ten zachodzi w płucach i w jego wyniku powstaje utlenowana hemoglobina, zwana oksyhemoglobiną (HbO_2). Połączenie to nie jest trwałe. Gdy krew przepływa przez tkanki organizmu, tlen odłącza się od oksyhemoglobiny, przyłącza się natomiast do hemoglobiny dwutlenek węgla (CO_2), w wyniku czego powstaje karbaminohemoglobina ($HbCO_2$), która wraz z krwią dostaje się do płuc. W płucach CO_2 odłącza się od karbaminohemoglobiny i przechodzi do pęcherzyków płucnych. Hemoglobina przenosi z tkanek organizmu do płuc ok. 10% powstającego w tkankach dwutlenku węgla, natomiast cały tlen z płuc do tkanek.

Hemoglobina jest jedynym transporterem tlenu w organizmie. Każdy jej gram przy pełnym wysyceniu tlenem wiąże 1,34 ml tlenu, z czego wynika, że litr krwi utlenowanej (tętniczej) zawiera ok. 200 ml tlenu, zaś krwi żylnej – 150 ml. Od stopnia wysycenia hemoglobiny tlenem zależy barwa krwi: krew tętnicza zawierająca więcej tlenu jest jasna, natomiast żylna – ciemniejsza.

Powstawanie krwinek czerwonych. Proces ten nosi nazwę erytropoezy. Krwinki czerwone powstają w szpiku kostnym, głównie mostka, żeber, kręgów i kości miednicy, z komórek zwanych proerytroblastami, a te ostatnie pochodzą z tzw. komórek pnia, uważanych za komórki macierzyste krwinek czerwonych i białych (zob. rys. na s. 841).

Krwinki czerwone powstają w drodze wieloetapowego procesu. Z proerytroblastu powstaje erytroblast zasadochłonny (tj. posiadający w cytoplazmie dużo kwasu rybonukleinowego chłonącego barwniki zasadowe), który przekształca się kolejno w erytroblast wielobarwliwy, tj. polichromatofilny (barwiący się barwnikami zasadowymi i kwaśnymi), i erytroblast kwasochłonny. Wszystkie te komórki mają jądra i są zdolne do podziałów komórkowych. Erytroblast kwasochłonny w dalszym etapie rozwoju wydala jądro i przekształca się w retikulocyt – niedojrzałą krwinkę czerwoną z delikatną siateczką w protoplazmie jako pozostałość po jądrze. Z retikulocytu powstaje ostatecznie erytrocyt, czyli dojrzała krwinka czerwona. Wszystkie etapy przebiegają w ciągu ok. 100 godz.

W normalnych warunkach, wskutek działania mechanizmu zwanego zaporą szpikową, komórki jądrzaste (proerytroblasty i erytroblasty) nie przedostają się do krwi krążącej. Przechodzą do niej tylko dojrzałe erytrocyty i niewielka liczba retikulocytów (0,5–1,5% wszystkich krwinek czerwonych). Czas życia krwinki czerwonej wynosi ok. 120 dni. Ponieważ liczba erytrocytów we krwi jest względnie stała, procesy ich wytwarzania i rozpadu muszą być sterowane przez precyzyjnie działające mechanizmy regulacyjne. Jeden z tych mechanizmów – stosunkowo najlepiej poznany – opiera się na działaniu erytropoetyny – substancji pobudzającej powstawanie proerytroblastów z komórek pnia.

Erytropoetyna jest glikopeptydem wytwarzanym głównie w nerkach (w komórkach śródmiąższowych, w komórkach mezangialnych kłębuszków i w komórkach kanalików nerkowych). Ponadto jest ona wytwarzana w komórkach siateczkowo-śródbłonkowych (głównie w wątrobie). Podstawowym bodźcem do wydzielania erytropoetyny jest obniżenie ciśnienia parcjalnego tlenu. Ponadto jej wydzielanie pobudzane jest przez noradrenalinę, adrenalinę i prostaglandyny. Erytropoetyna pobudza wytwarzanie proerytroblastów z komórek macierzystych pnia w szpiku kostnym oraz przyspiesza przebieg kolejnych etapów erytropoezy. Pewne ilości erytropoetyny są stale wytwarzane i działając na szpik kostny stymulują proces tworzenia się krwinek czerwonych. Do zwiększonej produkcji erytropoetyny, a tym samym zwiększonej erytropoezy dochodzi w warunkach niedotlenienia (np. u osób przebywających na dużych wysokościach), po krwotokach itp. Gdy jednak człowiek ponownie znajdzie się w atmosferze o normalnej zawartości tlenu albo gdy ubytek krwi spowodowany krwotokiem zostanie wyrównany, produkcja erytropoetyny zostaje zahamowana aż do czasu ustalenia się liczby erytrocytów na odpowiednim poziomie.

Do prawidłowej produkcji krwinek czerwonych niezbędne są, oprócz odpowiednich składników budulcowych, hormony, witaminy, enzymy i żelazo. Wśród tych czynników szczególną rolę odgrywa żelazo i witamina B_{12}.

Żelazo. Około 55% żelaza zawartego w organizmie wchodzi w skład hemoglobiny i odgrywa podstawową rolę w wiązaniu tlenu. Żelazo, pobrane w pokarmach, wchłania się w jelicie cienkim. W osoczu żelazo łączy się z β-globuliną (apotransferyną) tworząc transferynę, od której może być łatwo odłączone. Transferyna wiązana jest przez receptory na powierzchni erytroblastów i razem z żelazem przechodzi do wnętrza komórki. Hemoglobina uwolniona ze zniszczonych krwinek czerwonych ulega strawieniu przez makrofagi, a uwolnione żelazo może być ponownie wykorzystane do syntezy hemoglobiny w proerytroblastach. Nadmiar żelaza odkładany jest w komórkach w luźnym połączeniu z białkiem apoferrytyną tworząc ferrytynę. Jeżeli zdolności wiązania żelaza przez apoferrytynę zostaną przekroczone, zaczyna być ono odkładane pod postacią hemosyderyny. Hemoglobina pochodząca z rozpadłych krwinek czerwonych zostaje wychwytana przez komórki układu siateczkowo-śródbłonkowego, zaś zawarte w niej żelazo albo wchodzi w skład nowo tworzonych cząsteczek hemoglobiny, albo jest magazynowane w wątrobie w postaci ferrytyny. Ferrytyna stanowi rezerwuar, z którego organizm może czerpać, w razie potrzeby, żelazo do syntezy barwnika krwi. Pewną ilość żelaza (0,6 mg/dobę) organizm traci z kałem, a u kobiet także z krwią miesiączkową (0,7 mg/dobę). Ubytek ten musi być uzupełniony przez żelazo zawarte w pokarmach.

Proces erytropoezy regulowany jest także przez witaminę B_{12} i kwas foliowy. Oba te związki są niezbędne do syntezy kwasów nukleinowych.

Witamina B_{12} jest niezbędna do syntezy kwasów nukleinowych i jej niedobór powoduje zahamowanie wzrostu wszystkich tkanek. Brak witaminy B_{12} odbija się niekorzystnie na dojrzewaniu krwinek czerwonych, których powstawanie jest, w normalnych warunkach, szczególnie intensywne.

W wyniku niedoboru witaminy B_{12} zahamowany zostaje rozwój erytroblastów, a te, które powstają, osiągają większe rozmiary, przez co nazwano je megaloblastami. Także dojrzałe erytrocyty, zwane w tych przypadkach makrocytami, są większe od normalnych krwinek. Makrocyty zawierają więcej hemoglobiny, ale są mniej odporne na czynniki mechaniczne i chemiczne i okres ich życia jest krótszy.

Niedobór witaminy B_{12} najczęściej wiąże się z zaburzeniami jej wchłaniania w przewodzie pokarmowym. Normalnie witamina B_{12} łączy się w przewodzie pokarmowym z tzw. czynnikiem wewnętrznym, wytwarzanym przez błonę śluzową żołądka, i w tym połączeniu wchłania się do krwi w jelicie cienkim. Brak czynnika wewnętrznego uniemożliwia przyswajanie tej witaminy przez organizm i prowadzi do niedokrwistości Addisona-Biermera, zwanej dawniej niedokrwistością złośliwą (zob. Choroby krwi i układu krwiotwórczego, s. 840).

Kwas foliowy zawarty jest w owocach, zielonych warzywach, mięsie i wątrobie. Podobnie jak witamina B_{12} jest on niezbędny do prawidłowego dojrzewania krwinek czerwonych. Niedobór kwasu foliowego jest najczęściej spowodowany zaburzeniami wchłaniania z przewodu pokarmowego.

Krwinki białe, czyli **leukocyty**, dzieli się na granulocyty, monocyty i limfocyty. Krwinki te biorą udział w czynnościach odpornościowych organizmu.

Granulocyty stanowią 60–80% wszystkich krwinek białych. W ich cytoplazmie występują ziarnistości o różnym powinowactwie do barwników kwaśnych i zasadowych. Granulocyty barwiące się barwnikami kwaśnymi i zasadowymi noszą nazwę obojętnochłonnych (55–75% krwinek białych), barwiące się barwnikami kwaśnymi – kwasochłonnych (1–5% wszystkich krwinek białych), a barwiące się barwnikami zasadowymi – zasadochłonnych (1%). Wszystkie granulocyty pochodzą z mieloblastu powstającego z komórki pnia. W toku dojrzewania mieloblast przekształca się w promielocyt, który w wyniku dalszego rozwoju różnicuje się w mielocyty obojętnochłonne, kwasochłonne i zasadochłonne, a te, dojrzewając, przekształcają się w granulocyty. Dojrzewające granulocyty różnią się wyglądem jądra, u młodszych jądro jest pałeczkowate, u starszych – segmentowane. Nie wszystkie granulocyty wytworzone w szpiku kostnym przechodzą do krwi – znaczna ich liczba pozostaje w pulach rezerwowych, skąd w razie potrzeby zostaje uruchomiona. Wzrasta wówczas liczba leukocytów we krwi obwodowej – występuje tzw. leukocytoza. Na przykład po spożyciu posiłku dochodzi do leukocytozy trawiennej. Znaczna leukocytoza towarzyszy stanom zapalnym.

Granulocyty obojętnochłonne – neutrofile – odgrywają ważną rolę w mechanizmach odpornościowych, ponieważ mają zdolność pożerania (fagocytozy) bakterii i zużytych komórek. Funkcje swoje pełnią zarówno znajdując się w naczyniach krwionośnych, jak też po wyjściu z nich, kiedy to przechodzą do tkanek i gromadzą się w ogniskach zapalnych.

Liczba granulocytów kwasochłonnych – eozynofilów – we krwi wzrasta w stanach uczuleniowych (alergicznych). Zjawisko to nosi nazwę eozynofilii. W stanach tych uwalniają się w tkankach znaczne ilości histaminy. Dzięki działaniu przeciwhistaminowemu eozynofile niwelują szkodliwe działanie tego związku na komórki.

G r a n u l o c y t y z a s a d o c h ł o n n e – b a z o f i l e – wydzielają heparynę, związek przeciwdziałający krzepnięciu krwi. Zapobiega to tworzeniu się zakrzepów, zwłaszcza wokół ognisk zapalnych.

M o n o c y t y znajdujące się we krwi są zaliczane do m a k r o f a g ó w ruchomych. Są one zdolne do rozmnażania się, przez co odgrywają ważną rolę w gojeniu się ran (tworzenie ziarniny). Wytwarzane są w szpiku kostnym, a następnie przechodzą do krwi, w której krążą 10–20 godzin, po czym przenikają przez ścianę naczyń do tkanek. W tkankach monocyty przekształcają się w makrofagi. Przekształcenie związane jest ze znacznym zwiększeniem objętości komórki i wytworzeniem znacznej liczby lizosomów i innych struktur wewnątrzkomórkowych.

Monocyty pożerają, czyli fagocytują drobne cząsteczki ciał obcych i zagęszczają je w wodniczkach w swojej cytoplazmie. Po rozpadzie monocytów cząsteczki te są nagromadzone w dużym skupieniu, co ułatwia limfocytom B wytwarzanie odpowiednich przeciwciał. Ważną właściwością monocytów jest zdolność wytwarzania i n t e r f e r o n u – związku o działaniu przeciwwirusowym. Interferon, powstały w monocytach pod wpływem wirusa, wydostaje się z nich i hamuje rozwój wirusa w innych komórkach.

L i m f o c y t y. Rozróżnia się dwa rodzaje tych białych ciałek krwi: limfocyty T i B. Pierwsze mają zdolność wykrywania i unieszkodliwiania czynników obcych dla organizmu, stanowią więc ważne ogniwo w mechanizmach tzw. o d p o r n o ś c i k o m ó r k o w e j. Limfocyty B wytwarzają białka zwane i m m u n o g l o b u l i n a m i, które pełnią funkcję s p e c y f i c z n y c h p r z e c i w c i a ł. Limfocyty B uczestniczą w procesach tzw. o d p o r n o ś c i h u m o r a l n e j.

Płytki krwi, czyli **trombocyty**, są tworami bezjądrzastymi, o intensywnych procesach przemiany materii. Mają one zdolność a d h e z j i, czyli przylegania do ścian uszkodzonego naczynia krwionośnego, i a g r e g a c j i, czyli wzajemnego przylegania do siebie i tworzenia większych skupisk. Zlepione płytki krwi wydzielają wiele związków chemicznych o różnym sposobie działania, m.in. czynniki uczestniczące w mechanizmie krzepnięcia krwi.

Udział krwinek białych w procesach obronnych. W niszczeniu bakterii, wirusów i innych uszkadzających czynników najważniejszą rolę odgrywają neutrofile i powstające z monocytów makrofagi. N e u t r o f i l e działają zarówno we krwi, jak i w tkankach, m a k r o f a g i natomiast jedynie w tkankach. Krążące we krwi monocyty mają niewielkie właściwości żerne. Po przedostaniu się do tkanek na drodze d i a p e d e z y ulegają przekształceniu morfologicznemu i czynnościowemu w pełni kompetentne makrofagi. Zdolność diapedezy posiadają również neutrofile. Zarówno neutrofile, jak i makrofagi mogą poruszać się w tkankach ruchem ameboidalnym. Do miejsca gdzie toczy się proces zapalny zostają one przyciągnięte na drodze c h e m o t a k s j i przez toksyny bakteryjne, produkty procesu krzepnięcia oraz składniki komplementu. Makrofagi tkankowe aktywowane są bardzo szybko przez proces zapalny i stanowią pierwszą linię obrony. Neutrofile stanowią drugą linię obrony, ich potencjalne właściwości obronne są jednak większe, ponieważ podczas procesu zapalnego ich liczba znacznie wzrasta (4–5 razy). Trzecią linię obrony, która staje się w pełni efektywna w ciągu kilku dni, tworzą makrofagi powstające z monocytów, a czwartą linię stanowi zwiększone wytwarzanie przez szpik nowych monocytów i leukocytów obojętnochłonnych. Proces ten umożliwia zwiększoną produkcję krwinek białych w ciągu wielu miesięcy a nawet lat.

Proces tworzenia monocytów i leukocytów obojętnochłonnych jest regulowany przez czynniki wzrostowe, wydzielane głównie przez makrofagi. Najważniejszą rolę spośród nich odgrywają: czynnik nekrotyczny guzów (TNF), interleukina-1 i trzy czynniki pobudzające wzrost kolonii: a) granulocytów i monocytów (GM–CSF), b) granulocytów (G–CSF) i c) monocytów (M–CSF).

Niszczenie lub usuwanie niepożądanych cząsteczek przez neutrofile i makrofagi odbywa się na drodze f a g o c y t o z y. Proces ten polega na przyłączeniu się komórki fagocytującej do cząsteczki, otoczeniu jej pseudopodiami i utworzeniu w obrębie komórki pęcherzyka fagocytarnego (fagosomu). Leukocyty mogą pochłonąć w ten sposób 5–20 bakterii, a makrofagi 100 bakterii. Następnie błona pęcherzyków fagocytarnych ulega zlaniu się (fuzji) z błoną lizosomów, a ich zawartość zostaje strawiona przy współudziale enzymów proteolitycznych znajdujących się w lizosomach. Lizosomy uwalniają także substancje utleniające o silnych właściwościach bakteriobójczych. Należą do nich wolne rodniki tlenu: supertlenek, nadtlenek wodoru i rodnik hydroksylowy oraz lizozym.

Niektóre makrofagi zostają unieruchomione w szpiku kostnym, śledzionie i węzłach limfatycznych. W połączeniu z wyspecjalizowanymi komórkami śródbłonka, monocytami i ruchomymi makrofagami tworzą układ siateczkowo-śródbłonkowy. Szczególnie dużo makrofagów znajduje się w węzłach chłonnych. Niszczą one cząsteczki, które z płynu tkankowego przedostały się do naczyń limfatycznych, zapobiegając ich rozprzestrzenieniu się w większych obszarach. W wątrobie makrofagi występują w postaci komórek Kupfera, niszczących niepożądane cząsteczki, które z przewodu pokarmowego przedostały się drogą żyły wrotnej do zatok wątrobowych. W płucach rolę bariery tworzą makrofagi otaczające pęcherzyki płucne. Fagocytują one bakterie i cząsteczki zanieczyszczeń, które przedostały się do płuc podczas oddychania. Makrofagi występujące w skórze i tkance podskórnej, nazywane h i s t i o c y t a m i, zapobiegają rozprzestrzenieniu się infekcji poza tkankę podskórną. Mikroorganizmy, które przedostały się do krwi mogą być zniszczone przez makrofagi szpiku i śledziony.

Udział krwinek białych w procesach immunologicznych. Zasadniczą rolę w procesach immunologicznych warunkujących istnienie odporności nabytej odgrywają limfocyty B i T. W życiu embrionalnym oba rodzaje limfocytów wywodzą się z tych samych komórek macierzystych pnia. Część limfocytów wędruje następnie do grasicy, gdzie ulega przetworzeniu w limfocyty T, których właściwości funkcjonalne umożliwiają udział w odporności komórkowej. Proces ten ma miejsce w ostatnim okresie życia płodowego i wkrótce po urodzeniu. Limfocyty B, odgrywające rolę w odporności humoralnej, nabierają tych właściwości w okresie życia płodowego w szpiku i wątrobie, a po urodzeniu w szpiku. Zarówno limfocyty B, jak i T po nabyciu swych kompetencji zostają osadzone w węzłach limfatycznych. Obie populacje limfocytów wykazują bardzo duże zróżnicowanie swych właściwości, tzn. poszczególne limfocyty (klony) B i T wytwarzają ściśle określone przeciwciała i komórki T w odpowiedzi na specyficzny antygen, który wiązany jest przez receptory na powierzchni komórek. Umożliwia to powstanie specyficznych odpowiedzi obronnych w stosunku do bardzo dużej liczby antygenów. Limfocyty zaaktywowane przez specyficzny antygen ulegają gwałtownemu namnożeniu. Nowe limfocyty B przenoszone są do innych części układu limfatycznego, gdzie przechowywane są jako komórki pamięci do następnej aktywacji przez specyficzny antygen. Każda następna aktywacja powoduje bardziej nasiloną odpowiedź niż poprzednia, ze względu na obecność coraz większej liczby komórek pamięci. Zaaktywowane przez antygen limfocyty T ulegają proliferacji i uwalniają dużą liczbę komórek T, które krążą wielokrotnie między układem limfatycznym, tkankami i układem krwionośnym. Jednocześnie powstają również komórki pamięci T. W aktywacji limfocytów bardzo ważną rolę odgrywa zjawisko kooperacji między krwinkami białymi. Makrofagi wydzielają interleukinę-1, która aktywuje oba typy limfocytów, z kolei część komórek T nazywana pomocniczymi wytwarza limfokiny aktywujące komórki B. Po zetknięciu się z antygenem limfocyty ulegają powiększeniu i przekształcają się w limfoblasty. Niektóre z limfoblastów ulegają dalszemu przekształceniu w plazmoblasty, a następnie w komórki plazmatyczne, które wytwarzają przeciwciała o budowie gamma-globulin.

Wśród komórek T wyróżnia się komórki pomocnicze, cytotoksyczne i supresorowe. Komórki pomocnicze (*helper*) wydzielają substancje regulujące funkcję innych komórek układu immunologicznego i komórek szpiku, nazywane limfokinami. Należą do nich: interleukiny (1–6), interferon gamma i GM–CSF. Substancje te, a zwłaszcza interleukina-2 wywierają silny wpływ pobudzający wzrost i proliferacje supresorowych i cytotoksycznych komórek T. Między interleukiną-2 a komórkami pomocniczymi istnieje sprzężenie zwrotne dodatnie, tzn. wydzielana przez komórki pomocnicze interleukina-2 wywiera na nie działanie pobudzające. Wszystkie interleukiny, a szczególnie 4, 5 i 6, pobudzają wzrost i proliferację oraz produkcję przeciwciał przez komórki B. Limfokiny regulują również migrację limfocytów i zwiększają ich zdolności fagocytarne. Inaktywacja i niszczenie komórek T w zespole AIDS jest przyczyną obniżenia odporności.

Komórki cytotoksyczne, nazywane też zabójcami (*killer*) mają zdolność bezpośredniego niszczenia obcych komórek, zawierających specyficzny antygen, z którymi łączą się za pośrednictwem receptorów. Posiadają one zdolność perforacji błony komórkowej obcej komórki za pośrednictwem wyspecjalizowanych białek nazywanych perforynami i uwalniania do wnętrza zaatakowanej komórki substancji toksycznych.

Komórki supresorowe hamują aktywność komórek pomocniczych i cytotoksycznych, zapobiegając nadmiernej odpowiedzi immunologicznej.

Osocze

Osocze jest płynną częścią krwi, zawierającą 91–92% wody. Wśród substancji stałych głównym składnikiem są białka: albuminy, globuliny i fibrynogen. Albuminy mają za zadanie utrzymywanie wody w naczyniach krwionośnych poprzez wywieranie tzw. ciśnienia onkotycznego (koloido-osmotycznego). Obniżenie stężenia białka we krwi, a przede wszystkim albumin, prowadzi do przechodzenia nadmiernych ilości wody z krwi do tkanek i do obrzęku.

Globuliny tworzą trzy frakcje: alfa, beta i gamma. Pierwsze dwie zawierają białka przenoszące żelazo, miedź, hormony itp. We frakcji beta znajdują się m.in. enzymy krwi. Frakcja gamma-globulin zawiera przede wszystkim ciała odpornościowe (przeciwciała), stąd też na podstawie stężenia gamma-globulin w osoczu ocenia się stan odporności ustroju.

Fibrynogen jest wytwarzany przez komórki układu siateczkowo-śródbłonkowego w wątrobie. Odgrywa ważną rolę w procesie krzepnięcia krwi, ponieważ pod wpływem odpowiednich czynników powstają z niego nitki fibryny, czyli włóknika.

Krzepnięcie krwi

Krew krążąca w układzie naczyniowym jest w stanie płynnym, natomiast ta, która wydostaje się z naczynia, krzepnie. Krzepnięcie krwi jest częścią tzw. hemostazy, czyli zespołu procesów zapobiegających wypływowi krwi w przypadku zranienia i uszkodzenia naczyń krwionośnych. Kolejnymi etapami hemostazy są: reakcja naczyniowa, powstanie skrzepu i rozpuszczenie włóknika, czyli fibrynoliza.

Czynniki krzepnięcia krwi

Czynniki	Inne nazwy
I	fibrynogen
II	protrombina
III	tromboplastyna tkankowa (czynnik tkankowy)
IV	wapń
V	proakceleryna, globulina Ac (Ac–G)
VII	prokonwertyna, przyspieszacz konwersji protrombiny (SPCA)
VIII	czynnik antyhemofilowy A
IX	komponent tromboplastynowy osocza, czynnik antyhemofilowy B, czynnik Christmasa
X	czynnik Stuarta
XI	czynnik antyhemofilowy C, prekursor tromboplastyny osoczowej (PTA)
XII	czynnik Hagemana
XIII	czynnik stabilizujący fibrynę
Prekalikreina	czynnik Fletchera
Kininogen	czynnik Fitzgeralda

R e a k c j a n a c z y n i o w a rozpoczyna się odruchowym zwężeniem uszkodzonego naczynia krwionośnego. W niewielkich naczyniach ogranicza to skutecznie przepływ krwi i zmniejsza krwawienie. Niemal natychmiast w miejscu uszkodzenia skupiają się płytki krwi (agregacja) i przylegają do odsłoniętej tkanki pozanaczyniowej (adhezja). Z płytek uwalniają się wówczas takie substancje, jak serotonina i aminy katecholowe, które kurczą uszkodzone naczynie i zapobiegają wypływaniu krwi. Uwalniają się także tzw. czynniki płytkowe, inicjujące proces krzepnięcia krwi.

S k r z e p powstaje w wyniku procesu chemicznego, w którym białko osocza, fibrynogen, przekształca się w fibrynę (włóknik). Dzięki włóknistej strukturze fibryny skrzep skutecznie zatyka uszkodzone miejsce i tamuje wypływ krwi. W skomplikowanym procesie krzepnięcia krwi uczestniczy kilkanaście czynników oznaczanych zwykle liczbami rzymskimi (tab. na s. 163). Rozróżnia się w nim trzy fazy: 1) wytworzenie aktywnego czynnika X (dziesiątego), 2) wytworzenie trombiny i 3) powstanie włóknika.

Proces krzepnięcia może być zapoczątkowany przez czynniki wewnętrzne i czynniki zewnętrzne. W pierwszym wypadku krzepnięcie zachodzi wewnątrznaczyniowo, w drugim natomiast ma miejsce przy uszkodzeniu naczyń lub we krwi wynaczynionej.

W u k ł a d z i e z e w n ę t r z n y m proces krzepnięcia przebiega w sposób następujący. W wyniku uszkodzenia tkanek dochodzi do uwolnienia tromboplastyny tkankowej, w skład której wchodzą fosfolipidy i kompleks lipoproteinowy zawierający enzymy proteolityczne. Kompleks ten łączy się z czynnikiem VII, a następnie w obecności wapnia i fosfolipidów przekształca czynnik X w aktywny czynnik X. Aktywny czynnik X razem z lipidami i czynnikiem V tworzy aktywator protrombiny, który przekształca protrombinę w trombinę. Powstająca trombina aktywuje czynnik V, który znacznie przyspiesza tempo przekształcania protrombiny w trombinę, działając jako wzmacniacz tej reakcji.

W u k ł a d z i e w e w n ę t r z n y m zapoczątkowanie procesu krzepnięcia spowodowane jest uszkodzeniem ściany naczynia. W wyniku zetknięcia się z uszkodzoną ścianą naczynia czynnik XII ulega przekształceniu w aktywny czynnik XII. Jednocześnie uszkodzone płytki uwalniają lipoproteinę nazywaną czynnikiem płytkowym 3. Aktywny czynnik XII w obecności kininogenu aktywuje czynnik XI. Reakcja ta zachodzi szybciej w obecności prekalikreiny. Aktywny czynnik XI w obecności wapnia aktywuje czynnik IX, a ten z kolei wspólnie z czynnikiem VIII, płytkowym czynnikiem 3, fosfolipidem i wapniem aktywują czynnik X. Aktywny czynnik X w połączeniu z czynnikiem V, fosfolipidami i wapniem tworzą aktywator protrombiny. Dalej proces przebiega tak, jak w układzie zewnętrznym.

Tworzeniu się skrzepu w nie uszkodzonym naczyniu zapobiega kilka mechanizmów. Wśród nich należy wyróżnić obecność trombomoduliny i glikolaksu na powierzchni ściany naczynia oraz czynniki antykoagulujące. T r o m b o m o d u l i n a jest białkiem wiążącym trombinę w kompleks aktywujący białko C osocza. Białko to przekształca aktywne czynniki V i VIII w postać nieaktywną. G l i k o l a k s jest mukopolisacharydem, który zapobiega osadzeniu się płytek i czynników krzepnięcia na powierzchni śródbłonka. Ważną rolę w zapobieganiu krzepnięciu odgrywa gładkość powierzchni ściany naczynia. Do czynników antykoagulacyjnych należy antytrombina III, która wiąże trombinę III i zapobiega jej działaniu na fibrynogen. Działanie to jest bardzo znacznie potęgowane przez heparynę – ujemnie naładowany mukopolisacharyd, tworzący kompleks z antytrombiną III i czynnikami IX, X, XI i XII. Heparyna wytwarzana jest w komórkach tucznych tkanki łącznej, otaczającej naczynia. Czynniki krzepnięcia są wiązane również przez alfa2-makroglobulinę.

Fibrynoliza jest ostatnim etapem hemostazy. Polega ona na rozpuszczeniu i stopniowej likwidacji skrzepu w miarę gojenia się rany. Ten złożony proces odbywa się pod wpływem enzymu plazminy, powstającej z białka osocza plazminogenu.

Krew krzepnie także po pobraniu z organizmu do probówki, jeśli nie zostanie do niej dodany środek hamujący krzepnięcie. Po powstaniu i retrakcji skrzepu oddziela się wówczas płyn, nazywany surowicą krwi.

Ocenę układu krzepnięcia krwi przeprowadza się na podstawie różnych testów. Do stosunkowo prostych należy pomiar czasu krwawienia i czasu krzepnięcia. Pierwszy polega na ustaleniu czasu wypływu krwi z nakłutego palca lub płatka usznego. Normalnie krwawienie ustaje po 3–6 min. W drugiej metodzie pobiera się krew z żyły do probówki, a następnie przechyla się probówkę co 30 s aż do stwierdzenia powstania skrzepu, co następuje u osób zdrowych po 5–8 min.

Grupy krwi

W krwinkach, zwłaszcza na ich powierzchni, znajdują się ciała chemiczne, które występują tylko u pewnego odsetka ludzi, niekiedy u ograniczonych populacji czy nawet rodzin. Ciała te mają przeważnie budowę białkową, a niektóre z nich są silnymi antygenami, tzn. wprowadzone do krwi osoby, która ich nie ma, powodują powstanie skierowanych przeciwko nim przeciwciał. Ponieważ antygeny te występują tylko u niektórych ludzi, wyodrębniono na tej podstawie tzw. grupy krwi.

Dotychczas wykryto kilkadziesiąt antygenów. Niektóre z nich mają duże znaczenie praktyczne, ponieważ na ich podstawie przetacza się krew. Zalicza się do nich dwa układy grupowe: AB0 i Rh.

Układ AB0

Układ grupowy AB0 oznacza, że na powierzchni krwinek czerwonych mogą występować antygeny oznaczone literami A i B. Obecność obu tych antygenów pozwala zaliczyć krew do grupy AB, ich brak do grupy 0, zaś obecność tylko jednego antygenu – do grupy A lub do grupy B. Oba antygeny A i B nie są jednorodne i mogą występować w kilku podtypach, co pozwala wyodrębnić w obrębie odpowiedniej grupy, zwłaszcza w grupie A, szereg podgrup.

Grupy krwi cechuje nie tylko występowanie określonego antygenu w krwinkach, lecz także obecność lub brak określonych przeciwciał w osoczu krwi. Z reguły obecność antygenu A lub B wyklucza obecność skierowanych przeciw niemu przeciwciał, zaś jego brak idzie w parze z występowaniem w osoczu specyficznego przeciwciała. Tak więc u osoby z grupą krwi 0 w krwinkach nie występuje żaden z antygenów A lub B, natomiast w osoczu znajdują się przeciwciała skierowane przeciw obu antygenom. U osoby z grupą krwi AB występują oba antygeny, zaś w osoczu brak jest skierowanych przeciwko nim przeciwciał. Z kolei u osoby z grupą krwi A obecny jest antygen A i przeciwciała anty-B, zaś z grupą B – antygen B i przeciwciała anty-A.

Grupa krwi	Możliwe genotypy	Antygeny (aglutynogeny)	Aglutyniny (izoprzeciwciała)
0	00	nie ma	anty-A anty-B
A	A0 i AA	A	anty-B
B	B0 i BB	B	anty-A
AB	AB	A i B	nie ma

Zmieszanie w probówce krwi pobranej od dwóch osób, z których jedna ma grupę A, a druga grupę B, powoduje tzw. aglutynację, czyli zlepianie się normalnie występujących pojedynczo krwinek. Jest to związane z tym, że obecne w osoczu przeciwciała łączą się z antygenami na powierzchni obcych krwinek (przeciwciało anty-A z antygenem A, przeciwciało anty-B z antygenem B) w taki sposób, że cząsteczki antygenu na różnych krwinkach mogą wiązać się z różnymi miejscami tej samej cząsteczki przeciwciała. W związku ze zjawiskiem aglutynacji krwinek antygeny A i B zostały nazwane aglutynogenami, a skierowane przeciwko nim przeciwciała – aglutyninami (nazywanymi też izoprzeciwciałami). Aby uniknąć aglutynacji krwinek i ich hemolizy (rozpadu) w organizmie biorcy przy przetaczaniu krwi, musi być przestrzegana zasada, że osobie mającej w osoczu daną aglutyninę (anty-A lub anty-B) nie wolno wprowadzać obcych krwinek z przeciwstawnym jej aglutynogenem. Wynika z tego, że krew grupy 0 można przetoczyć każdemu biorcy, zaś biorca z grupą A lub B nie może otrzymać krwi od dawcy odpowiednio z grupą B lub A. Z kolei biorcy z grupą AB można przetoczyć krew od dowolnego dawcy.

Samoistne występowanie aglutynin anty-A i anty-B (tzn. bez uprzedniego podania danej osobie odpowiedniego antygenu) nie jest jasne. Przypuszczalnie dzieje się tak na skutek stałego wchłaniania przez organizm człowieka związków chemicznych (obecnych np. w pożywieniu, w bakteriach) o właściwościach antygenowych aglutynogenów A i B. Przemawia za tym brak aglutynin w osoczu krwi noworodków.

Procent ludzi mających jedną z czterech grup krwi nie jest jednakowy w różnych populacjach. Wśród ludności Polski najczęściej występuje grupa 0 (u 50% populacji) i A (u 37% populacji), najrzadziej grupa AB (u ok. 8%). Wśród osób z grupą A ok. 88% ma podgrupę A_1 i ok. 11% podgrupę A_2.

Dziedziczenie grupy krwi odbywa się według praw Mendla (zob. Patologia, s. 297). Allele, czyli geny zlokalizowane w takich samych miejscach chromosomów homologicznych, określające grupę A i B są dominujące wobec allelu determinującego grupę 0. Wynika z tego, że

Dziedziczenie grup krwi układu AB0

Rodzice – Grupa krwi ojca i matki	Kombinacje alleli w genotypie	Dzieci – Możliwe grupy krwi
AxA	AA × AA AA × A0 A0 × A0	A A lub 0 A lub 0
B × B	BB × BB BB × B0 B0 × B0	B B lub 0 B lub 0
A × 0	AA × 00 A0 × 00	A lub 0
B × 0	BB × 00 B0 × 00	B lub 0
A × B	AA × BB AA × B0 A0 × BB A0 × B0	AB A lub AB AB lub B AB, 0, A lub B
A × AB	AA × AB A0 × AB	A lub B A, B lub AB
B × AB	BB × AB B0 × AB	B lub AB A, B lub AB
AB × AB	AB × AB	A, B lub AB
AB × 0	AB × 00	A lub B
0 × 0	00 × 00	0

grupę krwi A mają zarówno osoby homozygotyczne (AA), które odziedziczyły allel grupy A po obojgu rodzicach, jak i heterozygotyczne (A0), które otrzymały ten allel tylko od ojca lub matki. Podobna prawidłowość występuje w dziedziczeniu grupy B. Z kolei grupę krwi 0 mają tylko osoby homozygotyczne (00), a grupę AB – heterozygotyczne (AB). Przedstawione prawidłowości określają możliwe kombinacje dziedziczenia cech grupowych układu AB0, przedstawione w tabeli.

Układ Rh

Zasadnicza różnica między układem grupowym AB0 a układem Rh polega na tym, że w pierwszym układzie zawsze występują w osoczu krwi aglutyniny skierowane przeciw nieobecnemu u danej osoby antygenowi, zaś w układzie Rh takie aglutyniny, początkowo nieobecne, pojawiają się dopiero w odpowiedzi na wprowadzenie odpowiedniego antygenu, np. w wyniku przetoczenia krwi.

W układzie Rh rozróżnia się 6 antygenów: C, c, D, d, E i e. Osoba z antygenem C, D lub E nigdy nie ma antygenu c, d lub e, natomiast przy braku antygenu oznaczonego wielką literą zawsze występuje jego odpowiednik oznaczony literą małą. U większości ludzi (85–100%, zależnie od strefy geograficznej) występuje antygen D. W związku z tym krew o takich właściwościach przyjęto zaliczać do grupy Rh(+), a sam antygen D nazywać czynnikiem Rh. Nazwa ta pochodzi stąd, że czynnik ten wykryto najpierw u małp *Rhesus*. Odpowiednio, brak czynnika Rh (antygenu D) pozwala zaliczyć krew do grupy Rh(–).

Gdy krew grupy Rh(+) zostanie przetoczona osobie z grupą Rh(–), w osoczu biorcy pojawiają się aglutyniny anty-Rh osiągające maksymalne stężenie po 2–4 miesiącach. Ponowne przetoczenie krwi tejże grupy osobie, u której już zostały wytworzone przeciwciała, powoduje aglutynację krwinek. Podobna sytuacja występuje w organizmie płodu, jeśli matka ma grupę krwi Rh(–), a dziecko odziedziczyło po ojcu grupę Rh(+). W organizmie matki powstają wtedy, pod wpływem antygenu obecnego w krwinkach płodu, aglutyniny anty-Rh, ponieważ jednak wzrost ich stężenia jest stosunkowo powolny, nie wywierają one poważniejszego wpływu na płód, który zwykle rodzi się normalnie. Podczas następnej ciąży, gdy płód ma również grupę Rh(+), aglutyniny anty-Rh z krwi matki przechodzą do krwi płodu przez łożysko, co powoduje aglutynację i rozpad, czyli hemolizę krwinek płodu.

V. KRĄŻENIE KRWI

Ogólna charakterystyka krążenia krwi

Układ krążenia jest układem zamkniętym. W jego skład wchodzą naczynia krwionośne, w których płynie krew, oraz serce, które spełnia rolę pompy tłoczącej. Do podstawowych funkcji układu krążenia należy transport i wymiana gazów oddechowych (tlenu i dwutlenku węgla), ciepła, substancji odżywczych i końcowych produktów przemiany materii, a także hormonów. Dzięki swym funkcjom układ krążenia pośredniczy w utrzymywaniu stałego ciśnienia parcjalnego gazów oddechowych oraz równowagi kwasowo-zasadowej, wodno-elektrolitowej, energetycznej i termicznej organizmu, a w bardziej ogólnym ujęciu – zapewnia stałość środowiska wewnętrznego, czyli homeostazę organizmu. Sprawne pełnienie tych funkcji zależy od utrzymania przepływu krwi w tkankach i narządach na poziomie ściśle dostosowanym do ich zapotrzebowania. Zarówno zbyt duży, jak i zbyt mały przepływ krwi przez tkanki prowadzi do wystąpienia zaburzeń w składzie środowiska otaczającego komórki i w konsekwencji do zakłócenia ich czynności.

Przepływ krwi, zarówno w całym układzie krążenia, jak i w poszczególnych tkankach, zależy od dwóch zasadniczych czynników: 1) od różnicy ciśnień (gradientu) stanowiącej tzw. siłę napędową i 2) od oporu, jaki napotyka krew płynąc przez naczynia krwionośne. Wielkość gradientu ciśnień zależy w dużym stopniu od czynności mięśnia sercowego, natomiast opór w naczyniach krwionośnych zależy od właściwości samej krwi, od właściwości fizykochemicznych naczyń w poszczególnych odcinkach układu krążenia oraz od działania na mięśniówkę gładką naczyń czynników, które je rozszerzają lub zwężają. Do czynników tych należą: produkty przemiany materii, ciała humoralne powstające miejscowo w tkankach lub dopływające z krwią oraz przekaźniki (mediatory) autonomicznego układu nerwowego (zob. s. 98) unerwiającego naczynia (czynnik neurogenny).

W całym układzie krążenia „obowiązuje" zasada ciągłości przepływu. Oznacza ona, że w określonym odcinku czasu taka sama objętość krwi ulega przesunięciu przez poszczególne odcinki układu krążenia.

Krążenie duże i małe

Klasyczny podział układu krążenia wyróżnia dwie zasadnicze jego części: krążenie duże, czyli obwodowe, i krążenie małe, czyli płucne (zob. Anatomia, s. 49). Podział ten uwzględnia przede wszystkim różnice w składzie fizykochemicznym krwi płynącej w naczyniach krążenia dużego i małego, wynikające z roli obu tych obiegów w transporcie gazów oddechowych, tj. tlenu i dwutlenku węgla. Podczas każdego skurczu komór serca komora lewa tłoczy krew utlenowaną (tj. o dużej zawartości tlenu i o małej zawartości dwutlenku węgla) za pośrednictwem tętnicy głównej (aorty) do krążenia dużego. Jednocześnie komora prawa tłoczy taką samą objętość krwi odtlenowanej (tj. o małej zawartości tlenu i o dużej zawartości dwutlenku węgla) do krążenia małego (do płuc) za po-

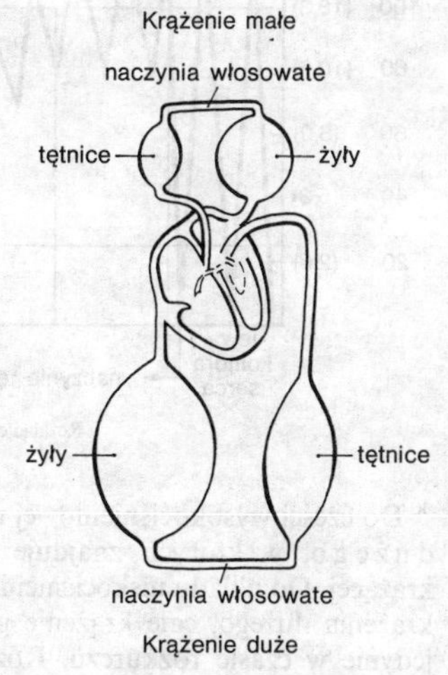

Schemat krążenia dużego i małego

średnictwem tętnicy płucnej. W czasie obiegu przez naczynia krążenia dużego, krew oddaje tlen tkankom i odbiera od nich dwutlenek węgla, a następnie powraca do prawego przedsionka za pośrednictwem żyły głównej górnej i dolnej. W tym samym czasie taka sama objętość krwi przepływając naczyniami krążenia małego pobiera tlen w pęcherzykach płucnych i oddaje dwutlenek węgla. Krew utlenowana wraca żyłami płucnymi do lewego przedsionka.

Krążenie duże i małe różnią się także budową naczyń. Dotyczy to przede wszystkim naczyń tętniczych. W odróżnieniu od naczyń tętniczych krążenia dużego, naczynia krążenia małego są słabo umięśnione, łatwo podatne na rozciąganie i stawiają mały opór przepływającej przez nie krwi.

Ciśnienie w układzie krążenia

Różnice w budowie naczyń decydują w dużym stopniu o hemodynamice krążenia krwi. Na tej podstawie układ krążenia można podzielić na część wysokociśnieniową, nazywaną też niskoobjętościową, i część niskociśnieniową, noszącą również nazwę wysokoobjętościowej. Rozkład ciśnień w poszczególnych częściach układu krążenia jest przedstawiony na rysunku.

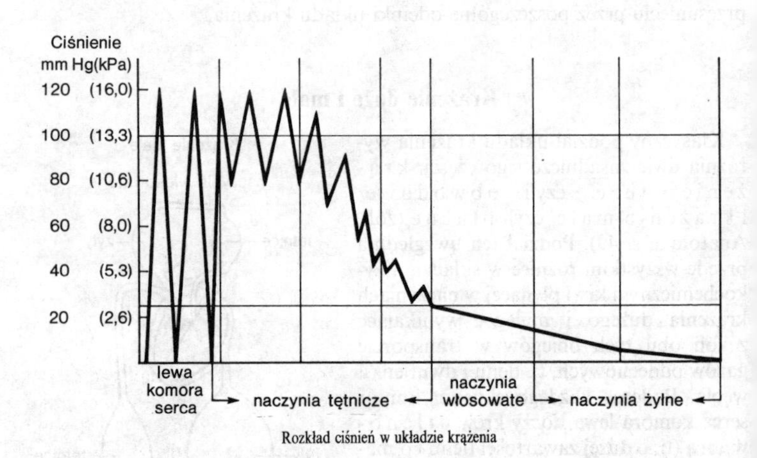

Rozkład ciśnień w układzie krążenia

Do części wysokociśnieniowej należą naczynia tętnicze krążenia dużego, w których znajduje się jedynie 1/7 całkowitej objętości krwi krążącej. Do układu niskociśnieniowego należą wszystkie naczynia żylne krążenia dużego, całe krążenie płucne oraz serce, z tym że lewa komora jedynie w czasie rozkurczu. Rozkład objętości krwi w różnych odcinkach układu krążenia obrazuje rysunek zamieszczony na s. 171).

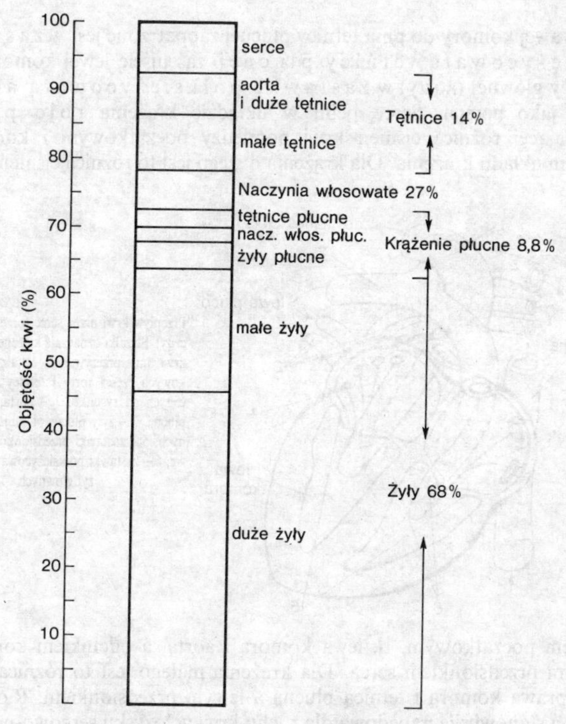

Procentowy rozkład objętości krwi w łożysku naczyniowym

Czynność serca

Podstawową czynnością serca jest utrzymywanie stałego przepływu krwi z układu żylnego do układu tętniczego poprzez krążenie płucne, w którym ulega ona utlenowaniu.

Serce podzielone jest przegrodą wzdłuż osi podłużnej na dwie części: prawą i lewą, z których każda składa się z dwóch jam – przedsionka i komory. Włóknisty szkielet serca stanowią cztery pierścienie z tkanki łącznej, zaopatrzone w zastawki, które tworzą ujścia pomiędzy przedsionkami i komorami serca oraz pomiędzy komorami i dużymi naczyniami tętniczymi. Możliwość przepływu krwi z przedsionków do komór serca i z komór serca do naczyń tętniczych jest zatem uwarunkowana anatomicznie. Prawy i lewy przedsionek oraz prawa i lewa komora są natomiast w zdrowym sercu odizolowane od siebie przegrodą. Pomiędzy jamami przedsionków i komór znajdują się zastawki przedsionkowo-komorowe: w lewej połowie serca zastawka dwudzielna, a w prawej zastawka trójdzielna.

Ujście prawej komory do pnia tętnicy płucnej zaopatrzone jest w z a s t a w k ę p ó ł k s i ę ż y c o w a t ą t ę t n i c y p ł u c n e j, zaś ujście lewej komory serca do tętnicy głównej (aorty) w z a s t a w k ę p ó ł k s i ę ż y c o w a t ą a o r t y.

Serce jako pompa. Serce pełni w układzie krążenia r o l ę p o m p y, wytwarzającej różnicę ciśnień krwi pomiędzy początkowym i końcowym odcinkiem układu krążenia. Dla krążenia dużego jest to różnica ciśnień między

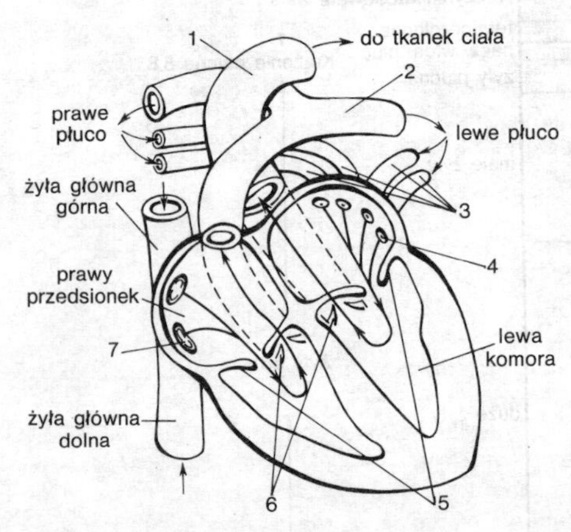

Przepływ krwi przez serce (przekrój poprzeczny). Strzałki oznaczają kierunek przepływu krwi, linie przerywane – lokalizację początkowych części aorty i tętnicy płucnej, odciętych na rysunku: 1 – aorta, 2 – tętnica płucna, 3 – żyły płucne, 4 – ujścia żył płucnych, 5 – zastawki przedsionkowo-komorowe, 6 – zastawki półksiężycowate, 7 – ujścia żył głównych

odcinkiem początkowym, tj. lewą komorą i aortą, a odcinkiem końcowym – prawym przedsionkiem serca. Dla krążenia małego jest to różnica ciśnień między prawą komorą i tętnicą płucną a lewym przedsionkiem. R ó ż n i c a c i ś n i e ń stanowi siłę napędową dla ruchu krwi w łożysku sercowo-naczyniowym, ukierunkowanego dzięki zastawkom serca i zastawkom żylnym.

Krew, przechodząc z układu naczyniowego żylnego do tętniczego, przepływa przez określone struktury anatomiczne, a mianowicie (w kolejności) przez: żyły główne górną i dolną (zbierające krew żylną z tkanek), prawy przedsionek, zastawkę trójdzielną, prawą komorę serca, zastawkę półksiężycowatą tętnicy płucnej, tętnicę płucną, krążenie płucne, żyły płucne, lewy przedsionek serca, zastawkę dwudzielną, lewą komorę serca, zastawkę półksiężycowatą aorty, aortę.

Przepływ krwi przez serce zależy od rytmicznych zmian właściwości fizycznych mięśnia sercowego. W c z a s i e r o z k u r c z u serca krew napływa do poszczególnych jego jam, powodując ich rozciąganie. W c z a s i e s k u r c z u mięsień wytwarza napięcie mechaniczne i skraca się, co powoduje wzrost ciśnienia w komorach serca i wyrzucanie krwi do naczyń wychodzących z serca. Zastawki nie odgrywają żadnej roli w inicjowaniu przepływu krwi, chronią jedynie przed cofaniem się krwi dzięki odpowiedniej konstrukcji płatków i powiązaniu ich nićmi ścięgnistymi z mięśniami brodawkowatymi serca.

Prawidłowa czynność serca zależy od następujących po sobie zjawisk elektrycznych i mechanicznych w sercu.

Z j a w i s k a e l e k t r y c z n e. Potencjał spoczynkowy komórek mięśnia sercowego, podobnie jak i innych komórek pobudliwych w organizmie, jest ujemny (–80 mV), czyli komórka ta jest s p o l a r y z o w a n a (zob. Fizjologia komórki, s. 82). Po zadziałaniu bodźca bezpośrednią odpowiedzią komórki mięśnia sercowego jest szybka d e p o l a r y z a c j a błony komórkowej, podobnie jak w mięśniach szkieletowych i w komórkach nerwowych. Depolaryzacja zapoczątkowuje skurcz elementów kurczliwych mięśnia. Jest to tzw. s p r z ę ż e n i e e l e k t r o m e c h a n i c z n e. R e p o l a r y z a c j a przebiega jednak znacznie wolniej i jest całkowita dopiero po połowie skurczu (rys.). Skurcz mięśnia sercowego rozpoczyna się zaraz po wystąpieniu depolaryzacji i trwa dłużej niż zjawiska elektryczne. Włókna mięśniowe serca, jeżeli w ogóle odpowiadają na bodźce, kurczą się maksymalnie (tzw. skurcz typu „wszystko albo nic").

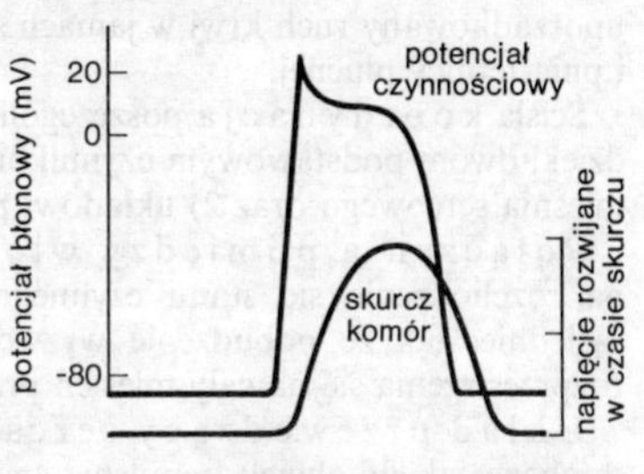

Zmiany potencjału błonowego (wewnątrzkomórkowy potencjał czynnościowy) i odpowiedź skurczowa pojedynczego włókna mięśnia sercowego

W normalnym mięśniu sercowym nie można wywołać skurczu tężcowego zupełnego, przeciwnie niż w mięśniu szkieletowym, ponieważ okres niewrażliwości na bodziec, niezależnie od jego intensywności (okres refrakcji bezwzględnej), trwa w mięśniu sercowym dłużej niż fala kurczenia się tego mięśnia. Przedłużony skurcz mięśnia sercowego uniemożliwiłby funkcjonowanie serca jako pompy tłoczącej.

Z j a w i s k a m e c h a n i c z n e. Mechanizm działania układów kurczliwych mięśnia sercowego, aczkolwiek podobny do mechanizmu skurczu w mięśniach szkieletowych (zob. Czynnościowy podział mięśni szkieletowych, s. 137), zachowuje pewne właściwe sobie odrębności.

S i ł a s k u r c z u m i ę ś n i a sercowego zależy w znacznym stopniu od częstości skurczów serca, przy czym zależność ta jest dość złożona. Przy niskiej wyjściowej częstości skurczów serca przyspieszenie ich zazwyczaj prowadzi do zwiększenia siły skurczu mięśnia sercowego. Dalsze narastanie częstości skurczów serca prowadzi jednak do znacznego skrócenia przerwy pomiędzy skurczami, co w następstwie powoduje obniżenie siły skurczu.

Podobnie jak w mięśniu szkieletowym, siła skurczu mięśnia sercowego zależy od początkowej (spoczynkowej) długości włókien mięśniowych. W sercu długość tych włókien jest proporcjonalna do wypełnienia jego jam krwią w końcowym okresie rozkurczu. Większe wypełnienie powoduje rozciągnięcie włókien mięśnia komór i wzrost siły skurczu, a tym samym zwiększony wyrzut krwi do tętnic. Zjawisko to nosi nazwę p r a w a s e r c a S t a r l i n g a.

Pobudzenie komórki mięśniowej następuje w chwili depolaryzacji jej błony. Stan czynny przenosi się bardzo szybko z jednej komórki do drugiej, chociaż każda z nich stanowi odrębną jednostkę morfologiczną, otoczoną błoną komórkową. Dzięki istnieniu specjalnych mechanizmów, wszystkie włókna mięśniowe serca kurczą się w sposób zsynchronizowany, co sprawia, że serce pracuje efektywnie i zachowana jest koordynacja między pracą przedsionka i komór oraz koordynacja mięśniowa w obrębie samych komór. Zapewnia to uporządkowany ruch krwi w jamach serca i przepompowywanie jej do aorty i pnia tętnicy płucnej.

Ścisła koordynacja poszczególnych faz pracy serca jest możliwa dzięki dwóm podstawowym czynnikom: 1) połączeniom pomiędzy włóknami mięśnia sercowego oraz 2) układowi przewodzącemu serca.

Połączenia pomiędzy włóknami mięśnia sercowego pozwalają na rozchodzenie się stanu czynnego z jednego włókna mięśniowego na sąsiednie, tak że pobudzenie wyzwolone w jednym włóknie mięśniowym rozprzestrzenia się na cały mięsień przedsionków lub komór.

Układ przewodzący serca wytwarza impulsy stanu czynnego bez dopływu jakichkolwiek impulsów spoza serca. Ułatwia też szybkie i skoordynowane szerzenie się pobudzenia, zapewniając odpowiednią synchronizację skurczów serca.

Powstawanie i przewodzenie pobudzenia w sercu

Układ przewodzący serca tworzą w pewnych obszarach serca skupiska wyspecjalizowanych komórek, występujące obok normalnych komórek mięśnia sercowego. Komórki te różnią się znacznie właściwościami morfologicznymi i czynnościowymi od pozostałych „roboczych" komórek mięśnia sercowego, mimo to ich budowa umożliwia przechodzenie fali depolaryzacji z jednej komórki do drugiej.

Komórki układu przewodzącego cechuje automatyzm, czyli zdolność spontanicznego, rytmicznego samopobudzania się. Komórki te nie mają

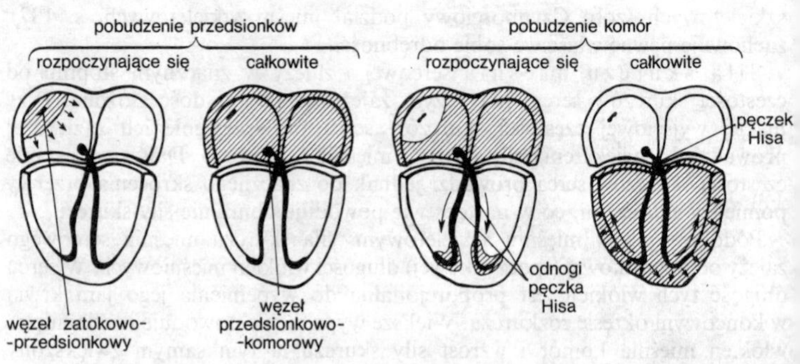

Prawidłowe rozprzestrzenianie się stanu pobudzenia elektrycznego w sercu. Obszary pobudzone zacieniowano, kierunek rozchodzenia się pobudzenia oznaczono strzałkami

stałego potencjału spoczynkowego i po zakończeniu repolaryzacji (po przejściu pobudzenia) zachodzi stopniowa, powolna depolaryzacja, powodująca przesunięcie potencjału błonowego w kierunku dodatnim, aż do osiągnięcia potencjału progowego, co prowadzi do wystąpienia następnego pobudzenia komórki. Zjawisko to określa się mianem powolnej, *spoczynkowej depolaryzacji*. Podłożem tej spontanicznej depolaryzacji jest rytmiczne, stopniowe obniżanie się przepuszczalności błony komórkowej dla jonów potasu i wzrost przepuszczalności dla jonów wapnia. Po osiągnięciu szczytu depolaryzacji rozpoczyna się *repolaryzacja*, po której natychmiast ponownie występuje powolna spoczynkowa depolaryzacja.

Wśród komórek tworzących układ przewodzący serca występują grupy komórek o różnej, własnej częstotliwości pobudzeń. Grupę komórek, których spontaniczny rytm pobudzeń jest najszybszy, określa się mianem *rozrusznika serca* (zob. dalej). Stan czynny powstający w rozruszniku wywołuje pobudzenie pozostałych komórek układu przewodzącego, zanim ich własna spoczynkowa depolaryzacja osiągnie potencjał progowy. Pobudzenie to szerzy się równocześnie w komórkach roboczych mięśnia sercowego dzięki czynnościowym połączeniom między nimi.

Komórki układu przewodzącego serca tworzą skupiska, zwane węzłami i pęczkami. W pobliżu ujścia żyły głównej górnej do prawego przedsionka znajduje się *węzeł zatokowo-przedsionkowy*. Po prawej stronie tylnej części przegrody międzyprzedsionkowej mieści się *węzeł przedsionkowo-komorowy*. Węzły te nie są ze sobą bezpośrednio połączone za pomocą wyspecjalizowanej tkanki przewodzącej, ale włókna mięśniowe przedsionka serca przeplatają się z włóknami węzła przedsionkowo-komorowego. Przedłużeniem węzła przedsionkowo-komorowego jest *pęczek przedsionkowo-komorowy*, zwany też *pęczkiem Hisa*. Dzieli się on w górnej części przegrody międzykomorowej na prawą i lewą odnogę. Odnogi te, przebiegające w dół, podwsierdziowo, po obu stronach przegrody międzykomorowej, przechodzą w komórki mięśniowe przewodzące komór, zwane też *włóknami Purkinjego*.

Strukturą narzucającą swój rytm całemu sercu, *rozrusznikiem serca*, jest węzeł zatokowo-przedsionkowy, zwany też *pierwszorzędowym ośrodkiem automatyzmu*. Rytm narzucony przez ten węzeł nazywa się *rytmem zatokowym* (ok. 70 skurczów na minutę w spoczynku). Bodźce powstające w węźle zatokowo-przedsionkowym rozprzestrzeniają się promieniście w przedsionkach dzięki przechodzeniu fali depolaryzacji z komórki na komórkę. Fala pobudzenia obejmuje także węzeł przedsionkowo-komorowy i dochodzi następnie do komór za pośrednictwem pęczka Hisa i włókien Purkinjego z *pewnym opóźnieniem*, spowodowanym wolnym przewodzeniem w węźle przedsionkowo-komorowym. To opóźnienie w węźle przedsionkowo-komorowym odgrywa istotną rolę, gdyż umożliwia skurcz przedsionków i opróżnienie ich z krwi zanim rozpocznie się skurcz komór.

Komórki węzła przedsionkowo-komorowego mają swój własny automatyzm. Przebieg ich depolaryzacji spoczynkowej jest wolniejszy niż w komórkach węzła zatokowo-przedsionkowego, toteż w warunkach prawidłowych poddają się one jego rytmowi impulsów. Gdy jednak wystąpi *blok przewodnictwa* pomiędzy węzłem zatokowo-przedsionkowym a przedsionkami, komórki węzła przedsionkowo-komorowego przejmują funkcję rozrusznika serca. Rytm taki, wolniejszy od rytmu zatokowego, nazywany jest rytmem węzłowym.

Węzeł przedsionkowo-komorowy i pęczek Hisa wraz z odnogami są jedyną drogą pozwalającą na przejście stanu pobudzenia z przedsionków do komór, ponieważ jamy te są odizolowane od siebie niepobudliwą tkanką łączną. Stan czynny szerzy się w mięśniu komór bardzo gwałtownie, przechodząc z komórki na komórkę, obejmuje kolejno przegrodę i koniuszek serca, następnie wzdłuż ścian komór powraca ku podstawie serca, przenosząc się przy tym z powierzchni wsierdziowej na powierzchnię nasierdziową. Fala depolaryzacji rozprzestrzenia się przez szybko przewodzące włókna Purkinjego do wszystkich części komór, tak że stan pobudzenia obejmuje komórki mięśniowe prawej i lewej komory niemal równocześnie, co pozwala na efektywny, zsynchronizowany skurcz komór.

W pewnych warunkach niektóre skupiska komórek mięśnia przedsionków lub komór inicjują stan czynny niezależnie od rytmu wyładowań rozrusznika serca. Są to tzw. ogniska ektopowe. Zdarza się to np. u ludzi pijących duże ilości kawy, gdyż zawarta w niej kofeina wzmaga pobudliwość tych obszarów serca. Gdy w ognisku ektopowym dochodzi sporadycznie do powstania potencjału czynnościowego zaraz po zakończeniu prawidłowego skurczu serca, ale przed następnym impulsem pochodzącym z węzła zatokowo-przedsionkowego, wywołuje to przedwczesne pobudzenie serca. Jeżeli w ognisku ektopowym wyładowania powstają periodycznie, w rytmie szybszym niż rytm zatokowy, ognisko to może przejąć funkcję rozrusznika serca.

Przy uszkodzeniach mięśnia sercowego może również dojść do częściowego lub całkowitego zahamowania przewodzenia w różnych częściach układu przewodzącego, co – w zależności od lokalizacji uszkodzenia – powoduje niepełny lub całkowity blok serca. Przejawia się on zwolnieniem częstości skurczów serca do 30–45 uderzeń na minutę.

Elektrokardiografia

Potencjały czynnościowe serca powodują powstanie w ciele ludzkim pola elektrycznego. Płyny ustrojowe są dobrym przewodnikiem elektrycznym, toteż zmiany potencjału, będące sumą potencjałów czynnościowych poszczególnych włókien mięśnia sercowego, mogą być rejestrowane z powierzchni ciała. Zapis tych zmian w czasie cyklu pracy serca, otrzymany przy użyciu metody zwanej elektrokardiografią, nazywa się elektrokardiogramem (EKG). Typowy zapis elektrokardiogramu, nazwy poszczególnych załamków EKG oraz współzależności czasowe między nimi przedstawia rysunek.

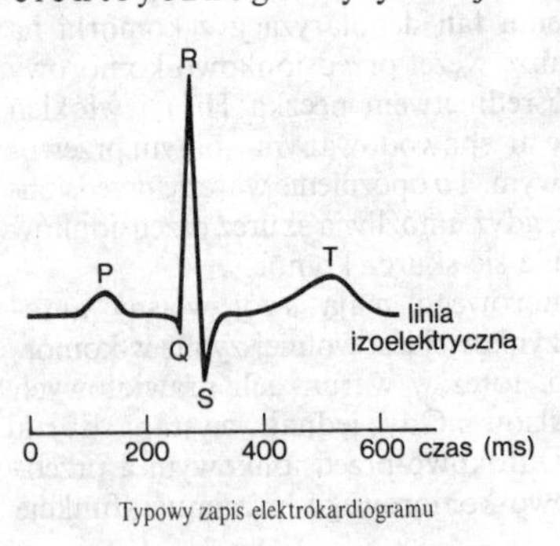

Typowy zapis elektrokardiogramu

Przy analizie krzywej EKG, obrazującej czynność bioelektryczną mięśnia sercowego, ocenia się załamki – kierunek ich wychylenia ku górze czy ku dołowi od linii izoelektrycznej, ich kształt, amplitudę, częstotliwość występowania i czas trwania; odcinki – czyli czas trwania linii izoelektrycznej pomiędzy załamkami, oraz odstępy – obejmujące łączny czas trwania załamków i odcinków. Załamek P jest przejawem depolaryzacji przedsionków, zespół QRS powstaje w czasie depolaryzacji komór, a odcinek ST i załamek T w czasie repolaryzacji komór. W zapisie EKG nie ma zmian odpowiadających repolaryzacji przedsionków, gdyż przebiega ona w czasie depolaryzacji komór i jest jak gdyby „zamaskowana" przez zespół QRS.

Elektrokardiografia jest bardzo przydatna w diagnostyce chorób serca, gdyż większość chorób mięśnia sercowego zakłóca prawidłowy zapis EKG w sposób typowy.

Ultrasonografia serca (echokardiografia)

Echokardiografia jest obecnie jedną z najszerzej stosowanych, nieinwazyjnych metod diagnostyki serca. Badanie to polega na wykorzystaniu zjawiska odbicia fal ultradźwiękowych (2–2,25 MHz) od powierzchni struktur serca do oceny morfologii i czynności serca oraz dużych naczyń (zob.

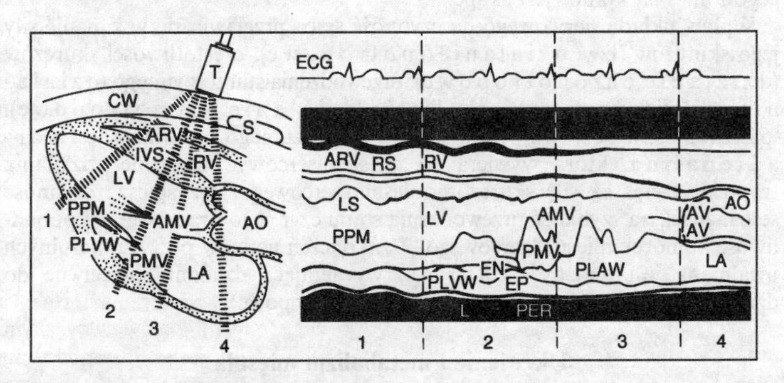

Przekrój anatomiczny serca i diagram echokardiogramu przy przesuwaniu głowicy ultradźwiękowej (T) od koniuszka serca (pozycja 1) w kierunku podstawy serca (pozycja 4): CW – ściana klatki piersiowej, ARV – ściana prawej komory, RV – prawa komora, RS,LS – prawa i lewa strona przegrody międzykomorowej, IVS – przegroda międzykomorowa, LV – lewa komora, PPM – tylny mięsień brodawkowaty, PLVW – tylna ściana lewej komory, EN – endokardium, EP – epikardium, PER – perikardium, L – płuca, AMV, PMV – przedni i tylny płatek zastawki mitralnej, PLAW – tylna ściana lewego przedsionka, LA – lewy przedsionek, AV – zastawka aortalna, AO – aorta

Diagnostyka wizualizacyjna, s. 617). Najczęściej używane są dwa systemy przedstawiania obrazu echokardiograficznego: system M przedstawiający echokardiogram jako czasowy przebieg zmian powodowanych ruchami struktury odbijającej ultradźwięki (zob. rys.) oraz system echokardiografii dwuwymiarowej (przestrzennej) przedstawiającej echokardiogram jako dwuwymiarowy obraz przekroju serca, co pozwala na jednoczesne uwidocznienie kilku jam serca.

Badanie echokardiograficzne dostarcza ważnych informacji o wymiarach serca podczas fazy skurczu i rozkurczu (dotyczy to zwłaszcza lewej komory serca), o grubości ścian oraz kurczliwości mięśnia sercowego, a także rejestruje obraz morfologiczny oraz ruchy płatków zastawek serca. Badanie to umożliwia zatem obliczenie objętości wyrzutowej serca i frakcji wyrzutowej oraz ocenę typu przerostu mięśnia sercowego, czy też prawidłowości pracy zastawek serca.

Unerwienie serca

Serce jest bogato unerwione przez włókna nerwowe wegetatywnego układu współczulnego (nerwy sercowe, których włókna prowadzą z szyjnych zwojów współczulnych) oraz przywspółczulnego (włókna nerwu błędnego). W ł ó k n a w s p ó ł c z u l n e pozazwojowe unerwiają komórki układu przewodzącego serca oraz komórki „robocze" mięśni przedsionków i komór. W ł ó k n a p r z y w s p ó ł c z u l n e unerwiają komórki węzłów zatokowo-przedsionkowego, przedsionkowo-komorowego oraz komórki „robocze" mięśnia przedsionków serca. Unerwienie przywspółczulne komorowego układu przewodzącego i mięśnia komór jest skąpe.

Wpływ układu nerwowego na czynność serca przejawia się w zmianie siły jego skurczów (tzw. d z i a ł a n i e i n o t r o p o w e), częstotliwości skurczów (d z i a ł a n i e c h r o n o t r o p o w e), przewodzenia stanu czynnego (d z i a ł a n i e d r o m o t r o p o w e) i pobudliwości (d z i a ł a n i e b a t m o t r o p o w e). Z zakończeń pozazwojowych układu współczulnego uwalniana jest n o r a d r e n a l i n a, która wywiera na mięsień sercowy „dodatnie" działania tropowe: zwiększa siłę skurczów mięśnia sercowego, przyspiesza czynność serca, zwiększa szybkość przewodzenia stanu czynnego oraz zwiększa pobudliwość komórek mięśnia sercowego. Z zakończeń nerwów przywspółczulnych uwalniana jest a c e t y l o c h o l i n a, wywierająca działanie przeciwne do działania noradrenaliny („ujemne" działania tropowe).

Ukrwienie i metabolizm mięśnia sercowego

Serce, podobnie jak i inne narządy, zaopatrywane jest w krew przez naczynia tętnicze, tzw. t ę t n i c e w i e ń c o w e, będące odgałęzieniami aorty. Naczynia wieńcowe biegnące w ścianach serca są stale poddawane działaniu dwóch czynników: z jednej strony oddziałuje na nie ciśnienie wewnątrzkomorowe (na wewnętrzną powierzchnię serca), a z drugiej strony zaciskają je kurczące się komórki mięśniowe. Przepływ krwi przez naczynia wieńcowe (p r z e p ł y w w i e ń c o w y) jest zatem ściśle uzależniony od fazy cyklu pracy serca; jest on największy podczas rozkurczu, a najmniejszy w czasie skurczu komór. Wielkość przepływu wieńcowego w fazie skurczu w lewej komorze nie przekracza 30% wielkości przepływu w fazie rozkurczu.

Sieć naczyń włosowatych jest w sercu ludzkim bardzo rozbudowana. W spoczynku krew przepływa jednak tylko przez część naczyń, przepływ przez pozostałe jest zatrzymywany przez zwieracze przedwłośniczkowe. Zwiększenie zapotrzebowania mięśnia sercowego na tlen zwiększa liczbę czynnych naczyń włosowatych. Tętnice wieńcowe należą do tzw. t ę t n i c k o ń c o w y c h, tzn. ich zamknięcie powoduje niedokrwienie zaopatrywanego przez nie obszaru aż do wystąpienia m a r t w i c y (z a w a ł u) włącznie.

Spośród czynników modyfikujących przepływ wieńcowy najistotniejszy jest wzrost zapotrzebowania mięśnia sercowego na tlen. Przypuszcza się, że czynnikami dostosowującymi przepływ wieńcowy do tego zapotrzebowania mogą być związki chemiczne czy jony silnie rozszerzające naczynia wieńcowe, jak np. adenozyna (produkt kwasu adenozynotrójfosforowego), jony potasu i kwas mlekowy. Wydzielanie tych związków zależy od wielkości pracy wykonywanej przez serce.

Przepływ krwi przez naczynia wieńcowe zmienia się również pod wpływem czynników hormonalnych, np. wazopresyna zmniejsza przepływ wieńcowy, oraz czynników nerwowych. Naczynia wieńcowe unerwione są zarówno przez zwężające je włókna współczulne, jak i przez rozszerzające włókna nerwu błędnego (zob. wyżej).

Zjawiska mechaniczne w pracy serca

Cykl pracy serca można podzielić na dwie główne fazy: o k r e s s k u r c z u komór i następujący po nim o k r e s r o z k u r c z u.

Po zakończeniu skurczu komór spada napięcie mięśnia komór, ciśnienie w komorach obniża się poniżej ciśnienia w dużych tętnicach, zamykają się więc zastawki półksiężycowate między komorami i tętnicami. Ponieważ ciśnienie w komorach przewyższa jednak nadal ciśnienie w przedsionkach, zastawki przedsionkowo-komorowe pozostają zamknięte. Ten w c z e s n y

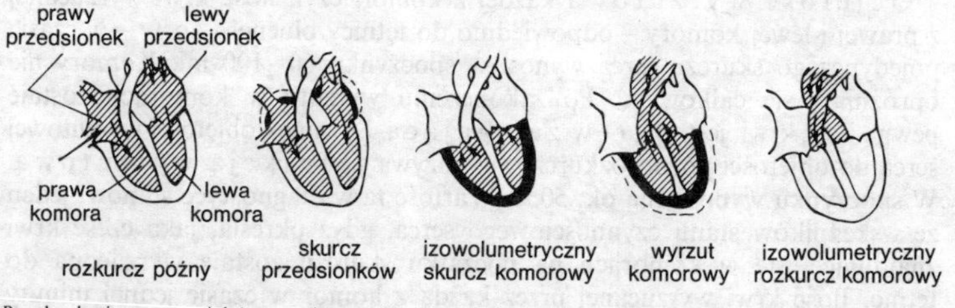

Przepływ krwi przez serce i duże naczynia w czasie cyklu pracy serca. Kurczące się części serca w poszczególnych fazach cyklu zaczerniono, strzałkami oznaczono kierunek przepływu krwi

o k r e s r o z k u r c z u nazywany jest i z o w o l u m e t r y c z n y m rozkurczem komorowym. Okres ten kończy się, gdy ciśnienie w komorach obniży się poniżej ciśnienia w przedsionkach. Otwierają się wówczas zastawki przedsionkowo-komorowe i rozpoczyna się faza szybkiego wypełniania komór, zwana też fazą rozkurczowego wypełniania lub późnego rozkurczu.

Krew napływa z dużych żył do przedsionków i przepływa swobodnie przez otwarte zastawki przedsionkowo-komorowe do obu komór. Szybkość napływu krwi do serca i całkowita ilość krwi wypełniającej serce zależy od różnicy ciśnień pomiędzy obwodowym układem żylnym a komorami (w okolicy ujść dużych żył do serca i w jamach serca ciśnienie jest bliskie zeru).

W miarę rozciągania komór narasta napięcie rozciąganych ścian, wzrasta ciśnienie wewnątrzkomorowe, różnica ciśnień pomiędzy układem żylnym a komorami maleje, a wraz z nią maleje szybkość wypełniania komór. Jest to faza powolnego wypełniania.

W fazie rozkurczowego wypełniania, zanim jeszcze wystąpi skurcz przedsionków, komory wypełniają się krwią w ok. 80%. Dopiero w końcowym okresie rozkurczu komór dochodzi do wyładowania w węźle zatokowo-przedsionkowym, depolaryzacji przedsionków i w następstwie do skurczu przedsionków oraz przepompowania pewnej dodatkowej ilości krwi do komór. Objętość krwi znajdującej się w komorach tuż przed wystąpieniem skurczu komór nazywa się objętością późnorozkurczową.

Fala depolaryzacji obejmując komory wyzwala ich skurcz, a wraz z nim gwałtowny wzrost ciśnienia w komorach. Ciśnienie to przewyższa ciśnienie w przedsionkach, powodując zamknięcie zastawek przedsionkowo-komorowych, co uniemożliwia cofanie się krwi do przedsionków w czasie skurczu komór. Zastawki półksiężycowate pozostają nadal zamknięte, objętość komór nie zmienia się mimo skurczu mięśnia. Okres ten nazwano dlatego okresem izowolumetrycznego skurczu komorowego. Gdy rosnące ciśnienie w lewej komorze przewyższy ciśnienie rozkurczowe w aorcie, a ciśnienie w prawej komorze ciśnienie rozkurczowe w tętnicy płucnej, otwierają się zastawki półksiężycowate i rozpoczyna się faza wyrzutu komorowego. Ciśnienie wewnątrzkomorowe narasta do maksimum, a następnie obniża się nieco przed końcem skurczu.

Objętość wyrzutowa każdej z komór, czyli ilość krwi wyrzucanej z prawej i lewej komory – odpowiednio do tętnicy płucnej i aorty – w czasie pojedynczego skurczu serca wynosi w spoczynku 60–100 ml. Komory nie opróżniają się całkowicie. Po zakończeniu wyrzutu w komorach zostaje pewna ilość krwi; jest to krew zalegająca. Stosunek objętości wyrzutowej serca do objętości późnorozkurczowej nazywa się frakcją wyrzutową. W spoczynku wynosi ona ok. 50%. Wartość ta w diagnostyce stanowi jeden ze wskaźników stanu czynnościowego serca, gdyż określa, jaka część krwi znajdującej się w komorach na początku skurczu zostaje wyrzucona do tętnic. Ilość krwi wyrzucanej przez każdą z komór w czasie jednej minuty nazywa się objętością minutową serca. Wynosi ona w spoczynku ok. 5,5 l/min. W diagnostyce klinicznej oblicza się objętość minutową serca przy pomocy metod inwazyjnych (cewnikowanie serca, metody izotopowe) oraz metod nieinwazyjnych (metoda dwutlenkowęglowa, reografii impedancyjnej i echokardiograficzna, zob. s. 177).

Tony serca

W czasie prawidłowego cyklu pracy serca słyszalne są przez stetoskop (słuchawkę lekarską) dwa t o n y: pierwszy ton – n i s k i, wydłużony, pojawiający się na początku skurczu komór – związany jest z zamknięciem się zastawek przedsionkowo-komorowych (jest on wynikiem drgania ich płatków, strun ścięgnistych oraz napinającego się mięśnia sercowego), drugi ton – w y s o k i, krótki, pojawiający się wraz z rozpoczęciem się rozkurczu komór – wywołany jest drganiami zamykających się zastawek półksiężycowatych. Tony serca są zjawiskiem fizjologicznym, natomiast w pewnych warunkach patologicznych powstają w czasie pracy serca nieprawidłowe zjawiska akustyczne, tzw. s z m e r y. Krew płynie bezszmerowo, gdy przepływ krwi jest płynny. W niektórych chorobach serca, np. w zwężeniu lub niedomykalności zastawek serca, przepływ krwi przez zwężone ujście, czy też przeciekanie krwi w nieprawidłowym kierunku przez uszkodzone ujście, jest przyczyną powstawania szmerów. Osłuchiwanie i graficzny zapis tonów serca (fonokardiogram), pozwalające na lokalizację zjawisk akustycznych w czasie cyklu pracy serca, mają ogromne znaczenie w diagnostyce klinicznej, zwłaszcza w diagnostyce wad serca.

Regulacja czynności serca

W trakcie czynności życiowych, kiedy dochodzi do zwiększonego zapotrzebowania organizmu na tlen, niezbędne jest zwiększenie objętości minutowej serca. Na przykład w czasie wysiłku fizycznego wzrasta przepływ krwi przez mięśnie szkieletowe i skórę, a w czasie trawienia – przez układ trawienny. Wzrost ten może być zrekompensowany przez odpowiednią dystrybucję krwi wyrzucanej przez serce, bez zmiany przepływu całkowitego, w większości wszakże przypadków niezbędne jest zwiększenie także objętości minutowej serca. Objętość minutowa serca równa jest objętości wyrzutowej pomnożonej przez częstość skurczów serca. Zmiany objętości minutowej mogą być zatem wywołane zarówno zmianami częstości skurczów serca, jak też zmianami objętości wyrzutowej.

C z ę s t o ś ć s k u r c z ó w s e r c a. Rytmiczne wyładowania w węźle zatokowo-przedsionkowym występują spontanicznie, nawet bez jakichkolwiek wpływów nerwowych czy hormonalnych, mimo to znajdują się one pod stałą kontrolą nerwowego układu wegetatywnego i hormonów. Częstość skurczów serca jest regulowana precyzyjnie głównie poprzez działanie układu nerwowego i niektórych hormonów na układ przewodzący serca. Pobudzenie sercowych włókien układu współczulnego oraz wzrost stężenia amin katecholowych (przekaźników – adrenaliny i noradrenaliny) we krwi powoduje przyspieszenie czynności serca (d o d a t n i e d z i a ł a n i e c h r o n o t r o p o w e). Pobudzenie włókien nerwu błędnego wywołuje za pośrednictwem wydzielanej w zakończeniach pozazwojowych układu przywspółczulnego acetylocholiny zwolnienie czynności serca (u j e m n e d z i a ł a n i e c h r o n o t r o p o w e).

Wiele innych czynników, jak np. podwyższona temperatura ciała czy

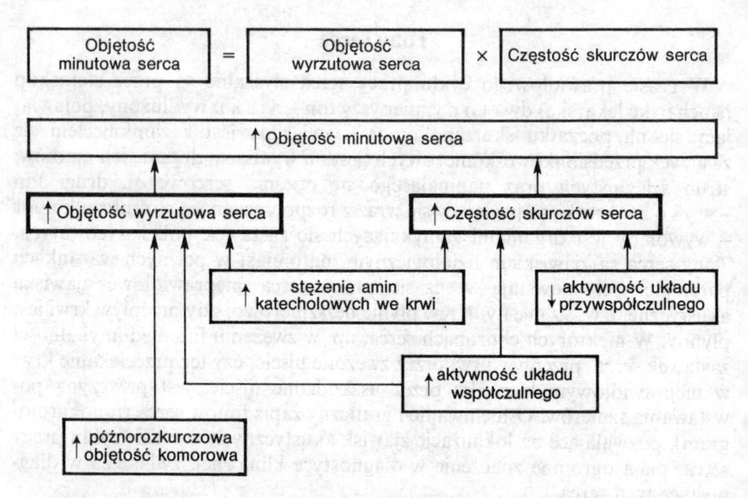

Schemat regulacji objętości minutowej serca. Objętość wyrzutowa serca może wzrosnąć w następstwie wzrostu późnorozkurczowej objętości komór, aktywności układu współczulnego i stężenia katecholamin we krwi. Częstość skurczów serca może wzrosnąć w wyniku wzrostu aktywności układu współczulnego i stężenia amin katecholowych we krwi oraz w następstwie spadku aktywności układu przywspółczulnego

hormony tarczycy, również wpływa na częstość skurczów serca, ale ich znaczenie regulacyjne jest o wiele mniejsze.

W spoczynku serce ludzkie bije z częstością ok. 70 uderzeń na min. Pod wpływem czynników regulacyjnych częstość skurczów serca zwalnia się (rzadkoskurcz, tj. bradykardia), np. podczas snu, a przyspiesza (częstoskurcz, tj. tachykardia) w czasie wysiłku, gorączki, stanów emocjonalnych itp. U młodych zdrowych osób czynność serca zmienia się regularnie w zależności od cyklu oddechowego. W czasie wdechu maleje aktywność włókien dosercowych nerwu błędnego (działanie chronotropowe ujemne) i częstość uderzeń serca wzrasta, w czasie wydechu wzrasta aktywność tych włókien i częstość uderzeń serca maleje (arytmia zatokowa).

Objętość wyrzutowa serca, czyli ilość krwi wyrzucanej przez serce w czasie każdego skurczu komór, jest drugim czynnikiem determinującym objętość minutową serca. W czasie skurczu komory nie opróżniają się całkowicie z krwi, a zatem zwiększenie siły skurczu mięśnia sercowego może spowodować wzrost objętości wyrzutowej serca.

Na siłę skurczu mięśnia sercowego wpływa wiele czynników, jednak w większości warunków fizjologicznych dwa z nich dominują: 1) późnorozkurczowa objętość komór oraz 2) zwiększający siłę skurczu wpływ nerwowego układu współczulnego i amin katecholowych krążących we krwi.

Zgodnie z prawem serca Starlinga, siła skurczu jest proporcjonalna do początkowej długości włókien mięśnia sercowego. Im większa jest zatem późnorozkurczowa objętość komór, tym większe jest rozciągnięcie włókien mięśniowych i większa siła skurczu mięśnia. Na stopień wypełnienia komór krwią w czasie rozkurczu rzutuje skurcz przedsionków oraz, w głównej mierze, ilość krwi powracającej do serca z obwodowego układu żylnego, czyli tzw. powrót żylny. Powrót żylny zależy z kolei od wielu czynników, m.in. od ciśnienia wewnątrz klatki piersiowej, które wpływa na wielkość gradientu ciśnieniowego w układzie krążenia, od napięcia ścian naczyń żylnych, całkowitej objętości krwi, od postawy ciała, pompującego krew działania kurczących się mięśni szkieletowych itp.

Pobudzenie sercowych włókien nerwowych układu współczulnego oraz wzrost stężenia amin katecholowych (noradrenaliny i adrenaliny) we krwi powodują zwiększenie kurczliwości serca, tzn. wzrost siły skurczu włókien mięśniowych niezależnie od ich początkowej długości.

Regulacja objętości minutowej serca (rys. na s. 182) poprzez współdziałanie wymienionych powyżej mechanizmów umożliwia u zdrowego człowieka dostosowanie czynności serca do zapotrzebowania organizmu na tlen. Na przykład w czasie wysiłku fizycznego wzrasta powrót żylny dzięki przyspieszeniu i pogłębieniu ruchów oddechowych klatki piersiowej (pogłębienie ujemnego ciśnienia wewnątrz klatki piersiowej) oraz dzięki działaniu mięśni szkieletowych pracujących kończyn, pompującemu krew w kierunku serca. Zwiększa to późnorozkurczową objętość serca i mięsień sercowy kurczy się z większą siłą. Jednocześnie w czasie wysiłku fizycznego dochodzi do zwiększenia aktywności współczulnego układu nerwowego i wzrostu stężenia amin katecholowych we krwi, co powoduje zarówno wzrost kurczliwości mięśnia sercowego, jak i przyspieszenie częstości skurczów serca. W efekcie dochodzi do znacznego wzrostu objętości minutowej serca, nawet do 20–30 l/min.

Obwodowe krążenie krwi

Fizyczna charakterystyka krążenia krwi

Przepływ krwi i opór przepływu. Przepływ krwi w układzie krążenia jest wprost proporcjonalny do różnicy ciśnień między poszczególnymi odcinkami układu krążenia oraz odwrotnie proporcjonalny do oporu przepływu.

Ciśnienie napędowe, warunkujące przepływ krwi w całym układzie krążenia dużego, jest równe różnicy ciśnień między początkowym odcinkiem aorty (100 mm Hg $\simeq$ 13,3 kPa) i prawym przedsionkiem serca (5 mm Hg $\simeq$ 0,7 kPa) i wynosi w spoczynku 95 mm Hg (12,6 kPa). W układzie krążenia małego ciśnienie napędowe równe jest różnicy ciśnień między początkowym odcinkiem tętnicy płucnej (15 mm Hg $\simeq$ 2,0 kPa) a lewym przedsionkiem (7 mm Hg $\simeq$ 0,9 kPa) i wynosi 8 mm Hg (1,1 kPa). Ciśnienie napędowe maleje w miarę przesuwania się krwi wzdłuż układu krążenia wskutek pokonywania oporu przepływu.

Opór przepływu jest następstwem tarcia przy przesuwaniu się poszczególnych warstw krwi względem siebie. Zależy on od właściwości samej krwi w ruchu (właściwości reologicznych) oraz od budowy i właściwości naczyń krwionośnych. Opór przepływu jest w przybliżeniu wprost proporcjonalny do długości naczynia i lepkości krwi, a odwrotnie proporcjonalny do czwartej potęgi promienia naczynia (r^4). Zmiany promienia wpływają więc w największym stopniu na wielkość oporu. Dwukrotne zmniejszenie lub zwiększenie promienia naczynia powoduje 16-krotny wzrost lub obniżenie oporu.

Ściany naczyń krwionośnych zbudowane są z komórek śródbłonka, mięśni gładkich oraz z włókien sprężystych i kolagenowych. Ilość i wzajemny stosunek tych składników decydują o właściwościach fizycznych ściany naczynia, ich rozciągliwości, sprężystości i napięciu powstającym w ścianie naczyń podczas rozciągania. Ciśnienie krwi wewnątrz naczynia krwionośnego działa jednakowo we wszystkich kierunkach. Składowa ciśnienia działająca zgodnie z kierunkiem ruchu krwi stanowi ciśnienie napędowe, natomiast składowa boczna, działająca prostopadle do ściany naczynia, stanowi tzw. ciśnienie transmuralne (poprzezścienne). Ciśnienie to, równe różnicy między ciśnieniami wewnątrz i na zewnątrz naczynia, zazwyczaj jest skierowane na zewnątrz i stanowi siłę rozciągającą naczynie. Do naczyń najbardziej podatnych na działanie ciśnienia transmuralnego należą naczynia żylne.

Opór przepływu wzrasta również wraz ze wzrostem lepkości krwi. Lepkość pełnej krwi jest 3-krotnie większa od lepkości wody i jest tym większa, im większa jest zawartość elementów morfotycznych (głównie krwinek czerwonych). Krew należy do cieczy nienewtonowskich. Oznacza to, że jej lepkość może zmieniać się podczas ruchu. W dużym stopniu jest to związane z plastycznością krwinek czerwonych, które łatwo adaptują się do kształtu naczyń. Lepkość krwi wzrasta w niskiej temperaturze na skutek grupowania się krwinek. Zjawisko to dodatkowo utrudnia przepływ krwi przez zwężone naczynia powierzchownych warstw ciała podczas przebywania w środowisku o niskiej temperaturze.

Czynność naczyń tętniczych

Naczynia tętnicze należą do wysokociśnieniowej części układu krążenia. Transportują one krew z serca do tkanek, odciążają pracę serca, utrzymują odpowiednie ciśnienie napędowe (zob. wyżej) oraz dostosowują dopływ krwi do poszczególnych narządów i tkanek w zależności od ich potrzeb. Od napięcia sprężystego ścian naczyń tętniczych, rozciągniętych przez znajdującą się w nich w danej chwili objętość krwi, zależy ciśnienie tętnicze.

Ciśnienie tętnicze ma charakter pulsacyjny. Wartość osiągana w momencie szczytu wyrzutu krwi przez komory nazywana jest ciśnieniem skurczowym. Jest ono przenoszone na cały układ tętniczy. W okresie późnego rozkurczu, kiedy serce nie tłoczy krwi, ciśnienie w układzie krążenia nie maleje do zera, lecz obniża się stopniowo. Najniższą wartość ciśnienia tętniczego nazywa się ciśnieniem rozkurczowym. Ciśnienie to umożliwia utrzymanie ciągłego przepływu krwi w układzie krążenia pomimo nieciągłego wypływu krwi z komór serca.

Istotną rolę w utrzymaniu przepływu krwi w okresach między skurczami serca odgrywają duże naczynia tętnicze, głównie aorta. Odznaczają się one dużą sprężystością i małą podatnością na rozciąganie. Dzięki temu mogą pełnić rolę tzw. powietrzni układu krążenia, działającej na następującej zasadzie: podczas skurczu komór jedynie część krwi wypływającej z serca zostaje przesunięta do dalszych części układu krążenia, pozostała część zostaje zmagazynowana w początkowym odcinku układu tętniczego, rozciągając jego ściany; w ten sposób część energii wytwarzanej przez kurczący się mięsień sercowy zostaje zmagazynowana w postaci energii sprężystej rozciągniętych naczyń tętniczych i jest następnie zużywana na utrzymywanie ruchu krwi podczas późnego rozkurczu serca. Istnienie powietrzni odgrywa ważną rolę w odciążeniu pracy serca. Zapobiega ono również występowaniu znacznych wahań ciśnienia w układzie krążenia.

Gwałtownemu obniżeniu ciśnienia tętniczego w okresie rozkurczu i pauzy serca zapobiega również opór przepływu stwarzany przez małe tętnice i tętniczki, mające dobrze rozwiniętą mięśniówkę. Jej skurcz lub rozluźnienie powoduje duże zmiany średnicy naczyń. Dzięki temu naczynia te odgrywają ważną rolę w regulacji oporu naczyniowego oraz dystrybucji krwi do poszczególnych obszarów naczyniowych.

Różnica między ciśnieniem skurczowym i rozkurczowym nosi nazwę ciśnienia tętna. Teoretyczna średnia wartość ciśnienia w czasie trwania całego cyklu pracy serca nosi nazwę ciśnienia średniego. Ciśnienie to można z pewnym przybliżeniem obliczyć dodając do ciśnienia rozkurczowego 1/3 ciśnienia tętna. U zdrowych młodych osób ciśnienie skurczowe wynosi 120 mm Hg (16 kPa), ciśnienie rozkurczowe 75 mm Hg (10 kPa), a ciśnienie średnie 90 mm Hg (12 kPa). Ciśnienie tętnicze wzrasta wraz z wiekiem. Za górną prawidłową wartość ciśnienia, niezależnie od wieku, przyjmuje się 140 mm Hg (18,6 kPa) dla ciśnienia skurczowego i 90 mm Hg (12 kPa) dla ciśnienia rozkurczowego.

Ciśnienie tętnicze powinno być oceniane na podstawie szeregu pomiarów powtarzanych w spoczynku. Podczas wysiłku fizycznego ciśnienie tętnicze może ulec znacznemu podwyższeniu. Z pewnym przybliżeniem można powiedzieć, że ciśnienie skurczowe wzrasta w tych sytuacjach, w których wzrasta objętość wyrzutowa serca lub dochodzi do zesztywnienia ścian aorty, natomiast ciśnienie rozkurczowe wzrasta wskutek wzrostu oporu obwodowego oraz przyspieszenia częstości skurczów serca.

Chwilowe, miejscowe odkształcenie sprężyste tętnicy i towarzyszący temu wzrost ciśnienia, pojawiające się rytmicznie i zgodnie ze skurczami serca, nosi nazwę tętna. Tętno rozprzestrzenia się w postaci fali od aorty do najdrobniejszych naczyń tętniczych z szybkością 4,0–2,0 m/s.

Czynność naczyń żylnych

Naczynia żylne krążenia dużego i małego należą do niskociśnieniowej, tj. wysokoobjętościowej części układu krążenia i zawierają łącznie ok. 68% krwi. Naczynia żylne mają stosunkowo cienką ścianę i odznaczają się wskutek tego dużą p o d a t n o ś c i ą n a r o z c i ą g a n i e. Dzięki temu układ żylny może pomieścić duże objętości krwi. Nadmiernemu rozciąganiu naczyń żylnych zapobiegają włókna kolagenowe, tworzące luźną sieć w ścianie naczyń żylnych.

Powrót żylny. Dzięki dużej podatności na rozciąganie naczynia żylne stawiają mały opór przepływającej krwi. W związku z tym przesunięcie krwi z początkowej części układu żylnego do serca odbywa się pod wpływem niewielkiej różnicy ciśnień, wynoszącej ok. 15 mm Hg (2,0 kPa). Objętość krwi przesuwanej pod wpływem tej różnicy ciśnień (podczas każdego obiegu) z naczyń żylnych do serca nazywana jest p o w r o t e m ż y l n y m. Jest ona równa objętości krwi wyrzucanej przez serce w tej samej jednostce czasu. Wszystkie czynniki, które zwiększają różnicę ciśnień w żylnej części układu krążenia, powodują także wzrost powrotu żylnego. Do najczęstszych przyczyn zwiększających powrót żylny należy spadek ciśnienia w dużych żyłach dochodzących do serca. Ciśnienie to ulega obniżeniu wówczas, gdy odpływ krwi z serca do krążenia płucnego jest ułatwiony (np. podczas przyspieszenia częstości skurczów serca) albo gdy zmniejszy się ciśnienie w klatce piersiowej (np. podczas głębokich ruchów oddechowych). W drugim przypadku ciśnienie w dużych żyłach uchodzących do serca może przybrać wartości ujemne (w stosunku do ciśnienia atmosferycznego).

Ważnym czynnikiem wspomagającym powrót żylny jest działanie tzw. p o m p y m i ę ś n i o w e j. Zasada działania tej pompy jest następująca: mięśnie szkieletowe kurcząc się uciskają od zewnątrz podatne ściany żył i wypychają z nich krew w kierunku serca; ruchowi wstecznemu krwi zapobiegają zastawki znajdujące się w naczyniach żylnych; w czasie rozkurczu ciśnienie poniżej zastawek obniża się gwałtownie, co umożliwia napłynięcie następnej porcji krwi, która zostaje wypompowana podczas następnego skurczu mięśni szkieletowych.

Ruchy mięśni mają szczególne znaczenie dla wypompowywania krwi z naczyń żylnych podczas stania. W pozycji stojącej ciśnienie hydrostatyczne w naczyniach nóg znacznie wzrasta, ponieważ na ciśnienie napędowe (zob. s. 183) nakłada się ciśnienie wywierane przez słup krwi znajdujący się w naczyniach. Może to doprowadzić do przesunięcia znacznej ilości płynu z naczyń do przestrzeni pozanaczyniowej i do powstania obrzęku.

Mikrokrążenie

Drobne tętniczki i żyły oraz naczynia włosowate tworzą tzw. m i k r o - k r ą ż e n i e, w którym zachodzi w y m i a n a d y f u z y j n a substancji odżywczych i produktów przemiany materii między krwią i przestrzenią śródmiąższową otaczającą bezpośrednio komórki.

Gęstość sieci naczyń włosowatych w poszczególnych tkankach jest tym większa, im większe jest zapotrzebowanie na tlen. Do narządów o najbogatszej sieci naczyń włosowatych należą: serce, mózg, wątroba i nerki oraz mięśnie szkieletowe. Powierzchnia wymiany dyfuzyjnej w poszczególnych tkankach i narządach zależy nie tylko od gęstości sieci naczyń włosowatych, ale także od stanu czynnościowego naczyń przedwłośniczkowych oraz od przepuszczalności samych naczyń. Skurcz naczyń przedwłośniczkowych, mających rozbudowaną warstwę mięśni gładkich (zwieraczy) może doprowadzić do znacznego ograniczenia lub nawet do całkowitego zahamowania przepływu krwi przez duże obszary mikrokrążenia. Krew płynie wówczas przez tzw. zespolenia tętniczo-żylne z ominięciem obszaru wymiany dyfuzyjnej. Przy całkowitym rozluźnieniu zwieraczy przedwłośniczkowych w określonym obszarze przepływ przez naczynia włosowate tego obszaru może wzrosnąć od kilku do kilkunastu razy.

Dyfuzja wody i substancji w niej rozpuszczonych poprzez ścianę naczynia jest procesem dwukierunkowym. O kierunku przesunięcia płynu między osoczem i płynem pozanaczyniowym (oraz o objętości tego płynu) decyduje efektywne ciśnienie filtracyjne. Jest ono wypadkową ciśnienia hydrostatycznego w naczyniach włosowatych, ciśnienia hydrostatycznego płynu pozanaczyniowego (tkankowego), ciśnienia onkotycznego (ciśnienie osmotyczne koloidów) osocza i ciśnienia onkotycznego płynu tkankowego.

W sieci tętniczych naczyń włosowatych efektywne ciśnienie filtracyjne ma wartość dodatnią. Płyn jest tu przesuwany z naczyń do przestrzeni pozanaczyniowej (filtrowany). W sieci żylnej naczyń włosowatych efektywne ciśnienie filtracyjne jest ujemne. Płyn jest przesuwany z przestrzeni pozanaczyniowej do naczyń (reabsorbowany).

Przeciętna wartość efektywnego ciśnienia filtracyjnego we wszystkich naczyniach włosowatych mikrokrążenia jest nieznacznie dodatnia. Istnieje więc nierównowaga ciśnień na korzyść filtracji, prowadząca do ciągłej utraty płynu do przestrzeni pozanaczyniowej. Płyn ten zostaje odprowadzony do układu krążenia drogą naczyń limfatycznych.

Spośród wymienionych wyżej czynników decydujących o wielkości filtracji, szybkim i częstym zmianom ulega jedynie ciśnienie hydrostatyczne w naczyniach włosowatych. Wielkość tego ciśnienia zależy zarówno od oporu przepływu w naczyniach za włośniczkami, jak i od oporu w naczyniach przedwłośniczkowych. Przy wzroście oporu przedwłośniczkowego (np. podczas skurczu tętniczek), ciśnienie hydrostatyczne w naczyniach włosowatych maleje. Proces reabsorpcji przeważa wówczas nad procesem filtracji i dochodzi do tzw. autotransfuzji, czyli przesunięcia płynu tkankowego do układu krążenia. Proces ten odgrywa ważną rolę w wyrównywaniu objętości krwi podczas krwotoku. Zmniejszenie oporu przedwłośniczkowego (rozkurcz tętniczek) lub wzrost oporu pozawłośniczkowego (np. zastój żylny) powoduje podwyższenie ciśnienia krwi w naczyniach włosowatych i utratę płynu z naczyń do przestrzeni pozanaczyniowej, co może prowadzić do obrzęku tkanek.

Regulacja ciśnienia tętniczego

Ciśnienie tętnicze krwi zależy od objętości krwi znajdującej się w naczyniach tętniczych, czyli od różnicy między objętością krwi dopływającej do tętnic (objętością minutową serca, zob. s. 182) i objętością krwi odpływającej do naczyń włosowatych w jednostce czasu.

Szybkość, z jaką krew odpływa z tętnic do naczyń włosowatych, jest regulowana przez zmiany oporu przepływu. Opór przepływu zmienia się przede wszystkim wówczas, gdy dochodzi do zmiany promienia naczyń oporowych, głównie tętniczek i zwieraczy przedwłośniczkowych. Napięcie mięśni gładkich naczyń podlega regulacji miejscowej oraz nerwowej.

Miejscowa regulacja przepływu odgrywa szczególnie ważną rolę w naczyniach krwionośnych narządów o intensywnej przemianie materii. Zwiększona aktywność tych narządów prowadzi do nagromadzenia produktów przemiany materii, które działają rozkurczająco na mięśnie gładkie naczyń. Powstaje dzięki temu tzw. przekrwienie czynnościowe (reaktywne), wywołujące wzrost przepływu krwi proporcjonalny do zapotrzebowania na tlen. Z kolei zwiększenie przepływu prowadzi do wypłukania produktów przemiany materii rozszerzających naczynia, które przestają wpływać rozkurczowo na mięśnie gładkie. Napięcie mięśni gładkich wzrasta ponownie, a przepływ maleje. Dzięki miejscowej regulacji metabolicznej przepływ jest dostosowany do nasilenia przemiany materii. Działanie naczyniorozszerzające wywierają takie czynniki, jak niedotlenienie (hipoksja), dwutlenek węgla, jony wodoru i potasu, adenozyna i inne (np. tzw. mediatory procesów zapalnych i alergicznych).

W miejscowej regulacji przepływu ważną rolę odgrywają także właściwości fizykochemiczne mięśni gładkich. Wzrost przepływu powoduje zawsze rozciągnięcie tych mięśni, które z kolei reagują skurczem na rozciągnięcie. Powoduje to zmniejszenie promienia naczynia, wzrost oporu, ograniczenie przepływu i zmniejszenie rozciągnięcia.

Bardzo ważną rolę w miejscowej regulacji przepływu odgrywają również pewne związki wytwarzane w komórkach śródbłonka naczyń, które powodują skurcz lub rozkurcz sąsiadujących mięśni gładkich, działając za pośrednictwem swoistych receptorów. Do czynników śródbłonkopochodnych o najlepiej poznanym działaniu należą endotelina, EDRF (*endothelium derived relaxing factor*) utożsamiany z tlenkiem azotu (NO) oraz związki z grupy eikozanoidów, głównie prostacyklina PGI_2. Eikozanoidy powstają w wyniku enzymatycznego rozpadu estrów kwasów eikozanowych (wielonienasycone kwasy tłuszczowe), których najważniejszym przedstawicielem jest kwas arachidonowy.

Endotelina zwęża naczynia krwionośne, natomiast EDRF i prostacyklina wywierają działanie naczyniorozszerzające.

Wydzielanie endoteliny wzrasta pod wpływem niedotlenienia oraz działania wazopresyny, angiotensyny, trombiny, niektórych czynników wzrostu. Jej działanie wywołuje silny, długotrwały skurcz mięśni gładkich naczyń, spowodowany napływem wapnia do komórek mięśni gładkich, uwalnianiem wapnia ze zbiorników wewnątrzkomórkowych oraz wzrostem wydzielania innych substancji zwężających naczynia (noradrenalina, wazopresyna, angiotensyna).

Wydzielanie EDRF-NO wzrasta pod wpływem niedotlenienia śródbłonka, odkształcenia błony komórkowej przez wzrost ciśnienia oraz pod wpływem innych związków wytwarzanych lokalnie w ścianie naczynia lub napływających z krwią. Należą do nich: acetylocholina, bradykinina, histamina, ATP, ADP, AVP, trombina, VIP i neurokininy. Wewnątrzkomórkowym przekaźnikiem informacji przenoszonej przez EDRF-NO jest cykliczny guanozynomonofosforan (cGMP). Wywiera on silne działanie naczyniorozszerzające. Zablokowanie syntezy NO wywołuje silne działanie naczyniozwężające.

P r o s t a c y k l i n a (PGI_2) jest również uwalniana w warunkach niedotlenienia, a także pod wpływem związków pobudzających aktywność fosfolipazy A_2, enzymu uwalniającego kwas arachidonowy. Najważniejszą rolę w uwalnianiu PGI_2 odgrywają wazopresyna, angiotensyna II, endotelina, acetylocholina i PDGF (płytkopochodny czynnik wzrostu).

Zjawiska wyżej omówione są także podstawą tzw. a u t o r e g u l a c j i przepływu, która polega na utrzymywaniu stałego przepływu krwi w niektórych narządach, pomimo znacznych zmian ciśnienia tętniczego krwi dopływającej do tych narządów. Zjawisko autoregulacji występuje m.in. w krążeniu mózgowym i nerkowym.

Nerwowa regulacja przepływu. Naczynia unerwione są przez włókna wegetatywnego układu nerwowego. W wyniku pobudzenia tych włókien dochodzi do uwolnienia na ich zakończeniach (synapsach) przekaźników chemicznych (mediatorów), które wywołują skurcz lub rozluźnienie (zwężenie albo rozszerzenie) naczyń. Większość naczyń unerwiona jest przez włókna adrenergiczne układu współczulnego (sympatycznego), na zakończeniach których uwalniana jest noradrenalina. Z ośrodkowego układu nerwowego przesyłane jest za pomocą tych włókien w sposób ciągły (toniczny) pobudzenie, które wywołuje skurcz mięśni gładkich i jest przyczyną istnienia tzw. n a p i ę c i a n e u r o g e n n e g o naczyń. Szczególnie wysokie napięcie neurogenne mają przedwłośniczkowe naczynia oporowe. Skurcz tych naczyń powoduje wzrost oporu obwodowego, który z kolei prowadzi do wzrostu ciśnienia tętniczego.

R e g u l a c j a n a p i ę c i a n e u r o g e n n e g o odbywa się na drodze odruchowej. Wzrost ciśnienia tętniczego krwi powoduje rozciągnięcie ścian dużych tętnic, w których znajdują się receptory reagujące na mechaniczne odkształcenie ściany, nazywane b a r o r e c e p t o r a m i. Najwięcej baroreceptorów znajduje się w zatokach tętnic szyjnych i w łuku aorty. Pobudzenie baroreceptorów, przekazywane do ośrodków układu krążenia w rdzeniu przedłużonym za pośrednictwem włókien nerwu językowo-gardłowego (z zatok tętnic szyjnych) i nerwu błędnego (z łuku aorty), prowadzi do zwiększenia aktywności włókien nerwu błędnego i zmniejszenia aktywności nerwów współczulnych. Rytm serca ulega zwolnieniu, maleje pojemność minutowa serca. Jednocześnie, wskutek zahamowania aktywności włókien współczulnych unerwiających naczynia krwionośne, następuje rozszerzenie naczyń i zmniejszenie oporu obwodowego. Efektywne ciśnienie filtracyjne w naczyniach włosowatych (zob. s. 187) wzrasta, część płynu z naczyń przechodzi do przestrzeni pozanaczyniowej, co prowadzi do zmniejszenia objętości krwi. Ostatecznym wynikiem pobudzenia baroreceptorów jest obniżenie ciśnienia tętniczego krwi.

Obniżenie ciśnienia tętniczego powoduje zmniejszenie lub zniesienie pobudzenia baroreceptorów (tzw. odbarczenie). Aktywność układu współczulnego ponownie wzrasta, naczynia ulegają zwężeniu, rośnie opór obwodowy. Efektywne ciśnienie filtracyjne w naczyniach krwionośnych maleje i płyn z przestrzeni pozanaczyniowej przechodzi do naczyń zwiększając objętość krwi. Następuje zwiększenie pojemności minutowej serca. Jednocześnie zmniejsza się tempo odpływu krwi tętniczej do naczyń mikrokrążenia na skutek wzrostu oporu obwodowego, co prowadzi do wzrostu ciśnienia tętniczego krwi.

Odruch z baroreceptorów tętniczych działa więc na zasadzie ujemnego sprzężenia zwrotnego, stabilizując ciśnienie tętnicze krwi. Zapobiega on przede wszystkim chwilowym, nadmiernym zmianom ciśnienia tętniczego, np. podczas zmiany pozycji leżącej na stojącą zapobiega obniżeniu tego ciśnienia.

W odruchowej regulacji ciśnienia tętniczego krwi biorą udział także receptory obszaru sercowo-płucnego oraz chemoreceptory. Receptory obszaru sercowo-płucnego ulegają pobudzeniu podczas rozciągania serca oraz dużych naczyń tego obszaru przez krew i nazywane są receptorami objętościowymi. Są one pobudzane przy normalnym wypełnieniu krwią obszaru sercowo-płucnego. Pobudzenie to wywiera na drodze odruchowej stały wpływ hamujący na aktywność włókien współczulnych zwężających naczynia krwionośne oraz stały wpływ pobudzający na aktywność włókien dosercowych nerwu błędnego. Odruch z receptorów objętościowych wspomaga regulację odruchową z baroreceptorów.

W stanach niedotlenienia (hipoksji) oraz wówczas, gdy wzrasta prężność dwutlenku węgla lub jonów wodorowych, w odruchowej regulacji ciśnienia biorą również udział chemoreceptory tętnicze. Chemoreceptory zlokalizowane w kłębkach szyjnych i aortalnych pobudzane są przez obniżenie ciśnienia parcjalnego tlenu, wzrost ciśnienia parcjalnego i stężenia jonów wodorowych. Spadek ciśnienia tętniczego i przepływu krwi przez kłębki poniżej pewnego krytycznego poziomu (poniżej 80 mm Hg) powoduje niedostateczny dopływ tlenu i nadmierne gromadzenie się CO_2 i jonów wodorowych. Prowadzi to do pobudzenia chemoreceptorów, które przekazywane jest do ośrodków regulujących ciśnienie tętnicze krwi w rdzeniu przedłużonym, a stamtąd także do przodomózgowia, w tym do jąder podwzgórza wytwarzających wazopresynę. Dochodzi do silnej aktywacji układu współczulnego i do masywnego wyrzutu wazopresyny do krwiobiegu. W wyniku tych reakcji ciśnienie ulega podwyższeniu. Ponieważ w krążeniu mózgowym i wieńcowym do zwężenia naczyń nie dochodzi, zwężenie naczyń tętniczych w innych narządach i skierowanie przepływu przez zespolenia tętniczo-żylne (z pominięciem naczyń odżywczych mikrokrążenia) umożliwia zaoszczędzenie tlenu dla mózgu i serca.

Regulacja przepływu krwi w poszczególnych obszarach naczyniowych zależy od funkcji pełnionej przez narząd.

W odruchowej regulacji ciśnienia tętniczego uczestniczy cały szereg struktur układu nerwowego. Należą do nich m.in.: rdzeń kręgowy, rdzeń przedłużony, podwzgórze, układ limbiczny, móżdżek, jądra przedsionka.

Niektóre naczynia krwionośne są unerwione przez włókna nerwowe uwalniające na swych synapsach przekaźnik wywierający działanie naczyniorozszerzające. Najczęściej są to włókna cholinergiczne (uwalniające acetylocholinę), należące do układu przywspółczulnego. Unerwienie naczyniorozszerzające odgrywa dużo mniejszą rolę niż unerwienie naczyniozwężające. Występuje ono w naczyniach ślinianek, opon mózgowych, w naczyniach wieńcowych serca, przewodu pokarmowego, narządów miednicy małej oraz narządów płciowych zewnętrznych. W niektórych włóknach unerwiających naczynia przewodu pokarmowego i narządy miednicy małej przekaźnikiem jest ATP, a jego działanie potęgowane jest przez jednocześnie uwalniany jelitowy peptyd wazoaktywny (VIP).

Krążenie wieńcowe

W sercu przepływ przez naczynia wieńcowe zmienia się w zależności od faz cyklu hemodynamicznego. W lewej komorze, odwrotnie niż w innych obszarach naczyniowych, przepływ jest najniższy w czasie skurczu komór, ponieważ kurczący się mięsień sercowy uciska naczynia wieńcowe. Najbardziej utrudniony jest przepływ w warstwie podwsierdziowej, ponieważ wywiera na nią ciśnienie znajdująca się w komorze krew. W zdrowym sercu utrudnienie przepływu podczas skurczu jest w pełni kompensowane podczas rozkurczu. Kompensacja ta może być utrudniona w następujących stanach patologicznych: 1) niskie ciśnienie rozkurczowe w aorcie (np. krwotok, niedomykalność zastawki aortalnej), 2) wysokie ciśnienie rozkurczowe w lewej komorze (zwężenie zastawki aortalnej, niedomykalność zastawki aortalnej, niewydolność lewokomorowa). Ograniczenie przepływu krwi w prawej komorze podczas skurczu jest znacznie mniejsze, ponieważ naprężenie rozwijane przez mięsień prawej komory jest słabsze.

Przepływ krwi w naczyniach wieńcowych podporządkowany jest głównie *regulacji metabolicznej*, ściśle związanej z pracą serca. Zwiększenie pracy serca (przyspieszenie częstości skurczów lub wzrost ich siły) prowadzi do wzrostu ciśnienia parcjalnego CO_2, obniżenia ciśnienia parcjalnego O_2, wzrostu stężenia jonów potasu (zwłaszcza podczas tachykardii) i wzrostu stężenia adenozyny. Silne działanie naczyniorozszerzające w krążeniu wieńcowym odgrywają EDRF, PGI_2 i być może inne czynniki wydzielane przez śródbłonek naczyń wieńcowych. Odgrywają one ważną rolę w regulacji przepływu podczas niedotlenienia mięśnia sercowego. Ich udział w metabolicznej regulacji przepływu w zdrowym sercu nie jest w pełni poznany.

Regulacja nerwowa przepływu wieńcowego odgrywa mniejszą rolę niż w innych obszarach naczyniowych. Naczynia wieńcowe unerwione są przez włókna współczulne i przywspółczulne układu autonomicznego, a komórki mięśni gładkich tych naczyń posiadają receptory α i β. Receptory α znajdują się głównie w naczyniach zewnętrznych warstw serca, a ich pobudzenie powoduje skurcz naczyń wieńcowych. Działanie to jednak na ogół nie ujawnia się, ponieważ pobudzenie układu współczulnego prowadzi jednocześnie do wzrostu pracy serca i wzrostu przepływu wieńcowego, spowodowanego działaniem czynników metabolicznych. W chorobie niedokrwiennej serca działanie to ujawnia się na skutek upośledzonego wydzielania śródbłonkopochodnych czynników naczyniorozszerzających. Jest ono przyczyną pojawiania się bólu wieńcowego podczas pobudzenia układu współczulnego pod wpływem niskiej temperatury (np. zimny wiatr). Pobudzenie receptorów β naczyń wieńcowych wywiera słabe działanie naczyniorozszerzające. Złożone działanie regulacyjne na krążenie wieńcowe wywiera również układ przywspółczulny. Jego pobudzenie wywołuje zwolnienie częstości serca i zmniejszenie pracy, co prowadzi do zmniejszenia przepływu. Bezpośrednie działanie uwalnianej z zakończeń układu przywspółczulnego acetylocholiny powoduje rozkurcz zdrowych naczyń wieńcowych za pośrednictwem uwalnianego pod wpływem Ach ze śródbłonka EDRF.

Przepływ wieńcowy w chorobie niedokrwiennej serca. W chorobie niedokrwiennej serca zmiany miażdżycowe w ścianie naczyń zwężają światło utrudniając przepływ krwi. Jednocześnie wydzielanie czynników naczyniorozszerzających przez śródbłonek naczyń wieńcowych jest upośledzone, natomiast ich podatność na działanie czynników naczyniozwężających zwiększona. Ograniczenie przepływu odgrywa szczególnie ważną rolę podczas zwiększonej pracy serca (wysiłek fizyczny, emocje), kiedy to wzrasta zapotrzebowanie na tlen komórek mięśnia sercowego. Dochodzi wówczas do niedotlenienia, a jego subiektywnym objawem jest ból wieńcowy. Całkowite zamknięcie światła naczynia wieńcowego powoduje powstanie zawału i martwicy komórek mięśnia sercowego.

Zaopatrzenie w krew mięśnia w bezpośrednim sąsiedztwie zawału jest możliwe dzięki maksymalnemu rozszerzeniu drożnych naczyń i zwiększonemu dopływowi przez naczynia krążenia obocznego. Przepływ przez strefę okołozawałową może ulec drastycznemu pogorszeniu, jeżeli wzrośnie praca serca (np. podczas napięcia emocjonalnego, wysiłku fizycznego). Dochodzi wówczas do rozszerzenia naczyń w całym sercu i „podkradania" krwi (*coronary steal*) ze strefy okołozawałowej, co grozi poszerzeniem zawału.

Krążenie mózgowe

Przepływ krwi w krążeniu mózgowym, a zwłaszcza wewnątrzmózgowy przepływ odżywczy, regulowany jest głównie przez czynniki metaboliczne. Wzrost pCO_2, wzrost stężenia jonów wodoru i potasu oraz adenozyna wywierają działanie naczyniorozszerzające. Naczynia wewnątrzmózgowe są szczególnie wrażliwe na zmiany ciśnienia parcjalnego CO_2. Obniżenie pCO_2 (np. podczas hiperwentylacji) wywołuje skurcz naczyń mózgowych, a wzrost pCO_2 ich rozkurcz i wzrost przepływu. Obniżenie pO_2 poniżej 70 mm Hg powoduje gwałtowny wzrost przepływu, natomiast hiperoksja (oddychanie czystym tlenem) nie powoduje uchwytnych zmian. Działanie naczyniorozszerzające na naczynia krążenia mózgowego wywierają EDRF i PGI_2. Poza czynnikami metabolicznymi na naczynia mózgowe mają też wpływ neurotransmittery wydzielane przez sąsiadujące neurony. Naczynia mózgowe unerwione są przez układ autonomiczny. Włókna współczulne pochodzą ze zwoju szyjnego górnego, a przywspółczulne ze zwoju skrzydłowo-podniebiennego i zwoju nerwu trójdzielnego. Układ autonomiczny reguluje opór dla przepływu w dużych naczyniach tętniczych (do kręgu Willisa) i w naczyniach powierzchni mózgu. Cechą charakterystyczną krążenia mózgowego jest bardzo efektywna autoregulacja. Mechanizm autoregulacji związany jest z: 1) podporządkowaniem przepływu aktualnym potrzebom metabolicznym komórek układu nerwowego na drodze wyżej omówionej regulacji metabolicznej; 2) właściwościami kanałów jonowych mięśni gładkich naczyń mózgowych; rozciągnięcie naczyń mózgowych pod wpływem ciśnienia powoduje otwarcie kanałów wapniowych, napływ wapnia do komórek, ich skurcz i zwężenie naczyń; 3) nerwową regulacją przepływu przez układ współczulny. U zdrowego człowieka przepływ mózgowy utrzymywany jest na stałym poziomie w dużym zakresie zmian ciśnienia perfuzyjnego (od 50 do 150 mm Hg). Po przekroczeniu górnej granicy autoregulacji przepływ wzrasta proporcjonalnie do wzrostu ciśnienia tętniczego. Przy znacznym wzroście ciśnienia może wówczas dojść do przerwania bariery krew-mózg i rozwoju encefalopatii nadciśnieniowej. W nadciśnieniu tętniczym wraz ze wzrostem ciśnienia dochodzi stopniowo do morfologicznych zmian adaptacyjnych w krążeniu mózgowym, a zakres autoregulacji ulega przesunięciu w kierunku wyższych wartości.

Skurcz naczyń spowodowany krwawieniem podpajęczynówkowym. Następstwem krwawienia podpajęczynówkowego może być przewlekle utrzymujący się (do kilkunastu dni) skurcz naczyń mózgowych. Jest on spowodowany m.in. hemolizą i pojawieniem się substancji uwalnianych w toku procesów zapalnych. Zmniejsza się ilość związków naczyniorozszerzających, ponieważ uwolniona podczas hemolizy hemoglobina wiąże tlenek azotu i hamuje syntezę PGI_2, natomiast wzrasta uwalnianie związków naczyniozwężających (endotelina, leukotrieny, wolne rodniki tlenu).

Regulacja objętości krwi

Utrzymanie stałej objętości krwi w organizmie zależy od stałej objętości płynów ustrojowych. Czynniki kontrolujące objętość płynów ustrojowych biorą udział w długoterminowej regulacji objętości krwi. Należą do nich mechanizmy kontrolujące przyjmowanie wody (pragnienie, zob. s. 148) oraz wydalanie sodu i wody (zob. s. 148). Szybkie, chwilowe zmiany objętości krwi kontrolowane są przez zmiany efektywnego ciśnienia filtracyjnego w naczyniach włosowatych (zob. s. 187).

VI. CZYNNOŚĆ NEREK I WYDALANIE MOCZU

Nerki są narządami wydalniczymi, a ich czynność polega na usuwaniu z organizmu substancji zbędnych wraz z moczem. Takimi substancjami zbędnymi są produkty przemiany materii, np. mocznik i niektóre kwasy nieorganiczne powstające w organizmie w trakcie rozpadu białek. W moczu wydalane są także leki i substancje toksyczne, jeśli znalazły się we krwi.

Czynność nerek nie polega jednak na prostym wydalaniu substancji. Nerki stoją bowiem na straży stałości chemicznego składu organizmu, a zwłaszcza zawartości wody wewnątrz komórek i poza nimi, a także zawartości rozpuszczonych w tej wodzie substancji, głównie soli, mimo bardzo zmiennej podaży tych czynników w pokarmach.

Nerki, sterowane przez hormony i układ nerwowy, wydalają wodę i rozpuszczone w niej związki chemiczne w takiej ilości, aby nie dochodziło do zakłócenia równowagi między ich podażą i wydalaniem (bilansu). Z tego względu *czynność nerek* określa się także jako *regulacyjną*. Zob. Regulacja objętości i stężenia osmotycznego płynów ustrojowych, s. 147.

Nerki są niezbędne do utrzymania organizmu przy życiu; ustanie ich czynności prowadzi szybko do nieodwracalnych zaburzeń i śmierci. Dla prawidłowego wydalania i spełniania czynności regulacyjnych wystarcza człowiekowi już jedna prawidłowo działająca nerka, co jest istotne ze względu na możliwość przeszczepiania tego narządu.

Rola ukrwienia w czynności nerek

Masa obu nerek u dorosłego człowieka wynosi ok. 0,3 kg, czyli stanowi 0,4% masy całego ciała. Przez nerki przepływa w ciągu minuty 1,2 l krwi, czyli aż 20% objętości dostarczanej w tym czasie całemu organizmowi przez lewą komorę serca. Na ogół ilość krwi dopływająca do narządu lub tkanki jest dostosowana do ich zapotrzebowania na tlen, tymczasem krew żylna wypływająca z nerek zawiera więcej nie wykorzystanego tlenu niż krew opuszczająca inne narządy. Wynika z tego, że doskonałe ukrwienie nerek nie jest określone przez potrzeby ich przemiany materii. Niezwykłe ich uprzywilejowanie w tym względzie jest związane z tym, że krew jest materiałem, z którego nerki wytwarzają mocz – podstawowy produkt swojej czynności. Do wytworzenia ok. 1 ml moczu w ciągu 1 min potrzebują jednak aż 1200 ml krwi.

Podstawową jednostką czynnościową nerki jest *nefron*. Jedna nerka ludzka zawiera ich około miliona. Czynność nerek jest sumą czynności wszystkich nefronów, a powstający mocz, jego objętość i skład, są wypadkową cech moczu z poszczególnych nefronów.

Pierwszy etap czynności nerek – filtracja kłębuszkowa

Pierwszą fazą w procesie powstawania moczu jest p r z e s ą c z a n i e, czyli f i l t r a c j a krwi, a ściślej mówiąc, osocza krwi w mikrofiltrach, jakimi są k ł ę b u s z k i n e r k o w e. Tętniczka doprowadzająca krew do nefronu dzieli się na drobne naczynia włosowate („kłębuszek naczyń"), które następnie łączą się tworząc tętniczkę odprowadzającą. Wygląda to tak, jakby kłębuszek wpuklił się w ślepo zakończony poszerzony kanalik, który otoczył go dwuwarstwową torebką (tzw. t o r e b k ą B o w m a n a). Osocze krwi płynącej przez kłębuszek sączy się do przestrzeni między dwiema warstwami tej torebki, a więc pokonuje w procesie filtracji dwie bariery: ścianę naczynia włosowatego oraz ścianę warstwy wewnętrznej torebki Bowmana zbudowanej z komórek nabłonkowych. Obie te bariery określa się jedną wspólną nazwą b ł o n y f i l t r a c y j n e j.

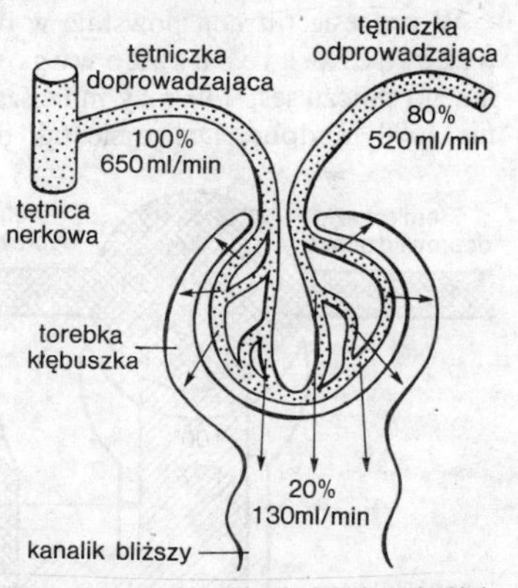

Filtracja osocza krwi w kłębuszkach nerkowych. Około 20% dopływającego osocza (130 ml/min dla wszystkich kłębuszków obu nerek) przesącza się do światła torebki kłębuszka (Bowmana) i wchodzi do kanalika bliższego

Błona filtracyjna jest przeszkodą nie do pokonania dla krwinek wszystkich rodzajów, zatrzymuje także białka osocza. Przenikają natomiast przez nią swobodnie woda osocza i wszystkie drobnocząsteczkowe składniki w niej rozpuszczone, tak że przesącz zbierający się w świetle torebki Bowmana zawiera je w takim samym stężeniu, w jakim znajdują się w osoczu. Powstający w procesie filtracji tzw. m o c z p i e r w o t n y (w odróżnieniu od moczu ostatecznego gromadzącego się w pęcherzu) ma zatem skład odbiałczonego osocza.

Główną siłą napędową filtracji kłębuszkowej jest ciśnienie krwi w naczyniach włosowatych kłębuszka wynoszące ok. 60 mm Hg (8 kPa). Przewyższa ono sumę sił przeciwstawiających się filtracji: ciśnienia przesączu w torebce Bowmana (15 mm Hg = 2 kPa) oraz tzw. ciśnienia koloidoosmotycznego (onkotycznego) białek osocza, które zatrzymują wodę w świetle naczyń włosowatych kłębuszka (25 mm Hg = 3,33 kPa). Tempo filtracji jest więc proporcjonalne do „nadwyżki" ciśnienia oraz do całkowitej powierzchni i przepuszczalności błony filtracyjnej. Wielkość filtracji zależy od ilości osocza płynącego przez nerki (ok. 650 ml/min) i wynosi u dorosłego mężczyzny ok. 130 ml/min (rys.). Oznacza to, że ok. 20% osocza ulega przesączeniu we wszystkich kłębuszkach obu nerek.

Zmiany ukrwienia nerek mogłyby w sposób bardzo istotny odbijać się na ich czynności wydalniczej. Wzrost przepływu krwi mógłby powodować przyspieszone powstawanie przesączu, a spadek przepływu – spadek filtracji. Labilność filtracji i wydalania narażałaby organizm na niepożądane straty lub gromadzenie płynu, głównie wody i soli. Dlatego wielkość przepływu krwi przez nerki i filtracji stabilizowana jest przez mechanizmy regulacyjne.

Wchłanianie zwrotne, czyli reabsorpcja kanalikowa

W procesie filtracji powstaje w obu nerkach w ciągu minuty ok. 130 ml przesączu kłębuszkowego (filtratu), podczas gdy objętość wydalanego moczu jest 130 razy mniejsza, bo wynosi tylko 1 ml/min, czyli mniej niż 1500 ml/dobę. Dzieje się tak dlatego, że z każdych 130 ml przesączu 129 ml wchłania się zwrotnie ze światła kanalików (tzw. reabsorpcja) do krwi naczyń włosowatych, które je otaczają. Wchłanianie zwrotne jest procesem złożonym, wykazującym szereg cech charakterystycznych.

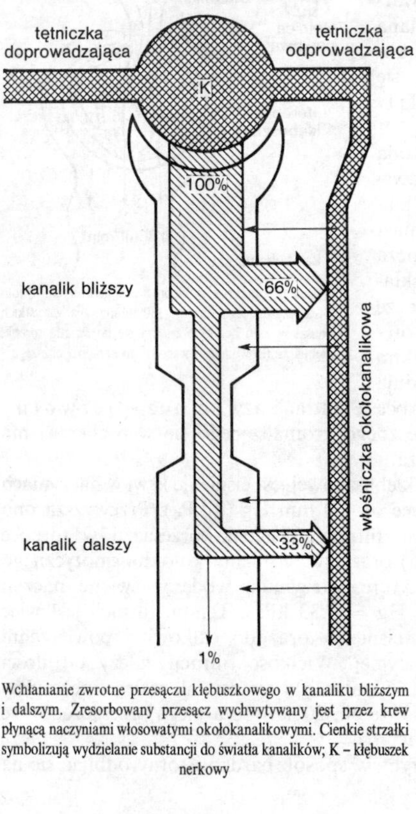

1) Wchłanianie zwrotne przebiega różnie w różnych odcinkach kanalika. W początkowej części, w tzw. kanaliku bliższym (proksymalnym), wchłania się zwrotnie 2/3 filtratu. Objętość przesączu znacznie maleje, ale nie zachodzą w jego składzie większe zmiany. W dalszej części kanalika, w tzw. kanaliku dalszym (dystalnym), wchłanianie ma przebieg bardziej zróżnicowany. W różnych fragmentach kanalika niektóre substancje reabsorbowane są bardzo intensywnie, inne nie są wcale reabsorbowane, jeszcze inne wchłaniają się tylko w określonych warunkach. W kanaliku bliższym zachodzi zatem jakby wstępna „obrób-

Wchłanianie zwrotne przesączu kłębuszkowego w kanaliku bliższym i dalszym. Zresorbowany przesącz wychwytywany jest przez krew płynącą naczyniami włosowatymi okołokanalikowymi. Cienkie strzałki symbolizują wydzielanie substancji do światła kanalików; K – kłębuszek nerkowy

ka" przesączu, a precyzyjniejsze procesy – na mniejszą skalę – odbywają się w kanaliku dalszym.

2) Wchłanianie zwrotne ma charakter wybiórczy: wchłonięciu ulegają przede wszystkim substancje potrzebne organizmowi. Jest to bardzo ważne, ponieważ filtracji podlegają, z wyjątkiem białek, niejako „na oślep", wszystkie substancje osocza. Ich utrata z moczem spowodowałaby bardzo szybko głębokie zaburzenia czynności organizmu. Na przykład glukoza, podstawowe paliwo energetyczne organizmu, nie jest „gubiona" przez nerki tylko dzięki temu, że wchłania się całkowicie (w stanie zdrowia) już w kanaliku bliższym.

3) Wchłanianie zwrotne jest procesem sterowanym głównie przez hormony, których niższe lub wyższe stężenie we krwi powoduje zazwyczaj większe lub mniejsze wchłanianie określonej substancji. Na przykład wzrost stężenia aldosteronu zwiększa wchłanianie chlorku sodu w kanaliku dalszym, co pociąga za sobą zmniejszenie wydalania chlorku sodowego (soli) w moczu. Przy spadku stężenia aldosteronu utrata soli jest zwiększona w wyniku zmniejszenia wchłaniania zwrotnego. Podobnie wzrost stężenia hormonu antydiuretycznego (wazopresyny) zwiększa, a obniżenie jego stężenia zmniejsza wchłanianie zwrotne wody. Wchłanianie zwrotne wapnia i fosforanów kontrolują aż trzy hormony: wydzielany przez przytarczyce parathormon, powstająca w nerce czynna postać witaminy D_3 – kalcytriol – oraz wywodząca się z tarczycy kalcytonina.

4) Mechanizm wchłaniania zwrotnego jest niejednolity. Ma ono często charakter transportu czynnego czerpiącego energię z metabolizmu komórek kanalika, tak jak to się dzieje np. w przypadku glukozy. Inne substancje wchłaniane są w sposób bierny, przenikając ze światła kanalika do jego komórek, a następnie do tkanki otaczającej zgodnie z różnicą stężeń (np. woda i mocznik) lub zgodnie z różnicą potencjałów elektrycznych (substancje elektrolitowe). Główny składnik przesączu – chlorek sodu – jest wchłaniany zwrotnie zarówno na zasadzie czynnego transportu, jak i biernej dyfuzji.

Sekrecja kanalikowa jest to przechodzenie substancji z krwi naczyń otaczających kanalik do komórek kanalikowych, a następnie do moczu w jego świetle. W ten sposób eliminowany jest z organizmu jon wodorowy (zob. niżej) oraz niektóre leki, np. penicylina. Proces sekrecji jest jakby procesem przeciwstawnym wchłanianiu zwrotnemu.

Kontrolowanie bilansu soli i wody przez nerki

Udział nerek w regulacji bilansu soli i wody w organizmie ma kluczowe znaczenie. Przy zwiększonej podaży soli z pożywieniem nerki zwiększają jej wydalanie. Tę czynność regulacyjną nerki wykonują w dwojaki sposób: przez zwiększenie filtracji i przez zmniejszenie wchłaniania zwrotnego.

1) Z w i ę k s z e n i e f i l t r a c j i. Wzrost zawartości soli w płynach ustrojowych prowadzi do wzrostu przepływu krwi przez nerki i wzrostu objętości osocza przesączonego w kłębuszkach w jednostce czasu. Oznacza to m.in, że do kanalików wchodzi więcej soli. Mimo że na zwiększoną podaż reagują one zwiększonym wchłanianiem zwrotnym, nie kompensuje to w całości zwiększonego dopływu soli z przesączem, tak że wydalanie wyraźnie wzrasta.

2) Z m n i e j s z e n i e w c h ł a n i a n i a z w r o t n e g o. Wzrost zawartości soli w płynie pozakomórkowym, wiążący się na ogół ze wzrostem jego objętości, prowadzi poprzez łańcuch reakcji fizjologicznych do zahamowania wydzielania aldosteronu, tj. hormonu kory nadnerczy zwiększającego wchłanianie zwrotne soli w kanalikach (głównie w kanaliku dalszym – zob. wyżej). Przy niższym stężeniu aldosteronu we krwi wchłanianie zwrotne soli obniża się i wzrasta jej ilość wydalana z moczu.

Zwiększona filtracja i zmniejszone wchłanianie zwrotne często przebiegają równocześnie przy zaburzonym bilansie soli: d o d a t n i b i l a n s s o l i (nadmiar NaCl w organizmie) może być kompensowany zwiększeniem filtracji i zmniejszeniem wchłaniania, a u j e m n y b i l a n s s o l i (niedobór NaCl w organizmie) – zmniejszeniem filtracji i zwiększeniem wchłaniania zwrotnego.

W r e g u l a c j i b i l a n s u w o d n e g o nerki współdziałają z mechanizmem pragnienia, decydującym o mniejszym lub większym przyjmowaniu wody (zob. s. 148). Regulacyjna rola nerek polega na wydalaniu dużej objętości wody przy jej nadmiarze w organizmie (dodatni bilans wodny) i małej objętości wody w stanach odwodnienia (ujemny bilans wodny). Niezależnie od stanu bilansu wodnego nerki muszą wydalić w moczu dosyć stałą porcję substancji stałych (soli, produktów przemiany materii, np. mocznika itp.).

Zachowanie względnie stałego wydalania substancji rozpuszczonych przy wydalaniu różnych ilości wody jest możliwe dzięki temu, że w stanie nadmiaru wody nerki wydalają duże ilości moczu bardzo rozcieńczonego, a w stanie odwodnienia – mało moczu bardzo zagęszczonego. Podstawą regulacji wydalania wody są zatem procesy zagęszczania i rozcieńczania moczu.

Objętość moczu wydalanego w ciągu doby może wahać się w dużych granicach: od 0,4 l do ponad 10 l (najczęściej ok. 1,5 l). Stężenie moczu waha się wówczas od 1200 do 70 mmol/l. W praktyce analitycznej miarą zagęszczenia moczu jest jego gęstość zawierająca się w granicach 1,001 – 1,035 g/ml.

Istotą procesu oszczędzania wody przez nerki (zagęszczania moczu) bądź też pozbywania się jej z organizmu (rozcieńczania moczu) jest wybiórcze większe lub mniejsze w c h ł a n i a n i e z w r o t n e wody w kanalikach nerkowych. Woda wchłaniana jest głównie w końcowym odcinku kanalika, a proces ten jest kontrolowany przez powstający w podwzgórzu i uwalniany do krwi przez przysadkę h o r m o n a n t y d i u r e t y c z n y (ADH, zob. Hormony podwzgórzowe, s. 236).

Niedobór wody w organizmie pobudza wydzielanie ADH do krwi. W obecności tego hormonu większość przefiltrowanej w kłębuszkach wody wchłania się zwrotnie w kanalikach i wraca do krwiobiegu; nerki wydalają małą ilość zagęszczonego moczu. Przewodnienie hamuje wydzielanie ADH i wchłanianie kanalikowe wody ustaje: niezresorbowana woda jest wydalana, a więc nerki wytwarzają dużą objętość rozcieńczonego moczu.

Rola nerek w regulacji odczynu płynów ustrojowych

W toku prawidłowej przemiany materii w organizmie powstaje więcej kwaśnych niż zasadowych „odpadków". Nadmiar kwasów wynoszący ok. 80 mmoli jonów wodorowych (H^+) na dobę musi być usunięty przez nerki – tylko wtedy utrzymany zostanie prawidłowy odczyn (pH, tj. stężenie H^+) płynów ustrojowych. W regulacji równowagi kwasowo-zasadowej (zob. s. 148) nerki współpracują z płucami usuwającymi w powietrzu wydechowym dwutlenek węgla, który dla organizmu jest także produktem kwaśnym.

Istotą „odkwaszania" organizmu (a zakwaszania moczu) jest sekrecja jonów wodorowych przez komórki kanalików od ich światła. W odcinku bliższym (proksymalnym) kanalika proces ten jest ściśle powiązany z wchłanianiem zwrotnym jonów wodorowęglanowych (HCO_3^-), składnika buforu umożliwiającego szybkie zobojętnienie kwasów w płynie pozakomórkowym (zob. Układy buforowe krwi, s. 149). Chociaż wydalany mocz ma odczyn wyraźnie kwaśny (pH do ok. 5,2), jon H^+ jest usuwany przez nerki przede wszystkim w formie zobojętnionej, w połączeniu ze związkami buforującymi. Głównymi buforami moczu są fosforany i amoniak.

Uszkodzenie nerek powodujące zaburzenia czynności wydalania jonów wodorowych (nie leczone) prowadzi do szybkiego zakwaszenia organizmu i śmierci z powodu tzw. kwasicy.

Nerki jako źródło hormonów

Poza czynnościami wydalniczymi i regulacyjnymi nerki pełnią jeszcze funkcję gruczołu dokrewnego, a mianowicie wytwarzają i uwalniają do krwi czynne substancje. W nerkach uwalniany jest enzym renina, który odgrywa rolę przy powstawaniu angiotensyny II – hormonu kurczącego naczynia krwionośne, a także pobudzającego korę nadnerczy do wydzielania aldosteronu. Nerki wytwarzają również erytropoetynę, hormon regulujący powstawanie krwinek czerwonych w szpiku kostnym. W nerkach powstaje także z mało aktywnej witaminy D jej czynna postać – kalcytriol (1,25-dwuhydroksycholekalcyferol), potężny regulator hormonalny odpowiedzialny za prawidłowe uwapnienie kości, współdziałający z hormonem przytarczyc – parathormonem (zob. Mechanizmy regulacji gospodarki wapniowo-fosforanowej, s. 833). Tkanka nerkowa syntetyzuje ponadto prostaglandyny, substancje hormonalne o dosyć wielorakim działaniu, silnie rozszerzające naczynia krwionośne (działanie antagonistyczne w stosunku do angiotensyny II i noradrenaliny). Zob. Układ wydzielania wewnętrznego, Kalcytriol, s. 241 oraz Hormony tkankowe, s. 247.

Drogi moczowe i wydalanie moczu

Z końcowego odcinka kanalików (z tzw. przewodów zbiorczych) mocz przedostaje się do kielichów i do miedniczki nerkowej, skąd spływa moczowodami do pęcherza. Przepływ moczowodami ułatwiają ich ruchy robaczkowe (perystaltyczne) podobne do perystaltyki jelit. Kiedy napięcie rozciąganego przez mocz pęcherza osiągnie pewną wartość krytyczną, znajdujące się w jego ścianie receptory dają sygnał do odruchowego skurczu pęcherza z jednoczesnym rozkurczem mięśniowego pierścienia (zwieracza), który zaciska ujście do cewki moczowej; w ten sposób dochodzi do wydalenia moczu. *Ośrodek tego odruchu* znajduje się w rdzeniu kręgowym.

W opisany sposób funkcjonuje pęcherz moczowy u niemowlęcia. W miarę rozwoju ośrodkowego układu nerwowego człowiek nabywa umiejętność *dowolnego kontrolowania* aktu *oddawania moczu*. Impulsy z wyższych ośrodków nerwowych w mózgu hamują skurcz pęcherza i rozkurcz zwieracza, dopiero świadome „odhamowanie" odruchu rdzeniowego prowadzi do oddania moczu w wybranym czasie.

VII. ODDYCHANIE

Oddychanie w szerokim znaczeniu jest procesem wymiany tlenu i dwutlenku węgla między komórkami i otoczeniem. W procesie tym bierze udział nie tylko *układ oddechowy*, a więc *drogi oddechowe i płuca*, ale także *krew i płyn śródmiąższowy*.

Powietrze oddechowe z atmosfery dostaje się poprzez jamę nosową i jamę ustną do gardła i dalej poprzez krtań oraz tchawicę do dwóch dużych oskrzeli, z których każde zaopatruje jedno płuco. Wewnątrz płuc oskrzela rozgałęziają się wielokrotnie (rys. na s. 42) tworząc coraz mniejsze przewody – najmniejsze z nich kończą się ślepo maleńkimi woreczkami, czyli *pęcherzykami płucnymi*. Są one właściwym miejscem wymiany gazów; takich najmniejszych jednostek czynnościowych w obu płucach jest ok. 300 milionów.

Powietrze atmosferyczne przechodząc do płuc poprzez drogi oddechowe zostaje w nich zwilżone i ogrzane. W obrębie krtani trafia na struny głosowe, które wprawia w drgania, dzięki czemu wydajemy dźwięki. W tchawicy i oskrzelach wyścielonych nabłonkiem wydzielającym śluz i wyposażonym w rzęski, powietrze zostaje oczyszczone z cząsteczek pyłu, innych zanieczyszczeń stałych oraz z bakterii. Wszystkie te czynniki szkodliwe przyklejają się do śluzu, który dzięki nieustannemu ruchowi rzęsek przesuwany jest w kierunku krtani i gardła, gdzie ulega połknięciu. Jest to ważny mechanizm chroniący płuca przed wtargnięciem czynników chorobotwórczych. Dym papierosowy wdychany przez palaczy tytoniu z jednej strony pobudza wydzielanie śluzu, z drugiej zaś unieruchamia rzęski, co w efekcie prowadzi do upośledzenia drożności dróg oddechowych.

W zjawisku oddychania wyróżnia się następujące procesy składowe:

1) wymianę powietrza między atmosferą i pęcherzykami płucnymi, czyli wentylację płuc;

2) wymianę tlenu i dwutlenku węgla między powietrzem pęcherzykowym a krwią naczyń włosowatych płuc;

3) transport tlenu i dwutlenku węgla przez krew;

4) wymianę tlenu i dwutlenku węgla między krwią naczyń włosowatych tkanek (innych niż płuca) i komórkami tych tkanek.

Wymiana powietrza między atmosferą i pęcherzykami płucnymi – wentylacja płuc

Wentylacja płuc składa się z występujących na przemian faz wdechu (ruch powietrza z atmosfery do pęcherzyków płucnych) i wydechu (ruch powietrza w kierunku odwrotnym). Fazy te są uwarunkowane różnicami ciśnienia powietrza. Rozszerzenie się klatki piersiowej i płuc w czasie wdechu (zwiększanie ich objętości) powoduje spadek ciśnienia w pęcherzykach płucnych poniżej ciśnienia atmosferycznego (poniżej 760 mm Hg lub 101,3 kPa) i napływ powietrza do płuc. Zapadnięcie się klatki piersiowej i płuc w czasie wydechu powoduje przejściowy wzrost ciśnienia w pęcherzykach (wynik „ściśnięcia" powietrza w kurczących się pęcherzykach) i przepływ powietrza z płuc na zewnątrz.

Zwiększenie objętości klatki piersiowej w czasie *wdechu* i rozciągnięcie płuc jest wynikiem działania mięśni oddechowych, głównie przepony, która kurcząc się wpukla się jakby do jamy brzusznej zwiększając wymiary klatki piersiowej ku dołowi, oraz mięśni międzyżebrowych, poszerzających klatkę piersiową w jej wymiarze bocznym. Spokojny *wydech* jest zjawiskiem biernym, gdyż jest następstwem ustania skurczu, a więc następstwem rozkurczu mięśni oddechowych.

Pojemność płuc można zmierzyć przy użyciu prostego urządzenia zwanego *spirometrem*. W czasie badania dana osoba wdmuchuje bądź wydmuchuje powietrze z bębna unoszącego się na wodzie, którego położenie jest wyskalowane; ze skali można odczytać objętość powietrza wchodzącą lub wychodzącą z układu. Średnie wyniki pomiarów spirometrycznych przedstawiono na rysunku, s. 202. Jak widać na wykresie, objętość powietrza wchodząca i wychodząca z płuc w czasie spokojnego oddychania, tzw. *objętość oddechowa*, wynosi 0,5 l. W czasie maksymalnego wydechu można jeszcze dodatkowo usunąć z płuc 1,2 l powietrza – jest to *objętość*

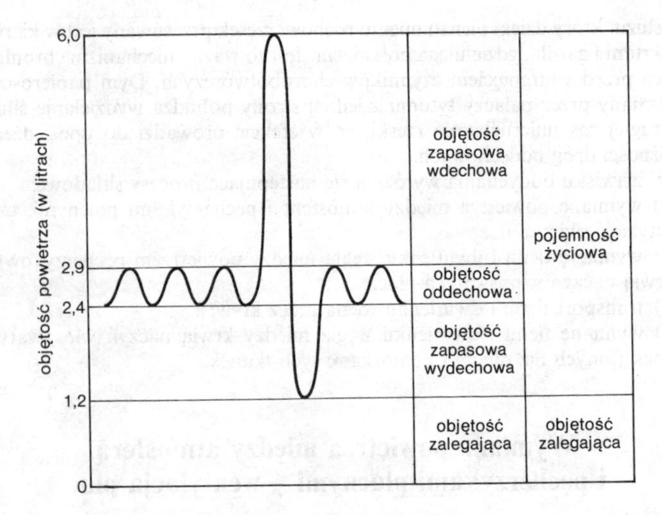

Części składowe całkowitej spoczynkowej pojemności płuc (6 l), mierzone za pomocą spirometru

zapasowa wydechowa – ale i tak pozostanie w nich jeszcze ok. 1,2 l powietrza, tzw. objętość zalegająca. W maksymalnym wdechu wykonanym po spokojnym wydechu można nabrać do płuc 0,5 l powietrza (objętość oddechowa) + 3,1 l powietrza (objętość zapasowa wdechowa). Jak wynika z rysunku, całkowita pojemność płuc wynosi 6 l.

W czasie normalnego wydechu 0,5 l powietrza opuszcza pęcherzyki płucne, ale tylko 0,35 l powietrza wydychanego wydostaje się do atmosfery, reszta „zalega" w drogach oddechowych, których łączna objętość wynosi 0,15 l. W czasie kolejnego wdechu do pęcherzyków płucnych wejdzie zatem najpierw ta zalegająca objętość 0,15 l i już tylko 0,35 l świeżego powietrza atmosferycznego. Ponieważ w drogach oddechowych nie zachodzi wymiana gazowa, ich objętość nazywana jest przestrzenią martwą lub bezużyteczną.

Wentylacja płuc. Przy częstości oddechów wynoszącej średnio 12 na minutę, wentylację płuc można obliczyć mnożąc objętość oddechową przez tę częstość. Wyniesie ona $12 \times 0{,}5$ l $=$ 6 l/min, z tego $12 \times 0{,}15$ l $=$ 1,8 l/min będzie wentylacją przestrzeni bezużytecznej, a istotna dla wymiany gazów wentylacja pęcherzyków płucnych wyniesie tylko $12 \times 0{,}35$ l $=$ 4,2 l/min.

W miarę wzrostu zapotrzebowania organizmu na tlen, np. w czasie wysiłku fizycznego, wentylacja płuc może wzrastać ze spoczynkowej wartości 6 l/min do ponad 100 l/min. Wpływa na to zarówno wzrost częstości oddechów, jak i wzrost objętości oddechowej. Stwierdzono, że właśnie taki „mieszany" mechanizm wzrostu wentylacji jest optymalny z punktu widzenia interesów energetycznych organizmu, ponieważ wiąże się ze stosunkowo najmniejszym wzrostem pracy oddechowej.

Praca oddechowa jest to praca wykonywana przez mięśnie oddechowe, które mają za zadanie rozciągnięcie klatki piersiowej i płuc w czasie wdechu. Tkanka płucna, a ściślej pęcherzyki płucne są bardzo oporne na rozciąganie z powodu występującego w nich zjawiska zwanego napięciem powierzchniowym. Pęcherzyki wyścielone są bardzo cienkim płaszczem płynu, a na granicy między wodą i powietrzem cząsteczki wody przyciągają się silnie, tworząc ściągającą powierzchnię niepodatną na rozciąganie. Działanie napięcia powierzchniowego w płucach ulega zmniejszeniu pod wpływem tzw. czynnika powierzchniowego, substancji wytwarzanej przez komórki pęcherzyków. Brak tego czynnika, obserwowany niekiedy u przedwcześnie urodzonych noworodków, powoduje wzrost pracy oddechowej, tzn. że wskutek małej podatności tkanki płucnej na rozciąganie wdech może być wykonany tylko kosztem znacznego wysiłku.

Wzrost pracy oddechowej może być także spowodowany wzrostem oporu, na jaki natrafia powietrze w drogach oddechowych. W warunkach prawidłowych opór ten jest niewielki, ale może znacznie wzrosnąć w stanach chorobowych, najczęściej w wyniku skurczu mięśni gładkich drobnych oskrzeli, nadmiernego gromadzenia się śluzu lub obu tych czynników działających jednocześnie.

Wymiana tlenu i dwutlenku węgla w pęcherzykach płucnych

Prawa komora serca tłoczy do płuc krew napływającą z tkanek, a więc taką, która uprzednio przekazała tkankom znaczną ilość tlenu (O_2), a pobrała od nich znaczną ilość dwutlenku węgla (CO_2). W płucach płynie ona siecią naczyń włosowatych oplatających pęcherzyki płucne i tutaj właśnie odbywa się właściwa wymiana gazów między krwią i powietrzem pęcherzykowym. Siłą powodującą ruch gazów między jednym i drugim środowiskiem są różnice ciśnień parcjalnych*: gaz przenika (dyfunduje) zawsze w kierunku od wyższego do niższego ciśnienia parcjalnego. Wymiana gazów w płucach przedstawiona jest schematycznie na rysunku, s. 204.

Zmiany powietrza wdychanego w płucach. Wdychane powietrze atmosferyczne ma dużą zawartość i bardzo wysokie ciśnienie parcjalne tlenu (p_{O_2}) oraz znikomą zawartość i bardzo niskie ciśnienie parcjalne dwutlenku węgla (p_{CO_2}). Powietrze w pęcherzykach płucnych jest natomiast znacznie uboższe w tlen i bogatsze w dwutlenek węgla. Dzieje się tak dlatego, że po pierwsze – jest to mieszanina powietrza pochodzącego z wdechu z powietrzem, które już było w pęcherzykach (na całkowitą pojemność płuc równą

* Tlen stanowi 20% lub 1/5 powietrza atmosferycznego, zatem jego ciśnienie parcjalne, czyli cząstkowe w powietrzu wynosi: 760 mm Hg : 5 = 152 mm Hg (101,3 kPa : 5 = 20,3 kPa).

6 l do pęcherzyków wchodzi w czasie wdechu tylko 0,35 l powietrza „świeżego" – inaczej mówiąc, w pęcherzykach powietrze „zużyte" nie jest zastępowane powietrzem świeżym, ale tylko nim wzbogacone); p o d r u g i e – tlen stale przenika ze światła pęcherzyków do krwi naczyń włosowatych płucnych, gdzie panuje niższe ciśnienie parcjalne tlenu, podczas gdy dwutlenek węgla dyfunduje w kierunku przeciwnym.

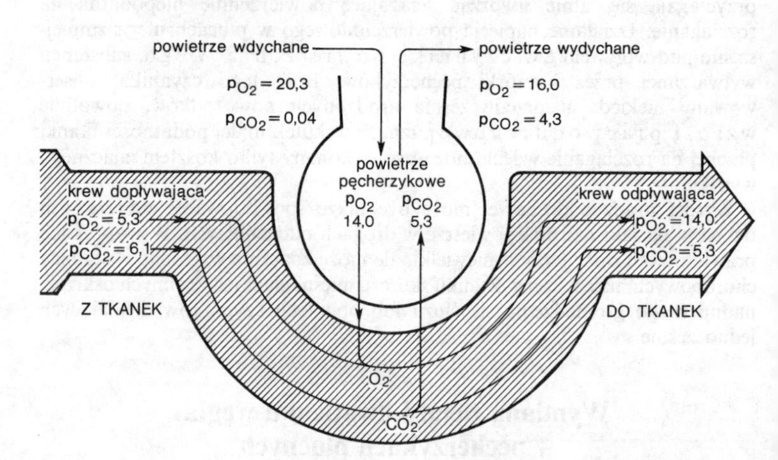

Wymiana tlenu i dwutlenku węgla między wnętrzem pęcherzyka płucnego i krwią naczyń włosowatych płuc. Wartości ciśnienia parcjalnego tlenu p_{O_2} i dwutlenku węgla p_{CO_2} (w kPa)

P o w i e t r z e w y d y c h a n e ma cechy pośrednie między powietrzem atmosferycznym i pęcherzykowym. W porównaniu z powietrzem pęcherzyków ulega ono wzbogaceniu w tlen i zubożeniu w dwutlenek węgla w wyniku zmieszania z powietrzem pozostającym w przestrzeni martwej lub bezużytecznej (tj. dróg oddechowych, gdzie wymiana gazów nie zachodzi, a więc powietrze nie ulega „zużyciu").

Zmiany we krwi żylnej dopływającej do płuc. Przenikanie tlenu z pęcherzyków płucnych do krwi jest tak sprawne, że jego ciśnienie parcjalne w tej krwi (p_{O_2}) wzrasta z 40 mm Hg (5,3 kPa) do 105 mm Hg (14,0 kPa), a więc dokładnie do wartości w powietrzu pęcherzykowym. Bardzo sprawna jest dyfuzja dwutlenku węgla w kierunku przeciwnym, tak że różnica ciśnienia parcjalnego dwutlenku węgla (p_{CO_2}), istniejąca między krwią żylną dopływającą z tkanek (46 mm Hg = 6,1 kPa) a powietrzem pęcherzykowym (40 mm Hg = 5,3 kPa) zostaje zlikwidowana. Krew odpływająca z płuc do lewego przedsionka, a następnie tłoczona przez lewą komorę do tkanek jest zatem stosunkowo bogata w tlen i uboga w dwutlenek węgla. Sytuacja taka sprzyja procesom dyfuzji tlenu z krwi do tkanek i dwutlenku węgla w kierunku przeciwnym.

Transport gazów przez krew i wymiana z tkankami

Droga tlenu do tkanek. Każdy litr utlenowanej krwi opuszczającej płuca, a więc i krwi tętniczej płynącej do tkanek, zawiera 200 ml tlenu. Z tej objętości jedynie 3 ml są rozpuszczone we krwi, a ściśle mówiąc w osoczu. Reszta, czyli 197 ml tlenu, jest związana z hemoglobiną (Hb), tj. substancją białkową zawierającą jony żelaza i wypełniającą krwinki czerwone. Proces wiązania tlenu przez hemoglobinę można zapisać równaniem:

$$O_2 + Hb \rightleftarrows HbO_2.$$

Forma utlenowana hemoglobiny, czyli HbO_2, nosi nazwę oksyhemoglobiny. Istnieje pewna równowaga między ilością tlenu rozpuszczonego w osoczu (ilość tę określa się jako ciśnienie parcjalne tlenu, p_{O_2}) a ilością tlenu związanego z hemoglobiną (wyraża się to najczęściej jako %Hb wysyconej tlenem w stosunku do jej całkowitej ilości). Na przykład przy ciśnieniu parcjalnym tlenu p_{O_2} = 105 mm Hg (14,0 kPa) we krwi tętniczej ponad 95% całej hemoglobiny (Hb) ma postać oksyhemoglobiny (HbO_2), natomiast przy p_{O_2} = 40 mm Hg (5,3 kPa) we krwi żylnej tylko 75% całkowitej hemoglobiny występuje w formie związanej z tlenem (oksyhemoglobiny).

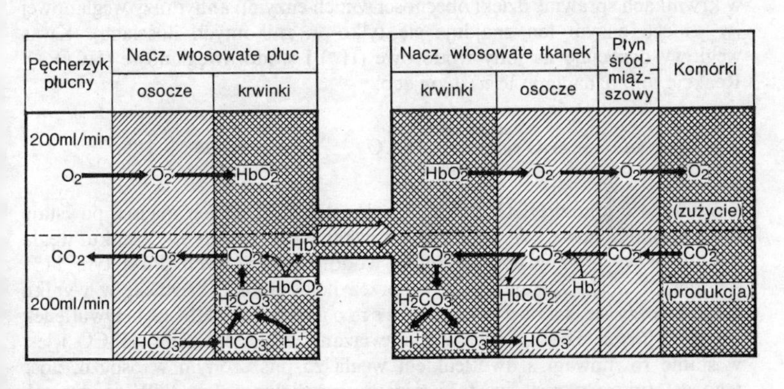

Droga tlenu (O_2) z pęcherzyków płucnych do tkanek i dwutlenku węgla (CO_2) w kierunku przeciwnym. Przesunięcia obu gazów między sąsiadującymi „przedziałami fizjologicznymi" odbywają się na zasadzie dyfuzji

W czasie przepływu krwi przez naczynia włosowate oplatające pęcherzyki płucne tlen przenikający ze światła pęcherzyków zostaje w większości wychwytany z osocza przez hemoglobinę (zob. rys.). Natomiast w czasie przepływu krwi przez naczynia włosowate tkanek obwodowych tlen dyfunduje z osocza do komórek, co powoduje spadek jego ciśnienia parcjalnego (p_{O_2})

i w następstwie (zgodnie z opisaną wyżej równowagą między p_{O_2} i wysyceniem hemoglobiny tlenem) dysocjację, tj. rozpad oksyhemoglobiny, która uwalnia tlen do osocza. Nowe porcje tlenu mogą przenikać do tkanek (dyfuzji podlega tylko tlen rozpuszczony), aż ustali się nowa równowaga między ciśnieniem parcjalnym tlenu i stopniem wysycenia hemoglobiny tlenem na nowym, niższym poziomie (p_{O_2} = 40 mm Hg, tj. 5,3 kPa; HbO_2 = 75%).

Ilość tlenu, jaką może uwalniać oksyhemoglobina, wzrasta, kiedy w środowisku jest dużo dwutlenku węgla (wysokie ciśnienie parcjalne dwutlenku węgla – Pco_2) i środowisko jest kwaśne (wysokie stężenie jonów wodorowych – H^+). Takie warunki istnieją we krwi naczyń włosowatych tkanek obwodowych, gdzie dysocjacja HbO_2 z uwolnieniem O_2 jest bardzo pożądana. Natomiast we krwi naczyń włosowatych płuc, gdzie ciśnienie parcjalne dwutlenku węgla i stężenie jonów wodorowych szybko obniżają się, powstają korzystne warunki do magazynowania tlenu w formie związanej z hemoglobiną.

Droga dwutlenku węgla z tkanek do pęcherzyków płucnych jest także dosyć złożona (rys., s. 205). Podobnie jak w przypadku tlenu, tylko mała ilość dwutlenku węgla (CO_2) przebywa tę drogę w formie rozpuszczonej w osoczu (8%), chociaż w tej właśnie formie gaz ten przenika z komórek do płynu śródmiąższowego, a następnie do osocza i krwinek. W naczyniach włosowatych tkanek dwutlenek węgla zawarty w krwinkach ulega uwodnieniu, w wyniku czego powstaje słaby kwas węglowy (H_2CO_3). Proces ten przebiega w krwinkach sprawnie dzięki obecności w nich enzymu anhydrazy węglanowej (w osoczu enzym ten znajduje się tylko w znikomych ilościach). Kwas węglowy dysocjuje na jony wodorowe (H^+) i wodorowęglanowe (HCO_3^-). Reakcje te można zapisać następująco:

$$CO_2 + H_2O \underset{\text{węglanowa}}{\overset{\text{anhydraza}}{\rightleftarrows}} H_2CO_3 \rightleftarrows HCO_3^- + H^+.$$

Większość jonów HCO_3^- przenika do osocza, a na ich miejsce powstają w krwinkach nowe. W stanie równowagi 81% całego dwutlenku węgla występuje we krwi w postaci jonów wodorowęglanowych. Poza tym 11% dwutlenku węgla zostaje związane przez hemoglobinę krwinek, w wyniku czego tworzy się karbaminian hemoglobiny ($HbCO_2$). Dwutlenek węgla w formie HCO_3^- i w formie związanej z hemoglobiną ($HbCO_2$) jest w stanie równowagi z dwutlenkiem węgla rozpuszczonym w osoczu; ilość tego ostatniego określa wartość ciśnienia parcjalnego (p_{CO_2}). W naczyniach włosowatych płuc, w miarę jak rozpuszczonego dwutlenku węgla ubywa wskutek jego przenikania do światła pęcherzyków płucnych i obniża się jego ciśnienie parcjalne, opisane wyżej procesy ulegają odwróceniu. Jony HCO_3^- przenikają do krwinek, gdzie łączą się z jonami H^+ dając kwas węglowy (H_2CO_3), który w obecności anhydrazy węglanowej rozkłada się na dwutlenek węgla (CO_2) i wodę (H_2O); także karbaminian hemoglobiny ($HbCO_2$) uwalnia CO_2. Pochodzący z obydwu tych źródeł dwutlenek węgla dyfunduje do osocza, gdzie zastępuje częściowo gaz, który już przeniknął do pęcherzyków płucnych, a następnie sam przenika do ich światła aż do ustalenia się nowej równowagi na niższym poziomie. Ostatecznie ciśnienie parcjalne dwutlenku węgla (p_{CO_2}) we krwi odpowiada ciśnieniu tego gazu w powietrzu pęcherzykowym (40 mm Hg, tj. 5,3 kPa).

Przy diecie węglowodanowej, gdy tzw. współczynnik oddechowy (zob. s. 214) równy jest 1,0, w ciągu jednej minuty krew dostarcza do tkanek ilość tlenu wyrównującą jego zużycie, czyli 200 ml i odprowadza z tkanek wyprodukowaną tam objętość 200 ml dwutlenku węgla.

We krwi, a ściślej mówiąc w krwinkach naczyń włosowatych tkanek obwodowych, kwas węglowy uwalnia znaczne ilości jonów wodorowych (H^+). Pojawienie się ich w znacznym stężeniu spowodowałoby duże i szkodliwe zakwaszenie krwi. Nie dzieje się tak, ponieważ jony te są wychwytywane przez zredukowaną, czyli pozbawioną tlenu hemoglobinę – białko to odgrywa zatem również rolę buforu (zob. s. 149), broniącego krew przed zakwaszeniem.

W naczyniach włosowatych płuc, gdzie hemoglobina przechodzi w oksyhemoglobinę znacznie słabiej wiążącą jony H^+, jony wodorowe uwalniane są z hemoglobinowego buforu i wiążąc się z jonami wodorowęglanowymi (HCO_3^-) tworzą kwas węglowy (H_2CO_3), który następnie rozkłada się na dwutlenek węgla i wodę. W ten sposób, dzięki buforującemu działaniu hemoglobiny, transport jonów wodorowych z tkanek do płuc nie stwarza niebezpieczeństwa zakwaszenia krwi. W regulacji gospodarki kwasowo-zasadowej organizmu udział płuc ogranicza się bowiem tylko do usuwania dwutlenku węgla, jony wodorowe natomiast są usuwane wyłącznie przez nerki (zob. s. 199).

Regulacja oddychania

Podstawowy rytm oddechowy, o częstości w spoczynku ok. 12 oddechów na minutę, jest określany przez ośrodki nerwowe. Główne komórki nerwowe (neurony) wysyłające impulsy „uruchamiające" wdech znajdują się w rdzeniu przedłużonym. Z nich drogi zstępujące prowadzą do neuronów ruchowych w rdzeniu kręgowym, skąd sygnały do skurczu mięśni oddechowych docierają do przepony drogą nerwu przeponowego, a do mięśni międzyżebrowych – nerwami międzyżebrowymi. Rytmiczne pojawianie się impulsów biegnących wymienionymi drogami powoduje skurcz mięśni oddechowych i wdech, rytmiczne natomiast wygasanie tych impulsów jest przyczyną biernego rozkurczu mięśni i powoduje wydech.

Czynność oddechowa dopasowuje się do zmieniającego się zapotrzebowania na większą lub mniejszą wentylację płuc. Wynika to z większego lub mniejszego zapotrzebowania tkanek na tlen oraz z konieczności usunięcia mniejszej lub większej ilości dwutlenku węgla.

Niedostosowanie wentylacji płuc do aktualnych, metabolicznych potrzeb tkanek powoduje zmiany ciśnienia parcjalnego tlenu i dwutlenku węgla we krwi. Wzrost ciśnienia parcjalnego tlenu powoduje spadek wentylacji, a spadek tego ciśnienia pobudza wentylację płuc, pociągając za sobą jednokierunkowe zmiany w dostarczaniu tlenu i wyrównując w ten sposób odchylenia od prawidłowej zawartości tlenu we krwi. Informację o zmianach ciśnienia parcjalnego tlenu przyjmują tzw. chemoreceptory zlokalizowane głównie w miejscu, gdzie tętnice szyjne wspólne dzielą się na tętnice szyjne wewnętrzne i zewnętrzne (tzw. zatoki szyjne). Informacja z tych receptorów przekazywana jest drogą nerwową do neuronów oddechowych w rdzeniu przedłużonym, odpowiednio modyfikując ich czynność.

Jeszcze silniejszym bodźcem wpływającym na wentylację płuc są zmiany ciśnienia parcjalnego dwutlenku węgla we krwi. Spadek tego ciśnienia hamuje oddychanie, a wzrost jest potężnym jego stymulatorem. Główne receptory wrażliwe na zmiany ciśnienia parcjalnego dwutlenku węgla są zlokalizowane w rdzeniu przedłużonym (tzw. chemoreceptory centralne, w odróżnieniu od „obwodowych" receptorów w zatokach szyjnych reagujących na zmiany ciśnienia parcjalnego tlenu). Reagują one nie tyle na zmianę ciśnienia parcjalnego dwutlenku węgla, co na zmianę stężenia jonów wodorowych towarzyszącą zmianie tego ciśnienia, zgodnie z poznaną już wyżej reakcją.

Ciśnienie parcjalne tlenu i dwutlenku węgla oraz stężenie jonów wodorowych odgrywają zatem znaczną rolę w mechanizmach regulujących oddychanie, które nie zostały jeszcze w pełni poznane.

VIII. PRZEMIANA MATERII I BILANS ENERGETYCZNY ORGANIZMU

Przemiana materii i przemiany energii w organizmie

Przetwarzanie substancji chemicznych w organizmie żywym nosi nazwę przemiany materii lub metabolizmu. Wśród procesów metabolicznych wyróżnia się: procesy anaboliczne, w których z substancji drobnocząsteczkowych (monomerów) wytwarzane są wielkocząsteczkowe składniki ciała, oraz procesy kataboliczne, w wyniku których cząsteczki złożonych związków chemicznych ulegają rozkładowi.

Procesom metabolicznym towarzyszą przemiany energii. W organizmach cudzożywnych (heterotroficznych), do których należy organizm człowieka, energia niezbędna do wszelkich form pracy biologicznej, takich jak synteza składników ciała, transport substancji chemicznych przez błony komórkowe, skurcze mięśni itp., uzyskiwana jest w procesach utleniania wysokoenergetycznych związków organicznych. Procesy te dostarczają także ciepła, co umożliwia utrzymywanie temperatury ciała na poziomie wyższym niż temperatura otoczenia.

Procesy utleniania, nazywane też spalaniem, polegają na transporcie elektronów z jednej cząsteczki na inną. O substancji oddającej elektrony mówi się, że podlega utlenianiu, a o substancji przyjmującej je – że podlega redukcji. W organizmach żywych utleniane są węglowodany, tłuszcze i białka. Proces ten przebiega wraz z rozkładem tych substancji, a elektrony odłączone od produktów rozkładu są transportowane przez łańcuch substancji przenośnikowych na tlen. Ostatecznym akceptorem elektronów mogą być również cząsteczki związków organicznych. Dzieje się tak podczas glikolizy, która jest kilkustopniowym procesem stanowiącym jeden z etapów rozkładu węglowodanów.

Transport elektronów jest połączony z uwalnianiem energii. Podczas spalania zachodzącego poza organizmem cała energia uwalniana zamienia się w ciepło, natomiast w organizmach żywych utlenianie jest sprzężone z procesami wymagającymi dostarczania energii i znaczna część uwolnionej energii (sięgająca 60%) zostaje w nich wykorzystana, czyli ulega przekształceniu w różne formy energii użytecznej.

Podczas spalań biologicznych akceptorem elektronów oprócz tlenu mogą być również związki organiczne. Energia uzyskiwana w procesach beztlenowych pokrywa jednak tylko niewielką część zapotrzebowania energetycznego organizmu, tak więc warunkiem zachowania życia jest stałe dostarczanie komórkom tlenu. Szczególnie wrażliwe na niedotlenienie są komórki nerwowe, charakteryzujące się stałym, większym niż inne tkanki nasileniem metabolizmu. Największe wahania zapotrzebowania energetycznego, w zależności od stanu czynnościowego, występują w komórkach mięśniowych. W mięśniach podczas wysiłku powstają znaczne ilości energii na drodze procesów beztlenowych (zob. Źródła energii do pracy mięśniowej, s. 140).

Warunkiem zachowania życia, oprócz stałego dopływu do organizmu tlenu, jest uzupełnianie zasobów wody oraz związków organicznych i nieorganicznych, a także usuwanie zbędnych produktów przemiany materii.

W procesach utleniania część uwalnianej energii zamienia się w ciepło. Powstaje ono również jako wynik przemiany innych form energii, np. energii kinetycznej. Ponieważ prawidłowe funkcjonowanie komórek może odbywać się tylko w określonym przedziale temperatury ciała, niezbędne jest usuwanie z organizmu nadmiaru ciepła lub zwiększanie jego wytwarzania wtedy, gdy organizm znajduje się w otoczeniu o niskiej temperaturze. Mechanizmy warunkujące zachowanie równowagi cieplnej organizmu noszą nazwę termoregulacji (zob. Regulacja temperatury ciała, s. 219).

Mechanizmy kontrolujące przebieg przemiany materii

Tempo przebiegu reakcji chemicznych w organizmie, podobnie jak i poza organizmem, zależy od temperatury, ilości substratów i produktów reakcji oraz od obecności katalizatorów, czyli substancji przyspieszających reakcje. W procesach biologicznych funkcję katalizatorów spełniają enzymy. Są to specjalne substancje białkowe wytwarzane w komórkach. Niektóre z nich wymagają do swego działania obecności związków drobnocząsteczkowych zwanych koenzymami. Funkcję koenzymów pełnią między innymi witaminy. Ponieważ niemal wszystkie reakcje zachodzące w organizmie są katalizowane przez enzymy, zdolność wytwarzania określonych enzymów przez komórki określa rodzaj zachodzących w nich procesów.

Wzrost temperatury powoduje przyspieszenie reakcji chemicznych, a obniżenie temperatury – zwolnienie. Temperatura ciała człowieka podlega jednak niewielkim wahaniom. Znacznie ważniejszy wpływ na przebieg procesów metabolicznych mają mechanizmy kontrolujące proporcje stężeń substratów i produktów w środowisku, w którym zachodzi reakcja, a zwłaszcza mechanizmy kontrolujące ilość wytwarzanych enzymów i ich aktywność. Szybkie zmiany tempa procesów metabolicznych zachodzą poprzez zmiany aktywności enzymów, a wolniejsze przez zmiany ich ilości. Ilość i aktywność enzymów może być modyfikowana przez wiele czynników. Szczególne znaczenie mają wśród nich hormony. Czynnikami tymi mogą być jednak również substraty i produkty reakcji katalizowanej przez dany enzym lub zupełnie inne substancje, np. jony metali. Obecność jonów niektórych metali, np. wapnia, magnezu, sodu, potasu i innych wpływa przede wszystkim na aktywność enzymów. Za pośrednictwem zmian składu jonowego środowiska przebieg procesów przemiany materii może być kontrolowany przez impulsy nerwowe.

W żywym organizmie reakcje wymagające energii mogą przebiegać tylko wówczas, kiedy są sprzężone z procesami, w których energia jest uwalniana. Tempo obu rodzajów procesów musi więc być wzajemnie dostosowane.

Sprzężenie procesów wymagających energii z procesami jej dostarczającymi zachodzi za pośrednictwem wysokoenergetycznych fosforanów, wśród których najważniejszy jest kwas adenozynotrójfosforowy (adenozynotrójfosforan) – ATP. Energia uwalniana podczas utleniania substratów energetycznych jest zużywana do syntezy ATP, a rozkład tego związku dostarcza energii wszelkim innym procesom. Synteza ATP polega na przyłączeniu fosforanu do kwasu adenozynodwufosforowego (adenozynodwufosforanu) – ADP, produktami zaś rozkładu ATP jest ADP i fosforan nieorganiczny.

Podstawowe związki organiczne w organizmie i główne szlaki ich przemian

Białka, proteiny. Są to organiczne związki wielkocząsteczkowe zbudowane z aminokwasów, zawierających w swej cząsteczce grupę kwasową (COOH) i aminową (NH_2). Budowa białek jest bardzo zróżnicowana. O ich właściwościach decyduje zarówno skład aminokwasów tworzących łańcuchy peptydowe, jak i wzajemne ułożenie tych łańcuchów w cząsteczce. W organizmie człowieka o masie 70 kg występuje ok. 10 kg białek. Białka spełniają w nim wielorakie funkcje; są elementami struktury komórek, enzymami, hormonami, receptorami, przeciwciałami wytwarzanymi w procesach odpornościowych itp. Dostarczają też składników do wytwarzania innych substancji, np. glukozy.

Białka są syntetyzowane z aminokwasów w komórkach na podstawie informacji genetycznej zakodowanej w strukturze kwasu dezoksyrybonukleinowego (DNA) (zob. Fizjologia komórki, s. 86). Źródłem aminokwasów są białka zwierzęce i roślinne zawarte w pokarmie. W organizmie jedne aminokwasy mogą przekształcać się w inne. Pewnych aminokwasów organizm nie może jednak wytworzyć w dostatecznej ilości. Występują one tylko w białku zwierzęcym i w związku z tym niezbędne jest spożywanie tego białka w formie mięsa i nabiału.

Białka organizmu są stale wymieniane. Ulegają one rozkładowi, polegającemu na odłączaniu od cząsteczki poszczególnych aminokwasów. Aminokwasy te mogą być ponownie użyte do syntezy białka, ale część z nich podlega dalszej degradacji, której ostatecznym produktem, podobnie jak przy utlenianiu innych związków organicznych, jest dwutlenek węgla i woda. W procesie tym uwalniana jest energia.

Azot grup aminowych po przemianie w amoniak lub mocznik jest wydalany z moczem. Porównanie ilości azotu wydalonego z moczem i podanego w białkach pokarmowych nosi nazwę bilansu azotowego. Bilans ten jest ujemny w stanach niedożywienia lub wtedy, gdy rozkład białek przebiega bardzo intensywnie, np. pod wpływem toksyn bakteryjnych, przy zwiększonym wydzielaniu hormonów nasilających rozkład białek (np. kortykosteroidów), w chorobach nowotworowych, itp. Dodatni bilans azotowy towarzyszy nasilonej syntezie białek, np. w okresie intensywnego wzrastania, w ciąży, podczas rekonwalescencji po przebyciu różnych chorób itp. Dobowe zapotrzebowanie na białka dostarczane w pokarmie wynosi ok. 1 g/kg masy ciała.

Węglowodany, cukry. Są to organiczne związki chemiczne o ogólnej strukturze $(CH_2O) \cdot n$. Występują w organizmie w postaci cukrów prostych, np. glukoza ($C_6H_{12}O_6$), i złożonych, zbudowanych z wielu cząsteczek cukrów prostych, np. glikogen.

Cukry pełnią w organizmie przede wszystkim rolę substratów energetycznych. Ponadto wchodzą w skład nukleotydów (np. składników kwasów nukleinowych, w których występuje cukier ryboza i dezoksyryboza), glikoproteidów (węglowodany połączone z białkami) oraz innych związków złożonych. Organizm używa również węglowodanów do syntezy innych związków, np. tłuszczów.

Źródłem węglowodanów dla organizmu człowieka jest głównie pokarm roślinny, np. skrobia czy cukier buraczany, czyli sacharoza. Ponadto węglowodany są wytwarzane w organizmie z innych substancji niecukrowych, np. z aminokwasów. Wytwarzanie glukozy z substancji niewęglowodanowych nosi nazwę glikoneogenezy. Proces ten zachodzi w wątrobie i nerkach.

Glukoza w postaci wolnej występuje w płynie pozakomórkowym i w komórkach wątrobowych. W innych tkankach po przeniknięciu przez błonę komórkową podlega natychmiast przemianie. Pierwszym etapem przemiany glukozy w komórkach jest fosforylacja, czyli przyłączenie grupy fosforanowej. Fosforylowane pochodne glukozy są używane do syntezy glikogenu, który stanowi materiał zapasowy, lub podlegają utlenieniu, czyli rozkładowi w procesie glikolizy (szeregu reakcji) do produktu końcowego, jakim jest kwas pirogronowy. Kwas pirogronowy może podlegać dalszemu utlenianiu w mitochondriach lub być przekształcony w kwas mlekowy.

W procesie glikolizy utlenianie przebiega bez udziału tlenu. Utlenianie kwasu pirogronowego w mitochondriach wymaga natomiast obecności tlenu, a produktami ostatecznymi jest dwutlenek węgla (CO_2) i woda (H_2O). Procesy utleniania w mitochondriach stanowią wspólną końcową drogę degradacji produktów rozkładu węglowodanów, tłuszczów i białek. Kwas mlekowy przenika z komórek do krwi i może być w innych tkankach utleniony lub podlega w wątrobie przemianie w glukozę.

Glukoza będąca substratem energetycznym jest zużywana przez wszystkie tkanki organizmu. W komórkach nerwowych utlenianie tego związku pokrywa 90% zapotrzebowania energetycznego. W ciągu doby w warunkach spoczynku organizm zużywa ok. 150 g glukozy. W czasie pracy mięśniowej zużycie to wzrasta. Z pokarmem organizm otrzymuje zwykle dziennie od 100 do 250 g glukozy. Po posiłkach nadmiar glukozy jest magazynowany w postaci glikogenu w wątrobie i w mięśniach szkieletowych, część zaś podlega przemianie w tłuszcze.

W okresie między posiłkami niezbędne ilości glukozy są uwalniane z glikogenu w wątrobie. Dzięki temu stężenie glukozy we krwi utrzymywane jest na stałym poziomie, wynoszącym ok. 0,8–1,0 g/l (ok. 5 mmol/l). Utrzymywanie stałego stężenia glukozy we krwi jest niezbędne do funkcjonowania komórek nerwowych, które wymagają stałego dostarczania glukozy. Zasoby glikogenu w wątrobie nie przekraczają na ogół 100 g. W mięśniach zapasy glikogenu mogą wynosić ok. 600 g. Z mięśni glukoza nie jest jednak uwalniana do krwi, ponieważ glikogen mięśniowy jest zużywany na potrzeby własne komórek mięśniowych.

Tłuszcze, lipidy. Jest to zróżnicowana grupa związków nierozpuszczalnych w wodzie, obejmująca: 1) tłuszcze obojętne – acyloglicerole – będące estrami długołańcuchowych kwasów organicznych (kwasów tłuszczowych) i glicerolu, 2) fosfolipidy zawierające dodatkowo kwas fosforowy oraz inne alkohole (oprócz glicerolu) oraz 3) sterole, czyli pochodne pierścieniowych węglowodorów, w skład których wchodzi cholesterol i jego pochodne.

Lipidy i ich pochodne spełniają w organizmie rolę substratów energetycznych, są składnikami strukturalnymi oraz hormonami (hormony steroidowe, prostaglandyny).

Największą grupą lipidów są tłuszcze obojętne zgromadzone w komórkach tłuszczowych. Stanowią one ok. 10–15% masy ciała lub nawet więcej. Jest to największy magazyn substratów energetycznych w organizmie. Z tłuszczów tkanki tłuszczowej uwalniane są wolne kwasy tłuszczowe, utleniane w większości tkanek. W osoczu lipidy transportowane są w postaci połączeń z białkami, czyli tzw. lipoprotein. Lipoproteiny zawierają w różnej proporcji białka, tłuszcze obojętne, cholesterol i fosfolipidy.

Źródłem lipidów występujących w organizmie są składniki tłuszczów roślinnych i zwierzęcych zawartych w pokarmie. Lipidy są również syntetyzowane w organizmie ze składników innych związków organicznych.

Nukleotydy. Jest to grupa związków drobnocząsteczkowych, pochodnych zasad organicznych – puryny i pirymidyny, występujących na ogół w połączeniu z kwasem fosforowym i cukrami. Nukleotydy pełnią w organizmie bardzo ważną rolę regulacyjną. Z nukleotydów zbudowane są cząsteczki kwasów nukleinowych kontrolujących syntezę białek – kwasu dezoksyrybonukleinowego (DNA) i rybonukleinowego (RNA) (zob. Fizjologia komórki, s. 86). Do nukleotydów zaliczane są także związki kontrolujące przebieg procesów energetycznych, takie jak kwas adenozynotrójfosforowy (ATP) i kwas adenozynodwufosforowy (ADP) oraz nukleotydy biorące udział w transporcie elektronów w procesach utleniania, takie jak dwunukleotyd nikotynamidoadeninowy (NAD), jego fosforan (NADP) oraz dwunukleotyd flawinoadeninowy (FAD).

Nukleotydy są wytwarzane w organizmie ze składników innych związków organicznych.

Bilans energetyczny organizmu i jego ocena

Ilość energii uzyskiwana w procesach utleniania substancji organicznych w organizmie jest w przybliżeniu taka sama, jak ilość ciepła powstająca przy spalaniu ich poza organizmem. Ze spalenia 1 g węglowodanów lub białek powstaje ok. 17 kJ (kilodżuli) energii (ok. 4 kcal), a ze spalenia 1 g tłuszczu – ok. 39 kJ (ok. 9,3 kcal) (4,1868 kJ = 1 kcal).

B i l a n s   e n e r g e t y c z n y oznacza różnicę pomiędzy ilością energii dostarczanej do organizmu w pokarmie w postaci węglowodanów, tłuszczów i białek (co najmniej w ciągu doby), a ilością energii wydatkowanej przez organizm w postaci pracy i ciepła, w tym samym okresie.

Bilans energetyczny jest w y r ó w n a n y wtedy, kiedy obie „strony" bilansu są w przybliżeniu równe, u j e m n y – gdy wydatek energii przekracza jej podaż, a d o d a t n i w sytuacji odwrotnej. O stanie wyrównania bilansu energetycznego u dorosłego człowieka świadczy utrzymywanie się stałej masy ciała (±2 kg) w ciągu dłuższego czasu. Wyrównywanie bilansu energetycznego rzadko dokonuje się w ciągu jednej doby. W ciągu jednak tygodnia zwykle łączna ilość energii dostarczanej w pokarmie odpowiada ilości energii wydatkowanej przez organizm. Mechanizm fizjologiczny kontrolujący bilans energetyczny organizmu nie jest w pełni poznany. Mechanizmowi temu podporządkowane są mechanizmy nerwowe regulujące przyjmowanie pokarmu oraz układ wewnątrzwydzielniczy regulujący procesy przemiany materii (zob. Sterowanie popędami, s. 127, oraz Regulacja czynności układu trawiennego, s. 224).

Przy dodatnim bilansie energetycznym nadmiar substratów energetycznych odkładany jest w organizmie w postaci tłuszczów w tkance tłuszczowej.

Prowadzi to do zwiększenia masy ciała. U człowieka o przeciętnym dobowym wydatku energii stałe przesunięcie bilansu energetycznego w stronę dodatnią zaledwie o 3% prowadzi w ciągu roku do zwiększenia masy ciała o 3–4 kg.

Przy ujemnym bilansie energetycznym zużywane są substraty energetyczne zmagazynowane w tkankach organizmu – masa ciała zmniejsza się. Znaczne przesunięcie bilansu energetycznego w stronę ujemną powoduje nie tylko utratę tłuszczu, ale również innych składników ciała (białek).

Ilość energii dostarczanej do organizmu w pokarmie można ocenić mierząc w kalorymetrze ilość ciepła powstającego przy spaleniu pokarmu. Wartość energetyczną pokarmu można również ocenić w przybliżeniu, posługując się tabelami zawierającymi dane dotyczące wartości energetycznej różnych produktów spożywczych i dokładnie ważąc ilość spożytego pokarmu.

Wielkość wydatku energetycznego organizmu w jednostce czasu, czyli tempo przemiany materii można ocenić mierząc ilość ciepła oddawanego przez organizm do otoczenia. Pomiaru dokonuje się albo za pomocą specjalnych kalorymetrów, albo – częściej – za pomocą kalorymetrii pośredniej, na podstawie ilości tlenu pobieranego przez organizm w jednostce czasu.

Metoda kalorymetrii pośredniej polega na zmierzeniu ilości powietrza wydychanego przez organizm w jednostce czasu i porównaniu zawartości tlenu w powietrzu wydychanym i powietrzu wdychanym (zwykle atmosferycznym). Mierząc jednocześnie ilość wydychanego dwutlenku węgla można ustalić, jaki rodzaj substratów energetycznych jest w organizmie utleniany. Przy utlenianiu węglowodanów stosunek ilości wydychanego dwutlenku węgla do ilości zużytego tlenu wynosi 1,0, przy utlenianiu tłuszczów – 0,7, a przy utlenianiu białek – 0,8. Stosunek ten nosi nazwę współczynnika oddechowego (*R*).

Pomiar współczynnika *R* jest potrzebny do ostatecznego obliczenia wydatku energii, ponieważ ilość energii uwalnianej przy zużyciu 1 l tlenu (równoważnik energetyczny tlenu) różni się w zależności od rodzaju substratów utlenionych. Przy wartości $R = 1{,}0$ równoważnik energetyczny tlenu wynosi 21,1 kJ, a przy $R = 0{,}7$ równoważnik wynosi 19,6 kJ. W spoczynku i na czczo u człowieka pozostającego na normalnej mieszanej diecie współczynnik *R* jest zwykle równy 0,82, a wartość równoważnika tlenu wynosi 20,2 kJ. Aby obliczyć wielkość wydatku energii, należy ilość tlenu pobranego w jednostce czasu pomnożyć przez równoważnik tlenu.

Podstawowa przemiana materii

Podstawową przemianą materii (PPM) nazywa się tempo przemiany materii (wydatek energii w jednostce czasu) u człowieka pozostającego w warunkach zupełnego spokoju fizycznego i psychicznego nie mniej niż 12 godz. po spożyciu posiłku (na czczo), wkrótce po co najmniej 8 godz. snu i w warunkach komfortu cieplnego. Jest to tempo przemiany materii niezbędne do podtrzymania podstawowych procesów życiowych.

Około 1/4 energii wydatkowanej przez organizm w wymienionych wyżej warunkach związane jest z czynnością mózgu.

Wielkość PPM zależy od wieku, płci oraz masy i składu ciała. Przeciętna wielkość PPM u dorosłego człowieka o masie 70 kg wynosi 285 kJ na godzinę (kJ/h). Aby zredukować różnice międzyosobnicze, wielkość PPM przelicza się na m^2 powierzchni ciała. U dzieci waha się w granicach 180 – 220 kJ/m^2, u mężczyzn w młodym i średnim wieku wynosi 150 – 170 kJ/m^2, a w starszym wieku maleje (powyżej 50 lat) – 135 – 150 kJ/m^2. U kobiet PPM jest przeciętnie o 7 – 10 kJ/m^2 niższa niż u mężczyzn (4,19 kJ = 1 kcal).

Wielkość PPM zwiększa się w różnych stanach chorobowych, np. w nadczynności tarczycy, w chorobach przebiegających z gorączką, z nadmiernym napięciem nerwowego układu współczulnego itp. U ludzi zdrowych wzrost PPM jest skutkiem przekarmienia oraz diety wysokobiałkowej. PPM zmniejsza się w niedożywieniu i głodzie oraz z niedoczynności tarczycy.

Termogeneza pokarmowa

Po spożyciu posiłku następuje wzrost tempa przemiany materii sięgający kilkunastu procent. Zjawisko to nazywane jest termogenezą pokarmową lub swoiście dynamicznym działaniem pokarmu. Efekt ten pojawia się 30 – 60 min po spożyciu posiłku i może utrzymywać się nawet przez kilkanaście godzin. Najdłużej wzrost tempa przemiany materii utrzymuje się po spożyciu pokarmów białkowych. Swoiście dynamiczne działanie pokarmu występuje również po podaniu dożylnym substancji odżywczych. Nie jest więc ono związane z trawieniem i wchłanianiem składników pokarmu, lecz z bezpośrednim działaniem tych substancji na procesy przemiany materii i ze zmianami hormonalnymi towarzyszącymi posiłkom.

Energetyka pracy mięśniowej

Czynność mięśni szkieletowych powoduje znaczne zwiększenie tempa przemiany materii. Pobieranie tlenu przez organizm w czasie wykonywania pracy mięśniowej może ponad 10-krotnie przekraczać poziom spoczynkowy.

Około 20% ogólnej ilości energii uwalnianej w procesach utleniania podczas wysiłku fizycznego jest przetwarzane na pracę zewnętrzną mięśni. Reszta wydatkowana jest częściowo na tzw. pracę wewnętrzną (napięcie mięśni współdziałających w utrzymywaniu pozycji ciała i stabilizacji stawów, wzmożona praca mięśni oddechowych, serca itp.), częściowo zaś ulega rozproszeniu w postaci ciepła. Stosunek pracy zewnętrznej (kJ/min) do wydatku energetycznego organizmu w czasie wysiłku (po odjęciu spoczynkowej przemiany materii) nosi nazwę współczynnika pracy użytecznej. Wartość jego jest różna przy różnych wysiłkach. Podczas wysiłków wykonywanych przy użyciu małych grup mięśni wynosi zaledwie kilka procent, podczas jazdy na rowerze z umiarkowaną prędkością wzrasta do 20 – 25%, a podczas biegu i chodu sięga kilkudziesięciu procent. Praca mięśniowa podczas biegu i chodu polega na naprzemiennym skurczu i rozciąganiu mięśni. W czasie skurczu wykorzystywana jest energia potencjalna „zgromadzona" w elementach sprężystych mięśnia w czasie jego rozciągania, podobnie jak w rozciąganej sprężynie.

Po zakończeniu pracy mięśniowej tempo przemiany materii szybko się zmniejsza. Po ciężkich wysiłkach niewielkie zwiększenie tempa przemiany materii może jednak utrzymywać się nawet przez kilka godzin.

Dobowy wydatek energii

Dobowy wydatek energetyczny u ludzi o przeciętnej aktywności ruchowej wynosi 8500–12 500 kJ/dobę (2000–3000 kcal/dobę). U ludzi bardzo ciężko pracujących fizycznie, np. u robotników leśnych, górników, intensywnie trenujących sportowców dobowy wydatek energetyczny często wynosi 25 000 kJ/dobę (ok. 6000 kcal/dobę), a najwyższe wartości sięgają 30 000 kJ/dobę (ok. 8000 kcal/dobę). Obliczanie dobowego wydatku energii ma istotne znaczenie dla ustalenia zapotrzebowania energetycznego (pokarmowego) różnych grup ludzi.

Wielkość dobowego wydatku energii określa się po dokładnym ustaleniu czasu wykonywania różnych czynności i wypoczynku w ciągu doby oraz zmierzeniu wydatku energii metodą kalorymetrii pośredniej (zob. s. 214) w spoczynku i podczas każdej czynności. W tabeli podano przeciętne wielkości wydatku energii podczas niektórych czynności.

Wydatek energii podczas różnych czynności pracy zawodowej i życia codziennego

Rodzaj czynności	Wydatek energii	
	kJ/min	kcal/min
Spokojne stanie:		
mężczyźni	6 –10	1,5– 2,5
kobiety	3,5– 7	0,8– 1,6
Chodzenie po równej, gładkiej drodze z prędkością 2–7 km/godz	5 –23	1,2– 5,5
Wchodzenie po schodach (wzniesienie 30°, szybkość 100 stopni/min)	40 –57	9,0–13,6
Rąbanie drewna siekierą oburącz	40 –50	9,0–12,0
Piłowanie drewna	37 –50	8,8–12,0
Praca górnika w kopalni węgla	15,5–45	3,7–11,0
Ładowanie (przerzucanie łopatą ciężaru 8 kg)	22 –45	5,0–11,0
Prowadzenie samochodu ciężarowego	5 –15	1,2– 3,6
Praca w piekarni	7 –12	1,5– 3,0
Praca biurowa (pisanie na maszynie)	6 – 8	1,5– 2,0
Prace domowe	4 –22	1,0– 5,0
Zajęcia rekreacyjne:		
prace w ogródku	8 –21	2,0– 5,0
tenis, siatkówka, bieg na przełaj	14 –32	3,5– 7,5
gra w piłkę nożną	25 –45	6,0–11,0

Niedobór energetyczny – głód

Niedobór energetyczny, czyli ujemny bilans energetyczny powoduje utratę masy ciała. Podczas *głodu całkowitego*, w pierwszych 10–14 dniach tempo utraty masy ciała sięga ok. 700 g/dobę. Później ulega ono zmniejszeniu do ok. 250–300 g/dobę. Zahamowanie ubytku masy ciała jest spowodowane zmniejszaniem się dobowego wydatku energii w wyniku ograniczenia aktywności ruchowej i zmniejszenia tempa podstawowej przemiany materii. Podstawowa przemiana materii zmniejsza się na skutek zmniejszenia się masy tkanek oraz tempa zachodzących w nich procesów metabolicznych. To ostatnie zjawisko jest związane ze zmianami hormonalnymi, przede wszystkim z przemianą hormonu tarczycy – tyroksyny w tzw. „odwróconą" trójjodotyroninę (zob. Hormony tarczycy, s. 240).

Organizm człowieka o przeciętnym stanie odżywienia dysponuje zapasami substratów energetycznych pozwalającymi na pokrycie zapotrzebowania energetycznego, przy umiarkowanej aktywności ruchowej, w ciągu ok. 80 dni. W warunkach głodu całkowitego *śmierć* następuje jednak zanim dojdzie do całkowitego wyczerpania tych zapasów. Najdłuższe okresy przeżycia głodu całkowitego sięgają ok. 70 dni. Śmierć spowodowana jest upośledzeniem czynności narządów wewnętrznych na skutek utraty składników białkowych. Upośledzeniu ulega także układ immunologiczny, co prowadzi do drastycznego obniżenia odporności na infekcje.

Zasoby substratów energetycznych organizmu stanowią w 85% tłuszcze. Jest to ekonomiczny sposób „magazynowania energii", ponieważ wartość energetyczna tłuszczów w przeliczeniu na masę substancji jest większa niż węglowodanów i białek. Tłuszcze nie pokrywają jednak zapotrzebowania energetycznego wszystkich tkanek. Ośrodkowy układ nerwowy wymaga do podtrzymania swych czynności stałego dopływu glukozy w ilości ok. 150 g/dobę, a zapasy tego cukru w czasie głodu wyczerpują się już w ciągu pierwszej doby. Organizm zaczyna wówczas bardzo intensywnie wytwarzać glukozę z innych substancji, przede wszystkim z aminokwasów, które czerpie z rozkładu białek ustrojowych wchodzących w skład różnych tkanek, przede wszystkim mięśni szkieletowych. Jest to główna przyczyna utraty składników białkowych tkanek. Tempo utraty białek, oceniane na podstawie wydalania azotu z moczem, wynosi w początkowym okresie głodu 90–100 g/dobę. W późniejszym okresie, kiedy intensywność glikoneogenezy, czyli wytwarzania glukozy z substratów niewęglowodanowych maleje, utrata białek ulega redukcji do ok. 30–40 g/dobę. Po upływie 5–10 dni głodu zapotrzebowanie mózgu na glukozę zmniejsza się, ponieważ komórki nerwowe zaczynają w coraz większej ilości zużywać zamiast glukozy ketokwasy wytwarzane w wątrobie z kwasów tłuszczowych.

Zwiększony rozkład białek ustrojowych występuje nie tylko w głodzie zupełnym, ale również w żywieniu ubogoenergetycznym, gdy zapotrzebowanie energetyczne organizmu nie jest w pełni pokrywane. Utrzymanie prawidłowej funkcji narządów wewnętrznych wymaga wówczas zwiększonego dostarczania białek. Ma to ważne znaczenie przy ustalaniu tzw. *minimalnych norm* ż y w i e n i o w y c h dla ludzi w warunkach specjalnych (np. w czasie katastrof) oraz d i e t y r e d u k c y j n e j stosowanej w leczeniu otyłości. W warunkach normalnego żywienia zapotrzebowanie ludzi dorosłych na białko wynosi ok. 1 g/kg masy ciała na dobę, natomiast w warunkach żywienia ubogoenergetycznego zapotrzebowanie na białko jest prawie dwukrotnie większe.

Uwalnianie substratów energetycznych ze źródeł wewnątrzustrojowych w warunkach głodu lub żywienia ubogoenergetycznego jest regulowane przez czynniki hormonalne. Do najważniejszych reakcji hormonalnych na głód należy zahamowanie wydzielania insuliny i somatomedyn oraz zwiększenie wydzielania glukagonu, kortykosteroidów i hormonu wzrostu, a także wspomniana wyżej przemiana tyroksyny w „odwróconą" trójjodotyroninę.

Nadmiar energetyczny

Spożywanie pokarmu w ilości nadmiernej w stosunku do zapotrzebowania energetycznego prowadzi do zwiększonego odkładania tłuszczu w tkance tłuszczowej. Przyrost masy ciała z tym związany jest najintensywniejszy w czasie pierwszych dwóch tygodni przekarmiania. Później tempo wzrostu masy ciała maleje na skutek wzrostu tempa przemiany materii, co wiąże się głównie z działaniem hormonu tarczycy – trójjodotyroniny, która wytwarzana jest z tyroksyny (zob. s. 240).

O t y ł o ś ć jest stanem, w którym występuje nadmiar tkanki tłuszczowej, tzn. masa tkanki tłuszczowej przekracza 20% masy ciała u mężczyzn i ok. 28% masy ciała u kobiet. W praktyce o otyłości mówi się wówczas, gdy masa ciała przekracza o 10% należną masę ciała. Kryterium to nie jest zbyt precyzyjne, ponieważ nie może być stosowane u osób z przerostem mięśni (kulturystów) oraz u chorych z obrzękami. Należną masę ciała można obliczyć z wzorów:

$$MN = \text{wzrost (cm)} - 100$$ dla mężczyzn (wg Broca)

$$MN = \text{wzrost (cm)} - 100 - \frac{\text{wzrost (cm)} - 150}{4}$$ dla kobiet (wg Lorentza)

Otyłość jest zawsze wynikiem utrzymującego się przez dłuższy okres dodatniego bilansu energetycznego. Nie oznacza to jednak, że ludzie otyli spożywają więcej pokarmu niż ludzie szczupli, bowiem przyczyną otyłości w stanach chorobowych może być zmniejszone tempo przemiany materii.

IX. REGULACJA TEMPERATURY CIAŁA

Temperatura wnętrza ciała człowieka utrzymuje się na względnie stałym poziomie (średnio ok. 37°C przy pomiarze w odbytnicy) i podlega stosunkowo niewielkim wahaniom. W warunkach zdrowia temperatura ciała wzrasta podczas wysiłku fizycznego lub napięcia emocjonalnego (niekiedy nawet powyżej 39°C), obniża się natomiast w czasie snu lub dłuższego przebywania w niskiej temperaturze (może wówczas wynosić ok. 36°C).

Stabilność temperatury ciała, czyli zdolność utrzymywania względnie stałej temperatury wewnętrznej nago w temperaturze otoczenia 12–60°C (suche powietrze) jest możliwa dzięki zrównoważeniu procesów prowadzących do gromadzenia się ciepła w organizmie z procesami jego utraty, czyli przechodzenia do otoczenia.

W organizmie człowieka ciepło wytwarza się stale w toku procesów przemiany materii w komórkach, a szczególnie duże jego ilości powstają podczas pracy mięśniowej i drżenia mięśniowego, czyli dreszczy. Organizm może też wchłaniać ciepło z zewnątrz (np. w miejscach silnie nasłonecznionych lub podczas pracy w środowisku gorącym).

Wytworzone ciepło organizm może zatrzymywać albo oddawać do otoczenia. Zatrzymywanie ciepła jest możliwe dzięki skurczowi naczyń krwionośnych skóry, wskutek czego ogrzana krew krąży głównie w głębiej położonych naczyniach krwionośnych, nie kontaktujących się z chłodniejszymi, płycej położonymi warstwami ciała. Również odpowiednie formy zachowania się, jak kulenie się (zmniejsza się powierzchnia ciała bezpośrednio narażona na działanie chłodu), chowanie się przed zimnem i stosowanie ciepłej odzieży sprzyjają zatrzymywaniu ciepła. U zwierząt istotne znaczenie ma tzw. piloerekcja, czyli nastroszenie sierści. Odpowiednikiem jej u człowieka jest tzw. gęsia skórka pojawiająca się pod wpływem zimna, nie mająca jednak znaczenia fizjologicznego.

Utrata ciepła odbywa się poprzez przewodzenie i konwekcję, promieniowanie oraz parowanie. Drogą przewodzenia ciepło przenika z organizmu do otaczającego powietrza (niekiedy wody, np. podczas kąpieli) dzięki rozszerzeniu naczyń krwionośnych skóry, wskutek czego ogrzana krew styka się z chłodniejszymi, powierzchownymi warstwami ciała. Konwekcja polega na przesuwaniu się ogrzanych warstw powietrza i wchodzeniu na ich miejsce warstw chłodniejszych. Utrata ciepła przez promieniowanie polega na oddawaniu ciepła jakiemuś zimnemu przedmiotowi znajdującemu się w pewnym oddaleniu od ciała, np. zimnej ścianie. Największe znaczenie ma utrata ciepła drogą parowania, czyli wydzielania potu przez gruczoły potowe na powierzchni skóry. Jest to mechanizm najbardziej efektywny, polegający na oddawaniu ciepła drogą parowania wody, a ponadto prowadzący do ochłodzenia ciała nawet przy jego temperaturze wyższej od temperatury otoczenia, pod warunkiem wszakże, że otoczeniem tym jest suche powietrze.

Mechanizmy z a t r z y m y w a n i a c i e p ł a są uruchamiane wówczas, gdy organizmowi grozi obniżenie temperatury ciała, np. w czasie przebywania w niskiej temperaturze. Jeśli działanie tych mechanizmów jest niewystarczające, następuje zwiększenie wytwarzania ciepła, np. przez wzrost aktywności

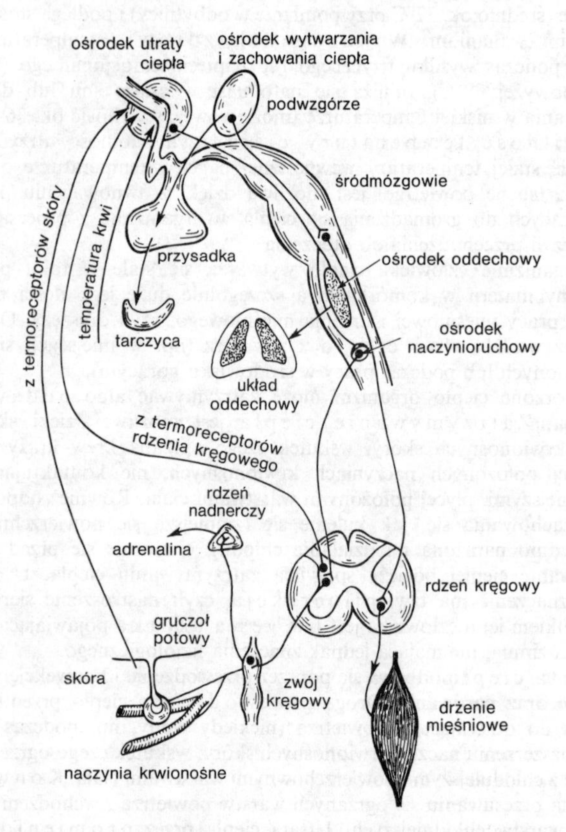

Schemat systemu regulującego temperaturę ciała

ruchowej lub wskutek drżenia mięśniowego. Mechanizmy utraty ciepła włączają się wtedy, gdy organizmowi grozi przegrzanie, np. podczas pracy w środowisku gorącym.

Organizm wykrywa zmiany temperatury otoczenia i temperatury wewnętrznej dzięki t e r m o r e c e p t o r o m znajdującym się w różnych obszarach ciała. Ważnym obszarem termorecepcyjnym jest skóra, zawierająca receptory ciepła i zimna. Termoreceptory, nazywane też termodetektorami znajdują się też w rdzeniu kręgowym i w podwzgórzu. Wykrywają one temperaturę krwi dopływającej do ośrodkowego układu nerwowego.

Strukturą hierarchicznie najwyższą w systemie regulacji temperatury ciała jest podwzgórze. Znajdują się tu dwa ośrodki termoregulacyjne – ośrodek utraty ciepła zlokalizowany w przedniej części podwzgórza oraz ośrodek wytwarzania i zachowania ciepła mieszczący się w tylnej części. Ośrodek utraty ciepła spełnia trojaką rolę: 1) jest skupiskiem termodetektorów wykrywających temperaturę krwi dopływającej do podwzgórza, 2) scala informacje docierające z różnych obszarów termorecepcyjnych, a więc z własnych termodetektorów oraz z termoreceptorów rdzenia kręgowego i skóry, 3) uruchamia reakcje fizjologiczne sprzyjające utracie ciepła z organizmu do otoczenia, takie jak rozszerzenie naczyń krwionośnych skóry i wydzielanie potu. Ośrodek wytwarzania i zachowania ciepła natomiast: 1) stymuluje mechanizmy kierujące drżeniem mięśniowym, 2) powoduje zwężenie naczyń krwionośnych skóry i 3) pobudza wydzielanie hormonów nasilających procesy przemiany materii (głównie adrenaliny i hormonów tarczycy). Ośrodek ten jest stale hamowany przez ośrodek utraty ciepła. Hamowanie to zwiększa się, gdy organizmowi grozi przegrzanie, zaś zmniejsza się w warunkach ochłodzenia.

W procesie utrzymywania stałej temperatury ciała podwzgórze współdziała z ośrodkami termoregulacyjnymi rdzenia kręgowego. Ośrodki te wykrywają jednak zmiany temperatury wynoszące dopiero ok. 1°C (podwzgórze wykrywa zmiany rzędu 0,1°C), a uruchamiane przez nie reakcje termoregulacyjne są mniej precyzyjne.

Utrzymywanie stałej temperatury ciała jest korzystne dla różnych enzymów sterujących przebiegiem reakcji metabolicznych. Ochłodzenie i przegrzanie mogą być szkodliwe dla organizmu. Szczególnie niebezpieczny jest wzrost temperatury do ok. 42°C, ponieważ wówczas rozpoczyna się proces niszczenia struktury białek komórek nerwowych i uszkadzania funkcji mózgu.

Dłuższe przebywanie w obniżonej temperaturze otoczenia usprawnia mechanizmy sprzyjające gromadzeniu się ciepła w organizmie, przebywanie natomiast w wysokiej temperaturze – sprzyjające utracie ciepła. Procesy te nazywa się odpowiednio aklimatyzacją do zimna i aklimatyzacją do gorąca.

Wskutek działania różnego rodzaju czynników bakteryjnych, wirusowych, toksyn itp. może dochodzić do zakłócenia funkcjonowania ośrodkowych mechanizmów termoregulacyjnych i do gorączki. Stąd podwyższona temperatura ciała jest ważnym objawem rozpoznawczym wielu chorób.

Hipertermia. Hipertermia powstaje wówczas, gdy ilość ciepła wytwarzanego w organizmie (ciepło endogenne) lub pobieranego z zewnątrz (ciepło egzogenne) przekracza możliwości jego utraty. Krańcową postacią hipertermii jest udar cieplny, podczas którego temperatura wewnętrzna ciała zaczyna szybko narastać. Po przekroczeniu temperatury 42–43°C dochodzi do wstrząsu i śmierci organizmu. Występuje on szczególnie często wówczas, gdy zwiększone obciążenie cieplne skojarzone jest z odwodnieniem, np. podczas wykonywania ciężkiej pracy fizycznej w otoczeniu o wysokiej temperaturze bez możliwości uzupełniania wody i elektrolitów traconych z potem. Na skutek nadmiernego wzrostu temperatury dochodzi wówczas do zaburzenia funkcji ośrodka termoregulacji, wydzielanie potu zostaje zahamowane, a skóra staje się gorąca i sucha. Udar cieplny prowadzi też do zaburzeń regulacji ciśnienia tętniczego i oddychania.

Hipertermia złośliwa występuje u niektórych, genetycznie podatnych osób podczas zabiegów chirurgicznych wykonywanych w znieczuleniu ogólnym (np. podczas narkozy halotanowej). Dochodzi wówczas do nadmiernej produkcji ciepła w mięśniach szkieletowych, pobudzenia układu współczulnego, wzmożonego napięcia mięśni szkieletowych, zaburzenia transportu przez błony komórkowe. Ponieważ podczas narkozy eliminacja ciepła jest utrudniona, temperatura może wzrosnąć w stopniu zagrażającym życiu.

Gorączka. Gorączka jest wynikiem zaburzeń regulacji temperatury spowodowanym obecnością substancji gorączkotwórczych (pirogenów), które zmieniają funkcję ośrodka termoregulacji. Pirogeny powodują przesunięcie poziomu nastawienia (*set point*) temperatury wewnętrznej, w wyniku czego prawidłowa temperatura ciała zaczyna być odbierana jako zbyt niska. Dochodzi wówczas do aktywacji mechanizmów chroniących przed hipotermią (wzmożona produkcja ciepła, skurcz naczyń skóry). Przyczyną powstania gorączki jest pojawienie się w organizmie pirogenów egzogennych. Są nimi rozmaite toksyny i substancje wytwarzane przez bakterie i wirusy. Pod ich wpływem dochodzi do wytworzenia pirogenów endogennych, którymi są polipeptydy. Synteza pirogenów endogennych jest także zwiększana pod wpływem cytokin, sterydów androgennych, kwasów żółciowych. Do pirogenów endogennych zalicza się interleukinę 1, czynnik nekrotyczny guzów (TNF), limfotoksynę i interferon α. Są one wytwarzane głównie przez makrofagi, leukocyty obojętnochłonne i limfocyty. Pirogeny endogenne drogą krwi przedostają się do ośrodkowego układu nerwowego przez miejsca pozbawione bariery krew-mózg. Pod ich wpływem w podwzgórzu powstaje prostaglandyna E_2, która przestawia poziom regulacji temperatury w podwzgórzu. Umiarkowana gorączka pobudza reakcje odpornościowe i hamuje rozwój mikroorganizmów. Nadmierna gorączka jest niebezpieczna dla organizmu, podobnie jak hipertermia złośliwa. Po ustąpieniu działania pirogenów temperatura zaczyna być regulowana na właściwym poziomie, a nadmiar ciepła zostaje usunięty z organizmu na drodze rozszerzenia naczyń krwionośnych (przewodzenie i promieniowanie) oraz pocenia.

Hipotermia. Hipotermią nazywane jest obniżenie temperatury wewnętrznej ciała poniżej 35°C. Pojawia się ona wówczas, gdy wytwarzanie ciepła nie nadąża za jego utratą: najczęściej podczas długotrwałego przebywania w wodzie o niskiej temperaturze. W łagodnej hipotermii występuje intensywne drżenie mięśni, apatia, dezorientacja, czasami euforia. Obniżeniu temperatury poniżej 34°C towarzyszy bradykardia, utrata przytomności, zaburzenia rytmu serca. Dalsze obniżenie temperatury do 30°C prowadzi do migotania przedsionków i komór serca, co jest przyczyną śmierci.

U ludzi starszych często występuje hipotermia przypadkowa (*accidental hypothermia*). Jest ona spowodowana zaburzeniami odczuwania zimna, obniżeniem przemiany materii i upośledzeniem procesów odpowiedzialnych za zwiększenie produkcji ciepła i jego konserwację w organizmie w otoczeniu o niskiej temperaturze. Bywa ona przyczyną zgonów ludzi starszych w niekorzystnych warunkach klimatycznych.

X. UKŁAD TRAWIENNY

Układ trawienny składa się z przewodu pokarmowego (jamy ustnej, gardła, przełyku, żołądka, jelita cienkiego i jelita grubego) oraz z gruczołów ślinowych, trzustki i wątroby. Podstawową czynnością układu trawiennego jest transport organicznych substancji pokarmowych oraz wody i składników mineralnych ze środowiska zewnętrznego do środowiska wewnętrznego organizmu.

Pokarm wprowadzony do jamy ustnej jest przesuwany przez kolejne odcinki przewodu pokarmowego, gdzie podlega rozdrobnieniu, upłynnieniu, zmieszaniu z wydzielinami gruczołów układu trawiennego i strawieniu. Trawienie polega na rozłożeniu przez enzymy trawienne wielkocząsteczkowych składników pokarmowych, takich jak wielocukry, białka i tłuszcze na proste związki chemiczne: cukry proste (glukoza, galaktoza, fruktoza), aminokwasy i kwasy tłuszczowe. Drobnocząsteczkowe składniki pokarmu oraz produkty trawienia są transportowane przez komórki nabłonka pokrywającego światło przewodu pokarmowego do krwi lub limfy. Proces ten nosi nazwę wchłaniania lub absorpcji. Nie wchłonięte resztki pokarmu zostają wydalone w postaci kału.

Przewód pokarmowy jest kanałem długości ok. 4,5 m. Wnętrze jego jest przedłużeniem środowiska zewnętrznego, a zatem zawartość tego kanału praktycznie znajduje się poza organizmem. Potwierdzeniem tego są miliony bakterii zamieszkujące dolny odcinek przewodu pokarmowego (jelito grube), nieszkodliwe, a nawet pożyteczne w tym środowisku. Kiedy jednak bakterie te dostaną się do środowiska wewnętrznego organizmu, np. w wyniku pęknięcia wyrostka robaczkowego, stanowią śmiertelne zagrożenie.

Powierzchnię wewnętrzną przewodu pokarmowego wyściela błona śluzowa, którą otaczają błona podśluzowa i błona mięśniowa. Ostatnią warstwę stanowi błona surowicza.

Błona śluzowa składa się z trzech warstw: 1) warstwy komórek nabłonkowych tworzących barierę pomiędzy wnętrzem przewodu pokarmowego i środowiskiem wewnętrznym organizmu; zawiera ona komórki receptorowe, np. kubki smakowe w jamie ustnej, oraz liczne gruczołowe komórki wytwarzające śluz i inne wydzieliny, np. enzymy trawienne, hormony itp., 2) warstwy tkanki łącznej zawierającej drobne naczynia krwionośne, limfatyczne i włókna nerwowe oraz z 3) warstwy włókien mięśniowych, których skurcze powodują ruchy błony śluzowej (tworzenie fałdów, ruchy kosmków jelitowych).

Błona podśluzowa jest zbudowana z tkanki łącznej i zawiera większe naczynia krwionośne i limfatyczne oraz sieć włókien nerwowych i komórki nerwowe tworzące tzw. sploty podśluzówkowe.

Błona mięśniowa składa się z dwóch lub trzech warstw mięśni gładkich o przebiegu okrężnym i podłużnym lub skośnym (w żołądku). Pomiędzy warstwami mięśni znajdują się liczne komórki nerwowe, których wypustki tworzą tzw. sploty śródścienne. Skurcze mięśni tworzących błonę mięśniową umożliwiają mieszanie i przesuwanie treści pokarmowej. Przesuwanie treści pokarmowej odbywa się głównie dzięki tzw. ruchom robaczkowym, czyli perystaltycznym. Polegają one na następujących po sobie skurczach okrężnej warstwy mięśni kolejnych odcinków przewodu pokarmowego. Dzięki tym skurczom pokarm wyciskany jest z odcinka kurczącego się do następnego odcinka w danym momencie rozkurczonego.

Błona surowicza w niektórych odcinkach przewodu pokarmowego tworzy więzadła i krezki doprowadzające naczynia krwionośne i nerwy.

Regulacja czynności układu trawiennego

Niektóre czynności przewodu pokarmowego są aktami dowolnymi, jak np. pobieranie pokarmu, żucie, częściowo połykanie i wydalanie kału, czyli defekacja. Mięśnie, za pomocą których te czynności są dokonywane, są unerwione przez nerwy ruchowe somatyczne i pozostają pod kontrolą wyższych pięter ośrodkowego układu nerwowego. Wszystkie inne czynności ruchowe i wydzielnicze układu trawiennego są regulowane przez mechanizmy odruchowe. Największą rolę odgrywają odruchy wywołane drażnieniem receptorów znajdujących się w ścianie przewodu pokarmowego. Receptory te są wrażliwe na rozciąganie (mechanoreceptory), stężenie osmotyczne treści pokarmowej i oddziaływanie chemiczne jej składników. Sygnały powstające w tych receptorach wywołują na drodze odruchowej skurcze mięśni gładkich ścian przewodu pokarmowego oraz wydzielanie przez gruczoły układu trawiennego odpowiednich wydzielin. Reakcje te mogą być pobudzane bezpośrednio przez impulsy nerwowe lub za pośrednictwem hormonów wydzielanych w przewodzie pokarmowym.

Czynności układu trawiennego są regulowane na drodze odruchowej dzięki istnieniu w ścianie przewodu pokarmowego „własnego" układu nerwowego w postaci splotów nerwowych podśluzówkowych i śródściennych. Komórki nerwowe tych splotów tworzą liczne połączenia synaptyczne w obrębie tego samego splotu oraz splotów sąsiednich i wysyłają włókna nerwowe – aksony, które kończą się w pobliżu włókien mięśniowych i komórek wydzielniczych. Dendryty komórek nerwowych splotów podśluzówkowych i śródściennych przewodzą impulsy dośrodkowe z receptorów znajdujących się w ścianie przewodu pokarmowego.

Oprócz „własnej" regulacji odruchowej, czynności układu trawiennego podlegają *regulacji ze strony ośrodkowego układu nerwowego*. Zarówno do mięśni, jak i gruczołów układu trawiennego, a także do komórek splotów nerwowych dochodzą włókna nerwowe przywspółczulne i współczulne, mające swe ośrodki w mózgu i rdzeniu kręgowym. W różnych warstwach przewodu pokarmowego znajdują się wolne zakończenia nerwów czuciowych przewodzących impulsy do ośrodkowego układu nerwowego.

Czynności układu trawiennego są zatem regulowane przez *„krótkie" odruchy*, w których impulsy z receptorów przewodu pokarmowego poprzez sploty nerwowe są kierowane do komórek efektorowych, mięśniowych czy gruczołowych, oraz *„długie" odruchy* prowadzące od tych samych receptorów do ośrodkowego układu nerwowego i stamtąd poprzez włókna odśrodkowe wegetatywne (przywspółczulne i współczulne) do komórek splotów nerwowych lub bezpośrednio do komórek efektorowych. Długie odruchy mogą być zapoczątkowane także drażnieniem innego rodzaju receptorów, np. receptorów smakowych, węchowych itp., przez bodźce pokarmowe.

Hormonalna regulacja czynności układu trawiennego zachodzi przede wszystkim za pośrednictwem hormonów wydzielanych w przewodzie pokarmowym, takich jak gastryna, sekretyna, cholecystokinina, żołądkowy peptyd hamujący (GIP) i inne. Wydzielanie tych hormonów jest stymulowane bezpośrednio przez oddziaływanie składników treści pokarmowej na komórki gruczołowe lub za pośrednictwem unerwienia tych komórek.

W regulacji czynności ruchowych przewodu pokarmowego ważną rolę pełni *kurczliwość własna mięśni gładkich przewodu pokarmowego*. Mają one zdolność wytwarzania potencjałów czynnościowych pobudzających je do skurczu pod wpływem samego rozciągnięcia. Również wydzielanie gruczołów trawiennych może być pobudzane, niezależnie od mechanizmów nerwowych i hormonalnych, przez składniki pokarmu, np. wydzielanie soku żołądkowego może być pobudzone przez kofeinę.

W regulacji czynności układu trawiennego można wyróżnić trzy fazy: 1) fazę ośrodkową, w której pobudzenie czynności ruchowej i wydzielniczej przewodu pokarmowego jest związane z pobudzeniem receptorów smakowych, węchowych, słuchowych, wzrokowych itp., 2) fazę żołądkową, związaną z obecnością pokarmu w żołądku i 3) fazę jelitową, rozpoczynającą się z chwilą pojawienia się treści pokarmowej w jelicie.

Czynności układu trawiennego

Czynności poszczególnych części układu trawiennego przedstawiono schematycznie na rysunku.

Jama ustna, gardło i przełyk. Pokarm w jamie ustnej zostaje rozdrobniony w procesie gryzienia i żucia oraz zmieszany ze śliną wydzielaną przez gruczoły ślinowe. Ślina zwilża i rozpuszcza niektóre składniki pokarmowe, a także

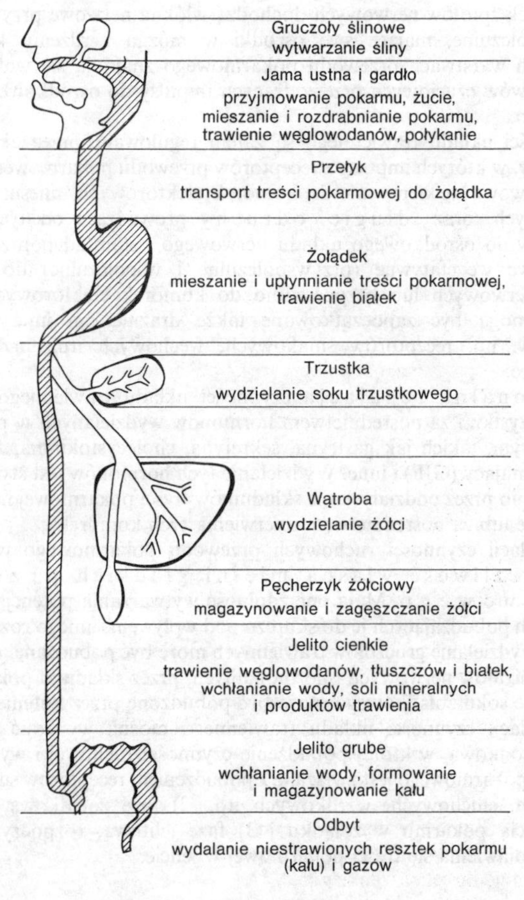

Czynności poszczególnych części układu trawiennego

rozpoczyna proces trawienia węglowodanów, dzięki zawartości w niej enzymu amylazy ślinowej, należącego do grupy enzymów rozkładających skrobię. W jamie ustnej składniki chemiczne pokarmu drażnią receptory smakowe. Prowadzi to do powstawania wrażeń smakowych i odgrywa ważną rolę w pobudzeniu odruchowym nie tylko wydzielania śliny, soku żołądkowego i trzustkowego, ale i motoryki dalszych odcinków przewodu pokarmowego.

Uformowane w jamie ustnej kęsy pokarmowe, dzięki ruchom policzków i języka są przesuwane ku tyłowi i wciskane do gardła. Jest to pierwszy etap procesu połykania, będący podobnie jak żucie aktem dowolnym. Dalsze etapy połykania pobudzane są odruchowo. Mechanizmem tym zawiadują komórki nerwowe w tworze siatkowatym rdzenia przedłużonego, określane jako ośrodek połykania.

Obecność pokarmu w gardle powoduje odruchowy skurcz mięśni gardła i krtani, wskutek czego podniebienie miękkie unosi się i zamyka drogę do jamy nosowej, krtań unosi się i zostaje zamknięta przez nagłośnię, łuki podniebienne oddzielające gardło od jamy ustnej zbliżają się do siebie. W ten sposób zostają zamknięte połączenia gardła z drogami oddechowymi i odcięta droga powrotna pokarmu do jamy ustnej. Skurcze mięśni okrężnych gardła powodują przesuwanie się kęsa pokarmowego jedyną pozostałą drogą – do przełyku.

W przełyku pokarm szybko przesuwa się w kierunku żołądka dzięki działaniu siły ciężkości (płyn) oraz skurczów perystaltycznych przełyku. W momencie połykania rozluźnia się dolny zwieracz przełyku, czyli okrężny mięsień zamykający połączenie między żołądkiem a przełykiem (wpust).

Gwałtowne opróżnienie żołądka z treści pokarmowej w kierunku przeciwnym, przez przełyk do jamy ustnej, nosi nazwę wymiotów. Jest to akt odruchowy, regulowany przez komórki nerwowe tzw. ośrodka wymiotnego, mieszczącego się w tworze siatkowatym rdzenia przedłużonego. Odruch ten umożliwia usunięcie szkodliwych (drażniących) substancji z górnych odcinków przewodu pokarmowego. Wymioty mogą być również wywoływane przez różne procesy patologiczne toczące się poza przewodem pokarmowym, powodujące na drodze odruchowej lub bezpośrednio drażnienie ośrodka wymiotnego.

Żołądek. Jest to workowaty narząd, w którym pokarm jest gromadzony, rozdrabniany, mieszany z wydzielinami gruczołów błony śluzowej żołądka i przesuwany do jelita. Żołądek dzieli się na część wpustową (górną), dno, trzon i część odźwiernikową.

Część bliższa żołądka, obejmująca część wpustową, dno i część trzonu, służy przede wszystkim do gromadzenia pokarmu. Mięśnie tej części żołądka ulegają rozluźnieniu podczas połykania pokarmu, co umożliwia zwiększenie objętości żołądka. W części dalszej żołądka odbywa się mieszanie pokarmu z tzw. sokiem żołądkowym i homogenizowanie jego cząstek. Skurcze toniczne i perystaltyczne tej części żołądka powodują wielokrotne przesuwanie treści pokarmowej tam i z powrotem i wtłaczają małe jej porcje do jelita cienkiego.

Sok żołądkowy jest mieszaniną wydzielin różnych komórek błony śluzowej żołądka. Do najważniejszych jego składników należą: kwas solny, pepsyna (enzym trawiący białka), śluz i tzw. czynnik wewnętrzny. K w a s s o l n y powoduje silne zakwaszenie treści pokarmowej. Umożliwia upłynnienie wielu składników stałych pokarmu, np. włókien mięsnych, działa bakteriobójczo i stwarza właściwe środowisko dla aktywacji i trawiennego działania enzymu p e p s y n y. Enzym ten powoduje rozłożenie cząsteczek białek pokarmowych na łańcuchy peptydowe. Ś l u z, będący mieszaniną związków wielkocząsteczkowych (głównie białek i wielocukrów), ma strukturę żelu. Osłania on błonę śluzową żołądka przed drażniącym działaniem kwasu solnego i ułatwia przesuwanie pokarmu. C z y n n i k w e w n ę t r z n y jest to substancja, która wiąże zawartą w pokarmie witaminę B_{12} i w ten sposób umożliwia jej wchłanianie w jelicie.

Wydzielanie soku żołądkowego w ilości ok. 2 l/dobę jest p o b u d z a n e przez wiele czynników. Należą do nich: acetylocholina wydzielana na zakończeniach włókien nerwowych, gastryna wydzielana przez komórki błony śluzowej żołądka, histamina (hormon tkankowy), jony wapniowe oraz szereg składników pokarmu, takich jak produkty trawienia białek, kofeina, alkohol i inne. H a m u j ą wydzielanie soku żołądkowego niektóre hormony jelitowe, m.in. sekretyna i żołądkowy peptyd hamujący (Zob. Hormony tkankowe, s. 247).

G a s t r y n a jest hormonem wydzielanym przez specjalne komórki błony śluzowej żołądka, tzw. komórki G. Hormon ten silnie pobudza wydzielanie soku żołądkowego, zwiększa wydzielanie enzymów trzustkowych i jelitowych, pobudza motorykę żołądka i innych części przewodu pokarmowego, wywiera wpływ troficzny na błonę śluzową żołądka, dwunastnicy i utkanie gruczołowe trzustki (rozrost komórek) oraz wzmaga przepływ krwi przez trzewia. Wydzielanie gastryny jest pobudzane na drodze odruchowej przez pokarm pojawiający się w żołądku, a także bezpośrednio przez składniki pokarmu, przede wszystkim produkty trawienia białek, i niektóre hormony, np. insulinę. Hamują wydzielanie gastryny: silne zakwaszenie treści żołądka w części odźwiernikowej oraz hormony jelitowe, głównie sekretyna.

Jelito cienkie. W tym odcinku przewodu pokarmowego składniki pokarmowe ulegają ostatecznemu strawieniu i wchłonięciu. Procesy te zachodzą w trakcie powolnego przesuwania treści pokarmowej w kierunku jelita grubego. Jelito cienkie dzieli się na 3 części: górny odcinek, długości ok. 20 cm, nosi nazwę d w u n a s t n i c y, środkowy – j e l i t a c z c z e g o, a dolny (najdłuższy) – j e l i t a k r ę t e g o.

Trawienie i wchłanianie większości składników pokarmowych kończy się w części środkowej jelita czczego. Pozostała część jelita cienkiego spełnia rolę rezerwową, w normalnych warunkach wchłaniane są w niej tylko sole żółciowe oraz witamina B_{12}.

W jelicie cienkim działają wszystkie rodzaje e n z y m ó w rozkładających składniki pokarmowe: a m y l a z y rozkładające skrobię i o l i g o s a c h a r y d a z y (maltaza, laktaza, sacharaza) rozkładające dwucukry, p e p t y d a z y (trypsyna, chymotrypsyna, elastaza, karboksypeptydaza) rozkładające polipeptydy, tj. produkty trawienia żołądkowego białek, oraz l i p a z y rozkładające tłuszcze. Część z tych enzymów pochodzi z trzustki i dostaje się do jelita z sokiem trzustkowym, część natomiast znajduje się w tzw. mikrokosmkach, czyli wypustkach błony komórkowej komórek nabłonka jelitowego lub na ich powierzchni.

Sok trzustkowy, w ilości ok. 2 l/dobę, dostaje się do dwunastnicy przez przewód trzustkowy. W skład tego soku (zob. s. 231) oprócz enzymów trawiennych wchodzą wodorowęglany, które neutralizują kwaśny odczyn treści pokarmowej przechodzącej z żołądka do dwunastnicy. Do dwunastnicy wlewana jest także żółć wydzielana przez wątrobę. Głównym składnikiem żółci są sole żółciowe, ułatwiające trawienie tłuszczów. Spełniają one rolę detergentów, które powodują rozbicie tłuszczów na małe kulki zawieszone w środowisku wodnym. W okresie między posiłkami żółć wydzielana przez wątrobę gromadzi się w pęcherzyku żółciowym, gdzie ulega zagęszczeniu. W okresie trawienia skurcze pęcherzyka żółciowego powodują jego opróżnienie i dopływ dodatkowej porcji żółci do dwunastnicy.

Człowiek spożywa dziennie ok. 800 g pokarmów stałych i 1,2 l wody. Stanowi to tylko niewielką część treści pokarmowej, która przechodzi w tym czasie przez jelito cienkie. Do światła przewodu pokarmowego wydzielane jest bowiem ok. 7 l płynu pochodzącego łącznie z gruczołów ślinowych, żołądka, jelita, trzustki i wątroby. Do jelita grubego przedostaje się w ciągu doby jedynie ok. 0,5 l treści jelitowej. Pozostała część obejmująca zarówno składniki pokarmu, jak i składniki wymienionych wydzielin, zostaje w jelicie cienkim przetransportowana przez nabłonek i wchłonięta do krwi lub limfy.

Wchłanianie w jelicie cienkim odbywa się poprzez doskonale przystosowaną do tej czynności błonę śluzową. Jej powierzchnia jest zwielokrotniona przez liczne fałdy oraz palczaste wyrostki zwane kosmkami jelitowymi. Kosmki pokrywa warstwa komórek nabłonkowych, a w środku każdego z nich znajduje się naczynie tętnicze i żylne wraz z siecią naczyń włosowatych oraz ślepo zakończone naczynie limfatyczne. Dzięki fałdom, kosmkom i mikrokosmkom występującym na powierzchni komórek nabłonka, łączna powierzchnia wchłaniania wynosi ok. 200 m^2, co odpowiada powierzchni kortu tenisowego. Mechanizmy wchłaniania jelitowego opierają się na podstawowych procesach przenikania wody i substancji drobno- i wielkocząsteczkowych przez błony komórkowe (zob. Fizjologia komórki, s. 77 oraz Płyny ustrojowe, s. 141).

Woda z jelita przenika do krwi i limfy na drodze dyfuzji. Gradient osmotyczny warunkujący dyfuzję powstaje w wyniku czynnego transportu składników mineralnych i innych związków – przez błony komórek nabłonka jelitowego. Również na drodze dyfuzji przechodzą do komórek nabłonka jelitowego wolne kwasy tłuszczowe, powstające w wyniku rozkładu tłuszczów pokarmowych. W komórkach nabłonka syntetyzowane są z nich ponownie tłuszcze, które tworzą wraz ze specjalnymi białkami i cholesterolem kuliste struktury zwane chylomikronami, wydzielane do limfy.

Większość składników pokarmowych wchłania się w jelicie w takiej ilości, w jakiej jest dostarczana, niezależnie od zapotrzebowania organizmu. Wyjątek stanowi wapń i żelazo. Wchłanianie wapnia jest regulowane przez witaminę D (zob. Kalcytriol – czynna postać witaminy D_3, s. 241), natomiast jony żelaza tworzą w nabłonku jelitowym kompleks z białkiem ferrytyną i tylko część z nich uwalniana jest do krwi. Ten ostatni proces zależy od obecności innego białka krwi – zwanego transferyną.

Hormony wydzielane w jelicie cienkim są dość liczne. Do najważniejszych z nich należą: sekretyna, cholecystokinina (CCK), gastryna, enteroglukagon, żołądkowy peptyd hamujący (GIP) i wazoaktywny peptyd jelitowy (VIP). Wydzielanie tych hormonów jest pobudzane przez składniki treści pokarmowej pojawiającej się w jelicie oraz przez czynniki nerwowe. Hormony jelitowe oddziałują na funkcje różnych części układu pokarmowego. Sekretyna i cholecystokinina silnie pobudzają wydzielanie soku trzustkowego oraz żółci. Obydwa te hormony oraz GIP i VIP wpływają hamująco na wydzielanie i motorykę żołądka. Cholecystokinina pobudza skurcze pęcherzyka żółciowego. Hormony jelitowe wywierają także wpływ na inne czynności organizmu, m.in. pobudzają wydzielanie insuliny. Enteroglukagon i VIP stymulują rozkład glikogenu w wątrobie, a VIP działa silnie naczyniorozszerzająco.

Jelito grube. W jelicie grubym, stanowiącym ostatni odcinek przewodu pokarmowego, wchłaniana jest w dalszym ciągu woda i jony sodowe oraz gromadzone są nie strawione resztki pokarmu. Resztki te, częściowo rozłożone przez bakterie zamieszkujące jelito grube, tworzą kał (stolec), który wydalany jest okresowo przez odbyt.

Jelito grube dzieli się na jelito ślepe (kątnicę) z wyrostkiem robaczkowym, okrężnicę i odbytnicę zakończoną odbytem. Odbyt zamknięty jest przez okrężny zwieracz wewnętrzny odbytu zbudowany z mięśni gładkich oraz zwieracz zewnętrzny zbudowany z mięśni poprzecznie prążkowanych.

Oprócz ruchów perystaltycznych w jelicie grubym występują tzw. ruchy masowe, które polegają na obkurczaniu się dużych segmentów jelita (20 – 30 cm) powodujących szybkie przesuwanie całej zawartości okrężnicy w kierunku odbytnicy.

Rozciąganie ścian odbytnicy przez masy kałowe powoduje podrażnienie znajdujących się tam mechanoreceptorów, wywołuje uczucie parcia na stolec i zapoczątkowuje odruch wypróżnienia (czyli akt defekacji). Odruch ten jest regulowany przez komórki nerwowe śródścienne i podśluzówkowe jelita grubego, komórki nerwowe zlokalizowane w części krzyżowej rdzenia kręgowego tworzące przywspółczulny ośrodek defekacyjny oraz komórki nerwowe wyższych pięter ośrodkowego układu nerwowego, przede wszystkim komórki kory mózgowej.

Impulsy nerwowe pochodzące ze splotów nerwowych w ścianie jelita grubego i ośrodka defekacyjnego wzmagają perystaltykę i ruchy masowe jelita grubego oraz rozluźniają wewnętrzny zwieracz odbytu. Rozluźnienie zewnętrznego zwieracza odbytu oraz skurcze mięśni brzucha i przepony, tworzących tzw. tłocznię brzuszną, ułatwiające wypróżnienie, sterowane są przez nerwy somatyczne. Odruch wypróżnienia może zostać stłumiony zależnie od naszej woli. Następuje wówczas zahamowanie aktywności ośrodka defekacyjnego w rdzeniu kręgowym, skurcz zwieraczy odbytu i rozkurcz odbytnicy. K a ł wydalany jest w ilości ok. 100–150 g/dobę (ok. 100 g wody i 50 g składników stałych).

Rozkład bakteryjny resztek pokarmowych (fermentacja) powoduje powstawanie w jelicie grubym gazów, w skład których wchodzi azot i dwutlenek węgla, a także niewielkie ilości siarkowodoru, wodoru, metanu i in. G a z y te są wydalane przez odbyt w ilości ok. 400–700 ml na dobę.

Gruczoły ślinowe, czyli **ślinianki**. U człowieka występują trzy pary głównych gruczołów ślinowych: ślinianki podżuchwowe, podjęzykowe i przyuszne oraz liczne mniejsze rozsiane w błonie śluzowej jamy ustnej. W skład ś l i n y wydzielanej przez te gruczoły oprócz wody (99%) wchodzą: śluz (mucyna), będący mieszaniną glikoproteidów i wielocukrów, białka oraz składniki mineralne. Wśród białek śliny największe znaczenie ma enzym trawienny – p t i a l i n a (amylaza ślinowa) – rozkładający cząsteczki skrobi i innych wielocukrów pokarmowych na mniejsze fragmenty. Produktem rozkładu zachodzącego z udziałem ptialiny jest m.in. cukier maltoza, złożony z dwóch cząsteczek glukozy (dalszy rozkład cukrów odbywa się w jelicie cienkim). Ślina zawiera ponadto śladowe ilości białek osocza, l i z o z y m – substancję hamującą wzrost bakterii, oraz k a l i k r e i n ę – substancję działającą rozszerzająco na naczynia.

Wydzielanie śliny stymuluje wegetatywny układ nerwowy współczulny i przywspółczulny. Ślina wydzielana jest stale, dzięki czemu jama ustna jest stale zwilżana. Obecność pokarmu w jamie ustnej powoduje na drodze odruchowej zwiększenie wydzielania śliny. Odruch ten zostaje zapoczątkowany przez drażniące działanie składników pokarmu na chemoreceptory jamy ustnej (najsilniej działają substancje kwaśne). Wydzielanie śliny może zwiększać się również pod wpływem bodźców warunkowych związanych z przyjmowaniem pokarmu oraz może być modyfikowane w różnych stanach emocjonalnych. Ogólna i l o ś ć ś l i n y wydzielanej w ciągu doby wynosi 1–1,5 l.

Trzustka składa się z części w e w n ą t r z w y d z i e l n i c z e j (wyspy Langerhansa, zob. Układ wydzielania wewnętrznego, s. 244) oraz z e w n ą t r z w y d z i e l n i c z e j wytwarzającej tzw. s o k t r z u s t k o w y, będący mieszaniną wydzielin różnych komórek trzustki i transportowany przez „przewód" trzustkowy do dwunastnicy. Głównymi składnikami soku trzustkowego są wodorowęglany (przyczyniające się do alkalizacji treści jelitowej) oraz enzymy trawienne, takie jak trypsyna, chymotrypsyna i karboksypeptydaza – rozkładające białka, lipaza – rozkładająca tłuszcze, amylaza – rozkładająca wielocukry oraz rybonukleaza i dezoksyrybonukleaza – rozkładające kwasy nukleinowe. Enzymy te wydzielane są w formie nieczynnej i dopiero w dwunastnicy ulegają aktywacji pod wpływem enterokinazy, enzymu pochodzącego z komórek błony śluzowej jelita.

Wydzielanie soku trzustkowego w czasie posiłku stymulują hormony jelitowe, głównie sekretyna, która pobudza wydzielanie enzymów trawiennych.

Wątroba jest narządem spełniającym wiele czynności, m.in. wydziela ż ó ł ć. Żółć, wytwarzana w komórkach wątrobowych (hepatocytach), przez przewód żółciowy wpływa do dwunastnicy, gdzie bierze udział w trawieniu tłuszczów.

Głównymi składnikami żółci są: sole kwasów żółciowych, cholesterol, lecytyna, barwniki żółciowe i niektóre końcowe produkty przemiany związków organicznych oraz składniki mineralne, wśród nich wodorowęglany przyczyniające się do alkalizacji treści jelitowej. Część składników żółci stanowią produkty przemiany materii, które przetransportowane do jelit są następnie wydalane z kałem. Do produktów tych należą m.in. barwniki żółciowe, z których najważniejsza jest bilirubina – produkt przemiany hemoglobiny uwolnionej z rozpadłych krwinek czerwonych.

Sole kwasów żółciowych, odgrywające podstawową rolę w procesie emulgacji tłuszczów w jelicie, podlegają krążeniu wątrobowo-jelitowemu, tzn. są wchłaniane zwrotnie w dolnym odcinku jelita cienkiego do krwi, powracają z krwią do komórek wątrobowych i ponownie wydzielane są z żółcią do jelita. Straty soli żółciowych uzupełniane są przez komórki wątrobowe. Najsilniejszymi stymulatorami wydzielania żółci są sole kwasów żółciowych wchłaniane z przewodu pokarmowego oraz hormony jelitowe, wśród nich sekretyna. W okresie między trawieniem żółć wydzielana przez wątrobę zostaje gromadzona w pęcherzyku żółciowym, gdzie ulega ok. 20-krotnemu zagęszczeniu. Opróżnianie pęcherzyka do przewodu żółciowego pobudzane jest przez cholecystokininę.

Oprócz wydzielania żółci wątroba spełnia wiele innych czynności odgrywających kluczową rolę w przemianie materii. Do wątroby dopływa nie tylko utlenowana krew tętnicza (przez tętnicę wątrobową), ale również krew żylna z przewodu pokarmowego (przez żyłę wrotną), niosąca ze sobą wchłonięte składniki pokarmowe. Część z nich zatrzymują komórki wątrobowe i poddają je „obróbce". Wątroba jest głównym miejscem przemian aminokwasów. To tutaj niektóre aminokwasy pochodzące z pokarmu lub z białek ustrojowych podlegają rozkładowi i jednocześnie wytwarzane są inne aminokwasy wykorzystywane do syntezy białek. W wątrobie wytwarzana jest większość białek osocza krwi (z wyjątkiem immunoglobulin).

Udział wątroby w przemianie węglowodanowej polega na magazynowaniu glukozy w postaci glikogenu oraz na wytwarzaniu glukozy z innych cukrów prostych, takich jak fruktoza i galaktoza, oraz z substratów niewęglowodanowych, przede wszystkim z aminokwasów. Procesy te umożliwiają utrzymywanie stałego stężenia glukozy we krwi (0,8 – 1,0 g/l). Wychwytywanie glukozy przez komórki wątrobowe z krwi w okresie trawienia i synteza glikogenu zapobiega nadmiernemu wzrostowi stężenia glukozy we krwi, natomiast uwalnianie glukozy z zapasów glikogenowych i wytwarzanie jej z substratów niewęglowodanowych w okresie międzytrawiennym zapobiega obniżaniu się stężenia glukozy we krwi. Nadmierny wzrost stężenia glukozy we krwi (hiperglikemia) może prowadzić do utraty tego cukru z moczem, zaś obniżenie się tego stężenia (hipoglikemia) – do upośledzenia czynności ośrodkowego układu nerwowego, dla którego glukoza stanowi podstawowy substrat wykorzystywany w procesach energetycznych.

Rola wątroby w przemianie tłuszczowej polega na wytwarzaniu tłuszczów z innych substratów, np. z wolnych kwasów tłuszczowych i z cukrów. Tłuszcze wytwarzane w wątrobie wraz z cholesterolem, fosfolipidami i białkami tworzą lipoproteiny o bardzo małej gęstości (VLDL). Lipoproteiny te są wydzielane do krwi i transportowane do innych tkanek, przede wszystkim do tkanki tłuszczowej. Komórki wątrobowe mają również zdolność wytwarzania z kwasów tłuszczowych ciał ketonowych. Ketokwasy (kwas acetooctowy i betahydroksymasłowy) w czasie głodu mogą zastępować glukozę w procesach energetycznych w komórkach nerwowych.

Wątroba pełni też bardzo ważną rolę w usuwaniu z krwi substancji toksycznych oraz w unieczynnianiu substancji biologicznie czynnych. Komórki wątroby wychwytują z krwi wiele tego rodzaju substancji pochodzenia wewnątrzustrojowego, np. hormonów i produktów rozpadu składników komórkowych, oraz zewnątrzustrojowych, np. leków. Substancje te podlegają przemianie w komórkach wątrobowych i powracają do krwi w postaci związków nieczynnych, które usuwane są z moczem lub z żółcią, trafiają do jelita i są wydalane z kałem. Szczególnie dużą rolę odtruwającą spełnia wątroba przetwarzając toksyczny amoniak, będący produktem rozkładu aminokwasów, w nietoksyczny mocznik usuwany z moczem.

Do czynności wątroby należy ponadto produkcja somatomedyn, substancji „hormonalnych" wytwarzanych pod wpływem hormonu wzrostu i działających na przemianę materii, oraz magazynowanie niektórych witamin, np. witaminy B_{12}, A i D.

XI. UKŁAD WYDZIELANIA WEWNĘTRZNEGO

Układ wydzielania wewnętrznego lub układ dokrewny jest systemem, który reguluje czynności różnych tkanek i narządów za pośrednictwem substancji chemicznych wydzielanych do krwi, zwanych hormonami. System ten współdziała z układem nerwowym w przystosowaniu funkcji różnych narządów do wymagań związanych z warunkami środowiska zewnętrznego, aktywnością ruchową, spełnianiem funkcji rozrodczych itp. oraz z utrzymywaniem stałości wewnętrznego środowiska organizmu, czyli homeostazy. Dział medycyny zajmujący się hormonalną regulacją procesów życiowych i jej zaburzeniami nosi nazwę endokrynologii.

Według klasycznej definicji hormony są to substancje chemiczne wydzielane przez gruczoły wydzielania wewnętrznego do krwiobiegu i wywierające wpływ na czynności różnych tkanek i narządów. Obecnie wiadomo, że nie wszystkie hormony są wydzielane przez swoiste gruczoły dokrewne. Znaczna część hormonów jest wytwarzana w innych tkankach, np. w układzie nerwowym (neurohormony), w błonie śluzowej przewodu pokarmowego (hormony przewodu pokarmowego), nerkach (np. erytropoetyna) lub nawet we krwi (np. angiotensyna). Również nie wszystkie hormony docierają do odległych tkanek z krwią. Hormony tkankowe, zwane też autakoidami, działają prawie wyłącznie na komórki w najbliższym sąsiedztwie miejsca ich uwalniania (np. prostaglandyny, histamina).

Pod względem struktury chemicznej hormony stanowią zróżnicowaną grupę związków chemicznych. Można wśród nich wyróżnić: 1) hormony aminokwasowe, będące stosunkowo prostymi pochodnymi pojedynczych aminokwasów (hormony tarczycy, aminy katecholowe, histamina, serotonina), 2) hormony steroidowe, które są pochodnymi cholesterolu (hormony kory nadnerczy i gruczołów płciowych), 3) hormony peptydowe, stanowiące najliczniejszą i najbardziej różnorodną grupę złożoną z peptydów zawierających w swych cząsteczkach od kilku do ok. 200 aminokwasów (hormony podwzgórza, przysadki, trzustki, przewodu pokarmowego i inne) oraz 4) eikozanoidy (zwane też prostanoidami), które są pochodnymi kwasów tłuszczowych (prostaglandyny, prostacylina, tromboksany, leukotrieny).

Działanie hormonów na komórki polega głównie na wywoływaniu zmian aktywności lub na modyfikowaniu tempa wytwarzania enzymów. W ten sposób hormony mogą wpływać na przebieg procesów przemiany materii w komórkach, transport różnych substancji przez błonę komórkową oraz na wzrost i rozmnażanie się komórek.

Wydzielanie hormonów może być pobudzane lub hamowane przez wegetatywny układ nerwowy, przez inne hormony oraz bezpośrednio przez zmiany w środowisku otaczającym komórki wydzielnicze. O ilości hormonów dostępnych dla tkanek decyduje nie tylko tempo wydzielania tych substancji, ale również tempo ich unieczynniania i wydalania. Wiele hormonów zostaje unieczynnianych lub rozłożonych w wątrobie i w innych tkankach, część zaś w formie niezmienionej jest wydalana przez nerki. Uszkodzenie nerek lub wątroby może prowadzić do nadmiaru hormonów.

O wrażliwości komórek na działanie danego hormonu decyduje obecność w nich receptorów swoistych dla tego hormonu. Receptorami tymi są substancje białkowe, które „rozpoznają" dany hormon i łączą się z nim. Receptory swoiste dla większości hormonów znajdują się w błonach komórkowych. Niektóre jednak hormony, np. hormony steroidowe i hormony tarczycy, wnikają do wnętrza komórek i tam łączą się z receptorami cytoplazmatycznymi i jądrowymi.

Kompleks hormonu z receptorem błonowym oddziałuje na procesy wewnątrzkomórkowe za pośrednictwem dodatkowej substancji przekaźnikowej, zwanej przekaźnikiem II rzędu (przekaźnikiem I rzędu jest hormon). Funkcję przekaźnika II rzędu dla wielu hormonów pełni cykliczny adenozynomonofosforan (kwas adenozynomonofosforowy, cAMP), związek wywierający wpływ na aktywność enzymów wewnątrzkomórkowych. W przypadku hormonów działających za pośrednictwem cAMP, działanie kompleksu hormonu z receptorem polega na aktywacji lub hamowaniu enzymu – cyklazy adenylowej, która katalizuje wytwarzanie cAMP z adenozynotrójfosforanu (ATP) (rys. na s. 235). W reakcji tej pośredniczy białko G występujące w błonach komórkowych. Wiele hormonów wykorzystuje inny układ przenoszenia informacji przez błonę komórkową. Jest on związany z aktywacją przez kompleks hormon–receptor enzymu – fosfolipazy C, która rozkłada dwufosforan fosfatydyloinozytolu (PIP_2), należący do fosfolipidów błony komórkowej. Pierwszym etapem tej reakcji, podobnie jak w przypadku cyklazy adenylowej, jest aktywacja białka G. Pod wpływem fosfolipazy PIP_2 ulega rozszczepieniu na diacyloglicerol (2DG) i trójfosforan inozytolu (IP_3). Obydwa te związki pełnią funkcję przekaźników II rzędu. W mechanizmie działania przekaźników II rzędu bardzo ważną rolę odgrywa aktywacja przez nie kinaz białkowych – enzymów katalizujących fosforylację (przyłączenie fosforanu) różnych białek komórkowych, takich jak enzymy, receptory innych hormonów, białka cytoszkieletu (np. miozyna, zob. Fizjologia komórki, s. 81), białka jądrowe regulujące procesy syntezy innych białek, kanały jonowe itp. Fosforylacja lub defosforylacja tych białek zmienia ich właściwości i w ten sposób wpływa na przebieg procesów chemicznych i fizycznych zachodzących w komórkach. W przypadku niektórych hormonów, np. insuliny, kinaza białkowa (kinaza tyrozynowa) może być aktywowana bezpośrednio przez kompleks hormon–receptor. W tym przypadku kinaza spełnia rolę przekaźnika II rzędu. Do grupy przekaźników II rzędu zalicza się też jony wapnia. Uwalnianie tych jonów z siateczki endoplazmatycznej lub ich napływ do komórki ze środowiska zewnątrzkomórkowego jest stymulowane przez IP_3, który wpływa na właściwości kanałów jonowych (zob. Fizjologia komórki, s. 78).

Hormony steroidowe (hormony kory nadnerczy, jajników i jąder) po wniknięciu do komórki wiążą się ze specyficznym receptorem cytoplazmatycznym. Prowadzi to do aktywacji tego receptora, w wyniku której

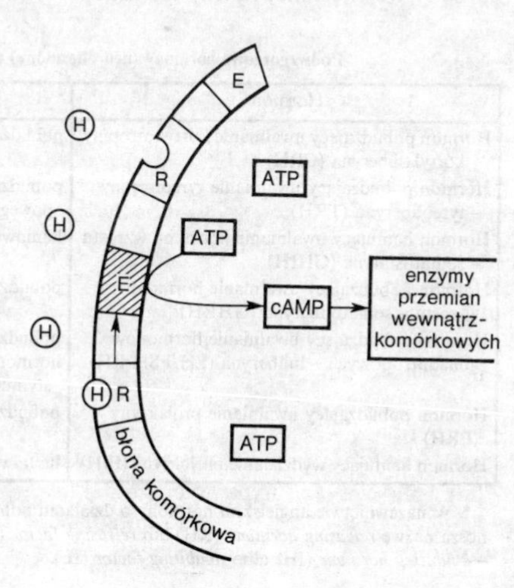

Działanie hormonów za pośrednictwem receptora błonowego i przekaźnika II rzędu. Kompleks hormonu (H) z receptorem błonowym (R) powoduje aktywację enzymu – cyklazy adenylowej (E), który przyspiesza wytwarzanie drugiego przekaźnika – cyklicznego kwasu adenozynomonofosforowego (cAMP) z kwasu adenozynotrójfosforowego (ATP)

nabywa on zdolność wiązania się z chromatyną jądra komórkowego. Reakcja ta powoduje aktywację odpowiednich genów, kontrolujących pośrednio lub bezpośrednio syntezę różnego typu białek komórkowych.

H o r m o n t a r c z y c y – trójjodotyronina – posiada specyficzny receptor jądrowy. Połączenie się hormonu z tym receptorem aktywuje szereg kinaz jądrowych, w wyniku czego dochodzi do fosforylacji regulatorowych białek jądrowych i ostatecznie aktywacji specyficznych genów.

Wrażliwość komórek na działanie hormonów może być modyfikowana przez czynniki (np. inne hormony) wpływające na ilość receptorów lub ich powinowactwo do hormonu albo też przez mechanizmy pozareceptorowe, które zwiększają lub zmniejszają efekt działania kompleksu hormonu z receptorem na procesy wewnątrzkomórkowe.

Hormony podwzgórzowe

P o d w z g ó r z e jest częścią mózgu (międzymózgowia), odgrywającą ważną rolę w regulacji czynności narządów wewnętrznych organizmu. Neurony, czyli komórki nerwowe tej okolicy wywierają wpływ na narządy przez zmiany aktywności wegetatywnego układu nerwowego lub za pośrednictwem hormonów. Wśród hormonów podwzgórzowych, tzw. neurohormonów, można wyróżnić: 1) grupę hormonów, zwanych też czynnikami, o działaniu pobudzającym lub hamującym uwalnianie hormonów przysadki, będącej gruczołem dokrewnym połączonym z podwzgórzem poprzez specjalny układ naczyń krwionośnych i włókien nerwowych tworzących tzw. lejek i 2) hormony uwalniane do ogólnego krwiobiegu, działające bezpośrednio na odległe narządy wewnętrzne; należy tu wazopresyna i oksytocyna.

Podwzgórzowe hormony (neurohormony) uwalniające i hamujące*

Hormon	Działanie
Hormon pobudzający uwalnianie kortykotropiny – kortykoliberyna (CRH)	pobudzanie wydzielania kortykotropiny (ACTH)
Hormon pobudzający uwalnianie tyreotropiny – tyreoliberyna (TRH)	pobudzanie wydzielania hormonu tyreotropowego (TSH)
Hormon hamujący uwalnianie hormonu wzrostu – somatostatyna (GHIH)	hamowanie wydzielania hormonu wzrostu (GH)
Hormon pobudzający uwalnianie hormonu wzrostu – somatoliberyna (GHRH)	pobudzanie wydzielania hormonu wzrostu (GH)
Hormon pobudzający uwalnianie hormonów gonadotropowych – luliberyna (LH/FSH-RH)	pobudzanie wydzielania gonadotropin: hormonu luteinizującego (LH) i folikulostymuliny (FSH)
Hormon pobudzający uwalnianie prolaktyny (PRH)	pobudzanie wydzielania prolaktyny (PRL)
Hormon hamujący wydzielanie prolaktyny (PIH)	hamowanie wydzielania prolaktyny (PRL)

* W nazewnictwie angielskim hormony o działaniu pobudzającym uwalnianie innych hormonów noszą nazwę *releasing hormone* (RH) lub *releasing factor* (RF), natomiast o działaniu hamującym – *inhibiting hormone* (IH) albo *inhibiting factor* (IF).

Podwzgórzowe hormony uwalniające i hamujące. Hormony należące do tej grupy i ich działanie zestawiono w tabeli na s. 236. Hormony te są wydzielane z zakończeń neuronów do naczyń włosowatych wyniosłości pośrodkowej podwzgórza. Krew z tych naczyń przez żyły wrotne przysadki dociera do jej przedniego płata, gdzie tworzy wtórną sieć włośniczek otaczających komórki wydzielnicze przysadki. Czynność tych właśnie komórek jest pobudzana lub hamowana przez hormony podwzgórzowe.

Wydzielanie podwzgórzowych hormonów uwalniających i hamujących jest regulowane przez impulsy nerwowe z różnych części układu nerwowego. Wpływ na wydzielanie tych hormonów wywierają również hormony przysadki i innych gruczołów dokrewnych dopływające do podwzgórza z krwią. Szczególnie ważne znaczenie ma hamowanie wydzielania podwzgórzowych hormonów uwalniających przez odpowiednie hormony przysadkowe, np. hamowanie wydzielania podwzgórzowej kortykoliberyny (CRH) przez przysadkową kortykotropinę (ACTH) lub tyreoliberyny (TRH) przez tyreotropinę (TSH). Jest to tzw. *sprzężenie zwrotne podwzgórzowo-przysadkowe*, zwane też *krótką pętlą sprzężenia zwrotnego*. Istnieje również *długa pętla sprzężenia zwrotnego*, polegająca na hamowaniu wydzielania hormonów uwalniających podwzgórza przez hormony tych gruczołów dokrewnych, których czynność stymulują hormony przysadki (np. hamowanie wydzielania podwzgórzowej kortykoliberyny przez hormony kory nadnerczy) (zob. też Endokrynologia: Neuroendokrynologia. Czynności przysadki, s. 784).

Wazopresyna (AVP), zwana również *hormonem antydiuretycznym* (ADH), jest wytwarzana w komórkach nerwowych jądra nadwzrokowego i – w mniejszym stopniu – jądra przykomorowego podwzgórza. Przez wypustki nerwowe tych komórek hormon jest transportowany do tylnego płata przysadki, skąd zostaje uwalniany do krwiobiegu.

Wazopresyna działa na kanaliki (cewki) zbiorcze w nerkach, powodując wzrost wchłaniania zwrotnego wody. Działanie to prowadzi do zmniejszenia ilości wydalanego moczu i w konsekwencji do zatrzymania wody w organizmie, zwiększenia objętości krwi i płynu zewnątrzkomórkowego. Wazopresyna działa również kurcząco na naczynia krwionośne.

Wydzielanie wazopresyny jest pobudzane bezpośrednio przez wzrost stężenia osmotycznego krwi oraz na drodze odruchowej przez zmniejszenie objętości krwi krążącej (zob. Płyny ustrojowe, s. 147). *Niedobór* hormonu antydiuretycznego powoduje *moczówkę prostą*, *nadmiar* zaś chorobę zwaną *zespołem nadmiaru wody* (zob. Endokrynologia, s. 792 i 793). Wydzielanie wazopresyny hamuje alkohol etylowy.

Oksytocyna. Hormon ten jest wytwarzany przez neurony jądra przykomorowego podwzgórza i, podobnie jak wazopresyna, transportowany do tylnego płata przysadki. Oksytocyna działa na gruczoł mleczny, powodując kurczenie się przewodów mlecznych, co ułatwia wytrysk mleka z brodawek sutkowych, ponadto wzmaga skurcze macicy w czasie porodu, przyspieszając jego ukończenie, a także podczas stosunku płciowego. Ten ostatni efekt ułatwia transport nasienia do jajowodów.

Wydzielanie oksytocyny jest pobudzane wyłącznie na drodze odruchowej, w wyniku drażnienia receptorów brodawek sutkowych podczas ssania piersi oraz receptorów szyjki macicy i pochwy podczas porodu i stosunku płciowego.

Hormony przysadki

Przysadka jest gruczołem leżącym w zagłębieniu kości klinowej czaszki u podstawy mózgu. Z podwzgórzem jest połączona przez tzw. lejek, w którym przebiegają włókna nerwowe i naczynia krwionośne. Składa się z części nerwowej i gruczołowej. Część nerwowa stanowi część mózgu; do niej docierają wypustki komórek nerwowych podwzgórza wydzielających wazopresynę i oksytocynę.

Część gruczołowa przysadki zawiera komórki wytwarzające i wydzielające do krwi hormony. Do najważniejszych z nich należą: hormon wzrostu, prolaktyna, beta-endorfina, tzw. hormony tropowe: kortykotropina, tyreotropina i gonadotropiny oraz melanotropina. Hormony tropowe wywierają wpływ na czynność „podległych" przysadce gruczołów dokrewnych, takich jak kora nadnerczy, tarczyca, jądra i jajniki.

Hormon wzrostu (GH), somatotropina (STH), działa na przemianę materii w różnych tkankach bezpośrednio lub za pośrednictwem substancji wytwarzanych w wątrobie, zwanych somatomedynami lub czynnikami wzrostu. Somatomedyny są w istocie hormonami. Hormon wzrostu, który pobudza ich wytwarzanie, można więc zaliczyć do hormonów tropowych.

Do bezpośrednich efektów działania hormonu wzrostu należy pobudzenie uwalniania kwasów tłuszczowych z tłuszczów tkanki tłuszczowej, zmniejszenie zużycia glukozy przez mięśnie i zwiększenie jej wytwarzania z aminokwasów w wątrobie oraz zwiększenie transportu aminokwasów przez błony komórkowe. Somatomedyny pobudzają wzrost i rozmnażanie się komórek, syntezę kwasów nukleinowych (DNA i RNA) oraz białek. W tkance tłuszczowej somatomedyny zwiększają syntezę tłuszczów. W chrząstkach nasadowych kości zwiększają wcielanie siarczanów i aminokwasów do tzw. chondromukoproteidów. Powoduje to wydłużanie kości i liniowe wzrastanie ciała. Hormon wzrostu i somatomedyny stanowią ważny układ hormonalny warunkujący prawidłowy wzrost.

Czynnikami regulującymi wydzielanie hormonu wzrostu są hormony podwzgórzowe – somatostatyna hamuje jego wydzielanie, a somatoliberyna – pobudza. Somatomedyny na zasadzie sprzężenia zwrotnego hamują wydzielanie hormonu wzrostu.

Wydzielanie hormonu wzrostu jest szczególnie duże u płodów i noworodków, później zmniejsza się, ale w dalszym ciągu u dzieci w okresie wzrastania jest większe niż u dorosłych. Zarówno u dzieci, jak i u ludzi dorosłych wydzielanie hormonu wzrostu jest zmienne – jest ono znacznie większe w nocy niż w ciągu dnia, wzrasta podczas wysiłków fizycznych, w sytuacjach stresowych i w czasie głodu, a zmniejsza się po posiłku. W warunkach głodu, mimo zwiększenia wydzielania hormonu wzrostu, zmniejsza się wytwarzanie somatomedyn.

Niedobór hormonu wzrostu lub somatomedyn powoduje zahamowanie wzrostu, natomiast nadmiar tych hormonów w okresie wzrastania powoduje nadmierny wzrost (gigantyzm). U ludzi dorosłych nadczynność przysadki powoduje tzw. akromegalię, charakteryzującą się zmianami przerostowymi kośćca. Nadmiernemu wydzielaniu hormonu wzrostu, zwłaszcza gdy jednocześnie zwiększa się wydzielanie hormonu adrenokortykotropowego, towarzyszy cukrzyca przysadkowa, spowodowana przede wszystkim zwiększonym wytwarzaniem glukozy z aminokwasów.

Hormon adrenokortykotropowy, kortykotropina (ACTH). Hormon ten pobudza wydzielanie hormonów kory nadnerczy, przede wszystkim glikokortykosteroidów. ACTH wywiera także bezpośredni wpływ na tkankę tłuszczową, w której zwiększa uwalnianie kwasów tłuszczowych. Wydzielanie ACTH jest pobudzane przez hormon podwzgórzowy kortykoliberynę (CRH) (zob. s. 236) a hamowane przez hormony kory nadnerczy (glikokortykosteroidy). Sekrecja ACTH zwiększa się w różnego rodzaju sytuacjach stresowych, a więc pod wpływem emocji, urazów, narkozy, głodu, toksyn bakteryjnych, wysiłku fizycznego itp. Nadmierne wydzielanie ACTH powoduje przerost kory nadnerczy i nadmierne wydzielanie hormonów tego gruczołu.

Beta-endorfina. Jest to hormon wydzielany przez te same komórki co ACTH. Należy on do grupy peptydów opiatowych (zob. s. 247). Beta-endorfina wydzielana jest razem z ACTH pod wpływem bodźców stresowych.

Hormon tyreotropowy, tyreotropina (TSH). Jest to hormon pobudzający wydzielanie hormonów tarczycy – tyroksyny i trójjodotyroniny – oraz rozrost tego gruczołu. Wydzielanie TSH jest pobudzane przez hormon podwzgórza tyreoliberynę (zob. s. 236), a hamowane przez hormony tarczycy. Wydzielanie TSH zwiększa się pod wpływem zimna i w stanach wzmożonego napięcia emocjonalnego.

Hormony gonadotropowe, gonadotropiny. W przysadce wydzielane są dwa hormony gonadotropowe: hormon luteinizujący (zwany też hormonem luteotropowym, LH, lub hormonem pobudzającym komórki śródmiąższowe jąder – ICSH) oraz folikulostymulina (FSH). Hormon luteinizujący w organizmie kobiecym pobudza jajeczkowanie, wytwarzanie ciałka żółtego i stymuluje wytwarzanie progesteronu i estrogenów, a w organizmie męskim stymuluje wydzielanie androgenów przez komórki śródmiąższowe jąder. Folikulostymulina powoduje w jajnikach dojrzewanie pęcherzyków Graafa i wydzielanie przez nie estrogenów, w jądrach pobudza spermatogenezę. Wydzielanie gonadotropin jest pobudzane przez hormon podwzgórzowy luliberynę (LH/FSH-RH), a hamowane przez odpowiednie hormony gruczołów płciowych oraz prolaktynę.

Prolaktyna (PRL). Jest to hormon pobudzający wytwarzanie i wydzielanie mleka przez gruczoł mleczny, przygotowany uprzednio przez inne hormony (głównie pochodzenia łożyskowego). Prolaktyna podtrzymuje ponadto wydzielanie hormonu ciałka żółtego i hamuje sekrecję hormonów gonadotropowych przez przysadkę. Hamujący wpływ na wydzielanie prolaktyny wywiera progesteron, w dużych ilościach wytwarzany w łożysku.

Wydzielanie prolaktyny pobudzają odruchy zapoczątkowane drażnieniem receptorów brodawek sutkowych, szyjki macicy i pochwy. Wydzielanie prolaktyny wzrasta po porodzie i utrzymuje na wyższym poziomie w czasie laktacji, wzrasta też w czasie stosunku płciowego.

Hormon melanotropowy, melanotropina (MSH). Jest to hormon pobudzający syntezę i odkładanie barwnika – m e l a n i n y w komórkach skóry. Wydzielanie melanotropiny jest hamowane przez hormony kory i rdzenia nadnerczy. W chorobach uszkadzających nadnercza lub po ich chirurgicznym usunięciu melanotropina wydzielana w nadmiarze wraz z kortykotropiną (o zbliżonej budowie) wywołuje przebarwienie skóry.

Hormony tarczycy

Tarczyca jest gruczołem dokrewnym składającym się z dwóch połączonych płatów, znajdujących się na przedniej i bocznych powierzchniach tchawicy, poniżej krtani. W tarczycy wytwarzane są hormony, będące pochodnymi aminokwasu tyrozyny: tyroksyna i trójjodotyronina oraz hormon peptydowy – kalcytonina.

Tyroksyna (czterojodotyronina, T_4) i trójjodotyronina (T_3). Są to hormony wytwarzane przez komórki nabłonkowe pęcherzyków tarczycy, zawierające w cząsteczce cztery (T_4) lub trzy (T_3) atomy jodu. Poza tarczycą, w różnych tkankach tyroksyna może ulegać przemianie w trójjodotyroninę lub nieczynną pochodną zwaną „odwróconą" trójjodotyroniną (T_3).

Trójjodotyronina działa na większość tkanek organizmu, wzmagając w nich tempo przemiany materii, co wiąże się z nasileniem utleniania i wytwarzania ciepła. Nasileniu przemiany materii towarzyszy wzmożone wytwarzanie substratów energetycznych, takich jak wolne kwasy tłuszczowe, glukoza i aminokwasy, zwiększenie przepływu krwi przez tkanki i przyspieszenie czynności serca. Część tych efektów jest związana z potęgowaniem przez hormony tarczycy działania amin katecholowych (adrenaliny i noradrenaliny). Trójjodotyronina w stężeniach fizjologicznych zwiększa syntezę białek, przy nadczynności tarczycy przeważa jednak rozkład białek związany z ogólnym nasileniem przemiany energetycznej. Działanie hormonów tarczycy jest powolne. Po podaniu hormonów egzogennych efekt ich działania występuje dopiero po kilkunastu godzinach i utrzymuje się przez kilka dni.

Wydzielanie trójjodotyroniny i tyroksyny jest pobudzane przez hormon przysadki tyreotropinę (TSH), którego sekrecję reguluje z kolei hormon podwzgórza tyreoliberyna (TRH). Wydzielanie hormonów tarczycy zwiększa się za pośrednictwem tyreotropiny pod wpływem zimna oraz w stanach wzmożonego napięcia emocjonalnego. Wzmożona przemiana tyroksyny w trójjodotyroninę zachodzi pod wpływem przekarmiania. Prowadzi to do zwiększenia tempa przemiany materii, ponieważ trójjodotyronina działa o wiele silniej niż tyroksyna. Podczas głodu tyroksyna ulega przemianie w „odwróconą" trójjodotyroninę, co prowadzi do zmniejszenia tempa przemiany materii.

Parathormon

Parathormon (PTH) jest hormonem peptydowym wydzielanym przez przytarczyce, tj. dwie pary niedużych gruczołów znajdujących się pod płatami tarczycy. Parathormon zwiększa uwalnianie wapnia z kości, stymuluje przemianę komórek kościotwórczych w komórki kościogubne, hamuje wydalanie wapnia przez nerki oraz zwiększa wydalanie fosforanów i wzmaga syntezę kalcytriolu (czynnej postaci witaminy D_3) w nerkach. Pod wpływem parathormonu stężenie jonów wapniowych we krwi zwiększa się, a stężenie fosforanów maleje. Obniżenie się stężenia jonów wapniowych we krwi pobudza wydzielanie parathormonu.

Parathormon jest nieodzowny dla życia. Jego niedobór powoduje groźną chorobę zwaną *tężyczką*, charakteryzującą się nadmierną pobudliwością skurczową mięśni, wskutek obniżenia się stężenia wapnia we krwi. Zob. też Endokrynologia, Gospodarka wapniowo-fosforanowa, s. 833.

Kalcytonina

Kalcytonina (CT) jest hormonem peptydowym wydzielanym zarówno przez tarczycę, jak i przytarczyce. Zwiększa on odkładanie wapnia i fosforanów w kościach, pobudza przekształcenie niezróżnicowanych komórek mezenchymy w komórki kościotwórcze oraz hamuje wytwarzanie kalcytriolu (czynnej postaci witaminy D_3) w nerkach (zob. niżej). Stężenie jonów wapniowych i fosforanów we krwi pod wpływem kalcytoniny obniża się. Wydzielanie kalcytoniny pobudzane jest przez wzrost stężenia jonów wapniowych w osoczu.

Kalcytriol – czynna postać witaminy D_3

Kalcytriol jest to hormon będący pochodną cholesterolu, wytwarzany w ostatecznej formie w nerkach. Jego prekursor, witamina D_3, powstaje w skórze pod wpływem promieniowania nadfioletowego lub jest dostarczana z pokarmem. W wątrobie witamina D_3 przekształcana jest w *prohormon kalcyfediol*, oznaczany jako 25-OHD_3 lub 25-hydroksycholekalcyferol. W nerkach związek ten ulega przemianie w czynny hormon kalcytriol, oznaczany jako 1,25 $(OH)_2D_3$ lub 1,25-dwuhydroksycholekalcyferol (1,25-dwuhydroksy-witamina D_3). Hormon ten zwiększa wchłanianie wapnia w jelitach, ponadto stymuluje uwalnianie wapnia z kości potęgując działanie parathormonu oraz zwiększa wchłanianie zwrotne jonów wapniowych i fosforanów w kanalikach nerkowych. Wytwarzanie kalcytriolu jest stymulowane przez parathormon, a hamowane przez kalcytoninę. Zob. Endokrynologia, Gospodarka wapniowo-fosforanowa, s. 833.

Hormony kory nadnerczy

Nadnercza są to parzyste gruczoły znajdujące się w jamie brzusznej, poza otrzewną, powyżej nerek. Składają się z dwu różnych gruczołów dokrewnych: kory nadnerczy stanowiącej ich część zewnętrzną oraz rdzenia nadnerczy otoczonego przez korę.

Kora nadnerczy wytwarza z cholesterolu trzy rodzaje hormonów steroidowych: mineralokortykosteroidy, glikokortykosteroidy i androgeny nadnerczowe.

Mineralokortykosteroidy. Są to hormony wytwarzane przez zewnętrzną warstwę komórek kory nadnerczy, zwaną warstwą kłębkowatą. Najważniejszym przedstawicielem tej grupy hormonów jest aldosteron, znacznie słabsze działanie wykazuje dezoksykortykosteron (DOC). Mineralokortykosteroidy działają przede wszystkim na nerki, w których zwiększają wchłanianie zwrotne soli (NaCl), wody oraz wydalanie potasu. W konsekwencji zwiększa się objętość płynu zewnątrzkomórkowego i krwi oraz wzrasta w nich stężenie jonów sodu (Na^+), a obniża się stężenie jonów potasu (K^+).

Wydzielanie aldosteronu pobudza angiotensyna II (zob. s. 246). Hormon ten jest wytwarzany we krwi z nieczynnego prekursora za pośrednictwem enzymu – reniny. Reninę z kolei wytwarza tzw. aparat przykłębkowy nerek wtedy, gdy zmniejsza się ciśnienie krwi w tętnicy nerkowej lub zmniejsza się objętość płynu pozakomórkowego. Wydzielanie aldosteronu jest pobudzane także bezpośrednio przez wzrost stężenia jonów potasu we krwi oraz w niewielkim stopniu przez adrenokortykotropowy hormon przysadki (ACTH). Nadmiar aldosteronu prowadzi do nadmiernego zatrzymywania w organizmie wody i jonów sodu. Następstwem tego stanu jest nadciśnienie i obrzęki. Niedobór aldosteronu zwiększa stężenie we krwi jonów potasu oraz powoduje odwodnienie organizmu.

Glikokortykosteroidy. Są to hormony wydzielane przez środkową warstwę kory nadnerczy, zwaną warstwą pasmowatą. Najważniejszym przedstawicielem tej grupy jest kortyzol. Glikokortykosteroidy działają na przemianę materii w wielu narządach. Nasilają wytwarzanie glukozy z substratów niewęglowodanowych w wątrobie i hamują zużycie glukozy przez mięśnie, co prowadzi do podwyższenia stężenia glukozy we krwi. W tkance tłuszczowej glikokortykosteroidy zwiększają uwalnianie kwasów tłuszczowych. We wszystkich tkankach, poza wątrobą, zwiększają rozkład białek.

Działanie metaboliczne glikokortykosteroidów ma ważne znaczenie w adaptacji do różnego rodzaju warunków stresowych. Dzięki mobilizacji kwasów tłuszczowych, które są zużywane przez tkanki obwodowe, zwiększeniu wytwarzania glukozy, która jest nieodzownym substratem energetycznym dla ośrodkowego układu nerwowego, oraz wzmożonemu rozkładowi białek na aminokwasy, z których wytwarzana jest w wątrobie glukoza – glikokortykosteroidy zaopatrują tkanki organizmu w niezbędne substraty energetyczne. Ponadto potęgują działanie amin katecholowych (zob. s. 243) oraz wywierają ogólne działanie przeciwzapalne i przeciwalergiczne. W układzie krwiotwórczym hamują wytwarzanie limfocytów i granulocytów kwasochłonnych, pobudzają zaś produkcję krwinek czerwonych. W nerkach zwiększają przesączanie kłębuszkowe.

Wydzielanie glikokortykosteroidów stymuluje adrenokortykotropina (ACTH), hormon przysadki mózgowej, którego z kolei sekrecję pobudza hormon podwzgórza kortykoliberyna (CRH). Hormony te tworzą łącznie system czynnościowy zwany układem podwzgórzowo-przysadkowo-nadnerczowym. W układzie tym występują sprzężenia zwrotne, polegające na hamowaniu wydzielania: kortykoliberyny i adrenokortykotropiny przez glikokortykosteroidy oraz kortykoliberyny przez adrenokortykotropinę. Sprzężenia te umożliwiają względnie stałe wydzielanie glikokortykosteroidów w warunkach normalnych, nie zmniejszają jednak zdolności reagowania układu na bodźce stresowe. Pod wpływem różnego rodzaju czynników, takich jak emocje, wysiłek fizyczny, zimno lub wysoka temperatura otoczenia, uraz, krwotok, choroby zakaźne itp., czynność układu podwzgórzowo-przysadkowo-nadnerczowego wybitnie się zwiększa. Zespoły chorobowe spowodowane niedoborem lub nadmiarem glikokortykosteroidów, zob. Endokrynologia, Choroby kory nadnerczy, s. 794.

Androgeny nadnerczowe. Są to hormony wytwarzane przez wewnętrzną warstwę kory nadnerczy, zwaną warstwą siatkowatą. Najważniejszymi przedstawicielami tej grupy hormonów są: dehydroandrosteron (DHA) i androstendion (wytwarzane również w jądrach) oraz 11-androstendion i adrenosteron. Hormony te wykazują działanie podobne do działania testosteronu (zob. Hormonalna regulacja czynności płciowych mężczyzny, s. 253) i przyczyniają się do rozwoju drugorzędowych (wtórnych) cech płciowych męskich (np. owłosienia typu męskiego). Wykazują też działanie metaboliczne, polegające na zwiększaniu syntezy białek w tkankach. Wydzielanie androgenów nadnerczowych pobudza hormon przysadki – adrenokortykotropina (ACTH).

Hormony rdzenia nadnerczy

Hormonami rdzenia nadnerczy, wydzielanymi przez tzw. komórki chromochłonne, są aminy katecholowe – adrenalina i noradrenalina. Aminy te, będące pochodnymi aminokwasów: tyrozyny i fenyloalaniny, są wytwarzane także w mózgu, gdzie pełnią rolę neuroprzekaźników, ponadto noradrenalinę wydzielają komórki zwojów współczulnych i zakończenia współczulnych włókien pozazwojowych w różnych tkankach.

Aminy katecholowe działają prawie na wszystkie tkanki. Efekty tego działania są różne, w zależności od typu receptorów (zwanych receptorami adrenergicznymi) wiążących aminy katecholowe w tkankach. Rozróżnia się dwa podstawowe rodzaje receptorów adrenergicznych: receptory typu alfa i beta. Każdy z nich zawiera dwie podgrupy, określane jako receptory alfa$_1$ i alfa$_2$ oraz beta$_1$ i beta$_2$. Działanie amin katecholowych można zahamować, stosując środki farmakologiczne selektywnie blokujące poszczególne typy receptorów.

Aminy katecholowe wywierają silny wpływ na układ krążenia, a mianowicie zwiększają siłę i częstość skurczów serca (receptory beta) oraz działają na czynność mięśni gładkich naczyń tętniczych (receptory alfa i beta). Noradrenalina powoduje skurcz tych mięśni (receptory alfa), co prowadzi do podwyższenia ciśnienia tętniczego krwi, adrenalina natomiast, zwłaszcza w niskich stężeniach, powoduje rozkurcz mięśniówki naczyniowej (za pośrednictwem receptorów typu beta). Oprócz działania na układ krążenia, aminy katecholowe wywołują rozkurcz mięśni gładkich oskrzeli (receptory beta), zahamowanie motoryki i rozkurcz mięśni gładkich przewodu pokarmowego (receptory alfa i beta), zwiększone uwalnianie glukozy z wątroby (receptory alfa i beta), zwiększone uwalnianie kwasów tłuszczowych z tkanki tłuszczowej (receptory beta) oraz zahamowanie wydzielania insuliny (receptory alfa) i pobudzenie wydzielania glukagonu (receptory beta) w trzustce.

Wydzielanie amin katecholowych przez komórki rdzenia nadnerczy jest pobudzane przez impulsy nerwowe docierające za pośrednictwem przedzwojowych włókien współczulnych. *Rdzeń nadnerczy* stanowi więc *rodzaj zwoju współczulnego*. Przekaźnikiem pobudzania jest acetylocholina. Czynnością rdzenia nadnerczy, za pośrednictwem współczulnego układu nerwowego, kieruje podwzgórze. Wydzielanie amin katecholowych wzrasta przy obniżeniu stężenia glukozy we krwi, w stanie niedotlenienia pod wpływem emocji i dużego wysiłku fizycznego itp. Aminy katecholowe współdziałają z glikokortykosteroidami w adaptacji organizmu do sytuacji stresowych. Pod wpływem glikokortykosteroidów działanie amin katecholowych potęguje się, a także zwiększa się synteza adrenaliny w rdzeniu nadnerczy. Działanie amin katecholowych potęgują również hormony tarczycy.

Hormony trzustki

Trzustka jest gruczołem mieszanym: wewnątrz- i zewnątrzwydzielniczym. Część zewnątrzwydzielnicza wydziela *sok trzustkowy* (zob. Układ trawienny, s. 231) transportowany przez przewód trzustkowy do jelita. Część wewnątrzwydzielniczą stanowią komórki skupione w wyspach trzustkowych, zwanych wyspami Langerhansa, rozmieszczonych pomiędzy komórkami zewnątrzwydzielniczymi. W wyspach tych znajduje się kilka typów komórek wydzielających hormony peptydowe: komórki B wydzielające *insulinę*, komórki A wydzielające *glukagon*, komórki D wydzielające *somatostatynę* i komórki F wydzielające *polipeptyd trzustkowy*.

Insulina jest hormonem działającym na przemianę materii w różnych tkankach. W większości tkanek (z wyjątkiem wątroby, mózgu i krwinek czerwonych) insulina zwiększa transport glukozy i aminokwasów do wnętrza komórek przez błonę komórkową. *W wątrobie* zwiększa syntezę glikogenu z glukozy, hamuje wytwarzanie glukozy z substratów niewęglowodanowych (glikoneogenezę) i zwiększa syntezę tłuszczów. W mięśniach szkieletowych również zwiększa syntezę glikogenu oraz syntezę białek. W tkance tłuszczowej powoduje wzrost syntezy tłuszczów i zmniejszenie ich rozkładu. Insulina jest więc hormonem pobudzającym gromadzenie substratów energetycznych w tkankach w postaci wielkocząsteczkowych substancji zapasowych. Stężenie we krwi glukozy, wolnych kwasów tłuszczowych i ciał ketonowych pod wpływem insuliny obniża się.

Wydzielanie insuliny wzrasta pod wpływem zwiększającego się stężenia we krwi glukozy i aminokwasów. Ponadto na komórki B (wydzielające insulinę) pobudzający wpływ wywiera przywspółczulny układ nerwowy za pośrednictwem acetylocholiny, wydzielanej na zakończeniach włókien nerwu błędnego unerwiających trzustkę, oraz hormony przewodu pokarmowego, przede wszystkim żołądkowy peptyd hamujący (GIP) (zob. s. 247). Hamujący wpływ na wydzielanie insuliny wywiera współczulny układ nerwowy za pośrednictwem amin katecholowych (zob. s. 243), neurotensyna (zob. s. 247) oraz somatostatyna wydzielana przez komórki D wysp trzustkowych.

Wydzielanie insuliny zwiększa się po spożyciu pokarmu. Dzieje się tak na skutek działania trzech rodzajów mechanizmów: mechanizmu nerwowego aktywowanego na drodze odruchowej przez bodźce pokarmowe (zapach pokarmu, obecność pokarmu w jamie ustnej, pobudzenie receptorów smakowych), mechanizmu hormonalnego związanego ze stymulacją wydzielania hormonów jelitowych przez pokarm w przewodzie pokarmowym oraz mechanizmu substratowego związanego z pojawieniem się we krwi produktów wchłaniania jelitowego: glukozy i aminokwasów.

Wydzielanie insuliny zmniejsza się pod wpływem głodu oraz w sytuacjach fizjologicznych, w których pobudzany jest współczulny układ nerwowy i wydzielane są aminy katecholowe, np. podczas wysiłku fizycznego. Niedobór insuliny lub zmniejszona wrażliwość tkanek na działanie tego hormonu są przyczyną cukrzycy (zob. s. 804).

Glukagon. Hormon ten działa przede wszystkim na wątrobę. Zwiększa tempo rozkładu w niej glikogenu i uwalniania do krwi glukozy, nasila glikoneogenezę i zwiększa wytwarzanie ciał ketonowych. Pobudza również rozkład białek w wątrobie i w innych tkankach, zwiększa rozkład tłuszczów w tkance tłuszczowej i wzmaga siłę skurczów serca. Stężenie glukozy, aminokwasów, wolnych kwasów tłuszczowych i ciał ketonowych we krwi pod wpływem glukagonu wzrasta. Obniżenie się stężenia glukozy i zwiększenie stężenia aminokwasów we krwi pobudza wydzielanie glukagonu. Ponadto na wydzielanie glukagonu wywierają wpływ hormony przewodu pokarmowego: sekretyna hamuje wydzielanie glukagonu, a cholecystokinina i gastryna pobudzają ją. Hamujący wpływ wywiera somatostatyna, a pobudzający – współczulny układ nerwowy.

Wydzielanie glukagonu obniża się po spożyciu węglowodanów a wzrasta po spożyciu pokarmów białkowych i tłuszczowych. Wydzielanie glukagonu zwiększa się ponadto w głodzie oraz wtedy, gdy zwiększa się aktywność współczulnego układu nerwowego, np. podczas wysiłków fizycznych i w różnego rodzaju sytuacjach stresowych.

Somatostatyna jest hormonem hamującym wydzielanie zarówno insuliny, jak i glukagonu. Mechanizmy fizjologiczne regulujące wydzielanie somatostatyny nie są poznane. Hormon ten poza trzustką jest także wydzielany w mózgu (podwzgórzu).

Polipeptyd trzustkowy (PP). Hormon ten, wydzielany przez komórki F wysp trzustkowych, działa hamująco na wydzielanie enzymów trzustkowych (składników soku trzustkowego) oraz na skurcze pęcherzyka żółciowego. Wydzielanie PP jest pobudzane przez układ nerwowy przywspółczulny za pośrednictwem włókien nerwu błędnego.

Erytropoetyna

Erytropoetyna jest hormonem wydzielanym w nerkach, pobudzającym wytwarzanie krwinek czerwonych w szpiku kostnym. Wytwarzanie jej zwiększa się pod wpływem niedotlenienia nerek oraz pod wpływem testosteronu (zob. s. 254).

Angiotensyna II

Angiotensyna II jest hormonem peptydowym powstającym we krwi. Czynnikiem początkującym wytwarzanie tego hormonu jest renina – enzym uwalniany z nerek, który odszczepia od frakcji alfa-globulinowej białek osocza nieczynny prekursor hormonu – angiotensynę I. Przy udziale tzw. enzymu konwertującego angiotensyna I przekształca się w angiotensynę II.

Angiotensyna II pobudza wydzielanie aldosteronu w korze nadnerczy, wpływa kurcząco na naczynia krwionośne oraz zwiększa uwalnianie noradrenaliny na zakończeniach nerwów współczulnych.

Przedsionkowy peptyd natriuretyczny

Przedsionkowy peptyd natriuretyczny (ANP) jest hormonem peptydowym wydzielanym przez komórki mięśnia sercowego, przede wszystkim w przedsionkach. Wywiera on silne działanie na nerki, powodując zwiększone wydalanie wody, sodu i w mniejszym stopniu potasu. Ponadto ANP działa silnie naczyniorozszerzająco i hamuje działanie angiotensyny II na naczynia krwionośne. Wydzielanie ANP stymulowane jest przez rozciąganie przedsionków, będące następstwem zwiększonego wypełnienia serca krwią np. przy zwiększeniu objętości krwi krążącej.

Hormony tkankowe

Do hormonów tkankowych zalicza się dużą grupę substancji biologicznie czynnych, wydzielanych przez komórki różnych narządów. Od „klasycznych" hormonów odróżnia je przede wszystkim bardziej ograniczony zasięg działania. Wywierają one silne działanie na komórki znajdujące się w pobliżu miejsca ich wydzielania, część hormonów tkankowych przedostaje się jednak do krwi i może wywierać wpływ na tkanki odległe. Niektóre substancje zaliczane do hormonów tkankowych, wytwarzane w komórkach nerwowych, spełniają jednocześnie funkcję neuroprzekaźników.

Hormony przewodu pokarmowego. W przewodzie pokarmowym rozsiane komórki wewnątrzwydzielnicze błony śluzowej żołądka i jelit oraz komórki nerwowe splotów śródściennych wytwarzają wiele substancji biologicznie czynnych. Są one wydzielane pod wpływem czynników związanych z obecnością pokarmu. Hormony te wpływają na czynność różnych części układu trawiennego, wydzielanie składników soków trawiennych (zob. Czynności układu trawiennego, s. 226) oraz funkcje innych narządów, m.in. na wydzielanie insuliny i glukagonu przez komórki wewnątrzwydzielnicze trzustki. Typowymi hormonami przewodu pokarmowego są: gastryna, sekretyna, cholecystokinina, żołądkowy peptyd hamujący (GIP), i enteroglukagon. Oprócz nich w przewodzie pokarmowym wydzielane są takie substancje, jak: wazoaktywny peptyd jelitowy, neurotensyna, enkefaliny z grupy peptydów opiatowych, substancja P i serotonina (zob. dalej).

Wazoaktywny peptyd jelitowy (VIP) jest substancją wytwarzaną w różnych częściach układu nerwowego, m.in. w komórkach nerwowych splotów śródściennych przewodu pokarmowego. Spełnia ona rolę neuroprzekaźnika w wegetatywnym układzie nerwowym. VIP wykazuje silne działanie rozkurczowe na mięśnie gładkie naczyń krwionośnych, przewodu pokarmowego, oskrzeli i inne oraz pobudza rozkład glikogenu w komórkach wątrobowych.

Neurotensyna (NT) jest hormonem peptydowym, wydzielanym w różnych częściach ośrodkowego układu nerwowego oraz przez komórki wewnątrzwydzielnicze śluzówki jelita. Neurotensyna wywiera wpływ na różne funkcje ośrodkowego układu nerwowego (np. na termoregulację), działa kurcząco na mięśnie gładkie przewodu pokarmowego, rozkurczowo na mięśnie gładkie naczyń krwionośnych i hamuje silnie wydzielanie insuliny przez trzustkę.

Peptydy opiatowe, czyli **endogenne substancje morfinopodobne,** są wytwarzane i uwalniane w różnych częściach układu nerwowego (włącznie z rdzeniem nadnerczy i komórkami splotów śródściennych przewodu pokarmowego) oraz w przysadce. Do grupy peptydów opiatowych należą: e n d o r f i n y, wśród których najsilniej działającym związkiem jest b e t a - e n d o r f i n a (hormon przysadki), e n k e f a l i n y oraz d y n o r f i n y. Peptydy opiatowe działają przeciwbólowo. Działanie to polega na hamowaniu percepcji bólu i hamowaniu przewodzenia informacji bólowych z receptorów bólowych (z zakończeń nerwów czuciowych) do mózgu. Enkefaliny pełnią rolę neuroprzekaźników w synapsach hamujących rdzenia kręgowego i mózgu. Oprócz działania przeciwbólowego, peptydy opiatowe wywierają wpływ na różne inne funkcje ośrodkowego układu nerwowego, m.in. biorą udział w regulacji przyjmowania pokarmu i wydzielania hormonów przysadki. W działaniu peptydów opiatowych pośredniczy kilka typów receptorów opiatowych, niektóre z nich reagują także z egzogennymi substancjami opiatowymi (np. morfiną).

Substancja P (SP). Jest to polipeptyd wytwarzany i uwalniany w różnych częściach układu nerwowego (włącznie z komórkami splotów śródściennych przewodu pokarmowego). SP spełnia w układzie nerwowym funkcję neuroprzekaźnika w przekazywaniu informacji bólowych z receptorów bólowych, poprzez rdzeń kręgowy, do odpowiednich struktur mózgowych. Uwalnianie SP z komórek rogów tylnych rdzenia kręgowego jest hamowane przez peptydy opiatowe. SP wywiera wpływ kurczący na mięśnie gładkie przewodu pokarmowego i oskrzeli, natomiast na mięśnie gładkie naczyń krwionośnych działa rozkurczowo.

Histamina jest hormonem tkankowym (pochodna aminokwasu histydyny) wytwarzanym i gromadzonym w wielu tkankach, m.in. w komórkach tucznych tkanki łącznej, granulocytach zasadochłonnych i płytkach krwi. Uwalnianie histaminy jest pobudzane przez wiele różnych czynników występujących w miejscach objętych stanem zapalnym oraz w miejscach, w których zachodzą odczyny alergiczne. Histamina powoduje rozszerzenie naczyń krwionośnych i wzrost ich przepuszczalności oraz drażni zakończenia bólowe nerwów czuciowych. Ponadto silnie kurczy oskrzela, macicę oraz stymuluje wydzielanie soku żołądkowego. W działaniu histaminy pośredniczy kilka typów receptorów histaminowych.

Serotonina (5-hydroksytryptamina, 5HT). Jest to pochodna aminokwasu tryptofanu, wytwarzana i uwalniana w wielu tkankach, m.in. w układzie nerwowym oraz w komórkach wewnątrzwydzielniczych błony śluzowej przewodu pokarmowego. Znaczne ilości serotoniny są magazynowane w płytkach krwi i uwalniane przy ich rozpadzie. W ośrodkowym układzie nerwowym serotonina pełni rolę neuroprzekaźnika, ponadto serotonina działa silnie kurcząco na mięśnie gładkie naczyń krwionośnych, przewodu pokarmowego, oskrzeli i inne.

Kininy. Są to substancje peptydowe wytwarzane we krwi z białek osocza. Najważniejszym przedstawicielem kinin jest bradykinina, powstająca pod wpływem enzymu kalikreiny. Enzym ten ulega aktywacji pod działaniem wydzielin różnych gruczołów, m.in. gruczołów ślinowych, potowych, trzustkowych, oraz pod wpływem substancji uwalnianych z uszkodzonych tkanek. Kininy powodują rozszerzenie naczyń krwionośnych, przyczyniając się do przekrwienia czynnego gruczołów oraz przekrwienia w miejscach objętych stanem zapalnym. Powodują ponadto wzrost przepuszczalności ścian naczyń krwionośnych i przyciąganie leukocytów do miejsc objętych stanem zapalnym, a także drażnią receptory bólowe.

Eikozanoidy, zwane też **prostanoidami**, są pochodnymi wielonienasyconych kwasów tłuszczowych (kwasu arachidonowego), wytwarzanymi w większości tkanek. Działanie ich na ogół ogranicza się do tkanek w najbliższym sąsiedztwie wydzielania. Do grupy eikozanoidów należy wiele różnych substancji, wśród których wyróżnia się grupę prostaglandyn, prostacyklinę, tromboksany i leukotrieny.

Działanie prostaglandyn, podobnie jak mechanizmy sterujące ich wydzielaniem, nie jest w pełni poznane. Większość prostaglandyn działa rozszerzająco na naczynia i w ten sposób uczestniczy w wywoływaniu przekrwienia czynnego różnych narządów (np. mięśni szkieletowych) oraz w wywoływaniu przekrwienia zapalnego. Prostaglandyny hamują wiele efektów działania amin katecholowych, np. ich wpływ kurczący na naczynia krwionośne, i jednocześnie zmniejszają ilość noradrenaliny uwalnianej z zakończeń pozazwojowych nerwów współczulnych. W układzie trawiennym prostaglandyny hamują wydzielanie soku żołądkowego i pobudzają motorykę przewodu pokarmowego. W nerkach – hamują wchłanianie zwrotne sodu i wody (prostaglandyny typu E). W płucach wytwarzane są różnego typu prostaglandyny; część z nich działa kurcząco, a część rozkurczowo na mięśnie gładkie dróg oddechowych. Prostaglandyny typu F silnie kurczą mięsień macicy.

Prostacyklina jest pochodną kwasu arachidonowego wytwarzaną w śródbłonku naczyń krwionośnych. Działa rozszerzająco na naczynia i hamuje agregację płytek krwi.

Spośród tromboksanów najważniejszą rolę pełni tromboksan A_2 (TXA_2). Jest on nadtlenkową pochodną prostaglandyn wytwarzaną w płytkach krwi. Kurczy naczynia krwionośne i powoduje agregację płytek krwi, co wpływa na tworzenie się zakrzepów.

Leukotrieny są pochodnymi kwasu arachidonowego wytwarzanymi przez leukocyty. Biorą udział w procesach immunologicznych.

XII. CZYNNOŚCI ROZRODCZE I ROLA HORMONÓW PŁCIOWYCH

Genetyczne podłoże płci

Płeć zostaje określona w chwili połączenia się męskiej komórki rozrodczej z żeńską (po zapłodnieniu jaja przez plemnik) i jest zjawiskiem genetycznym. Aparat genetyczny każdej komórki ciała ludzkiego składa się z 23 par chromosomów: 22 par chromosomów somatycznych i 1 pary chromosomów płciowych. U kobiety chromosomy płciowe to 2 chromosomy typu X, u mężczyzny jeden chromosom X i jeden, mniejszy od niego, chromosom Y. Mówi się więc o genotypie żeńskim (XX) lub męskim (XY).

W procesie rozwoju męskich komórek rozrodczych, w wyniku szeregu kolejnych podziałów komórkowych powstają plemniki, które „dziedziczą" po swojej komórce macierzystej tylko po jednym chromosomie płciowym

– X albo Y. Żeńskie komórki rozrodcze nie są tak zróżnicowane: każde jajo jest wyposażone także w jeden chromosom, ale zawsze typu X. W następstwie połączenia plemnika z jajem powstaje komórka potomna o genotypie XX (żeńska) lub XY (męska), która daje później początek osobnikowi żeńskiemu lub męskiemu (rys.). Wśród milionów plemników „kandydujących" do zapłodnienia jednego jaja, 50% nosi chromosom X i 50% chromosom Y – jest więc rzeczą przypadku, przez jaki plemnik jajo zostanie zapłodnione. Zgodnie jednak z prawami rachunku prawdopodobieństwa i dużych liczb, stosunek urodzeń chłopców do urodzeń dziewczynek wynosi 1:1.

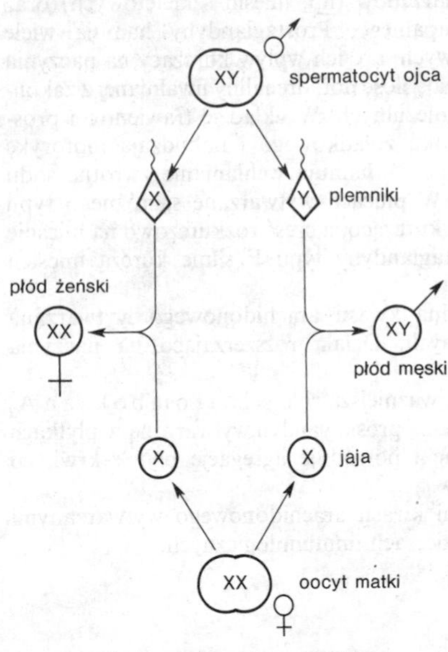

Determinacja genetyczna płci w czasie zapłodnienia

Stwierdzenie, że płeć jest genetycznie „zdeterminowana" już w chwili zapłodnienia, jest pewnym uproszczeniem. W rzeczywistości genetycznie określony jest tylko charakter gruczołów płciowych (gonad): u osobników XY rozwiną się jądra, a u osobników XX – jajniki. Już w życiu płodowym gonady kierują procesem rozwijania się zespołu cech płciowych, czyli różnicowania się płci w kierunku męskim lub żeńskim. Noworodek ma zatem ukształtowane gonady i dodatkowe narządy płciowe, ale do pełnego ich rozwoju i podjęcia funkcji dochodzi dopiero w okresie dojrzewania, który rozpoczyna się między 10 i 14 r. życia. Wtedy także kształtują się drugorzędowe, tj. wtórne cechy płciowe, tzn. różna u obu płci budowa ciała, różne cechy owłosienia, różny głos itp. W okresie kilkunastu lat kształtuje się zespół cech psychicznych, które stanowią o poczuciu przynależności do danej płci.

Czynności rozrodcze mężczyzny

Męskie gruczoły płciowe, czyli jądra, pełnią dwojakiego rodzaju funkcje: 1) wytwarzają męskie komórki rozrodcze (plemniki) w procesie tzw. spermatogenezy oraz 2) wydzielają hormony płciowe, a więc są gruczołami wydzielania wewnętrznego.

Spermatogeneza

Główną masę jądra stanowią kanaliki nasienne, wąskie, kręte przewody, które są swego rodzaju „fabryką" komórek rozrodczych. Tutaj z komórek niezróżnicowanych, tzw. spermatogonii, drogą kolejnych podziałów, poprzez stadia spermatocytów (tzw. spermatocytów I i II rzędu) powstają spermatydy, które już bez podziału przekształcają się w plemniki. Istotną cechą tych procesów jest redukcja liczby chromosomów w komórkach (mejoza, zob. s. 89); spermatocyty I rzędu mają – jak wszystkie komórki organizmu – 46 chromosomów, tj. 44 chromosomy somatyczne oraz

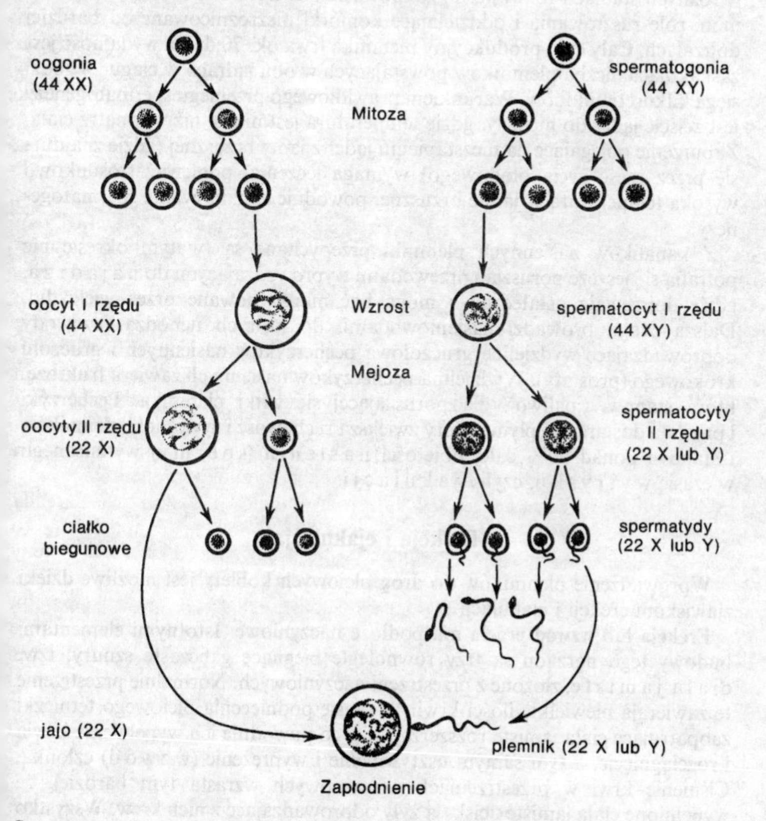

Gametogeneza u człowieka. Oogonia i spermatogonia mają komplet chromosomów, tj. 44 chromosomy somatyczne (autosomy) i 2 chromosomy płciowe (oogonia mają 2 chromosomy X, spermatogonia – jeden chromosom X i jeden chromosom Y). W procesie mejozy następuje redukcja liczby chromosomów do połowy – do 22 autosomów i tylko jednego chromosomu płciowego. Po zapłodnieniu jaja następuje powrót do normalnej (podwójnej) liczby chromosomów

po 1 chromosomie X i Y, spermatydy i plemniki natomiast mają już tylko 22 chromosomy somatyczne i 1 chromosom płciowy: X albo Y.

Każdy plemnik w swojej główce ma zmagazynowaną informację genetyczną w postaci łańcuchów DNA (zob. s. 84). Na główkę nałożona jest „czapeczka" zawierająca enzymy, które umożliwiają rozpuszczenie otoczki jaja i wniknięcie plemnika do jego wnętrza (zapłodnienie). Szyjka plemnika zawiera mitochondria dostarczające energii dla ruchów długiej witki umożliwiającej komórce poruszanie się w płynnym środowisku z prędkością sięgającą kilku mm/s.

W kanalikach nasiennych znajdują się, oprócz komórek rozrodczych w różnych stadiach rozwoju, także tzw. komórki Sertoliego, pełniące m.in. rolę rusztowania i oddzielające komórki niezróżnicowane od bardziej dojrzałych. Cały cykl produkcyjny plemnika trwa ok. 70 dni, a wydajność jest zaskakująca: liczba plemników powstających w obu jądrach w ciągu 24 godz. sięga kilkuset milionów. Warunkiem prawidłowego przebiegu spermatogenezy jest zejście jąder do moszny, gdzie temperatura jest niższa niż wewnątrz ciała. Zaburzenie polegające na niezstąpieniu jąder z jamy brzusznej (gdzie znajdują się przez część życia płodowego) wymaga leczenia, ponieważ stosunkowo wysoka temperatura w jamie brzusznej powoduje zahamowanie spermatogenezy.

Z kanalików nasiennych plemniki przepychane są (w tym okresie nie potrafią się jeszcze poruszać) przewodami wyprowadzającymi do najądrza, gdzie dojrzewają ostatecznie i mogą być magazynowane przez wiele dni. Dalsza droga prowadzi nasieniowodami, do których uchodzą przewody doprowadzające wydzielinę gruczołową pęcherzyków nasiennych i gruczołu krokowego (prostaty). Wydzielina pęcherzyków nasiennych zawiera fruktozę, która stanowi „paliwo" dla poruszającej się witki plemnika. Pęcherzyki i prostata dostarczają płynu, który zwiększa ruchliwość i żywotność plemników i stanowi ponad 90% całej objętości nasienia (spermy) wyrzucanego w czasie wytrysku, czyli ejakulacji.

Erekcja i ejakulacja

Wprowadzenie plemników do dróg płciowych kobiety jest możliwe dzięki zjawiskom erekcji i ejakulacji.

Erekcja lub **wzwód prącia** ma podłoże naczyniowe. Istotnymi elementami budowy tego narządu są trzy równolegle biegnące gąbczaste sznury, tzw. ciała jamiste, złożone z przestrzeni naczyniowych. Normalnie przestrzenie te zawierają niewielkie ilości krwi. W czasie podniecenia płciowego tętniczki zaopatrujące ciała jamiste rozszerzają się, co powoduje ich wypełnienie krwią i rozciągnięcie, a tym samym usztywnienie i wyprężenie (wzwód) członka. Ciśnienie krwi w przestrzeniach naczyniowych wzrasta tym bardziej, że wypełnione ciała jamiste uciskają żyły odprowadzające z nich krew. Wszystko to zachodzi szybko, często do pełnej erekcji dochodzi w ciągu kilku sekund.

Tętniczki doprowadzające krew do prącia rozszerzają się w wyniku pobudzającego działania nerwowych włókien układu przywspółczulnego oraz wpływu włókien współczulnych hamującego zwężanie tych naczyń. Impulsy nerwowe aktywizują także gruczoły uchodzące do cewki moczowej: ich śluzowata wydzielina zwilża żołądź prącia, co dodatkowo ułatwia jego wprowadzenie do pochwy. Cały odruch prowadzący do erekcji może być uruchomiony przez drażnienie receptorów umiejscowionych na żołędzi. Ośrodek tego odruchu znajduje się w dolnej części rdzenia kręgowego. Pozostaje on jednak pod ścisłą kontrolą wyższych ośrodków nerwowych – stąd też erekcja jest zazwyczaj następstwem zjawisk psychicznych i ma podłoże emocjonalne. Także zaburzenia erekcji (i m p o t e n c j a) są często uwarunkowane psychicznie. Alkohol zmniejsza potencję (hamuje erekcję), najprawdopodobniej wywierając swój wpływ hamujący za pośrednictwem wyższych ośrodków nerwowych.

Ejakulacja, czyli **wytrysk nasienia**, jest również odruchem rdzeniowym, uruchamianym przez drażenienie receptorów na żołędzi prącia. Przebiega ona w dwu fazach. W p i e r w s z e j f a z i e zachodzą silne skurcze obejmujące przewody jąder i najądrza, nasieniowód, pęcherzyki nasienne i gruczoł krokowy. Wynikiem tych skurczów jest przepchnięcie nasienia do cewki moczowej. W d r u g i e j f a z i e skurcze mięśni (tzw. opuszkowo-jamistych) u nasady prącia powodują wyrzucenie nasienia na zewnątrz.

Rytmicznym skurczom mięśni w czasie ejakulacji towarzyszy uczucie rozkoszy (o r g a z m), a następnie odprężenia. Po wytrysku następuje tzw. o k r e s r e f r a k c j i (o różnym czasie trwania), kiedy kolejna erekcja nie jest możliwa.

Objętość nasienia pochodzącego z jednego wytrysku (e j a k u l a t u) wynosi 2–6 ml, a liczba plemników w 1 ml sięga 100 mln. Zachowują one żywotność, a więc zdolność do zapłodnienia jaja w ciągu 30–40 godz. Zamrożone nasienie może być przechowywane przez długi czas bez utraty żywotności.

Hormonalna regulacja czynności płciowych mężczyzny

Drugą, obok kanalików nasiennych, składową strukturalno-czynnościową jąder stanowią komórki śródmiąższowe (komórki Leydiga), wydzielające najbardziej aktywny męski hormon płciowy – t e s t o s t e r o n. Hormon ten, o budowie steroidowej, jest podobny do hormonów steroidowych wydzielanych przez korę nadnerczy – do androgenów nadnerczowych (zob. s. 243). Wydzielaniem testosteronu sterują tzw. hormony tropowe uwalniane przez przysadkę. Hormony te to g o n a d o t r o p i n y p r z y s a d k o w e (zob. s. 239), białkowe substancje hormonalne charakteryzujące się tym, że działają na gonady obu płci, modyfikując czynność zarówno jąder, jak i jajników. Pojawienie się we krwi znacznych ilości gonadotropin w okresie dojrzewania aktywizuje czynność jąder. Dwie główne gonadotropiny to folikulostymulina (FSH) i hormon luteinizujący (LH); ten ostatni w organizmie męskim określany bywa także mianem hormonu pobudzającego komórki śródmiąższowe jądra, czyli Leydiga (ICSH). Zgodnie ze swą nazwą, ICSH pobudza te komórki do produkcji i wydzielania testosteronu. Druga gonadotropina, folikulostymulina, bezpośrednio pobudza spermatogenezę, czyli wytwarzanie nasienia (zob. s. 250). Do prawidłowego przebiegu tego procesu potrzebne jest działanie zarówno folikulostymuliny, jak i testosteronu.

Zjawisko zwrotnego hamowania wydzielania hormonów tropowych przysadki przez hormony obwodowe występuje także w hormonalnej kontroli czynności jąder, a mianowicie testosteron hamuje wydzielanie ICSH. Wydzielanie gonadotropin jest regulowane również przez hormony podwzgórzowe, tzw. l i b e r y n y (tabela na s. 236).

Brak testosteronu upośledza funkcję wszystkich narządów płciowych i często prowadzi do zaburzeń erekcji i ejakulacji. Hormon ten jest także niezbędny do rozwoju tzw. w t ó r n y c h c e c h p ł c i o w y c h, a mianowicie: warunkuje rozwój męskiego typu owłosienia na twarzy (broda), głowie i w okolicy łonowej; wpływa na zmianę budowy krtani prowadzącą do obniżenia głosu; powoduje ukształtowanie męskiej budowy kośćca i męskiej sylwetki ciała. Ponadto testosteron nasila w organizmie ludzkim procesy syntezy, głównie białek, czyli wywiera działanie anabolizujące, z którym wiąże się większy rozwój tkanki mięśniowej u mężczyzny. Testosteron zwiększa także wydzielanie erytropoetyny, hormonu nerkowego pobudzającego wytwarzanie krwinek czerwonych w szpiku kostnym.

Czynności rozrodcze kobiety

Żeńskie gruczoły płciowe (gonady), czyli j a j n i k i, spełniają dwojaką funkcję: 1) wytwarzają komórki rozrodcze (jaja) w procesie tzw. oogenezy i 2) wydzielają hormony płciowe. Dojrzewanie jaj, jak i czynność wewnątrzwydzielnicza jajnika, mają przebieg cykliczny – towarzyszą im cykliczne zmiany we wszystkich narządach płciowych.

Oogeneza (owogeneza)

W jajnikach nowo narodzonej dziewczynki znajduje się ok. miliona p i e r w o t n y c h k o m ó r e k r o z r o d c z y c h. Z tej liczby tylko ok. 400 dojrzeje w okresie aktywności rozrodczej kobiety (w tzw. o k r e s i e r e p r o d u k c y j n y m), natomiast reszta ulegnie degeneracji. Od najwcześniejszego stadium pierwotne jajo otoczone jest warstwą drobnych komórek i razem z nimi tworzy tzw. p ę c h e r z y k j a j n i k o w y. Rozwój pęcherzyka przejawia się powiększaniem jaja oraz wzrostem liczby komórek otaczających je, tzw. komórek warstwy ziarnistej. Wkrótce na zewnątrz pęcherzyka rozwija się jeszcze trzeci element jego budowy: osłonka zewnętrzna. Komórki warstwy ziarnistej wydzielają płyn, który gromadząc się w obrębie pęcherzyka rozpycha je i tak powstaje j a m a p ę c h e r z y k a. Powiększa się ona tak znacznie, że właściwie decyduje o rozmiarach dojrzałego pęcherzyka, zwanego p ę c h e r z y k i e m G r a a f a; średnica jamy wynosi ok. 1,5 cm. W tym stadium pęcherzyk zaznacza się na powierzchni jajnika w postaci dobrze widocznego uwypuklenia. W pewnym momencie – odpowiadającym w czasie połowie cyklu miesiączkowego – „zrośnięty" z powierzchnią jajnika pęcherzyk pęka i jajo wraz z płynem pęcherzykowym i częścią komórek warstwy ziarnistej wylewa się na zewnątrz. Jest to zjawisko jajeczkowania, czyli owulacji.

W czasie jednego cyklu miesięcznego najczęściej tylko jeden pęcherzyk jajnikowy osiąga pełną dojrzałość, wyprzedzając w rozwoju inne. Niekiedy jednak dochodzi do jajeczkowania w dwóch lub większej liczbie pęcherzyków. Ewentualne późniejsze zapłodnienie dwóch lub więcej jaj prowadzi do ciąży mnogiej wielojajowej.

Pierwotne jaja znajdujące się w jajnikach po urodzeniu się dziewczynki to tzw. oocyty (owocyty) I rzędu (odpowiadające spermatocytom I rzędu u mężczyzny); mają one, jak wszystkie komórki ciała ludzkiego, 46 chromosomów. Tuż przed uwolnieniem się jaja, tzn. przed jajeczkowaniem lub owulacją, dochodzi do podziału redukcyjnego, czyli mejozy (zob. s. 89), w wyniku którego komórki potomne oocytu mają już tylko 23 chromosomy, tj. 22 chromosomy somatyczne i 1 chromosom X. Powinny być zatem w pęcherzyku 2 jaja (2 oocyty II rzędu), ale w rzeczywistości jedna z komórek potomnych zatrzymuje całą cytoplazmę komórki macierzystej, a druga – tzw. ciałko biegunowe – jest bardzo mała i nie odgrywa istotnej roli. Już po jajeczkowaniu i wniknięciu plemnika (po zapłodnieniu) dochodzi do jeszcze jednego podziału jaja, a właściwie zygoty, i historia się powtarza: jedna z komórek potomnych zatrzymuje całą cytoplazmę (rys. na s. 251).

Po wypłynięciu jaja ściany pęcherzyka zapadają się, tworzy się w nim skrzep i rozrasta się tkanka łączna. Pozostałe komórki warstwy ziarnistej ulegają charakterystycznej przemianie (luteinizacji) i z pęcherzyka powstaje tzw. ciałko żółte, które jest jakby okresowym gruczołem wydzielania wewnętrznego. Jeśli jajo nie zostanie zapłodnione, ciałko żółte wkrótce zanika, jeśli natomiast nastąpi zapłodnienie, ciałko żółte funkcjonuje i wydziela hormony niemal do końca ciąży.

Hormonalna regulacja czynności płciowych kobiety

Gonady żeńskie, czyli jajniki, wydzielają tzw. hormony płciowe, którymi są estrogeny i progesteron. Wydzielanie to jest regulowane przez gonadotropiny przysadki – folikulostymulinę (FSH) oraz hormon luteinizujący (LH), których wydzielanie jest z kolei sterowane przez podwzgórzowe hormony uwalniające (liberyny). Estrogeny stanowią grupę żeńskich hormonów płciowych, wydzielanych przez komórki pęcherzyków jajnikowych (nie przez jajo!). Najaktywniejszy spośród nich jest estradiol. Progesteron jest wydzielany przez ciałko żółte. Oba hormony mają budowę steroidową, tak jak testosteron wydzielany przez jądra.

Czynność wewnątrzwydzielnicza jajników ma przebieg cykliczny; „dyktuje" ona zmiany zachodzące w śluzówce macicy, składające się na cykl miesiączkowy. Długość tego cyklu może się nieco różnić u różnych kobiet, ale średnio wynosi 28 dni. Za pierwszy dzień cyklu uważa się pierwszy dzień

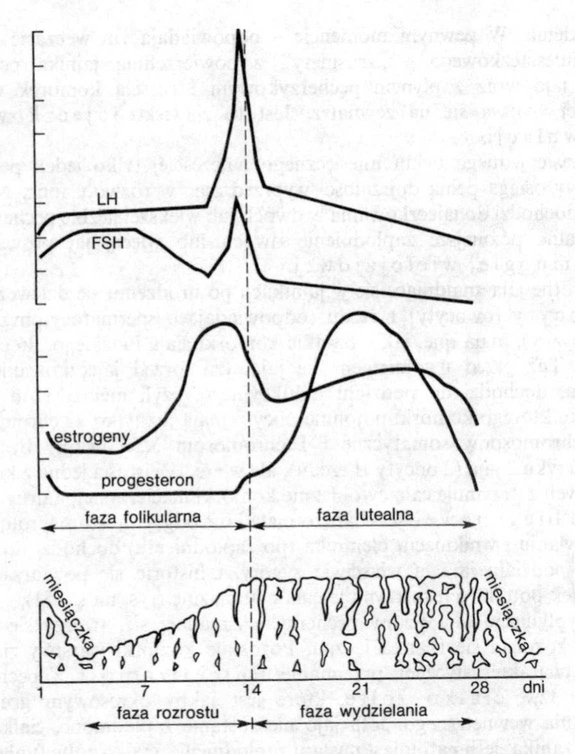

Przebieg wydzielania hormonów przysadkowych (luteinizującego – LH oraz folikulostymuliny – FSH) i jajnikowych (estrogenów, progesteronu) oraz fazy czynnościowe błony śluzowej macicy – w czasie cyklu miesiączkowego. Pionowa linia przerywana oznacza moment jajeczkowania

krwawienia miesiączkowego; jajeczkowanie występuje w przybliżeniu w połowie cyklu (ok. 14 dnia).

Moment jajeczkowania dzieli czynność wydzielniczą na dwie główne fazy (rys). W pierwszej fazie wzrasta wydzielanie (i poziom we krwi) estrogenów w wyniku zwiększającej się aktywności wewnątrzwydzielniczej pęcherzyków jajnikowych – stąd faza ta nosi nazwę pęcherzykowej lub folikularnej. W drugiej fazie, natychmiast po jajeczkowaniu, pojawia się i narasta czynność wewnątrzwydzielnicza ciałka żółtego – (łac. *corpus luteum*) – stąd druga faza nosi nazwę lutealnej.

Narastanie stężenia estrogenów we krwi w fazie folikularnej jest wynikiem zwiększającego się wydzielania tych hormonów przez wzrastający pęcherzyk – co odbywa się dzięki stymulującemu działaniu obu gonadotropin przysadkowych: folikulostymuliny (FSH) i hormonu luteinizującego (LH). U kobiet nie ma więc specjalizacji w działaniu gonadotropin, obserwowanej u mężczyzn, gdzie jedna z nich (FSH) pobudza dojrzewanie komórek rozrodczych, a druga kontroluje czynność wewnątrzwydzielniczą gonady (LH, a właściwie ICSH). Pewien spadek wydzielania folikulostymuliny w drugim tygodniu cyklu miesięcznego jest przypuszczalnie spowodowany zwrotnym hamowaniem wydzielania tej gonadotropiny przez narastający poziom estrogenów we krwi (ujemne sprzężenie zwrotne).

J a j e c z k o w a n i e jest wynikiem raptownego wyrzutu hormonu luteinizującego (LH) tuż przed środkiem cyklu miesiączkowego *. Być może hormon ten pobudza działanie enzymów rozpuszczających cienką błonę dojrzałego, wpuklającego się w ścianę jajnika pęcherzyka. Cykliczna czynność jajnika i cykliczne zmiany w śluzówce macicy są „narzucane" przez cykliczne wydzielanie gonadotropin u kobiety (w odróżnieniu od mężczyzny, u którego gonadotropiny są wydzielane w sposób ciągły i równomierny).

Po jajeczkowaniu nowo powstałe ciałko żółte rozpoczyna wydzielanie progesteronu pod stymulującym wpływem hormonu luteinizującego. Ciałko żółte przejmuje także od pęcherzyka wydzielanie estrogenów, jest więc uniwersalnym gruczołem wewnątrzwydzielniczym fazy lutealnej. Oba hormony hamują teraz uwalnianie z przysadki gonadotropin FSH i LH, tak że poziom ich we krwi stopniowo obniża się (rys.). Jeśli uwolnione jajo nie zostaje zapłodnione i nie rozpocznie się ciąża, czynność wydzielnicza ciałka żółtego zanika w ciągu 2 tygodni. Następuje obniżanie się poziomu estrogenów i progesteronu we krwi, co „odhamowuje" wydzielanie gonadotropin przysadkowych, które znów zaczynają pobudzać nowe pęcherzyki jajnikowe do wzrostu i dojrzewania – i cały cykl rozpoczyna się od nowa.

Cykliczne zmiany stężenia estrogenów i progesteronu we krwi powodują również cykliczne przemiany w błonie śluzowej macicy. Zanik ciałka żółtego pod koniec cyklu miesiączkowego i spadek wydzielania estrogenów i progesteronu sprawiają, że przerosła i niezwykle aktywna błona śluzowa zostaje pozbawiona bodźca hormonalnego, który ten stan czynnościowy wywołał i podtrzymywał. Rozszerzone naczynia krwionośne kurczą się, a źle odżywiana tkanka zaczyna obumierać i złuszczać się: rozpoczyna się krwawienie miesięczne, czyli m i e s i ą c z k a lub m e n s t r u a c j a. Krew pochodząca z uszkodzonych naczyń miesza się z resztkami śluzówki i całość zostaje wydalona przez pochwę na zewnątrz. Krwawienie miesiączkowe trwa zazwyczaj od 3 do 5 dni, a łączna utrata krwi wynosi 50–150 ml. Następnie błona śluzowa macicy odbudowuje się pod wpływem narastającego stężenia estrogenów we krwi – jest to bowiem okres rozwoju i zwiększającej się aktywności wewnątrzwydzielniczej pęcherzyka jajnikowego.

F a z a r o z r o s t u błony śluzowej trwa do momentu jajeczkowania.

* Wyrzut hormonu luteinizującego (LH) jest, paradoksalnie, wynikiem bardzo znacznego wzrostu poziomu estrogenów we krwi. Umiarkowanie wysoki poziom estrogenów hamuje (ujemne sprzężenie zwrotne), a bardzo wysoki poziom pobudza (dodatnie sprzężenie zwrotne) wydzielanie hormonu luteinizującego.

Następnie, pod jednoczesnym wpływem estrogenów i progesteronu (głównie jednak progesteronu), wydzielanych przez ciałko żółte, przerosła błona śluzowa zaczyna nabierać charakteru tkanki wydzielniczej, pojawiają się liczne spiralnie skręcone gruczoły wypełnione glikogenem. Także naczynia krwionośne rozrastają się, a altywność enzymów w tkance jest bardzo wysoka. Ta faza zmian w przerosłej błonie śluzowej, nazywana fazą wydzielniczą lub sekrecyjną, trwa tak długo, jak długo działa ciałko żółte, i kończy się kolejnym krwawieniem miesiączkowym.

Narząd	Efekt działania
	Estrogeny
Jajnik	Wzrost i dojrzewanie całego narządu, wzrost pęcherzyków jajnikowych
Macica	Rozrost błony śluzowej macicy, tj. endometrium (faza proliferacji), rozrost śluzówki szyjki, zwiększone wydzielanie śluzu szyjkowego, przerost mięśniówki macicy i zwiększenie jej kurczliwości
Pochwa	Rozrost nabłonka pochwy i rogowacenie jego warstwy powierzchniowej
Jajowód	Nasilenie ruchów perystaltycznych i aktywności rzęsek
Zewn. narządy płciowe i sutki	Wzrost i pełne ukształtowanie
Rozwój wtórnych cech płciowych	Sylwetka kobieca (wąskie barki, szerokie biodra, zbieżnie ustawione uda); rozmieszczenie tkanki tłuszczowej głównie w obrębie pośladków, bioder, ud i sutków; ogólnie obfitsza tkanka tłuszczowa podskórna (zaokrąglony zarys ciała); kobiecy typ owłosienia łonowego (trójkąt wierzchołkiem skierowany ku dołowi)
	Progesteron
Macica	Wzmożone wydzielanie gruczołów błony śluzowej macicy (faza sekrecyjna), przerost mięśniówki macicy (w czasie ciąży), zmniejszenie jej kurczliwości
Pochwa	Zmniejszone rogowacenie nabłonka
Jajowód	Zmniejszenie ruchów perystaltycznych
Sutki	Rozrost tkanki gruczołowej
Inne wpływy	Podwyższenie temperatury ciała w drugiej połowie cyklu miesiączkowego

Poza działaniem na śluzówkę macicy, estrogeny i progesteron wywierają istotny i charakterystyczny wpływ na cały organizm kobiety w różnych okresach życia (tabela).

Stosunek płciowy (*coitus*) i zapłodnienie

Istnieją liczne analogie między zmianami zachodzącymi w narządach płciowych kobiety i mężczyzny w czasie podniecenia i stosunku płciowego: zmiany te mają podłoże naczyniowe, obejmują także skurcze licznych włókien mięśniowych oraz wzmożoną czynność wydzielniczą. Pobudzeniu seksualnemu kobiety towarzyszy obrzmienie piersi i „stawianie się” brodawek piersiowych. Jamiste przestrzenie naczyniowe łechtaczki (*clitoris*) wypełniają się krwią i dochodzi do jej erekcji. W czasie stosunku nabłonek pochwy ulega przekrwieniu i występuje obfite wydzielanie śluzowatej wydzieliny. Fizjologiczne oznaki orgazmu – o ile do niego dojdzie – obejmują rytmiczne skurcze pochwy i macicy, przyspieszenie czynności serca i wzrost ciśnienia krwi, a także wzrost napięcia mięśni szkieletowych całego ciała. Orgazm występuje nie zawsze i nie ma kluczowego znaczenia dla zapłodnienia.

Reaktywność seksualna kobiety (*libido*) w małym stopniu zależy od estrogenów, a znacznie bardziej od androgenów, wydzielanych głównie przez korę nadnerczy (zob. s. 243). Libido nie zanika po operacyjnym usunięciu jajników ani po wygaśnięciu ich czynności w okresie przekwitania (menopauzy).

Po wytrysku nasienia do pochwy plemniki zachowują swą żywotność przez ok. 2 doby – tylko w tym czasie może dojść do zapłodnienia. Możliwość zapłodnienia jest ograniczona również czasem życia jaja po jajeczkowaniu, który wynosi tylko kilkanaście godzin. Jajo po wydostaniu się z jajnika wskutek owulacji jest wychwytywane przez palczaste strzępki jajowodu wyposażone w rzęski, które nagarniają jajo do wewnątrz i popychają w kierunku macicy. Mimo ruchu rzęsek i skurczów mięśniówki gładkiej jajowodu, droga do macicy trwa kilka dni. Ponieważ czas życia jaja jest krótki, do zapłodnienia musi dojść właśnie w jajowodzie.

Licząc od momentu wytrysku, plemniki mogą dotrzeć do jajowodu już w ciągu kilkudziesięciu minut, jednak z pierwotnej liczby kilkuset milionów drogę poprzez macicę do jajowodów przebywa tylko kilka tysięcy, reszta ginie. Te, które znalazły się w bezpośrednim sąsiedztwie jaja, posługując się witką przedzierają się przez grupy komórek warstwy ziarnistej i jeden z nich za pomocą enzymów zawartych w czapeczce tzw. akrosomu rozpuszcza otoczkę jaja i przedostaje się do wewnątrz. Jajo kończy właśnie swój ostatni podział – jedna jego komórka potomna łączy się z plemnikiem i powstaje znowu komórka wyposażona w 46 chromosomów (23 + 23). Druga komórka potomna jaja pozbawiona cytoplazmy zostaje wydalona. Przemiany, jakie zaszły w jaju po zapłodnieniu uniemożliwiają wniknięcie innych plemników. Jeżeli jednak jajo nie zostanie zapłodnione, wkrótce ginie i zazwyczaj zostaje pochłonięte (sfagocytowane) przez komórki błony śluzowej macicy.

Ciąża, poród i laktacja

W czasie kilkudniowej wędrówki jajowodem w kierunku macicy zapłodnione jajo powiększa się w drodze szeregu podziałów. Jeśli w tym wczesnym stadium jajo podzieli się zupełnie „na dwoje", doprowadzi to do ciąży bliźniaczej tzw. jednojajowej (bliźnięta identyczne).

Po dotarciu do macicy, dzielące się dalej jajo jest zawieszone w płynie wypełniającym w tym czasie jej jamę. Jest to okres (14 – 21 dzień cyklu miesiączkowego), kiedy błona śluzowa macicy pod wpływem estrogenów i progesteronu ulega charakterystycznym przemianom (faza wydzielnicza).

Najczęściej około 7 dnia po jajeczkowaniu (21 dzień cyklu) jajo zagnieżdża się (tzw. implantacja) w hormonalnie przygotowanej śluzówce macicy. W tym stadium można już w nim rozróżnić główną masę komórkową, która da początek płodowi, oraz zewnętrzną warstwę komórek – trofoblast, z którego rozwiną się błony płodowe. Trofoblast zrasta się ze ścianą błony śluzowej macicy i w ten sposób cały zarodek (embrion) ulega zagnieżdżeniu w macicy. Składniki odżywcze czerpie on z bogatej w glikogen i białko błony macicy właśnie za pośrednictwem trofoblastu. Taki system odżywiania wystarcza w ciągu kilku tygodni, póki zarodek jest mały. Po rozwinięciu się krążenia płodowego i powstaniu łożyska zarodek staje się płodem (łac. *fetus*). Łożysko jest narządem, za pośrednictwem którego odbywa się wymiana substancji między organizmem matki (łożysko jest zrośnięte z macicą) a płodem. Układ krążenia płodu jest połączony z krążeniem łożyskowym tętnicami i żyłami pępkowymi; tędy przekazywane są do płodu składniki odżywcze, a z płodu płyną resztkowe produkty metabolizmu.

Niezbędnym warunkiem utrzymania ciąży jest obecność we krwi hormonów ciałka żółtego – estrogenów i progesteronu. Gdyby ich nie było, śluzówka macicy ulegałaby degeneracji i zostałaby wydalona w krwawieniu miesiączkowym. Wysoki poziom estrogenów i progesteronu hamuje wydzielanie gonadotropin przysadkowych: folikulostymuliny i hormonu luteinizującego; w ciągu całego trwania ciąży ich stężenie we krwi jest znikome. Niejako na miejsce gonadotropin przysadkowych pojawia się inny hormon – wydzielana przez łożysko gonadotropina kosmówkowa (HCG), o działaniu podobnym do hormonu luteinizującego. To właśnie ona stymuluje funkcję wewnątrzwydzielniczą ciałka żółtego, zwłaszcza w pierwszym okresie ciąży. Około 2 miesiąca ciąży wydzielanie gonadotropiny kosmówkowej zmniejsza się szybko, natomiast łożysko zaczyna wydzielać znaczne ilości estrogenów i progesteronu i taka sytuacja utrzymuje się aż do porodu.

Ciąża trwa najczęściej 40 tygodni, ale już od 30 tygodnia pojawiają się sporadyczne i słabe skurcze macicy. Na początku porodu stają się one już regularne i silne, w odstępach 10–15 min. Zazwyczaj w tym czasie pękają błony płodowe i wody płodowe wylewają się na zewnątrz. Rytmiczne, skoordynowane skurcze rozpoczynają się w górnej części macicy i biegną ku dołowi rozszerzając kanał szyjki macicy, a następnie wypychają płód przez szyjkę i pochwę: w 90% porodów główka płodu jest częścią wiodącą – rodzi się najpierw. W tym stadium rodząca czynnie wspomaga automatyczne skurcze macicy przez „parcie", tj. zwiększenie ciśnienia w jamie brzusznej. Wkrótce po urodzeniu płodu naczynia pępkowe kurczą się, a łożysko oddziela się od macicy i zostaje wydalone – noworodek rozpoczyna samodzielne życie.

Mechanizmy fizjologiczne porodu nie zostały jeszcze w pełni poznane. Mięśnie gładkie macicy mają autonomiczną zdolność kurczenia się, zwłaszcza w odpowiedzi na rozciąganie. Co uruchamia skurcze porodowe? Sprzyjającą okolicznością może być spadek wydzielania progesteronu pod koniec ciąży, ponieważ progesteron wybitnie hamuje kurczliwość macicy. Mechaniczne pobudzenie receptorów szyjki macicy prowadzi do uwolnienia z tylnego płata przysadki oksytocyny – hormonu specyficznie nasilającego skurcze macicy. Podobne działanie ma też jedna z prostaglandyn obecna w wysokim stężeniu w samej macicy. Trudno jednak powiedzieć, który z tych czynników zapoczątkowuje czynność porodową.

Do wydzielania mleka przez gruczoły sutkowe, czyli laktacji, dochodzi po porodzie w wyniku bardzo złożonych wpływów hormonalnych. Rozwój sutków (rozrost tkanki gruczołowej i tłuszczowej) począwszy od okresu pokwitania zachodzi pod wpływem estrogenów i progesteronu; zjawisko to ulega znacznemu nasileniu w czasie ciąży, gdy stężenie tych hormonów jest znacznie wyższe. Najistotniejszym jednak czynnikiem pobudzającym laktację jest prolaktyna, specyficzny hormon uwalniany przez przedni płat przysadki. W okresie ciąży działanie prolaktyny na gruczoły sutkowe jest hamowane przez wysokie stężenie estrogenów i progesteronu; po porodzie spadek poziomu tych hormonów „odhamowuje" prolaktynę i wydzielanie mleka rozpoczyna się. Jednak przesunięcie mleka z pęcherzyków gruczołowych do przewodów gruczołowych (a dopiero stąd może ono być wyssane przez niemowlę) odbywa się pod wpływem oksytocyny uwalnianej w odpowiedzi na drażnienie (ssanie) brodawki piersiowej.

Ponowna owulacja po porodzie może rozpocząć się jeszcze w czasie laktacji, a więc zajście w ciążę jest zupełnie możliwe w czasie karmienia.

XIII. FIZJOLOGIA WYSIŁKU FIZYCZNEGO

Wysiłki fizyczne i ich klasyfikacja

Pojęcie wysiłku fizycznego oznacza nie tylko samą pracę mięśniową, ale również całokształt towarzyszących jej zmian czynnościowych w organizmie.

W zależności od rodzaju skurczów mięśniowych rozróżnia się: 1) wysiłki dynamiczne, w których na przemian występują krótkotrwałe skurcze i rozkurcze mięśni, z przewagą skurczów izotonicznych (zmniejszenie długości mięśnia bez zmiany jego napięcia, np. chód, bieg itp.), oraz 2) wysiłki statyczne, w których przeważają skurcze izometryczne (wzrost napięcia mięśnia bez zmiany jego długości), trwające przez dłuższy czas, co najmniej kilka sekund (np. utrzymywanie ciężaru).

W zależności od wielkości zaangażowanych grup mięśniowych rozróżnia się: 1) wysiłek ogólny, kiedy pracuje więcej niż 30% całej masy mięśni i 2) wysiłek miejscowy, w którym bierze udział mniej niż 30% masy mięśni.

W zależności od czasu trwania wysiłki podzielić można na: 1) wysiłki krótkotrwałe, wykonywane nie dłużej niż kilkanaście minut, 2) wysiłki o średnim czasie trwania, do 40–60 min i 3) wysiłki długotrwałe wykonywane dłużej niż 40–60 min.

W zależności od intensywności pracy mięśniowej, której miarą jest ilość wydatkowanej energii w jednostce czasu lub ilość pracy wykonanej w jednostce czasu (moc), wysiłki można podzielić na: lekkie, średnio ciężkie, ciężkie i bardzo ciężkie. Podział taki nie ma jednak większego znaczenia fizjologicznego, ponieważ ta sama praca może być lekka dla jednego człowieka, a ciężka dla drugiego.

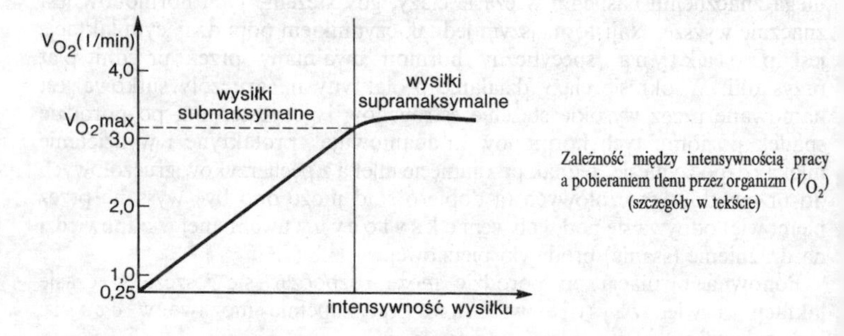

Zależność między intensywnością pracy a pobieraniem tlenu przez organizm (V_{O_2}) (szczegóły w tekście)

Odczucie ciężkości pracy oraz obciążenie czynnościowe mięśni i innych narządów, np. układu krążenia podczas wysiłków dynamicznych o charakterze ogólnym, wykazuje zależność od tzw. obciążenia względnego (% V_{O_2} max), tj. wyrażonego w procentach stosunku między zapotrzebowaniem na tlen podczas pracy a maksymalną zdolnością pochłaniania tlenu przez organizm (V_{O_2} max). Ta ostatnia wielkość jest różna u ludzi o różnej wydolności fizycznej. W zależności od obciążenia względnego wysiłki dynamiczne dzieli się na: 1) supramaksymalne, przy których zapotrzebowanie na tlen przekracza zdolność pochłaniania tlenu (> 100% V_{O_2} max), 2) maksymalne, przy których zapotrzebowanie na tlen jest równe V_{O_2} max i 3) wysiłki submaksymalne, przy których zapotrzebowanie na tlen jest mniejsze niż V_{O_2} max (<100% V_{O_2} max). Tę ostatnią grupę wysiłków dzieli się na wysiłki lekkie, o obciążeniu mniejszym niż 10–15% V_{O_2}max, wysiłki ciężkie – 30–35% V_{O_2} max, i wysiłki bardzo ciężkie o obciążeniu przekraczającym 50% V_{O_2} max. Wysiłki supramaksymalne i maksymalne mogą być wykonywane w sposób ciągły nie dłużej niż kilka minut, natomiast wysiłki submaksymalne o obciążeniu mniejszym niż 50% V_{O_2} max nawet przez kilka godzin.

Podczas wysiłków statycznych miarą intensywności jest wielkość rozwijanej siły (oporu, który pokonują mięśnie). Zwykle intensywność pracy statycznej określa się jednak w wielkościach względnych, które wyrażają, jaki procent siły maksymalnej danej grupy mięśni stanowi siła obecnie rozwijana. Długotrwale można wykonywać wysiłki statyczne, przy których siła skurczu nie przekracza 10–12% siły maksymalnej, przy 30% – czas wykonywania pracy sięga 3–5 minut, a przy sile skurczu większej niż 50% siły maksymalnej jest on mniejszy niż 1–2 minuty.

Zużycie tlenu podczas wysiłku

Po rozpoczęciu wysiłku już w czasie pierwszej minuty organizm zwiększa pobieranie tlenu przez zwiększenie wentylacji płuc, ogólnego przepływu krwi (objętości minutowej serca) i zwiększenie wychwytywania tlenu z krwi przepływającej przez mięśnie. Po 2–5 min pracy pobieranie tlenu osiąga poziom odpowiadający zapotrzebowaniu (w wysiłku submaksymalnym) lub poziom maksymalny (podczas wysiłku maksymalnego i supramaksymalnego). Stan, w którym pobieranie tlenu odpowiada zapotrzebowaniu, nazywa się stanem *równowagi czynnościowej*. Osiągnięcie tego stanu jest warunkiem długotrwałego wykonywania pracy.

W stanie równowagi czynnościowej pobieranie tlenu wykazuje liniową zależność od intensywności pracy (wydatku energii) prawie do poziomu obciążeń maksymalnych.

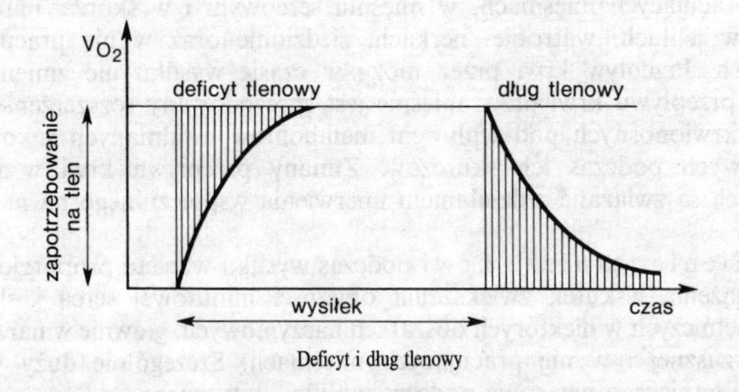

Deficyt i dług tlenowy

Przed osiągnięciem równowagi czynnościowej występuje tzw. *deficyt tlenowy*, czyli niedobór tlenu w stosunku do zapotrzebowania (rys.). W tym czasie, podobnie jak w czasie wysiłków supramaksymalnych, znaczna część energii jest uzyskiwana na drodze procesów beztlenowych. Po zakończeniu pracy zużycie tlenu szybko się zmniejsza, przez pewien czas (kilka minut do godziny lub nawet dłużej) jest ono jednak większe niż przed wysiłkiem. W tym czasie odbudowane zostają zasoby wewnątrzkomórkowe fosfokreatyny i glikogenu oraz zachodzi przemiana kwasu mlekowego w glukozę (w wątrobie). Nadwyżkę pobierania tlenu po zakończeniu pracy nazywa się *długiem tlenowym*. (Zob. też Źródła energii do pracy mięśniowej, s. 140).

Zmiany czynności różnych narządów w czasie wysiłku

Układ krążenia. Przystosowanie czynności układu krążenia do wysiłku ma decydujące znaczenie z punktu widzenia zaopatrzenia mięśni w tlen i w substraty energetyczne oraz usuwania z mięśni produktów przemiany materii (dwutlenku węgla i kwasu mlekowego) i ciepła wytwarzanego w procesach energetycznych.

W czasie wysiłku zwiększa się częstość skurczów serca oraz jego objętość wyrzutowa, a w rezultacie wzrasta objętość minutowa serca (zob. Regulacja czynności serca, s. 181). Podczas wysiłków submaksymalnych po 2–5 min pracy częstość skurczów serca osiąga stały poziom, na którym utrzymuje się przez dłuższy czas (od kilku minut do ok. 1 godz.), a następnie wykazuje tendencję do dalszego wzrostu. W okresie równowagi czynnościowej częstość skurczów serca wykazuje liniową zależność od intensywności pracy i pobierania tlenu.

Zmiany czynności serca podczas wysiłku są spowodowane zahamowaniem aktywności nerwów przywspółczulnych serca, wzrostem aktywności nerwów współczulnych oraz zwiększonym dopływem krwi do serca w związku z uciskiem kurczących się mięśni na naczynia żylne.

Przepływ obwodowy krwi podczas wysiłku zwiększa się wydatnie w pracujących mięśniach, w mięśniu sercowym i w skórze, natomiast maleje w jelitach, wątrobie, nerkach, śledzionie oraz w nie pracujących mięśniach. Przepływ krwi przez mózg w czasie wysiłku nie zmienia się. Wzrost przepływu krwi przez mięśnie jest spowodowany rozszerzeniem ich naczyń krwionośnych pod wpływem metabolitów uwalnianych z komórek mięśniowych podczas ich skurczów. Zmiany przepływu krwi w innych narządach są związane z działaniem unerwienia współczulnego na naczynia tętnicze.

Ciśnienie tętnicze krwi podczas wysiłku wzrasta proporcjonalnie do obciążenia wskutek zwiększenia objętości minutowej serca i skurczu naczyń tętniczych w niektórych obszarach naczyniowych, głównie w narządach jamy brzusznej i w nie pracujących mięśniach. Szczególnie duży wzrost ciśnienia tętniczego następuje podczas wysiłku statycznego.

Układ oddechowy. Niemal natychmiast po rozpoczęciu pracy fizycznej zwiększa się wentylacja płuc i wzrasta w postępie liniowym aż do poziomu obciążenia względnego – 65–70% V_{O_2} max (zob. s. 262). Po przekroczeniu tego poziomu pojawia się tendencja do nadmiernego, w stosunku do zapotrzebowania tlenowego, wzrostu wentylacji, czyli hiperwentylacji. Zwiększenie wentylacji płuc podczas wysiłku zachodzi przez zwiększenie częstości i głębokości oddechów.

Układ nerwowy współczulny i przywspółczulny. Aktywność układu współczulnego podczas wysiłku wzrasta proporcjonalnie do intensywności i czasu trwania pracy. Wyrazem tych zmian jest zwiększenie stężenia we krwi noradrenaliny uwalnianej z zakończeń pozazwojowych nerwów współczulnych unerwiających różne narządy. Wzrost aktywności współczulnego układu nerwowego odgrywa dużą rolę w regulacji czynności układu krążenia podczas wysiłków oraz w pobudzaniu uwalniania substratów energetycznych ze źródeł pozamięśniowych, tj. kwasów tłuszczowych z tkanki tłuszczowej i glukozy z wątroby.

Aktywność przywspółczulnego unerwienia serca podczas wysiłku jest hamowana. Zmiany w aktywności unerwienia przywspółczulnego innych narządów nie są poznane.

Układ wewnętrznego wydzielania. Podczas wysiłku fizycznego zwiększa się wydzielanie wielu hormonów, m.in. adrenaliny, glukagonu, hormonu wzrostu, adrenokortykotropiny (ACTH), kortyzolu, angiotensyny, aldosteronu i hormonu antydiuretycznego, hamowane jest natomiast wydzielanie insuliny. Większość z tych zmian jest proporcjonalna do intensywności i czasu trwania wysiłków. Zmiany hormonalne towarzyszące pracy mięśniowej współdziałają w regulacji wysiłkowej przemiany materii i gospodarki wodno-elektrolitowej.

Nerki. W czasie pracy mięśniowej zmniejsza się ilość wydalanego moczu i zwiększa jego zagęszczenie. Zmiany te są wynikiem zmniejszenia się przepływu krwi przez nerki oraz wzrostu wydzielania aldosteronu i hormonu antydiuretycznego. Przy dłuższych i ciężkich wysiłkach występuje białkomocz.

Układ pokarmowy. Lekkie i średnio ciężkie wysiłki nie wywierają wpływu na czynność układu pokarmowego. Podczas ciężkich wysiłków jest ona hamowana, dotyczy to zwłaszcza czynności wydzielniczej.

Temperatura ciała i termoregulacja w czasie wysiłku

Podczas skurczów mięśni wytwarzane są w nich znaczne ilości ciepła. Powoduje to szybki wzrost temperatury wewnętrznej ciała, sięgający nawet 2–3°C. Po upływie kilku do kilkunastu minut pracy następuje stabilizacja temperatury ciała na podwyższonym poziomie. Wysokość tego poziomu zależy od intensywności pracy, natomiast nie zależy od temperatury otoczenia w dość szerokim jej zakresie. Podczas długotrwałych wysiłków, po kilkudziesięciu minutach pracy występuje tendencja do dalszego wzrostu temperatury ciała.

Usuwanie nadmiaru ciepła z organizmu podczas wysiłku zachodzi głównie na drodze parowania wydzielanego potu. Podczas ciężkich wysiłków intensywne pocenie pojawia się już w pierwszych minutach. Oddawanie ciepła do otoczenia ułatwia także zwiększony przepływ krwi przez skórę.

Z potem organizm traci duże ilości wody. W podwyższonej temperaturze otoczenia straty wody podczas wysiłków sięgają kilku litrów. Odwodnienie organizmu wywiera niekorzystny wpływ na czynność wielu narządów i przyczynia się do zmniejszenia skuteczności termoregulacji.

Zmęczenie

Zmęczenie jest to stan organizmu rozwijający się podczas wysiłku. Charakteryzuje się zmniejszeniem zdolności do pracy oraz osłabieniem chęci jej kontynuowania (motywacji). Zmęczenie jest częściowo wyrazem reakcji obronnych organizmu przed nadmiernym obciążeniem, częściowo zaś skutkiem zakłóceń czynności organizmu spowodowanych przez pracę mięśniową. Przyczyny zmęczenia są różne i zależą od rodzaju wykonywanej pracy. Można wyróżnić dwa rodzaje zmęczenia: 1) zmęczenie obwodowe, czyli zmniejszenie zdolności mięśni do skurczów, oraz 2) zmęczenie ośrodkowe, przejawiające się narastającym odczuciem ciężkości pracy, osłabieniem chęci jej kontynuowania, zakłóceniami zdolności koncentracji uwagi, spostrzegania i zapamiętywania, upośledzeniem koordynacji ruchów oraz różnego rodzaju zaburzeniami wegetatywnymi.

Zmęczenie obwodowe. Podczas krótkotrwałych wysiłków przyczyną zmniejszenia zdolności mięśni do skurczów bywa zakłócenie przewodzenia impulsów w obrębie złącza nerwowo-mięśniowego lub rozprzestrzeniania się potencjału elektrycznego wzdłuż włókien mięśniowych, a także zmiany fizykochemiczne w samych komórkach mięśniowych, takie jak wzrost temperatury i zakwaszenie środowiska wewnątrzkomórkowego (w czasie pracy w mięśniach wytwarza się kwas mlekowy).

Szczególnie szybko zmęczenie mięśni występuje podczas wysiłków statycznych, w czasie których dopływ i odpływ krwi są zatrzymane na skutek ucisku napiętych mięśni na naczynia krwionośne. Przy dłużej trwających wysiłkach do przyczyn zmęczenia dołącza się odwodnienie komórek mięśniowych oraz wyczerpanie z nich glikogenu. Odwodnienie komórek przyspiesza wysoka temperatura otoczenia (intensywne pocenie), a wyczerpanie glikogenu – głód lub dieta niskowęglowodanowa.

Zmęczenie ośrodkowe. Odczuwanie ciężkości pracy jest wynikiem integracji w ośrodkowym układzie nerwowym różnego rodzaju informacji o czynności mięśni i innych narządów, a więc informacji docierających do ośrodkowego układu nerwowego z proprioreceptorów, receptorów bólowych i metabolicznych w mięśniach pracujących itp., a także informacji bezpośrednio odbieranych przez detektory ośrodkowego układu nerwowego, np. o wzroście temperatury ciała, zakwaszeniu krwi itp. Narastanie odczucia ciężkości pracy jest przejawem zmęczenia i na ogół przebiega równolegle ze zmniejszeniem się chęci do kontynuowania pracy. Obie te reakcje stanowią mechanizm obrony organizmu przed nadmiernym obciążeniem wysiłkiem fizycznym.

Zakłócenia czynności ośrodkowego układu nerwowego występujące podczas wysiłków są wynikiem upośledzenia czynności tego układu na skutek zaburzeń homeostazy (zob. s. 94), takich jak kwasica, nadmierny wzrost temperatury ciała, spadek stężenia glukozy we krwi itp.

Zmęczenie ustępuje po odpowiednio długim wypoczynku i ewentualnym wyrównaniu strat wody, elektrolitów i węglowodanów, jeśli straty te towarzyszyły wysiłkowi. Zmęczenie przewlekłe, przejawiające się często różnego rodzaju zaburzeniami czynności regulacyjnych, jest na ogół spowodowane brakiem dostatecznie długiego wypoczynku.

Zdolność do wysiłków, wydolność fizyczna i tolerancja wysiłkowa

Zdolność do wykonywania różnego rodzaju wysiłków fizycznych zależy od różnych właściwości organizmu. Na przykład zdolność do wykonywania szybkich i precyzyjnych ruchów rąk zależy przede wszystkim od sprawności koordynacji nerwowo-mięśniowej, zdolność do podnoszenia ciężarów – od wielkości siły mięśniowej, zdolność do biegu sprinterskiego – od szybkości skurczów mięśni oraz od wielkości zasobów związków wysokoenergetycznych w komórkach mięśniowych i sprawności beztlenowych procesów dostarczających energię do skurczów.

Wydolność fizyczna jest to zdolność wykonywania, bez szybko narastającego zmęczenia, wysiłków dynamicznych z udziałem dużych grup mięśni. Chodzi tu przede wszystkim o wysiłki długotrwałe. Wydolność fizyczna zależy głównie od sprawności funkcji współdziałających w dostarczaniu tlenu pracującym mięśniom oraz od sprawności tlenowych procesów energetycznych.

Dobrym wskaźnikiem wydolności fizycznej jest maksymalne pobieranie tlenu przez organizm w jednostce czasu (V_{O_2} max, zob. s. 262). Wielkość tę można oznaczyć mierząc pobieranie tlenu podczas wysiłku o wzrastającym obciążeniu (np. podczas jazdy na cykloergometrze rowerowym lub biegu na ruchomym chodniku) aż do momentu, w którym pobieranie tlenu nie zwiększa się mimo wzrostu obciążenia. U ludzi zdrowych maksymalne pobieranie tlenu w jednostce czasu zależy przede wszystkim od ilości krwi, jaką serce jest w stanie przepompować w jednostce czasu, tzn. od maksymalnej objętości minutowej serca, a więc od objętości komór serca i sprawności jego funkcji. Przybliżoną wartość V_{O_2} max można obliczyć bez wykonywania wysiłku maksymalnego, na podstawie zależności pomiędzy częstością skurczów serca i pobieraniem tlenu podczas wysiłków submaksymalnych, posługując się odpowiednim nomogramem. Im mniejsza jest częstość skurczów serca przy danym obciążeniu submaksymalnym, tym większa jest wydolność fizyczna badanego człowieka.

Największą wydolność fizyczną człowiek osiąga w wieku 20–25 lat. Przeciętne wartości maksymalnego pobierania tlenu w jednostce czasu wynoszą u mężczyzn w tym wieku 3,0–3,5 l/min, a u kobiet 2,0–2,5 l/min. U wytrenowanych sportowców wytrzymałościowych dyscyplin, np. u kolarzy, maksymalne pobieranie tlenu nierzadko przekracza 6 l/min. O dużej wydolności fizycznej mówi się jednak już wtedy, kiedy ilość pochłanianego tlenu przekracza u mężczyzn 4,0 l/min, a u kobiet 2,8 l/min. Wydolność fizyczna zależy od cech konstytucjonalnych organizmu, można jednak ją zwiększyć przez trening fizyczny nawet o 25–30%.

Człowiek zdrowy, o dużej wydolności fizycznej, jest w stanie długotrwale (przez kilka godzin) wykonywać pracę, przy której zapotrzebowanie na tlen sięga 50% maksymalnego pobierania tlenu. Dla ludzi o przeciętnej i małej wydolności fizycznej granica ta wynosi odpowiednio 40 i 30%.

Największe obciążenie, które organizm może długotrwale tolerować bez zaburzeń w jego środowisku wewnętrznym, jest miarą tolerancji wysiłkowej. Określenie tolerancji wysiłkowej jest przydatne zwłaszcza u ludzi chorych przy ustaleniu dopuszczalnych obciążeń w pracy zawodowej i życiu codziennym, doborze ćwiczeń rehabilitacyjnych itp.

Trening fizyczny

Trening fizyczny jest systemem ćwiczeń fizycznych stosowanych w celu zwiększenia zdolności wysiłkowej. Podstawową zasadą treningu jest systematyczne wykonywanie wysiłków o stopniowo wzrastającym obciążeniu.

Każdy rodzaj systematycznie wykonywanych ćwiczeń fizycznych prowadzi do zwiększenia sprawności koordynacji nerwowo-mięśniowej. Utrwalenie określonych nawyków ruchów zwiększa szybkość, precyzję i harmonijność ruchów.

W celu zwiększenia siły mięśniowej stosuje się tzw. trening siłowy, polegający na systematycznym podnoszeniu lub utrzymywaniu ciężarów, rozciąganiu sprężyn lub na specjalnych ćwiczeniach gimnastycznych. Wzrost siły mięśniowej w początkowym okresie treningu jest osiągany przez jednoczesne angażowanie większej liczby jednostek motorycznych mięśni, w późniejszym zaś – w wyniku przerostu mięśni. Są to zmiany lokalne ograniczone do trenowanych grup mięśni.

Z punktu widzenia medycyny profilaktycznej, duże znaczenie ma trenowanie siły mięśni grzbietu zapobiegające nader często występującym bólom w okolicy krzyżowo-lędźwiowej, spowodowanym przeciążeniem dolnego odcinka kręgosłupa i rozwojem w nim zmian zwyrodnieniowych.

W celu zwiększenia wydolności fizycznej stosuje się tzw. trening wytrzymałościowy, polegający na systematycznym wykonywaniu długotrwałych wysiłków dynamicznych, angażujących duże grupy mięśni, np. bieg, marszobieg, jazda na rowerze, pływanie, skakanie na skakance. Trening tego rodzaju prowadzi do zmian przystosowawczych nie tylko w układzie ruchowym, ale i w innych narządach i wywiera korzystny wpływ na ogólny stan zdrowia. Trening wytrzymałościowy wpływa nie tylko usprawniająco na układ ruchowy, ale również na czynność układów krążenia i oddechowego oraz wywiera korzystne zmiany w przemianie materii, m.in. zwiększa aktywność metaboliczną tkanki tłuszczowej, poprawia tolerancję węglowodanów (zwiększenie wrażliwości na insulinę) oraz zmniejsza stężenie we krwi lipidów sprzyjających rozwojowi miażdżycy. Dzięki tym efektom, trening wytrzymałościowy może być stosowany jako element profilaktyki i leczenia (rehabilitacji) chorób układu krążenia, przede wszystkim o podłożu miażdżycowym, np. choroby wieńcowej, chorób układu oddechowego, otyłości i cukrzycy.

DROBNOUSTROJE CHOROBOTWÓRCZE

Wśród licznych czynników wpływających pozytywnie na zdrowie człowieka, a więc na prawidłowe funkcjonowanie organizmu, podstawowe znaczenie mają drobnoustroje związane z nami od milionów lat w rozwoju ewolucyjnym. Dla organizmu człowieka (a także zwierząt i roślin) najważniejsza jest jakość ciągłego współżycia z drobnoustrojami symbiotycznymi (zob. s. 276), zwłaszcza z bakteriami, które są bezwzględnie potrzebne organizmowi do wykształcenia w okresie wczesnego dzieciństwa i podtrzymywania w okresie dojrzałości licznych funkcji, a wśród nich zdolności obronnych. Bardzo ważne dla organizmu są również „dobrosąsiedzkie" stosunki z drobnoustrojami komensalnymi (zob. s. 276), nieszkodliwymi, ale korzystającymi z „opieki" organizmu. Drobnoustroje chorobotwórcze, bardziej lub mniej niebezpieczne, grają drugoplanową rolę w zdrowiu człowieka. Zagrażają one prawidłowemu funkcjonowaniu organizmu najczęściej wówczas, gdy naturalni sprzymierzeńcy, tj. symbionty i komensale, z jakichś przyczyn nie spełniają należycie swoich zadań w organizmie gospodarza. „Niedobór" lub „brak" symbiontów i komensali, np. po dłuższym podawaniu niektórych antybiotyków, jest równie groźny dla organizmu, jak „nadmiar" drobnoustrojów chorobotwórczych.

Drobnoustroje, nazywane często mikroorganizmami, można zobaczyć tylko przez urządzenia powiększające obraz, takie jak lupy, mikroskopy zwykłe, mikroskopy elektronowe i elektroniczne urządzenia powiększające. Oko ludzkie dostrzega te organizmy dopiero po powiększeniu od 200 do 5000 razy, a ich budowę wewnętrzną – po powiększeniu od kilku tysięcy do miliona razy, co jest możliwe tylko w dużych laboratoriach szpitalnych oraz w specjalistycznych pracowniach wyższych uczelni. Niewielkie, niedostrzegalne gołym okiem drobnoustroje nie zwracają naszej uwagi w codziennym, normalnym życiu. Myśli się i mówi o nich wówczas, gdy ich niekorzystne działanie na organizm zagraża zdrowiu, a niekiedy i życiu człowieka.

Do drobnoustrojów zalicza się dużą ilościowo grupę żywych tworów, bardzo zróżnicowaną pod względem budowy zewnętrznej i wewnętrznej, sposobów rozmnażania się, środowiska, w którym żyją, i przydatności dla potrzeb człowieka. Głównie łączą je małe wymiary, podobne metody badania, podobne techniki hodowli na pożywkach sztucznych oraz podobne mechanizmy odpowiedzi obronnych organizmu na ich niekorzystne działanie.

Od ok. 1860 r. m i k r o b i o l o g i a, tj. nauka o drobnoustrojach, rozwijała się lawinowo. Dziesiątki, a później setki uczonych, głównie lekarzy i biologów, posługując się mikroskopami, sztucznymi pożywkami oraz innymi aparatami i urządzeniami laboratoryjnymi, prowadziło różnokierunkowe badania, przede wszystkim drobnoustrojów związanych z organizmem człowieka, później z organizmami zwierząt i roślin, a następnie drobnoustrojów żyjących w glebie, w wodzie i innych środowiskach. W wyniku tych badań wykryto kilkadziesiąt tysięcy gatunków drobnoustrojów żyjących w organizmach i w różnych środowiskach. Opisano dokładnie ich cechy, korzystne lub niekorzystne dla ludzi, zwierząt i roślin. W ciągu 130 lat stworzono rozległy dział wiedzy przyrodniczej zwany mikrobiologią.

Bardzo bogata wiedza o drobnoustrojach zmuszała naukowców do wprowadzenia podziałów po to, aby łatwiej można było korzystać z zebranych wiadomości w praktyce życia codziennego. Zależnie od branych pod uwagę właściwości drobnoustrojów stworzono wiele podziałów, ale dwa z nich są szeroko stosowane i przydatne.

I. PODZIAŁY DROBNOUSTROJÓW

Podział pierwszy

Podział ten jest oparty głównie na budowie komórki – a u wirusów pojedynczej cząsteczki zwanej wirionem – i na sposobach rozmnażania się. Według tego podziału drobnoustroje dzieli się na:

1) d r o b n o u s t r o j e j e d n o k o m ó r k o w e, takie jak: bakterie, riketsje, chlamydie, mikoplazmy, pierwotniaki i niektóre grzyby (drożdże);

2) w i e l o k o m ó r c z a k i (brak pełnych przegród między komórkami), do których zalicza się głównie grzyby, ale bez grzybów kapeluszowych;

3) t w o r y k o m ó r k o p o d o b n e, tj. wirusy i priony.

Do drobnoustrojów zaliczono także glony (algi), porosty i śluzorośla, ale są one tutaj pominięte.

Zaczynając od najmniejszych pod względem wymiarów i od najprościej zbudowanych, omówiono tutaj kolejno: priony, wirusy, bakterie, riketsje, chlamydie, mikoplazmy oraz grzyby i pierwotniaki.

Priony

W ostatnich latach, podczas poszukiwania przyczyny niektórych chorób układu nerwowego, wykryto jakościowo nowe czynniki etiologiczne, tj. samoreplikujące się białka. Angielski skrót p r i o n (*proteinaceous infectious particle* – białkowe cząsteczki zakaźne) oznacza nazwę odmiany patogenu o najprostszej budowie białkowej. Niektórzy badacze twierdzą, że może on zawierać krótki oligonukleotyd (DNA). Są to białka kodujące swoją replikację. Podczas samoodtwarzania się zmieniają one normalne ciągi przemiany materii w komórkach i niszczą ich fizjologiczne funkcje. Priony wywołują choroby o przebiegu podobnym do chorób wirusowych o tzw. długim (powolnym) okresie wylęgania. Za priony uważa się m.in. czynniki etiologiczne rzadko występujących chorób ośrodkowego układu nerwowego u ludzi (np. kuru – encefalopatia) i zwierząt (np. scrapie – trzęsawka owiec).

Wirusy

Wirusy są najmniejszymi tworami zdolnymi do rozmnażania się. Wielkość ich mierzy się w nanometrach (1nm = 10^{9} cm). Są to ogromne drobiny chemiczne złożone z kwasu dezoksyrybonukleinowego albo rybonukleinowego, okrytego cieńszą lub grubszą, niekiedy podwójną otoczką białkową. W odróżnieniu od innych drobnoustrojów, nie mają one zdolności do rozmnażania się poza żywymi komórkami organizmu lub drobnoustroju, do którego są przystosowane ewolucyjnie. Makrocząsteczka wirusa, zwana wirionem, poza komórką, w której pasożytuje, jest „martwa". Biernie wciągnięta przez sąsiednią żywą komórkę, po skomplikowanym procesie biochemicznego włączenia się w ciąg jej przemiany materii i po wprowadzeniu doń planu swej budowy (kodu genetycznego – DNA lub RNA), tak zmienia syntezę w komórce, że ta zaczyna pracować na korzyść wirusa. Wewnątrz komórki pojawia się coś na kształt fabryki elementów wirusa.

Rozmnażanie się wirusa polega na kopiowaniu na jednej matrycy kilkunastu lub kilkuset nowych makrocząsteczek wirusa. Jest to zupełnie inny sposób rozmnażania się niż pozostałych mikro- i makroorganizmów. Ten sposób rozmnażania się odgrywa podstawową rolę w rozwoju chorób wywołanych przez wirusy (niszczenie zakażonych komórek), a także uniemożliwia lekarzom stosowanie leków działających przyczynowo (takich jak np. antybiotyki w zakażeniach bakteryjnych). Jeśli stosuje się leki hamujące syntezę cząsteczek wirusa, to równocześnie hamują one syntezę prawidłowych elementów w komórce i komórka ginie. Czas od zakażenia komórki do rozpoczęcia kopiowania wirusów średnio wynosi 2 do 5 godz. Wirusy kataru (nieżytu nosa) mogą rozpocząć proces kopiowania już po 30 min od zakażenia komórki. Znane są także gatunki wirusów kopiujące się raz na kilkadziesiąt godzin.

Wirusy są pasożytami bezwzględnymi. Niszczą komórki tych gospodarzy, do których są przystosowane ewolucyjnie. Liczne odmiany wirusów po połączeniu się z aparatem genetycznym komórki gospodarza nie namnażają się i nie niszczą jej nagle (jak np. podczas nieżytu nosa, grypy, odry i innych), ale tak zmieniają (zaburzają) naturalne drogi przemian, że komórka może przekształcić się w komórkę niepełnosprawną, np. komórka nerwowa nie przewodzi bodźców nerwowych (znane są takie choroby), lub w komórkę nowotworową (znane są liczne nowotwory wywoływane przez wirusy).

Dotychczas wykryto i opisano kilka tysięcy gatunków i odmian wirusów pasożytujących w organizmach zwierząt, roślin, bakterii, glonów i grzybów. Ok. 600 gatunków jest chorobotwórczych dla ludzi i dość często równocześnie dla zwierząt (wirusowe choroby odzwierzęce).

Walka z chorobami wirusowymi polega głównie na profilaktyce swoistej, tj. na stosowaniu szczepień ochronnych przeciwko chorobom najczęściej występującym i niebezpiecznym, zwłaszcza chorobom wieku dziecięcego.

Bakterie

Bakterie są 10–100 razy większe od cząsteczek wirusów. Przeciętne wymiary komórek bakterii wynoszą 1–10 μm (mikrometrów). Zależnie od gatunku, bakterie mają kształt kulisty, walcowaty lub skręcony. Ich błona komórkowa zawiera specjalne rusztowanie zwane ścianą komórkową. Wnętrze komórki wypełnia bakterioplazma i organelle. Brak jest jądra, ponieważ substancje chromatynowe pełniące funkcje jądra nie są otoczone błoną jądrową. W związku z tą charakterystyczną cechą morfologiczną, bakterie zaliczono do królestwa *Procaryota* (przedjądrzaste).

Bakterie maja tak wykształconą przemianę materii, że mogą żyć i rozmnażać się nie tylko w organizmach żywych, lecz i w środowisku martwej materii, np. na sztucznych pożywkach w specjalnych cieplarkach. Tylko nieliczne gatunki utraciły zdolność rozmnażania się poza organizmem żywym. Bakterie rozmnażają się w zasadzie przez prosty podział bezpłciowy na dwie komórki potomne, bez przygotowawczych przemian wewnątrz komórki. Szybkość podziałów jest różna. Na przykład pałeczka okrężnicy w dogodnych warunkach hodowli sztucznej dzieli się co 20 min, a prątki gruźlicy raz na kilkadziesiąt godzin. Przeciętny czas podziałów bakterii waha się w granicach 2–5 godz.

Bakterie zasiedlają, często w dużych ilościach, wszystkie środowiska i mikrośrodowiska. Żyją w wodach słodkich i słonych, w glebie, mułach dennych mórz i oceanów, w organizmach ludzi, zwierząt i roślin. Ze względu na korzyści i szkodliwość dla organizmu ludzkiego, bakterie można podzielić na trzy duże grupy: bakterie symbiotyczne, czyli wspomagające organizm, bakterie komensalne obojętne dla zdrowia oraz bakterie chorobotwórcze (zob. s. 279). Z poznanych kilkunastu tysięcy gatunków i odmian bakterii tylko ok. 7%, czyli kilkaset, ma związek z organizmem człowieka, w tym połowa to gatunki i odmiany chorobotwórcze. Pozostałe gatunki bakterii działają korzystnie na organizm lub są nieszkodliwe.

Riketsje

Riketsje to bardzo małe, pałeczkowate bakterie. W poprzednich latach, kiedy nie znano ich właściwości biologicznych, wydzielono je w osobna grupę drobnoustrojów i nadano im nazwę od nazwiska amerykańskiego bakteriologa Howarda Taylora Rickettsa, który je badał. Nazwa ta tradycyjnie jest utrzymywana.

Od innych grup bakterii riketsje różnią się tym, że nie rosną na pożywkach sztucznych (martwych), a tylko w organizmach żywych lub w hodowlach komórek *in vitro*. Cecha ta utrudnia badanie i rozpoznawanie tych drobnoustrojów, ponieważ można je hodować tylko w specjalistycznych laboratoriach.

Drugą cechą odróżniającą riketsje od innych bakterii jest to, że z jednego organizmu (chorego lub nosiciela) do organizmu drugiego (zdrowego) przenoszone są głównie przez owady (wszy, pchły, kleszcze).

Riketsje wywołują ciężkie choroby, zwane riketsjozami, zarówno u ludzi, jak i u zwierząt, również hodowlanych. W Polsce z riketsjoz występował dur plamisty (wojenny, wysypkowy, więzienny itd.), obecnie nie notowany, bardzo rzadko zdarza się tzw. choroba Brilla. Obie choroby wywoływane są przez riketsję duru plamistego (*Rickettsia prowazeki*). Izoluje się także riketsję duru endemicznego, znacznie łagodniejszego od duru plamistego. Riketsja ta przenoszona jest przez pchły. Inne riketsjozy występują w Stanach Zjednoczonych Ameryki oraz w strefie tropikalnej.

Podczas epidemii riketsjoz bardzo skuteczne są zabiegi dezynsekcyjne (odwszawianie), ograniczające znacznie szerzenie się choroby.

Chlamydie

Chlamydie są to bardzo małe, ziarniakowate lub pałeczkowate bakterie, podobne do riketsji. Nazwa ich pochodzi od błony otaczającej komórkę (gr. *chlamydos* – płaszcz). Chlamydie różnia się od riketsji charakterystycznym sposobem rozmnażania się (szereg etapów podziałów pośrednich) wewnątrz zakażonych komórek w organizmie lub w hodowli *in vitro*. Podobnie jak riketsje, wówczas gdy nie znano jeszcze dokładnie wszystkich właściwości tej grupy drobnoustrojów, wydzielono je w osobną grupę, co utrzymuje się tradycyjnie nadal.

W licznych organizmach, np. ptaków, chlamydie żyją jako komensale-oportuniści (nosicielstwo), skąd, jako ze źródeł zakażenia, przenoszone są do organizmów zdrowych. Od chorych lub nosicieli chlamydie przenoszone są bezpośrednio, np. drogą płciową, lub – częściej – za pośrednictwem czynników środowiska, takich jak powietrze, kurz, woda.

Chlamydie są chorobotwórcze dla ptaków, ludzi i dla innych ssaków. W Polsce najbardziej znana jest choroba ptasia (ornitoza, papuzica), często występująca jako choroba zawodowa u pracowników ferm i ubojni drobiu, głównie kaczek. Do innych chorób powodowanych przez chlamydie należy ziarniniak weneryczny oraz pływalniane zapalenie spojówek. Leczenie tych chorób nie jest zbyt trudne, ponieważ chlamydie są wrażliwe na działanie większości znanych antybiotyków.

Mikoplazmy

Mikoplazmy (*Mycoplasma*) to nowo wydzielona grupa drobnoustrojów podobnych do bakterii tak pod względem wyglądu zewnętrznego, jak i budowy wewnętrznej. Od bakterii różnią się nieposiadaniem ściany komórkowej (specjalnego rusztowania) wewnątrz błony komórkowej. Dlatego w systematyce zaliczono je do „miękkoskórych" (*Mollicutes*). Brak ściany komórkowej jest głównym powodem oporności tych drobnoustrojów na działanie antybiotyków hamujących syntezę ściany komórkowej, czyli na działanie penicyliny i cefalosporyn. Podobnie jak bakterie, mikoplazmy rosną i rozmnażają się także poza organizmem na pożywkach sztucznych, specjalnie wzbogaconych w białko.

Dotychczas nie poznano gatunków mikoplazm żyjących w symbiozie z organizmem człowieka i zwierząt. Izolowane z organizmu człowieka mikoplazmy są komensalami błon śluzowych układu moczowo-płciowego i układu oddechowego. Niektóre gatunki są chorobotwórcze dla człowieka. Wywołują głównie nietypowe zapalenia płuc.

Grzyby

Grzyby to jednokomórkowe lub komórczakowate (brak pełnych przegród poprzecznych między sąsiednimi komórkami) albo wielokomórkowe rośliny nie mające barwników fotosyntetycznych, a więc nie przyswajające dwutlenku węgla z powietrza, co różni je od świata pozostałych roślin. Jest to jedyna cecha, która łączy wielką gromadę tych roślin, obejmującą ok. 150 tysięcy gatunków. Grzyby nie mają korzeni i liści, wytwarzają natomiast tzw. plechę. Są cudzożywne (heterotrofy), tzn. korzystają ze związków organicznych syntetyzowanych przez inne, żywe organizmy, głównie przez rośliny zielone.

Komórki grzybów mają złożoną budowę wewnętrzną, podobnie jak komórki innych roślin i zwierząt. W odróżnieniu od bakterii i mikoplazm, mają prawdziwe jądro z błoną jądrową. Stąd w systematyce zalicza się je do wyżej zorganizowanych komórkowców i organizmów (*Eucaryota*). Komórki grzybów są duże. Wymiary ich wahają się w granicach od kilku (przeciętnie kilkanaście) do kilkudziesięciu mikrometrów.

Pod względem biochemicznym i fizjologicznym komórki grzybów mają rozbudowany system przemiany materii i dlatego nawet gatunki pasożytnicze, chorobotwórcze dla ludzi i zwierząt, łatwo żyją zarówno w środowisku naturalnym (gleba), jak i w sztucznym na specjalnych pożywkach wytwarzanych w laboratoriach.

Procesy rozmnażania się grzybów są różnorodne, bardziej lub mniej złożone. Grzyby mogą rozmnażać się wegetatywnie, bezpłciowo przez podział prosty oraz na drodze płciowej – wówczas wewnątrz komórki przebiegają podziały redukcyjne, mejotyczne. Często występuje naprzemienny sposób rozmnażania się, tzn. raz bezpłciowy, drugi raz płciowy. Zjawisko to jest w niektórych grupach (m.in. patogennych dla ludzi) tak skomplikowane, że wyróżnia się gatunki bezpłciowe tego samego grzyba.

Grzyby zasiedlają wszystkie środowiska i mikrośrodowiska na Ziemi. Liczne gatunki mają cechy korzystne dla człowieka. Przy ich udziale wytwarza się np. piwo, wino, alkohole, witaminy, antybiotyki i inne przydatne produkty. Grzyby rozkładają również wraz z bakteriami duże ilości substancji organicznej w glebie. Liczne gatunki są chorobotwórcze dla roślin uprawnych. Niektóre gatunki są w pełni, a niektóre warunkowo chorobotwórcze dla ludzi i zwierząt. U ludzi w Polsce najczęściej występuje grzybica (drożdżyca) zwana kandydozą, najczęściej na skórze, w jamie ustnej i na błonach śluzowych narządów płciowych. Grzybice skóry, włosów, paznokci i narządów wewnętrznych występują rzadziej.

Pierwotniaki

Pierwotniaki to typ bezkręgowców. Zalicza się tu w pełni samodzielne, jednokomórkowe zwierzęta o wielkości od 3 µm do 3 mm, mające dobrze wykształconą błonę komórkową, cytoplazmę oraz jedno lub kilka jąder, a także zróżnicowane i wyspecjalizowane organelle spełniające różne fizjologiczne czynności wewnątrz komórki.

Pierwotniaki rozmnażają się przez bezpłciowy podział prosty lub wielokrotny oraz na drodze płciowej przez tworzenie gamet. Są samożywne w środowiskach naturalnych, np. żyjące w wodach, albo cudzożywne. Niektóre gatunki są pasożytami bezwzględnymi, żyjącymi tylko w innych organizmach. Nieliczne są przyczyną bardzo groźnych chorób człowieka i zwierząt, np. zarodźce malarii (zimnicy).

Podział drugi

Drugi podział drobnoustrojów jest oparty na jakości ich oddziaływania na organizmy ludzi i zwierząt, czyli na sposobach współżycia z organizmem, często nazywanym organizmem gospodarza. Drobnoustroje związane z organizmem człowieka, z wyjątkiem wirusów, można podzielić na trzy nieostro odgraniczone grupy:

1) drobnoustroje symbiotyczne – współżyjące z organizmem gospodarza i wspomagające go;
2) drobnoustroje obojętne, komensalne – w zasadzie nieszkodliwe dla organizmu gospodarza;
3) drobnoustroje chorobotwórcze – szkodliwe dla organizmu.

Wymienione cechy ekologiczne, tj. współdziałanie, obojętność i chorobotwórczość, nie są stałe. W warunkach nietypowych dla ustalonego ewolucyjnie układu gospodarz–drobnoustrój ulegają one gwałtownej zmianie, np. pałeczka okrężnicy żyjąca w świetle jelita grubego na błonach śluzowych i w kale jest bardzo ważnym symbiontem, jeśli jednak zostanie przemieszczona (zranienie, przebicie się ropnia) na otrzewną lub do krwi, powoduje ciężkie, często śmiertelne zakażenie organizmu. Znane są też zmiany odwrotne. Na przykład pałeczka duru brzusznego, niewątpliwie chorobotwórcza dla człowieka, po przechorowaniu, a niekiedy bez widocznych objawów choroby staje się komensalem jelit lub woreczka żółciowego, a stan ten nazywa się nosicielstwem.

Drobnoustroje symbiotyczne

Drobnoustroje symbiotyczne, zwłaszcza bakterie, są ewolucyjnie związane z organizmem (i odwrotnie) i nieodzownie mu potrzebne do utrzymywania jego prawidłowego stanu.

Drobnoustroje te współżyją z organizmem i wspomagają go. W jelitach wytwarzają liczne witaminy, a niekiedy ułatwiają trawienie niektórych pokarmów. W pochwie zdrowej kobiety wytwarzają kwas mlekowy (pałeczki kwasu mlekowego) nie dopuszczając do osiedlania się i rozwoju szkodliwych bakterii i grzybów. W organizmie niemowlęcia i małego dziecka są potrzebne (wraz z niektórymi gatunkami komensali) do uruchomienia procesów prowadzących do rozwoju prawidłowych mechanizmów odpornościowych (tzw. immunologiczne dojrzewanie organizmu).

O ewolucyjnych powiązaniach drobnoustrojów z organizmem świadczy wprowadzenie do lecznictwa antybiotyków (tetracyklin) o szerokim zakresie działania przeciwbakteryjnego. Antybiotyki te zabijają wszystkie bakterie, nie tylko chorobotwórcze. Po zastosowaniu tych leków w jelitach i na błonach śluzowych układu oddechowego powstaje stan abakteriozy, czyli bezbakteryjności, co może być groźne dla życia, m.in. na skutek szybko rozwijających się stanów hypowitaminozy i awitaminozy. Na miejsce zabitych symbiontów mogą się osiedlać (i osiedlają się) inne, niekorzystne lub chorobotwórcze bakterie (gronkowce, poantybiotykowe zakażenia jelit). Jeśli podaje się z konieczności antybiotyki zabijające także symbionty i komensale, niezbędne jest równoczesne podawanie w postaci leku (np. Lakcid) innych symbiontów opornych na działanie stosowanych antybiotyków.

O tym, że organizm bezwzględnie potrzebuje bakterii symbiotycznych, świadczą hodowle zwierząt laboratoryjnych sterylnych, wolnych od drobnoustrojów. Hodowle te otrzymuje się przez wydobycie w warunkach jałowych (sterylnych) żywych płodów, zdolnych do życia (cesarskie cięcie), z organizmu samic w końcowym okresie ciąży. Tak sztucznie urodzone jałowe zwierzątka można hodować w jałowych warunkach w odpowiednich pomieszczeniach, podając im sterylne płyny i pokarmy. Badania tych zwierząt ujawniły, że nie tylko wykazują one objawy braku witamin, ale w ogóle nie wykształcają układu obronnego, o czym świadczy brak fagocytozy, czyli brak umiejętności pożerania przez białe ciałka krwi nawet najłagodniejszych bakterii.

Do najważniejszych w organizmie człowieka (i licznych zwierząt) symbiotycznych gatunków bakterii należą: pałeczka jelitowa (*Escherichia coli*), pałeczki kwasu mlekowego (różne gatunki rodzaju *Lactobacillus*), pałeczka rozwidlona (*Bifidobacterium bifidum*). Gatunki te po sztucznym uodpornieniu na kilka antybiotyków są często używane jako leki w czasie długotrwałego leczenia antybiotykami.

Drobnoustroje komensalne

Komensale, czyli współstołownicy, współbiesiadnicy, są to organizmy, które korzystają z resztek (wydzielin i wydalin) innego organizmu, przetwarzając je na swoje potrzeby i nie czyniąc jemu szkody. W organizmie człowieka na jego błonach śluzowych i na skórze oraz na nabłonku niektórych narządów wewnętrznych żyją drobnoustroje komensalne. W dużych ilościach występują one na błonach śluzowych przede wszystkim układu oddechowego i przewodu pokarmowego.

W organizmie żyje kilkadziesiąt gatunków stałych komensali, zwłaszcza bakterii. Są one w pośredni sposób korzystne dla organizmu, ponieważ żyjąc na błonach śluzowych utrudniają zasiedlenie się i rozmnażanie w organizmie innych bakterii, także chorobotwórczych – jest to zjawisko interferencji jedno- lub międzygatunkowej. Obojętność licznych komensali w stosunku do organizmu jest chwiejna i zależy od stanu zdrowia, a więc odporności i obrony komórkowej organizmu. Przy wszelkich uszkodzeniach szczelności nabłonka lub naskórka, albo szkliwa zębów, komensale przechodzą w stan pasożytnictwa. Z tej cechy wywodzi się także nazwa komensale – oportuniści, tj. oczekujący na jakieś osłabienie organizmu gospodarza.

Niektóre gatunki komensali, zwłaszcza rosnące w warunkach beztlenowych, gdy stają się patogenne wzmacniają działanie bakterii chorobotwórczych. Stanowią więc jakby drugi rzut zakażenia miejscowego lub ogólnego, przez co komplikują przebieg choroby zasadniczej. Takie podwójne lub mnogie zakażenia rozwijają się często po zranieniu jamy ustnej, dróg oddechowych i jamy brzusznej. Przykładem współdziałania kilku gatunków bakterii komensalnych może być próchnica zębów.

W zdrowym organizmie komensale nie są szkodliwe. Do utrzymania ich we właściwych miejscach i niedopuszczenia do przekształcenia się w pasożyty wystarczają zwykłe zabiegi higieniczne: mycie ciała, mycie zębów, zmiany bielizny osobistej, odpowiednie odżywianie się (witaminy, białka), odkażanie miejscowych mikrourazów i urazów, przeglądy i leczenie zębów. Jeśli jednak zdarzy się, że komensale „zaatakują" organizm lub wspomagają inne drobnoustroje w chorobotwórczym działaniu, wówczas zwalcza się je stosując antybiotyki oraz inne leki.

W jelitach obficie występują tlenowe bakterie komensalne, takie jak paciorkowiec kałowy (*Streptococcus faecalis*) i laseczka sienna (*Bacillus subtilis*), a także różne gatunki beztlenowych bakterii z rodzajów *Peptococcus i Streptopeptococcus* (ziarniaki beztlenowe), *Fusobacterium* (wrzecionowce beztlenowe), *Bacterioides* (pałeczki względnie beztlenowe) i inne. W jelitach prawie każdego zdrowego człowieka żyje też komensalny grzyb bielnik biały (*Candida albicans*), warunkowo chorobotwórczy, który w określonych warunkach jest przyczyną kandydozy skóry, jamy ustnej, dróg oddechowych i jelit oraz pochwy. W jelitach żyją także niektóre gatunki komensalnych pierwotniaków.

W drogach oddechowych, najczęściej na błonach śluzowych nosa i gardła, z bakterii komensalnych żyją m.in.: liczne odmiany paciorkowców słabo hemolizujących krwinki z rodzaju *Streptococcus* oraz bliski im rodzaj *Aerococcus*, dwoinka nieżytowa (*Branhamella catharrhalis*), dwoinka sucha (*Neisseria sicca*), dwoinka żółta (*Neisseria flava*), gronkowiec naskórny (*Staphylococcus epidermidis*), gronkowiec ślinowy (*Staphylococcus salivarius*).

W jamie ustnej, a zwłaszcza w kieszonkach dziąsłowych, oprócz wymienionych wyżej bakterii rosnących w warunkach tlenowych, występują liczne gatunki bakterii beztlenowych, m.in. z rodzaju *Treponema* (krętki). U 5–30% osób dorosłych występują także komensalne mikoplazmy, grzyby (*Candida albicans*), pierwotniaki, np. *Entamoeba gingivalis*, oraz w bardzo małych ilościach wirus opryszczki pospolitej (*Herpesvirus hominis*) pochodzących z utajonych i przewlekłych zakażeń.

W porach skórnych i na skórze w miejscach gorzej przewietrzanych żyje gronkowiec naskórny (*Staphylococcus epidermidis*), ziarniak żółty (*Micrococcus luteus*), liczne odmiany paciorkowców, liczne gatunki laseczek tlenowych i niektóre gatunki grzybów. Często na skórze czasowo występują gatunki drobnoustrojów z innych środowisk, np. wodnego czy roślinnego, co jest związane z miejscem przebywania człowieka.

II. WSPÓŁŻYCIE POSZCZEGÓLNYCH GATUNKÓW DROBNOUSTROJÓW

W organizmie człowieka istnieją wyraźne zależności wzajemnego oddziaływania drobnoustrojów na siebie. Istnieje dość chwiejna równowaga ekologiczna, ilościowa i jakościowa między poszczególnymi gatunkami symbiontów i komensali zasiedlających drogi oddechowe, jamę ustną, skórę i pochwę u kobiet. W normalnych warunkach, tj. w zdrowym organizmie i w prawidłowych warunkach bytowania, odbywa się samoregulacja gatunkowa (liczba gatunków) i regulacja ilościowa wewnątrzgatunkowa (natężenie namnażania się danego gatunku).

Poszczególne gatunki drobnoustrojów mogą oddziaływać na siebie:

a) antagonistycznie – zwalczają się nawzajem albo jeden gatunek hamuje namnażanie się drugiego;

b) obojętnie;

c) synergistycznie – wspierają się nawzajem lub jeden gatunek wspiera drugi gatunek, wytwarzając np. bakteryjny czynnik wzrostowy.

Mechanizmy powyższych zależności są dość złożone. Antagonizm polega na wytwarzaniu czynnika (antybiotyku) hamującego wzrost innych gatunków lub na wychwytywaniu składników pokarmowych, synergizm natomiast najczęściej na wytwarzaniu i wydalaniu czynników wzrostowych przydatnych dla innego gatunku.

W układzie antagonistycznym bakterie symbiotyczne i komensalne zużywają pozostałości pokarmowe organizmu i wytwarzają kwasy, nie dopuszczając przez to do osiedlenia się i rozmnażania bakterii napływowych ze środowiska zewnętrznego, często bakterii chorobotwórczych. Układ obojętny między gatunkami drobnoustrojów zdarza się rzadko. W układzie tym drobnoustroje nie niszczą się, ale i nie wspomagają. Zwykle mechanizmy odporności organizmu, sposób odżywiania się, dbałość o higienę osobistą i warunki zewnętrzne (ciepło, zimno, wilgoć) regulują ilość drobnoustrojów komensalnych w różnych częściach organizmu.

S y n e r g i z m jest k o r z y s t n y, tj. p o z y t y w n y dla organizmu wówczas, gdy dwa gatunki wspierając się wzmacniają naturalny układ w miejscu osiedlenia i ich współżycie nie wzmaga patogenności. Synergizm jest n i e - k o r z y s t n y, tj. n e g a t y w n y, gdy dwa gatunki popierając się wzmacniają swoje właściwości chorobotwórcze. Przykładem może być zakażenie wywołane równocześnie przez bakterie rosnące w warunkach tlenowych i przez bakterie rosnące w warunkach beztlenowych. Bakterie tlenowe zużywając tlen znacznie ułatwiają rozmnażanie się bakterii rosnących w warunkach beztlenowych.

Istnieją liczne e k o l o g i c z n e m e c h a n i z m y synergizmów pozytywnego i negatywnego w oddziaływaniu bakterii na bakterie, bakterii na wirusy i wirusów na bakterie. Nasilenie tych oddziaływań zależy także od licznych uwarunkowań ze strony organizmu.

Poznanie mechanizmów ekologicznych zależności między poszczególnymi gatunkami drobnoustrojów oraz między nimi i organizmem pozwala lekarzom na kierowanie tymi mechanizmami przez stosowanie określonych leków. Mogą oni np. podtrzymywać układy korzystne przez podawanie Lakcidu oraz hamować i zwalczać układy niekorzystne przez osłabienie lub zniszczenie bakterii tlenowych w ognisku zakażenia, co znacznie hamuje działanie bakterii beztlenowych.

III. CHOROBOTWÓRCZOŚĆ DROBNOUSTROJÓW

C h o r o b o t w ó r c z o ś ć nie jest pojęciem zbyt ścisłym. Ogólnie przyjmuje się, że każde niekorzystne działanie drobnoustroju na organizm, wywołujące nawet niewielkie zaburzenie jego prawidłowych czynności, jest chorobotwórcze. Spośród wielu mechanizmów chorobotwórczego działania drobnoustrojów do ważniejszych należą:

a) rozmnażanie się drobnoustrojów w organizmie z równoczesnym niszczeniem jego żywych komórek i tkanek;

b) rozpad komórek drobnoustrojów (u wirusów rozpad pojedynczych cząsteczek, zwanych wirionami) i toksyczne działanie na organizm ich produktów rozpadu;

c) wydzielanie przez drobnoustroje (poza żywą komórkę) t o k s y n, zwanych także j a d a m i, oraz enzymów zewnątrzkomórkowych, nazywanych czasem e n z y m a m i t o k s y c z n y m i, które po dostaniu się do organizmu rozpuszczają jego komórki.

Organizm zakażony odpowiada obronnie na atak drobnoustrojów. Wzrasta temperatura ciała, tworzy się stan zapalny ogólny lub miejscowy, podejmują działanie komórki obronne, czyli leukocyty, tworzą się ropnie. Działanie drobnoustrojów na organizm i odpowiedzi organizmu składają się na zjawisko biologiczne zwane c h o r o b ą z a k a ź n ą.

Rozmnażanie się drobnoustrojów

Drobnoustroje rozmnażając się w organizmie zużywają związki chemiczne zawarte w żywych komórkach, co prowadzi do uszkodzenia i niszczenia tych komórek, a tym samym do uszkodzenia tkanek i narządów. Wirusy po wniknięciu do wnętrza komórek kopiują swoje cząsteczki niszcząc komórki. Bakterie, grzyby i pierwotniaki uszkadzają strukturę komórek organizmu najczęściej za pośrednictwem enzymów zewnątrzkomórkowych i zużywają białka, węglowodany i inne związki chemiczne do budowy własnych komórek.

Szybkość rozmnażania się drobnoustroju chorobotwórczego i ściśle z tym związana intensywność szkodliwego działania na organizm zależą m.in. od takich cech, jak zdolność wnikania drobnoustrojów do wnętrza tkanek, ilość i jakość wytwarzanych produktów toksycznych, szybkość przystosowania się drobnoustroju do warunków panujących w zakażonym organizmie (*okres wylęgania choroby*). O natężeniu chorobotwórczego działania w znacznym stopniu decyduje obrona organizmu. Przy osłabionej obronie organizmu rozwój drobnoustroju jest intensywniejszy niż w warunkach normalnych.

Rozpad komórek drobnoustrojów

Rozmnażające się komórki chorobotwórczego drobnoustroju są niszczone przez specjalnie wytworzone w organizmie białka zwane *gamma-globulinami* oraz przez *komórki żerne* (fagocyty). Niektóre gamma-globuliny, zwane *lizynami*, rozpuszczają np. bakterie (niszczą ich błonę komórkową).

Drobnoustroje zbudowane są ze związków (białek i ich połączeń) toksycznych dla organizmu. Związki te nazwano *toksynami wewnątrzkomórkowymi* albo *endotoksynami*. Zawarte w produktach rozpadającej się komórki drobnoustroju, na zakażony organizm działają wielokierunkowo. Na przykład człowiek zakażony durem brzusznym jest tak silnie zatruty endotoksynami pałeczek duru brzusznego, że oprócz innych objawów wykazuje także objawy psychiczne (odurzenie, ogłupienie). Endotoksyny takich bakterii, jak pałeczki czerwonki, pałeczki durów rzekomych, przecinkowce cholery, zaburzają silnie przepuszczalność nabłonka w jelitach, prowadząc do niebezpiecznych biegunek (odwodnienie organizmu).

Toksyny i enzymy zewnątrzkomórkowe

Liczne gatunki drobnoustrojów, głównie bakterii, wytwarzają w komórce i wydalają na zewnątrz do środowiska toksyczne białka zwane *jadami* lub *egzotoksynami*. Przykładem mogą być maczugowce błonicy, laseczki tężca, laseczki jadu kiełbasianego, niektóre odmiany gronkowców złocistych. Egzotoksyny zaburzają i uszkadzają czynności układu nerwowego i przewodu pokarmowego. Enterotoksyna wytwarzana przez gronkowce złociste zaburza tylko przepuszczalność nabłonka przewodu pokarmowego, powodując biegunki oraz wymioty.

Liczne gatunki bakterii chorobotwórczych wytwarzają e n z y m y wydalane przez komórkę. Enzymy te rozkładają złożone substancje środowiska na prostsze, przydatne do zużycia przez bakterie. Przykładem mogą być różne odmiany h e m o l i z y n, enzymów rozpuszczających krwinki czerwone. Hemolizyny są obficie wytwarzane przez gronkowce złociste (nazywane hemolitycznymi), wytwarzają je też paciorkowce ropne (powodujące różę, płonicę, anginę, zakażenia krwi), paciorkowce zieleniejące i inne gatunki bakterii. B a k t e r y j n e e n z y m y zewnątrzkomórkowe wydzielane do organizmu (lub do pożywki) rozkładają białka (proteazy), kwasy nukleinowe (np. dezoksyrybonukleazy), tłuszcze (np. lecytynazy), spoiwo międzykomórkowe i międzytkankowe (hialuronidazy). Przykładem bakterii wydzielającej liczne enzymy są laseczki beztlenowe wywołujące obrzęk złośliwy i zgorzel gazową, najczęściej przyranną.

Na działanie enzymów bakteryjnych organizm odpowiada obronnie za pośrednictwem różnych mechanizmów, m.in. przez wytwarzanie białek obronnych, czyli p r z e c i w c i a ł. Przeciw hemolizynom paciorkowca ropnego (streptolizynom) wytwarzane są antystreptolizyny (laboratoryjnie wykrywa się je za pośrednictwem odczynu antystreptolizynowego zwanego popularnie ASO).

Enzymy bakteryjne uruchamiają cały zespół reakcji, aż do powstawania c h o r ó b z a u t o a g r e s j i, jak np. ostra choroba reumatyczna.

Uczulające działanie produktów bakteryjnych

Klasyczne już dziś wiadomości i poglądy na temat chorobotwórczego działania drobnoustrojów ulegają daleko idącym zmianom. Przeprowadzone w ostatnich 30 latach bogate badania, m.in. przez mikrobiologów, są podstawą do znacznego poszerzenie pojęcia chorobotwórczości i chorobotwórczego działania na znaczną liczbę znanych i nowo poznanych gatunków drobnoustrojów. Mechanizmy współzależności i oddziaływania drobnoustrojów na organizm człowieka są bardziej zróżnicowane, trudne do wykrycia, a także trudne do przewidzenia (jedne osoby chorują, inne nie). Wiadomo już, że wiele gatunków drobnoustrojów s z k o d z i organizmowi p o ś r e d n i o, m.in. przez skierowywanie obrony organizmu przeciwko własnym tkankom. Pozwoliło to na zrozumienie mechanizmu powstawania chorób o tzw. a u t o a l e r g i c z n y m albo a u t o i m m u n o l o g i c z n y m podłożu. Drugim pośrednim mechanizmem jest tzw. a l e r g i a z a k a ź n a i wiele chorób o ostrej lub przewlekłej formie pojawiania się. Jeszcze inny mechanizm pośredniego działania drobnoustrojów, przede wszystkim niektórych grup wirusów, polega na w p ł y w i e n a a p a r a t g e n e t y c z n y komórek człowieka, co nierzadko objawia się zanikiem czynności komórek (np. komórek nerwowych) lub „nieposłuszeństwem” wobec organizmu i rozwojem nowotworów.

IV. HODOWLA, IZOLACJA I CHARAKTERYSTYKA DROBNOUSTROJÓW

Hodowlą, izolacją i opisem drobnoustrojów zajmuje się mikrobiologia. Mikrobiologia lekarska zawęża to zagadnienie do praktycznego rozpoznawania (diagnostyki) choroby. Z materiałów pobranych od chorego (krew, ropa, plwocina, kał, mocz, skrawek tkanki i in.) w mikrobiologicznych laboratoriach przyszpitalnych (lub przy przychodniach) wykonuje się preparaty i ogląda w mikroskopach, co często pozwala na wykrycie i rozpoznanie drobnoustrojów. Materiały te wysiewa się na specjalne pożywki. Rosnące drobnoustroje (najczęściej dotyczy to bakterii) izoluje się i charakteryzuje, tj. ustala się gatunek, nasilenie jego patogenności, wrażliwość na działanie antybiotyków.

Na szczególne podkreślenie zasługuje ogromny postęp w technice hodowli drobnoustrojów i wykonywania badań serologicznych, oparty na automatyzacji i komputeryzacji tych procesów w laboratoriach. Dzięki precyzyjnym aparatom sterowanym przez programy komputerowe badania są wykonywane szybko i bardzo dokładnie. Nowoczesne badania laboratoryjne, mikrobiologiczne i serologiczne, znacznie ułatwiają lekarzom rozpoznawanie chorób i leczenie chorych.

V. INNE METODY WYKRYWANIA „DZIAŁALNOŚCI" DROBNOUSTROJÓW

Organizm walczy z drobnoustrojami (tymi, które sam uznaje za chorobotwórcze) za pośrednictwem f a g o c y t o z y (pożerania przez białe krwinki), przez wytwarzanie specjalnych b i a ł e k o b r o n n y c h, zwanych g a m m a-g l o b u l i n a m i, oraz za pomocą innych mechanizmów.

Wykrycie we krwi gamma-globuliny stanowi dowód na to, że organizm jest zakażony określonym drobnoustrojem (niezależnie od tego, czy w danej chwili drobnoustrój jest obecny w organizmie), a ilość tego białka w surowicy wskazuje na nasilenie walki i siłę odporności na daną chorobę. Istnieje kilkadziesiąt metod serologicznych (łac. *serum* = surowica krwi) i immunologicznych (łac. *immunis* = odporny, wolny) pozwalających na określenie ilości i jakości białek obronnych skierowanych przeciwko ściśle określonym gatunkom, a nawet odmianom drobnoustrojów. Metody te umożliwiają pośrednie rozpoznanie określonej choroby (np. kiły, duru brzusznego, duru plamistego, brucelozy, toksoplazmozy) i kontrolę postępów leczenia.

Znacznie trudniejsze jest i będzie nie tyle rozpoznawanie, co leczenie chorób na poziomie molekularnym, tj. na poziomie makrodrobin (autoimmunologia, alergie, nowotwory) – a także zapobieganie im. Praprzyczyną licznych z tych chorób są także drobnoustroje lub wytwarzane przez nie produkty działające na ciągi przemian materii w komórkach ssaków.

PATOLOGIA

I. CO TO JEST CHOROBA?

Wiadomości ogólne

Od najdawniejszych czasów starano się ustalić wyraźną granicę między zdrowiem a chorobą, czyli między zjawiskami fizjologicznymi, tj. prawidłowymi, a patologicznymi – zmienionymi, nieprawidłowymi. Do dziś sprawy tej nie rozstrzygnięto ostatecznie, podobnie jak nie wyjaśniono w pełni podstaw procesów życiowych. Oprócz rozważań teoretycznych, definicyjnych, zawsze starano się dać odpowiedź na pytanie: czy leczyć i jak leczyć?

Obecnie, zgodnie z definicją Światowej Organizacji Zdrowia (WHO), przez pojęcie zdrowia rozumie się stan pełnego dobrego samopoczucia fizycznego, psychicznego i socjalnego, a więc stan, w którym budowa i czynność wszystkich tkanek i narządów są nie tylko prawidłowe, ale zapewniają również wewnętrzną równowagę i zdolność przystosowania się do otaczających warunków, w tym również społecznych. Z punktu widzenia medycyny każdy stan wykraczający poza wyżej wymieniony jest chorobą.

W przeciągu wieków istotę choroby ujmowały liczne hipotezy wychodzące z przeciwstawnych założeń: racjonalistycznych albo empirycznych, mechanistycznych czy też teleologicznych, czynnościowych lub morfologicznych, starając się określić chorobę i sprowadzić ją do zaburzeń najbardziej podstawowych procesów życiowych.

Najstarszą teorię choroby, humoralną (łac. *humor* – płyn, sok), stworzył największy lekarz starożytności – Hipokrates z Kos (ok. 460 – 377 p.n.e.), uznający za podstawowe substancje organizmu cztery soki: krew, żółć, tzw. czarną żółć wytwarzaną (według Hipokratesa) w śledzionie i śluz. Prawidłowy stosunek tych płynów miał decydować o prawidłowych czynnościach organizmu, natomiast przewaga któregoś z nich miała wywoływać chorobę. Mimo iż współczesna medycyna jest daleka od przyjęcia koncepcji Hipokratesa, to o żywotności tej koncepcji świadczą niektóre założenia akceptowane przez wielkich lekarzy XIX i XX w. – Rokitansky'ego i Pawłowa oraz duże analogie z dzisiejszą nauką o konstytucji (temperamentach) człowieka: sangwinicznej (od łac. *sanguis* – krew), cholerycznej (od grec. *chole* – żółć), melancholicznej (od grec. *melas chole* – czarna żółć) i flegmatycznej (od grec. *phlegma* – śluz).

Konstytucja – będąca zespołem właściwości organizmu warunkujących sposób jego reagowania na czynniki środowiska zewnętrznego – decyduje o większej lub mniejszej skłonności do występowania pewnych chorób (konstytucjonalnych), a poza tym ma wpływ na rozwój każdej choroby (inne reakcje rożnych typów konstytucjonalnych na te same bodźce, różne zdolności przystosowawcze, inny przebieg procesów chorobowych).

Przeciwstawną teorię stworzył rzymski lekarz i filozof – Asklepiades (ok. 120–56 p.n.e.). Odrzucał on tłumaczenie choroby „niepomyślnym stanem soków"; przyjmował, że jest ona skutkiem zmian w atomach i przestrzeniach międzyatomowych, uznając za najważniejsze te zmiany, które zachodzą w częściach stałych organizmu. Teoria ta, zwana solidystyczną (łac. *solidus* – twardy, stały), była pierwszą teorią komórkową o zjawiskach chorobowych.

Twórca szkoły jatrochemii (gr. *iatros* – lekarz) – Paracelsus (1493–1541) za podstawę czynności organizmu uważał procesy chemiczne, stąd też wszelkie zmiany w proporcjach lub w położeniu substancji w tkankach miały prowadzić do zaburzeń chorobowych. Twierdził przy tym, że choroba jest opanowaniem przez obce potęgi duchowe osobliwego pierwiastka życiowego – ducha osobniczego, nazwanego przezeń archeuszem. Ujmował on więc zjawiska patologiczne jako procesy dynamiczne (podobnie jak współczesna medycyna), ale nie materialistycznie, a wręcz spirytualistycznie. Szkoła ta stanowiła niejako przedłużenie teorii humoralnej.

Inna szkoła, jatromechaników, której twórcą był włoski lekarz Santorio Santorio (1561–1636), opierała się na założeniach solidystycznych. Określała ona chorobę jako „stan nieprawidłowej masy (ciężaru) ciała, jego ciepłoty, częstości tętna i innych zjawisk dających się zmierzyć". Takie stanowisko, aczkolwiek bardzo nowoczesne, ale zależne od niedoskonałych metod pomiarowych, w niewielkim tylko stopniu mogło uściślić istotę choroby.

Zasadniczy przełom w spojrzeniu na istotę choroby nastąpił dopiero w XIX w. Pojawiły się wówczas dwie przeciwstawne doktryny: unowocześniona przez Karola von Rokitansky'ego (1804–1878) teoria humoralna i opracowana przez Rudolfa Virchowa (1821–1902) teoria komórkowa. Rokitansky zakładał, że wszystkie komórki organizmu powstają z blastemy – nieupostaciowanej materii we krwi, i tu trzeba szukać zmian patologicznych. Zdawał sobie przy tym sprawę, że istnieją choroby bez zmian organicznych, ale uważał, że zjawisko to mogą wyjaśnić przyszli badacze zajmujący się chorobami krwi i układu nerwowego. Było to nowatorskie i postępowe spojrzenie na zjawisko chorobowe, ujmujące je w sposób kompleksowy, z podkreśleniem roli regulujących układów organizmu: hormonalnego – działającego za pośrednictwem specjalnych substancji wydzielanych do krwi – hormonów – i regulującego wszystkie procesy fizjologiczne oraz ściśle z nimi związanego układu nerwowego. Podobne poglądy reprezentował wielki fizjolog francuski Claude Bernard (1813–1878), który uzależniał stan czynnościowy, a więc i patologiczny organizmu nie tylko od stanu morfologicznego komórek, ale i od współdziałania narządów między sobą.

Próbą racjonalnego ujęcia choroby była teoria Virchowa. Według tej teorii przyczyną choroby są zmiany w komórce, która jest podstawową jednostką budowy organizmu i stanowi właściwe podłoże wszelkich procesów fizjologicznych, a więc i chorobowych. Natężenie zmian w danym narządzie zależy zatem od liczby komórek objętych procesem patologicznym. Teoria komórkowa prowadziła do skonkretyzowania i zmaterializowania zjawisk chorobowych, jednakże uwzględniała tylko statyczne zmiany w odczynach ustroju, pomijała natomiast ogólnoustrojową regulację zachodzących procesów.

Krytyka dotychczasowych teorii choroby i odkrycia naukowe, zwłaszcza w dziedzinie biologii molekularnej, pozwoliły na głębsze i precyzyjniejsze ujęcie zjawisk patologicznych. Za chorobę uważa się obecnie stan dynamiczny organizmu, w którym dochodzi do nieprawidłowej reakcji układów lub narządów na bodźce środowiska zewnętrznego lub wewnętrznego. Stan taki może doprowadzić do zmian anatomicznych w określonych narządach lub do zakłóceń w mechanizmach regulacyjnych. Nie ogranicza się on tylko do zmian miejscowych, lecz powoduje zawsze zmiany czynności całego ustroju.

W środowisku zewnętrznym człowieka zachodzą ustawiczne zmiany, które oddziałują na organizm jako bodźce i na drodze odruchowej pobudzają oraz regulują czynności życiowe ustroju. Zmiany te nie mogą być zbyt duże, nie mogą przekraczać pewnych granic. Środowisko wewnętrzne organizmu utrzymywane jest w stanie dopuszczalnych odchyleń, czyli w stanie dynamicznej równowagi, dzięki odpowiednim mechanizmom adaptacyjnym (przystosowawczym), które wytwarzały się w drodze ewolucji i są dziedziczne. Organizm w warunkach prawidłowych, czyli takich, do których jest przystosowany, reaguje na każdą zmianę, na każdy bodziec we właściwy sposób. Dzięki temu utrzymana zostaje prawidłowa czynność poszczególnych narządów i układów oraz równowaga środowiska wewnętrznego. Na przykład spadek temperatury otoczenia powoduje wzmożoną utratę ciepła przez organizm, co może doprowadzić do oziębienia uniemożliwiającego życie. Jednakże dla człowieka i organizmów stałocieplnych zimno jest jednocześnie bodźcem powodującym pobudzenie ośrodka regulacji cieplnej (tj. termoregulacji). W następstwie zostaje z jednej strony zmniejszone oddawanie ciepła przez ustrój wskutek odruchowego skurczu krwionośnych naczyń skórnych, z drugiej zaś – zwiększone wytwarzanie ciepła przez wzrost przemiany materii. W rezultacie ciepłota ciała nie ulega obniżeniu.

Przystosowanie się organizmu do zmian środowiska ma zarówno charakter czynnościowy, polegający na regulacji czynności narządów i układów, jak i anatomiczny, przejawiający się w tworzeniu odpowiednich zmian morfologicznych w komórkach i tkankach. Na przykład wzmożony wysiłek fizyczny wywołuje odruchowo wzrost czynności serca w związku ze zwiększonym zapotrzebowaniem organizmu na tlen. Przy stopniowym, powolnym zwiększaniu wysiłku mięsień serca ulega przerostowi, tzn. włókna jego stają się grubsze, silniejsze, sprawniej się kurczą, zwiększa się pojemność wyrzutowa komór i tkanki całego organizmu zostają lepiej zaopatrzone w utlenowaną krew.

Przy zbyt wielkich lub zbyt nagłych i gwałtownych zmianach środowiska zewnętrznego istniejące w organizmie mechanizmy przystosowawcze nie są wystarczające do utrzymania równowagi środowiska wewnętrznego. Występują w nim wówczas zmiany, które prowadzą do zaburzenia czynności życiowych i często w ślad za tym do uszkodzenia morfologicznych struktur tkanek i narządów. Zespół tych procesów prowadzi do powstania choroby. Zmiany środowiska zewnętrznego wywołujące chorobę nazywane są bodźcami (czynnikami) patologicznymi (chrobotwórczymi). W odpowiednim nasileniu i w odpowiednich warunkach każdy bodziec fizjologiczny może stać się bodźcem patologicznym.

Nauka o zaburzeniach czynności organizmu oraz o zmianach morfologicznych powstających w przebiegu choroby nosi nazwę patologii. Ma ona na celu wyjaśnienie istoty chorób, zbadanie ich przyczyn oraz warunków, w jakich rozwijają się. Patologię dzieli się na: patofizjologię, czyli naukę o zaburzeniach czynności ustroju podczas choroby, oraz na anatomię patologiczną, zwaną też patomorfologią, która bada zmiany morfologiczne w tkankach i narządach w przebiegu choroby. Rozwój genetyki pozwolił stwierdzić, że zjawiska patologiczne zachodzą nie na poziomie komórki, ale na poziomie cząsteczek, powodując zmiany w procesach molekularnych. Rozwinęła się patologia molekularna głosząca, że zjawiska patologiczne rozpoczynają się od zaburzeń biosyntezy białka i mechanizmów jej regulacji, a więc na poziomie kwasów dezoksy- i rybonukleinowych, determinujących – jako chemiczne „nośniki" cech dziedzicznych – wszystkie reakcje i przemiany w organizmie. Patologia molekularna jest zatem patologią struktury i funkcji cząsteczek chemicznych w jądrze komórkowym, w protoplazmie i w substancji międzykomórkowej.

Aby możliwie w pełni poznać chorobę, a co za tym idzie właściwie ją leczyć, trzeba określić jej etiologię i patogenezę. Etiologia wyjaśnia przyczyny i warunki powstawania choroby, dzięki czemu pozwala określić zewnętrzne lub wewnętrzne czynniki wywołujące chorobę i związek między tymi czynnikami a swoistym oddziaływaniem organizmu. Patogeneza wyjaśnia natomiast mechanizmy powstawania i rozwoju choroby. Pozwala to na ustalenie miejsca przenikania lub pierwotnego umiejscowienia czynnika chorobotwórczego, śledzenie rozwoju procesu patologicznego oraz na określenie drogi jego szerzenia się.

Pomimo ogromnego postępu w naukach biologicznych, pomimo odniesienia współczesnych teorii choroby do materialnych podstaw procesów życiowych i nowoczesnego ujmowania etiologii i patogenezy chorób – w dalszym ciągu trudno jest wyznaczyć ścisłą granicę między tym, co jest *jeszcze fizjologią*, a tym co jest *już patologią*. Na przykład zjawisko *przekrwienia czynnego* występuje zarówno podczas pracy fizycznej, jak i w stanie zapalnym, wymioty są odruchem obronnym organizmu, ale mogą też być wynikiem zaburzeń czynności przewodu pokarmowego lub ośrodkowego układu nerwowego. Do takich typowych procesów „granicznych" należy *proces starzenia się* organizmu. Stałe zmniejszanie się ogólnej ilości białka we krwi z wiekiem uznano za zjawisko normalne, właściwe każdemu ustrojowi żywemu. Skutkiem jednak takiego stanu jest *zmniejszenie się ilości białek rozpuszczalnych* i *zwiększenie ilości białek podporowych*, a co za tym idzie – mniejsza zdolność wiązania wody w tkankach, a więc stan zdecydowanie niekorzystny. Istnieją poglądy, według których należy rozgraniczać *starzenie się fizjologiczne* i *patologiczne*. Starzenie patologiczne może być procesem przedwczesnego starzenia fizjologicznego bądź też może być stanem o bardziej nasilonych zaburzeniach chorobowych, najczęściej charakterystycznych dla wieku podeszłego. Brak jest natomiast sprecyzowanej teorii wyjaśniającej przyczyny tzw. *starzenia fizjologicznego*. Istnieje np. *hipoteza o zakłócaniu procesu reparacji kodu genetycznego*, czyli przywracania aktywności biologicznej kwasu dezoksyrybonukleinowego za pomocą mechanizmów enzymatycznych. Prowadzi to do zjawisk wtórnych, takich jak samozatrucie produktami przemiany materii (metabolitami), zmiany morfologiczne w komórkach, osłabienie czynności gruczołów dokrewnych i komórek obronnych organizmu (tzw. mezenchymy czynnej, mającej zdolność pochłaniania i trawienia różnych cząstek i substancji chemicznych, a także bakterii), niedobór tlenowy i inne. Dużą popularność zyskały też *teorie* mówiąc o *uszkadzającym wpływie promieniowania kosmicznego* oraz o *działaniu wolnych rodników*, czyli atomów lub grup atomów zdolnych do wchodzenia w reakcje chemiczne (zwłaszcza OH^-, H_3O^+ i HO_2^{3-}). Biorą one udział m.in. w powstawaniu nasyconych kwasów tłuszczowych (źle przyswajanych przez organizm i szkodliwych) z kwasów wielonienasyconych, niezbędnych w prawidłowej przemianie materii i uważanych nawet za witaminy, a będących przy tym składnikami wszelkich błon w obrębie komórki. Proces starzenia się – według tych teorii – byłby pierwotnie „chorobą" błon komórkowych i polegałby na podstawowym uszkodzeniu komórek poszczególnych narządów.

Klasyfikacja chorób

Istnieje kilka klasyfikacji chorób, w zależności od „punktów widzenia" różnych dyscyplin na to zagadnienie.

Każda klasyfikacja ma określone wady i zalety. Wyróżnia się m.in.:

1) podział oparty na podstawowej przyczynie wywołującej chorobę, noszący nazwę *podziału etiologicznego*, który dzieli choroby na zakaźne i niezakaźne;

2) podział t o p o g r a f i c z n o-a n a t o m i c z n y, który rozróżnia choroby poszczególnych narządów (np. serca, wątroby, nerek) lub układów (np. układu krążenia, układu wydzielania wewnętrznego); podziałowi temu „zarzuca się” powierzchowność, bowiem choroba nie ogranicza się do jednego narządu czy układu, ale powoduje zawsze skutki ogólnoustrojowe; ze względu na wartości praktyczne, podział ten jest jednak często używany;

3) podział oparty na w i e k u i p ł c i, który wyróżnia choroby wieku dziecięcego, podeszłego, kobiece itp.;

4) podział podnoszący rolę c z y n n i k a g e n e t y c z n e g o, który dzieli choroby na: dziedziczne, wrodzone i nabyte;

5) podział oparty na m e c h a n i z m a c h c z y n n o ś c i o w y c h, wyróżnia m.in. choroby alergiczne, zwyrodnieniowe, nerwicowe itp.

Przebieg i objawy chorób

Ze względu na przebieg i nasilenie objawów wyróżnia się choroby:

1) o s t r e, zaczynające się nagle, charakteryzujące się znacznym nasileniem objawów; trwają zwykle od kilku godzin do kilku dni;

2) p o d o s t r e, charakretyzujące się łagodniejszym przebiegiem i mniej nasilonymi objawami; stanowią one formę przejściową między chorobami ostrymi i przewlekłymi;

3) p r z e w l e k ł e, cechujące się na ogół niewielkim nasileniem objawów, jednakże stosunkowo często prowadzące do trwałych zmian narządowych; choroby te mogą trwać nawet kilka lat, a wyzdrowienie nie musi być jednoznaczne z odzyskaniem pełnej sprawności (inwalidztwo).

W **przebiegu choroby** jako zjawiska dynamicznego wyróżnia się kilka jej okresów o różnym nasileniu objawów:

1) O k r e s u t a j e n i a – w przypadku chorób zakaźnych zwany o k r e s e m w y l ę g a n i a (inkubacji) – jest to bezobjawowo przebiegający okres choroby od chwili zadziałania czynnika chorobotwórczego do pojawienia się pierwszych dostrzegalnych objawów (zwiastunów) choroby.

2) O k r e s z w i a s t u n ó w – tzw. o k r e s p r o d r o m a l n y – jest to okres, w którym pojawiają się pierwsze, niekiedy mało charakterystyczne objawy choroby, np. gorączka, trudne często do jednoznacznego sklasyfikowania. Przy dostatecznie wykształconych mechanizmach obronnych choroba może zakończyć się na tym okresie – następuje pełne wyzdrowienie.

3) O k r e s j a w n y rozpoczyna się od wystąpienia podstawowych, charakterystycznych dla danej choroby objawów klinicznych. Objawy te mogą mieć charakter podmiotowy (tj, subiektywny) lub przedmiotowy (obiektywny). O b j a w y p o d m i o t o w e są to dolegliwości odczuwane przez chorego, np. ból, duszność, uczucie osłabienia, nudności itp. O b j a w y p r z e d m i o t o w e są objawami stwierdzonymi przez lekarza na podstawie badań fizykalnych i laboratoryjnych, np. szmery w płucach, obrzęki, wysypka, krwinkomocz, białkomocz, leukocytoza itp.

Zejście choroby, czyli jej zakończenie, może być p o m y ś l n e (wyzdrowienie) lub niepomyślne, gdy choroba kończy się kalectwem lub śmiercią. Śmierć jest to ustanie procesów życiowych wszystkich tkanek i narządów. Wyróżnia się śmierć kliniczną i śmierć biologiczną.

Śmierć kliniczna jest to ustanie krążenia i (lub) oddychania, przy zachowanej jeszcze czynności ośrodkowego układu nerwowego (mózgu). Ta faza śmierci poprzedza śmierć biologiczną, trwa krótko (ok. 5 min) i jest odwracalna. Stosując odpowiednie zabiegi reanimacyjne (resuscytacyjne), można przywrócić czynność zarówno układu krążenia, jak i oddychania, czyli „życie".

Śmierć biologiczna występuje w momencie ustania czynności wszystkich komórek, tj. również ośrodkowego układu nerwowego i jest nieodwracalna. Charakteryzuje ją wystąpienie tzw. znamion śmierci, tj. zmian w oku, plam opadowych, stężenia pośmiertnego, bladości i oziębienia zwłok, rozkładu gnilnego. Znamiona śmierci pozwalają ustalić przybliżony czas śmierci, co ma duże znaczenie w medycynie sądowej.

II. CHOROBA A ŚRODOWISKO ZEWNĘTRZNE

Życie człowieka we współczesnym świecie, a więc i stan jego zdrowia, są ściśle związane ze środowiskiem zewnętrznym, które wywiera wpływ na organizm ludzki. Wpływ ten, zarówno dodatni, jak i ujemny, w dużym stopniu zależy od samego człowieka, który stale zmienia swe środowisko, a często robi to w sposób nieprzemyślany lub wręcz dewastacyjny. Ochrona tego środowiska stała się zatem jednym z głównych kierunków działalności nie tylko naukowców, ale także polityków i organizacji społecznych. Ważkość problemu wynika co najmniej z dwóch przyczyn. Po pierwsze, człowiek w wyniku ewolucji przystosował się do takich, a nie innych warunków środowiskowych, a zatem istotne w nich zmiany mogą wywoływać niezdolność do ponownej adaptacji i prowadzą do trudnych do przewidzenia niekorzystnych następstw w czynności organizmu człowieka. Po drugie, organizmy żywe – w tym także i człowiek – stale odbierają ze świata zewnętrznego informacje, które wpływają na reakcję, właściwości i stan psychofizyczny każdego ustroju, a więc również na tworzenie się i przebieg stanów patologicznych.

Czynniki zewnątrzpochodne, docierające do organizmu i mogące wywoływać stany patologiczne, dzieli się zwykle na cztery grupy: czynniki chemiczne, fizyczne, biologiczne i społeczne.

Każde uszkodzenie ciała wskutek miejscowego lub ogólnego działania jakiegoś czynnika zewnętrznego nazywane jest urazem. Rozróżnia się urazy mechaniczne (np. postrzały, konsekwencje uderzenia ostrymi czy tępymi narzędziami), cieplne, czyli termiczne (np. oparzenia, odmrożenia), chemiczne (zatrucia i uszkodzenia chemiczne), elektryczne (porażenie prądem elektrycznym), uszkodzenia spowodowane energią promienistą, w tym także promieniowaniem jonizującym, itp.

Czynniki chemiczne

Człowiek w swoim otoczeniu styka się nieustannie z ogromną liczbą związków chemicznych, które wywierają na niego różnorodny wpływ. Niektóre z nich po wtargnięciu do krwi wywołują ogólnoustrojowe zatrucia. Uszkadzające działanie substancji trujących wyraża się zmianami w tkankach, o charakterze fizykochemicznym, a w dalszej konsekwencji – anatomicznym. Większość tych substancji ma powinowactwo do określonych tkanek, np. alkohole, eter etylowy, chloroform, ołów – do układu nerwowego, tlenek węgla, rtęć – do krwi, czterochlorek węgla – do narządów miąższowych. Są również substancje, które uszkadzają każdą komórkę, niezależnie od rodzaju tkanki – nazywa się je jadami protoplazmatycznymi, np. cyjanowodór. Pewne substancje mogą kumulować się w organizmie i działać toksycznie po wielu latach, np. metale ciężkie. Inne charakteryzują się okresem utajenia, np. gazy wywołujące obrzęk płuc.

Trucizny, rodzaj i przyczyny zatruć, podstawowe zagadnienia z farmakologii zatruć i pierwsza pomoc, zob. Zatrucia s. 2073.

Czynniki fizyczne

Czynniki fizyczne ze względu na swoją powszechność stanowią bardzo ważna grupę chorobotwórczych czynników środowiska. Wśród czynników fizycznych wyróżniamy: czynniki mechaniczne, czynniki termiczne (cieplne), energię promienistą (promieniowanie jonizujące i niejonizujące (laser)), energię elektryczną, fale dźwiękowe, ciśnienie i zjawiska atmosferyczne.

Czynniki mechaniczne

Skutkiem działania czynników mechanicznych na organizm jest uraz. W zależności od charakteru czynnika, siły jego działania oraz oporności tkanek mogą powstać takie uszkodzenia, jak zgniecenie, złamanie, wstrząśnienie, przerwanie ciągłości tkanki, czyli rana i in. Mniejszym lub większym uszkodzeniom anatomicznym mogą towarzyszyć groźne w skutkach zaburzenia czynnościowe. Najcięższą ich postacią jest wstrząs pourazowy (zob. Wstrząs, s. 342), przebiegający ze spadkiem ciśnienia krwi, zmianami w czynności serca, zaburzeniami oddechowymi, obniżeniem ciepłoty (temperatury) ciała i zaburzeniami czynności układu nerwowego. Jest to ogólna reakcja organizmu na bodźce przekraczające granice jego zdolności przystosowawczych.

Patogenny wpływ przyspieszeń na organizm zaznacza się zwłaszcza wówczas, gdy działają one wzdłuż długiej osi ciała. Występują wtedy przeciążenia doprowadzające przede wszystkim do zmian w rozmieszczeniu krwi krążącej w naczyniach. Gdy przyspieszenie działa w kierunku „kończyny–głowa", krew może nagromadzić się w górnej połowie ciała, powodując pękanie naczyń mózgowych, przepełnionych krwią naczyń siatkówki oka i tzw. widzenie czerwone. Przy działaniu przyspieszenia w kierunku „głowa–kończyny" krew gromadzi się w dolnej połowie ciała, wywołując niedokrwienie mózgu, utratę przytomności i tzw. czarne zamroczenie. Niszczące działanie na organizm mają przyspieszenia ujemne (opóźnienia) spotykane w wypadkach komunikacyjnych i upadkach z wysokości. Powstają wówczas siły bezwładności zmieniające wzajemne położenie narządów. Gdy przyspieszenia przekroczą granicę wytrzymałości tkanek, dochodzi do uszkodzenia śledziony, wątroby, złamania kości itp. Człowiek może znieść krótkotrwałe przyspieszenia ujemne, gdy jest odpowiednio zabezpieczony: pasy bezpieczeństwa, zagłówki, poduszki powietrzne.

Czynniki termiczne

Czynniki termiczne, czyli cieplne, należą do czynników fizycznych stale działających na organizm człowieka. Nadmiernie wysoka lub nadmiernie niska temperatura otoczenia może wywierać działanie ogólne lub miejscowe. Ogólne następstwa działania ciepła na organizm określane są jako przegrzanie (hipertermia), natomiast efektami ogólnoustrojowymi działania zimna są: spadek odporności z zespołem zaburzeń zwanych przeziębieniem, zaostrzenie niektórych istniejących uprzednio procesów patologicznych, rozwój nowych chorób, takich jak zapalenie płuc.

Sztuczne obniżenie ciepłoty ciała, uzyskiwane poprzez ochładzanie ciała lub podawanie odpowiednich środków farmakologicznych, nazywane jest hipotermią. Zastosowanie tej metody pozwala na zwolnienie procesów przemiany materii w organizmie, a w konsekwencji na znaczne zwolnienie, a nawet krótkotrwałe zatrzymanie krążenia krwi, bez obawy ujemnych skutków niedotlenienia organizmu. Hipotermia jest stosowana w rożnych zabiegach chirurgicznych, zwłaszcza na sercu.

Miejscowe działanie podwyższonej temperatury powoduje oparzenia, a obniżonej temperatury – odmrożenia. W zależności od nasilenia objawów w oparzeniu i odmrożeniu występują zmiany, w których możemy wyróżnić następujące stopnie: I stopień – rumień i obrzęk, II stopień – pęcherze i III stopień – martwica; w oparzeniach może dojść do IV stopnia – zwęglenia tkanki.

W zależności od zmian, a w następstwie także różnych sposobów postępowania leczniczego, wydzielono w ciężkich oparzeniach trzy okresy kliniczne: 1) okres wstrząsu, kataboliczny – z gwałtownym rozpadem białek, 2) okres toksemii infekcyjnej – z zakażeniami dużych powierzchni ciała, hipoproteinemią, tj. obniżeniem stężenia białka całkowitego w surowicy krwi i uszkodzeniem narządów miąższowych oraz 3) okres reparacyjny.

Energia promienista

Promieniowanie słoneczne w odpowiedniej dawce działa pobudzająco na procesy życiowe, w dawce nadmiernej – uszkadzająco. Znajdujące się w promieniowaniu słonecznym promienie nadfioletowe mogą wywierać korzystny wpływ na organizm, ponieważ biorą udział m.in. w biosyntezie witaminy D_3 w skórze. Mają też działanie bakteriobójcze. Te same jednak promienie działając w nadmiernej dawce wywołują rumień skóry, zapalenie spojówek, a nawet zwyrodnienie siatkówki oka; długotrwałe działanie na skórę może wywoływać nawet zmiany nowotworowe. Promienie podczerwone promieniowania słonecznego wywołują również korzystny efekt cieplny, działając wszakże w nadmiarze powodują w krótkim czasie przekrwienie obronne skóry, a następnie jej zapalenie w postaci rumienia lub pęcherzy.

Promieniowanie jonizując (alfa, beta, gamma i X) jest bardzo groźne dla organizmu. Działanie jego zależy od typu promieniowania (jego przenikliwości), od stopnia pochłonięcia przez tkanki, a także od ilości wytworzonej energii, powodującej jonizację atomów i cząsteczek tkanki oraz specyficzne reakcje radiochemiczne. Znaczne ilości tlenu w tkankach sprzyjają powstawaniu nadtlenku wodoru (H_2O_2), silnie uszkadzającego komórki. Promieniowanie jonizujące jest szczególnie groźne dla materiału genetycznego komórki, gdyż wywołuje tzw. regularne „złamania" chromosomów, powodujące patologiczne zmiany w komórkach potomnych i w dalszych pokoleniach organizmów (jeśli nie doszło do śmierci komórki lub całego ustroju).

Promienie jonizujące działają uszkadzająco głównie na komórki w stadium podziału, a więc przede wszystkim na tkanki podlegające procesom intensywnej odnowy. W układzie krwiotwórczym najszybciej uszkadzane są macierzyste komórki krwinek czerwonych, potem krwinek białych, a na końcu płytek krwi. Z tego powodu podstawowym objawem tzw. choroby popromiennej jest znaczna niedokrwistość, spadek odporności, a w mniejszym stopniu – skaza krwotoczna. W układzie płciowym uszkodzeniu ulegają macierzyste komórki plemników (spermatogonie w jądrach) oraz komórki jajowe (oogonie w jajnikach), co prowadzi do niepłodności. W obrębie przewodu pokarmowego i skóry występują rozległe zmiany martwicze, a następnie liczne owrzodzenia.

Pod wpływem dużej dawki promieni jonizujących może dojść do śmierci organizmu, najczęściej w wyniku wstrząsu. Wskutek zaburzeń krzepnięcia krwi i uszkodzeń naczyń dochodzi do rozległych krwawień, szczególnie nasilonych i groźnych w obrębie przewodu pokarmowego; dołącza się do tego wysoka gorączka i posocznica bakteryjna jako najpoważniejsze powikłanie.

W przewlekłej chorobie popromiennej, trwającej nawet do kilku lat, występują ogólne zaburzenia ustroju o charakterze zmian starczych oraz pojawiają się nowotwory złośliwe wskutek mutagennego działania promieniowania. Postępujący zanik narządów krwiotwórczych, zaburzenia przewodu pokarmowego, znaczne obniżenie odporności w konsekwencji prowadzą do śmierci.

Promieniowanie jonizujące jest czynnikiem „niewidocznym" dla człowieka, dlatego konieczna jest ciągła kontrola skażeń radiologicznych oraz ochrona przed ewentualnymi skutkami promieniowania.

Energia elektryczna

Szkodliwe działanie energii elektrycznej zależy od natężenia i czasu działania prądu, warunków przewodnictwa, stanu ogólnej odporności organizmu itp. Prąd elektryczny o dużym natężeniu może prowadzić do miejscowych oparzeń, a nawet zwęglenia poszczególnych tkanek. Efekt biologiczny wpływu prądu polega m.in. na skurczach mięśni prążkowanych, mięśni gładkich naczyń, zaburzeniach oddychania, uszkodzeniach narządów miąższowych, martwicy itp.

Fale dźwiękowe

Dźwięk jest czynnikiem patogennym tylko wówczas, gdy jego natężenie jest duże lub działanie długotrwałe. Zaburzenia czynności organizmu objawiają się wówczas tzw. nerwicą ogólną (bóle głowy, nadmierna nerwowość, omamy słuchowe) lub częściową głuchotą, spowodowaną uszkodzeniem ucha (błony bębenkowej, kosteczek słuchowych i narządu Cortiego). Szczególną formą fal dźwiękowych są ultradźwięki niesłyszalne przez człowieka, fale o bardzo dużej częstości drgań, przekraczającej 16 000 Hz. Wykazują one działanie mechaniczne, powodując powstawanie wielkich różnic ciśnień na małych przestrzeniach, oraz działanie termiczne, podwyższając ciepłotę tkanek. Skoncentrowana wiązka ultradźwięków może doprowadzić do całkowitego zniszczenia danej tkanki, co prowadzi do rozpadu białek, a w konsekwencji do objawów ostrego zapalenia błon śluzowych, nosa, gardła i spojówek oczu z wysoką temperaturą ciała, co określa się jako chorobę ultradźwiękową. Fale dźwiękowe o częstotliwości poniżej 16 Hz, infradźwięki, których źródłem są wiatry, wyładowania atmosferyczne, ruchy tektoniczne oraz urządzenia przemysłowe (wentylatory, sprężarki, silniki wysokoprężne), mogą wpływać na organizm przez narząd słuchu, a także przez skórę. Powodują objawy podobne jak ultradźwięki: zmęczenie, bóle głowy, skłonność do omdleń, zaburzenia snu, osłabienie słuchu.

Drgania, przenoszone na organizm przy kontakcie z układem drgającym, nazywamy wibracjami. Niebezpieczne są drgania rezonansowe, gdy częstotliwość wibracji pokrywa się z częstotliwością własną narządów. Wskutek wibracji powstaje choroba wibracyjna, polegająca na urazach mechanicznych różnych narządów, głównie kości i stawów. Zob. też Higiena, Hałas, s. 389.

Ciśnienie i zjawiska atmosferyczne

Wpływ zjawisk atmosferycznych na ustrój wiąże się przede wszystkim z działaniem temperatury (ciepła i zimna), wilgotności, ruchu powietrza (wiatry), promieniowania, ciśnienia atmosferycznego, światła, składu powietrza i in. Obok leczniczego wpływu na organizm ludzki klimat może również wywoływać rożne choroby, niekiedy związane z określoną porą roku.

Ciśnienie atmosferyczne ma duże znaczenie jako czynnik chorobotwórczy. Nieznaczne jego wahania nie wywierają wpływu na zdrowy organizm, natomiast niebezpieczne jest nagłe obniżenie ciśnienia (hipobaria) lub jego wzrost (hiperbaria). Objawy chorobowe występujące w hipobarii związane są z niedoborem tlenu (niedotlenienie ustroju) i ze zmniejszeniem ciśnienia (rozprężenie gazów w jamach ciała, pękanie naczyń itp.). Jest to tzw. choroba wysokościowa lub górska. Główne niebezpieczeństwo w hiperbarii polega na wzroście rozpuszczalności gazów we krwi i w konsekwencji – możliwości ich wydzielania się do krwi w postaci pęcherzyków (zatory gazowe) podczas raptownego powrotu do ciśnienia normalnego. Stan taki występuje w chorobie kesonowej.

Zanieczyszczenia atmosfery. W ostatnich latach szczególnie niebezpieczne są zanieczyszczenia powietrza atmosferycznego środkami chemicznymi i radioaktywnymi. W pierwszym przypadku dochodzi do nagromadzenia w powietrzu znacznych ilości tlenków azotu, siarki, węgla, bezwodnika kwasu siarkowego, różnego rodzaju dymów i spalin, co prowadzi do powstania tzw. smogu. Dochodzi wówczas do silnego podrażnienia dróg oddechowych, kaszlu, duszności, zaburzeń układu krążenia. W słoneczne dni, pod wpływem działania promieni nadfioletowych na tlenki azotu i węglowodory nienasycone (pochodzące ze spalania paliw organicznych), w atmosferze gromadzą się duże ilości ozonu. Tworzy się tzw. smog fotochemiczny, silnie toksyczny.

Czynniki społeczne

Dla zachowania zdrowia człowieka lub powstawania chorób istotne znaczenie mają odpowiednie warunki społeczne. Nadmierna praca, zarówno fizyczna, jak i umysłowa, nadmierne tempo życia i niekorzystne zjawiska społeczne obniżają odporność organizmu na czynniki chorobotwórcze, a także utrudniają adaptację do nowych warunków. Różnego rodzaju klęski żywiołowe, jak powodzie, trzęsienia ziemi czy wojny, powodują obniżenie poziomu higieny, a tym samym szerzenie się chorób zakaźnych. Życie w ciągłym napięciu nerwowym doprowadza do rozwoju stanów nerwicowych, zaburzeń psychicznych, zaburzeń neurowegetatywnych (nerwice wegetatywne ze wszystkimi konsekwencjami).

Choroby społeczne, najczęściej przewlekłe choroby serca i naczyń, choroby nowotworowe, cukrzyca, choroby psychiczne, gruźlica, choroby reumatyczne, rozwijają się w powiązaniu z warunkami społecznymi ludności. Obniżają one wartość biologiczną społeczeństwa i obciążają jego ekonomikę (absencja chorobowa, inwalidztwo, rehabilitacja, umieralność). Do chorób społecznych zalicza się również uzależnienia (alkoholizm, heroinizm itp.). Stają się one bardzo ważnym czynnikiem patologicznym ze względu na szybkie rozprzestrzenianie się i udowodnione przyczynianie powstawania wielu chorób. Dożylne nadużywanie opitów (heroina, morfina itp.) jest główną przyczyną AIDS. Palenie papierosów jest przyczyną chorób nowotworowych. Równie groźne jest palenie bierne, tzn. wdychanie dymu papierosowego.

Czynniki biologiczne

Wśród biologicznych czynników chorobotwórczych szczególne znaczenie mają drobnoustroje (zwłaszcza wirusy i bakterie) ze względu na ich ogromne rozpowszechnienie w przyrodzie, a także pasożyty zwierzęce i roślinne.

Drobnoustroje. Wtargnięcie określonych drobnoustrojów chorobotwórczych do organizmu może wywołać chorobę zakaźną. W pewnych warunkach zakażenie może występować w formie bezobjawowej, co łączy się z problemem nosicielstwa, ważnym z punktu widzenia epidemiologii i leczenia.

Drobnoustroje wywołują proces chorobowy tylko wówczas, gdy mają odpowiednią zjadliwość, czyli zdolność przenikania do organizmu tzw. wrotami zakażenia, rozmnażania się w nim i łatwego rozprzestrzeniania. Chorobotwórcze działanie bakterii spowodowane jest przez ich egzotoksyny, czyli produkty przemiany materii wydzielone na zewnątrz, lub endotoksyny, tj. substancje komórkowe uwalniane po rozpadzie bakterii. Mechanizm chorobotwórczego działania wirusów jest inny i polega na wprowadzeniu genetycznego materiału wirusa, czyli kwasu dezoksyrybonukleinowego (DNA) albo rybonukleinowego (RNA), do komórki zakażonej i na znacznej zmianie przemiany materii komórki – tworzą się wówczas toksyczne dla komórek białka „wirusopochodne".

Pasożyty zwierzęce człowieka dzieli się na trzy grupy: pierwotniaki (np. rzęsistek pochwowy, zarodziec malarii, pełzak czerwonki), robaki (płazińce i obleńce) i stawonogi (świerzbowiec, kleszcze, wszy, pluskwy, komary i in.). Ciężkie schorzenia wywołują takie robaki, jak glista ludzka (uszkadza śluzówkę jelit i wątrobę), owsiki, tasiemce (wywołują hipowitaminozy, uszkodzenia narządów miąższowych, niedokrwistość) i przywry.

Pasożyty roślinne człowieka. Do najgroźniejszych należą: grzyby, wywołujące grzybice skóry i niekiedy narządów wewnętrznych, oraz drożdże, wywołujące trudno leczące się drożdżyce. Chorobotwórczymi czynnikami roślinnymi są także substancje toksyczne – jady, głównie alkaloidy. Niektóre z nich już w niewielkich dawkach powodują ciężkie zatrucia, a nawet śmierć. Szczególnie groźna jest występująca w muchomorze sromotnikowym falloidyna; ponadto do toksyn roślinnych należą np. solanina w zielonych pomidorach oraz w zazielenionych i kiełkujących ziemniakach, ergotamina i ergotoksyna w sporyszu pasożytującym w kłosach zboża, *muskaryna* w niektórych grzybach i *atropina* w pokrzyku, wilczej jagodzie, bieluniu dzięndzierzawie itp. Wiele z tych toksyn w odpowiedniej dawce i formie ma zastosowania w lecznictwie.

III. GENETYCZNE PODŁOŻE CHORÓB

Dziedziczność

Dziedziczność jest to zdolność przekazywania cech, zarówno anatomicznych, jak i fizjologicznych, przez organizmy macierzyste potomstwu. Dzięki tej zdolności organizmy potomne są tak ukształtowane, że do swego życia i rozwoju wymagają podobnych warunków, jak ich przodkowie. Dziedziczenie cech odbywa się zgodnie z *prawami dziedziczenia*, wchodzącymi w zakres nauki o dziedziczności, czyli *genetyki*. Twórcą genetyki był J.G. Mendel, rozwinęli ją m.in. A. Weismann i T.H. Morgan.

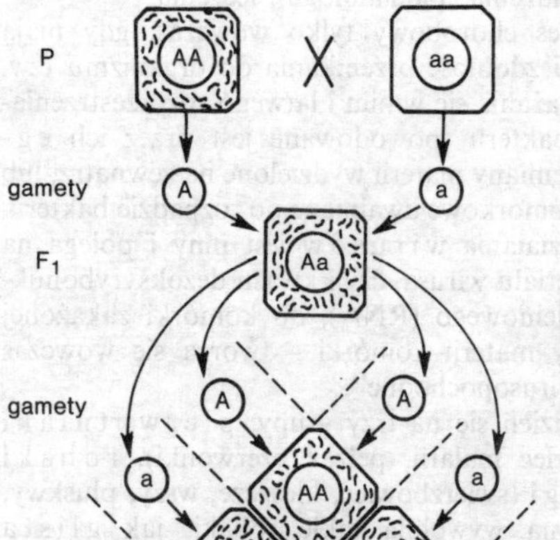

W *patologii* dziedziczność odgrywa dużą rolę, ponieważ dany organizm może przekazywać swojemu potomstwu skłonność do pewnych chorób lub też odporność na nie. Choroby, a właściwie stany patologiczne przenoszone przez geny z pokolenia na pokolenia, nazywane są *chorobami dziedzicznymi*.

Zrozumienie *patofizjologii dziedziczenia* wymaga krótkiego przedstawienia przyjętej i najczęściej stosowanej *terminologii*.

Podstawowym materialnym elementem dziedziczenia jest *gen*, czyli odcinek kwasu dezoksyrybonukleinowego (DNA) długości ok. 10 nm. Kwas ten występuje w jądrze komórki i jest *nośnikiem informacji genetycznej* zapisanej w postaci sekwencji czterech nukleotydów, czyli fosforanów tymidyny, cytydyny, guanozyny i adenozyny (zob. Fizjologia komórki, s. 86). O wystąpieniu danej cechy decyduje para genów – jeden pochodzący z komórki jajowej, drugi z plemnika; geny takiej pary nazywane są *allelami*. Jeśli allele danej pary są jednakowe, to osobnik jest *homo-*

Prawidłowości dziedziczenia cech wg praw Mendla (wg Gajewskiego)

zygotą, jeśli są różne – heterozygotą. Cechy ujawniające się w pierwszym pokoleniu noszą nazwę cech dominujących, te zaś, które ujawniają się w następnych pokoleniach – cech recesywnych.

Zespół cech organizmu, które ujawniają się w danych warunkach, nazywany jest fenotypem. Fenotyp jest zdeterminowany genotypem, czyli zespołem wszystkich genów organizmu, oraz warunkami środowiskowymi i podłoża. Za czynniki środowiskowe uważa się wszystkie najszerzej pojęte czynniki zewnętrzne nie związane z materiałem genetycznym, a za podłoże – plazmę jądra komórkowego, w której odbywają się procesy dziedziczenia. Zespół cech występujących pod wpływem czynników środowiskowych, które powodują zmiany analogiczne do zaburzeń uwarunkowanych genetycznie, nazywany jest fenokopią, np. zaćma po działaniu promieni podczerwonych na narząd wzroku, kretynizm z braku jodu w pożywieniu.

Prawidłowości zjawisk dziedziczenia, opisane przez Mendla, znane są jako prawa Mendla. Pierwsze prawo – czystości gamet – mówi, że w pierwszym pokoleniu (F_1) całe potomstwo rodziców (P) rasy czystej jest jednakowe (zob. rys.); uwidacznia się wówczas cecha dominująca (A), a w razie równorzędności cech powstaje nowa cecha pośrednia. Cecha recesywna (ustępująca) nie ujawnia się, ale również nie ginie, dzięki czemu może uwidocznić się w pokoleniach następnych. Mowi o tym drugie prawo – swobodnego rozchodzenia się cech, które jest właściwie tylko uzupełnieniem poprzedniego: w drugim pokoleniu (F_2), dzięki zjawisku rozszczepienia się cech, pojawiają się cechy rodzicielskie oddzielnie w ściśle określonych stosunkach liczbowych. Trzecie prawo – niezależnego dziedziczenia się cech – stwierdza, że każda z rozpatrywanych cech dziedziczy się niezależnie od pozostałych.

Mutacje

Zmiany w strukturze materiału genetycznego, pojawiające się nagle, nazywane są mutacjami. Jeśli występują one w komórce płciowej, są trwale dziedziczone. Mutacje są przeważnie szkodliwe dla organizmu, a nawet mogą prowadzić do zgonu – mutacje letalne. Geny letalne sprzężone z płcią, odpowiedzialne za ostatni z wymienionych typów mutacji, mogą być przekazywane jako geny recesywne z pokolenia na pokolenie jedynie przez osobniki żeńskie. Geny letalne dominujące prowadzą do zgonu przed uzyskaniem dojrzałości płciowej, nie są więc dziedziczone. W przyrodzie znane są mutacje wsteczne, gdy zmutowany gen może wrócić do stanu normalnego. Cechą mutacji jest zatem również ich odwracalność.

Istnieją dwa podstawowe typy mutacji: genowe i chromosomowe. W mutacjach genowych zmiany dotyczą budowy chemicznej materiału genetycznego (zamiany, dodania lub wypadnięcia jednej pary lub kilku zasad w DNA – rys. na s. 298 – albo jednej lub kilku zasad w RNA) i powodują syntezę odmiennych białek (enzymów) lub ich brak. Mutacje chromosomowe są następstwem zmiany ogólnej liczby lub budowy chromosomów (mutacje strukturalne). Czynnikami powodującymi mutacje są: substancje chemiczne, promieniowanie jonizujące (np. promienie rentgenowskie) oraz wirusy. Mimo dużej trwałości struktur molekularnych materiału genetycznego, efekty energetyczne szkodliwych czynników działających na organizm mogą być tak duże, że powodują pękanie wiązań między atomami i zmiany w budowie genów. Mutacje samoistne zdarzają się bardzo rzadko.

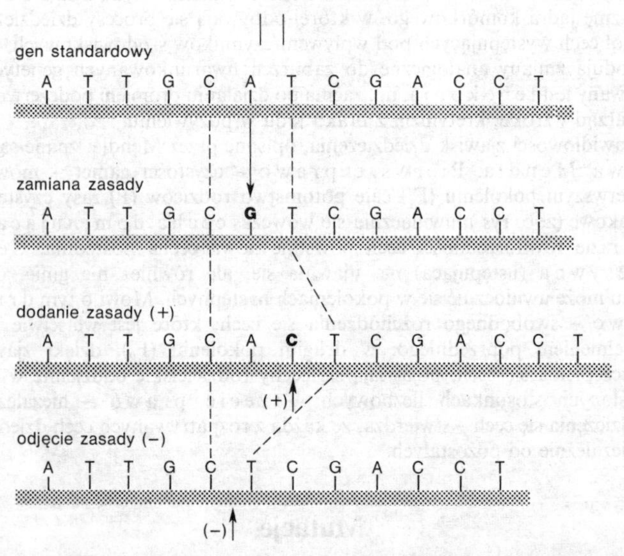

Mutacje genowe są wynikiem powstania defektów w materiale genetycznym komórki, tj. w kwasie dezoksyrybonukleinowym (DNA). Defekty te są wynikiem zmian w sekwencji zasad w tym kwasie (A – adenina, T – tymina, G – guanina, C – cytozyna)

Fenotyp mutanta, czyli zespół jego cech, może być wynikiem zmiany położenie genu lub części chromosomu (wraz z zawartymi w nim genami) oraz zmiany liczby chromosomów, a więc zmiany struktury genomu. Zmiany położenia genu lub części chromosomu mogą być spowodowane deficjencją, delecją, duplikacją, inwersją, substytucją i translokacją. Deficjencja jest to utrata odcinka chromosomu; ta sama zmiana w odniesieniu do pojedynczego genu lub jego części nazywana jest delecją. Duplikacja jest to podwojenie określonego fragmentu chromosomu; zmiana taka w pojedynczym genie nosi nazwę wstawienia. Inwersja polega na przerwaniu chromosomu w dwóch miejscach i ułożeniu fragmentu zawartego między nimi w odwrotnej kolejności. Substytucję definiuje się jako wymianę części chromosomu na inną, a translokację, jako przyłączenie fragmentu chromosomu do innego chromosomu, niehomologicznego.

Osobniki lub komórki zawierające odbiegającą od normy liczbę chromosomów nazywane są aneuploidami. Osobniki zawierające o jeden chromosom mniej w podwójnym, diploidalnym zespole nazywane są monosomikami, a zjawisko – monosomią ($2n-1$); zawierające jeden chromosom dodatkowy – trisomikami, a zjawisko trisomią ($2n+1$); zawierające dwa chromosomy dodatkowe – tetrasomikami, a zjawisko tetrasomią ($2n+2$). Aneuploidalność powstaje zwykle wskutek zaburzeń w koniugacji i segregacji chromosomów w trakcie mejotycznego podziału komórki.

Mutacje genowe

Geny wyznaczają daną cechę i tym samym determinują powstanie białka czynnego enzymatycznie. Mutacje genowe powodują tzw. bloki metaboliczne, które są wynikiem nieprawidłowej czynności danego genu lub wręcz braku tego genu. Następstwem tego jest zahamowanie albo wypaczenie określonej przemiany biochemicznej w organizmie, objawiające się najczęściej w postaci tzw. bloków enzymatycznych. Jeśli przyjmie się, że określony enzym katalizuje, tj, przyspiesza (lub w jakikolwiek inny sposób umożliwia) przebieg określonej reakcji chemicznej według wzoru:

$$\text{substrat} \xrightarrow{\text{enzym}} \text{produkt}$$

(substrat jest to substancja wyjściowa wstępująca w reakcję chemiczną), wówczas można wyodrębnić cztery ogólne typy bloków metabolicznych:

1) nie wytworzony produkt nie jest niezbędny dla prawidłowego funkcjonowania komórki lub organizmu, a nagromadzający się substrat jest nietoksyczny; blok ten jest nieszkodliwy dla organizmu;

2) nagromadzający się substrat jest nietoksyczny, natomiast niezbędny produkt może być syntetyzowany inną drogą lub może pochodzić z innego źródła; blok ten jest także nieszkodliwy dla organizmu;

3) produkt nie jest niezbędny, jest jednak metabolitem usuwanym z organizmu, substrat zaś jest substancją toksyczną; blok ten wywołuje znaczne zaburzenia w organizmie, których można uniknąć, wyłączając substrat z pożywienia;

4) produkt jest substancją niezbędną dla prawidłowej czynności organizmu; blok ten również wywołuje w organizmie zaburzenia, które jednak mogą być niwelowane przez podawanie produktu w pożywieniu.

Znany jest cały szereg uwarunkowanych genetycznie zaburzeń w przemianach aminokwasów fenyloalaniny i tyrozyny. Brak odpowiedniego enzymu (oksydazy) powoduje niemożność przejścia L-fenyloalaniny w tyrozynę i prowadzi do ciężkiej choroby, zwanej fenyloketonurią. Do podobnych schorzeń należy też tyrozynoza, w której w związku z brakiem odpowiedniego enzymu występuje zahamowanie przejścia p-hydroksyfenylopirogronianu w kwas homogentyzynowy, oraz alkapt o n u r i a, związana z zahamowaniem przejścia kwasu homogentyzynowego w maleilooctowy. Schorzenia te nie pozwalają na prawidłową przemianę fenyloalaniny, tyrozyny i ich pochodnych do kwasów fumarowego i acetooctowego, spalanych następnie do dwutlenku węgla i wody. Brak odpowiednich enzymów (np. tyrozynazy) uniemożliwia także przejście tyrozyny w związki melaninowe lub w h o r m o n y t a r c z y c y.

Klasycznym przykładem bloków metabolicznych są też genetycznie uwarunkowane z a b u r z e n i a s y n t e z y h o r m o n ó w k o r y n a d n e r c z y.

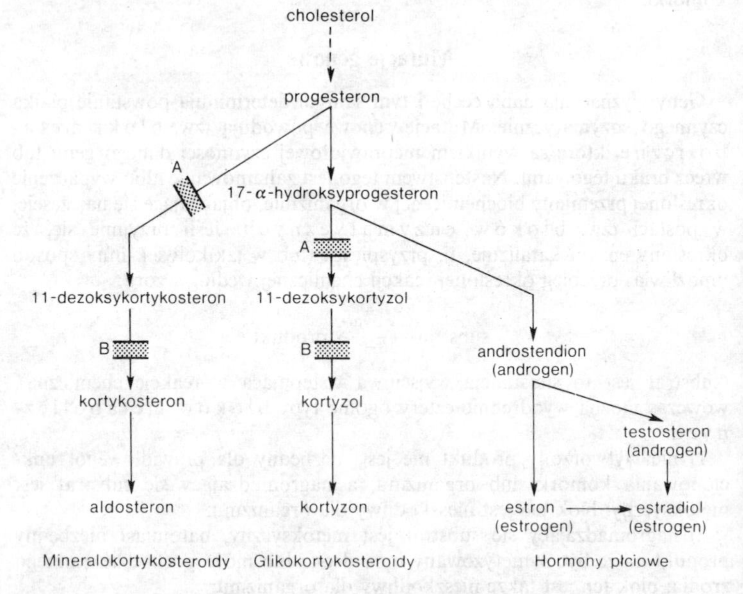

Zaburzenia steroidowych hormonów kory nadnerczy; A – niedobór 21-hydroksylazy – I blok nadnerczowy; B – niedobór 11-hydroksylazy – II blok nadnerczowy

Prekursorem wszystkich grup hormonów kory nadnerczy jest cholesterol. W normalnym łańcuchu metabolicznym przemiany steroidów biegną dwoma torami: w jednym powstają 17-k e t o s t e r o i d y, w drugim – k o r t y k o s t e r o i d y, czyli mineralokortykosteroidy i glikokortykosteroidy. Blok enzymatyczny drugiego toru (niedobór enzymu dehydrogenazy) prowadzi do braku wszystkich kortykosteroidów; wytwarzane są tylko 17-ketosteroidy.

Prawidłowy przebieg reakcji biochemicznej drugiego toru prowadzi do powstania p r o g e s t e r o n u – prekursora mineralokortykosteroidów i glikokortykosteroidów. Od progesteronu jednym torem biegną przemiany mineralokortykosteroidów, drugim zaś – glikokortykosteroidów (kortyzol). W obu rodzajach przemian biorą m.in. udział te same enzymy. Enzym 21-h y d r o k s y l a z a warunkuje przejście progesteronu w 11-dezoksykortykosteron (mineralokortykosteroid, nefrotoksyna, czyli substancja uszkadzająca nerki) oraz 17-α-hydroksyprogesteronu (dodatkowa przemiana do 17-ketosteroidów) w 11-dezoksykortyzol (glikokortykosteroid). Brak tego enzymu wywołuje tzw. I blok nadnerczowy, czyli zespół nadnerczowo-płciowy z nadmierną utratą sodu i wirylizacją (wystąpienie męskich cech u kobiet). Drugi wspólny enzym dla obu przemian to 11-hydroksylaza, warunkująca przejście 11-dezoksykortykosteronu w prekursor aldosteronu – kortykosteron oraz 11-dezoksykortyzolu w kortyzol (hydrokortyzon). Wynikiem braku tego enzymu jest tzw. II blok nadnerczowy, czyli zespół nadnerczowo-płciowy z nadciśnieniem i wirylizacją. Utrata soli w I bloku, czyli nadmierne wydalanie z moczem jonu sodowego, wynika z braku podstawowego hormonu, warunkującego zatrzymywanie sodu w ustroju, tj. aldosteronu. Nadciśnienie w II bloku wywołane jest zatrzymaniem przemian „piętro niżej" – tworzy się w nadmiarze m.in. 11-dezoksykortykosteron, który będąc mineralokortykosteroidem (podobnie jak aldosteron) zatrzymuje sód w organizmie (zabezpieczenie przed utratą wody), ale jako nefrotoksyna wywołuje wzrost ciśnienia (nadciśnienie objawowe). Ze względu na nadmierną syntezę hormonów płciowych męskich, w obu przypadkach występują też męskie cechy u kobiet (wirylizacja).

Wynikiem mutacji genowych są też choroby krwi spowodowane patologiczną budową hemoglobiny – tzw. hemoglobinopatie i methemoglobinopatie. Przykładem hemoglobinopatii są: niedokrwistość sierpowata i talasemia. W niedokrwistości sierpowatej występuje tzw. hemoglobina S. W chorobie tej krwinki czerwone przybierają postać sierpowatą zamiast normalnej formy dysku. Jest to przyczyną ciężkiej niedokrwistości hemolitycznej, powodującej przedwczesną śmierć. W talasemii – niedokrwistości rejonu Morza Śródziemnego – budowa hemoglobiny jest tak zmieniona, że powoduje niedokrwistość hemolityczną z niedorozwojem fizycznym i umysłowym. W methemoglobinopatiach (hemoglobina M) istotą zaburzeń jest zwiększone utlenianie żelaza dwuwartościowego (Fe^{2+}) hemoglobiny do trójwartościowego (Fe^{3+}), co powoduje zaburzenia w przenoszeniu tlenu w organizmie.

Mutacje chromosomowe

Prawidłowe współdziałanie genów zależy od obecności podwójnej liczby alleli w każdej komórce ciała (somatycznej). Niekiedy wskutek nieprawidłowego podziału lub nieprawidłowego rozmieszczenia chromosomów zamiast jednej pary genów alleli mogą wystąpić trzy lub jeden gen. Istnieją dwie przyczyny takiej anomalii. W jednym przypadku w czasie podziału komórki nie dochodzi do rozejścia się dwóch siostrzanych chromosomów do przeciwległych biegunów komórki; u człowieka powstaną komórki – jedna z 47, a druga z 45 chromosomami (normalna komórka ma 46 chromosomów). Drugą przyczyną jest wolniejsze przemieszczanie się jednego z chromosomów do bieguna komórki niż pozostałych. W momencie podziału komórki znajduje się on w jej środku

– w miejscu podziału i **zostaje wydalony** z komórki; u człowieka powstaną wówczas komórki: jedna z 46, a druga z 45 chromosomami. Stany takie są przekazywane na następne pokolenie – są więc dziedziczne.

Następstwem jednej z tych **anomalii** jest **zespół Downa** (rys.), czyli **mongolizm**, zwany też **trisomią** 21, ponieważ charakteryzuje się

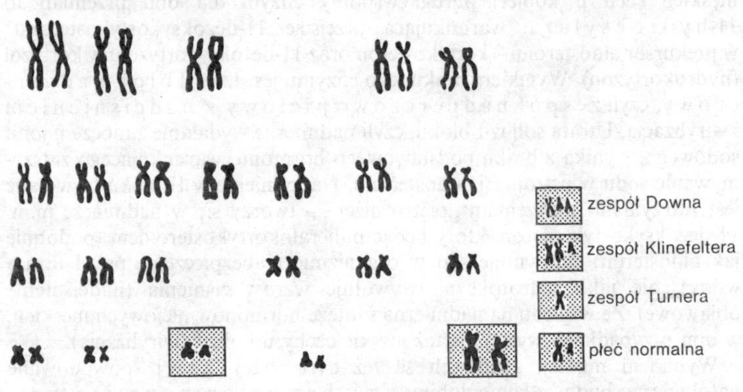

Genetyczne powstawanie zespołów metabolicznych: Downa, Klinefeltera, Turnera

dodatkowym chromosomem w 21 parze alleli. Nazwa choroby pochodzi od charakterystycznej zmiany w budowie fałd powiekowych. Inne wady w tej chorobie dotyczą twarzoczaszki, języka, dłoni. Występuje również niedorozwój fizyczny i umysłowy oraz ciężkie wady serca. Częstość występowania zespołu Downa zwiększa się wraz z wiekiem matki, nie zależy natomiast od wieku ojca ani od liczby przebytych ciąż. Podobnie bardzo ciężki przebieg maja inne zespoły: **zespół Edwarda** (trisomia 15), dający liczne wady rozwojowe twarzoczaszki i wady serca, oraz **zespół Patau'a** (trisomia 17) z głuchotą, niedorozwojem umysłowym i wadami krążenia.

Zjawisko **nieprawidłowego rozchodzenia się chromosomów** w trakcie podziału komórki, opisane wyżej, może zdarzyć się również w procesie gametogenezy, czyli tworzenia się gamet – komórek rozrodczych żeńskich, tj. jajowych w jajnikach (oogeneza) oraz komórek rozrodczych męskich, tj. plemników w kanalikach nasiennych (spermatogeneza). (Zob. Genetyczne podłoże płci, s. 249). W procesie powstawania komórek rozrodczych u człowieka występuje podział redukcyjny – **mejoza** (rys. na s. 89) – prowadzący do powstania komórek mających o połowę mniej chromosomów niż komórki ciała. Mejoza składa się z dwóch kolejnych podziałów jądra komórki macierzystej. **W organizmie męskim** w wyniku pierwszego podziału mejotycznego ze spermatocytu I rzędu powstają dwie równorzędne komórki o pojedynczej liczbie chromosomów – jedna zawierająca chromosomy X, druga chromosomy Y. Są to spermatocyty II rzędu, które drogą normalnego już podziału dzielą się na spermatydy, przekształcające się w plemniki. *W organizmie kobiecym* natomiast z oocytu I rzędu powstają także dwie komórki, ale jedna z nich zatrzymuje całą cytoplazmę komórki macierzystej (oocyt II rzędu), druga zaś jest bardzo mała. Przy kolejnym podziale sprawa się powtarza. Powstała komórka jajowa ma jeden chromosom X; drugi chromosom pozostaje w tzw. ciałku biegunowym, które wraz z nim ulega zanikowi (zob. Gametogeneza, rys. na s. 251).

Jeśli w trakcie podziału mejotycznego, w procesie tworzenia się plemników i komórek jajowych, nastąpi nieprawidłowe rozejście się chromosomów, powstaną anomalie rozwojowe. Gdy chromosomy nie rozejdą się przy *podziale spermatocytów*, powstaną plemniki zawierające podwójną liczbę chromosomów, tj. XY, i nie zawierające w ogóle chromosomów, tj. 0. Przy zapłodnieniu prawidłowa komórka jajowa X połączy się z plemnikiem XY lub 0. W następstwie powstanie *zespół Klinefeltera* XXY (rodzaj obojnactwa, z obniżoną czynnością rozrodczą i wewnątrzwydzielniczą jąder, osobnicy eunuchoidalni z powiększonymi sutkami, niedorozwiniętymi jądrami i prąciem) lub *zespół Turnera* X0 (znacznego stopnia niedorozwój jajników i drugorzędowych cech płciowych, często z zaburzeniami rozwojowymi fizycznymi i umysłowymi) (rys. na s. 302). Podczas nieprawidłowego rozejścia się chromosomów przy *podziale oocytów*, oba chromosomy X pozostaną w ciałku biegunowym I rzędu i komórka jajowa nie będzie w ogóle zawierała chromosomów (komórka jajowa 0) lub też oba chromosomy przejdą do oocytu II rzędu – komórka jajowa XX. W pierwszym przypadku połączenie jaja z plemnikiem daje komórkę X0 (rozwija się *zespół Turnera*) lub letalną postać Y0 (zygota ginie). W drugim – powstaje zespół *superkobiety* XXX (zaburzenia wewnątrzwydzielnicze połączone z zaburzeniami psychicznymi) lub *zespół Klinefeltera* XXY.

Istnieją też teoretyczne możliwości połączenia się zarówno komórki jajowej, jak i plemnika o nieprawidłowych garniturach chromosomów. Plemnik zawiera wówczas oba chromosomy płciowe (XY) lub nie zawiera ich wcale (0) – podobnie jajo (XX lub 0). Zygota byłaby wówczas następująca: XY+XX→XXXY (zespół Klinefeltera), XY+0→XY (genotyp męski), 0+XX→XX (genotyp żeński), 0+0→0 (nie dochodzi do zapłodnienia).

Istnieją również *choroby dziedziczne związane* nie z wadliwą liczbą chromosomów, lecz *z zaburzeniami genowymi* w obrębie chromosomów X i Y. Do chorób tych należą m.in. hemofilia (krwawiączka), daltonizm i choroba Lambertów. *Hemofilia i daltonizm* dotyczą chromosomu X i dziedziczą się recesywnie. W związku z tym chorują na nie mężczyźni, natomiast kobiety przekazują wady. Kobiety nie chorują, gdyż do ujawnienia się tej recesywnej cechy nie dopuszcza równoważący ją drugi, prawidłowy chromosom X. Mężczyzna posiada tylko jeden chromosom X, w związku z czym owa patologiczna cecha musi się ujawniać. W sporadycznych przypadkach hemofilia i daltonizm mogą ujawniać się u kobiet, gdy oba chromosomy X obarczone są tą cechą (zwykle w małżeństwach krewniaczych).

Hemofilia jest skazą krwotoczną, polegającą na zaburzeniu krzepnięcia krwi. Występuje w kilku postaciach, w zależności od braku odpowiedniego czynnika krzepnięcia; najczęściej defekt dotyczy czynnika VII, czyli tzw. globuliny antyhemofilowej. Daltonizm polega na zaburzeniu widzenia barwnego (brak widzenia jednej z barw). Choroba Lambertów dotyczy chromosomu Y, dlatego też nie jest istotne, czy jest to wada dominująca czy recesywna. Przenosić ją mogą i chorować na nią tylko mężczyźni, i to wszyscy w pierwszym pokoleniu (chory ojciec przenosi tę cechę na wszystkich synów). Choroba ta polega na nadmiernym rogowaceniu skóry tułowia.

Inżynieria genetyczna

W DNA zakodowane są wszystkie informacje dotyczące cech organizmu. Naukowcy coraz częściej skłaniają się ku uznaniu tezy, że większość, jeśli nie wszystkie choroby są w jakiś sposób uwarunkowane genetycznie. O strukturze DNA człowieka wiemy dotąd niestety jeszcze bardzo mało. Znamy tylko około 1000 ze 100 000 genów (czyli odcinków DNA kodujących białko, odpowiedzialnych za wystąpienie jakiejś cechy). Owe 100 000 genów stanowi zaś zaledwie 3 – 5% całego DNA występującego w ludzkiej komórce. Zagadką jest nadal, do czego służy pozostała, przeważającą część tej cząsteczki.

Osiągnięcie obecnego poziomu wiedzy o DNA i genach oraz dalszy rozwój badań w tym kierunku są możliwe dzięki inżynierii genetycznej. Założeniem inżynierii genetycznej jest rekombinowanie in vitro cząsteczek DNA pochodzących z dowolnych organizmów, a następnie wprowadzanie ich do układów komórkowych w celu ich replikacji bądź też otrzymania ekspresji zawartych w nich genów.

Powielanie fragmentów DNA

Rozwój inżynierii genetycznej zapoczątkowało odkrycie enzymów restrykcyjnych. Są to enzymy występujące w naturze w komórkach bakterii. Mają zdolność cięcia nici DNA. Bakterie wykorzystują je do niszczenia DNA zakażających je wirusów. Dla inżynierii genetycznej enzymy te mają podstawowe znaczenie. Tną one DNA pozostawiając przeważnie tzw. „lepkie końce”. Jeśli 2 częsteczki DNA, pochodzące z różnych organizmów, przeciąć tym samym enzymem restrykcyjnym, to ich „lepkie końce” są komplementarne w stosunku do siebie. Działając enzymem–ligazą można połączyć takie cząsteczki. Proces ten nosi nazwę rekombinacji. W taki sposób fragment ludzkiego DNA można włączyć do DNA występującego w plazmidzie bakterii lub bakteriofagu, by następnie całość wprowadzić do komórki drobnoustroju. DNA plazmidu lub bakteriofagu nazywamy w tym przypadku wektorem. Komórki drobnoustrojów namnażają się w hodowli. Wraz z ich DNA powieleniu ulega również wprowadzony fragment. Tą metodą w hodowlach drobnoustrojów można uzyskiwać dużą liczbę identycznych potomnych fragmentów, służących do dalszych badań. Taki proces nazywamy klonowaniem DNA, a potomne fragmenty – klonem.

DNA można też namnażać sztucznie (in vitro), stosując reakcję łańcuchową polimerazy (PCR – *polymerase chain-reaction*). W reakcji tej dwuniciowy DNA poddaje się denaturacji (rozdzieleniu na pojedyncze nici). Następnie stosuje się enzym – polimerazę DNA, który dobudowuje do każdej nici nić komplementarną. Do roztworu dodaje się wolne nukleotydy i „startery". W wyniku działania polimerazy z jednej cząsteczki powstają w ten sposób dwie. Powtarzając cykl dowolną liczbę razy z 2 cząsteczek otrzymuje się 4, z 4 – 8 itd. w postępie geometrycznym.

Powielanie DNA tą metodą znajduje zastosowanie w wielu dziedzinach biologii i medycyny, m.in. w wirusologii,. paleontologii i medycynie sądowej. Zaletą PCR jest jej czułość. Metoda ta pozwala na namnożenie i dalsze badania np. DNA pochodzącego z zachowanych komórek wymarłych organizmów lub też z mikroskopijnych śladów biologicznych (krwi, wydzielin), zabezpieczonych dla potrzeb kryminologii.

Produkcja białek na skalę przemysłową

Przy użyciu enzymów restrykcyjnych można otrzymywać fragmenty DNA wielkości genów (długości ok. 4000 nukleotydów). Takie fragmenty można oczywiście wprowadzać do komórek drobnoustrojów, np. bakterii. Należy jednak pamiętać, że DNA genów ludzkich zawiera przemieszane ze sobą sekwencje kodujące (egzony) i niekodujące (introny). Aby gen uległ ekspresji, introny muszą zostać wycięte. Wycinanie intronów zachodzi po transkrypcji, w procesie dojrzewania mRNA. Dojrzały mRNA zawiera więc już tylko sekwencje kodujące. Bakterie nie mają zdolności wycinania intronów. Do ich komórek trzeba zatem wprowadzać DNA złożone tylko z egzonów. Tak zmodyfikowane geny syntetyzuje się stosując metodę odwrotnej transkrypcji. W tym celu izoluje się z komórki mRNA i przy użyciu enzymu – odwrotnej transkryptazy oraz wolnych nukleotydów buduje się DNA na jego matrycy. Takie DNA można już w opisany wyżej sposób wprowadzać do bakterii. Jeśli dodatkowo uzupełni się je o odcinki DNA, które u drobnoustrojów regulują ekspresję genu (rozpoczynają ją, sterują jej przebiegiem i kończą), to ludzki DNA może być stosowany do produkcji ludzkich białek w koloniach bakteryjnych. Dzięki szybkiemu namnażaniu komórek w hodowli, możliwe jest uzyskiwanie w dużych ilościach białek, które w komórkach występują w ilościach śladowych. Klasycznym przykładem tego typu syntezy jest uzyskiwanie insuliny z hodowli niepatogennych szczepów Escherichia coli.

DNA można również syntetyzować chemicznie w postaci małych, ok. 20-nukleotydowych odcinków. Odcinki te łączy się potem enzymatycznie. Znając strukturę białek, otrzymuje się w ten sposób kodujące je sekwencje. Tak otrzymane DNA używa się do produkcji wielu małych białek.

Badanie struktury DNA

Inżynieria genetyczna dysponuje technikami umożliwiającymi sekwencjonowanie DNA, to znaczy określanie kolejności (sekwencji) nukleotydów w genach i DNA pozagenowym. Zaczyna powstawać konstruowana w ten sposób mapa fizyczna genomu człowieka. Skonstruowanie jej w całości umożliwi kiedyś leczenie wielu chorób, np. przez zastępowanie zmutowanego genu jego prawidłowym allelem. Już teraz wprowadza się nowe lub zmienione geny do organizmów roślin i zwierząt, obserwując uzyskiwane fenotypy. Takie organizmy nazywamy transgenicznymi.

IV. IMMUNOPATOLOGIA

Immunologia jest nauką o odporności. Przedmiotem jej badań są reakcje organizmu na kontakt z obcymi substancjami. Układ odpornościowy jest to zespół komórek i czynników humoralnych służących do rozpoznawania elementów własnych organizmu, odróżniania ich od obcych i eliminacji tych ostatnich. Proces ten nosi nazwę odpowiedzi odpornościowej. Substancje zdolne do wywołania tej odpowiedzi (i do swoistego łączenia się z przeciwciałami) noszą nazwę antygenów. Antygeny własne organizmu nazywamy autoantygenami.

Odpowiedź odpornościowa najczęściej skierowana jest przeciwko obcym antygenom. Dzięki niej organizm przeciwstawia się zakażeniom wirusowym, bakteryjnym, grzybiczym i pasożytniczym. Obcymi antygenami są także komórki makroorganizmów. Dlatego dochodzi do odrzucania przeszczepów, jeżeli nie są one dokonywane pomiędzy osobnikami identycznymi pod względem genetycznym. Autoantygeny z reguły nie wywołują odpowiedzi odpornościowej. Komórki układu immunologicznego (tj. immunokompetentne) w czasie swego rozwoju i dojrzewania nabywają tolerancji w stosunku do autoantygenów. W niektórych przypadkach jednak odpowiedź odpornościowa może być skierowana przeciwko własnym tkankom. Jeśli na przykład komórki są zmienione nowotworowo lub zakażone np. wirusem, układ odpornościowy będzie je rozpoznawał jako obce i niszczył. W tym przypadku działanie układu odpornościowego zapobiega rozwojowi nowotworu lub zakażenia. W podobny sposób układ odpornościowy uczestniczy w usuwaniu komórek starych i uszkodzonych. Istnieją jednak sytuacje, w których odpowiedź odpornościowa przeciwko własnym antygenom prowadzi do rozwoju chorób z autoagresji i postępującego niszczenia tkanek.

Z podobną formą nieprawidłowej, nadmiernie nasilonej odpowiedzi odpornościowej spotykamy się w nadwrażliwości (alergii) na antygeny zewnątrzpochodne.

Przyczynami i mechanizmami rozwoju chorób układu odpornościowego zajmuje się immunopatologia.

Odporność organizmu

Odporność organizmu uwarunkowana jest istnieniem i sprawnym działaniem 2 typów mechanizmów: nieswoistych i swoistych. Mechanizmy nieswoiste są filogenetycznie starsze, działają szybko i stanowią pierwszą linię obrony przed szkodliwymi czynnikami. Mechanizmy swoiste, filogenetycznie młodsze, reagują wolniej, ale za to ukierunkowane są precyzyjnie na walkę z określonym intruzem.

Odporność nieswoista

Do mechanizmów nieswoistych należą: mechaniczna bariera skóry; niskie pH powierzchni skóry i w pochwie; wydalanie (ruch rzęsek) wydzieliny śluzowo-surowiczej dróg oddechowych; przemywanie powierzchni nabłonków przez: łzy, wydzielinę śluzowosurowiczą nosa, ślinę, mocz; bakteriobójcze składniki wydzielin różnych gruczołów: lizozym (łzy, wydzielina nosa, ślina), kwas solny (sok żołądkowy), spermina (nasienie); saprofityczna flora przewodu pokarmowego. Wymienione czynniki działają na powierzchni nabłonków. W tkankach i płynach ustrojowych elementami odporności nieswoistej są: interferon, lizozym, układ dopełniacza, białko C-reaktywne, transferyna, komórki żerne.

Dopełniacz jest zespołem białek surowicy, oznaczonych literą C i kolejnymi cyframi: C1, C2, C3 itd. Aktywacja dopełniacza i przyłączenie jego składników do błony komórkowej powoduje jej niszczenie i śmierć komórki. Opłaszczenie komórki przez składniki dopełniacza (opsonizacja) powoduje chemotaksję (ruch w jej kierunku komórek żernych) i ułatwia fagocytozę.

Komórki żerne są zdolne do pochłaniania antygenów, m.in. drobnoustrojów w procesie fagocytozy. Do komórek żernych zaliczamy granulocyty i monocyty. Drobnoustroje są niszczone pod wpływem enzymów i substancji toksycznych produkowanych przez te komórki. Komórki żerne wydzielają czynniki modulujące odpowiedź odpornościową. Należą do nich m.in. interleukiny i TNF (*tumor necrosis factor* – czynnik martwicy nowotworu). TNF ma działanie przeciwnowotworowe. Podejmuje się próby stosowania go w celach terapeutycznych.

Interferony powstają w pewnych komórkach po zakażeniu wirusem. Uwalniane z tych komórek, działają następnie na inne i powodują: zahamowanie wnikania wirusów do komórek, zahamowanie namnażania wirusów w komórkach już zakażonych, pobudzenie odpowiedzi odpornościowej. Ponieważ hamują również namnażanie większości ludzkich komórek nowotworowych, podejmowane są próby ich stosowania w leczeniu nowotworów (w skojarzeniu z innymi formami terapii).

Odporność swoista

Do czynników odporności swoistej zalicza się limfocyty T i B oraz wytwarzane przez limfocyty B przeciwciała. Z czynnością limfocytów T związana jest odpowiedź odpornościowa typu komórkowego, a z przeciwciałami odpowiedź odpornościowa typu humoralnego.

Prekursory obu typów limfocytów powstają w narządach krwiotwórczych zarodka i płodu (pęcherzyku żółtkowym i wątrobie), a w rozwoju pozazarodkowym w szpiku. Stamtąd wędrują do centralnych narządów limfatycznych, w których dojrzewają, proliferują i różnicują się w limfocyty T i B. Centralnymi narządami limfatycznymi są: grasica i – u ptaków – kaletka Fabrycjusza (*bursa Fabricii*). U człowieka odpowiednikiem kaletki Fabrycjusza jest najprawdopodobniej szpik. Limfocyty, które dojrzały w grasicy, określa się jako limfocyty T (od *thymus* – granica), a limfocyty, które dojrzały w szpiku – jako limfocyty B (od *bursa* – kaletka lub *bone marrow* – szpik).

Z centralnych narządów limfatycznych limfocyty T i B kierują się drogą krwi do obwodowych narządów limfatycznych, gdzie tworzą skupienia i namnażają się. Obwodowymi narządami limfatycznymi są: grudki limfatyczne w ścianie jelit, migdałki, wyrostek robaczkowy, śledziona i węzły chłonne. Powiększenie węzłów chłonnych w przebiegu zakażenia jest wynikiem intensywnego namnażania się w nich limfocytów w reakcji na docierający tam antygen.

Centralne i obwodowe narządy limfatyczne wraz z naczyniami chłonnymi i krążącymi limfocytami tworzą układ odpornościowy (układ chłonny). Duża liczba narządów limfatycznych i stała obecność limfocytów zapewnia sprawność tego układu.

Limfocyty są głównymi komórkami uczestniczącymi w odpowiedzi odpornościowej. W obrębie wymienionych już 2 grup limfocytów można wyróżnić podgrupy (subpopulacje).

Limfocyty B mają zdolność wytwarzania i wydzielania przeciwciał. Komórki plazmatyczne, również wydzielające przeciwciała, uważane są za końcowe stadium dojrzewania limfocytów B.

Przeciwciała (immunoglobuliny) są białkami występującymi w płynach ustrojowych i limfocytach B. Wyróżniamy 5 klas: IgA, IgD, IgE, IgG, IgM.

IgG to najważniejsze immunoglobuliny w walce z mikroorganizmami. Obecne są w surowicy w największym stężeniu w porównaniu z przeciwciałami pozostałych klas. Są jedynymi przeciwciałami przechodzącymi w czasie ciąży z krążenia matki do krążenia płodu. Odbywa się to w ciągu ostatnich 5 tygodni ciąży. Tym biernie nabytym immunoglobulinom noworodek zawdzięcza odporność przeciwzakaźną. Wcześniaki mają obniżoną odporność, ponieważ okres napływu matczynych IgG jest u nich odpowiednio skrócony.

IgA wykrywa się w dużych stężeniach w wydzielinach śluzowosurowiczych (przewodu pokarmowego, dróg oddechowych i moczowych, w łzach i pocie). Pełnią istotną rolę w odpowiedzi odpornościowej związanej z błonami śluzowymi (śluzówki są narażone na częste kontakty z różnymi antygenami).

IgE wiążą się z komórkami tucznymi. Kiedy do IgE związanej z komórką tuczną przyłącza się antygen, następuje degranulacja (uwolnienie) zawartości ziaren tej komórki, m.in. histaminy i leukotrienów, co leży u podstaw anafilaksji (zob. Nadwrażliwość, s. 311). Krążące immunoglobuliny mogą tworzyć kompleksy z antygenami. Duże kompleksy są zwykle fagocytowane przez komórki żerne. Kompleksy średniej wielkości natomiast łatwo precypitują i mają skłonność do odkładania się w tkankach. Indukując ostre i podostre stany zapalne, aktywują tam dopełniacz, co prowadzi do niszczenia komórek. Szczególnie często kompleksy odkładają się w kłębkach nerkowych wywołując kłębuszkowe zapalenie nerek.

Przeciwciała monoklonalne są to przeciwciała jednorodne (należące do tej samej klasy, łączące się z jednym konkretnym antygenem). Uzyskuje się je ze specjalnie przygotowanych hodowli komórkowych z jednego klonu limfocytów B (komórek stanowiących „potomstwo" jednej komórki) – stąd nazwa: monoklonalne. Takie przeciwciała są bardzo precyzyjnym narzędziem diagnostycznym i terapeutycznym. Próbuje się je stosować m.in. w onkologii i chorobach zakaźnych.

Limfocyty T dzielą się na kilka subpopulacji. Limfocyty Th (pomocnicze – *helper*) wydzielają limfokiny pobudzające i podtrzymujące odpowiedź immunologiczną. Limfocyty Ts (supresorowe – *suppressor*) wydzielają limfokiny hamujące odpowiedzi immunologiczne. Istnieje też grupa limfocytów mających zdolność bezpośredniego rozpoznania, związania i niszczenia obcych komórek, czyli cytotoksyczności. Do tej grupy należą limfocyty Tc (*cytotoxic*) oraz komórki NK (*natural killer*). Komórki NK pełnią istotną rolę w ochronie organizmu przed rozwojem nowotworu. Mają zdolność zabijania komórek nowotworowych. Limfocyty należące do komórek K (*killer* – zabójca) rozpoznają tylko komórki uprzednio opłaszczone przez przeciwciała. Jest to tzw. cytotoksyczność komórkowa zależna od przeciwciał.

Wśród limfocytów T i B wyróżnia się także komórki pamięci. Powstają one przy pierwszym kontakcie z antygenem. Dzięki ich obecności powtórny kontakt z tym samym antygenem powoduje szybszą i bardziej nasiloną odpowiedź odpornościową. Istnieniem zjawiska pamięci tłumaczy się m.in. odporność na choroby wieku dziecięcego po ich przebyciu lub po szczepieniach. Do niedawna główną rolę w utrzymywaniu pamięci przypisywano tzw. limfocytom długo żyjącym. Obecnie uważa się, że czas przeżycia limfocytów pamięci nie jest dłuższy niż innych i że powstają one raczej w sposób ciągły pod wpływem utrzymującej się stymulacji antygenem, pozostającym po zakażeniu na komórkach prezentujących antygen.

Główny układ zgodności tkankowej MHC

Na komórkach prezentujących antygen są obecne antygeny zgodności tkanowej, charakterystyczne dla danego organizmu. Dopiero po ich porównaniu limfocyt rozpoznaje antygeny obce. Rozpoznanie polega więc na związaniu antygenu z antygenem zgodności tkankowej na komórce prezentującej antygen, a następnie związaniu limfocytu z obydwoma antygenami.

Antygeny zgodności tkanowej, inaczej antygeny transplantacyjne, to białka występujące na błonie komórkowej. Białka te kodowane są przez geny charakteryzujące się największym polimorfizmem z dotychczas poznanych (największą liczbą alleli), co w rezultacie daje ogromną liczbę niepowtarzalnych fenotypów. Można więc uznać, że poza bliźniętami jednojajowymi, które są identyczne pod względem genetycznym, nie istnieją ludzie o takim samym zestawie antygenów zgodności tkankowej. Podstawowe antygeny zgodności tkankowej stanowią główny układ zgodności tkankowej MHC (*major histocompatibility complex*). Ponieważ MHC odkryto pierwotnie u myszy, a u człowieka później i początkowo na leukocytach, układ zgodności tkankowej człowieka nazwano również układem HLA (*human leukocyte antigen*).

Antygeny MHC dzielą się na kilka klas. Antygeny MHC klasy I występują na powierzchni wszystkich typów komórek. Wiążą one i prezentują limfocytom białka produkowane przez komórki (w tym również białka wirusów w przypadku zakażenia komórki wirusem).

Antygeny MHC klasy II prezentują limfocytom antygeny obce. Występują tylko na niektórych typach komórek, głównie na makrofagach, komórkach dendrytycznych i limfocytach B. Mówiąc o komórkach prezentujących antygen, ma się z reguły na myśli te właśnie komórki.

Odkrycie antygenów zgodności tkankowej miało dla medycyny wielkie znaczenie. Badania głównego układu zgodności tkankowej leżą u podstaw całej nowoczesnej transplantologii. Stwierdzono bowiem, że odpowiedź transplantacyjna (czyli reakcja organizmu biorcy na przeszczep) skierowana jest przeciwko antygenom zgodności tkankowej na komórkach przeszczepu. Odrzucenie przeszczepu występuje więc wtedy, gdy istnieją różnice między antygenami zgodności tkankowej dawcy i biorcy, co sprawia, że układ odpornościowy rozpoznaje antygeny przeszczepu jako obce. Odpowiedź transplantacyjna nie rozwija się zatem w tych przypadkach, w których przeszczep pochodzi od samego biorcy (przeszczep autologiczny), ani też gdy dokonuje się przeszczepiania tkanek między bliźniętami jednojajowymi (przeszczep izogeniczny). W pozostałych przypadkach układ odpornościowy zawsze próbuje wyeliminować (odrzucić) obce komórki. Tak się dzieje w przypadku przeszczepów allogenicznych (między osobnikami tego samego gatunku, ale różniącymi się genetycznie) oraz przeszczepów ksenogenicznych (międzygatunkowych). Aby zapobiegać odrzuceniu przeszczepu, poszukuje się dawców jak najbardziej zbliżonych do biorców pod względem antygenów zgodności tkankowej. Po dokonaniu przeszczepu można zapobiegać jego odrzuceniu lub hamować ten proces stosując leki immunosupresyjne (hamujące odpowiedź odpornościową).

Stwierdzono ponadto, że równolegle do odpowiedzi transplantacyjnej u biorcy rozwija się tolerancja w stosunku do przeszczepu. Rozwojem tolerancji tłumaczy się fakt, że przypadki odrzucenia przeszczepu najpowszechniej występują w okresie pierwszych 3 – 6 miesięcy, a później ich częstość znacznie maleje. Obecnie opracowuje się metody wywoływania tolerancji transplantacyjnej.

W pewnych przypadkach allogenicznych przeszczepów szpiku może dojść do rozwoju choroby zwanej GVH (ang. *graft versus host*) – przeszczep przeciw gospodarzowi. Szpik oprócz innych komórek zawiera również dojrzałe limfocyty, zdolne do odpowiedzi odpornościowej i mające zdolność rozpoznawania komórek biorcy jako obcych. Mechanizmy tej reakcji nie są jeszcze dokładnie znane. Choroba występuje w postaci ostrej lub przewlekłej i jej objawy przypominają objawy chorób z autoagresji.

Niedobory odpornościowe

Niedobory odpornościowe są grupą chorób spowodowanych upośledzeniem odpowiedzi odpornościowej. Mogą one wynikać z zaburzeń czynności limfocytów lub komórek żernych, niedoboru składników dopełniacza, a także z braku cząsteczek MHC klasy II. Zaburzenia takie mogą być pierwotne (uwarunkowane genetycznie) lub wtórne. *Wtórne niedobory* występują m.in. w wyniku niedożywienia, zakażeń (zwłaszcza wirusem HIV), używania środków odurzających, w tym alkoholu, oraz w przypadku leczenia środkami immunosupresyjnymi i cytostatycznymi. Wynikiem niedoborów jest upośledzenie odporności.

Nadwrażliwość

Nadwrażliwość to stan, w którym odpowiedź odpornościowa osiąga znaczne nasilenie i przebiegając nieprawidłowo prowadzi do uszkodzenia tkanek. Do nadwrażliwości zalicza się nadmiernie nasiloną odpowiedź powstającą zarówno w stosunku do antygenów zewnątrzpochodnych, jak i autoantygenów. Z nadwrażliwością utożsamia się pojęcie *alergii*. Można mówić o alergii na antygeny zewnętrzne oraz o *autoalergii* (równoznacznej ze zjawiskami chorób z autoagresji).

Antygen zdolny do wywołania reakcji alergicznej nazywamy *alergenem*. Tradycyjnie wyróżnia się 4 typy reakcji alergicznych:

Typ I (natychmiastowy – anafilaktyczny). Przy pierwszym kontakcie z antygenem powstają przeciwciała IgE, które krótko przebywają w układzie krążenia i są natychmiast wiązane na powierzchni komórek tucznych i bazofilów. Przy ponownym kontakcie antygen (alergen) wiąże się z IgE

Schemat pierwszej fazy (swoistej) reakcji anafilaktycznej

antygen + przeciwciało → kompleks antygen przeciwciało

osadzonymi na tych komórkach i powoduje ich degranulację. Uwalnia się histamina i inne substancje powodujące rozwój odczynu zapalnego. Taka reakcja rozwija się szybko (w ciągu kilku–kilkunastu minut) i nosi nazwę *reakcji natychmiastowej (anafilaktycznej)*. Może mieć charakter lokalny lub uogólniony. Lokalne, ograniczone do skóry reakcje alergiczne mogą powodować *świąd i pokrzywkę*. Reakcje obejmujące drogi oddechowe są podłożem *kataru siennego i astmy atopowej*.

(A t o p i ą nazywamy dziedziczną skłonność do nadmiernej produkcji przeciwciał IgE w stosunku do niektórych występujących powszechnie antygenów).

A n a f i l a k s j a może też przybierać ciężką uogólnioną postać. Prowadzi wtedy do rozwoju w s t r z ą s u a n a f i l a k t y c z n e g o. Ostra niewydolność krążenia i oddychania występująca we wstrząsie anafilaktycznym prowadzi do zgonu w razie niezastosowania odpowiedniego postępowania leczniczego.

Alergenami w reakcjach anafilaktycznych mogą być antybiotyki (penicylina), obce białka (surowica końska), substancje zawarte w pokarmach (rybach, orzeszkach ziemnych), jady owadów. Anafilaksję mogą powodować również transfuzje krwi i preparatów krwiopochodnych, środki kontrastowe stosowane w radiologii (uropolina) i niesteroidowe leki przeciwzapalne.

W wywoływaniu reakcji anafilaktycznych szczególne znaczenie mają a l e r g e n y w z i e w n e pyłków traw i drzew (zwłaszcza życicy trwałej, brzozy brodawkowatej, olchy szarej, leszczyny pospolitej), oraz antygeny odzwierzęce (kota domowego, szczura wędrownego).

Dla alergii wziewnych charakterystyczna jest sezonowość występowania i ścisły związek z okresami pylenia poszczególnych roślin. Przykładami schorzeń z tej grupy alergii (tzw. p y ł k o w i c) są: sezonowe zapalenie spojówek, katar sienny i astma atopowa.

Ze względów praktycznych w Polsce można wyróżnić 3 sezony występowania alergii wziewnych związanych z pojawieniem się określonych typów pyłków roślinnych w atmosferze: okres wczesnowiosenny (od końca lutego do połowy maja): alergie na pyłki drzew liściastych; okres wczesnoletni (od końca maja do połowy lipca): alergie na pyłki traw; okres późnoletni (od połowy lipca do początku października): alergie na pyłki chwastów. Najpowszechniej alergie wziewne występują w okresie wczesnoletnim.

Typ II (cytotoksyczny). W tym typie nadwrażliwości przeciwciała klasy IgG i IgM łączą się z antygenami na powierzchni komórki. W efekcie komórka jest niszczona przy udziale dopełniacza lub w procesie cytotoksyczności komórkowej zależnej od przeciwciał.

Ten typ nadwrażliwości występuje po p r z e t o c z e n i u k r w i n i e z g o d n e j g r u p o w o oraz w c h o r o b i e h e m o l i t y c z n e j n o w o r o d k ó w. Możliwa jest również sytuacja, w której antygen zewnątrzpochodny wiąże się z komórkami organizmu. Przeciwciała rozpoznają antygen, a komórki takie są niszczone. Niektóre leki łączą się z krwinkami. Krwinki ulegają wtedy zniszczeniu. Do c y t o p e n i i p o l e k o w y c h (zmniejszenia liczby krwinek) mogą prowadzić: aminofenazon, sulfonamidy, chloropromazyna, fenacetyna. Reakcje takie z reguły występują rzadko i ustępują po odstawieniu leku.

Typ III (wywołany przez kompleks antygen-przeciwciało). Kompleksy antygen-przeciwciało poza kłębuszkowymi zapaleniami nerek (zob. s. 774), mogą powodować m.in. c h o r o b ę p o s u r o w i c z ą. Jest to patologiczna reakcja na antygeny obcego gatunkowo białka zawarte np. w surowicy przeciwtężcowej. Choroba rozwija się w ciągu 4–14 dni po podaniu surowicy i jest związana z uogólnionym odkładaniem się kompleksów w naczyniach włosowatych skóry, kłębuszków nerkowych i stawów. Powoduje to przemijający odczyn zapalny objawiający się m.in. gorączką, bólami i obrzękiem stawów oraz białkomoczem.

Innym typem reakcji patologicznych związanych z powstawaniem kompleksów jest zewnątrzpochodne alergiczne zapalenie pęcherzyków płucnych. W tym przypadku kompleksy powstają i działają w układzie oddechowym osób narażonych na wdychanie pyłów organicznych (rolników, hodowców ptaków). Antygenami są przeważnie zawarte w sianie pleśnie i promieniowce. Mogą być nimi również białka wydzielin ptaków.

Typ IV (kontaktowy). Uczestniczą w nim przede wszystkim komórkowe mechanizmy odpowiedzi odpornościowej (limfocyty Th, Tc, makrofagi). Za destrukcję tkanek w tym typie nadwrażliwości odpowiedzialne są wydzielane przez te komórki cytokiny (limfokiny i in.) lub (i) bezpośredni efekt cytotoksyczny.

Z taką reakcją mamy do czynienia w przypadku alergicznego wyprysku kontaktowego. Najczęstszymi czynnikami wywołującymi alergiczny wyprysk kontaktowy są: chrom (cement, beton, zapałki, proszki do prania, farby wodne, oleje przemysłowe), nikiel i kobalt (przedmioty ozdobne, guziki, suwaki, klamki, armatura łazienek i kuchni), guma (ubranie, obuwie, rękawice), barwniki (farby do włosów i rzęs, kosmetyki, ubranie), formalina (niektóre szampony i kosmetyki), terpentyna, tworzywa sztuczne.

Do tej grupy alergii należy także fotoalergiczny wyprysk kontaktowy. Dochodzi do niego podczas działania światła u osób narażonych na wielokrotny kontakt z pewnymi substancjami fotoalergizującymi. Substancje te mogą być stosowane zewnętrznie (pochodne karbanilinowe i fenolowe jako antyseptyki w kosmetykach, sulfonamidy, pochodne kwasu benzoesowego) lub wewnętrznie (sulfonamidy, pochodne tiazydowe, pochodne fenotiazyny).

Do typu IV należy również reakcja na śródskórne podanie tuberkuliny (próba tuberkulinowa). Zachodzi ona u osób, których organizm zetknął się wcześniej z prątkami gruźlicy i u których doszło do uczulenia.

Należy pamiętać, że powyższy podział na 4 typy nadwrażliwości jest podziałem sztucznym. W wielu reakcjach alergicznych biorą udział różne mechanizmy. Ponadto często trudne jest rozgraniczenie między prawidłową odpowiedzią odpornościową (np. na antygen podany drogą niefizjologiczną) a nadwrażliwością.

Choroby z autoagresji

W normalnych warunkach w organizmie w zasadzie nie występuje odpowiedź odpornościowa w stosunku do własnych antygenów. Od tej reguły są wyjątki opisane na s. 306. W pewnych jednak przypadkach odpowiedź odpornościowa przeciwko własnym antygenom przekracza fizjologiczne granice. Mówimy wówczas o rozwoju chorób z autoagresji.

Choroby z autoagresji stanowią istotny problem kliniczny. Stwierdzono, że na różne postacie autoagresji choruje 6–8% przedstawicieli rasy kaukaskiej. Przyczyny i mechanizmy tych chorób nie są jeszcze dobrze znane.

Wiadomo, że tolerancja może zostać przełamana w stosunku do najróżniejszych form antygenów. Mogą być nimi składniki błon komórkowych, cytoplazmy, jądra komórkowego, hormony, enzymy, immunoglobuliny i inne substancje. Do chorób z autoagresji należą m.in.: wole Hashimoto, choroba Gravesa–Basedowa, niedokrwistość złośliwa, cukrzyca typu I, wrodzona nużliwość mięśni, wrzodziejące zapalenie jelita grubego, toczeń układowy rumieniowaty.

W przebiegu chorób z autoagresji może ulec uszkodzeniu jeden narząd (z taką sytuacją mamy do czynienia w przypadku wola Hashimoto) lub też proces patologiczny może występować w wielu narządach (jak w przypadku układowego tocznia rumieniowatego).

Wśród możliwych przyczyn chorób z autoagresji wymienia się m.in. czynniki genetyczne, zakażenia wirusowe i bakteryjne, zmiany w zakresie antygenów MHC, zaburzenia dojrzewania limfocytów, osłabienie supresji.

Wirusy mogą, na przykład, uszkadzając komórkę prowadzić do zmian autoantygenów. Wobec takich komórek rozwija się odpowiedź odpornościowa. Mogą również zmieniać odpowiedź odpornościową przez wpływ na limfocyty.

Niektóre bakterie (paciorkowce) mają w ścianie komórkowej elementy przypominające antygeny ludzkich komórek mięśnia sercowego i kłębuszków nerkowych. Przeciwciała powstające w wyniku zakażenia reagują potem krzyżowo z tkankami. Tak powstaje zapalenie mięśnia sercowego w przebiegu gorączki reumatycznej i popaciorkowcowe kłębuszkowe zapalenie nerek.

Przyczyną powstania choroby z autoagresji może być również zaburzenie dojrzewania limfocytów w grasicy. W warunkach normalnych limfocyty nabywają tam tolerancji w stosunku do autoantygenów organizmu. Przy zaburzeniach tego procesu mogą powstać limfocyty zdolne do odpowiedzi na te antygeny.

Rozwijająca się odpowiedź odpornościowa podlega normalnie hamowaniu przez limfocyty T supresorowe. Do chorób z autoagresji może więc dochodzić także w przypadkach niedoboru lub zaburzeń funkcji tych limfocytów.

Choroby z autoagresji mogą rozwijać się również w wyniku pojawienia się antygenów zgodności tkankowej MHC klasy II na komórkach nie należących do układu odpornościowego. Występowanie antygenów MHC klasy II na komórkach tarczycy w chorobach tarczycy, czy na komórkach wysp trzustkowych w cukrzycy typu I powoduje, że komórki te mogą same prezentować antygen. O związku antygenów MHC z chorobami z autoagresji świadczyć może fakt, że osoby posiadające określone antygeny z tej grupy wykazują predyspozycję do pewnych chorób.

Do chorób z autoagresji może dochodzić także wtedy, gdy w wyniku uszkodzenia komórek wydostają się z nich antygeny wewnątrzkomórkowe lub gdy w wyniku uszkodzenia barier tkankowych (np. bariery krew – układ nerwowy, krew – światło pęcherzyków tarczycowych) antygeny zamknięte w przedziałach tkankowych dostają się do krwi i indukują powstanie przeciwko sobie odpowiedzi odpornościowej.

V. UDZIAŁ UKŁADU NERWOWEGO W POWSTAWANIU CHORÓB

Układ nerwowy, wraz z układem hormonalnym, koordynuje wszystkie czynności organizmu. Specyfika i niezwykła złożoność budowy i czynności tego układu uwidacznia się także w interpretowaniu przyczyn i rozwoju chorób nerwowych. Patologia dzieli układ nerwowy na animalny – regulujący działania dowolne i biorący udział we współdziałaniu ze środowiskiem zewnętrznym oraz autonomiczny (wegetatywny) – regulujący czynności mimowolne i koordynujący czynności poszczególnych narządów niezależnie od środowiska zewnętrznego. Podział taki, z punktu widzenia współczesnej fizjologii i neurologii, jest sztuczny, gdyż oba układy nie są samodzielnymi jednostkami funkcjonalnymi, lecz stanowią ogniwa całości układu nerwowego.

Zaburzenia czynności układu ośrodkowego i obwodowego

Zaburzenia tzw. układu nerwowego animalnego można podzielić na choroby pochodzenia ośrodkowego i obwodowego. Szczególnym typem chorób nerwowych są zaburzenia psychiczne, do których zalicza się m.in. psychozy, nerwice, psychopatie, niedorozwój umysłowy, alkoholizm i narkomanię. Wśród przyczyn tych zaburzeń wyróżnia się: 1) czynniki zewnątrzpochodne, takie jak zakażenia, zatrucia, urazy i ciężkie przeżycia, 2) czynniki wewnątrzpochodne, głównie choroby gruczołów dokrewnych i metaboliczne, miażdżycę i nadciśnienie oraz 3) czynniki dziedziczne i wrodzone, ważne zwłaszcza w etiologii niedorozwojów umysłowych. Działanie uszkadzające tych czynników dotyczy przede wszystkim kory mózgowej, w dalszej kolejności ośrodków podkorowych.

Zmiany czynności układu nerwowego ośrodkowego i obwodowego mogą sprowadzać się do zaburzeń: ruchowych, czuciowych, odruchowych i troficznych. Wszystkie one stanowią zakres zainteresowania neurologii. Ostatnio jednak zaburzenia troficzne wyodrębnia się i określa jako choroby troficzne. Przyjmuje się bowiem, że istotną czynnością każdego włókna nerwowego jest czynność troficzna, do dziś niedostatecznie wyjaśniona, polegająca prawdopodobnie na regulacji dopływu krwi do tkanki i tym samym na jej właściwym odżywieniu, lub na bezpośrednim wpływie na zjawiska fizykochemiczne w tkankach. Zaburzenia troficzne występują głównie po uszkodzeniach różnych odcinków włókien nerwowych i objawiają się zanikami, martwicą, zaburzeniami rozwojowymi albo zmianami wstecznymi ustroju lub jego części (narządu, układu).

Zaburzenia układu autonomicznego

Układ nerwowy autonomiczny (wegetatywny) dzieli się na część *przywspółczulną* (układ parasympatyczny) i *współczulną* (układ sympatyczny). Układ ten zawiaduje czynnościami niezależnymi od woli, takimi jak ruchy perystaltyczne i czynność wydzielnicza żołądka i jelit, wydzielanie gruczołów dokrewnych, czynność serca, napięcie mięśniówki naczyń krwionośnych, funkcje oddechowe i wydalnicze itp. Każda z takich czynności ma swój odpowiedni ośrodek w międzymózgowiu. Pomimo swej nazwy, *układ autonomiczny* nie jest niezależny i *podlega nadrzędnej regulacji ośrodkowego układu nerwowego*, zwłaszcza ośrodków międzymózgowia (przede wszystkim podwzgórza) i kory mózgowej. Ośrodki podwzgórza znajdują się pod stałą kontrolą odpowiednich pól korowych. W ich obrębie dochodzi do powiązania czynności układu autonomicznego (wegetatywnego) z układem hormonalnym. *Podwzgórze* wywiera bezpośredni wpływ na działalność *przysadki*, której hormony sterują funkcją innych gruczołów wewnątrzwydzielniczych (dokrewnych).

Nerwice wegetatywne

Przyczyną nerwic wegetatywnych jest niejako „konflikt" między procesami pobudzenia i hamowania nerwowego. Zjawiska prowadzące do takiego stanu są spowodowane działaniem zbyt silnych lub nadmiernie złożonych bodźców. Długotrwałe działanie takich bodźców doprowadza do *rozkojarzenia* czynności układu nerwowego, a w konsekwencji – do *nerwic i psychonerwic*. W nerwicach wegetatywnych występują specyficzne zaburzenia dynamiczne w układzie nerwowym, prowadzące do zaburzeń czynności narządów. Jest to typowy przykład zaburzeń o charakterze czynnościowym, bez określonych zmian morfologicznych.

Objawy nerwic wegetatywnych mogą być różne, zależnie od „zaangażowania" układów lub dróg nerwowych, zaopatrujących dany narząd. Charakterystyczne są zaburzenia pracy serca, polegające na przyspieszeniu lub zwalnianiu jego czynności, powstawaniu skurczów dodatkowych, a nawet niemiarowości zupełnej. Odczuwane są one jako kołatanie, silne uderzenia, bóle serca, uczucie zagrożenia. Ścisły związek układu wegetatywnego z regulacją napięcia mięśni gładkich naczyń krwionośnych powoduje, że nawet w niewielkich zaburzeniach neurowegetatywnych dochodzi do rozszerzenia naczyń (spadek ciśnienia krwi) lub ich zwężenia (wzrost ciśnienia krwi).

W wyniku zakłóceń regulacji wegetatywnej naczyń krwionośnych może dojść do rozwoju tzw. *nerwic naczyniowych*. Należą tutaj: *choroba Raynauda*, polegająca na okresowych stanach skurczowych drobnych tętniczek, *erytromelalgia*, czyli napadowe rozszerzanie tętnic z silnymi bólami zwłaszcza stóp, oraz *twardzina skóry*, tj. wygładzenie i zesztywnienie powłok obejmujące też mięśnie i niektóre narządy wewnętrzne.

Zaburzenia wegetatywne objawiają się także zmianami w obrazie morfologicznym krwi krążącej i w jej chemizmie oraz zaburzeniami oddychania (np. skurczami oskrzeli), czynności przewodu pokarmowego (np. skurczami przełyku, niestrawnościami, kolką jelitową) i czynności nerek (nagłe zwiększenie wydalania moczu lub bezmocz wskutek silnych bodźców psychicznych).

VI. UDZIAŁ UKŁADU HORMONALNEGO W POWSTAWANIU CHORÓB

Układ wydzielania wewnętrznego (hormonalny), obok układu nerwowego, ma nadrzędne znaczenie w regulacji wszystkich czynności ustroju. Istnieją bardzo silne związki między tymi układami: układ nerwowy działa poprzez wydzielanie swoistych substancji neurohormonalnych, tzw. mediatorów lub przekaźników, m.in. wpływających na wydzielanie niektórych hormonów. Pewne hormony wytwarzane są w mózgu, np. podwzgórze produkuje hormony uwalniające i hamujące wydzielanie hormonów przysadki. Wreszcie niektóre z klasycznych gruczołów dokrewnych stanowią część składową układu nerwowego, jak przysadka i rdzeń nadnerczy. Dlatego też zaburzeń hormonalnych nie można rozpatrywać w oderwaniu od zmian czynności układu nerwowego. Spośród gruczołów dokrewnych szczególne znaczenie mają: podwzgórze, przedni płat przysadki i kora nadnerczy, tworzące tzw. układ podwzgórzowo-przysadkowo-nadnerczowy i pełniące istotną rolę w uruchomieniu reakcji alarmowej oraz odpornościowej w warunkach stresu.

Zaburzenia hormonalne mają złożony charakter. Mogą one dotyczyć syntezy hormonów lub prohormonów, magazynowania hormonów i uwalniania ich do krwioobiegu oraz transportu do tkanek. Upośledzenie funkcji hormonów znajdujących się już we krwi może być spowodowane niedoborami białek transportujących dany hormon lub niemożnością związania się z receptorami komórek docelowych.

Regulacja syntezy i wydzielania hormonów obwodowych odbywa się poprzez sprzężenie zwrotne z przysadką lub z procesami sterowanymi przez określony hormon. Zaburzenia regulacji mogą spowodować tworzenie nadmiernych ilości hormonów lub zmniejszenie ich syntezy.

Uwalnianie hormonu uzależnione jest od wpływu układu nerwowego, dlatego też zaburzenia czynności tego układu mają istotne znaczenie w zaburzeniach hormonalnych. Ta zależność obu układów jest wyraźna, zwłaszcza w przypadku uwalniania hormonów tylnego płata przysadki, w którym jedynie gromadzą się substancje wytwarzane w komórkach podwzgórza, a także w uwalnianiu hormonów przedniego płata przysadki przez specjalne czynniki uwalniające lub hamujące (hormony podwzgórzowe), które regulują czynność wydzielniczą tego płata. Także z rdzenia nadnerczy adrenalina i noradrenalina są uwalniane po pobudzeniu przez współczulne włókna przedzwojowe (z tego względu rdzeń nadnerczy jest traktowany jako zwój nerwowy, a nie jako typowy gruczoł wydzielania dokrewnego).

W większości przypadków hormony transportowane są do tkanek przez białka osocza krwi, co zapobiega wydalaniu hormonów przez nerki. Stany ogólnego niedoboru białek wywołują zatem zmniejszoną czynność hormonalną i odwrotnie – niektóre hormony mogą tworzyć z białkami (zwykle patologicznymi) tak silne wiązania, że praktycznie nie docierają do tkanek. W obu przypadkach występują kliniczne objawy niedoczynności określonego gruczołu.

Zaburzenia hormonalne mogą wynikać również z nieprawidłowej struktury hormonu, uniemożliwiającej połączenie się z receptorem komórki docelowej, bądź też z mutacji białka receptorowego, która nie dopuszcza do łączenia się tego białka z hormonem. W normalnych warunkach hormony białkowe są unieczynniane po połączeniu się z receptorami komórkowymi tkanek docelowych, natomiast hormony niebiałkowe są metabolizowane w odpowiednich narządach, głównie w wątrobie. Jeśli tkanka docelowa traci zdolność do łączenia się z hormonem lub wątroba jest niewydolna, następuje nadmierne nagromadzenie się hormonów i rozwija się stan wysokiej nadczynności.

Zaburzenia czynności przysadki

W patofizjologii wydzielania wewnętrznego szczególne miejsce zajmują zaburzenia czynności przysadki ze względu na wzajemne oddziaływanie przysadki z układem nerwowym, jej nadrzędność regulacyjną w stosunku do innych gruczołów dokrewnych i szeroki zakres działania hormonów wydzielanych przez przedni jej płat. Wykazano, że zmiany aktywności tych hormonów, a zatem adrenokortyktotropiny (ACTH, hormonu zwiększającego syntezę i wydzielanie glikokortykosteroidów przez korę nadnerczy), hormonu luteinizującego (LH, pobudzającego czynności rozrodcze), folikulostymuliny (FSH, hormonu pobudzającego dojrzewanie pęcherzyków Graafa w jajniku i kanałów nasiennych w jądrach) oraz prolaktyny (LTH, pobudzającego rozrost gruczołów mlecznych), wywołują zaburzenia w biosyntezie hormonów steroidowych kory nadnerczy i gruczołów płciowych, a także w biosyntezie białek i we wzroście (w tym wypadku działa somatotropina – STH, hormon wzrostu pobudzający wzrost kości, chrząstek i masy ciała). Niedobór lub zmniejszona aktywność folikulostymuliny (FSH) zaburza spermatogenezę (dojrzewanie plemników) i oogenezę (dojrzewanie pęcherzyków Graafa w jajniku); ponadto zaburzenia w wydzielaniu folikulostymuliny i prolaktyny (LTH) mogą wywołać zmiany w czynności ośrodkowego układu nerwowego.

Niedoczynność przedniego płata przysadki wówczas, gdy organizm znajduje się jeszcze w okresie wzrostu, może spowodować karłowatość, ogólne wyniszczenie, utratę czynności płciowych, ogólne osłabienie, obniżenie podstawowej przemiany materii i zaburzenia psychiczne. Najpełniej objawy te występują w charłactwie przysadkowym (choroba Glińskiego–Simmondsa).

N a d c z y n n o ś ć p r z y s a d k i, wywołująca m.in. chorobę Cushinga, objawia się znacznym otłuszczeniem, zaburzeniami czynności płciowych, nadciśnieniem oraz zmianami kostnymi i skórnymi. Przy nadmiernym wydzielaniu samotoropiny (STH) może wystąpić ponadto g i g a n t y z m lub a k r o m e g a l i a, w zależności od tego, czy nadczynność wystąpiła przed zakończeniem wzrostu (gigantyzm), czy po jego zakończeniu i zarośnięciu chrząstek nasadowych (akromegalia).

Udział układu hormonalnego w reakcji stresowej

Znaczenie i rola przysadki w powstawaniu ogólnoustrojowych zjawisk patologicznych (a nie tylko pewnych określonych chorób!) jest o wiele większe niż przedstawiono wyżej. Ścisłe powiązanie przysadki z podwzgórzem z jednej strony i z innymi gruczołami dokrewnymi, a zwłaszcza z korą nadnerczy – z drugiej, czynią z przysadki niejako „centrum" przeciwdziałania szkodliwym bodźcom środowiska. Układ podwzgórze–przysadka–nadnercze uruchamia cały zespół zjawisk nazwanych przez H. Selyego r e a k c j ą a l a r m o w ą (równoznaczną z uruchomieniem sił obronnych organizmu). Sygnałem dla tej reakcji jest b o d z i e c a l a r m o w y tzw. s t r e s o r. Może nim być każdy czynnik uszkadzający, np. uraz, krwotok, zakażenie bakteryjne lub wirusowe, negatywne lub zbyt silne przeżycie psychiczne itp. Stan organizmu powstający po zadziałaniu bodźca alarmowego nazywany jest s t r e s e m.

Każdy stresor (zwłaszcza zewnątrzustrojowy) jest odbierany, analizowany i przekształcany w informację dla innych narządów przez ośrodkowy układ nerwowy (głównie przez korę mózgu). Drogą włókien nerwowych współczulnych część rdzenna nadnerczy pobudzona zostaje do wydzielania adrenaliny. Pobudzenie zostaje przeniesione do podwzgórza, co wzmaga wydzielanie kortykoliberyny (CRH), hormonu uwalniającego przysadkową adrenokortykotropinę (ACTH). Wpływ ACTH na korę nadnerczy (zwłaszcza na jej warstwę pasmowatą) pobudza syntezę i uwalnianie glikokortykosteroidów nadnerczowych. Hormony te są bezpośrednio odpowiedzialne za uruchomienie licznych procesów istotnych w przystosowaniu się organizmu do bodźców chorobotwórczych i w zwalczaniu następstw tych bodźców. Przede wszystkim dochodzi do pobudzenia g l i k o n e o g e n e z y, czyli syntezy cukrów z białek (w mniejszym stopniu z innych substancji niecukrowych); wzrost stężenia glukozy jest ważny dla procesów energetycznych komórki. Zwiększenie procesów spalania wewnątrzkomórkowego, występujące w reakcji alarmowej, wywołuje nagromadzenie metabolitów, często toksycznych dla ustroju; zwiększenie wydalania moczu pod wpływem glikokortykosteroidów pozwala na szybsze wydalenie tych związków. Glikokortykosteroidy zwiększają przejściowo stężenie przeciwciał, co jest ważne zwłaszcza w stresie wywoływanym zakażeniem bakteryjnym; ich działanie cytolityczne powoduje jednak zmniejszenie liczby limfocytów i w konsekwencji – po pewnym czasie – zmniejszenie produkcji przeciwciał.

Pierwszy etap reakcji alarmowej, tzn. pobudzenie ośrodkowego układu nerwowego i uwolnienie odpowiednich hormonów, nosi nazwę reakcji pogotowia. Drugi etap polega na uruchomieniu mechanizmów wyrównawczych; jest to tzw. okres oporu. Jeśli obrona ustroju jest zbyt słaba, aby przezwyciężyć czynniki uszkadzające, może dojść do tzw. fazy wyczerpania – ciężkiej choroby, prowadzącej niekiedy do zgonu. Przyczyną tego jest z jednej strony działanie bodźca pierwotnego, czyli stresora, z drugiej wyczerpanie możliwości uwalniania hormonów. Prowadzi to do utraty odporności adaptacyjnej.

Choroby metaboliczne pochodzenia hormonalnego

Wszelkie zaburzenia hormonalne można rozpatrywać jako zaburzenia metaboliczne. Ogólna przemiana materii ulega podwyższeniu lub obniżeniu przede wszystkim w nadczynności lub niedoczynności tarczycy.

Zaburzenia przemiany białkowej występują w niedoczynności tarczycy, ponieważ hormon wydzielany przez ten gruczoł dokrewny – tyroksyna – w nieswoisty sposób pobudza syntezę wszystkich białek. Nadczynność kory nadnerczy, poprzez glikoneogenetyczne działanie glikokortykosteroidów, tj. prowadzące do wytworzenia węglowodanów, a głównie glukozy ze składników niecukrowych (także z białek), wywołuje zwiększony rozpad białek z utratą azotu białkowego. Wzrost wydzielania androgenów (hormonów płciowych) przeciwdziała tym objawom, pobudzając syntezę białek z aminokwasów.

Zaburzenia gospodarki tłuszczowej. Istotne znaczenie dla gospodarki tłuszczowej mają zaburzenia funkcji nadnerczy, i to zarówno ich kory, jak i rdzenia. Niedobór amin katecholowych (adrenaliny, noradrenaliny) obniża lipolizę, czyli rozpad tłuszczów do trójglicerydów, a następnie do kwasów tłuszczowych, powodując odkładanie się tłuszczów w tkankach. Podobny efekt wywiera nadmiar wydzielanych glikokortykosteroidów i insuliny – hormonu produkowanego przez komórki wysp Langerhansa w trzustce.

Zaburzenia gospodarki cukrowej. Wiele hormonów bierze udział w regulacji gospodarki cukrowej, ale jedynie insulina trzustki obniża stężenie glukozy we krwi. Pozostałe, tzn. glukagon (również hormon trzustkowy), somatotropina (STH, hormon wzrostu), aminy katecholowe i glikokortykosteroidy – działają przeciwstawnie. Hipoglikemia, czyli niedobór cukru we krwi, jest objawem chorobowym wynikającym z niedoczynności takich gruczołów, jak komórki A wysp Langerhansa trzustki, rdzeń nadnerczy i warstwa pasmowata kory nadnerczy. Cukrzyca, zob. Choroby wewnętrzne s. 804).

Zaburzenia wodno-mineralne z przyczyn hormonalnych uwidaczniają się najsilniej jako zaburzenia przemiany wapniowej i sodowej. Przemiana wapniowa ulega upośledzeniu wskutek nadmiernego wydzielania hormonu kalcytoniny przez komórki „C" tarczycy lub w wyniku niedoboru parathormonu wydzielanego przez przytarczyce. Natomiast nadmierne wydalanie sodu przez ustrój jest spowodowane zmniejszonym wydzielaniem lub nadmiernym rozpadem podstawowego hormonu warstwy kłębkowatej kory nadnerczy – aldosteronu. Ma to decydujące znaczenie w zaburzeniach gospodarki wodnej, ponieważ sód jest silnie hydrofilny. Ucieczka sodu z moczem prowadzi zatem do odwodnienia, a zatrzymywanie sodu w ustroju zwiększa ilość wody, co może spowodować wzrost ciśnienia i tworzenie się obrzęków.

VII. ZABURZENIA METABOLICZNE

Życie każdego organizmu żywego sprowadza się do procesów przemiany materii – metabolizmu, przebiegających nieprzerwanie jako procesy anaboliczne (asymilacyjne), czyli przyswajania, i procesy kataboliczne (dysymilacyjne), czyli rozpadu. Na całość przemiany materii składa się ogromna ilość reakcji biochemicznych, warunkowanych odpowiednimi genami. Poszczególne tory metaboliczne, tj. przemiany biochemiczne, prowadzą do wytworzenia odpowiedniego białka enzymatycznego (enzymu), katalizującego daną (najczęściej specyficzną) reakcję biochemiczną, lub białka podporowego, będącego materiałem budulcowym komórek i tkanek. W wyniku przemiany materii dochodzi do przekształcenia poszczególnych substancji. Ważnym procesem jest rozpad licznych produktów, prowadzący do zmniejszenia ich aktywności biologicznej i wydalania. Zaburzenie przebiegu choćby jednej reakcji wiedzie niekiedy do wypaczenia jednego z trzech zasadniczych torów przemian: białkowych, cukrowych lub tłuszczowych i do ciężkich schorzeń metabolicznych. Wszystkie te tory są ze sobą połączone i zaburzenie przebiegu jednego z nich daje w konsekwencji zmiany w pozostałych.

Głodzenie

Największe zaburzenia, obejmujące w różnym stopniu wszystkie rodzaje przemian, występują w głodzie zupełnym. W stanie głodu, przy nieprzyjmowaniu jakiegokolwiek pożywienia, początkowo dochodzi do gwałtownego zużytkowania substancji energetycznych – węglowodanów (głównie glikogenu mięśniowego i wątrobowego) i tłuszczów. Po wyczerpaniu się zasobów tych substancji następuje szczególnie niebezpieczne dla organizmu spalanie białek oraz toksyczny ich rozpad, prowadzące do ogólnego niedoboru białek, obniżenia stężenia albumin w osoczu krwi (hipoalbuminemia) i obniżenia stężenia globulin (hipoglobulinemia). Zmniejszenie stężenia białek powiększa się jeszcze wskutek nadmiernego ich przekształcania w cukry; w pewnym jednak krytycznym momencie proces ten, zwany glikoneogenezą, zostaje zatrzymany. Dochodzi wówczas wszakże do alarmującego dla ustroju innego objawu, a mianowicie do obniżenia stężenia glukozy we krwi (hipoglikemii).

Tak duże zaburzenia przemian białkowych i cukrowych nie pozostają bez wpływu na metabolizm tłuszczów. Gwałtowne spalanie dużych ich ilości prowadzi do powstawania we krwi tzw. ciał ketonowych (ketonemia), substancji toksycznych dla ustroju.

Niedobory pokarmowe, zwłaszcza białkowe, zaburzają także – sprawnie funkcjonującą przez dłuższy czas głodzenia – gospodarkę wodno-mineralną. Stały brak w pożywieniu choćby tylko jednej grupy składników (białek, cukrów, tłuszczów, wody) prowadzi do typowych, nasilających się z czasem zaburzeń i w konsekwencji do śmierci.

Niedobór białek ustrojowych

Niedobory białek ustrojowych mogą być zaburzeniem pierwotnym i wtórnym.

Pierwotne niedobory białek są wynikiem anomalii genetycznych, powodujących już od urodzenia brak lub niedobór pewnej grupy białek. Bardzo ciężkie, ale i rzadko spotykane przypadki stanowią tzw. agammaglobulinemie, czyli niedobory frakcji globulin we krwi. Istotą tych chorób jest brak lub znaczny niedobór przeciwciał (immunoglobulin, tj. białek odpornościowych), powodujący znaczny spadek odporności organizmu. Objawami tych chorób są m.in. nawracające zakażenia (występujące często już od urodzenia), krwawienia, zmiany w tkance mózgowej i zaburzenia hormonalne. W wielu wypadkach choroby te prowadzą do śmierci.

Wtórne niedobory białek występują znacznie częściej. Ich przyczyną mogą być: 1) niedostateczna podaż w pożywieniu (np. w nieodpowiedniej diecie, przy wymiotach, biegunkach), 2) utrudnione wchłanianie w jelicie cienkim, 3) nieprawidłowa synteza (np. w chorobach wątroby, przewodu pokarmowego, trzustki), 4) zwiększony rozpad białek (np. w nadczynności tarczycy, posocznicach, gorączce), 5) nadmierna utrata białek osoczowych (np. w krwotokach, białkomoczu, oparzeniach).

Następstwa niedoborów białkowych objawiają się w postaci obrzęków, na skutek obniżonego poziomu albumin we krwi (hipoalbuminemia), zmniejszoną odpornością organizmu w wyniku obniżonego stężenia gamma-glubulin (hipogammaglobulinemia), zmniejszeniem się masy ciała, zwyrodnieniem narządów i upośledzeniem żywotności komórek (brak białek podporowych, budulcowych). Zaburzeniom ulegają także czynności poszczególnych narządów i niektóre procesy biochemiczne organizmu, gdyż niedobory białkowe to także zmniejszona synteza głównych biokatalizatorów ustrojów – enzymów i niektórych hormonów będących białkami.

Zaburzenia przemiany węglowodanów

Najczęstsze zaburzenia przemiany węglowodanów (cukrów) dotyczą zwiększonego lub zmniejszonego ich stężenia we krwi oraz genetycznie uwarunkowanych zaburzeń ich przemiany, prowadzących do magazynowania glikogenu w różnych tkankach.

Hiperglikemia, czyli podwyższone stężenie glukozy we krwi, jest podstawowym objawem cukrzycy (zob. Choroby wewnętrzne, s. 804). Choroba ta jest zawsze związana z bezwzględnym lub względnym niedoborem insuliny: z brakiem lub zmniejszeniem jej wydzielania, z nieprawidłową budową tego hormonu, zbyt słabymi bodźcami do jego wydzielania, obniżeniem wrażliwości tkanek na jego działanie itp.

Do innych przyczyn wywołujących hiperglikemię należą m.in.: nadmierne podawanie cukru z pokarmem, podrażnienie psychiczne wywołujące wzrost napięcia układu nerwowego współczulnego, przemęczenie fizyczne, niektóre choroby zakaźne, nadczynność przysadki, kory i rdzenia nadnerczy oraz komórek A wysp Langerhansa trzustki, choroby wątroby.

Hipoglikemia, czyli obniżone stężenie glukozy we krwi, może być spowodowana m.in.: zwiększonym wydzielaniem insuliny, zmniejszonym wydzielaniem hormonów działających przeciwstawnie do insuliny, takich jak somatotropina (hormon wzrostu) i adrenokortykotropina (hormon przedniego płata przysadki) lub kortyzol (hormon kory nadnerczy), zaburzeniami regulacji autonomicznego układu nerwowego (z przewagą napięcia układu przywspółczulnego), niedoborem cukrów w pożywieniu, nadmiernym ich zużywaniem przez tkanki (np. podczas gwałtownych wysiłków fizycznych).

Stany niedocukrzenia są groźne dla organizmu i mogą kończyć się śmiercią. Objawiają się przede wszystkim uczuciem głodu, ogólnym osłabieniem, omdleniami, drżeniem mięśniowym, niekiedy nawet silnymi drgawkami; czasami pojawiają się zaniki pamięci i orientacji, a nawet stany maniakalne. Objawy stanu niedocukrzenia są związane przede wszystkim z niedoborem cukrów jako podstawowego materiału energetycznego komórek mięśniowych i nerwowych.

Objawy chorób spowodowanych nadmiernym nagromadzeniem glikogenu (choroby spichrzeniowe) są następstwem niedoboru enzymów, biorących udział w rozkładzie tego wielocukru. W zależności od braku odpowiedniego enzymu objawy chorobowe są zmienne, zwykle jednak charakterystyczne jest znaczenie obniżenia stężenia glukozy we krwi, powiększenie narządów miąższowych (głównie wątroby, śledziony i nerek) z powodu nagromadzenia glikogenu, zaburzenia krążenia, osłabienie mięśni.

Zaburzenia przemiany tłuszczów

Biologiczną cechą tłuszczów jest ich łatwe odkładanie się w bardzo dużych ilościach w organizmie. Podawane w pożywieniu są ważnym źródłem energii, która wyzwala się podczas spalania kwasów tłuszczowych, a także źródłem pewnych witamin, rozpuszczalnikiem i nośnikiem tychże witamin.

Ważne miejsce w metabolizmie i funkcji tłuszczów w ustroju zajmują kwasy tłuszczowe wielonienasycone – linolowy, linolenowy i arachidonowy (eikozatetraenowy). Ich znaczenie wiąże się m.in. z transportem i katabolizmem cholesterolu (kwasy te znacznie obniżają stężenie cholesterolu we krwi). Z kwasu arachidonowego powstają ponadto ważne i obdarzone dużą aktywnością biologiczną prostanoidy (eikozanoidy): prostaglandyny, prostacykliny, tromboksany i leukotrieny.

Wchłanianie spożytego tłuszczu odbywa się w jelitach cienkich; szybkość wchłaniania zależy od rodzaju tłuszczu – lepiej wchłaniane są tłuszcze roślinne. Najczęstsze zaburzenia tego procesu wynikają z braku soku trzustkowego w jelitach, braku wydzielania żółci i z przewlekłych stanów zapalnych błony śluzowej jelit. Tłuszcze z jelit przechodzą do naczyń chłonnych, a następnie do krwi, stąd przechodzą do poszczególnych komórek, gdzie są metabolizowane lub odkładane.

Zwiększone stężenie tłuszczów we krwi (hiperlipidemia)jest wynikiem pewnych charakterystycznych zaburzeń enzymatycznych i towarzyszy jako objaw m.in. takim chorobom, jak miażdżyca, otyłość, zespół nerczycowy, niektóre zatrucia, zaburzenia hormonalne.

W niektórych chorobach, np. w cukrzycy, dochodzi do spalenia nadmiernych ilości kwasów tłuszczowych. Wytwarzają się wówczas tzw. ciała ketonowe (aceton, kwas acetylooctowy i kwas beta-hydroksymasłowy), które gromadzą się we krwi (ketonemia) i przechodzą do moczu (ketonuria). Ciałe te są silnie toksyczne. Ich pojawienie się wskazuje na znacznego stopnia zaburzenia metabolizmu tłuszczów, zwłaszcza przy wyczerpaniu się zapasu glikogenu w wątrobie, a także przy nadmiernym podawaniu tłuszczów i jednoczesnej niskiej podaży cukrów.

Stężenie tłuszczów w organizmie jest regulowane przez zespół hormonów, enzymy (np. przez lipazę lipoproteinową, która rozkłada wyższe tłuszcze do substancji prostszych, transportowanych już do naczyń, lipazę wątrobową i lipazę adipokinetyczną hormonalnie zależną, która uwalnia wolne kwasy tłuszczowe z tkanki tłuszczowej) oraz przez autonomiczny układ nerwowy (część współczulna zwiększa metabolizm i rozpad tłuszczów, część przywspółczulna działa przeciwnie). Upośledzone funkcjonowanie wymienionych mechanizmów może prowadzić do otyłości lub wychudzenia. Zaburzenia enzymatyczne wywołują otyłość metaboliczną, w której nadmierne łaknienie jest objawem wtórnym. Zaburzenia nerwowe powodują otyłość regulacyjną, w której nadmierne łaknienie jest objawem pierwotnym, a tusza – następstwem. Chudość może być wywołana brakami dietetycznymi lub wewnętrznymi zaburzeniami regulacyjnymi.

Genetyczne zaburzenia przemiany tłuszczów mogą charakteryzować się podwyższonym (hiperlipoproteinemie) i obniżonym (hipolipoproteinemie) stężeniem lipoprotein we krwi oraz gromadzeniem się złożonych tłuszczów w poszczególnych tkankach (lipidozy).

Szczególne miejsce w zaburzeniach przemiany tłuszczów zajmuje miażdżyca tętnic (*arteriosclerosis* s. *atheromatosis*), tj. ogniskowe nagromadzenie lipidów, tkanki włóknistej i złogów wapniowych w błonie wewnętrznej tętnic. Początkowo sądzono, że główną przyczyną jest nadmiar cholesterolu. Dziś, aczkolwiek etiologia tej choroby nie jest dostatecznie wyjaśniona, uważa się, że u jej podłoża leżą złożone zaburzenia równowagi enzymatycznej w wytwarzaniu dwóch przeciwstawnie działających substancji hormonalnych: prostacykliny (w śródbłonku naczyń) i tromboksanu A_2 (w płytkach krwi). „Ochraniające” działanie ma tu prostacyklina, przeciwdziałająca agregacji płytek i rozkurczająca naczynia. W miejscu braku syntetazy prostacykliny, płytki krwi przywierają do ściany naczynia, gromadzą się tu płytkowe mediatory zapalenia i enzymy lizosomalne. Powstaje lokalny proces zapalny, który prowadzi do anatomicznego uszkodzenia naczynia. W tak zmienionej ścianie naczyniowej komórki mięśniowe z błony środkowej przechodzą do śródbłonka i tutaj ulegają rozplemowi; odkładają się cholesterol, lipidy i sole wapnia, tworzące płytkę miażdżycową.

Istnieje wiele danych wskazujących na genetyczne podłoże wzrostu zawartości lipidów, tj. tłuszczów w ścianach naczyń, jak też na naciekanie tych ścian przez lipidy znajdujące się we krwi (inicjowanie procesu miażdżycowego). Także różne uszkodzenia ściany naczyniowej mogą warunkować gromadzenie się w niej tłuszczu i cholesterolu, istotne dla rozwoju miażdżycy. Inne współczesne teorie podkreślają, że wczesnym objawem, a także jedną z przyczyn miażdżycy jest nagromadzenie się kwaśnych mukopolisacharydów (śluzowielocukrów) w tętnicach oraz nitek i złogów włóknika w ich błonie wewnętrznej.

Z miażdżycą związane są tzw. czynniki ryzyka, zwiększające częstość występowania tej choroby i przyspieszające jej rozwój. Należą do nich przede wszystkim: zwiększony poziom tłuszczów we krwi (hiperlipidemia), a zwłaszcza cholesterolu (hipercholesteremia), palenie tytoniu i nadciśnienie tętnicze, a ponadto cukrzyca, otyłość, częste stresy i brak aktywności fizycznej.

Zaburzenia gospodarki wodnej

Przeciętnie 63% masy ciała u mężczyzn i 54% u kobiet stanowi woda. Woda jest podstawową i absolutnie niezbędną do życia substancją. Stanowi ona środowisko, w którym toczą się wszystkie procesy życiowe organizmu; jest rozpuszczalnikiem dla niemal wszystkich składników protoplazmy; przy udziale wody zachodzą reakcje rozpadu związków na jony, transport cząsteczek i jonów do tkanek, wydalanie produktów przemiany materii; woda odgrywa ważną rolę w zjawiskach regulacji temperatury ciała i ciśnienia osmotycznego.

Zaburzenia gospodarki wodnej organizmu są wynikiem niedostatecznej lub nadmiernej ilości w nim wody. W pierwszym przypadku jest to tzw. odwodnienie, stan, w którym objawy nasilają się bardzo gwałtownie i w krótkim czasie doprowadzają do śmierci. W drugim przypadku jest to zatrucie wodne. Dochodzi do niego głównie w chorobach nerek, przy ograniczonej zdolności wydalania wody. W obu przypadkach główne zaburzenia polegają na zmianach stężenia substancji mineralnych. W zatruciu wodnym wyraźne jest zwłaszcza zmniejszenie stężenia sodu i chlorków w osoczu krwi.

Zaburzenia wymiany wody w tkankach prowadzą do obrzęków.

Obrzęk jest to nadmierne pozanaczyniowe gromadzenie się płynu w tkankach lub jamach ciała. Niemal każde uszkodzenie naczyń doprowadza do przechodzenia płynu do tkanek. Płyn zawiera dużą ilość białka, co powoduje dodatkowe przyciąganie wody; jest to płyn wysiękowy, a obrzęki tego typu noszą nazwę obrzęków zapalnych.

W zastoju żylnym wskutek przewlekłej niewydolności krążenia, ucisku przez guzy nowotworowe, marskości wątroby itp. dochodzi do wzrostu ciśnienia żylnego i także przenikania płynu na zewnątrz naczynia; jest to płyn przesiękowy (niskobiałkowy), a obrzęki noszą wówczas nazwę obrzęków hydrostatycznych.

Obrzęki powstają też wskutek niedoborów białkowych. Brak białek, a zwłaszcza hydrofilnych albumin we krwi, zmniejsza ciśnienie osmotyczne krwi, wobec czego przeważa ciśnienie hydrostatyczne, „wypychające” płyn poza naczynia. Obrzęki w niektórych zaburzeniach hormonalnych (np. w nadczynności kory nadnerczy) są wynikiem gromadzenia się w tkankach substancji mineralnych, silnie wiążących wodę (sód). W takich przypadkach wzrasta ciśnienie osmotyczne w tkankach, powodujące przechodzenie do nich wody i powstawanie obrzęku.

VIII. PATOFIZJOLOGIA CHORÓB NOWOTWOROWYCH

Zagadnienia związane z powstawaniem i rozwojem nowotworów znajdują się w centrum uwagi patologów, klinicystów, genetyków, wirusologów, biochemików i specjalistów innych dziedzin biologii. Zainteresowanie to trwa od przeszło 200 lat, tj. od czasu opisania przez chirurga londyńskiego Percivalla Potta (1875) raka moszny jako choroby zawodowej kominiarzy. Początkowo zajmowano się głównie opisem anatomo- lub histopatologicznym guzów, wykazywaniem rakotwórczego działania kolejnych związków chemicznych, częstością występowania, leczeniem chorób nowotworowych i zapobieganiem im. Ówczesny stan wiedzy nie pozwalał bowiem na poznanie samego procesu nowotworzenia, zwłaszcza mechanizmu przekształcania się komórek prawidłowych w nowotworowe.

Za pioniera w tej dziedzinie należy uznać wirusologa amerykańskiego Peytona Rousa, który w roku 1911 udowodnił wirusowe pochodzenie mięsaka zarodków kurzych. Teoria wirusowa, silnie krytykowana jeszcze na Kongresie Lekarskim w Paryżu w roku 1950, wywołała duże zainteresowanie rok później, po wyizolowaniu przez Grossa wirusa białaczki myszy (1951). Ogromne znaczenie miały też badania prowadzone w Chicago w latach trzydziestych przez znanego endokrynologa Charlesa Hugginsa, mające na celu wykazanie wpływu hormonów na rozwój tkanki nowotworowej.

Ugruntowanie teorii wirusowej łączy się z działanością wybitnego genetyka angielskiego (pracującego głównie w USA) – Renato Dulbecco. Na początku lat sześćdziesiątych uczony ten wykazał różne mechanizmy nowotworowego (onkogennego) i infekcyjnego działania wirusów, a za warunek przemian nowotworowych komórki uznał wbudowanie w jej materiał genetyczny kwasu dezoksyrybonukleinowego (DNA) wirusa.

Uczniowie Dulbecco – David Baltimore i Howard Temin – opisali mechanizm rakotwórczego działania RNA-wirusów. Komórka nowotworowa, dzieląc się na dwie komórki potomne, przekazuje im swe właściwości onkogenne, co związane jest z zapisaniem tych informacji w materiale genetycznym. Baltimore i Temin wykryli w roku 1970 w komórkach nowotworowych znaczne ilości charakterystycznego enzymu i opisali jego działanie. Polega ono na katalizowaniu syntezy nowego, zmienionego DNA, dla którego matrycę – odwrotnie niż w normalnych warunkach – stanowi RNA wirusowe. Enzym ten nazwali rewertazą lub odwrotną transkryptazą.

Dzisiejsze koncepcje powstawania nowotworów złośliwych sprowadzają się do trzech zasadniczych teorii: mutacyjnej, regulacji genów i wirusowej. Teorie mutacyjna i wirusowa to tzw. teorie genetyczne – zmiany występują w informacji genetycznej komórki, natomiast teorię regulacji genów określa się jako epigenetyczną – o charakterze trwałego zaburzenia czynności genów.

Teoria mutacyjna dotyczy pewnych zaburzeń w ultrastrukturze komórki, które są dziedziczone. W roku 1914 Boveri przedstawił hipotezę udziału mutacji chromosomowych w procesie złośliwienia komórek. Należy jednak podkreślić, że poza występowaniem chromosomu Ph′ w przewlekłej białaczce szpikowej, jądra komórek nowotworowych nie różnią się od jąder komórek prawidłowych.

Teoria regulacji genów zakłada skokowe pojawianie się nowych cech komórki, co może prowadzić do złośliwienia. Przyczyną ma być odblokowywanie pewnych nieprawidłowych fragmentów DNA, wchodzących w skład tzw. operonów, co powoduje pojawianie się niepożądanych cech. Z takiego założenia wyszli Huebner i Todarro, przedstawiając w roku 1969 teorię istnienia i uczynniania tzw. genów rakowych.

Podstawą wirusowej teorii rozwoju nowotworów były badania

przeprowadzone przez Rousa i Grossa. Istotne znaczenie miało też poznanie roli kwasów nukleinowych (DNA i RNA) w dziedziczeniu oraz wyodrębnienie DNA-wirusów („papova" – wirus brodawczaka Shope'a, wirusy polyoma i SV-40, czyli *vacuolating simian virus type* 40) i RNA-wirusów (m.in. wirus mięsaka zarodków kurzych Rousa i wirus sutka myszy Mühlebocka).

Podstawowymi cechami komórek nowotworowych są: 1) stałe niekontrolowane podziały, 2) zdolność przemieszczenia się (migracje) oraz 3) zmiany aktywności biochemicznej. Komórki nowotworowe dzielą się na ogół szybko, lecz najistotniejsze jest to, że po osiągnięciu stadium zróżnicowania nie następuje zahamowanie podziałów. Migracje, czyli przerzuty (metastazje) komórek są determinowane nieprawidłową budową błony komórkowej (błony embrionalne) i charakteryzują się przemieszczaniem komórek niewłaściwymi drogami (głównie krwią i limfą). Zaburzenia aktywności biochemicznej dotyczą komórek nowotworów wytwarzających hormony i polegają na niewspółmiernie intensywniejszym wydzielaniu ciał czynnych w porównaniu z prawidłowymi komórkami hormonalnymi, a także w porównaniu z szybkością wzrostu guza.

Niektóre nowotwory (np. rak płuc) charakteryzują się wszystkimi trzema typami zaburzeń, u większości dominują jednak tylko dwa typy, co ujawnia cechy złośliwe. Dzieje się tak np. w rakach gruczołów dokrewnych; wyspiaka (insulinoma) cechuje łatwość tworzenia przerzutów i dużego stopnia nadczynność hormonalna, nowotwory przytarczyc obok wzmożonych podziałów charakteryzuje nadczynność. Wystąpienie jednej tylko cechy nie prowadzi do nowotworzenia, co można zauważyć na przykładzie erytrocytów. Wzmożone tempo podziałów krwinek czerwonych jest przyczyną choroby zwanej czerwienicą prawdziwą, która nie jest chorobą nowotworową. Jeśli jednak do tej cechy dołączą się przerzuty komórkowe, to dojdzie do rozwoju ciężkiej choroby nowotworowej – erytroleukemii.

Teoria mutacyjna zakłada, że złośliwe przekształcenie komórki jest utrwalone w jej aparacie genetycznym. Interesujący jest tu zwłaszcza wpływ czynników rakotwórczych na aparat genetyczny komórki. Jedna możliwość zakłada, że czynniki rakotwórcze działają zawsze jak mutageny, zmieniając prawidłową budowę DNA (kwasu dezoksyrybonukleinowego). Według drugiej koncepcji, czynniki te umożliwiają uczynnienie pewnego fragmentu DNA (wg Huebnera i Todarro – genów rakowych), determinującego powstawanie cech nowotworowych. Przeciwnicy teorii mutacyjnej jako główny zarzut wysuwają brak zmian morfologicznych w obrębie aparatu genetycznego komórki. Jedynym wyjątkiem jest tu opisany w latach 1960–61 przez Nowella i Hungenforda chromosom Ph′ w 22 parze chromosomów, charakteryzujący się nieprawidłową długością ramion i występujący w przewlekłej białaczce szpikowej. Zwolennicy teorii mutacyjnej mówią natomiast, że: po pierwsze – brak dostrzegalnych zaburzeń w materiale genetycznym wynika z występowania niedostrzegalnych mutacji genowych (punktowych, czyli właściwych), a nie chromosomowych, i po drugie – nieprawidłowe geny powodują powstawanie charakterystycznych zmian nowotworowych tylko we wczesnych, trudnych do rozpoznania stadiach karcinogenezy (rozwoju nowotworu).

Teoria wirusowa zakłada, że pierwotną przyczyną przekształceń nowotworowych jest „zakażenie" komórki DNA- lub RNA-wirusem i wbudowanie się ich materiału genetycznego do DNA komórki. Z jednej strony teoria ta wywodzi się z teorii mutacyjnej, gdyż wskazuje na pionowe przekazywanie informacji wirusa, z drugiej zaś – z teorii regulacji genów, ponieważ postuluje istnienie wirusa (genu) rakowego stale we wszystkich pokoleniach jako integralnej części genomu komórki. Teoria wirusowa ma dziś wielu zwolenników, lecz coraz częściej zwraca się uwagę na duże uszkodzenie cytoplazmy, a zwłaszcza plazmy jądra komórkowego, pod wpływem zakażenia wirusem, co na ogół, prowadzi do poważnego uszkodzenia i obumarcia komórki; powstający wówczas nowotwór byłby jedynie skutkiem „manipulacji" eksperymentatora, czyli artefaktem.

IX. PODSTAWOWE STANY I PROCESY PATOLOGICZNE

Zakażenie

Biologiczne czynniki chorobotwórcze – drobnoustroje – różnią się od innych czynników chorobotwórczych, m.in. zdolnością rozmnażania się oraz dużą zmiennością, czyli zdolnością przystosowania się do niekorzystnych warunków; żyjąc i rozmnażając się w organizmie, który jest dla nich żywicielem, wydzielają jady (toksyny) zatruwające gospodarza.

Zakażenie polega właśnie na przystosowaniu i rozmnażaniu się drobnoustrojów w danym organizmie. Dużą rolę odgrywa tutaj zmiana wrażliwości i odczynowości ustroju. Ze względu na mechanizm zakażenia wyróżnia się dwa jego rodzaje: zakażenie wewnątrzpochodne, endogenne, oraz zakażenie zewnątrzpochodne, egzogenne.

Zakażenie wewnątrzpochodne polega na gwałtownym rozmnażaniu się drobnoustrojów, które dotychczas żyły w organizmie w niewielkiej liczbie, ale w pewnym momencie uzyskały sprzyjające warunki do szybkiego rozwoju. Przykładem takiego zakażenia może być np. zapalenie płuc, nieżyt jelit, katar nosa.

Zakażenie zewnątrzpochodne polega na wtargnięciu do organizmu drobnoustrojów z zewnątrz, najczęściej z innego zakażonego osobnika. Zwykle drobnoustroje te są wysoce zjadliwe, silne, odporne, zdolne do przystosowania się, gdyż takich właściwości nabrały u poprzedniego gospodarza. Rozmnażając się, wywołują chorobę zakaźną nawet u osób zdrowych, ze sprawnymi siłami obronnymi.

Obrona organizmu przed zakażeniem

Organizm człowieka wykształcił mechanizmy obronne, zapobiegające zarówno wtargnięciu, jak i rozmnażaniu się drobnoustrojów. Prawidłowe działanie tych mechanizmów zależy od właściwości konstytucjonalnych i od stanu czynnościowego ustroju.

Wniknięciu drobnoustrojów do organizmu zapobiegają przede wszystkim powłoki ciała – skóra oraz błony śluzowe narządów stykających się ze światem zewnętrznym, np. śluzówka przewodu pokarmowego, układu oddechowego i układu moczowo-płciowego. Powłoki te mają właściwości przeciwdziałające zakażeniu. Należa do nich: szczelność naskórka, kwaśny odczyn skóry, kwasota soku żołądkowego, śluz wydzielany przez błony śluzowe, nabłonek rzęskowy błony śluzowej, skupiska tkanki limfatycznej w postaci migdałków w gardle i kępek Peyera w jelitach oraz substancje antybiotyczne, np. lizozym w łzach i ślinie. Czynniki te utrudniają przenikanie drobnoustrojów w głąb organizmu, jednak przy zakażeniu zjadliwymi szczepami, przy zakażeniu masowym, a także przy utracie szczelności powłok okazują się niewystarczające.

Miejsca wniknięcia drobnoustrojów do organizmu nazywane są wrotami zakażenia. Są nimi najczęściej: jama ustna, jama nosowa oraz uszkodzenia powłok (rany). W miejscu wniknięcia drobnoustroje natrafiają na pierwszą linię obrony ustroju – wytwarza się odczyn zapalny. W przebiegu tego odczynu zostają zmobilizowane komórki wykazujące zdolność ruchu pełzakowatego oraz mające właściwości fagocytozy, czyli pożerania ciał obcych i drobnoustrojów. Komórki te, zwane fagocytami, przyczyniają się do zniszczenia drobnoustrojów i umiejscowienia zakażenia. Niekiedy jednak, np. w tzw. zakażeniach ogniskowych (tężec), drobnoustroje pozostając w obrębie wrót zakażenia wydzielają substancje toksyczne do organizmu, tzw. jady (toksyny).

Gdy drobnoustrojom uda się przełamać pierwszą linię obrony, przedostają się w głąb organizmu, często naczyniami limfatycznymi. „Płynąc" nimi, napotykają drugą linię obroną – węzły chłonne (limfatyczne). Tutaj zostają w większości pochłonięte i zniszczone przez fagocyty należące do tzw. układu siateczkowo-śródbłonkowego oraz unieczynnione przez wytwarzające się już w tym czasie przeciwciała odpornościowe. Przeciwciała są to swoiste substancje białkowe, mające właściwości rozpuszczania i zlepiania tych drobnoustrojów, przeciwko którym zostały wytworzone; pobudzają poza tym fagocytozę oraz zobojętniają i strącają toksyny bakteryjne. Węzły chłonne ulegają znacznemu powiększeniu, stają się często bolesne, a skóra nad nimi jest niekiedy zaczerwieniona. Zapalenie rozwija się zwykle w węzłach chłonnych znajdujących się w pobliżu wrót zakażenia, np. w przypadku anginy w węzłach podszczękowych lub szyjnych, w przypadku duru brzusznego w węzłach krezki jelitowej, w przypadku gruźlicy płuc w węzłach chłonnych wnęki płucnej itp. Tylko przy dużej zjadliwości lub przy osłabieniu organizmu drobnoustroje przedostają się przez węzły chłonne i wraz z limfą trafiają do krwi.

Drobnoustroje mogą przedostać się do krwi również bezpośrednio, z pominięciem pierwszej i drugiej linii obronnej organizmu. Dzieje się tak wówczas, gdy wskutek urazu zostaną otwarte naczynia krwionośne lub gdy drobnoustroje przenoszone są wprost do krwi przez przenosicieli (wesz, komar, zanieczyszczona igła strzykawki itp.). Jeżeli zarazki znajdują we krwi dobre warunki do rozwoju, zaczynają się gwałtownie rozmnażać. Stan, w którym następuje silne zatrucie jadami drobnoustrojów krążących we krwi, nazywany jest zakażeniem krwi lub posocznicą (*sepsis*). Stan, w którym drobnoustroje ropotwórcze wywołują wtórne ogniska w całym organizmie – określa się ropnicą (*payemia*). Stan zaś, w którym do krwi dostają się jedynie jady bakteryjne wytworzone przez drobnoustroje umiejscowione w ognisku zakażenia, nosi nazwę zatrucia krwi (*toxaemia*).

Po wniknięciu drobnoustrojów do krwi obrona organizmu trwa nadal. Krew stanowi trzecią linię obronną zaopatrzoną zarówno w fagocyty, jak i w przeciwciała odpornościowe. Dzięki przeciwciałom następuje przeważnie zniszczenie drobnoustrojów i zobojętnienie jadów oraz powstaje stan odporności, który na czas krótszy lub dłuższy (nieraz na całe życie) uniemożliwia powtórne zakażenie.

Szybkość rozmnażania się drobnoustrojów ,,współzawodniczy" z szybkością niszczenia i usuwania ich przez fagocyty. Jeżeli bakterie są zjadliwe, liczba ich we krwi szybko wzrasta i organizm ginie. Zwykle jednak fagocytoza albo umiejscawia zakażenie, albo ogranicza rozwój drobnoustrojów tak długo, aż wytworzą się humoralne odczyny odpornościowe (przeciwciała).

Zakażenie a choroba zakaźna

Pomiędzy prawidłowym stanem organizmu – zdrowiem, a chorobą zakaźną, która jest następstwem zakażenia przez drobnoustroje chorobotwórcze odporne na działanie sił obronnych ustroju, istnieje wiele pośrednich postaci zakażenia, nie wywołujących objawów choroby zakaźnej. Należą do nich zakażenia: bezobjawowe, utajone i poronne.

Zakażenia bezobjawowe – mimo obecności i rozmnażania się drobnoustrojów w organizmie, brak jest objawów chorobowych (często występuje nosicielstwo).

Zakażenie utajone – początkowy, przejściowy okres zakażenia, poprzedzający właściwe objawy choroby zakaźnej.

Zakażenie poronne – objawy chorobowe są tak nieznaczne, że niekiedy uchodzą uwadze chorego i lekarza.

Zapalenie

Zapalenie jest to obronny odczyn ustroju na miejscowe działanie czynników szkodliwych. Odczyn ten jest bardzo złożonym odczynem żywego organizmu.

Obraz zapalenia oraz jego objawy zależą od rodzaju i działania czynnika chorobotwórczego oraz od reaktywności ustroju. Czynnikiem chorobotwórczym mogą być różnego rodzaju bodźce pochodzenia zewnętrznego lub wewnątrzustrojowego, które działają uszkadzająco i drażniąco na tkanki. Mogą to być czynniki: fizyczne (urazy mechaniczne, cieplne, prąd elektryczny, promienie rentgenowskie itp.), chemiczne (środki drażniące, produkty przemiany materii) oraz biologiczne (drobnoustroje, toksyny bakteryjne).

Mechanizm zapalenia

Każdy czynnik zapaleniotwórczy doprowadza z jednej strony do podrażnienia receptorów, głównie przez wyzwolone w ognisku zapalnym mediatory zapalne, a z drugiej – do wstecznych zmian komórek, takich jak zwyrodnienia i martwice.

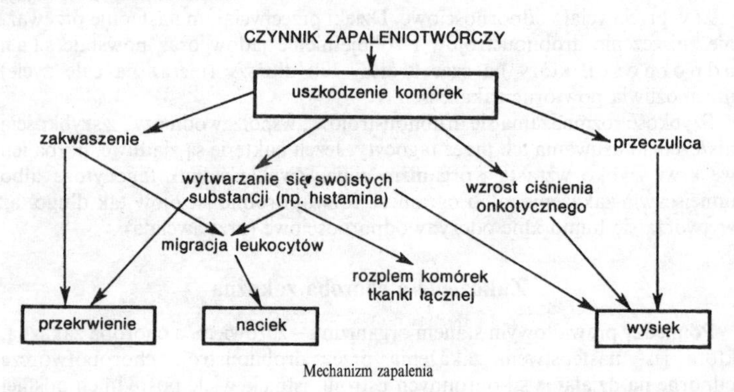

Mechanizm zapalenia

Podrażnienie odpowiednich receptorów wywołuje wrażenie bólu oraz zaburzenia naczynioruchowe w miejscu działania czynnika szkodliwego i w jego najbliższym otoczeniu. Następuje odruchowe rozszerzenie naczyń tętniczych (przekrwienie czynne), wskutek czego przepływ krwi staje się wzmożony. W ognisku zapalnym powstają dalsze zmiany, które powodują pogłębienie miejscowych zaburzeń krążenia i prowadzą do wytworzenia sie tzw. wysięku. Zmiany te polegają na: 1) wyzwalaniu się z uszkodzonych komórek substancji zapaleniotwórczych, czyli mediatorów zapalenia (m.in. histaminy, prostanoidów); 2) zwiększeniu stężenia jonów wodorowych w ognisku zapalnym, czyli na jego zakwaszeniu; 3) wzroście ciśnienia osmotycznego – wskutek rozpadu komórek zwiększa się w ognisku zapalnym liczba cząsteczek stałych; 4) wzroście ciśnienia onkotycznego – wodochłonności białek, w związku z zakwaszeniem.

Wyżej wymienione zmiany w ognisku zapalnym wywołują zaburzenia krążenia krwi. Zakwaszenie i histamina powodują rozszerzenie i porażenie naczyń włosowatych oraz zwiększenie ich przepuszczalności. Wartki począt-

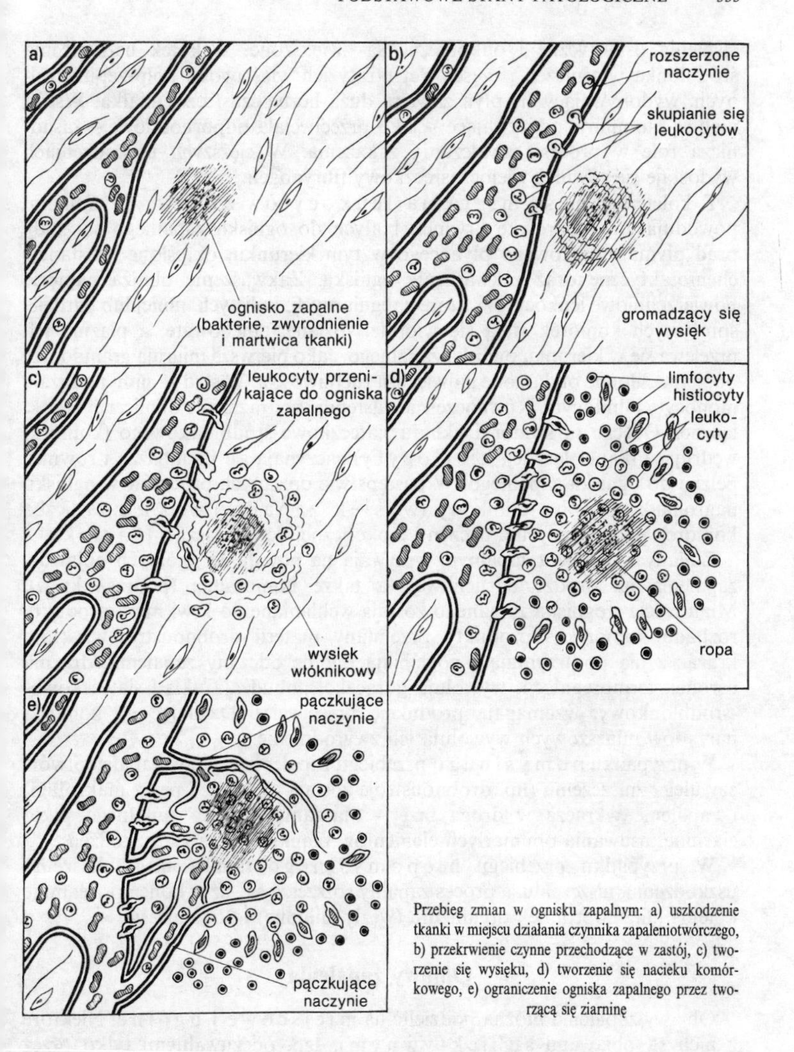

Przebieg zmian w ognisku zapalnym: a) uszkodzenie tkanki w miejscu działania czynnika zapaleniotwórczego, b) przekrwienie czynne przechodzące w zastój, c) tworzenie się wysięku, d) tworzenie się nacieku komórkowego, e) ograniczenie ogniska zapalnego przez tworzącą się ziarninę

kowo strumień krwi zaczyna zwalniać, krew rozlewa się po maksymalnie rozszerzonych włośniczkach i następuje z a s t ó j. Ulega on pogłębianiu przez skurcz mięśniówki naczyń, a zwłaszcza żył, spowodowany działaniem histaminy.

Rozszerzenie naczyń włosowatych powoduje p r z e c i e k płynnej części krwi, która zgodnie z prawami dyfuzji i osmozy zdąża do ogniska, gdzie ciśnienia osmotyczne i onkotyczne są zwiększone. Wskutek uszkodzenia śródbłonka włośniczek i częściowej utraty ich właściwości półprzepuszczalnych, wydobywający się płyn zawiera dużą liczbę cząsteczek białka. Wśród nich są globuliny, odgrywające – jako przeciwciała odpornościowe – zasadniczą rolę w procesie zwalczania zakażenia. W cięższych uszkodzeniach wydostaje się również wielocząsteczkowy fibrynogen.

Z kolei zaczyna się migracja leukocytów z naczyń. Czynnikami powodującymi wędrówkę krwinek białych do ogniska zapalnego są: stały prąd płynu wysiękowego płynącego w tym kierunku, określone substancje chemotaktyczne oraz zakwaszenie ogniska. Zakwaszenie obniża napięcie powierzchniowe leukocytów, które z regularnych, kulistych, mniej lub bardziej sprężystych komórek stają się wiotkie, rozlane, amebowate, a plazma ich przelewa się w kierunku ogniska zapalnego. Jako pierwsze migrują granulocyty obojętnochłonne obdarzone największą ruchliwością. W ślad za nimi podążają monocyty i limfocyty. Równocześnie następuje podrażnienie okolicznej tkanki łącznej. Obecne tu komórki układu siateczkowo-śródbłonkowego (komórki wędrujące tkanki łącznej, histiocyty) zaczynają się rozmnażać i również pełzną do ogniska zapalnego. W następstwie opisanych procesów w ognisku nagromadza się płyn tkankowy (wysięk zapalny) wraz z dużą liczbą komórek pochodzących z naczyń i z okolicznej tkanki łącznej (naciek).

Zmiany w ognisku zapalnym wpływają na powstanie ogólnych objawów zapalenia na drodze odruchowej, a także humoralnej (poprzez krew). Mianowicie z ogniska zapalnego zostają wchłaniane do krwi m.in. produkty rozpadu komórek i produkty przemiany materii drobnoustrojów, które krążąc z nią podtrzymują i pogłębiają ogólne odczyny zapalenia, drażnią ośrodek termoregulacji, wywołują gorączkę, pobudzają układ siateczkowo-śródbłonkowy, wzmagają produkcję przeciwciał. Działając na komórki narządów miąższowych wywołują ich zwyrodnienie.

W przypadku pomyślnego przebiegu zapalenia czynnik zapaleniotwórczy ulega zniszczeniu (np. drobnoustroje zostają „pożarte" przez makrofagi) i zapalenie wkracza w drugą fazę – otaczania ogniska zapalnego przez ziarninę, usuwania obumarłych elementów tkanki i naprawy uszkodzeń.

W przypadku przebiegu niepomyślnego tkanka ulega dalszemu uszkodzeniu, niszczeniu, a proces zapalny rozszerza się, aż w końcu przełamuje kolejne „linie obronne" organizmu (węzły chłonne) i uogólnia się.

Objawy zapalenia

Objawy zapalenia można podzielić na miejscowe i ogólne. Niektóre z nich są objawami subiektywnymi, tzn. odczuwalnymi tylko przez chorego, inne zaś są objawami obiektywnymi, tzn. mogą być zaobserwowane i zbadane przez inne osoby. W jednych przypadkach objawy ogólne są tak nasilone, że wybijają się na plan pierwszy, maskując objawy miejscowe (dzieje się tak w wielu ostrych chorobach zakaźnych), w innych przeciwnie – są prawie niezauważalne, zmiany miejscowe zaś są bardzo nasilone i stanowią główne objawy kliniczne (w niektórych zmianach zapalnych skóry).

Objawy miejscowe zapalenia występują w ognisku zapalnym. Należą do nich: zaczerwienienie, podwyższenie temperatury ogniska zapalnego, obrzmienie, ból i upośledzenie czynności narządu objętego zapaleniem.

Zaczerwienienie jest wywołane odczynowym przekrwieniem tkanek, początkowo czynnym, które przechodzi w zastój.

Podwyższenie temperatury ogniska zapalnego jest spowodowane przekrwieniem czynnym i zwiększeniem procesów spalania w tymże ognisku.

Obrzmienie wywołane jest ucieczką płynu z rozszerzonych i uszkodzonych naczyń: dołączająca się do tego ucieczka białek (zwłaszcza albumin) jako związków hydrofilnych powiększa obrzęk.

Ból powstaje wskutek podrażnienia receptorów bólowych przez substancje chemiczne powstające w ognisku zapalnym (mediatory zapalenia) oraz wskutek ucisku tychże receptorów przez narastający obrzęk i nacisk.

Upośledzenie czynności narządu objętego zapaleniem jest wynikiem działania wszystkich wymienionych wyżej czynników.

Objawy ogólne. Do podstawowych objawów ogólnych zapalenia należą: gorączka, odczyny odpornościowe, a niekiedy uczuleniowe, oraz zwyrodnienie narządów miąższowych. Objawy ogólne powstają na drodze odruchowej i humoralnej, po wchłonięciu do krwi produktów rozpadu tkanek w ognisku zapalnym, a w przypadku zapaleń bakteryjnych – jadów.

Podział zapaleń

Ze względu na czas trwania i nasilenie objawów, zapalenie można podzielić na ostre, podostre i przewlekłe. Podział ten jest sztuczny i umowny, ponieważ czasami trudno jest określić, czy mamy do czynienia z procesem ostrym czy podostrym. Każdy proces zapalny może mieć stadium ostre, podostre lub przewlekłe, z którego znowu może przejść w „zaostrzenie".

Bardziej powszechny jest podział zapaleń w zależności od charakteru zmian anatomopatologicznych w ognisku zapalnym. W każdym ognisku zapalnym przebiegają równocześnie trzy rodzaje procesów: 1) procesy uszkadzające, które polegają na zmianach wstecznych i rozpadzie komórek, 2) zaburzenia krążenia, które powodują przekrwienie, zastój i wysięk oraz 3) zmiany rozrostowe, które prowadzą do tworzenia się nacieku, ziarniny i tkanki bliznowatej. Zależnie od charakteru czynnika zapaleniotwórczego, stanu oraz rodzaju tkanki i narządu, w którym toczy się zapalenie, w danym ognisku zapalnym może przeważać jeden z wymienionych wyżej procesów. W związku z tym wyróżnia się zapalenia: uszkadzające – z przewagą zmian wstecznych, wysiękowe – z przewagą zaburzeń w krążeniu oraz wytwórcze – z przewagą zmian rozrostowych.

Zapalenie ostre trwa krótko, zwykle od. kilku dni do 4–6 tygodni. Objawy ogólne są zwykle gwałtowne (bóle, wysoka gorączka itp.), a zmiany organiczne w ognisku cechuje przewaga procesów wysiękowych. Przykładami zapaleń ostrych są m.in. zastrzał, angina i krupowe zapalenie płuc. Niekiedy zapalenia ostre mogą przechodzić w podostre lub przewlekłe.

Zapalenie podostre trwa dłużej niż 6 tygodni i zwykle jest etapem pośrednim między zapaleniem ostrym i przewlekłym. Objawy ogólne są mniej nasilone, a w ognisku zapalnym obok zmian wysiękowych zaczynają występować zmiany wytwórcze.

Zapalenie przewlekłe jest procesem toczącym sie kilkanaście miesięcy lub lat. Objawy są zwykle słabo zaznaczone. Brak jest niekiedy gorączki lub też gorączka jest nieznaczna. W obrazie anatomopatologicznym przeważają procesy wytwórcze. Procesy te stopniowo prowadzą do zbliznowacenia i zwłóknienia narządów (marskość wątroby, nerek).

Zapalenie uszkadzające występuje głównie w narządach zbudowanych z komórek wysoko zróżnicowanych i wrażliwych na czynniki szkodliwe. Ponieważ najczęściej dotyczy ono narządów miąższowych (np. wątroby, nerek), nazywane jest również zapaleniem miąższowym. W zapaleniu tego typu zmiany wysiękowe są słabo zaznaczone jako niewielkie przekrwienie i obrzęk. Głównym objawem jest uszkodzenie narządu wskutek zwyrodnienia komórek, ich martwicy, odrywania się od podłoża, rozluźnienia istoty międzykomórkowej itp. Na miejsce rozpadłych komórek wzrasta tkanka łączna śródmiąższowa.

Zapalenie narządu z zanikiem miąższu nazywane jest marskością. Narząd marski jest mały, twardy, o powierzchni nierównej wskutek kurczenia się jego tkanki. Na przekrojach widoczne są niewielkie resztki miąższu wśród rozległych ognisk tkanki łącznej. Marskość jest uszkodzeniem nieodwracalnym prowadzącym do trwałego upośledzenia czynności narządu.

Zapalenie wysiękowe jest to proces zapalny, w którym na plan pierwszy w ognisku zapalnym wysuwają się zaburzenia krążenia, a zwłaszcza procesy wysiękowe. Zmiany wsteczne i procesy wytwórcze są zwykle słabiej zaznaczone. Zależnie od rodzaju wysięku zapalenia te dzieli się na: surowicze, włóknikowe, ropne, nieżytowe, krwotoczne i zgorzelinowe.

Zapalenie surowicze jest najłagodniejszą postacią zapaleń wysiękowych. W zapaleniu tym następuje przesiąkanie z naczyń krwionośnych do ogniska zapalnego płynu surowiczego, zawierającego niewielkie ilości białek, głównie albumin. Występuje ono najczęściej w błonach surowiczych: w jamie opłucnej, w jamie osierdzia i w jamie otrzewnej, powodując niekiedy gromadzenie się dużej ilości płynu wysiękowego. Wysięk surowiczy jest zwykle płynem mętnym, z domieszką krwinek białych, a niekiedy czerwonych, zawierającym ok. 5% białka (przeszło dwa razy więcej niż przesięk powstający na tle zastoju żylnego).

Zapalenie włóknikowe jest to rodzaj zapalenia wysiękowego, w którego przebiegu w wysięku pojawia się duża domieszka włóknika. Jest to cięższa postać zapalenia, prowadząca do silniejszego uszkodzenia śródbłonka włośniczek, w wyniku czego dochodzi do przenikania z naczyń do ogniska zapalnego substancji włóknikorodnej – fibrynogenu. Fibrynogen wytrąca się w postaci włóknika, powodując skrzepnięcie wysięku. W oczkach siatki włóknika zostają unieruchomione pozostałe składniki wysięku – płyn surowiczy i krwinki białe.

Zapalenie włóknikowe może przebiegać w błonach surowiczych i śluzowych oraz dużo rzadziej w głębi narządów jako zapalenie śródmiąższowe.

W zapaleniu włóknikowym błon surowiczych substancja włoknikorodna krzepnie na ich powierzchni, tworząc kożuchowate złogi żółtawej barwy, niekiedy dość spoiste i elastyczne. Po wyleczeniu zapalenia złogi te tworzą zrosty.

Zapalenie ropne jest to zapalenie wysiękowe, w którym przeważa w wysięku ropa. Ropa jest to płyn różnej gęstości, od gęstości mleka do kremu śmietankowego, barwy żółtej, ziemistej, a niekiedy niebieskawej. Składa się z obumarłych i częściowo rozpuszczonych komórek ustroju, pochodzących z ogniska zapalnego, z żywych i martwych leukocytów oraz z żywych i obumarłych drobnoustrojów ropotwórczych.

Pojawienie się zapalenia ropnego zależy wyłącznie od rodzaju czynnika zapaleniotwórczego, przy czym najczęstszą przyczyną są drobnoustroje ropotwórcze – gronkowce, paciorkowce, rzadziej pałeczki. Niekiedy ropa wytwarza się w zapaleniu jałowym.

Zapalenie ropne w głębi tkanek może występować w postaci ograniczonego ogniska lub też może się szeroko rozlewać. Zapalenie ropne rozlane, toczące się w wiotkiej tkance łącznej, nazywane jest ropowicą. Ropowica jest wyrazem zjadliwości drobnoustrojów i nieskuteczności obrony organizmu, który nie jest w stanie ograniczyć i zlokalizować ogniska zakażenia.

Ograniczone ognisko zapalenia ropnego nosi nazwę ropnia. Składa się on z jamy wypełnionej ropą. Jama otoczona jest torebką zbudowaną z ziarniny, która wytwarza się w przebiegu zapalenia, odgraniczając ropień od zdrowej tkanki. Zejściem ropnia może być wchłonięcie ropy (jeśli jest on bardzo mały), znacznie częściej jednak przebija się on na zewnątrz (np. przez skórę) lub do jamy ciała, gdzie powoduje ropne zapalenie danej błony surowiczej (zapalenie otrzewnej, opłucnej i in.) Po przebiciu jama ropnia oczyszcza się, wypełnia ziarniną i w końcu bliznowacieje.

Zapalenie nieżytowe lub nieżyt jest to zapalenie błony śluzowej, w którym do wysięku zapalnego dołącza się śluz, powstający wskutek zwyrodnienia śluzowatego nabłonka błon śluzowych. W przebiegu zapalenia nieżytowego wyróżnia się trzy okresy: 1) okres wysięku surowiczego, 2) okres zwyrodnienia śluzowego i 3) okres wysięku ropnego.

Śluz wytwarzany w przebiegu nieżytu w nadmiernych ilościach miesza się z wysiękiem surowiczym, a następnie z wysiękiem ropnym, nadając im charakterystyczną gęstość i ciągłość. Zejściem nieżytu przewlekłego może być zanik błony śluzowej lub jej przerost. Przykładem zapalenia nieżytowego są nieżyty nosa, oskrzeli i żołądka. Oprócz zakażenia przyczyną nieżytu może byc zastój krwi.

Zapalenie krwotoczne jest to zapalenie wysiękowe, w którym wskutek silnego uszkodzenia naczyń w wysięku występuje pewna liczba krwinek czerwonych. Ten typ zapalenia wywołuje laseczka wąglika i niektóre wirusy (np. wirus ospy czarnej).

Zapalenie zgorzelinowe, zwane też posokowatym, nie jest właściwie odrębną postacią, lecz zwykle powikłaniem istniejącego procesu zapalnego, wywołanym przez drobnoustroje gnilne (beztlenowce), które rozkładają tkanki. Tkanka, która uległa zgorzeli, zmienia się w półpłynną, mazistą, cuchnącą, szarozieloną lub czarną masę. Niekiedy pojawiają się w niej pęcherzyki gazów gnilnych. Stosunkowo najczęściej postać ta występuje w zachłystowym zapaleniu płuc i w zapaleniach narządów rodnych.

Zapalenie wytwórcze cechuje się przewagą zmian postępowych nad innymi miejscowymi zmianami zapalnymi. Zmiany postępowe polegają na rozroście tkanki łącznej oraz elementów układu siateczkowo-śródbłonkowego. Zapalenia wytwórcze mogą mieć przebieg ostry lub przewlekły. Dzieli się je na zapalenia nieswoiste i swoiste.

Zapalenie nieswoiste jest to zapalenie wytwórcze, w którego przebiegu tkanki zmienione nie uzyskują cech swoistych (charakterystycznych) dla danego czynnika etiologicznego.

Zapalenie swoiste, czyli ziarninujące, jest to zapalenie wytwórcze, w którego przebiegu w ognisku zapalnym powstaje ziarnina o wyglądzie charakterystycznym dla danego czynnika chorobotwórczego. Na przykład wysiękowa postać gruźlicy płuc nie ma cech swoistości. Uzyskuje je dopiero postać wytwórcza z chwilą wytworzenia ziarniny. Mimo to przyjmuje się ogólnie, że gruźlica jest chorobą swoistą.

Zapalenia swoiste są wywoływane wyłącznie przez czynniki biologiczne, przede wszystkim przez niektóre bakterie i grzyby chorobotwórcze. W miejscu wniknięcia drobnoustrojów do tkanki powstaje ognisko zapalne, w którym wytwarza się swoista ziarnina. Ostre zapalenia powstają w przebiegu chorób odzwierzęcych (zoonoz), tj. chorób zakaźnych przenoszących się na człowieka ze zwierząt, np. w przebiegu tularemii, duru osutkowego, brucelozy, nosacizny. Przewlekłe zapalenia powstają w przebiegu gruźlicy, kiły, trądu, twardzieli, promienicy i ziarnicy złośliwej.

Podstawowe zaburzenia krążenia

Do podstawowych zaburzeń krążenia należą: krwotok, przekrwienie, niedokrwienie, zakrzepica, zator, zawał i wstrząs. Zaburzenia krążenia można podzielić również na miejscowe, występujące tylko w pewnych częściach organizmu, oraz na ogólne, dotyczące całego ustroju. Charakter ogólny lub miejscowy zależy w dużej mierze od miejsca i sposobu działania czynnika szkodliwego. Na przykład działania czynników szkodliwych na serce, które jest motorem krążenia krwi, prowadzi do zaburzeń ogólnych.

Krwotok

Krwotok jest to wydostawanie się krwi poza światło naczynia lub poza serce wskutek przerwania ciągłości ich ścian. Może on być następstwem urazu lub pęknięcia zmienionego chorobowo naczynia, którego ściana nie wytrzymuje parcia krwi.

W zależności od źródła krwawienia, wyróżnia się krwotoki: sercowe, tętnicze, żylne i z naczyń włosowatych – miąższowe. Jeśli krew wypływa na zewnątrz, krwotok nosi nazwę zewnętrznego, jeśli do jam ciała lub tkanek – wewnętrznego. Podbiegnięcia krwawe noszą nazwę siniaków, wylewy krwi do tkanek powodujące wytworzenie grubościennej jamy – krwiaków, a wylewy do tkanek powodujące ich zniszczenie – ognisk krwotocznych. Jesli krwotok nie jest śmiertelny (taki wymaga natychmiastowej interwencji chirurga), po pewnym czasie ustaje samoistnie. Odgrywa tu rolę spadek ciśnienia krwi, odruchowy skurcz naczynia krwawiącego i wytwarzanie się zakrzepu.

Przekrwienie

Przekrwienie jest to zwiększenie się ilości krwi w naczyniach krwionośnych danego narządu lub tkanki. Może być czynne – tętnicze, bierne – żylne i mieszane – tętniczo-żylne.

Przekrwienie czynne, tętnicze powstaje wskutek zwiększonego dopływu krwi do danego odcinka naczyń tętniczych. Przyczyną może być: 1) porażenie mięśniówki tętnic (np. jadami bakteryjnymi, związkami chemicznymi, promieniami Roentgena), 2) podrażnienie nerwów rozszerzających naczynie (w zapaleniach, w niektórych chorobach zakaźnych, fizjologiczne – we wszystkich narządach w czasie ich pracy) oraz 3) porażenie nerwów zwężających naczynia (zdarza się to rzadko).

Narząd czynnie przekrwiony jest powiększony, temperatura jego jest podwyższona wskutek zwiększonego dopływu krwi tętniczej i wzrostu przemiany materii. Barwa narządu lub tkanki jest żywoczerwona, a niekiedy można obserwować tętnienie.

Przekrwienie czynne jest zwykle krótkotrwałe i nie powoduje na ogół większych zaburzeń. Wyjatek stanowi przekrwienie mózgu, gdyż rozszerzone tętnice wywierają ucisk na wrażliwą tkankę mózgu, zamkniętą w sztywnej „puszce" kostnej. W następstwie powstają silne bóle głowy („migrena czerwona"), a niekiedy nawet utrata przytomności. Podobnie poważne zaburzenia powoduje przekrwienie gałki ocznej.

Przekrwienie bierne, żylne powstaje wskutek utrudnionego odpływu krwi z tkanek żyłami do serca. Może być ogólne, na tle niedomogi serca, lub miejscowe.

Miejscowe przekrwienie bierne, czyli miejscowy zastój żylny, powstaje wskutek zwężenia światła odprowadzającej żyły przez ucisk z zewnątrz (opaska, guzy nowotworowe, macica ciężarna) lub wskutek wytworzenia się przeszkód wewnątrz światła żył (zator, zakrzep). Narząd przekrwiony jest powiększony, o charakterystycznym sinym zabarwieniu (sinica), z wyraźnie wzmożoną spoistością. Czynność takiego narządu jest upośledzona, zwykle zmniejszona.

Następstwa przekrwienia żylnego są zwykle znacznie poważniejsze niż przekrwienia tętniczego. Przede wszystkim dochodzi do upośledzenia odżywiania i oddychania tkanek. Gromadzą się w nich niedostatecznie usuwane produkty przemiany materii: dwutlenek węgla, kwas mlekowy, ciała ketonowe. Doprowadza to do zaburzenia przemiany materii tkanek, a w następstwie do zmian wstecznych – zaniku, zwyrodnienia, a nawet martwicy.

Równocześnie te same czynniki powodują znaczny niekiedy rozrost tkanki łącznej. Zanik komórek miąższu wraz z rozrostem tkanki łącznej prowadzi do zniszczenia prawidłowej struktury narządu, który ulega zwłóknieniu, staje się twardy i mniejszy. S t w a r d n i e n i e to nosi nazwę z a s t o i n o - w e g o.

W następstwie zastoju żylnego ulegają uszkodzeniu również naczynia krwionośne. Krew zalegająca w żyłach powoduje ich rozszerzenie i uszkodzenie ich ścian – powstają tzw. ż y l a k i. Równocześnie następuje wzrost przepuszczalności ścian żył i włośniczek, wskutek upośledzonego ich odżywiania. W wyniku tego powstają p r z e s i ę k i i o b r z ę k i, czyli przenikanie surowicy krwi z niewielką zawartością białka do jam ciała i tkanek. W znaczniejszych zastojach mogą występować drobne w y b r o c z y n y spowodowane przenikaniem zarówno krwinek czerwonych, jak i innych składników krwi poprzez ściany naczyń.

Niedokrwienie

N i e d o k r w i e n i e jest to zmniejszenie przepływu krwi w danym odcinku naczyń krwionośnych. Przyczyną n i e d o k r w i e n i a o g ó l n e g o, obejmującego cały organizm, może być niedokrwistość (anemia), tzn. zmniejszenie ogólnej ilości krwi, liczby krwinek czerwonych lub ilości hemoglobiny.

N i e d o k r w i e n i e m i e j s c o w e może być spowodowane zmniejszeniem dopływu krwi tętnicami doprowadzającymi w następstwie: 1) zwężenia światła tętnic doprowadzających lub 2) przemieszczenia krwi do innych narządów. Narząd niedokrwiony ma mniejszą objętość niż normalnie, jest blady, temperatura jego i przemiana materii są obniżone, co wyraża się m.in. w zahamowaniu jego czynności. Mięsień niedokrwiony kurczy się słabiej, nerki niedokrwione wydzielają mniej moczu. Nieznaczne niedokrwienie prowadzi do zaniku komórek niedokrwionych. Niedokrwienie znaczniejszego stopnia powoduje zwyrodnienie komórek lub nawet ich obumarcie (m a r t - w i c ę).

Zakrzepica

Z a k r z e p i c a, czyli c h o r o b a z a k r z e p o w a, jest to skłonność do tworzenia się w naczyniach krwionośnych lub w sercu osadów (strątów), które powstają ze składników morfotycznych krwi i zwężają albo zamykają światło naczynia. Osady noszą nazwę z a k r z e p ó w lub s k r z e p l i n. Tworzeniu się ich sprzyjają: 1) zwolnienie prądu krwi, 2) uszkodzenie śródbłonka naczyń krwionośnych, 3) zmiany fizycznych lub chemicznych właściwości krwi. Ten zespół warunków mogą wywołać czynniki mechaniczne (np. ucisk guzów nowotworowych, podwiązanie naczynia i in.), a także toksyczne zewnątrzpochodne (jady bakteryjne, zapalenie naczyń, zatrucie fenolem, benzenem) i wewnątrzpochodne powstające w następstwie zaburzeń przemiany materii. Trucizny uszkadzające elementy morfotyczne krwi, śródbłonki naczyń, a także mięsień sercowy przyczyniają się do niedomogi serca i zwolnienia prądu krwi. Do czynników predysponujących należą:

miażdżyca, cukrzyca, nadciśnienie tętnicze, choroby nowotworowe oaz stany pooperacyjne, a także okres ciąży i połogu.

Zejście zakrzepicy zależy od zmian zachodzących w zakrzepie. Zakrzep może ulec zwłóknieniu, zwapnieniu, rozmiękaniu i oderwaniu. Oderwanie się zakrzepu powoduje przesuwanie się go z prądem krwi. Prowadzi to w końcu do zatkania światła naczynia, czyli zatoru.

Zator

Zator (*embolia*) jest to zamknięcie światła naczynia krwionośnego lub chłonnego przez „ciało" przyniesione z prądem krwi lub chłonki. „Ciało" to, zwane czopem, po dostaniu się do naczynia z zewnatrz (powietrze, bakterie, pasożyty, ciało obce) lub po wytworzeniu się wewnątrz naczynia (zakrzep, czyli skrzeplina), płynie z prądem krwi, a gdy dotrze do naczynia, którego światło jest węższe od średnicy „czopu", zatrzymuje się i zatyka naczynie. Zatory powstają najczęściej w tętnicach, w których krew płynie od naczyń szerokich do coraz węższych.

Następstwa zatorów zależą od ich umiejscowienia i wielkości, rodzaju materiału tworzącego czop zatorowy, rodzaju zatkanego naczynia, sprawności układu krążenia itp. Każdy zator wywołuje niedokrwienie obszaru zaopatrywanego w krew przez dane naczynie. W zależności od stopnia niedokrwienia oraz od tego, czy istnieją warunki do wytworzenia się krążenia obocznego, zaburzenie krążenia wywołane zatorem może ulec wyrównaniu lub może wytworzyć się martwica niedokrwionej tkanki, czyli zawał. Zatory bakteryjne wywołują powstawanie przerzutowych ognisk, zatory zaś nowotworowe – przerzutów nowotworowych.

Zawał

Zawał (*infarctus*) jest to martwica tkanki, powstała w następstwie odcięcia dopływu krwi wskutek zamknięcia światła tętnicy zaopatrującej tę tkankę w krew. Powstaje tylko wtedy, gdy po zamknięciu światła naczynia nie wytworzy się dostatecznie szybko lub w dostatecznym stopniu krążenie oboczne.

Przyczyną zawału jest najczęściej zator lub zakrzep. Niekiedy do zawału może doprowadzić silny, spastyczny skurcz tętnic.

Następstwa zawału zależą od umiejscowienia, wielkości i zejścia zawału. Najistotniejsze z punktu widzenia następstawa jest umiejscowienie zawału. Zawały śledziony lub nerki nie wywołują na ogół poważniejszych zaburzeń i przebiegają często bezobjawowo. Zawały mózgu, w zależności od umiejscowienia, mogą doprowadzić do porażeń, zaburzeń czucia, zaburzeń psychicznych lub zejścia śmiertelnego. Zawały mięśnia sercowego wywołują zwykle groźne zaburzenia krążenia – przy umiejscowieniu w przegrodzie międzykomorowej mogą powodować zaburzenia rytmu serca, umiejscowione w ścianie komory lewej mogą spowodować pęknięcie serca itp. Następstwa zawału zależne od jego wielkości są sprawą względną. Niewielkie zawały mózgu są groźniejsze niż rozległe zawały śledziony czy nawet nerek.

Zejście zawału decyduje niejednokrotnie o ciężkości zaburzeń czynności narządów. Na przykład zawał mięśnia sercowego, który uległ rozmięknieniu, prowadzi zwykle do pęknięcia serca i zejścia śmiertelnego, szczególnie w przypadku zakażonego rozmiękania. Jeżeli zawał mięśnia sercowego ulega zwłóknieniu, zaburzenie krążenia zostaje na ogół wyrównane.

Wstrząs

Wstrząs (*shock*) jest to zespół ostrych zaburzeń krążeniowych, w których podstawowym objawem, uruchamiającym dalsze procesy, jest obniżenie ciśnienia tętniczego. Zaburzenia w krążeniu prowadzą do ostrego zespołu zaburzeń ogólnoustrojowych, powstałych w wyniku niedotlenienia tkanek wskutek niedostatecznego w nich przepływu krwi. Z uwagi na podłoże patofizjologiczne stan ten jest również nazywany ostrą obwodową niewydolnością krążenia.

Znaczne obniżenie ciśnienia tętniczego jest następstwem niestosunku (wadliwego stosunku) pomiędzy objętością krwi krążącej z jednej strony i pojemnością łożyska naczyniowego z drugiej. Do wstrząsu może więc dojść w przypadku: 1) znacznego zmniejszenia objętości krwi krążącej (hipowolemia, np. po krwotoku, po oparzeniu) lub też 2) tak znacznego rozszerzenia łożyska naczyniowego (euwolemia), że normalna ilość krwi nie wystarcza do jego wypełnienia. W pierwszym przypadku mówi się o wstrząsie hipowolemicznym (oligowolemicznym), w drugim – o euwolemicznym.

Zależnie od pierwotnej przyczyny poszczególne rodzaje wstrząsu noszą określone nazwy: wstrząs pokrwotoczny, poparzeniowy, pourazowy, kardiogenny (pochodzenia sercowego), neurogenny (pochodzenia nerwowego), septyczny, anafilaktyczny. Przyczynami tymi są: znaczna utrata krwi (krwotok) lub białek osoczowych (rozległe oparzenia), znaczne odwodnienie, zawał i zaburzenia rytmu serca, tamponada serca, zator tętnicy płucnej, posocznica bakteryjna (*sepsis*), nadwrażliwość na leki lub inne substancje obce (anafilaksja), uszkodzenie układu nerwowego (urazowe lub toksyczne) oraz – rzadko – inne przyczyny, np. zaburzenia hormonalne (zwłaszcza niewydolność kory nadnerczy).

W przebiegu wstrząsu wyróżnia się trzy okresy:

W pierwszym okresie wstrząsu początkowe obniżenie ciśnienia tętniczego krwi uruchamia – na drodze odruchowej – mechanizmy wyrównawcze (kompensacyjne), pozwalające na utrzymanie względnie prawidłowego przepływu krwi przez tkanki i narządy. Do mechanizmów tych należy: uwalnianie amin katecholowych (noradrenaliny i adrenaliny) z zakończeń nerwowych układu adrenergicznego (sympatycznego) i z rdzenia nadnerczy, przesunięcie krwi z naturalnych zbiorników zapasowych oraz napływ płynu tkankowego do łożyska naczyniowego. Aminy katecholowe kurczą naczynia żylne i jednocześnie przyspieszają czynność serca oraz zwiększają siłę jego skurczu (zwiększenie objętości minutowej). Skurczowi ulegają rownież przedwłośnicze, oporowe naczynia tętnicze. Zjawiska te sprzyjają lepszemu wypełnianiu krwią łożyska naczyniowego i utrzymaniu ciśnienia tętniczego zbliżonego do prawidłowego.

Stan taki nie może się jednak utrzymywać zbyt długo. Pogłębiający się niestosunek pomiędzy pojemnością łożyska (zmniejszony powrót krwi żylnej do serca powoduje zmniejszenie jego objętości wyrzutowej i minutowej) sprawia, że wskutek działania mechanizmów autoregulacyjnych przepływ krwi przez narządy ważne dla życia (mózg, serce, płuca, nerki) utrzymywany jest kosztem zmniejszenia przepływu przez inne „mniej ważne" narządy i tkanki (skóra, układ pokarmowy, mięśnie szkieletowe). Dochodzi do tzw. centralizacji wstrząsu, czyli okresu drugiego.

Drugi okres wstrząsu to pogłąbiające się zmniejszenie przepływu krwi do tkanki, a zatem i zmniejszone utlenowanie tkanek. Powoduje to przesunięcie przemian metabolicznych z tlenowych na beztlenowe, co wiąże się z jednej strony z wytwarzaniem kwaśnych produktów przemiany materii (kwas mlekowy, kwas pirogronowy), które powodują uogólnioną kwasicę, a z drugiej – ze zmniejszeniem zapasów zwiazków wysokoenergetycznych (kwas adenozynotrójfosforowy, fosfokreatyna). Przy długotrwałym niedotlenieniu część komórek ulega uszkodzeniu. Zaczynają się z nich uwalniać związki oddziałujące (w danej sytuacji) wysoce niekorzystnie. Związki te pogłębiają spadek ciśnienia, działając bezpośrednio rozkurczowo na mięśniówkę naczyń tętniczych (np. kininy) oraz zmniejszając siłę skurczu mięśnia sercowego. Rozszerzenie naczyń tętniczych włosowatych i wzrost ich przepuszczalności zachodzi tym łatwiej, że wskutek pogłębiającej się kwasicy stają się one niewrażliwe na kurczące działanie noradrenaliny. Wzrost przepuszczalności naczyń włosowatych powoduje „ucieczkę" wody i białek z krwi do tkanek, wypełnienie łożyska naczyniowego ulega dodatkowemu zmniejszeniu, krew ulega zagęszczeniu (zwiększa się hematokryt). Zagęszczenie krwi oraz zmniejszona szybkość jej przepływu przez naczynia włosowate (naczynia tętnicze są rozkurczone, naczynia żylne w dalszym ciągu zwężone) sprzyjają utworzeniu się zlepów krwinek czerwonych i płytek krwi. Procesy krzepnięcia ulegają aktywacji: w naczyniach włosowatych zaczynają się tworzyć mikrozakrzepy.

Wszystkie te zjawiska nie tylko pogłebiają spadek ciśnienia tętniczego, ale sprawiają, że również przepływ przez ważne dla życia narządy ulega głębokiemu upośledzeniu. Zmniejszona filtracja kłębuszkowa w nerkach powoduje skąpomocz, a nawet bezmocz. Zmniejszony przepływ krwi i obecność mikrozakrzepów w łożysku naczyń płucnych dodatkowo upośledzają wymianę gazową, pogłębiają niedotlenienie tkanek, a co za tym idzie – kwasica jeszcze wzrasta. Wstrząs wszedł w **trzeci**, nieodwracalny już **okres**.

Zmiany wsteczne

W komórkach i tkankach występują przede wszystkim zmiany stanu fizykochemicznego i biochemicznego. Niekiedy jednak, wskutek zaburzeń przemiany materii, mogą wystąpić zmiany struktury. Początkowo są one nieuchwytne w badaniach mikroskopowych, w późniejszych wszakże okresach uszkodzenia komórek i tkanek stają się widoczne w postaci zmian patologicznych. Te uchwytne następstwa daleko już zwykle posuniętych zaburzeń przemiany materii nazywane są zmianami wstecznymi. Zmiany te dzielone są na: zaniki, zwyrodnienia i martwice.

Zanik

Zanik (*atrophia*) jest to proces polegający na stopniowym zmniejszeniu sie masy narządu czy komórki. Spowodowany jest zwykle zmniejszeniem się masy poszczególnych komórek oraz substancji międzykomórkowej danego narządu. Liczba komórek początkowo się nie zmienia. W zanikach dalej posuniętych zmniejsza się również liczba komórek, co może niekiedy doprowadzić do prawie całkowitego zaniku narządu. Zanik jest wyrazem względnej przewagi procesów rozpadu (dysymilacji) nad procesami przyswajania (asymilacji), przy czym:

1) procesy asymilacji mogą być prawidłowe, lecz dysymilacja przeważa: dochodzi wówczas do braku materiałów energetycznych i komórka spala własną protoplazmę; takie zjawisko występuje np. w gorączce;

2) dysymilacja jest na prawidłowym poziomie, ale asymilacja obniża się z powodu braku składników odżywczych (głód);

3) natężenie obydwu procesów jest obniżone, jednak proces dysymilacji przeważa: takie warunki występują u ludzi w podeszłym wieku.

Zaniki nie zawsze są procesami patologicznymi. Wystepują również w warunkach prawidłowych i wówczas nazywane są zanikami fizjologicznymi.

Zaniki fizjologiczne, określane najczęściej nazwą inwolucji, występują w różnych okresach życia, nawet już w stadium zarodkowym, a natężenie tych procesów wzrasta w ciągu życia osobniczego.

U płodu ulega inwolucji np. błona źreniczna, u noworodka – naczynia pępkowe, u dzieci – grasica, a w znacznym, stopniu również tkanka chłonna gardła i przewodu pokarmowego. W wieku dojrzałym zanikają w pewnym stopniu narządy nie pracujące, zwłaszcza mięśnie oraz macica po porodzie i sutki po zakończeniu karmienia. W okresie przekwitania zanikają gruczoły płciowe. W późniejszym okresie starości występuje stopniowy zanik wszystkich narządów i tkanek, zwany zanikiem starczym.

Zanik starczy nie jest spowodowany czynnikami chorobotwórczymi, jest po prostu wynikiem starzenia się – procesu obejmującego cały organizm. Wskutek fizjologicznego obniżenia się sprawności komórek (wyczerpania), procesy asymilacji są znacznie obniżone w porównaniu z procesami dysymilacji. Największe zaniki występują w tkankach najbardziej zróżnicowanych i najintensywniej pracujących, takich jak tkanka nerwowa, wątroba, mięsień sercowy. Skóra cienieje (silnie przeświecają przez nią naczynia krwionośne) i wiotczeje wskutek zaniku włókien sprężystych. Podściółka tłuszczowa i mięśnie również ulegaja zanikowi. Wskutek zaniku elementów komórkowych zwiększa się procentowo ilość tkanki łącznej stanowiącej zrąb, a tkanka podskórna i mięśniowa stają się „łykowate". Zęby wypadają (zanik miazg zebowej), kości szkieletowe „kurczą" się w wymiarze poprzecznym i podłużnym, przez co obniża się wzrost. Natężenie procesów życiowych coraz bardziej słabnie, wreszcie ustają one zupełnie i następuje fizjologiczna śmierć ze starości.

Zaniki patologiczne, spowodowane czynnikami chorobotwórczymi, dzieli się ze względu na mechanizm ich powstawania na trzy zasadnicze typy:

1) zaniki z niedoboru, rozwijające się przy niedostatecznym dopływie do tkanek składników potrzebnych do życia – czynników odżywczych i tlenu (głodzenie, niedokrwienie);

2) zaniki z ucisku wywieranego przez różne czynniki, który upośledza procesy przemiany materii w komórkach;

3) zaniki z nieczynności, w których znaczną rolę odgrywa zniesienie czynności neurotroficznej, czyli nerwowej regulacji zjawisk fizykochemicznych tkanki.

Następstwa zaników zależą od ich stopnia, rodzaju i umiejscowienia. W mniejszym lub większym stopniu każdy zanik jest szkodliwy. Zanik mózgu (np. w wyniku wodogłowia) prowadzi do szczególnie ciężkich zaburzeń, a nawet do śmierci. Zanikające kości stają się kruche i łamliwe, mięśnie tracą zdolność kurczenia się, nerwy przestają przewodzić bodźce, a gruczoły tracą zdolność wydzielania. Skutki zaniku są mniej szkodliwe, jeśli pracę zanikłego narządu może przejąć narząd parzysty (drugie płuco, druga nerka, drugie jądro).

Zwyrodnienie

Zwyrodnienie (*degeneratio*) jest to pojawienie się w komórkach lub w substancji międzykomórkowej składników, które w prawidłowych warunkach nie występują albo występują w niewielkich ilościach. Pod wpływem rożnorodnych czynników szkodliwych w protoplazmie komórki mogą wystąpić zaburzenia biochemiczne i fizykochemiczne. Ponieważ protoplazma, składająca się głównie z ciał białkowych, ulega w przebiegu procesów życiowych ciągłym przemianom fizjologicznym, zaburzenia te mogą prowadzić do odwracalnych lub nieodwracalnych zmian w tych przemianach, określonych jako zwyrodnienia białkowe.

Rozróżnia się kilka rodzajów zwyrodnień białkowych. Do najczęściej występujących należą zwyrodnienia: miąższowe, rogowe, koloidowe, skrobiowate i tłuszczowe.

Zwyrodnienie miąższowe, obejmujące przeważnie narządy miąższowe: wątrobę, nerki, serce, polega na pojawieniu się w komórkach tych narządów grubych ziaren białka, które powstają przez zbijanie się plazmy w grudki. Tak zmienione komórki chłoną wodę, pęcznieją i uciskają naczynia krwionośne oraz chłonne. Wskutek tego narząd powiększa się, staje się ciastowaty i blady, o odcieniu szarawym, podobnym do barwy mięsa polanego wrzątkiem.

Przyczyną zwyrodnienia miąższowego jest zwykle działanie jadów bakteryjnych, dlatego zwyrodnienie to najczęściej występuje w chorobach zakaźnych oraz w gorączce. Następstwa nie są groźne, gdyż proces jest zwykle odwracalny. Gdy przyczyny zostają usunięte, komórki wracają do stanu prawidłowego.

Zwyrodnienie rogowe polega na nadmiernym tworzeniu się w komórkach naskórka, a niekiedy nabłonka błon śluzowych, białkowej substancji rogowej – k e r a t y n y. Keratyna stopniowo wypełnia całą komorkę prowadząc do jej obumarcia. Różne postaci r o g o w a c e n i a n a d m i e r n e g o (*hyperkeratosis*) lub r o g o w a c e n i a n i e p r a w i d ł o w e g o (*parakeratosis*) powodują powstawanie tworów rogowych, do których należą: m o d z e l e (zgrubienia rogowe na stopach i dłoniach), n a g n i o t k i (na palcach nóg), r o g i s k ó r n e (na twarzy, kończynach, prąciu itp.). Zaburzenia rogowacenia są niekiedy wyrazem poważnych chorób ogólnoustrojowych, jak np. r y b i a ł u s k a (*ichtiosis*) i ł u s z c z y c a (*psoriasis*).

Zwyrodnienie koloidowe to gromadzenie się w nadmiernych ilościach substancji białkowej, zwanej k o l o i d e m, w świetle pęcherzyków i przewodów gruczołowych tarczycy. Typowym przykładem zwyrodnienia koloidowego jest wole tworzące sie wskutek niedoboru jodu w pożywieniu (w wodzie) w przebiegu niedoczynności tarczycy, zwane w o l e m k o l o i d o w y m. Upośledzona jest wówczas synteza tyroksyny, a wobec tego frakcja białkowa hormonu tarczycy, tj. t y r e o g l o b u l i n a, która w prawidłowych warunkach łączy się z tyroksyną tworząc hormon, nie zostaje wykorzystana i gromadzi się w pęcherzykach gruczołu tarczycowego jako koloid, powodując powiekszenie całego gruczołu.

Zwyrodnienie skrobiowate jest wyrazem ciężkiego zaburzenia przemiany białkowej, zwanego s k r o b i a w i c ą. Skrobiawica charakteryzuje się obecnością w ustroju nieprawidłowych białek nieokreślonego bliżej rodzaju, które gromadzą się w tkance łącznej niektórych narządów (głównie w ścianach naczyń). Skrobiawica nie jest chorobą samoistną, lecz następstwem wielu różnorodnych, przewlekłych, wyniszczających chorób, takich jak gruźlica, kiła, nowotwory, białaczki, przewlekłe ropienie itp., w których przebiegu ulega zaburzeniu gospodarka białkowa. A m y l o i d, czyli substancja białkowa szklista, złożona z białek i węglowodanów, gromadzi się między ściankami najdrobniejszych naczyń i przylegającymi do nich komórkami. Tam masy jego krzepną, powodując trwały, wzmagający się stale ucisk i zanik miąższu danego narządu. Jest to tzw. „zagipsowanie narządu".

Zwyrodnienie skrobiowate obejmuje najczęściej śledzionę, nerki, nadnercze i wątrobę. Narząd dotknięty zwyrodnieniem jest powiększony wskutek przepojenia masami amyloidu. Charakterystyczna jest twardość narządu, który podczas seksji można krajać na cienkie, przezroczyste plasterki. Zwyrodnienie skrobiowate jest zmianą nieodwracalną i nieuchronnie prowadzi do śmierci, która jest następstwem zablokowania i zaniku ważnych dla życia narządów.

Zwyrodnienie tłuszczowe. W przeciwieństwie do otłuszczenia i otyłości, które polegają na nadmiernym rozroście tkanki tłuszczowej, zwyrodnienie tłuszczowe, zwane też s t ł u s z c z e n i e m, polega na gromadzeniu się kropelek tłuszczu w protoplazmie komórek narządów miąższowych: wątroby, nerek, śledziony, mięśnia sercowego. Poza tym występuje w błonie wewnętrznej tętnic w przebiegu miażdżycy.

Przyczyny zwyrodnienia tłuszczowego są bardzo różnorodne. Poza błędami dietetycznymi (głód białkowy) i brakiem glikogenu (cukrzyca) zaliczyć tu należy wszystkie czynniki powodujące upośledzenie utleniania wskutek niedostatecznego dowozu tlenu lub zniszczenie odpowiednich enzymów. Stąd też stłuszczenie występuje najczęściej: w niedokrwieniu (niewydolność krążenia, niedokrwistość), w głodzie, awitaminozach i chorobach przemiany materii na tle hormonalnym, w zatruciach (szczególnie alkoholem, fosforem, arsenem, choloroformem), w chorobach zakaźnych (działanie jadów bakteryjnych).

Następstwa stłuszczenia zależą przede wszystkim od nasilenia zmian. Lekkie postacie są odwracalne, ciężkie – prowadzą do martwicy komórek. Stłuszczenie komórek mięśnia sercowego powoduje osłabienie sprawności skurczowej serca, a tym samym niewydolność krążenia. Stłuszczenie wątroby wywołuje zaburzenia przemiany materii i procesów odtruwania; dochodzi do marskości wątroby lub martwicy jej zrazików. Stłuszczenie nerek, tzw. nerczyca tłuszczowa, wywołuje ciężkie zaburzenia ich czynności wydalniczych.

Martwica

Martwica (*necrosis*) jest to śmierć tkanek lub narządów w ustroju żywym wskutek nagłego zahamowania procesów przemiany materii. Martwica następuje zwykle pod wpływem nagłego, miejscowego działania czynników szkodliwych o dużym nasileniu lub wskutek odcięcia dopływu krwi do tkanki.

Od martwicy należy odróżnić powoli rozwijającą się śmierć tkanki, zwaną obumieraniem (*necrobiosis*). Stopniowe obumieranie komórek trwa w ciągu całego życia organizmu. Komórki starsze, zużyte, obumierają i zostają zastąpione przez rozmnażające się komórki młodsze. Dotyczy to zwłaszcza komórek nabłonka, który stale się złuszcza na powierzchni skóry, oraz błon śluzowych. Także krwinki białe i czerwone obumierają stale w ciągu życia. Powolne obumieranie wszystkich tkanek ustroju zachodzi w okresie między śmiercią kliniczną i biologiczną. Pojęcie śmierci biologicznej jest równoznaczne z obumarciem wszystkich komórek i tkanek ustroju.

Do bezpośrednich czynników szkodliwych, wywołujących martwicę tkanek, należą wszystkie czynniki chorobotwórcze działające w odpowiednim natężeniu. Czynniki mechaniczne wywołują zmiażdżenia komórek; czynniki termiczne (wysoka lub niska temperatura) powodują zniszczenia struktury fizykochemicznej protoplazmy komórkowej (koagulacja); czynniki chemiczne: kwasy – koagulują protoplazmę komórek, zasady – rozpuszczają je; sole metali ciężkich, trucizny bojowe, trucizny protoplazmatyczne – powodują denaturację protoplazmy; energia promienista (pierwiastki promieniotwórcze, promienie rentgenowskie itp.) głównie uszkadza jądra komórkowe; ultradźwięki wywołują rozpad komórek; czynniki biologiczne (jady bakteryjne) mogą również powodować uszkodzenia komórek.

Nagłe odcięcie dopływu krwi wywołuje zahamowanie procesów utleniania, a tym samym prowadzi do śmierci tkanek. Przykładem martwicy tego typu jest zawał i odleżyna.

Rozróżnia się dwie zasadnicze postacie martwicy: skrzepową i rozpływną.

Martwica skrzepowa powstaje wówczas, gdy unieczynnione są enzymy rozpuszczające komórki obumarłe lub gdy brak jest aktywatorów tych enzymów. Tkanka, która uległa martwicy skrzepowej, ma zwiększoną spoistość, jest zwykle odbarwiona (zwłaszcza w martwicy z niedokrwienia), szarożółtawa, sucha i krucha. Przykładem takiej martwicy są zawały mięśnia sercowego. Pewną odmianą martwicy skrzepowej jest martwica serowata, czyli serowacenie. Występuje ona w ogniskach gruźliczych i nowotworowych, w tkankach słabo unaczynionych.

Martwica rozpływna występuje w tkankach zawierających dużo wody i enzymów rozkładających białka. Narządem ulegającym martwicy rozpływnej jest głównie mózg. Wrzód żołądka lub dwunastnicy jest również następstwem ogniskowej martwicy rozpływnej błony śluzowej tych narządów. Martwica rozpływna może powstać w każdej tkance pod działaniem stężonych zasad.

Zgorzel

Zgorzel (*gangrena*) jest to rozkład martwych tkanek w żywym organizmie przez bakterie gnilne (beztlenowce). Przyczyną jej powstania jest obecność ogniska martwicy dostępnego dla beztlenowców. Istniejące w tym ognisku warunki (odpowiednia wilgotność i temperatura) sprzyjają rozwojowi tych bakterii. Zgorzel powstaje tylko w miejscach łączących się ze światem zewnętrznym, dostępnych dla bakterii gnilnych, np. w powłokach skórnych (po ich zmiażdżeniu), w płucach, miazdze próchniejącego zęba i w jelitach, gdzie bakterie gnilne stale przebywają.

Zgorzel wilgotna, właściwa, występuje w dwóch odmianach, różniących się etiologią, obrazem klinicznym i anatomopatologicznym. Są to: zgorzel zwykła i zgorzel gazowa (zob. Chirurgia, s. 1418).

Zgorzel sucha nazywana jest też **zgorzelą rzekomą,** gdyż nie ma tutaj gnicia martwych tkanek, a tylko ich wysychanie. Właściwe określenie tego procesu to strupieszenie, czyli mumifikacja.

Proces mumifikacji występuje wtedy, gdy do martwych tkanek lub zwłok nie mają dostępu beztlenowce, a warunki zewnętrzne sprzyjają wysychaniu tkanek (narządy o małej masie w stosunku do powierzchni, położone na zewnątrz ustroju, np. kończyny, poza tym zwłoki ułożone w miejscu suchym i przewiewnym). Narządy ulegające zgorzeli suchej przyjmują czarne zabarwienie wskutek zmian w barwniku krwi.

Charakterystycznym przykładem zgorzeli suchej jest zgorzel palców po zatruciu sporyszem (tzw. „ogień świętego Antoniego”) lub u chorych na chorobę Bürgera, która polega na martwicy nóg wskutek zarostowego zapalenia tętnic.

Zmiany postępowe

Zmiany postępowe, będące odczynami tkankowymi, polegają na powiększeniu lub mnożeniu sie komórek i innych elementów tkankowych. Występują w warunkach fizjologicznych i patologicznych. Są odczynami wyrównawczymi, dostosowującymi organizm do zmiennych warunków i prowadzą do naprawy oraz odbudowy zniszczonych lub zużytych części tkanek.

Warunkiem powstania zmian postępowych jest przewaga procesów przyswajania (asymilacji) nad procesami rozpadu (dysymilacji), gdyż dzięki procesom przyswajania komórki mogą powiększać swą masę, odrastać i rozmnażać się.

Do zmian postępowych zalicza się: przerost, rozrost, odrost oraz ziarninowanie. Z procesami tymi wiąże się ściśle wchłanianie i usuwanie ciał obcych oraz gojenie się ran.

Przerost (*hypertrophia*) jest to proces polegający na powiększaniu się masy poszczególnych komórek, a w następstwie – całego narządu. Przyczyną są wzmożone bodźce nerwowo-odżywcze (neurotroficzne), dochodzące do danych komórek nerwami odśrodkowymi oraz pobudzanie komórek substancjami humoralnymi (produkty przemiany materii, hormony). Przerost ma charakter wyrównawczy i występuje zwykle w następstwie wzmożenia czynności danej tkanki czy narządu. Rozróżnia się przerost roboczy i zastępczy.

Przerost roboczy może być fizjologiczny i patologiczny. Przerost fizjologiczny występuje u zdrowych ludzi pracujących fizycznie i u sportowców. Dotyczy on najczęściej mięśni szkieletowych i mięśnia sercowego, których poszczególne włókna ulegają powiększeniu i zgrubieniu. Przerostowi fizjologicznemu ulegają również gruczoły mleczne u kobiet w okresie ciąży (w tym przypadku przerostowi towarzyszy rozrost).

Przerost patologiczny występuje np. w mięśniu sercowym pod wpływem wzmożonych oporów w krążeniu, w warstwie mięśniowej żołądka w następstwie zwężenia odźwiernika, w mięśniówce pęcherza w przypadku przerostu gruczołu krokowego, w tarczycy pod wpływem wzmożonego wydzielania hormonu tyreotropowego.

Przerost zastępczy występuje w jednym z narządów parzystych, jeśli musi on przejąć pracę drugiego narządu, np. w nerce po operacyjnym usunięciu drugiej nerki.

Rozrost (*hyperlasia*) jest to intensywne rozmnażanie sie komórek danej tkanki, prowadzące do zwiększenia się liczby komórek, a tym samym do powiększenia całego narządu. Przyczyną mogą być czynniki nerwowe i hormonalne. Rozróżniamy rozrost fizjologiczny i patologiczny.

Rozrost fizjologiczny zachodzi w układzie erytroblastycznym szpiku kostnego pod wpływem obniżenia ciśnienia parcjalnego tlenu, w błonie śluzowej macicy przed jajeczkowaniem itp.

Rozrost patologiczny występuje w przebiegu przewlekłych zakażeń w układzie limfatycznym i dotyczy węzłów chłonnych i śledziony. Bardzo często rozrost występuje równocześnie z przerostem, jak np. w przypadku a k r o m e g a l i i, która jest przerostem i rozrostem obwodowych części ciała (kończyn, żuchwy, języka). Innym przykładem jest tzw. s ł o n i o w a c i z n a, będąca przerostem i rozrostem tkanki łącznej, powstającym wskutek zastoju chłonki.

Odrost (*regeneratio*) jest to proces polegający na odbudowie zużytych lub utraconych przez ustrój komórek, tkanek albo narządów. Występuje zarówno w warunkach fizjologicznych, jak i patologicznych.

O d r o s t f i z j o l o g i c z n y odbywa się w tych tkankach organizmu, których komórki stale ulegają zużyciu. Zachodzi zatem w naskórku ulegającym stałemu złuszczeniu oraz w jego wytworach: włosach i paznokciach. Odrostowi ulega poza tym błona śluzowa macicy po każdej miesiączce, krwinki, plemniki i in.

O d r o s t p a t o l o g i c z n y jest to odrastanie komórek, które uległy zniszczeniu, np. wskutek urazów. Ubytek taki jest najczęściej uzupełniony przez komórki z najbliższego sąsiedztwa. Im tkanka jest bardziej zróżnicowana, tym ma mniejszą zdolność do odrostu.

Tkanka nerwowa odznacza się bardzo ograniczoną zdolnością do odrostu – odrastają jedynie częściowo nerwy obwodowe. Mięśnie gładkie i mięsień sercowy właściwie nie odrastają, a ich ubytki zostają wypełnione przez tkankę łączną. Mięśnie prążkowane odrastają częściowo i to w sposób poronny, gdyż odrosła tkanka nie ma właściwości kurczenia się. Komórki wątroby i przewodów żółciowych odrastają stosunkowo dobrze. Komórki nerek i płuc nie mają zdolności do regeneracji, a komórki gruczołów trawiennych zdolność tę posiadają tylko w niewielkim stopniu. Tkanka łączna ma wyjątkowe właściwości odrastania, i to tym większe, im jest bardziej wiotka i lepiej unaczyniona. W tkance łącznej odrastają wszystkie elementy: komórki, włókna i naczynia krwionośne.

Szczególny charakter ma o d r o s t k o ś c i. W miejscu uszkodzenia (np. złamania) powstaje pierwotnie blizna łącznotkankowa, wytworzona przez rozrost okostnej. Blizna ta przekształca się w tkankę kostnawą, z której w końcu powstaje tkanka kostna przez odkładanie się soli wapnia. Nie zawsze odrastająca tkanka modeluje się według kształtu kości. Zwykle powstają w miejscu złamania zgrubienia, a nawet narośla kostne. Jeżeli zgrubienia są nieznaczne, mogą ulegać resorpcji, a budowa kości w miejscu blizny przybiera wygląd zbliżony do wyglądu kości prawidłowej.

Ziarninowanie. Ubytki i uszkodzenia tkanek, które nie są zdolne do odrostu, zostają uzupełnione przez tkankę łączną.

W odróżnieniu od odrostu polegającego na odtwarzaniu tkanki, która uległa uszkodzeniu, proces „łatania" ubytków przez tkankę łączną nosi nazwę p r o c e s u n a p r a w y (*reparatio*). Tkanka łączna dokonująca naprawy nazywana jest t k a n k ą z i a r n i n o w ą, a proces jej rozrostu – z i a r n i n o w a n i e m.

Nazwa „tkanka ziarninowa" pochodzi od wyglądu jej powierzchni. Pasemka i pętle rozrastających się naczyń włosowatych wystają nieco ponad powierzchnię, nadając tkance chropowaty, ziarnisty wygląd. Powierzchnia tkanki ziarninowej dzięki ukrwieniu jest żywoczerwona. Najsilniej rozrastają się komórki śródbłonkowe włosowatych naczyń krwionośnych. W postaci litych pasemek wrastają one gęsto w martwą tkankę lub ognisko zapalne. Lite pasemka ulegają udrożnieniu tworząc naczynia włosowate, które odgrywają ogromną rolę we wchłanianiu rozpadłych tkanek lub ciał obcych. W ślad za naczyniami włosawatymi rozrastają się komórki tkanki łącznej i komórki układu siateczkowo-śródbłonkowego, tzw. makrofagi. Komórki te odgrywają duża rolę w fagocytozie, rozpuszczaniu i usuwaniu martwych tkanek.

Po zakończeniu procesów naprawczych kończy się rozrost tkanki ziarninowej. Naczynia krwionośne częściowo zanikają, wskutek czego ziarnina blednie. Zostaje ich tylko tyle, ile trzeba do odżywiania samej tkanki. Większość komórek (zwłaszcza leukocyty) obumiera lub przedostaje się do naczyń. W substancji międzykomórkowej rozrastają się włókienka klejorodne, wskutek czego tkanka ziarninowa przekształca się stopniowo w twardą, włóknistą, słabo unaczyniona tkankę łączną, zwaną b l i z n ą.

Gojenie się ran. Rana jest to przerwanie ciągłości tkanek pod wpływem urazu (mechanicznego, termicznego, chemicznego), połączone z uszkodzeniem tkanek i krwotokiem. Gojenie się rany następuje przez połączenie jej brzegów i wypełnienie ubytków przez ziarninę, z której wytwarza się ostatecznie blizna. W procesie gojenia rany odróżnia się: rozpuszczanie, wchłanianie i usuwanie tkanek martwych oraz wypełnianie ubytków po usuniętych, zniszczonych tkankach.

Z rany początkowo wydobywa się krew, a następnie – po zahamowaniu krwawienia – wydzielina surowiczo-włóknikowa, która ulega skrzepnięciu. Do tej skrzepniętej wydzieliny przedostają się leukocyty, które rozpuszczają się i pochłaniają martwe tkanki wraz z siateczką skrzepniętego włóknika. Jednocześnie od brzegów rany zaczyna rozrastać się t k a n k a z i a r n i n o w a, która stopniowo wypełnia ubytek. Przez cały czas rozrostu ziarnina jest pokryta warstewką płynu surowiczo-włóknikowego i leukocytów, co chroni ranę przed wtórnym zakażeniem. Od głębszych warstw ziarniny zaczyna się proces b l i z n o w a c e n i a poprzez rozrost włókien łącznotkankowych. W końcu na bliznę narasta z sąsiedztwa naskórek i na tym kończy się proces gojenia. Tkanka bliznowata jest twardsza i bledsza od zwykłej tkanki łącznej, gdyż zawiera więcej włókien, które często ulegają zmianom szklistym, a mniej naczyń krwionośnych. W bliznach skórnych nie występują gruczoły potowe i łojowe ani włosy. Wskutek kurczenia się blizn mogą powstawać zniekształcenia.

Rozróżnia się trzy zasadnicze rodzaje gojenia się ran: gojenie bezpośrednie, pośrednie i pod strupem.

G o j e n i e b e z p o ś r e d n i e, przez r y c h ł o z r o s t, występuje wówczas, gdy rana powstała pod wpływem działania przedmiotu ostrego i nie zakażonego, przy czym nie nastąpiło poprzeczne lub ukośne przecięcie większych mięśni, tak że krawędzie ran są gładkie, równe i przylegają do siebie. W gojeniu tym szczelinę powstałą pomiędzy przylegającymi do siebie ścianami rany wypełniają wydobywające się z otaczających naczyń chłonnych i krwionośnych osocze, chłonka i włóknik, które ulegają skrzepnięciu. Do tych skrzepłych mas wrasta z brzegów rany ziarnina niezapalna, która później przekształca się w tkankę bliznowatą, tworzącą białą, wąską, linijną bliznę. Niekiedy blizna ta może stopniowo ulec całkowitemu zanikowi i wchłonięciu, wówczas nie pozostaje żaden ślad po ranie. Jest to najszybszy i najkorzystniejszy sposób gojenia się ran.

Gojenie pośrednie, przez ziarninowanie, występuje wówczas, gdy rana powstała pod wpływem działania przedmiotów o nierównych brzegach, miażdżących lub rozrywających tkanki na dużej przestrzeni, przy czym jednocześnie nastąpiło zakażenie rany. Podobnie goją się rany zadane narzędziem ostrym, lecz przecinające poprzecznie lub ukośnie mięśnie, co powoduje „zianie" rany. Procesowi gojenia się towarzyszy proces zapalny okolicznych tkanek, zwłaszcza jeśli rana uległa zakażeniu. Pokrywająca ranę ziarnina obfituje w leukocyty i ma charakter ziarniny zapalnej.

Gojenie pod strupem. Strup powstaje wówczas, gdy uchodząca z rany krew, wydzielina surowiczo-włóknikowa i martwe tkanki nie ulegają rozpuszczeniu i wchłonięciu, lecz krzepną w brunatnoczerwoną, krwistą, dość twardą masę, oddzielającą powierzchnię rany od środowiska zewnętrznego.

Kamica

Kamica jest to grupa chorób polegających na tworzeniu się kamieni, czyli tworów patologicznych w przewodach i narządach jamy ciała. Mechanizm ten polega na wytrącaniu się z płynów ustrojowych złogów soli

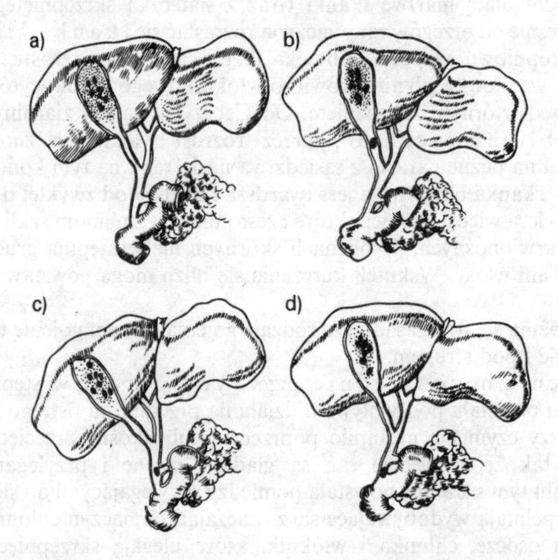

Kamica żółciowa: a) kamienie w pęcherzyku żółciowym, b), c), d) kamień w różnych miejscach dróg żółciowych

nierozpuszczalnych w danym środowisku, które łączą się w większe skupiska. Spowodowane jest to zastojem wydzieliny, na ogół z towarzyszącym stanem zapalnym. Zmiany struktury koloidów ochronnych powodują wypadanie cząsteczek z roztworów. Cząsteczki gromadzą się na różnych ciałach, np. na złuszczonych nabłonkach, pasożytach, koloniach drobnoustrojów, tworzących tzw. jądra kamieni (ośrodki krystalizacji).

Kamienie prowadzą do napadów bólowych, popularnie zwanych „kolkami". Wielkość kamieni może być różna – od ziarna piasku aż po

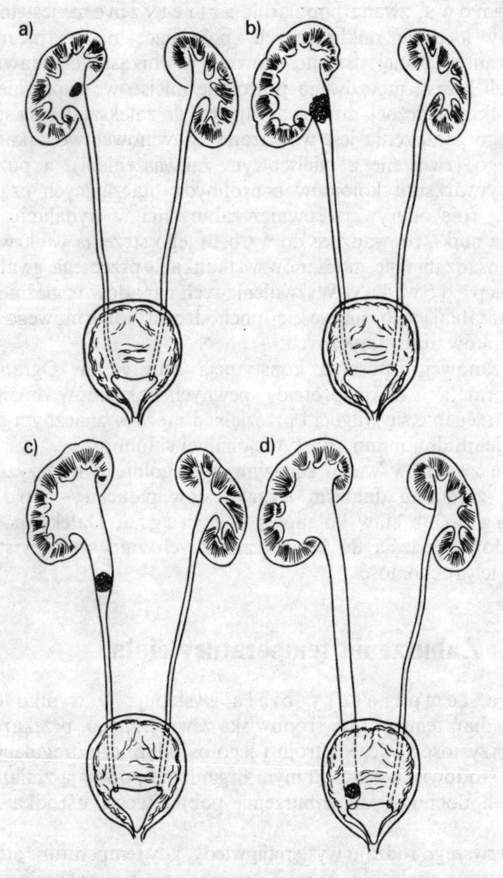

Kamica moczowa: a) kamień w miedniczce nerkowej, b) kamień wklinowany u ujścia miedniczki, c) kamień w moczowodzie, d) kamień wklinowany u ujścia moczowodu do pęcherza moczowego

całkowity „odlew" narządu (przewodu). Kamień zamykając mechanicznie przewód może utrudniać lub całkowicie uniemożliwić odpływ wydzieliny (wydaliny), prowadząc np. do bezmoczu (kamica nerkowa) lub żółtaczki (kamica wątrobowa). Najczęstszymi postaciami kamicy są: kamica moczowa i wątrobowa. Inne postacie kamicy – trzustkowa, ślinianek – zdarzają się rzadko.

Dna moczanowa

Dna moczanowa, zwana popularnie artretyzmem, jest to zaburzenie przemiany kwasów nukleinowych, polegające na wytrącaniu się moczanów w tkance łącznej ustroju, głównie w chrząstkach stawowych. Osadzanie się soli kwasu moczowego powoduje miejscowe zapalenie z odczynem rozrostu tkanki łącznej, doprowadzającym do zniekształcenia stawów. Przyczyną tego zaburzenia jest wzmożone „powinowactwo" tkanek do kwasu moczowego (związane z miejscowym zakwaszeniem), a poza tym zaburzenia w wytwarzaniu koloidów ochronnych otaczających cząsteczki moczanów. Dużą rolę odgrywają również zaburzenia w wydalaniu kwasu moczowego przez nerki, prowadzące do wzrostu jego stężenia we krwi.

Sam moment osadzania się moczanów w tkankach przebiega gwałtownie w postaci tzw. napadów dny. Wyzwolenie tych napadów uzależnione jest od czynnika usposabiającego, najczęściej pochodzenia pokarmowego (wino, piwo) oraz warunków atmosferycznych.

Do dny moczanowej usposabia konstytucja artretyczna. Ograniczenie pokarmów zawierających nukleoproteidy, pewnych pokarmów drażniących („ostrych"), wystrzeganie się wilgoci i przeziębień może w znacznym stopniu zapobiec wystąpieniu dny mimo konstytucjonalnej skłonności.

Dna występuje zwykle w wieku starszym, szczególnie u mężczyzn, przy czym najczęściej zmianom dnawym ulegają: staw palucha – podagra, kciuka – chiragra lub staw kolanowy – gonagra. Daleko posunięte zmiany dnawe doprowadzają do bardzo znacznych zniekształceń stawów, upośledzających ich ruchomość.

Zaburzenia temperatury ciała

Zaburzenia temperatury ciała występują w wyniku dużych i gwałtownych wahań temperatury środowiska zewnętrznego, przekaraczających zdolności przystosowawcze ustroju i jego ośrodka termoregulacji, oraz wówczas, gdy w środowisku wewnętrznym organizmu powstają zmiany, pod wplywem których dochodzi do zaburzenia pobudliwości ośrodka termoregulacji.

Zaburzenia pierwszego rodzaju występują wtedy, gdy temperatura otoczenia ulegnie tak wielkiemu obniżeniu, że mimo zwiększenia procesów dysymilacji i zmniejszenia oddawania ciepła organizm traci nadmierne ilości ciepła i temperatura jego ulega obniżeniu. Stan ten nazywamy oziębieniem lub hipotermią. Jeśli temperatura otoczenia i nasycenie wilgocią są tak duże, że organizm nie może oddawać ciepła do otoczenia, wówczas, mimo zmniejszenia procesów dysymilacji, temperatura jego podnosi się. Proces ten nazywamy przegrzaniem lub hipertermią. Zaburzenia tego rodzaju, występujące w przebiegu różnorodnych procesów chorobowych, określane są jako gorączka.

Podwyższenie temperatury ciała stwarza odmienne warunki dla czynności życiowej komórek i tkanek ustroju. Dochodzi do zaburzenia przemiany materii komórek, a w następstwie do ich zmian zwyrodnieniowych. Powoduje to nieprawidłową czynność narządów, a przede wszystkim najbardziej wrażliwego układu nerwowego, co odbija się na czynności całego organizmu. Z drugiej strony, podwyższenie temperatury ciała wzmaga określone procesy układu immunologicznego, jak fagocytoza, wytwarzanie przeciwciał, warunkujące bardziej skuteczną obronę przed zakażeniem.

Gorączka

Gorączka (*febris*) jest to ogólny odczyn organizmu na działanie czynnikow szkodliwych, wyrażających się przede wszystkim podwyższeniem temperatury ciała powyżej normy fizjologicznej.

Gorączka jest następstwem zaburzenia czynności ośrodka termoregulacji pod wpływem działających nań patologicznych bodźców lub impulsów nerwowych. Zaburzenie to polega na tym, że ośrodek termoregulacji nastawia się niejako na wyższą temperaturę niż normalnie i w odpowiedni sposób reguluje wytwarzanie i oddawanie ciepła.

Mechanizm gorączki polega więc na przestawieniu samego mechanizmu regulującego. Wszystkie zaś podległe mu mechanizmy, powodujące wytwarzanie lub oddawanie ciepła, działają według praw fizjologicznych.

Przyczyną gorączki mogą być: ciała gorączkotwórcze, czynniki fizyczne i impulsy odruchowo-nerwowe.

Ciała gorączkotwórcze lub **pyrogenne** są to związki chemiczne powstające w ustroju lub dostające się do niego z zewnątrz. Większość ciał gorączkotwórczych ma charakter substancji białkowych albo związków białka z innymi ciałami. Ciała te działają na ośrodek termoregulacji pobudzająco lub drażniąco, docierając do niego wraz z krwią. Przyjmuje się, że czynniki te wywierają działanie na ośrodek termoregulacji nie tylko bezpośrednio, ale również na drodze odruchowej, przez drażenienie odpowiednich receptorów znajdujących się w ścianach naczyń krwionośnych.

Do ciał gorączkotwórczych należą: jady bakteryjne, substancje chemiczne zewnątrzpochodne i wewnątrzustrojowe.

Jady bakteryjne występują we krwi w chorobach zakaźnych. Zakażenie jest najczęstszą przyczyną gorączki septycznej. Pojawia się ona jako najwcześniejszy objaw zakażenia po okresie wylęgania.

S u b s t a n c j e z e w n ą t r z p o c h o d n e obejmują szereg związków chemicznych białkowych (np. obcogatunkowe białko wprowadzone w postaci surowicy dotkankowo) i niebiałkowych (np. szereg leków lub trucizn nieorganicznych).

S u b s t a n c j e w e w n ą t r z u s t r o j o w e gorączkotwórcze wytwarzają się w organizmie po każdym uszkodzeniu tkanek, np. po wszelkich urazach (zmiażdżeniach), wylewach krwawych, a nawet po aseptycznie wykonanych zabiegach chirurgicznych, przy rozpadzie nowotworów złośliwych, w białaczkach oraz po oparzeniach. Pod wpływem tych substancji powstaje tzw. g o r ą c z k a a s e p t y c z n a. Gorączka aseptyczna, pojawiająca się po każdym zabiegu chirurgicznym, nazywana jest g o r ą c z k ą c h i r u r g i c z n ą.

Czynniki fizyczne. Największe znaczenie spośród czynnikow fizycznych mają mechaniczne urazy ośrodkowego układu nerwowego, powodujące bezpośrednie pobudzenie ośrodka termoregulacji. Gorączka zatem pojawia się po urazach czaszki, wstrząśnieniu mózgu, wylewie krwi do mózgu, wzroście ciśnienia śródczaszkowego. Sztucznie można wywołać gorączkę (doświadczenia na zwierzętach) przez nakłucie dna III komory mózgu – tzw. „n a k ł u c i e c i e p l n e".

Impulsy odruchowo-nerwowe. Gorączka może powstać również pod wpływem pobudzenia ośrodka termoregulacji przez impulsy płynące do niego z kory mózgowej – tzw. g o r ą c z k a n e r w o w a lub p s y c h i c z n a (emocjonalna). Gorączka ta powstaje u osób wrażliwych pod wpływem silnych przeżyć psychicznych.

Przebieg gorączki. W przebiegu gorączki można wyróżnić trzy okresy: narastania, szczytowy i zejścia.

O k r e s n a r a s t a n i a. W okresie tym, który trwa do chwili ustalenia się temperatury, dochodzi do gromadzenia się ciepła w ustroju wskutek ograniczonego jego oddawania i wzmożonego wytwarzania. Gorączkujący ma skórę bladą, suchą, odczuwa zimno i ma dreszcze.

O k r e s s z c z y t o w y jest to okres, w którym organizm osiagnął już temperaturę, na jaką ośrodek termoregulacji „został nastawiony" w wyniku działania czynników gorączkotwórczych. Oddawanie ciepła jest proporcjonalne do jego wytwarzania. Ponieważ wytwarzanie jest wzmożone, oddawanie musi być również odpowiednio intensywne. Wyrazem tego jest rozszerzenie naczyń skórnych (zaczerwienienie skóry) i poty.

O k r e s z e j ś c i a jest okresem zdrowienia, w którym przestają działać czynniki gorączkotwórcze, a ośrodek termoregulacji, uwolniony od patologicznych bodźców, wraca do fizjologicznej wrażliwości. W okresie tym ustrój uwalnia się od nadmiaru ciepła przez obfite poty. W następstwie tego temperatura obniża się niekiedy nawet poniżej normy. Spadek temperatury może być gwałtowny, w ciągu kilku godzin, co nazywane bywa p r z e ł o m e m (kryzysem), lub powolny, w ciągu kilku dni.

Typy gorączki. W zależności od wysokości gorączki i od czasu trwania poszczególnych jej okresów, można wyróżnić pięć zasadniczych typów gorączki.

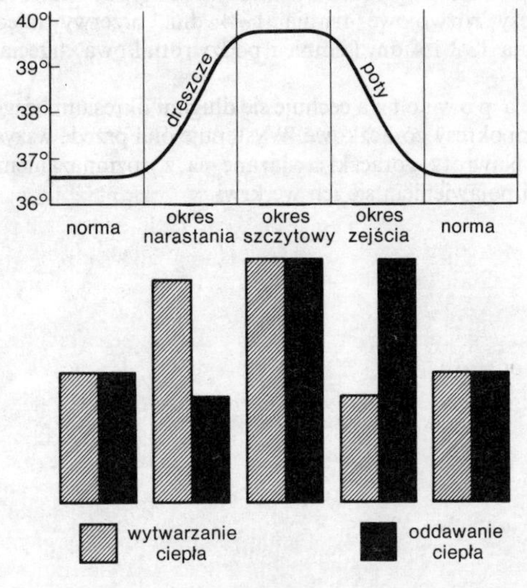

Przebieg gorączki

G o r ą c z k a k r ó t k o t r w a ł a trwa 1–2 dni i cechuje się podwyższeniem temperatury o 2–2,5°C powyżej normy. Występuje w zatruciach i ostrych zakażeniach, które ulegają szybkiej likwidacji (np. grypa).

G o r ą c z k a c i ą g ł a jest to gorączka, w której okres szczytowy wyższy o 1,5–2°C od normy może utrzymać się na tej samej wysokości przez kilka tygodni, przy wahaniach dobowych nie przekraczających 1°C. Okresy narastania i opadania mogą być krótkie i długotrwałe. Ten typ gorączki występuje np. w zapaleniach płuc, durze brzusznym, płonicy i wielu innych chorobach zakaźnych.

G o r ą c z k a z w a l n i a j ą c a, zwana też s k a c z ą c ą lub s e p t y c z n ą, cechuje się wahaniami dobowymi wynoszącymi 1,5–3°C. Występuje w nieżytowym zapaleniu płuc, gruźlicy płuc, w ropnicy, posocznicy oraz w innych chorobach zakaźnych, w których jady bakteryjne dostają się do krwi nierównomiernie. W gruźlicy rozpadowej płuc i w posocznicy wahania dobowe mogą dochodzić do 5°C. Jest to tzw. g o r ą c z k a t r a w i ą c a (hektyczna), będąca wyrazem znacznego upośledzenia czynności ośrodka termoregulacji.

G o r ą c z k a p r z e r y w a n a, zwana też p r z e p u s z c z a j ą c ą, charakteryzuje się okresami gwałtownego wzrostu i spadku, występującymi na przemian z okresami bezgorączkowymi. Ten typ gorączki występuje w z i m n i c y. Okresowe wzrosty temperatury w zimnicy spowodowane są okresowym przedostawaniem się pierwotniaków malarii z krwinek czerwonych do płynnej części krwi. Zależnie od typu pierwotniaka malarii, którego okresy rozwojowe trwają 1–4 dni, przerwy między okresami gorączki trwają 1, 3 i 4 dni (zimnica podzwrotnikowa, trzeciaczka i czwartaczka).

G o r ą c z k a p o w r o t n a cechuje się długimi okresami bezgorączkowymi, oddzielającymi okresy gorączkowe. Występuje ona przede wszystkim w durze powrotnym. Nawroty gorączki związane są z rozmnażaniem sie krętków Obermeyera i pojawieniem się ich we krwi.

HIGIENA

I. WIADOMOŚCI OGÓLNE

Termin h i g i e n a w języku potocznym bywa używany na określenie wymagań w stosunku do środowiska lub działań ludzkich mających na celu zapobieganie chorobom i umacnianie zdrowia. Światowa Organizacja Zdrowia definiuje z d r o w i e jako „całkowity dobrostan fizyczny, psychiczny i społeczny, a nie wyłącznie brak choroby lub niedomagania". W myśl tej definicji pojęcie zdrowia rozumiane jest bardzo szeroko i ujmuje treści nie tylko ściśle medyczne.

Przez długi czas największym zagrożeniem dla zdrowia człowieka były choroby zakaźne, a w ich zapobieganiu podstawową rolę odgrywało przestrzeganie zasad czystości, czyli higieny w popularnym znaczeniu tego słowa. Wymogi stawiane przez higienę doprowadziły we współczesnej cywilizacji do rozwoju odpowiednich technik sanitarnych, które znacznie przyczyniły się do podniesienia zdrowotności (np. zaopatrzenie w odpowiednią wodę czy usuwanie nieczystości).

Współcześnie pojmowana higiena stanowi dziedzinę zajmującą się kompleksem czynności obejmujących zarówno materialne środowisko zewnętrzne, jak i zachowania ludzkie mające związek z ochroną i umacnianiem zdrowia. W tym znaczeniu h i g i e n a tworzy szeroką podstawę całego s y s t e m u o c h r o n y z d r o w i a.

Higiena jest ściśle związana z m e d y c y n ą z a p o b i e g a w c z ą, nie są to jednak pojęcia w pełni jednoznaczne. H i g i e n a, służąc ochronie zdrowia, często wykracza poza zagadnienia ściśle medyczne, penetruje środowisko, w którym żyje i pracuje człowiek, oraz przyczynia się do eliminowania z tego środowiska czynników szkodliwych dla zdrowia.

M e d y c y n a z a p o b i e g a w c z a opiera się na higienie, ale sięga również dalej w działaniach mających na celu: niedopuszczenie do powstania choroby (np. szczepienia ochronne), opanowanie jej w stadium początkowym, właściwą opiekę nad chorym (aby nie dopuścić do utrwalenia choroby i wystąpienia powikłań) oraz zapobieganie ujemnym następstwom choroby poprzez fizyczną, psychologiczną i zawodową rehabilitację rekonwalescentów.

Higiena – w celu ustalenia związków między stanem zdrowia a czynnikami środowiskowymi – posługuje się wiedzą z różnych dziedzin medycyny (fizjologia, patofizjologia, wiedza kliniczna, toksykologia i in.), a także innych nauk przyrodniczych. W wyniku doświadczeń na zwierzętach, a także długofalowych obserwacji osób narażonych na działania szkodliwego czynnika gromadzi dane o podstawowym znaczeniu dla zachowania zdrowia człowieka. Po żmudnych i wielostronnych badaniach ustala normy higieniczne dotyczące np. najwyższych dopuszczalnych stężeń substancji toksycznych w żywności, wodzie czy powietrzu, natężenia hałasu i innych czynników środowiska materialnego. Korzysta też z niektórych norm fizjologicznych, np. do normowania spożycia niezbędnych składników odżywczych.

Opierając się na wiedzy medycznej i ogólnobiologicznej, higiena formułuje wymagania w stosunku do środowiska materialnego, w celu ochrony człowieka przed zagrożeniami biologicznymi (bakterie, wirusy, pasożyty), chemicznymi i fizycznymi. Równocześnie wskazuje, jak powinien zachować się sam człowiek w celu zmniejszenia ryzyka zachorowania przy istniejących zagrożeniach. Zainteresowanie patogennym wpływem środowiska społecznego i stosunków międzyludzkich doprowadziło do rozwoju higieny psychicznej.

Wprowadzanie w życie nakazów lub zaleceń higieny wymaga działań indywidualnych i zbiorowych, na które służba zdrowia czy w ogóle medycyna mają często wpływ ograniczony. Działania te zależą od motywacji i środków wpływających na odpowiedni kierunek rozwoju społeczno-ekonomicznego. Współczesne państwo nie może obejść się bez prowadzenia określonej polityki zdrowotnej i wspomagania działań służących promowaniu zdrowia (ogólne wytyczne w tej dziedzinie zawiera przyjęty przez Radę Ministrów w 1990 r. Narodowy Program Zdrowia).

Higiena jako dziedzina nauki, a z drugiej strony jako rodzaj orientacji społecznej ukierunkowanej na ochronę zdrowia, staje się pośrednikiem między wiedzą medyczną a społeczeństwem wraz z jego ośrodkami opiniotwórczymi i decyzyjnymi.

Kierunki działania w zapobieganiu chorobom

Skuteczne przeciwdziałanie zagrożeniom zdrowia i życia ludności, charakterystycznym dla współczesnej cywilizacji (choroby układu krążenia, nowotwory, urazy, choroby metaboliczno-zwyrodnieniowe, takie jak cukrzyca i in.), jest możliwe jedynie przy szerokim zaangażowaniu społecznym. Przeciwdziałanie obecnym zagrożeniom zdrowotnym wymaga bowiem zbiorowego wysiłku, np. w celu ochrony środowiska.

Niezwykle ważne jest także, może jeszcze w większym stopniu niż podczas zwalczania chorób zakaźnych, kształtowanie pożądanych nawyków zdrowotnych w społeczeństwie. Postęp cywilizacji i wzrost dobrobytu mogą bowiem stać się czynnikami działającymi destruktywnie na nasze zdrowie, o czym świadczą przykłady z wielu krajów wysoko rozwiniętych, w których pojawiają się niekorzystne zmiany w sposobie życia mieszkańców, sprzyjające upowszechnieniu się tzw. chorób cywilizacyjnych. Do zmian takich należy np. zmniejszona aktywność ruchowa, nieprawidłowe odżywianie, rozpowszechnienie palenia tytoniu czy nadmierne obciążenie neuropsychiczne.

Działania prowadzące do zapobiegania chorobom i wzmacniania zdrowia można podzielić na trzy grupy:

1) Kształtowanie optymalnych dla życia i rozwoju człowieka warunków środowiska materialnego i społecznego. Działania te są ściśle sprzężone z rozwojem społeczno-ekonomicznym (nie każdy typ tego rozwoju pozwala osiągnąć zakładane cele zdrowotne) oraz kształtem stosunków międzyludzkich mających ogromne znaczenie dla zdrowia i samopoczucia człowieka.

2) Rozwijanie kultury zdrowotnej społeczeństwa. Decydujące znaczenie ma tu realizowany model oświaty i wychowania oraz społecznie akceptowany system wartości. O stosunku człowieka do ochrony własnego zdrowia decyduje wiedza oraz motywacje i postawy określone przez różne czynniki wewnętrzne (np. cechy osobowości) i zewnętrzne.

3) Rozwijanie profilaktycznej działalności służby zdrowia. Mieszczą się tu swoiste działania medyczne ukierunkowane na zapobieganie określonym chorobom, np. szczepienia ochronne przeciw chorobom zakaźnym, wszelkie badania profilaktyczne mające na celu ujawnienie czynników ryzyka lub wczesnych objawów szczególnie groźnych i zarazem podstępnych chorób. Profilaktyczna działalność służby zdrowia obejmuje również wpływanie na działania mieszczące się w dwóch poprzednio wymienionych grupach, tj. kształtowanie optymalnych warunków środowiskowych i rozwijanie kultury zdrowotnej społeczeństwa.

Rola medycyny zapobiegawczej znacznie wzrosła na przełomie XIX i XX wieku. Przyczynił się do tego rozwój nauki, zwłaszcza mikrobiologii, immunologii i nauki o żywieniu, dzięki którym zapobieganie chorobom, zwłaszcza zakaźnym lub na tle niedoborów żywieniowych, uzyskało racjonalne podstawy. Nie bez znaczenia jest tu również rozwój myśli społecznej wysuwającej postulaty zadośćuczynienia szeroko pojętym potrzebom ogółu społeczeństwa.

W coraz większym stopniu sprawy ochrony zdrowia obywateli stawały się dziedziną zainteresowania władz państwowych. Dziś we wszystkich nowoczesnych państwach istnieją instytucje zdrowia publicznego, odpowiedzialne m.in. za kontrolę różnych elementów środowiska, w którym żyje, uczy się i pracuje człowiek. W Polsce taką rolę pełni Państwowa Inspekcja Sanitarna, działająca z ramienia Ministerstwa Zdrowia i Opieki Społecznej. Odpowiednie działy w wojewódzkich i terenowych stacjach sanitarno-epidemiologicznych sprawują kontrolę nad utrzymaniem różnych parametrów środowiska bytowania i pracy w granicach nie powodujących zagrożenia dla zdrowia. Szczególnej kontroli sanitarnej podlegają: jakość wody pitnej, środki żywności, stan zanieczyszczenia powietrza atmosferycznego, warunki w zakładach pracy i szkołach itp. Stacje sanitarno-epidemiologiczne prowadzą rejestrację chorób zakaźnych, a także chorób zawodowych, co ma istotne znaczenie dla podejmowania w porę odpowiednich środków zaradczych.

W szeroko rozumianej działalności na rzecz zapobiegania chorobom zaangażowane są różne ogniwa służby zdrowia, a zwłaszcza placówki podstawowej opieki zdrowotnej skupiające tzw. lekarzy pierwszego kontaktu, do których należą u nas: lekarz ogólny w miejscu zamieszkania lub w miejscu pracy, rejonowy pediatra i rejonowy ginekolog, zajmujący się nie tylko leczeniem, ale i profilaktyką pierwotną, również ogólnohigieniczną. Dużą rolę do spełnienia na tym polu ma rozwijana u nas obecnie instytucja lekarza rodzinnego.

Przeciętny obywatel nowoczesnego, cywilizowanego kraju ma do dyspozycji wiele środków i możliwości wspomagających utrzymanie zdrowia. Ich właściwe wykorzystanie zależy od posiadanej wiedzy na ten temat oraz od motywacji i chęci działania zgodnego z wymogami zdrowotnymi.

II. HIGIENICZNY TRYB ŻYCIA

Na pojęcie higienicznego trybu życia składają się różnorodne uświadomione i nieuświadomione zachowania człowieka, które mają wpływ na zapobieganie chorobom i polepszanie zdrowia. Już ludzie minionych pokoleń na drodze empirii lub wręcz intuicyjnie ustalali pewne normy postępowania, które przyczyniały się do utrzymania zdrowia. Znajdowało to wyraz w obyczajach, a także w przepisach prawnych lub nakazach religijnych.

Prowadzenie higienicznego trybu życia to nie tylko przestrzeganie zbioru ścisłych reguł. Musi iść z nim w parze daleko idąca indywidualizacja, ponieważ nie ma jednego wzoru na sposób życia w ogóle. Istnieją wszakże pewne wspólne zasady postępowania zgodne z potrzebami zdrowia. Ich respektowanie zależy od hierarchii wartości, jaką nadaje im człowiek, oraz od wynikających stąd jego motywacji. Higieniczny tryb życia nie może być czymś uciążliwym. Musi on być wewnętrzną potrzebą, muszą oddziaływać nań nie tylko racje rozumowe, ale również zwyczajowo utrwalone zachowania instynktowno-emocjonalne. Sprzyjać temu powinien system oświatowo-wychowawczy wprowadzany już od wczesnego dzieciństwa.

Higiena osobista

Pojęciem higiena osobista określa się całość zachowań sprzyjających utrzymaniu i umacnianiu zdrowia, w tym także działań związanych z utrzymaniem czystości ciała, odzieży i najbliższego otoczenia, z doborem odzieży i obuwia pod kątem ich właściwości zdrowotnych, z higienicznym przyrządzaniem posiłków itp.

Zachowanie czystości było i jest jednym z podstawowych wymagań higienicznych, ponieważ uchybienia w tym zakresie stanowiły i jeszcze stanowią bardzo istotną przyczynę szerzenia się chorób zakaźnych. Istnieje np. pojęcie chorób „brudnych rąk", do których zalicza się dur brzuszny, czerwonkę i inne choroby przewodu pokarmowego o podłożu zakaźnym.

Higiena skóry. Obok względów estetycznych utrzymanie czystości skóry ma istotne znaczenie higieniczne, przyczyniające się do prawidłowego jej funkcjonowania jako powłoki ochronnej. Źle utrzymana skóra, zwłaszcza rąk, zaniedbane włosy czy paznokcie mogą stanowić doskonałe podłoże dla rozwoju drobnoustrojów chorobotwórczych.

Wyrobienie nawyku mycia rąk już od wczesnych lat stanowi ważny sprawdzian kultury zdrowotnej i ogólnej. Troska o skórę rąk nakazuje stosowanie ochronnych rękawic przy wykonywaniu prac szczególnie brudzących, wymagających moczenia rąk lub stwarzających możliwości powstawania mikrourazów. Do ochrony rąk oraz ich pielęgnacji wskazane jest stosowanie kremów ochronnych i odżywczych.

Uchybienia w pielęgnacji rąk i stóp oraz mikrourazy, na które narażone są stopy i ręce, stosunkowo często przyczyniają się do rozwoju zakażeń. Powstawaniu grzybicy naskórkowej i drożdżycy, zwłaszcza w przestrzeniach międzypalcowych, sprzyja maceracja naskórka pod wpływem wilgoci, np. pocenia się. W pielęgnacji nóg ważne jest dokładne umycie ich przynajmniej raz dziennie wieczorem ciepłą wodą z mydłem i dokładne wytarcie ręcznikiem, także przestrzeni międzypalcowych. Skarpety i pończochy należy zmieniać codziennie. Wszelkie pękanie naskórka w przestrzeni międzypalcowej, z zaczerwienieniem i pieczeniem, należy leczyć po zasięgnięciu fachowej porady.

Ogólna dbałość o czystość skóry, zwłaszcza okolic wymagających specjalnej troski, zależy m.in. od rodzaju wykonywanej pracy, a także od potrzeb indywidualnych, szczególnie u kobiet. Zaleca się dokładne mycie wieczorem, natomiast rano obok mycia pożądane są zabiegi hartujące za pomocą chłodnej wody. Najlepszy jest prysznic z na przemian stosowaną ciepłą i zimną wodą.

Ogólną zasadą powinno być, aby każdy członek rodziny miał swój ręcznik. Szczególnie ważne jest to wówczas, gdy ktoś z rodziny choruje. W pielęgnacji ciała istotne znaczenie ma właściwy dobór środków toaletowych, zwłaszcza mydła. Większość mydeł ma odczyn zasadowy, co wpływa przy częstym stosowaniu na obniżenie kwasowości skóry i pozbawia ją normalnego natłuszczenia. Lepsze pod tym względem są mydła przetłuszczone (lanolinowe, dziecięce). Dodatki zapachowe do mydeł mogą być niekiedy przyczyną reakcji uczuleniowych.

Zabiegi higieniczne dotyczące skóry nie powinny doprowadzić do gruntownego usunięcie z jej powierzchni tzw. płaszcza lipidowego (tłuszczowego), utworzonego z wydzieliny gruczołów łojowych i złuszczonych komórek zewnętrznych, ponieważ stanowi on naturalną osłonę przed działaniem zewnętrznych czynników szkodliwych, w tym także chemicznych i bakteryjnych. Człowiek znając właściwości swojej skóry (normalna, sucha, nadmiernie natłuszczona) powinien odpowiednio modyfikować jej pielęgnację.

Do codziennych zabiegów higienicznych należy także mycie małżowiny usznej i zewnętrznego otworu słuchowego, a do okresowych – oczyszczanie zewnętrznego przewodu słuchowego z gromadzącej się tam woskowiny. Zabieg ten należy przeprowadzać niezbyt często i bardzo ostrożnie, najlepiej za pomocą odpowiednio skręconej czystej waty. Nie można używać do tego celu przedmiotów twardych, zwłaszcza ostrych, takich jak np. szpilki do włosów, wykałaczki, zapałki itp., ponieważ drażni to skórę przewodu słuchowego i wzmaga wydzielanie woskowiny, a przede wszystkim grozi skaleczeniem przewodu lub błony bębenkowej.

Przepłukiwanie jamy nosa podczas mycia przy użyciu zwykłej wody nie jest wskazane!

Higiena jamy ustnej i zębów. Dbałość o jamę ustną i uzębienie jest bardzo istotna ze względów zdrowotnych i estetycznych. Zapobiega również uciążliwościom związanym z leczeniem zębów, używaniem protez itp. Służące do tego zabiegi higieniczne to prawidłowe szczotkowanie zębów, stosowanie nici stomatologicznych, płukanie jamy ustnej wodami do ust lub płukankami antyseptycznymi (po zasięgnięciu porady, który z dostępnych w sprzedaży płynów jest najbardziej odpowiedni).

Szczotkowanie zębów należy wykonywać co najmniej 2 razy dziennie – po śniadaniu i po kolacji – przez 3 minuty. Dorośli, jeśli mają zdrowe dziąsła, powinni używać szczotki nylonowej średniotwardej, natomiast dzieci – szczotki miękkiej. Można stosować również obrotowe szczotki elektryczne. Równocześnie ze szczotkowaniem zębów wykonuje się masaż dziąseł. Czyszczenie wraz z masażem należy wykonywać drobnymi ruchami okrężnymi lub ruchem obrotowo-wymiatającym od dziąsła ku dołowi w górnym łuku zębowym i od dziąsła ku górze w łuku dolnym (rys.). Efektywność czyszczenia

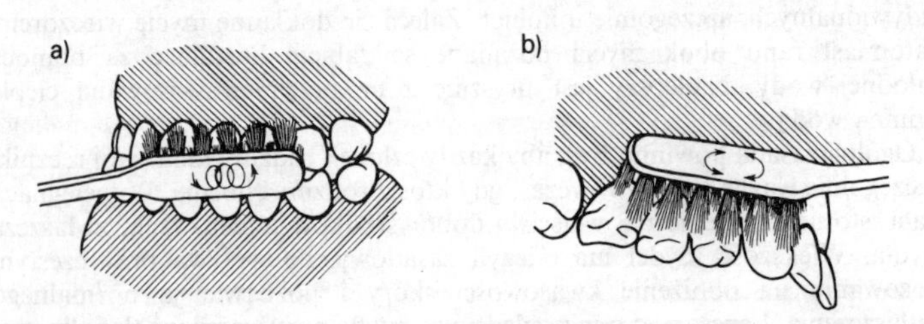

Czyszczenie zębów: a) metodą Fonesa, b) metodą Chartesa. *Metoda Fonesa* polega na czyszczeniu zębów ruchami okrężnymi. Szczotkę przyciska się mocno pod kątem prostym do dziąseł i zębów, a następnie wykonuje ruchy pionowo-koliste. Oczyszcza się najpierw powierzchnie policzkowe i wargowe zębów a potem powierzchnie podniebienne i językowe. *Metoda Chartesa* polega na czyszczeniu zębów ruchami obrotowo-wymiatającymi. Powierzchnię szczotki zwraca się do zębów i dziąseł pod katem 45°, tak aby połowa włosia znajdowała się na zębach, a połowa na dziąsłach. Ruchem okrężnym z góry na dół (w żuchwie z dołu ku górze) przesuwa się szczotkę tak, aby szczecina wchodziła między zęby. W obu metodach po oczyszczeniu zębów jamę ustną należy kilkakrotnie płukać wodą

zębów poprawia właściwa pasta, najlepiej z fluorem, który ma działanie przeciwpróchnicowe. Do oczyszczania przestrzeni międzyzębnych służą nici stomatologiczne. W uzasadnionych przypadkach zaleca się profilaktyczne stosowanie preparatów fluorowych. Płukanie i spożywanie pokarmów oczyszczających, jak jabłka, marchew, kalarepa, zamiast słodyczy, jest pożyteczne jako dodatkowe postępowanie w utrzymaniu higieny jamy ustnej. Po zjedzeniu słodyczy należy zęby niezwłocznie oczyścić.

W celu wczesnego wykrycia zmian próchniczych w zębach, usunięcia kamienia nazębnego i wykonania innych czynności związanych z sanacją jamy ustnej należy zgłaszać się do stomatologa w miarę możliwości 2 razy w roku.

Higiena narządu wzroku zapobiega chorobom i urazom tego narządu oraz zapewnia możliwie najlepsze warunki jego funkcjonowania. Ważne jest zachowanie czystości, chociaż specjalne przemywanie oczu (poza normalnym myciem) jest bezcelowe, ponieważ stale wydzielane łzy obmywają gałki oczne i spojówki, a przy tym mają silne właściwości bakteriobójcze. W sytuacjach zagrażających urazem (mechanicznym, chemicznym, związanym z promieniowaniem), co występuje głównie w pracy zawodowej, konieczne jest używanie okularów lub innych urządzeń ochronnych. Oświetlenie właściwe do wykonywanej pracy nie tylko chroni narząd wzroku, ale zmniejsza ogólne zmęczenie.

Pogorszenie się wzroku najczęściej wynika z wad refrakcji, które koniecznie należy korygować odpowiednimi okularami, dobranymi przez lekarza okulistę. Wady refrakcji pojawiają się zazwyczaj w miarę wieku, ale przyśpiesza je przeciążenie narządu wzroku, szczególnie w warunkach niedostatecznego oświetlenia. Między innymi szkodliwy wpływ wywiera długotrwałe oglądanie TV w niewłaściwych warunkach. Przy oglądaniu należy przestrzegać odpowiedniej odległości (najlepiej ponad 3 m) oraz zapewnić boczne oświetlenie ekranu.

Higiena odzieży i obuwia. Właściwy ubiór wspomaga mechanizmy termoregulacyjne w organizmie człowieka oraz stanowi dodatkową ochronę przed szkodliwymi czynnikami biologicznymi, fizycznymi czy chemicznymi. W skrajnych przypadkach znajduje to wyraz w stosowaniu tzw. odzieży ochronnej. Higieniczne uchybienia dotyczące ubioru niejednokrotnie ujemnie oddziałują na nasze zdrowie i zawsze zmniejszają fizjologiczny komfort mający znaczenie dla samopoczucia człowieka.

Odzież. Z higienicznego punktu widzenia istotne znaczenie mają następujące cechy tkanin odzieżowych: przewodzenie ciepła, przewiewność (przepuszczanie powietrza), higroskopijność (wchłanianie i zatrzymywanie wody), masa. O cechach tych decydują zarówno właściwości samych tkanin, jak i sposób ich utkania.

Zdolność przewodzenia ciepła zależy od stopnia porowatości, z czym wiąże się objętość wolnej przestrzeni wypełnionej powietrzem między włóknami tkaniny. Najlepsza pod tym względem jest wełna. Drugie miejsce zajmuje bawełna. Tkaniny porowate są bardziej odporne na przemakanie i z reguły odznaczają się lepszą przewiewnością, co umożliwia parowanie wydzielanego potu.

Dobór tkaniny na odzież, jej krój i zestawienie poszczególnych części bielizny i garderoby powinny być takie, aby właściwości termoizolacyjne i przewiewność tkaniny mogły być w maksymalnym stopniu wykorzystane w określonych warunkach klimatycznych, przy określonym wysiłku fizycznym, dla danej płci, wieku oraz stanu zdrowia. Niezwykle ważne jest bowiem utrzymanie względnie stałych warunków mikroklimatu pod odzieżą, tj. przede wszystkim temperatury i wilgotności znajdującego się tam powietrza. Równoczesnie kształt i krój odzieży powinny nie utrudniać oddychania, krążenia krwi i limfy oraz powinny zapewniać pełną swobodę ruchów.

Dobra izolacja termiczna odzieży, szczególnie ważna w chłodnej porze roku, zależy od ilości powietrza nagromadzonego w warstwach odzieży oraz od niezbyt dużej jego ruchomości. Pozbywaniu się nadmiaru wilgoci z przestrzeni nad skórą sprzyja przewiewność i higroskopijność odzieży. Właściwości te w większym stopniu posiada odzież z włókien naturalnych. Materiały syntetyczne bardziej nadają się na odzież wierzchnią, ponieważ dobrze chronią przed działaniem wiatru i wilgocią atmosfery. Równocześnie należy unikać nadmiernie ciepłego ubrania, ponieważ wywołuje to pocenie się, nawilgocenie odzieży i zmniejszenie jej właściwości termoizolacyjnych, co w rezultacie doprowadza do przechłodzenia ogranizmu, a w konsekwencji nawet do tzw. chorób przeziębieniowych.

W lecie odzież powinna sprzyjać oddawaniu ciepła przez organizm i chronić przed nagrzewaniem go z zewnątrz.

Obuwie. Powinno być wygodne, tzn. odpowiadać anatomiczno-fizjologicznym właściwościom stopy, czyli nie powodować jej ucisku, nie ograniczać jej ruchomości i równocześnie ułatwiać jej amortyzacyjną funkcję. Powinno również być dostosowane do sezonowych zmian klimatycznych oraz do rodzaju wykonywanej pracy.

Dobierając nowe obuwie należy brać pod uwagę, że w warunkach normalnego obciążenia (stanie i chodzenie) rozmiary stopy zwiększają się o ok. 10 mm. Istotne jest także, aby palce stopy miały dostateczną przestrzeń do swobodnego poruszania. Ciasne obuwie przyczynia się do osłabienia sklepienia stopy, rozwoju płaskostopia oraz innych zniekształceń. Wskutek ucisku występują też zaburzenia krążenia krwi i limfy, co doprowadza do obrzęku stopy. Obuwie zbyt luźne również nie zapewnia wygody i sprzyja tworzeniu się otarć i odcisków. Obuwie na zbyt wysokim obcasie nie odpowiada wymaganiom zdrowotnym. Szczególnie nie jest wskazane dla rozwijających się dziewcząt, ponieważ może przyczynić się do powstawania nieprawidłowości budowy kręgosłupa i miednicy czy przemieszczeń narządów wewnętrznych. Najbardziej odpowiada wymaganiom higienicznym obuwie wykonane ze skóry i na skórzanej podeszwie. Odznacza się ono dostateczną przewiewnością i elastycznością. Materiały syntetyczne przewyższają często skórę pod względem właściwości eksploatacyjnych, jednak z higienicznego punktu widzenia zdecydowanie ustępują skórze naturalnej.

Zmęczenie i wypoczynek

Żywy organizm podlega nieustannie różnorodnym obciążeniom fizycznym (utrzymanie postawy ciała, chodzenie i inne wysiłki fizyczne), czuciowym (odbieranie bodźców wzrokowych, słuchowych i in.), intelektualnym (wysiłek myślowy), emocjonalnym (poczucie odpowiedzialności, lęk, frustracja, napięcia psychiczne związane z działaniem instynktów itp.).

Ogólnie, wszelkie obciążenia organizmu dzieli się na fizyczne i neuropsychiczne. Są one związane ze świadomą aktywnością człowieka niezbędną do uczenia się, zdobycia środków utrzymania, zrealizowania obowiązków rodzicielskich i społecznych, zadośćuczynienia swym zainteresowaniom i twórczej samorealizacji. Inne potrzeby, poza tymi o znaczeniu podstawowym, służą uatrakcyjnieniu życia. Postęp cywilizacyjny i kulturowy rozbudza coraz nowe potrzeby, toteż mimo wielu ułatwień, jakie stwarza doba współczesna, nacisk na jednostkę, szczególnie na jej sferę neuropsychiczną, nie maleje – a nawet wzrasta.

Organizm każdego człowieka cechuje charakterystyczny dla niego zasób wydolności, zależny od czynników dziedzicznych oraz stopnia zaadaptowania, przy czym wydolność nie jest pojęciem jednorodnym. Człowiek przystosowany do wykonywania nawet dużego wysiłku fizycznego może być mało odporny np. na obciążenia emocjonalne. Znajomość własnych możliwości stwarza szansę takiego postępowania w życiu, aby nie dopuścić do przeciążenia organizmu.

Zachowanie równowagi między wydolnością fizyczną i psychiczną a występującymi w życiu różnego typu obciążeniami (stresami) ma duże znaczenie dla normalnego funkcjonowania człowieka i zachowania zdrowia. Pierwszym sygnałem zakłócenia tej równowagi jest zmęczenie.

Zmęczenie

Zmęczenie żywego organizmu, w odróżnieniu od używanego w technice określenia „zmęczenie materiału", które świadczy o zużyciu tego materiału, jest w zasadzie zjawiskiem odwracalnym. Najczęściej stanowi ono okresowe zakłócenie procesów fizjologicznych i psychofizjologicznych decydujących o pełnosprawnym funkcjonowaniu organizmu. Przywrócenie pełnej równowagi wymaga wypoczynku stosownego do stopnia zmęczenia.

Zmęczenie jest zjawiskiem złożonym. Jego przejawy w znacznym stopniu zależą od rodzaju i natężenia działającego obciążenia oraz od indywidualnych właściwości organizmu. Wyczerpująca praca zawodowa, kłopoty rodzinne, niekorzystne czynniki biometeorologiczne, niepowodzenia i rozczarowania życiowe rodzące napięcia psychiczne, niewygody wynikające z niedostatku cywilizacji i uchybień w organizacji życia codziennego, jak również ujemne dla człowieka skutki, jakie przynosi cywilizacja – wszystkie te i inne czynniki przyczyniają się do powstawania stanów fizjologicznych i psychicznych, które określa się jako zmęczenie, przemęczenie, wyczerpanie itp.

Objawy zmęczenia są różnorodne. Z reguły ulega zmniejszeniu sprawność organizmu, co ujemnie rzutuje na wydajność i liczbę popełnianych błędów w pracy. Zmienia się wrażliwość na odbierane z otoczenia bodźce. Mogą występować zmiany w czynności układu krążenia i oddychania oraz zmiany biochemiczne w płynach ustrojowych. Odbiciem zmian fizjologicznych są subiektywne odczucia zmęczenia, takie jak bóle w obciążonych mięśniach, uczucie niemocy, ogólnego osłabienia i niechęci do podejmowania dalszego wysiłku. Te przejawy zmęczenia mogą rzutować na zmiany zachowania się człowieka, a więc na wystąpienie rozdrażnienia, wybuchowości, przygnębienia i apatii, co zależy do stadium zmęczenia i właściwości osobniczych. Ponieważ opisane objawy subiektywne nie są charakterystyczne tylko dla zmęczenia, ale bywają również zwiastunami pewnych chorób, zwłaszcza ostrych zakaźnych, lub towarzyszą niektórym chorobom przewlekłym, ustalenie pochodzenia tych objawów wymaga wnikliwej analizy.

Ze zdrowotnego punktu widzenia umiarkowane, a nawet większe zmęczenie spowodowane wysiłkiem nie stanowi zagrożenia dla osób ogólnie zdrowych, pod warunkiem, że następuje po nim wystarczający odpoczynek. Zmęczenie pojawia się o wiele wcześniej, niż następuje kres wytrzymałości organizmu. Nawet w warunkach bardzo dużego obciążenia, doprowadzającego do wystąpienia objawów ogromnego zmęczenia, rezerwy wydolności organizmu mogą być jeszcze dość znaczne. Przykładem tego są przypadki niespodziewanej, nadzwyczajnej wytrzymałości wysiłkowej np. w warunkach zagrażającego niebezpieczeństwa.

Zjawisko zmęczenia, zmuszając organizm do wypoczynku, stanowi obronną reakcję chroniącą przed skutkami nadmiernego obciążenia. Zgodnie z zasadą mechanizmu autoregulacyjnego, zmęczenie, zwłaszcza jego przejawy subiektywne, jest sygnałem wskazującym, że obciążenie osiągnęło pewien poziom krytyczny. Nie każdy oczywiście poziom krytyczny stanowi realne niebezpieczeństwo dla organizmu w każdej sytuacji. Czasami zaawansowane zmęczenie może pełnić dodatnią rolę jako czynnik rozszerzający zdolności przystosowawcze człowieka, co zwiększa jego możliwości tolerowania obciążeń. Nie zawsze też można określić poziom „czerwonej kreski", powyżej której nie należy zwiększać obciążenia organizmu. W każdym razie pojawienie się zmęczenia jest tym sygnałem ostrzegawczym, którego nie można lekceważyć i w większości sytuacji powinno ono stanowić naturalny regulator naszej aktywności życiowej.

Do pewnej granicy zmęczenie jest stanem prawidłowym. Przy zachowaniu odpowiedniego rytmu aktywności i wypoczynku, dającego pełną odnowę sił, organizm nie ponosi żadnej szkody wskutek zmęczenia. Osiągnięcie możliwej dla danej osoby sprawności – fizycznej lub umysłowej – wymaga „zaprawy", w czasie której trzeba przekroczyć barierę tzw. pierwotnego zmęczenia, aby umożliwić adaptację organizmu, dzięki czemu staje się on bardziej odporny na powtórne obciążenia.

Zmęczenie nie jest czymś, czego należy wystrzegać się za wszelką cenę, np. przez stawianie sobie małych wymagań lub rezygnację z kontynuowania podjętego wysiłku. Nie należy jednak lekceważyć objawów wskazujących na rozwój takich form zmęczenia, które wykraczają poza fizjologicznie dopuszczalne granice.

Przemęczenie. Wszelkie cechy stanu nieprawidłowego ma przemęczenie. Rozwija się ono przeważnie jako wynik nakładających się stanów zmęczenia ostrego czy też umiarkowanego w warunkach niedostatecznego wypoczynku. Obraz przemęczenia nie jest jednolity i niekiedy bywa trudny do uchwycenia ze względu na podobieństwo do różnych stanów chorobowych. Charakteryzuje się przeważnie trwałym złym samopoczuciem, przygnębieniem, niekorzystnie zmienionym wyglądem, bardzo łatwym męczeniem się przy podejmowaniu niewielkich nawet wysiłków fizycznych czy umysłowych, zaburzeniami snu itp.

Przemęczenie, zwłaszcza wywołane dużym obciążeniem neuropsychicznym, może doprowadzić do stanu, w którym wypoczynek staje się utrudniony i potrzebny jest dłuższy czas dla odzyskania równowagi. Stany takie nie przechodzą bez śladu i przyczyniają się do szybszego zużycia organizmu.

Inne formy zmęczenia. Zalicza się tutaj różne subiektywnie wyrażone objawy zmęczenia, które trudno uzasadnić wyczerpaniem sił, np. gdy występuje ono po dłuższym wypoczynku lub w czasie wykonywania lekkich, ale monotonnych czynności. Duży wpływ na wywołanie tego rodzaju stanu ma atmosfera nudy, braku perspektyw oraz spadek zainteresowania wykonywaną pracą. Uczucie dyskomfortu psychicznego, spadku sił i niechęć do podejmowania wysiłku występuje przy względnie dobrym ogólnym stanie funkcjonowania organizmu. Świadczy o tym szybka poprawa samopoczucia i zdolności do wysiłku po zadziałaniu bodźców, które np. angażują człowieka emocjonalnie. Można to porównać z włączeniem innego, bardziej odpowiedniego biegu w silniku samochodowym.

Opisana postać zmęczenia zależy raczej od zakłóceń w regulacji nerwowo-humoralnej niż od wyczerpania rezerw czynnościowych. Może być nazwana zmęczeniem rzekomym lub znużeniem. Mimo zachowania rezerw czynnościowych, znużenie przyczynia się do mniej sprawnego funkcjonowania organizmu i mniejszej tolerancji na różne obciążenia. Wymaga zatem również odpowiedniego postępowania zapobiegawczego.

Wypoczynek

W ujęciu fizjologicznym wypoczynek prowadzi do usunięcia niekorzystnych funkcjonalnie zmian powstałych w komórkach, tkankach i płynach organizmu na skutek wzmożonej aktywności. Wypoczynek jest niezbędny do prawidłowego przebiegu procesów fizjologicznych warunkujących odnowę. Stany wzmożonej aktywności organizmu cyklicznie zmieniają się wraz z jej spadkiem, co w zasadzie przebiega równolegle z cyklem dobowym wyznaczonym przez dzień i noc, czyli ze snem i czuwaniem.

Sen jest niezbędny do prawidłowego wypoczynku. Noworodek śpi około 22 godz/dobę. Stopniowo czas ten ulega skróceniu na rzecz czasu czuwania. Dorastająca młodzież śpi przeciętnie 8–10 godzin na dobę, osoby powyżej 20 r. życia – 6 do 8 godz, a w wieku średnim – 5 do 7 godz. Od tych danych średnich, dotyczących większości przedstawicieli danej grupy wiekowej, istnieje wiele indywidualnych odchyleń.

Subiektywna potrzeba długiego snu u dorosłych często nie wynika z rzeczywistej potrzeby, lecz stanowi przyzwyczajenie ukształtowane już w dzieciństwie. Nadmiar snu u dziecka może mieć jednak ujemny wpływ na kształtowanie się jego osobowości i rozwój umysłowy.

Zaburzenia snu, polegające na jego zbytnim skróceniu w stosunku do rzeczywistych potrzeb, działają niekorzystnie na organizm i mogą przynieść ujemne skutki. Najczęściej spotykanym rodzajem zaburzeń snu jest utrudnione zasypianie. Opóźnienie zaśnięcia może sięgać nawet kilku godzin i najczęściej prowadzi do redukcji liczby godzin snu. Ten sam efekt daje przedwczesne budzenie się, połączone zazwyczaj z płytkim snem.

Przyczyną zaburzeń snu mogą być niekiedy istniejące choroby (np. psychiczne, nerwowe, przemiany materii), w większości przypadków bezsenność jest związana z nadmiernym obciążeniem emocjonalnym w wyniku przewlekłych sytuacji konfliktowych, przeciążenia obowiązkami, reakcji na silne urazy psychiczne itp. Odgrywa w tym niewątpliwie rolę również skłonność do nadmiernego „przejmowania się", koncentrowania uwagi na własnych doznaniach i do długotrwałych okresów złego nastroju.

Uregulowanie snu jest jednym z najważniejszych czynników niezbędnych do prawidłowego wypoczynku. Na dłuższą metę zawodne i niebezpieczne jest stosowanie środków nasennych. Wskazana jest natomiast zmiana trybu życia i organizacji swoich zajęć. Umiejętność wycofania się z pewnych działań czy sytuacji oddziałujących ujemnie i odnajdowanie zainteresowań budzących emocje dodatnie jest sprawą najważniejszą. Istotne znaczenie ma również przestrzeganie w miarę stałych godzin snu oraz spożywanie kolacji co najmniej 2–3 godziny wcześniej, i to lekkostrawnej. Sen nie powinien być zakłócany przez światło, hałas, nieodpowiednią temperaturę otoczenia i inne czynniki zewnętrzne.

Badania wykazały, że sen jest nie tylko „czystym" wypoczynkiem, ale również okresem wzmożonej aktywności wielu ośrodków mózgowych. Sen nie może zastąpić wypoczynku w okresie czuwania. Istnieje zatem potrzeba odprężenia i nabrania sił niezależnie od snu. Wybór postępowania w tym celu jest sprawą indywidualną i to, co wpływa u jednych osób na odprężenie, dla innych będzie stanowić dodatkowe obciążenie. Niemniej mogą być w tym względzie wysunięte pewne ogólne zasady.

Inne formy wypoczynku. Najczęściej wypoczynek utożsamia się z wyłączeniem wszelkiej aktywności. Taki rodzaj wypoczynku nazywa się biernym. Jego przeciwstawieniem jest wypoczynek czynny, polegający na zamianie wykonywanej czynności, która doprowadziła do zmęczenia, na inną, prowadzącą do odprężenia. Szczególne miejsce zajmuje tu aktywność ruchowa. Umiejętnie stosowana, stanowi ona najbardziej naturalny bodziec przyczyniający się do odnowy sił organizmu.

Nie zawsze jednak wypoczynek czynny może być polecany. Po ciężkim wysiłku fizycznym, z udziałem wielu grup mięśniowych, jak i po dużym wysiłku umysłowym, najbardziej odpowiednie jest powstrzymanie się od jakiejkolwiek czynności, przynajmniej w pierwszym okresie wypoczynku. Warunki absolutnego spokoju stanowią wtedy najpewniejszy sposób przywrócenia stanu równowagi. Na przykład, jeśli jesteśmy bardzo zmęczeni przed wyjazdem na urlop, lepiej jest najpierw odpocząć w domu, ponieważ zazwyczaj z wyjazdem łączy się dodatkowe obciążenie.

Wybierając formę wypoczynku należy wziąć pod uwagę uwarunkowane nim emocjonalne nastawienie. Wypoczynek jest w pełni skuteczny tylko wówczas, gdy wyzwala u człowieka emocje dodatnie, tj. gdy sprawia mu przyjemność. Wypoczynek czynny wymaga inicjatywy i działania, jest więc przeciwstawieniem bierności. Umiejętność czynnego wypoczywania związana jest z koniecznością wyrobienia w sobie odpowiednich nawyków. Na przykład dopiero po pewnym czasie prawdziwą satysfakcję mogą sprawiać ćwiczenia gimnastyczne w przerwie pracy, uprawianie ogródka działkowego czy też chodzenie na wycieczki.

Szczególną odmianą wypoczynku czynnego jest uprawianie ćwiczeń relaksacyjno-koncentrujących, takich jak joga, zen, trening autogenny i inne. Osoby, które zadadzą sobie trud cierpliwego wykonywania tego rodzaju ćwiczeń, potrafią stymulować swój wypoczynek, a także prowadzić samokontrolę swego życia psychicznego, co przynosi wielostronne korzyści.

Aktywność ruchowa

W miarę postępującej mechanizacji pracy i rozwoju ogólnie dostępnych środków transportu publicznego oraz indywidualnego, przeciążenie wysiłkiem fizycznym staje się zjawiskiem coraz rzadziej występującym. Człowiek bez przymusu ekonomicznego lub innej konieczności życiowej skłonny jest raczej oszczędzać swe siły fizyczne niż je użytkować, choćby w stopniu niezbędnym dla zdrowia. W rezultacie w wielu krajach rozwiniętych i średnio rozwiniętych upowszechnia się siedzący tryb życia ze wszelkimi ujemnymi konsekwencjami tego zjawiska.

Na drodze ewolucji organizm ludzki został przystosowany do fizycznie czynnego życia. Mięśnie stanowią znaczną część masy naszego ciała (u mężczyzn do 40%). Nasilenie czynności takich podstawowych narządów wewnętrznych, jak serce i płuca, jest ściśle powiązane z aktywnością mięśniową. Bezczynność ruchowa wywołuje zmiany wsteczne w różnych układach i narządach organizmu, prowadzące do upośledzenia ich funkcji. Na przykład unieruchomienie kończyny na pewien czas w opatrunku gipsowym prowadzi do zmniejszenia masy mięśni oraz ich siły, a także stopnia ruchomości stawów.

Ludzie, którzy ze względu na rodzaj pracy zawodowej oraz posiadane nawyki prowadzą mało ruchliwy tryb życia, stopniowo tracą sprawność fizyczną. Ujawnia się to w mniejszej odporności na zmęczenie przy wykonywaniu nawet umiarkowanych wysiłków, nie mówiąc już o wysiłkach większych, takich jak bieg czy wchodzenie po schodach. Wśród wielu niekorzystnych zjawisk fizjologicznych, będących wynikiem zbyt małej aktywności ruchowej, do najbardziej charakterystycznych należą zmiany w układzie krążenia, ujawniające się np. zbyt wysokim tętnem w stanie spoczynku, a także w odpowiedzi na wysiłek, ponieważ niedostatecznie wytrenowany mięsień sercowy pracuje mniej efektywnie, tj. w czasie pojedynczego skurczu wyrzuca mniej krwi. Istnieje wiele dowodów pośrednich i bezpośrednich przemawiających za tym, że unikanie wysiłku fizycznego przez osoby ogólnie zdrowe nie powoduje oszczędzania serca, ale odwrotnie, czyni go bardziej podatnym na niekorzystne skutki obciążenia oraz choroby. Dotyczy to zresztą nie tylko tego narządu.

W ostatnich dziesięcioleciach upowszechniło się pojęcie chorób „hipokinetycznych" tzn. z niedostatku aktywności fizycznej. Przede wszystkim należą tutaj choroby o charakterze metaboliczno-zwyrodnieniowym, takie jak miażdżyca (szczególnie naczyń wieńcowych serca), otyłość, cukrzyca. Przyczyny tych stanów chorobowych są złożone, niemniej rola niedostatecznej aktywności ruchowej w łańcuchu przyczynowym uznawana jest za bardzo istotną.

Potrzeby dotyczące aktywności ruchowej są zróżnicowane indywidualnie. Niemniej wszyscy, niezależnie od wieku i sprawności fizycznej, powinni wykonywać dostosowane do ich możliwości ćwiczenia gimnastyczne. Najlepiej wykonywać je systematycznie rano, choćby przez kilka minut, w miarę możliwości przy otwartym oknie. Skłony i skręty tułowia oraz głowy, ruchy kończyn w różnych płaszczyznach itp. doprowadzają do uruchomienia wszystkich ważniejszych grup mięśni oraz stawów. Ćwiczenia mięśni brzucha mają znaczenie nie tylko dla sylwetki, ale również sprzyjają ochronie kręgosłupa. Ćwiczenia gimnastyczne dobrze jest powtórzyć nawet kilka razy dziennie, choćby w ograniczonym zakresie. Młodsze osoby mogą posługiwać się dostępnymi przyrządami, np. sprężynowymi rozciągaczami czy ciężarkami. Ćwiczenia nie powinny być zbyt forsowne. Najlepiej, gdy są wykonywane w sposób umiarkowany.

Oprócz ćwiczeń gimnastycznych, które można wykonywać prawie w każdych warunkach, do utrzymania właściwej kondycji fizycznej niezbędne są również dynamiczne wysiłki, angażujące równocześnie duże grupy mięśniowe. Do wysiłków takich należy bieg lub szybki marsz. Tempo wysiłku powinno być dostosowane do wydolności fizycznej, wieku i stanu zdrowia i nie powinno przekraczać pułapu możliwości. Wysiłek submaksymalny jest wystarczającym bodźcem do uzyskania lepszej wydolności fizycznej i jej utrzymania. Ogólnokondycyjne znaczenie treningowe mają już wysiłki, przy których częstość tętna wzrasta nieco ponad 120 uderzeń na minut. Najskuteczniejszy i bezpieczny jest trening ze zmiennym obciążeniem, np. kilkanaście sekund biegu lub 2–4 min szybkiego marszu z następującymi okresami wypoczynku lub zwolnienia tempa.

Dobre samopoczucie podczas intensywnego wysiłku nie zawsze świadczy o tym, że obciążenie organizmu utrzymuje się w granicach całkowicie bezpiecznych. Zdarza się, że osoby w średnim wieku lub starsze bez dostatecznej zaprawy fizycznej podejmują np. podczas niedzielnej wycieczki zbyt forsowne wysiłki, nie odczuwając tego. Nie należy tak czynić, ponieważ znaczniejsze obciążenie fizyczne stosowane od czasu do czasu może być szkodliwe. Aby utrzymać swą wydolność fizyczną, należy wykonywać wysiłki treningowe dwa lub trzy razy w tygodniu co najmniej przez 30 min. Ponadto należy jak najczęściej uprawiać zwykłe spacery, które są nie tylko dodatkową dawką ruchu, ale również sprzyjają ogólnemu uspokojeniu i osiąganiu równowagi psychicznej.

Przeciwdziałanie nałogom

Nałogi są to wyuczone i utrwalone szkodliwe nawyki, które prowadzą do ujemnych następstw zdrowotnych, a w przypadku np. alkoholizmu czy narkomanii również do zakłóceń życia społecznego. Nałogi są nie do pogodzenia z higienicznym trybem życia, a ich ostateczne skutki przynoszą często klęskę osobistą i poważne straty społeczne.

Palenie tytoniu

W czasach współczesnych palenie tytoniu stało się zjawiskiem masowym, ogarniającym wszystkie warstwy społeczne i towarzyszącym człowiekowi w sposób czynny lub bierny zarówno podczas pracy, jak i wypoczynku. Przyczynia się do tego ogólna dostępność wyrobów tytoniowych, poszukiwanie namiastek odprężenia, panujący styl życia i lekceważenie szkodliwości palenia tytoniu. W ostatnich dziesiątkach lat palenie upowszechniło się również wśród kobiet i młodzieży. W spożyciu tytoniu Polska należy do czołówki światowej.

W skład dymu tytoniowego wchodzi co najmniej 300 składników, z których znaczna część wywiera zdecydowanie szkodliwe działanie na organizm. Należą do nich m.in.: nikotyna, tlenek węgla, cyjanowodór, rakotwórcze węglowodory i inne substancje o podobnym działaniu, fenol i akroleina. Uzyskano mnóstwo dowodów wskazujących, że nałogowe palenie tytoniu stanowi jeden z najgroźniejszych czynników szkodliwych dla zdrowia. Występujące przy tym zmiany w organizmie dotyczą różnych układów i narządów. Do stosunkowo najlepiej poznanych należą zmiany w układzie oddechowym. Palenie wywołuje przewlekły nieżyt oskrzeli z dalszymi poważnymi komplikacjami, wpływa na rozwój raka płuc, krtani, warg i prawdopodobnie również na występowanie zmian nowotworowych w innych narządach. Współdziała również w rozwoju zmian chorobowych w układzie krążenia, przewodzie pokarmowym, układzie nerwowym. U kobiet ciężarnych przyczynia się do wzrostu liczby poronień i porodów przedwczesnych. Noworodki kobiet palących w okresie ciąży mają niższą masę ciała i rozwijają się gorzej.

Ryzyko zdrowotne związane z paleniem tytoniu powinno skłaniać do wysiłków indywidualnych i społecznych, mających na celu maksymalne ograniczenie tego nałogu, którego zapoczątkowanie jest w znacznym stopniu uwarunkowane środowiskowo. Decydujący wpływ ma tutaj środowisko rodzinne i zawodowe, sposób spędzania czasu wolnego, a także wzory upowszechniane przez środki masowego przekazu. Liczba nowych palaczy, rekrutujących się przeważnie spośród młodzieży, w znacznej mierze zależy od otoczenia ułatwiającego rozpoczęcie palenia. Rozwinięty nałóg utrzymuje się wskutek uzależnienia.

Wielu palaczy kierując się rozsądkiem lub instynktem samozachowawczym wyzwala się spod wpływów środowiska „nikotynowego". Duża jednak ich liczba wpada w nałóg na tyle zakorzeniony, że konieczne jest podjęcie specjalnego postępowania leczniczego, które jednak może być skuteczne tylko przy maksymalnym zaangażowaniu ze strony zainteresowanego.

W celu ułatwienia zwalczania nałogu palenia podejmowane są inicjatywy tworzenia klubów antynikotynowych, poradni odwykowych itp. Na uwagę zasługuje „pięciodniowa kuracja odwykowa" typu psycho- i fizykoterapeutycznego pod kierunkiem lekarza i psychologa, która okazała się stosunkowo prosta i skuteczna. W niektórych wypadkach wskazane może być stosowanie leczenia farmakologicznego.

W razie niemożności zerwania z nałogiem, profilaktyczne znaczenie mają takie przedsięwzięcia, jak: 1) obniżenie liczby wypalanych papierosów, 2) palenie papierosów o niskiej zawartości nikotyny i substancji rakotwórczych, 3) palenie papierosów z filtrem, 4) odrzucanie co najmniej 1/3 części palonego papierosa, ponieważ gromadzi się tam dużo skondensowanych substancji toksycznych, 5) palenie fajki zamiast papierosów, 6) niepalenie w czasie wysiłku fizycznego, 7) unikanie palenia w pomieszczeniach wspólnego użytku.

Alkoholizm

Alkoholizm jest to nałóg wynikający z nadużywania alkoholu. Zjawisko to jest nie tylko problemem zdrowotnym dotyczącym jednostki obarczonej nałogiem picia, ale ma szerszy wymiar ze względu na różnorodne związane z nim negatywne konsekwencje społeczne. W orbicie działań każdego intensywnie pijącego znajduje się co najmniej kilka osób bezpośrednio lub pośrednio ponoszących ujemne skutki nałogu. Toteż alkoholizm jest zaliczany do tzw. patologii społecznej.

W krajach kręgu kulturowego, do którego należy i Polska, picie różnego rodzaju napojów alkoholowych jest szeroko rozpowszechnione. Jeśli wykracza ono poza ramy dopuszczalnego poziomu konsumpcji, staje się problemem społeczno-zdrowotnym. Zjawisko to częściej występuje w krajach (również w Polsce), gdzie alkohol jest spożywany głównie w postaci mocnych trunków, a nie np. wina lub piwa. Niewłaściwa struktura spożywanych napojów alkoholowych oraz akceptowane w niektórych środowiskach szczególnie niebezpieczne wzory picia prowadzą stosunkowo często do jaskrawych przypadków degradacji fizycznej i psychicznej wśród pijących.

Do nałogowego alkoholizmu prowadzi częste upijanie się przez 5–10 lat, a w środowiskach młodzieżowych nawet w krótszym okresie.

Około 10% pijących nałogowo to nieuleczalnie chorzy, nie mogący się samodzielnie utrzymać i nie mający praktycznie szans powrotu do normalnego życia.

Najbardziej dostrzegalne zmiany po spożyciu alkoholu występują w czynności ośrodkowego układu nerwowego. Pojawiają się one już przy stężeniu 0,5% alkoholu we krwi. Przy stężeniu 1,0–2,0‰ następuje osłabienie procesów hamowania wyższych ośrodków nerwowych, co prowadzi do charakterystycznych zmian zachowania się człowieka: do nadmiernej pewności siebie, ożywienia i nieopanowanych ruchów. Przy wyższych stężeniach następują coraz większe zakłócenia w czynności różnych ośrodków nerwowych aż do *snu narkotycznego* włącznie.

Przewlekłe zatrucie alkoholem doprowadza do zmian zwyrodnieniowych wątroby, nerek, mięśnia sercowego. Wyniszczenie organizmu następuje przede wszystkim wskutek upośledzenia czynności przewodu pokarmowego. Uszkodzenia ośrodkowego układu nerwowego są powodem *zaburzeń psychicznych*, aż do psychoz alkoholowych włącznie. Alkoholicy są wielokrotnie częściej ofiarami różnego rodzaju wypadków śmiertelnych, w tym także samobójstw. Długość ich życia jest krótsza o 10–20 lat w stosunku do wieku przeciętnego. Sądzi się, że nadużywanie alkoholu jest jednym z istotnych czynników odgrywających rolę w zwiększonej umieralności mężczyzn w porównaniu z kobietami (prawdopodobnie odgrywa w tym rolę także częstsze palenie tytoniu).

Zarówno względy zdrowotne, jak i ogólnospołeczne (rozkład rodziny, degradacja zawodowa, wypadki drogowe, przestępczość) skłaniają do traktowania alkoholizmu jako zagadnienia o szczególnym znaczeniu. Tylko w porę podjęte środki zapobiegawcze już we wczesnym okresie nadużywania alkoholu dają duże szanse opanowania tego groźnego nałogu.

III. ODŻYWIANIE

Prawidłowe odżywianie jest jednym z najistotniejszych czynników warunkujących zdrowie. Zarówno niedobór środków spożywczych, jak i ich nadmierne spożywanie bezpośrednio lub pośrednio wpływają ujemnie na stan zdrowia społeczeństwa. Spożywanie nadmiernej ilości pożywienia, niewłaściwe w nim proporcje poszczególnych składników odżywczych, np. zbyt małe ilości węglowodanów złożonych, takich jak skrobia, a zbyt duże tłuszczów, niedostateczna zawartość składników regulujących, jak mikroelementy i witaminy, stają się przyczyną poważnych problemów zdrowotnych, zwłaszcza w krajach rozwiniętych czy średnio rozwiniętych. Wzrasta bowiem częstość występowania miażdżycy, otyłości, cukrzycy i innych chorób o podłożu metaboliczno-zwyrodnieniowym, w których udział czynników żywieniowych odgrywa podstawową rolę. Dotyczy to również niektórych nowotworów.

Zapotrzebowanie energetyczne organizmu

Każdy organizm do utrzymania się przy życiu i spełniania właściwych mu czynności wymaga źródła energii, którym dla całego świata zwierzęcego – również i dla człowieka – jest pożywienie. Energetyczne zapotrzebowanie organizmu można określić biorąc pod uwagę poziom p o d s t a w o w e j p r z e m i a n y m a t e r i i (PPM), która u zdrowych osób dorosłych wynosi ok. 1 kcal (4,186 kJ – kilodżula) na 1 kg masy ciała w ciągu 1 godz. U przeciętnego mężczyzny o masie ciała 70 kg wynosi zatem ok. 1700 kcal (ok. 7000 kJ) na dobę. Istotny wzrost przemiany materii ponad poziom podstawowy następuje tylko w trakcie wysiłku fizycznego. Przyjmuje się, że całkowite zapotrzebowanie energetyczne młodego mężczyzny wykonującego lekką pracę wynosi ok. 2400 kcal (ok. 10 000 kJ), a kobiety odpowiednio 2100 kcal (8800 kJ) na dobę. W miarę wzrostu ciężkości pracy fizycznej

Wartość energetyczna 100 g niektórych produktów*

Nazwa produktu	kcal	kJ
Słonina	762	3194
Masło	748	3132
Czekolada pełna deserowa	563	2357
Olej roślinny	900	3768
Herbatniki Petit Beurre	439	1838
Placek drożdżowy z kruszonką	422	1767
Cukier (10–12 łyżeczek)	399	1671
Kasza manna	353	1478
Ser tylżycki pełnotłusty	318	1331
Wieprzowina, łopatka średnio tłusta (mała porcja obiadowa)	259	1084
Kiełbasa zwyczajna	218	912
Chleb żytnio-pszenny (2 kromki grubości 1 cm)	216	904
Chleb żytni razowy (2 kromki grubości 0,7 cm)	196	821
Ser twarogowy tłusty	168	703
Jaja (2 sztuki)	134	561
Wołowina, pieczeń (mała porcja obiadowa)	116	486
Ser twarogowy chudy	104	435
Dorsz – filety (mała porcja obiadowa)	69	289
Śliwki	66	276
Ziemniaki (1 sztuka średniej wielkości)	60	251
Mleko, 2% tłuszczu	47	197
Jabłka (1 sztuka mała)	41	172
Truskawki	35	146
Kapusta biała	32	134
Pomidory (1 sztuka dość duża)	28	117
Ogórki (1 sztuka średniej wielkości)	11	46

* W postaci, w jakiej kupuje się na rynku.

dodatkowe zapotrzebowanie organizmu wynosi: przy pracy umiarkowanie ciężkiej – 600 kcal (2500 kJ), przy pracy ciężkiej – 1200 kcal (5000 kJ), a przy pracy bardzo ciężkiej – 1600 kcal (6600 kJ). Dla zorientowania się, co oznaczają te wartości z punktu widzenia żywienia, należy podać, że wartość kaloryczna średnio obfitego obiadu wynosi ok. 1000 kcal (4186 kJ).

Z wiekiem zapotrzebowanie energetyczne organizmu zmniejsza się, niezależnie od rodzaju wykonywanej pracy. Przyjmuje się, że począwszy od 25 do 65 r. życia zmniejszenie to wynosi ok. 400 kcal (ok. 1600 kJ) na dobę i zależy od uwarunkowanego starzeniem się organizmu obniżania podstawowej przemiany materii, a także od ograniczenia ogólnej aktywności ruchowej. Jeśli nie towarzyszy temu odpowiednie zmniejszenie ilości pożywienia, następuje odkładanie zbędnych substratów energetycznych w tkance tłuszczowej i powiększanie się masy ciała, co szczególnie jest widoczne powyżej 40 r. życia. Zmagazynowanie 1 kg tłuszczu związane jest z dostarczeniem ok. 7000 kcal (ok. 29 000 kJ) ponad rzeczywiste potrzeby organizmu.

Energii niezbędnej organizmowi dostarczają węglowodany, tłuszcze i białka. Udział tych składników w pokrywaniu potrzeb energetycznych powinien kształtować się następująco:

węglowodany	55–60%
tłuszcze	ok. 30%
białka	ok. 12%

W obliczaniu kaloryczności pożywienia przyjmuje się następujące równoważniki kaloryczne dla 1 g: węglowodanów – 4 kcal (16,7 kJ), białka – 4 kcal (16,7 kJ), tłuszcze – 9 kcal (37,7 kJ).

Składniki odżywcze

Pojęciem niezbędnych składników odżywczych określa się te, których organizm sam nie może wytworzyć i które muszą mu być dostarczone z pożywieniem. Spośród np. 20 aminokwasów występujących w białkach tylko 8–10 należy do niezbędnych, spośród węglowodanów – 1 lub niekiedy więcej, spośród kwasów tłuszczowych 1–2 wielonienasycone, a ponadto kilkanaście witamin i kilkanaście składników mineralnych. Łącznie daje to ok. 40 składników, które muszą być dostarczone z pożywieniem.

W nieco szerszym znaczeniu – składnikami odżywczymi określa się także występujące w pożywieniu białka, węglowodany i tłuszcze. Związki te dostarczają energii i w pewnych granicach mogą się zastępować pod tym względem. Równocześnie każdy z nich odgrywa specyficzną rolę, np. białka są źródłem zewnątrzpochodnych, tj. niezbędnych, aminokwasów.

Białka. Z punktu widzenia żywieniowego dzieli się je na pełnowartościowe i niepełnowartościowe, co nie ma jednak związku z ich przydatnością energetyczną.

Białka pełnowartościowe zawierają wszystkie niezbędne aminokwasy w proporcjach ilościowych odpowiadających potrzebom budulcowym w organizmie ludzkim. Należą tu białka pochodzenia zwierzęcego, znajdujące się w takich produktach, jak mięso i wędliny, mleko i sery, jaja.

Białka niepełnowartościowe zawierają aminokwasy w ilości niewystarczającej dla potrzeb organizmu. Są to głównie białka pochodzenia roślinnego, znajdujące się np. w produktach zbożowych. Białka o stosunkowo dużej wartości biologicznej mają nasiona roślin strączkowych, takich jak fasola, groch, bób, soja. W suchych nasionach zawartość białka jest bardzo duża (tabela).

Zawartość białka w 100 g produktu*

Produkty pochodzenia zwierzęcego	Zawartość białka w g	Produkty pochodzenia roślinnego	Zawartość białka w g
Jaja w proszku, całe	48,4	Soja, całe ziarno	34,9
Ser tylżycki tłusty	25,6	Borowik suszony	29,0
Sery podpuszczkowe dojrzewające tłuste, średnio	24,6	Groch	23,8
Ser twarogowy chudy	21,2	Fasola biała	21,4
Ser twarogowy tłusty	17,9	Kasza gryczana prażona cała	12,6
Kiełbasa zwyczajna	16,6	Mąka pszenna razowa	12,3
Wołowina, tusza średnio tłusta	15,6	Płatki owsiane	11,9
Cielęcina, tusza średnio tłusta	15,2	Mąka pszenna wrocławska	9,4
Konina, cała tusza	15,1	Ryż	6,7
Wieprzowina, tusza średnio tłusta	13,6	Bułki pszenne wrocławskie	6,1
Dorsz wędzony	13,3	Chleb żytnio-pszenny	5,6
Baranina, tusza średnio tłusta	12,5	Chleb żytni razowy	4,7
Kiszka pasztetowa	11,2	Borowik świeży	2,9
Jaja świeże, całe	11,1	Sałata	1,7
Kaszanka wyborowa z kaszy gryczanej	9,4	Kapusta biała	1,4
Śledź świeży	8,8	Porzeczki czerwone	1,4
Dorsz łupacz, świeży	8,7	Ziemniaki	1,2
Karp świeży	7,7	Pomidory	0,9
Mleko normalizowane 2% tłuszczu	3,0	Truskawki	0,7
		Jabłka	0,4

* W postaci, w jakiej kupuje się na rynku.

W praktyce żywieniowej niezwykle ważne jest przestrzeganie zasady uzupełniania się białek. Dzieje się tak wówczas, gdy w skład posiłku wchodzą białka pochodzące z różnych produktów. Stwarza to warunki do podnoszenia wartości biologicznej białek niepełnowartościowych dzięki ich wzbogaceniu w niezbędne aminokwasy znajdujące się w produktach pochodzenia zwierzęcego. Na przykład wartość odżywczą białek zawartych w chlebie można podnieść przez niewielki dodatek mleka lub serów.

Osoby dorosłe powinny spożywać ok. 1 g białka na 1 kg masy ciała dziennie. Norma ta dla dzieci i kobiet ciężarnych lub karmiących jest wyższa. Dotyczy to również osób uprawiających trening fizyczny prowadzący do przerostu masy mięśniowej, np. sportowców. Po osiągnięciu stanu wytrenowania, wykonywanie pracy fizycznej zwiększa zapotrzebowanie na białko w granicach nie przekraczających odsetka wzrostu zapotrzebowania również na inne składniki energetyczne.

Co najmniej połowa spożywanego białka szczególnie u dzieci powinna być pochodzenia zwierzęcego. Zapotrzebowanie dorosłego człowieka na białko zwierzęce może być pokryte przez spożycie w ciągu dnia np. 0,5 l mleka i 100 g chudego mięsa lub 100 g twarogu i 150 g ryby, albo też 2 jaj i 120 g żółtego sera.

Węglowodany. Stanowią one najważniejszy składnik energetyczny w żywieniu człowieka. Niezależnie od postaci wyjściowej (skrobia, sacharoza, czyli popularny cukier, lub innej), podlegają w organizmie przemianie w glukozę, która ulega spalaniu lub po dalszych przemianach – spichrzeniu w postaci tkanki tłuszczowej.

Źródłem węglowodanów są ogólnie dostępne produkty spożywcze pochodzenia roślinnego, zwłaszcza zbożowe i ziemniaki. W miarę wzrostu zamożności społeczeństwa ich spożycie maleje, ponieważ są wypierane przez produkty pochodzenia zwierzęcego, co w rezultacie nadmiernie zwiększa spożycie tłuszczów i białek. Zachodzi ponadto niekorzystna zmiana w strukturze spożywanych węglowodanów. Miejsce skrobi w coraz większym stopniu zajmują cukier i słodycze.

Ze zdrowotnego punktu widzenia, redukowanie spożycia węglowodanów do poziomu niższego niż 55% ogólnego zapotrzebowania kalorycznego jest niewłaściwe i niekorzystne. Spożycie cukru i słodyczy nie powinno przekraczać 10% tego zapotrzebowania. Należy zatem zachować odpowiedni do potrzeb poziom spożycia ziemniaków oraz produktów zbożowych w postaci makaronów, kasz i pieczywa. Pod względem odżywczym korzystniejsze są produkty zbożowe technologicznie mało oczyszczone: chleb razowy, grahamki, kasza gryczana i jęczmienna, płatki owsiane itp. Oprócz skrobi zawierają one więcej błonnika, białka, witamin, soli mineralnych (w porównaniu z produktami wysoko oczyszczonymi). Osoby mało aktywne fizycznie nie powinny spożywać więcej niż 5 łyżeczek cukru dziennie (ok. 50 g) włączając słodzenie napojów i potraw oraz cukier zawarty w ciastach i słodyczach.

Błonnik. Nazwą tą obejmuje się grupę węglowodanów wchodzących w skład błon komórkowych i tkanki podporowej roślin. Nie będąc dla człowieka składnikiem odżywczym (ich przyswajalność jest stosunkowo mała), są niezbędne dla prawidłowego funkcjonowania przewodu pokarmowego – przyczyniają się do sprawnego pasażu przez jelita treści pokarmowych oraz formowania i wydalania kału. Jego źródłem są produkty zbożowe (szczególnie mało oczyszczone) oraz warzywa i owoce. Dużo błonnika zawiera fasola, groch, bób i inne strączkowe. Zaleca się spożywanie około 30 g błonnika dziennie. W tym celu należy spożyć dziennie około 300 g produktów pochodzenia zbożowego oraz 600 g warzyw i owoców.

Tłuszcze. Z punktu widzenia żywienia istotny jest podział tłuszczów na roślinne i zwierzęce. W tłuszczach roślinnych występują głównie kwasy tłuszczowe nienasycone, w zwierzęcych – nasycone. Przesądza to zarówno o ich stanie skupienia, jak i o oddziaływaniach fizjologicznych i zdrowotnych. Przy nadmiernym spożywaniu tłuszczów zwierzęcych wzrasta poziom cholesterolu we krwi, co stanowi ważny czynnik ryzyka w rozwoju miażdżycy, zwłaszcza naczyń wieńcowych. Przy spożywaniu tłuszczów roślinnych zawarte w nich nienasycone kwasy tłuszczowe przyczyniają się do obniżenia poziomu cholesterolu i innych ciał tłuszczowych we krwi.

Spożycie tłuszczów nie powinno przekraczać 30% dobowego zapotrzebowania energetycznego, co odpowiada mniejszemu ich spożyciu niż przeciętnie w Polsce. Należy zatem ograniczyć ilość tłuszczu stosowanego do pieczywa, zup, sosów, ziemniaków itp. Mięso i wędliny powinny być odtłuszczone. Mniej też należy spożywać serów żółtych i topionych.

Co najmniej 1/3 spożywanych tłuszczów powinna być pochodzenia roślinnego. W postaci surowej, np. jako dodatek do sałatek, najlepszy jest olej słonecznikowy lub sojowy. Do smażenia bardziej odpowiednia jest oliwa lub rodzimy uszlachetniony olej rzepakowy (niskoerukowy).

Witaminy. Podobnie jak hormony i enzymy, pełnią one w organizmie funkcje regulacyjne, a ich niedobór może wywoływać poważne zaburzenia. Źródłem witamin są głównie produkty pochodzenia roślinnego, a także częściowo zwierzęcego.

Na szczególną uwagę zasługuje witamina C nie tylko ze względu na olbrzymią rolę, jaką odgrywa w czynnościach organizmu (bierze udział w różnych procesach metabolicznych, ma duży wpływ na rozwój tkanki łącznej, wzmaga odporność organizmu), ale również dlatego, że przynajmniej częściowe jej niedobory zdarzają się szczególnie często. Witamina C jest dość rozpowszechniona w świecie roślinnym. Należy jednak do związków mało trwałych, łatwo ulegających inaktywacji na skutek utleniania. Bogatym źródłem witaminy C są: porzeczki, warzywa kapustne, truskawki, owoce cytrusowe. Jabłka, gruszki, śliwki są raczej ubogie pod tym względem. W naszych warunkach ważnym źródłem witaminy C są ziemniaki.

Stosunkowo często zdarzają się u nas niedobory witaminy B_2 i witaminy A. Źródłem witaminy B_2 jest mleko i sery. Witamina A występuje wyłącznie w produktach pochodzenia zwierzęcego, takich jak masło, żółtko jaj, oleje rybne i wątroba. Jej prowitaminy – karoteny – rozpowszechnione są w produktach roślinnych: w marchwi, sałacie, szpinaku, pomidorach. Istotnym źródłem witaminy A są też witaminizowane margaryny.

Składniki mineralne. Makro- i mikroelementy zawarte w pożywieniu oraz wodzie pitnej kompensują straty składników mineralnych z wydalinami i wydzielinami ustrojowymi, złuszczającym się nabłonkiem itp. Do *makroelementów* niezbędnych w pożywieniu człowieka zalicza się składniki, na które zapotrzebowanie dzienne wynosi ponad 100 mg. Należą do nich: wapń, fosfor, magnez, sód, potas, chlor i siarka. Zaliczyć tu można również żelazo, mimo znacznie niższego zapotrzebowania w porównaniu z wymienionymi pierwiastkami.

Do *mikroelementów* zalicza się m.in.: miedź, cynk, mangan, jod, fluor, kobalt, selen, molibden, chrom. Poza jodem i cynkiem nie ma dotychczas ustalonych norm zapotrzebowania na te pierwiastki. W zrównoważonej pod

Dzienne racje pokarmowe

Wyszczególnienie i jednostka miary		Przykłady zalecanych dziennych racji pokarmowych na poziomie ekonomicznym C					
		dzieci 4–6 l.	dziewczęta 13–15 l.	chłopcy 13–15 l.	kobiety: praca lekka	mężczyźni: praca lekka	mężczyźni: praca umiarkowanie ciężka
Energia	kcal	1700	2600	3000	2100	2400	2800
	kJ	7113	10878	12552	8786	10042	11715
1. Produkty zbożowe*	g	190	300	360	270	310	350
2. Mleko i sery**	g	900	1100	1150	1000	850	1000
3. Jaja	szt.	3/4	3/4	3/4	1/2	1/2	1/2
4. Mięso, wędliny, ryby***	g	65	170	195	155	160	170
5. Masło	g	35	35	40	25	30	35
6. Inne tłuszcze	g	6	15	25	15	20	25
7. Ziemniaki	g	220	350	450	250	350	450
8. Warzywa i owoce obfitujące w witaminę C	g	200	260	260	240	220	230
9. Warzywa i owoce obfitujące w karoten	g	140	150	150	140	140	140
10. Inne warzywa i owoce	g	290	330	330	290	310	320
11. Strączkowe suche	g	3	7	10	5	7	10
12. Cukier i słodycze	g	45	60	65	50	60	70

* Przeliczone na mąkę
** Przeliczone na mleko
*** Przeliczone na mięso z kością
**** Włączając śmietanę

względem spożywanych produktów spożywczych dziennej racji pokarmowej (tabela na s. 381) znajduje się zazwyczaj dostateczna ilość niezbędnych składników mineralnych.

W żywieniu powszechnym dobrym źródłem wapnia jest mleko i sery. Racja pokarmowa dostarczająca wystarczającą ilość wapnia zawiera także dostateczną ilość fosforu. Stosunkowo często zdarza się u ludzi niedobór żelaza (niedokrwistość z niedoboru żelaza, zob. s. 853). Dotyczy to przede wszystkim dzieci oraz kobiet w wieku rozrodczym, szczególnie w okresie ciąży. Zapobieganie polega na zwiększeniu ilości żelaza w pożywieniu, zwłaszcza w postaci produktów mięsnych, które stanowią źródło żelaza o wysokiej przyswajalności.

Niedoborom jodu, przeważnie zależnym od niedostatecznej jego zawartości w wodzie pitnej w określonej okolicy, zapobiega się przez udostępnienie mieszkańcom odpowiednio wzbogaconej soli kuchennej. Niedoborom fluoru, sprzyjającym próchnicy zębów, można zapobiegać przez wzbogacanie wody pitnej w ten pierwiastek, a także przez fluorowanie zębów za pomocą odpowiednich past.

Dzienna racja pokarmowa

Produkty spożywcze stosowane w żywieniu stanowią mieszaninę różnych składników odżywczych. Za składniki w czystej postaci można uważać np. cukier, smalec, sól kuchenną. Dla praktyki żywieniowej duże znaczenie ma właściwy dobór produktów, zapewniający dostarczanie wszystkich niezbędnych składników w ilości odpowiedniej do potrzeb.

Produkty spożywcze stosowane w żywieniu człowieka można podzielić na grupy różniące się pod względem składu i wartości odżywczej. Tabela na s. 381 wymienia 12 takich grup. W żywieniu można stosować zamiany poszczególnych grup. Na przykład 2 jajka pod względem zawartości wysokowartościowego białka zastępują ok. 70 g mięsa. Zamieniać wzajemnie można również warzywa i owoce będące dobrym źródłem zarówno witaminy C, jak i karotenów, np. pomidory, sałata, szczypior czy kapusta włoska.

Zalecana racja pokarmowa stanowi celowo dobrany zestaw produktów z uwzględnieniem ich ilości, tak aby pokryć dzienne zapotrzebowanie organizmu na wszystkie składniki odżywcze. Zróżnicowanie zapotrzebowania zależy od wieku, płci i rodzaju wykonywanej pracy. U kobiet wpływ ma również okres ciąży i karmienia. Na podstawie tych kryteriów wyróżnia się w Polsce 22 grupy ludności. Służy to do planowania wyżywienia w różnych zbiorowościach ludzkich.

W zależności od warunków ekonomicznych, proponowane przez żywieniowców racje pokarmowe różnią się przede wszystkim doborem produktów spożywczych, ale częściowo również wartością odżywczą. W Polsce stosowane są 4 poziomy ekonomiczne: A, B, C, D. Racja pokarmowa na poziomie ekonomicznym A ma najniższy koszt, ale również najmniejszy margines bezpieczeństwa, jeśli chodzi o zawartość tzw. deficytowych składników odżywczych (białko zwierzęce, wapń, witaminy i in.). Dlatego nie przewiduje się jej dla dzieci i młodzieży oraz kobiet ciężarnych i karmiących. Dla innych grup populacji może być dopuszczona przez odpowiednio krótki okres.

Racje pokarmowe na wyższym poziomie ekonomicznym zawierają nie tylko więcej produktów o dużej wartości biologicznej, ale również uwzględniają upodobania konsumentów. Przykłady podane w załączonej tabeli dotyczą racji pokarmowych na poziomie ekonomicznym C, czyli stosunkowo wysokim (zaczerpnięte z opracowania A. Szczygła i in.: „Normy żywienia i wyżywienia, cz. II. Normy wyżywienia. Modele racji pokarmowych". Instytut Żywności i Żywienia. Warszawa 1987). Cytowane przykłady odnoszą się do planowania wyżywienia zbiorowego i ich praktyczne wykorzystanie wymaga bliższej znajomości zasad, na których oparto proponowane ilości produktów (należy m.in. uwzględnić produkt rynkowy, np. mięso z kością, odpadki kuchenne, resztki jadalne oraz inne straty). Niemniej przybliżają one czytelnikowi wymagania dotyczące doboru oraz ilości produktów przy prawidłowym wyżywieniu.

Podział dziennej racji pokarmowej na posiłki. Zalecana racja pokarmowa określa rodzaj oraz ilość produktów, jakie powinny się znajdować w dziennym jadłospisie. Następnym warunkiem prawidłowego żywienia jest właściwy rozdział tej racji na posiłki. Powinny być przy tym wzięte pod uwagę następujące kryteria: 1) liczba posiłków i ich wartość energetyczna, 2) objętość i strawność poszczególnych posiłków, 3) różnorodność składników pokarmowych w posiłkach.

Liczba posiłków oraz ich wartość energetyczna. Dzieci i młodzież powinni spożywać 4, a nawet 5 posiłków dziennie. Dorosłym o mniejszym zapotrzebowaniu energetycznym wystarczają 3 posiłki w ciągu dnia. Dla ludzi ciężko pracujących fizycznie, o dużym zapotrzebowaniu energetycznym, wskazane jest rozdzielenie racji pokarmowej na 4, a niekiedy nawet na 5 posiłków. Z wielu badań wynika, że model żywienia oparty na posiłkach mniej obfitych, ale częstszych, sprzyja optymalizacji procesów przemiany materii.

Jednym z istotnych elementów prawidłowego żywienia jest regularność posiłków. Przy trzech posiłkach dziennie przerwy między nimi nie powinny być krótsze niż 4 godziny i dłuższe niż 6 godzin (pomijając przerwę nocną).

Do częstych błędów w żywieniu należy niewłaściwy rozdział dziennej racji pokarmowej na posiłki pod względem kalorycznym. W Polsce przejawia się tendencja do spożywania niskokalorycznych śniadań i obfitych kolacji, co jest błędem. Zależnie od liczby posiłków w ciągu dnia, śniadania powinny pokrywać 25–35% ogólnego zapotrzebowania kalorycznego, a kolacje 15–30%.

Objętość i strawność poszczególnych posiłków. Posiłki podstawowe, tj. śniadanie, obiad i kolacja, powinny być rozdzielone proporcjonalnie pod względem objętości i strawności. Należy unikać jadłospisów, w których jedne posiłki są zbyt jednostronne, składające się z produktów skoncentrowanych i łatwo trawionych, a inne objętościowo duże i trudno strawne.

Różnorodność składników pokarmowych w posiłkach. W prawidłowo zestawionym jadłospisie posiłki powinny być różnorodne pod względem zawartości składników. Każdy podstawowy posiłek powinien zawierać pełnowartościowe białko oraz składniki mineralne i witaminy w możliwie szerokim zakresie. Śniadanie złożone np. z produktów dostarczających głównie węglowodany i tłuszcze (bułka z masłem i dżemem, osłodzona herbata) jest posiłkiem niepełnowartościowym i wymaga wzbogacenia.

Optymalne żywienie oznacza przede wszystkim stosowanie w posiłkach możliwie najbardziej urozmaiconych zestawów produktów spożywczych. Respektowanie tej zasady jest konieczne nie tylko z żywieniowego punktu widzenia, ale również uwzględnia postulaty toksykologów, ponieważ zmniejsza szansę przedostawania się do organizmu z pożywieniem większych dawek substancji toksycznych, których rozpowszechnienie w środowisku człowieka ustawicznie wzrasta.

Ocena sposobu żywienia

Obiektywna ocena sposobu żywienia ludzi nie jest prosta. Łatwiej to uczynić, jeśli żywienie ma charakter zorganizowany, np. w internatach, jednostkach wojskowych, szpitalach itp. W ocenach są stosowane metody jakościowe oraz ilościowe. W ocenach jakościowych uzyskuje się dane o rodzaju spożywanych posiłków lub produktów oraz o rozłożeniu ich w czasie. Posługując się metodą ilościową analizę tę rozszerza się o informacje dotyczące ilości spożywanych produktów lub składników odżywczych.

Jakościowa ocena dziennego jadłospisu

Oceniane cechy	Liczba przyznanych punktów	
	tak	nie
Czy liczba posiłków jest dostosowana do wieku i rodzaju wykonywanej pracy	1	0
Czy przerwy między posiłkami są dostosowane do liczby posiłków	1	0
Czy mleko lub produkty mleczne są przynajmniej w jednym posiłku	1	0
Czy produkty zawierające białko pochodzenia zwierzęcego (mięso, ryby, jaja, mleko, sery, itp.) są przynajmniej w 3 posiłkach	1	0
Czy warzywa lub owoce są przynajmniej w 2 posiłkach	1	0
Czy surówki lub surowe owoce są przynajmniej w jednym posiłku (ewentualnie w postaci kiszonek lub mrożonek)	1	0
Czy w jadłospisie jest ciemne pieczywo lub grube kasze	1	0

Uwaga. Jadłospis poprawny uzyskuje 7 punktów. Oceny zerowe mówią o konieczności poprawy żywienia.

W tabeli przedstawiono jeden z przykładów jakościowej oceny dziennego jadłospisu z punktu widzenia ogólnej poprawności. Przedstawiony schemat jest dość prosty i nadaje się do szerokiego wykorzystania.

IV. HIGIENA ŚRODOWISKA

H i g i e n a ś r o d o w i s k a jest jedną z podstawowych dyscyplin współczesnej medycyny zapobiegawczej. Zajmuje się badaniem i oceną czynników środowiska zewnętrznego oraz ich oddziaływaniem na organizm człowieka. Na podstawie wyników badań higienicznych są ustalane sanitarno-higieniczne normatywy oraz opracowywane sposoby wykorzystywania lub eliminowania czynników środowiska mających wpływ na zdrowie człowieka. Środowisko zewnętrzne oddziałuje na organizm poprzez różnorodne bodźce, wśród których wyróżnić można czynniki fizyczne, chemiczne i biologiczne. Zachwianie równowagi pomiędzy organizmem a otoczeniem może nastąpić wtedy, gdy czynniki zewnętrzne są zbyt silne i działają zbyt długo a sprawność reakcji adaptacyjnych organizmu jest ograniczona. Podstawowymi elementami środowiska zewnętrznego są: powietrze atmosferyczne, woda i gleba.

Powietrze

Powietrze jest mieszaniną gazów otaczającą kulę ziemską powłoką o grubości ok. 600 km. A t m o s f e r a dzieli się na t r o p o s f e r ę, w której odbywają się zmiany pogody – sięgającą do 11 km, s t r a t o s f e r ę – do ok. 65 km i j o n o s f e r ę – powyżej. Suche powietrze atmosferyczne blisko powierzchni Ziemi składa się z ok. 78% azotu i 21% tlenu. Pozostałe 1% tworzą argon (0,9%), dwutlenek węgla (0,03%), wodór, neon, hel, krypton, ksenon oraz

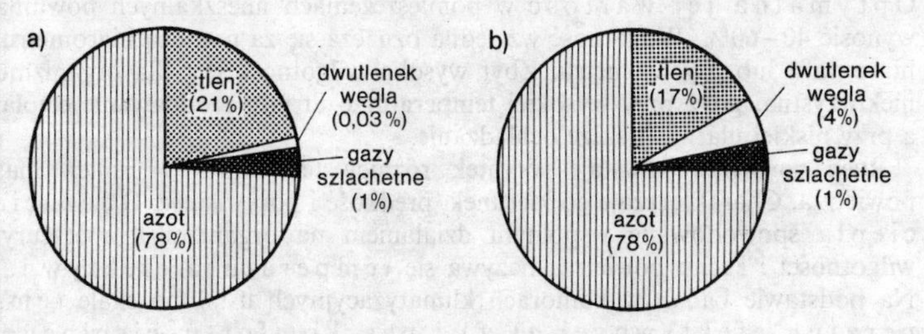

Skład chemiczny powietrza: a) atmosferycznego, b) wydychanego

ślady ozonu. Skład powietrza wydychanego charakteryzuje się zmniejszoną zawartością tlenu (17%), zwiększoną zawartością dwutlenku węgla (4%) oraz większym nasyceniem parą wodną. Z w ł a ś c i w o ś c i f i z y c z n y c h p o w i e t r z a zasadnicze znaczenie dla człowieka mają: temperatura, wilgotność, ruch powietrza i ciśnienie atmosferyczne.

Właściwości fizyczne powietrza

Temperatura powietrza zależy przede wszystkim od stopnia nagrzania powierzchni Ziemi przez promieniowanie słoneczne. W organizmie ludzkim pod wpływem działania wysokiej temperatury otoczenia następuje rozszerzenie i przekrwienie naczyń skórnych, wskutek czego wzrasta wypromieniowywanie ciepła z powierzchni ciała i wzmaga się czynność gruczołów potowych. Parowanie potu z powierzchni skóry jest jednym z elementów reakcji termoregulacyjnej organizmu. Stwierdzono, że do odparowania 1 cm^3 potu potrzebna jest duża ilość ciepła, ok. 2,4 kJ (kilodżula). Prowadzi to niekiedy do utraty dużej ilości wody, a wraz z nią składników mineralnych. Dłuższe działanie wysokiej temperatury może prowadzić do przegrzania organizmu (hipertermia), a nawet do wystąpienia udaru cieplnego. Pod wpływem niskiej temperatury następuje zwężenie naczyń krwionośnych skóry, zmniejszające oddawanie ciepła przez organizm do ok. 70% oraz wzmagające przemianę materii. Niska temperatura powoduje zmniejszenie odporności organizmu na drobnoustroje chorobotwórcze. Miejscowe działanie niskich temperatur może powodować odmrożenia, a wysokich – oparzenia I, II i III stopnia.

Wilgotność powietrza określa się ilością pary wodnej zawartej w jednostce objętości powietrza. Wilgotność maksymalna oznacza największą ilość pary wodnej w g/m^3, jaka może zmieścić się w powietrzu w danej temperaturze; wilgotność bezwzględna – ilość pary wodnej w g/m^3 rzeczywiście znajdującą się w powietrzu, a wilgotność względna – stosunek wilgotności bezwzględnej do wilgotności maksymalnej wyrażony w %. Wilgotność względna w różnych warunkach klimatycznych osiąga średnio wartość od ok. 15% na pustyni do ok. 95% w tropiku. Optymalna jej wartość w pomieszczeniach mieszkalnych powinna wynosić 40–60%. Wilgotność względną oznacza się za pomocą higrometru, higrografu lub psychrometru. Zbyt wysoka wilgotność jest dla organizmu niekorzystna, gdyż przy wysokiej temperaturze utrudnia oddawanie ciepła, a przy niskiej ułatwia jeszcze ochładzanie.

Ruch powietrza powstaje wskutek różnicy temperatur i ciśnień mas powietrza. Charakteryzuje go kierunek, prędkość i porywistość. Odczucie ciepła spowodowane wspólnym działaniem na organizm temperatury, wilgotności i ruchu powietrza nazywa się temperaturą efektywną. Na podstawie badań w komorach klimatyzacyjnych ustalono skalę temperatur efektywnych (T.ef.) i pas komfortu cieplnego (17°–21° T.ef.). Na przykład 17° T.ef. odpowiada temperaturze powietrza 17°C, wilgotności 100% i ruchowi powietrza 0 albo temperaturze powietrza 20°C, wilgotności 50% i ruchowi powietrza 0,5 m/s.

Intensywne lub długotrwałe działanie wiatru może powodować obniżenie ciśnienia krwi, bóle głowy, bóle serca i wzmożoną pobudliwość nerwową.

Ciśnienie atmosferyczne. Nieznaczne wahania ciśnienia atmosferycznego nie wywierają wpływu na zdrowy organizm ludzki. Przy nagłej dekomp r e s j i, tj. przy nagłym przejściu z wysokiego ciśnienia do atmosferycznego (np. w czasie pracy w kesonach), wewnątrz naczyń krwionośnych i limfatycznych powstają pęcherzyki azotu, tlenu i dwutlenku węgla. Tlen i dwutlenek węgla szybko wchodzą w reakcje chemiczne w płynach ustrojowych, natomiast azot powoduje zaczopowanie naczyń lub nawet powstawanie zatorów w ważnych dla życia narządach. Stan chorobowy związany z działaniem zwiększonego ciśnienia atmosferycznego (hiperbaria) nazywa się c h o r o b ą k e s o n o w ą. Działanie obniżonego ciśnienia atmosferycznego (hipobaria) na organizm jest związane ze zmniejszeniem ciśnienia tlenu, co powoduje objawy n i e d o t l e n i e n i a. Stan taki nazywa się c h o r o b ą w y s o k o - ś c i o w ą l u b c h o r o b ą g ó r s k ą. Na wysokości 5000–6000 m n.p.m. niezbędne staje się dla człowieka oddychanie tlenem z aparatu tlenowego.

Promieniowanie. Do Ziemi dociera tylko jedna dwumiliardowa część promieniowania słonecznego. Promieniowanie to oprócz promieni świetlnych i cieplnych zawiera także m.in. p r o m i e n i e n a d f i o l e t o w e – bardzo ważne dla organizmu człowieka. Wzmagają one siły odpornościowe organizmu, zabijają bakterie, warunkują wytwarzanie w organizmie witaminy D oraz wykazują dodatni wpływ na wiele innych procesów fizjologicznych.

Biometeorologia zajmuje się wpływem na organizm ludzki właściwości powietrza, takich jak temperatura, wilgotność, ruch, ciśnienie i in. Stan wyżej wymienionych czynników, zwanych m e t e o r o l o g i c z n y m i, obserwowany w ciągu krótkiego czasu nazywany jest p o g o d ą, a w ciągu wielu lat – k l i m a t e m. Klimat Polski charakteryzuje się dużymi wahaniami temperatury, znacznym nasłonecznieniem i dużymi ruchami powietrza (silnymi wiatrami). Sprzyja to występowaniu wśród ludności c h o r ó b d r ó g o d d e c h o w y c h, takich jak grypa, przeziębienia i zapalenia oskrzeli, oraz z a b u r z e ń t e r m o r e g u l a c j i. U niektórych osób przy zmianach pogody mogą występować bóle reumatyczne albo może nastąpić nasilenie dolegliwości w chorobie wieńcowej.

Zanieczyszczenia powietrza atmosferycznego

Zanieczyszczenia pyłowe atmosfery pochodzą przede wszystkim z przemysłów energetycznego, górniczego, hutniczego i materiałów budowlanych oraz z palenisk domowych. Najbardziej szkodliwe działanie wywierają c z ą s t k i p y ł u o rozmiarach mniejszych niż 5 μm, gdyż mogą przedostawać się do pęcherzyków płucnych. D o p u s z c z a l n e i l o ś c i p y ł u opadającego nie powinny przekraczać dla obszarów specjalnie chronionych, do których zalicza się uzdrowiska oraz parki narodowe, 40 ton/km^2/rok, zaś dla wszystkich innych obszarów – 250 ton/km^2/rok. Średni roczny opad pyłu w niektórych miastach znacznie przekracza te wartości.

W zakładach przemysłowych i elektrociepłowniach niezbędne jest stosowanie sprawnie działających urządzeń odpylających – tzw. e l e k t r o f i l t r ó w.

Zapylenie atmosfery powoduje nie tylko choroby układu oddechowego u człowieka, ale również absorpcję i rozproszenie promieniowania słonecznego, co ogranicza szczególnie dopływ promieni nadfioletowych. Zjawisko to prowadzi do niekorzystnych zmian fizjologicznych u człowieka (np. zmniejszenie odporności), a jednocześnie powoduje wzrost liczby bakterii w otoczeniu.

Zanieczyszczenia gazowe powietrza atmosferycznego to przede wszystkim dwutlenek siarki, tlenki azotu, tlenek i dwutlenek węgla. Źródłem zanieczyszczeń gazowych są zakłady przemysłowe, elektrociepłownie, koksownie, rafinerie ropy naftowej oraz transport samochodowy. Transport samochodowy w dużych miastach powoduje nadmierne zanieczyszczenie powietrza, przede wszystkim tlenkiem węgla i węglowodorami, w tym także węglowodorami rakotwórczymi oraz tlenkami azotu i związkami ołowiu. Przy bezwietrznej pogodzie, silnym nasłonecznieniu i dużej emisji spalin samochodowych występuje smog fotochemiczny, powodujący podrażenienie błon śluzowych spojówek oczu i dróg oddechowych.

Intensywny rozwój przemysłu i motoryzacji spowodował zachwianie równowagi między ilością dwutlenku węgla wytwarzanego i zużywanego w procesie fotosyntezy. W dużych miastach i ośrodkach przemysłowych koncentracja dwutlenku węgla niekiedy dwukrotnie przekracza normalne stężenie tego gazu w atmosferze. Znacznie większe zagrożenie stanowi tlenek węgla, którego stężenie w powietrzu przekracza czasami 20-krotnie dopuszczalne normy. Łączy się on trwale z hemoglobiną krwi w karboksyhemoglobinę upośledzając oddychanie tkankowe w organizmie. Stężenie dwutlenku siarki jest wskaźnikiem stopnia zanieczyszczenie powietrza atmosferycznego; analogicznie stężenie dwutlenku węgla jest wskaźnikiem stopnia zanieczyszczenia powietrza w zamkniętych pomieszczeniach. Według norm obowiązujących w Polsce, średnie dobowe stężenie dwutlenku siarki na obszarach specjalnie chronionych nie powinno przekraczać 0,075 mg/m^3, a na pozostałych obszarach – 0,36 mg/m^3. Dwutlenek siarki w nadmiarze działa drażniąco na oczy i układ oddechowy. Z kolei dwusiarczek węgla oddziałuje na tkankę nerwową i ułatwia powstawanie zmian miażdżycowych. W zanieczyszczeniach powietrza ważną grupę stanowią związki organiczne, a zwłaszcza węglowodory aromatyczne.

Kontrolą zanieczyszczenia środowiska, w tym i powietrza atmosferycznego zajmują się stacje sanitarno-epidemiologiczne.

Zanieczyszczenia biologiczne. Stanowią je bakterie chorobotwórcze i saprofityczne, wirusy, cząstki pleśni, glony mikroskopijne, pyłki kwiatów i nasiona. Zanieczyszczenia biologiczne powietrza występują w postaci aerosolu. Aerosole biologiczne rozprzestrzeniają się przy kichaniu i kaszlu. Temperatura, wilgotność i ruch powietrza wpływają na wielkość, przeżywalność i łatwość rozprzestrzeniania się aerosoli biologicznych.

Alergeny pyłowe, chemiczne i biologiczne oddziałując na organizm ludzki wywołują stany alergiczne skóry, astmę, alergiczne stany zapalne jamy nosowej, np. katar sienny itp.

Hałas

Każdy dźwięk słyszalny uznany za nieprzyjemny lub niepożądany określa się jako hałas. Ucho ludzkie jest wrażliwe na dźwięki o częstotliwości drgań od 16 do 20 000 Hz (1 Hz = 1 cykl drgań na 1 sekundę). Fale o częstotliwości mniejszej niż 16 Hz, nazywane infradźwiękami, o częstotliwości większej niż 20 000 Hz, nazywane ultradźwiękami, są niesłyszalne. Natężenie dźwięku oznacza się najczęściej w umownych jednostkach zwanych decybelami (0 dB – próg słyszalności dźwięku, 130 dB wywołuje uczucie bólu).

Źródła hałasu można podzielić na: przemysłowe, komunikacyjne i osiedlowe. W warunkach przemysłowych największe natężenie dźwięków występuje w przemysłach stoczniowym, włókienniczym, hutniczym, maszynowym i chemicznym. Źródłem znacznych hałasów komunikacyjnych są samoloty, motocykle, pociągi, tramwaje oraz samochody ciężarowe.

Wpływ na organizm ludzki. Bodziec akustyczny po wniknięciu do narządu słuchu jest odbierany, przetwarzany i przewodzony do kory mózgowej. Szkodliwość hałasu zależy od natężenia dźwięku, jego częstotliwości, charakteru (dźwięk ciągły czy impulsowy) i czasu trwania. Polskie przepisy uznają za szkodliwy hałas o natężeniu od 90 dB. Subiektywna dokuczliwość może występować nawet przy dźwiękach słabo słyszalnych, rzędu 25–30 dB, np. przy tykaniu zegara lub spadaniu kropli wody (utrudnia zasypianie).

Reakcję narządu słuchu na hałas dzieli się na 3 fazy: adaptację, zmęczenie i nieodwracalny uraz akustyczny. Pozasłuchowe skutki działania hałasu dotyczą funkcji psychicznych oraz reakcji wegetatywnych (zaburzenia w wydzielaniu gruczołów dokrewnych, w pracy serca, w wydzielaniu soku żołądkowego itp.). Stwierdzono, iż przy pracy w hałasie występują objawy nerwicowe, obniża się wydajność pracy oraz pogarsza się jej jakość.

Metody zwalczania hałasu. W ochronie przed hałasem stosowane są trzy metody: administracyjno-prawne, ochrony czynnej i ochrony biernej.

Na podstawie aktów prawnych pewne ulice czy dzielnice miejskie wyłączone są z ruchu kołowego, na obszarach uzdrowiskowych obowiązują strefy ciszy, istnieje zakaz używania sygnałów dźwiękowych.

Ochrona czynna przed hałasem polega na stosowaniu środków zmniejszających powstawanie hałasu, tj. na doskonaleniu pojazdów, maszyn i technologii produkcji pod kątem ich wyciszania.

Do środków biernej ochrony człowieka przed hałasem zaliczyć można stosowanie przegród dźwiękochłonnych w budynkach mieszkalnych, budowanie wzdłuż ciągów komunikacyjnych pasów zieleni i wałów ochronnych oraz stosowanie indywidualnych osłon słuchowych.

Woda

Woda jest jednym z podstawowych elementów środowiska i odgrywa dużą rolę w życiu człowieka. Organizm człowieka, zawierający 65% wody, wydala dziennie przez płuca, nerki i skórę ok. 2 l wody i mniej więcej taką samą jej ilość przyjmuje z pożywieniem i płynami. W organizmie człowieka woda pełni funkcje fizjologiczne, ponadto jest człowiekowi niezbędna do utrzymania czystości ciała i otoczenia oraz do celów przemysłowych. Zużycie wody w osiedlach miejskich korzystających z wodociągów wynosi ok. 150–250 dm^3 w ciągu doby na 1 mieszkańca, a w osiedlach wiejskich, korzystających z wody studziennej, ok. 50–100 dm^3. Zużycie wody jest miernikiem stanu kultury sanitarnej społeczeństwa. Jeżeli jednak woda nie jest czysta i zawiera zarazki chorób zakaźnych lub ma nieodpowiedni skład chemiczny, może być źródłem zakażenia lub zatrucia.

W warunkach naturalnych woda podlega stałemu krążeniu w postaci wody opadowej, powierzchniowej i podziemnej. W pierwszych partiach opadów atmosferycznych znajdują się małe ilości związków mineralnych (ok. 0,5 mg/dm^3) oraz zanieczyszczenia pyłowe, gazowe i biologiczne. Wody opadowe mogą być używane do celów gospodarczych; nie wolno jej pić. Wody powierzchniowe, narażone zarówno na zanieczyszczenia komunalne, jak i ściekami przemysłowymi, nie nadają się do picia bez uprzedniego oczyszczenia i dezynfekcji. Wody podziemne dzieli się na wody zaskórne, gruntowe i głębinowe. Wody zaskórne występują nad pierwszą warstwą nieprzepuszczalną gruntu, na głębokości od kilkudziesięciu centymetrów do ok. 5 m. Są przeważnie zanieczyszczone i nie nadają się do picia. Wody gruntowe występują na głębokości 5–30 m. Stanowią główne źródło miejscowego zaopatrzenia ludności w wodę. Wody głębinowe występują na dużych głębokościach i uważane są za najlepsze pod względem sanitarnym.

Woda do picia i potrzeb gospodarczych

Woda ta powinna być klarowna, bezbarwna, bez smaku i zapachu, bez drobnoustrojów chorobotwórczych, związków trujących i niepożądanych ze względów gospodarczych, powinna zawierać składniki potrzebne organizmowi (np. jod, fluor), powinna być łatwo dostępna i zabezpieczona przed zanieczyszczeniem. Bardziej szczegółowe kryteria określa rozporządzenie Ministra Zdrowia i Opieki Społecznej „W sprawie warunków, jakim powinna odpowiadać woda do picia i na potrzeby gospodarcze" (Dz.U. z 31 V 1990, nr 35, poz. 205). Badania wody dla celów sanitarnych prowadzone są przez stacje sanitarno-epidemiologiczne i obejmują oznaczenia fizyczne, chemiczne oraz bakteriologiczne.

Wskaźniki fizyczne. Zalicza się do nich temperaturę wody, jej mętność, barwę i zapach. Temperatura wód podziemnych powinna być stała i mieścić się w granicach 7–11°C. Duże różnice od tego zakresu mogą wskazywać na dopływ zanieczyszczeń z powierzchni ziemi.

Mętność wody może być pochodzenia nieorganicznego (glina, piasek, związki żelaza i manganu) lub organiczne (cząstki roślin, drobnoustroje). Nie powinna być większa od mętności, jaką powoduje 5 mg dwutlenku krzemu (SiO_2) zawieszone w 1 dm^3 wody destylowanej.

Barwa wody powodowana jest przez związki żelaza, organiczne

substancje humusowe, glony lub substancje dostające się do wody ze ściekami. Barwa wody pitnej nie powinna przekraczać 20 mg Pt/dm^3*.

Zapach wody może być pochodzenia roślinnego „R" (rośliny, glony), gnilnego „G" (rozkładające się substancje organiczne) lub specyficznego „S" (chlor, fenol, benzyna). W wodzie wodociągowej dopuszczalny jest tylko zapach roślinny i chloru.

Wskaźniki chemiczne. Zalicza się do nich: utlenialność wody oraz zawartość w niej związków azotowych i chlorków. Jeśli wskaźniki te przekraczają ściśle określone wartości, świadczy to o zanieczyszczeniu ściekami komunalnymi.

Utlenialność określa orientacyjnie stopień zanieczyszczenia wody związkami organicznymi i dla wody pitnej nie może być większa niż 3 mg O_2/dm^3. Dokładniejsze określenie zanieczyszczenia wody związkami organicznymi można uzyskać oznaczając biochemiczne zapotrzebowanie tlenu. Jest to ilość tlenu wyrażona w mg/dm^3 potrzebna do utlenienia związków organicznych na drodze biochemicznej w warunkach tlenowych w temperaturze 20°C.

Związki azotowe pochodzenia mineralnego występują w wodzie najczęściej w postaci azotanów. W wodzie pitnej może być do 10 mg N_{NO_3} w 1 dm^3. Już niewielkie ilości amoniaku i azotynów (większe niż 0,5 mg/l) dyskwalifikują wodę do picia. Związki azotowe występujące w nadmiernych ilościach w wodzie studziennej użytej do przygotowania posiłków dla niemowląt mogą spowodować wystąpienie u dzieci sinicy (methemoglobinemii), tym bardziej że duże ilości azotanów znajdują się również w użytych warzywach, wyrosłych na glebach intensywnie nawożonych związkami azotowymi.

Zawartość chlorków w wodzie pitnej nie powinna przekraczać 300 mg/dm^3. Duża ilość chlorków, związków azotowych pochodzenia organicznego i wysoka utlenialność świadczą o zanieczyszczeniu wody ściekami.

Oprócz wymienionych wskaźników, w wodzie określa się zawartość wapnia, magnezu, żelaza, manganu i innych związków chemicznych. Sole wapnia i magnezu warunkują twardość wody. Z punktu widzenia zdrowotnego twardość wody nie ma większego znaczenia, ale dla celów gospodarczych i przemysłowych woda zbyt twarda nie jest pożądana, powoduje bowiem nadmierne zużycie mydła oraz powstawanie kamienia kotłowego w naczyniach. Najprostszym sposobem zmiękczania wody jest przegotowanie. Żelazo i mangan pogarszają smak wody, powodują jej brunatnienie i mętnienie.

Mikroelementy występujące w wodzie w minimalnych ilościach (np. jod i fluor) mają zasadnicze znaczenie dla zdrowia, gdyż zarówno ich nadmiar, jak i niedobór jest szkodliwy dla organizmu. Dzienne zapotrzebowanie na jod wynosi 3–10 μg. Niedobór jodu, występujący najczęściej w okolicach podgórskich, bywa przyczyną tzw. wola endemicznego (zob. s. 822). Na terenach ubogich w jod (w Polsce na

* Za jednostkę barwy przyjmuje się zabarwienie, jakie powstaje po dodaniu do 1 dm^3 wody destylowanej 1 mg platyny w postaci chloroplatynianiu potasowego i 0,5 mg kobaltu w postaci chlorku kobaltowego.

Podkarpaciu) w celu zapobieżenia chorobie sprzedaje się do powszechnego użytku tzw. sól pełną, zawierającą dodatek jodu (5 mg jodku potasu na 1 kg soli). Niedobór fluoru sprzyja rozwojowi próchnicy zębów, a nadmiar powoduje fluorozę. Przyjmuje się, że dawka fluoru korzystna dla organizmu ludzkiego mieści się w granicach 1,5–2 mg F/dobę (w wodzie do picia 0,8–1,2 mg F/dm^3). Gdy zawartość fluoru w wodzie do picia jest mniejsza od 0,3 mg F/dm^3, zaleca się fluorowanie wody.

Wskaźniki bakteriologiczne. Większość drobnoustrojów występujących w wodzie jest nieszkodliwa dla zdrowia. Z grupy bakterii saproficznych szczególnie duże znaczenie ma pałeczka okrężnicy (*Escherichia coli*), żyjąca w jelicie grubym. Najczęściej jest ona nieszkodliwa dla organizmu, ale służy jako wskaźnik zanieczyszczenia wody towarzyszącymi bakteriami chorobotwórczymi. Bakterie chorobotwórcze żyją w wodzie przeciętnie kilka dni (najdłużej do miesiąca). Niebezpieczne dla zdrowia są zwłaszcza bakterie przewodu pokarmowego, takie jak pałeczka duru brzusznego, pałeczka duru rzekomego A, B i C, pałeczka czerwonki i przecinkowiec cholery. W wodzie mogą występować również inne grupy drobnoustrojów chorobotwórczych, np. wirusy wywołujące żółtaczkę zakaźną, wirusy choroby Heinego–Medina, grzyby, pierwotniaki i robaki.

Ocenę bakteriologiczną wody przeprowadza się badając ogólną liczbę bakterii w wodzie oraz bakterii z grupy *coli*, zwłaszcza typu fekalnego. Badanie ogólnej liczby bakterii w wodzie polega na określeniu liczby kolonii wyhodowanych na agarze odżywczym w temperaturze 37°C w ciągu 24 godz. (bakterie mezofilne) oraz w temperaturze 20°C w ciągu 72 godz. (bakterie psychrofilne). W 1 cm^3 (ml) odkażanej wody wodociągowej nie może być więcej niż 20 bakterii mezofilnych i 100 psychrofilnych. Badanie to nie mówi o tym, czy wyhodowane bakterie należą do chorobotwórczych. Pojawienie się w wodzie pałeczek grupy *coli*, zwłaszcza typu fekalnego, świadczy o zanieczyszczeniu wody fekaliami, a zatem o możliwości występowania chorobotwórczych bakterii przewodu pokarmowego. Po uzdatnieniu i odkażeniu miano *coli* wody w sieci wodociągowej powinno być większe od 100, tzn. że dopiero w 100 ml można wykryć jedną pałeczkę grupy *coli*. Bakterie typu fekalnego nie powinny być wykrywalne. Dla wody w studniach indywidualnych miano *coli* nie powinno wynosić mniej niż 10. Niestety, w wielu studniach w Polsce woda nie odpowiada nawet tym obniżonym wymaganiom.

Metody odkażania wody. Można je podzielić na fizyczne i chemiczne. Z czynników fizycznych działanie bakteriobójcze wykazują: temperatura, promieniowanie nadfioletowe i ultradźwięki. Z czynników chemicznych stosuje się chlor i jego pochodne oraz ozon.

Metody fizyczne. Ogrzanie wody do wrzenia i gotowanie przez 10 min zabija bakterie w formie wegetatywnej (ale nie wirusy). Efekt działania promieni nadfioletowych (o długości fali 200–280 nm) zależy od energii promieniowania, długości fali, rodzaju i ilości mikroorganizmów oraz mętności i barwy wody. Patogenne mikroorganizmy występujące w wodzie są niszczone przy użyciu 100–300 Ws/m^2 energii. Jest to metoda szybka, prosta w eksploatacji i nie pogarszająca właściwości organoleptycznych i chemicznych wody. Znajduje coraz szersze zastosowanie, w odróżnieniu od metody ultradźwięków, która dotychczas nie wyszła poza ramy laboratoryjne.

Metody chemiczne. Najbardziej rozpowszechnioną i najtańszą metodą odkażania wody jest chlorowanie. Środkiem bakteriobójczym jest chlor gazowy, który po uprzednim rozpuszczeniu w wodzie zostaje wprowadzony do odkażonej wody. Obok chloru gazowego stosuje się związki zawierające chlor czynny, takie jak: wapno chlorowane (do odkażania wody w studniach), podchloryny (w basenach kąpielowych), chloraminy i dwutlenek chloru. Ozonowanie, pomimo wysokich kosztów otrzymywania ozonu, wypiera stopniowo chlorowanie, gdyż nie powoduje pogorszenia jakości wody pod względem organoleptycznym i chemicznym. Ozon znacznie szybciej i skuteczniej niż chlor niszczy bakterie i wirusy.

Sposoby zaopatrywania ludności w wodę

Zaopatrzenie miejscowe opiera się głównie na wodzie podziemnej. Jej jakość zależy od głębokości źródła wody oraz od rodzaju gleby. Studnia powinna odpowiadać następującym warunkom: posiadać głębokość co najmniej 6 m, mieścić się na terenie nie przepuszczającym wody, wzniesionym w stosunku do otoczenia, mieć cembrowinę nieprzepuszczalną do głębokości 6 m oraz wystającą ok. 1 m powyżej poziomu gleby. Studnia powinna być szczelnie przykryta, a wiadro umieszczone na stałe w studni. Najbardziej wskazane jest zainstalowanie pompy w studni zamiast używania wiadra. Wszelkie źródła zanieczyszczenia wody powinny znajdować się w odległości co najmniej 15 m od studni. W przypadku zanieczyszczenia wody, studnia musi zostać oczyszczona i odkażona za pomocą 30% wapna chlorowanego w ilości 100 g na każdy m^3.

W zaopatrzeniu centralnym korzysta się najczęściej z wód powierzchniowych (rzeki, jeziora), które wymagają dokładnego oczyszczenia i odkażenia. Układ

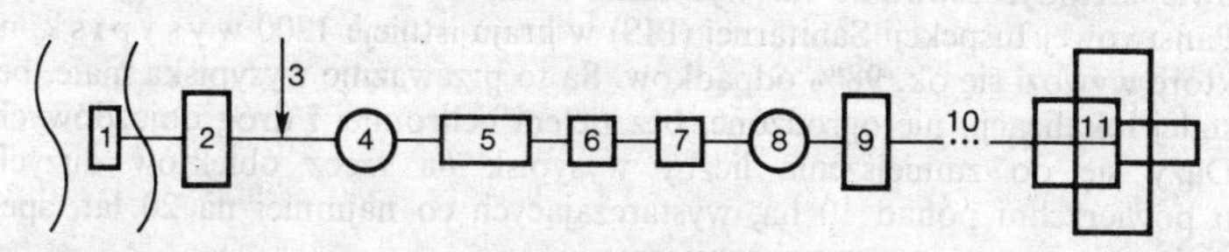

Schemat uzdatniania wody powierzchniowej: 1 – ujęcie, 2 – przepompownia I st., 3 – dodawanie chemikaliów, 4 – mieszanie, 5 – osadzanie, 6 – filtrowanie, 7 – odkażanie, 8 – zbiornik wody czystej, 9 – przepompownia II st., 10 – magistrala, 11 – sieć rozdzielcza

elementów wodociągu przedstawia schemat na załączonym rysunku. Ujęcie wody powinno być zabezpieczone przed dopływem zanieczyszczeń i cieków, ogrodzone i otoczone pasem ochronnym terenów zielonych*.

* Szczegółowe przepisy podaje rozporządzenie Rady Ministrów z 24 III 1965 r. w sprawie ustanowienia stref ochrony źródła i ujęć wody (Dz.U. nr 13/1965).

Woda z ujęcia jest przepompowywana do stacji uzdatniania, gdzie zostaje poddawana procesowi koagulacji. Po dodaniu siarczanu glinowego lub wodorotlenku wapniowego przechodzi przez mieszacze i osadniki na filtry. Po przefiltrowaniu jest poddawana odkażaniu, przepływa do zbiornika wody czystej i wreszcie za pomocą pomp wtłaczana zostaje poprzez przewód magistralny do wodociągowej sieci rozdzielczej.

Wymagania stawiane wodzie wodociągowej są wyższe niż wodzie studziennej, ponieważ korzysta z niej dużo większa liczba osób. Ścisłej kontroli sanitarnej podlega zarówno źródło wody, sam proces uzdatniania, jak i sieć rozdzielcza.

Gleba

Gleba jest to powierzchniowa warstwa skorupy ziemskiej, powstała w wyniku działania czynników atmosferycznych, mikroorganizmów glebowych i gospodarki człowieka. W skład gleby wchodzi: 45% składników mineralnych, 5% składników organicznych, przeciętnie 30% wody i 20% powietrza. Niektóre pierwiastki chemiczne występują w glebie w znacznych ilościach (np. krzem, glin), inne w ilościach śladowych (np. mangan, kobalt). Składniki mineralne trafiające do organizmu człowieka i zwierząt poprzez rośliny i wodę biorą udział w wielu procesach fizjologicznych.

Biologiczne zanieczyszczenia gleby. Gleba jest naturalnym odbiornikiem odpadków, które mogą powodować jej zanieczyszczenia – a pośrednio także wody – organizmami chorobotwórczymi. Jeśli te czynniki chorobotwórcze trafią do organizmu człowieka, mogą powodować choroby zakaźne przewodu pokarmowego (dur brzuszny, dury rzekome, czerwonka), robaczyce (glistnica, owsica, włośnica), choroby odzwierzęce, czyli zoonozy (wąglik, bruceloza, nosacizna), oraz tężec i zgorzel gazową.

W celu „unieszkodliwienia” odpadków stosowane są w Polsce dwie metody: usuwanie na wysypiska i kompostowanie. Według danych Państwowej Inspekcji Sanitarnej (PIS) w kraju istnieje 1200 wysypisk, na które wywozi się ok. 98% odpadków. Są to przeważnie wysypiska małe, bez stałej lokalizacji, nie ogrodzone, bez zieleni ochronnej i dróg dojazdowych. Dąży się do zmniejszenia liczby wysypisk na rzecz obiektów dużych, o powierzchni ponad 10 ha, wystarczających co najmniej na 20 lat, spełniających wszystkie wymogi sanitarne.

Drugą metodą jest kompostowanie odpadków będące metodą biologicznego ich unieszkodliwiania. W wyniku długotrwałych procesów biotermicznych uzyskuje się wartościowy nawóz organiczny pozbawiony organizmów chorobotwórczych.

Chemiczne zanieczyszczenia gleby powstają na skutek skażenia atmosfery, wyrzucania odpadów przemysłowych, intensywnego nawożenia mineralnego oraz chemicznej ochrony roślin. Niekiedy dochodzi do dużej kumulacji zanieczyszczenia wód studziennych.

Szczególnie duże niebezpieczeństwo stanowią metale ciężkie emitowane przez huty, zakłady chemiczne i górnicze. Wokół zakładów nie posiadających sprawnych urządzeń odpylających nagromadzenie ołowiu przekracza 100-krotnie normalnie występujące ilości. Silne zanieczyszczenie gleby ołowiem, a także węglowodorami rakotwórczymi, występuje wzdłuż ruchliwych dróg i ulic (spaliny samochodowe).

Spośród innych zanieczyszczeń gleby na szczególną uwagę zasługują związki fluoru. Emitują je głównie huty aluminium, fabryki nawozów fosforowych i huty szkła. W niektórych warzywach uprawianych w odległości 1 km od fabryk nawozów stwierdzono powyżej 2000 mg fluoru na kg masy, a u zwierząt występowanie fluorzycy.

Ważne zagadnienie stanowią zanieczyszczenia gleby pochodzące z nieracjonalnego nawożenia mineralnego oraz pozostałości pestycydów chloroorganicznych (silnie toksycznych, trwałych i kumulujących się w organizmach żywych).

Higiena miast i osiedli

Wzrost liczby ludności i rozwój przemysłu prowadzą do powstawania aglomeracji miejsko-przemysłowych, w których często istnieją warunki niekorzystne dla życia i zdrowia człowieka (zanieczyszczenia pyłowe, chemiczne i bakteriologiczne powietrza, nadmierny hałas, brak terenów rekreacyjnych itp.). Przy projektowaniu i rozbudowie miast niezbędne jest zatem uwzględnienie zaleceń higieniczno-sanitarnych.

Teren przeznaczony pod zabudowę miejską powinien:

1) być suchy i nienarażony na zatapianie przez wylewy rzek i intensywne opady atmosferyczne;

2) posiadać dobre źródła zaopatrzenia w wodę do picia i na cele gospodarcze;

3) umożliwiać łatwy odpływ wód opadowych i kanalizacyjnych;

4) być wolny od uciążliwych zanieczyszczeń powietrza, wody i gleby;

5) posiadać sprzyjający klimat lokalny (dobre nasłonecznienie, naturalne przewietrzanie zabudowy mieszkalnej itp.);

6) stwarzać możliwość korzystania z terenów leśnych i wodnych do celów rekreacyjnych.

Strefy mieszkaniowe, przemysłowe oraz ośrodki rekreacji miejskiej powinny być w miarę możliwości wydzielone. Obiekty uciążliwe dla mieszkańców należy wyeliminować na obrzeża osiedli. Obiekty przemysłowe powinny być otaczane i oddzielane od terenów mieszkaniowych odpowiednio szerokimi pasami zieleni. Dopływ świeżego powietrza do miasta jest zapewniony, gdy kierunki dużych ulic są zgodne z kierunkami najczęściej wiejących wiatrów. Duże arterie komunikacyjne powinny znajdować się w odległości 50–100 m od budynków mieszkalnych. Bezpieczne warunki dla komunikacji i dla pieszych zapewnia właściwe oświetlenie ulic (co najmniej 0,5 luksa). Dopuszczalny hałas uliczny nie powinien przekraczać 70–80 dB. Na jednego mieszkańca powinno przypadać ok. 10 m^2 terenów zielonych. Zieleń miejska zmniejsza wahania temperatury, utrzymuje wilgotność powietrza, chroni przed hałasem i pyłem, natlenia powietrze i ułatwia wypoczynek po pracy. Wskazane jest, aby tereny zielone zajmowały co najmniej 30% powierzchni osiędla.

Z punktu widzenia zdrowotnego w planach osiedli mieszkaniowych powinny być zapewnione:

1) bezpieczne miejsca do zabaw dla dzieci i młodzieży, dobrze nasłonecznione i widoczne z okien mieszkań;

2) warunki rekreacji na świeżym powietrzu dla osób dorosłych;

3) odpowiednia ilość terenów zielonych;

4) miejsca zbiórek odpadków (śmietniki), które powinny być odizolowane i znajdować się w odległości co najmniej 15–20 m od okien mieszkań;

5) przejścia komunikacyjne dla pieszych (dopuszczalna szybkość poruszania się pojazdów wewnątrz osiedli mieszkaniowych nie powinna przekraczać 20–30 km/godz);

6) lokalizację większych obiektów usługowych w oddzielnych budynkach na skraju osiedla.

Higiena mieszkań

Złe warunki mieszkaniowe same przez się lub w połączeniu z innymi niekorzystnymi czynnikami wpływają ujemnie na stan zdrowia mieszkańców. Stwierdzono wyraźną korelację umieralności niemowląt z warunkami mieszkaniowymi. Przeludnione mieszkania o złym mikroklimacie, wilgotne, zimne, pozbawione promieni słonecznych i źle przewietrzone wpływają ujemnie na rozwój fizyczny i umysłowy dzieci oraz młodzieży i sprzyjają występowaniu ostrych chorób zakaźnych. Obserwuje się w tych warunkach znacznie częstsze występowanie chorób dróg oddechowych, przewodu pokarmowego, skóry i układu nerwowego. U osób żyjących w zawilgoconych mieszkaniach częściej występują choroby reumatyczne. Nadmiernie zagęszczone mieszkania, do których nie docierają promienie słoneczne, sprzyjają zachorowaniom na gruźlicę. Bardzo korzystny wpływ na organizm człowieka wywiera światło słoneczne i promieniowanie nadfioletowe, które niszczy mikroorganizmy chorobotwórcze i podnosi odporność organizmu na zakażenie.

Stan zdrowia mieszkańców zależy również od stanu technicznego mieszkań, standardu wyposażenia sanitarnego oraz rodzaju materiałów budowlanych i wykończeniowych. Ściany budynków powinny odznaczać się należytą izolacją termiczną, nie powinny być również higroskopijne. Znaczne zagrożenie dla zdrowia mogą stanowić materiały wykończeniowe, np. wykładziny z tworzywa sztucznego, różnego rodzaju kleje, lakiery i farby oraz substancje konserwujące zawierające w swym składzie lotne związki toksyczne (np. niektóre środki grzybobójcze stosowane do konserwacji drewna). Wiele rodzajów tworzyw sztucznych, klejów i lepików używanych do wykańczania mieszkań może wydzielać do otoczenia toksyczne monomery, jak np,. styren, fenol, formaldehyd. Stwarza to niebezpieczeństwo powstania przewlekłych zatruć u mieszkańców.

Zagrożenie dla zdrowia, ze względu na rakotwórcze działanie jego włókien, stwarzał azbest stosowany wewnątrz budynków jako materiał termoizolacyjny lub jako dodatek do zapraw na ściany.

W ostatnich latach zwraca się szczególną uwagę na narażenie mieszkańców na promieniowanie jonizujące emitowane przez materiały budowlane wytwarzane z dodatkiem popiołów lotnych i żużla ze spalania węgla. Podwyższone zawartości radonu, sprzyjające powstawaniu nowotworów mogą być spowodowane jego przenikaniem do budynków z gruntu. Wietrzenie mieszkań znacznie obniża stężenie radonu w powietrzu.

Liczne wyniki badań i poczynionych obserwacji wskazują na ważną rolę mieszkania jako czynnika determinującego stan zdrowia mieszkańców. Niezbędne jest, aby każda rodzina miała własne oddzielne mieszkanie, spełniające wymagania pod względem jakościowym i zdrowotnym.

V. ŚRODOWISKO PRACY A ZDROWIE

Większość ludzi spędza w miejscu pracy 1/3 swojej zawodowo czynnej części życia. Obciążenia wynikające z pracy i warunków, w jakich jest wykonywana, mają istotny wpływ na zdrowie i samopoczucie człowieka. Ujemny wpływ na zdrowie niektórych czynników zawodowych od dawna budził zainteresowanie. Już w XVII w. włoski lekarz Ramazzini w dziele swym *De morbis artificum diatriba* przedstawia zależności między występowaniem pewnych chorób u rzemieślników a rodzajem wykonywanej przez nich pracy, ukazując równocześnie drogi zapobiegania tym chorobom. Ramazzini uważany jest za ojca medycyny pracy.

Uciążliwości i szkodliwości w pracy zawodowej

Wszelkie zagrożenia dla zdrowia (poza wypadkami) występujące na stanowisku pracy można podzielić na uciążliwości i szkodliwości zawodowe.

Uciążliwości zawodowe. Należą tutaj nadmierne obciążenia fizyczne, zmienne warunki atmosferyczne (m.in. w budownictwie), narażenie na wilgoć (m.in. w rybołówstwie, przy pracach melioracyjnych), wymuszona i niewygodna pozycja ciała przy pracy (np. w przemyśle stoczniowym, przy spawaniu), wymuszony rytm pracy (taśma produkcyjna, centrala telefoniczna i in.), wysoka temperatura otoczenia (np. w hutnictwie).

Szkodliwości zawodowe to przede wszystkim różne trucizny przemysłowe znajdujące się w powietrzu pomieszczenia pracy, zapylenie, hałas, wibracja, szkodliwe promieniowanie elektromagnetyczne (jonizujące, mikrofale). W warunkach pracy czynniki te występują w różnych zestawieniach i mogą wzajemnie potęgować swój niekorzystny wpływ na stan zdrowia. Przy dużym natężeniu uciążliwość może być sklasyfikowana jako szkodliwość zawodowa, np. nadmiernie wysoka temperatura otoczenia grożąca udarem cieplnym.

Efekt działania czynników szkodliwych na organizm zależy od ich stężenia lub natężenia w środowisku pracy, a także od czasu oddziaływania w przekroju dziennym, tygodniowym, rocznym i wieloletnim. W celu ochrony pracowników przed działaniem szkodliwości zawodowych opracowuje się normatywy higieniczne, określające dopuszczalne stężenia lub natężenia czynnika szkodliwego w pomieszczeniu pracy. Są one ustalane na podstawie badań eksperymentalnych na zwierzętach oraz obserwacji stanu zdrowia ludzi narażonych zawodowo na dany czynnik szkodliwy. Obowiązujący w Polsce wykaz normatywów jest zawarty w Rozporządzeniu Ministra Pracy i Polityki Socjalnej z dnia 20 XII 1989 r. w sprawie najwyższych dopuszczalnych stężeń i natężeń w środowisku pracy (Dz.U. nr 69, poz. 417).

Odpowiedzialność za warunki pracy ponosi pracodawca. Wynika to z artykułu 207 Kodeksu Pracy (Dz.U. 1974, nr 24, poz. 141). Przepisy prawne wydane na podstawie Kodeksu Pracy szczegółowo określają odpowiedzialność za warunki pracy i skutki spowodowane uchybieniami w tym względzie. Przedsiębiorstwa mają do dyspozycji służbę bezpieczeństwa i higieny pracy, która ocenia istniejące zagrożenia i przedstawia sposoby ich usunięcia. Przedsiębiorstwo może, a często musi, zasięgnąć opinii instytucji wyspecjalizowanych np. w dziedzinie urządzeń wentylacyjnych, zwalczania hałasu itp.

Kontrolę nad wykonywaniem obowiązków dotyczących zapewnienia higienicznych warunków pracy sprawuje Państwowa Inspekcja Sanitarna (PIS) za pośrednictwem terenowych i wojewódzkich stacji sanitarno-epidemiologicznych. W przypadku stwierdzenia przekroczeń higienicznych parametrów środowiska pracy, organy PIS stosują środki administracyjne w celu wyegzekwowania poprawy warunków pracy. Drugą instytucją powołaną do kontrolowania warunków higieny pracy w zakładach, a także do kontrolowania przestrzegania innych przepisów ochrony pracy (zapobieganie nieszczęśliwym wypadkom, stosowanie ograniczeń w pracy kobiet i młodocianych itp.) – jest Państwowa Inspekcja Pracy (PIP). Posiada ona uprawnienia do wstrzymywania produkcji zakładów czy oddziałów, jeśli warunki zagrażają zdrowiu lub życiu pracowników.

Choroby zawodowe

Przekraczanie norm higienicznych w środowisku pracy może prowadzić do rozwoju chorób zawodowych. Znaczenie ma tutaj również wrażliwość osobnicza, która decyduje o dużym zróżnicowaniu odporności na działanie czynników szkodliwych i uciążliwych.

Choroby zawodowe, których rozpoznanie stanowi podstawę do specjalnych świadczeń na rzecz poszkodowanego pracownika, wymienione są w wykazie rozporządzenia Rady Ministrów z dnia 18 XI 1983 r. (Dz.U. nr 65, poz. 294). Placówka służby zdrowia, która rozpoznała chorobę zawodową, występuje do Państwowego Inspektora Sanitarnego dla danego województwa z wnioskiem o urzędowe stwierdzenie choroby. W tym czasie wojewódzka stacja sanitarno-epidemiologiczna powinna ustalić stopień i długość okresu narażenia zawodowego osoby, której dotyczy wniosek. Na podstawie tych danych Państwowy Inspektor Sanitarny podejmuje decyzję o stwierdzeniu określonej choroby zawodowej i obciążeniu zakładu pracy świadczeniami finansowymi z tego tytułu. Równocześnie decyzja ta nakłada na poszkodowanego pracownika i jego pracodawców obowiązek przerwania kontaktu zawodowego z czynnikiem szkodliwym, który wywołał chorobę zawodową. Może się to wiązać z koniecznością zmiany stanowiska pracy, czasem tylko sposobu jej wykonywania, a nawet ze zmianą zawodu, o ile nie wchodzi w grę przejście na rentę czy emeryturę.

Obok chorób uznanych za zawodowe z medycznego i prawnego punktu widzenia (tj. znajdujących się w wykazie chorób zawodowych), u wielu grup pracowniczych obserwuje się zwiększoną zapadalność na pewne choroby, których związek z warunkami pracy jest raczej pośredni. Można je określić jako nieswoiste choroby zawodowe. Na przykład chorobę wrzodową żołądka i dwunastnicy spotyka się częściej u osób wykonujących pracę wymagającą napięć psychicznych i równocześnie utrudniającą prawidłowe odżywianie oraz wypoczynek (kierowcy autobusów, maszyniści kolejowi i in.). Z kolei choroby reumatyczne są częstsze u osób narażonych na zmienne warunki atmosferyczne, chłód i wilgoć – zwłaszcza, jeżeli wykonują ciężką pracę fizyczną – a mianowicie rolników, pracowników budownictwa, stoczniowców, rybaków. W zapobieganiu nieswoistym chorobom zawodowym najwięcej może uczynić sam pracownik, dbając o należyte odżywianie i wypoczynek, ubierając się odpowiednio do warunków atmosferycznych i rodzaju pracy oraz zgłaszając się na badania profilaktyczne i spełniając zalecenia lekarskie. Maleje wówczas ryzyko zachorowania – a jeżeli nawet dojdzie do wystąpienia jego objawów – wczesne wykrycie choroby poprawia rokowanie.

Ochrona zdrowia pracownika

Profilaktyka techniczna. Najważniejsze znaczenie w ochronie zdrowia osób pracujących, zwłaszcza w przemyśle, ma profilaktyka techniczna, ponieważ przyczynia się do likwidacji źródeł ryzyka zawodowego związanego z pracą. Ma ona chronić pracownika przed działaniem niepożądanych czynników chemicznych i fizycznych, a niekiedy biologicznych (tzw. zakażenia zawodowe), a także zmniejszać uciążliwości związane ze sposobem wykonywania pracy – poprzez wyeliminowanie zbędnych wysiłków, wykorzystywanie optymalnych zakresów czynności narządów i układów organizmu ludzkiego oraz przestrzeganie rytmu pracy i wypoczynku. Zagadnieniami związanymi z potrzebą połączenia wydajnej pracy z troską o stan zdrowia i samopoczucie pracownika zajmuje się dyscyplina zwana ergonomią. Jest to dziedzina interdyscyplinarna, korzystająca z osiągnięć różnych dyscyplin naukowych w celu maksymalnego przystosowania metod pracy, narzędzi, maszyn i całego środowiska pracy do anatomicznych, fizjologicznych i psychologicznych właściwości człowieka.

Szeroko pojęta profilaktyka techniczna powinna być uwzględniona już w fazie projektowania zakładu pracy, a więc budynków, urządzeń technicznych, programowania procesów technologicznych itp. Ważne jest z punktu widzenia potrzeb pracowników właściwe zaprojektowanie przestrzenne zakładu, powierzchni i wysokości pomieszczeń produkcyjnych, liczby i rozmieszczenia urządzeń technologicznych i maszyn, wentylacji i ogrzewania, a także urządzeń sanitarnych i socjalnych, również pod kątem przepustowości. Stanowisko pracy i narzędzia powinny być dostosowane do wymogów anatomiczno-fizjologicznych człowieka. Ciężar, wielkość i kształt narzędzi powinny zapewniać wygodne posługiwanie się nimi. Urządzenia produkcyjne czy narzędzia wywierające szkodliwy wpływ na zdrowie pracownika, np. wytwarzające hałas, wibrację czy powodujące zapylenie lub emisję substancji chemicznych, powinny być dodatkowo wyposażone w osłony, wyciągi, urządzenia tłumiące hałas albo wibrację. W sytuacjach szczególnego zagrożenia zawodowego konieczne jest stosowanie technologii zapewniającej pełną hermetyzację procesu produkcyjnego lub automatyzację przynajmniej niektórych czynności.

Profilaktyka techniczna powinna być procesem ciągłym, w miarę wykrywania w środowisku pracy różnych rodzajów czynników szkodliwych dla zdrowia. Towarzyszyć temu powinna stała dbałość o stan techniczny urządzeń i narzędzi pracy, ponieważ np. wytarte łożyska silników czy źle dokręcone pokrywy wibrujących maszyn mogą być źródłem dodatkowego hałasu decydującego o szkodliwym wpływie na zdrowie, a niesystematycznie oczyszczany wyciąg przestaje pełnić swoje ochronne funkcje na stanowisku pracy.

Ochrony osobiste. Stosowane są również, gdy zawodzą inne sposoby eliminowania zagrożeń dla zdrowia. Należą tu hełmy, ochronniki słuchu dla osób narażonych na hałas o natężeniu powyżej 90 decybeli, rękawice ochronne zapobiegające oddziaływaniom czynników chemicznych, wibracji czy urazom mechanicznym. Często są stosowane okulary i osłony chroniące wzrok przed promieniowaniem podczerwonym lub nadfioletowym oraz osłaniające oczy przed urazami. Przy niektórych pracach konieczne jest używanie ubrań żaroodpornych, masek przeciwpyłowych lub pochłaniających substancje toksyczne itp.

Prawie wszystkie ze stosowanych ochron osobistych utrudniają pracę i powiększają uczucie dyskomfortu przy ciągłym noszeniu. Służą one dobrze w sytuacjach awaryjnych lub podczas wykonywania krótkotrwałych czynności. Nowoczesny kierunek profilaktyki technicznej zakłada, że wszędzie tam, gdzie praca człowieka wymaga stałego stosowania szczególnie kłopotliwych ochron osobistych, pracownik powinien być zastąpiony urządzeniem mechanicznym.

Profilaktyka medyczna. Ma ona na celu niedopuszczanie osób z przeciwwskazaniami lekarskimi do wykonywania pracy, która mogłaby pogorszyć ich stan zdrowia lub zagrozić zdrowiu innych osób. Cel ten jest osiągany za pośrednictwem profilaktycznych badań lekarskich, które dzieli się na: badania wstępne, okresowe i kontrolne.

B a d a n i a w s t ę p n e – podlegają im wszyscy kandydaci do pracy oraz osoby przenoszone na inne stanowisko pracy, jeżeli nie ukończyły 18 lat (młodociani) lub jeżeli przeniesienie wiąże się ze zmianą rodzaju albo stopnia narażenia na czynniki szkodliwe czy uciążliwe.

B a d a n i a o k r e s o w e – podlegają im pracownicy narażeni na działanie czynników szkodliwych lub uciążliwych i pracownicy młodociani bez względu na rodzaj zatrudnienia, a także pracownicy zatrudnieni na stanowiskach wymagających szczególnych kwalifikacji zdrowotnych albo psychofizycznych, np. piloci.

B a d a n i a k o n t r o l n e – dotyczą pracowników objętych badaniami okresowymi, jeśli przebyli chorobę trwającą ponad 30 dni, a także pracowników narażonych na działanie promieniowania jonizującego, jeśli została przekroczona określona dawka promieniowania.

Zakład pracy ma obowiązek kierowania pracownika na badania wstępne oraz badania okresowe w ustalonym terminie, podając w skierowaniu w miarę szczegółowy opis stanowiska pracy lub czynności, które będzie pełnić albo pełni pracownik. Po badaniu lekarz wydaje orzeczenie o zdolności do pracy. Jeśli badanie ma charakter okresowy i lekarz stwierdzi przeciwwskazania do dalszego wykonywania pracy na danym stanowisku, powinien również przekazać administracji zakładu pracy sugestie dotyczące warunków dalszego zatrudnienia danego pracownika. Jeśli lekarz podejrzewa chorobę zawodową, kieruje chorego do Poradni Chorób Zawodowych w celu przeprowadzenia dodatkowych badań. Po ich przeprowadzeniu Poradnia wydaje opinię o stanie zdrowia chorego i przesyła ją lekarzowi, który skierował go na badania, a w razie rozpoznania choroby zawodowej – równocześnie zgłasza dany przypadek do wojewódzkiej stacji sanitarno-epidemiologicznej.

Udział pracowników. Żadna z form profilaktyki nie może być skuteczna bez czynnego udziału pracowników, których zdrowie ma ochraniać. Świadomi tego pracownicy powinni skutecznie współdziałać w ochronie swojego zdrowia poprzez indywidualny i zbiorowy wpływ na tworzenie warunków pracy. Obok zgłaszania odpowiednich postulatów kierownictwu zakładu pracy, mogą przyczyniać się do zapobiegania zagrożeniom zawodowym poprzez:

1) przestrzeganie instrukcji technologicznych dla poszczególnych procesów produkcyjnych;

2) dbałość o czystość i porządek na stanowisku pracy i w bezpośrednim jego otoczeniu;

3) konserwację obsługiwanych urządzeń lub natychmiastowe zgłaszanie ich niesprawności;

4) zwracanie uwagi na sprawne działanie wszelkich urządzeń zabezpieczających przed zagrożeniami zawodowymi (m.in. osłon, wentylatorów);

5) zachowanie higieny osobistej, co jest szczególnie ważne przy pracach brudzących i w kontakcie z materiałami toksycznymi;
6) używanie właściwych narzędzi pracy, zgodnie z ich przeznaczeniem;
7) zachowanie szczególnej ostrożności przy obsłudze urządzeń z nieosłoniętymi częściami ruchomymi lub grożących wybuchem, porażeniem prądem elektrycznym itp.;
8) korzystanie z ochron osobistych przy czynnościach, gdzie jest to niezbędne;
9) aktywną postawę w sytuacjach, kiedy inni pracownicy swoim niewłaściwym postępowaniem stwarzają zagrożenie dla zdrowia lub życia własnego, bądź osób z ich otoczenia;
10) przedstawianie wniosków racjonalizatorskich w dziedzinie ochrony pracy.

VI. HIGIENA SZKOLNA

Higiena szkolna, nazywana coraz powszechniej medycyną szkolną z uwagi na rangę zagadnień zdrowotnych, zajmuje się, mówiąc najogólniej, przystosowaniem środowiska szkolnego do potrzeb rozwojowych i zdrowotnych ucznia oraz adaptacją dzieci i młodzieży do wymagań szkoły, a także promowaniem zdrowia.

Do zakresu działalności praktycznej higieny szkolnej należy głównie kontrola i nadzór nad: 1) rozwojem i zdrowiem ucznia, 2) wychowaniem fizycznym, 3) wychowaniem zdrowotnym, 4) higieną nauczania, 5) warunkami sanitarno-higienicznymi środowiska szkolnego.

Rozwój i zdrowie ucznia

Kontrola rozwoju fizycznego i stanu zdrowia dziecka w wieku szkolnym ma na celu wczesne wykrycie zaburzeń, ujawnienie ich przyczyn, ustalenie odpowiedniego postępowania lekarsko-higienicznego i opiekuńczo-wychowawczego oraz usunięcie skutków zaburzeń i zastosowania środków chroniących zdrowie dziecka i dalszy jego prawidłowy rozwój. Oceny prawidłowości rozwoju somatycznego w praktyce szkolnej dokonuje się za pomocą mierników somatycznych, określających rozmiary ciała i jego masę. Uzyskane pomiary porównuje się z normą dla wieku i płci.

Wysokość ciała i śledzenie przyrostów wzrastania jest dobrym ogólnym wskaźnikiem rozwoju dziecka. Roczne przyrosty wysokości ciała w wieku przedszkolnym wynoszą ok. 6 cm, w wieku wczesnoszkolnym (od 7 do 10 lat) ok. 5 cm. Na początku drugiej dekady życia, dwa lata wcześniej u dziewcząt, dokonuje się tzw. pokwitaniowy skok w przyroście wysokości ciała, wynoszący przeciętnie od 7 do 10 cm, po którym dynamika przyrostów ulega wyraźnemu zwolnieniu i następuje ustalenie się wysokości ostatecznej (dorosłej) w 15–16 r. życia u dziewcząt i zwykle do 20 r. życia u chłopców. Wzrastanie jest ściśle związane z tempem dojrzewania, czynnikami genetycznymi i warunkami środowiskowymi, ale może zostać zaburzone w wyniku procesów chorobowych, nieprawidłowego żywienia, stresów natury psychicznej i innych.

Masa ciała jest drugim podstawowym miernikiem rozwoju dziecka. Przyrosty jej cechują podobne prawidłowości jak przyrosty wzrastania, ale są bardziej labilne i stąd obserwuje się stosunkowo częstsze spadki lub przyrosty masy ciała oraz większą możliwość ich wyrównywania.

Uczeń z nieharmonijnym, nietypowym rozwojem i z zaburzoną dynamiką wzrastania poddawany jest kontroli prawidłowości rozwoju na podstawie oceny wieku rozwojowego. Jest to wyrażony jednostkami czasu kalendarzowego typowy wiek, w którym większość zdrowych dzieci osiąga określony etap rozwoju, będący wyrazem wzrastania i dojrzewania łącznie. Często stosowanymi synonimami wieku rozwojowego są: wiek biologiczny lub wiek fizjologiczny. Określa się go za pomocą specjalnych metod, np. oceny dojrzałości szkieletowej, morfologicznej i innych. Metoda oceny dojrzałości szkieletowej albo wieku kostnego oparta jest na określaniu przeobrażeń związanych z wzrastaniem i dojrzewaniem kośćca. Rejestruje się je za pomocą zdjęć rentgenowskich, zazwyczaj dłoni i nadgarstka, i porównuje z wzorcem w atlasie. Wiek kostny może być zgodny z wiekiem kalendarzowym, opóźniony lub przyspieszony. Podstawą do oceny wieku morfologicznego są charakterystyczne przekształcenia proporcji ciała dziecka rosnącego, w wymiarach szerokościowych, obwodach itd.

Kontrola prawidłowości rozwoju ucznia wchodzi w skład rutynowych badań zdrowia przesiewowych i bilansowych, dokonywanych w następujących grupach wiekowych: 4, 6, 10, 14, 18 lat. Badania przesiewowe lub inaczej masowe badania przeglądowe polegają na stosowaniu prostych testów mających na celu wstępne wyselekcjonowanie z całej zbiorowości dzieci prawdopodobnie dotkniętych chorobą lub wadą albo w większym stopniu od innych na nie narażonych, lub z nieprawidłowościami rozwojowymi.

Badania bilansowe polegają na pogłębionym, kompleksowym badaniu lekarskim, którego celem jest ocena rozwoju i stanu zdrowia oraz potrzeb zdrowotnych i możliwości adaptacyjnych do środowiska.

Przesiewy i bilanse zdrowia są ukierunkowane na wczesne wykrywanie zaburzeń w poziomie rozwoju i stanie zdrowia. Na podstawie wniosku z tych badań uczeń zostaje zakwalifikowany jako zdrowy lub wymagający odpowiednich działań korekcyjnych, wyrównawczych, rehabilitacyjnych lub innych leczniczych. Badania te mają na celu ukierunkowanie indywidualnej opieki na dzieckiem i dotyczą nie tylko oceny ogólnego poziomu rozwoju i stanu zdrowia, ale także – zależnie od wieku i typu szkoły, do której uczeń uczęszcza – sprawności poszczególnych układów i narządów, dojrzałości szkolnej, sprawności motorycznej i fizycznej oraz innych. Zalecenia lekarskie dotyczą zarówno środowiska domowego, jak i szkolnego ucznia.

Przy ocenie zbiorowości uczniów, poza danymi o ich rozwoju i zdrowiu uzyskanymi z badań przesiewowych i bilansowych, stosuje się tradycyjne mierniki określające zachorowalność, chorobowość i umieralność, absencję szkolną i inne.

W profilu zdrowotnym dzieci i młodzieży szkolnej w ostatnim trzydziestoleciu dostrzega się istotne zmiany. Zmniejsza się częstość występowania wielu chorób zakaźnych (z pewnymi wyjątkami, jak np. wzrost zachorowań na wirusowe zapalenie wątroby), równocześnie wzrasta częstość występowania wypadków, zatruć i urazów, które stanowią najczęstszą przyczynę zgonów i trwałego kalectwa dzieci i młodzieży.

Wychowanie fizyczne

Wychowanie fizyczne stanowi część wychowania ogólnego. Można je określić jako system wszechstronnego, pozytywnego oddziaływania na organizm dziecka poprzez kompleks czynników fizycznych i psychicznych. Wychowanie fizyczne ma największe znaczenie w okresie, kiedy rozwijają się i kształtują poszczególne narządy i układy organizmu, a zwłaszcza w okresie przedszkolnym i w drugiej dekadzie życia.

Do podstawowych funkcji wychowania fizycznego zalicza się: 1) *stymulację* – pobudzenie rozwoju somatycznego, motorycznego, psychicznego i społecznego, 2) *adaptację* – przystosowanie organizmu do zmiennych warunków atmosferycznych, do wysiłków fizycznych i rywalizacji sportowej, 3) *kompensację* – wyrównywanie rozwoju, 4) *korektywę* – poprawianie, np. postawy.

Do programu wf w szkole należy kształtowanie cech motorycznych i umiejętności ruchowych ucznia, przekazywanie mu wiedzy o funkcjonowaniu organizmu i higienizacji życia oraz o znaczeniu ćwiczeń ruchowych dla harmonijnego rozwoju i promowania zdrowego stylu życia i postaw zdrowotnych. Z wychowaniem fizycznym ściśle związana jest sprawność fizyczna. Określa ona możliwości wykonania działań motorycznych przez ucznia i zależy od wieku, płci, stanu zdrowia, poziomu rozwoju cech motorycznych, uzdolnień i umiejętności ruchowych, wydolności fizycznej, budowy ciała, zainteresowań i motywacji. Do oceny sprawności fizycznej stosuje się specjalne pomiary i testy. U dzieci w wieku szkolnym najpowszechniej używane są testy, na które składają się próby: biegów, skoków, rzutów, biegu z przeszkodami, wyrzutów nóg do podporu i inne.

Poradnictwo sportowo-lekarskie związane z wf w szkole ma na celu: 1) *orzekanie o zdolności* do uprawiania zajęć wf i sportu przez dzieci i młodzież, prognozowanie sukcesów sportowych; 2) *orzekanie o niezdolności* do udziału w zajęciach wf uczniów z odchyleniami w stanie zdrowia oraz 3) *kontrolę* wpływu wf i szkolnego sportu na rozwój i stan zdrowia dzieci i młodzieży.

Przeciwwskazania do wf dotyczą uczniów z zaburzeniami zdrowotnymi. Przeciwwskazania mogą być czasowe, częściowe lub całkowite, w zależności od stanu zdrowia dziecka. Przebyte ostre choroby i urazy, choroby przewlekłe, a także rekonwalescencja – są wskazaniami do czasowego zwolnienia z wf. Jeśli zaburzenia w stanie zdrowia i rozwoju ucznia są tego rodzaju, że wysiłek fizyczny podczas zespołowej lekcji może utrudniać leczenie, pogłębiać chorobę lub wadę oraz stanowić zagrożenie dla bezpieczeństwa albo życia dziecka – zwolnienie z wf jest trwałe lub długotrwałe.

Wprowadzony został system kwalifikacji lekarskiej uczniów do wf:

1) zdolnych do wf bez ograniczeń;
2) zdolnych do wf z ograniczeniem intensywności i czasu trwania ćwiczeń;
3) wymagających specjalnej uwagi nauczyciela ze względu na zwiększone ryzyko urazu (np. niedosłyszący);
4) wymagających korektywy;
5) niezdolnych do wf trwale lub czasowo;
6) uczniów uczestniczących w gimnastyce leczniczej.

Poza obowiązkowym systemem kwalifikacji lekarskiej do wf, od 1980 r. wprowadzono również obowiązek organizowania w przedszkolach i szkołach zajęć kompensacyjno-korekcyjnych.

Ćwiczenia fizyczne i zajęcia sportowe to jedne z najkorzystniejszych dla zdrowia form spędzania wolnego czasu po pracy szkolnej. W czasie zajęć wf rozwijają się zdolności adaptacyjne organizmu, hartuje się on, czyli systematycznie doskonali w kierunku właściwego reagowania na zmiany zachodzące w otoczeniu. Szczególnie dobrze na ten proces wpływają kąpiele, zarówno powietrzne, słoneczne, jak i wodne, ponieważ podczas nich na ciało działają zróżnicowane temperatury. Podnosi to sprawność mechanizmów regulacji cieplnej organizmu, wzmaga jego siły obronne, zapobiega rozwojowi szerzących się nerwic czynnościowych. Nabyte w wieku szkolnym nawyki do korzystania z czynnej rekreacji pozostają na całe życie, podnosząc sprawność fizyczną i umysłową w wieku dorosłym.

Wychowanie zdrowotne

Wychowanie zdrowotne polega na: 1) wytwarzaniu nawyków związanych z ochroną i doskonaleniem zdrowia, 2) kształtowaniu postaw i stylu życia sprzyjającego zdrowiu, 3) pobudzaniu zainteresowań sprawami zdrowia oraz 4) pogłębianiu wiedzy o potrzebach zdrowotnych, łącznie z umiejętnościami korzystania z pomocy służby zdrowia. Działania te odnoszą się zarówno do spraw własnego zdrowia, jak i otoczenia, a więc rodziny, kolegów w szkole, podczas zabawy i w pracy.

W procesie wychowania zdrowotnego, stanowiącego integralną część wychowania ogólnego, przedszkolnego i szkolnego, istotną rolę odgrywa zarówno środowisko i warunki sanitarno-higieniczne, jak i wzory osobowe rodziców, nauczycieli, grup rówieśniczych, pracowników szkolnej służby zdrowia, a także właściwa organizacja życia szkolnego i domowego.

Przedszkole i szkoła powinny stworzyć odpowiednie warunki do utrzymania higieny osobistej, łącznie z higieną żywienia, otoczenia, wypoczynku i rekreacji, a także higieną pracy umysłowej.

Efektywność procesu wychowania zdrowotnego zależy od metod, które powinny nawiązywać do specyfiki etapów rozwojowych dzieci i młodzieży. Specjaliści wyróżniają 4 fazy wychowania zdrowotnego:

1) fazę heteroedukacji, w której przeważają zabiegi typu pielęgnacyjnego, opieki, profilaktyki; faza ta odpowiada zasadniczo wiekowi wczesnego dzieciństwa (naśladownictwo);

2) fazę pośrednią, w której stopniowo wzrasta udział dziecka w staraniu o jego zdrowie, rozwija się świadomość i poczucie odpowiedzialności za własne zdrowie; faza ta odpowiada szczeblowi wieku przedszkolnego i szkolnego (nawyki, przyzwyczajenia);

3) fazę autoedukacji (samowychowania), w której uczeń występuje już jako świadomy współtwórca własnego zdrowia; faza ta odpowiada okresowi dojrzewania i dorastania (zainteresowania, wiedza, styl życia);

4) fazę heteroedukacji odwróconej; faza ta dotyczy osób dojrzałych, występujących w roli wychowawców innych.

Wychowanie zdrowotne ucznia wymaga systematycznej współpracy środowiska szkolnego z domowym oraz odpowiedniego poziomu kultury zdrowotnej obu środowisk. Nie bez znaczenia jest fakt, że pewne nawyki i przyzwyczajenia, które dziecko nabywa w przedszkolu i szkole, przenosi do domu, wpływając korzystnie na zmianę zachowania rodziców i opiekunów.

Nowa filozofia zdrowia, przyjęta przez Polskę m.in. w Narodowym Programie Zdrowia, wprowadza pojęcie promocji zdrowia. Jest to proces umożliwiający ludziom zwiększenie kontroli nad swym zdrowiem. U jej podstaw leży aktywny udział każdego człowieka w tworzeniu własnego zdrowia.

Higiena nauczania

Higiena nauczania obejmuje zagadnienia nadzoru nad procesem nauczania i ma głównie na celu ochronę ucznia przed ujemnymi zjawiskami związanymi z pracą szkolną. Prawidłowo opracowany, tzn. zgodny z wymaganiami higieny, plan zajęć szkolnych i pracy szkolnej powinien uwzględniać fizjologiczny rytm aktywności dziecka, jego wydolności nie tylko w układzie dziennym, ale również tygodniowym, miesięcznym i rocznym, oraz chronić ucznia przed zmęczeniem. W zapobieganiu zmęczeniu i przemęczeniu ucznia nie można ograniczać się tylko do normowania godzin jego pracy w ciągu dnia, ale należy odpowiednio do zajęć dostosować odpoczynek dzienny, dobowy, tygodniowy i całoroczny.

Obok zmęczenia umysłowego występuje u dzieci w wieku szkolnym zmęczenie „mięśniowe". Szczególnie łatwo męczą się siedzeniem dzieci w młodszych klasach, a na V i VI godzinie lekcyjnej siedzenie jest bardzo męczące i dla dzieci starszych. Dlatego plan zajęć, tj. liczba lekcji i czas ich trwania musi uwzględniać rozwojowe możliwości ucznia. Czas czynnej uwagi dziecka w wieku 5–7 lat wynosi nie więcej niż 15 min, w wieku 8–11 lat - 20 min, powyżej 12 lat - 30 min. Ponieważ w praktyce szkolnej taki podział jest trudny do zrealizowania, ustalono górną granicę godziny lekcyjnej na 45 min zakładając jednocześnie, że najkrótszy odpoczynek międzylekcyjny ma trwać 10–15 min.

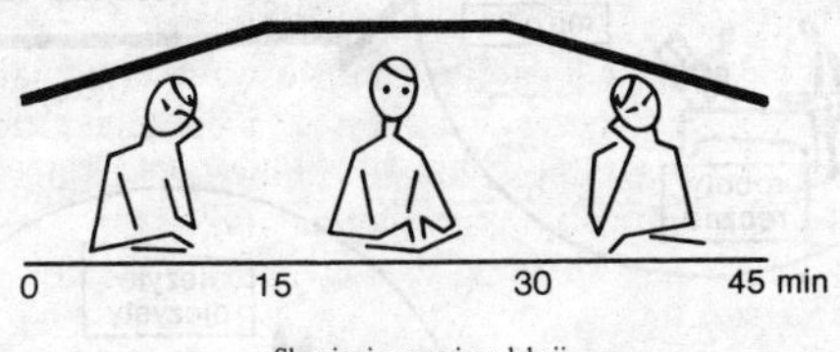

Skupianie uwagi na lekcji

Zmęczenie, które występuje w toku zajęć lekcyjnych w szkole, jest usuwane (teoretycznie) w czasie przerw oddzielających poszczególne lekcje. Liczba, czas trwania, rozłożenie przerw wypoczynkowych powinny zależeć i uwzględniać intensywność i rodzaj pracy oraz wiek ucznia.

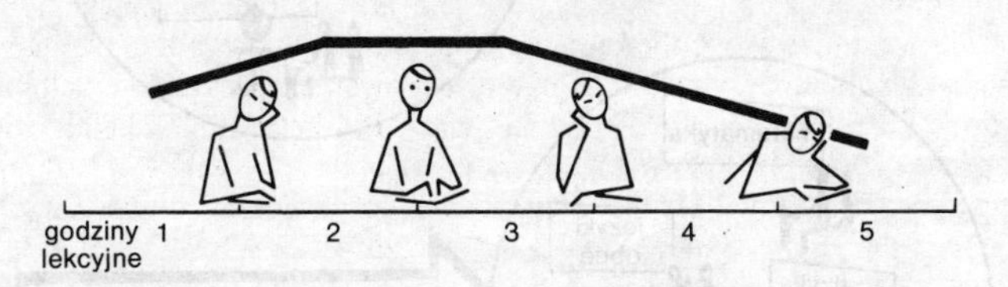

Narastanie zmęczenia w miarę upływu godzin lekcyjnych

Chwilą najodpowiedniejszą do wprowadzenia przerwy w pracy lekcyjnej jest czas po osiągnięciu przez ucznia maksymalnej wydajności, po której następuje jej obniżenie. Działanie pauzy ma wpływ dodatni, gdyż usuwa zmęczenie spowodowane lekcją, ale jednocześnie powoduje utratę korzystnego wdrożenia. Czas trwania pauzy powinien być zatem tak dobrany, aby nie tylko usunął zmęczenie, ale i pozwolił na zachowanie gotowości do pracy.

W praktyce, najczęściej dla klas starszych wprowadzone są pauzy 10 min i jedna 20 min (na zjedzenie drugiego śniadania czy podwieczorku). Dla zajęć krótkotrwałych korzystniejsze są przerwy krótkie, praca dłużej trwająca wymaga dłuższego wypoczynku. Zalecane jest, zwłaszcza w młodszych klasach, stosowanie *krótkiej przerwy*, czyli tzw. *mikropauzy*, w czasie lekcji do wykonania pojedynczych ćwiczeń oddechowych, które usuwają zmęczenie statyczne i pozwalają na zmianę pozycji.

Efekt przerw wypoczynkowych zależy od sposobu ich wykorzystania. Wartość wypoczynku zwiększa się, jeśli w tym czasie uczeń wykonuje dowolne zajęcia ruchowe (*wypoczynek czynny*). Przerwa powinna

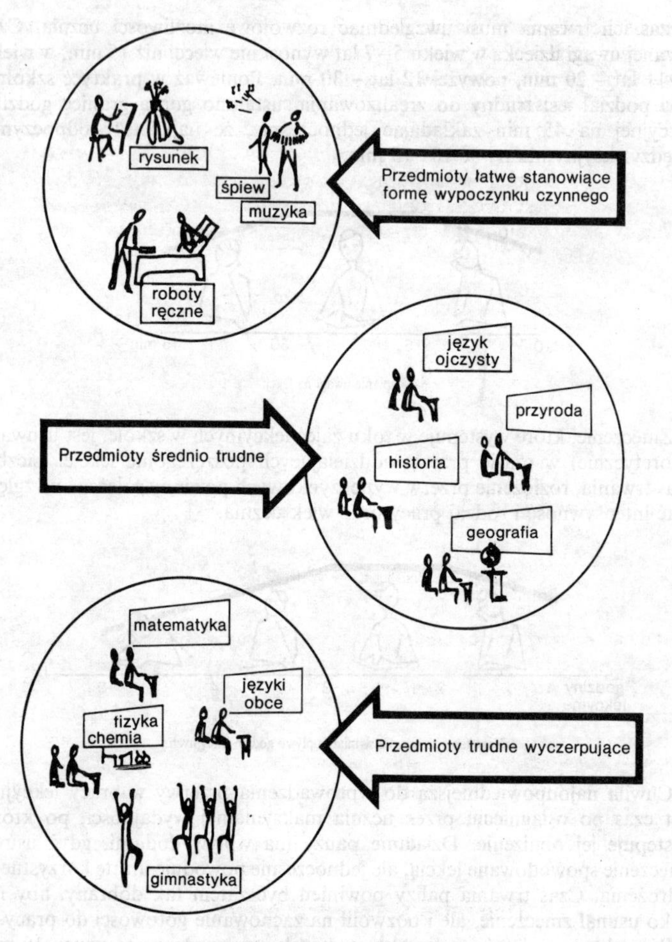

Przedmioty nauczania wg stopnia ich trudności

umożliwić umiarkowany ruch według zamiłowań i zainteresowań ucznia. Dzień wolny od zajęć powinien być dniem zupełnego wypoczynku, tzn. przeznaczonym na zajęcia dowolne.

Dzienny plan lekcyjny. Pierwsze dwie godziny powinno się przeznaczyć na przedmioty trudne (matematyka, fizyka, chemia), następne, gdy narasta zmęczenie – na łatwiejsze (polski, historia). Najbardziej wydajną godziną lekcyjną jest druga lekcja. Plan tygodniowy opracowany racjonalnie powinien uwzględniać po średnio trudnym, wdrażającym do pracy poniedziałku (wydajność pracy szkolnej po niedzielnym odpoczynku wzrasta stopniowo) nasilenie nauki we wtorek i środę, pewne odprężenie w czwartek, wreszcie średnie obciążenie w piątek.

Praca ucznia w domu wymaga również określonego wymaganiami higienicznymi reżimu. Odrabianie lekcji do późnych godzin wieczornych wpływa niekorzystnie na odpoczynek nocny, a zdolność skupiania uwagi i pojmowania jest upośledzona. Uczniowie niedostatecznie wyspani rano wstają z dużą trudnością, w ciągu dnia skarżą się na bóle głowy.

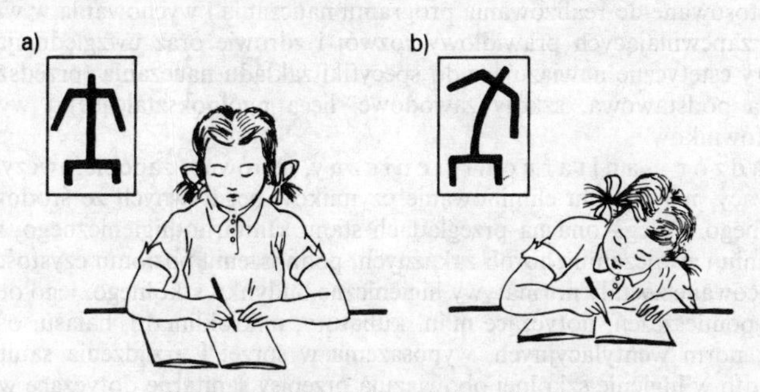

Pozycja przy odrabianiu lekcji: a) prawidłowa i b) wadliwa

Odrabianie lekcji należy rozpocząć od najtrudniejszych, przedmioty najłatwiejsze zostawiając na zakończenie pracy domowej. Pokój, w którym uczeń odrabia lekcje, powinien być dobrze wywietrzony i oświetlony, a stół i krzesło dostosowane do wzrostu i proporcji ciała, podobnie jak ławka w szkole. Przy odrabianiu lekcji należy stosować kilkuminutowe przerwy dla odprężenia narządu wzroku, mięśni rąk i całego tułowia. Z punktu widzenia higieny niezwykle ważna jest właściwa pozycja przy czytaniu, pisaniu i odrabianiu lekcji, ponieważ zapewnia ona swobodę oddychania, oszczędza narząd wzroku, zapobiega wadom postawy.

Warunki sanitarno-higieniczne środowiska szkolnego

Specyfiką populacji dzieci w wieku przedszkolnym i szkolnym jest jej plastyczność i podatność zarówno na pozytywne, jak i negatywne wpływy środowiska. Ponieważ dziecko spędza w szkole czy przedszkolu wiele godzin dziennie, należy zapewnić mu właściwe warunki w tym otoczeniu. Dlatego bardzo ważne jest właściwe usytuowanie budynku, odpowiednie jego zagospodarowanie, wyposażenie wnętrza oraz wyposażenie terenu zewnętrznego, w skład którego wchodzą tereny rekreacyjne, łącznie z placami zabaw i boiskami.

Wszystkie pomieszczenia w szkole (sale zajęć, klasy, pracownie, korytarze, szatnie, schody, stołówka) muszą odpowiadać określonym wymogom higienicznym, zawartym w zarządzeniach dla władz szkolnych, regulaminach oraz wytycznych nadzoru higieniczno-sanitarnego bieżącego i profilaktycznego. Musi być zapewniony właściwy komfort klimatyczny, akustyczny, świetlny, zapewnione warunki bezpieczeństwa oraz warunki sanitarne z punktu widzenia higieny osobistej, a więc dostateczna liczba toalet, umywalni, natrysków.

Nowoczesne środowisko szkolne musi uwzględniać szereg wymogów zdrowotnych, dotyczących zarówno ucznia, jak i pedagoga, musi być przystosowane do realizowania programu nauczania i wychowania w warunkach zapewniających prawidłowy rozwój i zdrowie oraz uwzględniających walory estetyczne nawiązujące do specyfiki zakładu nauczania (przedszkole, szkoła podstawowa, szkoły zawodowe, licea ogólnokształcące) i wygody użytkowników.

N a d z ó r s a n i t a r n o - h i g i e n i c z n y, zarówno zapobiegawczy, jak i bieżący, ma na celu eliminowanie czynników negatywnych ze środowiska szkolnego. Polega ona na przeglądach stanu sanitarno-higienicznego, zapobieganiu i zwalczaniu chorób zakaźnych, podnoszeniu poziomu czystości itp. Opracowane zostały normatywy higieniczne budynku szkolnego, jego otoczenia i pomieszczeń, dotyczące m.in. kubatury, mikroklimatu, hałasu, oświetlenia, norm wentylacyjnych, wyposażenia w sprzęt i urządzenia sanitarne. Ponadto w higienie szkolnej obowiązują przepisy sanitarne dotyczące wymagań zdrowotnych personelu zatrudnionego w szkole oraz specjalne zarządzenia dotyczące warunków zachowania bezpieczeństwa i zapobiegania urazowości na terenie szkoły, a także szeroko rozumianej promocji zdrowia populacji w wieku szkolnym.

ORGANIZACJA OCHRONY ZDROWIA

Definicja zdrowia i choroby nie jest łatwa, ponieważ trudne jest określenie ścisłej granicy pomiędzy stanem prawidłowym i patologicznym.

Światowa Organizacja Zdrowia przyjęła następującą definicję zdrowia: „Zdrowie to nie tylko niewystępowanie choroby lub niedomagania, ale stan pełnej sprawności fizycznej, psychicznej i społecznej".

Stan zdrowia można określać za pomocą mierników pozytywnych i negatywnych. Mierniki pozytywne charakteryzują rozwój somatyczny i psychiczny populacji ludzkiej. Należą do nich np. wskaźniki antropometryczne, wyniki pomiarów fizjologicznych, biochemicznych itp. Za mierniki negatywne przyjmuje się najczęściej chorobę lub zgon, czyli odchylenie od stanu zdrowia, prowadzące w krańcowych przypadkach do ustania czynności życiowych. Najważniejszymi miernikami negatywnymi są: zachorowalność, chorobowość i umieralność.

Istotne znaczenie w ocenie stanu zdrowia mają badania epidemiologiczne, których celem jest ocena częstości występowania określonych chorób (objawów, patologii) oraz wskazanie ich związków z określonymi czynnikami. Badania takie są nowoczesną metodą określenia tzw. potrzeb zdrowotnych, które powinny determinować decyzje organizacyjne.

I. OCHRONA ZDROWIA, JEJ ZAKRES DZIAŁANIA I FUNKCJE

Organizacja ochrony zdrowia jako dyscyplina naukowa obejmuje następujące zagadnienia:

1) badanie form organizacyjnych ochrony zdrowia w różnych warunkach społeczno-ekonomicznych;

2) badanie stanu zdrowia społeczeństwa i jego uwarunkowań środowiskowych;

3) wykorzystywanie osiągnięć naukowych do optymalizacji metod i form ochrony zdrowia społeczeństwa.

Organizacja ochrony zdrowia w praktyce obejmuje system instytucji, norm prawnych i działalności, mających na celu zapobieganie chorobom, organizowanie rozpoznawania chorób, ich leczenia oraz rehabilitacji. We wszystkich tych działaniach ważne znaczenie ma szerzenie oświaty zdrowotnej (promocja zdrowia).

Współczesna ochrona zdrowia pełni dwojakie funkcje: podstawowe, tj. związane z bezpośrednimi działaniami zapobiegawczymi, oraz pomocnicze, mające na celu zapewnienie warunków niezbędnych do pełnienia funkcji podstawowych.

Podstawowe funkcje ochrony zdrowia

Do podstawowych funkcji ochrony zdrowia należy szeroko pojęta profilaktyka, czyli zapobieganie, składające się z trzech faz (rys.) obejmujących także leczenie oraz opiekę medyczno-społeczną.

Zakres działania współczesnej ochrony zdrowia (wg B. Kleczkowskiego)

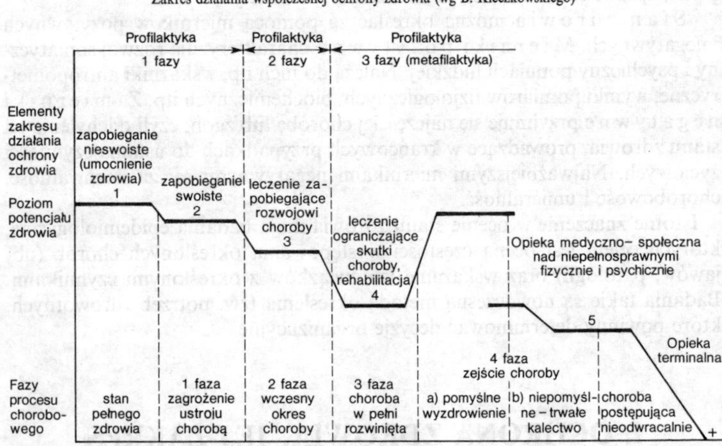

Zapobieganie nieswoiste ma na celu umacnianie i poprawę zdrowia. Obejmuje ono działanie ogólnohigieniczne, tworzenie korzystnych dla zdrowia warunków środowiska zamieszkania, pracy i nauki, a także problemy racjonalnego żywienia, prawidłowych stosunków międzyludzkich, wypoczynku, wychowania fizycznego i psychicznego, hartowania organizmu itp. Poczynania te dotyczą osób zdrowych, przed zadziałaniem czynnika chorobotwórczego na organizm. Ten element zakresu działania ochrony zdrowia jest niezwykle ważny i tym trudniejszy w realizacji, że wykracza znacznie poza zakres kompetencji służby zdrowia. Konieczna jest więc współpraca międzyresortowa, w której służba zdrowia zachowa rolę inicjatora i koordynatora działań.

Zapobieganie swoiste, podobnie jak zapobieganie nieswoiste, dotyczy ludzi zdrowych, ale zagrożonych konkretną chorobą. Działania są ukierunkowane na tzw. triadę ekologiczną, na którą składają się: czynnik chorobotwórczy, drogi przenoszenia zarazka oraz organizm ludzki podatny na daną chorobę. Zapobieganie swoiste dotyczy zarówno chorób zakaźnych, jak i niezakaźnych.

Leczenie ukierunkowane na wczesne rozpoznanie procesu chorobowego ma na celu skuteczne jego przerwanie i – jeżeli to możliwe – przywrócenie stanu zdrowia sprzed zadziałania czynnika chorobotwórczego, zapobieżenie przejściu choroby w stan przewlekły lub inwalidztwo. Taki proces leczniczy jest prowadzony poprzez organizowanie masowych badań profilaktycznych, okresowych badań pracowników zatrudnionych w przemyśle, stosowanie czynnego poradnictwa, zapobiegawcze stosowanie leków w razie zagrożenia niektórymi chorobami oraz organizowanie badań diagnostycznych i usług leczniczych w zakładach opieki zdrowotnej.

Leczenie ograniczające niekorzystne skutki choroby i rehabilitacji są prowadzone u osób, u których choroba doprowadziła do ograniczenia sprawności organizmu lub wywołała kalectwo. W chorobach lżejszych rekonwalescencja wspomagana jest leczeniem klimatycznym, balneoterapią, fizykoterapią, leczeniem usprawniającym lub leczeniem dietetycznym. W chorobach o przebiegu długotrwałym stosowane są dodatkowo różne formy resocjalizacji i rehabilitacji zawodowej.

Opieka medyczno-społeczna rozciągana jest nad osobami niepełnosprawnymi fizycznie lub psychicznie, natomiast **opieka terminalna** (do kresu życia) nad ludźmi nieuleczalnie chorymi. Ten rodzaj opieki prowadzi się, gdy nie można poprawić stanu zdrowia tych osób ani zapobiec niepomyślnemu przebiegowi choroby.

Uzupełniające funkcje ochrony zdrowia

Do uzupełniających (pomocniczych) funkcji ochrony zdrowia należą następujące działania:

1) kształcenie kadr medycznych; powiązane jest ono z praktyczną działalnością służby zdrowia zarówno na poziomie uniwersyteckim przed- i podyplomowym, jak i na poziomie szkolnictwa średniego;

2) działalność naukowo-badawcza; prowadzą ją resortowe instytuty naukowo-badawcze i akademie medyczne w ramach prac naukowych centralnie koordynowanych i tematów własnych;

3) współpraca międzynarodowa w dziedzinie ochrony zdrowia; obejmuje ona wymianę informacji naukowych dotyczących prowadzenia działalności profilaktycznej i leczniczej, co przyczynia się do podnoszenia efektywności ochrony zdrowia;

4) zarządzenie ochroną zdrowia; obejmuje ono planowanie, programowanie, ocenę funkcjonowania istniejących placówek, formułowanie dalszych potrzeb w dziedzinie ochrony zdrowia, pobudzenia do działania oraz kontrolę wykonania.

II. OCHRONA ZDROWIA NA ŚWIECIE

We współczesnym świecie istnieją 3 grupy systemów ochrony zdrowia: 1) służba zdrowia jest organizowana i finansowana przez państwo, które przyjmuje całkowitą odpowiedzialność za stan zdrowia obywateli; 2) systemy ochrony zdrowia oparte na ubezpieczeniach zdrowotnych; 3) systemy ochrony zdrowia ze słabo rozwiniętą infrastrukturą i o małej efektywności działań (kraje rozwijające się).

Ochrona zdrowia w modelu pierwszym:

1) stanowi integralną część struktury administracji państwowej i jest finansowana z budżetu państwa;

2) działa zgodnie z wolą organów przedstawicielskich społeczeństwa;

3) obejmuje całą ludność bezpłatnymi świadczeniami zapobiegawczo-leczniczymi;

4) ma podobną strukturę organizacyjną i zasady funkcjonowania;

5) zapewnia ciągłość i kompleksowość opieki zapobiegawczo-leczniczej (teoretycznie);

6) jest ukierunkowana na działania zapobiegawcze, oparte na czynnym poradnictwie (teoretycznie);

7) jest organizowana i rozwijana w sposób planowy, zgodnie ze stopniem rozwoju społecznego i ekonomicznego państwa;

8) w działalności na rzecz zdrowia korzysta z aktualnych osiągnięć nauk medycznych.

W modelu drugim prywatna praktyka lekarska jest podstawową formą ochrony zdrowia, co powoduje, że stosunek lekarza do pacjenta jest w dużym stopniu skomercjalizowany. Społeczne formy ochrony zdrowia są słabo rozwinięte, a działalność profilaktyczna oderwana od działalności leczniczej.

W części krajów ochrona zdrowia oparta jest głównie na działalności instytucji prywatnych, a państwo jest odpowiedzialne za działalność zapobiegawczą w formie publicznej służby zdrowia. W Stanach Zjednoczonych prowadzone są (od 1994 r.) dyskusje na temat wprowadzenia kompleksowego planu ubezpieczeń zdrowotnych, które obecnie obejmują jedynie ludzi starych i ubogich. Organizacje charytatywne odgrywają pewną rolę w sprawowaniu opieki nad niektórymi grupami ludności, np. osobami dotkniętymi chorobą społeczną.

W krajach Europy Zachodniej opieka zdrowotna opiera się na obowiązkowych ubezpieczeniach zdrowotnych oraz dobrze rozwiniętej infrastrukturze opieki ambulatoryjnej i szpitalnej. W Wielkiej Brytanii istnieje tzw. narodowa służba zdrowia, obejmująca całą ludność świadczeniami podstawowej opieki zdrowotnej, opieką specjalistyczną oraz opieką szpitalną. Działalność profilaktyczną rozwija publiczna służba zdrowia.

Ochrona zdrowia w krajach rozwijających się. W okresie kolonialnym w krajach Trzeciego Świata nie zorganizowano systemu ochrony zdrowia dla ludności tubylczej. Ośrodki lecznicze tworzone były tylko dla ludności białej w większych miastach i portach. W krajach tych rozwój opieki zdrowotnej jest określany przez następujące czynniki: złe warunki środowiskowe, brak dostępu do wody pitnej, ilościowe i jakościowe braki w żywieniu, złe warunki mieszkaniowe, niski poziom kultury zdrowotnej, masowe rozpowszechnienie chorób zakaźnych i pasożytniczych oraz chorób spowodowanych niedoborami żywieniowymi, niedostateczna infrastruktura instytucji służby zdrowia oraz brak wykwalifikowanych kadr medycznych.

W tej sytuacji działanie na rzecz zdrowia ludności zależy od ogólnego rozwoju społecznego i ekonomicznego danego kraju oraz od sprawiedliwego rozdziału dochodu narodowego. Zależy także od zintegrowania systemu medycyny tradycyjnej z tzw. medycyną naukową.

Ochrona zdrowia w Polsce jest w okresie systemowych przeobrażeń, a także budowania racjonalnego systemu ubezpieczeń.

Współpraca międzynarodowa w ochronie zdrowia

Światowa Organizacja Zdrowia

Współpraca międzynarodowa w dziedzinie ochrony zdrowia datuje się od połowy XIX w. Pierwsza międzynarodowa konferencja zdrowia została zwołana w Paryżu w 1851 r. i poświęcona była zapobieganiu szerzenia się chorób zakaźnych. Na początku bieżącego wieku powstały dwie organizacje międzynarodowe: w 1902 r. Panamerykańskie Biuro Zdrowia w Waszyngtonie i w 1907 r. Międzynarodowe Biuro Higieny Publicznej w Paryżu, a w okresie międzywojennym przy Lidze Narodów działała Organizacja Zdrowia.

W 1946 została zwołana w Nowym Jorku międzynarodowa konferencja zdrowia, na której podjęto decyzję o utworzeniu Światowej Organizacji Zdrowia. Polska jest jednym z 51 państw członków założycieli, obecnie (1994 r.) liczba państw zrzeszonych w ŚOZ wynosi 187 i dwóch członków stowarzyszonych. Konstytucja ŚOZ weszła w życia 7 kwietnia 1948 i dzień ten jest obchodzony jako Światowy Dzień Zdrowia.

Celem Światowej Organizacji Zdrowia, zawartym w jej konstytucji, jest „osiągnięcie przez wszystkich ludzi możliwie najwyższego poziomu zdrowia". Światowe Zgromadzenie Zdrowia określiło w 1977 r., że głównym celem rządów i Światowej Organizacji Zdrowia, powinno być osiągnięcie przez wszystkich ludzi do roku 2000 takiego poziomu zdrowia, który pozwoliłby prowadzić życie wydajne ekonomicznie i społecznie. Był to początek ruchu „Zdrowie dla wszystkich do roku 2000". Podstawowa opieka zdrowotna uznana została na międzynarodowej konferencji zwołanej w 1978 r. w Ałma Acie jako kluczowy warunek osiągnięcia tego celu.

Naczelnym organem ustawodawczym ŚOZ jest Światowe Zgromadzenie Zdrowia, składające się z przedstawicieli państw członkowskich.

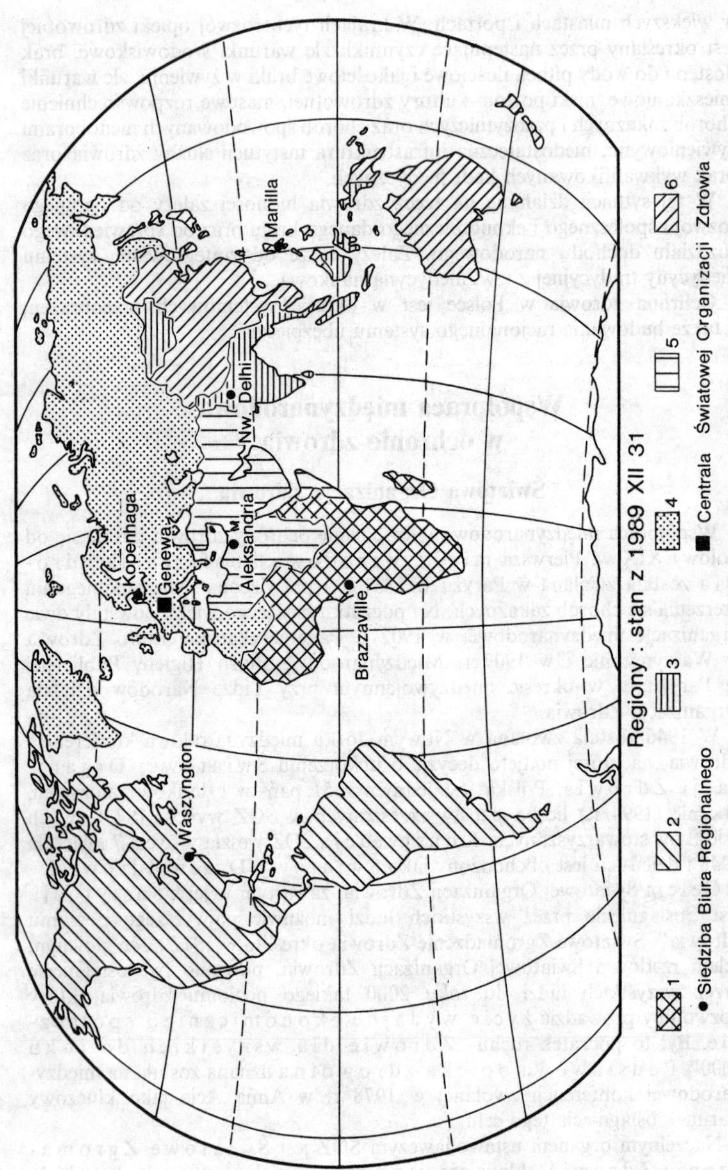

Struktura regionalna Światowej Organizacji Zdrowia (wg raportu Dyrektora Generalnego ŚOZ)

Zgromadzenie zbiera się w centralnej siedzibie organizacji w Genewie na dwutygodniowe sesje raz w roku, zazwyczaj na początku maja. Światowe Zgromadzenie Zdrowia wytycza zasady polityki, zatwierdza program działania i budżet Organizacji oraz mianuje dyrektora generalnego.

Rada Wykonawcza ma za zadanie wdrażanie decyzji i zasad polityki uchwalanej przez Światowe Zgromadzenie Zdrowia. Składa się z 31 osób, specjalistów w zakresie zdrowia. Członkowie Rady wyznaczani są przez rządy krajów, które decyzją Światowego Zgromadzenia Zdrowia upoważnione są do tego – na trzyletnią kadencję. Rada zbiera się 2 razy do roku, zwykle w styczniu i w maju, bezpośrednio po zakończeniu sesji Światowego Zgromadzenia Zdrowia.

Sekretariat Organizacji stanowi grupa pracowników etatowych, sprawujących funkcje merytoryczne, administracyjne i pomocnicze. Na czele sekretariatu stoi dyrektor generalny, wybierany na 5-letnie kadencje przez Światowe Zgromadzenie Zdrowia. Obecnie dyrektorem generalnym jest dr Hiroshi Nakajima (Japonia), wybrany na pierwszą kadencję w 1988 i powtórnie w 1993 r. Poprzednimi dyrektorami generalnymi byli: dr Brock Chisholm z Kanady (1948–1953), dr Marcolino Candau z Brazylii (1953–1973) i dr Halfdan Mahler z Danii (1973–1988). Siedziba centrali Organizacji mieści się w Genewie. Istnieje 6 biur regionalnych (patrz mapa). Biura te umiejscowione są w następujących miastach: Brazzaville – region Afryki, Waszyngton – region Ameryki, New Delhi – region Azji Południowo-Wschodniej, Aleksandria – region wschodniej części Morza Śródziemnego, Kopenhaga – region Europy, Manila – region zachodniego Pacyfiku.

Regiony posiadają dużą autonomię. Komitet Regionalny określa politykę zdrowotoną, odpowiadającą potrzebom zdrowotnym istniejącym w danym regionie oraz mianuje dyrektora regionalnego kierującego pracą sekretariatu.

Inne organizacja międzynarodowe

Inne organizacje międzynarodowe zajmujące się sprawami związanymi ze zdrowiem to: Międzynarodowy Fundusz Pomocy Dzieciom (UNICEF), Organizacja do Spraw Wyżywienia i Rolnictwa (FAO), Fundusz Ludnościowy Organizacji Narodów Zjednoczonych (UNFPA).

III. OCHRONA ZDROWIA W POLSCE

Za resort zdrowia w Polsce odpowiedzialny jest minister zdrowia i opieki społecznej. Aparatem wykonawczym ministra jest ministerstwo z podsekretarzami stanu oraz departamentami odpowiedzialnymi za prowadzenie polityki ministra.

Minister zdrowia i opieki społecznej opracowuje koncepcje rozwoju ochrony zdrowia w kraju, nadzoruje wykonanie wytyczonych planów, ustala zasady i struktury organizacyjne, wytycza kierunki i organizuje badania naukowe oraz kształcenie kadr medycznych.

Stałym organem doradczym ministra jest kolegium, które rozpatruje istotne zagadnienia merytoryczne i organizacyjne oraz rada naukowa. Rada naukowa przy ministrze skupia wybitnych przedstawicieli nauk medycznych, reprezentujących poszczególne dziedziny wiedzy medycznej. Rada dokonuje analizy rozwoju nauk medycznych, opiniuje programy działania, wypowiada się w sprawach kształcenia medycznego przed- i podyplomowego, rozwoju działalności naukowej, szkolnictwa itp.

W poszczególnych województwach za całokształt działalności związanej z ochroną zdrowia ludności odpowiada wojewoda. W urzędzie wojewódzkim istnieje wydział zdrowia i opieki społecznej, na czele którego stoi dyrektor wydziału – główny lekarz wojewódzki. Wydział zajmuje się sprawami ochrony zdrowia, opieki społecznej i rehabilitacji zawodowej, a zwłaszcza:

1) analizuje stan zdrowia ludności i ustala potrzeby i programy działania dotyczące opieki zdrowotnej i zwalczania chorób;

2) odpowiada za zaopatrzenie ludności w leki, środki opatrunkowe i pomoce ortopedyczne;

3) organizuje i nadzoruje pracę publicznych zakładów służby zdrowia, zakładów opiekuńczo-wychowawczych, niektórych zakładów pomocy społecznej, rehabilitacji zawodowej inwalidów;

4) organizuje system pomocy medycznej w sytuacjach nadzwyczajnych, takich jak katastrofy, klęski żywiołowe, masowe zatrucia, epidemie itp.;

5) analizuje (wraz z samorządem lokalnym) potrzeby kadrowe jednostek służby zdrowia i opieki społecznej oraz planuje rozmieszczenie kadr medycznych;

6) prowadzi sprawy związane z rejestracją pracowników medycznych oraz z ich uprawnieniami zawodowymi, a także analizuje właściwe wykorzystanie posiadanej kadry i potrzeby w tym zakresie;

7) odpowiada za podnoszenie kwalifikacji zawodowych przez pracowników służby zdrowia i opieki społecznej;

8) prowadzi sprawy związane z przestrzeganiem przez pracowników medycznych zasad etyki zawodowej, nadzoruje działalność zawodową pracowników medycznych również poza zakładami społecznymi służby zdrowia;

9) prowadzi i nadzoruje sprawy osobowe, bytowe i socjalne pracowników służby zdrowia i opieki społecznej;

10) nadzoruje spółdzielcze i prywatne zakłady służby zdrowia;

11) sprawuje nadzór merytoryczny nad średnim szkolnictwem medycznym.

Od kilku lat prowadzone są intensywne prace nad reformą ochrony zdrowia w Polsce. Choć przedwczesne być może jest podsumowywanie dyskusji toczących się na temat reformy ochrony zdrowia, to nie ulega wątpliwości, że wprowadzenie systemu opartego na ubezpieczeniach zdrowotnych uznano za jedyny, mogący przynieść poprawę opieki zdrowotnej. Oczywiście proces wprowadzania tego systemu musi być rozłożony na wiele lat i jak do tej pory (1994 r.) brak jest jednoznacznej decyzji politycznej, że ochrona zdrowia w Polsce będzie oparta na systemie ubezpieczeń zdrowotnych. Niemniej dotychczasowe prace nad reformą ochrony zdrowia w Polsce przewidują, że docelowo dojść powinno do decentralizacji w kierunku samorządnych, regionalnych instytucji ubezpieczeniowych. Zakłada się, że część pobieranych składek będzie centralizowana w celu wyrównywania różnic w poziomie finansowania między regionami, a także zabezpieczenia realizacji usług. Budżet państwa stanowić będzie główne źródło zasilania zadań szczególnie ważnych dla ochrony zdrowia obywateli.

W ramach budżetu finansowane mają być przede wszystkim: wdrażanie strategicznych programów zapobiegania i promocji zdrowia; ogólnopolskie programy medyczne; prowadzenie badań naukowych; wdrażanie nowych technologii leczniczych, diagnostycznych i rehabilitacyjnych; kształcenie kadr medycznych; działalność Państwowej Inspekcji Sanitarnej; nadzór nad gwarantowanym zakresem i jakością świadczeń zdrowotnych; kontrola środowiska pracy; nadzór nad lekami. Ze środków budżetowych finansowane będą ponadto szczególnie ważne zadania inwestycyjne o zasięgu krajowym oraz ewentualna pomoc w finansowaniu zakładów opieki zdrowotnej o zasięgu regionalnym.

Przewiduje się możliwość wyłączenia z ubezpieczeń powszechnych pewnych grup zawodowych, dla których pracodawcy będą mogli zorganizować ubezpieczenia alternatywne o zakresie i jakości nie gorszych niż w ubezpieczeniach powszechnych.

Na świadczenia wykraczające poza zakres gwarantowany w ubezpieczeniu powszechnym będzie istniała możliwość ubezpieczeń dodatkowych zawieranych na zasadzie dobrowolności oraz swobodnego wyboru zakresu ubezpieczenia i instytucji ubezpieczeniowej.

Podstawowa opieka zdrowotna

Podstawowym ogniwem ochrony zdrowia w Polsce jest lekarz pierwszego kontaktu z chorym. Trwają prace przygotowawcze, aby dotychczasowy lekarz rejonowy przejął funkcje *lekarza domowego*, którego obowiązkiem jest udzielanie świadczeń profilaktyczno-leczniczych rodzinom zarejestrowanym w jego rejonie leczniczym.

Głównym ogniwem każdego systemu opieki zdrowotnej jest podstawowa opieka zdrowotna w miejscu zamieszkania, dostępna dla każdego. Jest ona organizowana przez publiczne bądź niepubliczne zakłady opieki zdrowotnej, jak również osoby fizyczne, o odpowiednich kwalifikacjach zawodowych, przy czym służby i sektory powinny być traktowane równoważnie, a więc posiadać równe prawa i obowiązki związane z ich działalnością.

Podstawową opiekę zdrowotną sprawuje lekarz ogólny, lekarz pediatra i lekarz rodzinny. Korzystają oni z konsultacji innych specjalistów, udzielanych na zasadzie honorarium wypłacanego za jednostkowe świadczenie konsultacyjne. Koszty tych konsultacji podlegają analizie przez dysponenta środków finansowych.

Zasadą w podstawowej opiece zdrowotnej powinna być praca w systemie wolnego wyboru, niezależnie od rodzaju własności placówki, oraz wynagradzanie oparte na systemie kapitacyjnym.

Celowi zapewnienia większej efektywności działań w ochronie zdrowia oraz racjonalizacji udzielanych świadczeń zdrowotnych służy regionalizacja zakładów opieki zdrowotnej niezależnie od formy własności (państwowa, samorządowa i prywatna). W Polsce rekomenduje się równouprawnienie wszystkich form własności w organizowaniu świadczeń profilaktyczno-leczniczych i rehabilitacyjnych oraz w dostępie (poprzez kontrakty) do finansowych środków publicznych.

Przemysłowa służba zdrowia

Do sprawowania profilaktycznej opieki zdrowotnej nad pracującymi oraz do kontrolowania pod względem zdrowotnym środowiska pracy powołana została przemysłowa służba zdrowia, a także przyzakładowe i międzyzakładowe przychodnie rehabilitacyjne przy spółdzielniach inwalidów.

Przemysłowa służba zdrowia sprawuje nadzór nad stanem sanitarnym i warunkami pracy w zakładzie, bada stan zdrowia pracowników, zapobiega chorobom, prowadzi rehabilitację leczniczą i zawodową, orzeka o czasowej niezdolności do pracy i analizuje ją, oraz prowadzi oświatę zdrowotną (wychowanie zdrowotne).

Opieką przemysłowej służby zdrowia są objęci pracownicy zatrudnieni w przemyśle, budownictwie, transporcie, a także uczniowie szkół zawodowych oraz inwalidzi zatrudnieni w spółdzielczości inwalidzkiej.

Istotnym elementem działalności przemysłowej służby zdrowia jest prowadzenie badań profilaktycznych. Wszystkie osoby przyjmowane do pracy podlegają badaniom wstępnym w celu określenia stanu zdrowia i zdolności do pracy w danym zawodzie i na danym stanowisku pracy.

Badaniom okresowym poddawani są pracownicy narażeni na działanie czynników szkodliwych dla zdrowia, pracownicy młodociani, kobiety ciężarne, chorzy na niektóre choroby przewlekłe, pracujący na stanowiskach pracy wymagających specjalnej sprawności.

Badaniom kontrolnym podlegają osoby, które były nieobecne w pracy z powodu choroby przez ponad 30 dni, oraz osoby, które otrzymały orzeczenie o czasowej niezdolności do pracy od lekarza spoza przychodni przemysłowej. Nadzór nad działalnością przychodni przemysłowej sprawuje wojewódzka przychodnia przemysłowa.

Placówki przemysłowej służby zdrowia, wszędzie tam, gdzie jest to możliwe i uwarunkowane potrzebami – powinny być udostępnione ogółowi ludności (rodzinom zatrudnionych).

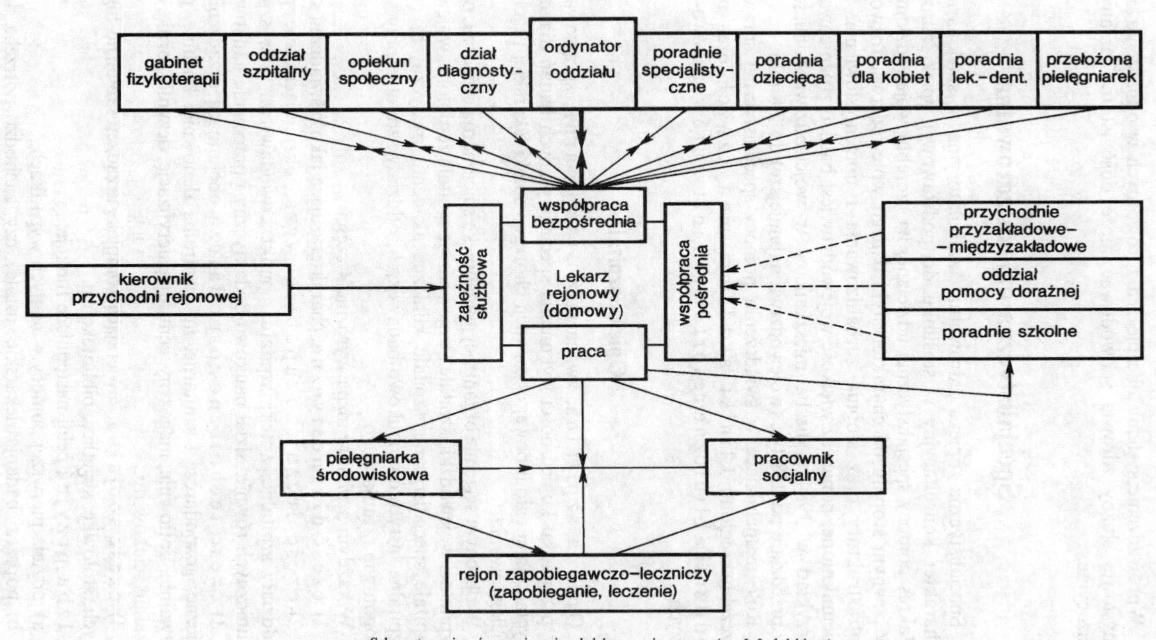

Schemat powiązań organizacyjnych lekarza rejonowego (wg J. Indulskiego)

Wprowadzenie systemu ubezpieczeń zdrowotnych w odniesieniu do przemysłowej służby zdrowia spowodować może dość istotne zmiany organizacyjne.

Specjalistyczna opieka zdrowotna

Specjalistyczna opieka zdrowotna (ambulatoryjna i stacjonarna) ma charakter konsultacyjny w stosunku do podstawowej opieki zdrowotnej. Zakres pomocy specjalistycznej udzielanej na szczeblu wojewódzkim zależy w pewnym stopniu od charakterystyki danego województwa, rozwoju jego infrastruktury oraz stopnia zurbanizowania i uprzemysłowienia. Jest to nieuniknione, ponieważ wielkość województw jest bardzo zróżnicowana. Na przykład w 1984 r. liczba mieszkańców w województwach mieściła się w przedziale od 238 tys. (województwa najmniejsze) do 3,8 mln.

Rolę uzupełniającą w świadczeniu pomocy specjalistycznej sprawują na szczeblu regionu kliniki akademii medycznych oraz niektóre oddziały kliniczne resortowych instytutów naukowo-badawczych.

Opieka szpitalna

Opieka szpitalna, zwana także stacjonarną, sprawowana jest w przypadku konieczności wykonania specjalistycznych badań diagnostycznych, ciągłej całodobowej obserwacji chorego, opieki lekarskiej i fachowego pielęgnowania.

W obecnym systemie organizacyjnym opiekę stacjonarną świadczą: oddziały szpitalne, wojewódzkie szpitale i wojewódzkie szpitale zespolone, wojewódzkie szpitale specjalistyczne, szpitale kliniczne akademii medycznych, oddziały szpitalne instytutów naukowo-badawczych, oddziały szpitalne przy stacjach pogotowie ratunkowego.

W każdym szpitalu można wyróżnić 4 części:

1) część diagnostyczną, charakteryzującą jakość świadczeń szpitala;

2) część leczniczo-zapobiegawczą, obejmującą izbę przyjęć, oddziały szpitalne, aptekę szpitalną, punkt krwiodawstwa, a w szpitalach klinicznych również dział naukowo-dydaktyczny i pracownie naukowe;

3) część techniczno-gospodarczą obejmującą urządzenia techniczne, gospodarcze i sanitarne, np. centralną tlenownię, kuchnię, pralnię, szwalnię, kotłownię, magazyny, centralną sterylizację, dezynfektornię, oczyszczalnię ścieków itp.;

4) część socjalną, zawierającą kompleks urządzeń sanitarno-higienicznych, stołówkę, świetlicę, bibliotekę itp.

Izba przyjęć pełni następujące funkcje:

a) udziela pierwszej pomocy w nagłych wypadkach;

b) poprzez badania lekarskie ustala, czy zachodzi potrzeba leczenia szpitalnego oraz kwalifikuje chorych na odpowiednie oddziały;

c) przeprowadza niezbędne zabiegi sanitarno-higieniczne;

d) rejestruje osoby kierowane do szpitala oraz powiadamia rodzinę lub opiekunów o wypadku, pogorszeniu się stanu zdrowia albo zgonie chorego w szpitalu;

e) rejestruje odmowy przyjęcia do szpitala.

Lekarz dyżurny izby przyjęć pełni szczególnie odpowiedzialną rolę. Od jego decyzji zależy przyjęcie lub nieprzyjęcie chorego do szpitala. Odpowiada on również za przeprowadzenie akcji reanimacyjnej u chorych znajdujących się w stanach zagrożenia i utraty życia.

Oddział szpitalny zapewnia opiekę stacjonarną. W oddziale ustalane jest rozpoznanie choroby, przeprowadzane leczenie, zapewniona całodobowa opieka lekarska i pielęgniarska, zapewnione wyżywienie oraz właściwe warunki higieniczne i kulturalne, ustalany jest też dalszy program leczenia chorego dla lekarza podstawowej opieki zdrowotnej.

Nadzór specjalistyczny

Funkcje doradczą, opiniodawczą i kontrolną dla kadry kierowniczej służby zdrowia spełnia nadzór specjalistyczny. Powołany on został w celu zapewnienia właściwego poziomu fachowego zakładów służby zdrowia. Nadzór specjalistyczny analizuje potrzeby zdrowotne ludności, ocenia stan organizacyjny i działalność służby zdrowia, ocenia poziom udzielanych świadczeń zdrowotnych, wdraża osiągnięcia nauk medycznych do praktycznej działalności zakładów służby zdrowia, współdziała w nadzorowaniu kształcenia kadr medycznych wszystkich szczebli.

Istnieją dwa szczeble nadzoru specjalistycznego: krajowy i wojewódzki. Krajowy nadzór specjalistyczny sprawowany jest przez krajowe zespoły specjalistyczne, których przewodniczący powoływani są przez ministra zdrowia i opieki społecznej. Są nimi często dyrektorzy resortowych instytutów naukowo-badawczych.

Wojewódzki nadzór specjalistyczny pełnią właściwe, z tytułu zakresu swego działania, zakłady służby zdrowia stopnia wojewódzkiego, np. oddziały szpitalne, przychodnie. Kierownicy tych jednostek otrzymują tytuł specjalisty wojewódzkiego. Specjalistów wojewódzkich powołuje główny lekarz wojewódzki.

Służba sanitarno-epidemiologiczna

Służba sanitarno-epidemiologiczna w Polsce, zwana też inspekcją sanitarną, działa na podstawie dekretu o Państwowej Inspekcji Sanitarnej z 1985 r. Do głównych zadań tej służby należą:

1) nadzór zapobiegawczy polegający na opiniowaniu pod względem sanitarnym projektów budowlanych, norm regulujących zasady wyrobu, przechowywania i obrotu artykułów żywnościowych i wyrobów przemys-

łowych oraz na opracowywaniu norm sanitarnych ochrony powietrza, gleby i wody;

2) nadzór bieżący obejmujący systematyczną kontrolę sanitarno-higieniczną miejsca zamieszkania, pracy i nauki, kontrolę stanu żywienia zbiorowego, warunków higieny pracy, kontrolę żywności i wyrobów przemysłowych;

3) zwalczanie chorób zakaźnych i zawodowych, prowadzenie działalności przeciwepidemicznej, nadzór nad realizacją szczepień ochronnych, prowadzenie dezynfekcji, dezynsekcji i deratyzacji, zabezpieczenie sanitarne granic państwa;

4) szerzenie oświaty zdrowotnej (wychowanie zdrowotne).

Na czele Państwowej Inspekcji Sanitarnej (PIS) stoi Główny Inspektor Sanitarny, który jest jednocześnie wiceministrem zdrowia i opieki społecznej. W województwach istnieją wojewódzcy państwowi inspektorzy sanitarni, niezależni w swym działaniu od organów administracji terenowej. Aparatem wykonawczym inspekcji sanitarnej są stacje sanitarno-epidemiologiczne szczebla wojewódzkiego lub terenowego. Państwowy inspektor sanitarny jest jednocześnie kierownikiem stacji odpowiedniego szczebla.

Pomoc doraźna

Pierwsza stacja pogotowia ratunkowego powstała na ziemiach polskich w Krakowie w 1891 r.

Pogotowie ratunkowe, jako dział pomocy doraźnej, jest jednostką organizacyjną szpitala, a na szczeblu wojewódzkim – szpitala wojewódzkiego. Mogą być również organizowane samodzielne wojewódzkie stacje pogotowia ratunkowego.

Pogotowie ratunkowe udziela pomocy doraźnej w wypadkach i nagłych zachorowaniach oraz wtedy, gdy brak takiej pomocy zagraża życiu lub może spowodować kalectwo czy utratę zdrowia. Jednostki pomocy doraźnej są odpowiedzialne również za organizowanie i koordynowanie akcji ratowniczej w przypadkach masowych katastrof i klęsk żywiołowych.

W skład stacji pogotowia ratunkowego (działu pomocy doraźnej) wchodzą zazwyczaj następujące komórki: 1) biuro wezwań i informacji, 2) zespoły wyjazdowe ogólne i specjalistyczne, 3) ambulatoryjne gabinety przyjęć, 4) apteka, 5) oddział szpitalny i 6) komórki administracyjne.

Za prawidłową działalność pogotowia, właściwe wykorzystanie zespołów wyjazdowych, sprawne przyjmowanie wezwań, jest odpowiedzialny starszy lekarz biura wezwań. Do niego należy ostateczna decyzja, czy przyjąć wezwanie i jak należy je załatwić. Lekarz ten może odmówić wyjazdu po stwierdzeniu, że nie zachodzi przypadek nagłego zachorowania lub nie jest to wezwanie do wypadku. Ma wtedy obowiązek wyjaśnienia przyczyn odmowy i dokładnego poinformowania osoby wzywającej o sposobie dalszego postępowania z chorym.

Uprawnienia i obowiązki lekarza

Wykonywanie zawodu lekarza obejmuje: rozpoznawanie chorób, ich leczenie, zapobieganie im, a także wydawanie orzeczeń lekarskich. Prawo do wykonywania zawodu lekarza może uzyskać obywatel polski, który ukończył studia lekarskie w kraju lub inne uznane za równorzędne i nie jest ubezwłasnowolniony.

Do obowiązków lekarza należy:

1) udzielanie pomocy lekarskiej w każdym przypadku, gdy zwłoka w jej udzieleniu mogłaby spowodować utratę życia lub kalectwo, chyba że istnieje możliwość niezwłocznego uzyskania pomocy lekarskiej przez pogotowie ratunkowe lub inną instytucję przeznaczoną do udzielania doraźnej pomocy lekarskiej;

2) zachowanie w tajemnicy wszystkiego, czego dowie się w trakcie pełnienia czynności zawodowych; lekarz zwolniony jest od zachowania tajemnicy zawodowej, gdy: a) osoba korzystająca z pomocy wyrazi na to zgodę, b) zachowanie tajemnicy może spowodować istotne niebezpieczeństwo dla życia i zdrowia chorego lub otoczenia, c) występuje w roli biegłego w sądzie, d) obowiązany jest poinformować władze, np. istnieje obowiązek zgłaszania zachorowań na choroby zakaźne.

Organem samorządowym, który reguluje, a także kontroluje uprawnienia i obowiązki lekarzy są Izby Lekarskie. Są one organem opiniodawczym we wszystkich istotnych sprawach środowiska lekarskiego, takich jak zasady szkolenia, doszkalania, obsady stanowisk (konkursy), ocena aktów prawnych, sądy koleżeńskie itp.

Nauki medyczne i szkolnictwo medyczne

Baza dydaktyczna i naukowa ochrony zdrowia obejmuje: 11 akademii medycznych, Centrum Medyczne Kształcenia Podyplomowego, Centrum Organizacji i Ekonomiki Ochrony Zdrowia, 18 resortowych instytutów naukowo-badawczych oraz 2 szkoły wyższe i 5 instytutów naukowo-badawczych podległych innym resortom.

Jednym z podstawowych warunków skuteczności działań ochrony zdrowia jest przygotowanie właściwej liczby kadr medycznych z odpowiednimi kompetencjami. Potrzeby zdrowotne i społeczne kraju oraz poziom rozwoju ekonomicznego wymagają, aby absolwenci byli przede wszystkim przygotowani do pracy w podstawowej opiece zdrowotnej.

Oprócz akademii medycznych i szkół wyższych istnieją wydziały pielęgniarstwa i analityki medycznej, przygotowujące właściwe kadry z wyższym wykształceniem. Ponadto istnieje wiele średnich szkół medycznych, kształcących młodzież w 20 zawodach medycznych, takich jak pielęgniarstwo, służby dietetyczne, technicy stomatolodzy, technicy biomechanicy, ortopedzi. Istnieją 2 typy średnich szkół medycznych: licea medyczne oraz medyczne szkoły policealne.

FARMAKOTERAPIA

I. WIADOMOŚCI OGÓLNE

F a r m a k o t e r a p i a jest jednym ze sposobów leczenia polegającym na stosowaniu leków. Zasady jej opierają się na dyscyplinie naukowej zwanej farmakologią (gr. *farmakon* – lek, *logos* – nauka), stosunkowo młodej gałęzi nauk medycznych, która powstała w połowie ubiegłego stulecia.

F a r m a k o l o g i a jest nauką o działaniu leków na tkanki i narządy zwierząt (f a r m a k o l o g i a d o ś w i a d c z a l n a – jej odkrycia mogą być bezpośrednio stosowane w farmakoterapii weterynaryjnej) oraz człowieka. Zajmuje się mechanizmem działania leków, szukając odpowiedzi na pytanie, jak i dlaczego lek oddziałuje na poszczególne narządy? Z odkrycia efektów, czyli skutków działania leków na organizm żywy wynikają wskazania i przeciwwskazania do zastosowania określonego leku u chorych cierpiących na różne choroby lub zespoły chorobowe.

B a d a n i a f a r m a k o l o g i c z n e pozwalają określić, które e f e k t y l e k u mają istotne znaczenie lecznicze, a które są dla chorego niepożądane lub szkodliwe, a zatem w j a k i c h d a w k a c h lek może być stosowany nie narażając chorego na niebezpieczeństwo zatrucia. K a ż d y l e k podany w niewłaściwej ilości lub w chorobie będącej przeciwwskazaniem do jego stosowania m o ż e s t a ć s i ę t r u c i z n ą. D a w k a jest tym, c o o d r ó ż n i a l e k o d t r u c i z n y (Paracelsus). Zażycie leku w dawce większej lub częściej w porównaniu z zaleceniem lekarza grozi zatruciem i jest najczęściej przyczyną tragicznych pomyłek. Nauka o truciznach i efektach ich działania nazywa się t o k s y k o l o g i ą. Farmakologia korzystając z metod i odkryć toksykologii zajmuje się opisem objawów ostrego lub przewlekłego zatrucia lekami oraz sposobami leczenia tych zatruć.

Farmakologia korzysta z odkryć innych dyscyplin naukowych. Przy badaniu leków (farmakometria) korzysta z osiągnięć biologii molekularnej, chemii fizycznej, biofizyki, biochemii i fizjologii. Przy poszukiwaniu nowych leków sięga do f a r m a k o g n o z j i, zajmującej się identyfikacją surowców roślinnych i zwierzęcych będących źródłem substancji leczniczych, oraz do c h e m i i f a r m a c e u t y c z n e j, zwanej też c h e m i ą l e k ó w, poszukującej – za pomocą syntez chemicznych – nowych związków chemicznych mogących być potencjalnymi lekami.

Farmakologia jest ściśle związana z farmacją stosowaną, nauką o przygotowywaniu leków. Zespół nauk zajmujących się lekami nazywa się farmacją.

Podstawowe definicje

Lek – surowiec farmaceutyczny lub substancja lecznicza, albo ich mieszanina, którym nadano postać nadającą się do bezpośredniego użycia w leczeniu.

Surowiec farmaceutyczny – surowiec roślinny, zwierzęcy lub mineralny, zawierający substancje lecznicze; służy do wytworzenia leku.

Substancja lecznicza – związek chemiczny wyizolowany z surowca farmaceutycznego lub otrzymany za pomocą syntezy, używany do produkcji leków. Właściwości fizykochemiczne i stopień czystości substancji leczniczej są określone w farmakopei lub normach przemysłowych.

Substancja pomocnicza – związek chemiczny naturalny lub syntetyczny pozbawiony działania farmakologicznego, służący do wytwarzania postaci leku.

Postać leku – forma, jaką nadano preparatowi farmaceutycznemu. Może mieć konsystencję stałą, płynną lub półstałą.

Postacie leku

Tabletka – stała, dawkowana postać leku, otrzymana przez sprasowanie jednej lub kilku substancji leczniczych, najczęściej zmieszanych z substancjami pomocniczymi. Ma kształt krążka płaskiego lub dwuwypukłego. Stosuje się doustnie, do jam ciała. Niektóre tabletki są przeznaczone do sporządzania roztworów.

Lingwetka – tabletka przeznaczona do wprowadzania pod język lub pomiędzy dziąsło a wewnętrzną powierzchnię policzka. Pod językiem znajduje się duża liczba małych naczyń krwionośnych, do których lek przenika szybko w czasie rozpadu lingwetki.

Inne rodzaje tabletek – do wszczepienia pod skórę, dopochwowe, do sporządzania roztworu doustnego lub do wstrzyknięcia, do ssania, do żucia, musujące.

Drażetka – tabletka powleczona warstwą cukrową chroniącą przed odczuwaniem przykrego smaku substancji leczniczej.

Aerozol – roztwór przeznaczony do inhalacji (wdychiwania) lub zastosowania zewnętrznego (na skórę), w zbiorniku ciśnieniowym zawierającym zawór, niekiedy dozujący. Otwarcie zaworu wywołuje wytrysk roztworu.

Czopek – stała dawkowana postać leku do wprowadzenia do jam ciała, w kształcie jednostronnie zaostrzonego cylindra (czopek odbytniczy), kulistym lub jajowatym (czopek dopochwowy, globulka).

Iniekcja – płyn do wstrzykiwań podskórnie, domięśniowo, dożylnie, dosercowo, dostawowo – w postaci jałowego roztworu emulsji lub zawiesiny.

Kapsułka – stała postać leku stosowana doustnie lub doodbytniczo.

Składa się z otoczki najczęściej żelatynowej, wewnątrz której znajduje się jedna lub kilka substancji leczniczych.

Maść – postać leku o półstałej konsystencji; żel zawierający jedną lub kilka substancji leczniczych rozpuszczonych albo zawieszonych w podłożu. Stosowana na skórę lub błony śluzowe.

Krem – maść o znacznej zawartości wody.

Pasta – maść o twardej konsystencji, zawierająca co najmniej 25% sproszkowanych substancji stałych.

Mieszanka – płynna postać leku stosowana wewnętrznie, sporządzona według recepty lekarskiej. Składa się z roztworów, nalewek, odwarów, naparów. Najczęściej jest roztworem nieprzezroczystym.

Proszek – postać leku złożona z jednej lub kilku równomiernie rozdrobnionych substancji leczniczych, a czasem także pomocniczych, stosowana doustnie. Może być podzielony na porcje (rozdozowany) do opakowań papierowych lub kapsułek skrobiowych (proszki dzielone), albo podany w opakowaniu zbiorczym (w torebce lub pudełku) – *proszki niedzielone* – z którego chory dawkuje sobie sam, np. łyżeczką.

Krople – roztwór, nalewka lub zawiesina substancji leczniczej podawane doustnie lub zewnętrznie, odmierzane kroplami (krople doustne, do oczu, do ucha, do nosa).

Spansula – mieszanina mikrodrażetek zawierających substancję leczniczą znajdującą się w kapsułce żelatynowej, podawana doustnie. Ponieważ substancja lecznicza uwalnia się z różną szybkością z mikrodrażetek, jest to *postać leku o przedłużonym działaniu*.

System terapeutyczny – urządzenia (mikropompa) lub postać leku (tabletka powleczona błoną kontrolującą szybkość wnikania wody) zawierające substancję leczniczą, zapewniające uwalnianie leku ciągle, ze stałą szybkością, przez określony czas i w określonym miejscu. Obecnie są stosowane: system terapeutyczny *doustny* (elementarna pompa osmotyczna), *podpowiekowy* (ocusert), *naskórny* (transdermalny). Systemy te stanowią nowe istotne osiągnięcie w dziedzinie postaci leku, gdyż zapewniają uzyskanie stałego stężenia substancji leczniczej przez ściśle określony czas.

Postać magistralna – krople, roztwory, mieszanki, maści, sporządzane w aptece na podstawie recepty lekarskiej.

Dawka leku. Jest to ilość leku wprowadzona do organizmu. Rozróżnia się *dawkę jednorazową* i *dobową*. Dawka dobowa może być podana jednorazowo lub podzielona na części co 4, 6, 8, 12 godz.

Dawka progowa (minimalna) – najmniejsza ilość leku wywołująca określony efekt leczniczy.

Dawka lecznicza – ilość leku przeciętnie stosowana w celu uzyskania efektu leczniczego.

Dawka maksymalna – największa dawka lecznicza nie wywołująca działań szkodliwych.

Dawka toksyczna – najmniejsza ilość leku wywołująca zatrucie.

Dawka śmiertelna – najmniejsza ilość leku wywołująca śmierć.

Dawki leków określa się *w systemie gramowym*, np. 1,0 = 1 g,

0,01 = 1/100 g = 10 mg, 0,001 = 1/1000 g = 1 mg. Dawki leków mianowanych biologicznie określa się w jednostkach międzynarodowych, np. penicylin naturalnych, niektórych hormonów. Dawki dla dzieci określa się w ilości przeliczonej na kilogram masy ciała lub na m^2 powierzchni ciała. Przeciętne dawki lecznicze jednorazowe, czyli dobowe, oznaczają ilość leku obliczoną dla młodego mężczyzny o masie ciała 70 kg.

Nazwy leków

Każdy lek ma nazwę międzynarodową, tj. rodzajową, zawierającą elementy etymologiczne swej nazwy chemicznej. Nazwa ta jest w języku angielskim i może być używana w brzmieniu oryginalnym, zlatynizowanym lub polskim, np. nazwa phenylbutazone – phenylbutazonum – fenylobutazon. Firmy farmaceutyczne nadają produkowanym przez siebie lekom nazwy handlowe zastrzeżone patentem. Stąd lek może mieć wiele synonimów. Fenylobutazon jest produkowany w Polsce przez firmę Polfa pod nazwą butapirazol, a przez inne fabryki farmaceutyczne pod nazwami: azolid, butacote, butartril, butazolidin, flexazone, megazone, ticinil. Z przykładu tego wynika, jak ważne znaczenie ma nazwa międzynarodowa, pozwalająca zidentyfikować lek o nieznanej nazwie handlowej.

Identyfikację nazw handlowych ułatwiają indeksy leków wydawane w poszczególnych krajach. Ponadto używa się nazw określających grupę leków o podobnym działaniu lub zastosowaniu. U nas stosuje się nazwy polskie i łacińskie lub spolszczone nazwy łacińskie, np. środki znieczulające – *anaesthetica* – anestetyki; leki nasenne – *hypnotica*; leki uspokajające o działaniu przeciwlękowym – *anxiolythica* – anksjolityki; leki moczopędne – *diuretica* – diuretyki; leki przeciwcukrzycowe – *antidiabetica*; leki nasercowe – *cardiaca*.

Farmakopea jest to spis leków podający obowiązujące normy ich składu, analizy, przyrządzania, dawkowania, przechowywania i oceny. W poszczególnych krajach obowiązują farmakopee narodowe. Leki objęte farmakopeą powinny znajdować się w każdej aptece. Ponieważ wprowadzenie do farmakopei nowych leków wymaga kilkuletniego okresu badań, farmakopee są wydawane co kilka lat.

Urzędowy spis leków jest publikowany częściej od farmakopei przez Ministerstwo Zdrowia i Opieki Społecznej. Zawiera alfabetyczny wykaz postaci leków oraz ich dawek. Leki w nim zawarte również powinny być powszechnie dostępne. Ponadto publikowana jest lista leków pozalekospisowych.

Recepta jest dokumentem lekarsko-prawnym, zawierającym zlecenie lekarza do wydania lub przyrządzenia określonego leku oraz przepis jego zażywania. Jest zapisywana na nazwisko chorego, opatrzona datą, pieczęcią i podpisem lekarza. Na receptę wydawane są leki, które farmakopea zalicza do narkotyków, leki bardzo silnie działające i leki silnie działające. Pozostałe leki, zaliczone do słabo działających, oraz środki opatrunkowe i higieniczne są dostępne bez recepty.

Charakterystyka działania leków

Rozróżnia się cztery rodzaje działania leków:

pobudzające – zwiększające czynność komórek, tkanek i narządów w granicach fizjologicznych,

drażniące – zwiększające czynności ustrojowe poza granice fizjologiczne,

hamujące – zmniejszające funkcje komórek, tkanek i narządów w granicach fizjologicznych,

porażające – powodujące ustanie czynności komórek, tkanek i narządów.

Każdy lek wywiera działanie: a) podstawowe, mające zastosowanie lecznicze, b) uboczne, które w danej chorobie nie ma zastosowania leczniczego, i c) niepożądane, wywołujące niekorzystne skutki. Po przekroczeniu dawek leczniczych lek wywiera działanie trujące. Duża dawka toksyczna może spowodować śmierć.

Nie ma leków, które działają wybiórczo na określoną tkankę i narząd. Każdy lek wywołując działanie lecznicze w danej chorobie może wywołać mniej lub bardziej nasilone działanie szkodliwe. Obowiązuje ogólna zasada, że ryzyko zastosowania danego leku nie może być większe niż niebezpieczeństwo danej choroby dla zdrowia i życia.

Większość stosowanych leków łagodzi lub znosi objawy choroby, nie wpływa jednak na jej przyczynę, która często jest nieznana, jak np. w chorobach nowotworowych, miażdżycy czy chorobach tkanki łącznej, tzw. kolagenozach. Farmakoterapia za pomocą tych leków nosi nazwę objawowej – leczenia objawowego.

Farmakoterapia przyczynowa, czyli leczenie przyczynowe, jest możliwe wtedy, gdy istnieją leki usuwające przyczynę choroby. Przykładami takiego leczenia są: a) zastosowanie antybiotyku w zapaleniu płuc, niszczącego lub hamującego rozwój bakterii, które wywołały zapalenie; b) leczenie cukrzycy insuliną, uzupełniającą jej brak lub niedobór w organizmie, będący przyczyną tej choroby; c) leczenie „anemii złośliwej" za pomocą witaminy B_{12} i kwasu foliowego, których brak w organizmie powoduje rozwój tego rodzaju anemii.

Współczesne leczenie objawowe opiera się na allopatii. Jest to metoda leczenia, w której stosuje się związki chemiczne, wywołujące zmiany czynności tkanek i narządów przeciwne do objawów występujących w danej chorobie. A zatem u chorego z biegunką stosuje się leki wywołujące zaparcie, w nadciśnieniu podaje się leki obniżające ciśnienie krwi, w bezsenności podaje się lek ułatwiający zasypianie. Leczenie allopatyczne jest oparte na obiektywnych danych doświadczalnych u zwierząt i obiektywnych obserwacjach u człowieka.

Przeciwieństwem allopatii jest homeopatia. Ta metoda leczenia opiera się na zasadzie stosowania niezwykle małych dawek leku, który w większych dawkach daje objawy leczonej choroby. A zatem u chorego z gorączką podaje się bardzo małe ilości substancji gorączkotwórczych, u chorego z nadciśnieniem stosuje się minimalne ilości leków kurczących naczynia krwionośne, czyli podnoszących ciśnienie krwi. Homeopatia, częsta w użyciu jeszcze na początkach bieżącego stulecia, jest obecnie bardzo rzadko stosowana. Nie ma dowodów obiektywnych usprawiedliwiających celowość stosowania tej metody leczenia. Skuteczność w niektórych przypadkach leczenia homeopatycznego można wytłumaczyć działaniem na psychikę chorego, który mając zaufanie do leczącego wierzy w działanie lecznicze zastosowanego leku homeopatycznego.

Punkt uchwytu działania leku

Punkt uchwytu działania leku jest to miejsce, a więc tkanka lub narząd, w których lek wywiera swoje działanie główne. Na przykład leki stosowane w kolce wątrobowej lub kolce nerkowej rozszerzają mięśnie gładkie dróg żółciowych albo moczowych i dzięki temu przerywają napad bólu. Kwas acetylosalicylowy (polopiryna) działa przeciwgorączkowo dlatego, że zmienia czynność neuronów regulujących ciepłotę ciała w części mózgu, zwanej podwzgórzem. Tak więc punkt uchwytu leków przeciwgorączkowych (np. polopiryny) znajduje się w mózgu. Punkt uchwytu leków znieczulających miejscowo znajduje się w zakończeniach czuciowych skóry, błon śluzowych, jam ciała (np. opłucnej, otrzewnej). Punkt uchwytu leków antyarytmicznych znajduje się w swoistych komórkach mięśnia sercowego zwanych układem przewodzącym. Leki te zmieniając czynność tych komórek mogą przywrócić normalny rytm serca, zmieniony chorobą.

Leki mogą wywierać swoje działanie dlatego, że ich punkt uchwytu znajduje się w ośrodkowym układzie nerwowym lub poza nim (na obwodzie), albo i tu, i tam. Stąd wyróżnia się działanie leków ośrodkowe, obwodowe lub mieszane.

Leki o działaniu ośrodkowym lub mieszanym mogą powodować senność, upośledzenie wykonywania skomplikowanych czynności opartych na wyuczeniu się odruchów warunkowych (prowadzenie samochodu, obsługiwanie skomplikowanych maszyn, gra na instrumencie), zaburzenie myślenia, kojarzenia, pamięci.

Leki upośledzające sprawność psychofizyczną kierowców. Każdy kierowca wie, że nie wolno prowadzić samochodu po wypiciu alkoholu etylowego, gdyż upośledza on czynności umysłowe do tego stopnia, że utrudnia sprawne kierowanie pojazdem. Działanie podobne wywierają wszystkie leki o działaniu ośrodkowym lub mieszanym (zob. wyżej), ponieważ wpływając na czynności mózgu upośledzają sprawność psychofizyczną kierowców. Tak działają silne leki przeciwbólowe (morfina i leki o podobnym do niej działaniu), nadużywane obecnie często leki uspokajające o działaniu przeciwlękowym (Meprobamat, Elenium, Relanium), leki stosowane w zaburzeniach psychicznych (neuroleptyczne, przeciwdepresyjne), leki przeciwalergiczne, większość leków przeciwnadciśnieniowych, duże dawki leków przeciwbólowych o działaniu przeciwzapalnym stosowane w bólach mięśniowo-stawowych, niektóre antybiotyki.

Insulina i doustne leki przeciwcukrzycowe mogą spowodować nieoczekiwanie niedocukrzenie krwi, które silnie zaburza czynności mózgu. Leki stosowane w chorobie wrzodowej zawierające atropinę lub związki o podobnym do niej działaniu upośledzają widzenie. Osoby przyjmujące tego rodzaju leki nie powinny obsługiwać maszyn samobieżnych.

Drogi wprowadzenia leków do organizmu

Leki podawane do przewodu pokarmowego. Najwygodniejsze dla chorego jest zażywanie leków d o u s t n i e, przez połknięcie tabletki, drażetki, kapsułki lub płynu. Niektóre tabletki są przeznaczone do ssania, a inne do wkładania pod język (lingwetki); w miarę ich rozpadania się substancja lecznicza szybko przenika do bogatej sieci naczyń krwionośnych znajdującej się pod językiem. Drażetek i kapsułek nie należy rozgryzać, gdyż pokryte są otoczką ochraniającą przed odczuwaniem przykrego smaku lub przed rozłożeniem się leku do związków nieaktywnych w kwaśnym środowisku żołądka. Leki podane doustnie zaczynają działać później i wywierają słabsze efekty farmakologiczne w porównaniu z lekami podanymi inną drogą.

Inną możliwością zastosowania leku jest podanie ich d o o d b y t n i c z o w postaci c z o p k ó w lub w l e w ó w. Odbytnica jest silnie unaczyniona, dlatego leki podane doodbytniczo wchłaniają się szybko do krwi i działają silniej w porównaniu z podanymi doustnie. Niektóre leki podane do przewodu pokarmowego nie wchłaniają się z niego i działają miejscowo w żołądku (sole bizmutu, siemię lniane działające osłaniająco w chorobie wrzodowej), jelitach (leki ściągające, np. garbniki stosowane w biegunkach, leki przeciwbakteryjne) lub odbytnicy (leki przeciwzapalne i znieczulające miejscowo stosowane w żylakach odbytu).

Leki podawane parenteralnie. Jeśli lek ma zadziałać szybko i wykazać silniejsze działanie ogólne lub też gdy nie wchłania się z przewodu pokarmowego albo jest w nim unieczynniany, podaje się go p a r e n t e r a l n i e, tzn. p o d s k ó r n i e, d o m i ę ś n i o w o, d o ż y l n i e. Gdy ma zadziałać natychmiastowo i bardzo silnie, stosuje się go d o t ę t n i c z o lub d o s e r c o w o. Wprowadzenie leku odbywa się za pomocą wstrzyknięcia ze strzykawki przez igłę różnej grubości i długości, w zależności od rodzaju iniekcji. Poza tym leki można wstrzykiwać do stawów, jam ciała (opłucnej, worka osierdziowego, otrzewnej), do płynu mózgowo-rdzeniowego. Te ostatnie drogi wprowadzania leków są stosowane wtedy, gdy leki słabo przenikają do wymienionych przestrzeni oraz do mózgu.

Losy leków w organizmie

Warunkiem wystąpienia terapeutycznego efektu leku jest przedostanie się go do odpowiedniej tkanki lub narządu, np. do mięśni gładkich przewodu pokarmowego, wątroby, ścian naczyń krwionośnych, mózgu, miejsca zakażonego bakteriami lub do tkanki, w której toczy się proces zapalny. Zanim to nastąpi, lek podany do organizmu jedną z wymienionych dróg musi przeniknąć przez bariery biologiczne, które stanowią błony komórkowe. Leki podane donaczyniowo znacznie szybciej zaczynają działać i prędzej osiągają w tkankach stężenie efektywne terapeutycznie, ponieważ nie muszą pokonywać barier tkankowych zanim dostaną się do krwi.

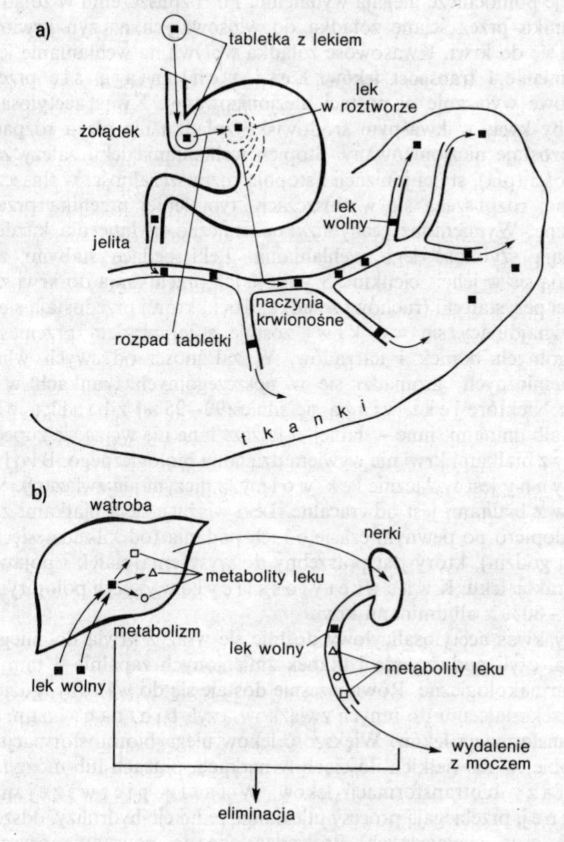

Losy leku w organizmie, podanego w tabletce doustnie

Los leków w organizmie, podanych doustnie, zostanie omówiony na przykładzie k w a s u a c e t y l o s a l i c y l o w e g o, czyli p o l o p i r y n y (rys.). Polopiryna jest lekiem najczęściej zażywanym – zajmuje pierwsze miejsce w porównaniu z innymi lekami. Tę popularność zawdzięcza działaniu przeciwbólowemu (bóle głowy, mięśni, stawów), przeciwzapalnemu i przeciwgorączkowemu. Aby to działanie wystąpiło, lek musi dotrzeć do mózgu (działanie przeciwgorączkowe i przeciwbólowe) i do tkanek zmienionych zapalnie (działanie przeciwzapalne i zarazem przeciwbólowe).

Po zażyciu tabletka polopiryny trafia do żołądka, gdzie ulega rozpadowi. W żołądku pozostaje czynny składnik tabletki, tj. kwas acetylosalicylowy, substancje pomocnicze ulegają wydaleniu. Po rozpuszczeniu w żołądku kwas ten przenika przez ścianę żołądka do włosowatych naczyń krwionośnych i dostaje się do krwi. Kwasowość żołądka wpływa na wchłanianie leków.

Wchłanianie i transport leków. Leki wchłaniają się przez błony komórkowe wyłącznie w postaci niezjonizowanej. Kwas acetylosalicylowy jako słaby kwas w kwaśnym środowisku żołądka nie ulega rozpadowi na jony, pozostaje niezjonizowany. Stopień wchłaniania leku zależy zatem od kwasowości (pH), stałej jonizacji i stopnia rozpuszczalności w tłuszczach. Im lek łatwiej rozpuszcza się w tłuszczach, tym lepiej przenika przez błony biologiczne. Wymienione cechy fizykochemiczne są inne dla każdego leku i określają szybkość jego wchłaniania. Leki będące słabymi zasadami wchłaniają się w jelicie cienkim. Szybkość ich przenikania do krwi zależy od szybkości perystaltyki (ruchów) żołądka, dzięki której przedostają się do jelit.

Lek znajdujący się we krwi zostaje z jej prądem przeniesiony do poszczególnych tkanek i narządów. W zależności od swych właściwości fizykochemicznych, gromadzi się w poszczególnych tkankach w różnym stężeniu. Niektóre leki wiążą się silnie (90–95%) z białkami krwi, głównie albuminami, inne – słabiej, a jeszcze inne nie wiążą się zupełnie. Lek związany z białkami krwi nie wywiera działania biologicznego. Biologicznie czynny jest wyłącznie lek wolny, z niczym nie związany. Wiązanie się leków z białkami jest odwracalne. Leki wiążące się z białkami zaczynają działać dopiero po pewnym czasie od ich podania (od kilkudziesięciu minut do kilku godzin), który jest potrzebny do wysycenia białek i pojawienia się wolnej frakcji leku. Kwas acetylosalicylowy, czyli polopiryna, wiąże się w 50–80% z albuminami krwi.

Wolny kwas acetylosalicylowy dostaje się wraz z krwią do miejsc swego działania, czyli podwzgórza i tkanek zmienionych zapalnie, i tam wywiera efekty farmakologiczne. Równocześnie dostaje się do wątroby, gdzie w 90% ulega przekształceniu do innych związków, czyli biotransformacji.

Biotransformacja leków. Większość leków ulega biotransformacji głównie w wątrobie, w niewielkich ilościach w nerkach, płucach lub mózgu. Istnieją dwie fazy biotransformacji leków. W fazie pierwszej, niesyntetycznej, przebiegają procesy utleniania, redukcji, hydrolizy, odszczepienia pewnych grup chemicznych. Prowadzą one do powstania czasem wielu związków jednego leku. Jedne z nich mogą być nieczynne biologicznie, inne mogą mieć słabsze, a jeszcze inne znacznie silniejsze działanie farmakologiczne niż lek będący ich związkiem macierzystym.

Procesy fazy drugiej, syntetycznej, polegają na sprzęganiu leku lub jego produktów, powstałych w pierwszej fazie, ze związkami naturalnymi organizmu, najczęściej z kwasem glukoronowym lub siarkowym, rzadziej z kwasem octowym lub glicyną. Procesy fazy drugiej powodują zawsze powstanie związków nieczynnych biologicznie, dobrze rozpuszczalnych w wodzie, które dzięki temu mogą być wydalone z ustroju. Polopiryna jest przekształcana do kwasu salicylomoczowego i kwasu gentyzynowego, które są sprzęgane z kwasem glukoronowym i wydalane z moczem. Tylko ok. 10% polopiryny wydala się z moczem w stanie nie zmienionym.

Procesy biotransformacji w wątrobie odbywają się pod wpływem licznych enzymów znajdujących się w organellach komórek tego narządu, zwanych mikrosomami. Szybkość biotransformacji tego samego leku u różnych ludzi może być bardzo różna, co zależy od różnic genetycznych aktywności enzymów. U jednego człowieka ten sam lek może działać silniej leczniczo, toksycznie i dłużej, u innego może wywierać słabe i krótkotrwałe efekty. U noworodków i małych dzieci procesy biotransformacji leków zachodzą wolniej, z powodu niewykształcenia się pełnej aktywności enzymatycznej. Podobnie dzieje się u starców na skutek stopniowego zmniejszania się, w miarę starzenia się, aktywności enzymatycznej mikrosomów wątroby.

Wydalanie leków odbywa się głównie przez nerki z moczem. Tą drogą jest wydalana również polopiryna, przede wszystkim w postaci metabolitów. Rzadziej leki są wydalane przez wątrobę z żółcią, ze śliną, z potem, wydychanym powietrzem, mlekiem matki. Leki podawane kobiecie karmiącej wydalane z mlekiem mogą spowodować zatrucie noworodka.

Eliminacja leków. Procesy biotransformacji i wydalania leków nazywane są *eliminacją*. Od szybkości eliminacji zależy czas trwania działania leku. Polopiryna ulega powolnej eliminacji. Dlatego też w momencie podania kolejnej dawki, zazwyczaj po 6–8 godz. od poprzedniej, pewna ilość leku pozostaje w organizmie i nakłada się na działanie następnej dawki. W czasie stosowania polopiryny następuje więc stopniowe gromadzenie się jej w organizmie. Zjawisko to nazywane jest *kumulacją leku*.

Transport leków przez błony komórkowe

Błony komórkowe składają się z lipidów, nad którymi (od zewnątrz komórki) i pod którymi (od wnętrza komórki) przesuwają się cząsteczki białek, pomiędzy zaś cząsteczkami białek znajdują się kanaliki przechodzące z powierzchni błony do wnętrza komórki, wypełnione wodą. Błony te można więc porównać do sita, którego sieć stanowią lipidy, a otwory – kanaliki. Błony poszczególnych komórek różnią się grubością, ilością i składem białek i lipidów oraz ilością i średnicą kanalików.

Istnieją następujące mechanizmy transportu leków: dyfuzja bierna, dyfuzja kanalikowa, transport przenośnikowy oraz pinocytoza.

Dyfuzja bierna. Jest to najczęstszy rodzaj transportu leków rozpuszczalnych w tłuszczach. Po rozpuszczeniu się lek przenika do wnętrza komórki, naczynia krwionośnego lub limfatycznego z szybkością zależną od różnicy stężeń leku po obu stronach błony. Przenikanie leku odbywa się w kierunku od miejsca jego większego stężenia do miejsca, gdzie jego stężenie jest mniejsze.

Dyfuzja kanalikowa. Jest to przenikanie leku przez kanaliki znajdujące się w błonie (rys.). W ten sposób są transportowane leki rozpuszczalne w wodzie, o małych cząsteczkach, które potrafią przesunąć się przez kanaliki. Łatwo dyfundują więc leki o masie cząsteczkowej do 150, trudniej te, które mają masę cząsteczkową do 400. Większe cząsteczki nie mogą być transportowane tą drogą.

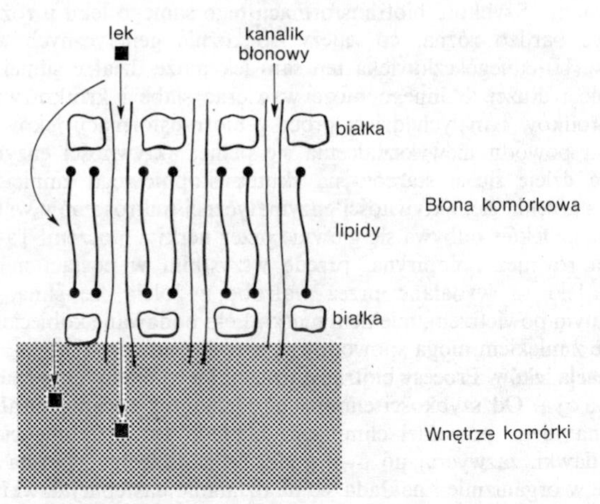

Schemat błony komórkowej i przenikania leku przez błonę do komórki

Transport przenośnikowy. Niektóre błony mają specyficzne składniki, które wiążą się z lekiem w kompleks. Kompleks ten jest przenoszony do wnętrza komórki, gdzie ulega rozszczepieniu na lek i składnik przenoszący (przenośnik), który powraca na swoje miejsce w błonie. Transport przenośnikowy odbywa się wbrew różnicy stężeń leku po obu stronach błony („pod prąd", „pod górę"), wymaga zatem energii, która powstaje w komórce z rozkładu kwasu adenozynotrójfosforowego. Transport przenośnikowy jest wybiórczy i dotyczy tylko niektórych leków. Leki te podane równocześnie konkurują o ten sam przenośnik. Po wysyceniu, a więc po podaniu leku w ilości większej niż ilość przenośników – transport przebiega ze stałą prędkością. Dalsze zwiększanie stężenia leku nie zwiększa jego transportu.

Drogą transportu przenośnikowego są dostarczane do komórek: glukoza, aminokwasy, jod; niektóre leki są wydalane z komórek kanalików nerkowych do moczu, z komórek wątrobowych do żółci; inne leki są przenoszone do komórek układu pokarmowego lub przez barierę łożyskową albo barierę naczyniowo-mózgową.

Rodzajem transportu przenośnikowego jest dyfuzja ułatwiona,

przebiegająca bez zużycia energii; działa ona w kierunku mniejszego stężenia leku i dotyczy nielicznych leków.

Pinocytoza. Ta forma transportu leków jest najrzadsza i najmniej poznana. Polega ona na wnikaniu małych drobin leku w postaci wodniczki (kuleczki) do błony komórkowej, skąd są usuwane do wnętrza komórki.

Mechanizmy działania leków

Mechanizmy działania niektórych leków są bardzo proste i wynikają z określonych ich właściwości fizykochemicznych. Na przykład leki neutralizujące kwaśną treść żołądkową, stosowane w chorobie wrzodowej, łączą się z kwasem solnym żołądka, w wyniku czego powstają obojętne sole tego kwasu, co prowadzi do zmniejszenia kwasowości żołądka. Większość leków działa jednak w sposób bardziej złożony, poprzez swoiste składniki znajdujące się w błonach komórek lub w ich pobliżu, nazwane receptorami.

Teoria receptorowa mechanizmu działania leków

Większość leków wiąże się ze swoistymi strukturami chemicznymi znajdującymi się w błonie lub wnętrzu komórek, nazywanych receptorami. Dotychczas udało się tylko ogólnie określić ich właściwości chemiczne i uzyskać je w stanie częściowo oczyszczonym. Wyizolowanie czystych chemicznie receptorów napotyka trudności techniczne, gdyż ulegają one rozkładowi w czasie wyosobniania. Wiadomo jednak, że są to związki wielocukrowo-wielopeptydowe, składające się z wielu cząsteczek różnych cukrów i aminokwasów.

Koncepcję receptorów wprowadził w 1878 r. Langley, który zaproponował pojęcie substancji recepcyjnej wydzielanej przez nerwy i łączącej się z mięśniami prążkowanymi. Za pomocą tej hipotezy tłumaczył antagonizm pomiędzy nikotyną a kurarą w ich działaniu na mięśnie. Ehrlich poszukując leków działających zabójczo na pierwotniaki i krętki blade uważał, że muszą istnieć związki chemiczne, które łączą się wyłącznie z drobnoustrojami i je niszczą, nie naruszając komórek zakażonego organizmu, podobnie do „kul magicznych".

Teoria receptorowa tłumaczy mechanizm działania wielu leków i w stosunku do niektórych z nich jest dobrze udokumentowana faktami doświadczalnymi. Według tej teorii lek pobudzający receptor ma dwie cechy: powinowactwo oraz aktywność wewnętrzną. Powinowactwo jest to zdolność łączenia się leku w kompleks z receptorem, który jest wyspecjalizowaną cząsteczką chemiczną komórki o odpowiednim kształcie geometrycznym i ułożeniu w przestrzeni. Aktywność wewnętrzna jest to zdolność pobudzenia przez lek receptora przez zapoczątkowanie łańcucha przemian chemicznych. Pobudzenie receptora może spowodować, w zależności od jego rodzaju, pobudzenie lub zahamowanie czynności komórki.

Leki mające obydwie cechy, które pobudzają receptor, nazywa się a g o n i s t a m i. Leki mające zdolność wiązanie się z receptorem, ale nie wykazujące aktywności wewnętrznej i nie mogące pobudzić receptora – b l o k u j ą g o. Leki te nazywane są antagonistami, a ten szczególny rodzaj a n t a g o n i z m u nosi nazwę k o n k u r e n c y j n e g o (rys).

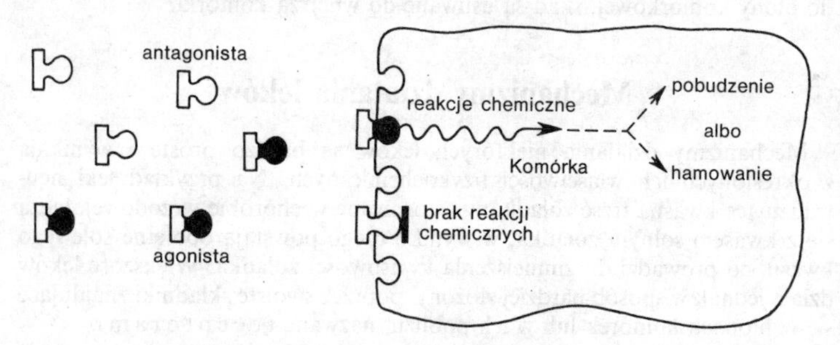

Schemat teorii receptorowej i pojęcia agonisty i antagonisty

Są dwa rodzaje tłumaczenia mechanizmu pobudzenia receptorów. T e o r i a „o k u p a c y j n a" zakłada, że receptor jest tak długo pobudzony, jak długo jest połączony z lekiem. T e o r i a d y n a m i c z n a tłumaczy, że pobudzenie receptora odbywa się tylko w pierwszym momencie połączenia leku i wyzwolenia aktywności wewnętrznej receptora. Obydwie teorie nie zostały dotąd udowodnione.

Dotychczas odkryto 4 receptory swoiste dla adrenaliny i noradrenaliny, nazwane r e c e p t o r a m i a d r e n e r g i c z n y m i: α_1, α_2, β_1, β_2, 2 r e c e p t o r y c h o l i n e r g i c z n e specyficzne dla acetylocholiny: M (muskarynowy) i N (nikotynowy) oraz 2 r e c e p t o r y h i s t a m i n o w e: H_1 i H_2. Po przyjęciu teorii receptorowej zaczęto poszukiwać leków pobudzających lub blokujących odkryte receptory. Zsyntetyzowano m.in. l e k i p o b u d z a j ą c e r e c e p t o r y α-adrenergiczne, które zastosowano w leczeniu wstrząsu, l e k i p o b u d z a j ą c e r e c e p t o r β_2-adrenergiczny, które silnie rozszerzają oskrzela w napadzie dychawicy oskrzelowej, leki p o r a ż a j ą c e r e c e p t o r y β-adrenergiczne stosowane w leczeniu choroby wieńcowej, choroby nadciśnieniowej i niemiarowościach sercowych. L e k i b l o k u j ą c e r e c e p t o r c h o l i n e r g i c z n y typu M zmniejszają napięcie mięśni gładkich, dzięki czemu znalazły zastosowanie w leczeniu stanów kolkowych, leczeniu choroby wrzodowej (zmniejszają wydzielanie soku żołądkowego). L e k i b l o k u j ą c e r e c e p t o r h i s t a m i n o w y H_1 są stosowane w chorobach alergicznych, a leki blokujące receptor H_2 w leczeniu choroby wrzodowej. Odkryto też receptory specyficzne w stosunku do substancji wytwarzanych naturalnie w organizmie, m.in. do wielu hormonów.

Stosunkowo niedawno odkryto w mózgu receptory, które wiążą się bardzo swoiście z morfiną i podobnie do niej działającymi lekami przeciwbólowymi. Nazwano je r e c e p t o r a m i o p i o i d o w y m i. Stwierdzono też, że łączenie się morfiny z tymi receptorami odbywa się za pośrednictwem związków znajdujących się w mózgu, zwanych enkefalinami. Trwają badania nad poszukiwaniem swoistych receptorów dla wielu leków, których mechanizm działania pozostaje dotąd nieznany.

Czynniki modyfikujące działanie leków

Stosowanie leków u chorych musi być ustalane indywidualnie, ponieważ poszczególni chorzy bardzo różnią się od siebie właściwościami organizmu. Reaktywność organizmu na leki zależy od następujących czynników: wieku chorego, jego płci, masy ciała, czynników genetycznych, rodzaju choroby, czynników środowiska, dawki leku, a u kobiet ponadto od ciąży.

Wiek chorego. Ponieważ działanie leków w organizmach młodych i rozwijających się różni się od działania w organizmach dojrzałych, wyodrębniono dział farmakologii zajmujący się tymi zagadnieniami i nazwano go farmakologią rozwojową. U noworodków i dzieci leki szybciej przechodzą przez bariery biologiczne, które są bardziej przepuszczalne niż u ludzi dorosłych. Bariera naczyniowo-mózgowa jest łatwo przepuszczalna dla leków, dlatego też szybko przechodzą one z krwi do mózgu. Procesy biotransformacji leków i ich wydalanie przebiegają słabiej, ponieważ enzymy wątrobowe i mechanizmy wydalnicze nerek są niedojrzałe. Z wymienionych powodów dzieci reagują silniej na działanie terapeutyczne leków oraz są bardziej podatne na ich działanie szkodliwe.

Ludzie starzy są również bardziej wrażliwi na lecznicze i szkodliwe działanie leków. Wchłanianie leków nie ulega większym zmianom, natomiast procesy eliminacji przebiegają znacznie wolniej, co sprzyja zatruciom. Dlatego u ludzi starych unika się stosowania leków bardzo silnie działających, toksycznych oraz podawania dużych dawek leków.

Płeć. Badania wykazały, że organizm kobiet jest bardziej wrażliwy na szkodliwość leków aniżeli mężczyzn. Jest to spowodowane tym, że hormon męski testosteron aktywuje enzymy mikrosomalne komórek wątroby, co przyspiesza biotransformację leków.

Czynniki genetyczne. Dział farmakologii zajmującej się wpływem czynników genetycznych na efekty działania leków nosi nazwę farmakogenetyki. Badania wykazały, że różnice w aktywności enzymów metabolizujących poszczególne leki w wątrobie u różnych osób są uwarunkowane genetyczne, natomiast procesy wchłaniania leków – nie. Na przykład lek przeciwgorączkowy amidopiryna (piramidon) u jednych osób jest powoli metabolizowany i działa silniej oraz dłużej, u innych zaś działanie jego jest słabsze i krótsze, gdyż ulega on szybciej biotransformacji. Mniej więcej połowa ludzi szybko metabolizuje często używany lek przeciwgruźliczy hydrazyd kwasu izonikotynowego, który zastosowany w dawkach leczniczych nie wywołuje na ogół działania szkodliwego. U niektórych ludzi po stosowaniu tego leku występują jednak objawy świadczące o zaburzeniu czynności nerwów obwodowych i czynności ośrodkowego układu nerwowego. Stwierdzono, że u tych osób hydrazyd jest powoli metabolizowany. Wystąpieniu tych powikłań można zapobiec stosując w czasie leczenia hydrazydem pirydoksynę, czyli witaminę B_6.

Wrodzone niedobory ilości lub aktywności niektórych enzymów nazywa się enzymopatiami. Często nie wywołują one dostrzegalnych zaburzeń czynności organizmu i ujawniają się dopiero po podaniu niektórych leków np. w postaci niedokrwistości, methemoglobinemii lub innego objawu, niespotykanego u innych osób po stosowaniu danego leku.

Masa ciała. Przeciętne dawki lecznicze danego leku są obliczone dla mężczyzny w wieku 24 lat, o masie ciała 70 kg. U ludzi otyłych leki rozpuszczalne w tłuszczach mogą działać słabiej, u osób z niedoborem masy ciała, wyniszczonych, mogą działać silniej i wywoływać częściej działania niepożądane. Korekcja dawek stosowanych przeciętnie w takich przypadkach jest konieczna.

Ciąża. W okresie ciąży reaktywność organizmu kobiety na wiele leków zmienia się. Wymaga to indywidualnego dawkowania leków. Niektóre leki mogą uszkodzić płód, zaburzyć prawidłowy rozwój jego narządów, zwłaszcza w pierwszych trzech miesiącach ciąży. Dlatego też kobietom ciężarnym podaje się leki tylko wtedy, gdy są konieczne oraz gdy choroba stanowi dla ciężarnej i dla płodu znacznie większe niebezpieczeństwo niż ryzyko zastosowania leku.

Czynniki środowiska. Temperatura, ciśnienie atmosferyczne, ruch powietrza, stopień jonizacji zmieniają czynności fizjologiczne organizmu, mogą więc zmienić efekt działania leków. Palenie tytoniu osłabia działanie wielu leków, gdyż jego składniki przyspieszają biotransformację leków. Nikotyna zawarta w dymie papierosów znosi działanie niektórych leków, np. zmniejszających wydzielanie soku żołądkowego, rozszerzających naczynia krwionośne, antyarytmicznych, gdyż ma przeciwne do nich działanie. Zanieczyszczenia przemysłowe powietrza mogą również zmienić reaktywność organizmu na leki.

Choroba. Ponieważ stan czynnościowy organizmu wpływa na działanie leku, każda zmiana tego stanu spowodowana chorobą wywiera tym większy wpływ. Zmiany chorobowe żołądka i jelit zmieniają stopień wchłaniania się leku, a więc czas, po którym wystąpi stężenie leku we krwi wywierające działanie lecznicze. Niedobór białek w osoczu występujący w chorobach przebiegających z ich utratą (przewlekłe choroby nerek, wątroby) powoduje znacznie silniejsze działanie lecznicze leków wiążących się z białkami osocza, a zarazem toksyczność tych leków. Uszkodzenie wątroby i nerek zmniejsza szybkość eliminacji leków, zwiększając ich siłę i czas działania. Choroby układu krążenia zmniejszając przepływ krwi zaburzają dystrybucję leków do poszczególnych narządów. W różnych stanach chorobowych występują zaburzenia stężenia jonów sodu, potasu, wapnia, magnezu regulujących podstawowe procesy komórkowe, zaburzenia kwasowości płynu pozakomórkowego, stężenia związków energetycznych. Zaburzenia te mogą zmienić reaktywność swoistych receptorów lekowych, wywołując zwiększenie lub zmniejszenie wrażliwości tych receptorów (zob. s. 438).

Dawkowanie leków jest indywidualne, ponieważ zależy od wielości genetycznie uwarunkowanych czynników zmieniających siłę działania leku oraz od dynamizmu przebiegu choroby. W celu dokładniejszego określenia dawki optymalnej dla danego chorego, oblicza się ją na kg masy ciała lub na m^2 powierzchni ciała. Ostatnio zaczęto dobierać dawkę w zależności od stężenia leku w osoczu po podaniu kilku dawek leczniczych.

Bezpieczeństwo danego leku określa w s k a ź n i k l e c z n i c z y. Jest to stosunek dawki wywołującej objawy zatrucia do dawki leczniczej.

II. METODY BADANIA LEKÓW I POSZUKIWANIE NOWYCH ŚRODKÓW LECZNICZYCH

Badania przedkliniczne

Wszystkie poznane dotychczas leki nie działają w pełni swoiście leczniczo. Każdy z nich ma cechy negatywne, objawiające się mniej lub bardziej nasilonym działaniem niepożądanym, a nawet szkodliwym. Poszukuje się więc nowych leków o coraz bardziej swoistym i silnym działaniu w określonej chorobie, o jak najmniejszej szkodliwości. Głównym celem jest odkrywanie leków znoszących przyczynę choroby. Postęp w tej dziedzinie zależy od znajdowania nowych związków chemicznych oraz wyjaśnienia przyczyny powstawania tych chorób, których istota jest dotąd nieznana.

Ź r ó d ł e m n o w y c h l e k ó w są związki chemiczne znajdujące się w roślinach i świecie zwierzęcym, a przede wszystkim synteza nowych związków chemicznych. Istotny postęp w danej grupie leków dokonuje się wtedy, gdy odkryje się nowe ugrupowanie chemiczne dające związek o istotnym działaniu biologicznym, który można zastosować w leczeniu lub zapobieganiu chorobie. Następnie modyfikuje się nowo odkrytą substancję przez podstawienie do niej różnych grup chemicznych, z nadzieją uzyskania leków o lepszych cechach w porównaniu z lekiem macierzystym.

Obecnie istnieją możliwości przewidzenia właściwości farmakologicznych nowego związku chemicznego zaplanowanego do syntezy. Niekiedy synteza nowego leku jest dziełem przypadku. Na przykład, w czasie prac nad syntezą nowych leków stosowanych w schizofrenii odkryto przypadkowo pierwszy lek przeciwdepresyjny, natomiast pierwszy lek, który zastosowano w leczeniu schizofrenii, odkryto podczas prac zaplanowanych w celu uzyskania silniejszych leków przeciwalergicznych.

Nowy związek o spodziewanym ewentualnym działaniu leczniczym bada się najpierw na zwierzętach. Badania rozpoczyna się od określenia d a w k i ś m i e r t e l n e j tego związku dla połowy badanych zwierząt, czyli od ustalenia DL_{50} (*dosis letalis*). Dawkę tę bada się u trzech gatunków zwierząt, dwu niższych (np. myszy, szczurów) i jednego wyższego (króliki, koty, psy). Następnie prowadzi się wstępne badania farmakologiczne, polegające na obserwacji działania nowej substancji na narząd, który jest domniemanym miejscem jej efektów farmakologicznych, a także na narząd krążenia, oddychania, układ pokarmowy, ośrodkowy układ nerwowy, krew. Podczas wykonywania tych wstępnych doświadczeń określa się wskaźnik leczniczy nowego związku. Jest to:

$$\frac{DL_{50}}{DE_{50}}DL_{50}.$$

DE_{50} (*dosis effectiva*) jest to dawka wywołująca efekt farmakologiczny u połowy badanych zwierząt. DL_{50} i DE_{50} oblicza się za pomocą prostych metod statystycznych, po podaniu różnych dawek grupom liczącym 5–10 zwierząt. Im wskaźnik leczniczy jest wyższy, tym lek jest bardziej bezpieczny. Jeśli wskaźnik jest mniejszy od 1, związek jest zbyt toksyczny, aby mógł być zastosowany w lecznictwie.

Badania wstępne pozwalają na szybką eliminację z dalszych badań związków bezużytecznych jako ewentualnych leków. Związki, które w badaniach wstępnych wykazały wyraźne działanie farmakologiczne, wprowadza się do następnej fazy badawczej. Stanowią ją poszerzone badania farmakologiczne, obejmujące działanie nowych związków na poszczególne narządy i tkanki w żywym organizmie (badania *in vivo*) oraz na wyizolowane z niego do środowiska doświadczalnego (badania *in vitro*).

Badania *in vivo* wykonuje się w doświadczeniach operacyjnych. Polegają one na operacyjnym dojściu do danego narządu i połączeniu go z przyrządami rejestrującymi czynność tego narządu. Badania operacyjne wykonuje się w znieczuleniu ogólnym, przestrzegając zasad etycznych wykluczających zadawanie bólu zwierzęciu przytomnemu. Jeśli istnieje taka możliwość, stosuje się nieoperacyjne (bezkrwawe) badania narządów. Często jednak konieczne jest stosowanie obydwu rodzajów badań.

W ostatnich latach zwiększyła się liczba metod badawczych nieoperacyjnych, polegających na umocowaniu na różnych częściach ciała w pobliżu badanych narządów przetworników przekazujących do urządzeń rejestrujących impulsy będące wynikiem czynności narządu. Opracowano wiele metod badania ośrodkowego układu nerwowego, umożliwiających rejestrację ruchliwości zwierząt, ich aktywności poznawania otoczenia oraz wywoływanie odruchów warunkowych.

Badania *in vitro* polegają na badaniu wpływu nowych związków na wyizolowane narządy (serce, tchawicę, żołądek, jelita). Wyizolowany narząd umieszcza się w odpowiednio skonstruowanym naczyniu doświadczalnym, w którym jest on omywany krwią lub płynem o składzie jonowym, kwasowości i temperaturze zbliżonych do warunków panujących w zdrowym organizmie zwierzęcym. W płynach ustrojowych (krew, mocz, płyn mózgowo-rdzeniowy) oraz w tkankach bada się wpływ nowego związku na normalne składniki ustrojowe, na zawartość białek, węglowodanów, tłuszczów, a także na aktywność enzymów.

Badania farmakologiczne są prowadzone co najmniej na trzech gatunkach zwierząt (laboratoryjnych): dwóch niższych i jednym wyższym.

Spośród zwierząt niższych są to najczęściej białe myszy, szczury, świnki morskie, chomiki, hodowane w ściśle określonych warunkach atmosferycznych, oświetlenia i odpowiednio karmione. Ze zwierząt wyższych do badań używa się królików, kotów lub psów. Jeśli istnieją szczególne przesłanki, efekty farmakologiczne nowych leków bada się także na zwierzętach naczelnych (małpy).

W celu otrzymania informacji o działaniu nowego związku jako potencjalnego leku wykonuje się setki badań na dużej liczbie zwierząt. Każda technika wymaga bowiem użycia kilku grup liczących 6–10 zwierząt, gdyż poszczególnym grupom podaje się różne dawki badanych związków. Każdą grupę po podaniu badanej substancji obserwuje się i porównuje z grupą zwierząt kontrolnych, którym nie podaje się badanego związku, lecz roztwór służący do jego rozpuszczenia, lub u których wykonuje się zabiegi przygotowujące do wprowadzenia związku do organizmu. Dzięki tym porównaniom uzyskuje się wyniki obiektywne, które nadają się do oceny statystycznej. W zależności od zastosowanego układu doświadczalnego, do oceny wyników dobiera się odpowiednią dla danego modelu metodę analizy statystycznej. Złe dobranie metody statystycznej powoduje zafałszowanie oceny uzyskanych wyników.

Po wykonaniu wielostronnych badań doświadczalnych otrzymuje się informacje, na jakie narządy i tkanki nowy związek wywiera istotne działanie. Z informacji tych można wnioskować co do jego ewentualnego działania leczniczego u człowieka.

B a d a n i e m e c h a n i z m u d z i a ł a n i a danego związku prowadzi do dania odpowiedzi na pytanie, co jest przyczyną wywołanego efektu farmakologicznego. Przy użyciu metod chemicznych bada się stężenie badanego związku, po podaniu jego różnych dawek, w płynach ustrojowych i tkankach i na tej podstawie proponuje przypuszczalne d a w k i l e c z n i c z e. Stężenie badanego związku w moczu pozwala na określenie p r ę d k o ś c i w y d a l a n i a tego związku przez nerki i stwierdzenie, w jakim procencie lek jest wydalony z organizmu w stanie nie zmienionym. Zbadanie s t ę ż e n i a związku w t k a n k a c h daje informacje o wielkości jego dystrybucji do poszczególnych tkanek, narządów oraz ich części. Jeśli istnieje możliwość wywołania c h o r o b y d o ś w i a d c z a l n e j, np. zakażenia bakteryjnego, stanu zapalnego, nadciśnienia tętniczego, niedokrwienia serca, cukrzycy, bada się wpływ potencjalnego leku na przebieg choroby wywołanej u zwierząt. Wyniki wszystkich tych badań przynoszą informacje o ewentualnej przydatności zbadanego związku do leczenia chorób u ludzi.

B a d a n i a n a d t o k s y c z n o ś c i ą związku prowadzi się, aby wykryć ewentualne jego szkodliwości i ustalić wypływające stąd przeciwwskazania. W tym celu związek podaje się zwierzętom laboratoryjnym przez okres 6–12 miesięcy i bada się stan czynnościowy narządów, a przede wszystkim szpiku, wątroby, nerek, układów sercowo-naczyniowego, pokarmowego i ośrodkowego układu nerwowego, za pomocą metod fizjologicznych, biochemicznych i morfologicznych. Wyniki tych badań określają stopień szkodliwości badanego związku, która może wystąpić po długotrwałym jego podawaniu.

Stosuje się również badany związek miejscowo na skórę i błony śluzowe, aby stwierdzić jego ewentualne właściwości alergiczne.

Każdy nowy potencjalny lek poddany jest badaniom embriotoksycznym, teratogennym i karcinogennym. W tym celu podaje się go co najmniej trzem gatunkom zwierząt w okresie ciąży i prowadzi obserwacje, czy powoduje on zmiany toksyczne u płodu lub deformacje jego narządów (teratogenność – potworniakowatość). Po kilku – kilkunastomiesięcznym okresie podawania obserwuje się też, czy nie wywołuje on działania rakotwórczego (karcinogennego). Środki o działaniu teratogennym i karcinogennym zostają odrzucone jako potencjalne leki.

Gdy badana nowa substancja jest obdarzona wyraźnym działaniem farmakologicznym, stanowiącym wskazania do zastosowania w określonej chorobie, niezbyt wielką toksycznością i pozbawiona jest działania teratogennego i rakotwórczego, nadaje się do zastosowania u człowieka.

Odkrycie nowego leku wymaga przebadania 2000 – 4000 nowo zsyntetyzowanych związków.

Zasady etyczne prowadzenia doświadczeń na zwierzętach

Do doświadczeń używa się wyłącznie zwierząt nabytych legalnie, z hodowli prowadzonej według zasad zgodnych z obowiązującym prawem. Zwierzęta muszą mieć zapewnione odpowiednio higieniczne otoczenie, wodę i pokarm o odpowiednio wysokiej jakości oraz ilości, muszą być traktowane łagodnie. Niedopuszczalne są doświadczenia powodujące ból u zwierząt. W celu zniesienia bólu stosuje się odpowiednie leki znieczulające ogólnie oraz przeciwbólowe. Jeśli po zakończeniu doświadczenia zwierzę nie wymaga wybudzenia, powinno być ono zgładzone przed wybudzeniem z narkozy. Jeśli badania wymagają wybudzenia zwierzęcia, konieczne jest zapewnienie mu pełnej opieki pooperacyjnej, stosowanej w klinikach weterynaryjnych, a więc zniesienia niewygody i bólu. Doświadczenia na zwierzętach mogą prowadzić wyłącznie osoby o odpowiednich kwalifikacjach po uzyskaniu zezwolenia kierownika zakładu lub laboratorium badawczego.

Zastosowanie nowego leku u człowieka

Po zakwalifikowaniu, w wyniku badań doświadczalnych, nowego związku chemicznego jako potencjalnego leku, następuje moment podania go po raz pierwszy człowiekowi. Od wyniku obserwacji efektów działania tego spodziewanego leku u człowieka zależy decyzja, czy zostanie on uznany za lek i wprowadzony do lecznictwa. Obserwacje działania nowego potencjalnego leku u człowieka odbywają się w czterech kolejnych fazach.

Faza I – obserwacje wstępne u zdrowych ludzi

Obserwacji zostaje poddanych 8–10 zdrowych, młodych mężczyzn, którzy wyrażą dobrowolnie zgodę po szczegółowym poinformowaniu o celu obserwacji i ewentualnych niebezpieczeństwach związanych z podaniem nowego potencjalnego leku. Nowy związek podaje się w bardzo małej dawce, bezpiecznej, obliczonej na podstawie wyników badań na zwierzętach, zwykle nie wystarczającej do celów leczniczych. Nie sposób bowiem przewidzieć na podstawie najstaranniej wykonanych badań na zwierzętach nieoczekiwanych, niekorzystnych reakcji na nowy potencjalny lek, ze względu na ogromne różnice gatunkowe pomiędzy zwierzętami doświadczalnymi i człowiekiem.

Istotą fazy I jest zbadanie ogólnej reakcji człowieka na zastosowany lek, ze szczególnym zwróceniem uwagi na odczyny niepożądane lub szkodliwe. W tej fazie bada się też stężenie potencjalnego leku w osoczu, czas utrzymywania się go na najwyższym poziomie i szybkość jego wydalania z moczem. Gdy nie stwierdza się przeciwwskazań klinicznych, przechodzi się do następnej obserwacji.

Faza II – obserwacje wstępne u chorych ludzi

Obserwacje przeprowadza się w trzech różnych ośrodkach, w każdym co najmniej u 10 chorych. Potencjalny lek stosuje się u osób cierpiących na chorobę, w której powinien on wykazać właściwości lecznicze, w stopniowo wzrastających dawkach, w celu określenia dawki leczniczej. Dokonuje się obserwacji wpływu poszczególnych dawek leku na nasilenie objawów chorobowych oraz notuje ewentualne objawy niepożądane.

W fazie II prowadzi się także badania stężenia leku w osoczu i szybkości jego wydalania.

Badania fazy II prowadzone są również na ochotnikach, poinformowanych o celu i ryzyku badań (z wyjątkiem więźniów i pensjonariuszy domów opieki).

Faza III – obserwacje właściwe, kontrolowane badania kliniczne

Gdy badania fazy II wykażą wartości potencjalnego leku, jest on poddany badaniom obiektywnym, a efekty jego działania zostają porównane z efektami znanego już leku działającego podobnie.

Badania fazy III wykonuje się w 3–4 różnych wysoko wyspecjalizowanych ośrodkach klinicznych, w każdym co najmniej u 30 chorych. Badania te mogą być prowadzone wyłącznie przez lekarzy specjalistów w danej dyscyplinie klinicznej wespół z farmakologami klinicznymi po uzyskaniu zezwolenia przez komitet etyczny ośrodka klinicznego. Na członków tego komitetu wybiera się specjalistów o uznanym autorytecie naukowym i moralnym.

Z badań fazy III wyklucza się kobiety ciężarne, kobiety w okresie płodności, alkoholików, osoby uzależnione od leków, upośledzone umysłowo.

Chorzy w czasie badań powinni znajdować się w podobnych warunkach, otrzymywać podobną dietę, nie zażywać innych leków, a jeżeli to konieczne, te same leki w podobnych dawkach, nie palić tytoniu i nie pić alkoholu. Chorzy są poinformowani o celu, sposobach i ryzyku badań i muszą na nie dobrowolnie wyrazić zgodę. Zgodę tę mogą cofnąć przed zakończeniem planowanych obserwacji.

Założenia kontrolowanych badań klinicznych. Do badań są kwalifikowani chorzy w podobnym wieku i podobnej fazie i nasileniu określonej choroby. Po uzyskaniu ich zgody chorzy są dobierani losowo do grupy leczonej nowym lekiem i do grupy leczonej znanym już lekiem, który w tym wypadku jest zastosowany jako referencyjny lek standardowy.

Przed rozpoczęciem badań lekarz, który je będzie prowadził, musi ściśle zaplanować jednakowe kryteria oceny obydwu leków. Dokładnie zatem ustala listę objawów chorobowych, które będzie zgłaszał chory, i metodę ich pomiaru. Następnie listę objawów chorobowych, które będzie stwierdzał sam lekarz, i sposoby ich mierzenia oraz listę badań laboratoryjnych instrumentalnych i biochemicznych. Dokonuje również wyboru metod oceny statystycznej.

Zaplanowanie badań jest niezwykle ważne, wymaga bowiem przemyślenia wszystkich szczegółów tak, aby uzyskane wyniki badań porównawczych dwu leków, nowego i standardowego, dały się porównać i przyniosły obiektywną odpowiedź, który z tych leków jest lepszy.

Metoda podwójnie ślepej próby. Metoda ta jest stosowana w celu uniknięcia błędów wynikających z subiektywizmu lekarza prowadzącego badania III fazy. Polega ona na tym, że przed zakończeniem badań ani lekarz prowadzący badania, ani chory nie wiedzą, czy w danym momencie chory otrzymuje lek nowy (NN), czy też lek standardowy (ST). Informację tę ma na bieżąco tylko lekarz bezpośrednio opiekujący się chorym. Gdy zauważa, że nastąpiła wyraźna niekorzystna zmiana w przebiegu choroby i dalsze prowadzenie próby może być dla chorego nie wskazane, przerywa próbę.

Podwójnie ślepej próby n i e w o l n o s t o s o w a ć u chorych z ciężkimi zakażeniami, z chorobą nowotworową oraz w ciężkim przebiegu każdej choroby zagrażającej życiu.

Placebo. W niektórych kontrolowanych badaniach klinicznych zamiast porównania nowego leku (NN) z działaniem leku standardowego (ST) porównuje się działanie NN z p l a c e b o. Słowo to pojawiło się po raz pierwszy w angielskim słowniku lekarskim w 1787 r. Słownik ten definiuje placebo jako „lek bez efektów farmakologicznych, stosowany w celu uspokojenia chorego i zrobienia na nim wrażenia przez pewien czas". Placebo jest to zatem preparat farmaceutyczny (tabletka, drażetka, iniekcja), który nie zawiera związku czynnego biologicznie, ale nie różni się swoim wyglądem od preparatu zawierającego lek. Placebo poprzez wpływ na psychikę chorego może wywierać wyraźne działanie zmieniające przebieg stanu chorobowego. U niektórych osób po stosowaniu placebo stwierdzono nawet działanie niepożądane.

Dawniej placebo stosowano wyłącznie w celach leczniczych, a obecnie także aby uzyskać obiektywne informacje o działaniu leków. Placebo stosuje się czasem jako działanie psychologiczne u chorych, których nie można w inny sposób leczyć. Placeba nie można stosować u chorych na choroby zakaźne, nowotwory i w ciężkich stanach chorobowych, które leczy się ogólnie przyjętymi metodami.

Etyka lekarza praktyka wymaga od niego, żeby zrobił wszystko, co może zrobić w celu leczenia chorego. Etyka lekarza podejmującego kontrolowane badania kliniczne zobowiązuje go ponadto do zrobienia wszystkiego, co potrafi, aby dobrze zaplanować i przeprowadzić te badania w celu uzyskania wyników stanowiących istotną wartość naukową i przynoszących korzyść chorym.

Obecnie kontrolowane badania kliniczne stanowią podstawową metodę oceny nowych leków. Rozpowszechniły się one w ostatnim dwudziestoleciu.

Dopuszczenie nowego leku do powszechnego stosowania. Gdy wyniki kontrolowanych prób klinicznych wykażą wyższość nowego leku nad lekami dotąd stosowanymi, zostaje on zarejestrowany zgodnie z obowiązującym w danym państwie prawodawstwem i dopuszczony do stosowania w lecznictwie. W Polsce decyzje o dopuszczeniu nowego leku do powszechnego stosowania lub o jego wykonaniu podejmuje minister zdrowia i opieki społecznej oraz Komisja Leków składająca się z przedstawicieli wszystkich specjalności lekarskich.

Faza IV – przedłużone obserwacje kliniczne leku

W okresie powszechnego stosowania leku w lecznictwie nadal gromadzi się obserwacje dotyczące: objawów niepożądanych, objawów zatrucia lekiem i sposobów leczenia tego zatrucia, stosowania leku u noworodków, dzieci i starców, bezpieczeństwa jego stosowania u kobiet ciężarnych, nowych wskazań leczniczych. Czasem po wielu latach stosowania dawno znanego „starego" leku odkrywa się jego nowe wskazania terapeutyczne. Kontrolowane obserwacje leku mają istotne znaczenie nie tylko przy poszukiwaniach nowych, silniejszych i mniej szkodliwych leków, lecz także dla wycofania z lecznictwa leków tradycyjnie stosowanych, których obiektywna wartość nie została potwierdzona.

Mierzenie stężenia leków u człowieka

Znaczne postępy analityki lekarskiej, wynikające z zastosowania nowych technik badawczych, pozwalają na badanie zawartości leków w płynach ustrojowych i tkankach organizmu człowieka, nawet jeśli leki te występują w bardzo małych stężeniach, rzędu kilku mikrogramów (1/1000 mg) lub nanogramów (1/1000 mikrograma) w 1 ml płynu ustrojowego lub w 1 g tkanki. Obecnie można zmierzyć stężenie kilkudziesięciu leków w osoczu, moczu lub ślinie, m.in. niektórych antybiotyków, glikozydów nasercowych, leków antyarytmicznych, przeciwpadaczkowych, przeciwzapalnych, insuliny. Badania te pozwalają na prześledzenie losu leków w organizmie i określenie ich stężenia.

Mierzenie stężenia leków spowodowało rozwój farmakokinetyki, tj. działu farmakologii klinicznej, który pozwolił na indywidualne dawkowanie leków i uczynił je w ten sposób bardziej bezpiecznymi dla chorego. Monitorowanie stężenia leków silnie działających o małym współczynniku bezpieczeństwa prowadzi do zmniejszenia ilości powikłań polekowych.

Mierzenie stężenia leku ma szczególne znaczenie w następujących przypadkach: a) gdy zastosowana dawka lecznicza nie wywołuje działania terapeutycznego lub powoduje pojawienie się objawów zatrucia, b) gdy podejrzewa się zatrucie lekiem, c) u noworodków, małych dzieci i starców, d) w czasie stosowania leków o małym współczynniku bezpieczeństwa, e) u chorych z uszkodzonymi nerkami, wątrobą, układem sercowo-naczyniowym, f) gdy podejrzewa się nieregularne, niezgodne z zaleceniami zażywanie leku.

Ocena poziomu stężenia leku w osoczu i klinicznego stanu chorego ułatwia lekarzowi prowadzenie optymalnej farmakoterapii.

Farmakokinetyka

F a r m a k o k i n e t y k a rozwinęła się na skutek możliwości mierzenia stężenia leku w płynach ustrojowych (zob. wyżej) oraz stworzenia i zastosowania modeli matematycznych, które pozwalają na opis matematyczny poszczególnych elementów wędrówki i przemian leków w organizmie, a więc ich wchłaniania się, dystrybucji, eliminacji. Przyjmuje się, że stężenie leku w osoczu stanowi pewne odbicie stężenia leku w okolicy receptorów tkankowych.

Farmakokinetyka, której podstawą jest dział chemii fizycznej zwany kinetyką, ma duże znaczenie praktyczne w farmakoterapii. Dzięki różnym modelom matematycznym i obliczeniom wykonywanym za pomocą maszyn cyfrowych, po jednorazowym pobraniu krwi i zmierzeniu w niej stężenia leku można zaprogramować najbardziej korzystne dawkowanie leku u danego chorego. Ma to ogromne znaczenie dla chorych: a) z uszkodzonymi nerkami, które są głównym narządem wydalającym leki oraz ich metabolity; b) z uszkodzoną wątrobą, będącą głównym miejscem biotransformacji leków;

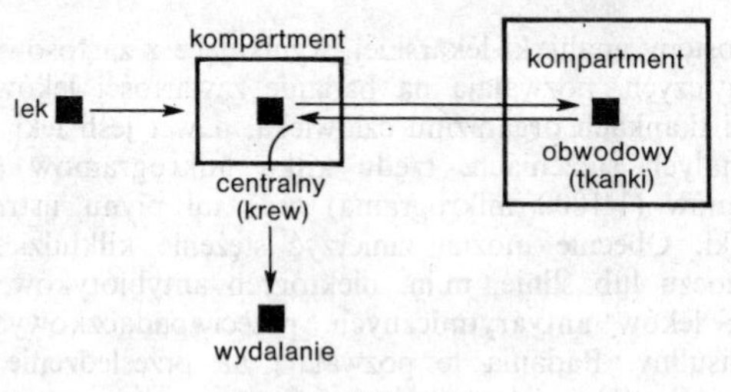

Schemat modelu kompartmentu

c) z zaburzeniami krążenia, które prowadzą do zaburzonej dystrybucji leków.

Istotnym modelem wykorzystywanym w obliczeniach farmakokinetycznych jest k o m p a r t m e n t. Tak określa się zespół tkanek lub narządów, w których stężenie leku i jego metabolitów jest rozmieszczone równomiernie i w których podlegają one procesom fizykochemicznym zachodzącym ze stałą prędkością. Na podstawie danych doświadczalnych wykazano, że organizm człowieka zawiera dwa kompartmenty. Jeden z nich, nazywany k o m p a r t m e n t e m c e n t r a l n y m, stanowi krew. Drugi k o m p a r t m e n t, o b w o d o w y, tworzą pozostałe tkanki i narządy (rys. na s. 448).

Większość leków stosowanych u człowieka ulega dystrybucji pomiędzy te dwa kompartmenty. Jeśli np. choremu poda się lek o takich właściwościach, zmierzy jego stężenie w osoczu po różnym czasie i wykreśli linię na wykresie, na którego osi rzędnych wyrazi się logarytm stężenia leku, a na osi odciętych czas (h), po jakim zmierzono stężenie leku, otrzyma się dwie linie – jedną ostro opadającą (α) i drugą łagodnie opadającą (β). Linia α odpowiada okresowi dystrybucji leku, zaś l i n i a β okresowi jego eliminacji.

Wobec niektórych leków organizm zachowuje się jakby był jednym kompartmentem. W tym wypadku po podaniu leku, zmierzeniu jego stężenia i naniesieniu na wykres w sposób opisany powyżej (wykres półlogarytmiczny) uzyska się tylko jedną linię opadającą (rys.).

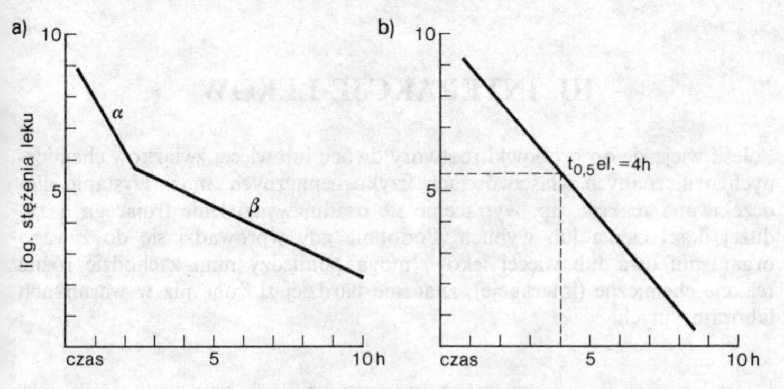

Rozkład stężenia leku w czasie: a) model dwukompartmetowy, b) model jednokompartmnentowy; $t_{0,5}$el. – czas (h), po którym stężenie leku w osoczu zmniejszyło się o połowę

Wśród wielu czynników farmakokinetycznych jednym z ważniejszych jest o k r e s b i o l o g i c z n e g o p ó ł t r w a n i a e l i m i n a c j i l e k u z organizmu: $t_{O,5}$ el. Jest to czas, po którym stężenie leku od chwili jego podania zmniejszy się o połowę. Wielkość $t_{O,5}$ el. pozwala na określenie częstotliwości dawkowania leku. Jeśli $t_{O,5}$ el. leku wynosi np. 4–8 godz., należy go podawać w pojedynczych dawkach co 4–6 godz. (4–6 razy na dobę), jeśli zaś wynosi 16 godz., lek wystarczy podać w odstępach 12-godzinnych.

Wpływ stanu chorobowego na działanie leków

Osiągnięcia farmakokinetyki pozwoliły wykazać istotny wpływ stanu chorobowego na efekty wywołane lekami. Te same zespoły chorobowe mają różny przebieg u różnych ludzi. U osób z niewydolnością serca, w której występuje zwolnienie przepływu krwi, leki znacznie wolniej wchłaniają się z miejsca podania, znacznie wolniej docierają do narządów, w których mają wywołać działanie. W przewlekłych chorobach wyniszczających, przebiegających z utratą białka, a więc z jego niedoborem, we krwi zwiększa się wolna frakcja leków wiążących się z białkami. Działanie leków w opisanych stanach jest silniejsze i często prowadzi do zatrucia. U chorych z niewydolnością nerek dawkowanie leków wydalanych przez ten narząd musi zostać zmodyfikowane. Dawka leku musi być zmniejszona lub musi zostać wydłużony czas pomiędzy pojedynczymi dawkami. Opracowano tabele dawkowania niektórych leków w zależności od stanu czynnościowego nerek. Istnieją dane wskazujące również na wpływ uszkodzenia miąższu wątrobowego na siłę działania leków. W ciężkim uszkodzeniu miąższu wątroby przypuszczalnie wydłuża się czas działania leku, zwiększa siła jego działania oraz nasila się toksyczność leku.

III. INTERAKCJE LEKÓW

Jeśli wleje się do probówki roztwory dwóch lub więcej związków chemicznych o nieznanych właściwościach fizykochemicznych, może wystąpić nieoczekiwana reakcja, np. wytrącenie się osadu, wydzielenie trującego gazu, dużej ilości ciepła lub wybuch. Podobnie gdy wprowadzi się do żywego organizmu dwa lub więcej leków, mogą pomiędzy nimi zachodzić różne reakcje chemiczne (interakcje), znacznie bardziej złożone niż w warunkach laboratoryjnych.

Interakcje pożądane

Obecnie coraz częściej w leczeniu jednej choroby stosuje się kilka leków w celu spotęgowania efektu leczniczego lub zniesienia działania szkodliwego. Regułą już jest skojarzone leczenie równocześnie kilku lekami takich chorób, jak gruźlica, niektóre zakażenia bakteryjne, choroby nowotworowe. Wykorzystuje się tu różne mechanizmy działania leków, czyli niszczenia komórek bakteryjnych lub nowotworowych. Na przykład, jedne antybiotyki uszkadzają błonę komórkową bakterii, inne zmniejszają jej przepuszczalność dla substancji niezbędnych do rozwoju bakterii, jeszcze inne uszkadzają syntezę białek bakteryjnych. W chemioterapii nowotworów stosuje się równocześnie leki: a) bezpośrednio uszkadzające komórki nowotworowe, b) uszkadzające helisę * kwasu dezoksyrybonukleinowego (DNA) oraz c) działające antagonistycznie w stosunku do metabolitów niezbędnych do syntezy białek. Kombinowana chemioterapia zakażeń bakteryjnych lub nowotworów jest bardziej skuteczna i mniej toksyczna, gdyż pozwala na stosowanie mniejszych dawek poszczególnych leków, które nasilają nawzajem swoje działanie lecznicze.

Terapię kombinowaną stosuje się również w chorobie nadciśnieniowej, za pomocą kilku leków o różnym punkcie uchwytu działania. Podaje się np. leki porażające mięśnie gładkie naczyń, leki hamujące czynność zakończeń nerwów wydzielających noradrenalinę (adrenergicznych), leki wpływające rozszerzająco na naczynia za pośrednictwem ośrodkowego układu nerwowego, leki moczopędne zmniejszające ilość krwi krążącej. Połączenie tych leków o różnym zakresie działania powoduje znacznie silniejsze obniżenie ciśnienia krwi niż stosowanie pojedynczych leków. W zatruciach niektórymi lekami stosuje się leki antagonistyczne (a n t i d o t a), np. nalokson w zatruciu morfiną, siarczan protaminy w zatruciu heparyną, środki alkalizujące mocz w zatruciu lekami nasennymi z grupy barbituranów, środki zwiększające kwasowość moczu w zatruciu amfetaminą.

Interakcje szkodliwe

Pierwszą szkodliwą interakcję opisał w 1955 r. Avellaneda. Było to wystąpienie groźnego krwotoku po nagłym odstawieniu luminalu u chorego, który równocześnie zażywał lek nasenny luminal oraz lek przeciwzakrzepowy. Wkrótce wyjaśniono przyczynę tego zjawiska. Okazało się, że luminal działa pobudzająco (indukuje) na aktywność enzymów wątrobowych, wskutek czego szybciej rozkłada się lek przeciwzakrzepowy, co zmniejsza jego działanie. Aby temu przeciwdziałać, zwiększono dawkę tego leku. Po kilku dniach zaprzestano podawania luminalu, nie korygując dawki leku przeciwzakrzepowego. Tymczasem na skutek braku luminalu rozkład leku przeciwzakrzepowego uległ zwolnieniu, co spowodowało gwałtowny wzrost stężenia tego leku we krwi, osiągający wartości toksyczne. W konsekwencji wystąpił krwotok.

Mechanizmy interakcji

Wchłanianie. Leki zmieniające kwasowość żołądka wpływają na szybkość wchłaniania innych leków. Na przykład leki alkalizujące stosowane w chorobie

---

* Helisą nazywa się podwójną spiralę DNA. Każda cząsteczka DNA składa się z dwóch długich łańcuchów polinukleotydowych, biegnących po liniach śrubowych w dwóch przeciwnych kierunkach wokół centralnej osi.

wrzodowej zmniejszają wchłanianie polopiryny i innych leków przeciwzapalnych. Środki zmniejszające perystaltykę żołądka i jelit zmniejszają wchłanianie leków podanych z nimi równocześnie. Mleko, sole wapnia, glinu, magnezu i żelaza tworzą z niektórymi lekami niewchłanialne kompleksy.

Transport leków z krwi. Najistotniejsze interakcje występują pomiędzy lekami, które wiążą się z białkami krwi, co powoduje, że leki te nawzajem się wypierają. Lek słabiej wiążący się z białkami jest wypierany przez lek, który ma większą zdolność do związania się z nimi. Powoduje to zwiększenie stężenia wolnej frakcji leku wypartego z białek, a zatem jego silniejsze działanie, zarówno oczekiwane, lecznicze, jak też silniejsze działanie niepożądane i możliwość wystąpienia objawów zatrucia.

Biotransformacja leków. Leki pobudzające aktywność wątrobowych enzymów mikrosomalnych zwiększają szybkość przemian leków ulegających metabolizmowi w wątrobie. Konsekwencją tego może być skrócenie czasu działania tych leków, które są biotransformowane do związków nieczynnych farmakologicznie, lub wydłużenie czasu działania leków metabolizowanych do związków obdarzonych aktywnością biologiczną, która niekiedy jest większa od aktywności leku macierzystego. Leki hamujące aktywność enzymów wątroby przedłużają działanie związków rozkładanych w wątrobie do substancji nieczynnych biologicznie.

Zjawisko indukcji enzymatycznej jest wykorzystywane w leczeniu chorych z wrodzonymi defektami enzymów, a więc mających zbyt małe ilości tych enzymów lub zbyt mało aktywne te enzymy. Lekiem najczęściej stosowanym w celu zwiększenia aktywności enzymatycznej mikrosomów wątroby jest fenobarbital (luminal). Podaje się go m.in. we wrodzonej żółtaczce niehemolitycznej. W chorobie tej na skutek zmniejszenia aktywności enzymu transferazy glukurynylowej zmniejsza się sprzęganie bilirubiny z kwasem glukuronowym, co zmniejsza rozpuszczalność bilirubiny w wodzie i jej wydalanie z moczem.

Wydalanie leków. Jeśli podane leki wydalane są przez nerki przy udziale tego samego mechanizmu transportu, następuje wówczas hamowanie wydalania jednego leku przez drugi.

Działanie na ten sam receptor. Ten rodzaj interakcji łatwo wytłumaczyć za pomocą teorii receptorowej (zob. s. 437). Dwa leki mogą konkurować o ten sam receptor i działać antagonistycznie, gdy obydwa mają zdolność łączenia się z receptorem, a jeden z nich jest pozbawiony aktywności wewnętrznej.

Granice bezpieczeństwa leków. Na skutek interakcji pomiędzy dwoma lub więcej lekami może wystąpić nasilenie działania leku przekraczające granice bezpieczeństwa lub jego działanie toksyczne niespotykane przy stosowaniu terapii nieskojarzonej. Najczęściej szkodliwe interakcje wywołują następujące grupy leków: doustne przewciwzakrzepowe kojarzone z doustnymi przeciwcukrzycowymi, przeciwzapalnymi, przeciwbólowymi i sulfonamidami. Opracowano tabele, na podstawie których lekarze mogą uniknąć terapii skojarzonej lekami wywołującymi interakcje szkodliwe.

Interakcje leków z wynikami badań laboratoryjnych. Obecność niektórych leków w osoczu lub moczu może zmienić wyniki mierzenia w płynach ustrojowych związków ważnych diagnostycznie. Niektóre leki mogą wywołać fałszywy — zbyt wysoki lub zbyt niski — poziom oznaczanych substancji. Dlatego przed wykonaniem określonych laboratoryjnych badań diagnostycznych stosowanie pewnych leków musi zostać przerwane na okres 24–28 godz. przed pobraniem płynu ustrojowego do badania.

IV. ZASADY FARMAKOTERAPII

Podstawową zasadą farmakoterapii jest uzyskanie najlepszego efektu leczniczego przy najmniejszych efektach niepożądanych, przykrych dla chorego. Dzięki zdobyczom farmakokinetyki (zob. s. 448) otwierają się perspektywy indywidualnego dawkowania leków u poszczególnych chorych, a dzięki rozwojowi kontrolowanych badań klinicznych (zob. s. 445) zaczynają się pojawiać leki działające silniej i bezpieczniej. Rozpoczynają się próby farmakoterapii „celowanej” na poszczególne narządy, polegające na wprowadzaniu leków wraz ze specyficznymi nośnikami, które przenoszą lek do określonej tkanki lub narządu. Duże znaczenie przypisuje się zastosowaniu odkryć immunologii do terapii celowanej. Poszukuje się związków ułatwiających wnikanie leków do tkanek, sposobów fizjologicznego uzupełniania niedoborów hormonalnych. Opracowano np. urządzenia dawkujące insulinę, na stałe połączone z chorym. Urządzenie to wstrzykuje dawkę insuliny w zależności od stężenia glukozy we krwi przez nie przepływającej. Ogromny rozwój i miniaturyzacja komputerów dają nadzieję uzyskania podobnych urządzeń dawkujących inne hormony lub inne leki, w zależności od określonych potrzeb chorego organizmu. Aktualne jest powiedzenie, że istnieją leki, które działają nieodwracalnie jak nóż chirurga.

Celem badań współczesnej farmakoterapii jest jej optymalizacja. Aby spełnić ten cel, do leczenia każdego chorego należy zawsze podchodzić indywidualnie. Trzeba dokładnie ocenić nie tylko stan fizyczny chorego, lecz także jego psychikę. Pomijanie w planowaniu leczenia stanu psychicznego człowieka, jego warunków życia i powiązań społecznych, prowadzi do dehumanizacji medycyny.

V. POSTĘPY FARMAKOTERAPII

Rozwój farmakoterapii, jaki dokonał się w ostatnim ćwierćwieczu, nastąpił w wyniku wykrycia wielu bardzo wartościowych leków w grupach leków bardzo istotnych dla organizmu.

Leki ośrodkowego układu nerwowego

Wykrycie stosunkowo bezpiecznych środków służących do znieczulenia ogólnego w czasie zabiegów chirurgicznych spowodowało wybitne zmniejszenie śmiertelności pooperacyjnej i umożliwiło wykonywanie zabiegów chirurgicznych także u ludzi w sędziwym wieku. Wynalezienie i wprowadzenie do leczenia leków znoszących i łagodzących objawy chorób psychicznych przywróciło wielu chorych do pracy i życia w społeczeństwie. Pojawiły się już pierwsze leki stosowane w chorobie Parkinsona, nowe leki przeciwpadaczkowe, ogromna ilość leków przeciwzapalnych.

Leki stosowane w chorobach krążenia

Istotnym postępem w leczeniu chorób układu krążenia było wprowadzenie nowych leków zapobiegających rozwojowi wcześnie rozpoznanej choroby nadciśnieniowej, nowych środków łagodzących objawy choroby niedokrwiennej serca, nowych leków antyarytmicznych, rozszerzających naczynia krwionośne. Nadal jednak nie ma skutecznych leków przeciwmiażdżycowych, gdyż jak dotąd nie odkryto przyczyny miażdżycy. Dużą nadzieję budzą niedawne odkrycia prostacykliny, prostaglandyn i produktów metabolizmu kwasu arachidonowego, które doprowadziły do określenia nowych kierunków poszukiwań leków przeciwmiażdżycowych.

Ogromny postęp dokonał się w intensywnej terapii stanów zagrażających życiu. Spowodowane to zostało wprowadzeniem nowych leków bardziej skutecznie pozwalających zwalczać wstrząs (silnie działających leków krążeniowych, przeciwbólowych) oraz nowoczesnej aparatury. Do postępu w leczeniu chorób krążeniowych przyczyniło się także odkrycie silnie działających leków moczopędnych, usuwających nadmiar sodu i wody z organizmu.

Leki stosowane w chorobach przewodu pokarmowego

Do nowych osiągnięć terapeutycznych w zwalczaniu objawów choroby wrzodowej żołądka i dwunastnicy przyczyniło się odkrycie nowych leków, które silnie hamują wydzielanie soku żołądkowego przez blokowanie działania histaminy wydzielonej przez komórki żołądka. Pojawiła się znaczna liczba środków stosowanych przeciwko nudnościom i wymiotom. Istnieją skuteczne środki przeciwko pasożytom przewodu pokarmowego. Niewielki jest postęp w wykrywaniu nowych leków stosowanych w przewlekłych chorobach wątroby i trzustki.

Hormony i witaminy

Otrzymane dotychczas w stanie chemicznie czystym hormony tarczycy, przytarczyc, przysadki , płciowe i insulina są stosowane jako leki substytucyjne w chorobach spowodowanych niedoborem tych hormonów. Szerokie zastosowanie lecznicze mają hormony kory nadnerczy jako leki przeciwzapalne, przeciwalergiczne, immunosupresyjne (hamujące wytwarzanie przeciwciał i komorek odpornościowych, co znalazło zastosowanie w przygotowaniu chorych do przeszczepiania narządów) oraz jako leki stosowane w niektórych rodzajach nowotworów.

W stanie czystym jako leki otrzymano wszystkie witaminy, które stosuje się w chorobach spowodowanych ich niedoborem.

Leki przeciwnowotworowe

Pierwszy lek przeciwnowotworowy wprowadzono do lecznictwa w 1946 r. Od tego czasu odkryto kilkadziesiąt leków przeciwnowotworowych, ale za ich pomocą można wyleczyć zaledwie kilka rodzajów nowotworów. W większości chorób nowotworowych leki te łagodzą jedynie objawy chorobowe na pewien czas (remisja), dlatego też mają trzeciorzędne znaczenie w leczeniu większości nowotworów. Na pierwszym miejscu znajduje się leczenie operacyjne, na drugim radioterapia. Jednak w nowotworach przerzutowych rozsianych (np. w białaczkach) chemioterapia jest jedynym sposobem leczenia. Wyniki jej w ostatnich latach są zdecydowanie lepsze dzięki zastosowaniu leczenia kombinowanego, polegającego na równoczesnym podawaniu kilku leków przeciwnowotworowych o różnym mechanizmie działania. Powoduje to większą skuteczność niszczenia komórek nowotworowych i pozwala na zastosowanie leków w mniejszych dawkach, a zatem mniej toksycznych.

Niepowodzenia współczesnej chemioterapii przeciwnowotworowej są spowodowane tym, że za pomocą znanych obecnie leków nie można zniszczyć wszystkich komórek większości typów nowotworów, a każda z nich ma ogromny potencjał podziałowy. Leki przeciwnowotworowe niszczą poza tym wszystkie szybko dzielące się komórki, a więc także normalne komórki organizmu szybko dzielące się, tzn. komórki szpiku kostnego, nabłonka przewodu pokarmowego i narządów płciowych, powodując uszkodzenie tych układów. Oznacza to, że leki przeciwnowotworowe działają nieswoiście i są bardzo toksyczne.

W czasie prac nad poszukiwaniem nowych leków przeciwnowotworowych wykryto leki immunosupresyjne. Hamują one układy immunologiczne organizmu i ułatwiają przyjęcie przez organizm przeszczepionego narządu. Są stosowane także w tzw. chorobach z autoagresji, w których organizm wytwarza przeciwciała przeciwko własnym tkankom i narządom.

VI. DZIAŁANIA NIEPOŻĄDANE LEKÓW

Alergia

Reakcje alergiczne na leki to jedne z najczęstszych objawów szkodliwego działania leków. Przejawiają się one przede wszystkim zmianami skórnymi w postaci różnopostaciowej wysypki i swędzenia. Rzadziej występują cięższe powikłania alergiczne w postaci uszkodzenia szpiku, rozpadu krwinek czerwonych, uszkodzenia narządów miąższowych, choroby posurowiczej lub zmian zapalnych stawów. Szczególnie niebezpieczne są gwałtowne uogólnione reakcje alergiczne: obrzęk Quinckego charakteryzujący się pojawieniem uogólnionego obrzęku skóry oraz obrzęku głośni, który może doprowadzić do śmierci z powodu uduszenia, oraz wstrząs anafilaktyczny będący nagłą uogólnioną reakcją alergiczną, prowadzącą do gwałtownego zaburzenia lub zatrzymania czynności ważnych dla życia narządów: ośrodków naczynioruchowego i oddechowego lub serca. Wstrząs anafilaktyczny bardzo często wywołuje śmierć kliniczną. Wymagane jest wówczas natychmiastowe leczenie dla ratowania życia.

Próby uczuleniowe obowiązują na leki szczególnie często wywołujące reakcje alergiczne. Mechanizm powstawania reakcji polega na tym, że lek wprowadzony do organizmu po raz pierwszy łączy się z białkami organizmu w kompleksy, wobec których mogą wytworzyć się przeciwciała. Po ponownym wprowadzeniu tego leku zachowuje się on jak antygen. Łączy się gwałtownie z przeciwciałami wywołując reakcję alergiczną o różnym nasileniu i różnej lokalizacji narządowej (zob. Patologia, s. 311). W czasie reakcji alergicznej są wydzielane z tkanek do krwiobiegu związki o potężnym działaniu biologicznym, zaburzające przepuszczalność naczyń krwionośnych, oskrzeli, przewodu pokarmowego. Związkami tymi są m.in. histamina, 5-hydroksytrypina, bradykinina.

Zaburzenia genetyczne

W czasie stosowania niektórych leków mogą wystąpić nieoczekiwane lub niezwykłe dla danego leku efekty toksyczne spowodowane genetycznie uwarunkowanymi enzymopatiami (zob. s. 440). Efekty te są bardzo trudne do przewidzenia, gdyż enzymopatie nie wywołują objawów chorobowych. Objawy te powstają dopiero po zażyciu przez chorego leku.

Zależność lekowa

Zależność lekowa jest to stan organizmu wywołany dłuższym stosowaniem leku. Lek powoduje przestrojenie czynności psychicznych oraz (lub) somatycznych do tego stopnia, że nagłe przerwanie jego stosowania wywołuje duże zaburzenia czynności organizmu zwane objawami abstynencji. Związek wywołujący zależność lekową wchodzi w łańcuch przemian metabolicznych organizmu, dla których staje się w końcu niezbędny. Najczęściej i najszybciej wytwarza się zależność psychiczna od leku, rzadziej i później zależność somatyczna, charakteryzująca się wybitnymi zmianami narządów obwodowych po odstawieniu leku, np. zaburzeniami ciśnienia krwi, czynności serca, oddychania, układu pokarmowego.

Wśród zależności lekowych odróżnia się cięższą postać zwaną nałogiem i lżejszą zwaną przyzwyczajeniem. Istotną cechą zależności lekowej jest nieodparta potrzeba zażywania leku, a w konsekwencji wytworzenia się zachowania, którego celem jest poszukiwanie pożądanego leku za wszelką cenę. Nałóg charakteryzuje się niezwykle nasiloną potrzebą zażywania leku, bardzo silnym uzależnieniem psychicznym i fizycznym, ciężkimi objawami abstynencji po nagłym zaprzestaniu zażywania leku, które mogą nawet spowodować śmierć, dużą szkodliwością dla jednostki i społeczną. Przyzwyczajenie cechuje się potrzebą ciągłego zażywania leku, słabym uzależnieniem, niezbyt nasilonymi objawami abstynencji tylko psychicznej, przejawiającej się średnio nasilonym złym samopoczuciem, brakiem objawów abstynencji fizycznej, mierną szkodliwością dla jednostki i społeczeństwa. Zależności lekowej często towarzyszy tolerancja na zażywany lek. Zjawisko to polega na tym, że w miarę upływu czasu przy stałym zażywaniu leku zmniejsza się siła jego działania pożądanego. Powoduje to stopniowe zwiększanie zażywanej dawki leku dla spowodowania tych samych efektów.

Przyczyny wytworzenia się zależności lekowej są różne. Może ona powstać w toku leczenia silnych, przewlekłych bólów morfiną lub lekami o podobnym do niej działaniu. Może być spowodowana ucieczką przed stanami lękowymi, odejściem od rzeczywistości na skutek trudności w zaadaptowaniu się do znoszenia i walki z przeciwnościami życiowymi, poszukiwaniem niezwykłych wrażeń (halucynacji), chęcią poprawienia nastroju za wszelką cenę.

Światowa Organizacja Zdrowia wyróżnia kilka typów zależności lekowej, m.in. typ morfinowy, alkoholowy, barbituranowy, kokainowy, amfetaminowy, halucynogenny. Różnią się one od siebie objawami przewlekłego zatrucia, nasileniem i typem zależności, stopniem tolerancji, szkodliwością społeczną. Wszystkie prowadzą stopniowo do degeneracji psychicznej, głębokich zaburzeń najwyższych czynności umysłowych, charakteru, myślenia, pamięci oraz do ciężkich zaburzeń układu krwiotwórczego, sercowo-naczyniowego, wątroby, nerek, układu pokarmowego, wiodących do wyniszczenia organizmu.

Leczenie zależności lekowej jest nadal bardzo trudne i często kończy się niepowodzeniem. Lepsze efekty daje profilaktyka.

Samoleczenie się

W czasach współczesnych wytworzył się swoisty kult leków oparty na przekonaniu, że każdy objaw chorobowy może zostać złagodzony lub zniesiony przez odpowiedni lek. Zupełnie nie bierze się pod uwagę faktu, że każdy lek może być w określonych warunkach szkodliwy, a nawet może stać się groźną trucizną. Nie należy zatem przyjmować leków nie zapisanych przez lekarza. W przeciwnym razie można zaszkodzić swojemu zdrowiu, spowodować wypadek samochodowy, upośledzenie wykonywanej pracy lub zwykłych codziennych czynności. Nie należy również radzić się laików, gdyż ten sam lek, który zadziałał leczniczo u jednego człowieka, u innego cierpiącego na podobne zaburzenia może zaszkodzić. Dla własnego dobra nie należy zatem leczyć się samemu.

Lekami najczęściej zażywanymi, dostępnymi bez recepty, są słabo działające środki przeciwbólowe (np. tabletki od bólu głowy) lub przeciwgrypowe. U niektórych osób leki te mogą spowodować przyzwyczajenie, a stosowane przez wiele miesięcy lub lat mogą uszkodzić szpik, nerki, wątrobę, serce.

Niektóre łagodnie działające leki przeczyszczające zażywane długotrwale mogą wywołać zapalenie jelit. Parafina np. zażywana jako lek przeczyszczający w dużych dawkach przez dłuższy czas może spowodować niedobór witamin rozpuszczalnych w tłuszczach: A, D, E i K, uniemożliwiając ich wchłanianie z pokarmu.

Leki przeciwlękowe (Elenium, Relanium) zapisywane w różnych stanach nerwicowych znoszą lęk i napięcie psychiczne. Stosowane dłużej samowolnie łatwo wywołują zależność, a u niektórych osób po wywołaniu zależności tracą swoje działanie przeciwlękowe i wywołują jedynie działanie szkodliwe. Podobnie działają leki nasenne, również powodujące przyzwyczajenie. Stosowane dłużej powodują wyraźne zaburzenia snu.

Przejawem samoleczenia się jest także samowolna zmiana przez chorego sposobu dawkowania przepisanego przez lekarza, nieregularne zażywanie leku, przerywanie stosowania go na pewien czas lub niezażywanie zaleconego leku.

Przetrzymywanie leków w domu przez dłuższy czas (kilka miesięcy lub lat), w cieple i na świetle, jest niebezpieczne. Leki te po zażyciu mogą bowiem spowodować zatrucie na skutek rozpadu leku do związków toksycznych. Należy zatem sprawdzać datę ważności leku umieszczoną na opakowaniu. Poza tym leki należy przechowywać w domu w miejscach niedostępnych dla dzieci, które mogą je zjeść jako cukierki i ulec ciężkiemu zatruciu.

Polipragmazja

Zjawisko to polega na równoczesnym stosowaniu kilku, a nawet kilkunastu leków zapisywanych najczęściej przez różnych lekarzy. Polipragmazję obserwuje się u ludzi, którzy często zmieniają lekarza i dołączają sobie sami do poprzednio zapisanych leków – leki nowo zapisane, nie informując o tym lekarza. Zjawisko to występuje nagminnie u ludzi starych, cierpiących na wiele różnych dolegliwości spowodowanych zarówno samym starzeniem się organizmu, jak i chorobami wieku starczego. Polipragmazja może być przyczyną szkodliwych interakcji lekowych.

Zasadą leczenia jest stosowanie jak najmniejszej ilości leków równocześnie oraz podawanie ich wtedy, gdy istnieją istotne wskazania lekarskie. Obserwacje wykazały, że odstawienie wszystkich leków u ludzi starych nie wykazujących istotnych objawów chorobowych powoduje u wielu znaczną poprawę samopoczucia i stanu ogólnego.

VII. CHEMIOTERAPIA ZAKAŻEŃ

W organizmie człowieka żyją miliardy drobnoustrojów w jelitach, na skórze i błonach śluzowych. Nie wywołują one chorób, niektóre z nich syntetyzują związki wykorzystywane do normalnej przemiany materii człowieka. W pewnych warunkach na skutek zaburzeń mechanizmów odpornościowych człowiek może zostać zakażony drobnoustrojami chorobotwórczymi albo też jego drobnoustroje dotąd niepatogenne mogą stać się szkodliwe. Rozwijają się wówczas choroby, które wymagają leczenia.

Chemioterapia zakażeń drobnoustrojami

Twórcą podstaw współczesnej chemioterapii zakażeń był niemiecki lekarz specjalista w zakresie chemii i bakteriologii Paul Ehrlich (1854–1915). W 1881 r. przedstawił on koncepcję zwalczania chorób zakaźnych za pomocą środków chemicznych. Zaowocowała ona odkryciem pierwszego środka chemioterapeutycznego przeciwbakteryjnego – salwarsanu, stosowanego przeciw kile.

Środki odkażające

Są to związki chemiczne zabijające drobnoustroje i niszczące ich zarodniki. Stosuje się je zewnętrznie do odkażania pomieszczeń, narzędzi lekarskich, szkła laboratoryjnego, a także skóry i błon śluzowych. Nie stosuje się ich wewnętrznie, gdyż silnie uszkadzają również komórki człowieka.

Środki do odkażania pomieszczeń i sanitariatów. Rzadko w tym celu jest stosowany pierwszy antyseptyk, kwas karbolowy, zwany fenolem, częściej metylofenol (krezol) stosowany w postaci mydła potasowego, zwanego lizolem, w roztworze 3–5%. Ponadto stosowane są związki chloru: chlorofenol, chlorokrezol, chloroksylen, chlor w stężeniu 1:10 000, podchloryn sodowy, wapno chlorowane w stężeniu 10–20%. Wapno chlorowane jest mieszaniną podchlorynu wapniowego, wodorotlenku i chlorku wapniowego. Podobne zastosowanie ma 40% roztwór wodny formaldehydu, zwany formaliną.

Środki do odkażania instrumentów i naczyń lekarskich oraz przedmiotów. W tym celu używa się formaliny, 40–70% wodnych roztworów alkoholu etylowego, lizolu oraz chlorku rtęciowego, zwanego s u b l i m a t e m, w stężeniu 1:20 000.

Środki odkażające skórę nieuszkodzoną. Należą tu z w i ą z k i j o d u, który zabija bakterie, pierwotniaki, wirusy i grzyby: alkoholowy roztwór jodu zwany j o d y n ą, płyn Lugola będący wodnym roztworem zawierającym jod i jodek potasowy. Z soli rtęci używa się: merkurochrom stosowany w stężeniach 0,01–0,1%, mertiolat (stężenie 0,01–0,02) oraz amidochlorek rtęciowy (2–10% roztwory, maści i zasypki). Często używa się również 40–70% wodnych roztworów alkoholu etylowego.

Środki odkażające śluzówki. Należy tutaj powszechnie znana w o d a u t l e n i o n a, czyli 3% wodny roztwór nadtlenku wodoru, działająca silnie odkażająco przez wydzielanie tlenu atomowego, który zabija drobnoustroje. Podobny mechanizm działania ma n a d m a n g a n i a n p o t a s u (fioletowe kryształki) stosowany w stężeniu 1:5000 (zabarwienie roztworu jasnoróżowe). Ponadto stosowane są s o l e r t ę c i: oksycjanek rtęciowy (w stężeniu 1:5000–1:1000) i żółty tlenek rtęciowy w stężeniu 0,5–5% w maści; s o l e s r e b r a: azotan srebra (1:1000), białczan srebra (0,2–1%), roztwór srebra koloidalnego (0,1–1%); siarczan cynku (0,25%) oraz p o d c h l o r y n s o d u (0,5% roztwór – p ł y n D a k i n a).

Środki do odkażania ran. Stosuje się roztwory: nadtlenku wodoru (wodę utlenioną), podchlorynu sodu, azotanu srebra, nadmanganianu potasu.

Do **odkażania wody** stosuje się c h l o r.

Leki chemioterapeutyczne

Są to związki stosowane wewnętrznie, które zabijają drobnoustroje lub hamują ich rozwój nie uszkadzając komorek organizmu człowieka. Są znacznie bardziej toksyczne dla drobnoustrojów niż dla tkanek człowieka.

Sulfonamidy

Są to leki o działaniu bakteriostatycznym, tzn. hamującym podziały komorek bakteryjnych. Jako antagoniści kwasu para-aminobenzoesowego (mają budowę chemiczną bardzo podobną do budowy kwasu), który jest niezbędny do metabolizmu bakterii, a zatem ich rozmnażania się, sulfonamidy wnikają do wnętrza komórki bakteryjnej równie łatwo jak wspomniany kwas. Sulfonamidy pełnią przysłowiową rolę konia trojańskiego – wbudowują się do związków biorących udział w przemianach materii komórek bakteryjnych w miejsce kwasu para-aminobenzoesowego i hamują rozwój oraz dzielenie się bakterii.

Od 1935 r., kiedy to wprowadzono do lecznictwa pierwszy sulfonamid, większość bakterii wytworzyła oporność na ich działanie. Obecnie sulfonamidy są skuteczne tylko w zakażeniach niektórymi bakteriami. Mają ograniczone zastosowanie w łagodnych zakażeniach dróg moczowych (sulfonamidy o krótkim okresie działania, stosowane co 4–6 godz.) oraz w łagodnie przebiegających zakażeniach górnych dróg oddechowych, dróg żółciowych, przewodu pokarmowego (sulfonamidy o przedłużonym okresie działania, stosuje się je co 12 godz.).

Z objawów niepożądanych sulfonamidy wywołują najczęściej reakcje alergiczne oraz zaburzenia przewodu pokarmowego (nudności, wymioty), uszkodzenia szpiku, nerek i wątroby.

Kotrimoksazol (Biseptol). Jest to lek złożony, zbudowany z sulfonamidu – sulfametoksazolu oraz chemioterapeutyku – trimetoprimu. Lek ma szeroki zakres działania bakteriostatycznego i stosowany jest w leczeniu łagodnie przebiegających zakażeń górnych dróg oddechowych, ucha środkowego, migdałków, układu pokarmowego, moczowego i dróg żółciowych. Wywiera długotrwałe działanie, jest stosowany 2 razy na dobę (co 12 godz.).

Salazopiryna. Sulfonamid ten nie wywiera działania bakteriostatycznego i nie jest środkiem chemioterapeutycznym. Jest stosowany w leczeniu wrzodziejącego zapalenia jelita grubego.

Antybiotyki

Penicyliny. Pierwszym odkrytym antybiotykiem była penicylina, opisana w 1928 r. przez Aleksandra Fleminga, ale do lecznictwa wprowadzona dopiero w 1941 r. przez Chaina i Floreya.

Penicyliny naturalne otrzymuje się z pleśni *Penicillium notatum* i *Penicillium chrysogenum* i mianuje się w jednostkach międzynarodowych – 1 j.m. penicyliny zawiera 0,6 µg tego antybiotyku. Penicyliny naturalne działają głównie na bakterie Gram-dodatnie (gronkowce, paciorkowce, pneumokoki, meningokoki), mają więc wąski zakres działania przeciwbakteryjnego. Nie wywierają działania farmakologicznego na tkanki człowieka, są zatem nietoksyczne, z wyjątkiem tkanki nerwowej, którą drażnią, i osób uczulonych na penicylinę.

W miarę upływu lat stosowania penicylin naturalnych zwiększała się stopniowo liczba szczepów bakterii opornych na ich działanie oraz liczba osób uczulonych na penicylinę. Obecnie aż 80% szczepów gronkowców jest opornych na działanie tych penicylin.

Mechanizm powstawania oporności na antybiotyki jest przedstawiony na rysunku na s. 462. Najpierw następuje selekcja drobnoustrojów opornych wśród populacji o różnej wrażliwości, z kolei powstają oporne mutanty, później po rozpadzie komórki bakteryjnej niewrażliwej (np. wskutek fagocytozy) zachodzi transdukcja, czyli przekazywanie kwasu rybonukleinowego (RNA) pozachromosomalnego zawierającego czynnik oporności (np. enzym rozkładający antybiotyk) do komórki wrażliwej. Pozachromosomalny RNA zawierający czynnik oporności nazywa się plazmidem. Z kolei w procesie koniugacji następuje przekazanie plazmidu z jednej nieuszkodzonej komórki bakteryjnej do drugiej. Plazmidy mogą być też przekazywane z bakterii niechorobotwórczych do bakterii chorobotwór-

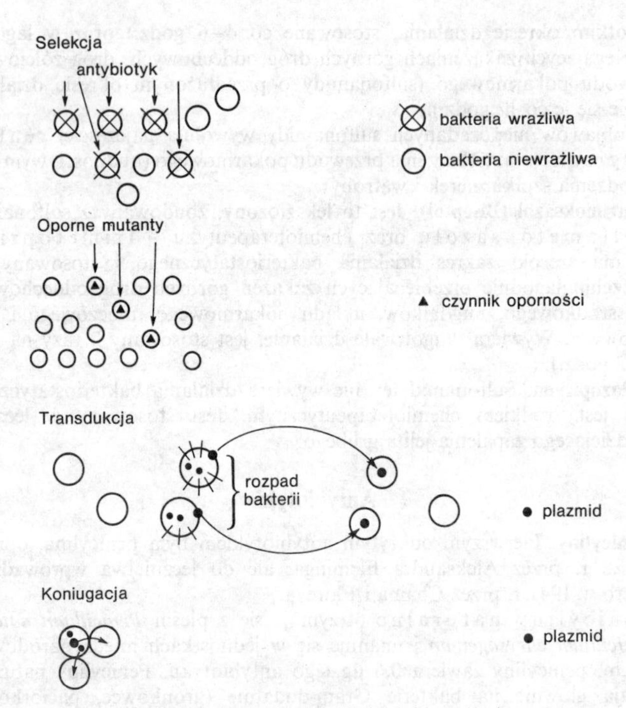

Mechanizm powstawania oporności bakteryjnej na antybiotyk

czych, z jednych gatunków drobnoustrojów do innych gatunków, czyli mówiąc obrazowo, jeden gatunek bakterii może „zakazić" plazmidem inny gatunek tych drobnoustrojów.

Oporność krzyżowa polega na tym, że drobnoustrój oporny na jeden antybiotyk staje się oporny na inne antybiotyki, zwłaszcza o podobnym mechanizmie działania przeciwbakteryjnego. Podstawowe zaś mechanizmy przeciwbakteryjnego działania polegają na: 1) uszkadzaniu ściany bakteryjnej przez zaburzenie syntezy jej składników oraz 2) zaburzeniu syntezy białek w cytoplazmie bakterii.

Preparatami penicylin naturalnych są: penicylina krystaliczna (czas działania 4–6 godz.), penicylina prokainowa (czas działania 12 godz.), penicylina benzatynowa (czas działania 1–2 tyg.). Preparaty te mogą być podawane tylko w iniekcjach, podane doustnie rozkładają się w kwaśnym środowisku soku żołądkowego.

Penicyliny naturalne mogą być stosowane u ludzi nieuczulonych, zakażonych szczepami bakteryjnymi wrażliwymi na te penicyliny. W tych przypadkach są one często najbardziej skutecznymi lekami.

P e n i c y l i n y p ó ł s y n t e t y c z n e. Po stwierdzeniu, że ugrupowaniem chemicznym penicylin naturalnych, od którego zależy ich działanie bakteriobójcze, jest kwas 6-aminopenicylanowy, wyosobniono go w czystej postaci i przez dołączenie do niego różnych podstawników za pomocą syntezy uzyskano nowe związki o innych właściwościach, które nazwano penicylinami półsyntetycznymi. Wśród nich znajdują się leki, które można też podawać doustnie, niektóre z nich działają na szczepy bakteryjne uodpornione na działanie penicylin naturalnych, gdyż są niewrażliwe na działanie enzymu (beta-laktamazy – penicylinazy) wytwarzanego przez te bakterie, który rozkłada penicyliny. Inne wreszcie mają bardzo szeroki zakres działania przeciwbakteryjnego, gdyż działają zarówno na bakterie Gram-dodatnie, jak i Gram-ujemne.

Penicyliny półsyntetyczne w przeciwieństwie do naturalnych nie są nietoksyczne i mogą spowodować uszkodzenie szpiku, nerek, a bardzo często wywołują reakcje alergiczne.

Cefalosporyny. Antybiotyki te są pochodnymi kwasu 7-aminocefalosporanowego, który przypomina swą budową kwas 6-aminopenicylanowy. W lecznictwie stosuje się kilkanaście cefalosporyn, r ó ż n i ą c y c h s i ę drogą podania (jedne mogą być podawane wyłącznie dożylnie lub domięśniowo, inne także doustnie), siłą działania na bakterie oporne na penicyliny oraz działaniem toksycznym na nerki. Wszystkie mają szeroki zakres działania przeciwbakteryjnego i wywierają działanie bakteriobójcze. Podobnie jak penicyliny półsyntetyczne, są stosowane w leczeniu zakażeń bakteryjnych różnych narządów oraz w zakażeniach rozsianych zwanych posocznicami. Rzadziej niż penicyliny półsyntetyczne wywołują reakcje alergiczne.

Streptomycyna i antybiotyki o podobnym do niej zastosowaniu. Streptomycynę odkrył w 1944 r. S.A. Waksman jako drugi antybiotyk, a zarazem pierwszy lek przeciwgruźliczy. Działa bakteriobójczo, ma szeroki zakres działania przeciwbakteryjnego. Może uszkadzać nerwy obwodowe, zwłaszcza nerw słuchowy oraz nerki. Streptomycyna znalazła zastosowanie w leczeniu gruźlicy oraz zakażeń różnych narządów, zarówno bakteriami Gram-dodatnimi, jak i Gram-ujemnymi. Jest stosowana domięśniowo. Podana doustnie wchłania się zbyt słabo, aby spowodować działanie bakteriobójcze.

Oprócz streptomycyny uzyskano też kilka nowych aminoglikozydów o silniejszym od niej działaniu bakteriobójczym i nieco mniejszej toksyczności. Leki te są stosowane głównie w ciężkich rozsianych zakażeniach bakteriami Gram-ujemnymi.

Z a s a d y l e c z e n i a g r u ź l i c y. Ponieważ wiele prątków gruźlicy uodporniło się na działanie streptomycyny oraz innych leków przeciwgruźliczych, stosuje się obecnie leczenie skojarzone tej choroby za pomocą kilku, najczęściej trzech, równocześnie stosowanych leków.

Leki przeciwgruźlicze dzieli się na leki I rzędu i leki II rzędu (tabela, s. 464). Rozpoczynając leczenie wybiera się 3 leki I rzędu, które stosuje się przez okres 6–12 miesięcy. Jeśli wytworzy się oporność prątków na jeden z tych leków, zastępuje się go lekiem II rzędu. Kryterium podziału leków przeciwgruźliczych jest ich toksyczność. Leki II rzędu są bardziej toksyczne od leków I rzędu.

Podział leków przeciwgruźliczych

Leki I rzędu	Leki II rzędu
Ryfampicyna Hydrazyd Etambutol	Kwas para-aminosalicylowy (PAS) Etionamid Pyrazinamid Antybiotyki: streptomycyna wiomycyna kapreomycyna kanamycyna

Tetracykliny. Jest to grupa antybiotyków o działaniu bakteriostatycznym. Zakres ich działania przeciwbakteryjnego jest bardzo szeroki. Działają również przeciwko riteksjom i dużym wirusom. Są stosowane w leczeniu duru plamistego, gorączki Q, gorączki Gór Skalistych, krztuśca, papuzicy, jaglicy, półpaśca. Najczęściej leczy się nimi zakażenia dróg oddechowych, moczowych, żółciowych, przewodu pokarmowego, wywołane zarówno przez bakterie Gram-dodatnie, jak i Gram-ujemne. Są również stosowane w leczeniu wąglika, dżumy, tularemii i brucelozy. W Polsce stosuje się głównie 5 najłatwiej dostępnych z tej grupy antybiotyków.

Tetracykliny mogą wywołać wiele działań niepożądanych; spośród tych działań najbardziej niebezpieczne są tzw. d y s b a k t e r i o z y. Powstają one wskutek zniszczenia przez tetracykliny (mają bardzo szeroki zakres działania) normalnej, niepatogennej flory bakteryjnej. W tych warunkach łatwo może wystąpić zakażenie nowym zjadliwym szczepem bakteryjnym, prowadzące do ciężkiego zakażenia zwanego n a d k a ż e n i e m.

Tetracykliny oprócz szerokiego podawania ogólnego są również stosowane zewnętrznie.

Antybiotyki makrolidowe. Są to leki o działaniu bakteriostatycznym w wąskim zakresie, mało toksyczne. Stosuje się je w zakażeniach różnych narządów spowodowanych bakteriami Gram-dodatnimi, także niewrażliwymi na działanie penicylin oraz u ludzi uczulonych na penicyliny. Spośród antybiotyków makrolidowych najczęściej jest stosowana e r y t r o m y c y n a. W zakażeniach mieszanych bakteriami Gram-dodatnimi i Gram-ujemnymi podaje się makrolidy równocześnie z tetracyklinami, które mają szeroki zakres działania przeciwbakteryjnego.

Chloramfenikol, zwany też **chloromycetyną** lub **detreomycyną**, jest antybiotykiem bakteriostatycznym o bardzo szerokim zakresie działania, ale zarazem b a r d z o t o k s y c z n y m. U niektórych osób może wywołać zanik czynności szpiku prowadzący do niedokrwistości aplastycznej, często powodującej śmierć. To bardzo ciężkie powikłanie występuje rzadko. Może wystąpić dopiero po kilku tygodniach lub miesiącach od zakończenia podawania antybiotyku.

Chloramfenikol stosuje się najczęściej w leczeniu duru brzusznego i paradurów. Obecnie próbuje się go zastąpić ampicyliną, która jest penicyliną półsyntetyczną o szerokim zakresie działania, lub kotrimoksazolem. Ponadto istotnym wskazaniem do leczenia chloramfenikolem są zakażenia niektórymi bakteriami Gram-ujemnymi oraz gronkowcami opornymi na inne antybiotyki.

Zasady leczenia antybiotykami

Polegają one na ustaleniu rozpoznania bakteriologicznego, a zatem wykryciu bakterii wywołujących zakażenie, zbadaniu ich wrażliwości na poszczególne antybiotyki, dobraniu odpowiednio wysokiej dawki, która daje gwarancję szybkiego zniszczenia bakterii patogennych, oraz ustaleniu czasu trwania leczenia. Antybiotyków nie należy stosować w leczeniu stanów gorączkowych nie spowodowanych przez zakażenia bakteryjne.

Przyczynami stopniowo narastającej oporności szczepów bakteryjnych na antybiotyki było ich stosowanie bez właściwych wskazań, w zbyt małych dawkach i przez zbyt krótki okres. Do powstania oporności bakterii na antybiotyki przyczyniło się również ich używanie jako dodatku do paszy przeznaczonej do hodowli zwierząt i ptactwa rzeźnego. Obecnie obowiązuje konwencja międzynarodowa zabraniająca używania antybiotyków stosowanych w lecznictwie u człowieka do celów hodowlanych.

Rozwój antybiotykoterapii przyczynił się do zmniejszenia śmiertelności spowodowanej ciężkimi zakażeniami bakteryjnymi oraz do opanowania bardzo groźnych dotąd chorób, m.in. gruźlicy i kiły.

Leki przeciwgrzybicze

Dzieli się je na stosowane zewnętrznie w grzybicach skóry oraz wewnętrznie w uogólnionych zakażeniach grzybami.

W grzybicach skóry stosuje się różne środki grzybobójcze lub grzybostatyczne, m.in. kwas undecylenowy, propionowy, kaprylowy, gryzeofulwinę. Gryzeofulwinę podaje się doustnie; po wchłonięciu się z przewodu pokarmowego zostaje ona przeniesiona z krwią do skóry, keratyny włosów i paznokci, w których się odkłada.

W grzybicach uogólnionych, atakujących różne narządy, stosuje się ogólnie niektóre antybiotyki oraz chemioterapeutyki pochodne imidazolu. Leki te są obdarzone znaczną toksycznością, słabo przenikają do tkanek, podaje się je więc najczęściej dożylnie. Uzyskanie skutecznych leków przeciwgrzybiczych mniej toksycznych jest przedmiotem prowadzonych obecnie badań. Problem leczenia grzybic układowych nie został dotąd zadowalająco rozwiązany. Choroby te wywołują nadal dużą śmiertelność, występują bowiem najczęściej u chorych wyniszczonych przewlekłymi ciężkimi chorobami lub na skutek dysbakteriozy będącej powikłaniem antybiotykoterapii.

Leki przeciwwirusowe

Działanie leków przeciwwirusowych polega na zaburzaniu syntezy kwasów nukleinowych wirusów. Ponieważ kwasy te są podstawowymi składnikami wszystkich komórek człowieka, bardzo trudno jest znaleźć leki swoiście hamujące kwasy nukleinowe wirusa, nie wywierające szkodliwego wpływu na te związki w naszym organizmie. Obecnie zaledwie kilka leków ma w pełni udokumentowane działanie przeciwwirusowe u człowieka.

Acyklowir i widarabina działają swoiście przeciwko wirusom opryszczki lub półpaśca, wywołującym też zapalenie mózgu. Leki te hamują także rozmnażanie się wirusa Epsteina–Barra powodującego m.in. mononukleozę, chłoniaki i być może raka nosogardzieli. Amantadyna zapobiega wnikaniu wirusa grypy do komórek. Ma ograniczone znaczenie w zapobieganiu grypie, nie ma działania leczniczego. Idoksurydyna jest stosowana wyłącznie miejscowo w postaci kropli lub maści w zapaleniach wirusowych rogówki. Nie ma zastosowania ogólnego ze względu na dużą toksyczność. Zidowudyna (Retrovir, AZT), pierwszy lek przeciw AIDS, hamuje replikację wirusa HIV. Działa jednak bardzo krótko (trzeba go podawać co cztery godz.) i jest bardzo toksyczny. Po 6–8 tygodniach stosowania uszkadza szpik kostny (u 70% chorych przerwano jego stosowanie).

VIII. ZAPOBIEGANIE CHOROBOM ZAKAŹNYM

Preparatami biologicznymi zapobiegającymi powstaniu chorób zakaźnych są szczepionki, wywołujące odporność czynną organizmu przeciwko drobnoustrojom utrzymującą się dłuższy czas, oraz surowice, wywołujące krótkotrwałą odporność bierną.

Szczepionki. Są to preparaty biologiczne zawierające odpowiednio przygotowane drobnoustroje lub ich toksyny. Po wprowadzeniu do organizmu człowieka powodują wytwarzanie się jego czynnej odporności, skierowanej przeciwko antygenom zawartym w szczepionce. Szczepionki mogą zawierać drobnoustroje zabite albo żywe o zjadliwości silnie osłabionej za pomocą zabiegów laboratoryjnych.

Surowice odpornościowe. Są to surowice krwi zawierające duże stężenie przeciwciał przeciwko bakteriom lub wirusom. Otrzymuje się je z krwi ozdrowieńców, którzy przebyli choroby zakaźne, a najczęściej z krwi zwierząt (koni, osłów, bydła rogatego) uodpornionych sztucznie. Podanie surowicy wywołuje u człowieka odporność bierną wobec drobnoustrojów, utrzymującą się 3–6 tygodni. Kilkakrotne podanie surowicy zawierającej obce dla człowieka białko, zwłaszcza tego samego zwierzęcia, może wywołać ciężkie reakcje alergiczne, a nawet wstrząs anafilaktyczny (zob. Alergia, s. 456).

Stosuje się następujące surowice odpornościowe: przeciwtężcową, przeciwbłoniczą, przeciw zgorzeli gazowej, przeciw jadowi żmij, przeciw jadowi kiełbasianemu.

ZIOŁOLECZNICTWO

Gromadzone przez wiele wieków wiadomości o roślinach i ich właściwościach pokarmowych, paszowych, leczniczych, trujących i innych zostały spisane, tworzą pierwsze źródła syntetycznie ujętej wiedzy przekazywanej ustnie przez pokolenia. Najstarszymi księgami o leczniczych właściwościach roślin są księgi chińskie i indyjskie, papirusy egipskie (1550 p.n.e.) i wreszcie dzieło ojca medycyny – Hipokratesa (460–377 p.n.e.). Wysoka cywilizacja starożytnych Greków i Rzymian ma swe odbicie w bezcennych dzisiaj księgach Teofrasta z Eresos (370–287 p.n.e.), Dioskuridesa Pedianosa (I w.), Pliniusza Starszego (23–79 n.e.), Galena (130–201 n.e.), w których zawarta została cała ówczesna wiedza o roślinach leczniczych, oparta na empirycznych dociekaniach tysięcy pokoleń. Późniejszy okres to stopniowe uzupełnianie tej wiedzy nowymi obserwacjami aż do początku XIX w., gdy zaczęto izolować z roślin czyste związki chemiczne oraz poznawać ich właściwości farmakologiczne. Odtąd przez lecznicze działanie roślin rozumie się obecność w nich ściśle zdefiniowanych substancji chemicznych, mających określoną budowę i związane z nią działanie fizjologiczne.

Po 1950 r. niezwykły rozwój badań wzbogacił niepomiernie wiedzę o roślinach leczniczych, a jednocześnie potwierdził niemal bezbłędność obserwacji empirycznych. Obecny stan wielokierunkowych, nowoczesnych badań roślin leczniczych prowadzi do bardziej racjonalnego ich wykorzystania we współczesnej medycynie, zwłaszcza że patronuje temu Światowa Organizacja Zdrowia.

Za roślinę leczniczą uważa się każdą roślinę użytą przez człowieka lub zwierzę, w dowolnej postaci i w jakikolwiek sposób, która wywiera określone działanie farmakologiczne. Pojęciem surowca roślinnego określa się dowolną część rośliny używaną do celów leczniczych, natomiast lekiem roślinnym mogą być, oprócz samego surowca, wyciągi płynne lub suche z surowca albo też izolowane czyste związki chemiczne. Lek roślinny, w zależności od przeznaczenia, ma różne postacie farmaceutyczne. Najczęściej stosowanymi zewnętrznie postaciami leku są maści, emulsje, kremy, okłady, wyciągi olejowe, wyciągi wodne, mazidła, balsamy. Do wewnętrznego użytku służą wyciągi płynne i suche, granulaty ziołowe, syropy i inne. Sposoby przyrządzania poszczególnych postaci leków są podane w farmakopeach i innych opracowaniach specjalistycznych.

Ziołolecznictwo, zwane też od XIX w. fitoterapią, polega na stosowaniu roślinnych środków w celach leczniczych. W początkowym okresie ziołolecznictwo posługiwało się wyłącznie prostymi wyciągami wodnymi lub alkoholowymi. W miarę postępu technologii farmaceutycznej wprowadzono również inne formy leków, stosowane także dla preparatów syntetycznych. Zestaw leków pochodzenia roślinnego powiększał się stopniowo o specyfiki zawierające wiele związków roślinnych, standaryzowanych analitycznie i farmakologicznie. Im wyższy jest poziom naukowy i technologiczny przemysłu farmaceutycznego w danym kraju, tym więcej jest złożonych, standaryzowanych specyfików w najbardziej nowoczesnych postaciach. W lecznictwie współczesnym stosowane są preparaty zawierające, oprócz substancji roślinnych, również związki otrzymywane syntetycznie, wyciągi z organów zwierzęcych, składniki mineralne, witaminy i in. Sugeruje się, aby tego rodzaju preparaty, jeśli ilość składników roślinnych i ich wartość terapeutyczna przewyższają pozostałe komponenty, zaliczać do leków roślinnych.

Równolegle z fitoterapią powstał w tym samym czasie w Niemczech pokrewny rodzaj lecznictwa zwany homeopatią. Zasadą w niej jest *similia similibus curantur* – podobne leczy się podobnym. Homeopatia posługuje się wieloma prostymi preparatami ze świata roślinnego, zwierzęcego i nieorganicznego, zwykle w dużych lub bardzo dużych rozcieńczeniach. Zwolennicy tego kierunku leczenia, szczególnie liczni w Niemczech, Francji, Szwajcarii i we Włoszech, mają do dyspozycji wiele wartościowych preparatów i specyfików produkowanych przez krajowy przemysł.

I. ZIOŁOLECZNICTWO W NOWOCZESNEJ MEDYCYNIE

W końcu XIX i w początkach XX w. ziołolecznictwo było zaledwie tolerowane przez medycynę oficjalną, posługującą się głównie lekami otrzymywanymi syntetycznie. Z upływem lat, wobec rozwoju badań fitochemicznych, badań składu chemicznego roślin i znacznego w tej dziedzinie postępu, równolegle z postępem wiedzy i w dziedzinie syntezy chemicznej, nastąpiła zmiana. Obecnie nowoczesna medycyna stosuje wiele leków pochodzenia roślinnego lub, ujmując szerzej, pochodzenia naturalnego. Współczesne lecznictwo w większym stopniu stosuje leki naturalne i modyfikowane niż leki ściśle syntetyczne. W zestawie leków znalazły się: wyodrębnione z roślin związki chemiczne, związki wytwarzane przez drobnoustroje, np. antybiotyki, leki półsyntetyczne lub modyfikowane, wiele oczyszczonych mieszanin związków roślinnych, płynne i stałe wyciągi roślinne, olejki eteryczne, gotowe mieszanki ziołowe, granulaty lub suche wyciągi rozpuszczalne w wodzie; ponadto specyfiki i preparaty jednorodne, zawierające tylko składniki roślinne, jak również mieszane z dodatkiem związków syntetycznych lub pochodzenia zwierzęcego, a nawet homeopatycznych. Dwa najczęściej stosowane leki: tj. polopiryna, czyli kwas acetylosalicylowy, oraz witamina C, czyli kwas askorbinowy, to leki pochodzenia roślinnego.

Współczesne lecznictwo dysponując licznymi preparatami naturalnymi zobowiązane jest do ich racjonalnego stosowania i umiejętnego łączenia z lekami syntetycznymi i chemioterapeutykami. Charakterystyczną cechą większości leków roślinnych jest ich powolne działanie oraz małe prawdopodobieństwo wywołania objawów niepożądanych. Wyjątek stanowią leki otrzymywane z nielicznych roślin silnie toksycznych, zawierających alkaloidy lub glikozydy, np. sporysz, naparstnica, tojad, zimowit. Ponadto leki roślinne cechuje synergizm między składnikami zawartymi w wyciągach roślinnych oraz synergetyczna aktywność we współdziałaniu z wieloma równolegle stosowanymi lekami syntetycznymi, dobra resorpcja związków czynnych w przewodzie pokarmowym oraz duża rozpiętość terapeutyczna, tzn. duża różnica między dawką działającą a dawką trującą.

Naukowo udowodniono skuteczność ziołolecznictwa w wielu chorobach, nawet o nieustalonej do dziś etiologii. Leki roślinne są z powodzeniem stosowane w wielu jednostkach chorobowych, zwłaszcza u osób w wieku podeszłym, rekonwalescentów, dzieci, kobiet ciężarnych i karmiących.

Leki roślinne są stosowane jako:

1) leki podstawowe, choć nie wyłącznie, np. w osłabieniu mięśnia sercowego i spowodowanej tym zastoinowej niewydolności krążenia, w zaburzeniach rytmu serca, w bielactwie i in.;

2) leki pomocnicze w licznych chorobach, np. w przewlekłych chorobach nerek i wątroby, w stanach po wirusowym zapaleniu wątroby, w nieżytach jelit i żołądka, w miażdżycy, w niektórych chorobach narządów ruchu, chorobach skóry;

3) leki uzupełniające działanie środków syntetycznych i chemioterapeutyków, np. w gruźlicy, mało zaawansowanej cukrzycy, w niektórych chorobach neurologicznych;

4) leki działające synergetycznie, tj. współdziałające z preparatami hormonalnymi i innymi, np. w klimakterium, cisawicy, przeroście gruczołu krokowego;

5) leki przemienne, stosowane wówczas, gdy wymagana jest czasowa przerwa w podawaniu preparatów pochodzenia syntetycznego, np. w łuszczycy;

6) leki ochronne, podawane równolegle z lekami syntetycznymi i antybiotykami, zmniejszające lub nawet całkowicie znoszące ich szkodliwe działanie na wątrobę i układ moczowy.

II. ROŚLINY LECZNICZE W KRAJU I NA ŚWIECIE

Spośród 400 000 gatunków roślin wyższych na kuli ziemskiej ok. 20 000 gatunków uznano za lecznicze, ale tylko ok. 1900 ma większe znaczenie i jest wymienionych w oficjalnych dokumentach różnych krajów oraz znajduje się w obrocie handlowym. W Polsce występuje ok. 400 gatunków roślin traktowanych jako lecznicze, lecz zbiera się ze stanu naturalnego zaledwie ok. 100 gatunków, przeznaczonych do bezpośredniej sprzedaży, do przerobu i na eksport. Około 60 gatunków jest uprawianych, w tym większość pochodzenia zagranicznego. Ilości wagowe surowców roślinnych pozyskiwanych z upraw przekraczają 25 000 ton i są 5–6 razy wyższe od ilości pozyskiwanych ze stanu naturalnego.

Leki ziołowe powinny odpowiadać ustalonym normom zawartości podstawowych związków czynnych w surowcach leczniczych, w samych preparatach oraz w specyfikach ziołowych w celu zapewnienia dostatecznie równomiernego działania.

Fizjologicznie czynne związki nie są równomiernie rozmieszczone we wszystkich częściach rośliny. Do celów leczniczych stosuje się te części roślin, w których związków tych jest najwięcej. Niekiedy nagromadzenie związków chemicznych w różnych częściach rośliny jest tak zróżnicowane, że każdą z nich można uznać za osobny surowiec o takim samym lub odmiennym zastosowaniu leczniczym. Większość roślin dostarcza tylko jednego surowca, ale np. kasztanowiec zwyczajny aż cztery jego rodzaje (liście, kwiaty, owoce, kora), zaś głóg dwa rodzaje (kwiaty, owoce). Z tych względów działanie lecznicze roślin podzielono na grupy według właściwości farmakologicznych (i leczniczych) poszczególnych surowców roślinnych, a nie samych roślin.

Działanie uspokajające (sedativum, antinervinum)

Spośród roślin leczniczych działanie takie wywierają rośliny zawierające związki wpływające bezpośrednio na ośrodkowy układ nerwowy. Tłumią one przekazywanie i rozprzestrzenianie się impulsów wywołujących stan pobudzenia psychicznego i zakłócających równowagę między bodźcami wychodzącymi z receptorów a odbieranymi przez efektory. Tego rodzaju właściwości mają związki chemiczne o różnej budowie, np. chmielowe kwasy goryczowe, skopolamina, alkaloidy rauwolfii i sporyszu, niektóre składniki olejków eterycznych; silnie narkotycznie działa morfina i jej modyfikowane pochodne oraz opium.

Korzeń kozłka lekarskiego. Surowiec ten jest najczęściej stosowany w lecznictwie i w praktyce domowej. Zawiera mieszaninę związków zwanych walepotriatami, które działają uspokajająco w sposób zbliżony do leków neuroleptycznych, lecz rzadziej wywołują reakcje niepożądane. Takie same właściwości mają wyciągi alkoholowe: intrakt ze świeżego korzenia kozłka oraz nalewki spirytusowe i na eterze. Korzeń kozłka jest jednym z najpopularniejszych surowców roślinnych na świecie i wchodzi w skład następujących preparatów: Neocardina, Neospasmina, Nervosol, Valupol, mieszanka ziołowa Nervosan i granulat Nervogran.

Korzeń rauwolfii zawiera liczne alkaloidy, m.in. działające uspokajająco: rezerpinę, dezerpidynę i rescynaminę. Surowiec ten stosuje się w postaci sproszkowanej, wyciągów alkoholowych, mieszaniny oczyszczonych alkaloidów oraz izolowanego głównego związku, rezerpiny, w następujących preparatach: Raupasil, Raudiazin, Retiazid, Serpasil.

Szyszki chmielowe. Na swej powierzchni zawierają gruczoły olejkowe, które po otarciu z szyszek tworzą lepką masę zwaną l u p u l i n ą. Zawierają one olejek eteryczny z dużą ilością żywic i tzw. goryczy chmielowych o właściwościach uspokajających. Lupulina odznacza się dużą skutecznością i długotrwałym działaniem.

Inne surowce roślinne. Działania uspokajające wywierają: kłącze tataraku, ziele dziurawca, ziele serdecznika, liść melisy, liść bobrka trójlistkowego, kwiat maku polnego, ziele pasyflory, liść ruty, kwiat lipowy oraz przetwory i preparaty: nalewka tatarakowa, intrakt dziurawcowy i sok dziurawcowy, intrakt z ruty, Passispasmin. Wymienione surowce roślinne można stosować doustnie w postaci naparów lub odwarów oraz do kąpieli uspokajających, gdyż znajdujące się w nich związki czynne są resorbowane przez skórę.

Zioła działające obwodowo, g ł ó w n i e r o z k u r c z o w o, mają również właściwości uspokajające. Należy tutaj: korzeń arcydzięgla, ziele glistnika, kwiat głogu, owoc kopru włoskiego, kwiat lawendy, liść rozmarynu. Także zioła działające osłaniająco, nasercowo, przeciwkaszlowo lub przeciwgorączkowo wywierają w pewnym stopniu efekt uspokajający.

Działanie rozkurczowe (spasmolyticum)

Zioła zawierające związki chemiczne działające spazmolitycznie, czyli rozkurczowo, na mięśnie gładkie zmniejszają lub znoszą napięcie mięśni określonego narządu oraz powodują odczuwalne złagodzenie bólu wywołanego skurczem, a także osłabienie związanego z tym pobudzenia nerwowego. Zioła z tej grupy mają wybiórcze działanie na mięśnie gładkie określonych narządów, wobec czego można je podzielić na spazmolityki: przewodu pokarmowego, dróg żółciowych, dróg moczowych, naczyń krwionośnych, oskrzeli i macicy. Działając na p r z e w ó d p o k a r m o w y przywracają prawidłową jego perystaltykę, właściwy ruch zstępny treści pokarmowej i łatwe odchodzenie gazów (właściwości wiatropędne). U osób cierpiących na atonię jelit i spowodowane tym zaparcia ułatwiają wypróżnianie bez konieczności stosowania środków przeczyszczających. Wskutek działania rozkurczowego na d r o g i ż ó ł c i o w e przywracają fizjologicznie prawidłowy przepływ żółci z wątroby do dwunastnicy oraz soku trzustkowego z trzustki do dwunastnicy, regulują zaburzony proces trawienny. W stanach skurczowych w obrębie dróg moczowych powodują ustąpienie bólu i zwiększenie wydalania moczu. Działając rozkurczowo na mięśniówkę małych naczyń krwionośnych: włośniczek, małych naczyń żylnych i tętniczek oraz naczyń wieńcowych serca polepszają obieg krwi i doprowadzenie tlenu do narządów wewnętrznych, mózgu, mięśnia sercowego, kończyn. Działając spazmolitycznie na drzewo oskrzelowe i na właściwy ruch nabłonka rzęskowego ułatwiają odkrztuszanie wydzieliny.

Działanie rozkurczowe ziół nie jest związane z określoną strukturą chemiczną. Związkami czynnymi są substancje o bardzo różnej budowie. Najczęściej są to olejki eteryczne i niektóre ich składniki, flawonoidy, pochodne kumaryny, saponiny i ich geniny trójterpenowe, ponadto związki goryczowe, żywice, niektóre kwasy wielofenolowe i antrazwiązki. Szczególnie silnie działającą grupę stanowią alkaloidy: atropina, chelidonina, papaweryna, protopina, glaucyna, boldyna, winkamina, dyktamnina.

Spazmolityki przewodu pokarmowego. Liczne i różnorodne są przyczyny wywołujące gwałtowny lub wolniej narastający skurcz mięśni gładkich jelit, a niekiedy żołądka. Zwykle spowodowane jest to błędami żywieniowymi, związkami toksycznymi, atonią jelit (u osób starszych i rekonwalescentów) oraz zmianami organicznymi. Zależnie od stopnia nasilenia i czasu trwania skurczu stosuje się odpowiednie leki roślinne. Ostry ból wywołany kolką ustępuje pod działaniem ziół zawierających atropinę, takich jak liść pokrzyku, bielunia, lulka oraz odpowiednich z nich wyciągów. Stosuje się również wyizolowane alkaloidy: atropinę i skopolaminę oraz preparaty Scopolan i Spasticol. Silne działanie rozkurczowe wywiera też papaweryna, alkaloid występujący w soku mlecznym makówek. Nieco słabiej działa chelidonina, alkaloid otrzymywany z soku mlecznego glistnika.

Inną grupę stanowią surowce roślinne, których działanie rozkurczowe zależy od zespołu związków chemicznych wykazujących działanie synergetyczne. Charakterystyczną ich cechą jest swoisty „amfotropizm", czyli zdolność do obniżania napięcia mięśni gładkich będących w stanie nadmiernego napięcia oraz zdolność do niewielkiego wyrównania napięcia tych mięśni, jeśli jest ono poniżej przeciętnych potrzeb fizjologicznych. Właściwość ta, której nie mają preparaty syntetyczne, stwarza znaczny margines bezpieczeństwa w przypadku przedawkowania lub osobniczej nadwrażliwości, tym bardziej że i same związki czynne nie wywołują objawów niepożądanych, poza rzadką reakcją alergiczną na olejek eteryczny. Małym dzieciom i nawet niemowlętom podaje się jako wiatropędne napary z kwiatu rumianku i rumianu rzymskiego, owoców anyżu, kopru ogrodowego i kminku, liści mięty pieprzowej. U młodzieży i osób dorosłych stosuje się: korzeń arcydzięgla, lukrecji i kozłka, kłącze tataraku, ziele dziurawca i glistnika oraz owoc kolendry i kopru włoskiego. Działanie rozkurczowe na przewód pokarmowy wywierają również: ziele krwawnika, hyzopu, estragonu, pięciornika gęsiego i cząbru oraz kwiat lawendy i liść melisy. Analogicznie działają przetwory z niektórych wymienionych roślin oraz specyfiki: Calmagina, Gastrogran i Herbogastrin i granulat Normanol.

Spazmolityki dróg żółciowych. Stany skurczowe dróg żółciowych wywołują silny ból, obniżają ich drożność, utrudniają swobodny przepływ żółci, są przyczyną zastoju w pęcherzyku żółciowym i sprzyjają powstawaniu kamieni żółciowych. Przywrócenie prawidłowej czynności dróg żółciowych, zwłaszcza zwieracza bańki wątrobowo-trzustkowej, tzw. zwieracza Oddiego, ma istotne znaczenie. Zwieracz ten reguluje doprowadzenie do dwunastnicy mieszaniny żółci i płynu trzustkowego, a zaburzenia jego funkcjonowania mają wpływ na trawienie. Zwieracz Oddiego reaguje korzystnie na leki roślinne. Niektóre surowce roślinne działające rozkurczowo mają również właściwości żółciotwórcze. Najczęściej stosowane są następujące spazmolityki roślinne: kwiat kocanki piaskowej i nagietka, ziele dziurawca, glistnika, bożego drzewka, piołunu i ruty oraz liść mięty pieprzowej. Tak samo działają niektóre przetwory, np. nalewka glistnikowa, intrakt dziurawcowy, niektóre olejki eteryczne, np. olejek miętowy, oraz preparaty: Terpichol, Raphalamid, Boldaloin, Artecholin, Cymarex, Cynarcin.

Spazmolityki dróg moczowych. Wiele ziół zawiera związki chemiczne wzmagające wydalanie moczu; większość z nich ma również właściwości rozkurczowe. Do najbardziej skutecznych należą: ziele połonicznika, owoc pietruszki, nalewka z owoców aminka oraz preparaty Rubinex i Amionin. Preparatami zdolnymi do rozpuszczania kamieni nerkowych są: Rubiolizyna i Debelizyna.

Działanie moczopędne ziół, będące wynikiem nie tylko ich właściwości rozkurczowych, zob. s. 483.

Spazmolityki naczyń krwionośnych. Zioła działają na naczynia krwionośne rozkurczowo za pośrednictwem zakończeń nerwowych lub bezpośrednio na mięśniówkę gładką ścian naczyń. Zwiększają przepływ krwi przez naczynia wieńcowe serca, przez naczynia włosowate w skórze i w narządach wewnętrznych oraz przez tętnice i żyły kończyn górnych i dolnych.

Na naczynia wieńcowe rozkurczowe działanie wywierają: kwiat i owoc głogu oraz nalewka i intrakt z głogu. Znane są też preparaty z głogu, standaryzowane na zawartość flawonoidów, skuteczne w dusznicy bolesnej i sercu starczym. Analogicznie działa nalewka z owoców aminka egipskiego, wyizolowany z nich furanochromon kelina, zespoły flawonoidów z owoców pasternaku i marchwi, a także preparaty Kelicardin i Theopaverin.

Na naczynia włosowate w skórze działają rozszerzająco stosowane zewnętrznie: nasiona gorczycy czarnej, korzeń chrzanu, owoce pieprzowca oraz mazidło pieprzowcowe: Capsiplex, Capsigel. Bardziej łagodnie działają niektóre zioła i olejki eteryczne stosowane do kąpieli: kwiat wrzosu i lawendy, liść rozmarynu i szałwii, owoc kolendry, ziele macierzanki, tymianku i krwawnika oraz olejki – tymiankowy, sosnowy, szałwiowy, lawendowy, koprowy.

Na naczynia mózgowe działanie rozszerzające wywierają: alkaloid winkamina otrzymywany z ziela barwinka pospolitego, papaweryna – alkaloid zawarty w makówkach oraz biflawonoidy z liści *Ginko biloba*.

Obwodowe naczynia krwionośne rozkurczają się pod wpływem przetworów z nasion i owoców kasztanowca, zawierających flawonoidy i saponiny, ziela marzanki wonnej, korzenia kozłka lekarskiego i ziela nostrzyka – zawierającego związki kumarynowe (antywitamina K), które działają również na naczynia limfatyczne i obieg chłonki.

Spazmolityki oskrzeli. Rozkurczowo działające leki roślinne zmniejszają ból spowodowany stanem spastycznym drzewa oskrzelowego, łagodzą uczucie duszności oraz wzmagają działanie preparatów wykrztuśnych. Do najbardziej aktywnych środków rozszerzających oskrzela podawanych doustnie należą: papaweryna, glaucyna (alkaloid z ziela siwca żółtego), nalewka z owoców aminka egipskiego i furanochromon kelina znajdujący się w preparacie Kelastmin, efedryna (alkaloid z ziela przęśli). Do inhalacji i balsamów do wcierania w górną część klatki piersiowej stosowane są olejki eteryczne: eukaliptusowy, lawendowy, koprowy, tymiankowy, sosnowy oraz kamfora. Olejki te działają również bakteriobójczo i sekretolitycznie. Podobnie działają papierosy Astmosan, preparaty Astmin i Passispasmin.

Spasmolityki macicy. W bolesnym miesiączkowaniu, zwłaszcza w bólach krzyża i podbrzusza, stosuje się pomocniczo liść ruty, intrakt ze świeżych liści ruty, płynny wyciąg z kory kaliny śliwolistnej oraz napary z następujących surowców (w różnych zestawieniach): kwiat rumianku i nagietka, ziele pięciornika gęsiego i krwawnika oraz korzeń kozłka.

Działanie nasercowe (cardiacum, cardiotonicum)

Glikozydy sterolowe, zwane **kardenolidami**, działają na mięsień sercowy. Związki te zwiększają siłę skurczu mięśnia sercowego, obniżają nadmierną liczbę skurczów i zwalniają pracę serca, która staje się bardziej ekonomiczna. Kardenolidy są stosowane w leczeniu chorób serca, w których nastąpiło osłabienie krążenia krwi, zmniejszenie ilości doprowadzonego tlenu do tkanek i niedostateczne usuwanie zbędnych metabolitów. W chorobach serca i krążenia, wymagających dokładnego dawkowania glikozydów, stosowane są wyłącznie pojedyncze k a r d e n o l i d y: digoksyna, lanatozyd C, acetylodigitoksyna, otrzymywane z liści naparstnicy wełnistej (*Digitalis lanata*), scylaren i proscylarydyna, otrzymywane z cebuli morskiej (*Scilla maritima*), strofantyna K – z nasion *Strophanthus Kombé* oraz ouabaina, inaczej strofantyna G – z nasion *Strophanthus gratus* lub z kory drzewa *Acocanthera ouabaio*. Źródłem pokrewnych związków są inne rośliny, np. liście oleandra i niektórych gatunków naparstnic, korzeń ciemiernika, ziele pszonaka, nasiona juty kolorowej (*Corchorus*).

K a r d e n o l i d y m o d y f i k o w a n e są to związki naturalne, w których cząsteczce dokonano chemicznie nieznacznych zmian, poprawiających właściwości farmakokinetyczne i lecznicze, np. szybsze wchłanianie w przewodzie pokarmowym, rozpuszczalność w płynach ustrojowych, większą odporność na hydrolityczne działanie soku żołądkowego. Najbardziej znane są: pięcioacetylogitoksyna (Pentagit), alfa-acetylodigoksyna (Lanadigin), beta-acetylodigoksyna (Sandolanid), beta-metylodigoksyna (Lanitop).

Kardenolidy stosuje się pod ścisłą kontrolą lekarza, ponieważ kumulują się w organizmie, a ponadto ich rozpiętość terapeutyczna jest niewielka i u niektórych osób mogą wywołać objawy niepożądane, np. nudności i wymioty. **Glikozydy kardenolidowe** o bardzo krótkim okresie działania nie kumulują się w organizmie i łatwo są wydalane z moczem. Z surowców zawierających te związki sporządza się wyciągi płynne (które oprócz kilkunastu kardenolidów zawierają też saponiny i flawonoidy) lub wyciągi suche z oczyszczonymi mieszaninami kardenolidów. Oba rodzaje wyciągów stosuje się doustnie w różnych postaciach farmaceutycznych, łatwo wchłanialnych w przewodzie pokarmowym.

Glikozydy kardenolidowe znajdują się w zielu konwalii i miłka wiosennego oraz w preparatach: Neocardina, Kelicardina, Cardiol, Convafort i mieszance ziołowej Cardiosan. Stosowane są w lekkich i przewlekłych zaburzeniach czynnościowych serca, z reguły na tle nerwicowym, w okresie przekwitania, w zmianach starczych oraz uszkodzeniach serca przez trucizny wewnętrzne i zewnętrzne. Objawami tych dolegliwości są: napadowe kołatanie serca, niemiarowość rytmu serca, skłonność do obrzęków, nadciśnienie, uczucie duszności, ból w okolicy serca. Glikozydy kardenolidowe zwiększają też wydalanie moczu, zmniejszają obrzęki, ułatwiają filtrację w kłębuszkach nerkowych.

W sposób zbliżony do preparatów konwalii i miłka działają na serce również niektóre surowce roślinne, kwiat i owoc głogu, ziele serdecznika, ziele żarnowca, zawierające m.in. alkaloid sparteinę, oraz kwiat grzybieni, zawierający liczne alkaloidy i flawonoidy.

Alkaloidy roślinne: chinidyna, otrzymywana z kory chinowej, oraz ajmalina, otrzymywana z korzenia rauwolfii, stosowane są w poważnych zaburzeniach rytmu serca.

Surowce roślinne działające w zaburzeniach przepływu wieńcowego krwi, zob. Spazmolityki naczyń krwionośnych, s. 473.

Działanie obniżające ciśnienie krwi (hypotonicum, antihypertensivum)

Coraz liczniejsze zachorowania na nadciśnienie tętnicze (zob. Choroby układu krążenia, s. 657), zarówno pierwotne, o nieznanej etiologii, jak i wtórne, objawowe, spowodowane innymi chorobami, stanowią bardzo trudny problem leczniczy, pomimo stosowania wielu silnie działających środków syntetycznych. Leczenie trwa, praktycznie biorąc, przez całe życie, a z biegiem lat chorzy coraz dotkliwiej odczuwają niepożądane działania przepisywanych leków. Dla złagodzenia ujemnych skutków leków syntetycznych wskazane jest równoległe podawanie preparatów roślinnych, pozwalających na wykorzystanie wzajemnego ich synergizmu. Preparaty ziołowe powinny być również stosowane w okresie przerwy w przyjmowaniu środków syntetycznych oraz w przypadku ich nietolerancji.

Zdolność obniżania ciśnienia tętniczego ma wiele związków występujących w ziołach. Część z nich działa silnie ośrodkowo (należą do grupy leków podstawowych), inne wywierają działanie obwodowe. Ośrodkowo działają: korzeń rauwolfii i podstawowy jego alkaloid rezerpina (prep. Raupasil) oraz specyfiki zawierające również inne alkaloidy (Raudiazin, Retiazid, Serpasil, Bipressin); kłącze ciemiężycy i główny jego alkaloid protoweratyna A (Puroverin), a także modyfikowane alkaloidy sporyszu (prep. Hydergin, zawierający dwuhydroergotoksynę). Do obwodowo działających należą: czosnek i preparat Alliofil; ziele jemioły oraz intrakt ze świeżego ziela; kwiat i owoc głogu oraz intrakt i nalewka; alkaloidy teobromina, teofilina i ich sole, a także surowce roślinne i preparaty działające rozkurczowo na naczynia krwionośne.

Zioła działające moczopędnie (zob. s. 483), zwłaszcza te, które odznaczają się właściwościami wzmagającymi wydzielanie soli z moczem, wpływają również na obniżenie ciśnienia tętniczego. Zwiększają one nie tylko dobową ilość wydalanego moczu i wraz z nim jonów sodu i chloru (które zatrzymują wodę), ale również wyrównują niedobory jonów potasu i mają korzystny wpływ na stan nerek i dróg moczowych oraz na ich zdolności filtracyjne i resorpcyjne.

Działanie przeciwkrwotoczne (antihaemorrhagicum, haemostaticum)

Znajdujące się w roślinach leczniczych związki garbnikowe tworzą z białkami osocza trwałe połączenia garbnikowo-białkowe, które mogą powstrzymać wypływ krwi z uszkodzonych naczyń w miejscach, do których docierają bezpośrednio, a mianowicie w przewodzie pokarmowym i na skórze. W małych krwawieniach w żołądku i jelitach stosuje się zioła: kłącze pięciornika i wężownika, korzeń szczawiu lancetowatego, korę dębową, liść orzecha włoskiego i mącznicy, owoc borówki czarnej oraz napary, odwary i nalewki z tych ziół, a także preparaty: Hemorigen (wyciąg z ziela przymiotna kanadyjskiego) i Hemostin-aerozol.

W zielu krwawnika, tasznika i rdestu ostrogorzkiego znajdują się niezidentyfikowane związki, przypuszczalnie zbliżone do witaminy K, docierające do różnych narządów, np. do macicy. Hamują one krwawienia w zbyt długotrwałym i obfitym miesiączkowaniu, lecz są mało skuteczne w krwawieniach z narządów rodnych nie związanych z cyklem miesiączkowym. Analogicznie działa odwar z kwiatów jasnoty białej. W krwawieniach macicznych stosuje się również ergometrynę i niekiedy ergotaminę, alkaloidy wyizolowane z pasożytującego na życie grzyba buławinki czerwonej.

Związki o właściwościach witaminy P (np. rutyna) można uważać w pewnym stopniu za przeciwkrwotoczne, ponieważ zapobiegają przenikaniu krwi poza ściany naczyń włosowatych (zob. niżej).

Działanie na naczynia krwionośne (angiotonicum)

Rośliny lecznicze zawierają wiele związków działających „wzmacniająco" na ściany naczyń krwionośnych, zarówno po podaniu doustnym, jak i zewnętrznym. Związki te wywierają działanie na włosowate naczynia krwionośne oraz na naczynia żylne.

Włosowate naczynia krwionośne. Sukcesem fitoterapii było odkrycie w roślinach czynnika zdolnego do uszczelniania śródbłonków zespołu naczyń włosowatych, który składa się z tętniczek przedkapilarnych, właściwych włośniczek i pokapilarnych naczyń żylnych. Czynnik ten zapobiega przenikaniu krwinek poza łożysko naczyń i wpływa na utrzymanie drożności tych naczyń. Czynnik ten nazwano witaminą P i stwierdzono, że jego skuteczność wzrasta, gdy jest podawany łącznie z witaminą C.

Właściwości witaminy P ma wiele związków o pokrewnych strukturach chemicznych, w tym liczne flawonoidy (np. rutyna, kwercetyna, naryngenina, hesperydyna), niektóre kumaryny (np. eskulina), niektóre związki garbnikowe (np. katechina), wiele antocyjanów i leukoantycyjanów. Surowce roślinne zawierające wymienione grupy związków, przetwory i preparaty tych surowców oraz izolowane substancje czynne są powszechnie stosowane jako środki uszczelniające włośniczki w przypadkach mikrokrwawień skórnych, ocznych, nerkowych, jelitowych i mózgowych. Mikrokrwawienia te występują jako powikłania potransfuzyjne, polekowe, w zatruciach pokarmowych, po wstrząsie anafilaktycznym, w chorobie hemolitycznej, w cukrzycy i in. Związki z grupy witaminy P znajdują się w zielu fiołka trójbarwnego i gryki, kwiecie bzu czarnego, kwiecie i korze kasztanowca, liściu ruty, owocu dzikiej róży oraz w wyciągach i preparatach: Intr. Hippocastani, Rutisol, Rutina, Rutinoscorbin.

Pomocnicze znaczenie w poprawie stanu ścian włośniczek i małych naczyń krwionośnych mają surowce roślinne zawierające rozpuszczalną w wodzie krzemionkę: ziele skrzypu, miodunki i rdestu ptasiego oraz kłącze perzu. Z surowców tych przygotowuje się odwary lub odwary zagęszczone i stosuje doustnie. Okłady z kwiatu arniki i słonecznika oraz ziela hyzopu i ogórecznika stosuje się przy miejscowym wylewie krwi i w obrzęku na skutek kontuzji, w celu przyspieszenia wchłaniania się płynu surowiczego i krwawego wynaczynienia.

Żylne naczynia krwionośne. Nadmierne rozszerzenie naczyń i osłabienie powrotnego prądu krwi jest przyczyną powstawania żylaków kończyn dolnych i odbytu, którym towarzyszy ból, krwawienie, odczyn zapalny i niekiedy zakażenie bakteryjne. Objawy te ulegają zmniejszeniu lub cofają się pod wpływem zachowawczego leczenia ziołami, rozpoczętego dostatecznie wcześnie. Stosuje się wodne albo alkoholowe wyciągi doustnie i miejscowo w postaci półkąpieli, nasiadówek, smarowań i czopków, przyrządzone z surowców roślinnych zawierających różne związki czynne, np. garbniki, flawonoidy, śluzy, trójterpeny, saponiny, kwasy wielofenolowe, olejki eteryczne, kumarynę.

Do najważniejszych surowców należą: kwiat arniki, nagietka, kasztanowca i rumianku, ziele krwawnika, dziurawca, nostrzyka i marzanki wonnej, kora kasztanowca, kłącze pięciornika, pączki topoli, a z preparatów Hemorol, Aesculan, Venescin, Venacorn, Venoruton, Rectosan, Tormentiol, Escerven, Fitoven.

Surowce roślinne działające rozkurczowo na naczynia krwionośne, zob. s. 473.

Działanie pobudzające wydzielanie soku żołądkowego (stomachicum)

W wielu roślinach występują związki odznaczające się gorzkim smakiem, wyczuwalnym nawet w bardzo dużych rozcieńczeniach. Po podaniu doustnie sproszkowanego surowca lub wyciągu związki goryczowe drażnią najpierw zakończenia nerwowe w kubkach smakowych na języku i za pośrednictwem ośrodkowego układu nerwowego kierują bodźce wydzielnicze do żołądka, następnie drażnią bezpośrednio receptory i gruczoły wydzielnicze żołądka. Efektem tego działania jest pobudzenie sekrecji soku żołądkowego oraz śluzowej wydzieliny zawierającej m.in. mukopolisacharydy. Następuje wówczas wzmożona hydroliza związków białkowych, niektórych peptydów i fosfoamidów, umożliwiających ich przyswajanie przez organizm człowieka. Związki goryczowe są więc pośrednim czynnikiem regulującym trawienie, a po dłuższym stosowaniu ogólnie wzmacniają i przywracają siły witalne organizmu. Gorycze wywierają również bodźcowe działanie na wątrobę, sprzyjając zwiększonemu wytwarzaniu żółci. U ludzi zdrowych, nie mających zaburzeń w trawieniu, aktywność goryczy jest ograniczona, natomiast u osób cierpiących na dyspepsję i brak łaknienia pobudzają one w znacznym stopniu czynności trawienne. Gorzki smak mają liczne związki należące do różnych grup chemicznych.

Surowce pobudzające wydzielanie soku żołądkowego noszą nazwę „szczerogorzkich". Są to: korzeń goryczki i mniszka, ziele centurii i drapacza, liść bobrka, kora kondurango oraz preparaty: nalewka z korzenia goryczki i nalewka gorzka (*Tinctura Amara*). Znacznie intensywniejszy smak gorzki mają surowce zawierające alkaloidy stosowane w bardzo małych dawkach: nasienie kulczyby zawierające alkaloid strychninę, kora chinowa zawierająca alkaloidy chininę i brucynę oraz przetwory z tych surowców: nalewka z nasion kulczyby, nalewka z kory chinowej i nalewka chinowa złożona.

Określoną grupę stanowią zioła, które oprócz goryczy zawierają składniki olejków eterycznych: ziele krwawnika, piołunu, lebiodki i macierzanki, kłącze tataraku, korzeń arcydzięgla i omanu, szyszka chmielowa, owoc jałowca, liść szałwi oraz przetwory i preparaty z tych ziół: nalewka piołunowa, nalewka tatarakowa, mieszanka ziołowa Digestosan, granulat Gastrogran, wyciąg suchy Gastrochol, krople żołądkowe, płynny wyciąg Herbogastrin, eliksir Pepsimalt, Citropepsin. Wiele innych ziół zawierających związki goryczowe o mniejszym znaczeniu leczniczym jest znanych jako aromatyczno-gorzkie przyprawy kuchenne.

Działanie hamujące wydzielanie soku żołądkowego (antacidum)

W roślinach nie ma związków wybiórczo zmniejszających wydzielanie kwasu solnego w żołądku. Atropina i wyciągi z surowców zawierających ten alkaloid hamują głównie wydzielanie śluzu i pepsyny, obniżając tym samym naturalną osłonę błony śluzowej. Istnieje jednak kilka surowców roślinnych zawierających śluzy powlekające błonę śluzową żołądka i chroniące ją przed niszczącym działaniem jonów kwasowych soku żołądkowego. Wartość leczniczą mają te śluzy, które w kwaśnym środowisku żołądka zachowują przez czas dłuższy trwałą przestrzenną strukturę, a nawet nieznacznie zwiększają swoją lepkość i konsystencję żelową. Do surowców roślinnych zawierających takie śluzy należą: nasienie lnu, korzeń prawoślazu, nasienie babki płesznika, porost islandzki i bulwa salepu.

Śluzy roślinne stosuje się w nieżycie żołądka, uszkodzeniu przełyku i żołądka kwasami, zasadami i substancjami żrącymi, w ostrych biegunkach u dzieci oraz w chorobie wrzodowej żołądka (której z reguły towarzyszy nadkwaśność), rzadziej dwunastnicy. Opierając się na hipotezie Teorella i Davenporta, że czynnikiem wrzodotwórczym jest uszkodzenie bariery śluzowej żołądka, stosuje się śluzy roślinne i inne środki powlekające, np. balsam Szostakowskiego. Biorąc pod uwagę hipotezę Dragstedta, głoszącą, że podłożem choroby wrzodowej są zaburzenia neurohumoralne, podaje się nalewkę z pokrzyku oraz cymetydynę. Niezależnie zaś od przyczyny dobre wyniki osiąga się stosując korzeń lukrecji, suchy wyciąg lukrecjowy ze znajdującym się w nim kwasem glycyretynowym, a głównie modyfikowaną pochodną tego kwasu – karbenoksolon. Leki te zwiększają mechanizmy obronne organizmu oraz okres przeżycia komorek nabłonka w żołądku i dwunastnicy. Sok ze świeżej kapusty i wyizolowany z niego czynnik przeciwwrzodowy, chlorek L–metylometioninosulfonowy, nazwany witaminą U, okazały się mniej skuteczne.

W leczeniu choroby wrzodowej mają również znaczenie surowce roślinne, stosowane w postaci naparów, odwarów lub sproszkowanej: porost islandzki, kwiat rumianku i nagietka, liść melisy, babki, pokrzywy i borówki czarnej, owoc róży i borówki czarnej, korzeń żywokostu, kłącze tataraku i pięciornika oraz ziele krwawnika. Stosuje się też preparaty: Uldenol, Ulventrol, Wikalinę, Bellapan i Bellaphenal.

Działanie przeciwbiegunkowe (antidiarrhoicum)

Biegunki są wywoływane przez różne czynniki. Przebieg biegunki może być ostry, spowodowany np. zatruciem pokarmowym, bakteryjnym, a niekiedy nawet czynnikami emocjonalnymi, może być też przewlekły, jako konsekwencje wielu chorób przewodu pokarmowego lub jako reakcja polekowa. Biegunki należy leczyć natychmiast, ponieważ przedłużanie się ich powoduje poważne skutki, m.in. odwodnienie organizmu na skutek wydalania półpłynnych lub płynnych stolców oraz utratę znacznej ilości elektrolitów.

W leczeniu biegunek stosuje się wiele surowców roślinnych oraz wyciągów z nich i preparatów. Najbardziej przydatne do tego celu są surowce zawierające tzw. garbniki skondensowane lub mieszane, trudno hydrolizujące w przewodzie pokarmowym. Mniejsze znaczenie mają surowce zawierające garbniki galotaninowe i polimery kwasu kawowego – łatwo rozpuszczalne w kwaśnym środowisku soku żołądkowego i w niewielkiej ilości docierające do jelit. Garbniki, oprócz działania przeciwbiegunkowego i ściągającego na błony śluzowe i na skórę, wywierają również inne korzystne działania. Hamują nadmierny rozwój flory bakteryjnej, zmniejszają lub zatrzymują krwawienia z uszkodzonych włośniczek i małych naczyń krwionośnych w jelitach, wiążą toksyny bakteryjne i wiele trucizn egzogennych, mają właściwości przeciwzapalne.

Do surowców roślinnych zawierających garbniki skondensowane lub mieszane należą (kolejność wg malejącej zawartości): kłącze pięciornika i wężownika, korzeń szczawiu lancetowatego, liść mącznicy, kora dębu, kasztanowca i jesionu, liść i świeże niedojrzałe owoce orzecha włoskiego oraz galasy występujące w postaci narośli na liściach dębu. Stosuje się też wyciągi i preparaty z tych ziół: nalewkę pięciornikową i galasową, białczan taniny, Bismutanol, Pinalbinę i mieszankę ziołową Tannosan.

Surowce roślinne zawierające nieznaczne ilości garbników nie są stosowane bezpośrednio jako przeciwbiegunkowe. Wchodzą one w skład mieszanek ziołowych i preparatów zalecanych w nieżycie żołądka lub jelit i wywierają m.in. działanie przeciwskurczowe, wzmacniające ściany włośniczek, bakteriobójcze, przeciwzapalne, uzupełniające niedobór pierwiastków śladowych. Najważniejsze w tej grupie są: ziele przywrotnika i bukwicy, liść babki, czarnej porzeczki, jeżyny, maliny, pokrzywy, szałwii, poziomki i borówki brusznicy oraz korzeń rzewienia i nalewka rzewieniowa w małych dawkach (dawki większe działają przeczyszczająco), a także napar z herbaty.

Działanie przeczyszczające (purgativum, laxativum)

Zaparcia są spowodowane zbyt długim zaleganiem kału w jelicie grubym; wskutek zbytniego odwodnienia kał tworzy twardą masę trudną do wydalenia.

Usuwanie zaparć nie zawsze musi polegać na stosowaniu środków przeczyszczających (często nadużywanych). Wystarczają niekiedy surowce i preparaty roślinne działające rozkurczowo na jelito grube, zwłaszcza środki wiatropędne i niektóre żółciopędne (zwłaszcza obniżające napięcie zwieracza Oddiego, zob. s. 473), oraz zawierające śluz. Nie wywołują one przeczyszczenia, ułatwiają jedynie normalne wypróżnienie. Śluzowe surowce roślinne, pęczniejąc stopniowo w jelicie, zwiększają objętość jego treści, wchłaniają wodę i nie dopuszczają do zbytniego zagęszczenia kału. Działanie takie wywierają: nasienie lnu, gorczycy białej i babki płesznika, kwiat malwy czarnej, morszczyn pęcherzykowaty, agar-agar, suszone śliwki.

Roślinne związki przeczyszczające obejmują dwie grupy aktywnych związków: antranoidy – trójpierścieniowe pochodne antracenu o różnym stopniu utleniania, niektóre związki z cukrami – oraz żywice i oleje przeczyszczające.

Antranoidy dość łatwo rozpuszczają się w wodzie i podane doustnie docierają do jelita grubego, przy czym ulegają przemianom chemicznym do fizjologicznie aktywnych metabolitów. Czas potrzebny na tego rodzaju przemiany, zależnie od budowy związku pierwotnego, wynosi 6 – 12 godz. Po tym okresie następuje efekt przeczyszczający. Działanie antrazwiązków przywraca intensywne ruchy perystaltyczne jelita grubego i wyzwala odruch defekacyjny. Do surowców zawierających antrazwiązki należą: alona (wysuszony sok z liści aloesu), kora i owoc kruszyny, owoc szakłaku przeczyszczającego, korzeń rzewienia, liść senesu. Do przetworów i preparatów z tych ziół należą: nalewka i wyciąg aloesowy suchy, wyciąg z kory kruszyny suchy, nalewka rzewieniowa złożona i na winie, wyciąg rzewieniowy suchy, drażetki Altra, proszek troisty, drażetki Pursennid (zawierają glikozydy antranoidowe, sennozydy z liści senesu), tabletki przeczyszczające, czekoladki przeczyszczające, granulat Normanol, granulaty ziołowe Neonormacol i Normogran, mieszanka ziołowa Normosan i płyn Rhelax.

Żywice i oleje przeczyszczające. Do tej grupy środków przeczyszczających należy wiele produktów roślinnych i nieorganicznych, takich jak mannit, olej rycynowy, żywica stopkowca tarczowatego, siarczan magnezu (rozwtór 15 – 20%). Przeczyszczenie następuje wskutek działania drażniącego na jelito cienkie, ale przy dłuższym stosowaniu dochodzi do zaburzeń prawidłowego trawienia i przyswajania składników pokarmowych w stopniu znacznie większym niż przy stosowaniu antrazwiązków działających na jelito grube. Żywica stopkowca podawana doustnie może wywołać, po większych dawkach, silny ból, krwawienie i stan zapalny jelit, a u kobiet w ciąży nawet poronienie, wobec czego nie stosuje się jej w Polsce jako środka przeczyszczającego.

W zwalczaniu zaparć pomocne jest spożywanie płatków owsianych lub jęczmiennych, chleba żytniego i z otrąbkami, samych otrąbków, picie dużej ilości płynów, gimnastyka, spacery.

Działanie przeciwpasożytnicze (antiparasiticum)

Działanie przeciw robakom obłym – glistom ludzkim i owsikom – wykazują różne pod względem chemicznym związki zawarte w surowcach roślinnych. Stosowane są w postaci doustnych naparów, wlewów doodbytniczych i pojedynczych związków. Substancje toksyczne dla robaków obłych zawierają:

kwiat cytwaru – zawiera santoninę i jest stosowany doustnie w postaci proszku lub czystej santoniny; korzeń omanu – zawiera mieszaninę alantolaktonu i jego pochodnych, tzw. heleninę: kwiat złocienia dalmatyńskiego – zawiera pyretryny, stosowany jest jako proszek lub wyciąg alkoholowy; korzeń goryczki – zawiera alkaloid gentianinę, stosuje się napar do lewatywy przeciw owsikom; ziele komosy piżmowej – z niej otrzymuje się olejek eteryczny, którego czynnym związkiem jest askarydol; ziele tymianku, z którego destyluje się olejek eteryczny zawierający tymol, stosowany doustnie; ziele piołunu i kwiat wrotyczu – zawierają olejki eteryczne ze znaczną ilością tujonu; owoc borówki czarnej – zawiera garbniki; czosnek świeży – zawiera lotne sulfotlenki, stosuje się doustnie i jako wlew doodbytniczy. Mniejsze znaczenie praktyczne mają: liść borówki czarnej i orzecha włoskiego, ziele bożego drzewka i bylicy oraz korzeń marchwi świeżej.

Działanie przeciw robakom płaskim – tasiemcom i przywrom. Wywiera je wiele związków roślinnych o różnej strukturze chemicznej. Porażają one mięśnie robaków, powodując ich odczepienie od ścian jelita, a tylko wyjątkowo zabijają. Porażone robaki usuwa się za pomocą środka przeczyszczającego, np. oleju rycynowego. Najczęściej stosuje się: świeże nasiona dyni w ilości 200–500 g dziennie dla dorosłego i 50–200 g dla dzieci (tak samo działają nasiona arbuza) oraz kłącze nerecznicy samczej – zawiera związki floroglucydowe; stosuje się gęsty wyciąg.

Działanie przeciw pasożytom zewnętrznym. Wszy, pchły i świerzbowce można zwalczać preparatami: Delacet – zawiera wyciąg z ziela ostróżki polnej; Artemisol – zawiera wyciąg z ziela piołunu i kwiatów wrotycza; stosuje się go przeciw wszom i świerzbowcom; olejki eteryczne: koprowy, anyżowy, kminkowy, tymiankowy – stosuje się same, rozpuszczone w oleju, lub jako składniki preparatów przeciw świerzbowcom; balsam peruwiański. Pchły zwalcza się preparatami zawierającymi pyretryny lub sproszkowanymi kwiatami złocienia dalmatyńskiego (tzw. „proszek perski”).

Działanie przeciw rzęsistkowi wywierają napary z kwiatów nagietka i rumianu rzymskiego, liści orzecha włoskiego oraz mieszanki ziołowej Vagosan; stosuje się też preparaty Chelivag i Calendulin.

Działanie żółciotwórcze i żółciopędne (choleretikum et cholekineticum)

W wielu chorobach wątroby i dróg żółciowych, zwłaszcza w stanach zapalnych oraz w kamicy żółciowej, następuje upośledzenie czynności żółciotwórczej wątroby lub czynności żółciopędnej w drogach żółciowych, a nawet obu równocześnie. Stosuje się wówczas, oprócz innych leków, surowce i preparaty roślinne, które pobudzają wątrobę do zwiększonego wytwarzania żółci, ułatwiają jej przepływ do dwunastnicy oraz zmniejszają lub znoszą stany skurczowe w drogach żółciowych. Działanie lecznicze tej grupy leków roślinnych zależy od zawartości związków czynnych należących do różnych grup chemicznych.

Działanie żółciotwórcze mają następujące surowce roślinne: kłącze kurkumy, korzeń rzodkwi czarnej, mniszka i rzewienia, ziele glistnika, dymnicy i karczocha, liść boldo, ruty i mięty pieprzowej oraz kwiatostan kocanki. Preparatami żółciotwórczymi są: Solaren, Sylicynar, Baldaloin, Cynarex, Cynarein, Raphacholin, Raphalamid, Gastrochol, Succus Taraxaci, Intr. Chelidonii, Succus Hyperici.

Działanie żółciopędne wywierają wszystkie środki działające rozkurczowo na drogi żółciowe (zob. s. 473) oraz ziele piołunu, szanty i bylicy, owoc dzikiej róży, kwiat rumianku i nagietka, korzeń cykorii i omanu, a także preparaty: Cholegran, mieszanki ziołowe Cholagoga I, II i III, olejek miętowy. Działanie ochraniające miąższ wątroby i odtruwające wywierają drażetki Sylimarol, Syligran.

Związki rozpuszczające kamienie żółciowe. Należą tutaj zawarte w olejkach eterycznych: α- i γ-terpinen i terpinolen, d-limonen, niektóre sterole roślinne, np. β-sytosterol, mieszaniny terpenów (preparaty Terpinex i Rowachol), frakcja fitosterolowa z nasion soi, oliwa i kwas olejowy oraz leki pochodzenia zwierzęcego: mieszanina kwasów żółciowych, kwas chenodezoksycholowy i kwas ursodezoksycholowy.

Niektóre z wymienionych surowców roślinnych oraz inne, np. kwiat nagietka, liść mięty pieprzowej, korzeń goryczki, działają bodźcowo na czynność wydzielniczą trzustki, regenerująco i przeciwzapalnie. Zalecana jest mieszanka ziołowa Pancrosan.

Działanie moczopędne (diureticum)

Zwiększone wydalanie moczu wywołują liczne surowce roślinne, zawierające charakterystyczne związki: flawonoidy, olejki eteryczne, kwasy organiczne. Skuteczniej i dłużej moczopędnie, dzięki synergetycznym właściwościom składników, działają surowce zawierające dwie lub trzy grupy wymienionych związków.

Flawonoidy (np. hiperozyd, robinina, ononina, apiina, kemferol) występują w wielu roślinach i wywierają różnokierunkowe działanie farmakologiczne, m.in. przeciwzapalne, przeciwskurczowe, przeciwalergiczne, witaminopodobne, ale szczególnie moczopędne. Działanie moczopędne polega przede wszystkim na rozszerzeniu naczyń nerkowych, zwłaszcza naczyń włosowatych, co umożliwia lepsze ukrwienie nerek i tym samym wzmożenie przesączania w kłębuszkach nerkowych. Flawonoidy o działaniu moczopędnym występują m.in. w: liściach mącznicy i brzozy, zielu skrzypu, dziurawca, rdestu ptasiego, nawłoci i fiołka trójbarwnego, korzeniu wilżyny ciernistej, kwiatach robinii akacjowej, bzu czarnego, wrzosu i bławatka.

Pochodne kumaryny o działaniu moczopędnym występują m.in. w zielu połonicznika i marzanki oraz w korze jesionu.

Kwasy organiczne o działaniu moczopędnym, m.in. kwas glikolowy i glicerowy, występują w ok. 50 surowcach roślinnych. Kwas glikolowy zwiększa nieznacznie dobową ilość moczu, ale wzmaga w dużym stopniu wydalanie chlorków i mocznika, działa więc saluretycznie. Kwas ten występuje w kłączu perzu, owocni fasoli oraz znamionach kukurydzy. Surowce te działają nie tylko saluretycznie, ale i dość silnie moczopędnie, ponieważ znajdują się w nich inne związki działające synergetycznie.

Olejki eteryczne są mieszaniną od kilkudziesięciu do 200 związków o zróżnicowanym charakterze chemicznym i o różnorodnym działaniu farmakologicznym. Związki o wybitnych właściwościach moczopędnych, np. terpinenol-4, występują obok związków rozkurczowych działających synergetycznie. Pod ich wpływem zwiększa się znacznie proces przesączania w kłębuszkach nerkowych, a jednocześnie następuje hamowanie resorpcji zwrotnej różnych składników moczu, w tym wody, jonów sodu i chlorków i tylko nieznaczne zwiększenie wydalania potasu. Surowcami zawierającymi moczopędne składniki w olejku eterycznym są: owoc jałowca, pietruszki i kminku, kwiat lawendy, korzeń wilżyny i lubczyka, kłącze tataraku oraz liść rozmarynu.

Działanie moczopędne wykazują również: ziele konwalii i miłka wiosennego, zawierające kardenolidy i flawonoidy; korzeń mniszka zawierający trójterpenowe saponiny; ziele dymnicy i janowca zawierające alkaloidy. Owoc róży i liść pokrzywy zwiększają natomiast wydalanie z moczem chlorków i mocznika.

Rozpuszczalność w wodzie związków wykazujących działanie moczopędne jest różna. Flawonoidy i pochodne kumaryny rozpuszczają się słabo i dlatego należy je podawać w postaci odwarów. Kwas glikolowy jest dobrze rozpuszczalny w wodzie, związki zawarte w olejkach eterycznych są prawie nierozpuszczalne (z wyjątkiem kilku związków) i dlatego stosuje się je w postaci wyciągów alkoholowych lub sproszkowanych ziół.

Umiejętnie posługiwanie się surowcami roślinnymi polega na stosowaniu mieszanek ziołowych zawierających różnorodne związki moczopędne, które w organizmie wiążą się z różnymi chemoreceptorami i wywierają wielokierunkowe działanie. Do roślinnych leków moczopędnych należą też gotowe specyfiki: Urosan, Urogran, Terpinex, Fitolizyna, Amionin. Są one stosowane w licznych chorobach, w których konieczne jest usunięcia z organizmu nadmiaru nagromadzonej wody i wraz z nią szkodliwych produktów przemiany materii, np. w chorobach nerek, moczowodów i pęcherza moczowego, w kamicy moczowej, skazie moczanowej, niektórych chorobach skórnych, zwłaszcza u młodzieży, również w chorobie reumatycznej, obrzęku na tle krążeniowym, nadciśnieniu, otyłości.

Działanie wykrztuśne (expectorans)

Surowce i preparaty roślinne stanowią liczną i ważną terapeutycznie grupę leków ułatwiających usuwanie wydzieliny z górnych dróg oddechowych i z oskrzeli, zarówno w lekkich nieżytach, jak i w poważnych chorobach, np.

w rozstrzeniu oskrzeli lub ropnym zapaleniu oskrzeli. Leki te mogą być stosowane, gdy zanika samoistne usuwanie wydzieliny osiadłej na błonach śluzowych górnych dróg oddechowych, gdy „suchy" kaszel jest bezskuteczny oraz gdy przy obfitej wydzielinie nie hamowane odruchy kaszlowe nie są w stanie dostatecznie szybko usunąć wydzieliny.

W mechanizmie wykrztuśnego działania surowców roślinnych zasadnicze znaczenie mają trzy grupy związków: śluzy, olejki eteryczne i saponiny. Każda z tych grup działa odmiennie, lecz końcowy efekt jest taki sam – przywrócenie ruchów nabłonka rzęskowego w górnych drogach oddechowych umożliwiające usunięcie nagromadzonej wydzieliny. Śluzy roślinne są mieszaniną wielocukrów i mają właściwości wchłaniania dużej ilości wody oraz tworzenia gęstych żeli, powlekania błon śluzowych i powodowania pęcznienia pokrywającej je gęstej, ciągliwej wydzieliny. Wskutek upłynnienia tej wydzieliny i znacznego zwiększenia jej objętości może rozpocząć ruchy nabłonek rzęskowy i wyzwolić odruch wykrztuśny. Olejki eteryczne pobudzają czynność wydzielniczą błon śluzowych w drogach oddechowych, umożliwiają jak gdyby „odrywanie się" zalegającej wydzieliny i jej usuwanie. Saponiny występujące w roślinach są przeważnie trójterpenami związanymi z kilkoma cząsteczkami cukrów. Działają one drażniąco na błony śluzowe i ułatwiają odkrztuszanie.

Śluzy występują w następujących surowcach roślinnych: liść prawoślazu i babki, korzeń prawoślazu i żywokostu, kwiat malwy czarnej, ślazu i maku polnego oraz porost islandzki.

Olejki eteryczne działające wykrztuśnie znajdują się w: zielu kopytnika, hyzopu, macierzanki i tymianku, w owocach kopru włoskiego i anyżu, korzeniu omanu i biedrzeńca oraz pączkach sosnowych. Wykrztuśnie działają również liczne przetwory i preparaty z ziół: wyciąg i syrop tymiankowy, krople anyżowe, sok z podbiału i syrop sosnowy, olejki eteryczne – eukaliptusowy, koprowy, miętowy, anyżowy, sosnowy i kosodrzewinowy, a także specyfiki: Pectosol, Tussipect, Azarina, Emphysal, mieszanki ziołowe: Pektosan i Neopektosan.

Saponiny o właściwościach wykrztuśnych znajdują się w korzeniach lukrecji, senegi, pierwiosnka i mydlnicy oraz w zielu miodunki i doględy, a także w wyciągu suchym z lukrecji i w intrakcie z pierwiosnka. Oprócz wymienionych szczególne właściwości wykrztuśne ma w małych dawkach korzeń wymiotnicy (zawierający alkaloid emetynę) oraz suchy wyciąg i nalewka z niego.

Stosowanie wymienionych surowców roślinnych i preparatów jest różne. Najczęściej przyjmuje się je doustnie i wówczas trafiają do żołądka. W postaci płukanek docierają do łuków tylnych i górnych biegunów migdałków podniebiennych, bardzo rzadko do błony śluzowej tylnej ściany gardła. W postaci inhalacji olejki eteryczne docierają do całego drzewa oskrzelowego i częściowo do płuc, natomiast wcierane jako balsamy w górną część klatki piersiowej wchłaniają się przez skórę i jako substancje lotne są równocześnie wdychane. Wymienione leki roślinne mają nie tylko działanie wykrztuśne. Zawierają również wiele związków o właściwościach bakteriobójczych, przeciwzapalnych i rozkurczowych oraz hamujących powstawanie tzw. leukotrienów, endogennych czynników uczulających i wywołujących skurcz oskrzeli.

Działanie przeciwkaszlowe (antitussicum, antibechicum)

Nieznaczne działanie przeciwkaszlowe wywierają roślinne leki wykrztuśne (zob. wyżej) wskutek przywrócenia ruchów nabłonka rzęskowego oraz złagodzenia stanu podrażnienia błony śluzowej górnych dróg oddechowych. Typowe leki tłumiące odruchy kaszlowe działają depresyjnie na ośrodek kaszlu, znajdujący się w rdzeniu przedłużonym.

Do grupy leków przeciwkaszlowych należą alkaloidy roślinne stosowane doustnie w postaci tabletek, drażetek i mikstur. Największe znaczenie ma kodeina, występująca w maku lekarskim i w otrzymywanym z tej rośliny soku mlecznym (opium) oraz jej modyfikowane pochodne, np. etylomorfina (dionina). Związki te działają na korę mózgową i mogą wywoływać stan euforii oraz prowadzić do uzależnienia lekowego. Wraz z kodeiną występuje w maku i w opium narkotyna, pozbawiona działania narkotycznego i skutecznie tłumiąca odruchy kaszlowe. Analogicznie działa glaucyna, alkaloid obecny w zielu siwca żółtego. Preparatami przeciwkaszlowymi są: Tussilinar – zawiera narkotynę, Thiocodin – zawiera kodeinę, Azarina – zawiera wyciągi roślinne i kodeinę.

Działanie napotne (diaphoreticum, sudorificum)

Działanie napotne wywierają rośliny lecznicze pobudzające czynność gruczołów potowych. Rośliny te zawierają bliżej niezidentyfikowane związki łatwo rozpuszczalne w wodzie i przechodzące do naparów i odwarów. Najbardziej skutecznie działają owoce maliny, które w stanie wysuszonym służą do sporządzania naparu, a w stanie świeżym do otrzymania syropu malinowego. Skutecznie napotnie działa również kwiat lipowy, bzu czarnego i mieszanka ziołowa Pyrosan. Pomocnicze znaczenie jako składniki napotnych mieszanek ziołowych mają: kora wierzbowa, kwiat wiązówki i słonecznika, korzeń łopianu, liść brzozy, owoc dzikiej róży, ziele fiołka trójbarwnego i pączki topolowe.

Roślinne środki napotne stosuje się w tzw. „przeziębieniach", w chorobach zakaźnych, chorobie reumatycznej, kuracji odchudzającej, jak również w celu odciążenia nerek i szybkiego usunięcia z organizmu toksyn bakteryjnych i szkodliwych produktów przemiany materii.

Działanie przeciwpotne (antihydroticum, antisudorificum)

Nadmierna potliwość może być spowodowana przewlekłym stanem chorobowym (np. gruźlicą) lub może być wynikiem: zaburzeń w mechanizmie regulującym czynność gruczołów potowych, upośledzenia czynności nerek lub mechanizmów odtruwających. Jest też naturalnym środkiem ochronnym w chorobach infekcyjnych i w gorączce. Osoby cierpiące na zwiększoną potliwość niektórych tylko części ciała, np. pach, krocza i przede wszystkim nóg, poza częstym myciem powinny stosować roślinne środki przeciwpotne.

Do surowców roślinnych przeciwpotnych przyjmowanych ogólnie należą: liście pokrzyku, liście szałwi, ziele hyzopu, porost islandzki. Z liści pokrzyku zawierających atropinę przyrządza się nalewkę, wyciąg płynny i suchy oraz siarczan atropiny – przyjmowane doustnie. Dłuższe stosowanie tych preparatów jest niedopuszczalne ze względu na równoległe hamowanie czynności wydzielniczych innych narządów. Skuteczne i bezpieczne działanie przeciwpotne wywierają natomiast liście szałwi w postaci naparu oraz nalewka lub sok ze świeżego surowca. Podobnie działają ziele hyzopu oraz porost islandzki, zawierający fizjologicznie czynne kwasy, szczególnie zalecany dla chorych na gruźlicę.

W potliwości miejscowej stosowane są napary lub odwary z ziół bogatych w garbniki o właściwościach ściągających, przeciwbakteryjnych i przeciwgrzybiczych. Potliwość nóg zwalcza się moczeniem w odwarze z kory dębowej i ziela krwawnika lub w odwarze z korzenia szczawiu lancetowatego i ziela rdestu ptasiego.

Ogólną potliwość można również zmniejszyć poprzez poprawę pracy nerek i ich zdolności filtracyjnej. Stosuje się w tym celu zioła moczopędne, które równocześnie przyspieszają usuwanie z organizmu substancji toksycznych w postaci rozpuszczalnych w moczu związków.

Działanie przeciwcukrzycowe (antidiabeticum, hypoglycemicum)

Leki roślinne działają w cukrzycy pomocniczo lub uzupełniająco. W lekkich zaburzeniach przemiany węglowodanowej, gdy ilość wydalanego z moczem cukru jest mała i gdy stan taki trwa od niedawna, można uzyskać wyleczenie po zastosowaniu ziół i odpowiedniej diety. Również tzw. stany przedcukrzycowe są podatne na tego rodzaju postępowanie. Niektóre rośliny zawierają bowiem związki o właściwościach przeciwcukrzycowych, a ostatnio wykryto związek białkowy o dużej masie cząsteczkowej, pobudzający czynność wysp Langerhansa i wyrównujący względny niedobór insuliny u człowieka.

Roślinnymi surowcami przeciwcukrzycowymi są: kłącze perzu, ziele rutwicy, rdestu ptasiego i serdecznika, owocnia fasoli, znamię kukurydzy, liść orzecha włoskiego, borówki czarnej, szałwii i pokrzywy, korzeń cykorii, mniszka i marchwi, nasienie kozieradki oraz czosnek. Wymienione surowce stosuje się w różnych zestawieniach w postaci naparu łącznie z rygorystycznie przestrzeganą dietą, wyłączającą różne produkty zawierające glukozę i ograniczające spożywanie owoców zawierających fruktozę.

Działanie mlekopędne (lactagogum)

Wydzielanie mleka przez gruczoły sutkowe u kobiet jest regulowane na drodze hormonalnej za pomocą prolaktyny, hormonu przedniego płata przysadki. Niekiedy następuje upośledzenie wytwarzania prolaktyny, a tym samym i mleka u matek karmiących. Ponieważ mleko matki zaspokaja w sposób najpełniejszy potrzeby pokarmowe noworodka i niemowlęcia, należy pobudzić jego wytwarzanie, stosując łagodne i bezpieczne środki roślinne. Warunek ten jest szczególnie ważny, gdyż do mleka mogą przechodzić różne związki, niekiedy szkodliwe dla dziecka.

Do bezpiecznych i skutecznych mlekopędnych surowców roślinnych należą: owoc kminku, kopru włoskiego, anyżu i kopru ogrodowego. Wymienione surowce stosuje się w postaci naparów przyjmowanych doustnie przez karmiące kobiety. Mniej skutecznie działa ziele rutwicy, natomiast nasienie kozieradki, które znacznie pobudza laktację, nadaje mleku matki nieprzyjemny zapach „kozłowy".

Do środków roślinnych hamujących wytwarzanie prolaktyny, a tym samym i mleka kobiecego, należą naturalne alkaloidy sporyszu: ergotamina, ergotoksyna (jako zespół), ergokornina oraz modyfikowana pochodna ergokryptyny, mianowicie 2-bromo-alfa-ergokryptyna, która aktywuje odpowiednie receptory, obniża poziom prolaktyny i zmniejsza laktację. Leki te stosuje się u kobiet po połogu, u których występuje nadmierne lub zbędne wydzielanie mleka, oraz u kobiet, u których samoistny wyciek pokarmu (galactorrhoea) nie jest związany z tym stanem.

Działanie przeciw drobnoustrojom (antisepticum, desinficiens)

Poznane dotychczas antybiotyki (ok. 100 000) i stosowane praktycznie w lecznictwie (ok. 250) występują w przyrodzie głównie jako grupy związków organicznych wytwarzanych przez drobnoustroje lub są otrzymane półsyntetycznie przez modyfikowanie metodami chemicznymi podstawowej struktury cząsteczek. Liczne związki hamujące lub niszczące drobnoustroje, tak po podaniu doustnym, jak i zewnętrznie, znajdują się również w roślinach wyższych. Działają one na liczne szczepy bakterii Gram-dodatnich i Gram-ujemnych, nawet na antybiotykooporne, na niektóre grzyby wywołujące dermatomikozy oraz na niektóre wirusy. Związki czynne należą do bardzo różnych grup chemicznych, a najbardziej aktywne są: składniki olejków eterycznych (np. tymol, karwakrol, eugenol, aldehyd cynamonowy, mentol), garbniki, antranoidy, kwasy porostowe (np. kwas protolichestearynowy, kwas usninowy), gorycze chmielowe, hydrochinon, furanokumaryny, sulfotlenki (np. allicyna), alkaloidy (np. protopina).

Działanie przeciwbakteryjne (baktericidum). Największe znaczenie mają te surowce roślinne, które działają na szczepy bakteryjne powodujące zakażenie przewodu pokarmowego oraz skóry. Należą do nich wszystkie surowce i przetwory zawierające związki garbnikowe, które wiążąc się w sposób trwały z białkami hamują wybiórczo podział i rozmnażanie drobnoustrojów. W nieżycie żołądka i jelit, w biegunce na tle bakteryjnym, pomocniczo i łącznie z antybiotykami w durze brzusznym i czerwonce – doustnie stosuje się napary, odwary, nalewki, granulaty ze sproszkowanych ziół i wyciągi suche. Zewnętrznie w zapaleniu jamy ustnej, gardła, pochwy, odbytu, w ropnym zapaleniu dziąseł, czyrakach, ropniach, małych ranach, upławach, świądzie, w egzemach i w innych zakażeniach bakteryjnych – stosuje się napary, odwary, nalewki i suche wyciągi jako przymoczki, okłady, płukanki, nasiadówki, irygacje, kąpiele, lewatywy.

Inną grupę roślinnych surowców o działaniu przeciwbakteryjnym stanowią surowce zawierające olejki eteryczne, stosowane do wewnątrz lub zewnętrznie w postaci naparów lub preparatów. Wewnętrznie przyjmuje się: owoce anyżu, kminku, kolendry i kopru włoskiego, ziele piołunu, hyzopu, lebiodki, cząbru, tymianku i szałwi, liść mięty pieprzowej, szyszki chmielowej oraz czosnek. Wymienione zioła znane są również jako aromatyczne przyprawy. Zewnętrznie stosuje się: kwiat rumianku i krwawnika, liść szałwii, kłącze tataraku, mieszanki ziołowe Septosan i Vagosan oraz liczne olejki eteryczne: eukaliptusowy, lawendowy, miętowy, tymiankowy, sosnowo-kosodrzewinowy, rozmarynowy, kolendrowy, kminkowy, anyżowy, koprowy, a także niektóre składniki olejków: mentol, tymol, kamfora, a nawet dziegieć sosnowy. Olejki te są stosowane jako składniki maści, balsamów, mazideł, płynów do kąpieli leczniczych i do jamy ustnej, a także do inhalacji. Stosuje się je również w postaci aerozolu do wziewań – mają wówczas największą aktywność, przewyższającą antybiotyki.

Następną grupę surowców roślinnych stanowią zioła, które zawierają różne związki o działaniu przeciwbakteryjnym. Są to: porost islandzki, ziele drapacza, tymianku i macierzanki, liść orzecha włoskiego i babki oraz kwiat nagietka. Surowce te mogą być stosowane wewnętrznie i zewnętrznie.

W leczeniu zakażeń dróg moczowych, zwłaszcza u kobiet ciężarnych i karmiących, równolegle z antybiotykami lub w okresie przerwy w ich podawaniu stosuje się następujące zioła: liść mącznicy i borówki brusznicy, kwiat wrzosu, ziele połonicznika, mieszankę ziołową Urosan oraz preparat Urosept. Analogicznie działają surowce zawierające olejki eteryczne; niektóre składniki tych olejków rozpuszczają się częściowo w środowisku wodnym, przedostają do moczu i hamują rozwój bakterii. Wskazane jest również stosowanie ziół moczopędnych.

Działanie przeciwgrzybicze (fungicidum). Zakażenia grzybami i drożdżakami (*candidiosis*) mające charakter uogólniony są leczone antybiotykami przeciwgrzybiczymi. W zakażeniach zewnętrznych, dotyczących naskórka, skóry, włosów, paznokci oraz błony śluzowej jamy ustnej i narządów płciowych, mogą być stosowane następujące surowce roślinne: chryzarobina, olejek tymiankowy i otrzymane z niego tymol i karwakrol, dziegieć sosnowy, ziele glistnika i zawarty w nim pomarańczowy sok mleczny z alkaloidami, kwiat nagietka (skuteczny w grzybicy pochwy), czosnek, prep. Hemostin, surowce roślinne zawierające dużo garbników, kwasy: benzoesowy, salicylowy, undecylenowy i inne. Ponieważ roślinne środki mają w niektórych przypadkach ograniczoną skuteczność terapeutyczną, stosuje się wówczas antybiotyki o budowie polienowej, m.in. nystatynę.

Działanie przeciwwirusowe (virusocidum). Poznane dotychczas choroby wirusowe, z wyjątkiem wścieklizny i ospy, leczy się tylko objawowo, gdyż nie znaleziono skutecznych swoistych preparatów ani syntetycznych, ani naturalnych. Dotyczy to zwłaszcza wirusowego zapalenia mózgu i stwardnienia rozsianego. Znane przypadki samoistnego zwalczania choroby wirusowej wskazują na udział osobniczych czynników odpornościowych. Proces zdrowienia można wywołać lub przyspieszyć stosując substancje, które wzmagają immunologiczną odpowiedź organizmu na zakażenie, a jednocześnie są mało toksyczne.

Działanie przeciwzapalne. Surowce roślinne i ich przetwory działające przeciw drobnoustrojom chorobotwórczym mają również własności przeciwzapalne. Znane są też specyfiki, w których wykorzystano synergizm różnych związków czynnych i uzyskano podwójny efekt leczniczy – odkażający i łagodzący stan zapalny. Należą tu: płyn Dentosept służący do płukania jamy ustnej, maść Mucosit do smarowania dziąseł, aerosol Sanofil i maść Arcalen do stosowania na skórę, płyn Seboren do wcierań w owłosioną skórę głowy oraz Succus Echinaceae (sok z ziela jeżówki purpurowej) jako ogólnie uodporniający na infekcje i stany zapalne.

Działanie immunostymulujące. Sukcesem fitochemii jest wykrycie w roślinach obecności niespecyficznych immunomodulatorów w postaci związków wielocukrowych, cukrowo-białkowych lub innych, o różnym stopniu rozpuszczalności w wodzie. Związki te pobudzają mechanizmy obronne organizmu (np. zwiększają liczbę limfocytów, wzmagają fagocytozę), zwłaszcza podwyższają poziom interferonu – endogennej substancji białkowej hamującej wnikanie wirusów do komórek i tym samym utrudniającej ich reprodukcję.

Związki immunostymulujące występują w licznych roślinach leczniczych, m.in.: w jeżówce purpurowej lub wąskolistnej, aloesie, melisie, rumianku, babce, rdeście ptasim, lukrecji, nagietku, żeń-szeniu oraz w różnych grzybach i glonach.

Obecnie w krajach zachodnich pojawia się coraz więcej specyfików służących pobudzaniu obronności organizmu, zawierających połączenia wyciągów roślinnych z makro- i mikroelementami, witaminami, lecytynami, niektórymi aminokwasami lub z wybranymi substancjami homeopatycznymi.

Toksyczne działanie leków roślinnych

Wiele roślin leczniczych zawiera liczne związki o silnym działaniu fizjologicznym; niekiedy są to nawet silne trucizny. Stosować je można wyłącznie pod kontrolą lekarza ustalającego ściśle dawkowanie. Należą tu: alkaloidy tropinowe z liści pokrzyku, bielunia i lulka, alkaloidy z opium lub z makówek (morfina, kodeina, papaweryna), alkaloidy ze sporyszu (ergotamina, ergotoksyna, ergometryna), kardenolidy z liści naparstnicy, ziela konwalii, ziela miłka wiosennego, cebuli morskiej i nasion strofantu, efedryna z ziela stroiczki, kolchicyna z nasion i cebuli zimowita, rezerpina i ajmalina z korzeni rauwolfii, strychnina z nasion kulczyby, akonityna z bulw tojadu, chinina z kory chinowej. Działanie toksyczne wymienionych związków jest znane od dawna, opisane w podręcznikach, a dawkowania tak ustalone, że nie ma niebezpieczeństwa zatrucia.

Istnieje jednak duża grupa surowców roślinnych, które w powszechnym mniemaniu nie zawierają związków szkodliwych i są dostępne w dowolnej ilości, nawet bez recept, w zielarskich sklepach wzorcowych. Nowoczesne badania wykazały, że przeświadczenie o całkowitej nieszkodliwości ziół jest błędne, że zioła stosowane w nieodpowiednich dawkach po upływie określonego czasu, a u niektórych osób nawet bezpośrednio po przyjęciu, mogą wywołać niepożądane objawy.

Olejki eteryczne. Znane są przypadki nadwrażliwości, alergii kontaktowej oraz odczynów toksycznych w następstwie zetknięcia się skóry z niektórymi substancjami ziołowymi. Zmiany skórne są typu wyprysku (egzemy) lub zapalno-obrzękowe z odczynem pęcherzowym, towarzyszy im świąd o różnym nasileniu i często wtórne zakażenie bakteryjne. Uczulenie może wywołać dotknięcie świeżych roślin: pierwiosnka, ruty, bylicy, komosy, złocienia, sumaka. W analogiczny sposób mogą reagować osoby, które zetknęły się np. z olejkiem sosnowym, jodłowym, cynamonowym, tymiankowym, miętowym, cytrynowym oraz ze związkami otrzymanymi z olejków, jak również z produktami i preparatami zawierającymi olejki eteryczne – z pastą do zębów, dezodorantem, perfumami, wodą aromatyczną, mydłem, środkami piorącymi, a nawet z przyprawami kuchennymi i lekami.

Antrazwiązki. Są to pochodne antracenu działające przeczyszczająco. Miejscem farmakologicznego zadziałania jest jelito grube. Pod wpływem zbyt dużych dawek antrazwiązkow następuje przekrwienie błony śluzowej jelita, zwłaszcza odbytnicy, oraz narządów miednicy małej. Ze względów anatomicznych jest to niekorzystne dla kobiet, głównie ciężarnych, ponieważ może wywołać poronienie. Ponadto mogą występować krwawienia jelitowe spowodowane uszkodzeniem naczyń, istnieje też możliwość infekcji lub owrzodzenia; pojawiają się zaburzenia trawienne oraz przekrwienie i podrażnienie nerek. Długo utrzymujący się przewlekły odczyn zapalny i przekrwienie, niezależnie od umiejscowienia, zalicza się do tzw. „stanów przedrakowych".

Z toksykologicznego punktu widzenia znaczenie ma również czas upływający od chwili przyjęcia leku przeczyszczającego do czasu wypróżnienia. Najszybciej (po 6–8 godz.) działają liście senesu. Są one najbezpieczniejsze i w odpowiednich dawkach mogą być podawane dzieciom i kobietom ciężarnym. Najwolniej (po 10–14 godz.) działa Aloe (stężały sok aloesów, wchodzi w skład drażetek Alax), który najczęściej wywołuje niekorzystne objawy. Kora kruszyny i korzeń rzewienia wywołują przeczyszczenie po 8–10 godz. od chwili przyjęcia.

Związki antytiaminowe. W roślinach wykryto dwa rodzaje związków unieczynniających tiaminę, czyli witaminę B_1: 1) związki o aktywności enzymu tiaminazy oraz 2) odporne na temperaturę czynniki przeciwtiaminowe. Tiaminaza, enzym występujący w organizmie ludzkim, niszczy aktywność witaminy wskutek rozszczepienia jej cząsteczki na podstawowe składniki. Istnieje przypuszczenie, że związek pokrewny tiaminazie ma analogiczne właściwości. Mechanizm działania drugiej grupy związków nie jest znany, chociaż znana jest ich budowa chemiczna.

Dotychczas zidentyfikowano kilka związków o właściwościach antywitaminy B_1. Stwierdzono również, że aktywność przeciwwitaminową B_1 mają także niektóre grzyby, przyprawy kuchenne (np. cebula) oraz owoce, np. mango, ananasy i niektóre gatunki jabłek. Wśród surowców leczniczych właściwości takie mają: ziele skrzypu, rdestu ptasiego, owoc kolendry, czosnek, a przypuszczalnie także liście jeżyny, maliny, ziele cząbru ogrodowego.

Związki antytiaminowe dobrze rozpuszczają się w wodzie, są oporne na działanie temperatury i znajdują się w naparach i odwarach z roślin leczniczych. Nie stanowi to jednak zagrożenia dla osób przyjmujących wyciągi, ze względu na małe dawki, określoną częstotliwość i okres kuracji. Dopiero wielomiesięczne lub kilkuletnie stosowanie wodnych wyciągów, np. picie odwarów z ziela skrzypu lub z rdestu ptasiego, praktykowane niekiedy w wieku podeszłym jako moczopędne, może obniżyć w organizmie poziom witaminy B_1. Niedobór ten należy wyrównywać przyjmowaniem małych dawek tej witaminy. Ostatnio wykazano, że garbniki zawarte w wielu surowcach stosowanych jako przeciwbiegunkowe (a także w mocnej herbacie) tworzą z tiaminą nierozpuszczalne połączenia i uniemożliwiają przyswajanie tej witaminy.

Związki fotodynamiczne. Hematoporfiryna, substancja znajdująca się w organizmie człowieka, powoduje, że po naświetleniu skóry promieniami nadfioletowymi o długości fali w granicach od 297 do 408 nm, emitowanymi wraz ze światłem słonecznym, skóra staje się brunatna. Jeśli naświetlanie słoneczne lub ze sztucznego źródła promieniowania nadfioletowego jest zbyt długie lub istnieje osobnicza nadwrażliwość, może wystąpić rumień, a nawet oparzenie skóry. W niektórych roślinach znajdują się związki o analogicznych właściwościach do hematoporfiryny. Są to: hyperycyna i jej analogi oraz furanokumaryny.

Hyperycyna występuje w zielu dziurawca, w soku dziurawca i w wyciągu alkoholowym z tego ziela. W lecznictwie wykorzystuje się właściwości fotodynamiczne hyperycyny w leczeniu bielactwa. Stosuje się sok dziurawca zewnętrznie do smarowania miejsc na skórze pozbawionej pigmentu oraz równocześnie doustnie wraz z naświetlaniem lampą kwarcową lub promieniami słonecznymi. Przedawkowanie soku dziurawca i wystawienie na działanie słońca powoduje dość szybko rumień, oparzenia, a w cięższych przypadkach udar słoneczny z groźną dla życia hemolizą czerwonych krwinek, wewnętrznymi krwawieniami i anemizacją jelit. Takiego działania nie ma napar z ziela dziurawca, gdyż hyperycyna nie rozpuszcza się w wodzie, lecz w alkoholu.

Zbliżone do hyperycyny związki o analogicznym działaniu znajdują się w zielu gryki (fagopyryna) i w niektórych gatunkach *Penicillium* (peniciliopsyna).

Furanokumaryny występują w: korzeniu arcydzięgła, biedrzeńca i lubczyka, liściu ruty, owocach pietruszki i aminka większego, selerze, pasternaku i innych. Najważniejszymi furanokumarynami, w kolejności zmniejszającej się aktywności są: psoralen, ksantotoksyna, bergapten, angelicyna i oksypeucedanina. Preparaty zawierające furanokumaryny (Beroxan, Psoralen, Ammifurin, Peucedanin, Meladinine) stosuje się doustnie i zewnętrznie w leczeniu bielactwa wraz z naświetlaniem promieniami nadfioletowymi oraz w leczeniu łuszczycy. Napary lub odwary z surowców furanokumarynowych są mało skuteczne w porównaniu z preparatami lub wyciągami alkoholowymi, ze względu na słabą rozpuszczalność związków czynnych w wodzie. Przedawkowanie i wielokrotna ekspozycja skóry na światło słoneczne lub lampy kwarcowej wywołuje objawy toksyczne: ogólne osłabienie, bezsenność, ból głowy, nudności, wymioty, a w cięższych przypadkach – uszkodzenie wątroby, stan zapalny żołądka i trzustki. Objawami miejscowymi są: odczyn rumieniowy, rumieniowo-obrzękowy, wypryskowy i wypryskowo-pęcherzowy. Nie stwierdzono, w przeciwieństwie do hyperycyny, zwiększonej hemolizy czerwonych krwinek, wykazano natomiast działanie cytotoksyczne – niektóre furanokumaryny uszkadzają jądra komórkowe oraz wywołują aglutynację chromosomów. Wskazana jest duża ostrożność nieprzekraczania ustalonych dawek w stosowaniu surowców zawierających furanokumaryny i ich wyciągów oraz preparatów z izolowanymi związkami.

Związki izosiarkocyjanianowe. W komórkach niektórych roślin znajdują się glikozydy zawierające atom siarki, zwane glukozynolatami lub „glukozydami gorczycznymi". Związki te pod wpływem enzymu mirozynazy, zawartego w osobnych komórkach rośliny macierzystej, ulegają hydrolizie i uwalniają izosiarkocyjaniany. Najbardziej aktywny jest izosiarkocyjanian allilu, zwany „olejkiem gorczycznym", występujący w nasieniu gorczycy czarnej, korzeniu rzodkwi czarnej oraz w korzeniu chrzanu. Roztarte korzenie chrzanu lub nasiona gorczycy czarnej stosuje się zwykle zewnętrznie do okładów rumieniących w bólach reumatycznych, natomiast olejek gorczyczny w tym samym celu jako składnik maści i mazideł. Zbyt długotrwałe działanie na skórę wywołuje silny piekący ból, ostry stan zapalny z odczynem pęcherzowo-krwotocznym i martwicę naskórka, przy czym często następuje wtórne zakażenie bakteryjne. Doustne przyjmowanie nadmiernych ilości chrzanu, gorczycy lub ostrej musztardy jako przypraw może spowodować uszkodzenie nerek z krwiomoczem i białkomoczem oraz przekrwienie macicy.

Składnikiem nasion rzepaku i kapusty są glukozynolaty hamujące utlenianie jodków lub jodu, powodujące upośledzenie czynności gruczołu tarczowego, co w skrajnych przypadkach prowadzi do powstania wola.

Czosnek i cebula zawierają związki siarkowe o właściwościach bakteriobójczych. Bezpośredni kontakt skóry z miazgą czosnku może wywołać stan zapalny ze skłonnością do trudno gojących się wrzodów.

Glikozydy fenolowe. Glikozydy arbutyna i metyloarbutyna występują m.in. w liściach mącznicy, borówki bruszwicy, borówki czarnej, w liściach i korze gruszy. Stosuje się je w mieszankach ziołowych moczopędnych i odkażających drogi moczowe, ponieważ arbutyna hydrolizuje w moczu o odczynie alkalicznym i uwalnia silnie bakteriobójczy hydrochinon. Zbyt duże dawki surowców arbutynowych lub stosowanie przez dłuższy czas preparatów zawierających wyciągi (np. Amioninu), mogą spowodować przewlekłe zatrucie z objawami anemii hemolitycznej, stłuszczeniem wątroby, odbarwieniem włosów, złym samopoczuciem, wymiotami i biegunką.

Związki garbnikowe. Wymienione poprzednio przeciwbiegunkowe surowce roślinne i ich przetwory (zob. s. 479) wywierają również szkodliwe działania uboczne. Przyjmowanie przez dłuższy czas w celach leczniczych lub jako używki (mocna herbata) wyciągów zawierających znaczne ilości garbników utrudnia lub hamuje przyswajanie wielu mikroelementów (np. selen, miedź) i makroelementów (np. żelazo). Tworzą się wówczas kompleksy z garbnikami nierozpuszczalne w środowisku wodnym. Takie same reakcje zachodzą z niektórymi witaminami, np. z witaminą B_1, oraz z niektórymi lekami, zwłaszcza zawierającymi alkaloidy.

Bardziej niekorzystne zjawiska zachodzą wskutek hydrolizy niektórych garbników (zwłaszcza taniny) przez kwas żołądkowy. Uwalniają się wówczas składniki garbników (np. kwas galusowy), które drażnią błonę śluzową żołądka, wywołują ból, nudności i wymioty. Stwierdzono również, że kwas galusowy w małych stężeniach jest silnym katalizatorem reakcji tworzenia się nitrozoamin z obecnych w przewodzie pokarmowym azotynów i amin. Nitrozoaminy są jednym z najgroźniejszych związków rakotwórczych.

Analogicznie do kwasu galusowego działa tanina otrzymywana z galasów chińskich lub tureckich oraz nalewka galasowa. Tanina stosowana jako środek ściągający na oparzenia jest częściowo hydrolizowana oraz resorbowana i może spowodować nekrotyczne uszkodzenia wątroby. Stosowanie naparów lub odwarów z surowców garbnikowych albo z mieszanek ziołowych (np. Tannosan) w ustalonych dawkach i przez określony czas nie powoduje uchwytnych skutków ujemnych, poza przejściowymi zaparciami u niektórych osób.

Związki saponinowe. Znajdujące się w roślinach saponiny, w dawkach leczniczych, pobudzają nieznacznie wytwarzanie śliny, drażnią błony śluzowe jamy ustnej, gardła i krtani, wzmagają odruch wykrztuśny (zob. s. 484). Nawet niewielkie przedawkowanie przetworów lub preparatów zawierających saponiny powoduje nadmierne ślinienie, nudności, a u osób zbyt wrażliwych

– wymioty. Jeżeli przyjęta doustnie dawka saponin jest zbyt duża, może dojść do uszkodzenia błony śluzowej przewodu pokarmowego i wystąpienia objawów ogólnych, m.in. bólu i zawrotów głowy, zaburzenia akcji serca i krążenia, silnego bólu i nieżytu oskrzeli. Brak jest natomiast zmian w obrazie krwi, ponieważ saponiny nie ulegają resorpcji w jelitach, choć są truciznami hemolitycznymi *in vitro*.

Opisane przykłady niekorzystnych działań wielu roślin leczniczych wskazują na konieczność ostrożniejszego i racjonalniejszego ich stosowania. Należy zwłaszcza przestrzegać przed samolecznictwem, polegającym na bezkrytycznym opieraniu się na niesprawdzonych lub niekiedy wręcz błędnych wiadomościach o ziołach, przekazywanych ustnie lub w anonimowych notatkach.

INNE METODY LECZENIA

I. LECZENIE DIETETYCZNE

Żywienie prawidłowe polega na dostarczaniu człowiekowi wszystkich składników pokarmowych w odpowiedniej ilości, tak aby zapewnić mu pełnię zdrowia, uzyskanie pożądanego rozwoju i zdrowego potomstwa. **Dieta** zaś jest czynnikiem leczniczym i działa głównie poprzez zasadniczą zmianę zawartości jakiegoś składnika pokarmowego. Wyodrębniono sześć grup składników pokarmowych: białka, węglowodany, tłuszcze, składniki mineralne, witaminy i błonnik. Dieta zatem może być wysokobiałkowa i niskobiałkowa, niskotłuszczowa, niskowęglowodanowa, bezsolna itp. Dieta jest modyfikacją żywienia prawidłowego, dlatego omówiono je jako podstawę układania jadłospisów dietetycznych.

Poglądy na żywienie prawidłowe uległy w ostatnich latach znacznemu uściśleniu. Komitet Ekspertów Światowej Organizacji Zdrowia ustalił w 1990 r. pożądaną dla ludzi zdrowych strukturę spożycia, wyrażoną w składnikach pokarmowych. Zwyczajowe żywienie w krajach rozwiniętych różni się od tych propozycji znacznie wyższym spożyciem tłuszczów ogółem, nasyconych kwasów tłuszczowych (głównie tłuszcze zwierzęce), a w licznych krajach także zbyt niskim spożyciem wielonienasyconych kwasów tłuszczowych (oleje roślinne). Żywienie w krajach rozwiniętych cechuje się ponadto wysokim spożyciem cholesterolu, sacharozy (cukier) i soli, a niskim błonnika. Uważa się, że wielka epidemia chorób cywilizacyjnych w tych krajach pozostaje w związku przyczynowym z nieprawidłowym żywieniem, a jej opanowanie wymaga zmiany zwyczajów żywieniowych.

Na rysunku obok przedstawiono rację pokarmową zgodną z pożądaną strukturą spożycia. Podstawowym źródłem energii powinny być **produkty zbożowe**. W diecie dostarczającej 2000 kcal (8360 kJ) dzienne spożycie tych produktów w przeliczeniu na pieczywo powinno wynosić 250 – 300 g i odpowiednio mniej w przeliczeniu na suche produkty mączne. Dzienne spożycie **warzyw, owoców i ziemniaków** (ważne źródło błonnika, witamin i składników mineralnych) powinno wynosić około 1 kg. **Mleka** należy spożywać co najmniej 600 ml (najważniejsze źródło wapnia). Można je częściowo zastąpić serami. Spożycie **mięsa** natomiast powinno wynosić 60 – 100 g dziennie (waga po ugotowaniu). Powinno być ono często zastępowane rybą, drobiem, grochem, fasolą, soją lub jajami.

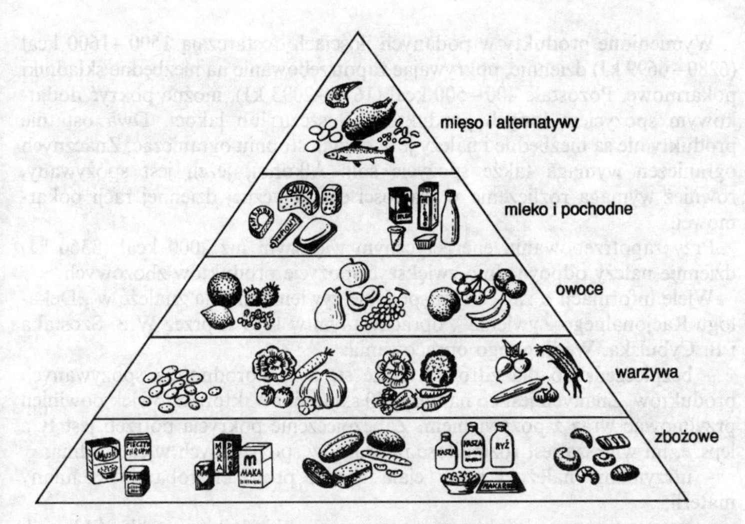

Optymalny model żywienia – piramida zdrowia

Struktura spożycia zalecana przez grupę ekspertów Światowej Organizacji Zdrowia*

Struktura spożycia	Granice średniego spożycia dla populacji	
	niższa	wyższa
Energia całkowita	należy zwrócić uwagę na odnośnik [a]	
Tłuszcz całkowity (% energii)	15	30 [b]
Nasycone kwasy tłuszczowe (% ogółu energii)	0	10
Wielonienasycone kwasy tłuszczowe (% ogółu energii)	3	7
Cholesterol pokarmowy (mg/dzień)	0	300
Węglowodany całkowite (% ogółu energii)	55	75
Węglowodany złożone [c] (% ogółu energii)	50	70
Błonnik pokarmowy [d] (g/dzień)		
Jako nieskrobiowe wielocukry (NSP)	16	24
Jako całkowity błonnik pokarmowy	27	40
Wolne cukry [e] (% ogółu energii)	0	10
Białko (% ogółu energii)	10	15
Sól (g/dzień)	– [f]	6

[a] Spożycie energii powinno być wystarczające do zapewnienia: prawidłowego wzrostu dzieci, potrzeb ciąży i karmienia, pracy i aktywności fizycznej oraz utrzymania odpowiednich rezerw energetycznych u dzieci i u dorosłych. Średni wskaźnik masy ciała (BMI) dorosłej populacji powinien utrzymywać się na poziomie 20 – 22. [b] Cel przejściowy dla krajów o wysokim spożyciu tłuszczu: z redukcji spożycia tłuszczu do 15% ogółu energii można spodziewać się dalszych korzyści. [c] Udział w tym składniku diety powinno mieć również spożycie przynajmniej 400 g warzyw i owoców, łącznie z 30 g strączkowych i orzechów. [d] Błonnik pokarmowy obejmuje również nieskrobiowe wielocukry. Ponieważ definicja i pomiar błonnika pokarmowego są niepewne, cele dla całkowitego błonnika pokarmowego oszacowano z wartości dla NSP. [e] Do wolnych cukrów należą jednocukry, dwucukry i inne krótkołańcuchowe cukry powstające podczas rafinacji węglowodanów. [f] Nie określono.

* „Diet, nutrition and the prevention of the chronic diseases" Report of the WHO Study Group. World Health Organization Technical Report Series 797. World Health Organization, Geneva 1990.

Wymienione produkty w podanych ilościach dostarczają 1500–1600 kcal (6280–6699 kJ) dziennie, pokrywając zapotrzebowanie na niezbędne składniki pokarmowe. Pozostałe 400–500 kcal (1674–2093 kJ), można pokryć dodatkowym spożyciem innych produktów, tłuszczu lub łakoci. Dwa ostatnie produkty nie są niezbędne i należy je w dużym stopniu ograniczać. Znacznych ograniczeń wymaga także spożycie soli. Alkohol, jeżeli jest spożywany, również wymaga rozliczenia w wartości energetycznej dziennej racji pokarmowej.

Przy zapotrzebowaniu energetycznym większym niż 2000 kcal (8360 kJ) dziennie należy odpowiednio zwiększyć spożycie produktów zbożowych.

Wiele informacji o zalecanym sposobie żywienia można znaleźć w „Dekalogu Racjonalnego Żywienia”, opracowanym w 1989 r. przez W.B. Szostaka i B. Cybulską. Według tego opracowania:

– bezpieczeństwo dla zdrowia wiąże się z różnorodnością spożywanych produktów. Znanych jest co najmniej 40 składników, które człowiek powinien przyjmować wraz z pożywieniem. Zabezpieczenie pokrycia potrzeb jest tym lepsze, im większa jest rozmaitość produktów spożywanych w ciągu dnia;

– utrzymanie należnej masy ciała chroni przed chorobami przemiany materii;

– ciemne pieczywo jest bogatsze w witaminy, składniki mineralne i błonnik niż chleb biały. Spożywaj co najmniej 5 porcji różnych produktów zbożowych dziennie;

– dwie szklanki chudego mleka dziennie zapewniają człowiekowi dorosłemu wystarczającą ilość wapnia. Mleko można zastąpić częściowo serem;

– ryba jest zdrowszym źródłem białka niż mięso. Spożywanie ryb co najmniej 2 razy w tygodniu jest zgodne z zasadami profilaktyki choroby wieńcowej. Nasiona roślin strączkowych, będące również dobrym źródłem białka, mają także znaczenie w profilaktyce. Należy ograniczać spożycie tłustego mięsa;

– dużo warzyw i owoców zabezpiecza organizmowi wystarczającą ilość witamin, składników mineralnych oraz błonnika;

– ograniczenie spożycia tłuszczów zwierzęcych i produktów obfitujących w cholesterol to nieodzowny warunek profilaktyki zawału serca;

– unikanie słodyczy chroni przed próchnicą i ułatwia utrzymanie należnej masy ciała;

– mniej soli to mniejsze zagrożenie nadciśnieniem;

– alkohol jest wrogiem zdrowia.

Dieta łatwo strawna

Każda dieta może spełniać zasady łatwostrawności. Aby organizm człowieka mógł do celów energetycznych i odbudowy tkanek wykorzystać spożywane pokarmy, muszą one zostać strawione (rozbite) do prostych związków: aminokwasów, kwasów tłuszczowych, glicerolu, cukrów prostych – a następnie wchłonięte z przewodu pokarmowego do krwi. Istnieją

Wykaz produktów i potraw dozwolonych i przeciwwskazanych w diecie łatwo strawnej (wg W.B. Szostaka i H. Szczygłowej, Instytut Żywności i Żywienia w Warszawie)

Nazwa produktu	Dozwolone	Przeciwwskazane
Produkty zbożowe	pieczywo jasne i czerstwe (czasem graham w ograniczonej ilości), sucharki, drobne kasze: manna, krakowska, jęczmienna łamana – dobrze oczyszczona, ryż, drobne makarony	pieczywo razowe żytnie i pszenne, każde pieczywo świeże, grube kasze: pęczak, gryczana, grube makarony
Mleko i produkty mleczne	mleko słodkie i zsiadłe, biały ser, twaróg zwykły i homogenizowany	przetwory mleczne przekwaszone, sery żółte i topione
Jaja	gotowane na miękko i w koszulkach, ścięte na parze w formie jajecznicy, jaj sadzonych, omletów	gotowane na twardo i smażone
Mięso, wędliny i ryby	mięso chude: wołowina, cielęcina, kurczaki; ryby: dorsz, leszcz, płastuga, sola, szczupak, sandacz; wędliny: chuda szynka, polędwica, chuda kiełbasa szynkowa wieprzowa lub wołowa (czasami zezwala się na parówki)	mięsa tłuste: baranina, wieprzowina, gęsi, kaczki; ryby: węgorz, pałasz, halibut; tłuste wędliny, produkty mięsne i rybne wędzone; mięsa peklowane
Tłuszcze	masło, słodka śmietanka; oleje roślinne: sojowy, słonecznikowy, rzepakowy, oliwa; margaryny wysokogatunkowe w ograniczonej ilości	śmietana, smalec, słonina, boczek, łój wołowy i barani, ceres, margaryny gorszej jakości
Ziemniaki	gotowane, gotowane tłuczone w postaci piure	frytki, wszelkiego rodzaju ziemniaki smażone, placki ziemniaczane
Warzywa	marchew, buraki, kwiat kalafiora, szpinak, kabaczki, młody zielony groszek – najczęściej przetarty w formie zupy lub piure, młoda fasolka szparagowa; warzywa z wody, oprószone mąką, z dodatkiem świeżego masła – bez zasmażek; na surowo zielona sałata, pomidory bez skórki, utarta marchew z jabłkiem	wszystkie odmiany kapusty (czasem dopuszcza się niewielki dodatek kapusty włoskiej), papryka, szczypior, cebula, ogórki, brukiew, rzodkiewka; warzywa z zasmażkami, konserwowane z octem
Owoce	owoce dobrze dojrzałe bez skórki i pestek; jabłka, truskawki, morele, brzo-skwinie, pomarańcze, banany; maliny i porzeczki w formie przecieru lub soku	wszystkie owoce niedojrzałe; gruszki, śliwki, czereśnie, agrest, owoce suszone, orzechy
Suche strączkowe		wszystkie są zabronione: groch, fasola, bób, soczewica
Cukier i słodycze	cukier, miód, dżemy bez pestek, przetwory owocowe z dodatkiem cukru – kompoty, galaretki	chałwa, czekolada, słodycze zawierające tłuszcz, kakao, orzechy
Przyprawy	tylko łagodne w ograniczonych ilościach: sól, cukier, sok z cytryny, koper zielony, kminek, wanilia, cynamon	ostre przyprawy, ocet, pieprz, musztarda, papryka i wszelkiego rodzaju pikle

Nazwa produktu	Dozwolone	Przeciwwskazane
Zupy	kleiki, krupniki z dozwolonych kasz, zupy mleczne, przetarte zupy owocowe, zupy warzywne czyste (barszcz, pomidorowa), zupy jarzynowe z dozwolonych warzyw, zupa ziemniaczana, zupy na wywarach mięsnych odtłuszczonych, jeżeli nie ma przeciwwskazań; zupy zagęszczone zawiesiną mąki w wodzie, mleku lub słodkiej śmietance — bez zasmażek; zupy zaciągane żółtkiem lub z dodatkiem świeżego masła	kapuśniaki, zupa ogórkowa, fasolowa, grochowa, zupy zaprawiane zasmażkami
Potrawy mięsne i rybne	gotowane, duszone bez uprzedniego obsmażania, pieczone w folii lub pergaminie, potrawki, pulpety, budynie	smażone, duszone, pieczone w sposób konwencjonalny
Potrawy z mąki i kasz	kasze gotowane na sypko lub rozklejone, płatki owsiane przetarte, budynie z kasz z dodatkiem mięsa, warzyw lub owoców, lane kluski, leniwe pierogi z małym dodatkiem mąki	smażone – oładki, kotlety z kaszy, kluski kładzione, francuskie, zacierki
Sosy	o smaku łagodnym, zaprawione słodką śmietanką, masłem lub żółtkiem, zagęszczone zawiesiną mąki w wodzie, mleku lub słodkiej śmietance – koperkowy, cytrynowy, potrawkowy, sosy owocowe ze słodką śmietanką, majonez tylko domowy świeżo przygotowany z dozwolonych olejów roślinnych z dodatkiem soku z cytryny (bez musztardy)	ostre, na zasmażkach, sosy na mocnych wywarach mięsnych
Desery	kompoty, kisiele, musy, galaretki – z owoców dozwolonych; galaretki, kisiele, kremy – z mleka; owoce w galarecie lub kremie, biszkopty, czerstwe ciasto drożdżowe	torty i ciastka z kremem, pączki, faworki, tłuste ciasto, np. francuskie, piaskowe, kruche
Napoje	herbata, kawa – jeżeli nie ma przeciwwskazań, mleko, napoje owocowe, soki warzywne	mocne kakao, płynna czekolada, napoje alkoholowe

pokarmy, które organizm człowieka łatwo trawi i przyswaja, np. chude mięso młodych zwierząt, białe pieczywo, niektóre kasze, soki owocowe. Istnieją też pokarmy trudno strawne. Należą do nich głównie te, które zawierają dużo błonnika, a więc warzywa, ciemny chleb, grube kasze itp. Zalicza się tu także pokarmy wzdymające (kapusta, strączkowe), zbyt tłuste oraz ostre przyprawy.

Bardzo ważny jest sposób przygotowania potraw. Znacznie zwiększa strawność pokarmów gotowanie, duszenie, rozdrabnianie (np. przecieranie warzyw), usuwanie z warzyw i owoców części szczególnie twardych (np. usuwanie skórki z pomidorów). Przeciwwskazane są potrawy smażone, pieczone i odgrzewane. Produkty używane do przygotowania posiłków dla człowieka chorego muszą być świeże, o najwyższej jakości, a przepisy higieny w kuchni skrupulatnie przestrzegane.

Z a s a d y d i e t y ł a t w o s t r a w n e j, oprócz doboru odpowiednich produktów spożywczych i właściwego przygotowania, obejmują przestrzeganie określonych zaleceń. Należy mianowicie:
– spożywać 4–5 niewielkich posiłków dziennie,
– jadać regularnie o tej samej godzinie,
– kolację spożywać nie później niż na 2 godz. przed spoczynkiem nocnym,
– jeść powoli, żuć dokładnie, nie połykać dużych kęsów,
– unikać przemęczenia przed posiłkiem, odpoczywać po jedzeniu.

W zależności od rozpoznanej choroby i jej nasilenia lekarz zaleca jedne potrawy i zabrania spożywania innych. Może się okazać, że potrawę zalecaną w danej chorobie konkretny chory źle toleruje, a inną, nie wskazaną, dobrze. Każdy zatem chory musi niejako dostosować dietę do swego organizmu, ale po uprzedniej konsultacji z lekarzem.

Dieta łatwo strawna jest zalecana w następujących stanach fizjologicznych i chorobach:

1) małym dzieciom i osobom w podeszłym wieku;

2) w ostrych chorobach gorączkowych – w zapaleniu płuc, anginie, grypie;

3) w chorobach przewodu pokarmowego – w pierwszym okresie po usunięciu pęcherzyka żółciowego, w dyskinezie dróg żółciowych, w pierwszym okresie po wirusowym zapaleniu wątroby, w przewlekłym zapaleniu żołądka, w stanie po usunięciu części żołądka, w przewlekłym zapaleniu jelit oraz w kamicy żółciowej, przewlekłym zapaleniu pęcherzyka żółciowego, marskości wątroby, przewlekłym zapaleniu wątroby, chorobie wrzodowej żołądka i dwunastnicy, wrzodziejącym zapaleniu jelita grubego;

4) w chorobach układu krążenia – w niewydolności krążenia, w chorobie wieńcowej, nadciśnieniu tętniczym;

5) w chorobach wymagających leżenia w łóżku i w okresie rekonwalescencji po ciężkich chorobach i zabiegach operacyjnych.

Dieta ubogoenergetyczna

Dieta ubogoenergetyczna jest stosowana u ludzi otyłych w celu obniżenia masy ich ciała. Około 98% otyłych to chorzy z otyłością prostą, spowodowaną nadmiernym spożywaniem pokarmów w porównaniu z zapotrzebowaniem energetycznym organizmu. Nadmiar pokarmów, a zwłaszcza tłuszczów i węglowodanów, jest magazynowany jako tłuszcz w tkance podskórnej i innych tkankach. Tylko ok. 2% ludzi otyłych cierpi na zaburzenia hormonalne, mogące być przyczyną nadmiernego gromadzenia tłuszczu.

O t y ł o ś ć nie tylko niekorzystnie wpływa na urodę człowieka i jego sprawność fizyczną, ale jest czynnikiem ułatwiającym pojawienie się i rozwój cukrzycy, miażdżycy, niewydolności krążenia, nadciśnienia tętniczego, kamicy pęcherzyka żółciowego. Nadmierne spożywanie pokarmów i w konsekwencji otyłość są zazwyczaj spowodowane n i e w ł a ś c i w y m i n a w y k a m i ż y w i e n i o w y m i nabytymi często już w domu rodzinnym. Do otyłości mogą prowadzić także przyczyny psychologiczne i bardzo mała aktywność fizyczna. Często nadwaga pojawia się po przekroczeniu 40 r. życia, kiedy aktywność fizyczna zmniejsza się, a spożycie pokarmów nie ulega zmianie.

Załączona tabela przedstawia normy zapotrzebowania energetycznego dla osób o prawidłowym stanie odżywiania, mających zajęcia siedzące. Praca fizyczna zwiększa zapotrzebowanie energetyczne – mężczyzna ciężko pracujący powinien otrzymać ok. 4000 kcal (16760 kJ), a kobieta ok. 3200 kcal (13400 kJ). Normy są przewidziane dla większości ludzi w danej grupie wieku, ale nie dla wszystkich. Każdy człowiek jest inaczej zbudowany, ma inną przemianę materii. Stanowi więc indywidualność fizyczną, może się zatem zdarzyć, że przestrzeganie norm energetycznych doprowadzi do otyłości lub wychudzenia; każdy wzrost masy ciała ponad normę powinien być sygnałem do ograniczenia ilości spożywanych pokarmów.

Zapotrzebowanie energetyczne wg norm Instytutu Żywienia i Żywności

	Wiek (lat)	kcal*	kJ (kilodżule)
Dziewczęta	13–15	2600	10 900
	16–20	2500	10 500
Kobiety	dorosłe	2100	8 800
	powyżej 65	2000	8 400
Chłopcy	13–15	3000	12 500
	16–20	3200	13 400
Mężczyźni	dorośli	2400	10 000
	powyżej 65	2300	9 600

* 1 kcal = 4,1868 kJ (kilodżuli)

Istnieje wiele sposobów określania należnej masy ciała. W praktyce najbardziej przydatny jest nomogram wg J.S. Garrowa (s. 503).

Do zlikwidowania nadwagi i(lub) otyłości prowadzi dieta ubogoenergetyczna. Ćwiczenia fizyczne są wskazane dla wszystkich osób zamierzających schudnąć, ale sam wysiłek fizyczny nie jest w stanie zlikwidować nadwagi. Aby schudnąć należy zmniejszyć spożycie do 900–1400 kcal (3700–5800 kJ) na dobę. Ilość białka należy utrzymać na poziomie 1,0 g/kg należnej masy ciała (m.c.) na dobę. Zmniejszeniu musi ulec ilość spożywanego tłuszczu do 0,3–0,5 g/kg m.c. oraz ilość węglowodanów do ilości uzupełniającej pożądaną wartość energetyczną diety. Musi być zapewniona dostateczna podaż witamin i składników mineralnych, a białko w 1/3 musi być pochodzenia zwierzęcego. Przy obliczaniu wartości energetycznej diety należy brać pod uwagę fakt, że nawet w chudym mięsie znajduje się ok. 3–6% tłuszczu. Cała dobowa ilość pokarmu musi być rozłożona na 5–6 posiłków – taki sposób odżywiania sprzyja bardziej chudnięciu niż spożycie tej samej ilości pożywienia w 2–3 posiłkach.

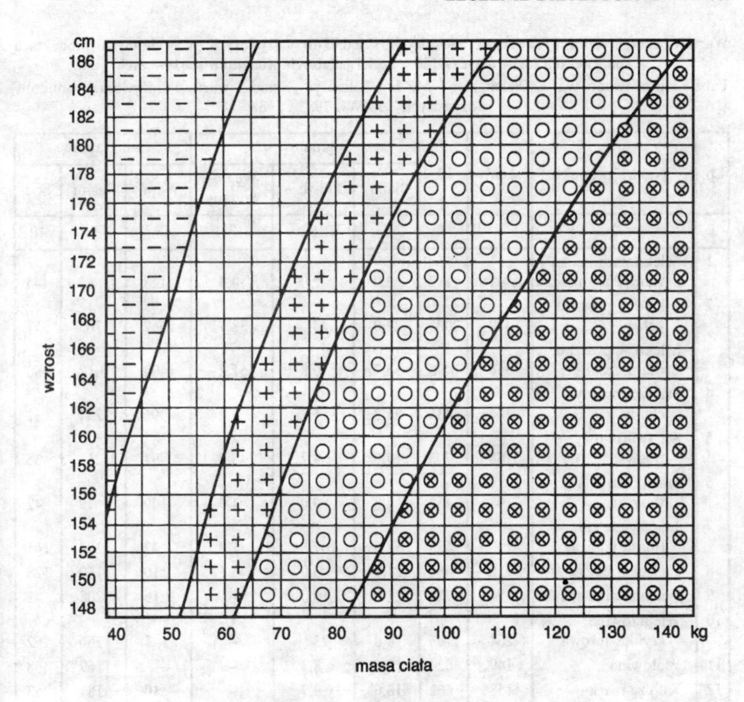

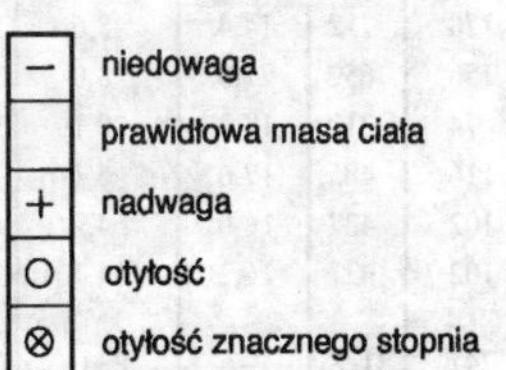

Nomogram do oceny masy ciała

Osoby odczuwające dotkliwie głód mogą spożywać ubogoenergetyczne preparaty zawierające błonnik i wypełniające żołądek albo leki zmniejszające łaknienie, np. isolipan, stosowane pod ścisłą kontrolą lekarza.

W czasie odchudzania należy poznać zasady prawidłowego odżywiania, aby po osiągnięciu prawidłowej, należnej masy ciała nie powtórzyć dawnych błędów.

Wartość energetyczna i zawartość niektórych składników odżywczych w wybranych produktach spożywczych (dane dotyczą 100 g części jadalnych produktów spożywczych)

Tabelę opracowano wg J. Piekarskiej i M. Łoś-Kuczery: „Skład i wartość odżywcza produktów spożywczych", PZWL 1983 i 1988

Lp.	Nazwa produktu	kcal	kJ	gramów			miligramów		
				Białko	Tłuszcze	Węglowodany	Wapń	Fosfor	Sód
1	2	3	4	5	6	7	8	9	10
1	Mleko znormalizowane 2% tłuszczu	47	197	3,0	2,0	4,3	118	85	45
2	Mleko w proszku pełne	479	2005	27,0	24	38,7	1062	765	357
3	Mleko w proszku odtłuszczone	356	1490	35,7	0,8	51,2	1404	1012	480
4	Ser twarogowy chudy	104	435	21,2	1,2	2,2	96	244	32
5	Ser twarogowy tłusty	168	703	17,9	9,2	3,4	91	213	35
6	Śmietanka 9% tłuszczu	108	452	2,8	9,0	4,0	109	79	42
7	Jaja świeże całe (masa jajowa)	150	628	12,5	107	1,0	47	204	141
8	Cielęcina udziec	116	485	21,8	3,0	0,5	10	160	128
9	Wieprzowina schab	174	728	21,0	10,0	–	15	208	42
10	Wieprzowina szynka surowa	264	1105	18,0	23	–	5	166	62
11	Wołowina	149	624	18,6	8,3	–	–	169	38
12	Kurczę tuszka	158	662	18,6	9,7	–	10	187	53
13	Kurczę pierś	170	712	14,4	8,6	–	10	190	53
14	Królik	156	652	21,0	8,0	–	19	183	43
15	Dorsz łupacz	74	310	18,2	0,1	–	23	197	62
16	Karmazyn	116	485	17,6	5,1	–	19	169	91
17	Karp	102	427	16,0	4,2	–	10	215	30
18	Leszcz	102	427	16,2	4,1	–	36	212	53
19	Masło roślinne „Vita"	747	3128	–	83,0	–	–	–	–
20	Masło	748	3130	0,7	82,5	0,7	20	16	6
21	Olej roślinny rafinowany	900	3768	–	100,0	–	–	–	–
22	Oliwa	896	3749	–	99,6	0,2	–	–	–
23	Słonina świeża	811	3393	2,4	89,0	–	–	–	–
24	Smalec	896	3749	–	99,5	–	–	–	2
25	Kasza jęczmienna perłowa	347	1452	6,9	2,2	75,0	20	206	4
26	Kasza manna (grysik)	353	1478	8,7	1,3	76,7	17	93	3
27	Makaron 4-jajeczny	368	1541	12,8	4,1	70,1	36	163	30
28	Mąka pszenna wrocławska	348	1456	9,4	1,4	74,4	18	90	3

1	2	3	4	5	6	7	8	9	10
29	Mąka ziemniaczana	339	1418	0,6	0,1	83,9	–	–	–
30	Płatki owsiane	390	1632	11,9	7,2	69,3	54	433	–
31	Ryż	349	1460	6,7	0,4	78,9	10	135	6
32	Bułki zwykłe i chleb pszenny	226	946	6,2	1,3	47,5	15	74	338
33	Chleb „Graham”	204	854	6,7	1,9	41,2	22	169	445
34	Chleb żytni sitkowy	202	846	4,2	1,3	43,4	21	133	447
35	Fasola biała	346	1448	21,4	1,6	61,6	163	437	19
36	Groch	349	1460	23,8	1,4	60,2	57	388	30
38	Brukselka	58	243	4,7	0,5	8,7	57	33	10
38	Buraki	46	196	1,8	0,1	9,5	41	17	52
39	Cebula	37	155	1,4	0,4	6,9	25	14	6
40	Fasola strączki	42	176	2,4	0,2	7,6	65	44	6
41	Groszek zielony	98	410	6,7	0,4	17,0	22	122	–
42	Kabaczek	31	130	1,0	0,1	6,5	38	46	3
43	Kalafiory	31	130	2,4	0,2	5,0	23	28	26
44	Kapusta włoska	50	209	3,3	0,6	7,8	77	49	9
45	Koperek zielony	69	289	2,6	0,2	14,1	30	50	111
46	Marchew	41	172	1,0	0,2	8,7	61	12	82
47	Ogórek	15	63	0,7	0,1	2,9	20	15	11
48	Papryka	35	146	1,2	0,3	6,9	17	30	4
49	Pietruszka korzeń	83	347	2,6	0,5	17,1	86	40	49
50	Pomidory	29	121	0,9	0,5	5,2	25	21	8
51	Pory	47	197	1,7	0,1	9,9	48	52	6
52	Rabarbar	18	75	0,5	0,1	3,8	9	10	2
53	Rzodkiewka	21	88	0,8	0,4	3,6	29	15	11
54	Sałata	20	84	2,3	0,3	1,9	24	21	4
55	Szczaw	39	163	1,1	0,8	6,9	21	23	10
56	Szpinak	26	109	2,6	0,4	3,0	11	29	80
57	Ziemniaki	87	364	1,7	0,1	19,9	12	29	7
58	Banany	105	439	1,3	0,4	24,0	8	28	1
59	Cytryny	46	192	0,8	0,5	9,5	40	22	5
60	Czarne jagody	61	255	1,1	0,9	12,2	15	14	1
61	Czereśnie	55	230	1,0	0,5	11,6	13	16	2
62	Gruszki	62	259	0,6	0,2	14,4	12	15	2
63	Jabłka	57	238	0,6	0,7	12,1	4	9	2
64	Maliny	63	264	1,7	0,9	12,0	35	33	2
65	Morele	52	218	0,7	0,2	11,9	23	21	1
66	Pomarańcze	51	213	0,9	0,2	11,3	33	23	3
67	Porzeczki białe	63	264	0,4	0,4	14,5	30	23	1
68	Porzeczki czarne	84	351	1,5	0,9	17,4	20	32	2
69	Poziomki	41	172	0,8	0,5	8,3	28	27	1
70	Śliwki	70	293	1,0	0,3	15,9	48	20	2
71	Truskawki	36	151	0,7	0,5	7,2	26	25	1
72	Winogrona	74	310	0,5	0,2	17,6	17	21	2
73	Wiśnie	67	280	1,2	0,4	14,6	13	20	3
74	Cukier	399	1669	–	–	99,8	–	–	–
75	Miód pszczeli	319	1335	0,3	–	79,5	5	16	7

Leczenie dietetyczne hiperlipidemii

Hiperlipidemia jest zaburzeniem przemiany materii polegającym na wzroście stężenia cholesterolu i (lub) triglicerydów w surowicy. Podwyższone stężenie lipidów jest jedną z najważniejszych przyczyn miażdżycy i chorób powstających na jej podłożu. Do najczęściej spotykanych należy choroba niedokrwienna serca.

Prawidłowe stężenie cholesterolu w surowicy nie powinno przekraczać 200 mg/dl (5,2 mmol/l, a triglicerydów 200 mg/dl (2,3 mmol/l). Wysokie spożycie nasyconych kwasów tłuszczowych występujących w tłuszczach zwierzęcych, oleju palmowym i orzechu kokosowym sprzyja wzrostowi stężenia cholesterolu i zwiększa tendencję prozakrzepową krwi (ważny element w powstawaniu zawału serca i udaru mózgu). Zamiana nasyconych kwasów tłuszczowych na nienasycone występujące w olejach roślinnych powoduje spadek stężenia cholesterolu i w mniejszym stopniu triglicerydów. Wysokie spożycie cukru i alkoholu sprzyja wzrostowi stężenia triglicerydów.

Leczenie hiperlipidemii należy do podstawowych metod profilaktyki miażdżycy. Z reguły zaczyna się je od leczenia dietetycznego. Zastosowanie leków wchodzi w rachubę dopiero, gdy samą dietą nie można obniżyć poziomu lipidów do prawidłowych wartości. Leczenie farmakologiczne jest stosowane wówczas jako dodatkowe, uzupełniające dietę.

Dieta w hiperlipidemii polega na niewielkich stosunkowo modyfikacjach żywienia prawidłowego. Najważniejszą zasadą jest duże ograniczenie spożycia nasyconych kwasów tłuszczowych i cholesterolu. Preferowane natomiast powinny być produkty obfitujące w błonnik i witaminy. Wykaz dozwolonych i przeciwwskazanych produktów podano w tabeli na s. 499.

Należy zwrócić uwagę, że zasada ograniczania spożycia tłuszczu zwierzęcego wymaga nie tylko odpowiedniego doboru produktów spożywczych, lecz również technik kulinarnych nie wymagających zastosowania dużych ilości tłuszczu. Należy więc unikać smażenia potraw, preferując gotowanie w wodzie, na parze oraz duszenie. Jeżeli czasem się smaży, to należy do tego celu stosować tłuszcze obfitujące w jednonienasycone kwasy tłuszczowe, do których należy olej z oliwek i rzepakowy.

Leczenie dietetyczne chorób układu trawiennego

Choroba wrzodowa żołądka i dwunastnicy, ostre i przewlekłe zapalenie żołądka

Choroba wrzodowa. Podstawą leczenia choroby wrzodowej jest zmniejszenie kwaśności soku żołądkowego. Można to osiągnąć dobierając tak potrawy, aby w jak najmniejszym stopniu pobudzały wydzielanie kwasu solnego w żołądku i jak najsilniej go neutralizowały.

W okresie zaostrzenia choroby przebiegającej z silnymi i uporczywy bólami stosuje się dość rygorystyczną dietę, podając co godzinę małe porcje mleka z dodatkiem chudej śmietanki i ewentualnie białko jaja. Nie należy spożywać wiecej niż 1 l mleka dziennie. Dietę taką stosuje się przez krótki okres, a później wystarczająca jest dieta łatwo strawna.

Głównymi zasadami leczenia choroby wrzodowej jest częste przyjmowanie małych posiłków (co 2 – 3 godz.), unikanie potraw wzmagających wydzielanie soku żołądkowego (rosoły, sosy, ostre przyprawy, kawa, mocna herbata, potrawy smażone, pieczone, wędzone, tłuste, kwaśne, razowy chleb) i zwiększenie ilości spożywanych potraw białkowych, które dobrze neutralizują kwas solny.

Ostre zapalenie żołądka, przebiegające z bólami w nadbrzuszu, wymiotami, dość często z krwawieniem, występuje najczęściej po nadużyciu alkoholu, zażywaniu salicylanów, stresach, rozległych oparzeniach skóry i wymaga leczenia dietetycznego, takiego jak przy zaostrzeniu choroby wrzodowej (zob. wyżej).

Przewlekłe zapalenie żołądka daje objawy podobne jak choroba wrzodowa i powinno być leczone dietą łatwo strawną.

Kamica żółciowa i przewlekłe zapalenie pęcherzyka żółciowego

Kamica żółciowa jest zwykle podłożem, na którym rozwija się proces zapalny pęcherzyka. Choroby te bardzo często występują wspólnie i wymagają identycznego leczenia dietetycznego. Ostre zapalenie pęcherzyka żółciowego to zupełnie inna choroba, wymaga leczenia operacyjnego i dieta w tym przypadku na wiele się nie zda.

Zasadniczym objawem kamicy żółciowej jest kolka wątrobowa – napad bardzo silnego bólu umiejscowionego w prawym podżebrzu, promieniującego do prawej łopatki, któremu towarzyszą wymioty. Ból taki najczęściej występuje po zjedzeniu potrawy powodującej silny skurcz pęcherzyka żółciowego, np.: żółtka jaja, potraw tłustych, czekolady, kremu, potraw smażonych i pieczonych.

W pierwszym okresie po napadzie (1 – 2 dni) należy podawać jedynie płyny (słaba herbata, napar z rumianku), po tym okresie dietę rozszerza się podając kleiki na wodzie, rozcieńczone mleko, sucharki. Leczenie dietetyczne między napadami nie powinno dopuścić do wystąpienia kolki wątrobowej. Zazwyczaj wystarcza przestrzeganie zasad diety łatwo strawnej i kierowanie się własnym doświadczeniem; zwykle chorzy bardzo szybko uczą się, jakich potraw powinni unikać.

Ostre wirusowe zapalenie wątroby, przewlekłe zapalenie wątroby, marskość wątroby

Ostre wirusowe zapalenie wątroby jest chorobą zakaźną i chorzy są zazwyczaj leczeni w szpitalu, jednak jeszcze przez długi okres rekonwalescencji wymagają leczenia dietetycznego. Przewlekłe zapa-

lenie wątroby, w wielu przypadkach będące wynikiem ostrego wirusowego zapalenia wątroby, trwa lata i może doprowadzić do *marskości wątroby*; inną przyczyną ostatniej choroby jest nadużywanie alkoholu. *Istotą* wszystkich tych *chorób* jest *uszkodzenie i niszczenie komórek wątroby* – odpowiednie żywienie chroni je przed tym niebezpieczeństwem.

Dieta powinna spełniać zasadę łatwo strawności (zob. s. 501) i dostarczać: 2400–2800 kcal (10 000–11 700 kJ) na dobę, 1,5 g białka na 1 kg należnej masy ciała, 70 g tłuszczu na dobę oraz taką ilość węglowodanów, jaka wystarczy na pokrycie zapotrzebowania kalorycznego w ciągu doby.

Białko chroni komórki wątroby przed czynnikami szkodliwymi, dlatego ilość jego jest zwiększona w porównaniu z normą dla ludzi zdrowych (norma 1 g/kg m.c.). W większości musi to być białko pochodzenia zwierzęcego.

W przypadku pojawienia się *objawów niewydolności wątroby* pod postacią dezorientacji, niepokoju, zaburzeń snu i wreszcie śpiączki, *dieta musi ulec* zasadniczej *zmianie*. W tej fazie choroby pokarmy białkowe nasilają objawy niewydolności wątroby, ponieważ z białka w jelicie grubym powstaje amoniak, który nie ulega detoksykacji w uszkodzonej wątrobie i uszkadza mózg. Ilość spożywanego białka musi ulec zmniejszeniu do 40–50 g na dobę. Obliczając skład diety należy wziąć pod uwagę fakt, że *każdy produkt spożywczy zawiera pewną ilość białka*, np. chleb, uważany za całkowicie pozbawiony białka, może zawierać go do 8%, a ziemniaki 2%. Ponieważ chory w tym okresie choroby cierpi na brak łaknienia, zwykle nie jest w stanie zjeść większej ilości pokarmów niż dostarczającej 1900–2000 kcal (7900–8400 kJ) na dobę, co jest ilością wystarczającą.

Również chory z marskością wątroby i wytworzonym połączeniem żyły wrotnej z żyłą główną dolną z powodu nadciśnienia wrotnego (żylaki przełyku, puchlina brzuszna) wymagają zmniejszenia spożycia białka do 50–70 g na dobę.

Przewlekłe zapalenie trzustki

Choroba ta najczęściej rozwija się u osób z kamicą żółciową i nadużywających napojów alkoholowych. *Objawia się* silnymi bólami w nadbrzuszu, które często pojawiają się po spożyciu posiłku. Często wywołuje to strach przed jedzeniem i w efekcie niedożywienie i chudnięcie.

Trzustka jest gruczołem wytwarzającym *enzymy trawiące* tłuszcze, białka i węglowodany, co umożliwia przyswojenie tych składników przez organizm. Wolno toczący się proces zapalny niszczy stopniowo gruczoł, powodując niedobór soków trawiennych, upośledzenie trawienia (zwłaszcza tłuszczów) i biegunki, co również prowadzi do wyniszczenia organizmu.

Przewlekłe zapalenie trzustki przebiega z okresami poprawy i pogorszenia. U chorych w niezbyt zaawansowanym okresie choroby wystarcza *dieta łatwo strawna*, jeśli jednak pojawi się *biegunka*, należy ograniczyć spożycie tłuszczu (norma ok. 70 g na dobę) do 25–50 g na dobę. Najlepiej podawać go w postaci świeżej śmietanki i masła. Tak jak w diecie łatwo strawnej, obowiązuje ograniczenie spożycia błonnika (warzywa, owoce, ciemny chleb), a warzywa i owoce najlepiej podawać ugotowane i przetarte.

Dieta w przewlekłym zapaleniu trzustki powinna zawierać białko, głównie pochodzenia zwierzęcego (mleko, twarożek, białko jaja, chude mięso), w ilości 1,2–1,5 g/kg m.c. (norma 1 g/kg m.c.) na dobę. Węglowodany powinny być podawane pod postacią kaszy pszennej, ryżu, drobnego makaronu, dobrze wypieczonego pszennego pieczywa. Cukier i słodycze należy ograniczyć. Witaminy i składniki mineralne należy uzupełniać w formie preparatów farmakologicznych. Niedozwolone są ostre przyprawy, kawa, a przede wszystkim alkohol pod jakąkolwiek postacią.

Wrzodziejące zapalenie jelita grubego

Typowymi objawami choroby są biegunki z domieszką krwi w stolcu. W okresach zaostrzeń chory oddaje stolce wielokrotnie w ciągu doby, pojawiają się objawy ogólne, takie jak gorączka i niedokrwistość. W okresie poprawy dolegliwości mogą cofnąć się całkowicie, jednak i wtedy leczenie dietetyczne jest konieczne.

Dieta powinna być tego typu, aby z przyjętych pokarmów powstało jak najmniej drażniących jelito resztek, które muszą być wydalone. W okresie zaostrzeń stosuje się dietę bezresztkową („dieta kosmonautów"), której wszystkie składniki są całkowicie wchłaniane w jelicie cienkim. W okresie poprawy dieta nie jest tak rygorystyczna – należy wówczas ograniczyć ilość błonnika, którego człowiek nie trawi. W tym celu wyklucza się z diety warzywa, owoce, ciemne pieczywo, grube kasze. Warzywa i owoce należy zastąpić sokami. Zapotrzebowanie energetyczne musi być pokryte całkowicie, a spożycie białka zwiększone do ok. 1,3 g/kg m.c. na dobę.

Nawykowe zaparcie stolca

Zaparcie stolca jest uciążliwą dolegliwością wielu ludzi, zwłaszcza starszych. Na ogół jest ono wynikiem nie zmian organicznych jelita grubego, lecz zaburzeń czynnościowych, a głównie atonii jelit. Poprawę może przynieść spożywanie potraw zawierających znaczne ilości tzw. substancji resztkowych, a więc błonnika.

Najobfitszym źródłem błonnika są warzywa i owoce. Należy je jeść również surowe i niezbyt rozdrobnione. Dużo błonnika zawiera także ciemne pieczywo i otręby. Te ostatnie można jeść 3 razy dziennie po łyżce stołowej, zalane niewielką ilością mleka. Otręby np. zawierają 8,5% błonnika, chleb żytni razowy – 1,2%, graham – 1,5%, sałata zielona – 0,6%, grzyby – 0,9%, marchew – 1,1%, ziemniaki – 0,4%, jabłka – 1%, gruszki – 1,4%, śliwki świeże – 0,5%, śliwki suszone – 1,8%.

Zaparcie może być też wywołane stanem spastycznym (skurczowym) jelita grubego. Zazwyczaj towarzyszą mu bóle brzucha. Rozpoznanie ustala się na podstawie badania radiologicznego. Zwiększenie ilości błonnika w diecie może mieć działanie niekorzystne. W takich przypadkach poleca się zwiększenie ilości spożywanych tłuszczów, świeże zsiadłe mleko, kefir.

Leczenie dietetyczne chorób nerek

Kamica nerkowa

Leczenie dietetyczne kamicy nerkowej zależy od jej rodzaju, od tego, czy jest to kamica wapniowa, moczanowa, szczawianowa. O rodzaju kamicy decyduje badanie „urodzonego" kamienia, pewne wskazówki może dać badanie radiologiczne (urografia), ultrasonograficzne i badanie ogólne moczu. Bez względu na rodzaj i przyczyny kamicy chorzy powinni pić taką ilość płynów (3,0–3,5 l), jaka spowodowałaby wydalenie 2–3 l moczu w ciągu doby. Ma to na celu zapobieganie krystalizacji w drogach moczowych substancji wydalanych z moczem, poprzez obniżenie ich stężenia. Niskie stężenie w moczu związków zdolnych do krystalizacji powinno być utrzymane przez całą dobę, także w nocy. Należy zatem wypić przed snem 2 szklanki wody, a obudziwszy się w nocy, aby oddać mocz, wypić jeszcze jedną szklankę. Polecane są hipotoniczne wody mineralne (Jan, Dąbrówka), ale może to być zwykła przegotowana woda.

W *kamicy wapniowej* kamienie są zbudowane ze związków wapnia. W diecie należy dążyć do zmniejszenia spożycia produktów zawierających dużo wapnia, np. mleka i produktów mlecznych. Mleko zawiera 118 mg % wapnia, ser twarogowy – 96 mg %, śmietana – 97 mg %, ser ementaler – 890 mg %, ser salami – 937 mg %. Dość dużo wapnia zawierają niektóre gatunki ryb, np. flądra i płastuga. Inne produkty spożywcze są ubogie w wapń.

Zaleca się także pewne ograniczenie spożycia węglowodanów, zwłaszcza słodyczy.

W *kamicy moczanowej* kamienie są zbudowane z kwasu moczowego, dobrze rozpuszczalnego w roztworach o odczynie zasadowym lub nawet obojętnym. Utrzymując taki odczyn moczu można doprowadzić do rozpuszczenia kamieni. Mocz zdrowego człowieka ma jednak zawsze odczyn kwaśny, a więc sprzyja tworzeniu się kamieni z kwasu moczowego. Leczenie polega na alkalizacji moczu do pH 6,5.

Dieta zawierająca dużo warzyw i owoców sprzyja alkalizacji moczu, nie doprowadza jednak do pożądanego pH. Uzyskuje się je stosując dodatkowo środki alkalizujące mocz (pod kontrolą lekarza). Poleca się także unikanie pokarmów zawierających dużo puryn, z których w organizmie powstaje kwas moczowy. Są to: wątroba, móżdżek, cynaderki, wieprzowina, baranina, sardynki, śledzie, kawior, czekolada, kakao, kawa, mocna herbata i orzechy.

W *kamicy szczawianowej* ogranicza się spożycie pokarmów zawierających duże ilości kwasu szczawiowego i jego soli: szpinaku, szczawiu, rabarbaru, czekolady, kakao, mocnej herbaty. Dieta taka ma jednak ograniczoną wartość, ponieważ kwas szczawiowy jest wchłaniany z przewodu pokarmowego tylko w 5%. W kamieniach szczawianowych zawsze znajduje się wapń, należy zatem ograniczyć jego spożycie.

W kamicy szczawianowej, jak i w innych rodzajach kamicy, największą wartość ma wypijanie dużej ilości płynów.

Zespół nerczycowy

Zespół nerczycowy to kompleks objawów, na który składają się: białkomocz, hipoproteinemia, czyli obniżenie poziomu białka całkowitego we krwi, dysproteinemia, tj. zaburzenia we frakcjach białkowych krwi, obrzęki, przesięki do jam ciała i wzrost ciał tłuszczowych, głównie cholesterolu we krwi. Objawem zasadniczym, a zarazem przyczyną wystąpienia innych objawów zespołu nerczycowego, jest utrata białka z moczem spowodowana chorobą nerek. Wyrównanie strat jest możliwe przez zwiększenie ilości spożywanego białka.

Leczenie dietetyczne chorych z zespołem nerczycowym polega na podawaniu zwiększonych ilości białka do 1,5 – 2,0 g/1 kg m.c. (masy ciała) na dobę, a w okresach pogorszenia nawet do 3,0 g. W ok. 80% białko powinno być pochodzenia zwierzęcego. Drugą zasadą leczenia dietetycznego jest ograniczenie spożycia soli kuchennej do 2 – 5 g na dobę oraz nieprzekraczanie zalecanej dla ludzi zdrowych ilości tłuszczu 70 g/dobę. Leczenie takie przyniesie pozytywne rezultaty (ustąpienie obrzęków, przesięków) pod warunkiem, że zalecenia dietetyczne będą stosowane przez długi czas (wiele miesięcy).

Przewlekła niewydolność nerek

Przewlekła niewydolność nerek jest zespołem chorobowym rozwijającym się w wyniku powolnego niszczeniu miąższu nerek. Nerki nie są w stanie wypełnić swoich zadań, a przede wszystkim wydalić produktów przemiany białka (mocznik, kreatynina, kwas moczowy, guanidyna, indykan, fenole, amoniak, aminy), które są bardziej lub mniej toksyczne dla organizmu. Leczenie dietetyczne ma zatem na celu zmniejszenie produkcji tych związków.

W diecie należy zmniejszyć ilość białka do 40 – 50 g na dobę. Musi to być w większości białko zwierzęce. Takie ograniczenie wymaga bardzo skrupulatnego wyliczenia zawartości białka w każdym zjedzonym posiłku, ponieważ nawet produkty uważane za pozbawione białka zawierają je, np. w mące znajduje się 8 – 12%. Zapotrzebowanie energetyczne organizmu musi być całkowicie pokryte, w przeciwnym razie dojdzie do rozpadu białka mięśni i innych narządów organizmu.

Zapotrzebowanie na sól kuchenną u chorych z przewlekłą niewydolnością nerek jest na ogól zmniejszone do 3 – 5 g na dobę, jednak niektórzy z nich potrzebują jej wiecej – musi to ustalić lekarz.

W diecie chorych powinna znajdować się maksymalna ilość wody, jaką potrafią oni wydalić z moczem. Ponieważ ilość moczu powinna sięgać 3 l na dobę – chorzy powinni wypijać o 500 ml płynów więcej. Nie wszyscy jednak są w stanie tolerować taką ilość wody i wówczas może wystąpić przewodnienie prowadzące do ciężkich powikłań: nadciśnienia tętniczego i niewydolności krążenia.

Zwykle zaleca się wypijanie takiej ilości płynów, na jaką chory ma ochotę, plus dwie szklanki przed snem. Konieczna jest wówczas codzienna, poranna kontrola masy ciała. Przybytek masy z dnia na dzień większy niż 1 kg świadczy o przewodnieniu – należy wówczas zmniejszyć tego dnia ilość wypijanych płynów. Jeśli masa ciała obniżyła się o więcej niż 1 kg, doszło do odwodnienia – trzeba wypić więcej płynów.

W zaawansowanym stadium choroby ograniczenie spożycia białka do 40–50 g na dobę może nie wystarczyć. Stosuje się wówczas diety specjalne, np. skrobiową (dieta Giordano–Giovannettiego) lub ziemniaczaną (dieta Połcia), które zawierają tylko 20–25 g białka na dobę, czyli ilość zapewniającą pokrycie minimalnego zapotrzebowania białkowego i energetycznego.

Leczenie dietetyczne cukrzycy

Zob. Choroby wewnętrzne, Cukrzyca, s. 810.

II. LECZENIE UZDROWISKOWE

Rys historyczny lecznictwa uzdrowiskowego

Od zamierzchłej przeszłości leczenie uzdrowiskowe było uprzywilejowaną formą leczenia. Ogromnie wielu ludzi chorych, wiedzionych instynktem, wędrowało pielgrzymkami do miejscowości, w których znajdowały się wody lecznicze. Już szkoła Hipokratesa zalecała leczenie kąpielami, a stosował te metody cały Bliski i Daleki Wschód oraz starożytny Egipt. Pierwsze polskie zapisy leczenia uzdrowiskowego dotyczą żony Władysława Hermana – Judyty, która w XI w. leczyła się u źródeł w Inowłodzi nad Pilicą z powodu niepłodności. Skutkiem tego leczenia było przyjście na świat Bolesława Krzywoustego.

Po okresie upadku w średniowieczu lecznictwo uzdrowiskowe rozwinęło się ponownie w XVIII i XIX w. Pierwsza wojna światowa spowodowała całkowitą dewastację uzdrowisk w Polsce. Po uzyskaniu niepodległości rozpoczął się ich rozwój.

W roku 1922 ukazała się pierwsza polska ustawa o uzdrowiskach. Powstały pierwsze zorganizowane sanatoria Kasy Chorych i ZUS w Inowrocławiu, Krynicy i Iwoniczu. Druga wojna światowa przyniosła powtórne zniszczenie polskich uzdrowisk, a wiele z nich po jej zakończeniu rozpoczęło swą działalność w opłakanym stanie. Powszechne korzystanie z uzdrowisk stało się możliwe po uspołecznieniu ochrony zdrowia w Polsce.

Organizacja lecznictwa uzdrowiskowego

Lecznictwo uzdrowiskowe jest zorganizowaną działalnością, która służy zapobieganiu chorobom, ich leczeniu i rehabilitacji. Lecznictwo uzdrowiskowe korzysta z: a) naturalnych warunków środowiska oraz b) innych czynników środowiska, które mają korzystny wpływ na stan zdrowia kuracjuszy.

Do naturalnych warunków zalicza się:

1) właściwości lecznicze klimatu i krajobrazu (klimatoterapia),

2) naturalne zasoby lecznicze, czyli wody lecznicze, gazy lecznicze i peloidy (balneoterapia),

3) właściwości lecznicze morza (talassoterapia).

Zakłady lecznictwa uzdrowiskowego mają do dyspozycji:

1) zasoby naturalne surowców leczniczych,

2) odpowiednie warunki klimatyczne, środowiskowe i krajobrazowe,

3) możliwość stosowania odpowiedniego reżimu leczniczego,

4) odpowiednio przystosowaną i wyposażoną bazę materialną: hotelową, diagnostyczną, żywieniową i zabiegową,

5) odpowiednie tereny i pomieszczenia do prowadzenia kinezyterapii,

6) odpowiednią kadrę personelu lekarskiego i pomocniczo-lekarskiego, psychologów, instruktorów wychowania fizycznego itp.

7) organizacyjnie powiązane kliniczne placówki naukowe, które w stosunku do zakładu pełnią nadzór konsultacyjny, instruktażowy, szkoleniowy, a także prowadzą badania naukowe na terenie uzdrowiska.

Podstawy prawne działalności uzdrowisk w Polsce

Uzdrowiska podlegają ministrowi zdrowia i opieki społecznej, który grupuje państwowe przedsiębiorstwa uzdrowiskowe i jest odpowiedzialny za prawidłowy ich rozwój.

Dyrekcje państwowych przedsiębiorstw uzdrowiskowych kierują zakładami lecznictwa uzdrowiskowego należącymi do resortu zdrowia. Inne zakłady lecznictwa uzdrowiskowego podlegają ministerstwom obrony narodowej, spraw wewnętrznych, komunikacji oraz są w gestii związków zawodowych i innych organów lub instytucji, które otrzymały zezwolenie wydane w myśl przepisów o zakładach leczniczych (w tym osób prywatnych).

W Polsce istnieje 36 uzdrowisk i 26 miejscowości, na które rozciągnięto niektóre przepisy ustawy o uzdrowiskach i lecznictwie uzdrowiskowym. Rozmieszczone są one nierównomiernie, co wynika ze specyfiki lecznictwa uzdrowiskowego, korzystającego z naturalnych surowców leczniczych w miejscu ich występowania (patrz mapka).

Obowiązująca ustawa z dnia 17 czerwca 1966 r. stworzyła prawno-organizacyjną podstawę do uregulowania całokształtu zagadnień związanych z działalnością uzdrowisk i lecznictwem uzdrowiskowym.

Zagadnienia te od strony prawnej zostały uregulowane w latach 1967–1971 w prawnych aktach wykonawczych.

N a c z e l n y l e k a r z u z d r o w i s k a działa z ramienia urzędu miejskiego lub gminnego miejscowości uznanej za uzdrowisko. Sprawuje on nadzór nad poziomem świadczeń udzielanych przez zakłady lecznictwa uzdrowiskowego, prawidłowym funkcjonowaniem urządzeń lecznictwa uzdrowiskowego oraz czuwa nad ochroną warunków naturalnych i właściwym kształtowaniem czynników środowiskowych w uzdrowisku.

Naczelnego lekarza uzdrowiska powołuje i odwołuje minister zdrowia i opieki społecznej, po porozumieniu z samorządem miejscowości uznanej za uzdrowisko.

Formy leczenia uzdrowiskowego

Ze względu na możliwości leczenia w poszczególnych miejscowościach uzdrowiskowych wyodrębniono 8 głównych kierunków lecznictwa uzdrowiskowego obejmujących następujące grupy chorób:

1) choroby narządu ruchu i reumatyczne,
2) choroby układu krążenia,
3) choroby układu oddechowego,
4) choroby układu trawiennego,
5) choroby układu wydzielania wewnętrznego i przemiany materii,
6) choroby układu moczowego,
7) choroby skóry,
8) choroby kobiece.

Ze względu na konieczność zróżnicowania intensywności postępowania leczniczego wprowadzono podział zakładów lecznictwa uzdrowiskowego na: a) p r e w e n t o r i a u z d r o w i s k o w e, b) s a n a t o r i a u z d r o w i s k o w e, oraz c) s z p i t a l e u z d r o w i s k o w e. W każdym z tych trzech rodzajów zakładów obowiązuje odmienny reżim wewnętrzny ustalony odpowiednimi regulaminami.

Wszystkie zakłady lecznictwa uzdrowiskowego zapewniają całodobową opiekę lekarską i odpowiednie warunki bytowe osobom, które zakwalifikowano do odbycia kuracji uzdrowiskowej: w prewentoriach – ze wskazań profilaktycznych, w sanatoriach – do przeprowadzenia leczenia w warunkach sanatoryjnych, w szpitalach uzdrowiskowych – w celu rehabilitacji leczniczej lub utrwalenia wyników leczenia szpitalnego.

Lecznictwo uzdrowiskowe dziecięce obejmuje dwie formy lecznictwa:

1) lecznictwo szpitalne pozostające w dyspozycji państwowych przedsiębiorstw uzdrowiskowych,
2) lecznictwo sanatoryjne dziecięce będące w gestii innych dysponentów.

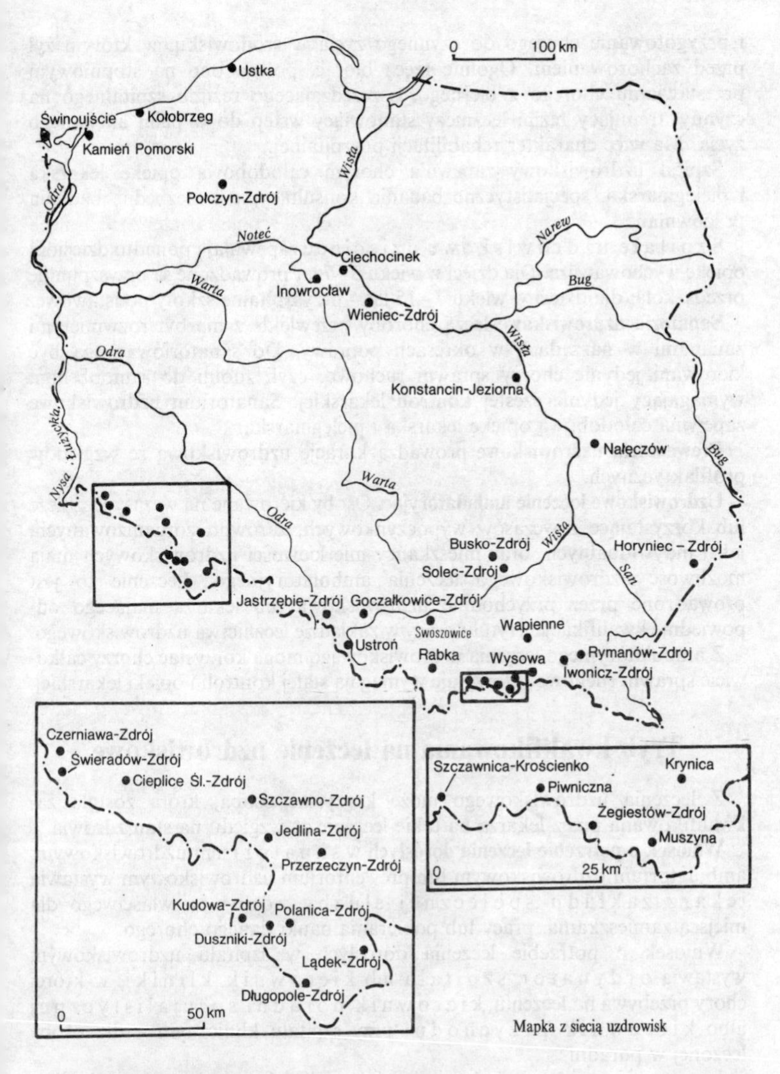

Mapka z siecią uzdrowisk

Szpitale uzdrowiskowe są przystosowane do leczenia chorych kierowanych bezpośrednio po leczeniu w oddziałach specjalistycznych szpitali i klinik lub w poradniach specjalistycznych wyższego szczebla.

L e c z e n i e w szpitalach uzdrowiskowych odbywa się w ramach czasowej niezdolności do pracy, ma na celu skrócenie okresu rekonwalescencji i przygotowanie chorego do czynnego życia w środowisku, w którym żył przed zachorowaniem. Ogólnie rzecz biorąc, polega ono na stopniowym przestawianiu chorego z biernego, oszczędzającego reżimu szpitalnego na czynny, trenujący reżim leczniczy stanowiący wstęp do w pełni aktywnego życia. Ma więc charakter rehabilitacji poszpitalnej.

Szpital uzdrowiskowy zapewnia chorym całodobową opiekę lekarską i pielęgniarską, specjalistyczne badania konsultacyjne i niezbędne badania pracowniane.

Szpitale uzdrowiskowe dziecięce zapewniają ponadto dzieciom opiekę wychowawczą. Dla dzieci w wieku 3–7 lat prowadzone są przyszpitalne przedszkola, dla dzieci w wieku 7–15 lat – przyszpitalne szkoły podstawowe.

Sanatoria uzdrowiskowe leczą choroby przewlekłe z niezbyt rozwiniętymi zmianami w narządach w okresach poprawy. Do sanatoriów mogą być kierowani jedynie chorzy sprawni ruchowo, czyli zdolni do samoobsługi, wymagający jedynie częstej kontroli lekarskiej. Sanatorium uzdrowiskowe zapewnia całodobową opiekę lekarską i pielęgniarską.

Prewentoria uzdrowiskowe prowadzą kurację uzdrowiskową ze względów profilaktycznych.

Uzdrowiskowe leczenie ambulatoryjne. Osoby kierowane na wczasy lecznicze lub korzystające z wczasów wypoczynkowych, zarówno zorganizowanych, jak i indywidualnych, oraz mieszkańcy miejscowości uzdrowiskowych mają możliwość uzdrowiskowego leczenia ambulatoryjnego. Leczenie to jest prowadzone przez przychodnię uzdrowiskową lub lekarza mającego odpowiednie kwalifikacje z tytułu pracy w zakładzie lecznictwa uzdrowiskowego.

Z ambulatoryjnego leczenia uzdrowiskowego mogą korzystać chorzy całkowicie sprawni ruchowo, którzy nie wymagają stałej kontroli i opieki lekarskiej.

Tryb kwalifikowania na leczenie uzdrowiskowe

Z leczenia uzdrowiskowego może korzystać osoba, która została zakwalifikowana przez lekarza na takie leczenie ze względu na stan zdrowia.

Wniosek o potrzebie leczenia dorosłych w sanatorium uzdrowiskowym, ambulatorium uzdrowiskowym lub prewentorium uzdrowiskowym wystawia lekarz zakładu społecznej służby zdrowia właściwego dla miejsca zamieszkania, pracy lub pobierania nauki danego chorego.

Wniosek o potrzebie leczenia dorosłych w szpitalu uzdrowiskowym wystawia ordynator szpitala lub kierownik kliniki, w której chory przebywa na leczeniu, kierownik poradni specjalistycznej albo kierownik przychodni przy szpitalu klinicznym – dla osoby leczonej w poradni.

Leczenie uzdrowiskowe powinno być kontynuacją leczenia chorego w miejscu jego zamieszkania. Wniosek o skierowanie na takie leczenie musi zawierać dokładne rozpoznanie postawione na podstawie szczegółowego badania lekarskiego opartego na wynikach badań pracowniczych i dotychczasowych obserwacji. Ponieważ leczenie uzdrowiskowe opiera się na bodźcowym działaniu czynników fizjoterapeutycznych, badania chorego muszą wykluczyć istnienie w jakimkolwiek narządzie utajonych ognisk zakażenia. Oprócz badania internistycznego, stomatologicznego i laryngologicznego kobiety przechodzą badanie ginekologiczne, rozszerzone o badanie na rzęsistkownicę i grzybicę.

Do wniosku o potrzebie leczenia uzdrowiskowego, wystawionego według wzoru ustalonego przez Ministerstwo Zdrowia i Opieki Społecznej, powinna być dołączona dokumentacja lekarska i wyniki badań pomocniczych, umożliwiających stwierdzenie zasadności powyższego wniosku oraz ustalenie rodzaju, a także zakresu leczenia uzdrowiskowego.

Zasadność wniosku o potrzebie leczenia uzdrowiskowego stwierdza na podstawie dokumentacji we wszystkich przypadkach wojewódzka komisja do spraw lecznictwa uzdrowiskowego.

Stwierdzenie zasadności wniosku o potrzebie leczenia uzdrowiskowego powinno określać uzdrowisko, w którym może być przeprowadzone leczenie, stopień pilności leczenia oraz rodzaj leczenia.

Wniosek na leczenie dziecka w szpitalu uzdrowiskowym wystawia kierownik kliniki dziecięcej lub ordynator oddziału dziecięcego wojewódzkiego szpitala zespolonego. Dla dziecka leczonego w przychodni specjalistycznej w wojewódzkim szpitalu zespolonym – lub skierowanego do niej w celu ustalenia potrzeby leczenia uzdrowiskowego przez inny zakład opieki zdrowotnej otwartej lub zamkniętej – wniosek wystawia kierownik tej przychodni.

Kwalifikowaniem dzieci na leczenie w szpitalach uzdrowiskowych z terenu danego województwa zajmują się specjalistyczne zespoły opieki zdrowotnej dzieci i młodzieży lub wojewódzkie przychodnie matki i dziecka w wojewódzkich szpitalach zespolonych. Instytucje te powiadamiają rodziców o terminie przyjęcia dziecka do szpitala uzdrowiskowego (oraz o jego wypisie), podają dokładny adres szpitala uzdrowiskowego, do którego jest skierowane dziecko oraz udzielają szczegółowych informacji rodzicom i zakładowi służby zdrowia, który opiekuje się dzieckiem.

Miejscowości o statusie uzdrowisk

1) Augustów (woj. suwalskie), 2) Bolków (woj. jeleniogórskie), 3) Czarna (woj. krośnieńskie), 4) Dziwnówek (woj. szczecińskie), 5) Dźwirzyno (woj. koszalińskie), 6) Jastarnia (woj. gdańskie), 7) Jurata (woj. gdańskie), 8) Komańcza (woj. krośnieńskie), 9) Koszuty (woj. poznańskie), 10) Kowary (woj. jeleniogórskie), 11) Krynica Morska (woj. elbląskie), 12) Lipa (woj. tarnobrzeskie), 13) Łagów (woj. zielonogórskie), 14) Łeba (woj. słupskie), 15) Łukęcin (woj. szczecińskie), 16) Magnuszew (woj. radomskie), 17) Międzywodzie (woj. szczecińskie), 18) Międzyzdroje (woj. szczecińskie), 19) Polańczyk (woj. krośnieńskie), 20) Przerzeczyn-Zdrój (woj. wałbrzyskie), 21) Rabe (woj. krośnieńskie), 22) Rogoźno (woj. łódzkie), 23) Trzebnica (woj. wrocławskie), 24) Ustka (woj. słupskie), 25) Wieliczka (woj. krakowskie), 26) Złockie (woj. nowosądeckie).

Krótka charakterystyka większych polskich uzdrowisk, rodzaje stosowanych zabiegów leczniczych i kierunki lecznicze

Uzdrowisko	Wskazania	Rodzaj zabiegów
1	2	3
Busko-Zdrój woj. kieleckie 230 m n.p.m. klimat nizinny z zaznaczającymi się cechami klimatu kontynentalnego	choroby narządu ruchu i reumatyczne, choroby skóry, choroby układu krążenia	kuracja pitna, kąpiele mineralne, wodolecznictwo, masaż leczniczy, inhalacje, zawijania borowinowe, fizykoterapia, kinezyterapia
Ciechocinek woj. włocławskie 50 m n.p.m. klimat nizinny	choroby narządu ruchu i reumatyczne, choroby układu krążenia, choroby układu oddechowego, choroby dziecięce: choroby narządu ruchu, reumatyczne i choroby układu krążenia	kuracja pitna, kąpiele mineralne, zabiegi przy użyciu pasty borowinowej, wodolecznictwo, inhalacje, płukanie jamy ustnej, kąpiele i zawijania oraz tampony borowinowe, irygacje ginekologiczne, kinezyterapia, fizykoterapia
Cieplice woj. jeleniogórskie 350 m n.p.m. klimat podgórski	choroby narządu ruchu i reumatyczne, choroby układu moczowego, choroby dziecięce: choroby narządu ruchu, reumatyczne i choroby układu krążenia	kuracja pitna, kąpiele mineralne, kąpiele i zawijania borowinowe, wodolecznictwo, fizykoterapia, masaż leczniczy
Długopole-Zdrój woj. wałbrzyskie 400 m n.p.m.	choroby układu trawiennego, choroby układu krążenia	kuracja pitna, kąpiele kwasowęglowe, kąpiele gazowe (suche), elektro-, światło-, ciepłolecznictwo, masaż leczniczy, kąpiele mineralne
Duszniki-Zdrój woj. wałbrzyskie 550 m n.p.m. klimat górski	choroby układu trawiennego, choroby układu oddechowego, choroby kobiece	kąpiele mineralne, kwasowęglowe, igliwiowe, kuracja pitna, zawijania i okłady borowinowe, inhalacje, masaże, elektro-, światło-, ciepłolecznictwo, kinezyterapia
Horyniec-Zdrój woj. przemyskie 260 m n.p.m. klimat wyżyn środkowych	choroby narządu ruchu i reumatyczne	kuracja pitna, kąpiele mineralne i kwasowęglowe, kąpiele i zawijania borowinowe, inhalacje, wodolecznictwo
Inowrocław woj. bydgoskie 90–100 m n.p.m. klimat nizinny	choroby narządu ruchu i reumatyczne, choroby układu krążenia, choroby układu trawiennego	kuracja pitna, kąpiele mineralne, kwasowęglowe i tlenowe, masaże lecznicze, kąpiele i zawijania borowinowe, inhalacje, wodolecznictwo, elektro-, światło-, ciepłolecznictwo
Iwonicz-Zdrój woj. krośnieńskie 410 m n.p.m. klimat górski	choroby narządu ruchu i reumatyczne, choroby układu trawiennego, choroby układu oddechowego	kuracja pitna, kąpiele mineralne, kwasowęglowe, zawijania borowinowe, inhalacje, wodolecznictwo, masaże, elektro-, i światłolecznictwo, kinezyterapia

1	2	3
Jastrzębie-Zdrój woj. katowickie 290 m n.p.m. klimat podgórski	choroby narządu ruchu i reumatyczne, choroby dziecięce: choroby reumatyczne, choroby układu krążenia	kuracja pitna, kąpiele mineralne i kwasowęglowe, kąpiele i zawijania borowinowe, inhalacje, wodolecznictwo, masaże, elektro-, światło-, ciepłolecznictwo
Kamień Pomorski woj. szczecińskie klimat nadmorski	choroby narządu ruchu i reumatyczne, choroby układu krążenia	kąpiele i zawijania borowinowe, inhalacje, masaże, elektro-, ciepłolecznictwo, kinezyterapia
Kołobrzeg woj. koszalińskie klimat nadmorski	choroby układu oddechowego, choroby układu krążenia, choroby narządu ruchu i reumatyczne, horoby układu dokrewnego i przemiany materii, choroby dziecięce: choroby układu oddechowego, choroby skóry, cukrzyca	kuracja pitna, kąpiele mineralne i kwasowęglowe, inhalacje, masaże, kąpiele, zawijania i tampony borowinowe, elektro-, światło-, ciepłolecznictwo, ultradźwięki, kinezyterapia
Krynica-Zdrój woj. nowosądeckie 650 m n.p.m. klimat górski	choroby układu trawiennego, choroby układu moczowego, choroby układu krążenia	kuracja pitna, kąpiele, zawijania i tampony borowinowe, kąpiele mineralne i kwasowęglowe, perełkowe, kąpiele gazowe (suche), wodolecznictwo, elektro-, ciepło-, światłolecznictwo, ultradźwięki
Kudowa-Zdrój woj. wałbrzyskie 400 m n.p.m. klimat górski	choroby układu krążenia, choroby układu dokrewnego i przemiany materii, choroby dziecięce: choroby reumatyczne, choroby układu krążenia	kuracja pitna, kąpiele mineralne i kwasowęglowe, kąpiele gazowe (suche), inhalacje, wodolecznictwo, masaże, elektro-, światło-, ciepłolecznictwo, kinezyterapia
Lądek Zdrój woj. wałbrzyskie 450 m n.p.m. klimat górski	choroby narządu ruchu i reumatyczne, choroby skóry, choroby układu krążenia	kuracja pitna, kąpiele mineralne, radonowe, kwasowęglowe, w basenie, elektro-, światło-, ciepłolecznictwo, masaże, kąpiele, zawijania i okłady borowinowe, kinezyterapia
Nałęczów woj. lubelskie 170 m n.p.m. klimat nizinny	choroby układu krążenia	kuracja pitna, kąpiele mineralne, kwasowęglowe, inhalacje, wodolecznictwo, masaże lecznicze, elektro-, światło-, ciepłolecznictwo, kinezyterapia
Polanica Zdrój woj. wałbrzyskie 400 m n.p.m. klimat górski	choroby układu trawiennego, choroby układu krążenia, choroby dziecięce: choroby układu krążenia	kuracja pitna, kąpiele kwasowęglowe, okłady borowinowe, inhalacje, wodolecznictwo, elektro- i światłolecznictwo, masaże lecznicze
Połczyn-Zdrój woj. koszalińskie 85 m n.p.m.	choroby narządu ruchu i reumatyczne, choroby kobiece	kąpiele mineralne, kwasowęglowe, kąpiele, zawijania i tampony borowinowe, wodolecznictwo, inhalacje, elektro-, światło-, ciepłolecznictwo, masaże lecznicze, kinezyterapia

1	2	3
Rabka-Zdrój woj. nowosądeckie 500–560 m n.p.m. klimat kotlin śródgórskich	choroby układu krążenia, choroby układu oddechowego, choroby dziecięce: choroby układu oddechowego, choroby reumatyczne, choroby układu krążenia, choroby układu dokrewnego i przemiany materii	kuracja pitna, kąpiele mineralne, kwasowęglowe, zawijania borowinowe, inhalacje, wodolecznictwo, masaże lecznicze, elektro-, ciepłolecznictwo
Rymanów-Zdrój woj. krośnieńskie 335 m n.p.m.	choroby układu oddechowego, choroby układu krążenia, choroby dziecięce: choroby układu oddechowego, choroby układu moczowego, choroby reumatyczne, choroby układu krążenia	kuracja pitna, kąpiele mineralne, kwasowęglowe, inhalacje, wodolecznictwo, zawijania borowinowe, masaże lecznicze, elektro-, światło-, ciepłolecznictwo
Szczawnica woj. nowosądeckie 435–520 m n.p.m. klimat kotlin śródgórskich	choroby układu oddechowego	kuracja pitna, inhalacje, komory pneumatyczne, kąpiele mineralne, wodolecznictwo, elektro-, światłolecznictwo
Szczawno-Zdrój woj. wałbrzyskie 400 m n.p.m. klimat górski	choroby układu oddechowego, choroby układu trawiennego, choroby dziecięce: choroby układu oddechowego	kuracja pitna, kąpiele mineralne i kwasowęglowe, inhalacje, komory pneumatyczne, wodolecznictwo, elektro-, światłolecznictwo, masaże lecznicze, kinezyterapia
Świeradów-Zdrój woj. jeleniogórskie 500 m n.p.m. klimat górski	choroby narządu ruchu i reumatyczne, choroby kobiece, choroby układu krążenia	kuracja pitna, kąpiele radonowe, inhalacje radonowe, kąpiele i zawijania borowinowe, kąpiele mineralne, masaże lecznicze, elektro-, światło-, ciepłolecznictwo, kinezyterapia, wodolecznictwo
Żegiestów-Zdrój woj. nowosądeckie 480 m n.p.m. klimat górski	choroby układu trawiennego, choroby układu moczowego	kuracja pitna, kąpiele mineralne i kwasowęglowe, inhalacje, fizykoterapia

Bezwzględne przeciwwskazania ogólne do leczenia uzdrowiskowego

Bezwzględne przeciwwskazania ogólne dotyczą zespołów lub jednostek chorobowych, które nie powinny być kwalifikowane do leczenia uzdrowiskowego, niezależnie od rodzaju uzdrowiska i typu zakładu leczniczego. Osoby z takimi chorobami wymagają zwykle intensywnego leczenia w szpitalu specjalistycznym lub innym zakładzie lecznictwa zamkniętego w miejscu zamieszkania. Zalicza się tutaj choroby zaostrzające się lub ulegające procesowi uogólnienia pod wpływem uzdrowiskowego leczenia:

1) ostre choroby zakaźne,

2) przewlekłe choroby zakaźne, czynna gruźlica płuc i innych narządów, choroby przenoszone drogą płciową,
3) choroby pasożytnicze,
4) choroby stanowiące wskazanie do zabiegów operacyjnych,
5) żółtaczka, niezależnie od pochodzenia,
6) utajone ogniska zapalne,
7) zapalenie szpiku kostnego z przetokami, odczynem ogólnym,
8) pełnoobjawowe postacie niewydolności krążenia, oddychania, niewydolności wątroby i nerek,
9) tętniak serca lub tętnic,
10) pełnoobjawowe postacie nadczynności i niedoczynności tarczycy, niewydolności kory nadnerczy, wymagające farmakoterapii w warunkach szpitalnych lub kwalifikujące się do zabiegu operacyjnego,
11) nowotwory złośliwe,
12) skazy krwotoczne,
13) wyniszczające choroby układowe przy ciężkim stanie ogólnym,
14) choroby psychiczne, psychonerwice, nerwice z natręctwami i lękami sytuacyjnymi uciążliwymi dla otoczenia,
15) padaczka,
16) ciąża i okres karmienia,
17) chorzy zniedołężniali, niezdolni do samoobsługi.

Przeciwwskazania ogólne do leczenia dzieci w szpitalach uzdrowiskowych

Ogólnymi przeciwwskazaniami klinicznymi objęte są:
1) choroby o ostrym przebiegu,
2) choroby przewlekłe w okresie zaostrzeń lub powodujące znaczne upośledzenie czynności organizmu,
3) choroby upośledzające w znacznym stopniu sprawność organizmu, powodujące dość istotne trudności w samodzielnym poruszaniu się dziecka,
4) choroby psychiczne – niedorozwój umysłowy, padaczka, znaczne zaburzenia psychopatyczne, agresywność, mongolizm,
5) niewydolność układu krążenia,
6) wady serca sinicze,
7) niewydolność nerek,
8) nowotwory złośliwe i białaczka,
9) cukrzyca w okresie niewyrównania,
10) ropne ogniska zakażenia w organizmie,
11) choroby wymagające specjalnej indywidualnej opieki – ślepota, głuchota, zaburzenia mowy,
12) wady wrodzone powodujące duże zniekształcenie narządów zewnętrznych,
13) wady wrodzone ograniczające czynności organizmu lub poszczególnych narządów,

14) ropne infekcyjne zmiany na skórze,
15) moczenie nocne.

Oprócz tego obowiązują przeciwwskazania epidemiologiczne i higieniczne:

1) ostre choroby zakaźne do ukończenia izolacji,
2) kontakt z chorobą zakaźną, od chwili kontaktu i izolacji do ukończenia okresu wylęgania danej choroby,
3) nosicielstwo chorób zakaźnych,
4) przewlekłe choroby zakaźne,
5) wszawica,
6) choroby pasożytnicze.

Wykaz uzdrowisk, w których znajdują się dziecięce szpitale uzdrowiskowe oraz leczone w nich choroby

1) Busko – choroby narządu ruchu, dziecięce porażenie mózgowe,
2) Ciechocinek – choroby reumatyczne i narządu ruchu,
3) Cieplice – Kowary – choroby reumatyczne i narządu ruchu,
4) Czerniawa – choroby układu oddechowego, dychawica oskrzelowa,
5) Kołobrzeg – choroby układu oddechowego, dychawica oskrzelowa, alergiczne choroby skóry w dychawicy oskrzelowej, choroby układu wewnętrznego wydzielania, cukrzyca, zespół otyłości, choroby skóry,
6) Kudowa – choroby układu trawiennego,
7) Polanica – choroby układu krążenia,
8) Rabka – dychawica oskrzelowa, choroby układu oddechowego, cukrzyca, choroby reumatyczne,
9) Rymanów – choroby układu oddechowego, dychawica oskrzelowa, choroby reumatyczne i nerek,
10) Szczawno – dychawica oskrzelowa,
11) Wieniec – choroby reumatyczne i układu krążenia.

Wskazania i przeciwwskazania do uzdrowiskowego leczenia chorób wieku starczego

Do uzdrowiskowego szpitala geriatrycznego mogą być kierowani chorzy w wieku 60 – 80 lat, zakwalifikowani przez wojewódzkie poradnie geriatryczne do szpitali uzdrowiskowych w Inowrocławiu i Świnoujściu.

Wskazania

Wskazaniem do uzdrowiskowego leczenia geriatrycznego są ogólne dolegliwości wieku starczego i ograniczenia sprawności życiowej związane z wiekiem, a nie choroby wikłające.

Osoby kierowane do sanatorium geriatrycznego muszą bezwzględnie:
1) mieć zachowaną wydolność krążeniowo-oddechową,
2) być w stanie psychicznym umożliwiającym dobry kontakt i współpracę z personelem leczącym,
3) być w pełni zdolne do samoobsługi (chodzić po schodach, samodzielnie myć się i ubierać).

Przeciwwskazania

Bezwzględnym przeciwwskazaniem do leczenia uzdrowiskowego są: znacznego stopnia otępienia umysłowe lub starcze, choroby psychiczne, nowotwory, czynna gruźlica płuc albo inne choroby zakaźne, zaawansowane reumatoidalne zapalenie stawów lub inne zmiany w narządzie ruchu znacznie utrudniające chodzenie i samoobsługę, niewydolność krążenia nie dająca się wyrównać, znacznego stopnia niewydolność oddechowa, stan po świeżo przebytym zawale serca lub po zabiegu operacyjnym, znaczny przerost gruczołu krokowego z koniecznością cewnikowania pęcherza moczowego, nietrzymanie moczu.

Uzdrowiskowe leczenie chorób kobiecych

B a l n e o t e r a p i a w zastosowaniu do ginekologii obejmuje leczenie: konstytucjonalnych stanów chorobowych narządów płciowych kobiety, zaburzeń wewnątrzwydzielniczych z nimi związanych, czyli pierwotnych i wtórnie nabytych, tzn. fizjologicznie towarzyszących pewnym okresom życia kobiety i współistniejących z innymi zaburzeniami ogólnoustrojowymi, niektórych chorób narządów płciowych oraz ich następstw. Stanowi ona także jeden ze sposobów postępowania rehabilitacyjnego w ginekologii, mającego na celu odtworzenie warunków płodności u kobiet, które są w stanie ją odzyskać, lub ułatwienie osiągnięcia szybszej poprawy stanu zdrowia po chorobach i operacjach ginekologicznych u kobiet, które płodność utraciły. Stosowanie środków i sposobów leczenia balneoklimatycznego w chorobach narządów płciowych kobiety dotyczy współdziałania leczniczego bodźców typowych dla lecznictwa wodą i ciepłem z bodźcami właściwymi występujących w danym uzdrowisku tworzyw naturalnych.

Z a b i e g i b a l n e o k l i m a t y c z n e przy leczeniu chorób kobiecych wywierają wpływ na jego wyniki pośrednie i końcowe, przy czym mogą się nie różnić od ogólnie stosowanych, mogą też być specjalne, np. przepłukiwania pochwy wodami mineralnymi, pochwowe tampony borowinowe.

W leczeniu chorób narządów płciowych kobiety równie ważne jak przemiany ogólnoustrojowe są przemiany miejscowe w narządach miednicy małej, powstające pod wpływem leczenia.

Specjalne znaczenie mają wzajemnie powiązane ze sobą przemiany w poszczególnych ogniwach układu wewnątrzwydzielniczego. Mogą one być bezpośrednim lub pośrednim następstwem działania środków mineralnych. Jest rzeczą zrozumiałą, że odczyny balneologiczne u leczonych kobiet są zależne nie tylko od stanu konstytucjonalnego i charakteru zmian chorobowych (będących wskazaniem do leczenia), lecz pozostają również w zależności jakościowej i ilościowej od rodzaju i stężenia związków chemicznych oraz substancji lotnych i wchłanialnych zawartych w tworzywach mineralnych, od rodzaju tworzywa (solanka, borowina, radon), jego temperatury oraz rodzaju stosowanych zabiegów leczniczych.

Poza wymienionymi istnieje wiele dodatkowych czynników, które składają się na całość leczenia uzdrowiskowego chorób kobiecych. Stanowią one przesłanki do zrozumienia tzw. ogólnego wpływu balneoterapii stosowanej w uzdrowiskach.

Pełna wartość wód mineralnych i peloidów może być w całości wykorzystana tylko „u źródeł", podobnie wpływy klimatyczne i tak ważne przy leczeniu schorzeń kobiecych oddziaływanie otoczenia (środowiska na jednostkę) mogą być w pełni wyzyskiwane tylko w postaci leczenia prowadzonego w sanatoriach i szpitalach zorganizowanych w uzdrowiskach.

Wyjazd do uzdrowiska wywiera wpływ dodatni na stan psychiczny i fizyczny pacjentki. Zmienia ona otoczenie i pozbywa się codziennych kłopotów i trosk, trudu pracy zawodowej oraz obowiązków domowych wobec rodziny, wyłącza współżycie płciowe, tym samym może poświęcić się w całości leczeniu i poddać się zorganizowanemu trybowi życia uzdrowiskowego, które wolne od atmosfery szpitalnej, powinno zachować dodatnie strony systemu lecznictwa zamkniętego.

Wskazania do leczenia uzdrowiskowego chorób kobiecych

1) Zapalenia narządów płciowych kobiety, przewlekłe, ulegające zaostrzeniom;

2) zapalenia przewlekłe (ogniskowe i utajone): pochwy, macicy (szyjki, trzonu), przydatków, przymacicza (bocznego, przedniego, tylnego);

3) powikłania zapaleń narządów płciowych w obrębie: pochwy, macicy, przydatków (jajowodów, jajowodów i jajników), omacicza i otrzewnej miednicy małej (pod postacią zrostów, przemieszczeń narządów i zmian ich położenia), przymacicz (pod postacią bliznowatych nacieczeń i przykurczów z przemieszczeniami narządów);

4) stany niedorozwoju i zaburzenia wewnątrzwydzielnicze: opóźnione pokwitanie wskutek przyczyn ogólnoustrojowych, niedorozwój jajników pierwotny, niedoczynność jajników wtórna (w wyniku zaburzeń układu podwzgórzowo-przysadkowego), podwzgórzyca pociążowa dorosłych, zespół podwzgórzycy młodzieżowej;

5) zaburzenia cyklu miesiączkowego: zmiany pozapalne jajników, zwyrodnienia jajników, krwawienia acykliczne, cykl bezjajeczkowy, zespół napięcia

przedmiesiączkowego, krwawienie młodocianych, brak miesiączki wtórny na tle pochodzenia jajnikowego lub wywołany uszkodzeniem, zbliznowaceniem endometrium oraz zarośnięciem jamy macicy;

6) zaburzenia wieku przekwitania: przekwitanie kobiece bez powikłań, powikłane chorobami układów: ruchu, nerwowego, krążenia, otyłością, cukrzycą;

7) stany pooperacyjne: po operacjach doszczętnych, po operacjach zachowawczych i plastycznych w obrębie narządów płciowych;

8) niepłodność jako objaw podmiotowo naczelny przy współistnieniu większości powyżej wymienionych stanów (z wyjątkiem zaburzeń wieku przekwitania): niepłodność męska, niepłodność małżeńska;

9) oziębłość płciowa.

Przeciwwskazania do leczenia uzdrowiskowego chorób kobiecych

1) Nowotwory złośliwe narządów płciowych (z uwzględnieniem ich podejrzenia oraz stanów pooperacyjnych po operacjach wykonanych z ich powodu);

2) nowotwory łagodne narządów płciowych: guzy macicy, guzy jajnika;

3) zapalenie narządów płciowych: ostre sromu i pochwy, macicy, przydatków, przymacicz, podostre przydatków oraz ropniak jajowodu, ropień jajnika, zapalenia narządów płciowych na tle rzeżączki i gruźlicy, zapalenia narządów płciowych przy istnieniu zakażenia rzęsistkiem i grzybkami;

4) ciąża i okres karmienia.

Reżim uzdrowiskowy

R e ż i m u z d r o w i s k o w y jest to podporządkowanie trybu życia kuracjusza zespołowi naukowo uzasadnionych zarządzeń, regulaminów i przepisów sprzyjających leczeniu.

R e ż i m o g ó l n o u z d r o w i s k o w y jest to podporządkowanie działalności usługowo-leczniczej wszystkich placówek uzdrowiska oraz organizacji życia miejscowości uzdrowiskowej sprawom leczenia i wypoczynku chorych. Reżimowi ogólnouzdrowiskowemu podlegają również: zazielenienie, rozmieszczenie parków, ciągów spacerowych, zakładów leczniczych, walka z hałasem, rozmieszczenie zakładów gastronomicznych, kawiarń, miejsc rozrywkowych.

R e ż i m s a n a t o r y j n y jest to dostosowana do profilu leczniczego organizacja życia sanatoryjnego, która stwarza choremu jak najlepsze warunki kuracji, regularny rytm życia ujęty w odpowiedni plan pobytu (wyznaczony czas na sen, wypoczynek, zabiegi, posiłki), właściwy stosunek lekarzy i personelu pomocniczego do chorego, odpowiedni klimat w sanatorium, stosownie wykorzystane warunki klimatyczne i krajobrazowe.

P o d s t a w o w y r e ż i m i n d y w i d u a l n y wyznacza tryb życia każdemu choremu w czasie jego pobytu w sanatorium. Uwzględnia indywidualne cechy chorego, jego stan psychiczny, rozwój i przebieg choroby. Dzieli się na reżim oszczędzający, który dotyczy chorych po przebytych zabiegach operacyjnych lub ostrych chorobach, oraz reżim trenujący, różniący się bardziej intensywnym leczeniem zabiegowym, czasem trwania zabiegu, czasem wypoczynku, długością snu i rodzajem diety. Odmiany reżimu indywidualnego dostosowuje się do okresów leczenia uzdrowiskowego, które dzieli się na: okres wstępny, okres podstawowy i okres końcowy.

Reżim zabiegów leczniczych polega na przestrzeganiu zasady nie przeciążania organizmu. W zasadzie wszystkie zabiegi są stosowane tylko w godzinach przedpołudniowych,.

Reżim ruchu polega na stosowaniu gimnastyki ogólnousprawniającej i leczniczej, spacerów i ćwiczeń terenowych (ścieżka zdrowia), turystyki, gier i zabaw ruchowych, kąpieli i pływania w morzu w okresie lata, dostępnych elementów sportu.

Reżim snu polega na obowiązkowym 8 – 10-godzinnym wypoczynku nocnym oraz 2-godzinnym odpoczynku popołudniowym (tzw. cisza poobiednia).

Reżim żywienia reguluje zestaw pokarmów lub stosowanie różnych diet, również czas przyjmowania posiłków, organizację kuchni i jadalni, estetykę i zagadnienie wypoczynku w związku z posiłkami. Konieczna jest dłuższa przerwa między posiłkiem a zabiegiem.

Reżim wypoczynku i rozrywek kulturalnych zależy od: osobowości kuracjusza, chorób, na jakie cierpi, wieku, zawodu, a nawet pory roku. Ważną rolę odgrywa tu właściwe planowanie pracy kulturalno-oświatowej, wykładów, koncertów, ciekawych spotkań, właściwe prowadzenie biblioteki, gier, zabaw itp.

Reżim po leczeniu uzdrowiskowym. Są to zalecenia lekarza leczącego dotyczące dalszego postępowania chorego po powrocie z leczenia uzdrowiskowego do miejsca zamieszkania. Zalecenia te zależą od indywidualnego podejścia lekarza do osobowości chorego i jego potrzeb.

Leczenie klimatyczne

Leczenie klimatyczne, czyli klimatoterapia, jest to racjonalne stosowanie w celach leczniczych przestrzennie i czasowo zróżnicowanych bodźców klimatycznych. Wyniki leczenia klimatycznego zależą w dużym stopniu od właściwego dawkowania bodźców klimatycznych, co jest możliwe dzięki zorganizowanemu lecznictwu uzdrowiskowemu.

Podstawę nowoczesnej bioklimatologii stanowi teza stwierdzająca, iż na żywy organizm oddziałują łącznie cztery zasadnicze zespoły meteorologiczne, a mianowicie: zespół solarny (nasłonecznienie), termiczny, meteorotropowy i zespół czynników charakteryzujących chemizm i stan higieniczny atmosfery (czystość atmosfery). Reakcje człowieka na bodźce pogodowe zależą od ogólnego stanu organizmu i dynamiki zmian klimatycznych.

Klasyfikacja bioklimatologiczna opiera się na ocenie bodźcowego działania klimatu w danej miejscowości lub w danym regionie klimatycznym. Obszar Polski leży w strefie umiarkowanej, nazywanej w klimatologii strefą wiatrów zmiennych z przewagą zachodnich. Wyodrębnia się bioklimaty: a) nizinny – typowy dla przeważającej części kraju, b) górski – region Karpat i Sudetów oraz c) nadmorski – wybrzeże Bałtyku. Klimat morski, w porównaniu z nizinnym, cechuje przewaga czynników i właściwości o charakterze bodźcowym, klimat górski natomiast – stosunkowo największe zróżnicowanie przestrzenne.

Na człowieka w środowisku atmosferycznym równocześnie oddziałują wszystkie elementy meteorologiczne, ciągle zmieniające się i wzajemnie od siebie uzależnione. Bezpośredni leczniczy wpływ tych czynników może być wynikiem oddziaływania miejscowego lub na cały organizm. O stopniu nasilenia funkcji fizjologicznych mówią zmiany zachodzące w układzie krążenia, oddychania, podstawowej przemiany materii.

Cykliczne zmiany czynności biologicznej organizmu ulegają okresowym wahaniom w określonych porach doby. Rytmicznym zmianom w ciągu doby podlega także działalność gruczołów wydzielania wewnętrznego. Rytmika ta jest powodowana zmianami dopływu energii słonecznej do Ziemi, spowodowanymi 24-godzinnym jej obrotem dookoła własnej osi.

Naturalne tworzywa lecznicze i ich zastosowanie

Wody lecznicze

Wody lecznicze są to: a) naturalne roztwory wodne zawierające składniki mineralne występujące normalnie w zwykłej wodzie, lecz w ilości większej niż 1 g/l, b) naturalne roztwory wodne zawierające aktywne składniki biologiczne w ilościach określonych specjalną klasyfikacją oraz c) wody wyróżniające się wyższą temperaturą od przeciętnej normy. Wody te dzięki odmiennym właściwościom fizycznym i chemicznym odznaczają się właściwościami leczniczymi. Wśród wód leczniczych rozróżnia się wody mineralne i wody swoiste.

Wody mineralne zawierają w 1 l co najmniej 1 g soli rozpuszczalnych. Wody o mniejszej mineralizacji noszą nazwę wód słabo zmineralizowanych.

Wody mineralne zawierające w 1 l więcej niż 1 g składników stałych rozpuszczonych:

(HCO_3^-) wodorowęglanowo – (Na^+) sodowe, czyli alkaliczne
– (Ca^+) wapniowe, czyli ziemnoalkaliczne
– (Mg^{2+}) magnezowe

(Cl^-) chlorkowo – (Na^+) sodowe, czyli słone i solanki od 14 g/l
– (Ca^{2+}) wapniowe
– (Mg^{2+}) magnezowe

(SO_4^{2-}) siarczanowo – (Na^+) sodowe, czyli glauberskie
– (Ca^{2+}) wapniowe, czyli gipsowe
– (Mg^{2+}) magnezowe, czyli gorzkie

W o d y s w o i s t e zawierają określone ilości farmakologicznie czynnych pierwiastków lub gazów albo odznaczają się radoczynnością.

Wody swoiste z zawartością składników farmakologicznie czynnych lub o cechach fizycznych działających leczniczo, zawierające w 1 l wody, co najmniej:

$Fe^{2+}Fe^{3+}$ – 10 mg – żelaziste
As – 0,7 mg – arsenowe
F^- – 1 mg – fluorkowe
Br^- – 5 mg – bromkowe
I^- – 1 mg – jodkowe
S – 1 mg – siarczkowe (siarka oznaczalna jodometrycznie)
HBO_2 – 5 mg – borowe
H_2SiO_3 – 100 mg – krzemowe
Rn – 2 nCi (2×10^{-9}Ci) – radonowe (radoczynne)

Wody zawierające co najmniej 1 g wolnego dwutlenku węgla w 1 l nazywane są s z c z a w a m i. Wody, których temperatura na wypływie przekracza 20°C, nazywa się c i e p l i c a m i lub t e r m a m i.

Przydatność wód leczniczych w balneologii jest rozpatrywana z punktu widzenia ich działania na organizm człowieka. Stężenie składników tych wód porównuje się ze stężeniem panującym w krwince czerwonej lub, inaczej mówiąc, z ciśnieniem osmotycznym 0,9% roztworu chlorku sodowego (NaCl), czyli płynu fizjologicznego. Wody o stężeniu większym noszą nazwę w ó d h i p e r o s m o t y c z n y c h, o stężeniu mniejszym – w ó d h i p o o s m o t y c z n y c h, a o ciśnieniu równym – w ó d i z o o s m o t y c z n y c h.

B a l n e o l o g i a zajmuje się wyłącznie wodami leczniczymi. Zawierają one składniki mineralne i gazowe w ilościach mało zmiennych i wykazują działanie lecznicze przy stosowaniu zewnętrznym i wewnętrznym. Działanie to jest kompleksowe. Oprócz zawartych w wodach składników mineralnych wpływ na organizm ma również wiele innych czynników, takich jak temperatura, ciśnienie złoża, stany chemiczne niektórych składników itp.

W kompleksowym działaniu leczniczym wody zasadniczą rolę odgrywają właściwości biochemiczne i farmakodynamiczne jej składników. Systematyczne dostarczanie tych składników wpływa bodźcowo na ogólną przemianę materii organizmu. Uzupełniają one pewne niedobory substancji w zwykłym pożywieniu, usuwają i zastępują składniki o aktywności podobnej, lecz farmakodynamicznie słabszej, działają synergicznie albo antagonistycznie na różne procesy biologiczne. W o d y r a d o c z y n n e np. są uważane powszechnie za czynnik „odmładzający”, ponieważ oddziałują szczególnie aktywnie na układ wewnętrznego wydzielania.

Gazy lecznicze

D w u t l e n e k   w ę g l a (CO_2) stanowi pozostałość procesów wulkanicznych. Zachowany w porowatym lub szczelinowatym złożu, odciętym od powierzchni utworami nieprzepuszczalnymi, jest nie tylko potrzebny do procesu mineralizacji wody i sam w sobie leczniczy, lecz spełnia rolę „motoru złoża" w procesie powstawania źródeł wód szczawowych w przyrodzie.

G a z   s i a r k o w o d ó r (H_2S) występuje w wodach, które mineralizują się w kontakcie ze skałami siarczanowymi w warunkach beztlenowych, w obecności związków organicznych i przy udziale bakterii redukujących.

R a d o n – gaz szlachetny – jest krótkotrwałym produktem promieniotwórczego rozpadu radu, należącego do szeregu uranowo-radowego. Występuje w środowisku skalnym okruszcowanym solami radowymi, rozpuszczony w wodzie i w powietrzu w ilościach wagowo nieuchwytnych. Promieniuje cząsteczki alfa.

Peloidy

Peloidami w balneologii nazywa się naturalne tworzywa powstałe w wyniku procesów geologicznych. Tworzywa te, odpowiednio przygotowane i zmieszane z wodą, używa się do kąpieli i okładów. Ostatnio preparaty peloidowe torfowe są stosowane do nacierania i użytku wewnętrznego.

Peloidy dzieli się na:

1) o s a d y   p o d w o d n e (biolity pochodzenia organicznego, np. torfy, muły, oraz abiolity pochodzenia nieorganicznego, np. glinki sedymentacyjne, piaski),

2) z i e m i e   l e c z n i c z e powstałe jako produkty wietrzenia minerałów (glinki, margle, less).

W Polsce stosuje się najczęściej biolity, a przede wszystkim h u m o l i t y, czyli torfy i muły torfiaste o dużej zawartości ciał humusowych, które określa się ogólną nazwą b o r o w i n y. Borowiny pochodzą z torfowisk wysokich, przejściowych lub niskich, a ich przydatność do celów leczniczych określa się

Zabiegi wodami mineralnymi

Rodzaj zabiegu		Kąpiele solankowe		Przepłukiwania pochwy solankami 2-3%	Kąpiele kwasowęglowe		Kąpiele radoczynne	
		pełne	półpełne		pełne	półpełne	proste	mineralne
Ciepłota zabiegu (°C)	wysoka	38°		45 - 50°	34 - 35°		37°	36°
	średnia	35 - 37°	35 - 39°	42 - 45°	32 - 34°	36 - 37°	36°	35°
	niska	33 - 35°		38 - 42°	28 - 32°		34 - 36°	34°
Czas trwania zabiegu		10 - 15 - - 20 - 30 min	15 - 25 min	10 - 15 - 20 min	8 - 10 - 15 min	8 - 12 min	10 - 20 - - 45 min	10 - 30 min
Częstość zabiegów		3 - 5 × tyg.	3 - 5 × tyg.	3 - 5 × tyg.	1 - 3 × tyg.	1 - 3 × tyg.	2 - 3 × tyg.	2 - 3 × tyg.
Ile na kurację		12 - 20	12 - 20	12 - 20	4 - 12	4 - 12	8 - 12	8 - 12

stopniem rozkładu, zdolnością wiązania wody, zatrzymywaniem ciepła oraz zawartością produktów próchnienia i rozkładu roślin (kwasy huminowe, bituminy, aminokwasy, białka, węglowodany rozpuszczalne itp.). Duże znaczenie przypisuje się substancjom estrogennym znajdującym się w borowinach, co pozwala na stosowanie ich w leczeniu chorób kobiecych.

Zabiegi borowinowe stosowane są w następujących uzdrowiskach: Busko, Ciechocinek, Cieplice, Długopole, Duszniki, Goczałkowice, Inowrocław, Iwonicz, Jastrzębie, Kamień Pomorski, Kołobrzeg, Krynica, Lądek, Muszyna, Nałęczów, Połczyn, Rabka, Rymanów, Świeradów, Świnoujście.

Zabiegi borowinowe stosowane są zwykle w postaci kąpieli borowinowej całkowitej, kąpieli borowinowej częściowej (nasiadówki, fasony), zawijań borowinowych całkowitych, zawijań borowinowych częściowych oraz jontoferezy borowinowej.

Zabiegi borowinowe

Rodzaj zabiegu		Kąpiel pełna, zanurzenie po pachy	Kąpiel półpełna, zanurzenie po pas	Kąpiel nasiadowa	Zawijanie całkowite po pachy	Zawijanie częściowe od pępka do połowy ud („majteczki”)	Tampony pochwowe
Ciepłota borowiny (°C)	wysoka	40 - 42°	42 - 44°	48 - 50°	48 - 50°	50 - 55°	50 - 55°
	średnia	38 - 40°	40 - 42°	45 - 48°	43 - 48°	45 - 50°	45 - 50°
	niska	35 - 38°	38 - 40°	39 - 45°	38 - 43°	40 - 45°	40 - 45°
Czas trwania zabiegu		10 - 30 min	10 - 30 min	15 - 30 min	15 - 30 min	15 - 30 min	15 - 30 min
Częstość zabiegów		2 - 3 × tyg.	2 - 3 × tyg.	3 - 4 × tyg.	2 - 3 × tyg.	3 - 4 × tyg.	3 - 6 × tyg.
Ile na kurację		8 - 10	10 - 12	12 - 16	8 - 10	12 - 16	12 - 24

III. FIZYKOTERAPIA

Fizykoterapia jest działem lecznictwa, w którym stosuje się występujące w przyrodzie naturalne czynniki fizykalne oraz czynniki wytworzone sztucznie przez różnego rodzaju urządzenia. Czynniki te dzieli się na:

czynniki termiczne – bodźcem jest energia cieplna przekazywana organizmowi drogą przewodzenia, przenoszenia lub promieniowania oraz wytworzona w tkankach przez pola elektromagnetyczne wielkiej częstotliwości albo ultradźwięki;

czynnik fotochemiczny – zależy on od reakcji fotochemicznych, zachodzących w tkankach pod wpływem promieniowania nadfioletowego;

czynnik elektrokinetyczny – występuje w przypadku działania na tkankę nerwową i mięśniową impulsowych prądów elektrycznych;

czynnik elektrochemiczny – jest następstwem przepływu przez tkanki prądu elektrycznego, powodującego m.in. przemieszczenie zawartych w nich jonów oraz zmianę chemizmu tkanek;

czynniki mechaniczne i kinetyczne – są wywołane działaniem mechanicznym kąpieli, natrysków lub masażu;

czynniki kinetyczne – działają na organizm w czasie wykonywania ćwiczeń ruchowych.

Odczyny występujące w tkankach pod wpływem działania czynników fizykalnych zależą od ilości pochłoniętej energii, a zatem od jej natężenia i czasu działania. Najmniejszy stwierdzalny odczyn nazywa się *odczynem progowym*. Zwiększenie natężenia danego czynnika lub wydłużenie czasu jego działania nasila odczyn tkanek. Przekroczenie granicy zdolności przystosowania się tkanek do danego czynnika, zwanej *granicą progową tolerancji*, powoduje ich uszkodzenie. Wyróżnia się odczyny odwracalne oraz nieodwracalne, powstałe w wyniku uszkodzenia tkanek.

Odczyny na czynniki fizykalne mogą być miejscowe i ogólne. *Odczyn miejscowy* występuje w miejscu działania energii, *odczyn ogólny* jest niejako odpowiedzią całego organizmu lub niektórych jego układów na bodziec fizyczny. Znajomość odczynów i umiejętne ich wykorzystanie warunkuje skuteczność leczenia fizykalnego.

W zależności od rodzaju energii, wyróżnia się odpowiednie działy fizykoterapii, a mianowicie: ciepłolecznictwo, światłolecznictwo, elektrolecznictwo, leczenie polami elektromagnetycznymi wielkiej częstotliwości, leczenie ultradźwiękami, wodolecznictwo oraz wziewania.

Ciepłolecznictwo

Leczenie ciepłem polega na dostarczeniu organizmowi energii cieplnej, głównie drogą przewodzenia i przenoszenia. *Odczyn miejscowy* polega na rozszerzeniu naczyń krwionośnych i limfatycznych skóry. Zgodnie z prawem Dastre–Morata, bodziec cieplny działając na duże powierzchnie skóry rozszerza naczynia powierzchowne, zwęża zaś naczynia klatki piersiowej i jamy brzusznej. Regule tej nie podlegają naczynia krwionośne nerek, śledziony i mózgu, które zachowują się tak, jak naczynia powierzchowne skóry.

Odczyn ogólny występuje w przypadku dostarczenia organizmowi dużych ilości ciepła. Odczyn ten może wyrażać się podniesieniem temperatury ciała, czyli jego przegrzaniem. Wywołuje ono liczne zmiany w wielu układach i narządach organizmu oraz wpływa na mechanizm termoregulacyjny związany głównie z wydzielaniem potu, a zatem wydalaniem dużych ilości wody, chlorku sodu i innych substancji. W stanie przegrzania ulega wzmożeniu przemiana materii, przyspiesza się akcja serca i oddechu. Czynność wydzielnicza nerek, zależna od intensywności bodźca cieplnego ulega wzmożeniu, przy znacznym przegrzaniu maleje. Występuje również zmniejszenie napięcia mięśni szkieletowych.

Leczenie ciepłem wymaga dużej ostrożności oraz dokładnej znajomości stanu ogólnego osoby poddanej zabiegowi cieplnemu. Do najczęściej stosowanych metod ciepłoleczniczych należą: łaźnia sucha rzymska, sauna oraz zabiegi przy użyciu parafiny.

Łaźnia sucha rzymska. Zabieg ten wykonuje się w specjalnie przystosowanym pomieszczeniu, którego powietrze ogrzewa się do temperatury 47–60°C za pomocą piecyków lub grzałek elektrycznych. Usytuowane schodkowato ławy drewniane umożliwiają dobranie właściwej temperatury. Czas zabiegu wynosi 15–30 min, a po jego zakończeniu stosuje się letnią kąpiel.

Łaźnia rzymska wskazana jest w gośćcowych i pourazowych chorobach narządu ruchu, tkanek miękkich oraz w nerwobólach.

Sauna. Jest to kąpiel w gorącym powietrzu o nieznacznej wilgotności, ogrzanym przez specjalne urządzenie, tzw. ognisko sauny, do temperatury 60–90°C, która oddziałuje na skórę i drogi oddechowe. W czasie sauny dochodzi do znacznego wydzielania potu (od 0,2 do 1,2 l). Temperatura ciała może wzrosnąć o 1–2°C.

Sauna wpływa regulująco na układ krążenia wskutek rozszerzenia obwodowych naczyń krwionośnych oraz zwiększenia pojemności minutowej serca. W czasie zabiegu chory siedzi na jednej z ław drewnianych, usytuowanej na odpowiedniej wysokości, z przedramionami opartymi na udach. Duża różnica temperatury powietrza między podłogą a sufitem umożliwia odpowiednie dawkowanie ciepła. Polewanie wodą ogniska sauny powoduje zwiększenie wilgotności powietrza, a tym samym efektu cieplnego, w wyniku utrudnionego parowania wody zawartej w pocie.

W czasie sauny można wykonywać ręczny masaż, rozcieranie lub chłostanie gałązkami, co zwiększa odczyn ze strony naczyń krwionośnych skóry. Czas zabiegu zależy od ogólnego stanu chorego i tolerancji ciepła przez jego organizm. Po zabiegu stosuje się zwykle kąpiel letnią lub natrysk. Ludzie młodzi, ze sprawnym układem krążenia, mogą po saunie brać krótkotrwałą kąpiel zimną.

Sauna wskazana jest: w chorobach gośćcowych, chorobie zwyrodnieniowej stawów, w zaburzeniach krążenia obwodowego, w przewlekłych stanach zapalnych narządów rodnych oraz w otyłości.

Sauna przeciwwskazana jest w: niewydolności krążenia, nadciśnieniu tętniczym, czynnej gruźlicy płuc, stanach zapalnych narządów miąższowych, chorobie wrzodowej żołądka i dwunastnicy, w czasie miesiączki, w padaczce oraz zaburzeniach wydzielania potu.

Zabiegi parafinowe. Używa się do nich parafiny stałej, której temperatura topnienia wynosi 42–54°C. Duża pojemność cieplna i małe przewodnictwo cieplne czynią ją szczególnie przydatną do zabiegów cieplnych. Parafinę przygotowuje się w specjalnym urządzeniu, w tzw. kuchni parafinowej, umożliwiającej utrzymanie stałej temperatury, która nie powinna przekraczać 50–60°C. Zwykle wykonuje się okłady, zawijania i kąpiele parafinowe. Czas zabiegu wynosi 30 do 50 min.

Zabiegi parafinowe są wskazane w leczeniu przewlekłych stanów zapalnych stawów i tkanek miękkich. Stanowią też dobre przygotowanie do masażu.

Światłolecznictwo

W tym dziale fizykoterapii stosuje się promieniowanie podczerwone, widzialne oraz nadfioletowe. Do światłolecznictwa zalicza się również helioterapię, czyli wykorzystanie do celów leczniczych promieniowania słonecznego.

Promieniowanie podczerwone

Stanowi ono część niewidzialnego promieniowania elektromagnetycznego, mieszczącego się w widmie między czerwienią a mikrofalami. Jest ono emitowane przez rozgrzane ciała. W lecznictwie znajduje zastosowanie promieniowanie o długości fali od 770 do 15 000 nm.

Działanie biologiczne promieniowania podczerwonego polega na wpływie cieplnym. Rozszerza ono naczynia krwionośne skóry i wywołuje reakcje ze strony naczyń głębiej położonych zgodnie z prawem Dastre–Morata (zob. s. 531), zmniejsza napięcie mięśni szkieletowych, działa przeciwbólowo podwyższając próg odczuwania bólu, wzmaga przemianę materii oraz pobudza receptory cieplne skóry, wpływając przez odruchy na narządy głębiej położone.

Stosowane w lecznictwie fizykalnym urządzenia emitujące promieniowanie podczerwone dzielą się na *promienniki* emitujące promieniowanie podczerwone oraz *lampy* emitujące promieniowanie podczerwone wraz z promieniowaniem widzialnym. W pierwszych źródłem promieniowania jest spirala z drutu oporowego w obudowie z materiału żaroodpornego, w drugich zaś żarówki emitujące promieniowanie podczerwone i promieniowanie widzialne. Do najczęściej używanych lamp należy lampa Sollux (tablica 2 a).

Wskazania do leczniczego stosowania promieniowania podczerwonego stanowią: przewlekłe stany zapalne, przewlekłe i podostre zapalenia stawów, zapalenia okołostawowe, nerwobóle i zespoły bólowe oraz stany po przebytym zapaleniu skóry i tkanek miękkich pochodzenia bakteryjnego.

Naświetlanie promieniami podczerwonymi można stosować również jako zabieg wstępny przed masażem.

Przeciwwskazania do leczniczego stosowania promieniowania podczerwonego stanowią: niewydolność krążenia, czynna gruźlica płuc, skłonność do krwawień, zaburzenia w ukrwieniu obwodowym kończyn, stany gorączkowe, ostre stany zapalne skóry i tkanek miękkich.

Promieniowanie nadfioletowe

Jest ono niewidzialne i w widmie promieniowania elektromagnetycznego jest usytuowane między obszarem widzialnego fioletu a promieniowaniem rentgenowskim. Długość fali promieniowania nadfioletowego wynosi od 400–10 nm. Ze względu na różnice w działaniu biologicznym, stosowane w lecznictwie promieniowanie nadfioletowe dzieli się na: obszar A (400–315 nm), obszar B (315–280 nm) oraz obszar C (280–200 nm). Granice między obszarami są „wyznaczone" przez oddziaływanie biologiczne.

Wpływ promieniowania nadfioletowego na organizm ludzki jest złożony. Działanie tego promieniowania polega głównie na wywoływaniu w skórze reakcji fotochemicznych. Do ważniejszych ich następstw należy powstawanie: rumienia fotochemicznego skóry, ciał zapobiegających krzywicy oraz pigmentu.

Promienie nadfioletowe w odpowiedniej dawce wywołują w skórze fotochemiczny odczyn rumieniowy, który w odróżnieniu od rumienia cieplnego występuje po okresie utajenia trwającym 1–6 godz., w zależności od zastosowanej dawki. Największe nasilenie rumienia obserwuje się zwykle po upływie 6–12 godz.; po upływie 24 do 48 godz. rumień zanika. Odczyn ten powstaje w wyniku działania na naczynia krwionośne związków powstałych w następstwie działania promieniowania nadfioletowego na komórki naskórka. Na intensywność rumienia mają wpływ układ nerwowy i dokrewny. Zależy on również od grubości naskórka, karnacji i wieku; blondyni i rudzi są bardziej wrażliwi od brunetów, dzieci są bardziej wrażliwe niż osoby w wieku zaawansowanym. Niektóre leki i związki chemiczne zwiększają wrażliwość skóry na promieniowanie nadfioletowe.

Promienie nadfioletowe wywierają ważne biologicznie d z i a ł a n i e p r z e c i w k r z y w i c z e. Mają one mianowicie zdolność dokonywania zmian wewnątrz cząsteczki ergosterolu (sterol roślinny), przekształcając go w witaminę D_2 (kalcyferol).

W organizmach zwierzęcych oraz u człowieka występuje sterol (7-dehydrocholesterol) zawarty w wydzielinie gruczołów łojowych, który pod wpływem promieni nadfioletowych ulega przemianie na witaminę D_3 (cholekalcyferol). W ostatnich latach stwierdzono, że czynnym czynnikiem przeciwkrzywiczym nie jest witamina D_3, lecz jej metabolit – hormon kalcytriol, oznaczany jako 1,25-dwuhydroksycholekalcyferol (zob. Fizjologia, Układ wydzielania wewnętrznego, s. 233). Hormon ten, wytwarzany przez nerki, jest substancją usprawniającą wchłanianie wapnia w jelitach, stymulującą jego uwalnianie z kości oraz zwiększającą wchłanianie zwrotne jonów wapnia i fosforu w nerkach.

Poddawanie skóry działaniu promieniowania nadfioletowego powoduje jej przebarwienie. Zależy ono od gromadzenia się w warstwie podstawowej naskórka brunatnego barwnika, zwanego m e l a n i n ą lub p i g m e n t e m. Powstaje on pod wpływem promieniowania nadfioletowego w komórkach naskórka – melanoblastach, ze związku zwanego promelaniną lub propigmentem, którym jest prawdopodobnie aminokwas tyrozyna. Rola przebarwienia skóry nie jest wyjaśniona. O p a l e n i z n a, która powstaje pod wpływem promieni słonecznych, jest wynikiem działania promieni podczerwonych, widzialnych i nadfioletowych. Promieniowanie nadfioletowe wywołuje ponadto wiele zmian w skórze, które są wykorzystywane w lecznictwie. Skóra pod ich wpływem staje się bardziej elastyczna, lepiej ukrwiona i mniej podatna na zakażenia. Następuje szybszy rozrost komórek naskórka.

W świetle współczesnych poglądów, promieniowanie nadfioletowe wywiera też wpływ na przemianę materii oraz układ dokrewny. Przyjmuje się, że lecznicze oddziaływanie tego promieniowania wiąże się w znacznym stopniu ze wzrostem aktywności zawartych w organizmie wodosiarczków, które pobudzają reakcje oksydacyjno-redukcyjne hormonów, witamin i enzymów. Promieniowanie nadfioletowe wywiera również działanie bakteriobójcze.

Sztuczne źródła promieniowania nadfioletowego można podzielić na: ciała ogrzane do wysokiej temperatury, łuki elektryczne oraz wyładowania jarzeniowe. Źródłem promieniowania nadfioletowego w lampach używanych do naświetleń leczniczych są najczęściej promienniki o specjalnej budowie, nazywane potocznie palnikami. Działają one na zasadzie tzw. zamkniętego łuku elektrycznego, tzn. łuku nie pozostającego w kontakcie z otaczającą atmosferą. Mają postać rurki wykonanej ze szkła kwarcowego, opróżnionej z powietrza i wypełnionej rozrzedzonym argonem. W rurkę, zawierającą ponadto niewielką ilość rtęci, są wtopione dwie elektrody, do których podłącza się prąd zmienny o napięciu 220 V. Palniki o opisanej budowie nazywa się argonowo-rtęciowymi.

Generatorami promieniowania nadfioletowego mogą być również świetlówki rtęciowe z warstwą luminoforową, od której składu zależy skład widma emitowanego promieniowania.

Istnieje wiele typów leczniczych lamp kwarcowych. Są to najczęściej lampy typu Bacha, Jesionka, Helios oraz Emita (tablica 2 b).

Podstawą dawkowania promieniowania nadfioletowego jest określenie wrażliwości osoby naświetlanej. Uzyskuje się to przez ustalenie dawki biologicznej, która określa czas naświetlania konieczny do uzyskania minimalnego odczynu rumieniowego, przy użyciu danego palnika z określonej odległości.

Naświetlania mogą być ogólne lub miejscowe. Naświetlania ogólne wykonuje się zwykle z odległości 100 cm 3 razy w tygodniu. Seria obejmuje 15–20 zabiegów. Naświetlania miejscowe oraz naświetlania dzieci wykonuje się z zachowaniem szczególnej ostrożności.

Wskazania do leczniczego stosowania promieniowania nadfioletowego obejmują: krzywicę, przewlekłe nieżyty oskrzeli, dychawicę oskrzelową, gościec tkanek miękkich, chorobę zwyrodnieniową stawów, trądzik pospolity, czyraczność, stany zapalne tkanek miękkich, owrzodzenia troficzne, trudno gojące się rany, łuszczycę, utrudniony zrost kostny, stany rekonwalescencji, niedoczynność tarczycy i jajników.

Przeciwwskazaniami do stosowania promieniowania nadfioletowego są: stany nowotworowe, czynna gruźlica płuc, stany wzmożonej wrażliwości na ten rodzaj promieniowania, stany gorączkowe, nadczynność tarczycy, cukrzyca, wzmożona pobudliwość wegetatywna, skłonność do krwawień z przewodu pokarmowego i dróg moczowych, miażdżyca naczyń ze znacznym nadciśnieniem, obniżone ciśnienie krwi, zakażenia ogniskowe, niedokrwistość złośliwa, niewydolność krążenia, ostry gościec stawowy, reumatoidalne zapalenie stawów w okresie leczenia preparatami złota oraz padaczka.

Helioterapia

Nazwą tą określa się korzystanie w celach leczniczych z promieniowania słonecznego. Widmo promieniowania słonecznego jest ciągłe i zawiera przeciętnie 59–65% promieniowania podczerwonego, 33–40% promieniowania widzialnego, 1–2% promieniowania nadfioletowego. Skład promieniowania słonecznego zmienia się w zależności od pory dnia i roku oraz przejrzystości powietrza i wysokości nad poziomem morza. Oddziałuje ono korzystnie na organizm w wyniku zachodzących w nim odczynów ogólnych, wzmaga przemianę materii, pobudza czynność krwiotwórczą, zwiększa odporność na zakażenia, pobudza gruczoły wydzielania wewnętrznego, działa odczulająco oraz zapobiega krzywicy.

Naświetlania promieniami słonecznymi mogą wywołać również niekorzystne odczyny, występujące w przypadku pochłonięcia przez skórę zbyt dużej ilości promieniowania, wyrażające się intensywnym rumieniem fotochemicznym, uczuciem ogólnego rozbicia, bólami głowy i gorączką.

W naszej strefie klimatycznej korzystanie ze światła słonecznego w celach leczniczych jest w pewnym stopniu ograniczone. Nasłonecznienia odbywają się w sposób zorganizowany zwykle na plażach nadmorskich oraz w solariach. Obowiązuje zasada stopniowego zwiększania czasu naświetlania, w zależności od wskazań lekarskich.

Niskoenergetyczna terapia laserowa (biostymulacja)

Laser (light amplification by stimulated emission of radiation) jest urządzeniem, w którym uzyskuje się wzmocnienie promieniowania elektromagnetycznego w wyniku emisji wymuszonej. Wystąpienie emisji laserowej jest uwarunkowane strukturą energetyczną ośrodka, w którym istnieje odpowiednia przewaga atomów wzbudzonych energetycznie.

Promieniowanie laserowe wykazuje cechy odróżniające go od promieniowania powstałego w wyniku emisji spontanicznej, a mianowicie:
– spójność (czasowo-przestrzenne uporządkowanie drgań fali światła);
– monochromatyczność (jednobarwność promieniowania);
– równoległość (duża kierunkowość generacji);
– intensywność (decyduje o możliwości wystąpienia impulsu o dużej mocy w bardzo krótkim czasie).

Podział laserów opiera się na następujących kryteriach zależnych od:
– długości emitowanej fali (nadfiolet-światło widzialne-podczerwień);
– rodzaju ośrodka czynnego (gazowy-ciekły-stały-półprzewodnikowy);
– modulacji pracy (impulsowa-ciągła).

Do biostymulacji są wykorzystywane lasery niskoenergetyczne (o mocy wyjściowej od 10 do 50 mW). Zwykle są to lasery helowo-neonowe (He-Ne; długość fali = 632,8 nm) oraz półprzewodnikowe lasery podczerwieni z diodą arsenkowo-galową (długość fali = 904 nm).

Promieniowanie laserowe wywołuje wiele korzystnych zmian w ustroju, np. zwiększenie syntezy kolagenu, białek oraz kwasu rybonukleinowego (RNA), zmiany w potencjale błon komórkowych, zmiany w poziomie hormonów oraz neuroprzekaźników uczestniczących w przekazywaniu pobudzenia w strukturach układu nerwowego. Ważną rolę odgrywają również zachodzące pod jego wpływem: zwiększenie fagocytozy, zwiększenie syntezy adenozynotrójfosforanu (ATP) oraz prostaglandyn.

D a w k i promieniowania laserowego wyraża się w jednostkach powierzchniowej gęstości energii, tzn. w J/m^2 lub J/cm^2. Czas trwania zabiegu wyznacza się w zależności od rodzaju urządzenia laserowego, tzn. jego wartości mocy wyjściowej oraz rodzaju pracy – ciągłej lub impulsowej.

W s k a z a n i a do niskoenergetycznej terapii laserowej obejmują: trudno gojące się rany i owrzodzenia, reumatoidalne zapalenie stawów, utrudniony zrost kości, chorobę zwyrodnieniową stawów, zespoły bólowe w przebiegu choroby zwyrodnieniowej stawów kręgosłupa, zapalenia okołostawowe, zespoły powstałe w przebiegu przeciążenia tkanek miękkich i kości, zapalenia ścięgien, powięzi pochewek ścięgnistych i kaletek stawowych, nerwobóle nerwów obwodowych, neuropatię cukrzycową oraz trądzik pospolity.

P r z e c i w w s k a z a n i a dotyczą choroby nowotworowej, ciąży oraz schorzeń, w których stosowanie niespójnego promieniowania podczerwonego i widzialnego jest uznane za przeciwwskazane.

Wykonywanie zabiegów laserowych wymaga przestrzegania określonych przepisami czynności i środków zabezpieczających personel i osobę poddaną zabiegowi.

Elektrolecznictwo

Elektrolecznictwo jest działem lecznictwa fizykalnego, w którym stosuje się prąd stały oraz prądy impulsowe małej i średniej częstotliwości, wytwarzane przez specjalne aparaty elektroniczne.

Prąd stały

Jest to prąd elektryczny, który w czasie przepływu nie zmienia kierunku i wartości natężenia. Przepływowi towarzyszy wiele z j a w i s k f i z y k o c h e m i c z n y c h i f i z j o l o g i c z n y c h. Należą do nich związane z elektrolizą zjawiska elektrochemiczne, głównie zachodzące na elektrodach reakcje wtórne. Dzięki użyciu elektrody igłowej wykorzystuje się je, w zależności od podłączonego do niej bieguna prądu, do koagulacji lub „elektrolizy" patologicznych tworów skóry. Występują również z j a w i s k a e l e k t r o k i n e t y c z n e, polegające na przesunięciu względem siebie faz, rozproszonej i rozpraszającej, koloidów tkankowych. W zjawisku e l e k t r o f o r e z y pod wpływem pola elektrycznego występuje ruch jednoimiennie naładowanych cząsteczek fazy rozproszonej względem fazy rozpraszającej, w k a t a f o r e z i e — ruch dodatnio naładowanych cząsteczek ku katodzie, w a n a f o r e z i e zaś ruch ujemnie naładowanych cząsteczek ku anodzie. E l e k t r o o s m o z a polega na ruchu całego ośrodka, czyli fazy rozpraszającej koloidu w stosunku do fazy rozproszonej. Zjawisko to zachodzi na błonach półprzepuszczalnych, które będąc nieprzepuszczalne dla fazy rozproszonej unieruchamiają ją na swojej powierzchni.

Pod wpływem prądu stałego w tkankach p o w s t a j e c i e p ł o, ilość jego jest jednak niewielka i nie wywiera wpływu leczniczego. Istotny wpływ na zwiększenie ciepłoty tkanek ma natomiast rozszerzenie naczyń krwionośnych. Przepływ prądu stałego nie wywołuje skurczu mięśni szkieletowych, występuje on jednak przy zamykaniu i otwieraniu obwodu. Prąd stały powoduje zmianę pobudliwości nerwów i mięśni, określaną mianem elektrotonusu. Stan ten powstaje wskutek przemieszczenia jonów i zmian polaryzacji błon komórkowych. Zwiększenie pobudliwości zachodzące pod katodą określa się jako katelektrotonus, obniżenie zaś jej pod anodą jako anelektrotonus. Zmiany pobudliwości odgrywają ważną rolę w zabiegach elektroleczniczych.

Galwanizacja lub **galwanoterapia** jest to leczenie za pomocą prądu stałego doprowadzanego do tkanek przez różnego kształtu elektrody płaskie, wykonane zwykle z folii cynowej, lub elektrody specjalne, np. elektrody do galwanizacji gałek ocznych, uszu, elektrody dyskowe, wałeczkowe. Elektrody umieszcza się na podkładach z wielu warstw tkaniny – zwykle z flaneli – zwilżonej wodą lub 0,5% roztworem chlorku sodowego. Grubość podkładu wynosi 1 – 2 cm. Grube podkłady zmniejszają opór naskórka oraz chronią skórę przed uszkadzającym wpływem związków chemicznych, powstających w trakcie elektrolizy na elektrodach w wyniku reakcji wtórnych.

Działanie prądu stałego na tkanki zależy od rodzaju bieguna, dlatego elektrodę, za pomocą której ma być wywołany efekt leczniczy, nazywa się elektrodą czynną, a elektrodę zamykającą obwód – elektrodą bierną. Dawkę natężenia prądu ustala się w zależności od powierzchni elektrody czynnej, czasu trwania zabiegu, rodzaju i lokalizacji procesu chorobowego oraz od wrażliwości chorego na prąd elektryczny.

Galwanizacja jest wskazana w nerwobólach, zespołach bólowych w przebiegu choroby zwyrodnieniowej stawów kręgosłupa i dyskopatii oraz w zaburzeniach ukrwienia obwodowego. Przeciwwskazania do jej stosowania stanowią: ropne stany zapalne skóry i tkanek miękkich, wypryski, stany gorączkowe oraz porażenia spastyczne mięśni.

Jontoforeza polega na wprowadzeniu w głąb tkanki, siłami stałego pola elektrycznego, jonów działających leczniczo. Zostają one wprowadzone z podkładu elektrody czynnej (zob. galwanizacja), nasyconego roztworem elektrolitycznym o odpowiednim natężeniu. Elektrodę bierną wraz z podkładem nasyconym wodą lub 0,5% roztworem chlorku sodowego umieszcza się obwodowo. Po zamknięciu obwodu prądu stałego jony obdarzone ładunkiem ujemnym (aniony) podążają w kierunku anody, obdarzone zaś ładunkiem dodatnim (kationy) w kierunku katody. Można je wprowadzić do tkanek, przykładając do elektrody czynnej biegun prądu o znaku analogicznym do ładunku jonów działających leczniczo.

W zabiegu jontoforezy oddziałuje leczniczo złożony kompleks farmakologiczno-elektryczny. Nie bez znaczenia jest również wpływ odruchowy. Czas zabiegu wynosi zwykle 15 – 20 min, seria obejmuje 10 – 20 zabiegów.

Najczęściej wykonuje się jontoforezę jodu działającą korzystnie na blizny, jontoforezę wapnia wywierającą m.in. wpływ przeciwzapalny, jontoforezę histaminy stosowaną zwykle w zaburzeniach ukrwienia obwodowego, jontoforezę antybiotyków oraz kortykosteroidów.

Kąpiele elektryczno-wodne. Są to zabiegi, w których część lub całe ciało, znajdujące się w kąpieli wodnej, poddane jest działaniu prądu elektrycznego. Wyróżnia się kąpiele elektryczno-wodne komorowe i całkowite.

W kąpieli elektryczno-wodnej czterokomorowej kończyny osoby poddanej zabiegowi są zanurzone w specjalnych ceramicznych wanienkach napełnionych wodą o temperaturze 35–38°C. W ścianie każdej wanienki znajdują się „kieszenie", w których są umieszczone elektrody węglowe. Całość zestawu wanienek, wraz ze statywem i krzesłem, spoczywa na podłożu izolującym. Źródłem prądu stałego jest aparat generujący prąd stały, wyposażony w cztery przełączniki umożliwiające uzyskanie właściwego kierunku jego przepływu. Natężenie ustala się w zależności od wskazań.

Kąpiele elektryczno-wodne mogą być stosowane w zapaleniach wielonerwowych, zespołach bólowych, chorobie zwyrodnieniowej stawów, w nerwicy wegetatywnej oraz w zaburzeniach ukrwienia obwodowego.

Kąpiel elektryczno-wodna całkowita odbywa się w specjalnej wannie, wykonanej z materiału izolującego, w ścianach której są umieszczone płaskie elektrody węglowe. Źródłem prądu stałego jest aparat wyposażony w zespół przełączników, umożliwiających pożądane w danym przypadku podłączenia do elektrod odpowiednich biegunów prądu.

Wskazania do stosowania tego rodzaju kąpieli są takie same jak do kąpieli elektryczno-wodnych komorowych.

Prądy impulsowe małej częstotliwości

Stosowane w lecznictwie prądy impulsowe małej częstotliwości dzieli się na trzy grupy:

1) prądy impulsowe o przebiegu prostokątnym,

2) prądy impulsowe o przebiegu trójkątnym, nazywane również prądami eksponencjalnymi,

3) prądy powstałe w wyniku prostowania sinusoidalnie prądu przemiennego, składające się z impulsów o kształcie połówki sinusoidy – prądy diadynamiczne.

Nowoczesne aparaty do elektroterapii, dzięki rozwiązaniom elektronicznym, umożliwiają dobór właściwych parametrów prądu impulsowego, tj. czasu trwania impulsów, czasu narastania i opadania natężenia w impulsie, jego amplitudy, czasu przerwy między impulsami oraz częstotliwości ich występowania.

Zabieg, w którym stosuje się prądy impulsowe, nosi nazwę elektrostymulacji, a aparat wytwarzający tego rodzaju prądy – elektrostymulatora (tablica 3 a). Najczęściej wykonuje się elektrostymulację nerwów i mięśni. Elektrodę czynną przykłada się do skóry w miejscu odpowiadającym tzw. punktowi motorycznemu. Wyróżnia się punkty motoryczne nerwów – punkty pośrednie – odpowiadające miejscu na skórze, w którym dany nerw znajduje się najbliżej powierzchni, oraz punkty motoryczne mięśni – punkty bezpośrednie – odpowiadające miejscu, w którym nerw wnika do mięśnia.

Prądy impulsowe o przebiegu prostokątnym znajdują szerokie zastosowanie w elektrostymulacji nerwów i mięśni oraz w elektrodiagnostyce. Są one używane do pobudzania do skurczu mięśni zdrowych lub nieznacznie uszkodzonych oraz do leczenia różnych zespołów bólowych.

W elektrolecznictwie stosuje się również impulsowe prądy prostokątne modulowane, o obwiedni w kształcie trójkąta, trapezu lub połówki sinusoidy.

Prądy impulsowe o przebiegu trójkątnym, czyli **prądy eksponencjalne**, są stosowane do elektrostymulacji mięśni porażonych wiotko. Mięśnie porażone wiotko, w odróżnieniu od mięśni zdrowych, nie mają zdolności przystosowywania się do wolno narastającego w impulsie trójkątnym natężenia i reagują skurczem. Umożliwia to wybiórcze pobudzanie do skurczu mięśni porażonych wiotko bez wywoływania reakcji znajdujących się w otoczeniu mięśni zdrowych.

Celem elektrostymulacji mięśni porażonych wiotko jest zapobieganie ich zanikowi i utrzymanie jak największej, zdolnej do skurczu masy mięśni do czasu regeneracji unerwienia.

Prądy diadynamiczne. Prądy impulsowe, powstałe w wyniku prostowania sinusoidalnie prądu przemiennego, znajdują szerokie zastosowanie w elektrolecznictwie. Są one nazywane prądami diadynamicznymi lub prądami Bernarda, od nazwiska francuskiego lekarza, który wprowadził je do lecznictwa. Wykazują one silne działanie przeciwbólowe i przekrwienne. Wyróżnia się 6 rodzajów tych prądów (rys. obok), które oznacza się skrótami literowymi, pochodzącymi od ich nazw w języku francuskim. Prądy te wywodzą się z dwóch podstawowych prądów impulsowych o częstotliwości 50 Hz i 100 Hz. Przez zastosowanie zmiany tych prądów w odpowiednich stosunkach czasowych, ich modulowanie oraz przerywanie, uzyskuje się dalsze cztery rodzaje prądów wykazujących specyficzne oddziaływanie lecznicze. Prądy diadynamiczne stosuje się zwykle nałożone na prąd stały.

Mechanizm przeciwbólowego działania prądów diadynamicznych jest złożony. Istnieją różne hipotezy wyjaśniające wpływ tych prądów na układ nerwowy. Przyjmuje się, że prądy diadynamiczne stanowią bodziec blokujący dopływ impulsów nerwowych do wyższych pięter ośrodkowego układu nerwowego. Ostatnio przyjmuje się również wpływ przeciwbólowy związków o charakterze polipeptydów, zwanych endorfinami, które powstają w różnych strukturach mózgu. Istnieją dowody na to, że stymulacja elektryczna powoduje powstawanie tych związków.

Prądy diadynamiczne silniej niż prąd stały wpływają na rozszerzanie naczyń krwionośnych. Znajdują one szerokie zastosowanie w leczeniu zaburzeń ukrwienia obwodowego.

Naprzemienne stosowanie prądu diadynamicznego o częstotliwości 50 Hz, który powoduje wzmożenie napięcia mięśni, oraz prądu o częstotliwości 100 Hz, który zmniejsza ich napięcie, wywołuje niejako „gimnastykę” izometryczną mięśnia. Prowadzi to do przekrwienia i obniżenia napięcia mięśni, co jest wykorzystywane w leczeniu zespołów bólowych przebiegających z objawami wzmożonego napięcia mięśni.

Metodyka zabiegów prądami diadynamicznymi jest zróżnicowana i zależy od rodzaju choroby. Stosuje się na ogół średnie dawki natężenia. Czas zabiegu wynosi 6 do 10 min. Seria obejmuje 6–12 zabiegów. Aparat do terapii prądami diadynamicznymi, zob. tablica 3 b.

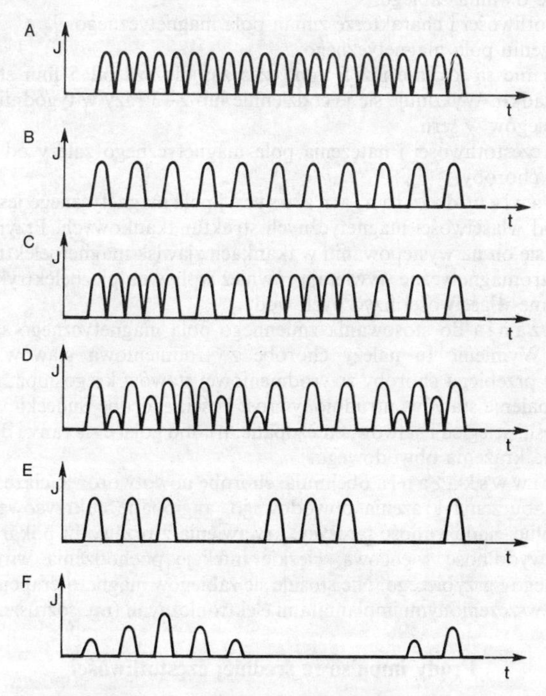

Prądy diadynamiczne: A–DF, B–MF, C–CP, D–LP, E–RS, F–MN

W s k a z a n i a do leczenia prądami diadynamicznymi stanowią zespoły bólowe w przebiegu choroby zwyrodnieniowej stawów kręgosłupa, zaburzenia ukrwienia obwodowego, zapalenia okołostawowe, stan po urazach stawów i mięśni, odmroziny oraz zaniki mięśni z nieczynności.

Terapia polami magnetycznymi małej częstotliwości

Zastosowanie znajdują najczęściej pola magnetyczne o częstotliwości do 50 Hz. Kształt impulsów może mieć przebieg prostokątny, trójkątny i sinusoidalny. Natężenie pola magnetycznego wyrażone w jednostkach indukcji magnetycznej nie przekracza 10 mT (1 tesla = 1 V × s/m^2). Pola te są uzyskiwane z urządzeń do magnetoterapii. Urządzenia składają się z części generującej oraz aplikatorów o charakterze solenoidu lub aplikatorów płaskich.

Dobór właściwych warunków zabiegu magnetoterapeutycznego opiera się na trzech parametrach:

- czasie trwania zabiegu,
- częstotliwości i charakterze zmian pola magnetycznego,
- natężeniu pola magnetycznego.

Zabiegi nie są krótsze niż 5 min, czas zaś dłuższy od 5 min stosuje się bardzo rzadko. Wykonuje się je codziennie lub 2–3 razy w tygodniu, łącznie 5–15 zabiegów w serii.

Dobór częstotliwości i natężenia pola magnetycznego zależy od wskazań i stadium choroby.

Mechanizm działania na ustrój pola magnetycznego jest złożony i zależy od właściwości magnetycznych struktur tkankowych. Przyjmuje się, że opiera się on na występowaniu w tkankach zjawisk magnetoelektrycznych. Pola elektromagnetyczne wywierają również wpływ na piezoelektryki ustroju oraz zmianę właściwości fizycznych wody.

Wskazania do stosowania zmiennego pola magnetycznego są bardzo rozległe. Wymienić tu należy chorobę zwyrodnieniową stawów, zespoły bólowe w przebiegu choroby zwyrodnieniowej stawów kręgosłupa, reumatoidalne zapalenie stawów, utrudniony zrost kości, chorobę Sudecka, sportowe urazy mięśni ścięgien i stawów, entezopatie, trudno gojące się rany i oparzenia, zaburzenia krążenia obwodowego.

Przeciwwskazania obejmują: chorobę nowotworową, ciążę, zaawansowane zaburzenia krążenia obwodowego, angiopatię cukrzycową, czynną gruźlicę płuc, nadczynność tarczycy, krwawienia z przewodu pokarmowego, ostrą niewydolność wieńcową, ciężkie infekcje pochodzenia wirusowego, bakteryjnego i grzybiczego. Nie stosuje się zabiegów magnetoterapeutycznych u osób ze wszczepionymi implantatami elektronicznymi (np. rozrusznik serca).

Prądy impulsowe średniej częstotliwości

W lecznictwie stosuje się prądy średniej częstotliwości (4000–5000 Hz), modulowane w amplitudzie w postaci impulsów o obwiedni sinusoidalnej i częstotliwości 0–500 Hz oraz tzw. prądy interferencyjne. Prądy średniej częstotliwości cechuje słabsze oddziaływanie na receptory czuciowe skóry, ograniczone działanie elektrochemiczne mogące spowodować uszkodzenie skóry, a także dobre przenikanie w głąb tkanek.

Prądy interferencyjne powstają w tkankach w wyniku interferencji dwóch prądów średniej częstotliwości, których częstotliwości różnią się niewiele, zwykle od 0 do 100 Hz. Interferencję uzyskuje się przez zastosowanie dwóch odrębnych obwodów zabiegowych prądu, przy użyciu dwóch par elektrod umiejscowionych na skórze tak, aby interferencja zachodziła w okolicy lokalizacji procesu chorobowego. W wyniku interferencji powstaje w tkankach

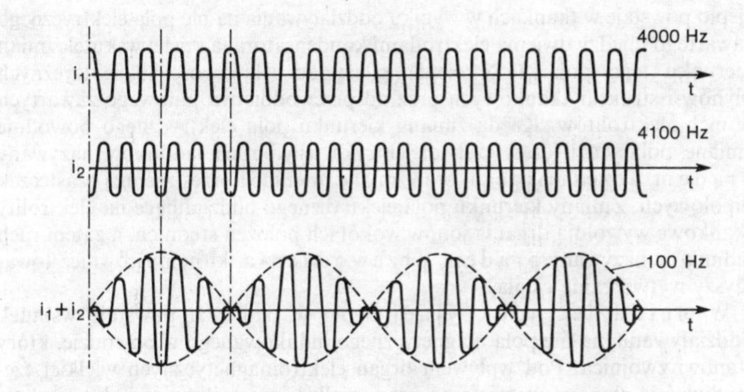

Interferencja dwóch prądów: różnica częstotliwości równa jest 100 Hz; i_1, i_2 – amplitudy natężenia prądów

„wypadkowy" bodziec elektryczny małej częstotliwości, który jest równy różnicy między częstotliwościami prądów składowych (rys.).

Prądy interferencyjne są w istocie przemiennymi prądami średniej częstotliwości, modulowanymi w amplitudzie z małą częstotliwością, równą różnicy między częstotliwościami prądów składowych, zwykle w granicach od 0 do 100 Hz. Zasady wykonywania zabiegów są analogiczne do obowiązujących przy wykonywaniu innych zabiegów elektroleczniczych.

W s k a z a n i a do stosowania prądów interferencyjnych nie odbiegają od przyjętych w leczeniu prądami małej częstotliwości (zob. wyżej). Aparat do terapii prądami interferencyjnymi, zob. tablica 3 c.

Prądy stereointerferencyjne. Są to ostatnio wprowadzane do lecznictwa prądy średniej częstotliwości, interferowane w tkankach z trzech odrębnych obwodów zabiegowych, które umożliwiają oddziaływanie przestrzenne.

Leczenie polami elektromagnetycznymi wielkiej częstotliwości

Metody fizykalne, w których stosuje się pola elektromagnetyczne wielkiej częstotliwości, są od dawna znane w lecznictwie. Istotą oddziaływania leczniczego tych metod jest w y t w a r z a n i e w t k a n k a c h c i e p ł a, a zabiegi określa się nazwą d i a t e r m i i, czyli g ł ę b o k i e g o p r z e g r z a n i a. W zależności od częstotliwości drgań elektromagnetycznych, wyróżnia się d i a t e r m i ę k r ó t k o f a l o w ą i m i k r o f a l o w ą.

Diatermia krótkofalowa

Diatermię krótkofalową wykonuje się dwiema metodami: metodą kondensatorową i metodą indukcyjną. W m e t o d z i e k o n d e n s a t o r o w e j ciepło powstaje w tkankach w wyniku oddziaływania na nie pola elektrycznego zawartego między dwiema elektrodami kondensatora, a ściślej wskutek zmian kierunku tego pola. Ilość ciepła zależy od właściwości dielektrycznych płynów i struktur tkankowych oraz od przewodnictwa jonowego zawartych w nich elektrolitów. Każda zmiana kierunku pola elektrycznego powoduje zmianę polaryzacji cząsteczek dielektryka, czyli ruch ładunków nazywany prądem przesunięcia, oraz zmianę orientacji przestrzennej cząsteczek dipolowych. Zmiany kierunku pola elektrycznego oddziałujące na elektrolity tkankowe wywołują drgania jonów wokół ich położeń średnich, a zatem ruch ładunków nazywany prądem przewodzenia, któremu również towarzyszy wytwarzanie ciepła.

W metodzie indukcyjnej ciepło w tkankach powstaje wskutek oddziaływania na nie pola magnetycznego indukowanego w obwodzie, który stanowi zwojnica. Pod wpływem drgań elektromagnetycznych wielkiej częstotliwości, płynący w zwojnicy prąd wielkiej częstotliwości indukuje pole magnetyczne wielkiej częstotliwości. Zmiany tego pola wywołują w tkankach przepływ prądów indukowanych o zamkniętych obwodach, zwanych prądami wirowymi, czemu towarzyszy wytwarzanie ciepła.

W indukcyjnej metodzie diatermii krótkofalowej stosuje się również tzw. elektrody indukcyjne, zawierające zwojnicę indukującą pole magnetyczne wielkiej częstotliwości.

Działanie biologiczne diatermii krótkofalowej polega na działaniu ciepła na tkanki. Jest to ciepło wytworzone w tkankach, tzw. ciepło endogenne, w odróżnieniu od ciepła egzogennego dostarczanego z zewnątrz. Ciepło endogenne powoduje: rozszerzenie naczyń krwionośnych, przyspieszenie wchłaniania tkankowego, przyspieszenie przemiany materii, wzrost liczby leukocytów w tkankach przegrzewanych, obniżenie pobudliwości nerwowo-mięśniowej, efekt przeciwbólowy oraz zmniejszenie napięcia mięśni.

Metodyka zabiegów diatermii krótkofalowej jest bardzo zróżnicowana, wymaga dużej staranności, właściwego doboru i usytuowania elektrod oraz odpowiedniego dawkowania. Dawka zależy od odczuwania ciepła przez chorego, czasu zabiegu oraz rodzaju i umiejscowienia procesu chorobowego. Wyróżnia się cztery stopnie dawki, od tzw. dawki atermicznej, przy której chory nie odczuwa ciepła, do dawki hipertermicznej, wywołującej silne jego odczuwanie. Czas zabiegu waha się od 10 do 20 min. Seria obejmuje zwykle 10 – 20 zabiegów.

Wskazania do diatermii krótkofalowej są bardzo szerokie. Ogólnie przyjmuje się, że daje ona korzystne wyniki w leczeniu chorób, w których wskazane jest stosowanie ciepła, m.in. w podostrych i przewlekłych stanach zapalnych.

Przeciwwskazania stanowią nowotwory, czynna gruźlica, ciąża, skłonność do krwawień, wylewy krwawe do narządów, ropne zapalenie ucha środkowego, ropnie narządów wewnętrznych i ropnie chełboczące, obrzęki, żylakowatość podudzi i powstające na jej tle owrzodzenia oraz obecność metalicznych ciał obcych.

Terapia polem magnetycznym wielkiej częstotliwości

Pole magnetyczne wielkiej częstotliwości w postaci impulsów przekazuje się do tkanek za pomocą specjalnej elektrody (zob. aparat do terapii tym polem, tablica 2 d). Zaletą tej metody jest zmniejszenie oddziaływania cieplnego oraz możliwość stosowania impulsów o dużej mocy szczytowej. Przyjmuje się, że wpływają one na potencjał elektryczny błon komórkowych, co prowadzi do szeregu zmian w czynności komórek.

Wskazanie do stosowania tej metody stanowią stany chorobowe, w których przegrzanie tkanek nie jest wskazane, np. obrzęki i krwiaki pourazowe.

Diatermia mikrofalowa

Metoda ta polega na przegrzaniu tkanek w polu elektromagnetycznym o częstotliwości mikrofalowej. W lecznictwie najczęściej stosuje się mikrofale o długości fali 69 cm (433,92 MHz) i 12,4 cm (2425 MHz). Drgania elektromagnetyczne tak wielkiej częstotliwości uzyskuje się dzięki zastosowaniu specjalnej lampy generacyjnej, tzw. magnetronu. Mikrofale wykazują właściwości fizyczne zbliżone do fal świetlnych, można więc je skupiać za pomocą reflektora i w postaci wiązki kierować na dany obiekt.

Wpływ mikrofal na tkanki jest złożony. Mogą one na strukturach tkankowych ulegać rozbiciu, rozproszeniu, załamaniu oraz dyfrakcji. Wnikając na niewielką głębokość (6–8 cm) powodują oscylację jonów i spolaryzowanych cząsteczek dielektryków, czemu towarzyszy wytwarzanie ciepła. Przy częstotliwości mikrofal dużą rolę odgrywają właściwości dielektryczne wody, dlatego największemu przegrzaniu ulegają tkanki zawierające duże jej ilości, tzn. krew i mięśnie. Tkanka tłuszczowa zawierająca mało wody przegrzewa się słabo. Zabiegi mikrofalowe wykonuje się przy użyciu specjalnego aparatu. Wiązkę mikrofal kieruje się na dany obiekt promiennikiem zawierającym antenę dipolową, umieszczoną w ognisku reflektora. Dawki wahają się od słabych (20 W) do mocnych (75 W). Czas zabiegu wynosi od 5 do 15 min. Seria obejmuje 10–15 zabiegów.

Wskazania do stosowania mikrofal są ograniczone ze względu na ich powierzchniowe działanie. Znajdują zastosowanie w przewlekłych zapaleniach stawów, zapaleniach okołostawowych, nerwobólach oraz zespołach bólowych.

Przeciwwskazania są takie jak do diatermii krótkofalowej (zob. wyżej).

Leczenie ultradźwiękami

Ultradźwięki są to drgania mechaniczne o częstotliwości przekraczającej granicę słyszalności ucha ludzkiego. W lecznictwie stosuje się przeważnie ultradźwięki o częstotliwości 800, 1000 i 2400 kHz. Są one wytwarzane przez specjalne aparaty, w skład których wchodzi generator prądu wielkiej częstotliwości oraz układ wytwarzający drgania mechaniczne, nazywany też głowicą ultradźwiękową. Jest to przetwornik piezoelektryczny, który stanowi płytka z tytanianu baru, drgająca w takt zmian prądu wielkich częstotliwości. Aparaty Ultraton D-200 (tablica 3 d) oraz Ultraton D-300 wytwarzają ultradźwięki o częstotliwości 800 kHz w postaci fali ciągłej i impulsów.

Jeśli układ drgający znajdzie się w dostatecznie sprężystym ośrodku, pobudza do drgań jego cząsteczki, powodując powstanie podłużnej fali ultradźwiękowej. Na jej przebiegu tworzą się strefy zagęszczeń i rozrzedzeń cząsteczek, w których działają siły ściskające i rozciągające. W ośrodku o różnym stanie skupienia prędkość rozchodzenia się fali ultradźwiękowej jest różna. W wodzie fala ultradźwiękowa o częstotliwości 800 kHz rozchodzi się z prędkością ok. 1500 m/s.

Przekazanie tkankom drgań przetwornika wymaga jego sprzężenia ze skórą przez warstwę substancji o podobnych właściwościach akustycznych. Najczęściej używa się parafiny ciekłej, wody lub specjalnych żelów. Pochłonięta przez tkanki energia wywołuje wiele zmian pierwotnych, występujących miejscowo w chwili nadźwiękawiania, oraz zmian wtórnych, będących następstwem zmian pierwotnych.

Ultradźwięki poza działaniem mechanicznym i cieplnym wpływają na chemizm tkanek. Wpływ ten przejawia się: we wzmożeniu przepuszczalności błon komórkowych, w usprawnieniu przemiany materii, w powstawaniu ciał aktywnych biologicznie, w oddziaływaniu na enzymy tkankowe, w powodowaniu zmian w strukturze koloidów, w układach jonowych oraz w przesunięciu odczynu tkanek w kierunku zasadowym. W konsekwencji ultradźwięki wywierają działanie przeciwbólowe, powodują zmniejszenie napięcia mięśni, rozszerzenie naczyń krwionośnych, zmniejszenie napięcia współczulnego układu nerwowego, hamowanie procesów zapalnych oraz usprawnienie wchłaniania tkankowego.

Zabiegi ultradźwiękowe wykonuje się metodą stacjonarną oraz przy użyciu głowicy ruchomej, którą przesuwa się po skórze ruchem kolisto-postępującym. Podstawę dawkowania stanowi natężenie dźwięku wyrażone w watach (W) na cm^2 powierzchni drgającej przetwornika. Dawki wahają się od słabych (0,05–0,5 W/cm^2) do mocnych (1,5 W/cm^2). Czas zabiegu wynosi od 5 do 12 min. Pełny cykl leczenia obejmuje zwykle 12–15 zabiegów.

Wskazania do stosowania ultradźwięków obejmują m.in.: zespoły bólowe w przebiegu choroby zwyrodnieniowej stawów kręgosłupa i dyskopatii, nerwobóle, chorobę zwyrodnieniową stawów, zapalenia okołostawowe, owrzodzenia troficzne skóry, blizny oraz przykurcz Dupuytrena.

Przeciwwskazania stanowią: nowotwory, ciąża, czynny proces gruźliczy, niewydolność krążenia, stany gorączkowe, ciężki stan ogólny, nie zakończony wzrost kości, obecność metalicznych ciał obcych oraz nerwica wegetatywna znacznego stopnia. Ostrożności wymaga stosowanie ultradźwięków w okolicy twarzy, serca, gruczołów dokrewnych, w zaawansowanej miażdżycy i chorobie wieńcowej. Unikać należy nadźwiękawiania narządów wewnętrznych jamy brzusznej i klatki piersiowej.

Wodolecznictwo

Zabiegi wodolecznicze mają charakter bodźcowy. Odczyn zależy od: natężenia czynnika cieplnego, mechanicznego, czasu ich działania, powierzchni pola pobudzanego oraz wrażliwości osobniczej. Wyróżnia się zabiegi ogólne i miejscowe oraz zabiegi zimne (8–20°C), chłodne (20–27°C), letnie (28–33°C), ciepłe (34–37°C) oraz gorące (38–42°C). Odczyn organizmu na temperaturę jest tym większy, im bardziej odbiega ona od tzw. obojętnego punktu cieplnego skóry (33–35°C).

Zabiegi zimne działają silnie pobudzająco, wywołując w pierwszej fazie krótkotrwałe zwężenie naczyń, a następnie odczynowe przekrwienie. Chorzy szczupli źle znoszą tego rodzaju zabiegi, dlatego też należy je łączyć z oddziaływaniem mechanicznym, tzn. z rozcieraniem, szczotkowaniem, chłostaniem, aby usprawnić krążenie. Pod wpływem zabiegów zimnych zwalnia się akcja serca, nieznacznie obniża ciśnienie krwi, zwalnia i pogłębia oddech oraz zwiększa wydalanie moczu.

Zabiegi ciepłe wywołują intensywne przekrwienie skóry, obniżenie ciśnienia krwi, przyspieszenie akcji serca, przyspieszenie i spłycenie oddechu, zwiększenie wydzielania moczu, zmniejszenie napięcia mięśni oraz pobudliwości nerwów.

Zabiegi gorące wywołują krótkotrwałe zwężenie, a następnie rozszerzenie naczyń krwionośnych, przyspieszenie akcji serca, obniżenie ciśnienia krwi, przyspieszenie i pogłębienie oddechu, zmniejszenie napięcia mięśni i pobudliwości nerwów. Odczyny ze strony naczyń głębiej położonych przebiegają zgodnie z prawem Dastre–Morata (zob. s. 531).

Kąpiele

Spośród wielu zabiegów wodoleczniczych wymienić należy kąpiele, w tym kąpiel o stopniowanej temperaturze wg Hauffego, kąpiel wirową, kąpiel kinezyterapeutyczną, półkąpiele, polewania, zmywania, nacierania, zawijania, okłady, płukania oraz natryski.

Kąpiel wirową, nazywaną również **masażem wirowym**, wykonuje się w specjalnych zbiornikach, wyposażonych w urządzenia o napędzie mechanicznym, wprawiające wodę w ruch wirowy. Temperatura wody wynosi 32–40°C, a czas zabiegu od 15 do 20 min. Kąpiele wirowe stosuje się w przewlekłych stanach zapalnych tkanek miękkich, przewlekłych zapaleniach stawów i zapaleniach okołostawowych oraz w przykurczach bliznowatych.

Kąpiel kinezyterapeutyczną wykonuje się w specjalnych wannach kinezyterapeutycznych lub w przystosowanych basenach kąpielowych. Wykonując ćwiczenia ruchowe wykorzystuje się odciążający wpływ wyporu hydrostatycznego. Temperatura wody wynosi 34–37°C; dla dzieci powinna być ok. 2°C wyższa. Kąpiele kinezyterapeutyczne są stosowane głównie w chorobach narządu ruchu.

Natryski

Natryski wykonuje się przy użyciu urządzenia nazywanego katedrą natryskową, które jest wyposażone w mieszalnik, termometr oraz manometr. Temperatura wody waha się od 8 do 40°C, a ciśnienie od 2 do 4 at (w przybliżeniu 2000–4000 hPa). Wyróżnia się natryski ruchome, w których działa ruchomy, różnie ukształtowany strumień wody, natryski spadowe, w których woda spada na ciało z wysokości 1–2 m przez nasadkę sitkową, oraz natryski stałe, o stałym kształcie i kierunku strumienia. Spośród natrysków ruchomych powszechnie stosowany w wodolecznictwie jest natrysk szkocki. Jest to natrysk pod znacznym ciśnieniem (2–3 at), w którym zmienia się naprzemiennie temperaturę wody: 30–60 s woda gorąca, następnie w czasie kilku sekund woda zimna. Zabieg ten usprawnia krążenie.

Wskazania do natrysków obejmują nerwice, stany wyczerpania psychicznego, przewlekłe choroby dróg oddechowych oraz zaburzenia ukrwienia obwodowego.

Przeciwwskazania stanowią: niewydolność krążenia, choroba nadciśnieniowa, choroba wieńcowa, stany gorączkowe oraz stany wyniszczenia.

Wziewania

Jest to metoda lecznicza nazywana również inhalacją. Polega na wprowadzeniu leków do dróg oddechowych, dzięki zastosowaniu urządzeń wytwarzających aerozole lecznicze. Wziewania mogą się odbywać indywidualnie i zbiorowo.

Urządzenia do wziewań rozpraszają leki za pomocą sprężonego powietrza albo ultradźwięków. Rozproszenie roztworu leku zwiększa jego powierzchnię, a tym samym działanie. Optymalna do celów leczniczych średnica zawieszonych w gazie kropelek wynosi 0,5–10 μm.

Efekt leczniczy aerozoli zależy od głębokości ich wnikania, szybkości prądu powietrza w drogach oddechowych, wielkości kropelek oraz częstości oddychania.

Wziewania stosuje się w chorobach układu oddechowego, podając w tej formie leki rozkurczowe, leki ułatwiające wykrztuszenie wydzieliny, leki przeciwzapalne oraz antybiotyki.

IV. KRWIODAWSTWO I LECZENIE KRWIĄ

Krew i środki krwiopochodne mają dziś szerokie zastosowanie w licznych dziedzinach medycyny, szczególnie zaś w specjalnościach zabiegowych. Rozwój nauki o przetaczaniu krwi, który nastąpił po drugiej wojnie światowej, umożliwił rozwój chirurgii naczyń, serca i klatki piersiowej oraz znacznie ułatwił i poprawił wyniki leczenia chirurgicznego skaz krwotocznych, np. hemofilii. To rozpowszechnione dziś leczenie krwią i środkami krwiopochodnymi kryje w sobie niebezpieczeństwo różnych powikłań oraz przeniesienia tą drogą chorób zakaźnych, m.in. najgroźniejszej choroby naszego stulecia – AIDS (zob. Choroby przenoszone drogą płciową, s. 1940).

Fachowy nadzór nad prawidłowym rozwojem krwiodawstwa i krwiolecznictwa oraz nad służbą krwi w całym kraju sprawuje Instytut Hematologii w Warszawie. Instytutowi podlegają wszystkie wojewódzkie stacje krwiodawstwa, które z kolei nadzorują przyszpitalne punkty krwiodawstwa. Centralny Ośrodek Dyspozycyjny Służby Krwi (CODSK), który ma swoją siedzibę w Warszawie przy Instytucie Hematologii, codziennie zbiera dane o aktualnych zapasach krwi i jej pochodnych ze wszystkich ośrodków służby krwi w Polsce. Dysponuje on wiadomościami o możliwości otrzymywania tzw. trudnych grup krwi i preparatów osoczopochodnych w przypadkach nagłych lub większych katastrof żywiołowych.

Krwiodawstwo

Krwiodawcą może zostać każdy człowiek zdrowy w wieku 18–60 lat. Pod pojęciem zdrowia należy rozumieć stan pełnego fizycznego i umysłowego zdrowia, które odpowiadałoby wymogom osoby klinicznie zdrowej. Kwalifikowanie kandydata do oddawania krwi jest objęte pewnymi określonymi przepisami, których naczelną dewizą jest – minimum krzywdy – maksimum korzyści. Wszyscy krwiodawcy i kandydaci na krwiodawców podlegają badaniu lekarskiemu. Jak w medycynie wewnętrznej, tak i w odniesieniu do krwiodawcy, właściwie zebrane wywiady, przeprowadzone odpowiednio badania przedmiotowe, zwłaszcza przed pierwszym pobraniem krwi, mogą być pomocne w podjęciu decyzji na zezwolenie uprawiania krwiodawstwa.

Normy laboratoryjne

Niezależnie od badania klinicznego, ustalono dla krwiodawców normy laboratoryjne, nieco inne dla mężczyzn i kobiet.

Poziom hemoglobiny nie może być niższy niż 13,5 g% (9,37 mmol/l) u mężczyzn i 12,5 g% (7,75 mmol/l) u kobiet. Liczba krwinek czerwonych nie może być niższa od 4 500 000 w 1 mm^3 (4,5 T/l) u mężczyzn i 4 000 000 w 1 mm^3 (4,0 T/l) u kobiet. Wskaźnik h e m a t o k r y t o w y – zakres wartości prawidłowych dla mężczyzn 42–54% (0,42–0,54 l/l) i 38–47% (0,38–0,47 l/l) dla kobiet. L i c z b a k r w i n e k b i a ł y c h może wahać się od 4500–10 000 w 1 mm^3 (4,5 do 10,0 G/l).

O d s e t k o w y w z ó r k r w i n e k b i a ł y c h: pałeczkowate 0–7% (0,0–0,07 l/l), zasadochłonne 0–2% (0,0–0,02 l/l), podzielone 0,55–0,70% (0,55–0,70 l/l), limfocyty 20–40% (0,20–0,40 l/l), kwasochłonne 1–5% (0,01–0,05 l/l), monocyty 4–8% (0,04–0,08 l/l).

O p a d a n i e k r w i n e k (OB) metodą Westergrena – po 1 godz. (przy zastosowaniu zestawów „Pronto" po 7 min) nie może przekraczać 10 mm u mężczyzn i 12 mm u kobiet.

P o j e d n o r a z o w y m p o b r a n i u k r w i w ilości 400–500 ml liczba krwinek czerwonych obniża się ok. 350 000 (0,35 T/l), poziom hemoglobiny zmniejsza się ok. 1,0 g% (0,62 mmol/l), wartość hematokrytu obniża się ok. 2% (0,02 l/l). Liczba krwinek czerwonych wraca do normy w okresie 7–10 dni, odnowa hemoglobiny zaś trwa 4–6 tygodni. U dawców, którzy wielokrotnie oddają krew i nie przestrzegają ustalonych przepisami przerw pomiędzy poszczególnymi upustami krwi, dają się zauważyć przejściowe stany niedoboru zarówno hemoglobiny, jak i erytrocytów. Dawcy ci podlegają dyskwalifikacji całkowitej lub okresowej. W polskiej służbie krwi zdarza się to u 20% mężczyzn i 50% kobiet.

Metody pobierania osocza

Współczesny rozwój substytucyjnego leczenia krwią pociąga za sobą zwiększone zapotrzebowanie na krew i konieczność doskonalenia metod jej konserwowania i frakcjonowania. Wzrost zapotrzebowania na preparaty osoczopochodne zmusił placówki służby krwi do jej pobierania od dawców metodą bardziej ekonomiczną – p l a z m a f e r e z y. Polega ona na tym, że pobiera się od dawcy 400 lub 800 ml krwi, natychmiast się ją odwirowuje, odciąga osocze, a elementy komórkowe zwraca dożylnie dawcy. Przywrócenie prawidłowego obrazu krwi następuje w tych przypadkach stosunkowo szybko, gdyż dotyczy jedynie białek osocza, te natomiast regenerują się w ciągu kilkunastu godzin.

Plazmafereza może być stosowana w odstępach 21 lub 24 dni, a nawet częściej. Daje to możliwość zwiększenia zasobów zarówno samego osocza suchego lub mrożonego, jak i jego preparatów do celów serologicznych (serofereza). Pozwala też na otrzymanie płytek krwi i leukocytów (trombofereza, leukofereza).

Odmianą plazmaferezy jest i m m u n o f e r e z a, polegająca na pobieraniu osocza od dawców uprzednio immunizowanych odpowiednimi antygenami, pod wpływem których wytworzyły się we krwi duże ilości odpowiednich przeciwciał.

Wnikliwe badania dawców osocza dowiodły, że plazmafereza nie wywiera ujemnego wpływu na ich stan zdrowia.

Zapobieganie przenoszeniu chorób zakaźnych

Zapobieganie przenoszeniu chorób zakaźnych przez krew polega na prowadzeniu wśród dawców krwi odpowiednich badań kwalifikacyjnych, mających na celu wykrycie osób chorych lub nosicieli. Na przykład, w celu zapobieżenia wszczepieniu wirusowego zapalenia wątroby, chorobie, której czas inkubacji wynosi 45–180 dni, stosuje się wyłącznie sprzęt jednorazowego użytku. Wprowadzono też jako badanie rutynowe oznaczanie u wszystkich dawców krwi antygenu Australia, zwanego początkowo Au, SH, a ostatnio HB_sAg, który uznano za swoisty dla wirusowego zapalenia wątroby typu B. Prowadzona jest również wnikliwa selekcja tych dawców krwi, którzy: a) w czasie 6 miesięcy poprzedzających upust krwi mieli przetaczaną krew, b) w czasie 6 miesięcy poprzedzających upust krwi mieli kontakt z chorym na żółtaczkę (wirusowe zapalenie wątroby), c) są podejrzani o to, że ich krew lub osocze były przyczyną wszczepiennego wirusowego zapalenia wątroby u biorcy, d) wykazują zwiększoną aktywność aminotransferaz (AspAT i AlAT), e) wykazują zmiany w moczu wskazujące na uszkodzenie wątroby (obecność barwników żółciowych), f) mają powiększoną wątrobę lub śledzionę.

Zapobieganie przenoszeniu AIDS, tj. zespołu nabytego upośledzenia odporności, polega na badaniu krwi dawców na obecność wirusa HIV oraz na ograniczeniu leczenia krwią do przypadków bezwzględnie koniecznych.

W celu zmniejszenia ryzyka przeniesienia kiły podczas leczenia krwią i jej pochodnymi wprowadzono badania kwalifikacyjne na odczyn VDRL lub odczyn Nelsona u krwiodawców, jak również stosowanie wyłącznie krwi konserwowanej. Stwierdzono, że przechowywanie krwi w płynie ACD w temp. 4–6°C przez okres 24–72 godz. zmniejsza w wielkim stopniu żywotność krętka bladego. Krwiodawcy, którzy chorowali na zimnicę, mogą być zakwalifikowani do oddania krwi, jeżeli przez ostatnie 5 lat nie mieli charakterystycznych objawów tej choroby.

Rozróżnia się zatem przeciwwskazania bezwzględne do oddawania krwi (dyskwalifikacja na stałe) oraz przeciwwskazania lub dyskwalifikację czasową.

Przeciwwskazania bezwzględne, dyskwalifikujące na stałe, to: zespół nabytego upośledzenia odporności (AIDS), kiła wrodzona i nabyta, gruźlica płuc lub innych narządów, bruceloza, choroby układu krążenia, choroby krwi i układu krwiotwórczego, stany po zawale mięśnia sercowego, ogólna miażdżyca, nadciśnienie tętnicze, ostre i przewlekłe choroby nerek, nowotwory złośliwe, padaczka, ciężkie nerwice wegetatywne, choroby psychiczne, alkoholizm, choroba wrzodowa żołądka i dwunastnicy, cukrzyca, łuszczyca, choroby gruczołów wydzielania wewnętrznego, ozena (zanikowy nieżyt nosa), zaburzenia przemiany materii oraz przebyte operacje z powodu nowotworów złośliwych, gruźlicy lub bąblowca.

Przeciwwskazania względne dyskwalifikujące czasowo to: ostre choroby zakaźne, choroby skóry typu zakaźnego, zapalnego, uczuleniowego, choroby oczu (zwłaszcza zapalne), ostry i przewlekły gościec stawowy, masa ciała niższa niż 50 kg u mężczyzn i 45 kg u kobiet, miesiączka u kobiet i okres 3 dni po ukończeniu krwawienia, 6-miesięczny okres po porodzie i zabiegach operacyjnych, 10-dniowy okres po szczepieniach ochronnych, z tym, że dawcy szczepieni przeciwko ospie naturalnej mogą oddawać krew po pełnym wygojeniu wykwitu, jednak nie wcześniej niż po upływie 3 tygodni. Osoby, które przebywały w krajach tropikalnych, mogą oddać krew po upływie jednego roku od daty powrotu do kraju.

Konserwowanie krwi

Celem konserwowania krwi jest utrzymanie jej w płynnym stanie oraz zapobieganie procesowi starzenia się. Stosowane różnego rodzaju płyny konserwujące utrzymują fizjologiczne funkcje krwinek czerwonych i biochemiczne właściwości osocza. W Polsce obowiązuje stosowanie płynu konserwującego ACD formuły „B" wg Narodowego Instytutu Zdrowia USA, o następującym składzie: trójsodowy cytrynian dwuwodny 13,2 + kwas cytrynowy jednowodny 4,8 + glukoza jednowodna 14,7 + woda apyrogenna do 1000.

Innym płynem, który wprowadzono w 1959 r. do konserwowania krwi przeznaczonej do krążenia pozaustrojowego, jest roztwór soli sodowej czterooctanu etylenodwuaminy (EDTA). Płyn ten, noszący nazwę „Edglugate-Mg", nie spełnił oczekiwanych nadziei. Krew do niego pobrana nie może być dłużej przechowywana niż przez 48 godz. Po tym okresie we krwi zachodzą niekorzystne zmiany, które mogą powodować powikłania.

W przypadkach, gdy brakuje obowiązującego płynu konserwującego, mogą być zastosowane do konserwowania krwi żywice jonowymienne. Są to wysoko spolimeryzowane związki, które absorbują różne jony z roztworu przez nie przepuszczonego. Działanie żywic jonowymiennych polega na wychwytywaniu jonów wapnia z krwi pobranej od dawcy i przepuszczanej przez kolumnę wypełnioną żywicą, dzięki czemu krew pozostaje w stanie płynnym. Krew taką stosuje się w krążeniu pozaustrojowym, do przetoczeń wymiennych oraz w chorobach wątroby wymagających przetoczenia większych ilości krwi. Również z dużym powodzeniem stosuje się żywice jonowymienne w plazmoferezie i seroferezie.

W trakcie badań i obserwacji jest płyn cytrynianowo-fosforanowo-glukozowy, czyli płyn CPD. Badania wykazały, że krwinki czerwone przechowywane w tym płynie przez okres 30 dni, po 24 godz. od przetoczenia do organizmu biorcy przeżywają w 75%. Wyniki badań biochemicznych krwi konserwowanej płynem CPD są lepsze od wyników badań krwi konserwowanej płynem ACD. Wykazują one mniejszy poziom potasu w osoczu i mniejszy poziom wolnej hemoglobiny. Dalsze badania dotyczące przedłużenia czasu życia krwi konserwowanej uwidoczniły, że dodanie do płynu konserwującego ACD niektórych związków, takich jak inozyna, adenina lub adenozyna, przedłuża czas przechowywania krwi do 35 dni i że wyniki klinicznego stosowania tej krwi są zachęcające. Dość szerokim badaniom poddano też krwinki konserwowane przy użyciu płynu oznaczonego symbolem JAG. Skład tego płynu jest następujący: 1,34 inozyny + 0,034 adeniny + 0,071 g guanozyny + 200 ml płynu Ringera o pH 7. Po oddzieleniu osocza od krwinek czerwonych, dodaje się na jego miejsce 200 ml roztworu JAG. W tak konserwowanej krwi po 42 dniach przechowywania stwierdzono wysokie wartości adenozynotrójfosforanu (ATP) i 2,3-dwufosfoglicerynianu (2,3-DPG), a badania kliniczne po przetoczeniu tejże krwi wykazały, że w organizmie biorcy przeżyło 80% krwinek.

Poza zwykłym konserwowaniem i przechowywaniem krwi istnieje również metoda wieloletniego konserwowania i przechowywania krwi w niskich temperaturach, z dodatkiem ochronnych związków chemicznych. W wielu ośrodkach przechowuje się krew w temperaturze –80°C, stosując do tego specjalne agregaty chłodnicze. Dość powszechnie przyjęła się technika zamrażania krwi w temperaturze ciekłego azotu, tj. –196°C, lub też jego par, tj. –150°C. Do substancji ochronnych przenikających należy glicerol i dwumetylosiarkotlenek (DMSO). Do substancji ochronnych nie mających właściwości przenikających należą: dekstran, albuminy, glukoza, hydroksyetylowana i hydroksypropylowana skrobia oraz poliwinylopirolidon (PVP).

Niektóre zmiany biochemiczne we krwi konserwowanej

Najlepsze warunki konserwowania krwi są spełnione wówczas, gdy funkcja i struktura krwinek czerwonych jest zachowana i po przetoczeniu zachowują one swoją biologiczną rolę przez pewien ograniczony czas. Podczas przechowywania krwi zachodzą zmiany w zawartości jej elektrolitów oraz związkach azotowych wchodzących w skład tzw. azotu pozabiałkowego. W początkowej fazie przechowywania krwi zmniejsza się częściowo zawartość potasu w osoczu, a zwiększa zawartość sodu, dla którego otoczka krwinki czerwonej jest przepuszczalna w obu kierunkach. Przenikanie to jest bardzo powolne i stosunek stężenia sodu w osoczu do jego stężenia w krwince czerwonej wynosi 8,5:1. Zależy to od mechanizmu regulującego przenoszenie jonów przez błony komórkowe. Mechanizm ten nazwano pompą sodowo-potasową (zob. Fizjologia komórki, s. 75). Przechodzenie jonów chlorku przez otoczkę krwinki jest niezależne od jej aktywności metabolicznej i przebiega 600 do 1300 razy szybciej niż przenikanie jonów sodu i potasu. W miarę upływu czasu następuje wzrost zawartości potasu w osoczu z wyjściowej wartości 5,5 mmol/l do 17,0 mmol/l w 20 dniu konserwowania, wzrasta również poziom żelaza, niekiedy nawet 3-krotnie. Z wielu związków azotowych obecnych we krwi, wchodzących w skład tzw. azotu pozabiałkowego, prawidłowe wartości amoniaku w osoczu zdrowego człowieka wahają się w granicach 15–60 μg/100 ml (8,85–35,4 mmol/l). W czasie przechowywania krwi stężenie amoniaku wzrasta w trzecim tygodniu i wynosi 570–1000 μg/100 ml (336,3–590 mmol/l).

W świeżej krwi konserwowanej zawartość 2,3-dwufosfoglicerynianu

(2,3-DPG) stanowi 50% wszystkich związków fosforu, które w niej występują w postaci organicznej. Około 25% całkowitego organicznego fosforu stanowi adenozynotrójfosforan (ATP). Związkiem, który decyduje o prawidłowej funkcji hemoglobiny, jest 2,3-dwufosfoglicerynian, czyli 2,3-DPG. W czasie konserwowania i przechowywania krwinek czerwonych związek ten ulega rozpadowi. Straty po 24 godz. wynoszą ok. 30%, a po dwóch tygodniach – 90%. Przetoczenie krwi z obniżonym poziomem 2,3-DPG powoduje w krótkim czasie syntezę tego związku u biorcy. Według badań różnych autorów, po przetoczeniu krwi dochodzi do resyntezy 2,3-DPG do połowy, a po 24 godz. do 2/3 wartości wyjściowych. Podczas konserwowania krwi obniża się również poziom adenozynotrójfosforanu (ATP). Po 20 dniach spadek ten wynosi 70% wartości wyjściowych. Dalsze obniżenie poziomu ATP powoduje skrócenie czasu przeżycia przetoczonych krwinek oraz upośledza transport jonów przez błonę komórkową. Inkubacja „starych" krwinek czerwonych z inozyną, adeniną lub pirogronianem i fosforanem sodu prowadzi do wzrostu zawartości 2,3-DPG i ATP, która przekracza niekiedy zawartość tych związków w świeżych krwinkach czerwonych.

W krwi konserwowanej płynem ACD istotne znaczenie mają zmiany zachodzące w niektórych czynnikach krzepnięcia (zob. Skazy krwotoczne u dzieci, s. 1290). Fibrynogen i protrombina prawie się nie zmieniają. Czynnik V – proakceleryna – zmniejsza swą aktywność już po 24–48 godz. w czasie konserwowania, po tygodniu aktywność ta zmniejsza się o 40–50% wartości wyjściowej, a w 21 dniu wynosi tylko 25–35%. Czynnik VII – prokonwertyna – utrzymuje się niezmiennie w pierwszych dniach konserwowania, ale w drugim tygodniu poziom jej spada o 20%. Czynnik VIII – AHG – jest wrażliwy i już w 7 dniu konserwowania poziom jego obniża się o 40–50%, a w 21 dniu spadek jego aktywności jest już tak duży, że stanowi on tylko 5–20% normy. Pozostałe czynniki krzepnięcia ulegają nieznacznym wahaniom, ale nie ma to praktycznego znaczenia.

Konserwacja szpiku

Szpik, podobnie jak krew, konserwuje się w niskich temperaturach. Przechowywany tak szpik, zawieszony w ochronnym środowisku, poddany działaniu temperatury ciekłego azotu, może zachować swoją żywotność przez okres kilku miesięcy. Szpik najczęściej przetacza się chorym napromienionym przypadkowo lub leczniczo, u których uległy stłumieniu mechanizmy odpornościowe.

Preparaty osoczo- i krwiopochodne

Pierwszym wyprodukowanym preparatem osocza (w czasie drugiej wojny światowej w Stanach Zjednoczonych) było osocze suche, a pierwszym preparatem osoczopochodnym była albumina. Jako uboczny produkt frakcjonowania białek osocza otrzymano m.in. immunoglobuliny, które stosuje się w zapobieganiu i leczeniu chorób zakaźnych oraz w zapobieganiu konfliktowi serologicznemu pomiędzy matką a płodem.

Albuminy stosuje się jako lek przeciwwstrząsowy oraz w przypadkach niedobiałczenia i niskiego poziomu tych białek. Wyższość albumin nad osoczem płynnym i suchym polega na tym, że na pewno nie zawierają one czynnego wirusa żółtaczki wszczepiennej (wirusowego zapalenia wątroby). Aby wydłużyć okres przechowywania tego preparatu, przygotowuje się go w postaci albuminy liofilizowanej.

Osocze stabilizowane, znane pod nazwą PPL (Plazmaproteinlosung lub Plazmanate), jest pozbawione termolabilnych euglobulin poprzez odsalanie na wymiennikach jonowych. Osocze to można pasteryzować jak albuminy. Podobnie jak albuminy, preparat ten nie zawiera czynnego wirusa żółtaczki zakaźnej.

Osocze płynne powinno być przetoczone w dniu otrzymania go ze stacji lub punktu krwiodawstwa. Do czasu przetoczenia należy je przechowywać w temperaturze 4–6°C.

Osocze suche wytwarza się metodą liofilizacji, która polega na odparowaniu wody z zamrożonego stanu. Osocze liofilizowane może być przechowywane przez wiele lat. W Polsce termin ważności tego osocza wynosi 4 lata. Osocze suche przed przetoczeniem jest rozpuszczane w podwójnie destylowanej wodzie pozbawionej ciał pyrogennych i natychmiast przetaczane.

Osocze liofilizowane grupowe, w odróżnieniu od osocza liofilizowanego mieszanego, musi być przetoczone biorcy o takiej samej grupie krwi i nie może zawierać przeciwciał anty-A lub anty-B skierowanych przeciwko odpowiednim antygenom obecnym w krwinkach czerwonych biorcy.

Osocze świeże mrożone otrzymuje się z pobranej krwi, którą natychmiast odwirowuje się w chłodnej wirówce, następnie odciąga osocze i zamraża w temperaturze –30°C. Tak przygotowane osocze umożliwia zachowanie jak największej ilości VIII czynnika krzepnięcia (AHG) i innych czynników tego procesu. Okres ważności mrożonego osocza świeżego wynosi 2 do 4 miesięcy. Musi ono być przechowywane w temperaturze –30°C.

Krioprecypitat. Jest to koncentrat czynnika VIII krzepnięcia krwi, czyli AHG, który w Polsce jest najbardziej rozpowszechniony. Preparat ten otrzymuje się z odwirowanego osocza przy zastosowaniu specjalnej techniki. Krioprecypitat AHG jest przechowywany w temperaturze –25°C przez okres 6 miesięcy. Bezpośrednio przed użyciem butelkę z preparatem podgrzewa się w łaźni wodnej o temperaturze 37°C przez okres 10–20 min i łagodnie miesza. Przed wprowadzeniem do użytku klinicznego preparat musi być poddany badaniu bakteriologicznemu.

Krioprecypitat liofilizowany może być przechowywany bez znacznych strat przez okres 3,5–4 lat w temperaturze 4°C, a w temperaturze 21°C nie dłużej niż jeden rok. Jest on oczyszczony i może być wstrzykiwany dożylnie.

Fibrynogen. Preparat tego czynnika krzepnięcia jest otrzymywany drogą frakcjonowania w postaci suchego proszku. Po rozpuszczeniu w podgrzanym rozpuszczalniku (słabo rozpuszcza się w wodzie) musi być natychmiast przetoczony. Wadą tego preparatu jest zwiększona możliwość zakażenia żółtaczką wirusową, gdyż preparat produkowany jest z krwi pochodzącej od wielu dawców.

Czynnik IX Christmasa jest stosowany w hemofilii B.

Komórkowe preparaty krwiopochodne

Masa erytrocytarna (ME) otrzymywana jest z pełnej krwi konserwowanej przez odciągnięcie osocza wraz z płynem konserwującym znad masy osiadłych lub odwirowanych elementów komórkowych krwi. Podobnie jak pełna krew, ME ważna jest 21 dni przy przechowywaniu w temperaturze 4–6°C. W 1000 ml ME znajduje się 720 ml krwinek czerwonych, 200 ml osocza, 80 ml płynu konserwującego, ok. 13 g białek osocza, w tym 0,5 g fibrynogenu, 300 g białek osocza. Wskaźnik hematokrytowy ME wynosi ok. 72%.

Masa erytrocytarna płukana (MEP) jest wykonywana wyłącznie na zlecenie lekarza. Otrzymuje się ją przez płukanie ME 0,9% roztworem fizjologicznym soli. Czynność może być powtarzana kilkakrotnie, w zależności od żądanego odpłukania krwinek od białek osocza. MEP ma krótki termin ważności i powinna być przetoczona w ciągu 3 godz. od chwili jej wyprodukowania.

W zależności od wskazań ME zawiesza się niekiedy w fizjologicznych roztworach glukozy lub albumin. Stosuje się ją w znacznych niedokrwistościach u chorych posiadających jednocześnie przeciwciała antypłytkowe i antyleukocytarne z układu HLA, w niedokrwistościach hemolitycznych wrodzonych i nabytych, w niedokrwistościach w przebiegu niewydolności nerek i wątroby, kandydatom do przeszczepienia nerek lub innych narządów oraz w niedokrwistościach u chorych uczulonych na białko osocza.

Krew bezpłytkowa i bezleukocytarna (KBPL). Jest to masa erytrocytarna bezpłytkowa i bezleukocytarna, otrzymywana drogą odciągania większości osocza wraz z krwinkami płytkowymi i białymi. Zależnie od wskazań stacja krwiodawstwa może na indywidualne zapotrzebowanie uzupełnić tę masę autologicznym osoczem. Krew bezpłytkowa i bezleukocytarna różni się od masy erytrocytarnej płukanej śladową zawartością krwinek białych i płytkowych, a w drugiej wersji – również osocza. KBPL podaje się w stanach, gdy dochodzi do licznych przetoczeń, których wymaga choroba zasadnicza, chorym przed przeszczepieniem nerek, w niedokrwistościach z obecnością przeciwciał antypłytkowych i antyleukocytarnych z układu HLA.

Krew heparynizowana. Jest to krew pobrana do płynu konserwującego, składającego się z 50 ml 5% roztworu glukozy z dodatkiem 20–40 mg heparyny. Ważność takiej krwi wynosi do 19 godz. Musi być przechowywana w temperaturze 4–6°C. Stosowana jest w operacjach z zastosowaniem krążenia pozaustrojowego. Przeciwwskazana jest w chorobach, w których należy się liczyć z ostrym lub przewlekłym krwawieniem.

Masa płytkowa. Preparat ten jest najczęściej wykonywany na indywidualne zlecenie lekarza. Wytwarza się go z 3–4 l krwi konserwowanej pobranej bezpośrednio od dawcy, zgodnej grupowo i pod względem czynnika Rh. Czas ważności preparatu, przechowywanego w temperaturze 4–6°C, wynosi 6 godz. od chwili pobrania krwi. Korzystniejsze jest przechowywanie koncentratów płytkowych w środowisku płynnym we własnym osoczu w temperaturze 22°C. Po 72 godz. tak przechowywane płytki zachowują wyjściowe wartości liczbowe, prawidłową ultrastrukturę oraz zdolność do brania udziału w procesie hemostazy. Najlepszą metodą konserwowania koncentratów krwinek płytkowych jest przechowywanie ich w stanie zamrożonym. W tej postaci zachowują one pełną aktywność biologiczną przez dość długi okres dzięki zahamowaniu procesów metabolicznych. Najkorzystniejsze jest używanie jako substancji ochronnej dwumetylosiarkotlenku (DMSO). Przy użyciu tej metody po rozmrożeniu preparatu 70% wyjściowej liczby krwinek zachowuje prawidłową ultrastrukturę, nie zmienioną aktywność metaboliczną, zdolność udziału w procesie hemostazy. Przeciwwskazaniem do stosowania masy płytkowej są przeciwciała antypłytkowe we krwi biorcy.

Masa leukocytarna. Preparat jest produkowany ze świeżej krwi przez odwirowanie od pozostałych elementów komórkowych. Przygotowuje się go na indywidualne zlecenie lekarza. Czas ważności wynosi 4–6 godz. przy przechowywaniu w temperaturze 4–6°C. Przeciwwskazaniem do przetaczania masy leukocytarnej jest obecność we krwi biorcy przeciwciał antyleukocytarnych z układu HLA.

Krew uniwersalna dla układu ABO. Jest to preparat, w którym zawieszone są krwinki grupy 0 w osoczu grupy AB. Czas przechowywania preparatu wynosi 12 godz. od chwili wykonania preparatu. Stosuje się go do transfuzji wymiennej u noworodków z konfliktem serologicznym oraz u osób wymagających transfuzji wymiennej po przetoczeniu obcogrupowej krwi w układzie ABO.

Środki zastępcze krwi

Są to najczęściej preparaty i przetwory pochodzenia zwierzęcego, roślinnego i syntetycznego, które mają uzupełnić niedobór krwi krążącej. Uzupełniają one niedobór osocza, ale nie mają działania krwi. Z licznych środków krwiozastępczych stosowano żelatynę, gumę arabską, alkohol poliwinylowy i poliwinylopirolidon, czyli periston, jednak w doświadczeniach klinicznych nie sprawdziły się one i obecnie nie znajdują zastosowania, mimo że niektórzy lekarze nadal uważają, że przetoczenie nawet dużych objętości żelatyny daje mniej ubocznych skutków niż przetoczenie podobnych objętości dekstranu o ciężarze cząsteczkowym 40 000 i 70 000.

W roku 1973 w Stanach Zjednoczonych, w Japonii, a następnie w RFN zatwierdzono jako środki zastępcze krwi roztwory *hydroksyetylowanej skrobi* (HES). Wywiera ona korzystne działanie na układ moczowy. Dawkowanie zależy od ubytku krwi krążącej, jednak dobowa ilość nie powinna przekraczać 1500 ml. Z objawów niepożądanych obserwuje się niekiedy zaburzenia hemostazy, działanie immunogenne i odczyny charakteryzujące się pokrzywką, dreszczami, wzrost temperatury i wymioty.

W celu uzupełnienia niedoboru płynu międzykomórkowego w ostrej hipowolemii, we wstrząsie oraz podczas wykonywania zabiegów operacyjnych stosuje się roztwory elektrolitowe; nie należą one wprawdzie do środków zastępczych osocza, ale są niezbędne. Trwają badania nad poszukiwaniem takich środków, które miałyby zdolność odwracalnego wiązania tlenu. Badania te są prowadzone w kierunku wytworzenia sztucznej krwi. Duże nadzieje wiąże się z roztworami hemoglobiny pozbawionej zrębu czerwonokrwinkowego.

Układ grupowy AB0

Układ grupowy AB0, zob. Fizjologia, s. 165.

Oznaczanie grup krwi odbywa się w pracowni serologicznej, przy użyciu zestawu wzorcowego surowic i krwinek czerwonych. Zestaw składa się z dwóch serii surowic anty-A, anty-B i anty-A+B i wzorcowych krwinek 0, A, B w postaci 5% zawiesiny w 0,9% roztworze soli fizjologicznej. Przed wykonaniem badania sprawdzany jest zestaw swoistości i aktywności surowic i krwinek czerwonych. Każdy składnik w zestawie opatrzony jest osobną pipetą pasteurowską. Na płycie szklanej umieszcza się po kropli surowice

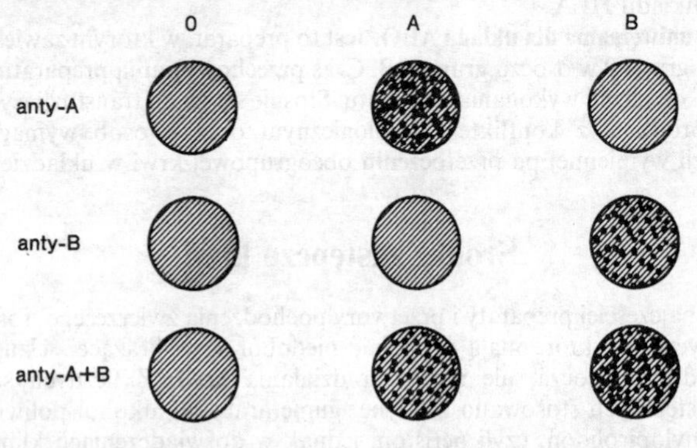

Schemat kontroli swoistości i aktywności surowic wzorcowych AB0. Ziarnistości w kółeczkach oznaczają aglutynację

wzorcowe i do nich dodaje wzorcowe krwinki czerwone (rys. u góry). Wynik kontroli odczytuje się po kilku minutach. Z zestawu eliminuje się te surowice i krwinki, które dały reakcje świadczące o ich nieswoistości lub wynik wątpliwy. Technikę oznaczenia grup krwi przedstawia rysunek obok.

Warunkiem przetoczenia krwi jest pozytywny wynik próby zgodności (tzw. krzyżówki). Wykonuje się ją w odpowiednich środowiskach, w antyglobulinowym pośrednim odczynie Coombsa, z zastosowaniem fizjologicznego roztworu (NaCl) o niskiej sile jonowej (*low-ionic – strength solution* – LISS). Antygamma-globulina jest to surowica odpornościowa zwierzęca,

Znane surowice			Znane krwinki			
surowica anty-A	surowica anty-B	surowica anty-A + anty-B	krwinki wzorcowe grupy 0	krwinki wzorcowe grupy A	krwinki wzorcowe grupy B	
						grupa A
						grupa B
						grupa AB
						grupa O

Technika oznaczania grup krwi. Ziarnistości w kółeczkach oznaczają aglutynację (niezgodność grupową)

zawierająca przeciwciała przeciw ludzkim gamma-globulinom, służąca do wykrywania niekompletnych przeciwciał w tzw. odczynie antyglobulinowym Coombsa. Za pomocą tego odczynu można wykryć przeciwciała niekompletne związane z krwinkami czerwonymi (*odczyn bezpośredni*) oraz przeciwciała wolne znajdujące się w surowicy chorego (*odczyn pośredni*). Aktualnie w próbie zgodności obowiązuje test LEN w celu wyszukania ewentualnych przeciwciał odpornościowych w surowicy biorcy do krwinek dawcy.

Metody przetaczania krwi. *Pośrednie przetaczanie krwi*, płynów krwiozastępczych i elektrolitów jest dziś metodą podstawową. Przed przetoczeniem sprawdza się: 1) *dokumentację biorcy*, tj. dane personalne, wynik badania grupy krwi i Rh, wynik badania serologicznego próby krzyżowej, 2) *dokumentację* na nalepce *krwi konserwowanej*, którą konfrontuje się z wynikiem badania serologicznego w historii choroby oraz dokonuje się 3) *makroskopowej oceny krwi* i wolnymi ruchami wahadłowymi miesza się zawartość butelki. W czasie przetaczania chory jest bacznie obserwowany. W razie wystąpienia takich np. objawów, jak dreszcze, nudności i wymioty, przetaczanie krwi jest natychmiast przerywane.

Tuż po wkłuciu się do żyły chorego wykonuje się *próbę biologiczną*, podając mu strumieniem ok. 30 ml krwi. Następnie obserwuje się chorego przez 10 min przetaczając krew wolno, w tempie 10 kropli na min. Jeśli nie występują żadne niepożądane objawy, przetaczanie przyspiesza się do 60 kropli na minutę. Po przetoczeniu w butelce zostawia się ok. 10 ml krwi i przechowuje w lodówce w temperaturze 4–6°C przez 48 godz.

Dotętnicze przetaczanie krwi bywa stosowane wyjątkowo, a do jam szpikowych przetacza się czasem krew dzieciom.

Kroplowe przetaczanie krwi i środków krwiopochodnych może być wykonywane wyłącznie pod nadzorem lekarza przez pielęgniarkę, która odbyła odpowiednie przeszkolenie z zakresu krwiodawstwa i krwiolecznictwa, potwierdzone odpowiednim zaświadczeniem wydanym przez stację krwiodawstwa. Kwalifikacje takiej pielęgniarki muszą zyskać ocenę ordynatora lub kierownika kliniki.

Leczenie krwią i jej pochodnymi

Współczesne zasady leczenia krwią coraz bardziej ograniczają podawanie pełnej krwi. Duży postęp techniczny w wykonywaniu preparatów krwi i w uzyskiwaniu jej składników przyczynił się do tego, że w leczeniu krwią powstała zasada stosowania tych elementów komórkowych, których niedobór jest przyczyną choroby.

Obecnie przyjmuje się następujące wskazania do przetaczania krwi i środków krwiopochodnych: 1) nagły ubytek krwi i zmniejszenie objętości krwi krążącej, 2) niedokrwistość znacznego stopnia i upośledzenie przenoszenia tlenu z jednocześnie istniejącym niedobiałczeniem, 3) zaburzenia w układzie krzepnięcia, 4) przetoczenia wymienne, 5) krążenie pozaustrojowe.

Nagły ubytek krwi, wynoszący ponad 30% objętości krwi krążącej, jest wskazaniem do przetoczenia pełnej krwi. W stanie wstrząsu pokrwotocznego mogą być podawane również płyny koloidowe, osocze oraz masa erytrocytarna. Przetaczanie pełnej krwi może spowodować wiele powikłań, dlatego w każdym przypadku decyzja jest rozważana indywidualnie.

Przetaczanie pełnej krwi jest nieekonomiczne, gdyż łączy się ze stratą innych składników krwi. Istnieje też większe ryzyko przeniesienia niektórych chorób zakaźnych, niż po podaniu preparatów krwio- i osoczopochodnych. W przypadkach zaburzeń hemostazy przetoczenie pełnej krwi ma niewątpliwą wartość leczniczą, ponieważ krew konserwowana zawiera niezwykle niski poziom czynników krzepnięcia. Błędem jest też stosowanie tzw. pojedynczej dawki krwi w ilości 250–500 ml podczas niewielkich zabiegów chirurgicznych, gdyż przetoczenie takiej ilości jest o tyle nieuzasadnione, że wywiera niewielki wpływ hemodynamiczny, a stwarza niebezpieczeństwo powikłań. Niestety, odsetek tego typu przetoczeń jest nadal w Polsce wysoki i wynosi 2,5–20%.

Niedokrwistości towarzyszą wielu stanom chorobowym i są bardzo często ich pierwszym objawem. Wiele z nich cofa się samoistnie po wyleczeniu przyczyny – choroby podstawowej. Cięższe postacie, oporne na leczenie farmakologiczne, są leczone przetaczaniem masy erytrocytarnej zwykłej lub mrożonej. Przetoczenia są stosowane również w niedokrwistościach przed- i pooperacyjnych.

Zaburzenia w układzie krzepnięcia i powikłania krwotoczne. Coraz częściej spotykają się z nimi chirurdzy w trudnych i złożonych zabiegach operacyjnych. Nieodzownym badaniem w klinice chirurgicznej powinno być wykonanie badania pełnego k o a g u l o g r a m u. Badanie to może uwidocznić wrodzony niedobór lub całkowity brak globuliny przeciwhemofilowej AHG w przypadku hemofilii A, jak i pozostałych czynników krzepnięcia. Leczenie substytucyjne w hemofilii A polega głównie na podawaniu k r i o p r e c y p i t a t u (zob. s. 555). Wymaga ono stałej kontroli laboratoryjnej deficytowego czynnika w ośrodkach specjalistycznych.

Krążenie pozaustrojowe jest jednym z zasadniczych wskazań do przetaczania krwi w dużej chirurgii. Do 1960 r. aparaty do pozaustrojowego krążenia wypełniano pełną krwią heparynizowaną (zob. s. 556). Do wypełnienia aparatu zużywano 3,5 l krwi, a dalszych 5 l do uzupełnienia strat powstających w czasie zabiegu operacyjnego. Krew ta najczęściej pochodzi od kilkunastu dawców i wprowadza do organizmu znaczną ilość niejednorodnego białka, powodując powstawanie różnego rodzaju powikłań. Mogą one doprowadzić do wielu zaburzeń powodujących zaleganie krwi w narządach, głównie w płucach, obniżenie ciśnienia tętniczego i wzrostu ciśnienia w dorzeczu żyły wrotnej, zmniejszenie objętości krwi krążącej. Występują też zaburzenia w krzepnięciu krwi i równowadze kwasowo-zasadowej (kwasica) oraz przesunięcie płynów i elektrolitów. Gadboy nazwał te zaburzenia z e s p o ł e m k r w i h o m o l o g i c z n e j (*the homologus blood syndrom*) i tłumaczy je o d c z y n e m a n a f i l a k t y c z n y m. Aby uniknąć tych zaburzeń, zaczęto stosować płyny krwiozastępcze, którymi częściowo wypełnia się aparat do krążenia. Płynem takim może być dekstran niskocząsteczkowy – 5% roztwór glukozy lub płyn Ringera. Płyn powinien być izotoniczny i łatwo wydalany z organizmu. Niedobór krwi w aparacie, jak również straty krwi podczas zabiegu, uzupełnia się pełną krwią.

Stosowanie rozcieńczonej krwi do krążenia pozaustrojowego daje lepsze wyniki, nie powoduje większych zaburzeń i zmniejsza ilość przetaczanej krwi. Krew rozcieńczona jest bezpieczniejsza, wygodniejsza i bardziej ekonomiczna. Na przykład przy stosowaniu pełnej krwi nie stwierdzono hemolizy tylko u 9% operowanych, a przy stosowaniu krwi rozcieńczonej aż u 44% operowanych.

Przetaczanie krwi własnej – autotransfuzja. W ostatnich latach coraz częściej przetacza się krew własną. Dawniej chirudzy przetaczali własną krew wynaczynioną do wolnej jamy otrzewnej przy pękniętej ciąży pozamacicznej, śledzionie, ranach kłutych serca lub uszkodzeniach naczyń klatki piersiowej. Obecnie pobiera się krew od chorego przed zabiegiem w 9-dniowych odstępach po 400 ml, przygotowuje 1000 ml krwi autologicznej z płynem konserwującym. Przetaczanie krwi własnej chroni chorego przed powikłaniami serologicznymi i zarażeniem chorobą zakaźną, rozwiązuje problem rzadko spotykanych grup krwi i uniezależnia wykonanie zabiegu od zdobycia właściwej krwi.

Hemodilucja i autotransfuzja. Zebrane doświadczenia dowodzą, że rozcieńczenie krwi ma wiele zalet. Krew pobiera się od chorego w początkowej fazie ogólnego znieczulenia, przetaczając mu jednocześnie płyny niskocząsteczkowe w tej samej, a nawet większej objętości. Krew można rozcieńczyć żelatyną produkowaną w kraju. Upust 1000 ml krwi można uzupełnić 1000 ml żelatyny w ciągu 15–25 min, bez szkody dla chorego. P r z e t o c z e n i e zwrotne krwi odbywa się po zakończeniu zasadniczej części zabiegu i podczas wybudzania chorego. Uśpiony chory zużywa zaledwie 60% tlenu, a najlepszy hematokryt optymalnie przenoszący tlen – tylko 32–34%.

Hemodilucja zapobiega powikłaniom poprzetoczeniowym, powikłaniom zakrzepowym i znakomicie polepsza utlenowanie tkanek, zwiększając objętość wyrzutową serca, obniża lepkość krwi, co usprawnia mikrokrążenie.

Powikłania po przetoczeniu krwi

Nośnikami obcych antygenów dla biorcy mogą być składniki komórkowe krwi dawcy, takie jak krwinki czerwone, krwinki białe i płytkowe, jak również niektóre białka osocza. Przetoczenie krwi i preparatów krwiopochodnych, z antygenem, którego nie ma biorca, może prowadzić do uodpornienia chorego i wytworzenia swoistych przeciwciał. Uodpornienie może nastąpić również w następstwie ciąż konfliktowych i u wieloródek. Może to wywołać powikłania immunologiczne w przypadku przetoczenia krwi i uniemożliwić dalsze nią leczenie.

Powikłania hemolityczne po przetoczeniu krwi niezgodnej grupowo. Istotą tego powikłania jest reakcja immunologiczna zachodząca między antygenem krwinek czerwonych a specyficznym dla tego antygenu przeciwciałem, w następstwie czego dochodzi do niszczenia krwinek czerwonych. Powikłania hemolityczne występujące przy niszczeniu krwinek przez przeciwciała anty-A, anty-B, anty-D z układu Rh oraz anty-Kell mają ciężki przebieg kliniczny. Występują one raz na 3–5 tysięcy przetoczeń, a śmiertelność dochodzi do 25%. Przyczyną są zwykle: 1) przetoczenia krwi obcogrupowej przygotowanej dla innego chorego, 2) zamiana probówek krwi przeznaczonych do badań serologicznych, 3) błędy w dokumentacji serologicznej.

Objawami powikłań spowodowanych przetoczeniem krwi obcogrupowej są: bóle głowy, niepokój, dreszcze, wysoka gorączka, nudności, wymioty, bóle lędźwiowe. Następnie może dojść do wstrząsu o różnym nasileniu, z objawami hemoglobinurii, skąpomoczu lub bezmoczu. U 20% chorych występuje skaza krwotoczna, która w 50% przypadków prowadzi do śmierci. W łagodnych przypadkach jedynymi objawami może być krótkotrwała hemoglobinuria i nieznaczny spadek liczby krwinek czerwonych i hemoglobiny.

Powikłania po przetoczeniu preparatów zawierających płytki i leukocyty. Leczenie krwią i preparatami zawierającymi płytki i leukocyty może prowadzić u wielu biorców do wytworzenia przeciwciał antypłytkowych i antyleukocytarnych z układu HLA. Po 50 transfuzjach przeciwciała te stwierdza się u ok. 25–60% biorców.

Objawami powikłań jest zaczerwienienie twarzy, dreszcze, bóle głowy, wzrost ciśnienia rozkurczowego, gorączka do 40°C. Objawy te ustępują samoistnie. Powikłań tych można uniknąć przetaczając masę krwinkową bezpłytkową i bezleukocytarną.

Powikłania uczuleniowe po przetoczeniu krwi, osocza lub jego frakcji występują z częstością 1–2%. Objawiają się one zaczerwienieniem skóry, swędzącą pokrzywką, gorączką, niekiedy nudnościami i wymiotami. Leczenie polega na podaniu leków antyhistaminowych.

Wszczepienne zapalenie wątroby jest również groźnym powikłaniem i występuje u 1,4–1,8% osób. Po 40 r. życia potransfuzyjna żółtaczka jest chorobą niebezpieczną i u 23% chorych jest śmiertelna. Ryzyko powikłania wzrasta wraz ze wzrostem liczby przetoczeń.

Wstrząs septyczny jest ciężkim i groźnym dla życia powikłaniem, spowodowanym przetoczeniem krwi zakażonej. Zdarza się on raz na 5000 przetoczeń, a śmiertelność dochodzi do 60%. P r z e b i e g k l i n i c z n y zależy od rodzaju bakterii i przetoczonych endotoksyn. Pierwsze o b j a w y występują już po przetoczeniu kilkunastu ml krwi i manifestują się dreszczami, wysoką gorączką, spadkiem ciśnienia tętniczego i narastającą leukocytozą. Występują również bóle mięśni, kończyn i brzucha. Nasilają się objawy duszności. Mogą zdarzyć się krwawienia i krwotoki jako wyraz zaburzeń w układzie krzepnięcia. L e c z e n i e, jak w każdym innym wstrząsie, powinno być wdrożone natychmiast, ze względu na narastanie zaburzeń. Podawane są kortykosterydy i odpowiednie antybiotyki. W groźnych przypadkach stosowana jest sztuczna nerka.

PIELĘGNOWANIE CHOREGO W DOMU

W rozdziale tym omówiono przede wszystkim pielęgnowanie przewlekle chorego, leżącego stale albo prawie stale w łóżku. Każdy chory wymaga innego podejścia i indywidualnej pielęgnacji, dlatego podano tylko wzorcowe opisy zabiegów pielęgnacyjnych, mające dostarczyć ogólnych wskazówek pomagających wykonać przy chorym niezbędne czynności. Zawsze trzeba z góry przemyśleć tok postępowania, przygotować to, co może być potrzebne, aby w trakcie pracy przy chorym nie odchodzić od niego, robić wszystko zdecydowanie, jak najmniej go męcząc. Przy wykonywaniu tzw. wstydliwych czynności należy zapewnić choremu maksymalne warunki intymności.

I. POSTĘPOWANIE PRZY ZACHOROWANIU

Każda choroba zaczyna się i przebiega różnie. Zawsze należy zasięgnąć porady lekarza, a nie leczyć chorego na własną rękę. Przy wystąpieniu ostrych objawów, mogących zagrażać życiu chorego, należy zawezwać pogotowie ratunkowe, w innych przypadkach należy zamówić wizytę lekarza rejonowego do domu, a jeżeli stan chorego na to pozwala, powinien sam udać się do przychodni.

Odwiedziny lekarza w domu chorego

Przygotowanie chorego do odwiedzin. Chorego informujemy o odwiedzinach lekarza. Sprawdzamy czystość jego skóry. Pomagamy ewentualnie przy toalecie i nałożeniu czystej, łatwej do zdjęcia bielizny osobistej. Choremu należy pomóc przygotować wyniki ostatnio wykonanych badań, najlepiej zapisać, jakie brał lub bierze leki, uświadomić sobie, jak czuł się przed zachorowaniem, jakie objawy wystąpiły obecnie. Można krótko zapisać wątpliwości i pytania, aby o niczym nie zapomnieć i przedstawić lekarzowi bez zbędnych słów wszystko to, co istotne.

Jeżeli przewiduje się skierowanie do szpitala, należy przygotować wszystkie rzeczy, które chory musi zabrać ze sobą i nastawić go psychicznie na tę ewentualność. Pójście do szpitala stanowi najczęściej dla chorego przeżycie negatywne, należy więc umiejętnie doprowadzić do rozładowania istniejącego napięcia i zaakceptowania przez chorego pobytu w szpitalu, co nie jest bez znaczenia dla pomyślnego przebiegu leczenia.

Przyjęcie lekarza. Lekarzowi trzeba dokładnie powiedzieć, na co pacjent chorował, jak był leczony, dać wyniki ostatnio wykonanych badań i dokładnie opisać początek i przebieg obecnego zachorowania. Przed badaniem lekarza pomagamy choremu rozebrać się i właściwie usiąść bądź ułożyć się na łóżku. W razie potrzeby należy pomóc lekarzowi przy badaniu, choremu odwrócić głowę, aby nie oddychał w kierunku lekarza.

Lekarz po zbadaniu chorego może zlecić leczenie w domu albo w szpitalu. Jeśli chory pozostaje w domu, należy dokładnie wysłuchać zleceń lekarza oraz spisać sposób i czas podawania leków.

Przewiezienie chorego do szpitala. Do szpitala powinien z chorym pojechać ktoś z domowników. Jeżeli chory był już leczony w szpitalu, trzeba zabrać ostatni wypis, wyniki ostatnich badań, a także dowód osobisty i książeczkę ubezpieczeniową. Chory musi zabrać również przybory toaletowe, nocną bieliznę, szlafrok, skarpetki i ranne pantofle. Znając chorego i orientując się w jego stanie, można wziąć jasiek, książkę, a inne potrzebne rzeczy donieść po porozumieniu się z lekarzem leczącym w szpitalu.

II. UWAGI OGÓLNE

Obserwowanie chorego

W czasie trwania choroby należy osobę chorą obserwować, aby znać jej samopoczucie, dolegliwości, temperaturę, wiedzieć, jak śpi, czy ma nudności, wymioty, kaszel, jak reaguje na leki, czy jej stan poprawia się, czy ustępują objawy chorobowe itp. Najlepiej jest obserwacje swoje zapisywać, aby o niczym nie zapomnieć przy powtórnej wizycie lekarza. Zawsze należy go ponownie wezwać, jeśli stan chorego nie poprawia się lub pogarsza. Brak poprawy może wskazywać na wystąpienie komplikacji i wymaga ewentualnej zmiany leczenia albo nawet przewiezienia do szpitala. Jeżeli chory czuje się lepiej, nie można pozwolić mu, zgodnie ze zleceniem lekarza, za szybko opuszczać łóżka i nie przerywać podawania leków.

Najczęstsze objawy chorobowe – postępowanie

Dreszcze, gorączka, poty. D r e s z c z e często poprzedzają nagłe, wysokie podniesienie się temperatury. Chorego trzeba położyć do łóżka najlepiej w bieliźnie bawełnianej lub innej luźno tkanej, a nie ze sztucznego tworzywa. W czasie dreszczy okryć dodatkowo, ogrzać termoforem (zob. s. 590), podać ciepły napój do picia. P o d r e s z c z a c h, kiedy temperatura podnosi się, należy zdjąć dodatkowe okrycie i zabrać termofor, zmierzyć choremu temperaturę oraz zapisać jej wysokość. Jeżeli chory się s p o c i – trzeba go wytrzeć, jak najmniej przy tym odkrywając, zmienić bieliznę osobistą, a w razie potrzeby i pościelową. Po potach zmierzyć ponownie temperaturę.

Kaszel. Jeżeli chorego męczy kaszel, prócz leków zleconych przez lekarza należy mu podawać często ciepłe płyny do picia. Przy kaszlu wilgotnym chory powinien mieć przygotowaną w zasięgu ręki torebkę z tworzywa sztucznego i kawałki ligniny. Chory odpluwa do ligniny i odkłada ją do torebki; zawartość torebki należy zalać środkiem odkażającym, np. może to być bielinka, wapno chlorowane itp., szczelnie zawiązać i wyrzucić, a najlepiej spalić.

Wymioty są poprzedzane n u d n o ś c i a m i i już wtedy trzeba podać choremu miskę nerkowatą lub inne naczynie, przygotować kawałki pociętej ligniny i wodę do płukania ust. Przy wymiotach należy choremu podtrzymać głowę. Zwrócić uwagę na treść wymiotów, ocenić, czy i jaka jest zależność między wymiotami a przyjmowaniem pokarmów, czy po wymiotach chory odczuwa ulgę. Chorego z nudnościami należy p r z e g ł o d z i ć i jeżeli nie ma specjalnych zaleceń lekarza, podawać najpierw gorzką herbatę łyżeczkami, następnie zwiększyć porcję i wolno, poprzez kleiki przejść do diety łatwo strawnej (zob. s. 498).

Odżywianie chorego

Często odżywianie chorego jest częścią leczenia i wtedy trzeba ściśle dostosować się do wskazówek lekarza. Jeżeli chory nie ma żadnych ograniczeń dietetycznych, można mu podawać wszystko, oprócz pokarmów trudno strawnych. Chorzy z wysoką gorączką najczęściej nie mają apetytu. Jeżeli przypuszcza się, że choroba będzie krótkotrwała, nie należy zmuszać do jedzenia „na siłę"; po wyzdrowieniu straty zostaną szybko wyrównane. Jeśli chory w ogóle je mało, trzeba mu podawać jedzenie często, apetycznie przyrządzone, w małych ilościach, bogate w witaminy i pełnowartościowe białko, zawsze nie mdłe, a wyraźne w smaku; należy ograniczyć tłuszcze. Gdy chory poci się, trzeba dawać mu dużo pić, np. soki owocowe, wodę dobrze zakwaszoną i osłodzoną, sok z kwaszonej kapusty itp. Płyny można

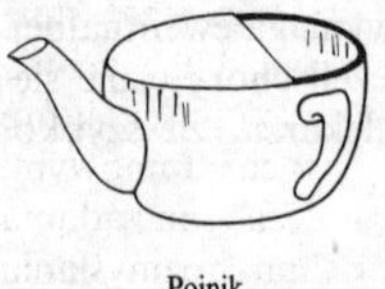

Pojnik

podawać w dzbanuszku z dziobkiem, w tzw. pojniku, albo przez rurkę plastykową, aby chory najmniej się męczył. Jeżeli chory ma bóle, należy mu podawać jedzenie wtedy, kiedy jest pod działaniem środka przeciwbólowego, a przy wysokiej gorączce – kiedy temperatura jest najniższa.

Higiena chorego

Chory nie wycieńczony chorobą myje się sam w łazience i załatwia potrzeby fizjologiczne w toalecie. Z łóżka powinien wychodzić nie spocony i zawsze założyć szlafrok i skarpetki. Jeżeli potrzeba, należy przeprowadzić go do łazienki i pomóc w myciu. W tym czasie, kiedy chory wychodzi z łóżka, należy przesłać je lub poprawić zasłanie. Mycie chorego nie opuszczającego łóżka, zob. Utrzymanie chorego w czystości s. 577.

III. PIELĘGNOWANIE CHOREGO PRZEWLEKLE

Stosunek do chorego

Stosunek do chorego osób opiekujących się nim i tworzenie odpowiednich warunków jego bytowania muszą być zgodne z zaleceniami lekarza, indywidualnymi cechami chorego, z jego zamiłowaniami. Należy rozwijać zainteresowanie chorego, przynosić mu odpowiednie pisma i książki, zwracać uwagę na ciekawe audycje radiowe i telewizyjne. Każdy chory wymaga serdeczności, życzliwości oraz zrozumienia jego trudnej sytuacji. Nie należy okazywać mu zniecierpliwienia, obrzydzenia, nadmiernego pośpiechu, nie zaskakiwać go zabiegami, chory powinien być o nich uprzedzony. Starać się, zgodnie ze zleceniem lekarza, łagodzić wszelkie cierpienia, podkreślać najmniejszą pozytywną zmianę, jak spadek gorączki lub zmniejszenie bólu, aby zwiększyć wiarę w lepsze dla niego jutro. Każdy chory ma prawo do nadziei i pomocy od swoich najbliższych.

Chorym z chorobą nowotworową raczej nie wyjawia się takiej prawdy, gdyż jest to dla ogromnej większości osób wiadomość szokująca, chociaż są i tacy, którzy chcą znać prawdę. Należy w tym przypadku postępować zgodnie z zaleceniem lekarza, aby chory otrzymywał od wszystkich jednakowe informacje.

Jak długo jest możliwe, należy namawiać chorego, aby nie leżał stale w łóżku, ale w razie zmęczenia pokładał się ubrany w ciągu dnia. Trzeba zachęcać go do aktywności, do wykonywania wszystkich czynności, które może jeszcze samodzielnie wykonać, do brania udziału w życiu domowym, do pracy twórczej, jeżeli zajmował się nią przed chorobą. Polecać mu zadania do wykonania, aby czuł się potrzebny i miał jak najmniej czasu na rozmyślania o chorobie. Oszczędzać mu zmartwień domowych, nie obarczać go swoimi troskami, ale w odpowiednich momentach szukać u niego rady, aby wiedział, że może jeszcze komuś pomóc. Jeżeli chory leży już stale, dążyć do tego, aby miał zawsze wszystko zrobione, nie czekać na jego prośby, uprzedzać potrzeby i życzenia. Kiedy wydaje się nieprzytomny, postępować tak, jakby wszystko rozumiał i nigdy nie rozmawiać przy nim szeptem.

Ułożenie chorego leżącego i jego wygoda

Pokój chorego. Jeżeli chory ma swój pokój, należy go tak przygotować, aby było wygodnie i choremu i osobie pielęgnującej. Najlepiej jest przeznaczyć dla chorego łóżko typu szpitalnego i ustawić tak, aby był do niego dostęp z dwóch stron. Obok łóżka trzeba ustawić stolik, krzesło o płaskim siedzeniu lub taboret, na którym umieszcza się w zasięgu ręki chorego wszystko to, czego chory może potrzebować, pamiętając o dzwonku lub łyżeczce w szklance do wezwania pomocy.

Pokój należy często wietrzyć, podłogę sprzątać na wilgotno oraz starać się utrzymać temperaturę na stałym poziomie. W okresie ogrzewczym na działających kaloryferach (często mytych) należy zawieszać pojemniki z wodą lub mokre ręczniki.

Jeżeli chory nie ma oddzielnego pokoju, nie istnieją też możliwości zdobycia łóżka szpitalnego, chorego należy ułożyć na tapczanie, w miejscu dogodnym dla chorego i dla osoby opiekującej się nim. Tapczan trzeba ustawić na klockach lub cegłach, aby osoba pielęgnująca nie musiała się nadmiernie schylać i mogła wstawić swobodnie stopy pod tapczan, co ułatwia jej pracę.

Słanie tapczanu. Brzegi prześcieradła, po jego naciągnięciu, należy podłożyć pod materac lub wepchnąć pomiędzy materac a deskę tapczanu, czy też przymocować do tapczanu dużymi agrafkami. Jeżeli chory załatwia potrzeby fizjologiczne w łóżku, należy podłożyć mu pod pośladki podkład gumowy lub plastykowy, przykryty podkładem płóciennym, szerokości ok. 85–95 cm, a długości takiej, aby można go umocować podobnie jak prześcieradło. Należy dbać, aby chorego nic nie uciskało, wszystkie warstwy bielizny pościelowej i osobistej dobrze pod nim wygładzić, wszelkie okruchy często usuwać. Ma to duże znaczenie w zapobieganiu odleżynom. Poduszki pod głowę, jeżeli nie ma specjalnych wskazań, należy ułożyć według życzenia chorego. Aby ułatwić mu zmianę pozycji leżącej na siedzącą, należy umocować w „nogach” tapczanu lub łóżka pętlę z bandaża lub z taśmy tapicerskiej. Pętla powinna być zawsze ułożona w zasięgu rąk chorego.

Wysokie ułożenie chorego. Do ułożenia chorego w pozycji wysokiej służy ruchome wezgłowie, tzw. r a m a, którą ustawia się na potrzebną wysokość. Ramę można zastąpić klinem tapicerskim, drewnianym, odwróconym krzesłem położonym jako podparcie pod poduszki lub specjalnie ułożonymi kocami. Układając poduszki należy zwrócić uwagę na właściwe podparcie okolicy

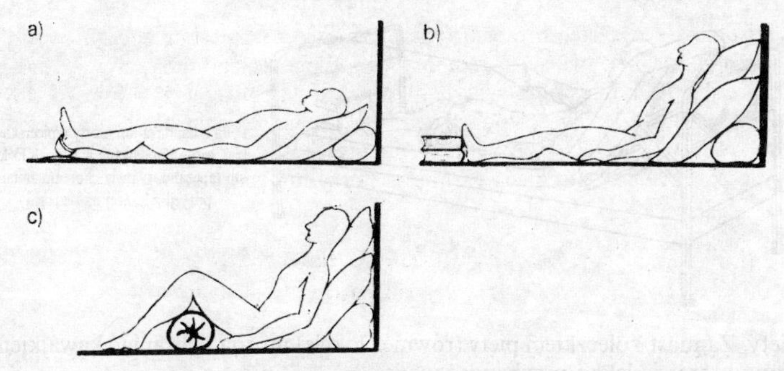

Ułożenie chorego długo przebywającego w łóżku: a) kółeczka z waty chronią pięty przed odleżynami; b) wysokie ułożenie w tzw. pozycji siedzącej; książki pod stopami zapobiegają zsuwaniu się chorego; c) wałek pod kolana zapewnia wygodne ułożenie kończyn dolnych i również zapobiega zsuwaniu się chorego z poduszek

lędźwiowej. W tym celu trzeba „strzepnąć” spodnią poduszkę i część wypełnioną pierzem tak ułożyć, aby sięgała pośladków. Można też ułożyć pod krzywiznę lędźwiową złożony ręcznik lub mały jasiek.

Gdy chory zajmuje w łóżku pozycję siedzącą, dla wygodnego ułożenia kończyn dolnych i w celu zapobieżenia zsuwaniu się chorego z poduszek, należy pod kolana podłożyć nieduży wałek, np. z koca. Wałek nie może podpierać kończyn bez przerwy, trzeba go czasowo wyjmować, nogi masować i po przerwie znowu podłożyć. Ponadto przestrzeń między stopami a deską tapczanu (łóżka) trzeba wypełnić np. wałkiem z koca, workiem z piaskiem, książkami lub stołeczkiem zawiniętym we flanelę.

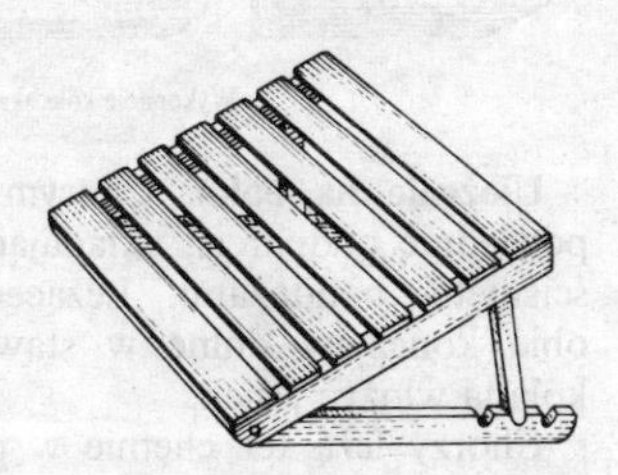

Ruchome wezgłowie, tzw. rama. Wkładana pod materac i ustawiana na potrzebną wysokość, pozwala na wysokie ułożenie chorego w łóżku

U chorego przebywającego w łóżku w pozycji prawie siedzącej, najbardziej obciążone są pośladki, co usposabia do powstawania odleżyn. Aby im zapobiec, stosuje się pod pośladki krążek gumowy (koło) tak wypełniony powietrzem, aby przy ucisku jedną dłonią zetknęły się przeciwległe jego ściany. Przed podłożeniem pod chorego, na krążek należy nałożyć poszewkę i lekko posypać talkiem. Krążek trzeba przechowywać w stanie lekko nadmuchanym. Zamiast krążka można podłożyć pod pośladki niedużą poduszkę z gumy mikroporowatej, albo włożyć pod prześcieradło dodatkową poduszkę, która równocześnie przeciwdziała zsuwaniu się chorego w dół.

Jeżeli chory ma dolegliwości z powodu ucisku na pięty, podkłada się pod nie kółeczka z waty. Robi się je z kwadratu waty o boku ok. 20 cm, w sposób podany na rysunku. W środku kwadratu przebija się nożyczkami mały otwór, od którego do obwodu kwadratu przeprowadza się obwoje bandażem, formując przy tym kółko. Otwór kółeczek musi być mniejszy od

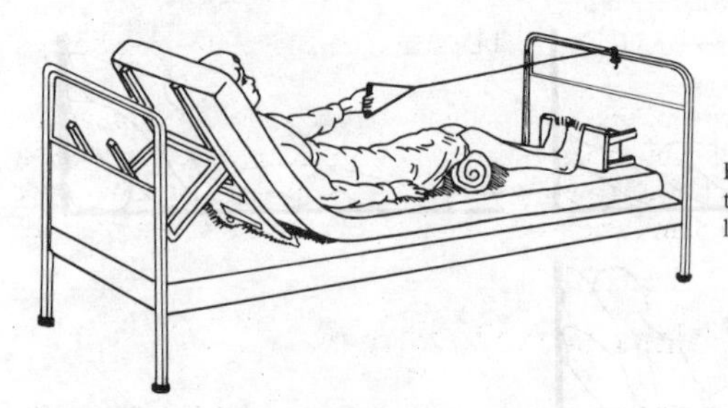

Pętla z bandaża lub taśmy tapicerskiej, tzw. lejce, umocowana w nogach łóżka lub tapczanu, ułatwia choremu zmianę pozycji z leżącej na siedzącą

pięty. Zamiast kółeczkiem pięty (również łokcie) można ochraniać kawałkiem waty, którą się lekko przybandażowuje.

Przy dużej duszności chorego należy posadzić z lekkim pochyleniem ku przodowi, najlepiej w fotelu, zapewniając od przodu podparcie dla rąk. Jako podparcie może służyć odpowiedni stolik lub deska (np. do prasowania) oparta na poręczach krzeseł.

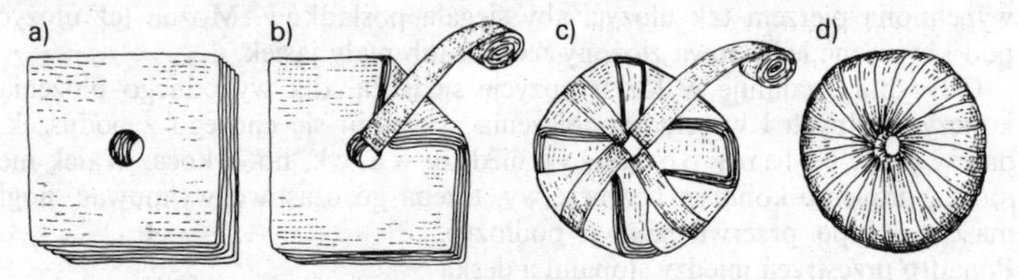

Wykonanie kółeczka z waty, podkładanego pod pięty chorego

Ułożenie na boku. Chorym ułożonym na boku należy zapewnić odpowiednie podparcie, układając wzdłuż pleców wałek z koca lub poduszki ściśniętej bandażami. Leżącemu w tej pozycji choremu trzeba ugiąć obie kończyny dolne w stawach kolanowych i biodrowych, a między kolana włożyć jasiek.

Chorzy leżą też chętnie w pozycji półbocznej, w której nie ma ucisku na pośladki oraz ułatwione jest oddychanie. Chory leży na boku, z tym, że od pasa w górę odchylony jest w pozycji na wznak, a kończyny górne ułożone ma po obu stronach tułowia.

Chorego nieprzytomnego, któremu może grozić niedrożność dróg oddechowych z powodu zapadania się języka i opadania żuchwy lub zachłyśnięcia się wydzielinami, należy ułożyć w tzw. pozycji bezpiecznej, czyli bocznej ustalonej. Przy ułożeniu np. na prawym boku prawa ręka zgięta w łokciu ułożona jest za plecami, stroną dłoniową ku górze. Lewa ręka zgięta w łokciu spoczywa przed chorym, a dłoń jest podłożona pod policzek. Prawa noga zgięta w stawie kolanowym jest wysunięta do przodu, a lewa wyprostowana (zob. Pierwsza pomoc, rys. na s. 2128). Ułożenie takie zapobiega przewróceniu się chorego na plecy oraz niedrożności gardła, a znajdująca się w jamie ustnej i gardle wydzielina samoczynnie wypływa na zewnątrz. Po dwóch godzinach należy chorego odwrócić na drugi bok.

Nawet najwygodniejsze ułożenie staje się po pewnym czasie dla chorego nie do zniesienia, dlatego choćby mała zmiana w ułożeniu przynosi mu dużą ulgę. Jeżeli chory ma zachowaną pewną sprawność, sam stara się ułożyć jak najwygodniej. W przeciwnym razie należy pamiętać, aby mu w tym pomóc.

Zmiana pozycji chorego

Ułożenie na boku z pozycji na wznak. Jeżeli chory ma leżeć na boku, plecami do nas, należy bliższą nas, ugiętą w kolanie nogę chorego ułożyć na drugiej jego nodze, a rękę położyć na dalszej stronie materaca. Następnie podsunąć jedną rękę głęboko pod pośladki chorego, drugą zaś pod plecy na wysokości łopatek i lekko przesuwając chorego do siebie, obrócić go na bok. Jeżeli chory jest ciężki, odwracają go dwie osoby, przy czym jedna podsuwa ręce poniżej i powyżej pośladków, druga zaś pod plecy.

Przy odwracaniu chorego na bok twarzą do nas należy odwrotnie ułożyć kończyny i ponad chorym włożyć jedną rękę płasko pod przeciwległy bark chorego, a drugą pod biodro.

Odwracanie ciężko chorego lub nieprzytomnego można sobie ułatwić podkładając na stałe pod cały tułów chorego złożone w pas prześcieradło lub podkład. Odwracając zwija się w wałek część prześcieradła wystającą spod chorego, chwyta w dość dużej odległości w dwóch miejscach za wałek (kończyny są już odpowiednio ułożone) i unosząc go lekko, obraca się chorego i wygodnie układa.

Ułożenie z pozycji bocznej na wznak. Z pozycji bocznej na wznak odwraca się chorego układając jedną rękę na barku, drugą zaś na biodrze chorego.

Przesunięcie chorego wyżej na poduszki. Sposób przesunięcia zależy od stanu chorego. Jeżeli chory może nam w tym pomóc, ugina dolne kończyny w kolanach, dłonie opiera o materac i brodę przyciąga do klatki piersiowej. Osoba pomagająca choremu wsuwa jedną rękę pod plecy chorego aż do przeciwległej pachy, a drugą ręką chwyta chorego pod bliższą pachę i na komendę – licząc do trzech – podsuwa chorego wyżej; chory odpycha się równocześnie stopami.

Jeżeli chory nie może nam pomóc, konieczna jest druga osoba, która podkłada ręce pod pośladki chorego; na komendę obie podsuwają chorego wyżej. Jeżeli do łóżka jest dostęp z dwóch stron, obie osoby stają naprzeciwko siebie, podkładając ręce pod chorego, chwytają się za nadgarstki i na komendę podsuwają go wyżej. Dla ułatwienia sobie tej czynności mogą oprzeć się o siebie głowami, a kolanami o łóżko.

Uniesienie górnej części ciała. Chcąc unieść górną część ciała chorego do pozycji siedzącej, odchyla się nieco bark chorego i podsuwa rękę pod głowę aż do przeciwległej pachy, drugą zaś chwyta pod najbliższą pachę i unosi tułów. Można wówczas jedną ręką podtrzymać chorego w tej pozycji, drugą zaś, wolną, poprawić poduszki.

Uniesienie pośladków. Aby unieść pośladki chorego, należy polecić mu ugiąć nogi w kolanach, a stopy i dłonie oprzeć o materac; podkładając ręce pod pośladki chorego, unosi się je, opierając łokcie o materac. Jeżeli pośladki mają być uniesione dłużej, jedną rękę zwija się w pięść i podkłada pod drugą rękę, ułożoną płasko na pośladkach.

Przesunięcie chorego na brzeg łóżka. Jeżeli chory nie może w tym pomóc, powinny przesuwać go dwie osoby. Po ugięciu choremu nóg w kolanach i ułożeniu jego rąk na klatce piersiowej – jedna osoba podkłada rękę pod głowę i plecy chorego (głowa chorego spoczywa na zgięciu łokciowym), a drugą rękę pod lędźwie; druga osoba podkłada jedną rękę pod pośladki, a drugą pod uda chorego. Ręce muszą być podłożone głęboko, do przeciwległego boku chorego. Jeżeli powyższą czynność musi wykonać jedna osoba, przesuwa najpierw górną, a potem dolną część ciała.

Przy każdej zmianie pozycji chorego staramy się obejrzeć skórę na pośladkach, wzdłuż kręgosłupa, na łopatkach, piętach, łokciach itd. W przypadku zmian reagujemy natychmiast (zob. s. 574).

Zapobieganie najczęstszym powikłaniom

Zapalenie płuc. Do powikłania tego może dojść zarówno u osób długo leżących, jak i po ostrych chorobach, np. grypie, z powodu niedostatecznej wentylacji płuc i zalegania w nich śluzu. Aby zapobiec tej groźnej komplikacji, należy namawiać chorego do dobrej wentylacji płuc: do wykonywania głębokich wdechów i głębokich wydechów. Ćwiczenia te łatwiej wykonywać w pozycji siedzącej, a więc tułów chorego należy nieco unieść.

Aby pobudzić krążenie w płucach, klatkę piersiową chorego należy nacierać roztworami alkoholu i oklepywać uwypukloną dłonią. Należy nakłaniać go do dokładnego odkasływania i odpluwania plwociny. Odpluwanie ułatwia (jeżeli nie ma przeciwwskazań) częste picie ciepłych płynów (mleko z solą emską, wodą sodową). Jeżeli lekarz pozwoli, można namawiać chorego do opuszczania łóżka i przechadzania się po pokoju lub do wykonywania prostych ćwiczeń gimnastycznych.

Pokój należy wietrzyć pośrednio, tzn. otwierając drzwi do pomieszczenia uprzednio wywietrzonego. Jeżeli trzeba otworzyć okno w pokoju chorego, należy okryć go dodatkowo i narzucić coś na głowę. Chory nie może leżeć spocony w mokrej pościeli.

Odleżyny powstają wskutek niedokrwienia tkanek, a więc tam, gdzie na tkanki jest wywierany stały ucisk. Tworzeniu się odleżyn sprzyjają: niedbałe przygotowanie posłania chorego, leżenie na pomarszczonej bieliźnie, okruchach, mokra lub wilgotna pościel, ucisk lub tarcie szyny lub gipsu.

Pierwszym objawem odleżyny jest zaczerwienienie skóry i ból. Następnie miejsce czerwone staje się coraz ciemniejsze, niedożywiona tkanka obumiera i oddziela się od podłoża, dając owrzodzenie odleżynowe. Najczęściej odleżyny powstają na pośladkach w okolicy kości ogonowej, krzyżowej, wzdłuż kręgosłupa, łopatek, na piętach, na łokciach, a u chorych leżących na boku – w okolicy stawu biodrowego, po wewnętrznej stronie kolan i na kostkach.

Odleżyny wywierają ujemny wpływ na psychikę chorego, a ponadto z powodu przerwania ciągłości tkanek – stanowią dogodne miejsce dla wtargnięcia do organizmu bakterii chorobotwórczych.

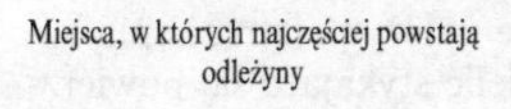
Miejsca, w których najczęściej powstają odleżyny

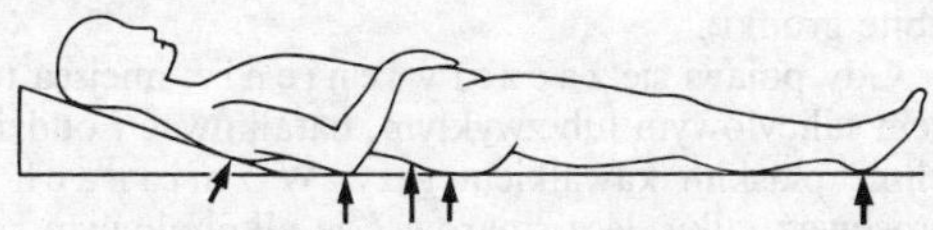

Z a p o b i e g a n i e ma największe znaczenie w walce z odleżynami. Oprócz dobrze zasłanego, suchego łóżka, polega ono na pobudzaniu krążenia w tkankach, likwidowaniu ucisku oraz stałej kontroli miejsc narażonych na tworzenie się odleżyn. Krążenie w tkankach pobudza się n a c i e r a n i e m. Chorych szczególnie skłonnych do powstawania odleżyn naciera się co dwie godziny, a chorym porażonym i nieprzytomnym rozciera się miejsca uciśnięte po każdej zmianie pozycji ciała. Przy nacieraniu stosuje się jednocześnie l e k k i m a s a ż s k ó r y. Nacierając używa się umiarkowanej siły fizycznej; z b y t s i l n e nacieranie sprawia choremu ból, z b y t d e l i k a t n e – nie daje żadnego efektu. Skórę naciera się niskoprocentowym spirytusem (np. salicylowym), wódką, pianą z mydła, wodą z octem lub wodą kolońską. Zabieg kończy n a t a l k o w a n i e skóry. Dobrze działa, bezpośrednio przed nacieraniem, pocieranie najbardziej narażonych na ucisk miejsc kostkami lodu umieszczonymi w worku z folii.

Duże znaczenie w zapobieganiu odleżynom ma z n o s z e n i e u c i s k u t k a n e k poprzez częste zmienianie pozycji ciała chorego, podkładanie pod pośladki gumowego krążka, poduszki z pianogumy lub z siemienia lnianego, ochranianie pięt i łokci przez przybandażowywanie do nich waty lub podkładanie pod nie krążków z waty (zob. s. 570). Korzystnie działa również materac z lateksu lub innego mikroporowatego tworzywa. Najlepsze są materace o powierzchni falistej, gdyż przy każdym ruchu wywierają ucisk na inne miejsce ciała. Chorzy z opatrunkami gipsowymi wymagają szczególnej czujności. Każde miejsce bolesne pod gipsem musi być sprawdzone i odbarczone, do czego z reguły potrzebna jest pomoc lekarza.

W przypadku wystąpienia z a c z e r w i e n i e n i a s k ó r y miejsce to należy chronić od ucisku, co dwie godziny nacierać i nie dopuszczać do leżenia chorego w mokrej lub wilgotnej pościeli. Jeżeli wystąpi z a s i n i e n i e, należy postępować tak samo, z tym że nie należy nacierać miejsca zasinionego, tylko jego okolice. Zasinienie utrzymuje się w stanie suchym, przysypując odkażającą zasypką, np. dermatolem. P ł y t k i e o w r z o d z e n i e o d l e ż y n o w e można pokryć błonotwórczym aerozolem, np. hemostinem, i goić nie pokryte opatrunkiem. Przy z m i a n a c h g ł ę b s z y c h leczeniem odleżyny kieruje lekarz, przy czym nadal wykonuje się zabiegi zapobiegawcze.

Odparzenia powstają tam, gdzie dwie powierzchnie ciała są narażone na stykanie i ocieranie się o siebie: pod pachami, w pachwinach, za małżowinami usznymi, u ludzi tęgich w fałdach powłok brzusznych, u kobiet pod piersiami, u mężczyzn pod workiem mosznowym.

Odparzenie zaczyna się zaczerwienieniem, obrzękiem i bólem; skóra staje się wilgotna, sącząca i bolesna. Aby nie dopuścić do odparzenia, należy kontrolować (najwygodniej przy myciu) miejsca na nie narażone, utrzymywać je w stanie suchym i talkować (talk rozcierać, aby nie tworzyły się z niego zbite grudki).

Gdy pojawi się zaczerwienienie, miejsca te należy przetrzeć spirytusem salicylowym lub zwykłym, natalkować i oddzielić stykające się powierzchnie płaskim kawałkiem gazy. W zmianach sączących nie należy stosować talku, lecz smarować je alkoholowym roztworem fioletu goryczki i nałożyć jałową gazę w celu ochrony przed zakażeniem.

Utrata sprawności mięśniowej. Przy długotrwałym leżeniu w łóżku i ograniczeniu ruchów nie pracujące mięśnie wiotczeją, zanikają, stawy sztywnieją, co doprowadza do zmniejszenia sprawności fizycznej. Bardzo ważne jest więc, aby leżenie w łóżku ograniczyć do minimum, a leżącemu polecić wykonywanie wszystkich możliwych ruchów i wzmacnianie mięśni różnorodnymi ćwiczeniami. Jak tylko wyrazi zgodę lekarz, chorego należy ubierać i sadzać na fotelu. Pobyt chorego poza łóżkiem należy codziennie przedłużać i pomagać mu w spacerach po pokoju aż do momentu, kiedy będzie mógł to zrobić sam. Opuszczanie łóżka ma również znaczenie w zapobieganiu innym, wtórnym chorobom, nabywanym wskutek długotrwałego leżenia (odleżyny, zapalenie płuc, tworzenie się zakrzepów).

Pomoc choremu w opuszczaniu łóżka

Przeprowadzanie chorego do fotela. Chcąc posadzić chorego w fotelu po opuszczeniu łóżka (tapczanu), należy go najpierw posadzić na łóżku, ubrać, a później przesunąć tak, aby mógł siąść na brzegu łóżka z opuszczonymi nogami. Stojąc twarzą do chorego, podsuwa się głęboko ręce pod jego pachy aż do pleców, przy czym chory obejmuje za kark osobę pomagającą, a ona pociąga go do pozycji stojącej. Następnie staje po jednej stronie chorego: jeśli np. po prawej, chory prawą swoją rękę zakłada na kark osoby pomagającej, która dłoń tej ręki ujmuje w swoją prawą rękę, lewą zaś ręką otacza chorego w pasie, przeprowadza go do przygotowanego fotela (krzesła) i sadza. Jeżeli chory nie może stanąć, potrzebne są dwie osoby, które sadzają chorego z opuszczonymi nogami na brzegu łóżka, podkładają ręce pod jego uda i pośladki, polecają mu oprzeć się rękami na ich barkach i – chwytając się za nadgarstki – przenoszą go i sadzają w fotelu.

Pomoc choremu w chodzeniu. Choremu można pomóc w chodzeniu w sposób opisany wyżej, przy przeprowadzaniu go do fotela. Kiedy pomoc ta jest niewystarczająca, trzeba stanąć za plecami chorego, który układa swoje ręce w poprzek klatki piersiowej, wsunąć ramiona pod jego pachy, chwycić od przodu za nadgarstki i rozpocząć z nim chód tą samą nogą (chory może się oprzeć plecami na klatce piersiowej osoby pomagającej). Jeżeli chory jest dość silny, wystarczy ująć go pod ramię lub otoczyć ramieniem w pasie, drugą ręką chwytając przedramię ręki chorego zgiętej w łokciu pod kątem prostym.

Pierwsze wstanie z łóżka, po długim leżeniu, może wywołać zawroty głowy lub nawet omdlenie chorego, należy go więc odpowiednio przygotować, sadzając najpierw w łóżku ze spuszczonymi nogami. W sytuacjach lękowych, trudnych przy uruchamianiu chorego pomocne może być właściwe oddychanie. Należy razem z chorym wykonać od 2–5 do 10 oddechów, jednocześnie zalecając mu myśleć pozytywnie o wstaniu i chodzeniu.

Słanie łóżka

Gdy tylko jest to możliwe, na czas słania łóżka i zmiany bielizny pościelowej sadza się chorego w fotelu.

Słanie łóżka z chorym leżącym. Osoba pielęgnująca najpierw usuwa z łóżka wszystkie poduszki, krążki i tym podobne przedmioty, następnie odwraca chorego na bok twarzą w swoją stronę. Usuwa z dalszej strony łóżka przykrycie przesuwając je w stronę chorego. Po nałożeniu na rękę myjki (rękawicy) zmiata wszystkie okruchy z prześcieradła w kierunku nóg chorego. Po zdjęciu rękawicy, marszczy w dłoniach wolną część prześcieradła aż do ciała chorego, po czym od góry do dołu naciąga i wyrównuje wszystkie fałdy. Jeżeli można, brzeg prześcieradła podkłada pod materac (albo wciska pod deskę tapczanu). Jeśli jest to możliwe, przypina prześcieradło do brzegu materaca dużymi agrafkami, aby zapobiec marszczeniu się prześcieradła pod chorym. (Jeżeli łóżko lub tapczan są szerokie, klęka na nich do tych czynności). Następnie odwraca chorego na wznak i na bok, plecami do siebie i wykonuje podobne czynności, usuwając już całkowicie okruchy spod nóg chorego.

Jeżeli łóżko jest zasłane także podkładami, usuwa z nich kolejno okruchy i marszczy w kierunku chorego, aby móc wymieść następną warstwę. Ścieląc, czyni podobnie jak z prześcieradłem. Na koniec podkłada choremu poduszki i układa potrzebne przedmioty.

Jeśli do łóżka jest dostęp z dwóch stron, powyższe czynności osoba pielęgnująca wykonuje stając z jednej, a następnie z drugiej strony chorego.

Zmiana bielizny osobistej. Zdejmując koszulę choremu, należy ugiąć mu nogi w kolanach, unieść pośladki i podsunąć koszulę ku górze, następnie unieść górną część ciała i podsunąć koszulę aż do barków, a po położeniu chorego – zdjąć ją z ręki bliższej, przesunąć przez głowę i zdjąć z drugiej ręki.

Zdejmując piżamę, spodnie zsuwa się ku dołowi i zdejmuje, a bluzę, po rozpięciu, podsuwa do barków, zdejmując z bliższej ręki chorego, przesuwa pod plecami na dalszą stronę i zdejmuje z drugiej ręki. Chora kończyna jest zawsze jako pierwsza „ubierana" i jako ostatnia „rozbierana".

Nakładając koszulę – marszczy się ją od strony pleców, nakłada choremu przez głowę, później na rękę dalszą, rękę bliższą, następnie zsuwa się w dół i wygładza pod chorym. Nakładając piżamę – nogawki spodni marszczy się, przesuwa przez stopy i podsuwa aż do pośladków, następnie unosząc choremu pośladki, podsuwa się spodnie do pasa. Nakładając bluzę nasuwa się najpierw rękaw na dalszą rękę chorego, bluzę przesuwa pod plecami i nakłada rękaw na rękę bliższą. Bluzę obciąga się ku dołowi, wygładza pod chorym i zapina. Konieczność zmiany bielizny sprzyja obejrzeniu skóry w miejscach, gdzie mogą powstawać odleżyny. Po zdjęciu bielizny możemy te miejsca nasmarować spirytusem, posypać talkiem, a po tych zabiegach nałożyć czystą koszulę lub piżamę.

Zmiana bielizny pościelowej. Należy przygotować wszystkie sztuki bielizny, jakie chce się zmienić, oraz krzesło na poduszki. Z łóżka usuwa się nagromadzone przedmioty oraz poduszki. Chorego odwraca się na bok, twarzą do siebie, otula przykryciem tak, aby mieć odkrytą dalszą stronę tapczanu. Postępuje się tak, jak przy słaniu łóżka (zob. wyżej). Po podsunięciu pod chorego zmarszczonego brudnego podkładu płóciennego, wymiata się z okruchów podkład gumowy, zakłada na chorego i marszczy na całej długości brudne prześcieradło, podsuwając je także pod chorego.

Świeże prześcieradło marszczy się podłużnie do połowy i układa przy zmarszczonym brudnym prześcieradle. Brzegi prześcieradła zakłada się pod materac lub umocowuje w odpowiedni sposób. Założony na chorego podkład gumowy rozkłada się i, jeżeli można, umocowuje go do łóżka (nie agrafkami!). Czysty podkład płócienny nakłada się do połowy i układa przy podsuniętym do pleców chorego podkładzie brudnym. Podkład umocowuje się podobnie jak prześcieradło.

Rozkłada się górne przykrycie chorego, odwraca się go na wznak, następnie na drugi bok, tak że chory leży na świeżo zasłanej części materaca. Usuwa się brudny podkład, wymiata okruchy z podkładu gumowego, zarzuca się go na chorego, usuwa spod chorego brudne prześcieradło i naciąga czyste. Poszczególne warstwy ściele się tak, jak po przeciwnej stronie łóżka, chorego odwraca się na wznak.

Jeśli dojście do łóżka (tapczanu) jest z dwóch stron, powyższe czynności wykonuje się najpierw z jednej, potem z drugiej strony chorego.

Jeżeli chory nie może odwracać się na boki, dolną pościel posłania muszą zmieniać dwie osoby, zwane pierwszą i drugą. Prześcieradło marszczy się od dołu ku górze do 2/3 długości, resztę zwija w rulon, zostawiając nie zwiniętą tę część prześcieradła. którą u wezgłowia zakłada się pod materac. Rulon przełamuje się w pół, nie zwiniętą częścią prześcieradła do środka. Blisko łóżka ustawia się krzesło. Wyjmuje się z łóżka wszystkie przedmioty i górne przykrycie zakłada na chorego.

Obie osoby stają obok siebie, na wysokości pośladków chorego. Osoba druga (bliższa nóg chorego) układa płasko dłonie na przeciwległym biodrze chorego – odchyla go ku sobie. Osoba pierwsza marszczy pod chorego podkład płócienny, wymiata okruchy z podkładu gumowego i kładzie w znany już sposób zmarszczony do połowy, czysty podkład płócienny. Kiedy osoba druga unosi choremu pośladki, pierwsza przesuwa brudny podkład spod chorego ku sobie, usuwa go, wymiata z podkładu gumowego okruchy i nasuwa czysty podkład płócienny. Obie zakładają kolejne podkłady na chorego i stają z boku, u wezgłowia.

U wezgłowia druga osoba podsuwa głęboko ręce pod pachy chorego (chory może zarzucić swoje ręce na jej szyję) i podnosi go do pozycji siedzącej. Pierwsza – odkłada poduszki na krzesło, zsuwa brudne prześcieradło w kierunku pośladków chorego, kładzie przygotowany rulon czystego prześcieradła, środkiem na środku, rozkłada je na całą szerokość łóżka, umocowuje u wezgłowia nie zwiniętą w rulon część prześcieradła, a resztę zsuwa w dół aż do pośladków. Obie osoby kładą chorego równocześnie. Pierwsza unosi mu pośladki, a druga, po zsunięciu brudnego prześcieradła, nasuwa czyste na dalszą część materaca. Pierwsza unosi nogi chorego, druga zsuwa aż do dołu brudne prześcieradło i nasuwa czyste. Od tego momentu może już pracować jedna osoba, naciągając i umocowując wszystkie warstwy po dalszej stronie tapczanu, a następnie po stronie bliższej.

Przy obustronnym dostępie do łóżka – obie osoby pracują przez cały czas naprzeciwko siebie, przy czym po założeniu prześcieradła za wezgłowie i rozłożeniu go na górnej części materaca, obie, bliższymi głowy chorego rękami, unoszą jego pośladki, a dalszymi zsuwają brudne prześcieradło i nasuwają czyste. Razem już, pracując naprzeciwko siebie, naciągają i umocowują poszczególne warstwy dolnej części posłania. Na koniec układają czysto powleczone poduszki i potrzebne choremu przedmioty. Z poszwy wysuwają kołdrę lub koc, powlekają ją czysto, nakrywają chorego czysto powleczonym nakryciem i usuwają brudną poszwę.

Utrzymanie chorego w czystości

Jeśli tylko jest to możliwe, nakłania się chorego, aby mył się sam. W zależności od potrzeby, pomaga się choremu w dojściu do łazienki i myciu lub kąpieli w wannie (potrzebne jest zezwolenie lekarza), albo, po przyniesieniu wszystkich przyborów, w umyciu się w łóżku. jeżeli chory nie może umyć się sam, nawet przy czyjejś pomocy, osoba opiekująca się myje go w łóżku.

Mycie całego chorego w łóżku. Najpierw trzeba zadbać, aby było ciepło w pokoju, pozamykać okna i przygotować wszystkie potrzebne przybory. Na krześle ustawionym przy łóżku (tapczanie) umieścić miednicę z ciepłą wodą i mydelniczkę z mydłem. przygotować płyn i talk do nacierania pleców oraz dwie różne myjki, najlepiej w kształcie rękawic – jedną do mycia twarzy, uszu, szyi, rąk, klatki piersiowej, i drugą – do mycia pozostałych części ciała (służy ona także do wymiatania okruchów z łóżka). Należy także przygotować dwa ręczniki. Myjkę trzeba dobrze namydlić i przy myciu oraz wycieraniu nie używać nadmiernej siły. W trakcie mycia należy dokładnie obejrzeć skórę chorego.

Następnie osoba myjąca wykonuje kolejne czynności. Zdejmuje choremu koszulę, pod głowę kładzie ręcznik. Pierwszą myjką myje twarz, po czym ją wyciera. Myje uszy, szyję – wyciera. Wyjmuje ręcznik spod głowy. Pod ułożoną na kołdrze, dalszą od siebie rękę chorego podkłada pierwszy ręcznik, pod dłoń stawia na łóżku miednicę, obok mydelniczkę. Myje całą kończynę. Miednicę i mydelniczkę odstawia – rękę wyciera. W ten sam sposób myje drugą rękę chorego. Myjąc ręce zwraca uwagę na łokcie, gdzie skóra często rogowacieje i wciera w nią trochę kremu. Myje klatkę piersiową, jednocześnie sprawdza u kobiet z dużym biustem okolicę pod piersiami, czy nie tworzą się tam odparzenia; w razie potrzeby przeciera te miejsca 70% spirytusem winnym lub spirytusem salicylowym i talkuje.

Następnie kładzie drugi ręcznik na brzuchu, myje chorego drugą myjką zachodząc aż na biodra i wyciera. Chorego odwraca na bok – plecami do siebie, odkrywa plecy i pośladki. Wzdłuż pleców i pośladków kładzie drugi ręcznik, myje plecy i pośladki, dokładnie zmywa szparę pośladkową, wyciera. Naciera skórę spirytusem lub innym płynem, sypie na swoje ręce trochę talku i masuje całe plecy oraz pośladki, okolicę kości ogonowej i bioder. Obraca chorego na wznak i zakłada mu koszulę. Odkrywa dalszą nogę, podkłada pod nią drugi ręcznik, nogę ugina w kolanie, pod stopę ustawia miednicę, obok mydelniczkę. Myje całą kończynę dolną z przestrzeniami między palcami, odkłada na krzesło mydelniczkę i miednicę, nogę wyciera i nakrywa. W taki sam sposób myje drugą nogę.

Podkłada drugi ręcznik pod pośladki i przytrzymuje na ich wysokości miednicę w łóżku. Następnie zakłada choremu na rękę namydloną myjkę – chory sam myje i zbiera mydło z krocza. Jeżeli jednak nie może zrobić tego sam – robi to za niego; u kobiet przemywa krocze od spojenia łonowego w kierunku odbytu, a u mężczyzn odsuwa napletek i usuwa nagromadzoną tam wydzielinę, myje krocze i wyciera. Układa chorego wygodnie, i jeżeli potrzeba, ściele łóżko.

Całego chorego na ogół nie myje się codziennie. Codziennie trzeba myć chorego do połowy, jego pośladki i krocze. Przynajmniej rano i wieczór należy chorego natrzeć. Po umyciu trzeba chorego uczesać (jeżeli nie może zrobić tego sam), wcześniej podkładając pod głowę ręcznik. Mężczyzna powinien się ogolić lub powinien być ogolony.

Paznokcie obcinać najlepiej jest bezpośrednio po kąpieli. Kolejno, pod każdą dłoń i stopę podkłada się odpowiedni ręcznik i obcina paznokcie u rąk na okrągło, u nóg – prosto. Jeżeli u nóg boki paznokci wrastają (najczęściej u dużego palca), trzeba w tym miejscu pod paznokieć podłożyć delikatnie i płytko mały zwitek waty; przynosi to ulgę, a po pewnym czasie stosowania zapobiega wrastaniu paznokcia.

Po umyciu chorego należy sprzątnąć wszystkie przedmioty, ręcznik rozwiesić do wyschnięcia, miednicę umyć, a myjki bardzo dokładnie wyprać i wypłukać (w przeciwnym razie mogą wywołać zapalenie skóry).

Higiena jamy ustnej. Mycie zębów. Chory powinien myć zęby dwa razy dziennie: rano przed śniadaniem (zwykle przed myciem) i wieczorem, przed spaniem. Jamę ustną powinien płukać po każdym posiłku. Jeżeli chory wykonuje tę czynność w łóżku, potrzebna jest do spluwania wody miska nerkowata lub inne naczynie służące tylko do tego celu. Jeżeli chory myje zęby na leżąco, osoba pomagająca wykonuje następujące czynności: pod brodę chorego kładzie ręcznik (do górnej części ciała – pierwszy), podaje mu do ręki szczoteczkę z nałożoną pastą, zwraca uwagę, aby mył zęby przesuwając szczoteczkę od dziąseł do strony gryzowej po stronie zewnętrznej, a następnie wewnętrznej. Po umyciu zębów unosi jedną ręką głowę chorego, a drugą podaje mu wodę do płukania na przemian z miską nerkowatą, którą podstawia ciasno pod wargi chorego. Na koniec wyciera mu usta.

Mycie protezy. Jeśli chory ma protezy zębowe, należy je dokładnie i ostrożnie myć pod bieżącą wodą, najlepiej nad umywalką wypełnioną wodą, aby proteza w razie upadku nie rozbiła się. Trzeba też uważać, aby nie złamać jej w ręku, co dla chorego może oznaczać duży kłopot i niemożność gryzienia pokarmów. Protezy często ulegają zniszczeniu, najlepiej więc, aby chory miał jeden komplet w zapasie. Jeżeli chory na noc wyjmuje protezę, powinna ona być przechowywana w naczyniu nieprzezroczystym (w kubeczku) i nakrytym. Lepiej, aby chory miał protezę stale założoną, gdyż zapobiega to zniekształceniom dziąseł. Ciężko chory i nieprzytomny powinien mieć protezę wyjętą na stałe.

Oczyszczanie jamy ustnej. U ciężko chorych, jak i nieprzytomnych, oddychających często przez usta i nie przyjmujących stałych pokarmów oczyszczających samoistnie jamę ustną, dochodzi niejednokrotnie, zwłaszcza przy braku higieny, do wysychania błon śluzowych, tworzenia się grubego nalotu na języku, osadu na zębach oraz pierzchnięcia i pękania warg. W tych warunkach łatwo mogą rozwinąć się: zapalenie jamy ustnej, zmiany grzybicze i pleśniawki. Chory odczuwa niesmak, ból i gorycz, co wpływa ujemnie na jego samopoczucie i utrudnia jedzenie. W tym przypadku osoba opiekująca się musi choremu myć jamę ustną nawet co dwie godziny. Przygotowuje: pałeczki z watą, tzw. kwaczyki (wata nawinięta na koniec drewnianej pałeczki), szpatułkę z nawiniętą na jej końcu i dobrze przymocowaną gazą, boraks z gliceryną (dwie części boraksu na jedną część gliceryny) lub glicerynę z sokiem cytrynowym i napar z rumianku albo szałwii, nerkę oraz szpatułkę lub łyżeczkę.

Oczyszczanie jamy ustnej wykonuje się w następujący sposób. Pod brodę chorego zakłada się ręcznik. Kolejno, odsuwając policzek szpatułką, myje się zęby od dziąseł do powierzchni zgryzowej kwaczykami zanurzonymi w boraksie z gliceryną. Tej samej pałeczki nie można dwa razy zanurzać w przygotowanym płynie, nawet jeśli jest on odlany do kieliszka. Na koniec macza się szpatułkę z nawiniętą gazą i myje przestrzeń pomiędzy dziąsłami i policzkami oraz język. Podaje się choremu płyn do płukania. Jeżeli chory jest nieprzytomny, wyciera się całą jamę ustną szpatułką z gazą namoczoną w naparze z rumianku lub szałwii. Pleśniawki można przecierać np. Aphtinem.

Czesanie i mycie głowy chorego. Czesanie włosów. Włosy chorego leżącego trzeba przynajmniej dwa razy dziennie rozczesać, podkładając do tej czynności ręcznik pod głowę. Głowę chorego odwraca się na bok i czesze najpierw włosy jednej połowy głowy, następnie odwraca się głowę chorego w drugą stronę i czesze pozostałe włosy. Jeżeli włosy są długie, rozczesuje się je partiami od dołu, trzymając mocno w dłoni powyżej rozczesywania. U kobiet długie włosy najlepiej zapleść w dwa warkocze z boków głowy.

Mycie głowy. Jeżeli chorego można przeprowadzić do łazienki, mycie głowy nie przedstawia specjalnego problemu. Chorego sadza się przed umywalką i poleca głowę podstawić pod kran. Jeżeli chory nie może pochylić głowy, przygotowuje się garnuszek i wodą polewa się włosy. Głowę myje się szamponem dwa razy, spłukując za każdym razem wodą. Jeżeli chory używa do płukania octu lub piwa, dolewa się je do ostatniej partii wody, którą spłukuje się włosy. Na koniec wyciska się z włosów wodę, dobrze wyciera i najlepiej od razu suszy suszarką i czesze.

Jeśli chory nie może wstać z łóżka, do mycia głowy jest potrzebna druga osoba. Przygotowuje się: wiadro na brudną wodę, miednicę, ręcznik, 2 podkłady z folii plastykowej, szampon, dzbanek lub wiadro z ciepłą wodą i kubeczek do polewania. Wiadro na brudną wodę stawia się przy stoliku, a na wiadrze miednicę. Na stoliku ustawia się dzbanek z wodą. Jeżeli osoby myjące głowę nie mogą stanąć naprzeciwko siebie, druga staje najbliżej wezgłowia lub poza wezgłowiem. Razem zsuwają chorego niżej z poduszek, wyjmują wierzchnią poduszkę i zsuwają spodnią tak nisko, aby górny jej brzeg sięgał do barków chorego. Jeżeli poduszka dolna jest cienka, podkładają pod nią drugą złożoną wpół lub podkładają brzeg już podłożonej tak, aby głowa chorego zwisała poza poduszkę. Od tej chwili jedna osoba (ta, która stoi za wezgłowiem) podtrzymuje głowę chorego, druga zaś szybko wykonuje wszystkie czynności – podkłada pod głowę chorego kolejno: folię, ręcznik i znowu folię (powinna zachodzić aż na barki chorego), na to stawia miednicę, polewa głowę chorego wodą z dzbanka lub kubka, zmywa szamponem, spłukuje włosy. Polewając włosy zwraca uwagę, aby dzbanka lub kubka nie przenosić nad twarzą chorego i nie zalać mu uszu. Kiedy miednica jest pełna, osoba podtrzymująca głowę chorego zbiera jego długie włosy, przyciska je do głowy, a druga osoba wylewa wodę z miednicy do wiadra. Po skończonym myciu – zestawia miednicę, zdejmuje wierzchnią folię, głowę chorego otula ręcznikiem z leżącą pod nim folią. Obie osoby kładą poduszki, chorego podsuwają wyżej i układają wygodnie. Jedna osoba sprząta wszystkie przybory, druga rozczesuje choremu włosy, suszy suszarką, a po wysuszeniu wyjmuje folię i ręcznik.

Mycie głowy na sucho. Osobom ciężko chorym można umyć głowę na sucho, przy użyciu 50% alkoholu lub drożdży. Skórę głowy należy skropić alkoholem i wyczesywać grzebieniem z watą nałożoną na zęby. Watę po każdym zabrudzeniu trzeba wymienić. Oczyszczając włosy na sucho drożdżami, pod głowę należy podłożyć ręcznik, drożdże wetrzeć w skórę głowy i włosy. Po 15–30 min, kiedy drożdże wyschną, trzeba dobrze wyczesać włosy. Są one czyste i puszyste. Ręcznik należy usunąć składając go do środka i wytrzepać.

Wypróżnienia i oddawanie moczu

Wypróżnienia. Chory leżący często cierpi na zaparcie, do czego przyczynia się brak ruchu, nieodpowiednie odżywianie i oddawanie stolca w łóżku do basenu. Jeśli tylko jest to możliwe, należy chorego przeprowadzać do toalety, a „leniwym" chorym tłumaczyć konieczność takiego postępowania. W diecie trzeba uwzględniać potrawy pobudzające ruch robaczkowy jelit, takie jak

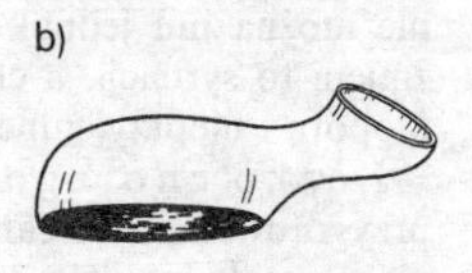

Naczynia na wydaliny: a) basen z pokrywą, b) butelka do moczu, tzw. kaczka

jarzyny, surówki, kompoty, owoce, kwaśne mleko, suszone śliwki, razowy chleb. Zaleca się też wypijanie na czczo i przed snem pół szklanki letniej wody, wody z miodem lub spożywanie na czczo łyżki miodu. Jeżeli chory przez 3 dni nie ma wypróżnienia, należy mu zrobić lewatywę oczyszczającą. Lewatywa wywołuje wypróżnienie zaraz i mniej męczy chorego niż środek przeczyszczający, na który przy dłuższym używaniu chory często nie reaguje.

Chorym nie opuszczającym łóżka podaje się basen do łóżka. Dobrze jest chorych przyzwyczaić do stałej pory oddawania stolca. Niektórym chorym wystarczy przynieść basen do łóżka i pozostawić go wraz z papierem toaletowym w zasięgu ręki. Jeżeli trzeba pomóc w podłożeniu basenu, ugina się choremu nogi w kolanach, koszulę spod pośladków podsuwa wyżej, jedną ręką unosi pośladki chorego, drugą zaś podsuwa basen. Chorego bezwładnego należy po przyniesieniu basenu odwrócić na bok przytrzymując jedną ręką za biodro, drugą ręką podstawić basen na wysokości pośladków, podsunąć go tak głęboko pod chorego, jak to możliwe, a następnie odwrócić chorego na wznak, układając go jednocześnie na basenie. Trzeba sprawdzić, czy basen jest podłożony prawidłowo. Wyjmując basen, należy jedną ręką trzymać za jego rączkę, drugą odchylić pacjenta na bok, basen wyjąć, przykryć (przykrywa powinna leżeć w nogach łóżka na materacu) i – jeżeli potrzeba – podetrzeć chorego. Basen wynieść, po sprawdzeniu zawartości – opróżnić, dokładnie umyć szczotką i płynem odkażającym oraz spłukać pod bieżącą wodą. Basen należy przechowywać w miejscu przeznaczonym do tego celu, nigdy nie stawiając go na podłodze. Każdorazowo po wypróżnieniu należy choremu umyć pośladki, natrzeć je spirytusem i talkiem, a pokój wywietrzyć.

Oddawanie moczu. Im wiecej się pije, tym więcej oddaje moczu. Mniej moczu oddaje się przy obfitych potach, wymiotach, biegunkach – mocz ma wówczas ciemne zabarwienie. Wszelkie odchylenia od normy trzeba zgłaszać lekarzowi.

Chorego należy nakłaniać do oddawania moczu w toalecie, dokąd, jeżeli potrzeba, należy go przeprowadzać. Kobietom, które nie mogą opuścić łóżka, podaje się basen. Jeżeli podsuwanie basenu jest bardzo męczące dla chorej, można, bez unoszenia pośladków, umieścić pomiędzy udami, tak głęboko, jak jest to możliwe, nerkę albo przeznaczoną tylko do tego celu płaską miseczkę. Mężczyznom podaje się na mocz specjalne naczynie zwane „kaczką" (zastępczo nawet słoik). Naczynia służące do oddawania moczu muszą być każdorazowo dokładnie umyte i nie należy ich stawiać na podłodze.

Chory zanieczyszczający się. Chociaż chory zanieczyszczający się jest uciążliwy, wymaga dużo czasu i wysiłku ze strony opiekującej się nim osoby, nie można mu jednak okazywać zniecierpliwienia, niechęci lub złości. Nie zmieni to sytuacji, a chory jest wystarczająco nieszczęśliwy, że sprawia tyle kłopotu i nieprzyjemnej pracy.

Łóżko chorego zanieczyszczającego się wymaga specjalnego przygotowania. Na cały materac, pod prześcieradło, trzeba położyć warstwę nieprzemakalną, np. folię plastykową. Podkłady założyć po położeniu poduszek tak, aby pokrywały dolną ich część, chroniąc je przed zamoczeniem. Chory powinien leżeć albo tylko w bluzie od piżamy, albo z koszulą zsuniętą tylko do pośladków. W krocze zakłada się dość gruby pas ligniny owinięty gazą (ewentualnie pokryty z zewnątrz kawałkiem folii plastykowej) i przytrzymywany trójkątnym kawałkiem materiału – „rogówką" – założonym tak jak pieluszka u dzieci. Obecnie znajdują się też w sprzedaży specjalne pielucho-majtki dla dorosłych, jednorazowe podkłady, a nawet specjalne materace (w sklepach ze sprzętem rehabilitacyjnym).

Gdy chory się zanieczyści, należy przygotować miednicę z wodą, mydło, ręcznik przeznaczony do tego celu, płyn do nacierania, wazelinę lub oliwę albo krem, wiadro na odpadki, papier toaletowy, gazety, pas ligniny, „rogówkę", podkłady i te sztuki bielizny, które są zabrudzone. Wszystko umieszcza się na krzesłach przy łóżku chorego. Górne przykrycie, jeżeli jest czyste, zakłada się na chorego. Przy chorym pracujemy w rękawiczkach, które są jednorazowe lub wielorazowe – gumowe. Rękawiczki można kupić w aptece albo w sklepie ze sprzętem medycznym.

Osoba myjąca chorego kolejno wykonuje następujące czynności. Rozwiązuje „rogówkę", zsuwa jej rogi z chorego i odwraca go na bok. Na materacu, poniżej pośladków chorego, rozkłada gazetę. Usuwa pas ligniny, odkłada go na gazetę, papierem toaletowym wyciera pośladki i jeśli potrzeba – podkład, następnie pośladki wyciera mokrym papierem – brudny papier odkłada na gazetę, gazetę składa do środka i odkłada do wiadra na odpadki. Obluźnia z umocowania podkłady, ujmuje je w fałdy i czystą część kładzie pod chorego. Myje pośladki, wyciera i natłuszcza (nie talkuje!). Podsuwa w kierunku chorego brudne podkłady i „rogówkę", uważając, aby chorego nie zabrudzić. Równolegle do brudnych – kładzie przygotowane, zmarszczone do połowy czyste podkłady i „rogówkę". Odwraca chorego w swoją stronę, usuwa brudne podkłady i, jeżeli potrzeba, oczyszcza go, myje, naciera i natłuszcza z drugiej strony. Wsuwa pod chorego czyste podkłady i część „rogówki", do krocza zakłada przygotowany wkład, umocowuje podkłady, odwraca chorego na wznak i wiąże „rogówkę". Jeżeli potrzeba, w trakcie mycia zmienia również prześcieradło, a później i resztę zabrudzonej bielizny.

Na koniec sprawdza, czy chory leży wygodnie. Wszystko sprząta, opróżnia wiadro, dokładnie myje miednicę i spiera myjkę. Należy pamiętać o własnym bezpieczeństwie i po wszystkich czynnościach starannie umyć ręce, a brudny fartuch uprać.

IV. CHORY ZAKAŹNIE W DOMU

Pomieszczenie chorego zakaźnie

Chory zakaźnie powinien być izolowany w szpitalu, może jednak zaistnieć sytuacja, że trzeba go izolować w domu i zapewnić takie warunki, aby nie był źródłem zakażenia dla otoczenia. Chory powinien mieć oddzielny pokój, z którego należy usunąć zbędne przedmioty i zrobić miejsce na wszystko, co będzie choremu potrzebne. W pokoju muszą się znajdować: przybory toaletowe, miednica i miska nerkowa, zestaw naczyń do posiłków, kieliszek do leków, termometr, basen, dla mężczyzn kaczka, ścierki, sprzęt do sprzątania, płyny odkażające oraz wszystkie naczynia do przeprowadzenia odkażenia. Ponadto muszą być przygotowane przybory potrzebne osobie opiekującej się chorym: miednica do mycia rąk, miednica z płynem odkażającym, dzbanek z wodą i wiadro na brudną wodę, ręcznik (najlepiej jednorazowego użycia) i fartuch ochronny. Przed wejściem do pokoju należy położyć wycieraczkę nasączoną płynem odkażającym i klamki drzwi owinąć ściereczką nasączoną tym płynem. Pokój należy sprzątać w fartuchu ochronnym i specjalnie do tego celu przeznaczonym sprzętem. Meble i podłogę zmywać np. 3% lizolem, 1% sterikolem lub 2% chloraminą. Do pokoju zakaźnie chorego powinna wchodzić tylko jedna osoba – pouczona o sposobie wykonywania wszystkich pielęgnacyjnych czynności.

Płyny odkażające i ich zastosowanie

Kupując środek odkażający należy dokładnie zapoznać się z warunkami, w jakich działa bakteriobójczo (stężenie, temperatura, czas działania); dane te są zwykle umieszczone na nalepce. Odkażając wydaliny lub wydzieliny należy je dokładnie zmieszać z płynem odkażającym, bieliznę i inne przedmioty całkowicie w nim zanurzyć, ponieważ każdy stosowany środek działa na bakterie tylko w bezpośrednim kontakcie.

Odkażanie rąk. Ręce należy najpierw umyć wodą z mydłem, a następnie na krótko zanurzyć w jednym z następujących płynów: w 0,5% roztworze chloraminy, lizolu (1 łyżka na litr wody) lub w 5% dessonie.

Odkażanie naczyń. Naczynia najlepiej jest odkażać przez 10-minutowe gotowanie w wodnym 2% roztworze sody. Można je też moczyć (również grzebienie, szczotki itp.), np. przez 2 godz. w 1% roztworze chloraminy lub zanurzyć (także sztućce) w ciepłym roztworze incodyny B. Odkażone naczynia należy bardzo dokładnie spłukać pod bieżącą wodą.

Odkażanie bielizny. Bieliznę odkaża się gotując ją przez 10 min w wodzie z 2% dodatkiem sody lub mocząc przez 2 godz. np. w 1% roztworze chloraminy, w 3% lizolu, w 1% dessonie.

Odkażanie wydalin i wydzielin (plwociny). Wydaliny i wydzieliny odkaża się przygotowując 5% roztwór chloraminy lub 6% lizolu, który wlewa się do połowy spluwaczki albo wiadra. Po napełnieniu naczynia wydalinami można po 2 godz. odkażony materiał wylać do ubikacji. Wydaliny można też posypać obficie wapnem chlorowanym albo chloraminą na okres 2 godz.

Odkażanie basenu. Basen i kaczkę należy zanurzyć np. na 15 min w ciepłym 5% roztworze incodyny lub na 2 godz. w 1% stericolu, 5% roztworze lizolu lub 3% chloraminie, następnie dobrze spłukać bieżącą wodą.

Odkażanie innych przedmiotów. W warunkach domowych odzież i kołdry, po uprzednim oczyszczeniu szczotką maczaną np. w 5% lizolu lub 3% chloraminie, poddaje się działaniu słońca. Odzież dobrze odkaża się też prasowaniem gorącym żelazkiem przez mokrą ścierkę. Zabawki nadające się do gotowania najlepiej gotować przez 10 min, inne moczyć przez 30 min w 3% chloraminie (odbarwia) lub w 3% lizolu. Tanie zabawki, czasopisma itp. najlepiej jest spalić. Wannę należy umyć 3% roztworem chloraminy, 1% stericolem lub 0,3% lizolem.

Osoba opiekująca się chorym zakaźnie

Zakaźnie chorego, zwłaszcza na chorobę szerzącą się drogą kropelkową, nie można odwiedzać. Osoba opiekująca się takim chorym musi się starać zrekompensować to, poświęcając mu więcej czasu, organizując różnorodne zajęcia, np. słuchanie radia, czytanie, pisanie (arkusze papieru można odkażać przez prasowanie). Musi też odznaczać się wyjątkowym taktem, gdyż niektórzy chorzy niedobrze przyjmują czynności wykonywane przy nich w celu ograniczenia możliwości przeniesienia zakażenia. Chorych należy pouczyć, aby np. przy kichaniu lub kaszlu osłaniali usta ligniną (też podlegającą odkażeniu np. razem z wydalinami) i oddychali twarzą w bok, aby nie oddychać na osobę leczącą lub pielęgnującą.

Pielęgnujący musi również wiedzieć, jak ma postępować, aby nie zakazić siebie i nie przenieść zakażenia poza pokój chorego, oraz jaki materiał jest zakaźny w danej chorobie. *Przy zakażeniu przez układ oddechowy* (np. gruźlica, płonica, błonica) bakterie są wydalane z organizmu przy kaszlu, kichaniu i mówieniu, z kropelkami śliny lub wydzieliny z noso-gardzieli. Odkażaniu podlega plwocina, wydzielina z nosa i gardła oraz bielizna pościelowa i osobista chorego, przybory do jedzenia i przedmioty, z którymi ma bezpośredni kontakt. *Przy zakażeniu przez przewód pokarmowy* (dur brzuszny, dury rzekome, czerwonka, nagminne zapalenie wątroby) materiałem zakaźnym, prócz wyżej wymienionych, jest kał i mocz.

Choroby tej grupy nazywane są chorobami brudnych rąk, a podstawową rolę w walce z nimi odgrywa poziom kultury sanitarnej, m.in. nawyk mycia rąk, walka z muchami.

Praca w pokoju chorego zakaźnie

Zakładanie i zdejmowanie fartucha ochronnego. Do pracy przy chorym należy przystępować po założeniu fartucha ochronnego. Fartuch, z krótkimi rękawami (jak i ubiór osobisty), powinien być złożony równo, wewnętrzną („czystą") stroną do środka i wisieć w pokoju chorego, blisko przyborów do mycia i odkażania rąk. Zanim dotknie się jakichkolwiek przedmiotów w pokoju chorego, czyli mając jeszcze czyste ręce, zdejmuje się fartuch z wieszaka i trzymając go z dala od siebie – w miejscu górnego guzika – narzuca się od razu na ręce i czystymi jeszcze rękami zapina z tyłu górny guzik, następnie składa z tyłu rozcięcie fartucha brzegami do siebie, zagina w jedną stronę i wiąże pasek. Tak ubrana osoba może wykonywać wszystkie czynności przy chorym. Wskazane mogą być również jednorazowe rękawiczki (gumowe). Po zakończeniu pracy, bezpośrednio przed wyjściem z pokoju ściąga się rękawiczki (brudną stroną do wewnątrz), rozwiązuje pasek fartucha i myje dokładnie ręce mydłem aż do łokcia, następnie w drugiej miednicy spłukuje płynem odkażającym. Umytymi rękami odpina się górny guzik, a następnie wysuwa ręce z rękawów, nie dotykając zewnętrznej strony fartucha, składa się go jak wyżej opisano i wiesza. Nie dotykając niczego ubraniem, wylewa się brudną wodę do wiadra, miednicę myje i nalewa do niej czystej wody. Ręce płucze się jeszcze raz płynem odkażającym i wychodzi z izolatki, wycierając buty w wycieraczkę nasączoną odpowiednim płynem.

Przyjmowanie posiłków dla chorego. Przyjmując jedzenie dla chorego najlepiej jest skorzystać z pomocy jeszcze jednej osoby, która w drzwiach nakłada je do naczyń chorego uważając, aby przy przekładaniu nie dotykać ich łyżką. Po posiłku resztki jedzenia wrzuca się do kubła z płynem odkażającym, naczynia odkaża i następnie oddaje do oddzielnego umycia.

Postępowanie z wydalinami chorego. Należy przygotować dwa przykryte wiadra do odkażania wydalin. Jeżeli warunki na to pozwalają, umieszcza się je w wydzielonym miejscu, w kącie łazienki. Osoba opiekująca się chorym wykonuje następujące czynności: odbiera basen od chorego, nakrywa go, myje ręce i zdejmuje fartuch w wyżej opisany sposób. Uważając, aby nie zainfekować jednej ręki, wynosi basen; wszystkie drzwi otwiera „czystą" ręką. W łazience wylewa zawartość basenu do kubła z przygotowanym płynem odkażającym, albo wydaliny zasypuje na 2 godz. chloraminą, basen myje, wodę z basenu wylewa też do kubła, wraca do pokoju, myje ręce i nakłada fartuch.

Zmiana bielizny. Zmieniając choremu bieliznę, należy przygotować wiadro z płynem odkażającym i bezpośrednio po zdjęciu brudnej bielizny włożyć ją do wiadra, które następnie się nakrywa. Po odkażeniu wyżętą bieliznę można rozwiesić do wyschnięcia, a potem włożyć do pojemnika z inną bielizną przeznaczoną do prania.

V. CZYNNOŚCI PIELĘGNIARSKIE PRZY CHORYM

Mierzenie temperatury

Gorączka jest najczęstszą przyczyną zasięgania porady lekarza. Chory skarży się na złe samopoczucie, „łamanie w kościach", ból głowy, uczucie zimna i ciepła na przemian, jest przygnębiony lub podniecony. Pojawiają się wypieki na twarzy, oczy błyszczą, tętno i oddech przyspieszają się. Przy wysokiej gorączce może wystąpić ograniczenie świadomości i majaczenie.

Temperaturę można mierzyć pod pachą, w pachwinie, w odbytnicy i w ustach. W naszych warunkach ciepłotę mierzy się przeważnie pod pachą, rano po obudzeniu się chorego i po południu ok. godz. 17, kiedy najczęściej gorączka osiąga swe maksimum. Jeżeli zauważy się, że chory ma najwyższą temperaturę o innej porze albo po dreszczach – należy ją mierzyć dodatkowo. Najlepiej jest zrobić wykres gorączki na przygotowanej karcie gorączkowej. Najgrubszą poziomą kreską na tej karcie oznacza się 37°C, cieńszymi kreskami poziomymi – pełne stopnie, a czterema najcieńszymi kreskami dzieli się każdy pełny stopień na części równe 0,2°C. Kartę dzieli się następnie kreskami pionowymi na poszczególne dni.

Mierzenie temperatury pod pachą. Po wytarciu pachy z potu „strząśnięty" termometr do 35°C zakłada się bezpośrednio między dwie warstwy skóry, zbiornikiem z rtęcią w dole pachowym. Po 5 – 10 min sprawdza się wysokość słupka rtęci, termometr wyciera z potu i chowa do pochewki. Podobnie mierzy się temperaturę w pachwinie, stosując często ten sposób jako wygodniejszy u dzieci.

Mierzenie temperatury w odbytnicy. W ten sposób mierzy się temperaturę dzieciom i osobom nieprzytomnym. Chorego najlepiej jest obrócić na bok, strząsnąć słupek rtęci w termometrze, zwężony zbiornik z rtęcią zanurzyć np. w oliwie albo w wazelinie i włożyć go do odbytnicy. Przez cały czas trzymać jedną ręką chorego, a drugą termometr. Temperaturę mierzy się 3 min. Po wyjęciu termometru i sprawdzeniu temperatury (od 6 r. życia jest o 0,5°C wyższa niż mierzona pod pachą) termometr należy wytrzeć, przetrzeć środkiem odkażającym i schować do pochewki.

Mierzenie temperatury w ustach. W naszym kraju w ten sposób mierzy się temperaturę bardzo rzadko. Nie wolno tego robić u dzieci i osób nieprzytomnych! Przy takim mierzeniu temperatury chory powinien mieć dla siebie oddzielny termometr, myty mydłem pod bieżącą zimną wodą po każdym zmierzeniu temperatury. Bezpośrednio przed mierzeniem temperatury chory nie może przyjmować ani zbyt zimnych, ani zbyt gorących pokarmów. Termometr zakłada się choremu pod język, polecając złączyć wargi, a nie zaciskać zębów! Po 5 min sprawdza się temperaturę, która jest ok. 0,3°C wyższa aniżeli mierzona pod pachą. Obecnie można kupić urządzenia elektroniczne, które są wyposażone w monitory do odczytu pomiaru temperatury ciała. Wygodne są przy pielęgnacji dzieci i ciężko chorych.

Kontrola tętna

Tętno najczęściej mierzy się na tętnicy promieniowej, w okolicy nadgarstka od strony dużego palca. Na tętnicy kładzie się trzy środkowe palce i lekko uciskając – wyczuwa się tętno. Aby zorientować się w odchyleniach tętna od normy, tj. w jego szybkości, napięciu i rytmie, trzeba znać te cechy u zdrowego człowieka. Najlepiej jest sprawdzić tętno u siebie, wtedy łatwiej będzie zorientować się w nieprawidłowościach tętna u chorego. Szybkość tętna, czyli liczba uderzeń, wynosi u osób dorosłych 66–76 na min; u ludzi starszych może się obniżyć do ok. 60 na min albo ulec przyspieszeniu; u dzieci tętno jest szybsze.

Najtrudniej jest zorientować się w odchyleniach napięcia, które wyczuwa się jako siłę uderzenia. Tętno prawidłowe u zdrowego człowieka jest dobrze wyczuwalne, uderza zawsze z tą samą siłą i przerwy między uderzeniami są jednakowe. Wszelkie odchylenia od tej normy nazywa się arytmią.

Sprawdzając tętno należy chorego posadzić lub położyć, rękę jego oprzeć np. na materacu, ułożyć trzy swoje palce na tętnicy promieniowej i, wyczuwając już tętno, liczyć je przez minutę, pamiętając jednocześnie o innych cechach tętna.

Można zastosować też urządzenia elektroniczne, monitorujące na bieżąco szybkość tętna. Urządzenia wypożycza się w sklepach ze sprzętem rehabilitacyjnym, bądź w specjalnych punktach.

Podawanie leków

Podawanie leków doustnie. Aby lek spełnił swoje zadanie, musi być podawany we właściwym czasie i musi być dawkowany ściśle wg wskazań lekarza, tj. w dokładnie odmierzonej ilości, np. 10 a nie 15 kropli! Staramy się nie mieszać leków i podawać w odstępach czasu, aby nie powstawały trujące mieszaniny chemiczne. Wiele leków znosi wzajemne działania lecznicze.

Najczęściej leki podaje się trzy razy dziennie, ale są leki podawane na czczo lub po jedzeniu, albo też co 6 godz. – jeżeli ma być utrzymany stały poziom leku w organizmie i wtedy trzeba chorego budzić w nocy, aby mu podać lek. Jeżeli chory przyjmuje leki niechętnie, należy dopilnować, aby je połknął. Bez zlecenia lekarza nie wolno przerywać podawania leku, nawet jeśli chory czuje się już lepiej. Jeżeli chory pozostaje sam, należy mu przygotować leki oraz nastawić na określoną godzinę budzik. Przy dużej ilości leków albo przy złej pamięci chorego dobrze jest przygotować leki w porcjach na cały dzień; istnieje wówczas możliwość sprawdzenia, czy leki zostały przyjęte.

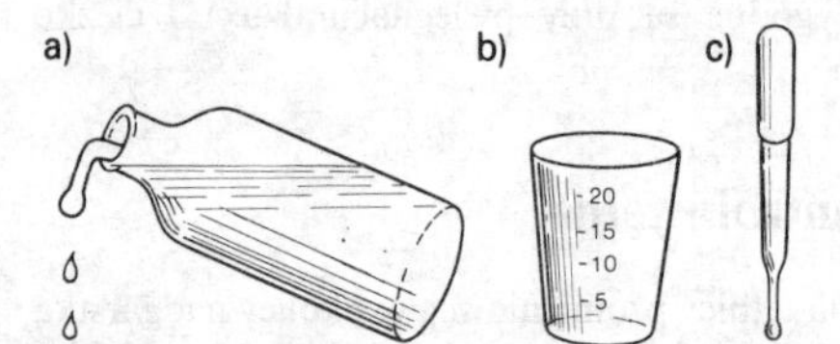

Naczynia do odmierzania płynnych leków: a) kroplomierz, b) znormalizowany kieliszek, c) pipetka szklana z gumową nasadką jako kroplomierz

Bardzo ważną sprawą jest dokładne sprawdzenie przygotowanych leków, jeszcze przed podaniem choremu; lepiej jest trzy razy sprawdzić, aby uniknąć nieszczęścia. Należy też zwrócić uwagę, jak chory reaguje na dany lek – mogą bowiem wystąpić nieoczekiwane reakcje, o których należy powiadomić lekarza. Trzeba też pamiętać, że sięganie po lek nasenny, przeciwbólowy, kojący lub pobudzający system nerwowy powoduje zależność od leku. Również lekkomyślne podanie, bez zlecenia lekarza, pozornie niewinnego leku, np. środka przeczyszczającego kobiecie ciężarnej lub choremu z zapaleniem wyrostka robaczkowego, może mieć opłakane skutki. Kobietę ciężarną trzeba szczególnie chronić przed samowolnym przyjmowaniem leków, zwłaszcza w początkowym okresie ciąży. Zawsze trzeba pamiętać, że lek tylko wówczas może choremu pomóc, kiedy został właściwie zastosowany, a zaszkodzić, gdy jest zbędny.

Podawanie czopków. Czopki należy przechowywać w lodówce, a w przypadku jej braku – w innym chłodnym miejscu. Przed założeniem czopka trzeba sprawdzić, czy chory nie chce oddać stolca i założyć czopek dopiero po wypróżnieniu. Choremu należy wysunąć koszulę spod pośladków i odwrócić go na bok. Po wyjęciu z opakowania, jedną ręką uchwycić przez ligninę czopek u podstawy, drugą zaś podnieść fałd pośladka, włożyć czopek do odbytnicy i popchnąć go lekko przez ligninę, aby dostał się poza zwieracz odbytu, następnie na chwilę zacisnąć fałdy pośladków. Jeśli chorego nie da się odwrócić na bok i włożyć czopka pod kontrolą wzroku, należy na jedną rękę nałożyć rękawicę gumową lub palec gumowy, przesunąć nim po szparze pośladkowej i w miejscu, gdzie wyczuwa się ujście odbytnicy – włożyć czopek.

Zakraplanie oczu. Leki do zakraplania oczu mogą być w ampułkach, w buteleczce z kroplomierzem lub w zwykłej buteleczce z kroplomierzem przechowywanym oddzielnie. Najczęściej leki są ampułkowane i zakrapla się je wprost z ampułki. Jeżeli kroplomierz nie jest wmontowany w korek butelki, do każdego leku należy mieć oddzielny kroplomierz, bardzo czysto utrzymany (przechowywany np. w kieliszku).

Zabieg należy wykonać czysto, delikatnie i szybko. Jeżeli lek jest zimny, trzeba go ogrzać przez chwilowe potrzymanie buteleczki w ręku. Przed zabiegiem trzeba umyć ręce, a choremu polecić usiąść. Przygotować zwitek waty. Po nabraniu leku (lek sprawdzić!) kroplomierz należy trzymać pionowo, aby lek nie spłynął do części gumowej kroplomierza. Kciukiem i palcem wskazującym lewej ręki rozchylić i przytrzymać powieki, opierając lekko palce o brzegi oczodołu, choremu polecić patrzeć w górę. Trzymając kroplomierz w odległości 1 cm od oka, lekko stycznie do niego, wkroplić jedną kroplę na spojówkę dolnej powieki. Chory przymyka oczy (nie zaciska powiek). Wypływający płyn należy zetrzeć poniżej oka przygotowanymi zwitkami. Jeżeli chory nie mruga – wystarczy przy zakraplaniu odsunąć tylko dolną powiekę.

Zakładanie maści do oka. Do tego celu potrzebna jest szklana łopatka, tzw. bagietka, i kawałek ligniny lub waty. Przed zabiegiem należy umyć ręce i nabrać na rozszerzoną część bagietki trochę maści. Odchylić dolną powiekę oka chorego, trzymając bagietkę równolegle do policzka, dotknąć nią dolnej powieki i przesunąć w dół zsuwając maść na powiekę. Po zamknięciu oka przez chorego należy opuszką palca, przez ligninę, rozmasować lekko powiekę, w celu rozprowadzenia maści.

Zakraplanie nosa. Prócz leku potrzebny jest zakraplacz i kawałek ligniny. Choremu poleca się dokładnie oczyścić nos, usiąść albo położyć się i głowę odchylić do tyłu. Po nabraniu leku do kroplomierza, palcem jednej ręki unosi się nieco koniuszek nosa i nie dotykając zakraplaczem nosa, wpuszcza się po parę kropli do każdego otworu (zależnie od zlecenia). Chory nie powinien zbyt mocno wciągać leku. Jeżeli nadmiar kropli wypływa, należy je zetrzeć. Samowolne zakraplanie leku, zwłaszcza u dzieci, jest przeciwwskazane.

Zakładanie maści do nosa. Należy przygotować bagietkę i maść. Na łopatkę bagietki nabrać trochę maści, unieść koniuszek nosa i opierając lekko bagietkę o brzeg otworu nosa – zsunąć maść. Jeżeli maść ma być założona głębiej, należy nabrać ją na mały kwaczyk (szczypta waty nawinięta np. na koniec wykałaczki) i wysmarować nim delikatnie ściany nosa.

Inhalacja. W warunkach domowych stosuje się najczęściej parę wodną z dodatkiem leku w celu odkażenia, nawilżenia i złagodzenia podrażnienia błony śluzowej układu oddechowego. Nie mając inhalatora, można wykonać zabieg przy użyciu miednicy napełnionej wrzącą wodą z dodatkiem leku. Chory (można mu natłuścić twarz) pochyla się nad miednicą i wdycha parę; głowę wraz z miednicą nakrywa się ręcznikiem. Inhalację można też przeprowadzić przy użyciu czajnika, w którym gotuje się woda – chory wdycha parę wydostającą się z dziobka (ostrożnie!). Po inhalacji wyciera się choremu twarz i zaleca pozostać w pomieszczeniu przez 10–15 min oraz nie palić papierosów przez 1–2 godz. Jeżeli inhalację robi się dziecku – nie wolno go opuszczać przez cały czas trwania zabiegu.

Stosowanie zabiegów na skórę

Przykładanie leku. Wszelkie zmiany na skórze, zwłaszcza na częściach odkrytych, wpływają ujemnie na psychikę chorego, dlatego wszelkie opatrunki należy wykonać bardzo estetycznie. Lek może być wtarty lub położony na skórę i pokryty gazą, płótnem lub folią plastykową; ta ostatnia powoduje najgłębsze działanie leku.

Na skórę stosuje się także okłady, kompresy i termofory.

Stosowanie zimna. Zimno można stosować suche i wilgotne. Zimno suche to worek z lodem. Przeznaczony do tego celu gumowy worek napełnia się kawałkami lodu, układa płasko, wyciska powietrze i zakręca. Po pokryciu pokrowcem, przykłada się na określone miejsce. Nie należy zabiegu stosować bez przerwy zbyt długo, aby nie spowodować odmrożenia.

Jako zimno wilgotne stosuje się okłady chłodzące i wysychające. Okłady chłodzące stosuje się np. bezpośrednio po stłuczeniu, w celu zmniejszenia obrzęku i bólu. Zabieg wykonuje się następująco: pod stłuczone miejsce podkłada się nieprzemakalny podkład oraz przygotowuje miseczkę z zimną wodą (można dodać lodu) i dwoma kawałkami spranej flaneli lub płótna; na przemian przykłada się na 3–5 min zmoczone kawałki kilkakrotnie zwiniętego materiału, stosując zabieg przez 30–60 min.

Okład wysychający składa się z dwóch warstw, mokrej i suchej. Materiał przeznaczony na część wilgotną macza się w wodzie o temperaturze pokojowej i dobrze wyżyma. Po założeniu na określone miejsce, pokrywa się warstwą suchą, większą od wilgotnej. Warstwę suchą, Jeżeli okład jest założony np. wokół klatki piersiowej, zapina się ciasno agrafkami lub obie warstwy umocowuje bandażami. Po dwóch godzinach okład zdejmuje się, pozostawiając jeszcze na pewien czas suchą część okładu.

Stosowanie ciepła. Do tej grupy zabiegów zalicza się m.in. stosowanie kompresu rozgrzewającego i termoforu.

Kompres rozgrzewający składa się z trzech warstw: mokrej, nieco większej nieprzemakalnej i największej warstwy suchej. Warstwę mokrą stanowi materiał zmoczony w wodzie o temperaturze pokojowej, dobrze wyżęty, ewentualnie pokropiony spirytusem. Pokrywa się ją większą warstwą nieprzemakalną, a tę z kolei największą warstwą suchą. Wielkość kompresu zależy od miejsca zastosowania. Po przyłożeniu kompresu najlepiej jest go przybandażować, aby ściśle przylegał do skóry. Kompres zdejmuje się po 8 godz. W dobrze założonym kompresie warstwa mokra jest przy zdjęciu wilgotna i ciepła, a skóra pod nią – gładka. Jeżeli skóra jest pomarszczona i zmacerowana, oznacza to, że część wilgotna była za mało wyżęta. W razie potrzeby, przy długotrwałym stosowaniu kompresów, skórę trzeba chronić wazeliną lub kremem.

Termofor stosuje się dla zmniejszenia bólu, w celu ogrzania chorego, w bólach mięśniowych itp. Nie wolno go jednak stosować bezkrytycznie, ponieważ np. przy bólu brzucha spowodowanym zapaleniem wyrostka robaczkowego – może spowodować jego pęknięcie i duże pogorszenie stanu chorego. Do ogrzania chorego termofor napełnia się do połowy prawie wrzącą wodą, w innych celach napełnia się go do 1/3 objętości. Po nalaniu wody termofor układa się płasko, wyciska z niego powietrze i zakręca. Po zakręceniu odwraca się go korkiem do dołu i wstrząsa, aby sprawdzić, czy nie wycieka woda. Następnie zawija się termofor w ręcznik i podaje choremu.

Jeżeli chory ma leżeć na termoforze – lub stosuje się go u dziecka albo chorego nieprzytomnego – należy go napełnić wodą o temperaturze nie przekraczającej 60°C. Szczególnie ostrożnie należy stosować termofor u ludzi porażonych, gdyż nie czują oni ciepła.

Termofor przechowuje się zawsze trochę nadmuchany, aby nie sklejały się jego ściany.

Lewatywa oczyszczająca

L e w a t y w ę stosuje się przy zaparciach, w celu wywołania wypróżnienia, oraz jako przygotowanie do licznych zabiegów diagnostycznych. Polega ona na wlewaniu wody do jelita grubego, aby je oczyścić z kału i gazów. Lewatywę robi się zawsze w pozycji leżącej, dlatego niżej będzie opisana lewatywa u obłożnie chorego. Różnica polega na tym, że chory chodzący po zrobieniu lewatywy idzie do ubikacji, a leżącemu podaje się basen do łóżka.

Do zabiegu należy przygotować: wlewnik (i r y g a t o r), kankę odbytniczą zawiniętą w natłuszczony papier toaletowy umieszczony na misce nerkowej lub w puszce, podkłady płócienny i nieprzemakalny, papier toaletowy oraz basen. Do wlewnika emaliowanego z ciasno założonym drenem wlewa się 1–2 l dobrze ciepłej wody (temp. 40°C). Pod pośladki chorego, po odsunięciu koszuli, podkłada się podkłady płócienny i nieprzemakalny. Chorego odwraca się na bok i odkręca z wlewnika dren, zaciska go, najlepiej przez załamanie, i łączy się z natłuszczoną kanką. Z kanki wypuszcza się trochę wody w celu usunięcia z drenu powietrza, po czym dren zaciska się ponownie. Irygator stawia się na krześle, jedną ręką rozchyla się fałd pośladkowy, drugą zaś wprowadza kankę do odbytnicy (może to zrobić sam chory), rozluźnia pętlę drenu i przytrzymując przez cały czas kankę, podnosi irygator do wysokości jednego metra nad łóżko. Wpływanie wody do jelita grubego potwierdza obniżanie się poziomu płynu w irygatorze. Jeżeli poziom wody nie opada, trzeba sprawdzić, czy nie zagiął się dren; kankę popycha się głębiej lub nieco ją wysuwa. Jeżeli mimo wszystko woda nie wypływa, kanka mogła się zatkać masami kałowymi – trzeba ją wyjąć, udrożnić i włożyć ponownie. Jeżeli w trakcie wpływania wody chory skarży się na silne parcie, wody zaś wpłynęło niewiele, trzeba na chwilę obniżyć irygator i choremu polecić głęboko oddychać. Wlanie zbyt małej ilości wody nie wywoła pożądanego skutku i trzeba będzie zabieg powtórzyć. Lewatywę kończy się, kiedy jeszcze woda pokrywa wylot irygatora. Irygator stawia się na krześle i zaciska dren. Przez papier wyjmuje się z odbytnicy kankę i trzymając ją skierowaną ku dołowi – odłącza od drenu, zawija w papier i odkłada do puszki, dren zaś okręca ciasno wokół irygatora. Chorego odwraca się na wznak, podkłada mu basen i zaopatruje w papier toaletowy. Resztę przyborów wynosi się, myje i porządkuje. Irygator przepłukuje się strumieniem wody, kankę wyciera i gotuje przez 10 min. Po odebraniu od chorego basenu, sprawdza się, czy wypróżnienie jest wystarczające. W przeciwnym razie zabieg trzeba powtórzyć. Choremu myje się, wyciera i naciera pośladki, na koniec myje się mu ręce.

U w a g a! Jeśli dren jest zakończony kranikiem, zakręca się go i odkręca – zamiast robić pętlę. Jeżeli wlewnik jest gumowy, wodę należy przygotować w dzbanku i nalać dopiero przy chorym, a w trakcie wpływania – dolewać. Jeśli wlewnika nie można zawiesić, trzeba przed nalaniem wody połączyć go z kanką.

Przygotowanie próbek do badania

Często od chorych przebywających w domu pobiera się próbki wydalin lub wydzielin do badania. Wynik badania zależy od prawidłowego ich przygotowania.

Przygotowanie próbki moczu do badania. Jeżeli lekarz nie da specjalnych zaleceń, do badania daje się próbkę z pierwszej porcji moczu oddanego po nocy. W tym celu przygotowuje się czysto umyte oraz kilkakrotnie spłukane pod bieżącą wodą naczynie (słoik, nocnik) i 100 ml butelkę. Po dokładnym podmyciu chory oddaje trochę moczu do ubikacji lub basenu, a resztę do przygotowanego naczynia. Mocz przelewa się do butelki zaopatrzonej w kartkę z imieniem i nazwiskiem chorego i zanosi wraz ze zleceniem lekarza do badania.

Przygotowanie próbki kału do badania. Chory oddaje kał do czystego naczynia, z którego przekłada się go szpatułką lub łyżeczką wmontowaną w korek do specjalnej probówki. Probówkę należy napełnić tylko do połowy. Wraz ze zleceniem lekarza zanosi się ją do badania.

Badanie kału na krew utajoną. Do tego badania trzeba chorego przygotować, dając mu najpierw środek przeczyszczający, po czym przez 3 dni stosować dietę bezmięsną, bez wyciągów z mięs, bez jarzyn liściastych i takich leków, jak żelazo, brom, magnez, wapń.

Przygotowanie próbki plwociny. Chory musi odpluć plwocinę do probówki przyniesionej z laboratorium. Najlepiej jeśli to zrobi rano, przed myciem zębów. Należy zwrócić uwagę, aby była to plwocina, a nie ślina!

DIAGNOSTYKA WIZUALIZACYJNA

Wstęp

N a z w ą t ą o k r e ś l a s i ę r ó ż n e m e t o d y o b r a z o w a n i a n a r z ą d ó w. Mimo że metody te posługują się różnymi technikami badawczymi i są obarczone różnym ryzykiem związanym z wykonywaniem zabiegu diagnostycznego, mogą być stosowane wymiennie. Wspólną ich cechą jest to, że posługują się skomplikowaną aparaturą diagnostyczną oraz że korzystają (zwłaszcza w ostatnich latach) z elektrycznych metod analizy obrazów.

Istnieje tendencja do tworzenia specjalnych ośrodków diagnostyki wizualizacyjnej, zarówno u nas w kraju, jak i na całym świecie. Dynamiczny postęp w dziedzinie obrazowania narządów sprawił, że dzisiaj można już zlokalizować ognisko chorobowe o średnicy 2–3 mm, a obrazy narządów przedstawić z dokładnością zbliżoną do obrazów publikowanych w atlasach anatomicznych.

W zakres diagnostyki wizualizacyjnej wchodzą: 1) r e n t g e n o d i a g n o s t y k a posługująca się promieniowaniem jonizującym – powoduje niepożądane napromieniowanie narządów i tkanek; 2) m e d y c y n a n u k l e a r n a – również posługująca się substancjami promieniotwórczymi, ale szeroko korzystająca z elektrycznej techniki obliczeniowej, przez co redukuje w znacznym stopniu ryzyko działania promieniowania na komórki organizmu; 3) u l t r a s o n o g r a f i a, metoda najmniej inwazyjna i szybko rozwijająca się w kraju i na całym świecie, wykorzystująca fale dźwiękowe i ich odbicia.

Medycyna nuklearna jest dyscypliną naukową dość kosztowną. Na jej koszty składa się cena izotopów promieniotwórczych lub związków znakowanych oraz cena skomplikowanej aparatury pomiarowej. Dlatego szerszy rozwój tej dziedziny jest możliwy tylko w dużych ośrodkach naukowych. Mniejsze ośrodki medyczne powinny korzystać raczej z mniej kosztownych metod wizualizacji (rentgenodiagnostyki, ultrasonografii).

Rezonans magnetyczny jako metodę badawczą omówiono w oddzielnym podrozdziale, chociaż mógł się znaleźć w każdym z omawianych działów diagnostyki wizualizacyjnej. Dyskusja tego zagadnienia przekracza ramy tego opracowania. Dział „diagnostyka wizualizacyjna" ma na celu zapoznanie czytelnika z możliwościami diagnostycznymi za pomocą technik wizualizacyjnych i pozwoli mu zrozumieć metody i możliwości związane z ich zastosowaniem.

I. RENTGENODIAGNOSTYKA

Rentgenodiagnostyka jest specjalnością lekarską zajmującą się zastosowaniem promieniowania rentgenowskiego (promieniowania X) do badań mających na celu rozpoznawanie chorób. Pod pojęciem „rozpoznawanie" należy rozumieć wykrywanie procesu patologicznego, jego umiejscowienie oraz określenie jego charakteru i stopnia zaawansowania. U ok. 50% chorych badanie radiologiczne pozwala ostatecznie ustalić rozpoznanie choroby, u dalszych 30% ma znaczenie pomocnicze, ponieważ wnosi wiele ważnych informacji, które są wykorzystywane w procesie leczenia.

Metody radiologiczne znajdują szczególne zastosowanie w rozpoznawaniu: następstw urazów, choroby nowotworowej, chorób układów trawiennego, oddechowego i krążenia oraz zmian przeciążeniowych w układzie kostno-stawowym. Stanowią one podstawę działalności specjalności zabiegowych: chirurgii ogólnej, kardiochirurgii, chirurgii naczyniowej, neurochirurgii, urologii i ortopedii, gdyż umożliwiają lub ułatwiają ustalenie wskazań do leczenia operacyjnego.

Promieniowanie rentgenowskie (X) i jego właściwości

Promieniowanie rentgenowskie, wykryte przez Wilhelma Konrada Roentgena w 1895 r., jest promieniowaniem elektromagnetycznym. Jego źródłem są szybkie elektrony o energii większej niż 1000 eV, zahamowane nagle przy padaniu na przeszkodę materialną. Dochodzi wówczas do przemiany energetycznej, w czasie której 1% energii kinetycznej elektronów przekształca się w promieniowanie X, natomiast reszta, tj. ok. 99% zamienia się w ciepło.

Podstawę rentgenodiagnostyki stanowią następujące fizyczne właściwości promieni X:

1) Zdolność do przenikania ciał nieprzezroczystych. Przenikliwość (twardość) promieniowania zależy od przyspieszenia nadanego elektronom, co jest uwarunkowane różnicą potencjałów między anodą i katodą lampy rentgenowskiej. Wzrost napięcia powoduje powstanie promieni o większej energii i o krótszych falach, a tym samym o większej zdolności przenikania przez materię. W rentgenodiagnostyce stosuje się napięcie 25–125 kV.

2) Zdolność do rozpraszania w tkankach. Zależy ona od gęstości elektronowej tkanek, którą cechuje liczba atomowa pierwiastków je budujących oraz gęstość i grubość warstwy. Promieniowanie jest więc

pochłaniane przez różne tkanki i części ciała w sposób zróżnicowany. Najsilniej pochłaniają je elementy kostne, które składają się z cięższych pierwiastków: z wapnia, magnezu i fosforu; słabiej – tkanki miękkie, w których przeważają lekkie pierwiastki: wodór, węgiel, tlen i azot; najniższy współczynnik pochłaniania mają wypełnione powietrzem płuca.

3) Zdolność do wywoływania zjawiska luminescencji. Padając na ekran fosforyzujący promienie X wywołują poświatę, której intensywność zależy od natężenia promieni rentgenowskich. Zjawisko to umożliwia odzwierciedlenie stopnia pochłaniania niewidzialnych promieni po ich przejściu przez ciało człowieka.

4) Oddziaływanie na emulsję błony fotograficznej. Zjawisko to jest wykorzystywane w radiografii, metodzie polegającej na wykonywaniu zdjęć badanych narządów.

Współczesne systemy rejestracji obrazu radiologicznego

Odróżniamy dwa zasadnicze systemy rejestracji obrazu radiologicznego: analogowy i cyfrowy. W pierwszym z nich natężenie promieni X po przejściu przez ciało pacjenta odzwierciedla emulsja światłoczuła błony rentgenowskiej lub ekran wtórny elektronicznego wzmacniacza obrazu, skąd sygnał świetlny może być transmitowany do monitora telewizyjnego lub zapisany na taśmie magnetycznej. Rejestracja stopnia osłabienia promieni X na błonie rentgenowskiej znajduje dotychczas najbardziej powszechne zastosowanie. Oprócz względów ekonomicznych zaletą wymienionego systemu jest duża zdolność rozdzielcza przestrzenna.

Radiografia cyfrowa znajduje coraz szersze zastosowanie. Stanowi ona podstawę tomografii komputerowej i cyfrowej angiografii subtrakcyjnej. Zaawansowane są próby zastosowania technik cyfrowych w radiografii konwencjonalnej. Najbardziej rozpowszechniony jest system, który w miejsce błony rentgenowskiej wprowadza odpowiednią folię pamięciową. Utajony obraz, który powstaje na folii, jest odczytany za pomocą szybkich skanerów laserowych. Innym rozwiązaniem jest wykorzystanie cyfrowej kamery telewizyjnej.

Radiografia cyfrowa jest rozwiązaniem kosztownym, lecz ma wiele zalet, wśród których wymienia się:

– wyższą czułość kontrastową w porównaniu do emulsji fotograficznej, co umożliwia istotne zmniejszenie dawki promieni X jaką otrzymuje pacjent;

– możliwość przetwarzania danych, archiwizowania w układach pamięciowych komputerów i przesyłania na odległość z zachowaniem wysokiej jakości obrazu.

Przewiduje się, że w przyszłości radiografia cyfrowa zastąpi dotychczasowe sposoby rejestracji obrazu radiologicznego.

Środki cieniujące

Na rutynowych zdjęciach radiologicznych można uwidocznić elementy układu kostnego i powietrzne płuca. W celu odzwierciedlenia stanu anatomicznego wielu narządów wewnętrznych stosuje się odpowiednie środki cieniujące, silnie pochłaniające promienie X. Największą grupę środków cieniujących stosowanych do badań jam serca, układu naczyniowego, dróg moczowych i żółciowych oraz w czasie tomografii komputerowej stanowią organiczne związki jodu rozpuszczalne w wodzie.

Dostępne współcześnie preparaty jodowe można podzielić na dwie grupy: niskoosmolalne i wysokoosmolalne. Niskoosmolalne środki cieniujące są lepiej znoszone przez pacjentów i rzadziej wywołują różnego typu powikłania; są jednak znacznie droższe od tradycyjnych, wysokoosmolalnych preparatów.

Po dożylnym lub dotętniczym podaniu środki cieniujące mogą być przyczyną niepożądanych reakcji, takich jak uczucie ciepła, swędzenie skóry, nudności i wymioty. Ciężkie odczyny w postaci nagłego obniżenia ciśnienia tętniczego i śmierci występuje wyjątkowo rzadko. Wśród czynników sprzyjających wystąpieniu powikłań wymienia się osobniczą skłonność do reakcji uczuleniowych oraz ciężki stan ogólny pacjenta. O uczuleniu pacjenta na różne substancje lekarz powinien być poinformowany przed rozpoczęciem badania.

Rodzaje badań radiologicznych

Radiodiagnostyka konwencjonalna. Wykorzystuje ona klasyczny układ, w którym źródło promieniowania jest umieszczone naprzeciw detektora. Natężenie promieni X po przejściu przez ciało pacjenta jest rejestrowane najczęściej za pomocą błony radiograficznej, elektronowego wzmacniacza obrazu z łańcuchem telewizyjnym lub rzadziej za pomocą folii pamięciowej. W ten sposób są wykonywane między innymi zdjęcia układu kostnego, narządów klatki piersiowej, a po zastosowaniu środka cieniującego badania przewodu pokarmowego, układu moczowego i dróg żółciowych (tablica 4).

Tomografia komputerowa. W odróżnieniu od klasycznej radiografii, w której podstawowymi elementami są: lampa rentgenowska - badany obiekt - błona radiograficzna, w tomografii komputerowej osłabienie wiązki promieniowania rentgenowskiego po przejściu przez ciało osoby badanej rejestruje detektor. Lampa emitująca promieniowanie X porusza się ruchem okrężnym wokół długiej osi ciała ludzkiego, a zmiany natężenia promieniowania w określonej warstwie ciała są rejestrowane przez detektory rozmieszczone na łuku, po przeciwnej stronie badanego w stosunku do źródła promieniowania. Uzyskane wartości pomiarowe są następnie elektronicznie przetworzone i zrekonstruowane w formie obrazu za pomocą cyfrowej techniki obliczeniowej.

Obraz na błonie rentgenowskiej uzyskuje się przez przypisanie każdej wartości cyfrowej odpowiedniego zaczernienia.

Zestaw do tomografii komputerowej składa się z transformatora generującego wysokie napięcie, lampy rentgenowskiej i detektorów umieszczonych razem na specjalnej ramie, stołu do badania, komputera systemów pamięciowych, konsoli umożliwiającej sterowanie i kontrolowanie przebiegu badania oraz kamery wieloformatowej służącej do rejestracji obrazów na błonie światłoczułej.

Badanie nie wymaga przygotowania. Często przed badaniem chorym wstrzykuje się dożylnie środek cieniujący, który wywołuje skłonności do wymiotów, dlatego zaleca się nie przyjmować pokarmów w ciągu 8 godz. przed zgłoszeniem się do pracowni tomografii komputerowej.

Tomografia komputerowa wprowadziła istotny postęp w rozpoznawaniu schorzeń centralnego układu nerwowego, śródpiersia płuc, narządów miąższowych jamy brzusznej i przestrzeni zaotrzewnowej oraz miednicy (tablica 5 a).

Cyfrowa angiografia subtrakcyjna. Stanowi ona udoskonalenie dotychczasowych metod badania serca i układu naczyniowego. Istota działania tej metody jest zbliżona do subtrakcji fotograficznej, która polega na nałożeniu dwóch obrazów rentgenowskich: pozytywu zdjęcia przeglądowego i negatywu wykonanego po podaniu do określonego obszaru naczyniowego środka cieniującego. Wymieniona technika odejmowania (subtrakcji) cieni części miękkich i kości pozwala na lepsze uwidocznienie badanych naczyń krwionośnych. W systemach cyfrowej angiografii subtrakcyjnej obrazy pozytywowe i negatywowe są rejestrowane nie na błonie rentgenowskiej, a w układach pamięciowych komputera. Technika ta oparta na radiografii cyfrowej cechuje się szczególnie wysoką zdolnością rozdzielczą kontrastową. Umożliwia ona uwidocznienie aorty i jej głównych rozgałęzień po dożylnym podaniu środka cieniującego bez potrzeby cewnikowania tętnic (tablica 5 b).

Radiologia interwencyjna

Radiologia interwencyjna jest nową, szybko rozwijającą się specjalnością. Wykorzystuje ona technikę cewnikowania naczyń do celów terapeutycznych. Już w latach sześćdziesiątych zaczęto wykonywać pod kontrolą rentgenotelewizji zabiegi udrażniania tętnic. Dziś wykonywane przez radiologów interwencje można podzielić na następujące grupy:

– embolizację tętnic (zawężenie) w przebiegu krwotoków, przetok tętniczo-żylnych i nowotworów;

– śródnaczyniowe rozszerzanie zwężeń tętniczych za pomocą wysokociśnieniowych balonów oraz rekanalizację odcinków niedrożnych za pomocą preparatów farmakologicznych, urządzeń mechanicznych lub laserów;

– przezskórny drenaż dróg żółciowych, wodonercza i innych patologicznych zbiorników płynu (torbiele, ropnie, krwinki);

– rozszerzanie zwężeń przełyku i dróg żółciowych;
– usuwanie pozostawionych w czasie operacji złogów żółciowych.

Najczęściej wykonywany zabieg rozszerzenia zwężonej w przebiegu miażdżycy tętnicy wykonuje się następująco.

Po przezskórnym nakłuciu tętnicy wprowadza się do układu naczyniowego cewnik, którego szczyt umieszcza się w odpowiednim miejscu pod kontrolą rentgenotelewizji. Po wstrzyknięciu środka cieniującego wykonuje się zdjęcia seryjne badanego obszaru w celu dokładnego określenia miejsca i rozległości zwężenia.

W drugiej fazie usuwa się cewnik diagnostyczny i po prowadniku wprowadza się do układu naczyniowego cewnik terapeutyczny z wysokociśnieniowym balonem. Balon umieszcza się w miejscu zwężenia, a następnie wypełnia pod ciśnieniem rozcieńczonym środkiem cieniującym.

Po rozszerzeniu zwężenia wymienia się cewnik terapeutyczny na diagnostyczny i wykonuje się kontrolną arteriografię odzwierciedlającą rezultat zabiegu.

Opisane postępowanie jest skuteczne, dobrze znoszone przez chorych i tanie, gdyż pozwala uniknąć rozległego zabiegu operacyjnego. Wskazania do tych zabiegów są ustalane wspólnie przez chirurga i radiologa.

Zastosowanie komputerów w radiologii

Komputery znajdują coraz szersze zastosowanie w radiologii, zarówno jako integralna część składowa aparatury (tomografia komputerowa, cyfrowa angiografia subtrakcyjna), jak również jako jeden z podstawowych elementów infrastruktury nowoczesnego zakładu. Dotychczas komputery są wykorzystywane do:

– rejestracji i kontroli ruchu chorych,
– archiwizacji i ułatwienia dostępu do wyników badań,
– przesyłania obrazów na odległość,
– wspomagania procesu rozpoznawczego,
– nauczania.

Zastosowanie techniki komputerowej do wspomagania procesu rozpoznawczego jest jeszcze ciągle w fazie prób. Porównanie skuteczności rozpoznawczej znanych dotychczas programów komputerowych i myśli ludzkiej w dalszym ciągu przemawia na korzyść doświadczonego lekarza. Bardzo szybko natomiast rozwija się, wspomagana komputerem, integracja wyników różnych badań wizualizacyjnych. Specjalna osobna konsola operacyjna połączona z systemami do tomografii komputerowej, cyfrowej angiografii subtrakcyjnej, magnetycznym rezonansem i gamma kamerą przyjmuje informację o badanym obszarze anatomicznym, a następnie przetwarza je tak, aby uzyskać najbardziej dokładne odzwierciedlenie szczegółów morfologicznych. Integracja różnych metod, prezentowana w postaci trójwymiarowej usprawnia proces rozpoznawczy, a równocześnie ma duże znaczenie dydaktyczne i naukowe.

Rozwój radiologii w najbliższej przyszłości

Wprowadzenie nowej pod względem metodycznym techniki badania jest mało prawdopodobne. Należy natomiast liczyć się ze znacznym usprawnieniem dotychczasowych metod. Radiologia należy do tych dziedzin, w których w pierwszej kolejności znajduje zastosowanie wiele nowych rozwiązań technicznych wykorzystywanych pierwotnie w przemyśle lotniczym i kosmicznym. Główne kierunki prac badawczych zmierzają do ograniczenia dawki promieniowania jaką otrzymuje chory, obniżenia kosztów procesu rozpoznawczego oraz istotnej poprawy zdolności rozdzielczej przestrzennej i kontrastowej.

II. MAGNETYCZNY REZONANS (MR)

Rezonansowe właściwości jąder atomowych odkryli w 1946 r. Purcell i Bloch, późniejsi laureaci Nagrody Nobla. Spektroskopia MR wywarła duży wpływ na rozwój fizyki i chemii, stając się jedną z podstawowych metod badania materii. Zastosowanie techniki MR do odzwierciedlenia budowy ciała ludzkiego stało się jednak możliwe dopiero w latach siedemdziesiątych, głównie dzięki postępom w dziedzinie elektroniki i cyfrowej techniki obliczeniowej. Pierwsze udane przekroje ciała ludzkiego przedstawił Lauterburg w 1973 r. W ostatnich latach technika MR znalazła trwałe miejsce w praktyce klinicznej i jest wykorzystywana do oceny stanu anatomicznego i czynnościowego dowolnie wybranych tkanek i narządów.

Podstawy techniczne

Tomografia MR polega na wykonaniu mapy rozkładu jąder atomowych wodoru. Obserwowalność poszczególnych narządów i ognisk patologicznych jest możliwa dzięki temu, że charakteryzują się one różną zawartością wody. Badanie wykonuje się po umieszczeniu chorego w polu magnetycznym o indukcji powyżej 0,04 T(tesla). Obecnie najczęściej w celu obrazowania ciała ludzkiego stosuje się pole o indukcji 0,2–1,0 T.

Spektroskopia MR jest możliwa przy indukcji pola magnetycznego powyżej 1,5 T. Badanie pozwala na identyfikację jąder atomowych 31P, 23Na, 19F i 13C, a tym samym na ocenę rozkładu fosfokreatyniny i glukozy oraz innych związków, które odgrywają istotną rolę w procesie przemiany materii.

MR jest metodą dobrze znoszoną przez chorych i całkowicie bezpieczną. Dotychczas nie stwierdzono ujemnego wpływu na organizm stałych pól magnetycznych o indukcji do 2,5 T.

Podstawy fizyczne zjawiska rezonansu magnetycznego są trudne i wymagają odpowiedniej wiedzy w zakresie fizyki i matematyki. Technika ta polega na pomiarach stanu energetycznego jąder niektórych atomów umieszczonych w stałym polu magnetycznym, na które oddziałuje pole elektromagnetyczne o określonej częstotliwości. Jądra atomów o nieparzystej liczbie protonów mają charakterystyczny moment magnetyczny. Oznacza to, że w polu magnetycznym zachowują się jak małe magnesy, orientując swoje bieguny wzdłuż linii pola. Kierunki momentu magnetycznego mogą ulegać zmianie pod wpływem fal radiowych o określonej, rezonansowej częstotliwości. Powrót atomów do stanu prawidłowego po wygaśnięciu bodźca łączy się z wypromieniowaniem pewnej dawki energii.

W zależności od rodzaju tkanki zjawisko to przebiega z określoną stałą czasową. Pomiary czasów relaksacji w kierunku zgodnym z liniami pola magnetycznego określamy symbolem T_1, natomiast w kierunku prostopadłym do linii pola magnetycznego symbolem T_2.

Prawidłowe struktury anatomiczne i większość ognisk patologicznych zawierają różne ilości wody i charakteryzują się różnymi czasami T_1 i T_2. Jeśli sygnałom tym przypiszemy odpowiednią skalę szarości, to ujawnią się one na ekranie monitora telewizyjnego i na zdjęciach jako obszary o różnym stopniu zaczernienia (tablica 6 a).

Technika badania

Zestaw obrazujący MR składa się z następujących zasadniczych elementów: magnesu nadprzewodzącego, oporowego lub stałego; cewek wytwarzających pole gradientowe; układów elektronicznych wytwarzających, przenoszących oraz rejestrujących sygnały elektromagnetyczne; układów gromadzenia, przetwarzania i przechowywania danych; systemów przetwarzania wyników badań.

Chorego w pozycji leżącej na plecach wprowadza się do tunelu o jednorodnym i stałym polu magnetycznym. Fale elektromagnetyczne o częstotliwości rezonansowej są generowane w postaci pojedynczego sygnału lub częściej serii impulsów. Natężenie impulsu, czas jego trwania oraz długość przerwy między impulsami mogą być różne.

W wybranych przypadkach stosuje się różne metody zwiększenia intensywności rejestrowanych sygnałów, a tym samym wzmocnienia kontrastowego. Lepsze uwidocznienie ognisk patologicznych osiągnąć można dzięki: zastosowaniu optymalnych sekwencji impulsów, wzmocnieniu elektronicznemu obrazów, użyciu środków cieniujących w postaci substancji paramagnetycznych (gadolinium).

Zastosowanie kliniczne

Magnetyczny rezonans znajduje zastosowanie zwłaszcza w badaniach centralnego układu nerwowego. Metoda ta jest szczególnie przydatna w rozpoznawaniu stwardnienia rozsianego, zmian zapalnych oraz schorzeń ukrwienia mózgu (tablica 6 b). Częstym wskazaniem do badania są guzy wewnątrzczaszkowe. W tych przypadkach wyższość MR nad tomografią komputerową polega na tym, że MR może dostarczyć dodatkowych informacji na temat wielkości, kształtu i umiejscowienia nowotworu dzięki możliwości obrazowania trójwymiarowego oraz większej czułości kontrastowej (tablica 6 c). MR umożliwia wczesne rozpoznanie ognisk przerzutowych przed wystąpieniem objawów klinicznych. Czułość metody w rozpoznawaniu przerzutów, szczególnie po podaniu środka cieniującego (gadolinium – DTPA) przewyższa czułość tomografii komputerowej. Podobnie w przypadkach guzów przysadki mózgowej i nerwiaków nerwu słuchowego skuteczność rozpoznawcza MR jest bardzo wysoka.

Za pomocą MR uzyskuje się bardzo dobre obrazy kręgosłupa i otaczających go przestrzeni płynowych. MR może zastąpić lub uzupełnić tomografię komputerową i mielografię w diagnostyce nowotworów i jamistości rdzenia oraz procesów zapalnych.

Drugim istotnym obszarem zastosowań klinicznych MR jest układ mięśniowo-szkieletowy. Metoda umożliwia uwidocznienie elementów niedostępnych badaniu za pomocą promieni X, np.: szpiku kostnego oraz wewnątrz- i zewnątrzstawowych tkanek miękkich (tablica 6 d). Dzięki tym właściwościom dokonał się znaczny postęp w rozpoznawaniu uszkodzeń więzadeł stawowych, łękotek, a także guzów części miękkich kończyn i kości.

W ostatnich latach rejestruje się znaczący postęp w angiografii MR. Różnice w intensywności sygnałów jakie emituje płynąca krew i ściany naczyń umożliwiają uwidocznienie jam serca, mięśnia sercowego, aorty i jej głównych rozgałęzień (tablica 6 e, f).

Spektroskopia

W odróżnieniu od wizualizacji tkanek i narządów spektroskopia umożliwia określenie rozkładu pewnych związków biologicznych w dowolnie wybranej objętości ciała ludzkiego. Kształt zarejestrowanej krzywej rezonansowej zależy m.in. od czasów relaksacji (T_1 i T_2), a zatem od właściwości fizykochemicznych badanej próbki. Strukturę cząstek można określić na zasadzie przesunięcia chemicznego (*chemical shift*) linii rezonansowych. Ze względu na stężenie w ustroju przedmiotem badania są najczęściej jony wodoru, sodu (Na 23) i fosforu (P 31). Różnorodność związków fosforowych w organizmie powoduje, że rozkład ich stężenia pozwala ocenić intensywność pewnych procesów metabolicznych.

Spektroskopia MR znajduje zastosowanie w ocenie ukrwienia tkanek oraz intensywności przemiany materii w guzach i procesach zapalnych. Możliwości tej fascynującej techniki nie są jeszcze wyczerpane.

Kierunki rozwoju

Magnetyczny rezonans jako metoda nieinwazyjna znajduje coraz szersze zastosowanie kliniczne. Prace badawcze w tej dziedzinie zmierzają do istotnego skrócenia czasu niezbędnego do rejestracji sygnałów. Ograniczenie czasu zbierania danych umożliwi w przyszłości rejestrację ruchu narządów, np. serca. Istotne znaczenie praktyczne badań może mieć również poprawa zdolności rozdzielczej przestrzennej i kontrastowej. Z punktu widzenia ekonomicznego istotne znaczenie ma dążenie do obniżenia kosztów produkcji i eksploatacji urządzeń do MR.

Powszechnie uważa się, że w najbliższej przyszłości technika MR pozwoli znacznie ograniczyć wskazania do inwazyjnych, radiologicznych badań naczyniowych.

Przeciwwskazaniem do badań przy użyciu rezonansu magnetycznego są wbudowane na stałe do organizmu rozruszniki serca oraz wszelkiego rodzaju protezy metalowe (sztuczne zęby, amalgamatowe wypełnienia, metaliczne wstawki kostne). Nie zaleca się stosowania silnych pól magnetycznych bezpośrednio po zabiegach operacyjnych.

III. MEDYCYNA NUKLEARNA

Medycyna nuklearna zajmuje się zastosowaniami izotopów promieniotwórczych w diagnostyce (rozpoznawaniu) i terapii (leczeniu) chorób oraz w badaniach naukowych. Zastosowanie lecznicze sprowadza się w zasadzie tylko do leczenia nadczynności i raka tarczycy. Zastosowania diagnostyczne i badawcze są wielostronne.

Zastosowanie diagnostyczne

Zastosowanie diagnostyczne izotopów promieniotwórczych polega na wprowadzaniu substancji promieniotwórczej do tkanek i narządów organizmu, a następnie na rejestracji promieniowania za pomocą detektorów umieszczonych poza badanym obiektem. Nagromadzenie substancji promieniotwórczej w tkance lub narządzie oraz jej rozkład pozwalają na wnioski diagnostyczne.

Obecnie stosuje się ok. 200 różnych związków znakowanych izotopami promieniotwórczymi, które dobiera się w zależności od tego, jaki narząd stanowi przedmiot badania i jakich oczekuje się informacji. Najczęściej stosowane izotopy promieniotwórcze przedstawia tabela. Izotopy te, wbudowane w różne związki chemiczne, są wprowadzane do organizmu. Dane dotyczące ilościowego gromadzenia i rozmieszczenia izotopu w badanych narządach uzyskuje się przez zastosowanie odpowiednich układów pomiarowych.

Ważniejsze izotopy stosowane w badaniach diagnostycznych

Pierwiastek	Izotop	Półokres rozpadu (okres półtrwania)
Chrom	^{51}Cr	27,8 dni
Fosfor	^{32}P	14,3 dni
Gal	^{67}Ga	78 godz.
Ind	^{113m}In	100 min
Jod	^{123}I	13 godz.
	^{125}I	60 dni
	^{131}I	8,1 dni
Ksenon	^{133}Xe	5,27 dni
Selen	^{75}Se	120 dni
Technet	^{99m}Tc	6 godz.
Złoto	^{198}Au	2,7 dni
Żelazo	^{59}Fe	45 dni

Aparatura diagnostyczna

Licznik scyntylacyjny jest podstawowym urządzeniem stosowanym w diagnostyce izotopowej. Wykorzystuje się w nim zjawisko fotoelektryczne polegające na tym, że kwant promieniowania padający na kryształ jodku sodu powoduje emisję kwantu światła widzialnego. Kwant światła widzialnego powoduje emisję elektronów z kryształu, których liczba zwiększa się w układzie fotopowielacza. Prowadzi to do powstania impulsów elektrycznych, które są rejestrowane przez układy przeliczające. Ich liczba jest proporcjonalna do liczby kwantów promieniowania padających na kryształ, a pochodzących z badanego obiektu. Opisane zjawisko stanowi podstawową zasadę działania znacznej większości urządzeń pomiarowych stosowanych w klinicznej diagnostyce izotopowej.

W skład zestawu jednokanałowego systemu pomiarowego wchodzą: licznik scyntylacyjny, urządzenie przeliczające, urządzenie rejestrujące. System ten służy do pomiaru promieniowania w polu widzenia detektora, a w efekcie do określenia ilościowego poziomu substancji promieniotwórczej w badanym narządzie. Zastosowanie kilku systemów jednokanałowych daje możliwość jednoczasowego badania gromadzenia izotopu w różnych okolicach ciała. Zestawy takie stosuje się w badaniach tarczycy, nerek oraz do określania przepływu włośniczkowego (tablica 7 a).

Scyntygraf (scyntygrafia statyczna) jest urządzeniem wykazującym rozmieszczenie izotopu promieniotwórczego w narządzie. Scyntylacyjny detektor promieniowania przesuwa się nad badanym obiektem, rejestrując promieniowanie w jego polu widzenia. Rozkład substancji promieniotwórczej jest rejestrowany na papierze lub filmie w postaci „mapy” narządu.

Gammakamera (scyntygrafia dynamiczna) składa się z ruchomego detektora promieniowania, o dużej średnicy (30–40 cm), co daje możność równoczesnego badania rozmieszczenia izotopu w dużych obszarach ciała (płuca, jama brzuszna, czaszka). Uzyskane wyniki służą badaniom dynamicznym, wykreślaniu krzywej stężenia izotopu w funkcji czasu oraz matematycznej analizie uzyskanych danych. Gammakamera znalazła zastosowanie przy badaniu dynamiki krążenia (rzut skurczowy, pojemność minutowa), w badaniach czynności nerek, przepływu mózgowego itp. (tablica 7 c). Urządzenie to pozwala na badanie rozmieszczenia rozkładu aktywności w funkcji czasu w obiekcie trójwymiarowym, lecz jego prezentacji tylko w dwóch płaszczyznach. Powoduje to błędy na skutek nakładania się na siebie obrazów różnie wychwytujących izotop. Zrodziła się więc idea sterowanego komputerem urządzenia, które obracając się wokół badanego obiektu pozwoli na analizę poszczególnych warstw badanego narządu (tomografia emisyjna).

Gammakamera (scyntygrafia pozytronowa). Ten typ urządzenia służy do pomiarów promieniowań emitowanych przez krótko żyjące izotopy produkowane w cyklotronach (tlen 15, fluor 18, węgiel 13). Izotopy te o bardzo krótkich okresach półrozpadu mogą być wbudowywane w podstawowe struktury biologiczne (glukoza), co pozwala na badania i obrazowanie ich procesów metabolicznych (zob. Biologiczne skutki działania promieniowania jonizującego, s. 624).

Liczniki studzienkowe służą do pomiarów substancji promieniotwórczych zawartych w płynach ustrojowych. W tych urządzeniach mierzy się promieniowanie substancji przez wprowadzenie jej do kryształu scyntylacyjnego o specjalnym kształcie (stąd nazwa) lub przez mieszanie substancji z ciekłym scyntylatorem. Urządzenia te stosuje się do oznaczeń poziomu hormonów znakowanych substancjami promieniotwórczymi oraz innych biologicznych związków chemicznych (tablica 7 d).

Wskazania i przeciwwskazania do wykonywania badań izotopowych

B a d a n i a i z o t o p o w e nie obciążają badanego, dlatego zakres ich wskazań jest bardzo szeroki i zależy od możliwości danego ośrodka oraz asortymentu izotopów i posiadanej aparatury. Przygotowanie chorego do badania jest dość proste.

D a w k a p r o m i e n i o w a n i a, którą otrzymuje badany, jest niewielka i stanowi, z małymi wyjątkami, zaledwie 5–10% dawki otrzymanej w czasie badań rentgenowskich. Napromieniowane zostają głównie określone narządy, ponieważ podawane izotopy gromadzą się w nich wybiórczo. Stosowane izotopy są krótko żyjące, co zmniejsza ryzyko związane z promieniowaniem jonizującym. Około 80% stosowanych substancji promieniotwórczych to izotopy o okresie półrozpadu nie przekraczającym 6 godz. Dominuje tendencja do wykonywania testów pozaustrojowych, które eliminują napromieniowanie organizmu.

Jedynym przeciwwskazaniem do stosowania izotopów promieniotwórczych jest ciąża i okres laktacji, jeśli chora karmi dziecko piersią. Wskazania do badań izotopowych u dzieci i młodzieży są ograniczone, aby zmniejszyć do minimum ekspozycję na promieniowanie w okresie, kiedy organizm jest szczególnie podatny na jego wpływ.

Interpretacja wyników badania izotopowego

Badanie izotopowe jest badaniem dodatkowym i samo w sobie nie może być podstawą rozpoznania określonej jednostki chorobowej. Interpretacja jego wyniku jest dokonywana na podstawie poprzednio przeprowadzonych badań klinicznych i w niektórych przypadkach potwierdza to rozpoznanie.

Badania izotopowe nie są urazowe, mogą więc być wykonywane jako testy przeglądowe. W wielu przypadkach ich wyniki wyznaczają kierunek dalszego postępowania diagnostycznego. Na przykład stwierdzenie wysokiego gromadzenia jodu w tarczycy jest wskazaniem do wykonania oznaczeń hormonów tarczycy, stwierdzenie nieprawidłowości w gromadzeniu związków promieniotwórczych w mózgu może stanowić wskazanie do wykonania arteriografii mózgowej, a stwierdzenie ognisk obniżonego gromadzenia izotopu w płucach umożliwia określenie przyczyny, która doprowadziła do powstania ognisk niedokrwienia.

Badania tarczycy

Badania izotopowe tarczycy należą do najczęstszych badań diagnostycznych wykonywanych w pracowniach medycyny nuklearnej. Badania te, zarówno przeprowadzane *in vivo*, jak i *in vitro*, mają na celu ocenę poszczególnych faz czynności tarczycy i przemiany jej hormonów oraz ocenę jej struktury anatomicznej. Większość badań jest wykonywana przy użyciu izotopów promieniotwórczych jodu: ^{131}I, ^{132}I, ^{125}I, ^{99m}Tc.

Jod 131 jest najbardziej użytecznym i powszechnie stosowanym izotopem. Emituje cząstki beta i promieniowanie gamma. Cząstki beta o działaniu silnie jonizującym znalazły zastosowanie w leczeniu. W diagnostyce chorób tarczycy stosuje się promieniowanie gamma. Okres fizyczny półtrwania wynosi 8,1 dnia i jest wystarczający do działania leczniczego i łatwego wykonania pomiarów diagnostycznych.

Jod 132, który emituje promieniowanie gamma, dzięki krótkiemu okresowi fizycznego półtrwania (2,3 godz.) pozwala na znacznie mniejsze (około dziesięciu razy) napromieniowanie tarczycy niż jod 131 i dlatego stosuje się go do badań dzieci i w przypadkach, kiedy zachodzi konieczność częstego powtarzania badań. Nie nadaje się do celów terapeutycznych i do licznych testów stosowanych rutynowo z uwagi na zbyt krótki okres półtrwania.

Jod 125 emituje niskoenergetyczne promieniowanie gamma, które jest stosunkowo łatwo pochłaniane. Fizyczny okres półtrwania wynosi 60 dni. Jod 125 stosuje się głównie do badań scyntygraficznych i oznaczeń w badaniach biochemicznych *in vitro*. Jest mniej użyteczny do badania jodochwytności tarczycy ze względu na niskoenergetyczne promieniowanie gamma.

Technet 99m jest stosowany w badaniach morfologicznych tarczycy. Izotop ten emituje niskoenergetyczne promieniowanie gamma i ma krótki fizyczny okres półtrwania, wynoszący 6 godz. Jony nadtechnecjanu ($^{99m}TcO^{-4}$) są wychwytywane przez organizm podobnie jak jodki i gromadzą się w tarczycy. Nie ulegają one jednak dalszej przemianie w związki organiczne.

Scyntygrafia tarczycy

Scyntygrafia tarczycy określa stopień gromadzenia jodu w miąższu tego gruczołu. Metoda ta opiera się na założeniu, że chorobowo zmieniony miąższ tarczycy ma inną niż miąższ prawidłowy zdolność wychwytywania jodu. Nieprawidłowe rozmieszczenie izotopu jodu świadczy o obecności zmian patologicznych.

Scyntygrafię wykonuje się najczęściej po zastosowaniu jodu 131, rzadziej jodu 125, w 24 godz. po doustnym podaniu izotopu, a scyntygram wykonuje się po upływie 1 – 2 godz. W zasadzie scyntygramy wykonywane po podaniu technetu 99m są takie same, jak po podaniu jodu 131. Pewne różnice mogą wynikać stąd, że czas pomiędzy podaniem izotopu a wykonaniem badania jest znacznie krótszy przy użyciu technetu 99m niż jodu 131. W wolu zamostkowym scyntygramy uzyskane po podaniu technetu 99m są mało przydatne, ponieważ po 1 – 2 godz. od podania dawki część aktywności promieniotwórczej pozostaje w układzie krążenia. Promieniowanie pochodzące z dużych naczyń krwionośnych może nakładać się na promieniotwórczość miąższu tarczycy i być przyczyną trudności w interpretacji wyniku.

Jak wykazały ostatnie badania, rak tarczycy może gromadzić technet 99m, natomiast nie gromadzi jodu 131 (guzek zimny). Technet 99m powoduje znacznie mniejsze napromieniowanie tarczycy, pozwala na częste powtarzanie badań, dlatego też jest głównie stosowany w badaniach u dzieci i osób młodych.

Scyntygramy tarczycy można wykonywać zarówno scyntygrafem, jak i gammakamerą.

Prawidłowa tarczyca na scyntygramie w projekcji przednio-tylnej uwidacznia się jako narząd składający się z dwóch płatów, o wymiarach 4 × 2 cm, połączonych cieśnią (tablica 8 a). Z reguły prawy płat tarczycy jest nieco większy od lewego. Zarysy tarczycy są wyraźne, a rozkład radioaktywności w obrębie gruczołu jest równomierny.

Scyntygrafię najczęściej wykonuje się w warunkach podstawowych, czyli bez uprzedniego podania związków mogących mieć wpływ na metabolizm narządu. Niekiedy przy ocenie guzków tarczycy wykonuje się badania po zahamowaniu jodochwytności tarczycy preparatami hormonów tarczycy oraz po pobudzeniu jodochwytności tarczycy tyreotropiną, czyli hormonem tyreotropowym (TSH) przedniego płata przysadki.

W s k a z a n i e m do wykonania scyntygrafii tarczycy są różne zmiany morfologiczne, np. wole miąższowe, guzkowe, zamostkowe, zapalenie tarczycy i wady rozwojowe.

Duże znaczenie kliniczne ma diagnostyka gruczołów tarczycy. W zależności od stopnia gromadzenia izotopu jodu, guzki dzieli się na ciepłe, gorące i zimne.

Guzki ciepłe gromadzą jod 131 w tym samym stopniu, jak pozaguzkowy miąższ tarczycy. Są to zwykłe g u z k i ł a g o d n e, aczkolwiek dużo częściej niż guzki gorące okazują się rakiem.

Guzki gorące gromadzą izotop jodu wyłącznie lub prawie wyłącznie, tzn. że pozaguzkowy miąższ tarczycy gromadzi znacznie mniej jodu lub nie gromadzi go wcale (tablica 8 b). Szczególną odmianą guzka gorącego jest g u z e k g o r ą c y a u t o n o m i c z n y, który wydziela hormony tarczycy niezależnie od działania tyreotropiny. Histologicznie guzki gorące są wysoko zróżnicowanymi g r u c z o l a k a m i.

Guzki zimne zupełnie nie gromadzą izotopu jodu lub wykazują znacznie mniejszą jodochwytność niż pozostała część tarczycy. Guzki zimne są najczęściej torbielakami, krwiakami tarczycy, nierzadko jednak są rakami tarczycy (tablica 8 c).

Inne testy

Badanie jodochwytności tarczycy jest jednym z najczęściej wykonywanych testów określających czynność tarczycy. Polega ono na doustnym podaniu jodu 131 i wykonaniu po 6 i 24 godz. (T_6 i T_{24}) pomiarów promieniowania tarczycy. Ilość jodków znajdujących się w tarczycy określa się w procentach w stosunku do dawki podanej.

Na w y n i k i t e s t u jodochwytności m a w p ł y w oprócz diety i położenia geograficznego miejsca zamieszkania wiele innych czynników, m.in. jodowe środki cieniujące stosowane w badaniach rentgenowskich oraz niektóre leki obniżające jodochwytność tarczycy (jodyna, jodoform, sterydy, tyreoidyna, trójjodotyronina, bromki, salicylany), dlatego nie należy przyjmować (podawać) tych preparatów w okresie poprzedzającym badanie. W zależności od rodzaju preparatu okres ten wynosi od 6 tygodni do 3 miesięcy, a nawet do roku w przypadku zastosowania ograniczonych związków jodowych (środki cieniujące!). Fakt ten w znacznym stopniu ogranicza przydatność kliniczną badań opartych na gromadzeniu jodu w tarczycy.

Kiedy np. na skutek awarii reaktora w Czarnobylu doszło do masowego przyjmowania preparatów zawierających jod (jodyna, płyn Lugola), wstrzymano wykonywanie testów gromadzenia jodu w tarczycy, ponieważ stały się one nieobiektywne. Główny nacisk położono na pozaustrojowe testy (*in vitro*) oznaczania poziomu hormonów tarczycowych.

W różnych stanach chorobowych wykonuje się testy jodochwytności po pobudzeniu tarczycy przez tyreotropinę lub po zahamowaniu hormonami tarczycy. Test pobudzenia jodochwytności tarczycy przez tyreotropinę ułatwia różnicowanie nadczynności tarczycy pierwotnej i wtórnej oraz ocenę rezerwy czynnościowej tarczycy.

Badania przytarczyc

Próby wizualizacji przytarczyc (ich wielkości i miejsca położenia) dokonuje się w przypadkach sugerujących zaburzenia gospodarki wapniowo-fosforanowej (kamica nerkowa, zwapnienia w narządach).

Przytarczyce produkują parathormon (PTH), substancję regulującą poziom wapnia w płynach zewnątrzkomórkowych, w związku z tym muszą być w pewnych przypadkach chirurgicznie usunięte. Przytarczyce (w liczbie na ogół 4) znajdują się na tylnej powierzchni tarczycy, ale często znajdują się poza jej obszarem. Możliwość ich odnalezienia ma zasadnicze znaczenie dla planowanego zabiegu operacyjnego usunięcia przytarczyc, który to zabieg daje szanse całkowitego wyleczenia istniejącej choroby.

Do scyntygrafii przytarczyc stosuje się tal promieniotwórczy oraz ostatnio związki izonitrylowe znakowane technetem 99m (tablica XIV a).

Badania radioimmunologiczne i radioimmunometryczne

Ocena poziomu krążących hormonów tarczycy. Oceny tej dokonuje się za pomocą metod pośrednich oraz bezpośrednich. Do metod bezpośrednich, pozwalających z dużą dokładnością oznaczyć poziom zarówno trójjodotyroniny (T_3), jak i tyroksyny (T_4) w wartościach bezwzględnych, należą badania radioimmunologiczne.

Badania radioimmunologiczne (RIA), wprowadzone do praktyki lekarskiej w 1960 r., pozwalają na dokładne oznaczenie poziomu hormonów w płynach ustrojowych. Początkowo metoda radioimmunologiczna służyła do oznaczeń hormonów białkowych, później zaczęto ją stosować do oznaczeń innych substancji biologicznych mających właściwości antygenowe. Dalsze lata przyniosły rozszerzenie metod radioimmunologicznych na substancje niskocząsteczkowe, takie jak leki, witaminy, sterydy, które same nie mają właściwości antygenowych, ale w połączeniu z białkami stają się antygenami i powodują powstawanie przeciwciał.

W badaniach RIA wykorzystuje się zjawisko tworzenia przez antygeny kompleksów ze swoistymi przeciwciałami. Podstawą ilościowego oznaczenia wartości substancji w badanym materiale biologicznym (krew, osocze) jest zjawisko konkurencyjnego wiązania antygenu znakowanego i nieznakowanego izotopem promieniotwórczym przez stałą ilość przeciwciał. Ponieważ antygen znakowany i nieznakowany mają takie samo powinowactwo do przeciwciał, w miarę zwiększania ilości antygenu nieznakowanego zmniejsza się ilość wiązanego antygenu znakowanego. Efekt ten stanowi podstawę oznaczeń poziomu hormonów w organizmie człowieka.

Za pomocą metody RIA można oznaczyć bardzo niskie stężenie, rzędu pikogramów na milimetr. Zalicza się więc ona do metod o bardzo wysokiej czułości w porównaniu z testami biologicznymi. Zaletą tej metody jest to, że może ona być stosowana do badań masowych, co wiąże się z wykorzystaniem w pełni lub częściowo automatycznych urządzeń pomiarowych.

Badania radioimmunometryczne (IRMA). W badaniach tych zamiast znakowanego antygenu jak w metodzie radioimmunologicznej używa się znakowanych swoistych przeciwciał. Badania te wykonuje się w warunkach nadmiaru przeciwciał. Czułość metody jest bardzo wysoka, ponieważ możliwe jest wykrywanie nawet pojedynczych cząstek antygenu.

Badania płuc

Izotopowe badania układu oddechowego dotyczą ukrwienia i wentylacji płuc. Powszechnie stosowanymi metodami są: scyntygrafia perfuzyjna i scyntygrafia wentylacyjna.

Scyntygrafia perfuzyjna

Ta metoda badania pozwala na uwidocznienie łożyska włośniczkowego krążenia płucnego. Zapisu rozkładu promieniotwórczości dokonuje się w czasie przejściowego unieruchomienia w małych naczyniach i włośniczkach płucnych mikrocząsteczek znakowanych izotopem promieniotwórczym.

Najczęściej do badania stosuje się albuminę ludzką znakowaną jodem 131, technetem 99m lub indem 113m. W zależności od wielkości cząsteczki są to albo makroagregaty, o trudnej do kontrolowania, mało stabilnej wielkości cząsteczek, albo tzw. mikrosfery o ściśle określonej wielkości cząsteczek – ok. 15–30 μm. Najbardziej przydatne są mikrosfery znakowane technetem 99m.

Scyntygrafię płuc wykonuje się rutynowo w czterech zasadniczych projekcjach: przedniej, tylnej i obu bocznych.

R o z k ł a d a k t y w n o ś c i p r o m i e n i o t w ó r c z e j w obu polach płucnych jest w zasadzie równomierny. Z reguły dolne granice płuc są nieostre, co jest spowodowane ich małą ruchomością oddechową. Również w okolicy wnęki płuca można obserwować zmniejszenie aktywności. U 20% osób zdrowych obserwuje się niewielkie zmniejszenie perfuzji w górnych polach płucnych. Znaczenie diagnostyczne mają zwłaszcza te scyntygramy, w których stwierdza się zaburzenia perfuzji przy prawidłowym obrazie rentgenowskim. Wszystkie choroby przebiegające z zaburzeniami w krążeniu płucnym w scyntygrafii perfuzyjnej ujawniają się w postaci ognisk lub obszarów o zmniejszonej aktywności promieniotwórczej.

Głównym w s k a z a n i e m do wykonania scyntygrafii perfuzyjnej płuc jest z a t o r p ł u c n y. W zależności od rozległości zatoru obserwuje się różne objawy: od małych ognisk zmniejszonego gromadzenia izotopu do całkowitego braku gromadzenia w badanym obszarze (tablica 8 d).

Wartość badania scyntygraficznego w przypadku zatoru płucnego polega na tym, że badanie to praktycznie zaraz po wystąpieniu objawów klinicznych zatoru płucnego pozwala na potwierdzenie rozpoznania. Badanie rentgenowskie klatki piersiowej nie wykazuje jeszcze żadnych zmian patologicznych.

Scyntygrafia wentylacyjna

Badanie polega na ocenie rozmieszczenia w płucach gazu radioaktywnego po jego inhalacyjnym podaniu. Rozmieszczenie gazu radioaktywnego w płucach zmienia się szybko w czasie, badanie można więc wykonać tylko za pomocą gammakamery. Gdy gammakamera jest połączona z systemem komputerowym, można za pomocą tej metody oznaczyć niektóre parametry oddechowe, takie jak: pojemność całkowita płuc, pojemność życiowa, objętość zalegająca.

Podając dożylnie w fizjologicznym roztworze soli promieniotwórczy ksenon 133 można ocenić jednocześnie ukrwienie i wentylację płuc. Rejestrując rozmieszczenie izotopu we włosowatych naczyniach płucnych uzyskuje się informacje o przepływie krwi. Wentylację miejscową ocenia się na podstawie szybkości eliminacji ksenonu 133 z powietrzem wydechowym. Z obszarów dobrze wentylowanych jest on usuwany szybko, natomiast zalega w miejscach o gorszej wentylacji.

Badania wątroby i śledziony

Scyntygrafia wątroby i śledziony

Scyntygrafia wątroby pozwala na ocenę jej kształtu, wielkości i położenia oraz obszarów zmniejszonego gromadzenia w miąższu narządu związku znakowanego. Powszechnie stosuje się związki koloidalne znakowane technetem 99m lub indem 113m. Te substancje podane dożylnie są wychwytywane przez komórki układu siateczkowo-śródbłonkowego, głównie wątroby i śledziony, dlatego badania scyntygraficzne tych dwóch narządów wykonuje się jednocześnie.

W projekcji przednio-tylnej obserwuje się typowy kształt wątroby, zbliżony do nierównobocznego trójkąta, z wyraźnie zaznaczonym prawym płatem i mniejszym płatem lewym. Szczelina międzypłatowa nie zawsze jest widoczna. Natomiast wnęka wątroby i loża pęcherzyka żółciowego na scyntygramach uwidaczniają się jako obszary zmniejszonego gromadzenia koloidu promieniotwórczego. Może to być przyczyną pomyłek diagnostycznych i uzyskiwania wyników fałszywie dodatnich. W takich przypadkach wykonuje się dodatkowe badanie za pomocą technetu 99m-HIDA (zob. niżej), które pozwala na uwidocznienie pęcherzyka żółciowego i przewodu żółciowego wspólnego, a tym samym na dokładne umiejscowienie wnęki wątroby i loży pęcherzyka.

Badanie scyntygraficzne wątroby powinno obejmować projekcję przednio--tylną i rzut boczny prawy. Tylko wtedy istnieje możliwość uwidocznienia zmiany w częściach bocznych miąższu wątroby, a zwłaszcza płata prawego. Zmniejszone gromadzenie znacznika promieniotwórczego w miąższu wątroby może być wynikiem marskości wątroby, rozsianego procesu nowotworowego lub zmian zapalnych. Ogniskowy brak gromadzenia może odpowiadać torbieli, chorobie pasożytniczej lub nowotworowej.

Scyntygrafia wątroby jest badaniem pomocniczym i ma wartość tylko w zestawieniu z przebiegiem choroby i innymi badaniami diagnostycznymi. Dużą zaletą badania jest prostota jego wykonania, szybkość oraz bardzo małe napromieniowanie tkanek. Ograniczeniem metody jest brak swoistości, brak zdolności wykrywania zmian małych (poniżej 1,5 cm) oraz stosunkowo dużych odsetek wyników fałszywie dodatnich i ujemnych dochodzących do 15–30%.

Wskazaniem do wykonania scyntygrafii wątroby jest głównie rak pęcherzyka żółciowego i przerzuty nowotworowe (tablica 8 e).

Scyntygrafia czynnościowa wątroby i dróg żółciowych

Do izotopowych badań czynności wątroby i dróg żółciowych stosuje się pochodne kwasu iminooctowego znakowanego technetem. Preparat ten, zwany w skrócie HIDA (polski odpowiednik Hepida), znalazł szerokie zastosowanie z uwagi na łatwość i wydajność znakowania technetem oraz ze względu na prostą i szybką kinetykę znacznika w wątrobie. Po dożylnym podaniu technet 99m-HIDA jest wychwytywany przez komórki wielokątne miąższu wątroby, a następnie z żółcią wydalany do pęcherzyka żółciowego i jelit (tablica 9 a).

W obiegu preparatu w wątrobie wyróżnia się trzy fazy:

W fazie pierwszej (15 min od wstrzyknięcia) następuje gromadzenie się znacznika w wątrobie. Obraz scyntygraficzny jest podobny do obrazów uzyskiwanych za pomocą innych izotopów.

W fazie drugiej, odpowiadającej przechodzeniu żółci do dróg żółciowych (15–30 min badania), uzyskuje się obrazy scyntygraficzne dróg żółciowych.

W fazie trzeciej następuje wydalanie żółci do jelit i gromadzenie jej w pęcherzyku. Faza ta rozpoczyna się w 25–30 min badania i czas jej trwania jest różny, w zależności od stanu chorobowego osoby poddanej badaniu. Badanie wykonuje się za pomocą gammakamery, a rejestracja obrazów przebiega w przedziałach 5- lub 10-minutowych. Zastosowanie systemu komputerowego pozwala nie tylko uwidocznić narząd, lecz także oznaczyć szybkość oczyszczania krwi ze znacznika, co jest miarą sprawności miąższu wątroby.

Wskazaniem do wykonania scyntygrafii czynnościowej wątroby i dróg żółciowych jest żółtaczka niezależnie od przyczyny, choroby pęcherzyka żółciowego i dróg żółciowych, przewlekłe i ostre zapalenie wątroby i pęcherzyka żółciowego, choroby metaboliczne przebiegające z uszkodzeniem wątroby, nowotwory wątroby, dwunastnicy i trzustki oraz stany pooperacyjne wymagające kontrolowania drożności dróg żółciowych.

Badania nerek

Metodami izotopowymi można badać: morfologię nerek (scyntygrafia), czynność miąższu nerkowego (renografia), rozdział krwi w łożysku naczyniowym (angioscyntygrafia), przepływ krwi lub plazmy przez nerki oraz wartość przesączania kłębuszkowego (zob. Fizjologia, Czynność nerek, s. 195).

Scyntygrafia nerek

Badanie to pozwala na ocenę wielkości, kształtu i położenia nerek przez uwidocznienie rozkładu aktywności promieniotwórczej w ich miąższu. Badanie można wykonać za pomocą scyntygrafu lub gammakamery po dożylnym podaniu związków znakowanych, gromadzących się głównie w części korowej miąższu nerek. Spośród wielu znaczników do badania stosuje się związki znakowane technetem 99m.

Zdrowe nerki wychwytują znaczniki promieniotwórcze równomiernie. Zmiany chorobowe powodują całkowity brak lub ogniskowe zmniejszenie nagromadzenia w miąższu nerek związków znakowanych.

Wskazaniem do badań scyntygraficznych nerek są: wady rozwojowe, guzy nerek, następstwa procesów zapalnych, zawał nerki i uraz, stan po częściowej resekcji nerki, określenie położenia nerek przed biopsją i przeszczepy nerek.

Renografia

Renografia pozwala na niezależną ocenę czynności jednej lub drugiej nerki po dożylnym podaniu związków znakowanych szybko przechodzących przez ten narząd. Wyniki badania najczęściej przedstawia się za pomocą dwóch krzywych, które są odzwierciedleniem zmian aktywności promieniotwórczej (przeważnie w ciągu 20 min) w miąższu obu nerek. Często krzywe renograficzne przedstawia się łącznie z krzywą pęcherzową i wtedy mówi się o renocystografii (rys. obok).

Do badania stosuje się albo jod 131 – hipuran, który jest wydzielany przez kanaliki nerkowe, albo EDTA lub DTPA znakowane technetem 99m lub indem 113m.

Badanie można wykonać za pomocą specjalnego zestawu wyposażonego w sondy scyntylacyjne i bloku pomiarowo-rejestrującego lub przy użyciu gammakamery połączonej z systemem komputerowym. Gammakamera pozwala na jednoczesne wykonanie scyntygrafii obu nerek oraz umożliwia dokładną ocenę ilościową krzywych renograficznych.

W krzywej renograficznej wyróżnia się trzy fazy:

Faza pierwsza (naczyniowa) cechuje się stromym narastaniem aktywności promieniotwórczej. Faza ta występuje na początku badania i zależy od obecności znacznika w łożysku naczyniowym. W warunkach prawidłowych trwa ona ok. 40 s.

Faza druga jest wynikiem gromadzenia się związków znakowanych w miąższu nerek i objawia się mniej stromym niż faza naczyniowa narastaniem aktywności. Wielkość przyrostu aktywności promieniotwórczej w fazie drugiej jest miarą efektywnego ukrwienia nerek. Prawidłowa faza druga trwa 3–5 min.

Faza trzecia rozpoczyna się z chwilą wydalania znacznika z moczem, co na renogramie zaznacza się spadkiem aktywności promieniotwórczej.

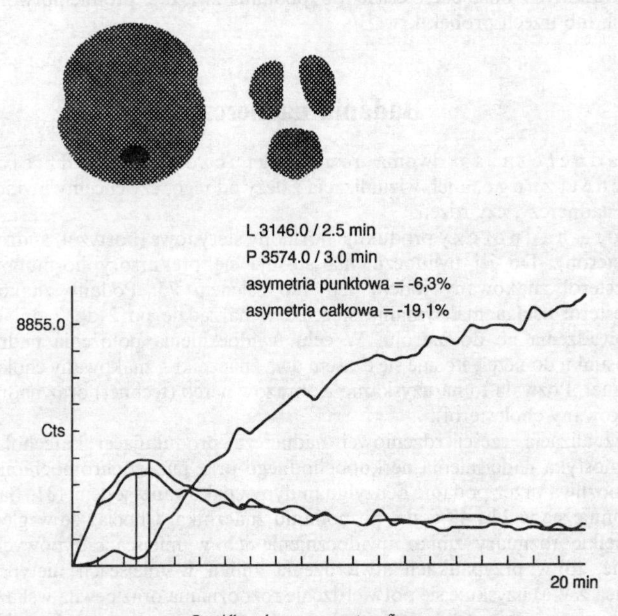

Prawidłowa krzywa renocystograficzna

Wskazania do wykonania renocystografii stanowią wszelkie stany chorobowe przebiegające z zaburzeniami ukrwienia nerek, uszkodzeniem miąższu i zaburzeniami w odpływie moczu z układu kielichowo-miedniczkowego. Szczególnie duże znaczenie diagnostyczne renografia ma w nadciśnieniu naczyniowo-nerkowym (zob. Choroby wewnętrzne, s. 662). Pozwala ona na ocenę symetrii ukrwienia nerek i określenie przepływu krwi przez każdą nerkę. Jest to dobry test przeglądowy, wykrywający różnice w ukrwieniu nerek. Prawidłowy wynik badania z dużym prawdopodobieństwem pozwala wyłączyć naczyniowo-nerkową przyczynę nadciśnienia.

Zaletą metody jest duża prostota, możliwość częstego jej powtarzania, brak jakichkolwiek przeciwwskazań i znikome napromieniowanie osób badanych.

Inne testy

Cenną metodą oceny funkcji nerek jest możliwość ilościowego obliczania efektywnego przepływu krwi lub plazmy przez nerki oraz wielkości przesączania kłębuszkowego (zob. Fizjologia, Czynność nerek, s. 195). Metody izotopowe cechują się dużą prostotą i najczęściej sprowadzają się do pobrania w określonych odstępach czasu po podaniu związku promieniotwórczego dwóch lub trzech próbek krwi.

Badania nadnerczy

Nadnercza są dwoma różnymi gruczołami wydzielania wewnętrznego, a ich wizualizacja zależy od tego, czy chcemy uwidocznić korę nadnerczy, czy rdzeń.

Kora nadnerczy produkuje hormony sterydowe (kortyzol, androgeny, aldosteron). Do jej uwidocznienia stosuje się prekursory hormonów, tj. cholesterol znakowany jodem 131 lub selenem 75. Podany znakowany cholesterol osiąga maksymalne stężenie w narządzie po 2 do 7 dniach od wprowadzenia go do ustroju. W celu uwidocznienia położenia nadnerczy w stosunku do nerek stosuje się czasem dwa znaczniki – znakowany cholesterol i technet. Pozwala to na uzyskanie 2 obrazów nerek (technet) oraz nadnerczy (znakowany cholesterol).

Wizualizacja części rdzeniowej nadnercza produkującej katecholaminy (diagnostyka nadciśnienia nerkopochodnego oraz guzów chromochłonnych) jest możliwa przez podanie benzylguanidyny znakowanej jodem 131. Badanie wykonuje się w 24 i 48 godz. po podaniu znacznika. Chociaż ze względu na niewielkie rozmiary zmian uwidocznienie ich w miejscach typowych jest trudne, to w przypadkach stwierdzenia zmian w miejscach nietypowych (tablica XV a) uzyskuje się potwierdzenie rozpoznania oraz pewną wskazówkę dla chirurga, gdzie ma dokonać zabiegu operacyjnego. Badania te są bardzo cenne w przypadkach wznowy pooperacyjnej (tablica 9 b).

Badania ośrodkowego układu nerwowego

Współczesna diagnostyka izotopowa chorób ośrodkowego układu nerwowego obejmuje: scyntygrafię mózgu, cysternografię i mielografię izotopową, badania przepływu mózgowego oraz angioscyntygrafię izotopową.

Scyntygrafia mózgu

Jest to badanie topograficzne pozwalające na wykrycie, umiejscowienie oraz ocenę rozmiaru i charakteru wewnątrzczaszkowego struktur patologicznych. Istotą badania jest gromadzenie substancji promieniotwórczych w mózgu w następstwie uszkodzenia bariery krew-mózg.

Najczęściej używanym izotopem promieniotwórczym jest technet 99m. Znacznik ten podaje się dożylnie po uprzednim zablokowaniu tarczycy nadchloranem potasu. Scyntygrafię można wykonać bezpośrednio po wstrzyknięciu związku promieniotwórczego, a następnie powtarzać kilkakrotnie w ciągu ok. 3 godz., jeśli podejrzewa się ogniska słabo gromadzące izotop. Badania wykonuje się w projekcjach: przednio-tylnej, tylno-przedniej oraz w obydwu profilowych.

Wskazaniem do wykonania konwencjonalnej scyntygrafii mózgu są: guzy mózgu, przerzuty nowotworowe, ropnie, krwiaki oraz zmiany naczyniowe w obrębie czaszki, a także w okolicy podpotylicznej. Wymienione stany chorobowe uwidaczniają się na scyntygramach w postaci ognisk lub obszarów o zwiększonej aktywności promieniotwórczej.

W związku z rozwojem metod rentgenowskich (głównie tomografii komputerowej) częstość badań scyntygraficznych mózgu uległa w ostatnich latach wyraźnemu ograniczeniu.

Cysternografia i mielografia izotopowa

Badania te wykonuje się w celu uwidocznienia przestrzeni płynowych. Najczęściej stosuje się albuminę ludzką znakowaną jodem 131 lub technetem 99m. Albuminę wprowadza się do przestrzeni podpajęczynówkowej kanału kręgowego.

Wskazaniem do wykonania cysternografii i mielografii izotopowej jest wodogłowie oraz wypływ płynu mózgowo-rdzeniowego (ucho, nos).

Badania przepływu mózgowego

W chorobach naczyniowych mózgu duże znaczenie mają metody izotopowe pozwalające na oznaczenie ilości krwi przepływającej przez mózg. Najczęściej stosuje się radioaktywne gazy szlachetne, głównie ksenon 133. Zasada pomiaru opiera się na założeniu, że szybkość znikania znacznika z mózgu jest miarą przepływu krwi.

Badanie wykonuje się wprowadzając znacznik w fizjologicznym roztworze soli przez wstrzyknięcie do tętnicy szyjnej lub przez podanie izotopu w postaci gazu – drogą wziewną.

W ostatnich latach szerokie zastosowanie w badaniach przepływu mózgowego zyskały związki fosfonianowe (HMPAO), które znakowane technetem pozwalają uwidocznić łożysko naczyniowe w mózgu. Zastosowanie scyntygrafii dynamicznej oraz obrotowej gammakamery pozwala na uzyskanie tomograficznych obrazów mózgu i stanowi istotny postęp w badaniach tych chorób mózgowych, które mają podłoże w zaburzeniach przepływu krwi (naczyniaki mózgu, krwawienia śródmózgowe i podoponowe, padaczka).

Badania te skutecznie wypierają zastosowania gazów szlachetnych i stanowią postęp w rozwoju scyntygraficznych metod badania mózgu (tablica XIV b).

Angioscyntygrafia izotopowa

Metoda ta polega na rejestracji serii obrazów pojawiania się znacznika wprowadzonego do łożyska naczyniowego w polu widzenia detektora, a następnie na analizie tych obrazów w układzie komputerowym. Jako znacznik stosuje się nadtechnecjan – Tc 99m, który wstrzykuje się dożylnie w małej objętości (ok. 0,5 ml) przy dużej aktywności właściwej. Oprócz jakościowej oceny dynamiki przepływu znacznika przez naczynia mózgowe, metoda ta pozwala na ilościową ocenę ukrwienia półkul mózgowych.

Badania serca

Badania izotopowe w diagnostyce układu krążenia znajdują coraz szersze zastosowanie. W miarę doskonalenia metod pomiarowych związanych z czułością aparatury i z wprowadzaniem systemów komputerowych do analizy wyników znacznie rozszerzyły się wskazania diagnostyczne. Zastosowanie krótko żyjących izotopów promieniotwórczych pozwala na wprowadzenie do organizmu dużych dawek promieniotwórczych i uzyskanie czytelnych obrazów scyntygraficznych. Współczesne metody izotopowe pozwalają na badanie ukrwienia mięśnia sercowego oraz ocenę parametrów krążenia.

Badania mięśnia sercowego

S c y n t y g r a f i a s e r c a dostarcza danych o ukrwieniu mięśnia sercowego. Badanie wykonuje się stosując dwie grupy znaczników promieniotwórczych gromadzących się w odmienny sposób w mięśniu serca niedokrwionym i w obszarze objętym martwicą.

Do grupy izotopów promieniotwórczych, które po dożylnym podaniu są włączone do metabolizmu komórkowego mięśnia sercowego, należą izotopy: potasu – ^{42}K, ^{43}K, rubidu – ^{82m}Rb, cezu – ^{131}Cs, ^{134}Cs i talu – ^{201}Tl. Ten ostatni izotop promieniotwórczy jest obecnie szeroko stosowany do oceny ukrwienia mięśnia sercowego. Prawidłowy scyntygram cechuje równomierne gromadzenie izotopu w mięśniu serca. Obszary o upośledzonym ukrwieniu lub nieukrwione są widoczne w postaci ognisk zmniejszonego gromadzenia izotopu lub braku gromadzenia (tablica 9 c).

Do związków znakowanych gromadzących się w ogniskach martwicy mięśnia sercowego należą pirofosforany znakowane technetem 99m. Mechanizm gromadzenia się ich nie został do końca poznany. Prawdopodobnie tworzą one makrocząsteczki ze zdenaturowanym białkiem mas martwiczych. W badaniu scyntygraficznym ogniska martwicy uwidaczniają się w postaci obszarów gromadzenia izotopu promieniotwórczego.

Ocena niektórych parametrów krążenia

Zasadą badania jest szybkie dożylne wstrzyknięcie izotopu promieniotwórczego i śledzenie czasu oraz drogi jego przepływu z krążenia małego do dużego. Najczęściej oblicza się czas przepływu przez komory serca i pojemność wyrzutową lewej komory (tablica 9 d). W wadach wrodzonych serca ocenia się wielkość przepływu krwi z lewej części serca do prawej.

Czas wykonania badania jest krótki i wynosi kilkanaście sekund od wstrzyknięcia izotopu. Daje ono czytelne obrazy jam serca i dużych naczyń oraz pozwala ocenić badanie ilościowo. Z reguły stosuje się technet 99m.

W s k a z a n i e m do badań izotopowych jest ocena ruchomości ścian lewej komory serca w przypadkach blizn pozawałowych, tętniaków serca oraz badania kontrolne po operacji serca.

Badania układu kostnego

W badaniach układu kostnego stosuje się związki fosfonianowe, najczęściej metylenodwufosfonian (MDP) znakowany technetem. Badania mają na celu w y k r y c i e o g n i s k n o w o t w o r o w y c h w przypadkach: 1) pierwotnych nowotworów kości, 2) przerzutów nowotworowych do innych narządów (najczęściej sutka, prostaty, płuc) oraz 3) rozległości zmian w celu określenia wskazań do ewentualnej resekcji chirurgicznej.

Badania wykonuje się jako scyntygrafię całego ciała. W przypadku stwierdzenia zmian w poszczególnych odcinkach układu kostnego wykonuje się scyntygrafię danego obszaru (tablica 10).

Badania izotopowe układu kostnego są szczególnie cenne, ponieważ metodą tą można najwcześniej wykryć ogniska przerzutowe, co ma zasadnicze znaczenie dla ustalenia dalszego trybu postępowania leczniczego.

IV. ULTRASONOGRAFIA

Podstawy fizyczne i aparatura

U l t r a s o n o g r a f i a (USG) jest badaniem diagnostycznym, w którym za pomocą fal ultradźwiękowych uzyskuje się warstwowe obrazy wielu narządów ciała ludzkiego. W diagnostyce ultradźwiękowej stosuje się ultradźwięki o częstotliwościach od 1,5 do 10 MHz. Rozchodzenie się fal ultradźwiękowych w różnych ośrodkach, w tym również w tkankach i narządach ciała ludzkiego, zależy od właściwości tych ośrodków – od ich wielkości, gęstości, sprężystości, niejednorodności, budowy molekularnej. Fale ultradźwiękowe nie przechodzą przez granice utworzone przez ciało: stałe – gaz lub płyn – gaz. Na granicy narządów i tkanek o różnych właściwościach akustycznych następuje częściowe odbicie fali ultradźwiękowej. Powstałe *echo* jest podstawą diagnostycznych zastosowań fal ultradźwiękowych.

Badania USG wykonuje się za pomocą aparatów zwanych *ultrasonografami* (tablica 11a). Współcześnie stosowane ultrasonografy są konstruowane z myślą o wielorakich zastosowaniach diagnostycznych tej metody. Pozwalają one uzyskiwać obrazy USG w tzw. czasie rzeczywistym, tj. zgodnie z fizjologiczną ruchomością danego narządu, np. kurczącego i rozkurczającego się mięśnia serca, lub zgodnie z ruchomością oddechową, np. narządów miąższowych, takich jak wątroba, nerki, śledziona.

Zasadniczą częścią aparatu ultradźwiękowego jest *sonda* (głowica), w której wytwarzane są fale ultradźwiękowe i która stanowi jednocześnie odbiornik dla powracających fal (echa) od badanych struktur. W sondzie fale ultradźwiękowe wytwarzane są i odbierane za pomocą przetworników, którymi najczęściej są: kwarc, siarczan litu, tytanian baru, cyrkonian ołowiu. W przetwornikach tych powstaje *zjawisko piezoelektryczne*, polegające na odkształceniu siatki krystalicznej tych materiałów pod wpływem przyłożonego do nich napięcia elektrycznego. Zjawisko piezoelektryczne jest odwracalne. Gdy kryształ zostanie odkształcony, na jego powierzchniach pokrytych warstwą metalu powstaje napięcie elektryczne. Uzyskuje się w ten sposób możliwość elektrycznego wytwarzania i odbioru fali ultradźwiękowej. Impulsy elektryczne są przetwarzane w przetworniku piezoelektrycznym na drgania jego kryształów, które w postaci fali ultradźwiękowej rozchodzą się w ośrodkach biologicznych. I odwrotnie, fale ultradźwiękowe padające na przetwornik zostają przetworzone z powrotem na impulsy elektryczne.

Elektronika aparatów ultradźwiękowych pozwala na stosowanie do jednego aparatu wielu *różnych sond ultradźwiękowych* o różnych częstotliwościach. Gdy kryształy w sondzie ultradźwiękowej ułożone są liniowo, mówi się o *sondach linearnych*. Gdy są ułożone w sposób zakrzywiony, sondy określa się jako *typu convex*. Gdy wreszcie przetworniki piezoelektryczne poruszają się ruchem wirowym, mówi się o *sondach sektorowych*.

Echa fal ultradźwiękowych z narządów i tkanek ciała ludzkiego po odpowiedniej obróbce elektronicznej są przedstawione na *ekranie monitora* aparatu ultradźwiękowego w postaci różnych *prezentacji* A, B i M.

Prezentacja A (od amplituda) – na ekranie monitora widoczny jest wykres amplitudy ech powstałych na skutek odbicia impulsów ultradźwiękowych od granic tkanek i narządów.

Prezentacja B (od ang. brightness – jasność) – na ekranie monitora echa są przedstawione w postaci jasnych punktów w tzw. skali szarości (gradacja od białego do czarnego w 32, 64 lub 128 poziomach), które w sumie tworzą dwuwymiarowy obraz badanych narządów.

Prezentację M (od ang. motion – ruch) stosuje się w badaniach serca. W prezentacji tej podstawa czasu, wygaszona początkowo na całej długości, zostaje rozjaśniona echami wykrytych granic tkanek. Jeśli granice te poruszają się, jak np. ściany mięśnia serca lub zastawki, wtedy jasne punkty podstawy czasu poruszają się zgodnie z ruchem tych granic. Podczas badania sondę ultradźwiękową przykłada się nieruchomo w okolicy przedsercowej, natomiast podstawę czasu wolno przesuwa prostopadle do jej kierunku. Jasne punkty podstawy czasu rysują na ekranie ślady. Ślady struktur nieruchomych są liniami prostymi, a ślady struktur ruchomych są krzywymi odpowiadającymi wychyleniom ruchomych granic tkanek.

Do badań narządów jamy brzusznej, przestrzeni zaotrzewnowej i miednicy u dorosłych i starszych dzieci używa się sondy o częstotliwościach 3,5 MHz. Do badań małych dzieci i narządów położonych powierzchownie (tarczyca, ślinianki, sutki, jądra, mięśnie, ścięgna) stosuje się sondy o częstotliwościach 5 lub 7,5 MHz. Do badań gałki ocznej i struktur położonych pozagałkowo używa się sond o częstotliwościach 7,5–10 MHz.

Poza sondami, które przykłada się do ciała osoby badanej, istnieją specjalne sondy (linearne lub sektorowe), które można wprowadzać do jam ciała – do odbytnicy, pochwy, pęcherza moczowego, do żołądka i dwunastnicy. Dzięki zbliżeniu tych sond do badanych narządów można uzyskiwać wyraźne ich obrazy ultradźwiękowe.

Technika badania ultradźwiękowego

Przygotowanie do badań. Badania USG nie wymagają specjalnego do nich przygotowania. Jedynie przy badaniach narządów jamy brzusznej chorzy powinni być na czczo lub co najmniej przez 4–6 godz. pozostawać bez jedzenia. Badania na czczo umożliwiają bowiem dokładną ocenę dróg żółciowych (tablica 11 b), których wygląd zmienia się pod wpływem bodźców pokarmowych (obkurczanie się pęcherzyka żółciowego), jak i ułatwiają dobre uwidocznienie narządów nadbrzusza i śródbrzusza, a zwłaszcza trzustki, ponieważ nieprzyjmowanie pokarmu przez dłuższy czas eliminuje maksymalnie obecność gazów w żołądku i jelitach. U osób z ostrymi chorobami jamy brzusznej lub urazami wielomiejscowymi badania USG jamy brzusznej wykonuje się bez żadnego przygotowania.

Planowanie badań diagnostycznych. Badania USG jamy brzusznej należy zawsze wykonać przed radiologicznym badaniem przewodu pokarmowego z białą papką barytową. Zalegający w jelitach baryt utrudnia penetrację fal ultradźwiękowych, co w efekcie powoduje uzyskiwanie złej jakości obrazów USG. Odstęp czasu pomiędzy wykonanymi już badaniami z barytem a badaniem USG jamy brzusznej nie powinien być krótszy niż 48 godz. Badania narządów miednicy małej (u kobiet macicy i jajników, u mężczyzn gruczołu krokowego) należy wykonywać przy maksymalnie wypełnionym pęcherzu moczowym. Mocz dobrze przewodzi fale ultradźwiękowe, co znacznie ułatwia uzyskiwanie dobrej jakości obrazów USG badanych narządów.

Przebieg badania. Większość badań USG wykonuje się w pozycji leżącej na wznak. Przed badaniem skóra badanej okolicy ciała zostaje pokryta specjalnym żelem, w celu uzyskania pełnego kontaktu powierzchni sondy ultradźwiękowej ze skórą. Zabieg ten m.in. eliminuje drobne pęcherzyki powietrza, które mogą się znajdować pomiędzy powierzchnią sondy a skórą. Pęcherzyki te mogą prowadzić do powstawania licznych artefaktów w obrazach USG, ponieważ na ich powierzchni następuje częściowe odbicie wiązki fali ultradźwiękowej. Badanie narządów i tkanek leżących powierzchownie wykonuje się bez żadnego przygotowania. Niekiedy, w celu uzyskania wyraźniejszych obrazów tych struktur, na powierzchnię skóry przykłada się specjalne torebki foliowe wypełnione wodą lub nakładki ze sztucznego tworzywa i badania wykonuje się poprzez uzyskany w ten sposób płaszcz wodny. Zamiast torebek bywają używane specjalne nakładki na sondy ultradźwiękowe.

Przekrojowe obrazy USG różnych narządów uzyskuje się najczęściej w dwóch zasadniczych przekrojach: podłużnym i poprzecznym w stosunku do długości osi ciała. Jeśli zachodzi potrzeba, wykonuje się również wiele przekrojów skośnych. Z reguły w czasie badania, zwłaszcza dużych narządów miąższowych, wykonuje się kilkanaście przekrojów w różnych płaszczyznach.

Metody badań ultradźwiękowych

W diagnostyce są stosowane cztery rodzaje badań USG: 1) badania poprzez skórę chorego, 2) badania za pomocą sond wprowadzonych do jam ciała, 3) badania śródoperacyjne, 4) badania w kąpieli wodnej.

Badania poprzez skórę. W badaniach tych sonda ultradźwiękowa bezpośrednio przylega do skóry osoby badanej. Metodą tą wykonuje się większość badań ultradźwiękowych rutynowo stosowanych w diagnostyce.

Badania za pomocą sondy wprowadzonej do jam ciała. Sonda może być wprowadzona do odbytnicy, pochwy, pęcherza moczowego, co pozwala na wykonanie szczegółowych badań macicy, jajników, gruczołu krokowego, odbytnicy i pęcherza moczowego. Istnieją również metody wprowadzania sond ultradźwiękowych na gastrofiberoskopach do światła żołądka i dwunastnicy, co pozwala na uzyskiwanie obrazów USG, zwłaszcza trzustki, dróg żółciowych i wątroby, od strony wewnętrznej.

W badaniach serca i narządów śródpiersia coraz większe zastosowanie znajdują sondy przezprzełykowe. Pozwalają one na uzupełniającą diagnostykę serca przy badaniach echokardiograficznych i diagnostykę guzów pierwotnych i przerzutów nowotworowych do węzłów chłonnych śródpiersia.

Badania śródoperacyjne. W badaniach tych wysterylizowane, specjalne sondy przesuwa się po powierzchni narządów przy otwartych powłokach jamy brzusznej. Badania te najczęściej wykonuje się w celu lokalizacji złogów (kamieni) w drogach żółciowych i w nerkach oraz wyszukania małych zmian nowotworowych w wątrobie. Metodę badań śródoperacyjnych stosuje się również w neurochirurgii poprzez otwory trepanacyjne w czaszce. Z reguły postępowanie to ma na celu dokładne określenie granicy guza (wykrytego za pomocą tomografii komputerowej) i prawidłowej tkanki mózgowej, co ma praktyczne znaczenie przy całkowitym usunięciu guza.

Badania w kąpieli wodnej (metoda immersyjna). Metodę tę stosuje się do badania narządów leżących powierzchownie, a głownie do badania sutków (mammografia USG), oraz do badania całego ciała u małych dzieci. W metodzie tej sondy ultradźwiękowe umocowane są pod wodą, w której zanurza się badany narząd (np. sutki). W czasie badania sondy przesuwają się automatycznie. Uzyskiwane obrazy ultradźwiękowe charakteryzują się bardzo dobrą rozdzielczością, pozwalającą w mammografii USG uwidocznić guzy sutka już o średnicy 5 mm.

Ultrasonografia zabiegowa. Nazwą tą określa się wykonywanie pod kontrolą obrazu USG wielu zabiegów diagnostycznych (np. celowanych biopsji cytologicznych i z pobraniem skrawka tkanki do badań histologicznych) i zabiegów leczniczych (np. opróżnianie torbieli i krwiaków, drenaż ropni o różnej lokalizacji, zakładanie przezskórne drenów do nerek, wykonywanie przetoki pęcherza moczowego nad spojeniem łonowym w celu odprowadzenia moczu, celowane, domiejscowe podawanie różnych leków).

Metodę tę stosuje się także przy badaniach rentgenowskich w celu wykonania badań kontrastowych, np. przezskórnej przezwątrobowej cholangiografii, pielografii zstępującej. Pod kontrolą obrazu USG wkłuwa się igłę do dróg żółciowych lub miedniczki nerkowej i przez tę igłę podaje się kontrast w celu wykonania wspomnianych wyżej badań rentgenowskich.

Badania dopplerowskie. Zjawisko Dopplera polega na rejestracji fali akustycznej, którą wytwarza krew przepływająca przez naczynie krwionośne i przekształceniu jej w obraz. Kolor obrazu zależy od kierunku przemieszczania się strumienia krwi do lub od detektora rejestrującego fale akustyczne.

Badania dopplerowskie wnoszą wiele istotnych informacji o czynności narządów lub tkanek dzięki możliwości półilościowej lub ilościowej o c e n y wielkości i szybkości p r z e p ł y w u k r w i w poszczególnych naczyniach krwionośnych. Zjawisko Dopplera znalazło duże praktyczne zastosowanie w ocenie przepływu krwi w naczyniach mózgowych, tętnicy szyjnej wspólnej, tętnicy kręgowej, jamach serca, żyle wrotnej, naczyniach krwionośnych kończyn dolnych. Połączenie metody obrazowania USG naczyń krwionośnych i dopplerowskiej oceny przepływu krwi (tzw. duplex Doppler) coraz częściej zastępuje radiologiczne badania naczyniowe z kontrastem. Możliwość kodowania szybkości i wielkości przepływu krwi za pomocą koloru (tzw. kolorowy Doppler) stworzyła zupełnie nowe możliwości w o b r a z o w a n i u n a c z y ń k r w i o n o ś n y c h tętniczych i żylnych, zwłaszcza średnicy poniżej 10 mm oraz przyczyniła się do postępów w ultradźwiękowej charakterystyce tkanek i narządów ciała ludzkiego (tablica XV b).

Badania ultrasonograficzne

Badania USG wchodzą w zakres diagnostycznych metod obrazowania (wizualizacji) narządów (tablice 11 i 12). Są badaniami dodatkowymi i ich wyniki zawsze muszą być interpretowane na podstawie danych z historii choroby i wyników innych badań dodatkowych. Obrazy USG często nie są charakterystyczne dla danej jednostki chorobowej, np. obraz USG ropnia i krwiaka w jamie brzusznej może być identyczny, dlatego też podstawą rozpoznania muszą być objawy kliniczne jednostek chorobowych, mogące bardzo różnić się od siebie.

Badania USG są komplementarne w stosunku do innych technik obrazowania narządów, np. badania rentgenowskiego, komputerowej tomografii lub badania izotopowego. Przykładem komplementarności badań może być diagnostyka guzków tarczycy. Wyczuwalny badaniem palpacyjnym guzek w miąższu tarczycy jest wskazaniem do wykonania badania izotopowego, czyli scyntygramu. Na podstawie scyntygramu uzyskuje się informacje o rozkładzie izotopu promieniotwórczego w miąższu tarczycy i stopniu jego gromadzenia w guzku tarczycy (guzki zimne, ciepłe i gorące, zob. s. 607). Stwierdzenie na podstawie scyntygramu, że guzek jest np. zimny, tj. nie gromadzi izotopu, nie pozwala na dokładne określenie jego charakteru i dalszą diagnostykę różnicową. Diagnostyka ta jest możliwa dopiero po badaniu USG, które pozwala na określenie, czy zimny guzek jest torbielą, czy też zmianą litą, a jeśli zmianą litą, to jaki jest jej charakter. Rozstrzygające znaczenie ma wtedy punkcja cienkoigłowa, umożliwiająca pobranie materiału do badania histopatologicznego.

Badania USG są kompleksowe. Oznacza to, że zawsze w czasie każdego badania USG bada się wszystkie narządy możliwe do zbadania tą metodą w danej okolicy ciała. Na przykład badając któryś z narządów jamy brzusznej uwidacznia się i ocenia zmiany morfologiczne w wątrobie, drogach żółciowych, trzustce, śledzionie, dużych naczyniach jamy brzusznej, aorcie i żyle głównej dolnej, w nerkach, przestrzeni zaotrzewnowej i w narządach miednicy małej.

Zaletą badań USG jest praktycznie brak przeciwwskazań do ich wykonania. Jako badania nieinwazyjne (nie udowodniono szkodliwego działania fal ultradźwiękowych o częstotliwościach 1,5–10 MHz, stosowanych w badaniach USG), wykonuje się je niezależnie od stanu chorego, wieku, ciąży, nawet w okresie laktacji. Wszystkie aparaty ultradźwiękowe są przewoźne lub przenośne, więc badania USG wykonuje się przyłóżkowo na salach porodowych, w izbach przyjęć, na oddziałach intensywnej opieki medycznej, na salach operacyjnych i w miejscu zaistnienia urazu. Monitoruje się za ich pomocą postępy w leczeniu różnych stanów chorobowych, np. przy zachowawczym leczeniu ropni w jamie brzusznej, zmian w trzustce po wystąpieniu objawów jej ostrego zapalenia, a także różne stany fizjologiczne, jak rozwój ciąży lub owulację.

Badania USG, jako najtańsza z metod obrazowania narządów, mogą zastąpić inne, droższe lub bardziej obciążające chorych metody diagnostyczne, albo przynajmniej zmniejszyć częstotliwość ich wykonywania. Badania te nadają się jako badania przeglądowe w diagnostyce różnych chorób w dużych grupach populacyjnych. Przykładem zastępowania przez badania USG innych badań jest diagnostyka kamicy pęcherzyka żółciowego do niedawna oparta na badaniach radiologicznych – cholecystografii lub cholangiografii. Innym przykładem ograniczenia lub zrezygnowania z badań rentgenowskich jest ultrasonograficzna diagnostyka chorób nerek i układu moczowego. Obrazy USG tego narządu wystarczają do rozpoznania np. torbieli lub torbielowatości nerek, guzów nowotworowych oraz pozwalają na rozpoznanie przerostu gruczołu krokowego.

Wprowadzenie USG do badań mózgu u niemowląt przez niezarośnięte ciemiączko lub badań USG przy podejrzeniu niedorozwoju stawów krzyżowo-biodrowych pozwoliło zastąpić bardzo obciążające dla dzieci badania radiologiczne.

BIOLOGICZNE SKUTKI DZIAŁANIA PROMIENIOWANIA JONIZUJĄCEGO

Podstawowe wiadomości o promieniowaniu jonizującym

Promieniowanie jest to zdolność *emisji kwantu energii* lub *cząstki elementarnej* z atomu pierwiastka. Promieniowanie dzieli się na promieniowanie *naturalne*, pochodzące z rozpadu naturalnie występujących w przyrodzie pierwiastków (uranu, toru, aktywu), oraz promieniowanie *sztuczne* pochodzące z pierwiastków, którym nadano właściwości promieniotwórcze przez poddanie ich działaniu cząstek elementarnych, w rezultacie czego pierwiastki te uzyskały właściwości promieniotwórcze. Do urządzeń, które służą do produkcji pierwiastków promieniotwórczych należą reaktory lub cyklotrony. Każdy pierwiastek charakteryzuje się *liczbą atomową*, która jest liczbą protonów w jądrze, oraz *liczbą masową* stanowiącą liczbę protonów i neutronów w jądrze. Pierwiastki o tej samej liczbie atomowej (liczba protonów), ale różniące się liczbą masową nazywamy *izotopami* danego pierwiastka.

Rodzaje promieniowania

Promieniowanie α to emisja z atomu jąder helu, a więc cząstki składającej się z dwóch protonów i neutronów.

Promieniowanie β^- jest to emisja elektronu w rezultacie przekształcenia neutronu w proton, co powoduje zmianę liczby atomowej pierwiastka (wzrost o 1).

Promieniowanie β^+ jest to emisja pozytronu (elektronu dodatniego) w rezultacie przekształcenia neutronu w proton, co powoduje zmianę liczby atomowej pierwiastka (zmniejszenie o 1).

Promieniowanie γ to emisja kwantu energii promieniowania w rezultacie przemieszczeń cząstek elementarnych wewnątrz jądra.

Wszystkie pierwiastki promieniotwórcze emitują cząstki i kwanty, które charakteryzują się ściśle określoną energią kinetyczną charakterystyczną dla danego izotopu promieniotwórczego. Ich zasięg w tkance jest różny i zależy od rodzaju cząstki, i tak promieniowanie α ok. 1 mm, promieniowanie β do kilku mm, promieniowanie γ znacznie większe, przy czym jest ściśle zależne od energii kwantu.

Oddziaływanie promieniowania z materią

Kwanty promieniowania γ przechodząc przez tkanki wywołują trzy rodzaje efektów:

– efekt fotoelektryczny – jeśli kwant ma małą energię, to w zderzeniu z atomami oddaje jej część lub całość i zostaje pochłonięty lub podąża dalej z energią już znacznie mniejszą;

– efekt Comptona – kwant o średniej energii powoduje wybicie elektronu z atomu, z którym się zderzył, nadając mu energię kinetyczną, natomiast pozostaje nadal kwantem γ o zmniejszonej w stosunku do wyjściowej energii;

– efekt tworzenia się par elektron–pozytron dotyczy kwantów promieniowania o dużej energii i polega na tym, że w chwili zderzenia się z atomem na drodze przebiegu „materializuje się" i przekształcając w parę cząstek elektron i pozytron, które przejmując energię kwantu, podążają dalej z energią o połowę mniejszą (każda z cząstek). W dalszym przebiegu z chwilą zderzenia pozytronu z elektronem następuje kolejne ich przekształcenie w dwa kwanty γ. Zjawisko to zwane anihilacją stanowi przykład jedności masy i energii i znakomicie ilustruje teorię Einsteina.

Wyżej przedstawione fakty świadczą o tym, że promieniowanie, o którym mowa w tym rozdziale, słusznie nazwano promieniowaniem jonizującym.

Wyjaśnić także należy pojęcie „względnej skuteczności biologicznej" promieniowania. Względna skuteczność biologiczna jest to liczba, która określa jaki efekt wywołują poszczególne rodzaje promieniowania w porównaniu z promieniowaniem γ. Liczba ta dla promieniowania α wynosi od 5 do 10, dla promieniowania β – 2, dla promieniowania γ – 1. W praktyce oznacza to, że zdolności jonizacyjne promieniowań cząsteczkowych są znacznie większe od promieniowań falowych, a niebezpieczeństwa, które mogą spowodować po przedostaniu się do organizmu ludzkiego dają efekt znacznie groźniejszy.

Działanie promieniowania jonizującego na komórkę

Zmiany występujące w komórkach pod wpływem promieniowania jonizującego mają duże znaczenie, od nich bowiem zależy ogólnoustrojowy i tkankowy skutek napromieniowania. Działanie promieniowania na cały organizm nie zależy wyłącznie od uszkodzeń powstających w poszczególnych komórkach, istotną rolę odgrywają również zmiany w ogólnoustrojowych i międzynarządowych mechanizmach regulujących oraz pośrednie wpływy napromieniowania, często odległe od miejsca pierwotnego uszkodzenia. Pochłonięcie w komórkach energii promieniowania oraz pierwotne procesy fizykochemiczne (jonizacja, wzbudzenie atomów, powstanie rodników wodorowych i wodorotlenkowych oraz nadtlenków wodoru itp.) prowadzą do zmian w podstawowych strukturach biologicznych. Szczególnie ważne znaczenie mają zmiany zachodzące w jądrze, które jest najbardziej wrażliwą częścią komórki. Zmiany te dotyczą właściwości kwasów nukleinowych, przede wszystkim kwasu dezoksyrybonukleinowego (DNA) (zob. Fizjologia komórki, s. 76).

Nukleoproteidy są jedną z podstawowych form żywej materii, m.in. są nośnikami kodu biologicznego, który umożliwia przenoszenie informacji dotyczących zasadniczych cech morfologicznych i czynnościowych komórek z jednego pokolenia na następne. Strukturami zawierającymi DNA są chromosomy, działając więc na cząsteczki DNA promieniowanie jonizujące wywołuje zmiany w tych strukturach. Napromieniowanie prowadzi również do zmian w przepuszczalności barier cytologicznych oddzielających struktury komórkowe oraz do zaburzeń układów enzymatycznych.

Rodzaj i nasilenie zmian występujących w komórkach pod wpływem promieniowania zależy przede wszystkim od wielkości dawki pochłoniętej, rodzaju promieniowania oraz od rodzaju komórek. Wrażliwość komórek na działanie promieniowania zależy od fazy podziału mitotycznego (zob. Podział komórki, s. 89). Największa promienioczułość występuje w początkowych okresach podziału.

Napromieniowanie komórki może prowadzić do:
1) śmierci komórki w krótkim czasie po napromieniowaniu,
2) całkowitego zahamowania podziału komórki,
3) czasowego zahamowania podziału komórki,
4) uszkodzenia chromosomów,
5) przejściowych lub trwałych zmian czynnościowych komórki.

Śmierć komórki następuje po dużych dawkach promieniowania. Uszkodzenia chromosomów mogą natomiast wystąpić nawet przy bardzo małych dawkach promieniowania, co prowadzi do powstawania komórek uszkodzonych, zmienionych i niepełnowartościowych.

Zmiany w chromosomach mogą mieć różny charakter. Mogą polegać na zmianach w strukturze chromosomów (utrata odcinka, podwojenie, inwersja, translokacja) lub na zmianie liczby chromosomów. Zmiany te noszą nazwę mutacji chromosomowych. Zmiany w materiale genetycznym, tzn. bezpośrednio w cząsteczkach DNA, bez wyraźnego uszkodzenia całych chromosomów, nazywane są mutacjami genowymi. Mutacje chromosomowe i genowe powodują zmiany czynników dziedzicznych. Jeżeli mutacje powstają w komórkach somatycznych, tj. w komórkach, z których rozwija się określony rodzaj tkanki lub narządu, może dochodzić do powstania mutacji somatycznych prowadzących na ogół do nieodwracalnych zmian w powstającym narządzie.

Genetyczne działanie promieniowania jonizującego

M u t a c j e g e n o w e i c h r o m o s o m o w e, pojawiające się pod wpływem promieniowania w rozrodczych komórkach męskich i żeńskich, prowadzą do możliwości wystąpienia zmiany cech dziedzicznych. Mogą to być zmiany o różnym charakterze, począwszy od lekkich i nieszkodliwych (zmiany zabarwienia skóry i włosów), poprzez różnego rodzaju wady wrodzone (w układzie kostnym, mięśniowym, krążenia, nerwowym) lub też zaburzenia w rozwoju psychicznym, aż do ciężkich wad metabolicznych i zmian ogólnoustrojowych, powodujących niezdolność do życia.

Prawdopodobieństwo ujawnienia się mutacji genowej zależy przede wszystkim od tego, czy ma ona charakter dominujący, czy recesywny. M u t a c j e d o m i n u j ą c e ujawniają się w pierwszym pokoleniu potomków osobnika, u którego doszło do powstania mutacji. M u t a c j e r e c e s y w n e ujawniają się zazwyczaj w dalszych pokoleniach, koniecznym bowiem warunkiem ich ujawnienia się jest spotkanie przy zapłodnieniu dwóch jednakowo zmienionych genów (od ojca i matki).

M u t a c j e w y w o ł a n e p r z e z p r o m i e n i o w a n i e j o n i z u j ą c e charakteryzują się następującymi cechami:

1) są szkodliwe,

2) są podobne do mutacji spontanicznych wywołanych przez inne czynniki mutacyjne,

3) występują z częstością wprost proporcjonalną do dawki promieniowania,

4) mogą pojawiać się pod działaniem nawet najmniejszych dawek promieniowania,

5) występują z jednakową częstością – niezależnie od rozłożenia dawki w czasie,

6) są nieodwracalne.

N i e o d w r a c a l n o ś ć m u t a c j i oznacza, że gen, który raz uległ zmianie, nie może ulec regeneracji. Jest on przekazywany z pokolenia na pokolenie i jeśli nie zginie wraz ze swoim nosicielem, mutacja ujawnia się w postaci wady dziedzicznej.

Większość mutacji wywołanych przez promieniowanie ma charakter recesywny, należy więc spodziewać się, że ujawnią się one nie w pierwszym, lecz w dalszych pokoleniach pochodzących od ludzi napromieniowanych. Obecnie uważa się, że n i e i s t n i e j e d a w k a p r o g o w a promieniowania, że nawet najmniejsze dawki promieniowania mogą być przyczyną powstania mutacji.

Działanie promieniowania jonizującego na zarodek i płód

W okresie rozwoju płodowego organizm ludzki jest szczególnie wrażliwy na działanie promieniowania. Przyczyną jest duża promienioczułość intensywnie dzielących się komórek. Skutki napromieniowania rozwijającego się organizmu mogą być różne i zależą od okresu ciąży i dawki działającego promieniowania.

Napromieniowanie jaja zapłodnionego przed jego zagnieżdżeniem się w macicy może prowadzić do jego śmierci. Najczęstsze zmiany i wady rozwojowe występują przy napromieniowaniu zarodka w 5–6 tygodniu rozwoju licząc od chwili zapłodnienia. Na podstawie doświadczeń na zwierzętach można sądzić, że napromieniowanie zarodka ok. 28 dnia ciąży powoduje największą liczbę zgonów po urodzeniu. Pierwsze tygodnie ciąży są okresem szczególnie wysokiej wrażliwości. Napromieniowanie płodu 5–6-tygodniowego powoduje mniejsze zmiany niż płodu młodszego. Najczęściej spotykanym skutkiem napromieniowania jest ogólne zahamowanie rozwoju. Najczęściej występującymi zmianami są: uszkodzenia mózgu (małogłowie, mongolizm, opóźnienie rozwoju umysłowego, wodogłowie, zaburzenia rozwoju rdzenia kręgowego), uszkodzenia kośćca (wady budowy i kostnienia czaszki, rozszczep podniebienia, wady rozwoju kończyn), uszkodzenia oczu (zaćma) oraz wady rozwojowe gruczołów rozrodczych, zniekształcenia małżowin usznych.

Z genetycznego punktu widzenia napromieniowanie kobiety ciężarnej jest równoznaczne z napromieniowaniem dwóch osób, mutacje mogą bowiem wystąpić zarówno w komórkach rozrodczych matki, jak i w komórkach przyszłego dziecka.

Działanie promieniowania jonizującego na tkanki

Różne rodzaje komórek i tkanek organizmu mają różny stopień wrażliwości na działanie promieniowania jonizującego. Najłatwiejsze do stwierdzenia są zmiany morfologiczne w komórkach i tkankach.

Według zasady Bergonié i Tribondeau, promienioczułość tkanki jest proporcjonalna do aktywności proliferacyjnej i odwrotnie proporcjonalna do stopnia jej zróżnicowania. Oznacza to, że im tkanka ma doskonalszą strukturę i jest bardziej zróżnicowana, tym jest odporniejsza na działanie promieniowania. Tkanki proste, szybko rosnące, reagują na promieniowanie bardziej intensywnie. Taka jest reguła, jeśli chodzi o odpowiedź morfologiczną tkanek. Reguła ta jednak zawodzi, jeśli brać pod uwagę zmiany czynnościowe. I tak, tkanka nerwowa reaguje na promieniowanie słabymi zmianami morfologicznymi, ale zmiany czynnościowe są tak znaczne, że należy uznać ją za wysoce promienioczułą.

Do najbardziej promienioczułych tkanek należą: tkanka limfatyczna (wraz z dojrzałymi limfocytami), tkanka krwiotwórcza oraz komórki rozrodcze. Wysoką promienioczułością odznaczają się komórki warstwy rozrodczej skóry, błona śluzowa jelit, soczewka oka (szczególnie wrażliwa na promieniowanie neutronowe), komórki chrzęstne i komórki kościotwórcze (osteoblasty) oraz śródbłonki naczyń. Stosunkowo najmniej promienioczułe są komórki nabłonka gruczołowego oraz tkanki: wątroby, nerek, pęcherzyków płucnych i mięśniowa.

Z praktycznego punktu widzenia szczególnie ważne są zmiany występujące w takich narządach, jak skóra, układ krwiotwórczy i chłonny, krew obwodowa, narządy rozrodcze, soczewka oka i błona śluzowa jelit. Wymienione narządy i tkanki nazywane są krytycznymi, ponieważ odznaczają się wysoką promienioczułością i mają duże znaczenie dla organizmu jako całości. Narządami krytycznymi nazywa się również te narządy, które w danej chwili są szczególnie narażone na działanie promieniowania, a więc skórę narażoną na napromieniowanie z zewnątrz oraz różne tkanki wybiórczo wychwytujące wprowadzoną do wnętrza ciała substancję promieniotwórczą, np. kości i szpik przy wewnętrznym skażeniu strontem promieniotwórczym lub radem, tarczyca przy podaniu jodu promieniotwórczego.

Choroba popromienna

Choroba popromienna jest to zespół zmian ogólnoustrojowych, występujących po napromieniowaniu dużą dawką promieniowania jonizującego. Znaczna ekspozycja na promieniowanie może wystąpić w czasie wybuchów jądrowych oraz przy nieszczęśliwych wypadkach w reaktorach jądrowych. Narażone są na nią osoby, które znajdują się w bezpośrednim sąsiedztwie awarii. Napromienieniu ulega wówczas całe ciało.

Objawy i przebieg choroby zależą od dawki promieniowania. W przypadku dawki śmiertelnej choroba w pełni rozwija się po kilku lub kilkunastodniowym okresie bezobjawowym. Na czoło zespołu wysuwa się ciężka niewydolność układu krwiotwórczego i limfatycznego oraz skaza krwotoczna, zmiany dotyczące przewodu pokarmowego związane z uszkodzeniem nabłonka jelitowego, zaburzenia równowagi wodno-elektrolitowej, zmiany na skórze i błonach śluzowych oraz uszkodzenia mechanizmów immunologicznych, prowadzące do obniżenia odporności na zakażenia.

W wyniku przewlekłego, długotrwałego napromieniowania całego ciała może występować choroba popromienna o charakterze przewlekłym. Znane są liczne przypadki ostrych chorób układu krwiotwórczego (niedokrwistość aplastyczna, leukopenia, agranulocytoza, skaza krwotoczna) u ludzi, którzy przez wiele lat byli narażeni na działanie nadmiernych dawek promieniowania.

Późne skutki działania promieniowania jonizującego

Wiele zmian, których przyczyną jest napromieniowanie ciała, występuje dopiero po upływie długiego czasu – często po kilku lub kilkunastu latach po zadziałaniu promieniowania. Tego rodzaju zmiany nazywane są odległymi lub późnymi skutkami działania promieniowania. Można je ująć w trzy grupy: 1) nowotwory złośliwe, 2) białaczki oraz 3) skrócenie czasu życia. U ludzi najczęstszymi nowotworami rozwijającymi się pod wpływem promieniowania są nowotwory skóry i kości. W doświadczeniach na zwierzętach stwierdzono również nawroty nowotworów różnych narządów.

Nowotwory złośliwe skóry mogą powstać po jednorazowym, zewnętrznym zadziałaniu dużej dawki promieniowania w miejscach, które uległy głębokim zmianom popromiennym (owrzodzenia, martwice skóry). Tego rodzaju nowotwory, stosunkowo liczne, występują u ludzi, którzy pracowali przy źródłach promieniowania (zwłaszcza rentgenowskiego) bez właściwego zabezpieczenia i w niewłaściwy sposób.

Nowotwory złośliwe kości są związane z napromieniowaniem wewnętrznym. Szczególnie niebezpieczne są pierwiastki promieniotwórcze wykazujące powinowactwo do tkanki kostnej. Należy do nich rad oraz niektóre izotopy promieniotwórcze strontu, zwłaszcza ^{90}Sr, będący jednym z produktów rozszczepienia jądra atomowego i występujący jako jeden z głównych składników skażeń promieniotwórczych wywołanych wybuchami jądrowymi.

Białaczki. Zwiększona częstość występowania tych chorób jest niewątpliwym skutkiem działania promieniowania. Wskazują na to dane z doświadczeń na zwierzętach oraz obserwacje osób, które przeżyły wybuchy bomb atomowych w Japonii w 1945 r. Wskazują na to również opracowania statystyczne, mówiące o tym, że dawniej białaczki występowały kilkakrotnie częściej u radiologów niż u lekarzy innych specjalności. Według niektórych danych, napromieniowanie płodu ludzkiego zwiększa częstotliwość występowania białaczek w późniejszym życiu.

Mechanizm powstawania nowotworów i białaczek pod wpływem promieniowania nie jest dokładnie poznany. Sądzi się, że istotną rolę w tym procesie odgrywają mutacje somatyczne.

Napromieniowanie z naturalnych i sztucznych źródeł

Promieniowanie jonizujące działa stale na wszystkie organizmy żywe na Ziemi. Jest ono naturalnym czynnikiem środowiska, który ma określony wpływ na zjawiska biologiczne, zarówno w skali gatunku, jak i poszczególnych jednostek. Promieniowanie jonizujące odgrywa istotną rolę w procesach ewolucji gatunku, a pewnie miało także swój udział w powstawaniu życia na Ziemi.

Promieniowanie jonizujące, które normalnie i stale istnieje i towarzyszy wszystkim przejawom indywidualnego i społecznego życia na Ziemi, nazywa się promieniowaniem naturalnym albo naturalnym tłem promieniowania. Pochodzi ono z dwóch głównych źródeł: z przestrzeni kosmicznej (promieniowanie kosmiczne) oraz ze źródeł ziemskich. Źródłami ziemskimi promieniowania są naturalne pierwiastki promieniotwórcze (głównie z grupy uranu), a także promieniotwórczy potas (^{40}K) i węgiel (^{14}C), stanowiące niewielkie domieszki do niepromieniotwórczych izotopów tych pierwiastków. Zawarte są one w skorupie ziemskiej, wodzie, powietrzu, we wszystkich przedmiotach i pokarmach otaczającego nas świata.

Wielkość naturalnego promieniowania jest różna w różnych miejscach naszego globu. Od czasu odkrycia promieniowania rentgenowskiego oraz naturalnej i sztucznej promieniotwórczości, ilość promieniowania jonizującego na Ziemi znacznie się zwiększyła, ponieważ człowiek zaczął sam wytwarzać różne źródła promieniowania.

Napromieniowanie ze źródeł sztucznych dzieli się na: 1) napromieniowanie ze wskazań lekarskich (badania diagnostyczne za pomocą promieni rentgenowskich), leczenie promieniami rentgenowskimi, badania przy użyciu izotopów promieniotwórczych, oraz 2) napromieniowanie związane z wybuchami jądrowymi, przemysłowymi odpadami promieniotwórczymi oraz skażeniami przypadkowymi.

Jak wynika z analizy danych liczbowych, 80–90% napromieniowania ze źródeł sztucznych pochodzi z działalności lekarskiej, tj. z badań diagnostycznych przy użyciu promieni rentgenowskich i promieniotwórczych substancji podawanych w celach diagnostycznych lub terapeutycznych. Wartości dawek promieniowania są tutaj niewielkie i kontrolowane, nie należy się więc obawiać tej formy ekspozycji na promieniowanie. Niepokój budzi napromieniowanie ze skażeń promieniotwórczych. Największym zagrożeniem są wybuchy jądrowe. Jeśli ludzkości uda się wyeliminować to zagrożenie, pozostanie sprawa skażeń z reaktorów jądrowych, wydzielających pewne ilości izotopów promieniotwórczych, których ilość gwałtownie wzrasta w czasie awarii. Izotopy te emitowane są do troposfery i mogą pojawiać się w postaci opadu promieniotwórczego (radioaktywnego), co z kolei powoduje pojawienie się ich w nadmiarze w środkach powszechnego użytku, w artykułach żywnościowych itp.

Dokładna ilościowa ocena możliwych skutków napromieniowania ludności świata nie jest obecnie możliwa, brak jest bowiem odpowiednio szczegółowych danych. Niewątpliwie jednak wzrost napromieniowania ludności świata spowoduje w przyszłości zwiększenie liczby zaburzeń spowodowanych tym napromieniowaniem.

CHOROBY WEWNĘTRZNE

I. CHOROBY UKŁADU KRĄŻENIA

Choroby układu krążenia należą do najczęstszych i najbardziej rozpowszechnionych chorób naszej ery i z tego względu są określane niekiedy mianem „współczesnej epidemii”. W wielu krajach wysuwają się na czoło wszystkich chorób dorosłej ludności i są główną przyczyną inwalidztwa i umieralności. Według danych statystycznych, w najbardziej rozwiniętych krajach świata z powodu chorób układu krążenia umiera wiecej osób niż z powodu innych chorób razem wziętych. W Polsce ponad połowa zgonów jest spowodowana chorobami układu krążenia. Tak rozpowszechnione choroby, jak nadciśnienie tętnicze i choroba wieńcowa, są zaliczane do tzw. *chorób cywilizacyjnych*, tj. chorób, których częstość występowania wykazuje wyraźną zależność od stopnia rozwoju cywilizacyjnego społeczeństwa.

Ogromny postęp, który dokonał się w medycynie w ostatnim ćwierćwieczu, sprawił, że diagnostyka chorób układu krążenia wzbogaciła się w nowe, bardzo specjalistyczne metody, takie m.in., jak cewnikowanie serca i badania kontrastowe naczyń krwionośnych, echokardiografia, badania izotopowe, tomografia komputerowa lub rezonans magnetyczny. Każdy rok przynosi też nowe metody lecznicze, a zabiegi operacyjne na sercu i naczyniach są nieodłącznym elementem codziennego postępowania terapeutycznego. Osiągnięcia nauk podstawowych i zastosowanie nowych, precyzyjnych metod diagnostycznych prowadzą do coraz lepszego poznania patofizjologii chorób, co z kolei umożliwia wprowadzenie skuteczniejszych metod zapobiegania im i leczenia ich.

Ze względu na rozpowszechnienie i znaczenie społeczne chorób układu krążenia ważną rolę spełnia szeroko pojęta *oświata zdrowotna*, pozwalająca świadomie zapobiegać tym chorobom oraz współuczestniczyć w procesie leczenia przez czynną współpracę z lekarzem i innymi pracownikami służby zdrowia. Tak pojęta współpraca jest warunkiem skuteczności prowadzonego leczenia, a w skali społecznej – podniesienia zdrowotności społeczeństwa i zmniejszenia zagrożenia, jakie wciąż jeszcze stwarzają choroby układu krążenia.

Metody badania układu krążenia

Mimo intensywnego rozwoju skomplikowanych metod diagnostycznych, podstawą rozpoznawania chorób układu krążenia jest nadal rozmowa lekarza z chorym oraz badania za pomocą oglądania, obmacywania oraz osłuchiwania klatki piersiowej.

Informacja o objawach choroby przekazana przez chorego jest często najważniejszym elementem diagnozy, np. w przypadku choroby wieńcowej. Dokładny opis takich objawów, jak bóle w klatce piersiowej, uczucie braku powietrza lub kołatania serca oraz możliwie ścisłe i pełne odpowiedzi na pytania lekarza zwiększają prawdopodobieństwo trafnego rozpoznania.

Badanie serca ręką przez powłoki klatki piersiowej oraz badanie tętna ma na celu ocenę ruchów serca (co niekiedy pozwala wysnuć wniosek o jego powiększeniu) i przepływu krwi przez duże tętnice. W niektórych chorobach istotne jest oglądanie żył na szyi. W rozpoznawaniu wad serca najważniejsze jest osłuchiwanie, bowiem każdą z nich cechuje charakterystyczny zespół objawów osłuchowych, odpowiadających zaburzeniom przepływu krwi. Osłuchiwanie płuc pozwala stwierdzić ewentualne ich przekrwienie, a obmacywanie brzucha – powiększenie wątroby niekiedy towarzyszące chorobom serca. W rzadkich przypadkach objawem choroby serca może też być płyn w jamie brzusznej.

Do badania układu krążenia należy również pomiar ciśnienia tętniczego krwi (zob. s. 659) oraz badanie naczyń obwodowych, stanowiące osobną umiejętność.

Elektrokardiografia

Elektrokardiografia jest metodą badania pracy serca, opartą na zjawiskach elektrycznych powstających w wyniku przepływu jonów przez błonę komórkową włókien mięśnia sercowego. Elektrokardiogram (EKG) jest zapisem (z zewnątrz ciała) prądu elektrycznego przepływającego przez serce w czasie każdej kolejnej ewolucji jego pracy. Przepływ prądu w postaci fali pobudzenia mięśnia serca wyprzedza i inicjuje jego czynność mechaniczną, tj. skurcz i rozkurcz przedsionków oraz komór. Od prawidłowego przebiegu fali pobudzenia zależy właściwa kolejność skurczu i rozkurczu tych struktur. W elektrokardiogramie wyróżnia się załamki P Q R S i T oraz odcinki PQ i ST. Ważny jest odstęp PQ składający się z załamka P i odcinka PQ oraz odstęp QT liczony od początku załamka Q do końca załamka T.

Załamek P rozpoczyna każdą kolejną ewolucję elektrokardiogramu, jeśli pobudzenie serca jest prawidłowe. Jest on odbiciem czynności elektrycznej przedsionków. Zespół QRST odzwierciedla przejście fali pobudzenia przez komory. Zmiany załamka P i zespołów QRST występują wówczas, gdy obciążenie przedsionków lub komór jest nieprawidłowe, np. w różnych wadach serca. Zawał serca powoduje również zmianę wyglądu zespołów

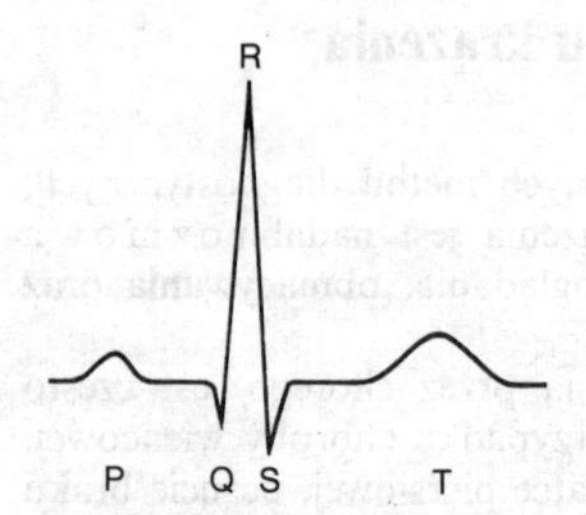

Elektrokardiogram pojedynczej ewolucji serca

QRST, z powodu ubytku mięśnia serca czynnego elektrycznie. W chorobie wieńcowej często występują nieprawidłowości odcinka ST i załamka T. Elektrokardiogram jest przede wszystkim niezbędny w rozpoznawaniu zaburzeń rytmu serca.

Odmianą elektrokardiogramu jest zapis uzyskany w czasie wysiłku (próba wysiłkowa). Bada się wtedy wpływ wysiłku fizycznego np. marszu po ruchomej bieżni, na elektrokardiogram, co często potwierdza rozpoznanie choroby wieńcowej, ujawniając zmiany niewidoczne w spoczynku, i ułatwia ocenę działania leków.

Badaniem uzupełniającym jest zapis elektrokardiogramu metodą Holtera na taśmie magnetofonowej w warunkach normalnej aktywności życiowej osoby badanej. Zapis z 24 godz. może być przez komputer oceniony w ciągu 20 min. Badanie to jest stosowane u chorych z zaburzeniami rytmu serca oraz do oceny tzw. niemego niedokrwienia mięśnia serca.

Badania polikardiograficzne

Badania te obejmują: 1) zapis mikrofonowy z zewnątrz klatki piersiowej tonów i szmerów serca, czyli fonokardiogram (tablica 13), 2) zapis krzywej ruchu koniuszka serca w czasie jego pracy, czyli uderzenia koniuszkowego (apekskardiografia) oraz 3) zapis krzywej tętna tętnicy szyjnej. Badania te umożliwiają obiektywną ocenę zjawisk stwierdzanych przy badaniu uchem i ręką. Są one przydatne głównie w rozpoznawaniu wad serca. W związku z rozwojem echokardiogafii mają one obecnie znaczenie historyczne.

Badanie echokardiograficzne

Echokardiografia jest to badanie serca za pomocą ultradźwięków na zasadzie echosondy. Jest to zasadnicza metoda nieinwazyjna w rozpoznawaniu chorób serca i naczyń. Ruch odbitej wiązki ultradźwięków odzwierciedla ruch poszczególnych struktur serca (tablica 13). Zapis ten pozwala także na ocenę grubości ściany serca i wewnętrznych wymiarów przedsionków i komór oraz stanu osierdzia.

Echokardiografia dwuwymiarowa daje płaszczyznowy obraz jam serca, zastawek i dużych tętnic. Jej szczególną odmianą jest badanie przezprzełykowe, które umożliwia bardzo dokładną ocenę szczegółów anatomicznych serca. Istotne jest również badanie przepływu krwi przez serce metodą Dopplera.

Echokardiografia jest szczególnie przydatna w rozpoznawaniu wad serca, a także w ocenie jego kurczliwości.

Badanie radiologiczne klatki piersiowej

Zdjęcie radiologiczne klatki piersiowej jest, obok elektrokardiogramu, najbardziej dostępnym badaniem pomocniczym. Umożliwia ono ocenę wielkości serca oraz poszczególnych jego struktur, np. lewej komory lub lewego przedsionka. Ułatwia wstępne rozpoznanie wielu chorób, zwłaszcza wad, które powodują typowe zniekształcenia sylwetki serca widoczne na zdjęciu.

Zdjęcie radiologiczne uwidacznia także stopień ukrwienia płuc; przekrwienie płuc jest ważnym objawem nieprawidłowej pracy serca.

Badanie izotopowe serca

Przy użyciu substancji promieniotwórczych których promieniowanie jest rejestrowane za pośrednictwem urządzenia o nazwie gammakamera, można badać przepływ krwi przez jamy serca i uzyskać informację o jego kurczliwości. Stosując określone izotopy promieniotwórcze można też badać przepływ krwi przez naczynia wieńcowe odżywiające mięsień sercowy, co ułatwia rozpoznawanie choroby wieńcowej. U niektórych chorych z przebytym zawałem serca zastosowanie izotopów umożliwia uzyskanie informacji, w jakim stopniu na obrzeżu strefy zawału zachowała się żywa tkanka serca, co ma duże znaczenie przy ustalaniu wskazań do operacji serca.

Izotopowe badania serca, zwane nieinwazyjnymi, zyskują w ostatnich latach na znaczeniu. Zob. też Diagnostyka wizualizacyjna, s. 616.

Cewnikowanie serca

Ten sposób badania polega na wprowadzeniu cewnika do serca przez nakłucie żyły lub tętnicy udowej (w pachwinie). Nakłuciem żyły wprowadzany jest cewnik do prawego przedsionka i prawej komory. Badanie lewej części serca (serca lewego) wymaga nakłucia tętnicy, chyba że istnieje ubytek w którejś z przegród serca (międzyprzedsionkowej lub międzykomorowej), pozwalający na przeprowadzenie cewnika przez prawą część serca (serce prawe).

Cewnikowanie serca jest zabiegiem stosunkowo bezpiecznym. Przeprowadzane jest „pod kontrolą" aparatury rentgenowskiej, połączonej z ekranem telewizyjnym. Badanie to dostarcza bardzo precyzyjnych informacji o wartości ciśnienia w poszczególnych jamach serca w czasie jego skurczu i rozkurczu oraz o stopniu wysycenia krwi tlenem w przedsionkach, komorach i dużych tętnicach.

Cewnikowanie serca pozwala ostatecznie rozpoznać wady serca i jest badaniem niezbędnym przy ustalaniu wskazań do leczenia operacyjnego niektórych wrodzonych wad serca przebiegających z wysokim ciśnieniem krwi w krążeniu płucnym, a także w rozpoznawaniu chorób osierdzia.

Angiokardiografia

Angiokardiografia jest niezbędnym elementem cewnikowania serca. Polega na wstrzyknięciu pod ciśnieniem środka cieniującego krew, nieprzenikliwego dla promieni rentgenowskich, przez cewnik bezpośrednio do wnętrza serca. W zależności od miejsca wstrzyknięcia, otrzymuje się utrwalony na taśmie filmowej obraz przepływu krwi przez różne części serca. Pozwala to rozpoznać dokładnie wady serca i ocenić wydolność mięśnia sercowego.

Koronarografia

Badanie to polega na uwidocznieniu tętnic wieńcowych, doprowadzających krew z aorty do mięśnia sercowego. Można to uzyskać wstrzykując niewielką ilość środka cieniującego do każdej z dwu głównych tętnic wieńcowych, czyli prawej i lewej, przez umieszczony w ich ujściu cewnik. Badanie to, poprzedzone cewnikowaniem i angiokardiografią lewej komory, jest niezbędne przed leczeniem operacyjnym choroby wieńcowej (pozwala dokładnie zlokalizować miejsce zwężenia tętnicy). Koronarografia jest wykonywana również w niektórych wadach serca.

Miażdżyca

Miażdżyca jest chorobą zwyrodnieniowo-wytwórczą tętnic dużej i średniej wielkości. Polega ona na odkładaniu się w ich błonie wewnętrznej lipidów, włóknika, wielocukrów i soli wapnia oraz na rozroście tkanki łącznej, co w następstwie prowadzi do zwężenia lub zamknięcia światła naczynia.

Rozwój miażdżycy jest powolny i przez długi czas nie powoduje ona żadnych dolegliwości. Wczesne zmiany w tętnicach występują już w dzieciństwie. Zmiany te mogą częściowo cofnąć się, pozostać przez dłuższy czas w postaci nie zmienionej lub też z biegiem lat przekształcić się w tzw. blaszki miażdżycowe.

Objawy miażdżycy występują wówczas, gdy dochodzi do znacznego zwężenia światła naczynia lub też jego zamknięcia, co następuje zazwyczaj wskutek zakrzepu powstającego na blaszce miażdżycowej, krwotoku do niej, owrzodzenia lub zwapnienia. Przy zamknięciu światła tętnicy wieńcowej dochodzi do zawału serca, tętnicy mózgowej – do udaru mózgu, tętnicy kończyn dolnych – do martwicy odpowiedniego obszaru kończyny.

Do ujawnienia się miażdżycy dochodzi najczęściej w 40 i 50 latach życia.

Częstość i występowanie miażdżycy

Miażdżyca występuje we wszystkich szerokościach geograficznych, jednak jej częstość jest różna. Zależy to przede wszystkim od częstości występowania czynników, które grają rolę w powstawaniu tej choroby. Częstość

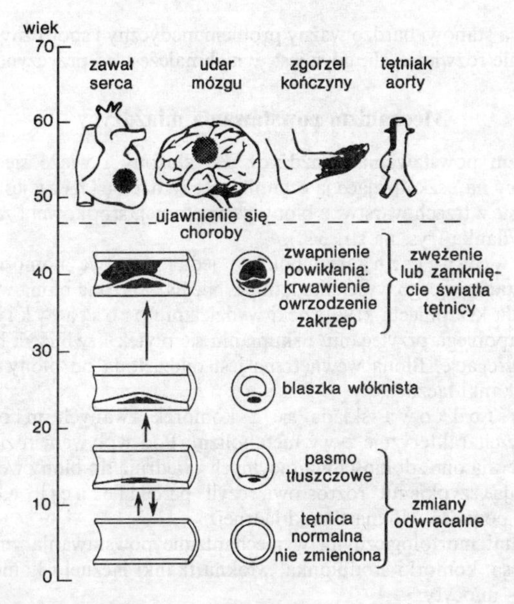

Powstawanie zmian miażdżycowych w tętnicach i następstwa miażdżycy w różnych narządach (wg D. Aleksandrowa i A. Michajlika)

miażdżycy określa się na ogół na podstawie zapadalności na chorobę wieńcową.

Do krajów o największej częstości miażdżycy zalicza się obecnie Finlandię, Nową Zelandię, Wielką Brytanię i Stany Zjednoczone. Rzadko występuje ona w krajach Dalekiego Wschodu, Czarnej Afryki i u Eskimosów. Wśród krajów europejskich najrzadziej występuje we Francji, Jugosławii, Rumunii i we Włoszech.

Bardzo istotną rolę w rozpowszechnieniu miażdżycy odgrywają czynniki środowiskowe, do których zalicza się m.in. sposób odżywiania i tryb życia. Dieta charakteryzująca się spożywaniem dużej ilości tłuszczów zwierzęcych, produktów bogatych w cholesterol, a także słodyczy sprzyja rozwojowi miażdżycy. I odwrotnie – dieta ubogotłuszczowa, ubogocholesterolowa, zawierająca oleje roślinne i duże ilości węglowodanów tzw. złożonych – zapobiega rozwojowi miażdżycy.

Mało ruchliwy tryb życia, z ograniczeniem wysiłków fizycznych, sprzyja miażdżycy, podczas gdy ruchliwy tryb życia zapobiega tej chorobie. Niekorzystne działanie niewłaściwego odżywiania i mało ruchliwy tryb życia prowadzą do rozwoju takich chorób, jak otyłość, cukrzyca i zaburzenia gospodarki tłuszczowej, które to stany bezpośrednio sprzyjają powstawaniu miażdżycy.

Miażdżyca stanowi bardzo ważny problem medyczny i społeczny w krajach ekonomicznie rozwiniętych, gdyż jest w nich najczęstszą przyczyną zgonów.

Mechanizm powstawania miażdżycy

Mechanizm powstawania miażdżycy jest złożony i wiąże się z reakcją ściany tętnicy na uszkadzające ją czynniki. Ściana tętnicy jest strukturą składającą się z trzech warstw: z błony wewnętrznej, środkowej i zewnętrznej zwanej przydanką (rys. na str. 640).

Błona wewnętrzna jest pokryta jedną warstwą komórek śródbłonka, stanowiącego wyściółkę tętnicy. Nie uszkodzona błona wewnętrzna przeciwdziała krzepnięciu krwi dzięki wydzielaniu prostacykliny. Prostacyklina zapobiega przyleganiu i skupianiu się płytek krwi, czyli hamuje ich adhezję i agregację. Błona wewnętrzna jest oddzielona od błony środkowej włóknami tkanki łącznej.

Błona środkowa składa się z komórek zwanych miocytami. Komórki te charakteryzuje żywy metabolizm. Pod wpływem różnych czynników nabierają one zdolności migracyjnych i wędrują do błony wewnętrznej, gdzie ulegają szybkiemu rozrostowi, czyli proliferacji. Komórki te syntetyzują ponadto włókna tkanki łącznej.

Elementami morfologicznymi w mechanizmie powstawania zmian miażdżycowych są: komórki śródbłonka, włókna tkanki łącznej i komórki błony środkowej – miocyty.

Pierwotnym czynnikiem zapoczątkowującym powstawanie zmian miażdżycowych jest uszkodzenie śródbłonka tętnic. Uszkodzenie to może mieć charakter czynnościowy bądź strukturalny. Do czynników uszkadzających zalicza się: czynniki mechaniczne (np. nadciśnienie tętnicze, mechaniczne uszkodzenie naczynia), chemiczne (zwiększona zawartość cholesterolu we krwi, niedotlenienie, katecholaminy, angiotensyna), bakteryjne i wirusowe oraz immunologiczne. W następstwie uszkodzenia śródbłonka dochodzi do dwojakiego rodzaju zmian:

1) zwiększa się przepuszczalność ściany tętnicy dla różnych substancji, m.in. dla lipoprotein osocza krwi (zob. s. 641), które są czynnikiem powodującym migrację i rozrost miocytów; w tych warunkach komórki te zaczynają mnożyć się i wędrować w kierunku błony wewnętrznej tętnicy;

2) uszkodzenie śródbłonka odsłania włókna tkanki łącznej znajdujące się bezpośrednio pod nim. Odsłonięte włókna zwiększają przyleganie i skupianie się płytek krwi. W miejscu uszkodzenia dochodzi więc do agregacji płytek i uwalniania z nich licznych substancji, a wśród nich najważniejszej – płytkowego czynnika wzrostu. Powstaje swojego rodzaju błędne koło: uwolnione z płytek substancje mają właściwości zwiększania agregacji płytek, z których ponownie uwalniają się związki nasilające ten proces.

Płytkowy czynnik wzrostu najbardziej ze wszystkich znanych czynników nasila migrację i rozrost miocytów.

Miocyty, pobierając z przepływającej krwi lipoproteiny o małej gęstości, czyli beta-lipoproteiny (zob. s. 641) gromadzą w swoim wnętrzu cholesterol, przekształcając się stopniowo w zasadniczy element komórkowy zmian miażdżycowych – w komórki piankowate. Przy przeładowaniu komórki cholesterolem dochodzi do pęknięcia błony komórkowej, a nagromadzony cholesterol wydostaje się do przestrzeni pozakomórkowej. Tak powstałe zmiany zostają otoczone włóknami tkanki łącznej, syntetyzowanej przez proliferujące miocyty. W ten sposób powstaje typowa blaszka miażdżycowa; w środku blaszki, zarówno wewnątrz komórek, jak i poza nimi, znajduje się cholesterol otoczony włóknami tkanki łącznej. Jest to miejsce zwiększonego przylegania płytek krwi, a więc miejsce tworzenia się zakrzepu, który może doprowadzić do zamknięcia światła naczynia. Powstałe blaszki miażdżycowe są unaczynione przez drobne naczynia krwionośne, wnikające do nich z zewnętrznej błony tętnicy. Naczynia takie mogą pęknąć, powodując krwotok do blaszki, co jest jedną z przyczyn szybkiego powiększania się blaszki i może również doprowadzić do zamknięcia światła naczynia.

Uważa się, że jednorazowe uszkodzenie śródbłonka tętnicy (np. w czasie operacji lub badania naczyniowego) powoduje tylko niewielkie zmiany, które z czasem mogą pokryć się nowym śródbłonkiem, dając jedynie niewielkie zgrubienie tętnicy. Jednakże przewlekłe uszkodzenia, jakie częściej występują, doprowadzają do powstania typowych blaszek miażdżycowych.

W ostatnich latach ciekawą hipotezę powstawania miażdżycy wysunęła grupa badaczy, wśród których znajdują się dwaj polscy uczeni: prof. Ryszard Gryglewski i prof. Andrzej Szczeklik. Według tych badaczy, inicjującą rolę w powstawaniu zmian miażdżycowych odgrywa zachwianie równowagi między dwoma czynnikami: tromboksanem (TXA_2), występującym w płytkach krwi, i prostacykliną (PGI_2), syntetyzowaną w ścianie naczyń. Oba te związki powstają w wyniku przemiany kwasu arachidonowego i mają przeciwstawne działanie zarówno na naczynia krwionośne, jak i na płytki krwi. Tromboksan zwęża naczynia i powoduje agregację płytek krwi, podczas gdy prostacyklina rozszerza naczynia i hamuje skupianie się płytek. Stwierdzono, że w naczyniach miażdżycowo zmienionych zawartość prostacykliny jest niższa niż w tętnicach zdrowych, a więc przewagę zyskuje czynnik zwężający naczynia i nasilający agregację płytek. Istnieje wiele czynników hamujących działanie prostacykliny, wśród których istotną rolę odgrywają nadtlenki lipidów. Głównym nośnikiem nadtlenków lipidów są frakcje lipoproteinowe: beta-lipoproteiny (LDL) i prebeta-lipoproteiny(VLDL).

Najnowsze badania, zapoczątkowane w 1981 r. w Stanach Zjednoczonych przez Henriksena i Steinberga, koncentrują się nad rolą frakcji LDL, w patogenezie zmian miażdżycowych. Badania te wykazują, że nienatywne (prawidłowe), ale zmodyfikowane cząsteczki LDL są pobierane przez makrofagi ściany naczynia, co prowadzi do ich transformacji w komórki piankowate. Wykazano, że proces biologicznej modyfikacji LDL może zachodzić pod wpływem kontaktu z komórkami śródbłonka, komórkami mięśni gładkich tętnicy oraz z makrofagami ściany naczynia. Wykazano również, że biologiczna modyfikacja cząsteczek LDL polega głównie na wolnorodnikowym procesie utleniania wielonienasyconych kwasów tłuszczowych wchodzących

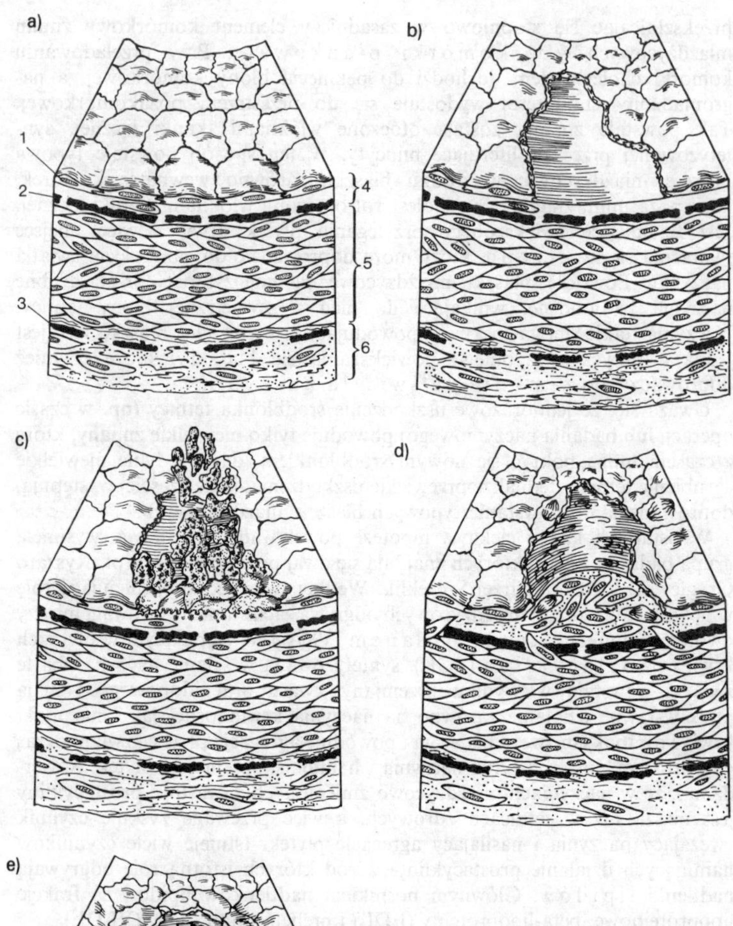

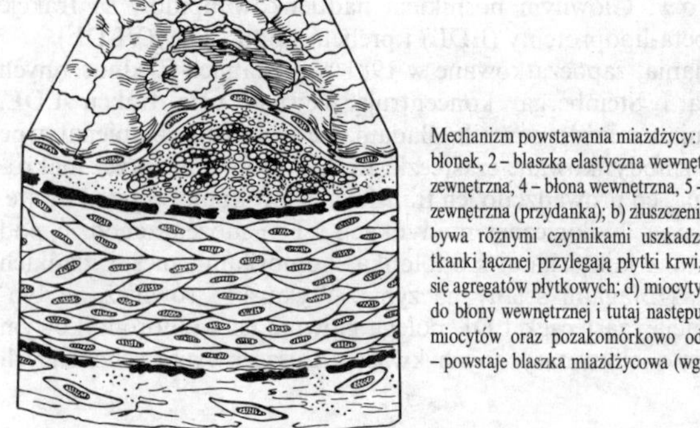

Mechanizm powstawania miażdżycy: a) budowa tętnicy: 1 – śródbłonek, 2 – blaszka elastyczna wewnętrzna, 3 – blaszka elastyczna zewnętrzna, 4 – błona wewnętrzna, 5 – błona środkowa, 6 – błona zewnętrzna (przydanka); b) złuszczenie śródbłonka spowodowane bywa różnymi czynnikami uszkadzającymi; c) do odsłoniętej tkanki łącznej przylegają płytki krwi, co prowadzi do tworzenia się agregatów płytkowych; d) miocyty z błony środkowej wędrują do błony wewnętrznej i tutaj następuje ich rozrost; e) w obrębie miocytów oraz pozakomórkowo odkładają się złogi lipidowe – powstaje blaszka miażdżycowa (wg R. Rossa i J.A. Glomsetw)

w skład cząsteczek LDL. Proces ten jest nasilany przez składniki dymu tytoniowego, a hamowany przez antyoksydanty, takie jak witamina E, witamina C, beta-karoten, selen. Okazało się również, że zwiększenie w diecie jednonienasyconych kwasów tłuszczowych w miejsce wielonienasyconych może zmniejszać podatność cząsteczek LDL na utlenianie.

Cholesterol i lipoproteiny osocza krwi

Cholesterol jest głównym sterolem organizmu człowieka, niezbędnym do życia. Stanowi ważny składnik strukturalny błon komórkowych. Z cholesterolu powstają hormony steroidowe, kwasy żółciowe i witamina D.

Cholesterol jest dostarczany z pożywieniem, ale większa jego część powstaje w organizmie na drodze syntezy, przede wszystkim w wątrobie i jelicie cienkim. Wydalany jest z żółcią, po przemianie do kwasów żółciowych. Prawidłowy poziom cholesterolu całkowitego w osoczu wynosi 150–200 mg% (3,9–5,2 mmol/l). Cholesterol jest nierozpuszczalny w wodzie, toteż we krwi występuje w połączeniu z białkami, fosfolipidami i trójglicerydami, tworząc duże cząsteczki zwane lipoproteinami.

Odróżnia się cztery główne frakcje lipoproteinowe występujące w osoczu:

1) chylomikrony,

2) beta-lipoproteiny, czyli lipoproteiny o małej gęstości (ang. low density lipoproteins – LDL),

3) prebeta-lipoproteiny, czyli lipoproteiny o bardzo małej gęstości (ang. very low density lipoproteins – VLDL),

4) alfa-lipoproteiny, czyli lipoproteiny o wysokiej gęstości (ang. high density lipoproteins – HDL).

Chylomikrony są to duże cząsteczki, transportujące głównie trójglicerydy pochodzące z tłuszczu zawartego w pożywieniu. W normalnych warunkach nie występują we krwi pobranej na czczo, pojawiają się natomiast po posiłku tłuszczowym. W niektórych chorobach można je stwierdzić także we krwi pobranej na czczo. Są usuwane z krwi wskutek działania lipazy trójglicerydowej, enzymu, który powoduje rozpad trójglicerydów zawartych w chylomikronach.

Chylomikrony nie sprzyjają rozwojowi miażdżycy, nadmierna ich ilość może jednak powodować objawy chorobowe, jak nawracające zapalenie trzustki oraz powiększenie wątroby i śledziony.

Beta-lipoproteiny (LDL) jest to frakcja lipoproteinowa, transportująca głównie cholesterol w osoczu. Powstaje przede wszystkim z prebeta-lipoprotein, a ulega rozpadowi wewnątrz komórek organizmu. Jej poziom podwyższa się w diecie bogatej w cholesterol i tłuszcze zawierające dużo nasyconych kwasów tłuszczowych. Ponadto podwyższenie poziomu tej frakcji bywa uwarunkowane genetycznie, a także występuje w przebiegu niektórych chorób, np. w niedoczynności tarczycy.

Podwyższenie poziomu beta-lipoprotein sprzyja rozwojowi miażdżycy. Cholesterol związany z tą frakcją wnika do komórek ściany tętniczej, gromadzi się w ich wnętrzu i jest zasadniczym składnikiem zmian miażdżycowych. Frakcja ta jest głównym nośnikiem cholesterolu we krwi, a więc jej poziom wykazuje związek z poziomem cholesterolu całkowitego.

Zwiększenie zawartości cholesterolu we frakcji beta-lipoproteinowej powyżej 180 mg% (4,7 mmol/l) wyraźnie sprzyja rozwojowi zmian miażdżycowych.

Prebeta-lipoproteiny (VLDL) jest to frakcja transportująca głównie trójglicerydy syntetyzowane z produktów przemiany glukozy i wolnych kwasów tłuszczowych. Poza trójglicerydami, ok. 20% tej frakcji stanowi cholesterol.

Poziom prebeta-lipoprotein wzrasta przy nieprawidłowym, bogatym w cukry proste odżywianiu, a także w otyłości i zaburzeniach przemiany węglowodanowej. Wzrost ten bywa też uwarunkowany genetycznie. Frakcja VLDL powstaje w wątrobie i jest głównym prekursorem beta-lipoprotein, stąd też nadmierne podwyższenie jej poziomu jest niekorzystne i może również sprzyjać rozwojowi miażdżycy.

Alfa-lipoproteiny (HDL) są to najmniejsze cząsteczki lipoproteinowe, transportujące głównie białka i fosfolipidy. Są one także nośnikiem cholesterolu.

Badania ostatnich lat wykazały, że alfa-lipoproteiny mają właściwości przeciwmiażdżycowe. Liczne badania kliniczne i epidemiologiczne wykazały odwrotną zależność miedzy zapadalnością na chorobę wieńcową a poziomem tej frakcji lipoprotein mierzonym zawartością cholesterolu. Im zawartość cholesterolu jest w niej wyższa, tym mniejsze jest zagrożenie chorobą wieńcową.

Stwierdzono, że poziom cholesterolu we frakcji alfa-lipoproteinowej poniżej 40 mg% (1,03 mmol/l) w istotny sposób zwiększa ryzyko choroby wieńcowej. Mechanizm przeciwmiażdżycowego działania tej frakcji polega najprawdopodobniej na pobieraniu cholesterolu z komórek i transportowaniu go do wątroby, gdzie ulega on rozpadowi do kwasów żółciowych.

Hiperlipoproteinemie

Podwyższenie poziomu jednej lub kilku frakcji lipoproteinowych (zob. wyżej) nosi nazwę hiperlipoproteinemii. Wyróżnia się 5 typów tej choroby, charakteryzujących się nie tylko różnym obrazem lipoprotein osocza, ale także odmiennym przebiegiem klinicznym i odmienną reakcją na leczenie.

Hiperlipoproteinemia typu I charakteryzuje się występowaniem nadmiernej ilości chylomikronów w osoczu. Istota tej choroby polega na zmniejszonej aktywności lipazy trójglicerydowej, enzymu warunkującego usuwanie tej frakcji lipoprotein. Choroba występuje przeważnie dziedzicznie, jako cecha recesywna. Ujawnia się w dzieciństwie.

Objawy najczęstsze to powiększenie wątroby i śledziony, zmiany skórne w postaci kępek żółtych (*xanthoma*) – tzw. ksantomatoza rozsiana, napadowe bóle brzucha. Objawy te są związane z nadmiernie podwyższonym poziomem trójglicerydów we krwi.

Leczenie jest wyłącznie dietetyczne i polega na maksymalnym ograniczeniu spożycia tłuszczów.

Hiperlipoproteinemia typu II (hipercholesterolemia) cechuje się nadmiernym podwyższeniem poziomu beta-lipoprotein. Może występować w postaci genetycznie uwarunkowanej, rodzinnej, bądź nabytej, najczęściej w przebiegu długotrwałego nieprawidłowego odżywiania. Badaniem krwi stwierdza się podwyższony poziom cholesterolu całkowitego i cholesterolu frakcji LDL (beta-lipoproteinowej).

Objawy. Najcięższe objawy kliniczne i największe zmiany biochemiczne występują w postaciach rodzinnych choroby, tzw. homozygotycznych (w których oboje rodzice mają hipercholesterolemię, a dziecko dziedziczy tę chorobę zarówno po matce, jak i po ojcu). W tych przypadkach poziom cholesterolu może przekraczać 1000 mg% (26 mmol/l), a objawy kliniczne to przedwczesna miażdżyca tętnic, odkładanie się cholesterolu w ścięgnach i w skórze (zmiany ksantomatyczne) oraz biała obwódka wokół tęczówki (tzw. rąbek starczy), występująca przed 30 r. życia. Nierzadkie są zawały serca w bardzo młodym wieku, już poniżej 20 r. życia.

W postaciach rodzinnych heterozygotycznych (w których dziecko dziedziczy hipercholesterolemię po jednym z rodziców) i w postaciach nabytych objawy choroby są znacznie mniej wyrażone, a poziom cholesterolu niższy.

Typ II jest najbardziej miażdżycorodną postacią hiperlipoproteinemii, sprzyjającą wyraźnie przedwczesnemu rozwojowi miażdżycy, zwłaszcza choroby wieńcowej.

Leczenie polega na stosowaniu diety ubogocholesterolowej, bogatej w tłuszcze roślinne oraz – w większości przypadków – na podawaniu leków zmniejszających wchłanianie i rozpad cholesterolu. W ciężkich, homozygotycznych przypadkach hipercholesterolemii stosuje się leczenie plazmaferezą, polegające na wymianie osocza krwi.

Hiperlipoproteinemia typu III. Chorobę tę cechuje gromadzenie nieprawidłowej frakcji lipoproteinowej, będącej pośrednim produktem przemiany między frakcjami prebeta-lipoproteinową i beta-lipoproteinową. Choroba ta występuje najczęściej w postaci genetycznie uwarunkowanej i ujawnia się na ogół w 20 latach życia. Charakteryzuje się nadmiernym wzrostem poziomu cholesterolu oraz trójglicerydów, któremu towarzyszy często nieprawidłowa tolerancja glukozy.

Objawy. Chorzy są na ogół otyli, a w cięższych, dłużej trwających postaciach choroby może wystąpić powiększenie wątroby i odkładanie się lipidów na ścięgnach i w skórze, zwłaszcza dłoni (tzw. kępki żółte, zob. Choroby skóry, s. 1969). Ten rodzaj zaburzeń gospodarki tłuszczowej sprzyja miażdżycy tętnic, zwłaszcza kończyn dolnych.

Leczenie polega na stosowaniu diety, pozwalającej na utrzymanie należnej masy ciała. Chorzy z nadwagą powinni stosować dietę ubogoenergetyczną. Zmiany jakościowe w diecie to wyłączenie cukrów prostych i tłuszczów zwierzęcych, ograniczenie pokarmów zawierających cholesterol i wzbogacenie diety olejami roślinnymi. W razie nieskuteczności leczenia dietetycznego jest stosowane odpowiednie leczenie farmakologiczne.

Hiperlipoproteinemia typu IV. Ten rodzaj zaburzeń gospodarki lipidowej najczęściej występuje w naszym kraju. W badaniach populacyjnych stwierdza się go u 20% dorosłej ludności. Choroba polega na nadmiernym wzroście frakcji prebeta-lipoproteinowej, będącej głównym nośnikiem trójglicerydów syntetyzowanych w organizmie. Występuje przeważnie w postaci nabytej na skutek nadmiernego spożywania cukrów prostych oraz w otyłości. Bywa również genetycznie uwarunkowana i wówczas najczęściej ujawnia się w 20 latach życia.

Leczenie dietetyczne hiperlipoproteinemii (wg American Heart Association)

<table>
<tr><th rowspan="2">Składnik diety</th><th colspan="2">Zalecane spożycie
(% dziennego spożycia energii)</th></tr>
<tr><th>faza I</th><th>faza II</th></tr>
<tr><td>Tłuszcze</td><td colspan="2">< 30%</td></tr>
<tr><td>nasycone kwasy tłuszczowe</td><td>< 10%</td><td>< 7%</td></tr>
<tr><td>wielonienasycone kwasy tłuszczowe</td><td colspan="2">do 10%</td></tr>
<tr><td>jednonienasycone kwasy tłuszczowe</td><td colspan="2">10–15%</td></tr>
<tr><td>Węglowodany</td><td colspan="2">50–60%</td></tr>
<tr><td>Białko</td><td colspan="2">10–20%</td></tr>
<tr><td>Cholesterol</td><td>< 300 mg/dobę</td><td>< 200 mg/dobę</td></tr>
<tr><td>Zapotrzebowanie kaloryczne</td><td colspan="2">takie, aby uzyskać i utrzymać pożądaną masę ciała</td></tr>
</table>

Objawy. Nadmiernemu podwyższeniu poziomu trójglicerydów (ponad 200 mg%, tj. 5,3 mmol/l) towarzyszy często nieprawidłowa tolerancja glukozy. Chorzy są najczęściej otyli. Przy dużym wzroście poziomu trójglicerydów może występować odkładanie się lipidów w skórze (tworzenie się kępek żółtych), powiększenie wątroby i śledziony oraz nawracające zapalenie trzustki. Ten typ hiperlipoproteinemii sprzyja przedwczesnemu rozwojowi miażdżycy i jest najczęściej spotykanym zaburzeniem u chorych z zawałem serca i z miażdżycą zarostową tętnic kończyn dolnych.

Leczenie polega głównie na stosowaniu odpowiedniej diety. Chorzy z nadwagą powinni uzyskać należną masę ciała. Dieta polega m.in. na maksymalnym ograniczeniu spożycia cukrów prostych, zastąpieniu części tłuszczu olejami roślinnymi i ograniczeniu podaży pokarmów zawierających cholesterol. W razie nieskuteczności diety stosuje się leczenie farmakologiczne.

Hiperlipoproteinemia typu V charakteryzuje się podwyższeniem poziomu chylomikronów i frakcji prebeta-lipoproteinowej, a więc obu frakcji transportujących trójglicerydy. Choroba występuje najczęściej w postaci wtórnej, w przebiegu innych chorób (źle kontrolowana cukrzyca, zapalenie trzustki, spożycie dużej ilości alkoholu), czasami jest uwarunkowana genetycznie.

Objawy. Dolegliwości związane są z odkładaniem się trójglicerydów w wątrobie i skórze. Występuje powiększenie wątroby i śledziony oraz tworzą się kępki żółte w skórze. Przy dużym wzroście poziomu trójglicerydów może wystąpić zapalenie trzustki. Chorzy są na ogół otyli, często z upośledzoną tolerancją glukozy. Nie stwierdzono, aby ten rodzaj zaburzeń przemiany tłuszczowej sprzyjał przedwczesnemu rozwojowi miażdżycy.

Leczenie jest przede wszystkim dietetyczne i polega na normalizacji masy ciała, ograniczeniu spożycia cukrów prostych i tłuszczów.

Czynniki przyspieszające rozwój miażdżycy

Czynniki przyspieszające rozwój miażdżycy można podzielić na dwie grupy: 1) zewnątrzpochodne, takie jak niewłaściwe odżywianie, mało ruchliwy tryb życia, palenie papierosów oraz 2) wewnątrzpochodne, a mianowicie nadciśnienie tętnicze, cukrzyca, zaburzenia gospodarki lipidowej uwarunkowane genetycznie.

Bardzo istotną rolę odgrywa sposób odżywiania. Bogate zestawienia epidemiologiczne wykazują istnienie zależności między zapadalnością na chorobę wieńcową a ogólnym spożyciem kalorii oraz spożyciem tłuszczów zwierzęcych nasyconych, cholesterolu i cukrów prostych. Nadmierne spożywanie tych produktów działa niekorzystnie, ponieważ sprzyja otyłości i podwyższeniu poziomu lipidów w surowicy krwi. Ponadto ten rodzaj odżywiania może doprowadzić do rozwoju cukrzycy lub też do pogorszenia tej choroby, jeśli już ona istnieje.

Podobne działanie wywiera mało ruchliwy tryb życia, gdyż często prowadzi do dodatniego bilansu energetycznego, a więc do otyłości. Palenie tytoniu sprzyja rozwojowi miażdżycy poprzez uszkodzenie śródbłonka naczyń. Czynnikami uszkadzającymi są: niedotlenienie oraz kadm zawarty w dymie tytoniowym. Ponadto pod wpływem palenia dochodzi do podwyższenia poziomu niektórych hormonów we krwi (adrenalina, noradrenalina), które również wywierają uszkadzający wpływ na śródbłonek naczyń.

Z licznych zestawień klinicznych i epidemiologicznych wynika, że u osób z nadciśnieniem tętniczym, cukrzycą i genetycznie uwarunkowanymi zaburzeniami gospodarki tłuszczowej (zwłaszcza hipercholesterolemią, zob. s. 643) częstość występowania miażdżycy naczyń jest znacznie wyższa i dotyczy osób w młodszych grupach wiekowych.

Zapobieganie i leczenie miażdżycy

Zapobieganie miażdżycy wiąże się z wyeliminowaniem czynników zewnątrzpochodnych i starannym leczeniem czynników wewnątrzpochodnych przyspieszających rozwój tej choroby (zob. wyżej). Zalecenia dotyczą stosowania diety zapewniającej utrzymanie należnej masy ciała. Osoby z nadwagą powinny stosować dietę ubogoenergetyczną, powodującą obniżenie masy ciała. Dieta ta ogranicza spożywanie tłuszczów zwierzęcych i zaleca częściowe zastąpienie ich olejami roślinnymi (olej sojowy, słonecznikowy, oliwa z oliwek). Ogranicza spożywanie produktów bogatocholesterolowych (żółtka jaj, ser żółty, podroby) oraz cukrów rafinowanych. Zwiększa spożycie warzyw oraz produktów zbożowych, zwłaszcza kasz i ciemnego pieczywa. Osoby ze stwierdzonymi zaburzeniami gospodarki lipidowej powinni stosować dietę. Obecnie zaleca się stosowanie standardowej diety, jednakowej dla wszystkich typów hiperlipoproteinemii. Wyjątek stanowi chylomikronemia, czyli typ I i V, gdzie zaleca się dietę niskotłuszczową, w której zawartość tłuszczu nie powinna przekraczać 20 g/dobę. Pewne znaczenie w zapobieganiu miażdżycy może też mieć ograniczenie spożycia soli kuchennej. Nadmierne jej używanie może u niektórych osób sprzyjać powstaniu nadciśnienia tętniczego, będącego jednym z ważniejszych czynników miażdżycorodnych.

Do utrzymania prawidłowego bilansu energetycznego organizmu jest niezbędny odpowiedni wysiłek fizyczny. Przyjmuje się, że codzienny wysiłek fizyczny zdrowego mężczyzny powinien odpowiadać wysiłkowi wykonywanemu podczas ok. 7 km marszu, a zdrowej kobiety – ok. 5 km marszu.

Liczne badania kliniczne i epidemiologiczne wskazują na szkodliwość palenia tytoniu. Osoby pragnące zapobiegać rozwojowi miażdżycy nie powinni palić papierosów.

Wyeliminowanie zewnątrzpochodnych czynników przyspieszających rozwój miażdżycy zależy w dużym stopniu od samych zainteresowanych, natomiast kontrola czynników wewnątrzpochodnych należy przede wszystkim do lekarzy. Osoby mające cukrzycę, nadciśnienie lub zaburzenia gospodarki lipidowej nie powinny lekceważyć tych chorób, mimo że czasem mogą one nie powodować żadnych dolegliwości. Konieczne jest systematyczne leczenie pod kontrolą lekarską i ścisłe przestrzeganie wskazówek leczniczych. Właściwe leczenie tych stanów zmniejsza ryzyko powstania zmian naczyniowych.

Leczenie już istniejących zmian miażdżycowych jest trudniejsze niż zapobieganie ich powstawaniu. Wczesne zmiany miażdżycowe mogą cię cofnąć, nie ma natomiast pewności co do cofania się zmian bardziej zaawansowanych. Celowe jest postępowanie profilaktyczne zmierzające do zahamowania dalszego postępu procesu miażdżycowego, takie jak przy zapobieganiu miażdżycy.

Choroba wieńcowa

Choroba wieńcowa, zwana też chorobą niedokrwienną serca, należy – obok nadciśnienia tętniczego – do najczęstszych chorób układu krążenia i podobnie jak ono jest jedną z głównych przyczyn inwalidztwa i niezdolności do pracy. W Polsce liczbę chorych z chorobą wieńcową szacuje się na ok. 1 mln osób, a nowych zawałów serca rejestruje się rocznie od 80 do 100 tys. Znaczenie społeczne choroby wieńcowej wynika stąd, że choruje na nią znaczny odsetek osób w średnim, a nawet w młodym wieku – a więc w okresie największej aktywności życiowej i zawodowej. Odnosi się to zwłaszcza do mężczyzn. W młodszych grupach wieku choroba wieńcowa występuje u nich znacznie częściej niż u kobiet. Po 50. r. życia różnica ta stopniowo zaciera się i w starszym wieku zapadalność na tę chorobę jest u obu płci zbliżona.

Mechanizm powstawania choroby wieńcowej

Przyczyną choroby wieńcowej w większości przypadków są zmiany miażdżycowe w tętnicach wieńcowych, tj. w tętnicach zaopatrujących w krew mięsień serca.

W warunkach prawidłowych, przy zdrowych tętnicach wieńcowych, ilość krwi dopływającej do mięśnia sercowego zmienia się w szerokich granicach, w zależności od aktualnego zapotrzebowania na tlen. Zapotrzebowanie to jest mniejsze w spoczynku, zwiększa się już podczas niewielkiej nawet aktywności fizycznej, największe zaś jest w czasie dużego wysiłku fizycznego, silnej emocji, nagłej zwyżki ciśnienia krwi lub w innych stanach powodujących zwiększoną pracę serca. Przepływ krwi przez tętnice wieńcowe może się zwiększyć nawet kilkakrotnie, co pozwala podołać zwiększonemu zapotrzebowaniu na tlen. Zwiększenie to jest możliwe dzięki istnieniu tzw. rezerwy wieńcowej, określającej maksymalną zdolność organizmu do zwiększenia przepływu wieńcowego w warunkach wzrostu zapotrzebowania mięśnia sercowego na tlen.

Zmiany miażdżycowe, powodujące zwężenie tętnic wieńcowych, prowadzą do stopniowego zmniejszenia rezerwy wieńcowej. Początkowo może to nie powodować żadnych dolegliwości, gdyż zaopatrzenie mięśnia sercowego w krew w warunkach normalnej aktywności życiowej, pomimo zmniejszenia rezerwy wieńcowej, może być wystarczające. Zwężenie światła głównych tętnic wieńcowych o 50%, a nawet o 75% może nie powodować uchwytnych objawów chorobowych, jeżeli nie dochodzi do wyraźnego wzrostu zapotrzebowania na tlen. Istnieją ponadto różnorakie mechanizmy adaptacyjne, za pomocą których organizm stara się dostosować do zmienionych warunków. Jednym z nich jest niedotlenienie serca, będące silnym bodźcem powodującym rozszerzenie tętnic wieńcowych i wzrost przepływu przez nie krwi, konieczny do pokrycia zwiększonego zapotrzebowania na tlen. Innym mechanizmem, umożliwiającym większe wykorzystanie tlenu, jest zwiększone wychwytywanie tlenu przez mięsień serca. Istotną rolę w adaptacji serca do postępujących zmian w tętnicach wieńcowych i spowodowanych nimi zaburzeń przepływu krwi gra tzw. krążenie oboczne, czyli dodatkowe drogi krążenia krwi wytwarzające się w toku stopniowego rozwoju choroby wieńcowej.

W miarę postępu zmian miażdżycowych pojawiają się zwykle objawy pod postacią bólów w klatce piersiowej, określanych mianem dławicy piersiowej albo dusznicy bolesnej (*angina pectoris, stenocardia*). Mogą one występować początkowo jedynie w czasie większych wysiłków fizycznych, przekraczających możliwości adaptacyjne organizmu. Z biegiem czasu rezerwa wieńcowa ulega dalszemu zmniejszeniu i bóle pojawiają się przy coraz mniejszych wysiłkach. W bardziej zaawansowanych okresach choroby mogą pojawiać się bóle spoczynkowe, nie związane z żadnym uchwytnym wzrostem zapotrzebowania na tlen. Niekiedy bóle od samego początku mogą mieć charakter spoczynkowy. W niektórych przypadkach pierwszym objawem choroby może być zawał serca lub też może nastąpić nagły zgon, bez poprzedzających go objawów choroby wieńcowej.

Objawy i przebieg choroby wieńcowej

Objawy. Typowy ból wieńcowy wykazuje pewne charakterystyczne cechy, które zwykle pozwalają odróżnić go od bólów w klatce piersiowej powstających z innych przyczyn. Jest on na ogół umiejscowiony w środkowej części klatki piersiowej i odczuwany przez chorego jak gdyby pochodził z głębi, spoza mostka – stąd określenie: ból zamostkowy. Jest on zwykle tępy; często chorzy zamiast słowa ból używają innych określeń, jak: rozpieranie, ściskanie, gniecenie, dławienie, palenie, pieczenie. Promieniuje zwykle ku górze, do szczęki, dając charakterystyczne uczucie dławienia w gardle. Innym dość częstym kierunkiem promieniowania jest lewe ramię, co może być połączone z drętwieniem ręki. Rzadziej ból promieniuje do prawej połowy klatki piersiowej i do prawej ręki. Nierzadko zdarzają się inne, mniej typowe kierunki promieniowania lub też ból nie promieniuje.

Typowy ból wieńcowy jest krótki, powstaje zwykle w czasie wysiłku fizycznego i ustępuje wkrótce po jego zaprzestaniu. Taki rodzaj bólu określany bywa jako dławica wysiłkowa. Do czynników sprzyjających wystąpieniu bólu należą też inne sytuacje powodujące zwiększenie zapotrzebowania mięśnia sercowego na tlen, jak: pośpiech, silna emocja, nagła zwyżka ciśnienia tętniczego krwi, mroźna, wietrzna pogoda, posiłek spożyty bezpośrednio przed wysiłkiem itp. Inną charakterystyczną cechą bólu dławicowego jest jego ustępowanie w ciągu paru minut po przyjęciu podjęzykowo takich leków, jak nitrogliceryna lub dwuazotan izosorbidu (Sorbonit).

Obok typowych bólów wieńcowych zdarzają się też bóle mniej lub bardziej nietypowe pod względem lokalizacji, promieniowania, charakteru i wywołujących je okoliczności. Mogą one być umiejscowione w innych niż mostek okolicach klatki piersiowej, a nawet poza jej obrębem, np. w okolicy szyi, kończyn górnych lub nadbrzusza. Mogą występować przy wykonywaniu niektórych tylko wysiłków fizycznych, podczas gdy przy innych, stanowiących niekiedy nawet większe obciążenie dla serca, nie występują. Czasami bóle od początku mają charakter spoczynkowy. Zdarza się też, że objawy choroby wieńcowej są wykrywane w przypadkowo wykonanym elektrokardiogramie u osoby nie odczuwającej żadnych dolegliwości.

W rzadkich przypadkach może dojść do napadów dławicy piersiowej u osób nie mających zmian lub mających tylko niewielkie zmiany miażdżycowe w tętnicach wieńcowych. Przyczyną napadów bólowych może być wówczas skurcz tętnicy wieńcowej, powodujący nagłe zmniejszenie dopływu krwi do odpowiedniego obszaru mięśnia sercowego. Skurcz tętnic wieńcowych jest przyczyną odmiennej postaci dławicy piersiowej, zwanej dławicą typu Prinzmetala – od nazwiska autora, który pierwszy zwrócił uwagę na tę postać choroby. Dławica typu Prinzmetala wykazuje pewne różnice w porównaniu z „klasyczną" postacią dławicy piersiowej. W przeciwieństwie do niej występuje zwykle w spoczynku, często w nocy, a wykonany podczas napadu bólu elektrokardiogram ukazuje charakterystyczny obraz, różniący się zasadniczo od obrazu obserwowanego zwykle podczas typowego bólu wieńcowego.

Przebieg choroby wieńcowej bywa bardzo różny. U niektórych chorych ma ona charakter wybitnie przewlekły i może trwać latami, bez wyraźnego nasilania się objawów chorobowych (postać „stabilna" choroby). Niekiedy ten przewlekły przebieg jest zakłócany okresowymi zaostrzeniami (ostra niewydolność wieńcowa, „niestabilna" dławica piersiowa), po opanowaniu których przybiera ona poprzedni, stabilny charakter. W innych przypadkach choroba ma charakter postępujący, co wyraża się coraz częstszym występowaniem bólów, ich większym nasileniem i stopniowym zmniejszaniem się skuteczności leków (nitrogliceryny, Sorbonitu) stosowanych w celu przerwania napadu bólowego. Zwykle pogarsza się wówczas tolerancja wysiłku fizycznego oraz pojawiają się bóle spoczynkowe, w tym także bóle nocne, które mogą być wczesnym objawem upośledzenia wydolności lewej komory serca.

U części chorych z chorobą wieńcową dochodzi do zawału serca, który może powstać nagle lub też może być poprzedzony krótkim okresem nasilenia dolegliwości wieńcowych (tzw. zawał zagrażający). Zawał serca stanowi ostrą postać choroby wieńcowej i wymaga specjalnego postępowania (zob. s. 656). Może on być pierwszym objawem choroby wieńcowej; stwierdza się go nierzadko u osób, które nie miały uprzednio typowych dla tej choroby dolegliwości.

Nagły zgon na skutek choroby wieńcowej stanowi ponad połowę wszystkich zejść śmiertelnych spowodowanych tą chorobą. W prawie 1/3 przypadków dotyczy on ludzi pozornie zdrowych, bez poprzedzających objawów wskazujących na występowanie choroby.

Rozpoznanie choroby wieńcowej

Rozpoznanie choroby wieńcowej polega przede wszystkim na wnikliwej analizie objawów chorobowych, a zwłaszcza rodzaju i charakteru bólów występujących podczas napadowych dolegliwości. Bóle w klatce piersiowej mogą występować w wielu innych chorobach, dlatego szczególne znaczenie ma tzw. wywiad chorobowy w czasie badania lekarskiego. Jest to tym bardziej ważne, że we wczesnych okresach choroby lekarz może nie stwierdzić żadnych nieprawidłowości. Do podstawowych badań należy badanie elektrokardiograficzne (EKG). W części przypadków elektrokardiogram spoczynkowy, tj. wykonany w zupełnym spokoju, może być prawidłowy. U tych chorych pomocny może być EKG wykonany w czasie standardowego wysiłku fizycznego – tzw. elektrokardiogram wysiłkowy.

Próby wysiłkowe wykonuje się na specjalnych urządzeniach, takich jak ergometr rowerowy lub ruchomy chodnik, tzw. bieżnia mechaniczna (tablica 14). Zapewniają one odpowiednią standaryzację wysiłku, właściwe jego stopniowanie i dokładny pomiar.

Wielkim postępem w diagnostyce choroby wieńcowej było wprowadzenie na przełomie lat pięćdziesiątych i sześćdziesiątych do praktyki klinicznej tzw. wybiórczej koronarografii, tj. badania kontrastowego tętnic wieńcowych po wprowadzeniu do nich odpowiedniego środka cieniującego (kontrastu). Koronarografia pozwala uzyskać szczegółowe informacje o stanie tętnic wieńcowych, obecności i lokalizacji zmian miażdżycowych zwężających lub zamykających światło tętnic, a także o rozwoju krążenia obocznego. Podczas badania wykonuje się też zwykle tzw. wentrykulografię, umożliwiającą dokładną ocenę stanu anatomicznego i czynnościowego lewej komory serca, co ma szczególnie duże znaczenie przy ustalaniu wskazań do leczenia operacyjnego.

Wskazania do koronarografii ustalane są indywidualnie w stosunku do każdego chorego. Wykonuje się ją zwłaszcza wtedy, gdy rozważana jest możliwość leczenia operacyjnego choroby wieńcowej. Badanie to stosuje się też u niektórych chorych z nietypowymi bólami w klatce piersiowej, utrudniającymi postawienie trafnej diagnozy.

Czynniki ryzyka choroby wieńcowej

Czynniki sprzyjające wystąpieniu choroby wieńcowej określa się zwykle jako tzw. czynniki ryzyka lub czynniki zagrożenia tą chorobą. Wpływ tych czynników na zachorowalność został wykazany w toku badań epidemiologicznych, zajmujących się oceną częstości występowania choroby wieńcowej oraz jej zależności od różnych czynników wewnątrz- i zewnątrzpochodnych.

Do najważniejszych czynników ryzyka choroby wieńcowej zalicza się: 1) zaburzenia gospodarki tłuszczowej (zob. Miażdżyca, s. 636), 2) nadciśnienie tętnicze i 3) palenie tytoniu. Stwierdzono, że obecność każdego z tych czynników zwiększa co najmniej dwukrotnie ryzyko zachorowania na tę chorobę. Jeżeli występują one łącznie, ryzyko to jest kilkakrotnie większe.

Do innych znanych czynników ryzyka należą: 1) nieprawidłowy sposób odżywiania, a szczególnie nadmierna zawartość tłuszczów nasyconych (zwierzęcych) w diecie, 2) otyłość, 3) cukrzyca, 4) siedzący tryb życia i 5) brak odpowiedniej aktywności fizycznej. Niektórzy autorzy postulują znaczenie typu osobowości, określanego jako typ A i charakteryzującego się: stałym pośpiechem, poczuciem nadmiernej odpowiedzialności, agresywnością, potrzebą rywalizacji i silnie wyrażonym poczuciem współzawodnictwa. Niewątpliwe znaczenie mają też wpływy genetyczne, czego wyrazem jest częstsze występowanie choroby wieńcowej w tych samych rodzinach i wcześniejsze jej ujawnianie się u osób ze szczególnie dużym obciążeniem rodzinnym.

Wśród czynników ryzyka choroby wieńcowej u kobiet wymienia się ostatnio także regularne zażywanie doustnych środków antykoncepcyjnych. Ryzyko to jest stosunkowo niewielkie u kobiet w młodszym wieku, jeśli nie występują inne czynniki sprzyjające rozwojowi choroby wieńcowej, wzrasta natomiast u kobiet po 40 r. życia, a także wcześniej, jeżeli współistnieją inne czynniki ryzyka, zwłaszcza palenie papierosów.

Znajomość czynników ryzyka choroby wieńcowej i ich wczesne wykrycie ma szczególnie duże znaczenie praktyczne, stanowi bowiem podstawę do podjęcia tzw. prewencji pierwotnej, tj. postępowania zmierzającego do zmniejszenia ryzyka zachorowania na tę chorobę u osób szczególnie do niej predysponowanych. U osób z już istniejącą chorobą rozpoznanie i wyeliminowanie czynników ryzyka może złagodzić przebieg choroby i zapobiec jej powikłaniom (tzw. prewencja wtórna).

Zapobieganie chorobie wieńcowej i jej leczenie

Zapobieganie chorobie wieńcowej polega przede wszystkim na zapobieganiu miażdżycy (zob. s. 645). Profilaktyka ta ma szczególnie duże znaczenie u osób z rodzinnymi skłonnościami do rozwoju choroby, dlatego też powinna być podjęta stosunkowo wcześnie, kiedy zmian miażdżycowych jeszcze nie ma lub też są one niewielkie i mogą się cofnąć albo może zostać zahamowany ich dalszy rozwój. Wpływy genetyczne mogą dotyczyć nie tylko miażdżycy, ale i innych czynników ryzyka, takich jak nadciśnienie tętnicze, otyłość, cukrzyca, zaburzenia metaboliczne, dlatego ważnym elementem postępowania profilaktycznego jest możliwie wczesne wykrycie tych czynników i ich skuteczne zwalczanie. Jeśli współistnieje ze sobą kilka czynników ryzyka, ich szkodliwy wpływ jest znacznie większy, niż by to mogło wynikać z prostego sumowania się wpływu poszczególnych czynników.

U osób mających chorobę wieńcową wykrycie i zwalczanie czynników ryzyka jest już sprawą profilaktyki wtórnej. Sposób życia, stopień aktywności fizycznej, współistniejące choroby, nawyki żywieniowe, palenie papierosów, a u kobiet także stosowanie doustnych środków antykoncepcyjnych mają niezwykle istotne znaczenie. Konieczne są badania podstawowych wskaźników gospodarki lipidowej i okresowa kontrola ciśnienia krwi, a w razie wykrycia zaburzeń – odpowiednie ich leczenie.

Tryb życia osoby z chorobą wieńcową powinien być dostosowany do aktualnych możliwości uwzględniających przebieg i stan zaawansowania choroby oraz ocenę rezerwy wieńcowej (zob. s. 638). Indywidualnie dla każdego chorego powinien być ustalony zakres aktywności fizycznej oraz optymalne formy wypoczynku, w tym właściwe wykorzystanie urlopów oraz dni wolnych od pracy. Wnikliwie powinna być rozpatrzona sprawa kontynuowania bądź zaprzestania pracy zawodowej. Przedwczesne zaprzestanie aktywności zawodowej, połączone zwykle z przejściem na rentę, wpływa często niekorzystnie na psychikę chorego, wywołując poczucie nieprzydatności i przeświadczenie o ciężkim inwalidztwie. Nie każdą jednak pracę zawodową może on kontynuować bez uszczerbku dla zdrowia. Decyzja o kontynuowaniu pracy zawodowej, o ewentualnym wprowadzeniu do niej zmian pozwalających na uniknięcie nadmiernych obciążeń lub też o całkowitym jej przerwaniu musi być w każdym przypadku starannie wyważona i podjęta indywidualnie. W razie konieczności przerwania pracy zawodowej i przejścia na rentę inwalidzką, jest wskazane znalezienie innych, zastępczych form działalności, mogących częściowo przynajmniej wypełnić życie bez narażenia na niepożądane następstwa.

Ważne znaczenie ma sposób odżywiania. Osoby otyłe muszą powrócić do należnej masy ciała. Ogólna liczba spożytych kalorii nie powinna przekraczać właściwego zapotrzebowania energetycznego organizmu. Dzienny jadłospis należy tak ustalać, aby zawartość tłuszczów nasyconych, cholesterolu i węglowodanów prostych nie przekraczała dozwolonych ilości. Bezwzględnie przeciwwskazane jest palenie tytoniu. Inne używki (kawa, alkohol) mogą być stosowane w niewielkich ilościach w zależności od indywidualnych cech i nawyków chorego.

Leczenie farmakologiczne. W leczeniu tym znalazło zastosowanie wiele leków o odmiennych mechanizmach działania i różnej aktywności leczniczej. Wskazania do ich stosowania zawsze ustala indywidualnie dla każdego chorego leczący go lekarz.

Do najczęściej stosowanych leków należą środki z grupy organicznych azotanów, takie jak nitrogliceryna i dwuazotan izosorbidu (Sorbonit). Zastosowane podjęzykowo, co umożliwia ich szybkie wchłonięcie przez błonę śluzową jamy ustnej, leki te powodują zwykle szybkie (2–5 min) ustąpienie bólu wieńcowego. Wykazują one silne działanie rozszerzające naczynia krwionośne, w związku z czym niektórzy chorzy odczuwają po ich przyjęciu bóle głowy. Bóle te nie są na ogół silne, niekiedy jednak zmuszają do ograniczania dawek leków, a w sporadycznych przypadkach mogą nawet uniemożliwić ich stosowanie. Działanie nitrogliceryny jest krótkotrwałe, działanie sorbonitu dłuższe, w związku z czym bywa on podawany nie tylko podczas napadu bólowego, ale może być także stosowany kilkakrotnie w ciągu dnia w celu zapobieżenia bólom u osób z częstymi napadami dławicy piersiowej.

Oprócz wymienionych leków w użyciu znajduje się wiele środków o zbliżonych właściwościach i podobnym działaniu, znanych pod różnymi nazwami. Stosowane są także preparaty o przedłużonym działaniu, np. Cordonit, Sustonit lub Sorbonit prolongatum. Działają one wolniej, nie przerywają na ogół bezpośrednio bólu wieńcowego i są stosowane w przewlekłym leczeniu.

Bardzo ważną grupę stanowią leki blokujące (porażające) beta-receptory nerwowego układu współczulnego (zob. Teoria receptorowa mechanizmu działania leków, s. 437). Leki te hamują wpływ tego układu na serce, a co za tym idzie, zwalniają czynność serca i zmniejszają jego pracę, powodując zmniejszenie zapotrzebowania na tlen i bardziej ekonomiczne wykorzystanie tej ilości tlenu, która może być dostarczona przez zmienione chorobowo tętnice wieńcowe. Do wymienionej grupy leków należy wiele środków, spośród których najbardziej znane w naszym kraju są: propranolol, oksyprenolol (Coretal), pindolol (Visken), atenolol (Tenormin, Cardiopress), metoprolol (Betaloc, Metocard), acebutolol (Sectral) i in. Leki blokujące beta-receptory mogą niekiedy wywoływać działanie niepożądane, tzw. objawy uboczne. Wybór leku oraz ustalenie jego dawki muszą być w każdym przypadku dokonywane przez lekarza.

Leki blokujące beta-receptory znalazły także zastosowanie w innych chorobach układu krążenia, takich jak nadciśnienie tętnicze i zaburzenia rytmu serca.

Inną grupę leków stosowanych w chorobie wieńcowej stanowią środki działające przez wpływ na przemianę wapnia w organizmie. Przeciwdziałają one wnikaniu jonów wapnia do wnętrza komórek, co prowadzi do zmniejszenia kurczliwości mięśnia sercowego i ograniczenia jego zapotrzebowania na tlen. Spośród tych leków największe zastosowanie w leczeniu choroby wieńcowej znalazła nifedipina (Cordafen, Corinfar, Adalat).

Leczenie operacyjne. W ostatnich latach szeroko jest stosowane leczenie operacyjne choroby wieńcowej (zob. Chirurgia serca, s. 1456). Spośród różnych metod chirurgicznych najczęściej jest używana metoda tzw. pomostów aortalno-wieńcowych, polegająca na wytworzeniu połączenia między aortą a tętnicą wieńcową poniżej miejsca jej zwężenia. Połączenia dokonuje się na ogół za pomocą własnej żyły chorego, którą pobiera się z jego nogi (żyła odpiszczelowa). Podczas jednej operacji można wytworzyć – zależnie od potrzeby – jeden, dwa, trzy, a nawet cztery lub więcej pomostów.

Bardzo duży postęp techniki operacyjnej w dziedzinie chirurgii serca sprawił, że obecnie operacje te są obciążone stosunkowo niedużym ryzykiem. Wskazania do operacji na naczyniach wieńcowych muszą być jednak skrupulatnie ustalone, ponieważ nie każde zwężenie może być skutecznie leczone operacyjnie. Oprócz umiejscowienia i rozległości zmian, ważne znaczenie ma wiek chorego i stan jego serca, a zwłaszcza czynność lewej komory, co może mieć decydujący wpływ na wynik operacji. Decyzja o leczeniu operacyjnym choroby wieńcowej jest zawsze poprzedzona dokładnymi badaniami serca, a przede wszystkim koronarografią i wentrykulografią, tj. oceną stanu anatomicznego i czynnościowego tętnic wieńcowych i lewej komory serca (zob. s. 650).

Ostatnio coraz szerzej jest stosowana nowa metoda leczenia choroby wieńcowej, polegająca na rozszerzeniu zwężonego odcinka tętnicy wieńcowej za pomocą specjalnego balonika wprowadzonego przez cewnik drogą nakłucia tętnicy udowej (tzw. przezskórna śródnaczyniowa angioplastyka lub przezskórna wewnątrznaczyniowa plastyka tętnic). Zob. Chirurgia, Choroby tętnic, s. 1510.

Zawał serca

Zawał serca jest ostrą postacią choroby wieńcowej, powstającą w następstwie całkowitego zamknięcia tętnicy wieńcowej i ustania dopływu krwi do określonego obszaru mięśnia sercowego. Przyczyną zamknięcia tętnicy jest najczęściej blaszka miażdżycowa, na którą mogą nawarstwiać się zmiany zakrzepowe (zob. s. 639). W rzadkich przypadkach może dojść do zawału w obszarze serca unaczynionym przez tętnicę, w której nie występują nasilone zmiany miażdżycowe, a nawet przez tętnicę całkowicie nie zmienioną. W tych przypadkach przyczyną nagłego ustania dopływu krwi do mięśnia sercowego może być skurcz tętnicy.

Objawy i przebieg zawału serca

Typowym objawem zawału serca jest ból w klatce piersiowej, zbliżony pod względem lokalizacji, promieniowania i charakteru do bólów dławicowych (zob. s. 648), zwykle jednak dłużej trwający i bardziej nasilony. Ból zawałowy powstaje często bez uchwytnej przyczyny i może trwać kilkadziesiąt minut, a nawet parę godzin. Mogą mu towarzyszyć inne objawy, jak silnie wyrażony niepokój, lęk, pocenie się, nudności. Charakterystyczna jest nieskuteczność działania nitrogliceryny lub Sorbonitu, leków, które zwykle przerywają napad dławicy piersiowej.

Zawał serca nie zawsze objawia się typowym napadem bólu w klatce piersiowej. Może także przebiegać z niewielkim bólem lub nawet całkowicie bez bólu, a dominującymi objawami mogą być: ostra niewydolność lewej komory serca (obrzęk płuc), zaburzenia rytmu, wstrząs lub nawet zatrzymanie krążenia. Znane są też przypadki zawału serca bez żadnych dolegliwości, wykrywane przypadkowo podczas badania elektrokardiograficznego wykonywanego w różnym czasie po dokonaniu się zawału.

Zawał serca może wystąpić u osób cierpiących na chorobę wieńcową przewlekłą bądź też może być pierwszym objawem tej choroby u osoby uważającej się dotychczas za całkowicie zdrową. W pierwszym przypadku jest on nierzadko poprzedzony częstszymi i bardziej nasilonymi bólami dławicowymi, co wskazuje na niekorzystną zmianę w przebiegu choroby; stan taki bywa określany niekiedy jako zawał zagrażający. W drugim przypadku zawał może nie być poprzedzony żadnymi dolegliwościami wieńcowymi.

W zależności od tego, czy zawał obejmuje całą grubość ściany mięśnia sercowego, czy tylko jej część, rozróżnia się zawały pełnościenne oraz niepełnościenne. Zawały niepełnościenne występują zwykle pod postacią tzw. zawału podwsierdziowego. Zawał pełnościenny przebiega na ogół z bardziej wyrażonymi objawami klinicznymi i większymi odchyleniami w badaniach laboratoryjnych. Dotyczy on z reguły lewej komory serca. W zależności od tego, która z tętnic uległa zamknięciu, wytwarzają się ogniska martwicy w obszarze zaopatrywanym przez tę tętnicę. I tak, zamknięcie prawej tętnicy wieńcowej powoduje zawał ściany dolnej lub tylnej serca, zamknięcie gałęzi zstępującej przedniej lewej tętnicy wieńcowej powoduje zawał przedniej ściany serca, a gałęzi okalającej – ściany bocznej. Poszczególne postacie zawału mogą się ze sobą kojarzyć, w zależności od liczby zajętych tętnic i lokalizacji w nich zmian powodujących ustanie dopływu krwi do danego obszaru mięśnia sercowego. Ważne znaczenie dla przebiegu zawału ma stan anatomiczny tętnic wieńcowych przed jego dokonaniem się oraz rozwój krążenia obocznego.

Cennych informacji o charakterze, rozległości i umiejscowieniu zawału dostarcza EKG. Znaczenie diagnostyczne mają też takie wskaźniki, jak temperatura ciała, zwiększenie liczby białych krwinek (tzw. leukocytoza), przyspieszone opadanie krwinek (OB), zmniejszona aktywność niektórych enzymów we krwi. Wzrost temperatury jest zwykle umiarkowany, rzadko przekracza 38°C, trwa kilka dni i ustępuje bez specjalnego leczenia. Szczególne znaczenie w ostrym okresie zawału ma ocena aktywności enzymów we krwi. Przede wszystkim chodzi tu o aminotransferazy – asparaginową i alaninową (tzw. AspAt i AlAt, dawniej zwane transaminazami), dehydrogenazę mleczanową (LDH) i hydroksymasłową (HBD) oraz kinazę fosfokreatynową (CPK). Zmiany aktywności tych enzymów są wynikiem martwicy komórek mięśnia serca w obszarze zawału. Stopień aktywności enzymów świadczy o rozległości ogniska martwicy wywołanego zawałem. W zawałach pełnościennych zmiany aktywności enzymów są większe, w zawałach podwsierdziowych – mniejsze albo w ogóle ich nie ma.

Przebieg kliniczny zawału serca zależy od wieku i stanu ogólnego chorego, umiejscowienia i rozległości zawału oraz od obecności i charakteru towarzyszących mu powikłań. W zawale niepowikłanym po ustąpieniu bólu objawy zwykle nie nawracają, ogólny stan chorego pozostaje dobry i jest on stopniowo uruchamiany. Przy wystąpieniu powikłań przebieg zawału zależy od rodzaju i nasilenia tych powikłań, a także od czasu ich utrzymywania się. Do szczególnie częstych powikłań, zwłaszcza w ostrym okresie zawału, należą zaburzenia rytmu i niewydolność serca. Ustępują one przeważnie w dalszym przebiegu zawału samoistnie albo pod wpływem odpowiedniego leczenia.

U niektórych chorych występuje tzw. zespół pozawałowy, zwany też zespołem Dresslera. Może on wystąpić w różnym czasie, od kilku do kilkunastu tygodni po zawale, a więc niekiedy już po wypisaniu chorego ze szpitala. Do typowych objawów należy gorączka, bóle w klatce piersiowej nasilające się przy oddychaniu i tarcie osierdzia, a czasami także płyn w jamie opłucnej. Objawy te mogą być różnie wyrażone i na ogół ustępują całkowicie w trakcie leczenia.

Od zawału serca należy odróżniać tzw. ostrą niewydolność wieńcową, tj. stan wyrażający się długotrwałym i nasilonym bólem w klatce piersiowej, który z uwagi na swój charakter może budzić podejrzenie zawału serca. W przeciwieństwie do zawału, w ostrej niewydolności wieńcowej nie dochodzi do martwicy komórek mięśnia sercowego, a u podłoża tego stanu leży ostre niedokrwienie serca o odwracalnym charakterze. U chorych z ostrą niewydolnością wieńcową nie stwierdza się więc typowych dla zawału serca zmian elektrokardiograficznych ani innych objawów związanych z martwicą mięśnia sercowego, jak podwyższona temperatura, leukocytoza, przyspieszone OB oraz wzrost aktywności enzymów we krwi.

Wprowadzenie i szerokie upowszechnienie tzw. Ośrodków Intensywnej Opieki Medycznej (OIOM), wyposażonych w specjalną aparaturę umożliwiającą śledzenie („monitorowanie") czynności serca i innych podstawowych funkcji organizmu oraz szybkie zastosowanie odpowiedniego leczenia, znacznie poprawiło rokowanie w zawale serca. Śmiertelność szpitalna spowodowana zawałem przy stosowaniu nowoczesnych metod leczenia nie przekracza na ogół 10%, przy czym większość tych zgonów występuje w ostrym okresie choroby, tj. w pierwszej dobie od dokonania się zawału. Ogólna śmiertelność spowodowana zawałem jest wszakże większa, bowiem część chorych umiera nagle bądź też w ciągu 1–2 godz. od wystąpienia pierwszych objawów zawału, często jeszcze przed przewiezieniem do szpitala.

Zapobieganie zawałowi serca i leczenie

Zapobieganie zawałowi serca nie różni się od zapobiegania chorobie wieńcowej i sprowadza się do profilaktyki miażdżycy oraz wykrywania i skutecznego zwalczania czynników ryzyka choroby wieńcowej (zob. s. 650–651).

Jeśli istnieje podejrzenie zawału serca, bądź też pojawiły się objawy świadczące o już dokonanym zawale, chorego należy bezzwłocznie unieruchomić i jak najszybciej przewieźć do szpitala. W coraz większej liczbie szpitali istnieją Ośrodki Intensywnej Opieki Medycznej (OIOM) wyposażone w specjalną aparaturę umożliwiającą wczesne wykrycie potencjalnych zaburzeń i właściwe ich leczenie. W przypadkach zawału niepowikłanego chory po opanowaniu bólów i kilkudniowej obserwacji jest przenoszony zwykle na normalny oddział szpitalny, gdzie jest prowadzone dalsze leczenie i rehabilitacja. U części chorych w ostrym okresie zawału występują powikłania, jak niewydolność krążenia, zaburzenia rytmu serca i inne, które wymagają specjalnego leczenia. W niektórych przypadkach jest konieczne przedłużenie pobytu w ośrodku intensywnej opieki, a niekiedy dłuższe unieruchomienie.

Leczenie. U chorych po zawale serca ważne znaczenie ma tzw. prewencja wtórna (zob. s. 651). Ma ona na celu – przez odpowiednie postępowanie ogólne i leczenie farmakologiczne – złagodzenie dalszego przebiegu choroby i zmniejszenie ryzyka wystąpienia powtórnego zawału serca. U niektórych chorych z przebytym zawałem może być wskazane wykonanie specjalnego badania – koronarografii (zob. s. 636) i ewentualne leczenie operacyjne.

Rehabilitacja pozawałowa

U chorych z zawałem serca bardzo ważnym elementem leczenia jest tzw. rehabilitacja. Mianem tym określa się całokształt postępowania usprawniającego, mającego na celu przywrócenie jak najlepszej sprawności fizycznej i psychicznej, ułatwiającej powrót chorego do normalnej – optymalnie dostosowanej do jego możliwości – aktywności życiowej i zawodowej. Rehabilitacja pozawałowa uczyniła w ostatnich latach duże postępy. Ma ona szczególnie dobre tradycje w naszym kraju, w którym opracowano specjalny model tzw. kompleksowej rehabilitacji, uwzględniający wszystkie nowoczesne zdobycze w tej dziedzinie. Model ten jest stosowany także w innych krajach. W wielu szpitalach istnieją specjalne zespoły grupujące specjalistów zajmujących się różnymi aspektami rehabilitacji, ściśle współpracujące z lekarzami w procesie leczenia chorych po zawale serca.

Szczególne znaczenie ma rehabilitacja fizyczna, którą rozpoczyna się zwykle już we wczesnym okresie, bezpośrednio po ustąpieniu ostrych objawów związanych z zawałem serca. Jest ona prowadzona bardzo ostrożnie, a program ćwiczeń usprawniających jest dostosowany ściśle do stanu i możliwości chorego. Postępowanie takie sprzyja utrzymaniu odpowiedniej kondycji fizycznej oraz zapobiega zanikom mięśniowym i innym powikłaniom, występującym niekiedy podczas długotrwałego unieruchomienia. Ważne znaczenie ma także rehabilitacja psychiczna, mająca na celu zmniejszenie napięcia psychicznego i lęku, które towarzyszą często zawałowi serca, oraz optymalne przystosowanie chorego do nowej sytuacji związanej z zaistniałą chorobą.

Po okresie leczenia szpitalnego rehabilitacja jest kontynuowana często w specjalnych, przystosowanych do tego celu ośrodkach sanatoryjnych, a niekiedy – w przypadku odpowiednio dobranych chorych – także i w późniejszym okresie w warunkach ambulatoryjnych.

Nadciśnienie tętnicze

Częstość i rozpowszechnienie nadciśnienia

Nadciśnienie tętnicze należy do najbardziej rozpowszechnionych chorób układu krążenia. W Polsce, podobnie jak w wielu innych krajach europejskich, występuje u ok. 15–20% ludności dorosłej. Ocenia się, że w Polsce żyje ok. 3,5 mln osób z podwyższonym ciśnieniem krwi, w tym ok. 1,5 mln z nadciśnieniem utrwalonym. Do krajów o najwyższej częstości nadciśnienia należą: Stany Zjednoczone, Australia, Nowa Zelandia, Japonia oraz większość krajów europejskich. Do obszarów, na których nadciśnienie tętnicze występuje rzadko, a nawet nie stwierdza się go prawie wcale, należą z kolei kraje Afryki Wschodniej, Chiny, Wyspy Południowego Pacyfiku oraz niektóre obszary Australii i Ameryki Południowej zamieszkałe przez plemiona na niskim szczeblu rozwoju cywilizacyjnego. Nadciśnienie jest rzadko obserwowaną chorobą wśród ludności zamieszkującej obszary wysokogórskie, np. Peru.

W celu zbadania czynników, które mogą mieć wpływ na częstość występowania nadciśnienia – podobnie jak i innych chorób układu krążenia o szczególnie dużym rozpowszechnieniu – są prowadzone tzw. badania epidemiologiczne, inicjowane i koordynowane przez Światową Organizację Zdrowia (WHO). Wśród tych czynników wymienia się m.in. 1) różny stopień rozwoju cywilizacyjnego, 2) postępującą urbanizację oraz 3) ruchy migracyjne ludności, mogące powodować określone napięcia i trudności w przystosowaniu się do szybko zmieniających się warunków społeczno-ekonomicznych. Pewną rolę mogą odgrywać warunki klimatyczne i inne bliżej nie określone czynniki biogeograficzne, ale prowadzone badania nie dostarczyły jednoznacznych danych na ten temat.

Duże znaczenie przypisuje się nawykom żywieniowym, zwłaszcza zawartości soli w diecie. Wykazano bowiem, że w dużych grupach ludności można prześledzić zależność między występowaniem nadciśnienia, a przeciętnym spożyciem soli. Na przykład w północnej części Japonii, gdzie spożycie soli na jednego mieszkańca należy do najwyższych w świecie i wynosi ok. 25 g/dzień, nadciśnienie występuje u ok. 40% ludności, a główną przyczyną zgonów jest udar mózgu. W przeciwieństwie do tego, w południowych rejonach tego kraju, gdzie średnie spożycie soli jest ok. dwukrotnie mniejsze, częstość nadciśnienia nie przekracza 20%. Również w społeczeństwach nie używających prawie wcale soli, takich jak m.in. Eskimosi oraz niektóre tubylcze plemiona w Nowej Gwinei, nadciśnienie praktycznie nie występuje. Mimo tak oczywistych faktów, zależność między spożyciem soli a nadciśnieniem nie jest jeszcze całkowicie jasna, ponieważ społeczeństwa te różnią nie tylko upodobania dotyczące zawartości soli w pożywieniu, ale także wiele innych czynników, które mogą mieć wpływ na występowanie nadciśnienia tętniczego.

Normy ciśnienia krwi

Normy ciśnienia krwi są to wartości ciśnienia, które można uznać za prawidłowe lub pozwalające na rozpoznanie nadciśnienia tętniczego. W przypadku tzw. nadciśnienia pierwotnego podwyższony poziom ciśnienia może być jedynym objawem wskazującym na istnienie choroby.

Zgodnie z zaleceniami Światowej Organizacji Zdrowia, w badaniach epidemiologicznych przyjmuje się zwykle za prawidłowe ciśnienie wartości nie przekraczające 140/90 mm Hg (18,7/12,0 kPa), a za nadciśnienie – 160/95 mm Hg (21,3/12,7 kPa) i więcej. Ciśnienie mieszczące się w przedziale pomiędzy tymi wartościami jest określane jako tzw. nadciśnienie graniczne. Normy te są stosowane w badaniach masowych, mających na celu określenie częstości nadciśnienia w badanej populacji, zwykle na podstawie jednorazowego pomiaru ciśnienia krwi.

W codziennej praktyce lekarskiej pojedynczy pomiar ciśnienia nie zawsze jest wystarczający do ustalenia rozpoznania, gdyż ciśnienie krwi ulega wahaniom zależnym od różnych czynników, np. od pory dnia, temperatury otoczenia, emocjonalnego stanu osoby badanej, warunków, w jakich odbywa się pomiar i in. U osób nadmiernie pobudliwych już samo oczekiwanie na pomiar ciśnienia i związany z tym niepokój mogą powodować jego wzrost, mimo że w innych warunkach ciśnienie krwi może być prawidłowe. Zmienność ciśnienia oraz jego normalny rozkład w populacji sprawiają, że granica dzieląca ciśnienie prawidłowe od podwyższonego ma charakter umowny. W praktyce przyjmuje się zwykle za podwyższone ciśnienie przekraczające 140/90 mm Hg (18,7/12,0 kPa) w wieku młodym i średnim, a 160/95 mm Hg (21,3/12,7 kPa) w wieku starszym.

Pomiar ciśnienia krwi

Pomiar ciśnienia tętniczego krwi pozwala wykryć nadciśnienie, i to nawet u tych osób, u których przebiega ono bez objawów. Aby daną wartość ciśnienia można było uznać za miarodajną, jest konieczne przestrzeganie podstawowych warunków jego pomiaru.

Pomiar ciśnienia krwi powinien być przeprowadzony w spokojnym i w ciepłym pomieszczeniu, co najmniej 30 min po jedzeniu lub wypaleniu papierosa i w miarę możliwości bezpośrednio po odpoczynku trwającym 5–10 min, najlepiej w pozycji leżącej. Otrzymana w takich warunkach wartość ciśnienia jest zbliżona do tzw. ciśnienia podstawowego, które jest zwykle nieco niższe od ciśnienia mierzonego bezpośrednio po wejściu do gabinetu lekarskiego, czyli od tzw. ciśnienia przygodnego. Ciśnienie mierzy się w pozycji leżącej lub siedzącej, niekiedy także w pozycji stojącej. Po zmianie pozycji na stojącą może nastąpić spadek ciśnienia krwi nazywany hipotonią ortostatyczną. Może ona wystąpić przy stosowaniu niektórych silniejszych leków obniżających ciśnienie krwi, w rzadkich przypadkach występuje samoistnie, niezależnie od stosowanych leków, może też towarzyszyć innym chorobom.

Ciśnienie krwi mierzy się na prawym lub lewym ramieniu, z tym że przy pierwszym badaniu pomiar może być wykonany na obu rękach, ponieważ niekiedy stwierdzane wartości różnią się od siebie. W warunkach prawidłowych różnica ciśnienia skurczowego na obu ramionach nie powinna przekraczać 10 mm Hg (1,3 kPa).

Aparat do mierzenia ciśnienia krwi nazywa się sfigmomanometrem. W postaci zbliżonej do obecnie używanych skonstruował go przy końcu XIX w. włoski lekarz Riva–Rocci; stąd bierze się skrót RR używany często na oznaczenie ciśnienia krwi. Stosowaną powszechnie osłuchową metodę pomiaru ciśnienia wprowadził w 1905 r. rosyjski lekarz Korotkow; od jego nazwiska noszą nazwę tony, jakie stwierdza się podczas osłuchiwania tętnicy w czasie pomiaru ciśnienia. W codziennym użyciu znajdują się dwa typy sfigmomanometrów – rtęciowe i sprężynowe. Te pierwsze cechuje większa dokładność, są jednak większe i trudniej przenośne; używane są głównie w szpitalach, przychodniach i wszędzie tam, gdzie mierzy się ciśnienie na miejscu. Sfigmomanometry sprężynowe są wygodne w użyciu i mogą być stosowane w każdych okolicznościach; ponieważ są mniej dokładne, muszą być częściej sprawdzane i porównywane z odpowiednim aparatem rtęciowym.

Pomiar ciśnienia polega na wprowadzeniu powietrza – za pomocą gumowej gruszki – do mankietu założonego na ramię badanego, co powoduje wzrost ciśnienia w mankiecie. W pewnym momencie ciśnienie to, wzrastające stopniowo, równoważy, a następnie przewyższa ciśnienie panujące w układzie naczyniowym, czego wyrazem jest zniknięcie tętna nad tętnicami położonymi poniżej miejsca uciśniętego przez mankiet. Powolne wypuszczanie powietrza z mankietu powoduje stopniowe obniżanie się w nim ciśnienia i ponowne pojawienie się tętna, które można wyczuć albo wysłuchać za pomocą słuchawki lekarskiej (fonendoskopu) przyłożonej nad tętnicą ramieniową w zgięciu łokciowym. Ciśnienie, przy którym w trakcie wypuszczania powietrza z mankietu pojawia się pierwszy słyszalny ton, nazywane jest ciśnieniem skurczowym. Odpowiada ono maksymalnemu ciśnieniu panującemu w układzie naczyniowym w czasie skurczu serca. Przy dalszym wypuszczaniu powietrza z mankietu następuje moment, w którym dobrze słyszalne dotąd tony gwałtownie cichną, a następnie przestają być słyszalne. Odpowiada to ciśnieniu rozkurczowemu, czyli ciśnieniu panującemu w układzie naczyniowym w czasie rozkurczu serca.

Ważne znaczenie mają wymiary mankietu oraz sposób jego założenia. Będące w użyciu sfigmomanometry mają mankiety o wymiarach standardowych. Zbyt krótkie albo zbyt wąskie mankiety w stosunku do wymiarów ramienia mogą wykazywać zawyżone wartości ciśnienia, zbyt szerokie lub zbyt długie – wartości zaniżone. Obok mankietów przeznaczonych do pomiarów ciśnienia krwi u dorosłych, produkuje się specjalne mankiety do pomiarów ciśnienia u dzieci.

Ostatnio coraz bardziej rozpowszechnia się metoda wykonywania pomiarów ciśnienia krwi w domu przez samego chorego lub kogoś z jego rodziny. Produkowane są także specjalne aparaty ułatwiające wykonanie tych pomiarów. Metoda powyższa oddaje usługi zwłaszcza wówczas, gdy na podstawie sporadycznych pomiarów ciśnienia w przychodni lekarz nie może jednoznacznie ustalić, czy ma do czynienia z nadciśnieniem tętniczym, czy też jedynie z przypadkowym wzrostem ciśnienia krwi, które może nie mieć istotnego znaczenia. Metoda ta jest także przydatna w ocenie skuteczności przewlekłego leczenia lekami obniżającymi ciśnienie krwi. Wartości ciśnienia mierzonego w domu i w zakładzie pracy, zwłaszcza na przestrzeni pewnego czasu, pozwalają lekarzowi uzyskać bardziej miarodajne informacje o „zachowaniu się" ciśnienia w warunkach normalnej aktywności życiowej i zawodowej chorego i na tej podstawie ustalić właściwe leczenie.

W ostatnich latach wprowadzono jeszcze inną metodę pomiaru ciśnienia tętniczego krwi, polegającą na jego automatycznej rejestracji na taśmie magnetycznej przez dowolnie długi okres, a następnie odtworzeniu go za pomocą komputera. Z uwagi na trudną dostępność i wysoki koszt aparatury metoda ta znalazła zastosowanie jedynie w niektórych specjalistycznych ośrodkach zajmujących się nadciśnieniem tętniczym.

Nadciśnienie pierwotne

Nadciśnienie pierwotne, samoistne, zwane też chorobą nadciśnieniową, jest najbardziej rozpowszechnioną postacią nadciśnienia tętniczego. Występuje ono u ok. 90% osób dorosłych z podwyższonym ciśnieniem krwi, co oznacza, że na 10 chorych z nadciśnieniem tętniczym u 9 ma ono charakter pierwotny.

Przyczyna nadciśnienia pierwotnego nie jest znana. U części chorych udaje się wykryć zaburzenia w funkcjonowaniu pewnych mechanizmów biorących udział w regulacji ciśnienia krwi, nie wykazano jednak, aby któryś z nich miał decydujący wpływ na rozwój choroby. Ważne znaczenie ma przypuszczalnie czynnik genetyczny, na co wskazuje m.in. częstsze występowanie nadciśnienia pierwotnego w tych samych rodzinach. Wiele informacji świadczy także o istotnym wpływie różnych czynników środowiska zewnętrznego, m.in. trybu życia, rodzaju wykonywanej pracy, powtarzających się napięć nerwowych, sposobu odżywiania itp. Szczególne znaczenie ma przypuszczalnie ilość soli spożywanej z pożywieniem (zob. s. 658). Jest prawdopodobne, że nadmiar soli wywołuje nadciśnienie u osób genetycznie predysponowanych do jego rozwoju. Czynnikiem sprzyjającym wystąpieniu choroby jest otyłość. Otyłość i nadciśnienie często ze sobą współistnieją. Podobnie jak nadciśnienie, również otyłość ma niejednokrotnie podłoże genetyczne.

Objawy i przebieg choroby. Nadciśnienie pierwotne może wystąpić w każdym wieku, przeważnie jednak ujawnia się w 30–40 latach życia, częściej u kobiet. Jego przebieg może być różny. W początkowych okresach może nie powodować żadnych objawów subiektywnych ani obiektywnych, a podwyższone ciśnienie krwi bywa często wykrywane przypadkowo, podczas okresowych badań kontrolnych albo w czasie badania lekarskiego z innych przyczyn. Bezobjawowy przebieg choroby może trwać kilka, a nawet kilkanaście lat. Niektórzy skarżą się na bóle głowy lub nadmierną pobudliwość nerwową, są to jednak objawy mało charakterystyczne i nie zawsze wykazują zależność od wysokości ciśnienia krwi.

Czasami nadciśnienie od początku może mieć charakter utrwalony. Częściej jednak wzrost ciśnienia krwi ma w początkowych okresach choroby charakter niestały i występuje jedynie w pewnych sytuacjach, zwłaszcza w warunkach zwiększonego napięcia nerwowego, zmęczenia, przepracowania. Nierzadko zdarza się, że ciśnienie krwi mierzone w przychodni jest podwyższone, a w warunkach domowych – prawidłowe. Takie nadciśnienie bywa określane jako graniczne, a w praktyce często jako chwiejne. W tym okresie szczególnie przydatne mogą być pomiary ciśnienia krwi w domu chorego i w jego zakładzie pracy, pozwalają one bowiem na pełniejszą ocenę „zachowania się" ciśnienia w warunkach normalnej aktywności życiowej i zawodowej.

Nie leczone nadciśnienie prowadzi zwykle do zmian w układzie sercowo-naczyniowym, które mogą wystąpić po różnym czasie trwania choroby. Wpływ podwyższonego ciśnienia na naczynia krwionośne najlepiej i najwcześniej pozwala ocenić badanie dna oka (zob. Choroby układu wzrokowego, s. 1718). We wczesnych okresach nadciśnienia obraz dna oka może być prawidłowy. W miarę jednak postępu choroby pojawiają się zmiany, których charakter i nasilenie na ogół zależą od wysokości i stopnia zaawansowania nadciśnienia. Powtarzane w pewnych odstępach czasu, badanie dna oka umożliwia śledzenie rozwoju choroby oraz ocenę skuteczności stosowanego leczenia. Pozwala także na wczesne rozpoznanie tzw. nadciśnienia złośliwego (zob. niżej), ciężkiej postaci nadciśnienia tętniczego, wymagającej natychmiastowego i aktywnego leczenia.

Do innych negatywnych skutków nadciśnienia tętniczego należy jego wpływ na serce. Nadciśnienie wzmaga pracę lewej komory serca, która podczas skurczu musi pokonać większy opór w czasie wyrzucania krwi do układu tętniczego. W przebiegu długotrwałego nadciśnienia, zwłaszcza gdy nie jest ono leczone, dochodzi przeważnie do przerostu lewej komory serca, a z biegiem czasu – jeżeli sytuacja taka trwa nadal – do dalszego upośledzenia jej czynności i do stanu określanego jako niewydolność krążenia (zob. s. 689 oraz tablica 15 a i b).

Nadciśnienie jest też jednym z głównych czynników sprzyjających występowaniu choroby wieńcowej – należy ono do tzw. czynników ryzyka tej choroby (zob. s. 650). Przyczynia się ono zarówno do szybszego rozwoju zmian miażdżycowych w tętnicach wieńcowych, jak i do zmian w mięśniu lewej komory spowodowanych jej przerostem. Oba czynniki mogą sprzyjać zaburzeniom ukrwienia mięśnia sercowego, które u chorych z nadciśnieniem są spotykane częściej i występują wcześniej niż u osób z normalnym ciśnieniem krwi.

Zaawansowane, a zwłaszcza nie leczone nadciśnienie może prowadzić do poważnych powikłań, takich jak zawał serca, udar mózgu, niewydolność nerek. U ok. 1–2% chorych dochodzi do rozwoju nadciśnienia złośliwego. Jest to szczególnie ciężka postać choroby, charakteryzująca się znacznie podwyższonymi wartościami ciśnienia krwi, wybitnie nasilonymi zmianami na dnie oczu oraz szybko postępującym uszkodzeniem naczyń krwionośnych i innymi groźnymi powikłaniami.

Rokowanie w nadciśnieniu złośliwym nie leczonym jest bardzo poważne. W przypadku podjęcia szybkiego i energicznego leczenia, zwykle w warunkach szpitalnych, jest ono znacznie lepsze.

Nadciśnienie objawowe

U niewielkiej liczby osób, nie przekraczającej 10% wszystkich chorych z podwyższonym ciśnieniem krwi, występuje tzw. nadciśnienie objawowe, zwane też nadciśnieniem wtórnym. Może ono być wywołane różnymi przyczynami, najczęściej jednak chorobami nerek, chorobami gruczołów dokrewnych, zwłaszcza nadnerczy, oraz wadami rozwojowymi naczyń. Od nadciśnienia pierwotnego różni się tym, że podwyższone ciśnienie krwi stanowi jedynie objaw (stąd nazwa: nadciśnienie objawowe) w przebiegu innych chorób o znanej etiologii i określonym obrazie klinicznym i jest w stosunku do nich zjawiskiem wtórnym (stąd nazwa: nadciśnienie wtórne). Niektóre z tych chorób, jak zwężenie tętnicy nerkowej, guzy nadnerczy, zwężenie cieśni aorty są leczone operacyjnie. Dlatego też nadciśnienie towarzyszące tym chorobom jest określane jako potencjalnie usuwalne.

Nadciśnienie naczyniowo-nerkowe to najczęstsza postać nadciśnienia objawowego o potencjalnie usuwalnej przyczynie, stanowiąca ok. 2–3% wszystkich przypadków nadciśnienia tętniczego. Przyczyną są zmiany w tętnicy nerkowej (jednej lub w obu), powodujące zwężenie jej światła i ograniczenie przepływu przez nią krwi. W następstwie dochodzi do niedokrwienia nerki, co z kolei powoduje aktywację nerkowego mechanizmu podnoszącego ciśnienie krwi; mówi się, że nerka staje się „presyjna". Mechanizm ten polega na zwiększonym wytwarzaniu w niedokrwionej nerce enzymu proteolitycznego – reniny, która działa na znajdujący się we krwi substrat białkowy – angiotensynogen, w wyniku czego powstaje tzw. angio-

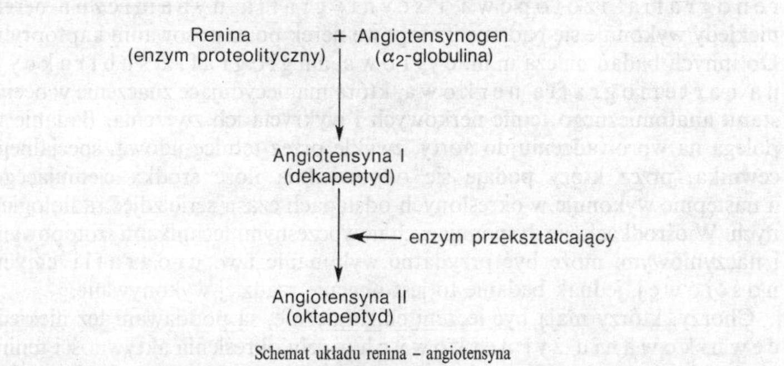

Schemat układu renina – angiotensyna

tensyna I (rys.). Jest to substancja o charakterze dekapeptydu, tj. składająca się z 10 aminokwasów, nie mająca aktywności biologicznej. Pod wpływem znajdującego się we krwi enzymu, zwanego enzymem przekształcającym (konwertującym), angiotensyna I ulega przekształceniu w angiotensynę II – hormon peptydowy (oktapeptyd) o bardzo silnym działaniu podnoszącym ciśnienie krwi (zob. też Fizjologia, s. 246).

P r z y c z y n ą zmian zwężających światło tętnic nerkowych u osób dorosłych jest przede wszystkim miażdżyca, następnie dysplazja, a w rzadkich przypadkach proces zapalny toczący się w tętnicach, ucisk z zewnątrz bądź inne powody.

Z m i a n y m i a ż d ż y c o w e umiejscowione są zwykle w pobliżu odejścia tętnicy nerkowej od aorty. Mają one charakter tzw. b l a s z e k m i a ż d ż y c o w y c h, na które może nawarstwiać się zakrzep prowadzący do całkowitego zamknięcia światła tętnicy, czyli do jej n i e d r o ż n o ś c i. Zmiany miażdżycowe są główną przyczyną zwężenia tętnic nerkowych u osób w średnim i starszym wieku, tj. w wieku, w którym rozwój procesu miażdżycowego jest już mniej lub bardziej wyrażony, i dotyczą częściej mężczyzn niż kobiet.

D y s p l a z j a t ę t n i c n e r k o w y c h są to zmiany w ścianie tętnic o różnym charakterze, rozwijające się na podłożu wrodzonym i umiejscowione zwykle w bardziej obwodowych częściach tętnic. Występuje przeważnie w młodym wieku, zwłaszcza u kobiet. Stanowi przyczynę 1/3 rejestrowanych przypadków nadciśnienia naczyniowo-nerkowego.

O b j a w y zwężenia tętnicy nerkowej są stosunkowo niewielkie i nie pozwalają na pewne rozpoznanie nadciśnienia naczyniowo-nerkowego na podstawie zwykłego badania lekarskiego. Obraz kliniczny tego nadciśnienia może nie różnić się istotnie od obrazu nadciśnienia pierwotnego, a odróżnienie obu postaci jest często możliwe dopiero po wykonaniu odpowiednich badań pomocniczych.

Chorzy z podejrzeniem zwężenia tętnicy nerkowej są poddani zwykle badaniom umożliwiającym ocenę stanu anatomicznego i czynnościowego nerek. Niektóre z nich są oparte na technice izotopowej; należą do nich m.in. renografia izotopowa i scyntygrafia dynamiczna nerek; niekiedy wykonuje się badanie izotopowe nerek po zastosowaniu kaptoprylu. Do innych badań należą m.in. cyfrowa angiografia subtrakcyjna i arteriografia nerkowa, która ma decydujące znaczenie w ocenie stanu anatomicznego tętnic nerkowych i wykrycia ich zwężenia. Badanie to polega na wprowadzeniu do aorty, zwykle przez tętnicę udową, specjalnego cewnika, przez który podaje się odpowiednią ilość środka cieniującego, a następnie wykonuje w określonych odstępach czasu serię zdjęć radiologicznych. W ośrodkach nie dysponujących nowoczesnymi technikami izotopowymi i naczyniowymi może być przydatne wykonanie tzw. urografii czynnościowej, jednak badanie to jest obecnie rzadziej wykonywane.

Chorzy, którzy mają być leczeni chirurgicznie, są poddawani też niekiedy cewnikowaniu żył nerkowych w celu określenia aktywności reniny w próbkach krwi pobranych z każdej nerki z osobna. Badanie to jest przeprowadzane tylko wówczas, gdy nie ma pewności, czy zwężenie tętnicy nerkowej jest istotnie przyczyną istniejącego nadciśnienia i czy operacja spowoduje normalizację ciśnienia krwi. Odpowiednio wyższa aktywność reniny we krwi pobranej z żyły nerkowej po stronie zwężenia przemawia z dużym prawdopodobieństwem za związkiem nadciśnienia ze zwężeniem tętnicy.

Leczenie nadciśnienia naczyniowo-nerkowego może być chirurgiczne lub zachowawcze, za pomocą leków obniżających ciśnienie krwi (hipotensyjnych). Leczenie chirurgiczne polega na wykonaniu przeszczepu tętniczego, poszerzeniu tętnicy lub jej udrożnieniu (zob. Chirurgia, Choroby tętnic, s. 1509).

Ostatnio coraz częściej jest stosowana metoda polegająca na rozszerzeniu zwężonego odcinka tętnicy nerkowej za pomocą wprowadzonego przez tętnicę udową specjalnego cewnika zakończonego balonikiem (tzw. przezskórna śródnaczyniowa angioplastyka lub przezskórna wewnątrznaczyniowa plastyka tętnic). Wybór metody leczenia zależy od wieku i ogólnego stanu chorego, od umiejscowienia i rodzaju zmian w tętnicach nerkowych, a także od charakteru nadciśnienia i wysokości ciśnienia krwi.

Nadciśnienie tętnicze w chorobach nadnerczy nie przekracza 1% wszystkich przypadków nadciśnienia tętniczego. Może ono towarzyszyć guzowi chromochłonnemu rdzenia nadnerczy lub zespołowi Conna oraz zespołowi Cushinga (choroby kory nadnerczy). Choroby te należą do rzadkich przyczyn nadciśnienia, wywołują jednak bardzo charakterystyczne objawy i rozpoznane w porę dają się zwykle całkowicie wyleczyć. Zob. Endokrynologia, s. 797 i 798 oraz Chirurgia endokrynologiczna, s. 1534–1537.

Szczególne przypadki nadciśnienia tętniczego

Nadciśnienie u kobiet ciężarnych. U młodych kobiet nadciśnienie jest wykrywane nierzadko w okresie ciąży. W tym stanie może się bowiem ujawnić nadciśnienie pierwotne, a także – rzadziej – nadciśnienie objawowe, zwykle pochodzenia nerkowego. W końcowym okresie ciąży nadciśnienie może być również jednym z objawów tzw. zatrucia ciążowego (zob. Ginekologia i położnictwo, s. 1840).

W warunkach prawidłowych, ciśnienie krwi w pierwszej połowie ciąży zwykle obniża się, a w późniejszych okresach nieznacznie wzrasta, nie przekraczając jednak na ogół poziomu wyjściowego. Podwyższone wartości ciśnienia, zwłaszcza w pierwszych miesiącach ciąży, świadczą o istnieniu nadciśnienia tętniczego. Dokładnie zebrany wywiad i odpowiednie badania pomocnicze pozwalają zwykle ustalić jego charakter.

Kobieta ciężarna ze stwierdzonym nadciśnieniem wymaga szczególnej opieki i odpowiednio częstej kontroli lekarskiej. Leki muszą być odpowiednio przez lekarza dobrane, ponieważ nie wszystkie środki obniżające ciśnienie mogą być stosowane w ciąży. Jeżeli ciśnienie wykazuje tendencje do wzrostu w miarę rozwoju ciąży, konieczne jest ścisłe współdziałanie lekarza internisty bądź kardiologa z ginekologiem, w celu wspólnego ustalenia najbardziej właściwego sposobu leczenia.

Inna jest sytuacja kobiet z nadciśnieniem odkrytym przed ciążą. Samo nadciśnienie nie jest w zasadzie przeciwwskazaniem do zajścia w ciążę. Dotyczy to zwłaszcza kobiet z nadciśnieniem pierwotnym o stosunkowo łagodnym charakterze, z umiarkowanie podwyższonymi wartościami ciśnienia krwi i będących pod ścisłą kontrolą lekarską. Wysokie, zaawansowane nadciśnienie ze względu na duże ryzyko powikłań może stanowić przeciwwskazanie do zajścia w ciążę. W tych przypadkach decyzja powinna być podjęta z rozmysłem, przy uwzględnieniu wszystkich okoliczności mogących mieć znaczenie dla zdrowia matki i płodu.

Nadciśnienie a doustne środki antykoncepcyjne. Stwierdzono, że nadciśnienie występuje częściej u kobiet stosujących doustne środki antykoncepcyjne niż u kobiet zapobiegających ciąży w inny sposób bądź też nie używających żadnych środków. Przyczyna tego zjawiska nie jest całkowicie jasna. Prawdopodobnie wpływ mają zawarte w doustnych środkach antykoncepcyjnych preparaty hormonalne oddziałujące na niektóre mechanizmy regulacji ciśnienia krwi. Nadciśnienie ujawnia się jedynie u niewielkiego odsetka kobiet stosujących te środki. U większości kobiet wzrost ciśnienia jest nieznaczny i nie ma istotnego znaczenia. Obserwacje wskazują, że pewną rolę może tu grać predyspozycja rodzinna do rozwoju nadciśnienia.

Pojawienie się nadciśnienia u kobiety stosującej długotrwale doustne środki antykoncepcyjne jest wskazaniem do zmiany sposobu zapobiegania ciąży. Po odstawieniu tych środków ciśnienie krwi normalizuje się w ciągu kilku miesięcy. U kobiet z istniejącym nadciśnieniem preparaty hormonalne mogą niekorzystnie wpływać na jego przebieg.

Nadciśnienie u kobiet w okresie przekwitania. Wysokie ciśnienie krwi stwierdzane u niektórych kobiet w okresie przekwitania może się charakteryzować stosunkowo dużymi wahaniami, co przyczynia się do często w tym czasie odczuwanych dolegliwości ze strony układu krążenia. Nadciśnienie w okresie przekwitania pojawiające się po raz pierwszy u kobiety z dotychczas prawidłowym ciśnieniem krwi może mieć charakter przejściowy i ulega normalizacji po osiągnięciu przez organizm stanu równowagi hormonalnej. Pod wpływem występujących w okresie przekwitania zaburzeń hormonalnych może również ujawnić się nadciśnienie pierwotne, zwłaszcza u kobiet z rodzinną predyspozycją. U części kobiet utrzymuje się ono i musi być odpowiednio często kontrolowane i właściwie leczone.

Nadciśnienie w starszym wieku. W naszym społeczeństwie – podobnie jak i w większości innych – ciśnienie krwi wykazuje tendencję do wzrostu wraz z wiekiem. Nie dotyczy to wszystkich ludzi, ponieważ u niektórych osób ciśnienie krwi nie zmienia się w sposób istotny i pozostaje na zbliżonym poziomie w ciągu całego dorosłego życia. Wiele danych przemawia za poglądem, że wzrost ciśnienia z wiekiem jest tym większy, im wyższe było ono w okresie dzieciństwa i młodości.

Umiarkowany wzrost ciśnienia w miarę starzenia się jest zjawiskiem normalnym i nie wymaga na ogół specjalnego leczenia. U osób starszych zwykle wzrasta bardziej ciśnienie skurczowe. Zależy to od stwardnienia aorty i utraty jej elastyczności w związku z postępującym procesem miażdżycowym. Ciśnienie rozkurczowe nie zmienia się bądź wzrasta tylko nieznacznie. W wyniku tego zwiększa się rozpiętość miedzy ciśnieniem skurczowym i rozkurczowym, czyli tzw. amplituda ciśnienia lub *ciśnienie tętna*. Jest to jedna z najbardziej charakterystycznych cech ciśnienia krwi u osób starszych.

Granice ciśnienia, jakie jeszcze można uznać za prawidłowe, są umowne. Zwykle przyjmuje się za prawidłowe ciśnienie nie przekraczające 160/95 mm Hg (21,3/12,7 kPa) u osób po 60 r. życia. U osób w podeszłym wieku bywa ono jednak często wyższe. Nadmierny wzrost ciśnienia, który dotyczy wybiórczo ciśnienia skurczowego, nazywa się *nadciśnieniem skurczowym*. Dawniej sądzono, że ponieważ nadciśnienie takie zależy od zmian zachodzących normalnie w starszym wieku, jest ono zjawiskiem fizjologicznym i jako takie nie wymaga leczenia. Obecnie wiadomo, że nadmierny wzrost ciśnienia – nawet jeżeli dotyczy wybiórczo ciśnienia skurczowego – nie jest obojętny dla zdrowia, zwiększa bowiem ryzyko powikłań ze strony układu sercowo-naczyniowego, zwłaszcza zaś powikłań mózgowych, i powinien być leczony. Granica, powyżej której musi być podjęte leczenie obniżające ciśnienie, jak i rodzaj stosowanego leczenia, są ustalane indywidualnie w zależności od wieku chorego, wysokości ciśnienia oraz wystąpienia powikłań i ich rodzaju. Ludzie starsi różnie mogą reagować na leki obniżające ciśnienie, dlatego dobór leków i ustalenie ich dawek są sprawą szczególnie istotną. Ważna jest też granica, do jakiej może być obniżone ciśnienie krwi u osoby w starszym wieku, gdyż nadmierne, a zwłaszcza zbyt gwałtowne obniżenie ciśnienia może być niekorzystne i spowodować ujemne następstwa.

Nadciśnienie a prowadzenie samochodu. To, czy osoba z nadciśnieniem może prowadzić samochód, zależy od stopnia zaawansowania nadciśnienia, od ewentualnych powikłań, ich charakteru i nasilenia, a także od rodzaju i dawek stosowanych leków.

Samo nadciśnienie nie jest w zasadzie przeciwwskazaniem do prowadzenia samochodu. Jeśli jednak choroba ma postać bardziej zaawansowaną i występują powikłania, zwłaszcza ze strony ośrodkowego układu nerwowego, prowadzenie samochodu stwarza zagrożenie dla kierowcy i otoczenia. Przy ocenie zdolności do prowadzenia samochodu lekarz bierze też pod uwagę stosowane leki, ponieważ niektóre z nich mogą upośledzać w mniejszym lub większym stopniu sprawność psychofizyczną kierowcy, a ponadto każdy chory może inaczej reagować na te same leki. Decyzję zawsze podejmuje lekarz w odniesieniu do indywidualnego pacjenta. Niekiedy może być wskazana zmiana sposobu leczenia; dotyczy to zwłaszcza zawodowych kierowców.

Leczenie nadciśnienia

Odpowiednio wcześnie rozpoczęte leczenie nadciśnienia tętniczego (tzw. leczenie hipotensyjne) łagodzi przebieg choroby, zapobiega jej powikłaniom i wydłuża życie chorych. Odnosi się to nie tylko do cięższych postaci nadciśnienia tętniczego, w tym także do tzw. nadciśnienia złośliwego, ale również do tzw. nadciśnienia łagodnego o mniej zaawansowanym przebiegu.

W cięższych postaciach nadciśnienia, ze znacznie podwyższonymi wartościami ciśnienia krwi, a także przy powikłaniach narządowych, leczenie zwykle rozpoczyna się od razu po ustaleniu rozpoznania i wykonaniu niezbędnych badań. U osób z mniej zaawansowanym nadciśnieniem, a zwłaszcza z nadciśnieniem chwiejnym bez powikłań narządowych, decyzję o leczeniu lekarz może podjąć po pewnym okresie obserwacji – po kilku tygodniach lub nawet paru miesiącach. Nierzadko nadciśnienie chwiejne bądź graniczne obniża się do wartości prawidłowych nawet bez intensywnego leczenia farmakologicznego, jedynie na skutek regularnej opieki lekarskiej, tzn. okresowej kontroli i odpowiednio często wykonywanych pomiarów ciśnienia krwi.

Ogólne zasady leczenia. Leczenie nadciśnienia jest długotrwałe. Z wyjątkiem niektórych postaci nadciśnienia wtórnego, którego przyczyna może być usunięta operacyjnie, oraz nielicznych przypadków nadciśnienia pierwotnego, kiedy dochodzi do trwałej normalizacji ciśnienia krwi, u znacznej większości chorych leczenie jest planowane na czas nieokreślony i prowadzone właściwie przez całe życie.

Leczenie ustala i prowadzi lekarz, ale skuteczność i prawidłowy przebieg tego leczenia zależą w dużym stopniu od postawy chorego, jego zdyscyplinowania i pozbawionego emocji stosunku do swojej choroby oraz jej długotrwałego leczenia. Pozwala to na złagodzenie przebiegu choroby i uniknięcie bądź znaczne zmniejszenie niekorzystnych skutków, które może ona wywołać, jeżeli nie jest odpowiednio leczona.

Leki należy przyjmować dokładnie według zaleceń lekarza. Samowolne przerywanie ich zażywania po obniżeniu ciśnienia krwi prowadzi do ponownego wzrostu ciśnienia ze wszystkimi jego niekorzystnymi następstwami, niekiedy nawet groźnymi dla życia. Wiele leków obok korzystnego działania leczniczego może wywoływać objawy uboczne, określane jako niepożądane działanie leków. Objawy te, różne w zależności od rodzaju leku, jego dawki, a także od indywidualnej reakcji chorego, występują tylko u niektórych osób. Zwykle są niewielkie i ustępują w toku leczenia. W rzadkich przypadkach mogą być wyrażone silniej, a nawet uniemożliwić dalsze stosowanie danego leku, który musi być zastąpiony innym, lepiej tolerowanym przez organizm. Chory nie może dokonywać żadnych zmian na własną rękę, bez skontaktowania się z lekarzem prowadzącym leczenie.

Jednoczesne leczenie się u kilku lekarzy, którzy nie wiedzą o sobie wzajemnie i zalecają leki obniżające ciśnienie niezależnie od siebie, może być groźne. Chory może bowiem wówczas przyjmować zbyt duże dawki tego samego leku albo leków o zbliżonym działaniu. W leczeniu nadciśnienia są stosowane bowiem różne leki o odmiennych mechanizmach działania, które mogą wchodzić w tzw. interakcje z innymi lekami obniżającymi ciśnienie bądź z lekami stosowanymi z powodu innych chorób. Jeżeli zachodzi potrzeba równoległego leczenia przez lekarzy innych specjalności, albo korzystania z ich konsultacji, lekarz prowadzący leczenie powinien być o nich poinformowany. Pozwala to na odpowiednią modyfikację stosowanego leczenia, tak aby różne leki wzajemnie się uzupełniały, a nie wchodziły ze sobą w niekorzystne interakcje.

Szeroko zakrojoną działalność konsultacyjną prowadzą specjalne poradnie dla chorych z nadciśnieniem tętniczym. Są one organizowane na ogół przy wyspecjalizowanych klinikach i oddziałach szpitalnych, dysponujących odpowiednim zapleczem diagnostycznym i leczniczym oraz skupiających doświadczonych specjalistów z tej dziedziny. Ze względu na znaczne rozpowszechnienie nadciśnienia, poradnie te mogą objąć bezpośrednią opieką tylko część chorych, głównie tych, którzy wymagają specjalistycznej diagnostyki i leczenia lub kontynuacji specjalistycznej opieki po leczeniu szpitalnym.

Niefarmakologiczne metody leczenia nadciśnienia, określane obecnie często jako modyfikacja stylu życia, to głównie sposoby postępowania mające na celu uregulowanie trybu życia i pracy i wyeliminowanie – w takim stopniu, w jakim jest to możliwe – szkodliwych bodźców i napięć dnia codziennego. Metody te są w pełni skuteczne jedynie u niektórych osób z łagodnym i granicznym nadciśnieniem tętniczym. U chorych z cięższymi, bardziej zaawansowanymi postaciami nadciśnienia są one uzupełnieniem leczenia farmakologicznego, zwiększającym jego efekty. Osoby z podwyższonym ciśnieniem krwi charakteryzują się często nadmierną pobudliwością nerwową, niepokojem oraz szczególną podatnością na rozmaite stresy i napięcia. Daje się to zauważyć już we wczesnych okresach choroby, kiedy ciśnienie krwi podnosi się w odpowiedzi na różnego rodzaju negatywne bodźce środowiska zewnętrznego, jest natomiast prawidłowe w warunkach spokoju i równowagi psychicznej. Niekiedy sam fakt stwierdzenia podwyższonego ciśnienia krwi staje się czynnikiem stresorodnym i u osoby nadmiernie pobudliwej powoduje dalszy jego wzrost. Powstaje swojego rodzaju błędne koło i nadmierne przeżywanie emocjonalne każdego pomiaru ciśnienia, innymi słowy – „uzależnienie się" od aparatu. Odpowiednie postępowanie psychoterapeutyczne, ustalone indywidualnie w zależności od charakteru danej osoby i typu jej osobowości, może mieć w tym przypadku korzystny wpływ.

Rozpoznanie i *wyeliminowanie napięć i konfliktów* związanych z życiem rodzinnym i pracą zawodową oraz odpowiednie wykorzystywanie czasu wolnego – w tym niedziel, świąt i urlopów – pozwalające na pełne odprężenie i wypoczynek to podstawowe sposoby niefarmakologicznego leczenia nadciśnienia. Niekiedy korzystne jest leczenie uzdrowiskowe w odpowiednio dobranej miejscowości. Wiele obserwacji wskazuje na to, że podczas urlopu lub pobytu w uzdrowisku ciśnienie krwi wydatnie się obniża bądź ulega pełnej normalizacji przy stosowaniu znacznie mniejszych dawek leków obniżających ciśnienie, a nawet – w niezbyt zaawansowanych postaciach choroby – bez leczenia farmakologicznego. Chorzy z nadciśnieniem czują się zwykle lepiej w miejscowościach nizinnych (np. Ciechocinek, Nałęczów, Kołobrzeg, Inowrocław i in.) lub podgórskich (np. Polanica, Iwonicz, Świeradów, Kudowa, Krynica, Duszniki i in.), te ostatnie mogą jednak nie być dobrze tolerowane przez chorych z zaawansowanymi powikłaniami ze strony układu krążenia. Nie są natomiast zalecane miejscowości o klimacie ostrym, położone na znacznej wysokości nad poziomem morza.

Regularna aktywność fizyczna, odpowiednio dobrana w zależności od wieku i ogólnego stanu chorego oraz od stopnia zaawansowania nadciśnienia, ma również ważne znaczenie. Możliwe jest uprawianie – jednak nie wyczynowe – różnego rodzaju sportów, jak pływanie, turystyka piesza i rowerowa, gimnastyka (z wyłączeniem przyrządowej). Nie wskazane jest uprawianie sportów wymagających dużej siły oraz prędkości, przeciwwskazane jest nurkowanie oraz zbyt długie przebywanie w zimnej wodzie.

Regularna aktywność fizyczna wpływa korzystnie nie tylko na stan ogólny organizmu, układ sercowo-naczyniowy i wysokość ciśnienia krwi, ale ma istotne znaczenie w *zapobieganiu otyłości* i jej zwalczaniu. Otyłość sprzyja nadciśnieniu, a zmniejszenie masy ciała powoduje obniżenie ciśnienia krwi. Przy nadwadze wynoszącej 10% ciśnienie krwi jest wyższe o 6–7 mm Hg (0,8–0,9 kPa) od ciśnienia prawidłowego. Normalizacja masy ciała powoduje odpowiednie obniżenie ciśnienia.

Zwalczanie otyłości wiąże się nie tylko z odpowiednią aktywnością fizyczną, ale także ze *sposobem odżywiania*. Obok wartości energetycznej, ważne znaczenie ma skład jakościowy diety. Należy ograniczyć ilość tłuszczów w ogóle, a zwierzęcych w szczególności (zob. Leczenie dietetyczne, 496–512). Nadciśnienie jest czynnikiem ryzyka miażdżycy, a nieodpowiedni sposób odżywiania znacznie zwiększa to ryzyko. Po zaburzeniach gospodarki lipidowej obok leczenia za pomocą diety czasem istnieje konieczność leczenia farmakologicznego.

Zbyt duża zawartość soli w pożywieniu sprzyja nadciśnieniu, zwłaszcza u osób z rodzinną predyspozycją do tej choroby. Ograniczenie podaży soli powoduje obniżenie ciśnienia, niekiedy nawet dość znaczne. W praktyce sprowadza się to do wyłączenia z diety pokarmów zawierających dużo soli oraz nie używania soli przy stole, a tam, gdzie jest to możliwe, do ograniczenia soli w przygotowaniu posiłków.

Palenie tytoniu jest jednym z najistotniejszych czynników ryzyka choroby wieńcowej, która stanowi częste powikłanie nadciśnienia. Współistnienie nadciśnienia i nałogu palenia jest szczególnie szkodliwym połączeniem, zwiększającym kilkakrotnie ryzyko powikłań sercowo-naczyniowych, na które chorzy z nadciśnieniem tętniczym i tak są bardziej narażeni niż osoby z prawidłowym ciśnieniem krwi. Osoby palące papierosy powinny przede wszystkim wyzbyć się tego szkodliwego nałogu.

Nadużywanie alkoholu może powodować wzrost ciśnienia tętniczego krwi i zwiększać ryzyko wystąpienia nadciśnienia. U osób z nadciśnieniem alkohol może niekorzystnie wpływać na skuteczność stosowanego leczenia. Z tego względu zalecane jest powstrzymanie się od picia alkoholu lub jego znaczne ograniczenie.

Leczenie farmakologiczne. W leczeniu nadciśnienia znalazło zastosowanie wiele leków różniących się od siebie mechanizmami działania, aktywnością oraz innymi właściwościami mającymi znaczenie przy wyborze leku. Do najbardziej rozpowszechnionych należą: leki moczopędne, leki hamujące aktywność współczulnego układu nerwowego, leki rozszerzające tętniczki obwodowe, oraz dwie nowsze grupy leków: tzw. antagoniści wapnia i leki hamujące aktywność enzymu przekształcającego angiotensynę (inhibitory konwertazy angiotensyny). Używane są też inne leki, oddziałujące na różne mechanizmy biorące udział w regulacji ciśnienia krwi.

Wybór leków i sposób ich stosowania zależą od stanu chorych z nadciśnieniem tętniczym. Stosowanie jednego leku hipotensyjnego, czyli obniżającego ciśnienie krwi, zwane jest monoterapią. Równoczesne stosowanie kilku leków hipotensyjnych nosi nazwę terapii złożonej; leki mogą być podawane pod postacią oddzielnych tabletek bądź też dwa lub więcej leków może wchodzić w skład jednej tabletki. Rodzaj leku bądź leków hipotensyjnych i odpowiednie ich dawkowanie ustala lekarz, kierując się nie tylko wysokością ciśnienia krwi, ale także innymi objawami cechującymi przebieg nadciśnienia u danego chorego.

Leki moczopędne. Mechanizm ich wpływu na ciśnienie krwi jest złożony. We wczesnym okresie leczenia powodują one usunięcie nadmiaru wody z organizmu, czego następstwem jest zmniejszenie objętości krążącej krwi oraz spadek tzw. pojemności minutowej serca, tj. ilości krwi wyrzucanej przez serce do układu krwionośnego w ciągu minuty. Na tej drodze dochodzi do obniżenia ciśnienia krwi. W późniejszych okresach czynnikiem decydującym o utrzymaniu się obniżonego ciśnienia jest zmniejszenie napięcia ściany drobnych tętniczek, mających wpływ na tzw. opór obwodowy, stanowiący jeden z podstawowych mechanizmów regulujących ciśnienie krwi.

Do najczęściej stosowanych leków moczopędnych należą: hydrochlorotiazyd, furosemid, chlortalidon (Hygroton). Dłuższe stosowanie tych leków może spowodować zmniejszenie zasobów potasu w organizmie, w związku z czym stosowane są jednocześnie preparaty zawierające ten pierwiastek. Tialorid jest połączeniem hydrochlorotiazydu i amilorydu – środka zapobiegającego nadmiernej utracie potasu z moczem. Chorzy otrzymujący ten lek zwykle nie muszą przyjmować dodatkowo preparatów potasu, z tym że okresowo musi być kontrolowany poziom tego pierwiastka we krwi.

Leki blokujące beta-receptory. Działanie i rodzaje tych leków omówiono przy leczeniu choroby wieńcowej (zob. s. 652). Należą one do najczęściej stosowanych leków w przypadku nadciśnienia tętniczego, także w połączeniu z innymi lekami hipotensyjnymi. Wszystkie leki tej grupy obniżają ciśnienie krwi, różnią się natomiast innymi właściwościami, w związku z czym muszą być stosowane pod ścisłą kontrolą lekarską.

Inne leki hamujące aktywność współczulnego układu nerwowego działają przez różne mechanizmy. Jedne z nich wpływają na przemianę amin katecholowych, hamując ich wytwarzanie i zmniejszając ich zasoby w organizmie, inne działają na ośrodki regulujące napięcie układu współczulnego znajdujące się w mózgu, jeszcze inne wywierają wpływ na związane z tym układem mechanizmy obwodowe. Należą tu m.in. takie leki, jak: rezerpina (Raupasil), alfa-metylodopa (Dopegyt), klonidyna (Haemiton, Iporel), prazosyna (Minipress, Polpressin) i inne. Leki te są stosowane na ogół w terapii złożonej, u chorych wymagających dwóch lub więcej leków obniżających ciśnienie. Wykazują one znaczne różnice w działaniu, w związku z czym są stosowane w różnych postaciach i przy różnym stopniu zaawansowania nadciśnienia.

Leki rozszerzające tętniczki obwodowe. Ta grupa obejmuje leki wywierające bezpośredni wpływ na drobne tętniczki, których napięcie decyduje o oporze obwodowym. Następujące pod ich wpływem rozszerzenie naczyń powoduje zmniejszenie oporu obwodowego i obniżenie ciśnienia krwi. Leki rozszerzające tętniczki, jak dihydralazyna i todralazyna (Binazin) są zwykle stosowane łącznie z innymi lekami, zwłaszcza z lekami blokującymi beta-receptory i lekami moczopędnymi.

Antagoniści wapnia. W ostatnich latach zdobyły one dużą popularność w leczeniu nadciśnienia tętniczego, a także innych chorób, jak choroba wieńcowa i niektóre zaburzenia rytmu serca. Zmniejszają one przechodzenie jonu wapniowego do komórek, czego następstwem jest m.in. obniżenie ciśnienia krwi. Do najczęściej stosowanych leków tej grupy należą nifedypina (Cordafen, Cordipin, Adalat), werapamil (Isoptin) i diltiazem (Dilzem, Blocalcin). Ostatnio weszło do praktyki klinicznej wiele nowych leków, jak nitrendypina, isradypina, amlodypina lub nikardypina, należących – podobnie jak nifedypina – do grupy pochodnych dihydropirydyny i charakteryzujących się korzystnym profilem farmakologicznym.

Inhibitory konwertazy angiotensyny. Grupa ta obejmuje

leki, których działanie polega na zmniejszeniu aktywności enzymu przekształcającego angiotensynę I w angiotensynę II. W wyniku tego działania zmniejsza się ilość wytworzonej angiotensyny II, substancji bardzo silnie podnoszącej ciśnienie krwi. Należą do niej takie leki, jak kaptopryl lub enalapryl, a także wiele nowych preparatów wchodzących obecnie do praktyki klinicznej.

Wady serca

W a d a s e r c a oznacza stan chorobowy, z powodu którego powstaje nieprawidłowy przepływ krwi przez serce i połączone z nim duże naczynia krwionośne, najczęściej tętnicę główną (aortę) lub pień płucny. Zaburzenia przepływu krwi są przeważnie następstwem zniekształcenia zastawek serca przez gorączkę reumatyczną (zob. Choroby reumatyczne, s. 890). W a d y takie noszą nazwę n a b y t y c h. Rzadziej występują w a d y w r o d z o n e, powstałe w czasie życia płodowego na skutek chorób wirusowych, zażywania przez ciężarną niektórych leków lub naświetlania jej promieniami rentgenowskimi.

Nieprawidłowy przepływ krwi powoduje zwiększone obciążenie poszczególnych części serca, np. lewej komory lub lewego przedsionka, co prowadzi do ich przeciążenia, a następnie niewydolności. Powstają także zaburzenia krążenia krwi w płucach.

Społeczne znaczenie wad serca polega na tym, że dotykają one dzieci i ludzi młodych, zmieniając w zasadniczy sposób przebieg ich życia. Nowoczesne leczenie operacyjne może często przywrócić im zdrowie lub przynajmniej znacznie poprawić jakość życia. Zob. też Choroby układu krążenia u dzieci, s. 1249 oraz Chirurgia serca, s. 1448.

Wrodzone wady serca

W r o d z o n a w a d a s e r c a może polegać na dodatkowym, nieprawidłowym połączeniu jego jam, tzn. obu przedsionków lub obu komór, na nieprawidłowym przebiegu naczyń krwionośnych doprowadzających krew do serca i odprowadzających ją lub na nieprawidłowym połączeniu tych naczyń. Niekiedy współistnieje kilka nieprawidłowości.

O b j a w y chorobowe i los chorego dotkniętego wrodzoną wadą serca zależą od rodzaju nieprawidłowości i reakcji naczyń płuc na najczęściej nadmierny dopływ krwi.

Prawie wszystkie wrodzone wady serca mogą być – przy obecnym postępie techniki chirurgicznej – l e c z o n e operacyjnie. Ważne jest przeprowadzenie operacji w odpowiednim okresie życia chorego, najczęściej w dzieciństwie. Przed operacją konieczne jest niekiedy cewnikowanie serca (zob. s. 635). Zwłoka w przeprowadzeniu badań i operacji może doprowadzić do nieodwracalnych uszkodzeń, najczęściej płuc, uniemożliwiających usunięcie wady.

Wrodzone wady serca dokładnie omówiono w Pediatrii (zob. s. 1249).

Nabyte wady serca

N a b y t e w a d y serca, czyli z a s t a w k o w e, są najczęściej następstwem przebytej w dzieciństwie lub wczesnej młodości gorączki reumatycznej (zob. Choroby reumatyczne, s. 890), ale mogą też powstawać z powodu zakażenia zastawek bakteriami. Choroby te powodują zgrubienie, zwłóknienie i zbliznowacenie zastawek z częściowym zrastaniem się ich płatków, a niekiedy też zwapnieniem. Zmiany takie mogą powodować zwężenie lub niedomykalność zajętej zastawki.

Wady zastawki dwudzielnej. Z a s t a w k a d w u d z i e l n a, czyli m i t r a l n a, położona pomiędzy lewym przedsionkiem i lewą komorą serca, tj. w l e w y m u j ś c i u ż y l n y m, jest najczęściej atakowana przez gorączkę reumatyczną. Następstwem choroby może być zwężenie lub niedomykalność zastawki. Zwężenie częściej występuje u kobiet, u mężczyzn rozwija się raczej niedomykalność. Obie wady mogą również współistnieć ze sobą.

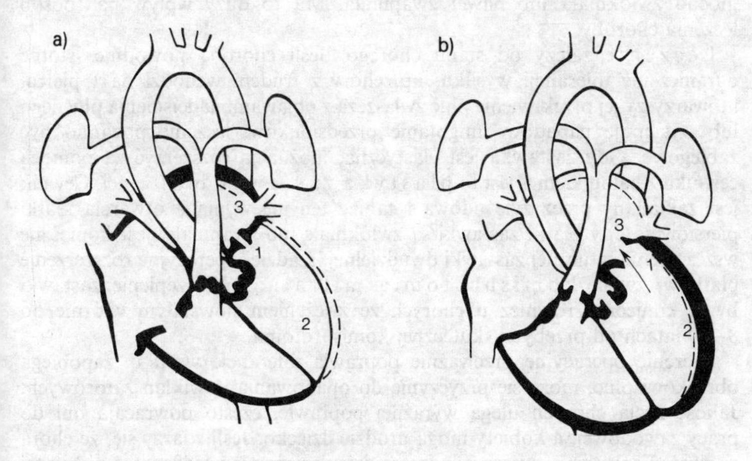

Wady zastawki dwudzielnej: a) zwężenie lewego ujścia żylnego: 1 – zwężenie zastawki dwudzielnej, 2 – mała lewa komora, 3 – powiększenie lewego przedsionka; b) niedomykalność zastawki dwudzielnej (1), 2 – przerost lewej komory, 3 – powiększenie lewego przedsionka

Z w ę ż e n i e l e w e g o u j ś c i a ż y l n e g o, zwane też s t e n o z ą m i t r a l n ą, powoduje utrudnienie przepływu krwi przez zastawkę dwudzielną, wskutek czego krew zalega w lewym przedsionku (powodując jego powiększenie), w żyłach oraz w naczyniach włosowatych płuc. Stan ten prowadzi do przekrwienia płuc. W płucach gromadzi się nadmiar płynu, który przesiąka z naczyń włosowatych do pęcherzyków płucnych i powstaje o b r z ę k p ł u c. Długotrwałe przekrwienie płuc powoduje wzrost ciśnienia w tętnicy płucnej (n a d c i ś n i e n i e p ł u c n e). Obciąża to prawą komorę serca dodatkową pracą, doprowadzając do jej przerostu i niewydolności.

Głównym objawem choroby jest duszność. Początkowo występuje ona tylko w czasie większych wysiłków fizycznych. Często towarzyszy jej kaszel, czasem krwioplucie. W miarę rozwoju choroby coraz mniejsze wysiłki wywołują duszność. Dołączająca się niewydolność prawej komory serca powoduje powiększenie się wątroby i obrzęki stóp. Częstym powikłaniem jest zaburzenie rytmu serca, tzw. migotanie przedsionków (zob. s. 683). Powstaje ono wskutek rozciągnięcia lewego przedsionka i objawia się całkowicie niemiarową pracą serca. Mogą też wytworzyć się w przedsionkach skrzepliny krwi. Jeśli ich części się oderwą, mogą spowodować powikłania zatorowe. Bardzo ważne jest zapobieganie tym powikłaniom za pomocą leczenia przeciwzakrzepowego.

Rozpoznanie opiera się na stwierdzeniu przez lekarza szmeru spowodowanego zaburzeniem przepływu krwi przez zastawkę w czasie rozkurczu serca. Tony serca są również zmienione w sposób typowy. Badanie ultradźwiękami pozwala ustalić, czy zastawka jest zwężona, ale elastyczna, czy też mocno zwłókniała lub nawet zwapniała. Ma to duży wpływ na sposób leczenia choroby.

Leczenie zależy od stanu chorego. Jeśli choroba powoduje istotne ograniczenie tolerancji wysiłku, np. chory z trudem wchodzi na I piętro, i towarzyszy jej przekrwienie płuc zwłaszcza z objawami nadciśnienia płucnego lub występuje napadowe migotanie przedsionków, leczenie powinno być zabiegowe. Gdy zastawka jest elastyczna, można ją rozszerzyć za pomocą cewnika z balonikiem – jest to plastyka zastawki dwudzielnej. Cewnik jest zakładany przez żyłę udową i zabieg ten nie wymaga otwarcia klatki piersiowej. Gdy płatki zastawki są zwłókniałe lub zwapniałe, jest konieczne wszczepienie sztucznej zastawki dwudzielnej, rzadziej operacyjne rozszerzenie płatków, zwane komisurotomią mitralną. Wszczepienie zastawki bywa konieczne również u chorych ze zwężeniem powstałym wtórnie po 8–10 latach od przebytej skutecznej komisurotomii.

Leczenie operacyjne przeważnie poprawia tolerancję wysiłku, zapobiega obrzękowi płuc, może się przyczynić do opanowania powikłań zatorowych. Jakość życia chorych ulega wyraźnej poprawie, często powracają oni do pracy zawodowej, a kobiety mogą urodzić dziecko. Jeśli zdarzy się, że chora ze zwężeniem lewego ujścia żylnego zajdzie w ciążę nie wiedząc o istnieniu tej wady, może wówczas wystąpić nasilenie objawów choroby i konieczność rozszerzenia zastawki przed porodem.

Niedomykalność zastawki dwudzielnej, niedomykalność mitralna. Wada ta, najczęściej pochodzenia reumatycznego, może być także powikłaniem przebytego zawału serca, wypadania płatka zastawki dwudzielnej (mitralnego) oraz niektórych chorób mięśnia serca. Istotą wady jest cofanie się w czasie skurczu komory strumienia krwi do lewego przedsionka, co powoduje jego znaczne powiększenie, a także przekrwienie płuc i nadciśnienie płucne. Niedomykalność zastawki dwudzielnej obciąża nie tylko lewy przedsionek, ale i lewą komorę. Lewa komora przepompowuje zwiększoną objętość krwi napływającą z powiększonego przedsionka, a krew ta częściowo tam powraca.

O b j a w e m choroby jest zła tolerancja wysiłku, duszność wysiłkowa, poczucie nierównego bicia serca z powodu migotania przedsionków, czasem zwiększony obwód brzucha i obrzęki.

R o z p o z n a n i e jest łatwe. Osłuchiwaniem serca lekarz stwierdza szmer skurczowy promieniujący do pachy, wywołany zwrotną falą krwi płynącą z komory do przedsionka. Występują też istotne zmiany sylwetki serca na zdjęciu rentgenowskim. Badanie ultradźwiękami pozwala wykazać, jak duże są lewy przedsionek i lewa komora, a także ocenić, czy współistnieje zwężenie lewego ujścia żylnego.

L e c z e n i e zależy od stanu chorego. Jeżeli niedomykalność nie jest duża i nie powstaje nagle, przebieg choroby jest najczęściej dość łagodny. Stosowane jest leczenie farmakologiczne, z uwzględnieniem leków przeciwzakrzepowych, jeśli występuje migotanie przedsionków, nawet napadowe. Natomiast gdy serce jest wyraźnie powiększone, wystąpiło migotanie przedsionków, niewydolność krążenia lub powikłania zatorowe, jest konieczne wszczepienie sztucznej zastawki. Do wszczepienia zastawki dochodzi zazwyczaj w 30 latach życia chorego.

Wady zastawki aortalnej. Z w ę ż e n i e l e w e g o u j ś c i a t ę t n i c z e g o, czyli z w ę ż e n i e z a s t a w k i t ę t n i c y g ł ó w n e j (a o r t a l n e j). Zastawka tętnicy głównej, czyli aorty, zwana też a o r t a l n ą, oddziela lewą komorę

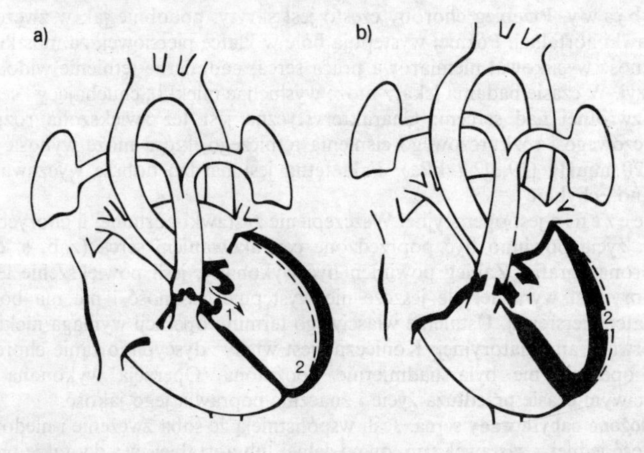

Wady zastawki aortalnej: a) niedomykalność zastawki aortalnej (1), 2 – przerost i rozszerzenie lewej komory; b) zwężenie lewego ujścia tętniczego, czyli zwężenie zastawki aortalnej (1), 2 – przerost lewej komory

od aorty, tj. leży w lewym u j ś c i u t ę t n i c z y m. W czasie skurczu lewej komory przez tę zastawkę przepływa krew płynąca do wszystkich narządów ciała.

Zwężona zastawka aortalna stawia zwiększony opór przepływowi krwi, który jest wolniejszy. Powoduje to wzrost ciśnienia w lewej komorze w czasie skurczu, konieczny do pokonania oporu. Lewa komora wykonuje zwiększoną pracę i przerasta, aby podołać nadmiernemu obciążeniu. Przerost zazwyczaj postępuje powoli, a przebieg choroby może być skryty.

Objawy choroby często występują dopiero ok. 40 r. życia. Przeważnie są to bóle w klatce piersiowej, za mostkiem, pojawiające się w czasie wysiłku fizycznego, omdlenia, duszność wysiłkowa oraz zaburzenia rytmu serca. Występuje głośny, szorstki szmer w czasie skurczu komory promieniujący do szyi, czasem wyczuwalny ręką. Świadczy to o ciasnym zwężeniu zastawki. Ciśnienie tętnicze jest najczęściej niskie, fala tętna narasta powoli. Badanie ultradźwiękami wykazuje obok zmian zastawki przerost lewej komory, nawet jeśli sylwetka serca na zdjęciu rentgenowskim nie jest zmieniona.

Leczenie. Jeżeli występują bóle w klatce piersiowej i omdlenia, konieczne jest wszczepienie zastawki aortalnej, przeważnie poprzedzone cewnikowaniem serca, a u osób po 40 r. życia – koronarografią (zob. s. 636). Leczenie operacyjne jest również konieczne w przypadkach bardzo ciasnego zwężenia zastawki, nawet gdy nie występują żadne dolegliwości. Operacja rokuje dużą poprawę, a rezygnacja z niej przez chorego może stanowić zagrożenie życia.

Niedomykalność zastawki tętnicy głównej (aortalnej). Wada ta powoduje, że część krwi wyrzucanej przez lewą komorę w czasie skurczu do aorty cofa się w czasie rozkurczu. Następstwem tej wady jest powiększenie i przerost lewej komory.

Objawy. Przebieg choroby często jest skryty, podobnie jak w zwężeniu zastawki aortalnej. Później występują bóle w klatce piersiowej, za mostkiem, duszność wysiłkowa, niemiarowa praca serca, nadmierne tętnienie widoczne na szyi. W czasie badania lekarz może wysłuchać miękki „chuchający" szmer fali zwrotnej nad sercem. Charakterystyczna jest też zwiększona różnica skurczowego i rozkurczowego ciśnienia tętniczego, która może wynosić np. 145/20 mmHg (19,3/2,7 kPa). Fala tętna jest bardzo dobrze wyczuwalna, a tętno „chybkie".

Leczenie jest operacyjne. Wszczepienie zastawki aortalnej u chorych po 40 r. życia powinno być poprzedzone cewnikowaniem serca (zob. s. 635) z koronarografią. Zabieg powinien być wykonany, jeśli powiększenie lewej komory jest wyraźne, ale jeszcze nie występuje duszność i nie ma bólów w klatce piersiowej. Ustalenie właściwego terminu operacji wymaga niekiedy obserwacji ambulatoryjnej. Konieczne jest wtedy zdyscyplinowanie chorego, aby operacja nie była nadmiernie opóźniona. Operacja wykonana we właściwym czasie przedłuża życie i znacznie poprawia jego jakość.

Złożone nabyte wady serca. Jeśli współistnieją ze sobą zwężenie i niedomykalność jednej z zastawek, np. dwudzielnej lub aortalnej, wady takie noszą nazwę złożonych. Jeżeli współistnieją wady obu wymienionych zastawek, określa się je jako wadę dwuzastawkową. Wady zastawki trójdzielnej, położonej pomiędzy prawym przedsionkiem i prawą komorą serca, występują rzadziej i współistnieją przeważnie z wadą zastawki dwudzielnej.

Leczenie wad wielozastawkowych zależy od tego, która z nich przeważa. Jeśli konieczne jest leczenie operacyjne, często bywa ono poprzedzone cewnikowaniem serca (zob. s. 635), zwłaszcza u osób po 40 r. życia. Wyniki pomyślnej operacji bywają bardzo dobre. Konieczne jest jednak zazwyczaj wieloletnie, konsekwentne podawanie przetworów naparstnicy i leków moczopędnych. U chorych z migotaniem przedsionków, ze wszczepionymi zastawkami i w przypadku powikłań zatorowych niezbędne jest leczenie przeciwzakrzepowe.

Zespół po kardiotomii. Jest to powikłanie leczenia operacyjnego chorób serca, które polega na zaburzeniu reakcji odpornościowych organizmu, z objawami zapalenia osierdzia, opłucnej lub obu tych błon surowiczych. Występują bóle w klatce piersiowej nasilające się przy ruchu, kaszlu i w pozycji leżącej, gorączka, czasem płyn w osierdziu lub opłucnej. Rzadko pojawiają się zmiany w płucach. Leczenie jest przeciwzpalane. Objawy mogą uporczywie nawracać i, choć na ogół niegroźne, mogą być uciążliwe.

Życie ze sztuczną zastawką. Chory, któremu wszczepiono sztuczną zastawkę, może i powinien prowadzić normalny tryb życia, musi jednak pamiętać o konieczności leczenia przeciwzakrzepowego przez całe życie pochodnymi kumaryny (Syncumar, Sintrom). Sztuczna zastawka, będąca ciałem obcym, może bowiem powodować powstawanie zakrzepów, którym trzeba zapobiegać.

Szczególnie istotne jest zapobieganie zakażeniu bakteryjnemu sztucznej zastawki. Konieczne jest skrupulatne przestrzeganie higieny jamy ustnej i leczenie zębów. Wszelkie niezbędne zabiegi, np. usuwanie, a nawet leczenie zębów, gastroskopia, cystoskopia lub wyłyżeczkowanie jamy macicy, muszą być wykonane pod osłoną antybiotyków.

Wypadanie płatka zastawki dwudzielnej

Jest to dość częsta choroba o łagodnym przebiegu, polegająca na nieprawidłowym zachowaniu się zastawki dwudzielnej, której jeden z płatków w czasie skurczu komory wpada zbyt głęboko do przedsionka. Choroba ta występuje częściej u kobiet.

Objawy. Mogą pojawiać się nietypowe bóle w klatce piersiowej, zaburzenia rytmu serca, niekiedy omdlenia i zmiany w elektrokardiogramie. Objawy osłuchowe są zmienne, często narastają w pozycji stojącej. Jeśli występują w postaci typowej, stanowią „zespół kliku i szmeru”. Sylwetka serca przeważnie jest prawidłowa.

Leczenie jest objawowe, a często choroba nie wymaga leczenia. Jeśli występują omdlenia, bywa konieczne leczenie zaburzeń rytmu, które je powodują. Bardzo rzadko występuje istotna niedomykalność zastawki dwudzielnej.

Zapalenie mięśnia sercowego

Zapalenie mięśnia serca może być objawem uogólnionego zakażenia bakteryjnego lub gorączki reumatycznej, ale bywa też samodzielną jednostką chorobową często o nieznanej, przypuszczalnie wirusowej etiologii. Bywa powikłaniem wirusowych infekcji pokarmowych lub grypy, zwłaszcza w okresach dużego nasilenia tej choroby. Rozpoczyna się zazwyczaj z 1–2-tygodniowym opóźnieniem w stosunku do objawów zakażenia, a przy braku takich objawów – jako samoistna choroba.

Objawy. Na możliwość zapalenia mięśnia serca wskazują: znaczne osłabienie, złe znoszenie wysiłku, bóle w klatce piersiowej, stany podgorączkowe, szybkie, nierówne bicie serca, bóle mięśniowe, występują też prawie zawsze zmiany w elektrokardiogramie. Ważnym, choć nie zawsze spotykanym objawem jest powiększenie serca, a istotnymi powikłaniami bywają zaburzenia rytmu i niewydolność krążenia.

Rozpoznanie nie zawsze jest proste, często jest konieczna obserwacja i leczenie szpitalne, niekiedy długotrwałe, oraz cewnikowanie serca z pobraniem wycinków najczęściej z prawej komory. W przypadku dużego nasilenia objawów niekiedy bywa konieczne leczenie hormonami kory nadnercza trwające 6–12 miesięcy i długotrwałe ograniczenie wysiłków fizycznych.

Zapobieganie polega głównie na leżeniu w łóżku w czasie infekcji wirusowych i wstrzymaniu się od większych wysiłków fizycznych tuż po przebyciu infekcji, ponieważ sprzyja to rozwojowi utajonej choroby. Zapalenie mięśnia sercowego może cofnąć się samoistnie. Niektórzy chorzy po ustąpieniu objawów mogą mieć latami bóle w klatce piersiowej i gorzej znosić wysiłek. Objawy te najczęściej nie są groźne. Bywają jednak nawroty choroby, może też dojść do rozwoju kardiomiopatii zastoinowej.

Kardiomiopatie

Kardiomiopatia jest chorobą mięśnia serca. Może być pierwotna, gdy występuje bez określonej, wykrywalnej przyczyny, lub wtórna, gdy jest objawem choroby całego organizmu. Istnieją trzy główne postacie kardiomiopatii: zastoinowa, przerostowa i restrykcyjna.

Kardiomiopatia zastoinowa przebiega z powiększeniem serca i objawami niewydolności krążenia, takimi jak duszność, obrzęki, czasami uporczywe zaburzenia rytmu. Istotą choroby jest zmniejszenie kurczliwości mięśnia serca. Podłożem może być przewlekły alkoholizm, przebyte zapalenie mięśnia sercowego, niektóre leki przeciwnowotworowe, ale często przyczyna nie jest znana. W przypadku kardiomiopatii alkoholowej wczesne rozpoznanie i całkowita abstynencja powoduje powolną poprawę kurczliwości mięśnia serca i ustępowanie objawów.

Leczenie. Niezależnie od przyczyny, najczęściej polega ono na systematycznym stosowaniu preparatów naparstnicy i leków moczopędnych, często jest konieczne stałe leczenie antyarytmiczne i odciążające pracę serca. Kardiomiopatia rozstrzeniowa, nie poddająca się leczeniu, może stanowić wskazanie do przeszczepu serca.

Kardiomiopatia przerostowa. Istotą choroby, która może występować rodzinnie, jest przerost włókien mięśnia komór serca, najczęściej lewej komory, pogrubienie i sztywność jej ściany z zaburzeniami napływu krwi z przedsionków do komór. Przerost ten może być równomierny lub asymetryczny i wtedy dotyczy przegrody międzykomorowej, stwarzając dodatkowo opór dla krwi wypływającej z komory do tętnicy głównej. W rozpoznaniu najbardziej przydatne jest badanie ultradźwiękami, czyli echokardiografia.

Objawem choroby są: duszność, bóle za mostkiem, omdlenia. Często występują zaburzenia rytmu serca.

Przebieg choroby jest najczęściej łagodny, jednak jest niezbędne leczenie farmakologiczne, gdyż są leki powstrzymujące rozwój choroby i jej powikłań, znacznie zmniejszające nasilenie objawów. Niezbędna jest systematyczna kontrola lekarska i stałe przyjmowanie leków.

Kardiomiopatia restrykcyjna występuje bardzo rzadko i bywa powikłaniem niektórych chorób ogólnoustrojowych. Jej objawy są zbliżone do zaciskającego zapalenia osierdzia (zob. s. 681).

Zapalenie wsierdzia

Wsierdzie, cienka warstwa tkanki łącznej wyściełającej od wewnątrz jamę serca i zastawki, może ulegać stanom zapalnym w przebiegu chorób tkanki łącznej, np. gorączki reumatycznej, lub w następstwie zakażenia bakteryjnego.

Reumatyczne zapalenie wsierdzia jest jednym z poważniejszych objawów gorączki reumatycznej (zob. Choroby reumatyczne, s. 890), gdyż może prowadzić do powstania nabytych wad zastawek serca (zob. s. 673). Na początku choroby występują na ogół objawy ogólne w postaci gorączki, bólów i obrzęków stawów, rzadziej zmian na skórze. Objawy wady zastawkowej, najczęściej wytwarzającej się powoli, pojawiają się po paru miesiącach od wystąpienia objawów ogólnych. Często przebieg choroby bywa podstępny. Dotknięte nią osoby, przeważnie dzieci, mogą cierpieć wyłącznie np. na często występujące anginy, ponieważ istnieje przyczynowy związek między zakażeniem niektórymi rodzajami paciorkowców wywołujących anginę i gorączką reumatyczną. Choroba może przebiegać rzutami; zazwyczaj wygasają one po 30 r. życia. Gorączka reumatyczna jest zatem chorobą ludzi młodych. Istotny wpływ mają też warunki życia dziecka (w dobrych warunkach gorączka reumatyczna pojawia się rzadziej).

Leczenie reumatycznego zapalenia wsierdzia jest szpitalne i trwa ok. 6 tygodni. Stosowane są hormony kory nadnercza, najczęściej encorton. Konieczne jest także podawanie penicyliny, a następnie, często przez parę lat, debecyliny, co zmniejsza częstość występowania nawrotów choroby.

Zapobieganie polega na starannym leczeniu penicyliną każdej anginy i usunięciu innych ognisk zakażenia paciorkowcami.

Bakteryjne zapalenie wsierdzia. W chorobie tej bakterie, przeważnie paciorkowce, osiedlają się bezpośrednio na zastawkach serca, powodując powstawanie specyficznych tworów brodawkowatych lub owrzodzeń, a czasem i przedziurawienie zastawki. Najczęściej atakowane są zastawki zmienione wskutek gorączki reumatycznej, ale zdarza się bakteryjne zapalenie wsierdzia na zastawkach zdrowych lub w przebiegu wrodzonych wad serca.

Bakteryjne zapalenie wsierdzia występuje u osób w każdym wieku. Ostatnio stwierdza się je coraz częściej u ludzi starych.

Objawy choroby mogą być bardzo różnorodne. Najczęściej są to nieregularne stany podgorączkowe i gorączkowe, osłabienie, złe samopoczucie, bladość, chudnięcie, objawy niewydolności krążenia, zapalenie nerek, czasem bóle brzucha. Często są to powikłania powstałe wskutek zatorów.

Rozpoznanie niekiedy bywa bardzo trudne, zwłaszcza jeśli chory uprzednio nie miał wady serca. Decydujące znaczenie ma wyhodowanie bakterii ze krwi oraz wykrycie ultradźwiękami typowych zmian na zastawkach.

Leczenie jest długie i żmudne. Polega na stosowaniu dożylnym antybiotyków (przeważnie dwu) przez 4 do 8 tygodni. Jeżeli choroba postępuje szybko i narastają objawy niewydolności krążenia, niezbędne jest chirurgiczne wycięcie chorej zastawki i wszczepienie na jej miejsce sztucznej. Jeśli bakteryjne zapalenie wsierdzia jest powikłaniem wszczepienia sztucznej zastawki, niezbędna jest jej szybka wymiana.

Zapobieganie, wobec ciężkiego przebiegu choroby, jest niezwykle ważne. Polega ono na stosowaniu u chorych z wadami serca zastawkowymi i wrodzonymi penicyliny domięśniowo lub ampicyliny doustnie na godzinę przed usunięciem zęba i każdym zabiegiem dentystycznym, w którym może ulec uszkodzeniu dziąsło. Również zabiegi diagnostyczne, takie jak gastroskopia, cystoskopia, rektoskopia lub wyłyżeczkowanie jamy macicy wymagają osłony odpowiednio dobranymi antybiotykami.

Zapalenie osierdzia

Osierdzie, błona surowicza pokrywająca serce z zewnątrz, składa się z dwu blaszek: wewnętrznej i zewnętrznej. Wewnętrzna, zwana nasierdziem, przylega bezpośrednio do mięśnia serca, zewnętrzna wytwarza worek osierdziowy, w którym serce jest zawieszone. Zapalenie osierdzia może być „samoistne” – najprawdopodobniej pochodzenia wirusowego, może być objawem gorączki reumatycznej i innych chorób tkanki łącznej, a także może być pochodzenia gruźliczego.

Objawy. Zapalenie osierdzia często przebiega z gorączką i silnymi bólami w klatce piersiowej, zwłaszcza za mostkiem z promieniowaniem do pleców. Bóle te narastają przy zmianie pozycji tułowia, kaszlu i oddychaniu. Często towarzyszy im płyn w osierdziu, rzadziej szmer tarcia. Ostre „samoistne” zapalenie osierdzia przebiega najczęściej łagodnie, ale choroba ma tendencje do nawrotów i wymaga obserwacji w szpitalu. Sporadycznie zejściem choroby może być zaciskające zapalenie osierdzia.

Leczenie zapalenia osierdzia „samoistnego”, w gorączce reumatycznej i innych chorobach tkanki łącznej, polega na leczeniu choroby podstawowej. Najczęściej są stosowane niesteroidowe leki przeciwzapalne, rzadziej hormony kory nadnercza. Tylko sporadycznie, jeśli ilość płynu w worku osierdziowym jest duża, bywa konieczne nakłucie osierdzia.

Zapalenie osierdzia pochodzenia gruźliczego jest chorobą o przewlekłym, nawet wieloletnim, skrytym przebiegu. Często kończy się zaciskającym zapaleniem osierdzia. W chorobie tej dochodzi do zarośnięcia worka osierdziowego, niejednokrotnie z jego zwapnieniem. Upośledza to napływ krwi do serca i powoduje takie objawy, jak złe znoszenie wysiłku fizycznego, przepełnienie krwią żył szyjnych, powiększenie brzucha i obrzęki.

Leczenie przy wczesnym rozpoznaniu jest przeciwprątkowe, przeciwzapalne. W zaciskającym zapaleniu niezbędne jest operacyjne uwolnienie serca z pancerza wytworzonego ze zgrubiałego i zwapniałego osierdzia, co zazwyczaj usuwa objawy choroby i znacznie poprawia sprawność chorego.

Zaburzenia rytmu serca

Zaburzenia rytmu serca są częstym objawem chorób układu krążenia, ale mogą też występować u ludzi zdrowych. Choć tylko niektóre z nich stanowią zagrożenie życia i wymagają intensywnego leczenia, wszystkie, jeżeli są odczuwane, dają uczucie niepokoju i niejednokrotnie zakłócają życie dotkniętych nimi osób. Prawidłowy rytm serca, zatokowy nie jest zupełnie miarowy i podlega cyklicznym niewielkim wahaniom częstości, związanym m.in. z rytmem oddychania.

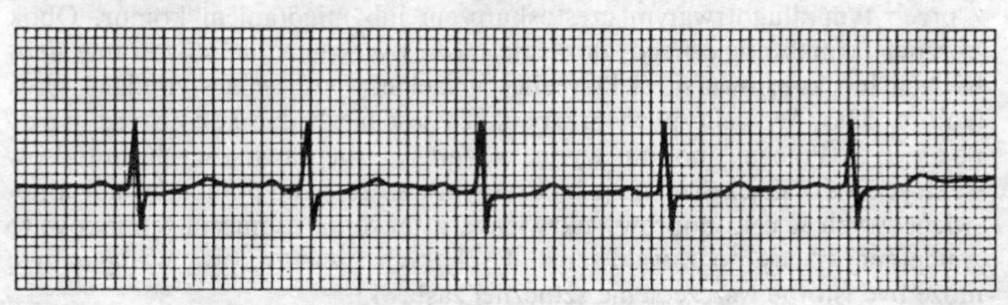

Prawidłowy rytm zatokowy

Do objawów zaburzeń rytmu odczuwanych przez chorego należą: nierówne, silne, szybkie lub zwolnione bicie serca, zasłabnięcia, duszność, parosekundowe zawroty głowy, a nawet utrata przytomności. Objawy te, tzw. subiektywne, mogą towarzyszyć różnym zaburzeniom rytmu, tak że na podstawie ich opisu lekarz nie może rozpoznać, jakie zaburzenie ma osoba badana. Również osłuchiwanie serca i badanie tętna nie są wystarczające. Konieczne jest wykonanie elektrokardiogramu w czasie trwania zaburzeń rytmu lub jego rejestracja przez całą dobę metodą Holtera.

Komorowe zaburzenia rytmu występują wówczas, gdy rytm zatokowy jest zakłócony przez pobudzenie serca mające źródło w obrębie jego komór. Mogą występować pojedyncze pobudzenia tego pochodzenia, co nosi nazwę ekstrasystolii komorowej, tzn. dodatkowych skurczów komorowych, mogą też pojawiać się całe „salwy" kilku pobudzeń, a nawet długotrwałe napady częstoskurczu.

Krańcowym nasileniem komorowych zaburzeń rytmu jest migotanie komór, gdy nie ma zsynchronizowanej pracy serca i występuje zatrzymanie krążenia (zob. s. 685). Powikłanie to występuje rzadko.

Komorowe zaburzenia rytmu, zwłaszcza w formie pobudzeń pojedynczych i w niedużej ilości, występują dość często u ludzi zdrowych, zwłaszcza po 50 r. życia. Występują one zazwyczaj w czasie wysiłku i nie wymagają leczenia. Najczęściej jednak są objawem choroby stanowiąc powikłania zawału serca, świeżego lub przebytego dawno, wad serca, kardiomiopatii lub zapalenia mięśnia serca. Mogą też występować w wypadaniu płatka mitralnego. Są wtedy zazwyczaj niegroźne. Również łagodny przebieg ma zaburzenie o nazwie parasystolia komorowa, które rzadko wymaga leczenia, aczkolwiek dolegliwości subiektywne z nim związane bywają uciążliwe. Komorowym zaburzeniom rytmu sprzyja brak potasu w organizmie.

Leczenie komorowych zaburzeń rytmu jest wielokierunkowe. Obok wyrównania zaburzeń czynności elektrycznej serca za pomocą leków antyarytmicznych, musi ono prowadzić do ustąpienia innych objawów podstawowej choroby serca, jak niewydolność krążenia lub nasilenie bólów wieńcowych. Niezwykle ważne jest opanowanie przez chorego lęku przed zaburzeniami rytmu – niekiedy jest tu konieczna pomoc psychologiczna. Warunkiem powodzenia jest zrozumienie konieczności wytrwałego przyjmowania leków, często przez całe dalsze życie. Dotyczy to zwłaszcza osób z przebytym długotrwałym częstoskurczem lub migotaniem komór. Obok leczenia farmakologicznego, doraźnie może być konieczne stosowanie defibrylacji lub kardiowersji elektrycznej, a niekiedy sztucznej stymulacji serca (zob. s. 688). W nielicznych przypadkach jest niezbędne leczenie operacyjne. Polega ono na wycięciu ogniska nieprawidłowych impulsów elektrycznych i najczęściej na jednoczesnym wszczepieniu pomostów aortalno-wieńcowych w celu poprawy ukrwienia, a także na usunięciu tętniakowato zmienionej blizny po zawale serca. U chorych z zastawkową wadą nabytą może być istotne wszczepienie sztucznej zastawki.

Prawidłowo prowadzone leczenie komorowych zaburzeń rytmu serca zmniejsza istotnie związane z nim ryzyko i może umożliwić choremu prowadzenie normalnego trybu życia. Podstawowym warunkiem powodzenia jest zdyscyplinowanie chorego i współpraca z lekarzem.

Zespół wydłużonego QT (zob. Elektrokardiografia, s. 633) jest rzadką chorobą, przeważnie występującą rodzinnie. Objawia się specyficznymi, wielokształtnymi napadowymi częstoskurczami pochodzenia komorowego, przebiegającymi z utratą przytomności. Jej występowanie jest związane z zaburzeniem funkcji wegetatywnego układu nerwowego. Choroba może być rozpoznana wyłącznie na podstawie obrazu EKG.

Leczenie prowadzone jest środkami blokującymi receptory beta, jak propranolol w bardzo dużych dawkach. Inne leki antyarytmiczne mogą być szkodliwe. Wyniki leczenia są dobre, ale samowolne odstawienie lub zmniejszenie dawki leku stwarza ryzyko nawrotu choroby i stanowi zagrożenie życia. Zaburzenia rytmu związane z wydłużeniem odstępu QT mogą być również związane z nadwrażliwością na leki antyarytmiczne.

Nadkomorowe zaburzenia rytmu występują wówczas, gdy źródło zakłócenia rytmu serca znajduje się w przedsionkach lub w okolicach węzła przedsionkowo-komorowego. Niektóre formy tych zaburzeń, np. pojedyncze pobudzenia nadkomorowowe, występują często u ludzi zdrowych, przeważnie nie wymagają leczenia i nie powinny zakłócać normalnego trybu życia. Doraźnie często pomaga pojedynczy głęboki wdech z chwilowym zatrzymaniem powietrza.

Wyróżnia się takie nadkomorowe zaburzenia rytmu, jak częstoskurcz nadkomorowy, trzepotanie i migotanie przedsionków. Częstoskurcz nadkomorowy charakteryzuje się szybką, zazwyczaj 160–200 uderzeń/min pracą serca i często występuje u osób zdrowych. Może też być objawem zespołu Wolffa-Parkinsona-White'a (zob. s. 684), rzadziej pojawia się w innych chorobach serca. W razie wystąpienia napadu chory może podjąć próbę opanowania go przez głęboki wdech, zatrzymanie powietrza i parcie, jak przy oddawaniu stolca. Próba taka, zwana próbą Valsalvy, nie powinna trwać dłużej niż 5–10 s. Jeśli ten zabieg nie pomoże, konieczne jest zgłoszenie się do szpitala w celu dobrania odpowiedniego leczenia.

Migotanie przedsionków jest szczególną i często spotykaną postacią nadkomorowych zaburzeń rytmu serca. Jest ono zwykle powikłaniem wady mitralnej lub miażdżycowego uszkodzenia serca bądź nadczynności tarczycy, bywa też pierwszym objawem toksycznego wpływu alkoholu na mięsień sercowy. Istotą migotania przedsionków, powodującą niemiarowość tętna, jest ich chaotyczna, niezorganizowana czynność elektryczna, z powodu której przedsionki nie kurczą się. Może ono występować napadowo bądź stale (utrwalone migotanie przedsionków) i przebiegać z szybką prawidłową lub wolną czynnością komór serca.

Leczenie napadowego migotania przedsionków zależy w dużym stopniu od częstości pracy serca i od choroby podstawowej. Wybór postępowania musi być dokonany przez lekarza. Przy bardzo szybkiej pracy serca z dusznością, bólem w klatce piersiowej lub zasłabnięciem jest konieczne natychmiastowe przewiezienie chorego do szpitala i ewentualne leczenie kardiowersją elektryczną (zob. s. 687). Przy utrwalonym migotaniu przedsionków lekiem z wyboru jest digoksyna lub inny preparat naparstnicy, najczęściej też jest konieczne przewlekłe leczenie przeciwzakrzepowe, zapobiegające zakrzepom w przedsionkach i wtórnym zatorom. U chorych z wadą mitralną może zaistnieć konieczność przywrócenia normalnego rytmu serca po zabiegu wszczepienia sztucznej zastawki. Wtedy również jest konieczna kardiowersja elektryczna.

Zapobieganie napadom zaburzeń rytmu, zbliżone u chorych z częstoskurczem nadkomorowym, migotaniem i trzepotaniem przedsionków, polega na profilaktycznym stosowaniu leków antyarytmicznych, niekiedy przez długie lata. Obecnie istnieje duży zasób tych leków i najczęściej jest możliwe dobranie leczenia profilaktycznego, zwłaszcza przy dobrej współpracy chorego z lekarzem i umiejętności opanowania lęku przed nawrotami zaburzeń rytmu. Jeśli jednak serce chorego jest powiększone, to przy uporczywie i często nawracających napadach migotania przedsionków korzystniejsze jest dla chorego utrwalenie się migotania.

Niedomoga węzła zatokowo-przedsionkowego. Węzeł zatokowo-przedsionkowy jest to zgrupowanie komórek mięśnia sercowego o specjalnych cechach anatomicznych i fizjologicznych, dających im zdolność rytmicznego wytwarzania bodźców elektrycznych pobudzających pracę serca – jest to prawidłowy rytm zatokowy. Niedomoga węzła występuje najczęściej u osób w wieku podeszłym i jest następstwem uszkodzenia serca przez miażdżycę.

Objawem choroby jest nadmierne zwolnienie częstości rytmu zatokowego, z okresowym zahamowaniem wytwarzania bodźców. Następuje zwolnienie tętna nawet poniżej 40/min, a przy dłużej trwającym zahamowaniu bodźców – utrata przytomności. Częstym powikłaniem jest napadowe migotanie przedsionków. Czynność serca jest wtedy bardzo szybka i może wystąpić zasłabnięcie. Taka postać nosi nazwę „zespołu naprzemiennej tachykardii i bradykardii".

Leczenie polega na wszczepieniu stymulatora serca oraz stosowaniu leków antyarytmicznych.

Zespół Wolffa–Parkinsona–White'a. Zespół WPW, zwany też zespołem preekscytacji, polega na przedwczesnym przejściu fali pobudzenia elektrycznego z przedsionków do komór przez dodatkową, nieprawidłową drogę przewodzenia z pominięciem węzła przedsionkowo-komorowego. Najczęściej występuje wtedy bardzo charakterystyczne zniekształcenie elektrokardiogramu, co pozwala na ustalenie rozpoznania.

Zespół preekscytacji może być wykryty przypadkowo, a jego istnienie nie musi w niczym zmieniać życia dotkniętej nim osoby. Mogą jednak wystąpić napady częstoskurczu nadkomorowego, a czasami migotania przedsionków z bardzo szybką czynnością komór i utratą przytomności.

Leczenie antyarytmiczne jest prowadzone tylko u chorych z napadami częstoskurczu przebiegającymi łagodnie. Jeśli napady te nie poddają się leczeniu, są bardzo szybkie, przebiegają z utratą przytomności, co zdarza się najczęściej w migotaniu przedsionków wikłającym, zespół WPW, jest konieczne postępowanie inwazyjne. Polega ono na zniszczeniu dodatkowej drogi przewodzenia specjalnym rodzajem energii zastosowanej za pomocą odpowiedniego cewnika wprowadzonego do serca najczęściej przez żyłę udową. Postępowanie to, zwane ablacją drogi dodatkowej, mogą przeprowadzać tylko specjalnie przygotowani lekarze i w tych warunkach jest bezpieczne. Uwalnia ono chorego od napadów częstoskurczu na resztę życia, aczkolwiek sporadycznie zabieg trzeba powtarzać, ponieważ droga dodatkowa odrasta.

Blok przedsionkowo-komorowy jest to zaburzenie rytmu serca polegające na utrudnieniu lub przerwaniu przewodzenia fali pobudzenia elektrycznego z przedsionków przez węzeł przedsionkowo-komorowy do komór serca. W następstwie tego bodźce elektryczne docierają do komór wolniej niż zazwyczaj, ale wszystkie (blok I°), docierają tylko częściowo – nie wszystkie (blok II°) lub nie dochodzą wcale (blok III°, całkowity). Wśród chorób prowadzących do bloku przedsionkowo-komorowego należy wymienić świeży zawał serca, w którym blok najczęściej występuje przejściowo, i zwłóknienie układu przewodzącego wrodzone lub pochodzenia miażdżycowego. Blok I° występuje w chorobie reumatycznej, może też być następstwem działania niektórych leków. Blok ten, jak również jedna z postaci bloku II°, znana pod nazwą periodyki Wenckenbacha, może występować nocą u ludzi zdrowych, zwłaszcza u sportowców, z powodu zwiększonego napięcia nerwu błędnego. Jeśli blok jest zaawansowany, czynność serca bywa wolna i jej częstość może spadać nawet do 20–30/min. Mogą występować okresy braku czynności elektrycznej komór z utratą przytomności, ponieważ ustaje praca serca jako pompy, a tym samym przepływ krwi przez mózg. Utrata przytomności jest zwykle krótkotrwała i nosi nazwę zespołu MAS, od nazwisk lekarzy (Morgagni, Adams, Stokes), którzy pierwsi opisali ten objaw.

Leczenie polega na zastąpieniu brakujących własnych bodźców pobudzających komorę – impulsami stymulatora. Zob. Sztuczna stymulacja serca, s. 688.

Nagłe zatrzymanie krążenia

Nagłe zatrzymanie krążenia jest to stan, w którym z powodu braku skutecznej czynności serca dochodzi do ustania przepływu krwi przez mózg, a więc do śmierci klinicznej.

Zatrzymanie krążenia może być spowodowane: asystolią, czyli brakiem czynności elektrycznej serca, a co za tym idzie – skurczów serca, lub migotaniem komór, tj. stanem zupełnej dezintegracji czynności elektrycznej mięśnia serca, któremu towarzyszą tylko nieskoordynowane skurcze włókien mięśniowych (jest to najczęściej spotykany „mechanizm” zatrzymania krążenia).

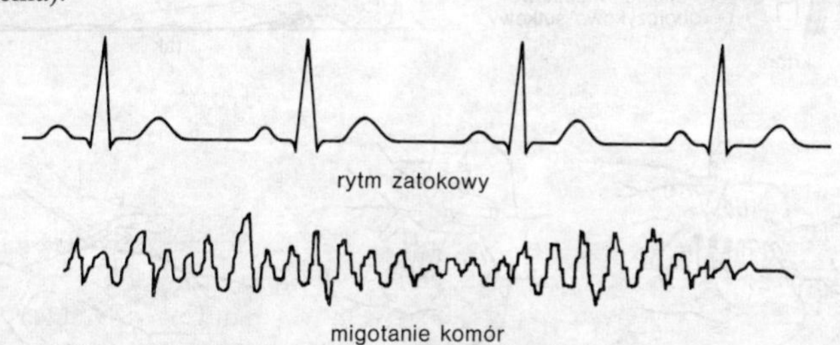

Porównanie rytmu zatokowego z migotaniem komór

Wśród chorób i stanów prowadzących do zatrzymania krążenia istotne są: 1) zawał serca, najczęściej świeży, rzadziej przebyty, 2) ostre niedokrwienie mięśnia serca, 3) wady serca, 4) kardiomiopatia, 5) zatorowość płucna, 6) udar mózgu, 7) urazy i zatrucia, 8) niektóre anomalie układu przewodzącego serca. Świeży zawał serca jest zdecydowanie najczęstszą przyczyną migotania komór. Występuje ono przeważnie w ciągu pierwszych dwóch godzin od początku objawów choroby i jest główną przyczyną śmiertelności z jej powodu. Dlatego też jest niezwykle ważne, aby osoba z objawami zawału jak najszybciej znalazła się w ośrodku intensywnej opieki medycznej (OIOM) właściwego szpitala, bo tylko natychmiastowa pomoc może przywrócić krążenie krwi w przypadku jego zatrzymania i zapobiec śmierci chorego.

Jeżeli zatrzymanie krążenia nastąpiło poza szpitalem, o przeżyciu chorego decyduje zachowanie się świadków tego wydarzenia. Pomoc musi być natychmiastowa, ponieważ po 3 min od ustania krążenia dochodzi do nieodwracalnego uszkodzenia mózgu z powodu niedotlenienia. Najłatwiejszym do szybkiego wykrycia objawem zatrzymania krążenia jest brak tętna w tętnicach szyjnych (rys. a poniżej). Stwierdzenie braku tętna u osoby, która nagle straciła przytomność, jest uważane za moment decydujący o podjęciu postępowania reanimacyjnego. Nawet najkrótsze opóźnienie udzielenia pomocy, zwłaszcza zaś bezczynne czekanie na przyjazd pogotowia, eliminuje szanse ratunku.

Postępowanie reanimacyjne polega na:

1) zapewnieniu drożności dróg oddechowych przez ułożenie osoby ratowanej na wznak na twardym podłożu z maksymalnym odgięciem głowy ku tyłowi. W tym celu najlepiej podłożyć pod ramiona

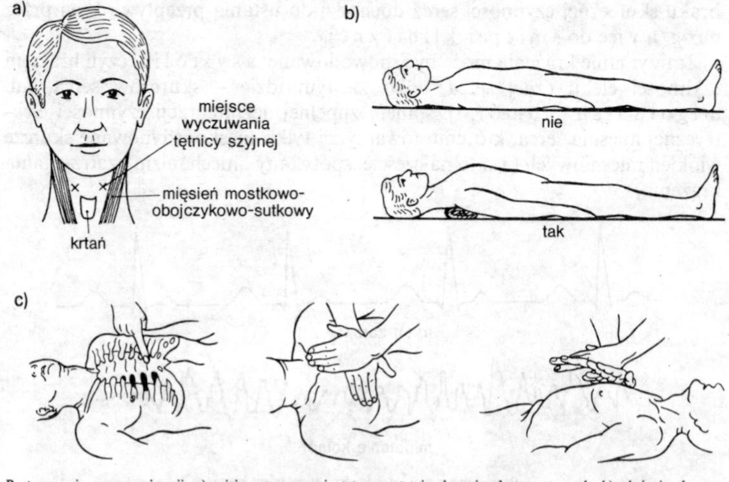

Postępowanie przy reanimacji: a) miejsca wyczuwania tętna na tętnicach szyjnych zewnętrznych; b) ułożenie chorego z zatrzymaniem krążenia; c) pośredni masaż serca: palec wskazuje 1/3 dolną część mostka – sposób ułożenia rąk przy masażu serca

zwiniętą w wałek odzież (rys. b powyżej), a jeżeli jest kilku ratujących, jeden może trzymać głowę rękami;

2) prowadzeniu sztucznego oddychania metodą usta-usta. Zaciskając jedną ręką nos osoby ratowanej, a drugą odciągając jej żuchwę, należy

wdmuchiwać powietrze do płuc tej osoby, przykładając szczelnie swoje usta do jej ust. Czynność tę trzeba powtarzać ok. 10 razy na minutę;

3) prowadzeniu masażu serca. Zabieg ten należy poprzedzić kilkakrotnym silnym uderzeniem pięścią w przednią powierzchnię klatki piersiowej w dolnej części mostka. Masaż serca polega na rytmicznym, silnym uciskaniu dolnej 1/3 mostka dłońmi ratownika umieszczonymi jedna na drugiej. Ręce ratownika powinny być wyprostowane, a masaż prowadzony tak, aby klatka piersiowa przy ucisku zmniejszała wymiar o 1/3 (rys. c). Na każde 4 ruchy masażu powinien wypadać jeden oddech.

Masaż serca i sztuczne oddychanie muszą być prowadzone równocześnie. Żadna z tych czynności z osobna w przypadku zatrzymania krążenia nie jest skuteczna. Jeżeli przy ratowanym jest tylko jedna osoba, musi ona prowadzić obie czynności na zmianę w opisanym wyżej rytmie.

Masaż serca i sztuczne oddychanie pozwalają na utrzymanie przepływu krwi przez mózg do chwili przywrócenia krążenia przez kwalifikowany personel wezwanej karetki reanimacyjnej. O skuteczności prowadzonej akcji można się przekonać kontrolując szerokość źrenic ratowanego. Jeśli postępowanie jest prawidłowe, szerokie źrenice zwężają się. Można też wyczuć na tętnicy szyjnej falę tętna spowodowaną masażem serca.

Dalsze leczenie polega na usunięciu migotania komór przez tzw. defibrylację elektryczną (zob. niżej), na podaniu odpowiednich leków i sztucznej stymulacji w przypadku braku elektrycznej czynności serca.

Defibrylacja elektryczna

Defibrylacja polega na jednoczesnym zatrzymaniu czynności elektrycznej wszystkich komórek mięśnia serca, pracującego w sposób nieskoordynowany. Można to osiągnąć stosując z zewnątrz przez klatkę piersiową, przy użyciu specjalnych elektrod, krótkotrwały (2 ms), silny impuls prądu stałego drogą rozładowania kondensatora. Zatrzymanie serca pozwala podjąć pracę ośrodkowi, który normalnie najszybciej wyzwala impulsy elektryczne, tj. węzłowi zatokowo-przedsionkowemu, wyzwalającemu prawidłowy rytm zatokowy.

Można też defibrylować serce w czasie jego operacji przy otwartej klatce piersiowej, używając prądu o znacznie mniejszej mocy.

W ostatnich latach opracowano defibrylator wewnętrzny umieszczany na końcu elektrody, którą przez żyłę można wprowadzić do serca. Wystarczy wtedy niewielka moc prądu. Jest to istotne przy nawracającym migotaniu komór i częstych defibrylacjach. Defibrylatory tego typu są wszczepiane osobom zagrożonym na stałe, podobnie jak stymulatory.

Kardiowersja elektryczna

Kardiowersja elektryczna, czyli defibrylacja synchronizowana, polega na zastosowaniu bodźca elektrycznego w taki sposób, aby wypadał on w momencie pełnego pobudzenia mięśnia komór, „odróżnianego” przez aparat po załamku R elektrokardiogramu. Defibrylację synchronizowaną stosuje się do leczenia napadów częstoskurczu, a zwłaszcza migotania przedsionków. „Trafienie” bodźca w odpowiednim czasie pozwala uniknąć migotania komór, które mogłoby być wywołane przez impuls elektryczny użyty przypadkowo w czasie dużej nadwrażliwości mięśnia komory.

Kardiowersja elektryczna jest wysoce skutecznym i bezpiecznym sposobem leczenia zaburzeń rytmu, musi być jednak wykonana w szpitalu w chwilowym uśpieniu.

Sztuczna stymulacja serca

Sztuczna stymulacja serca polega na dostarczeniu z zewnątrz, przez założoną do prawej komory serca elektrodę, brakujących impulsów elektrycznych, niezbędnych do zapewnienia rytmicznej i prawidłowo częstej pracy serca. Impulsy mogą być doprowadzone ze stymulatora zewnętrznego, jeśli *stymulacja* jest *czasowa*. Przy *stymulacji stałej*, stymulator (tablica 15 c) zasilany ze specjalnych ogniw jest wszczepiany pod skórę w okolicy serca na okres 3–10 lat, co zapewnia stabilność pracy tego narządu. Zabieg *wszczepienia stymulatora* jest przeprowadzany w specjalistycznych ośrodkach w znieczuleniu miejscowym pod kontrolą rentgenowską.

Chory ze wszczepionym stymulatorem może i powinien prowadzić normalny tryb życia, z tym że musi codziennie kontrolować częstość pracy serca przez mierzenie tętna na przegubie ręki. W razie wątpliwości powinien sprawdzić częstość impulsów stymulatora przykładając nad nim radio tranzystorowe i licząc dobrze słyszalne, rytmiczne trzaski. Zwolnienie pracy stymulatora o więcej niż 2 uderzenia na minutę (zaprogramowana częstość pracy jest podana w specjalnej książeczce) wymaga sprawdzenia we właściwej poradni kontroli stymulatorów, ponieważ może świadczyć o rozładowywaniu się baterii i konieczności wymiany stymulatora.

Niezbędne jest dokładne przestrzeganie terminów badań kontrolnych wyznaczonych przez poradnię, żeby uniknąć konieczności nagłej wymiany stymulatora.

Uwagi o lekach antyarytmicznych

W leczeniu zaburzeń rytmu serca podstawową rolę odgrywają leki antyarytmiczne. Są to leki silnie działające, zmieniające czynność elektryczną serca tak, aby była ona jak najbardziej uporządkowana. Leki te, stosowane prawidłowo, mogą zapobiegać nawrotowi migotania komór, usuwając stan zagrożenia życia. Poprawiają one jakość życia chorych w przypadku mniej groźnych form zaburzeń rytmu.

Chorzy leczeni przewlekle lekami antyarytmicznymi powinni bardzo dokładnie przestrzegać zaleceń lekarza co do dawek i sposobu przyjmowania tych leków. Samowolna zmiana dawek leków, a nawet godzin ich stosowania, może spowodować nawrót choroby lub wystąpienie groźnych powikłań.

Najważniejsze ze znanych obecnie leków antyarytmicznych są substancje blokujące współczulne receptory beta w sercu. Utrudniają one wystąpienie migotania komór, usprawniając jednocześnie pracę serca. Należą tu: propranolol, atenolol, metoprolol, acebutolol i in. Obok działań wymienionych wyżej, mają one różne specyficzne działania. Te różnice umożliwiają dopasowanie właściwego leku do sytuacji chorobowej. Szczególnie skutecznym blokerem receptorów beta jest sotalol. Ma on dodatkowo bardzo silne działanie antyarytmiczne innego rodzaju.

Do leków antyarytmicznych stosowanych przewlekle wspomagających działanie betablokerów należą: chinidyna, dizopiramid (Disocor), meksyletyna (Mexitil), ajmalina (Gilurytmal), propatenon (Polfenon). Ważnym lekiem jest werapamil (Isoptin), a najskuteczniejszym, ale często dającym objawy uboczne – amiodaron (Cordarone).

Chorzy z zaburzeniami rytmu serca są również leczeni przetworami naparstnicy (Digoksyna, Bemecor). W tych przypadkach także konieczne jest skrupulatne przestrzeganie zaleceń lekarza, a w razie wystąpienia nudności, nasilenia zaburzeń rytmu, zaburzeń widzenia, znacznego zwolnienia pracy serca należy szybko zgłosić się do lekarza.

Zator tętnicy płucnej

Zator płucny powstaje wskutek zatkania mniejszych lub większych odgałęzień tętnicy płucnej przez skrzeplinę krwi, pochodzącą z prawego przedsionka serca lub z głębokich żył kończyn dolnych albo miednicy małej. Skrzeplina, odrywając się od zakrzepu w żyłach kończyn, pokonuje z prądem krwi drogę przez żyłę główną dolną do prawego przedsionka serca, prawej komory, a następnie przez pień płucny do rozgałęzień tętnicy płucnej.

Objawy choroby zależą głównie od tego, jakiego kalibru naczynie zostało zatkane. Najczęstszym objawem jest duszność. Oddech może być bardzo szybki, chory bywa niespokojny, serce pracuje szybko, aby wyrównać zaburzenie spowodowane zmniejszonym dopływem krwi do płuca. Stosunkowo rzadziej występują bóle w klatce piersiowej i krwioplucie. Jeśli zatkane zostanie jedno z głównych rozgałęzień pnia płucnego, występują objawy wstrząsu, a nawet zatrzymanie krążenia.

Chory z podejrzeniem zatoru płucnego musi jak najszybciej znaleźć się w szpitalu, najlepiej w ośrodku intensywnej opieki. Stosowane jest leczenie przeciwzakrzepowe, a w przypadku nasilonych objawów – leczenie rozpuszczające skrzepy krwi.

Ze względu na tendencję do nawrotów zmian zakrzepowych, chorzy, którzy przebyli zator tętnicy płucnej, muszą być stale leczeni przeciwzakrzepowo.

Niewydolność krążenia

Niewydolność krążenia jest to stan, w którym układ sercowo-naczyniowy nie jest w stanie prawidłowo spełniać swoich funkcji. Powoduje to mniej lub bardziej wyrażone zaburzenia w zaopatrywaniu tkanek w tlen i substancje odżywcze oraz w usuwaniu z nich produktów przemiany materii. Wyróżnia się niewydolność krążenia centralną, sercową, zwaną niewydolnością serca, oraz niewydolność krążenia obwodową, zwaną niewydolnością naczyniową. Niewydolność naczyniową omówiono w dziale Chirurgia (zob. Choroby tętnic, s. 1498 oraz Choroby żył i naczyń chłonnych, s. 1517).

Przyczyny niewydolności krążenia sercowej są różne. Najczęściej choroba ta jest spowodowana chorobą wieńcową i zawałem serca, wadami zastawkowymi serca, nadciśnieniem tętniczym, zapaleniem mięśnia sercowego oraz tzw. pierwotnymi kardiomiopatiami. Wszystkie one – przez różne mechanizmy – upośledzają siłę skurczu serca, w związku z czym przestaje ono tłoczyć do układu krwionośnego taką ilość krwi, jaka jest potrzebna do pełnego zaspokojenia potrzeb organizmu. Jedną z pierwszych nieprawidłowości, jaka pojawia się już we wczesnym okresie niewydolności krążenia, jest zmniejszenie ilości krwi wyrzucanej przez serce w czasie jednego skurczu komór, czyli tzw. objętości wyrzutowej. Organizm dysponuje wieloma mechanizmami wyrównawczymi, umożliwiającymi utrzymanie pracy serca na odpowiednim poziomie przynajmniej przez pewien czas. Wskutek działania tych mechanizmów może być zachowana prawidłowa pojemność minutowa, tj. ilość krwi tłoczonej do naczyń w ciągu 1 min. Z biegiem czasu mechanizmy wyrównawcze coraz bardziej zawodzą i pojawiają się objawy kliniczne świadczące o niewydolności krążenia.

Postacie i objawy niewydolności krążenia

Podział niewydolności krążenia ma w dużym stopniu charakter umowny i zależy od kryteriów, jakie przyjmuje się za jego podstawę. Przyjmując za kryterium szybkość narastania objawów niewydolności krążenia i stopień ich nasilenia, można wyróżnić niewydolność ostrą i przewlekłą, a z punktu widzenia wywołujących ją przyczyn i mechanizmów rozwoju – niewydolność lewej komory serca, niewydolność prawej komory serca oraz niewydolność mieszaną, tj. obukomorową. W rzeczywistości postacie te często zazębiają się ze sobą, ponieważ niewydolność jednej z komór serca zwykle odbija się na pracy drugiej komory.

Niewydolność lewej komory serca. Do niewydolności lewokomorowej dochodzi zwykle w przebiegu chorób powodujących jej uszkodzenie lub obciążenie nadmierną pracą. Z chorób tych należy wymienić przede wszystkim chorobę wieńcową, nadciśnienie tętnicze oraz wady zastawkowe w lewej połowie serca (wady zastawek półksiężycowatych aorty, niedomykalność zastawki dwudzielnej). Do rzadszych przyczyn należą stany zapalne mięśnia sercowego oraz tzw. kardiomiopatie. Zależnie od przyczyny oraz szybkości jej działania, wyróżnia się postać ostrą i przewlekłą niewydolności lewej komory.

Ostra lewokomorowa niewydolność krążenia występuje wówczas, gdy dochodzi do nagłego „załamania się” pracy lewej komory i nie tłoczy ona odpowiedniej ilości krwi do aorty. Krew gromadzi się w lewym przedsionku, w żyłach płucnych i naczyniach włosowatych krążenia płucnego, powodując gwałtowny wzrost ciśnienia hydrostatycznego i przesiąkanie płynu do tkanki śródmiąższowej i pęcherzyków płucnych. Powstaje obrzęk płuc, będący krańcowym wyrazem niewydolności lewej komory serca.

Podstawowymi objawami ostrego obrzęku płuc jest gwałtowna duszność, przyspieszony oddech, kaszel z obfitym odkrztuszaniem pienistej plwociny, zwykle podbarwionej krwią. Chory zajmuje na ogół przymusową pozycję siedzącą, skóra jest blada, pokryta lepkim, chłodnym potem. Charakterystyczne są głośne szmery oddechowe, tzw. rzężenia, które w rozwiniętym obrzęku płuc są zwykle słyszalne także przez otoczenie chorego. Obrzęk płuc, będący stanem bezpośrednio zagrażającym życiu, wymaga udzielenia natychmiastowej pomocy lekarskiej.

Przewlekła niewydolność lewej komory serca rozwija się powoli, a zmiany w mięśniu serca i upośledzenie jego czynności dokonują się stopniowo, w zależności od nasilenia i czasu trwania czynnika wywołującego. W początkowym okresie upośledzenie kurczliwości lewej komory i zmniejszenie objętości krwi „wyrzucanej" do aorty są wyrównywane przyspieszeniem czynności serca, co zapewnia utrzymanie odpowiedniej pojemności minutowej. Przyspieszenie czynności serca pojawia się początkowo tylko podczas wysiłków fizycznych, stopniowo coraz mniejszych. W bardziej zaawansowanych okresach choroby występuje także w spoczynku. Innym mechanizmem wyrównawczym jest przerost mięśnia lewej komory. Dalszy postęp niewydolności lewej komory prowadzi do zalegania krwi i wzrostu ciśnienia w lewym przedsionku i w krążeniu płucnym, czyli do tzw. zastoju albo przekrwienia biernego płuc.

Do objawów najbardziej uchwytnych dla chorego należy stopniowe ograniczenie wydolności fizycznej oraz postępująca duszność, pojawiająca się przy coraz mniejszych wysiłkach fizycznych, a następnie także w spoczynku. Często duszność spoczynkowa występuje w nocy, budząc chorego ze snu i zmuszając go do przyjęcia pozycji siedzącej. Niekiedy może występować tzw. oddech Cheyne–Stokesa, charakteryzujący się niemiarowym oddychaniem, z krótkimi okresami bezdechu, stopniowym narastaniem głębokości oddechów, a następnie ponownym ich spłycaniem aż do kolejnego bezdechu. Ten typ oddechu zależy od zmienionej wrażliwości ośrodka oddechowego na stężenie dwutlenku węgla we krwi i może występować również w chorobach ośrodkowego układu nerwowego. Innym objawem zaawansowanej niewydolności lewej komory serca jest tzw. dychawica (astma) sercowa – napadowa duszność, zwykle nocna, zależna od nagłego nasilenia przekrwienia biernego płuc. Może ona niekiedy poprzedzać wystąpienie obrzęku płuc.

Niewydolność prawej komory serca. Ostra niewydolność prawokomorowa występuje rzadko; zwykle jest ona następstwem zatoru tętnicy płucnej (zob. s. 689) lub nagłego wzrostu oporów w krążeniu płucnym powstałych z innych przyczyn.

Przewlekła niewydolność prawokomorowa rozwija się

przeważnie w następstwie przewlekłej niewydolności komory lewej, kiedy powstający w jej wyniku zastój krwi i wzrost ciśnienia w krążeniu płucnym stwarza opory dla pracy prawej komory serca i wpływa na jej czynność. Inną przyczyną niewydolności prawej komory jest tzw. zespół płucno-sercowy („serce płucne"). Zmiany w układzie krążenia w tym zespole mają charakter wtórny w stosunku do zmian w układzie oddechowym, obciążającym prawą komorę serca i utrudniającym jej pracę. Najczęściej zespół ten rozwija się wskutek rozedmy płuc i przewlekłego zapalenia oskrzeli (tzw. nieswoista choroba oskrzelowo-płucna), ale może też wystąpić w przebiegu innych chorób układu oddechowego.

Objawem najwcześniejszym niewydolności prawej komory jest poszerzenie żył szyjnych na skutek nadmiernego wypełnienia krwią, spowodowanego utrudnionym odpływem krwi żylnej do prawego przedsionka serca. Wypełnienie żył szyjnych zwiększa się wyraźnie podczas ucisku na okolicę wątroby – tzw. objaw wątrobowo-szyjny.

Dość wczesnym objawem jest powiększenie wątroby, będące wynikiem biernego przekrwienia. Dłuższe utrzymywanie się tego objawu prowadzi do tzw. marskości sercowej wątroby. Pojawiają się też zaburzenia ogólnoustrojowe zależne od upośledzenia czynności tego narządu.

Do późnych objawów, bardzo typowych, należą obrzęki. Początkowo dotyczą one najniżej położonych części ciała, tzn. okolicy kostek i podudzi, stopniowo jednak obejmują inne okolice, a w zaawansowanym okresie choroby mogą mieć charakter uogólniony. U chorych leżących obrzęki mogą pojawić się najpierw w okolicy krzyżowo-lędźwiowej. W zaawansowanym okresie choroby dochodzi także do przesięków, tj. gromadzenia się płynu w jamach ciała – w jamach opłucnej i otrzewnej, czyli do tzw. wodobrzusza, które może przybierać znaczne rozmiary. Krańcowym wyrazem przewlekłej niewydolności prawokomorowej jest postępujące wyniszczenie, czyli tzw. charłactwo sercowe.

Wstrząs sercowopochodny, czyli **kardiogenny**, jest to ostre zaburzenie krążenia krwi, spowodowane działaniem czynników gwałtownie zaburzających pracę serca. Prowadzi ono do nagłego zmniejszenia dopływu krwi do tkanek i upośledzenia czynności ważnych dla życia narządów. Do najważniejszych czynników mogących wywołać wstrząs sercowopochodny należą: zawał serca, ostre zaburzenia rytmu serca, zapalenie mięśnia sercowego, nagromadzenie dużej ilości płynu w worku osierdziowym, masywny zator płucny, uraz, ciężka infekcja.

Objawem wstrząsu jest spadek ciśnienia tętniczego krwi, chłodna, pokryta lepkim potem skóra, zmniejszenie wydalania moczu. W cięższych postaciach mogą wystąpić zaburzenia świadomości oraz spadek ciśnienia tętniczego krwi do wartości nieoznaczalnych. Wstrząs kardiogenny jest najgroźniejszym powikłaniem chorób serca.

Leczenie niewydolności krążenia

Leczenie niewydolności krążenia jest wielokierunkowe i zależy od wywołującej ją przyczyny, rodzaju i stopnia nasilenia objawów chorobowych oraz wieku i stanu chorego. W każdym przypadku, jeśli jest to możliwe, powinna być leczona choroba podstawowa (np. operacyjne usunięcie wad zastawkowych serca, obniżenie ciśnienia krwi itp.). T r y b ż y c i a chorego, a zwłaszcza jego aktywność fizyczna, powinny być dostosowane do aktualnych możliwości organizmu. W cięższych stanach stosuje się leczenie szpitalne z całkowitym lub prawie całkowitym wyłączeniem wszelkiej aktywności fizycznej. Dłuższe unieruchomienie nie jest jednak korzystne ze względu na możliwość pojawienia się zaników mięśniowych, odleżyn, a także powikłań zakrzepowo-zatorowych. Ważną rolę gra d i e t a z ograniczeniem zawartości soli. Posiłki powinny być przyjmowane często i w niewielkich ilościach. Wartość energetyczna diety, zawartość w niej białka i innych substancji odżywczych zależą od stopnia odżywienia chorego, zaawansowania choroby i związanych z nią zaburzeń metabolicznych.

Spośród l e k ó w stosowanych w leczeniu niewydolności krążenia szczególne znaczenie mają i n h i b i t o r y e n z y m u k o n w e r t u j ą c e g o. Leki te, z których najszerzej jest stosowany kaptopryl, zmniejszają objawy niewydolności krążenia, wyrównując wywołane przez chorobę nadmierne działanie niektórych hormonów, co hamuje mechanizm błędnego koła pogarszający stan chorego. Leki tej grupy przedłużają życie osób z niewydolnością krążenia i zdecydowanie poprawiają jego jakość. W czasie leczenia jest konieczna kontrola wydolności nerek i poziomu potasu w surowicy krwi. Inne leki stosowane u osób z niewydolnością krążenia to preparaty naparstnicy i środki moczopędne. N a p a r s t n i c a zwiększa siłę skurczu mięśnia serca (tzw. dodatnie działanie inotropowe) oraz zwalnia jego czynność (tzw. ujemne działania chronotropowe). Ze względu na silne działanie i kumulowanie się w organizmie oraz możliwość wywołania objawów ubocznych, preparaty naparstnicy muszą być stosowane ściśle według zaleceń lekarza. Do najczęściej stosowanych preparatów naparstnicy należą: digoksyna i metyldigoksyna.

L e k i m o c z o p ę d n e zwiększają wydalanie moczu, a wraz z nim sodu i chloru oraz wody, powodując ustąpienie lub zmniejszenie obrzęków i poprawę pracy serca. W czasie stosowania tych leków zwykle są podawane dodatkowo preparaty potasu, który „ucieka" wraz z sodem. Często stosowane są także leki z grupy tzw. antagonistów aldosteronu, jak Aldakton A (Verospiron), które sprzyjają utracie sodu przy jednoczesnym zatrzymywaniu potasu w organizmie. Do częściej stosowanych leków moczopędnych należą: furosemid (może być stosowany doustnie, domięśniowo, dożylnie), hydrochlorotiazyd, Tialorid (połączenie hydrochlorotiazydu i amilorydu – środka zapobiegającego utracie potasu) oraz chlortalidon (Hygroton).

W ostatnich latach znajduje także zastosowanie nowa metoda lecznicza, polegająca na podawaniu w niektórych postaciach niewydolności krążenia l e k ó w r o z s z e r z a j ą c y c h t ę t n i c z k i. Zmniejszając obwodowy opór naczyniowy, leki te stwarzają korzystniejsze warunki dla pracy serca.

Obrzęk płuc i wstrząs sercowopochodny wymagają leczenia wysoce specjalistycznego, prowadzonego zwykle w ośrodkach intensywnej opieki medycznej (OIOM).

Nerwica serca

Nerwica serca należy do grupy tzw. n e r w i c n a r z ą d o w y c h (zob. Psychiatria, Zaburzenia nerwicowe, s. 1070). Nazwą tą określa się stany, w których występują objawy wskazujące na zaburzenia czynności różnych układów lub narządów wewnętrznych, bez uchwytnych zmian organicznych tłumaczących te objawy. Nerwice te powstają w następstwie zakłócenia czynności ośrodkowego układu nerwowego, kontrolującego „pracę" układu wegetatywnego (autonomicznego), który reguluje czynności narządów wewnętrznych. Mechanizm powstawania i rozwoju nerwic jest złożony i nie można go w pełni wyjaśnić. W nerwicy serca na czoło obrazu chorobowego wysuwają się objawy zaburzeń czynnościowych ze strony serca.

O b j a w y nerwicy serca są bardzo różnorodne i mają różne nasilenie. Do podstawowych należą: bóle w klatce piersiowej, bicie i kołatanie serca, duszność, niepokój, osłabienie, przy czym badania lekarskie i odpowiednie badania pomocnicze nie wykazują żadnych organicznych chorób serca ani obiektywnych zmian w układzie krążenia.

Bóle w klatce piersiowej, najczęściej zgłaszane przez chorych z nerwicą serca, wykazują pewne cechy, które różnią je od bólów występujących w chorobie wieńcowej i innych chorobach układu krążenia o podłożu organicznym. Bóle w nerwicy dotyczą zwykle okolicy przedsercowej, a nierzadko ograniczone są jedynie do koniuszka serca. Mogą mieć charakter kłujący, przeszywający, co przeważnie przykro odczuwa chory i co potęguje jego stan niepokoju i wzmożonego napięcia nerwowego. Mogą też być tępe, gniotące, zwykle ograniczone do okolicy przedsercowej, niezbyt nasilone i – w przeciwieństwie do bólów wieńcowych – mogą utrzymywać się w zbliżonym natężeniu przez szereg godzin, a nawet dni. Wspólną cechą bólów nerwicowych, różniącą je od bólów pochodzenia wieńcowego, jest to, że nie promieniują, nie mają wyraźnego związku z wysiłkiem fizycznym oraz nie ustępują po zażyciu nitrogliceryny lub innych środków przerywających zwykle ból wieńcowy; ustępują natomiast lub zmniejszają się pod wpływem leków działających na układ nerwowy.

Do częstych dolegliwości osób z nerwicami serca należy także duszność. Chorzy nie mogą wykonać dostatecznie głębokiego wdechu; przy podejmowaniu próby zrobienia takiego wdechu, wydają z siebie jedynie jak gdyby okresowo powtarzające się westchnienie. Bicie i kołatanie serca, odczuwane nawet przy całkowicie prawidłowej jego czynności, ma często wyłącznie subiektywny charakter. W niektórych przypadkach czynność serca bywa umiarkowanie przyspieszona. Charakterystyczna jest też znaczna zmienność akcji serca; przyspiesza się ona łatwo pod wpływem niewielkich nawet bodźców psychicznych i równie łatwo zwalnia. Częstym objawem jest uczucie nierównego bicia lub zamierania serca, co może zależeć od okresowo występujących przedwczesnych pobudzeń serca.

Objawom nerwicy serca towarzyszy na ogół niepokój psychiczny i ruchowy, różnie nasilone stany lękowe oraz wzmożona potliwość dłoni, stóp i okolic pachowych, ziębnięcie kończyn, łatwe czerwienienie się i blednięcie. Jeśli niepokój i pobudzenie psychoruchowe są silnie wyrażone, występują nagle i przybierają gwałtowny charakter, stan taki określa się jako napad nerwicowy.

Leczenie. Zasadniczą rolę w leczeniu nerwicy serca odgrywa właściwie prowadzona psychoterapia, uwzględniająca indywidualne cechy chorego oraz rodzaj i nasilenie objawów chorobowych. Ważne znaczenie ma wykrycie i usunięcie szkodliwych wpływów środowiska zewnętrznego, które mogły mieć wpływ na ujawnienie się objawów nerwicy. Uregulowany tryb życia i pracy, odpowiednia liczba godzin snu, racjonalny wypoczynek, dostosowana do możliwości chorego aktywność fizyczna, zwłaszcza na świeżym powietrzu, sprzyjają właściwemu leczeniu. Konieczne może być wyłączenie używek, jak papierosy, alkohol, kawa, mocna herbata. W razie potrzeby stosuje się środki farmakologiczne obniżające napięcie układu nerwowego. Dobór leków zależy od rodzaju i nasilenia objawów. W przypadkach o znacznym nasileniu jest konieczna konsultacja psychiatry, a nawet opieka specjalnej poradni zajmującej się leczeniem nerwic.

Zespół hiperwentylacji. Przyczyną choroby należącej do grupy nerwic jest nieprawidłowy sposób oddychania, w wyniku którego dochodzi do specyficznych zmian stężenia dwutlenku węgla we krwi. Nie występuje żadne organiczne uszkodzenie narządów wewnętrznych, przebieg choroby jest łagodny.

Objawem zespołu hiperwentylacji są: zawroty głowy, konieczność głębokiego wzdychania, czasem zasłabnięcia, a nawet sporadycznie omdlenia, przyspieszone bicie serca, mrowienie i drętwienie kończyn. Niekiedy mogą występować objawy tężyczki (zob. s. 839).

Leczenie takie jak nerwicy serca.

II. CHOROBY UKŁADU ODDECHOWEGO

Występowanie i społeczne znaczenie chorób układu oddechowego

Choroby układu oddechowego są bardzo rozpowszechnione we współczesnym społeczeństwie. Ponad 50% wszystkich porad lekarskich jest związanych z zachorowaniem na choroby płuc i oskrzeli. Na przewlekłe zapalenie oskrzeli choruje 15 do 30% mężczyzn i 5 do 10% kobiet. Przewlekłe zapalenie oskrzeli i rozedma płuc występują u 25% populacji męskiej w wieku 40 do 64 lat. Astma oskrzelowa występuje u 2% ludności, a rak płuca jest najczęstszym nowotworem u mężczyzn. Stanowi on ok. 30% wszystkich nowotworów w Polsce, umiera z jego powodu ok. 10 000 osób rocznie.

Gruźlica płuc w naszym kraju jest nadal problemem społecznym i umieralność z powodu tej choroby jest w dalszym ciągu znaczna.

Ostre zapalne choroby tchawicy, oskrzeli i płuc

Zaziębienie, najczęściej trapiąca nas choroba, zwykle mylnie jest określane jako „grypa" lub „bronchit". Przyczyną zaziębienia jest najczęściej zakażenie wirusowe, a jego objawami są: gorączka, uczucie rozbicia, nieżyt gardła i nosa, zwykle kaszel. Choroba trwa na ogół kilka dni, nie pozostawia następstw i leczy się środkami domowymi oraz znanymi lekami przeciwgorączkowymi i wykrztuśnymi.

Grypa jest chorobą wirusową, która może mieć rozmaity przebieg, od zupełnie banalnego do niezwykle ciężkiego, kończącego się czasem tragicznie. Zależy to od typu wirusa i od sił odpornościowych organizmu. W okresie dużych epidemii grypa jest szczególnie groźna, ponieważ wielkie epidemie są wywołane przez zjadliwe szczepy wirusa. Choroba przenosi się drogą kropelkową, a okres wylęgania wynosi 1 – 3 dni.

Objawami choroby są: nagłe pojawienie się gorączki z dreszczami, uczucie rozbicia, bóle mięśniowe, bóle głowy, nieżyt nosa, suchy kaszel. Osłabienie w stosunku do dolegliwości jest na ogół nieproporcjonalnie duże. Badanie krwi ujawnia leukopenię, czyli zmniejszenie liczby krwinek białych. Po kilku dniach gorączka i pozostałe objawy ustępują, zaczyna się zdrowienie. Czas trwania niepowikłanej grypy wynosi 7 – 14 dni. W grypie powikłanej zakażenie wirusowe może torować drogę zakażeniu bakteryjnemu, tak więc zejściem grypy może być bakteryjne zapalenie płuc. Rzadziej przyczyną powikłań jest sam wirus. Czasami wywołuje on wirusowe zapalenie płuc, wirusowe zapalenie mięśnia sercowego, a niezwykle już rzadko – zapalenie wątroby i mózgu (zespół Reye).

Leczenie. Nie ma swoistego leczenia grypy. Chorobę tę leczy się ogólnie znanymi środkami domowymi, lekami przeciwgorączkowymi i wykrztuśnymi. W niektórych przypadkach w celu zapobieżenia zakażeniu bakteryjnemu może być wskazane stosowanie antybiotyków.

Zapobieganie grypie opiera się na szczepieniach ochronnych swoistą szczepionką, która daje na ogół przejściową, kilkumiesięczną odporność. Używa się w tym celu mieszaniny szczepów A i B wirusa grypy.

Ostre zapalenie tchawicy i oskrzeli może być wywołane przez bakterie, wirusy, a także – rzadziej – przez riketsje i mikoplazmy. Zapadalności na tę chorobę sprzyja oziębienie organizmu oraz podrażnienie śluzówek przez wdychane różne szkodliwe substancje. Ostre zapalenie tchawicy i oskrzeli jest typowym powikłaniem przewlekłego zapalenia oskrzeli u palaczy papierosów.

Dominującym objawem choroby jest uporczywy kaszel, na ogół suchy, męczący, któremu towarzyszy wykrztuszanie niewielkiej ilości plwociny. Im „wyżej" umiejscowione są zmiany zapalne, tym bardziej męczący jest kaszel i tym skąpsze odkrztuszanie. Tak więc zapalenie tchawicy charakteryzuje się głównie kaszlem, zapalenie oskrzeli – kaszlem i odkrztuszaniem. Choroba może przebiegać z gorączką lub bez. W niektórych przypadkach chorzy odczuwają duszność, której przyczyną jest skurcz oskrzeli. Pojawia się wtedy tzw. świszczący oddech. Jest to źle rokujący objaw, ponieważ w ten sposób może zaczynać się zespół objawów mający tendencję do przewlekania się i przechodzenia w tzw. przewlekłe, astmatyczne zapalenie oskrzeli.

Leczenie polega na stosowaniu leków przeciwkaszlowych i wykrztuśnych, w niektórych przypadkach antybiotyków.

Zapobieganie to unikanie oziębień organizmu i wdychiwania substancji drażniących, dla palaczy zaś najlepszym sposobem zapobiegawczym jest rzucenie palenia.

Zapalenie płuc

Zapalenie płuc może być wywołane przez: drobnoustroje, czynniki chemiczne i fizyczne oraz procesy immunologiczne. Najczęściej przyczyną choroby są drobnoustroje, a wśród nich przede wszystkim bakterie, następnie wirusy, rzadko pierwotniaki i grzyby.

Zapalenie płuc jest chorobą groźną, ponieważ może dawać różne powikłania i może być również powikłaniem innych chorób. Nawet dziś, w dobie skutecznego leczenia, jest częstą przyczyną zgonów w Polsce. Ponad 10 000 osób rocznie umiera z powodu tej choroby. Dotyczy to najczęściej ludzi starych, o osłabionej odporności.

Bakteryjne zapalenie płuc. Z punktu widzenia praktycznego bakteryjne zapalenie płuc dzieli się na „szpitalne" i „pozaszpitalne". Podział ten jest uzasadniony, ponieważ w obu przypadkach chorobę wywołują różne czynniki i różny ma ona przebieg.

„Szpitalne" zapalenie płuc jest wywołane przez bakterie bytujące w środowisku szpitalnym. Bakterie te są w dużym stopniu oporne na antybiotyki, dlatego ten rodzaj zapalenia płuc w samej swej istocie jest groźniejszy.

„Pozaszpitalne" („uliczne", „domowe") zapalenie płuc jest najczęściej wywoływane przez dwoinkę zapalenia płuc, na ogół wrażliwą na antybiotyki. W normalnych warunkach ten typ zapalenia płuc „pomyślnie reaguje" na odpowiednio prowadzone leczenie.

Objawy zapalenia płuc to: nagły początek choroby, wysoka gorączka z dreszczami, kaszel, czasem bóle w klatce piersiowej. Bóle mogą świadczyć o tym, że proces chorobowy objął również opłucną. W przebiegu choroby są możliwe różne powikłania, może ona być również „maską" innej choroby, np. gruźlicy, ropnia lub nawet nowotworu płuc.

Leczenie. Zapalenie płuc powinno być zasadniczo leczone w szpitalu. Leczenie antybiotykami modyfikuje przebieg choroby, dlatego obecnie trudno jest przewidzieć, jak długo ona potrwa. Zależy to od czynnika chorobotwórczego, sił obronnych organizmu oraz właściwie zastosowanego antybiotyku.

Zapobieganie rozwojowi choroby osób unieruchomionych i nieprzytomnych polega na właściwej opiece pielęgnacyjnej i – wyjątkowo – profilaktycznym zastosowaniu antybiotyków. U osób szczególnie narażonych jest możliwe stosowanie odpowiednich szczepionek uodporniających.

Atypowe zapalenie płuc, do którego zalicza się zapalenie wirusowe i zapalenie mikoplazmatyczne, ma inny przebieg kliniczny. Objawy nie są tak burzliwe, jak w zapaleniu bakteryjnym, a poza tym zapalenia tego lekarz nie może (w odróżnieniu od bakteryjnego) tak łatwo „wysłuchać". O rozpoznaniu rozstrzyga zasadniczo badanie radiologiczne płuc. Wspólne dla wirusowego i mikoplazmatycznego zapalenia płuc są tylko objawy – przebieg, leczenie i rokowanie są różne.

Wirusowe zapalenie płuc jest najczęściej powikłaniem właściwej choroby wirusowej (grypy, odry itp.), leczenie przyczynowe praktycznie nie istnieje, a rokowanie jest niepewne.

Mikoplazmatyczne zapalenie płuc jest właściwie łagodną chorobą, skutecznie poddającą się leczeniu odpowiednimi antybiotykami, a rokowanie jest pomyślne. Wyleczenie jest całkowite, powikłania niezwykle rzadkie. Klinicznie choroba ta przypomina przewlekające się zaziębienie, z dominującym objawem uporczywego kaszlu.

Zapalenie płuc spowodowane czynnikami chemicznymi lub fizycznymi występuje rzadko. Może być wywołane: wdychaniem szkodliwych substancji, działaniem niektórych leków, przypadkowym lub zamierzonym napromieniowaniem klatki piersiowej promieniami rentgena, np. w leczeniu raka sutka. Częściej „modelem" takiego zapalenia jest tzw. zachłystowe zapalenie płuc, w którym po dostaniu się do płuc treści żołądkowej (stany śpiączkowe, różne zatrucia – najczęściej upojenie alkoholowe) dochodzi do uszkodzenia nabłonka oddechowego.

Zapalenie płuc o podłożu immunologicznym zdarza się jako powikłanie niektórych rzadkich chorób, mieszczących się w grupie tzw. chorób kolagenowych (gościec, liszaj rumieniowaty postać układowa i in). Zob. Choroby reumatyczne, s. 882.

Przewlekłe zapalne choroby oskrzeli i płuc

Przewlekłe zapalenie oskrzeli i rozedma płuc

Przewlekłe zapalenie oskrzeli i rozedma płuc są to stany chorobowe nierozerwalnie ze sobą związane. Niekiedy nazywa się je przewlekłą, nieswoistą chorobą oskrzelowo-płucną.

Przewlekłe zapalenie oskrzeli jest chorobą, w której dominującym objawem jest kaszel i wykrztuszanie plwociny. Chorobę tę rozpoznaje się, jeśli wymienione objawy utrzymują się co najmniej przez 3 miesiące w roku w ciągu trzech kolejnych lat. Istotą choroby jest przerost gruczołów śluzowych błony śluzowej oskrzeli z nadprodukcją śluzu, który – drażniąc tzw. receptory kaszlowe oskrzeli – wywołuje odruch kaszlowy. Przyczyną przerostu jest ciągłe drażnienie błony śluzowej oskrzeli przez różne wdychiwane substancje, a – rzadziej – przez produkty metabolizmu drobnoustrojów. Najczęściej spotykanym czynnikiem drażniącym jest dym tytoniowy, niekiedy pyły i pary występujące w procesie produkcji przemysłowej. Chorobie sprzyjają osłabione siły odpornościowe organizmu umożliwiające rozwój bakterii w błonie śluzowej oskrzeli.

W warunkach prawidłowych błona śluzowa oskrzeli jest jałowa, wysłana urzęsionym nabłonkiem. Rzęski przez swój ruch (podobny do falowania zboża), w kierunku od wewnątrz oskrzeli na zewnątrz, usuwają sprawnie śluz wraz z jego zawartością, np. z pyłem, bakteriami itp. Zmieniona zapalnie śluzówka traci te rzęski. Usuwanie śluzu ulega upośledzeniu, w obnażonej śluzówce łatwo zagnieżdżają się bakterie, staje się ona wrotami zakażenia i źródłem drażnienia warstw głębszych. Łatwo wówczas dochodzi do skurczu oskrzeli (głównie przy oziębieniu śluzówki) i ujawnienia się objawów astmatycznych.

Wyróżnia się 3 rodzaje przewlekłego zapalenia oskrzeli: 1) zapalenie proste, np. nieżyt palacza, 2) zapalenie zakażone, kiedy chory wykrztusza zakażoną plwocinę, co można rozpoznać po jej zmienionym kolorze – żółtym lub zielonym oraz 3) zapalenie astmatyczne, gdy chory odczuwa duszność i ma świszczący oddech.

N i e ż y t p a l a c z a jest typowym przykładem zapalenia oskrzeli. Zapada nań każdy palacz papierosów po kilku latach trwania tego nałogu. W najłagodniejszej postaci charakteryzuje go poranny kaszel i wykrztuszanie wydzieliny. Kaszel z biegiem lat staje się coraz bardziej uporczywy, a wykrztuszanie coraz trudniejsze.

Dym tytoniowy początkowo tylko hamuje aktywność rzęsek, z czasem ulegają one jednak nieodwracalnemu zniszczeniu, co powoduje coraz większe utrudnienie wykrztuszania. U wieloletnich palaczy kaszel staje się czynnikiem upośledzającym krążenie krwi. W czasie napadów kaszlu na ułamki sekund może zatrzymać się obieg krwi w płucach i ustaje dopływ krwi do ośrodkowego układu nerwowego, w związku z czym możliwe są krótkotrwałe epizody utraty przytomności.

Nagromadzony śluz rozpycha oskrzela, powstają trwałe rozszerzenia poszczególnych ich odcinków (r o z s t r z e n i e o s k r z e l i), co jeszcze bardziej utrudnia samooczyszczanie się drzewa oskrzelowego. Obwodowe odcinki płuc z pewną trudnością opróżniają się z powietrza. Początkowo powstaje tylko r o z d ę c i e p ł u c, potem pękają przegrody pęcherzykowe, a w nich naczynia płucne i dochodzi do powstania jakby pęcherzy w tkance płucnej; pojawia się tzw. r o z e d m a p ł u c. Wzmożone opory w krążeniu płucnym obciążają znacznie serce, co prowadzi do rozwoju n i e w y d o l n o ś c i k r ą ż e n i a.

R o z w ó j i p r z e b i e g przewlekłego zapalenia oskrzeli zależy od skuteczności zwalczania zakażenia i oczyszczania oskrzeli przez organizm. Zdolność ta, niedoskonała we wczesnym dzieciństwie, ulega upośledzeniu w wieku starszym. W wieku dojrzałym mechanizm ten jest mniej lub bardziej sprawny u poszczególnych osób. Od tego właśnie zależy to, że niektórzy palacze już po krótkim czasie trwania nałogu mają kłopoty z układem oddechowym, inni zaś dopiero po 20–30 latach palenia. U niektórych ludzi istnieje d z i e d z iczna skłonność do powstawania rozedmy płuc, wynikająca z niedoboru antyenzymu rozkładającego enzymy proteolityczne, czyli trawiące białko (rozedma z niedoboru alfa$_1$-antytrypsyny). Dochodzi wówczas jakby do samotrawienia tkanki płucnej przez enzymy rozkładające białko, np. przez enzymy bakteryjne lub enzymy własne krążące we krwi. Właśnie w tych przypadkach bardzo szybko rozwija się rozedma płuc i ujawnia się u ludzi młodych.

Leczenie przewlekłego zapalenia oskrzeli polega na stosowaniu leków ułatwiających wykrztuszanie, a w razie potrzeby – leków rozkurczowych i antybiotyków. Określone zastosowanie ma tu również gimnastyka oddechowa oraz leczenie klimatyczne.

Leczenie rozedmy płuc praktycznie nie istnieje. Choroba ta powoduje nieodwracalne uszkodzenie układu oddechowego. Pewne wyniki daje tu rehabilitacja oddechowa, mająca na celu lepsze wykorzystanie mało wartościowej tkanki płucnej. Ważne jest w tym przypadku właściwe wykorzystanie oddychania przeponowego.

Zapobieganie przewlekłemu zapaleniu oskrzeli i rozedmie płuc polega na: usunięciu czynnika chorobotwórczego (zaprzestanie palenia, instalacja urządzeń odpylających w zakładach pracy i osiedlach itp.), zwiększeniu sił odpornościowych organizmu (szczepienie ochronne, hartowanie, leczenie klimatyczne) oraz właściwej i mądrej organizacji oświaty zdrowotnej.

Gruźlica płuc

Gruźlica płuc – jej etiologia, rodzaje, leczenie, zapobieganie – jest szczegółowo opisana w dziale Choroby zakaźne (zob. s. 937). Choroba ta – nadal uznawana w Polsce za chorobę społeczną – obecnie ma często przebieg nietypowy i może przypominać bakteryjne, nieswoiste (niegruźlicze) zapalenie płuc, raka płuc bądź nieswoiste zapalenie opłucnej. Rozpoznanie gruźlicy płuc w tych przypadkach nie jest łatwe. Nie zawsze można wykryć prątek gruźlicy (prątek Kocha) w bezpośrednim badaniu bakteriologicznym plwociny, czasem wynik posiewu plwociny otrzymuje się po kilku tygodniach, gdyż prątek wzrasta na pożywkach sztucznych bardzo wolno. Pewne rozpoznanie gruźlicy opiera się na wykryciu prątka Kocha, inne jest tylko rozpoznaniem domniemanym. Ma to zasadnicze znaczenie, ponieważ zarówno nierozpoznanie gruźlicy tam, gdzie ona jest, jak i „rozpoznanie" jej tam, gdzie jej nie ma, może mieć poważne konsekwencje. Nierozpoznanie istniejącej choroby może skończyć się tragicznie, ponieważ nie wprowadza się w tym przypadku leczenia, leczenie zaś nie istniejącej choroby – zawsze długotrwałe (minimum 6 miesięcy), dokuczliwe i nie wolne od powikłań związanych ze stosowaniem leków – może być nieobojętne dla organizmu.

Choroby oskrzeli i płuc o podłożu uczuleniowym

Astma oskrzelowa

Astma oskrzelowa jest to choroba polegająca na nagłym skurczu oskrzeli, któremu towarzyszy obrzęk błony śluzowej oskrzeli i nadmierne wytwarzanie śluzu. Zjawiska te sprzyjają znacznemu zwężeniu oskrzeli i wzrostowi oporu przy oddychaniu, co wywołuje uczucie duszności, przyspieszenie częstości oddychania, niepokój, uczucie strachu. Objawy te ustępują samoistnie albo pod wpływem leczenia.

Przyczyną skurczu oskrzeli jest głównie reakcja alergiczna czynnika uczulającego, tj. alergenu pochodzącego z zewnątrz, z istniejącym w organizmie przeciwciałem, które powstało wskutek wielokrotnych kontaktów z alergenem. Można tu przeciwciało porównać do zamka, a alergen do klucza; włożenie klucza do zamka powoduje gwałtowną reakcję, która wywołuje rozpad pewnego typu komórek (komórek tucznych) i uwolnienie pewnych substancji (mediatorów reakcji alergicznej), inicjujących wiele reakcji doprowadzających w konsekwencji do napadu astmatycznego.

Dlaczego tak się dzieje, że nie wszyscy, którzy stykają się z określonymi substancjami, wytwarzają owe przeciwciała? Otóż w populacji ludzkiej istnieje tylko pewien odsetek osób (ok. 10%), szczególnie łatwo wytwarzających wspomniane przeciwciała. Nazywa się ich osobnikami atopowymi. Ta skłonność może być dziedziczna.

Wśród wielu istniejących alergenów astmę oskrzelową najczęściej wywołują tzw. alergeny wziewne, tzn. dostające się do organizmu drogami oddechowymi, np. kurz domowy, pierze, sierść zwierząt domowych, pyłki roślin i pleśni. W kurzu domowym dominującym alergenem są odchody malutkiego (o średnicy ok. 0,3 mm) pajęczaka z rodziny roztoczy (tablica 16 a). Znacznie rzadziej przyczyną astmy są inne alergeny, jak pokarmy i leki. Niektórzy zaliczają do alergenów produkty przemiany bakterii (astma infekcyjna), ale nie ma co do tego całkowitej zgodności. Na podstawie tych poglądów pewne przypadki zapalenia oskrzeli błędnie są klasyfikowane jako przypadki astmy oskrzelowej.

Występowanie i przebieg. Astma oskrzelowa może pojawić się w każdym wieku, ale najczęściej występuje już w dzieciństwie, a następnie w okresie przekwitania. Przebieg jej może być różny, od epizodycznych lekkich ataków duszności do ciężkiego inwalidztwa oddechowego. W przebiegu tej choroby mogą być okresy zupełnie wolne od napadów, stwarzające wrażenie całkowitego wyleczenia. Mogą być też stany pogorszenia podczas infekcji układu oddechowego oraz przy zetknięciu się z różnymi drażniącymi substancjami chemicznymi, w czasie skażenia środowiska. W takiej sytuacji błona śluzowa oskrzeli staje się jakby lepiej przepuszczalna dla alergenów i mogą one sprawniej wnikać w głąb. Okres ciąży może wpływać rozmaicie na przebieg astmy, na ogół jednak przebieg choroby w tym czasie ulega złagodzeniu.

Objawem astmy oskrzelowej jest nagle pojawiająca się duszność. Chory z trudem wciąga powietrze, a jeszcze trudniej jest mu je wytchnąć. Przyjmuje pozycję siedzącą lub stojącą, opiera ręce na stole lub krześle fiksując klatkę piersiową, co ułatwia mu oddychanie. Z daleka można słyszeć jego świszczący oddech. Może wystąpić zasinienie twarzy. Po pewnym czasie pojawia się kaszel i chory z trudem wykrztusza niewielką ilość szklistej, zbitej plwociny. Napad powoli ustępuje.

Napad astmy jest uznany za stan naglący i wymaga szybkiej pomocy. Chory musi natychmiast przyjąć właściwe leki, jeśli takie ma, albo należy wezwać pogotowie ratunkowe; gdy ta pomoc nie jest skuteczna, konieczne jest przewiezienie chorego do szpitala.

Napady astmatyczne często pojawiają się w nocy, budząc chorego ze snu, przy czym typowe godziny ich występowania to pierwsza – druga po północy. Duszność pojawiająca się nad ranem, tuż przed obudzeniem, jest raczej typowa dla przewlekłego zapalenia oskrzeli.

Leczenie. Bardzo ważne znaczenie w leczeniu astmy oskrzelowej ma wykrycie czynnika wywołującego objawy choroby. Pomaga tu wywiad z chorym, a potwierdzają rozpoznanie próby skórne z zestawem różnych alergenów. Próby te polegają na podaniu śródskórnym – lub przez drobne zadrapanie – pewnej ilości substancji „podejrzanej" o wywoływanie objawów uczuleniowych. W przypadku uczulenia pojawia się w tym miejscu zaczerwienienie, niekiedy bąbel, z towarzyszącym swędzeniem skóry.

Leczenie astmy oskrzelowej jest kompleksowe i, ogólnie rzecz biorąc, dzieli się na leczenie napadu i leczenie między napadami.

W czasie napadu stosuje się leki rozkurczające oskrzela i hormony kory nadnerczy. Leki te wzajemnie się uzupełniają. W ciężkim napadzie leki podawane są we wstrzyknięciach, w lekkim wystarczą leki podawane w postaci tabletek, czopków (np. aminofilina) lub w aerozolu (np. Salbutamol, Berotec). Bardzo duże zastosowanie znalazł tu Intal, lek, który nie dopuszcza do rozpadu komórek tucznych i uwolnienia mediatorów reakcji alergicznej.

Leczenie odczulające ma na celu wytworzenie tolerancji na dany alergen. Polega ono na wstrzykiwaniu coraz to większych dawek tego alergenu, tak że w końcu dochodzi do tolerowania dawek, z którymi chory może zetknąć się w życiu codziennym.

Leczenie klimatyczne, zwłaszcza w warunkach wysokogórskich (1500–2000 m n.p.m.), jest bardzo korzystne. Powietrze jest tam niemal wolne od alergenów wziewnych, a nadnercza wytwarzają hormony w nadmiarze, co ma również duże znaczenie. Te dwa czynniki powodują, że w klimacie wysokogórskim bardzo wiele osób pozbywa się astmy zupełnie. W naszej strefie klimatycznej nie mamy możliwości leczenia sanatoryjnego na tej wysokości. W sanatoriach położonych niżej skutki leczenia nie są tak korzystne. W klimacie nadmorskim w okolicach pozbawionych wegetacji roślin na ogół dobrze czują się chorzy z sezonową pyłkową astmą, zwłaszcza w dni, w których wiatr wieje od morza.

Pewne znaczenie w leczeniu astmy oskrzelowej (aczkolwiek mało sprawdzone z punktu widzenia obiektywności wyników leczenia) może mieć leczenie akupunkturą i hipnozą.

Zapobieganie astmie oskrzelowej obejmuje wiele różnorakich działań. Są to działania polegające m.in. również na poradnictwie małżeńskim (nierozsądne jest zawieranie małżeństw przez osoby dziedzicznie obciążone chorobami alergicznymi) i zawodowym (chorzy na astmę nie mogą pracować w zawodach narażających na dalsze uczulenia, np. w fabryce antybiotyków, we fryzjerstwie, piekarnictwie).

Bardzo duże znaczenie ma także odpowiednia organizacja życia domowego, gdyż może zmniejszyć ryzyko uczulenia się lub częstotliwość występowania napadów astmy. Po zorientowaniu się, jaki czynnik jest przyczyną napadów, należy wyeliminować go z otoczenia chorego. I tak w przypadku uczulenia na pierze należy zmienić poduszki na wypełnione gąbką syntetyczną, przy uczuleniu na kurz domowy odpowiednio urządzić mieszkanie (zlikwidować przedmioty chłonące kurz, np. dywany), często je odkurzać i wietrzyć. Przy uczuleniu na sierść zwierząt hodowanych w domu trzeba niekiedy podjąć bolesną decyzję pozbycia się zwierzęcia.

Przy uczuleniu na pyłki roślin można zmniejszyć ekspozycję na alergen, zmieniając miejsce pobytu (przenosząc się czasowo do strefy klimatycznej, gdzie pylenie roślin jeszcze nie wystąpiło albo już zakończyło się) lub jeśli jest to niemożliwe – unikając wychodzenia z domu. W okresie pylenia się roślin okna w domu powinny być zamknięte w ciągu dnia, można je otwierać tylko w nocy, gdy ruch powietrza jest minimalny, i zamykać przed świtem.

Przy nietolerancji na aspirynę nie wolno używać nie tylko tego leku, ale również prawie wszystkich innych leków przeciwbólowych i przeciwgorączkowych, ponieważ wywołują one nietolerancję podobnie jak polopiryna; zjawisko to nosi nazwę nietolerancji krzyżowej.

Alergiczne zapalenie pęcherzyków płucnych, samoistne włóknienie płuc

Włóknienie płuc jest stosunkowo rzadką chorobą o charakterze immunologicznym, w której proces reakcji antygen – przeciwciało daje odczynowy przerost tkanki łącznej (włóknistej) w płucach. Tkanka ta powoduje „nadmiar sprężystości" płuc, stają się one sztywne, trudne do rozciągnięcia. Wysiłek ukierunkowany na pokonanie tej sprężystości staje się odczuwalny, powstaje uczucie duszności. Miejscem, w którym zaczyna się proces przerostu tkanki łącznej, są pęcherzyki płucne, stąd nazwa włókniejące zapalenie pęcherzyków płucnych.

Przyczyny choroby są bardzo różne. W wielu przypadkach nie udaje się ich określić, czyli zidentyfikować alergenu, ale w miarę postępu medycyny lista czynników wywołujących chorobę wydłuża się i obecnie jest już pokaźna. Są to antygeny pochodzące od różnych zwierząt, głównie ptaków, pleśnie, bakterie i grzyby oraz niektóre związki chemiczne. Choroba związana jest najczęściej z wykonywanym zawodem lub określoną sytuacją, w której znalazł się człowiek wrażliwy na te antygeny. Stąd też pochodzą różne bardzo liczne nazwy tej choroby. Oto one (w nawiasach podano czynnik przyczynowy): płuco farmera (drobnoustroje), płuco hodowców gołębi (antygen ptasi), płuco hodowców papużek (antygen ptasi), płuco hodowców kawy (pleśnie), płuco ludzi okorowujących klony (pleśnie), płuco „rozrywaczy" papryki (pleśnie), płuco „wąchaczy" przysadki (sproszkowana przysadka bydlęca jest stosowana w formie „tabaczki" w leczeniu moczówki prostej), płuco hodowców grzybów (pleśnie), choroba napełniaczy silosów (pył zboża), choroba osób korzystających z urządzeń klimatyzacyjnych (pleśnie, bakterie, pierwotniaki itp.). Chorobę omówimy na przykładzie płuca farmera.

Płuco farmera. Chorobę tę w niektórych krajach już dosyć dawno uznano za chorobę zawodową. O istnieniu jej wiedziano od dawna i wiązano ją z pracą w atmosferze pyłu spleśniałego siana i zboża. Dopiero ok. 30 lat temu angielski badacz J. Pepys udowodnił, że „gorączka farmera", zwana obecnie płucem farmera, jest alergiczną reakcją typu opóźnionego – występuje po kilku godzinach od zetknięcia się z antygenem – na pewien określony rodzaj drobnoustrojów bytujących w spleśniałym sianie lub zbożu. Ten opóźniony typ reakcji (pozorny brak bezpośredniego związku z wykonywaną pracą) był przyczyną tak późnego wykrycia tej choroby, tym bardziej że jej objawy są mało charakterystyczne dla chorób alergicznych, a bardziej przypominają zapalenie płuc lub zaziębienie.

Choroba ujawnia się w zimie. Farmer rozbija belę siana (wilgotne siano w środku takiej beli ma wyższą temperaturę, co stwarza idealne środowisko dla rozwoju pleśni), podaje ją bydłu, a potem w domu, po kilku godzinach, zaczyna chorować. Pojawia się gorączka, kaszel, duszność, osłabienie, pozostaje więc w łóżku, a choroba mija po kilku dniach. Gdyby w tym czasie wykonano mu badanie rentgenowskie klatki piersiowej, to wykazałoby ono objawy śródmiąższowego zapalenia płuc. Zapalenie to zaś daje tylko niewielkie zmiany osłuchowe, albo nie wykazuje ich wcale. Farmer najczęściej nie idzie do lekarza, kładzie się i choruje. Ale jeśli nawet i zasięgnie porady lekarza, ten, nie kojarząc jego choroby z określoną sytuacją, rozpoznaje ją jako zaziębienie, grypę lub lekkie zapalenie płuc. A sprawa nie jest banalna, każdy rzut choroby pozostawia bowiem ślad w płucach w postaci zmian zwłóknieniowych, każdy następny rzut zwiększa spustoszenie, doprowadzając w końcu do zupełnego inwalidztwa oddechowego.

Samoistnym włóknieniem płuc nazywa się włóknienie płuc, w którym nie udaje się wykryć czynnika przyczynowego. Jeśli jednak podejrzewa się, że chorobę wywołuje określony antygen, w surowicy chorych można stwierdzić występowanie przeciwciała wiążącego ten antygen. Nowoczesna diagnostyka laboratoryjna dysponuje możliwością wykrycia zasadniczo każdego antygenu.

Leczenie alergicznego zapalenia pęcherzyków płucnych i samoistnego włóknienia płuc polega na stosowaniu hormonów kory nadnerczy, czasem dodatkowo tzw. leków immunosupresyjnych, tam zaś, gdzie jest to możliwe – na eliminowaniu czynnika przyczynowego.

Zapobieganie ww. chorobom jest możliwe tylko tam, gdzie znany jest czynnik przyczynowy. Można wówczas organizować badania profilaktyczne, w których zasadniczym elementem jest wykrywanie przeciwciał wiążących określony alergen.

Płucne odczyny w przebiegu uczulenia (nietolerancji) na leki

Odczyny w układzie oddechowym spowodowane przez leki mogą przebiegać jako: 1) odczyny typu astmatycznego oraz 2) odczyny imitujące zapalenie płuc. **Odczyny typu astmatycznego**, przypominające napad astmy, występują częściej. Tak zwana astma aspirynowa (ok. 10%) notowana jest u wszystkich chorych na astmę. Istotą odczynu na aspirynę i inne tzw. niesteroidowe leki przeciwzapalne nie jest reakcja antygen – przeciwciało, a zaburzenie biochemiczne, powinno się mówić nie „uczulenie" bądź „alergia", lecz raczej „nietolerancja" aspiryny. Tradycyjnie jednak, nawet w kołach fachowych, używa się określenia „alergia aspirynowa".

Aspiryna jest lekiem, który u nielicznych chorych łagodzi objawy astmatyczne, u innych wywołuje je, a skala tych odczynów jest różna, od niewielkiej duszności do ciężkiego stanu astmatycznego. Podobnie też „zachowuje się" cała rodzina leków przeciwbólowych i przeciwgorączkowych, takich jak piramidon, butapirazol, brufen, antineuralgina, cofedon, felsol, gardan, isalgin, nowalgina, proszki od bólu głowy z krzyżykiem, pabialgina, pyrenol, pyralgina, pyrosalofen, reumanol, scorbopiryna, tabletki przeciw grypie, wegantalgin, weramid, weramon. Rozpoznanie nadwrażliwości na aspirynę nakazuje ostrożność w stosowaniu tych właśnie leków i środków spożywczych (żółty barwnik tartrazyna i czerwony erytrozyna).

„Uczuleniu" na aspirynę towarzyszą często polipy nosa. Osoba mająca polipy nosa powinna sprawdzić, czy nie jest uczulona na aspirynę, a osoba uczulona na aspirynę powinna sprawdzić stan zdrowia u laryngologa.

Osoby ze skłonnością do odczynów astmatycznych mogą reagować skurczem oskrzeli na leki, które inni chorzy mogą przyjmować bez zastrzeżeń. Chodzi tu o niektóre leki stosowane w leczeniu nadciśnienia tętniczego i zaburzeń rytmu, takie jak propranolol i kilka innych preparatów tej grupy.

Odczyny imitujące zapalenie płuc może wywoływać wiele leków. Pierwsze doniesienia na ten temat dotyczyły nitrofurantoiny („płuco nitrofurantoinowe"), leku używanego do leczenia zakażeń układu moczowego. Potem opisano takie zjawiska wywołane przez wiele innych leków, a obecnie na czoło wybija się tu cała rodzina leków stosowanych w leczeniu chorób nowotworowych („płuco busulfanowe", „płuco metotreksatowe" itp.).

Postępowanie w tych przypadkach polega na intensywnym leczeniu hormonami kory nadnerczy (np. enkortonem), a w ciężkich stanach na stosowaniu tlenu.

Zaburzenia regulacji oddychania

Bodźcami powodującymi oddychanie jest pobudzanie dwóch rodzajów receptorów wysyłających sygnały do mięśni oddechowych, tj. receptorów rdzenia przedłużonego reagujących na wzrost ilości dwutlenku węgla i receptorów zatoki szyjnej reagujących na spadek stężenia tlenu we krwi. Prawidłowa czynność tych receptorów zapewnia człowiekowi określony „napęd oddechowy". Zarówno spadek ciśnienia tlenu, jak i wzrost zawartości dwutlenku węgla we krwi powoduje odruchowe przyspieszenie i pogłębienie oddychania. Są sytuacje, w których, niezależnie od zmian w gazach krwi, napęd oddechowy może być wzmożony (czynniki psychiczne, zakwaszenie organizmu w czasie wysiłku – hiperwentylacja) lub osłabiony (zatrucia, wylewy krwi do mózgu i inne – hipowentylacja).

Zespół hiperwentylacyjny jest nerwicą polegającą na, nie związanym ze zmianami gazów we krwi, przyspieszeniu i pogłębieniu oddychania. Chory oddycha tak, jakby wykonywał znaczny wysiłek fizyczny. Zespół ten słusznie nazywa się zespołem pseudowysiłkowym. Wskutek „niepotrzebnie intensywnego" oddychania chory pozbywa się dwutlenku węgla, a krew staje się zasadowa, naczynia (w tym mózgu) ulegają zwężeniu, chory może tracić przytomność, a pobudliwość jego mięśni wzrasta i następują prężenia, kurcze mięśniowe (tężyczka). Leczenie polega na psychoterapii, a w czasie napadu na skłonieniu chorego do zwrotnego oddychania własnym powietrzem z worka plastykowego (chory „odbiera sobie" z tego worka dwutlenek węgla i nie dochodzi do przesunięcia odczynu krwi w kierunku zasadowym).

Zespoły hipowentylacyjne. Dzieli się je na pochodzenia centralnego (upośledzenia sprawności ośrodka oddechowego w rdzeniu przedłużonym) i obwodowego, z których istotne znaczenie ma zespół obturacyjnego bezdechu w czasie snu. W czasie snu spada napięcie mięśni utrzymujących w drożności wejście do krtani. Struktury otaczające krtań (podniebienie, języczek, migdałki) zapadają się, zwężając ten otwór, a w końcu zupełnie go blokują. Choroba dotyczy głównie stosunkowo młodych mężczyzn z nadwagą, czasem nadciśnieniem i impotencją. Chorzy tacy intensywnie chrapią (zwężenie wejścia do krtani), a w trakcie snu następują dłuższe niż 10 s okresy bezdechu (zamknięcie wejścia do krtani), wzrost ilości dwutlenku węgla we krwi i wybudzanie się. W okresach bezdechu spada gwałtownie utlenowanie krwi, często do wartości występujących na szczycie Mont Everestu. Sytuacja taka powtarza się kilkadziesiąt razy podczas nocy. Chory chrapie, przestaje oddychać, budzi się, znowu zasypia itd. Jest w ciągu dnia niewyspany, zasypia przy lada okazji, może powodować wypadki, staje się praktycznie inwalidą. Tego rodzaju odchylenia można badać i leczyć, i to bardzo skutecznie (specjalny aparat uniemożliwiający zapadanie się otoczenia krtani lub zabieg operacyjny).

Zawodowe choroby układu oddechowego

W uprzemysłowionym współczesnym świecie bardzo dużo różnych substancji może wywoływać zmiany w płucach. Po stwierdzeniu, że jest to związane z wykonywanym zawodem, zalicza się je do zawodowych chorób płuc. Należą tutaj omówione wyżej: astma oskrzelowa (piekarzy lub pracowników fabryk antybiotyków), rozedma płuc, włóknienie płuc (płuco farmera, hodowców drobiu) oraz bawełnica i pylice.

Bawełnica (bysynoza) występuje u osób pracujących w tkactwie. Do chwili obecnej mechanizm powstawania tej choroby jest niejasny. Nie ulega wątpliwości, że objawy jej zależą od działania pyłu (bawełny, konopi, lnu, sizalu) na układ oddechowy. Pył ten jest mieszaniną wielu składników, od startego włókna po występujący w nim materiał biologiczny, np. pleśnie, bakterie i grzyby. Działanie pyłu może być zatem zarówno chemiczne, jak i immunologiczne.

Typowym objawem bawełnicy jest tzw. gorączka poniedziałkowa. Objaw ten polega na znacznym zaostrzeniu dolegliwości po sobotnio-niedzielnym wypoczynku. Po przyjściu w poniedziałek do pracy chory czuje się źle, może pojawić się nawet duszność i gorączka. Bawełnica zasadniczo nie powoduje dających się zauważyć zmian w płucach.

Leczenie jest objawowe, a zapobieganie polega na instalowaniu sprawnych urządzeń odpylających lub stosowaniu specjalnych masek ochronnych.

Pylice płuc. W chorobach tych wdychana substancja chemiczna zalega w płucach i wywołuje tam zmiany. W zależności od rodzaju pyłu wyróżnia się: pylicę krzemową, węglową, żelazową, talkową, berylową, cynową, grafitową, azbestową i inne. Szczególnie niebezpieczna, z uwagi na rakotwórcze działanie azbestu, jest pylica azbestowa. W wielu krajach stosowania azbestu (np. w Stanach Zjednoczonych) całkowicie zakazano. W naszym kraju chorobą o społecznym zasięgu jest pylica krzemowa (krzemica). Czysta krzemica powstaje u osób zatrudnionych przy obróbce kamienia (kamieniarzy, pracowników drążących tunele w skałach itp.), natomiast u górników pracujących w kopalniach węgla rozwija się pylica mieszana krzemowo-węglowa. Anglicy nazywają ten rodzaj pylicy pylicą górników kopalń węgla. Sam pył węglowy wywiera działanie czysto mechaniczne i czysta pylica węglowa (np. u palaczy w kotłowni) jest chorobą do pewnego stopnia łagodną, wywołującą rodzaj przewlekłego zapalenia oskrzeli. W pokładach węgla w Polsce domieszka kamienia nie jest zbyt duża i pylica u polskich górników należy do pylic łagodniejszych.

Pył krzemowy wywiera działanie mechaniczne, chemiczne i immunologiczne. Działanie immunologiczne polega na tym, że tkanka płucna pod wpływem pyłu krzemowego zaczyna działać jak antygen i choroba może rozwijać się mimo przerwania pracy. Ten odczyn osobniczy, związany z immunologicznym oddziaływaniem organizmu, sprawia, że czasem nasilenie zmian pylicznych jest nieproporcjonalnie duże do czasu ekspozycji organizmu na pył.

Krzemica wzbudza rozwój tkanki włóknistej, zwłóknienie płuc utrudnia ich rozprężenie i nasila pracę ukierunkowaną na pokonanie tego oporu. Ponadto działanie pyłu węglowego powoduje zapalenie oskrzeli i typowe objawy dla tej choroby. Czasem tkanka włóknista rozrasta się, wytwarzając guzy płuc, które można mylnie rozpoznać jako nowotwory. Górnicy z pylicą częściej niż inne grupy zawodowe zapadają na gruźlicę płuc; dawniej nazywano tę postać choroby pylico-gruźlicą.

Objawy zaawansowanej pylicy płuc to: duszność wysiłkowa, kaszel, dolegliwości ze strony układu krążenia.

Leczenie pylicy nie odbiega od ogólnych zasad leczenia chorób układu oddechowego.

Zapobieganie polega na sprawnym działaniu urządzeń odpylających, częstych badaniach kontrolnych, urlopach profilaktycznych i przesunięciach na stanowiskach pracy. Pylica może postępować (odczyn immunologiczny) mimo zaprzestania kontaktu z czynnikiem przyczynowym, dlatego szczególną opieką należy otoczyć byłych górników.

Rzadsze choroby płuc i oskrzeli

Mukowiscydoza. Jest to choroba spowodowana defektem genetycznym (zob. Patologia, s. 297), w której zmianom ulegają gruczoły wydzielania zewnętrznego (śluzowe – oskrzeli, przewodu pokarmowego). Choroba objawia się jako ciężkie, przewlekłe zapalenie oskrzeli, powikłane rozstrzeniami oskrzeli i wtórnymi zmianami w układzie krążenia (serce płucne). Oprócz tego dochodzi do niewydolności wydzielniczej trzustki, często do niedrożności jelit (zob. s. 756).

Leczenie nie odbiega od leczenia ciężkiego zapalenia oskrzeli.

Ropień płuca. Niegdyś bardzo częsta choroba, spowodowana zwykle zapaleniem płuc. Niekiedy była po prostu zejściem zapalenia płuc. Obecnie występuje rzadko, co wiąże się z faktem, że leczenie zapalenia płuc jest teraz bardziej skuteczne.

Objawami ropnia są: gorączka, wykrztuszanie dużej ilości ropnej plwociny, krwioplucie.

Leczenie chirurgiczne lub zachowawcze.

Zator i zawał płuca. Zawał płuca jest to „obumarcie”, czyli martwica fragmentu tkanki płucnej powstała wskutek zamknięcia przez zakrzep lub zator światła naczynia, które zaopatruje w krew dany fragment płuca. Nie jest to choroba częsta, ponieważ tkanka płucna jest podwójnie ukrwiona – przez tętnice oskrzelowe i tętnice płucne – i nawet gdy jedno z naczyń ulega zatkaniu, drugie w dostatecznym stopniu odżywia tkankę płucną i nie obumiera ona.

Zamknięcie naczynia płucnego, które nie prowadzi do martwicy, nosi nazwę zatoru płuc. Materiałem zatorowym są skrzepliny krwi, które wytwarzają się w żyłach i stąd wraz z prądem krwi dostają się do płuc.

Mogą one powstać w czasie zapalenia żył lub unieruchomienia (np. u osób długo przebywających w łóżku w wyniku choroby, operacji, uwiądu starczego), a rzadko wskutek nadkrzepliwości krwi.

Objawami zatoru są: duszność, bicie serca, niepokój, spadek ciśnienia krwi. Gdy dołączy się do tego ból w klatce piersiowej i krwioplucie, sugeruje to zawał płuc.

Leczenie zatoru i zawału płuc polega na stosowaniu leków zmniejszających krzepliwość krwi (leki przeciwkrzepliwe), zapobieganie zaś na leczeniu żylaków i ich zapalenia oraz na niedopuszczeniu (w miarę możliwości) do zbyt długiego przebywania w łóżku.

Grzybice płuc. Są to stosunkowo rzadkie choroby tkanki płucnej, ujawniające się w stanach upośledzonej odporności organizmu. Organizm zdrowy dość dobrze radzi sobie z zakażeniem grzybiczym. Upośledzenie odporności jest skutkiem wrodzonego defektu wytwarzania czynników zwalczających zakażenie, albo powstaje wskutek hamowania tego zjawiska przez stosowane leczenie (leki hormonalne, przeciwnowotworowe itp.).

Zmiany w płucach mogą wywołać różne grzyby, ale najczęściej powodują je: kropidlaki (*Aspergillus*), drożdżaki (*Candida*), *Histoplasma, Mucor*. Choroba może przebiegać pod postacią zmian alergicznych, zapalnych, guzowatych. W Polsce najczęstszą grzybicą układu oddechowego jest kropidlakowica, wywołana zakażeniem *Aspergillus fumigatus*. Może ono przebiegać pod postacią zapalenia płuc, opłucnej i oskrzeli oraz tzw. grzybniaka kropidlakowego (*aspergilloma*).

Grzybniak kropidlakowy jest to guz rosnący głównie w jamach pogruźliczych. Objawy choroby są niecharakterystyczne, a leczenie jest w zasadzie chirurgiczne, choć stosuje się też leczenie zachowawcze, polegające na bezpośrednim wstrzykiwaniu (przez ścianę klatki piersiowej) leków grzybobójczych do guza.

Promienica płuc, obecnie rzadko występująca choroba, rozwija się wskutek zakażenia drobnoustrojami zwanymi promieniowcami. Cechuje się tworzeniem ropni przechodzących na opłucną, czasem na kości, skórę i węzły chłonne. Choroba przebiega jako przewlekłe zapalenie płuc z licznymi przetokami, przebijającymi się na zewnątrz i pozostawiającymi zniekształcające blizny. Objawy zależą od rozległości zmian, a leczenie penicyliną daje pełne wyleczenie.

Ziarniniak Wegenera. Jest to choroba o charakterze immunologicznego zapalenia naczyń, w tym również naczyń płucnych. Poza płucami, zmiany martwicze występują w górnych drogach oddechowych oraz w nerkach. Na zdjęciu rentgenowskim płuc są widoczne jako okrągły cień, obrazujący guz do złudzenia przypominający raka płuc.

Objawy choroby są różnorodne, zależnie od zajęcia różnych układów. Przebieg choroby jeszcze do niedawna był niepomyślny. Jednak zastosowanie leczenia zbliżonego do tego, jakie stosuje się w nowotworach, daje długotrwałe i całkowite ustąpienie objawów (remisje choroby) lub wręcz całkowite wyleczenie.

Choroby opłucnej

Zapalenie opłucnej może występować w postaci zapalenia suchego (bez obecności płynu) i wysiękowego (z obecnością płynu). Najczęstszą przyczyną choroby jest zakażenie bakteryjne, czasem wirusowe, ale zdarzają się również zapalenia na tle gorączki reumatycznej, kolagenoz, niebakteryjnych chorób sąsiednich narządów (zawału płuca, zapalenia trzustki), gruźlicy oraz zmian nowotworowych opłucnej. W dwóch ostatnich przypadkach zapalenie opłucnej ma zawsze postać wysiękową, a przy zmianach nowotworowych płyn wysiękowy jest często podbarwiony krwią.

Suche zapalenie opłucnej przebiega na ogół z gorączką, suchym kaszlem i bólami w klatce piersiowej. W ten sam sposób zaczyna się również wysiękowe zapalenie opłucnej. Ustępowanie kaszlu i bólu świadczy albo o zdrowieniu, albo o tym, że początkowo trące się o siebie blaszki opłucnej są rozdzielane płynem i suche zapalenie przechodzi w wysiękowe. Gromadzący się płyn uciska płuco i gdy zbierze się go sporo, może wystąpić duszność.

Powikłaniem wysiękowego zapalenia opłucnej może być ropniak opłucnej (płyn klarowny przechodzi w ropny) lub rozległe zwłóknienie opłucnej, z wciągnięciem w ten proces chorobowy płuc i klatki piersiowej, co odbija się bardzo ujemnie na mechanice oddychania, a przy zaawansowanym procesie również na układzie krążenia.

Leczenie zapalenia opłucnej zależy od przyczyny choroby, chociaż nie zawsze ustalenie precyzyjnego rozpoznania jest łatwe. Leczenie suchego zapalenia zwykle polega na podawaniu środków przeciwbólowych i przeciwgorączkowych. W wysiękowym zapaleniu płyn wysiękowy jest ściągany, co ma znaczenie nie tylko lecznicze, ale i diagnostyczne, gdyż pozwala ustalić przyczynę i w zależności od tego zastosować odpowiednie leczenie. Leczenie wysiękowego zapalenia opłucnej jest zwykle długotrwałe, a w przypadku ropniaka – wymaga ponadto stałego odsysania jamy opłucnej. Zajmują się tym specjalne oddziały chirurgii klatki piersiowej.

Rokowanie w suchym zapaleniu opłucnej jest bardziej pomyślne, ponieważ tej postaci choroby nigdy nie towarzyszy ani nowotwór, ani gruźlica.

Odma opłucna jest to dostanie się powietrza do jamy opłucnej. Normalnie pomiędzy dwiema blaszkami opłucnej jest próżnia, warunkująca wypełnienie pęcherzyków płucnych powietrzem. Po dostaniu się do jamy opłucnej powietrza, uciska ono pęcherzyki płucne, płuco „zapada się” czasem całkowicie i zaprzestaje swej funkcji.

Odma opłucna powstaje albo w wyniku pęknięcia płuca, albo na skutek urazu klatki piersiowej z otwarciem jamy opłucnej.

Nieurazowe pęknięcie płuca z wytworzeniem odmy nazywa się odmą samoistną.

Urazowa odma opłucna może powstać w wyniku urazu klatki piersiowej ze złamaniem żeber i przebiciem płuca przez odłamek żebra, może również wynikać z przebicia klatki piersiowej ostrym narzędziem z zewnątrz. Drugi rodzaj odmy jest doraźnie mniej niebezpieczny. Komunikacja płuca z górną opłucną i otoczeniem doprowadza do wyrównywania ciśnień między płucem a otoczeniem. W przypadku odmy nie komunikującej się z otoczeniem jest możliwy tzw. mechanizm wentylowy (z każdym wdechem odma dopełnia się) prowadzący do powstania dużego nadciśnienia w jamie opłucnej i ucisku nie tylko płuca, ale również i wielkich naczyń dochodzących do serca.

Zdarzają się (jest to bardzo rzadkie zjawisko) cyklicznie pojawiające się odmy opłucne w okresie miesiączki. Przyczyną tego jest dostanie się do tkanki płucnej komórek błony śluzowej macicy i ich rozplem w tym okresie.

Objawy odmy są dosyć charakterystyczne i polegają na nagłym bólu w klatce piersiowej, a w zależności od rozległości odmy (całkowita lub częściowa) i stanu układu oddechowego – mogą pojawić się duszność, niepokój, sinica.

Leczenie dużej odmy polega na chirurgicznym założeniu do jamy opłucnej drenu, odessaniu powietrza i wytwarzaniu ssaniem stałego podciśnienia. Małe odmy mogą być leczone odessaniem powietrza strzykawką i leżeniem albo tylko leżeniem. W tym czasie zmiana okleja się tkanką włóknistą i następuje zamknięcie otworu.

Powikłaniem odmy mogą być rozległe zrosty opłucnej i wytworzenie się płynu.

Nowotwory układu oddechowego

Zob. Choroby nowotworowe, s. 2048.

Zmiany płucne w przebiegu chorób układowych

Do chorób układowych zalicza się choroby powodujące tego samego rodzaju zmiany w wielu narządach. Należą do nich sarkoidoza oraz tzw. kolagenozy.

Sarkoidoza jest chorobą niezakaźną, ale w jakimś sensie od dawna związaną z gruźlicą. Wynika to z podobieństwa budowy mikroskopowej zmian ziarniny gruźliczej i sarkoidowej.

Objawy. W początkowym okresie choroby najbardziej charakterystyczne jest powiększenie węzłów chłonnych śródpiersia, potem pojawiają się rozlane zmiany w śródmiąższowej tkance płucnej. Na zdjęciu rentgenowskim obraz płuc wykazuje zmiany siateczkowate, marmurkowate – obraz ten określa się jako „zamieć śnieżną". Powstaje pewien nadmiar tkanki włóknistej w płucach, stają się one sztywne, wciągnięcie powietrza (oddech) wymaga zwiększenia siły, aby je rozciągnąć; pojawia się duszność, początkowo wysiłkowa, a w krańcowych stanach spoczynkowa.

Leczenie sarkoidozy wcześnie rozpoczęte daje dobre wyniki. Podstawowym środkiem leczniczym są syntetyczne hormony kory nadnerczy (np. enkorton).

Kolagenozy (zob. s. 882) mogą być przyczyną wielorakich zmian w płucach, najczęściej jednak wywołują zapalenie opłucnej, rzadziej zapalenie płuc. Niekiedy zmiany mogą przyjmować postać przypominającą guza płuc. Również w wielu przypadkach powodują postępujące włóknienie płuc.

Leczenie zmian w płucach na tle kolagenozy polega na stosowaniu hormonów kory nadnerczy, a czasem na kojarzeniu ich z lekami stosowanymi w leczeniu nowotworów.

Zapobieganie chorobom układu oddechowego

Zapobieganie chorobom układu oddechowego to przede wszystkim postępowanie mające na celu: 1) zwalczanie zanieczyszczeń atmosfery, 2) hartowanie ciała, 3) właściwy wybór zawodu, 4) poradnictwo rodzinne oraz 5) okresowe badania kliniczne i laboratoryjne.

1) Zwalczanie zanieczyszczeń atmosfery, ważne dla ogółu populacji ludzkiej, ma szczególne znaczenie dla osób z rodzinną skłonnością do chorób układu oddechowego (np. astma rodzinna, rozedma spowodowana niedoborem alfa$_1$-antytrypsyny) oraz dla osób o osłabionych reakcjach odpornościowych (niedobory przeciwciał). Do tego zapobiegania należy również zwalczanie zanieczyszczania powietrza dymem tytoniowym. Chodzi tutaj nie tylko o zaprzestanie palenia, ale i o nienarażanie osób z otoczenia na wdychanie powietrza zadymionego (tzw. bierne palenie).

2) Hartowanie ciała zwiększa odporność organizmu na zaziębienie. Ma to szczególne znaczenie w wieku dziecięcym. Zabiegi hartowania należy zaczynać wcześnie, aby przyzwyczaić organizm do nagłych zmian temperatury.

3) Właściwy wybór zawodu jest jednym z czynników warunkujących niejako bezpieczeństwo naszego organizmu. Wykonywany zawód nie powinien wywołać choroby układu oddechowego ani pogorszać już istniejącej. Ma to szczególne znaczenie w planowaniu zawodu dla osób dziedzicznie zagrożonych astmą oskrzelową lub chorych na nią. Osoby takie muszą unikać zawodów, w których można się łatwo uczulić na określone antygeny (niektóre fabryki, piekarnictwo, fryzjerstwo itp.). Powinny one pracować w dobrych warunkach, bez konieczności wykonywania wysiłków fizycznych. Najlepiej, aby należały do tzw. społecznej grupy inteligencji lub rzemiosł czystych (np. zegarmistrzostwo).

4) Poradnictwo rodzinne teoretycznie ma znaczenie w zapobieganiu chorobom układu oddechowego. Powinno ono zapobiegać zawieraniu małżeństw przez osoby obciążone chorobami mogącymi się dziedziczyć (np. astmą oskrzelową). Jest to poradnictwo przyszłości, ponieważ obecnie rzadko kto się nad tym zastanawia.

5) Okresowe badania kliniczne i laboratoryjne mają ważne znaczenie w zapobieganiu gruźlicy (zob. Choroby zakaźne, s. 940) oraz chorób zawodowych w określonych grupach zawodów, np. górników, pracowników fabryk antybiotyków i proszków do prania, piekarzy, fryzjerów, hodowców

drobiu itp. Badanie wrażliwości skórnej i oskrzelowej na poszczególne alergeny (próba prowokacyjna) i środki chemiczne (próba nadreaktywności oskrzeli) pozwala na przewidywanie wystąpienia astmy oskrzelowej. Dokładne badanie czynności układu oddechowego u pozornie zdrowych osób umożliwia wczesne wykrycie niedoboru alfa$_1$-antytrypsyny (zob. s. 700), pozwala wykryć wrodzoną skłonność do rozedmy płuc.

Leczenie hormonami kory nadnerczy (kortykoterapia)

Mimo, że syntetyczne hormony kory nadnerczy (leki steroidowe) stosuje się w medycynie od prawie 40 lat, mechanizm ich działania nie jest całkowicie poznany. Leki te w znacznym stopniu tłumią odczyn zapalny, a przez zahamowanie produkcji limfocytów wpływają na odczyny immunologiczne. Wpływają również dezintegrująco na tkankę łączną. Te cechy są korzystne w leczeniu wielu chorób układu oddechowego.

Leki steroidowe są podawane dożylnie w stanach naglących (np. napad astmatyczny) oraz domięśniowo lub doustnie w sposób stały albo przerywany w ciężkich przypadkach astmy, w leczeniu włóknienia płuc, sarkoidozy, płucnych odczynów polekowych i innych.

Decyzję o podjęciu leczenia hormonami kory nadnerczy podejmuje zawsze lekarz po wnikliwym przeanalizowaniu stanu chorego. Leczenie, zwykle długotrwałe, polega na codziennym stosowaniu leku w postaci tabletek lub zastrzyków albo raz na kilka tygodni preparatu o przedłużonym działaniu w postaci wstrzyknięcia. W niektórych przypadkach leki mogą być też podane w postaci wziewnej.

W trakcie leczenia obowiązują pewne rygory dotyczące diety i – w celu uniknięcia powikłań – stosowania leków uzupełniających oraz nieprzyjmowania pewnych leków, które nasilają niekorzystny wpływ środków hormonalnych. Zob. też Endokrynologia, s. 800.

Wytyczne dla chorych leczonych przewlekle

Leki steroidowe, takie np. jak encorton, encortolon, prednizon, deksametazon, betametazon, kenacort, triamcinolon, kenalog, polcortolon, celeston, depotmedrol, volon, diprophos, flosteron, są bardzo skuteczne w leczeniu astmy oskrzelowej i innych chorób, ale mogą wywoływać wiele reakcji niepożądanych. Stosowanie ich wymaga przestrzegania określonych zaleceń, a mianowicie:

1) nie wolno nagle przerywać leczenia steroidami;

2) w przypadku dołączenia się innych chorób, nie wolno odstawić leków steroidowych;

3) podczas wizyty u innego lekarza, niezależnie od jego specjalności, należy poinformować go o tym, że przyjmuje się przewlekle wspomniane leki lub że przyjmowało się je w ostatnim roku;

4) w dowodzie osobistym należy przechowywać aktualnie wypełnioną kartę leczenia steroidami;

5) w przypadku wystąpienia takich objawów, jak czarne stolce, wymioty fusowate, częste bóle nadbrzusza, stałe bóle w kręgosłupie, nadmierne krwawienia miesięczne, nadmierne pragnienie – należy bezzwłocznie zasięgnąć porady lekarza (jeśli to jest możliwe, tego, który prowadzi leczenie steroidowe).

Dieta przy leczeniu steroidami.

Posiłki należy spożywać 5 razy dziennie, w niedużych ilościach, tak aby nie przybrać na wadze.

Unikać pokarmów smażonych, ostrych przypraw, mocnej kawy, herbaty. Nie wolno pić alkoholu!

Wypijać 0,5 l mleka na dobę, najlepiej między posiłkami, z tego 1 szklankę przed snem.

Spożywać ok. 100 g twarogu na dobę.

Leki niewskazane w czasie leczenia steroidowego: polopiryna, butapirazol, raupasil, proszki od bólu głowy.

Leki dodatkowe, wskazane przy leczeniu steroidami: leki zmniejszające kwaśność soku żołądkowego, preparaty wapnia i fluoru, ewentualnie witamina D.

Immunoterapia

I m m u n o t e r a p i a polega na wywoływaniu zmian w układzie immunologicznym organizmu. Chodzi tu głównie o leczenie wywołujące powstanie określonych przeciwciał. Immunoterapia w przypadku a s t m y o s k r z e l o w e j jest nazywana o d c z u l a n i e m. Polega ona na wstrzykiwaniu uczulonemu choremu wzrastających dawek tego alergenu, na który jest on uczulony. Sposób ten powoduje powstanie przeciwciał, zwanych p r z e c i w c i a ł a m i b l o k u j ą c y m i. W naturalnym sposobie uczulania się

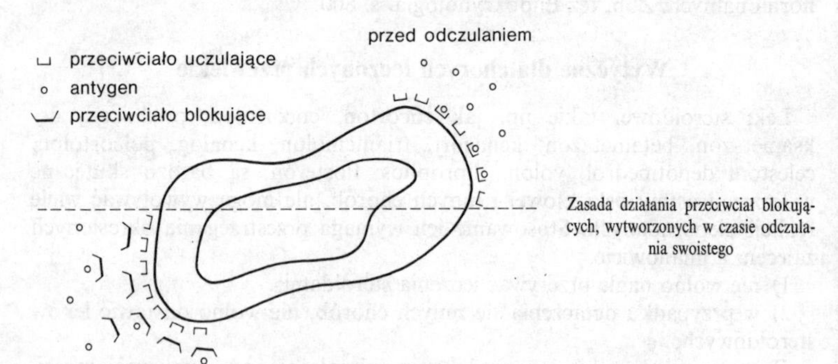

Zasada działania przeciwciał blokujących, wytworzonych w czasie odczulania swoistego

powstawały przeciwciała zwane reaginami. Wiązały one alergen z komórką tuczną, która rozpadając się powodowała uwalnianie mediatorów reakcji alergicznej i związane z tym objawy. Teraz przeciwciało blokujące już w płynach ustrojowych wiąże alergen (antygen), nie dopuszcza go do komórki tucznej, blokuje tę reakcję (rys. na s. 714).

Leczenie odczulające jest szeroko stosowane w przypadkach astmy oskrzelowej i pyłkowicy (kataru siennego). Jest ono żmudne, dosyć kosztowne i nie zawsze pewne. Najlepsze wyniki daje w leczeniu uczuleń na pyłki roślin, gorsze na kurz domowy i inne. W przypadku pyłkowicy cała kuracja ogranicza się do 3–6 iniekcji preparatu o przedłużonym działaniu, które należy co roku powtarzać przez okres następujących po sobie 3–4 lat.

Duże kontrowersje budzi stosowanie szczepionek bakteryjnych, mających wytworzyć przeciwciała wiążące bakterie. Większość z tych szczepionek jest pozbawiona istotnej wartości. W ostatnim okresie tylko jedna z nich ma ugruntowaną pozycję, podbudowaną naukową analizą skuteczności jej działania. Jest to szczepionka przeciw dwoince zapalenia płuc; wstrzyknięcie jej raz na 3 lata daje pewien stopień pewności, że infekcja dwoinką zapalenia płuc (penumokokiem) zostanie sprawnie zlikwidowana. Drobnoustrój ten wywołuje ponad 50% zapaleń płuc i jest przyczyną zakażenia w przewlekłym zapaleniu oskrzeli. Ugruntowaną wartość mają również szczepionki przeciwgrypowe.

Rehabilitacja oddechowa

Rehabilitacja oddechowa jest to cały zestaw działań zarówno samego chorego, który wykonuje samodzielnie określone ćwiczenia, jak i fizjoterapeuty, który mu w tym pomaga, wykonując za chorego część ćwiczeń.

Istotą ćwiczeń oddechowych jest pogłębienie oddychania, zwiększenie ruchomości klatki piersiowej i właściwe wykorzystanie oddychania przeponowego. Poprawie mechaniki oddychania sprzyjają trzy grupy zabiegów: 1) masaż klatki piersiowej, 2) gimnastyka oddechowa i 3) mechaniczne sposoby usprawniające oddychanie.

Masaż klatki piersiowej

Biorąc pod uwagę fakt ogólnej „sztywności" klatki piersiowej, stosowanie jej masażu jest całkowicie usprawiedliwione. Masaż stanowi czynność wstępną w stosunku do gimnastyki oddechowej. Oprócz działania rozluźniającego wpływa on – przez odruchowe podrażnienie zakończeń nerwowych – na pogłębienie czynności oddechowej. Masaż obejmuje: więzadła i stawy kręgosłupa, mięśnie grzbietu i klatki piersiowej, ze szczególnym uwzględnieniem mięśni międzyżebrowych, a także mięśnie szyi i brzucha.

Również odpowiednie ułożenie własnego ciała i rozluźnienie wszystkich mięśni jest pewnego rodzaju terapią i nazywa się leczeniem odprężającym, relaksującym. Prowadzi ono do zmniejszenia skurczu mięśni oskrzeli, występującego u osób z przewlekłymi chorobam układu oddechowego.

Gimnastyka oddechowa

Gimnastyka oddechowa może dać jakieś efekty dopiero po zwiększeniu ruchomości klatki piersiowej, a to w pewnym stopniu można osiągnąć przez stosowanie masażu. Gimnastykę oddechową można uprawiać dopiero po masażu albo też równolegle z nim. W przewlekłych chorobach układu oddechowego stosuje się niejako dwie grupy gimnastyki:

1) gimnastykę mającą zwiększyć ruchomość klatki piersiowej,
2) gimnastykę mającą poprawić mechanikę oddychania.

Podział ten jest tylko umowny, ponieważ ścisłe rozgraniczenie ćwiczeń nie jest ani możliwe, ani celowe.

Gimnastyka zwiększająca ruchomość klatki piersiowej ma szczególne znaczenie w zwłóknieniu płuc i klatki piersiowej oraz w zapobieganiu zrostom opłucnej po odmie i zapaleniu opłucnej.

W zależności od stanu zdrowia gimnastykę można zaczynać od postawy leżącej i przez siedzącą przejść do stojącej. Natężenie ćwiczeń i liczba powtórzeń są sprawą indywidualną. Ćwiczenia polegają przede wszystkim na skłonach tułowia w pozycji czołowej, strzałkowej i poprzecznej. Unieruchomienie miednicy w siadzie, klęku lub opadzie w przód prowadzi do tego, że ćwiczenia ruchowe dotyczą głównie piersiowego odcinka kręgosłupa, a to właśnie jest celem gimnastyki.

Ćwiczenie I. Pozycja wyjściowa – ułożenie na wznak, ramiona wzdłuż ciała:

1) wypchnięcie klatki piersiowej w górę (wdech),
2) powrót do pozycji wyjściowej (wydech).

Ćwiczenie II. Pozycja wyjściowa – ułożenie na prawym boku, głowa spoczywa na przedramieniu prawej ręki zgiętej w łokciu:

1) uniesienie głowy, skłon tułowia w lewo (wdech),
2) powrót do pozycji wyjściowej (wydech).

Następnie zmiana położenia na lewoboczne i powtórzenie ćwiczenia.

Ćwiczenie III. Pozycja wyjściowa – siad prosty z oparciem dłoni o łóżko:

1) położenie się na wznak (wdech),
2) powrót do pozycji wyjściowej (wydech).

Ćwiczenie to należy początkowo wykonać z pomocą instruktora, który chwytając za ręce i przyciągając osobę ćwiczącą ku przodowi pomoże jej powrócić z pozycji leżącej do siedzącej. Potem chory wykonuje ćwiczenie samodzielnie.

Ćwiczenie IV. Pozycja wyjściowa – siad prosty, dłonie na biodrach:

1) skłon tułowia w prawo,
2) powrót do pozycji wyjściowej,
3) skłon tułowia w lewo,
4) powrót do pozycji wyjściowej,
5) skłon tułowia w przód,

6) powrót do pozycji wyjściowej,
7) skłon tułowia w tył,
8) powrót do pozycji wyjściowej.

Podobne ćwiczenia można następnie wykonać w pozycji siedzącej na taborecie, a następnie w postawie stojącej.

Ćwiczenie V. Pozycja wyjściowa – leżenie na brzuchu, ramiona ugięte, dłonie odpoczywają na podłożu, na wysokości barków:
1) wolne prostowanie ugiętych ramion, biodra nie odrywają się od podłoża (wdech),
2) powrót do pozycji wyjściowej (wydech).

Gimnastyka poprawiająca mechanikę oddychania. Ćwiczenia należące do tej grupy mają na celu nauczenie oddychania przeponą oraz oddychania wolnego i głębokiego, co ma szczególne znaczenie u chorych na rozedmę płuc. W ułożeniu na wznak zwiększa się ruchomość przepony, a więc ćwiczenia oddychania przeponowego należy prowadzić tylko w pozycji leżącej. Najwygodniejszą pozycją, przy której bez specjalnego wysiłku uczącego i nauczanego następuje uruchomienie oddychania przeponowego, jest pozycja na wznak z kończynami ugiętymi w stawach kolanowych i biodrowych.

Gimnastykę oddechową dzieli się ponadto na gimnastykę oddechową statyczną i dynamiczną. Pierwsza opiera się na ćwiczeniach oddechowych bez udziału mięśni kończyn, druga na wykorzystaniu ich współdziałania.

Ćwiczenie I. Pozycja wyjściowa – ułożenie chorego na wznak, dłonie instruktora spoczywają na klatce piersiowej i nadbrzuszu chorego:
1) wdech z wypychaniem dłoni instruktora ku górze,
2) wydech z „uciskaniem" klatki piersiowej i brzucha przez dłonie instruktora.

To samo ćwiczenie wykonuje chory sam, układając własne dłonie – jedną na klatce piersiowej, drugą na nadbrzuszu.

Ćwiczenie II. Pozycja wyjściowa – ułożenie chorego na wznak, dłonie instruktora spoczywają na łukach żebrowych chorego, stykając się palcami na nadbrzuszu:
1) wdech, dłonie spoczywają luźno,
2) wydech z uciskiem dłoni na łuki żebrowe i na nadbrzusze w końcowej fazie wydechu.

Ćwiczenie to wykonuje następnie chory sam przy pomocy własnych dłoni.

Ćwiczenie III. Pozycja wyjściowa – ułożenie na wznak:
1) wdech ze wznoszeniem ramion przodem w górę i położeniem ich za głową,
2) wydech z opuszczeniem ramion do pozycji wyjściowej,

Ćwiczenie IV. Pozycja wyjściowa – siad na taborecie, ramiona opuszczone:
1) wdech z odwiedzeniem ramion bokiem w tył,
2) wydech ze skrzyżowaniem ramion przed sobą i skłonem w przód z uciśnięciem łuków żebrowych.

To samo ćwiczenie chory może wykonać przyjmując postawę stojącą.

Płuco prawe

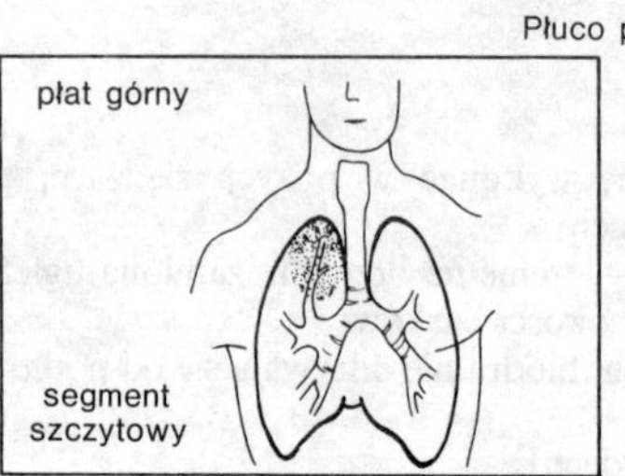
płat górny
segment szczytowy

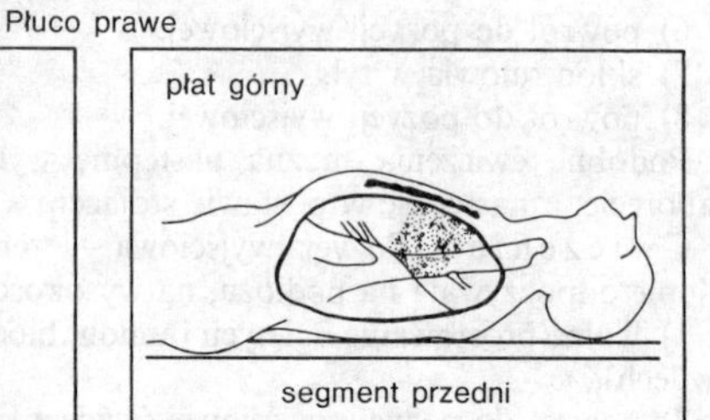
płat górny
segment przedni

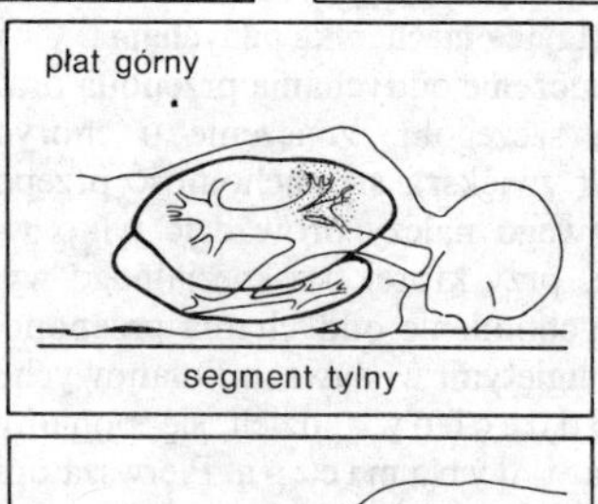
płat górny
segment tylny

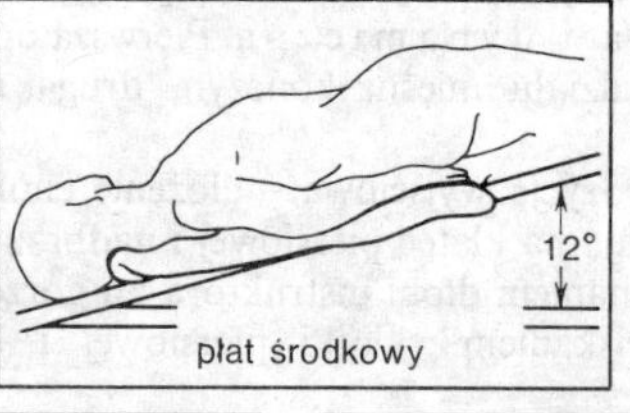
12°
płat środkowy

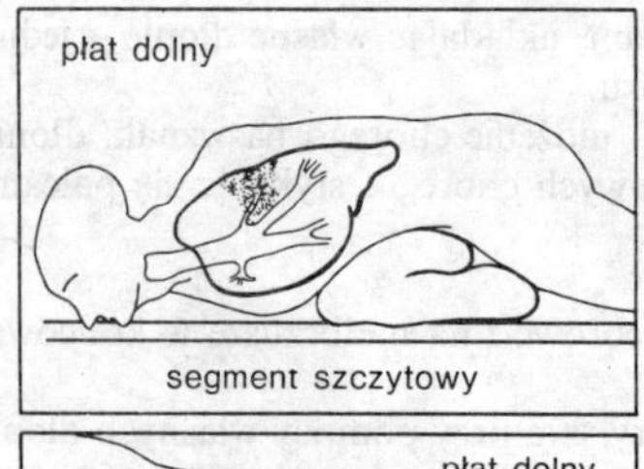
płat dolny
segment szczytowy

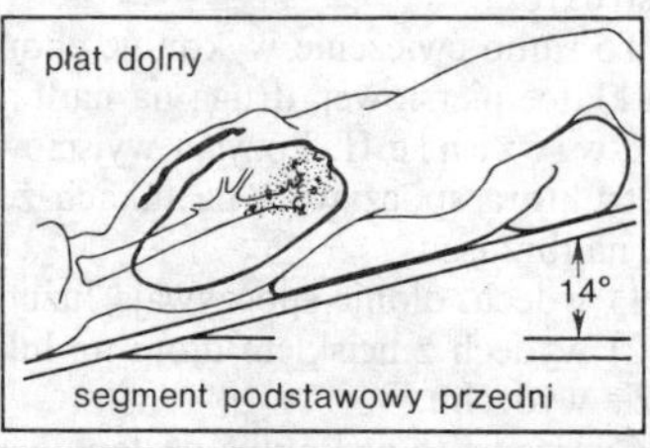
płat dolny
14°
segment podstawowy przedni

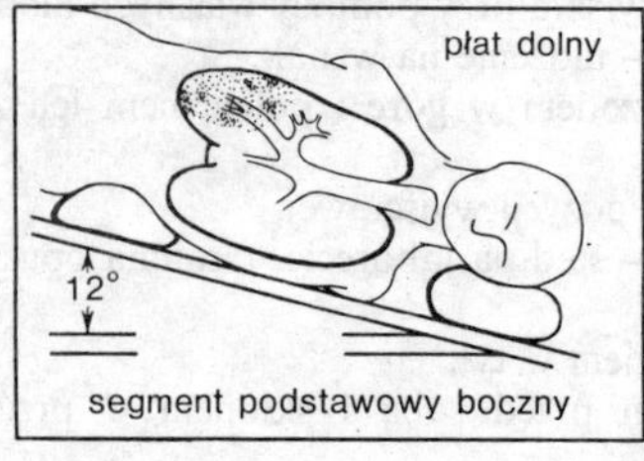
płat dolny
12°
segment podstawowy boczny

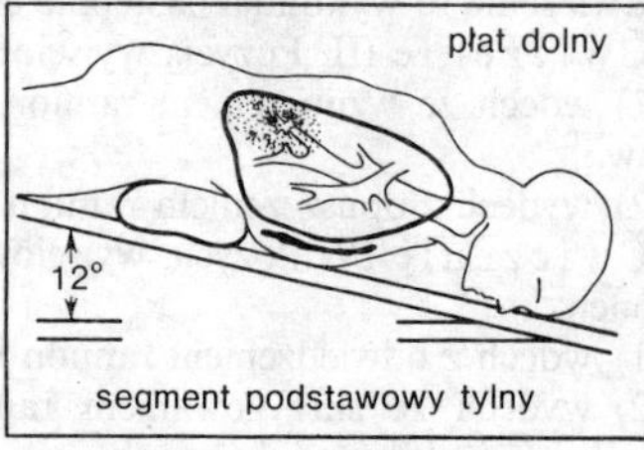
płat dolny
12°
segment podstawowy tylny

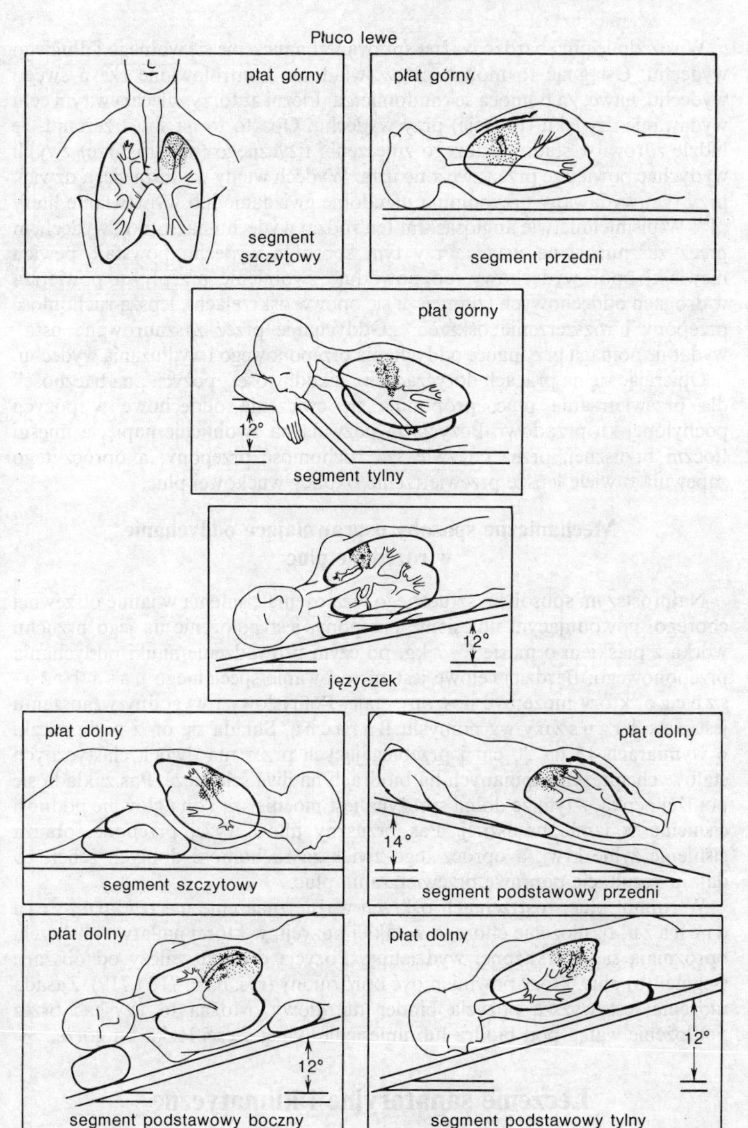

Pozycje drenażu ułożeniowego stosowane w leczeniu rozstrzeni oskrzeli. W zależności od tego, w jakim segmencie płuca znajduje się zmiana, chory przybiera odpowiednią pozycję w celu łatwiejszego wydalenia zalegającej wydzieliny (wg Sykesa, McNicola i Campbella)

W rozedmie płuc bardzo ważną sprawą jest nauczenie się wolnego i długiego wydechu. Osiągnąć to można przez świadome kontrolowanie czasu swego wydechu, nawet za pomocą sekundomierza. Liczni autorzy zalecają w tym celu wydawanie dźwięku (fonację) przy wydechu. Oparto to na spostrzeżeniu, że ludzie zdrowi w stadium dużego zmęczenia fizycznego (np. tragarze) zwykli wydychać powietrze przez zwężone usta. Wydech wtedy wydłuża się, a dźwięk przy tym wydawany przypomina nieudolne gwizdanie lub wymawianie litery „f". W piśmiennictwie anglosaskim ten rodzaj wydechu nazwano „wydechem przez zasznurowane usta". Przy tym sposobie wydechu powstaje pewien niewielki opór wydechowy, co powoduje zwolnienie przepływu powietrza w drogach oddechowych (zmniejsza się opór w oskrzelach), lepszą ruchomość przepony i rozszerzenie oskrzeli. „Oddychanie przez zasznurowane usta" wydatnie pomaga przy nauce oddychania przeponowego i wydłużania wydechu.

Opierając się na pracach dotyczących „szkodliwości" pozycji „na baczność" dla przewietrzania płuc, proponuje się ćwiczenia oddechowe w pozycji pochylonej ku przodowi. Pozycja ta pozwala na zwolnienie napięcia mięśni tłoczni brzusznej, przez co zwiększa ruchomość przepony, a oprócz tego zapewnia o wiele lepsze przewietrzenie okolicy wnękowej płuc.

Mechaniczne sposoby usprawniające oddychanie w rozedmie płuc

Najprostszym sposobem sztucznego wzmożenia ciśnienia w jamie otrzewnej chorego, powodującym uniesienie przepony, jest położenie na jego brzuchu worka z piaskiem o masie 5–7 kg, po czym prowadzenie nauki oddychania przeponowego. Bardziej celowe jest zastosowanie specjalnego *pasa brzusznego*, który może być noszony stale. Pomysłowy i wygodny w noszeniu jest *pas brzuszny* wg pomysłu *Baracha*. Składa się on z poduszeczki o wymiarach 15 na 20 cm i przebiegających przez nią dwóch elastycznych stalowych sprężyn zapinanych na biodrach na dwa ściągacze. Pas zakłada się poniżej pępka, z tym że dolna sprężyna jest mocniejsza i ona głównie podnosi ciśnienie w jamie brzusznej. Pas brzuszny unosi wyżej przeponę, obniża ciśnienie żylne krwi, a oprócz tego zwiększa ruchomość dolnych żeber, co daje w rezultacie poprawę przewietrzania płuc.

W ropniu płuc, rostrzeniach oskrzeli ważne znaczenie ma tzw. *pozycja drenażu*, tj. ułożenie chorego w takiej pozycji, w której najłatwiej oskrzela opróżniają się z zakażonej wydzieliny. Pozycja drenażu zależy od obszaru (segmentu) płuc, który powinien być opróżniony (rys. na s. 718 i 719). Zasadą ułożenia jest wyższa pozycja bioder niż głowy. Można to uzyskać przez podłożenie wałka pod biodra lub uniesienie tylnej części łóżka ku górze.

Leczenie sanatoryjne i klimatyczne

Leczenie sanatoryjne ma za zadanie utrwalenie leczenia ambulatoryjnego lub szpitalnego. Uzyskuje się to przez nauczenie samokontroli, gimnastykę oddechową, leczenie inhalacyjne itp. Leczenie sanatoryjne samo w sobie nie wnosi innych istotnych elementów leczniczych, których nie można by zastosować poza nim. Czyste powietrze, regularny wypoczynek, właściwie dawkowane leki, gimnastyka oddechowa – wszystko to można uzyskać także poza uzdrowiskiem. Leczenie sanatoryjne ma sens jedynie jako element szkolenia chorego, jak żyć ze swoją chorobą.

Leczenie klimatyczne w chorobach układu oddechowego może odbywać się w klimacie wysokogórskim (takich miejscowości w Polsce nie ma), podgórskim o charakterze bodźcowym (np. Rabka) lub oszczędzającym (np. Szczawnica położona w dolinie) oraz w klimacie morskim. Trudno przewidzieć, jak chory będzie reagować na leczenie klimatyczne, ale w myśl ogólnych zasad osoby młode skorzystają bardziej z klimatu podgórskiego bodźcowego, a osoby starsze z wydolnym krążeniem – z podgórskiego oszczędzającego. Chorzy z towarzyszącą niewydolnością krążenia muszą ograniczyć się do klimatu morskiego lub suchego nizinnego.

III. CHOROBY UKŁADU TRAWIENIA

Objawy chorobowe ze strony układu trawienia

Dolegliwości ze strony przewodu pokarmowego występują u znacznej części społeczeństwa. Nie ma chyba człowieka, który w ciągu swego życia nie odczuwałby tego rodzaju cierpień.

Biegunki, zaparcia stolca lub bóle brzucha i inne objawy mogą występować pojedynczo albo po kilka na raz. U większości są one banalne, krótkotrwałe i ustępują samoistnie. Jeżeli nawet są uporczywe i przeciągają się w czasie, nie muszą oznaczać poważnej choroby. Nierzadko jednak zdarzają się choroby z burzliwymi objawami, wymagające pilnej porady lekarskiej i intensywnego leczenia zachowawczego lub chirurgicznego. Bywa i tak, że groźne choroby rozwijają się podstępnie, bezobjawowo lub tylko ze skąpymi i niecharakterystycznymi objawami. Wykrycie tych chorób we wczesnym okresie ich rozwoju stwarza duże szanse wyleczenia i jest możliwe poprzez masowe badania profilaktyczne.

Objawy chorobowe ze strony układu trawienia są najczęściej następstwem chorób któregoś z narządów wchodzących w skład tego układu, a więc przełyku, żołądka, jelit, wątroby i dróg żółciowych oraz trzustki. Nierzadko jednak bywają one wynikiem stanów chorobowych zlokalizowanych poza układem pokarmowym, na przykład wymioty w chorobach ośrodkowego układu nerwowego, błędnika lub niewydolności nerek, bóle brzucha w chorobach ginekologicznych, w zaburzeniach naczyniowych, metabolicznych i endokrynologicznych.

Z powyższego wynika, że objawy ze strony układu trawienia są często nieswoiste, a wykrycie ich przyczyny stanowi poważny problem. W postępowaniu lekarskim, dla prawidłowego rozpoznania choroby niezwykle ważne jest staranne przeprowadzenie wywiadów chorobowych. W tej części badania ogromną rolę odgrywa sam chory. Rzetelne opisanie objawów zauważonych u siebie może być samo przez się podstawą do ustalenia diagnozy, wyboru najwłaściwszych badań pomocniczych (laboratoryjnych, radiologicznych, endoskopowych itp.) lub przynajmniej do wyboru doradcy, konsultanta – specjalisty z innej dziedziny. Należy zatem zwracać uwagę na charakter objawów, ich umiejscowienie, natężenie, okoliczności poprzedzające chorobę, zmienność objawów w miarę upływu czasu, ich zależność od rodzaju pożywienia i pory spożycia posiłków, wpływ leków, pozycji ciała, aktywności fizycznej i stanu emocjonalnego.

Ból brzucha

Trzewia brzuszne są niewrażliwe na wiele bodźców, które działając na skórę wywołują ból. Człowiek nie odczuwa bólu np. przy nacinaniu, szczypaniu, rozrywaniu lub zgniataniu tkanek narządów wewnętrznych. Ta odmienna reakcja na bodźce zależy od innego rodzaju unerwienia trzewnego i skóry. Uświadomienie sobie tego faktu może mieć ważne znaczenie, bowiem niektóre zabiegi diagnostyczne połączone są z pobieraniem wycinków tkanek do badania.

Narządy jamy brzusznej niewrażliwe na ww. bodźce są natomiast wrażliwe na rozciąganie, rozdęcie i wzmożone napięcie ścian. Odczuwamy to najlepiej w przypadku chorób narządów mających budowę umięśnionej rury, np. przełyku, żołądka, jelit lub przewodów żółciowych. W narządach miąższowych, takich jak wątroba, ból powstaje na skutek dość nagłego ich powiększenia i rozciągnięcia otaczającej torebki. Ból trzewny może być także wywołany przez zapalenie lub niedokrwienie. Charakter bólu trzewnego jest zwykle tępy, gniotący, palący lub kurczowy. Precyzyjne określenie jego lokalizacji jest trudne. Wskazanie narządu i określenie rodzaju choroby – odpowiedzialnych za powstanie bólu – tylko na podstawie lokalizacji i charakteru bólu jest najczęściej niemożliwe.

Ból w chorobach przełyku odczuwany jest zwykle za mostkiem, a przy większym natężeniu także w plecach i często jest połączony z zaburzeniami połykania lub zgagą. Niektóre choroby serca wywołują bóle o tym samym umiejscowieniu, dlatego dla ustalenia prawidłowego rozpoznania jest konieczne badanie lekarskie.

Ból w chorobach żołądka i dwunastnicy, wątroby, pęcherzyka żółciowego, dróg żółciowych i trzustki umiejscawia się w nadbrzuszu. W przypadku chorób pęcherzyka żółciowego i dróg żółciowych ból często odczuwany jest w prawym podżebrzu i ma tendencję do opasywania boku i promieniowania do pleców. Ma on na ogół nagły początek i znaczne natężenie. Nierzadko towarzyszą mu najpierw dreszcze, a potem gorączka. Nieco później może wystąpić żółtaczka. W chorobach trzustki – oprócz lokalizacji w nadbrzuszu – ból często promieniuje do pleców, a czasami także do lewego boku i barku. Ból w okolicach pępka może być spowodowany chorobami jelita cienkiego, zaś poniżej pępka i w obu dołach biodrowych – zwykle chorobami jelita grubego, narządów miednicy małej lub wyrostka robaczkowego.

Taka interpretacja lokalizacji bólów ma znaczenie tylko orientacyjne, a jednym z przykładów popierających to twierdzenie może być fakt, że bóle ze strony jelita grubego, choć częściej odczuwane w obu dołach biodrowych i podbrzuszu, mogą występować w obu podżebrzach i niemal w każdej innej okolicy brzucha.

W zasadzie każdy ból, który wystąpił po raz pierwszy, jest wskazaniem do badania lekarskiego. Szczególnie pilnego wyjaśnienia wymagają bóle ostre, które nie ustępują w ciągu paru godzin, są wyraźnie zlokalizowane, nasilają się przy kaszlu, kichaniu, niewielkich wstrząsach ciała lub nawet przy głębszym oddychaniu. W tych przypadkach brzuch bywa twardy z powodu silnego mimowolnego napięcia mięśni. Może to świadczyć o zapaleniu otrzewnej w następstwie procesów chorobowych toczących się w jamie brzusznej lub miednicy. Zwykle niezbędne jest leczenie operacyjne w trybie pilnym.

Wzdęcia, odbijania i nadmierne oddawanie gazów

Najczęstszą przyczyną tych objawów jest nadmierne połykanie powietrza przez osoby nerwowe lub łapczywie jedzące. Połknięte powietrze pozostając w żołądku powoduje jego wzdęcie, uczucie pełności lub ból. Często bywa zwracane przez usta dając objaw pustego odbijania. Część powietrza przechodzi do jelit, co wywołuje wzdęcie brzucha, kruczenie, bóle oraz nadmierne oddawanie gazów. Odejście gazów przynosi ulgę. Gazy mogą okresowo gromadzić się w tych odcinkach jelita, które w warunkach prawidłowych są ostro zagięte. Zwykle dotyczy to tzw. zagięcia śledzionowego jelita grubego (ból pod lewym łukiem żebrowym) i zagięcia wątrobowego (ból pod prawym łukiem żebrowym). Ból wywołany rozdęciem jelita i umiejscowiony w tych okolicach bywa często mylnie przypisywany chorobom trzustki, wątroby i pęcherzyka żółciowego. Zdarza się też promieniowanie bólu do pleców, okolicy lędźwiowej i klatki piersiowej, co z kolei wywołuje obawy o choroby nerek i serca.

Inną przyczyną nadmiaru gazów w brzuchu jest bakteryjna fermentacja węglowodanów i białek w jelitach. Niektóre pokarmy są szczególnie gazotwórcze i przez to określane mianem wzdymających. Należą do nich m.in. groch, fasola, kapusta. U części osób przyczyną nadmiernej produkcji gazów w jelitach bywa wybiórcza nietolerancja pokarmów. Za przykład może posłużyć dość często spotykana nietolerancja mleka krowiego, zwykle uwarunkowana niedoborem enzymów jelitowych rozkładających cukier mleczny i rzadziej alergią na białka zawarte w mleku.

Nadmiar gazów w brzuchu jest częstym i nieraz bardzo przykrym problemem. Związane z nim głośne odbijania i wzmożone oddawanie gazów w naszym kręgu kulturowym są uważane za objawy wstydliwe i deprymują i tak już znerwicowaną tą sprawą osobę.

Wzdęcia, odbijania i nadmierne oddawanie gazów mieszczą się w ogólnym, mało precyzyjnym pojęciu niestrawności, czyli dyspepsji. Należy jednak zaznaczyć, że wzdęcie brzucha może być też objawem niedrożności jelit lub procesu zapalnego. Może ono mieć także charakter odruchowy, np. w napadzie kolki nerkowej. W tych przypadkach, w odróżnieniu od banalnej „niestrawności", dochodzi do zatrzymania gazów, a nie do ich nadmiernego odchodzenia. Inne towarzyszące objawy są na tyle niepokojące, że chory najczęściej szybko zgłasza się do lekarza.

Zaburzenia połykania – dysfagia

Dysfagia najczęściej objawia się trudnością połykania z zatrzymywaniem się kęsa pokarmowego w przełyku. Utrudnionemu połykaniu zwykle towarzyszy uczucie pełności lub bólu za mostkiem, które ustępują dopiero po zwróceniu zalegającego pokarmu lub po „przepchnięciu" go do żołądka przez wypicie sporej ilości wody. Gdy utrudnienie połykania występuje na pograniczu jamy ustnej i gardzieli, pokarm może dostawać się do nosa, krtani i tchawicy powodując kaszel, chrypkę lub stany zapalne oskrzeli i płuc. Przy innej lokalizacji przeszkody, objawami towarzyszącymi mogą być czkawka i zgaga.

Utrudnione połykanie jest najczęściej następstwem zaburzeń nerwowo-mięśniowych, chorób zapalnych i nowotworowych, a mechanizm tego utrudnienia polega na nieprawidłowej, źle skoordynowanej kurczliwości gardzieli, przełyku i ich zwieraczy lub na zwężeniu światła tych narządów.

W przypadku dysfagii jest niezbędna porada lekarska, badanie radiologiczne przełyku i ezofagoskopia, tj. wziernikowanie przełyku (oglądanie jego wnętrza za pomocą instrumentu optycznego zwanego ezofagoskopem).

Zgaga

Zgaga to uczucie palenia albo pieczenia za mostkiem, często wysoko, aż na poziomie gardła, z napływaniem do ust piekącego płynu. Jest to objaw podrażnienia lub zapalenia przełyku i powstaje najczęściej na skutek wracania zawartości żołądka i dwunastnicy do przełyku, czemu sprzyja niewydolność („nieszczelność") dolnego zwieracza przełyku. Wbrew powszechnemu mniemaniu, nadkwaśność soku żołądkowego nie jest warunkiem koniecznym do wystąpienia zgagi. Równie dobrze może ona zdarzyć się przy normalnej lub obniżonej kwaśności. Czynnikami wywołującymi jej powstanie są niektóre pokarmy (różne dla różnych osób, ale na ogół cierpkie, kwaśne, nadmiernie słodkie), używki (kawa, alkohol, papierosy), niektóre leki (polopiryna) oraz praca w pozycji pochylonej połączona z dźwiganiem.

Osłabienie łaknienia, nudności i wymioty

Osłabienie łaknienia, czyli apetytu, może przybierać różne natężenie ilościowe – od umiarkowanej niechęci aż do silnie wyrażonego wstrętu do jedzenia. Objaw ten może występować w bardzo wielu chorobach oraz w różnorodnych sytuacjach fizjologicznych i z pogranicza fizjologii. Jest on zatem nieswoisty.

Osłabienie apetytu należy odróżnić od sytości (tj. stanu zaspokojenia głodu i nieodczuwania potrzeby jedzenia) i od wybiórczej niechęci do pewnych pokarmów, wynikającej z ich nietolerancji lub po prostu z upodobań lub nawyków. Za obniżenie łaknienia nie należy również uważać unikania jedzenia z obawy przed szkodliwym jego działaniem. Można przytoczyć wiele sytuacji, w których chory ma apetyt, a mimo to unika jedzenia, bo wie z doświadczenia, że przyjęcie posiłku wywoła ból.

Słowa „nudności" używa się na opisanie niemiłego uczucia sygnalizującego możliwość wystąpienia wymiotów. Osoby charakteryzując ten stan używają często określeń „jest mi niedobrze", „zbiera mi się na wymioty". To niemiłe uczucie jest zwykle odczuwane w gardle i nadbrzuszu, ale w słowach „jest mi niedobrze" zawarte są także inne objawy towarzyszące, jak ślinotok, poty, zblednięcie, niekiedy osłabienie itp.

Wymioty są objawem powstającym samoistnie lub świadomie prowokowanym, prowadzącym do odruchowego wydalenia zawartości żołądka przez usta. W odruchu tym dochodzi m.in, do zwiotczenia żołądka i zwieraczy przełyku, skurczu odźwiernika (zwieracza oddzielającego żołądek od dwunastnicy) oraz do silnego skurczu mięśni brzucha i przepony. Przy intensywnych wymiotach może być usuwana na zewnątrz nie tylko zawartość żołądka, lecz także dwunastnicy, co powoduje gorzki smak w ustach i żółte zabarwienie wymiocin. Powtarzające się uporczywe wymioty, niezależnie od ich przyczyny, mogą wywołać pęknięcie błony śluzowej na pograniczu przełyku i żołądka oraz krwotok z tego powodu. Dłużej trwające i obfite wymioty nierzadko doprowadzają do odwodnienia organizmu, zaburzeń metabolicznych i elektrolitowych. W takich sytuacjach konieczne może być leczenie w szpitalu i dożylne podawanie odpowiednich płynów.

Przyczyny wymiotów są różnorodne. Mogą one występować na skutek przejedzenia, nadużycia alkoholu, zatrucia pokarmowego lub chemikaliami oraz w następstwie stosowania rozmaitych lekarstw. Towarzyszą ostrym i przewlekłym chorobom układu trawienia. Są częstym objawem chorób zakaźnych przebiegających z gorączką, zwłaszcza u dzieci. Występują w chorobach układu nerwowego, osiągając w tych stanach niekiedy wyjątkowe nasilenie (tzw. wymioty chlustające). Są typowym objawem choroby lokomocyjnej i chorób błędnika. Często towarzyszą napadom migreny. Spotykane są w chorobach endokrynologicznych, w ciąży i niewydolności nerek. Uporczywe wymioty mogą być jednym z objawów zawału serca. Wreszcie wymioty bywają nieswoistym odruchem na rozmaite bodźce – jak nagły ból, strach lub obrzydzenie – albo powstają na tle zaburzeń psychicznych i emocjonalnych.

Z małej swoistości nudności i wymiotów jako objawów chorobowych wynika, że gdy ich przyczyna nie jest całkiem oczywista i błaha lub też gdy wymioty są obfite i uporczywe niezależnie od przyczyny porada lekarska jest niezbędna.

Biegunka i zaparcie

Częstość i rytm wypróżnień oraz konsystencja kału różnią się dość znacznie u poszczególnych zdrowych osób. Zależy to od wielu czynników fizjologicznych i indywidualnych właściwości organizmu ludzkiego. Wśród nich np. można wymienić: rodzaj pożywienia, ilość wypijanych płynów, aktywność fizyczną, charakter wykonywanej pracy, wrażliwość psychiczną, rozwój mięśni brzucha. Wobec tej osobniczej zmienności, definicja zaparcia i biegunki nastręcza pewne trudności. Kilka uformowanych wypróżnień na dobę nie oznacza bowiem biegunki, a jedno wypróżnienie na 3 dni nie musi być uważane za zaparcie. Często ważniejsze znaczenie ma zmiana dotychczasowego, właściwego dla danej osoby rytmu wypróżnień.

Zaparcie należy rozumieć jako zmniejszenie częstości wypróżnień, uczucie wypełnienia odbytnicy i niekompletnej defekacji oraz zmniejszenie objętości i zwiększenie konsystencji stolca z potrzebą silnego parcia przy jego oddawaniu.

Biegunką nazywamy stan, w którym liczba wypróżnień zwiększa się ponad normę właściwą dla danej osoby, a stolce stają się płynne lub półpłynne i obfitsze niż dotychczas.

Obecność krwi w stolcu zawsze wymaga zbadania chorego przez specjalistę gastrologa, niezależnie od tego, czy objaw ten łączy się z biegunką, zaparciem, czy normalnymi wypróżnieniami. To samo można powiedzieć o każdej zmianie rytmu wypróżnień trwającej dłużej niż kilka tygodni, zwłaszcza gdy dotyczy osoby po 40 r. życia.

Chudnięcie towarzyszące biegunce bądź zaparciu jest również objawem niepokojącym.

Ostra biegunka. Biegunka o nagłym początku, występująca u osoby dotychczas zdrowej, jest najczęściej wywołana przez wirusy, bakterie i ich toksyny lub przez pierwotniaki. Zwykle przebiega ona z gorączką, wymiotami oraz bólami mięśni i głowy. Jest to choroba krótkotrwała (1–3 dni), o przebiegu samoograniczającym się. Badania kału w celu wykrycia czynników zakaźnych nie są na ogół wykonywane, bowiem powrót do zdrowia trwa krócej niż analizy. Nie dotyczy to sytuacji, w której zachorowania występują masowo. Wówczas obowiązują zasady i rygory ustalone przez służby sanitarno-epidemiologiczne.

W biegunkach o ciężkim przebiegu, z krwią w stolcach lub przeciągających się ponad 5 dni, jest konieczne badanie kału i krwi oraz tzw. rektoskopia (oglądanie końcowej części jelita grubego – odbytnicy i esicy za pomocą instrumentu optycznego). Często zachodzi potrzeba wykonania badania radiologicznego jelita grubego (tzw. wlew doodbytniczy). Na ogół jest to jednak możliwe dopiero po złagodzeniu lub ustąpieniu ostrych objawów.

Leczenie ostrej biegunki polega na leżeniu w łóżku i przyjmowaniu środków objawowo hamujących biegunkę. Ograniczenia dietetyczne są o tyle zbędne, że w pierwszym dniu choroby występuje i tak wstręt do jedzenia i chorzy powstrzymują się od przyjmowania pokarmu. Ze względu na utratę płynów z powodu biegunki i wymiotów należy wypijać dość dużo płynów. U dzieci i osób starszych skutki odwodnienia mogą być groźne, dlatego zachodzi potrzeba badania składu elektrolitowego krwi takich chorych i stosowania dożylnych przetoczeń odpowiednich płynów. Ten sposób postępowania jest prowadzony również w biegunkach o ciężkim przebiegu, w których utrata płynów z wymiocinami i stolcem jest bardzo duża.

Przewlekła biegunka. Każda przewlekła biegunka, ciągła lub epizodyczna, trwająca tygodnie lub miesiące, wymaga przeprowadzenia badań specjalistycznych. Jest to szczególnie ważne zwłaszcza wówczas, gdy biegunce towarzyszy gorączka, chudnięcie, domieszka krwi w stolcu lub anemia.

Biegunka bez tych objawów, występująca u osób w dobrym stanie ogólnym i zwykle w pierwszej połowie dnia, jest najczęściej wyrazem niegroźnych zaburzeń czynnościowych (tzw. zespół drażliwego jelita). Przyczyną tych zaburzeń jest nieprawidłowa kurczliwość jelit. Podobnie może przebiegać biegunka w następstwie wybiórczej nietolerancji niektórych pokarmów, np. mleka krowiego. Przebieg kliniczny biegunki nie może być jednak podstawą do wykluczenia innych chorób, takich jak zapalenia, uchyłki, nowotwory, choroby bakteryjne.

Zaparcie jest powszechną bolączką ludzi żyjących w krajach o wysokim stopniu uprzemysłowienia, dlatego przyczyn tej dolegliwości upatruje się w czynnikach cywilizacyjnych i kulturowych. Zalicza się do nich: żywienie ubogie we włókna roślinne i resztki pokarmowe, małą aktywność fizyczną, nerwowy tryb życia i tłumienie odruchu defekacyjnego. Pożywienie współczesnego człowieka ulega niemal całkowitemu strawieniu w przewodzie pokarmowym i wchłonięciu. Ilość niestrawionych resztek jest mała i tworzy niewielką objętościowo masę – na tyle skąpą, że nie stanowi ona dostatecznego bodźca do wzbudzenia odpowiednio żywej perystaltyki jelit. Resztki pokarmowe przesuwają się wolno i długo zalegają, wskutek czego powstają warunki do ich odwodnienia i ostatecznie do wytworzenia suchego, zbitego kału. Nadmierna kurczliwość jelita wywołana nerwowym trybem życia sprzyja zaleganiu kału.

Odruch defekacyjny, odczuwany jako potrzeba oddania stolca, powstaje w wyniku rozciągania bańki odbytnicy przez zwiększoną objętość stolca. Odruch ten podlega świadomej kontroli i w pewnych granicach może być dowolnie hamowany. Częste tłumienie odruchu z powodu pośpiechu, skrępowania, niedostępności urządzeń sanitarnych lub ich niskiego poziomu, powoduje utrwalone osłabienie wrażliwości bańki odbytnicy na rozciąganie, wskutek czego nawet prawidłowa lub zwiększona objętość stolca może nie wywołać odruchu defekacyjnego. Powstrzymywanie się od wypróżnienia zdarza się także z obawy przed bólem w przypadkach zmian w okolicy odbytu, takich jak hemoroidy, szczeliny, ropnie lub owrzodzenia. W odruchu defekacyjnym ważną rolę odgrywa prawidłowo rozwinięta mięśniówka brzucha. Jej osłabienie utrudnia wydalanie kału sprzyjając zaparciu.

Zaparcie może być wywołane również przez inne choroby przewodu pokarmowego (w tym choroby nowotworowe), przez depresję psychiczną, choroby neurologiczne, endokrynologiczne, zaburzenia metaboliczne, leki itp. W przypadku wątpliwości co do przyczyny zaparcia wskazana jest porada lekarska. Jeżeli zaparcie pojawia się po raz pierwszy po 40 r. życia lub gdy w stolcu obecna jest krew, badanie lekarskie jest konieczne.

W leczeniu zaparcia zaleca się dietę zawierającą razowe pieczywo, obfitą w jarzyny i owoce, a w razie potrzeby wzbogaconą otrębami pszennymi. Wskazane jest zwiększone przyjmowanie płynów. Wzmożona aktywność fizyczna i wyleczenie bolesnych zmian okołoodbytniczych oraz świadome unikanie sytuacji tłumiących odruch defekacyjny mają również bardzo duże znaczenie. W razie potrzeby można okresowo stosować środki przeczyszczające. Jednak z biegiem czasu skuteczność ich maleje i zachodzi potrzeba zwiększania dawki dla osiągnięcia pożądanego efektu, a długotrwałe leczenie wysokimi dawkami nieuchronnie sprowadza objawy uboczne.

Krwawienie z przewodu pokarmowego

Krwawienie z przewodu pokarmowego może objawiać się krwawymi bądź fusowatymi wymiotami, czarnymi (smolistymi) stolcami lub wydalaniem żywej (czerwonej) krwi przez odbyt.

Niewielkie krótkotrwałe krwawienie może być niezauważalne (krwawienie utajone) i daje się wykryć jedynie badaniem laboratoryjnym kału (tzw. test na krew utajoną). Samo przez się nie wywołuje ono widocznych objawów, mimo to wymaga dużej uwagi ze strony lekarza, gdyż za pozornie banalnym krwawieniem może kryć się poważna choroba, a ponadto nawet małe, ale długotrwałe krwawienie może w końcu spowodować niedokrwistość (anemię).

Duży, nagły ubytek krwi, przekraczający pół litra, powoduje objawy ogólne, jak osłabienie, mroczki przed oczyma, omdlenie, bladość skóry, poty, wzmożone pragnienie, przyspieszone bicie serca. Objawy te wynikają ze zmniejszonej ilości krwi krążącej w naczyniach i upośledzonego ukrwienia mózgu oraz innych ważnych dla życia narządów.

Obfite krwawienie, czyli **krwotok**, stanowi zagrożenie życia i wymaga pilnego leczenia w szpitalu.

Krwawe wymioty mogą objawiać się obecnością czerwonej, płynnej krwi w wymiocinach, obecnością skrzepów albo też krwi zmienionej, ciemnoczerwonej, przypominającej fusy kawy.

Czarne (smoliste) stolce, najczęściej luźne, są połyskliwe. Ich smolisty wygląd zależy od zawartości hematyny – barwnika krwi zmienionego działaniem żołądkowego kwasu solnego i świadczy o tym, że źródło krwawienia znajduje się w żołądku lub w jego bliskim sąsiedztwie, a więc w przełyku bądź dwunastnicy. Czarne stolce nie zawsze jednak są objawem choroby, ponieważ ciemne zabarwienie kału mogą powodować niektóre leki (preparaty żelaza, bizmutu) oraz pokarmy (np. czarne jagody).

Wydalanie krwi przez odbyt, samej lub wymieszanej z kałem, płynnej lub w postaci skrzepów, oznacza, że źródło krwawienia prawie na pewno znajduje się w odbycie, jelicie grubym lub cienkim.

Lokalizacja źródła krwawienia w przewodzie pokarmowym oparta wyłącznie na obserwacji wymiocin i stolców ma ważne znaczenie orientacyjne, ale dla dokładnego określenia miejsca krwawienia konieczne są badania pomocnicze. Wśród nich najczęstsze i najważniejsze są badania radiologiczne i endoskopowe*. Im szybciej po wystąpieniu krwotoku są one przeprowadzone, tym istnieje większa szansa wykrycia źródła krwawienia i określenia jego przyczyny. Największe szanse postawienia prawidłowego rozpoznania są w pierwszej dobie i szybko maleją z każdym dniem.

Krwawienie z górnego odcinka przewodu pokarmowego – przełyku, żołądka i dwunastnicy – jest najczęściej spowodowane wrzodem trawiennym, ostrym zapaleniem błony śluzowej żołądka (zwykle wywołanym nadużyciem alkoholu lub stosowaniem polopiryny) oraz żylakami przełyku.

Krwawienie z dolnego odcinka przewodu pokarmowego – odbytu, odbytnicy i wyżej położonych części jelita grubego – ma różne przyczyny. Niewielkie ilości płynnej czerwonej krwi na powierzchni kału lub na papierze toaletowym najczęściej oznaczają, że jej źródłem są guzki krwawnicze (hemoroidy), szczeliny lub przetoki w okolicy odbytu. Krwawienie na ogół występuje przy wydalaniu twardego, zbitego kału. Przyczyną krwawienia (przy równoczesnym istnieniu hemoroidów) mogą być także polipy, rak jelita grubego, uchyłki, zmiany naczyniowe oraz zapalenia (w tym czerwonka). W celu ustalenia rozpoznania często zachodzi potrzeba wykonania badania radiologicznego jelita grubego (tzw. wlew doodbytniczy), a czasem koloskopii (wziernikowanie jelita grubego za pomocą endoskopu). Większość polipów nadaje się do usunięcia w czasie koloskopii, bez konieczności operacji brzusznej, a w porę wykryty zaawansowany rak jelita grubego może być skutecznie leczony operacyjnie. Skuteczność ta wynosi 90%, jeśli rak został wykryty we wczesnym stadium rozwoju.

Żółtaczka

Żółtaczka powstaje wskutek odkładania nadmiernych ilości bilirubiny w skórze, twardówkach (białkówkach) oczu i błonach śluzowych. Bilirubina jest żółtym barwnikiem występującym we krwi osób zdrowych. W warunkach prawidłowych jej stężenie wynosi 0,5–1,0 mg na 100 ml (9–17 μmol/l). Żółte zabarwienie powłok staje się zauważalne, gdy stężenie to przekracza 2–2,5 mg na 100 ml (34–43 μmol/l).

---

* Badanie endoskopowe jest to wziernikowanie (w tym przypadku przewodu pokarmowego) za pomocą instrumentów optycznych. Współcześnie używa się aparatów giętkich zbudowanych z włókien szklanych. Umożliwiają one szczegółowe oglądanie w naturalnych kolorach, fotografowanie, filmowanie, pobieranie wycinków tkanek do badania mikroskopijnego i wykonywanie niektórych zabiegów leczniczych (np. usuwanie polipów). Za pomocą endoskopów można zbadać przełyk, żołądek, dwunastnicę oraz całe jelito grube. Do wziernikowania końcowej części jelita grubego używa się również krótkich, sztywnych aparatów zwanych rektoskopami.

Bilirubina powstaje głównie z rozpadu hemoglobiny – barwnika zawartego w krwinkach czerwonych. Proces ten zachodzi przede wszystkim w śledzionie, wątrobie i szpiku jako wyraz niszczenia starzejących się krwinek czerwonych. Zdrowa wątroba sprawnie wychwytuje bilirubinę i wydala ją wraz z żółcią do jelit. Pod wpływem bakterii jelitowych bilirubina podlega pewnym przemianom, które prowadzą do powstania innej barwnej substancji nadającej charakterystyczny kolor kału.

Przy nadmiernej produkcji bilirubiny – spowodowanej masowym, patologicznym niszczeniem krwinek czerwonych, czyli ich hemolizą – nawet w pełni zdrowa wątroba nie jest w stanie wychwycić i wydalić barwnika. Powstaje żółtaczka, nazywana żółtaczką hemolityczną.

Żółtaczka może być również wynikiem mechanicznego utrudnienia lub zablokowania odpływu żółci z wątroby do jelit. Jest to tzw. żółtaczka mechaniczna, najczęściej wywołana obecnością kamieni w głównych drogach żółciowych, zwężeniem tych dróg z powodu zapalenia lub ucisku z zewnątrz.

Jeśli przyczyną żółtaczki są choroby miąższu wątroby (stłuszczenie, ostre i przewlekłe zapalenia, marskość), które powodują upośledzenie wychwytywania i wydalania bilirubiny – żółtaczka jest nazywana żółtaczką miąższową.

W rzadkich przypadkach zdarza się, że produkcja bilirubiny jest prawidłowa, wątroba jest zasadniczo zdrowa, odpływ żółci z wątroby do jelit jest swobodny, a mimo to występuje żółtaczka. Żółtaczkę taką nazywamy żółtaczką czynnościową, a u jej podłoża leżą zaburzenia enzymatyczne komórek wątrobowych.

Choroby przełyku

Refluks żołądkowo-przełykowy i zapalenie przełyku. Istotą tej choroby jest wsteczne zarzucanie zawartości żołądka i (lub) dwunastnicy do przełyku. Dzieje się tak wskutek niewydolności dolnego zwieracza przełyku. Objawy chorobowe powstają w wyniku drażniącego działania kwaśnego soku żołądkowego lub zasadowego soku dwunastnicy na błonę śluzową przełyku. Długotrwałe utrzymywanie się refluksu przy osłabionej odporności błony śluzowej doprowadza zwykle do jej przewlekłego zapalenia.

Objawy. Typowym objawem refluksu żołądkowo-przełykowego i zapalenia przełyku jest zgaga, czyli palący ból w nadbrzuszu lub za mostkiem, często wysoko, aż na poziomie gardła, z napływaniem do ust piekącego płynu. Przy silnym natężeniu ból może promieniować do szyi i żuchwy. Zgaga występuje zwykle po posiłkach, szczególnie, gdy są one nadmiernie obfite, cierpkie, kwaśne lub zbyt słodkie. Występowaniu zgagi sprzyjają także: praca w pochyleniu połączona z dźwiganiem, pozycja leżąca, palenie tytoniu, picie alkoholu i kawy oraz niektóre leki (np. polopiryna). W następstwie refluksu może czasem dojść do podrażnienia strun głosowych, dróg oddechowych i do powikłań płucnych. Zdarza się tak wówczas, gdy płynna zawartość żołądka cofając się przez przełyk dostaje się do gardzieli i stąd jest zasysana do układu oddechowego. Sytuacja taka powstaje najczęściej w czasie snu.

Objawy refluksu żołądkowo-przełykowego i zapalenia przełyku są dość charakterystyczne, ale w celu pewnego rozpoznania jest konieczne wyłączenie innych przyczyn bólów w klatce piersiowej (np. choroby wieńcowej) i w nadbrzuszu (np. wrzodu żołądka lub dwunastnicy). Dlatego też osoby z nawracającymi lub przewlekle utrzymującymi się objawami powinny być poddane badaniu radiologicznemu i wziernikowaniu przełyku z pobraniem wycinków błony śluzowej do badania mikroskopowego.

Leczenie. Podstawowe znaczenie w leczeniu odgrywa wyeliminowanie okoliczności i czynników sprzyjających powstawaniu refluksu. Trzeba unikać obfitych posiłków i potraw szkodzących choremu, palenia tytoniu, picia alkoholu i kawy, pracy w pochyleniu oraz dźwigania. Aby złagodzić nocny refluks, należy wcześnie spożywać kolacje (kilka godzin przed snem) i unieść łóżko od strony głowy o kilkanaście centymetrów.

Leczenie farmakologiczne polega na stosowaniu środków zmniejszających wydzielanie soku żołądkowego, zobojętniających kwas solny i wzmagających napięcie dolnego zwieracza przełyku, a także na podawaniu płynnych, lepkich leków alkalizujących, które dzięki swoim właściwościom fizykochemicznym chronią błonę śluzową przed działaniem czynników drażniących.

Leczenie operacyjne stosuje się jedynie w przypadku powikłanej postaci refluksu z ciężkim zapaleniem przełyku i z tworzeniem się nadżerek oraz występowaniem ostrych lub przewlekłych krwawień powodujących anemię. Wskazaniem do operacji może być także znaczne, pozapalne zwężenie przełyku.

Przepukliny rozworu przełykowego, zob. Chirurgia, s. 1495.

Zapalenie przełyku nie związane z refluksem najczęściej występuje u osób w ciężkim stanie ogólnym z powodu innych chorób, z osłabioną odpornością na zakażenie. Na chorobę tę cierpią osoby po ciężkich urazach, oparzeniach, z chorobami ośrodkowego układu nerwowego, z chorobami nowotworowymi – przewlekle i intensywnie leczone tzw. lekami immunosupresyjnymi i cytostatykami. Najczęstszymi czynnikami etiologicznymi ostrego zapalenia przełyku w tych stanach chorobowych są zakażenia grzybicze i wirusowe.

Objawy i leczenie, zob. wyżej, Refluks żołądkowo-przełykowy i zapalenie przełyku.

Rozlany kurcz przełyku. W warunkach prawidłowych odruch połykania zapoczątkowuje tzw. falę perystaltyczną, czyli odcinkowy skurcz mięśni przełyku płynnie przesuwający się od góry do dołu i przemieszczający kęs pokarmowy z gardła do żołądka. W końcowej fazie fali perystaltycznej dolny zwieracz przełyku ulega rozluźnieniu, co ułatwia przesunięcie zawartości przełyku do żołądka. W rozlanym kurczu przełyku kurczliwość dolnej części przełyku jest chaotyczna i nadmierna, czemu w części przypadków towarzyszy wzmożone napięcie i niedostateczne rozluźnienie się dolnego zwieracza przełyku. W tych warunkach początkowo prawidłowa fala perystaltyczna zanika w miarę przesuwania się w dół, a połykanie jest utrudnione.

Rozlany kurcz przełyku nie jest chorobą samą w sobie, lecz objawem procesu starzenia się lub niektórych stanów chorobowych, takich jak wczesny okres achalazji (zob. niżej), zapalenia przełyku, cukrzyca powikłana zmianami zwyrodnieniowymi układu nerwowego i inne.

Objawami choroby są najczęściej dysfagia, czyli utrudnione połykanie, oraz ból zamostkowy, a ich cechą charakterystyczną jest niestałe, okresowe występowanie. U części chorych rozlany kurcz przełyku przebiega bezobjawowo.

Rozpoznanie ustala się na podstawie objawów i radiologicznego badania przełyku. Ból zamostkowy może być objawem choroby wieńcowej, dlatego powinny być przeprowadzone właściwe badania, aby ewentualnie wykluczyć tę przyczynę. W wyspecjalizowanych ośrodkach bywa stosowana manometria przełyku, czyli pomiary ciśnienia śródprzełykowego. Ezofagoskopia, czyli wziernikowanie przełyku za pomocą instrumentu optycznego, pozwala wyłączyć inne choroby.

Leczenie. Natura i przebieg choroby są łagodne, a więc zazwyczaj nie wymaga ona aktywnego leczenia. Jeśli jednak dolny zwieracz przełyku jest nadmiernie napięty lub niezdolny do prawidłowego rozkurczu, stosuje się z dobrym skutkiem mechaniczne jego rozszerzenie. W niektórych przypadkach bywa pomocna tabletka nitrogliceryny wzięta pod język bezpośrednio przed posiłkiem. W razie współistnienia refluksu żołądkowo-przełykowego i zapalenia przełyku stosuje się leczenie przeciwrefluksowe i przeciwzapalne (zob. wyżej).

Achalazja przełyku jest to brak rozkurczania się dolnego zwieracza przełyku (w okolicy wpustu żołądka) przed przejściem kęsa pokarmu. Podstawową cechą choroby jest dezorganizacja skutecznej fali perystaltycznej w trzonie przełyku, a tym samym spadek ciśnienia śródprzełykowego, które nie może pokonać fizjologicznego napięcia dolnego zwieracza.

Przyczyna choroby nie jest ostatecznie wyjaśniona. Przypuszcza się, że powoduje ją brak lub uszkodzenie zwojów nerwowych w mięśniach trzonu przełyku. Powód uszkodzenia nerwów nie jest znany. W przebiegu choroby dochodzi do poszerzenia, wydłużenia i skręcenia górnej części przełyku. Zaleganie pokarmu prowadzi do zapalenia przełyku. Choroba występuje jednakowo często u obu płci, przeważnie miedzy 25 a 60 r. życia. Nierzadko inicjuje ją stres psychiczny.

Objawy podstawowe to utrudnione połykanie (dysfagia), ulewanie zalegającego pokarmu, bóle, chudnięcie, rzadziej zgaga. Dysfagia początkowo dotyczy głównie pokarmów stałych, potem także płynnych. Ulewanie, bez poprzedzających nudności, może występować w czasie lub po posiłku. Bóle, niekiedy silne, zlokalizowane są za mostkiem i w nadbrzuszu, ale nierzadko promieniują do szyi, ramion i klatki piersiowej.

Rozpoznanie achalazji opiera się na badaniu radiologicznym przełyku (czasem w połączeniu z testem mecholylowym), na badaniach manometrycznych (pomiary ciśnienia śródprzełykowego) oraz wziernikowaniu za pomocą ezofagoskopu, które pozwala na odróżnienie achalazji od raka przełyku.

L e c z e n i e zachowawcze achalazji nie daje wyników. U większości chorych skuteczną metodą leczenia jest mechaniczne rozszerzenie dolnego zwieracza przełyku za pomocą specjalnego aparatu wprowadzonego przez jamę ustną i gardło. W późnym okresie choroby, gdy przełyk jest bardzo poskręcany, wykonanie tego typu zabiegu jest najczęściej niemożliwe. Wówczas konieczne jest l e c z e n i e o p e r a c y j n e.

Zabieg rozszerzenia zwieracza usuwa mechaniczną przeszkodę w połykaniu, nie przywraca jednak prawidłowej perystaltyki przełyku, co oznacza, że pokarm nie jest czynnie połykany, lecz przesuwa się przez przełyk do żołądka dzięki sile ciężkości. Dlatego chorzy z achalazją powinni zawsze jeść w pozycji siedzącej, obficie popijając. Trwałe rozszerzenie zwieracza przełyku znosi naturalną zaporę antyrefluksową, dlatego osoby po takim zabiegu powinny przestrzegać tych samych zaleceń, co chorzy z refluksem żołądkowo-przełykowym (zob. s. 731).

Rak przełyku, zob. Choroby nowotworowe, s. 2042.

Uchyłki przełyku są to woreczkowate uwypuklenia ściany przełyku, skierowane na zewnątrz od jego światła, rozmaitej wielkości, ale na ogół nie przekraczające kilku centymetrów. Zwykle występują w połowie długości przełyku, na ogół u osób starych i nie wywołują istotnych dolegliwości. Jedynie tzw. u c h y ł e k Z e n k e r a może stanowić problem kliniczny. Jest to uchyłek tylnej ściany gardzieli schodzący w dół między przełyk i kręgosłup. Łatwo dochodzi do zalegania w nim pokarmu. Duży, wypełniony pokarmem uchyłek może uciskać na przełyk i utrudniać połykanie. W pozycji leżącej, w czasie snu, zalegający pokarm może wylewać się z uchyłka i drażnić krtań, wywołując napady kaszlu. Zdarzają się także p o w i k ł a n i a p ł u c n e wywoływane zasysaniem zawartości gardzieli do układu oddechowego. W przypadku kłopotliwych objawów związanych z uchyłkiem Zenkera jest konieczne l e c z e n i e o p e r a c y j n e.

Żylaki przełyku, zob. Chirurgia, Nadciśnienie wrotne, s. 1470.

Choroby żołądka

Choroba wrzodowa żołądka i dwunastnicy

Choroba wrzodowa jest schorzeniem ogólnoustrojowym, które w krajach cywilizowanych dotyczy aż 5–10% całej populacji. Anatomicznym wyrazem tej choroby jest u b y t e k b ł o n y ś l u z o w e j, umiejscowiony najczęściej na krzywiźnie mniejszej żołądka lub w opuszce dwunastnicy. Kształt tego ubytku, zwanego n i s z ą w r z o d o w ą, jest okrągły lub owalny, a jego średnica waha się od kilku do kilkunastu milimetrów. Choroba występuje w każdym wieku i u obu płci, ale szczyt zapadalności przypada na okres między 20 i 50 r. życia, a wśród osób z wrzodem dwunastnicy zdecydowanie dominują mężczyźni.

Przyczyny choroby wrzodowej są złożone i nie do końca poznane. Ogólnie przyjmuje się, że nisza wrzodowa powstaje w wyniku zaburzenia równowagi między trawiącą siłą soku żołądkowego i możliwościami obronnymi błony śluzowej (stąd określenie – wrzód trawienny lub owrzodzenie trawienne). Wrzody żołądka lub dwunastnicy występują rodzinnie, u osób palących papierosy, zażywających leki zawierające kwas acetylosalicylowy (polopiryna) oraz cierpiących na przewlekłe choroby układu oddechowego, marskość wątroby lub reumatoidalne zapalenie stawów. Ważną rolę w chorobie wrzodowej dwunastnicy mogą odgrywać także czynniki psychologiczne, o czym świadczy dość częste powstawanie owrzodzeń pod wpływem stresów i napięć emocjonalnych.

Objawy. Głównym, a nierzadko jedynym objawem choroby są okresowe bóle w nadbrzuszu. Dla wrzodów dwunastnicy charakterystyczne są tzw. bóle głodowe, które występują w nocy i w 2–3 godz. po posiłkach. Ulgę przynosi spożycie pokarmu lub przyjęcie środków alkalizujących. W owrzodzeniach żołądka bóle nie wykazują wyraźnego związku z posiłkami (czasem nasilają się tuż po jedzeniu) i nie zawsze ustępują po lekach alkalizujących. Inne rzadsze objawy choroby wrzodowej to nudności, brak łaknienia i chudnięcie.

Przebieg choroby jest przewlekły i nawracający. Odnosi się to przede wszystkim do wrzodów dwunastnicy, które mają skłonność do występowania w sezonach wiosennym i jesiennym. Nawrót owrzodzenia wywołuje zwykle takie same dolegliwości, jak w czasie poprzedniego epizodu choroby. Część owrzodzeń przebiega zupełnie bezobjawowo albo też typowym objawom nie towarzyszy nisza wrzodowa.

Choroba wrzodowa może prowadzić do groźnych dla życia powikłań jakimi są krwotoki i przedziurawnienie, czyli perforacja wrzodu. Każde z tych powikłań występuje nagle i niekiedy jest pierwszym sygnałem choroby. Rozwojowi powikłań sprzyja zadziałanie silnego stresu, nadużycie alkoholu, a także zażywanie polopiryny lub innych leków przeciwreumatycznych. Objawami krwotoku są: nagłe zasłabnięcie, krwawe lub fusowate wymioty, smoliste stolce oraz bladość skóry. Perforacja zdarza się prawie wyłącznie w owrzodzeniach dwunastnicy. Przedziurawienie objawia się nagłym bólem w nadbrzuszu obejmującym stopniowo całą jamę brzuszną, której powłoki stają się deskowato twarde. Zarówno perforacja, jak i krwotok wymagają natychmiastowej interwencji lekarskiej. Innym powikłaniem choroby wrzodowej jest zwężenie odźwiernika utrudniające przechodzenie zawartości z żołądka do jelita cienkiego. Objawami zwężenia są obfite wymioty zawierające niestrawione resztki pokarmu spożytego poprzedniego dnia oraz postępujące chudnięcie.

Rozpoznanie choroby opiera się zwykle na badaniu radiologicznym górnego odcinka przewodu pokarmowego. W przypadku stwierdzenia wrzodu żołądka obowiązuje wykonanie gastroskopii (wziernikowanie żołądka, tj. oglądanie jego wnętrza przez specjalny przyrząd z oświetleniem, wprowadzony przez przełyk) i pobranie wycinków do oceny mikroskopowej. Współczesna gastroskopia jest zabiegiem nie obciążającym, przeprowadzanym za pomocą giętkich wzierników fiberooptycznych. Zgłębnikowanie (sondowanie) żołądka w celu oceny jego funkcji wydzielniczej straciło ostatnio na wartości, gdyż w większości owrzodzeń żołądka i dwunastnicy ilość wytwarzanego kwasu solnego nie odbiega od normy. Tylko u 1/3 osób z owrzodzeniami dwunastnicy występuje nadmierna produkcja tego kwasu, a u części chorych z owrzodzeniami żołądka wydzielanie może być obniżone.

Leczenie choroby wrzodowej jest zachowawcze i chirurgiczne. Celem leczenia zachowawczego jest jak najszybsze opanowanie objawów (głównie bólu) i doprowadzenie do zagojenia niszy wrzodowej. Skuteczne sposoby zapobiegania nawrotom choroby nie są dotychczas znane.

Chorzy z niepowikłaną chorobą wrzodową dwunastnicy mogą być leczeni ambulatoryjnie. U chorych z wrzodem żołądka przed przystąpieniem do leczenia należy wykluczyć nowotworowy charakter owrzodzenia. Potrzeba taka nie dotyczy chorych z wrzodem dwunastnicy, który praktycznie zawsze ma naturę nienowotworową. Poza tą różnicą w postępowaniu z chorymi na wrzód żołądka i dwunastnicy pozostałe zasady są podobne. Obejmują one bezwzględny zakaz palenia papierosów, unikanie kawy, alkoholu i ostrych przypraw oraz stosowanie leków alkalizujących, zmniejszających wydzielanie kwasu solnego i przyspieszających gojenie niszy wrzodowej. Przestrzeganie specjalnej diety jest na ogół zbędne. Ważne znaczenie ma natomiast regularne spożywanie posiłków i normalny skład pożywienia. Prawidłowo prowadzone leczenie zachowawcze, przy dobrej współpracy ze strony chorego, prowadzi w większości przypadków do zagojenia niszy wrzodowej w ciągu miesiąca. Po upływie tego czasu osoby z wrzodem żołądka powinny być poddane kontrolnemu badaniu radiologicznemu i (lub) gastroskopii.

Leczenie chirurgiczne jest prowadzone w przypadkach wrzodów żołądka opornych na działanie środków farmakologicznych lub owrzodzeń często nawracających. Operacja polega przeważnie na usunięciu części żołądka i (lub) przecięciu nerwów błędnych (wagotomia), co powoduje zmniejszenie wydzielania kwasu solnego. Przedziurawienie wrzodu i trwałe zwężenie odźwiernika jest leczone wyłącznie chirurgicznie. Część owrzodzeń żołądka lub dwunastnicy powikłanych krwotokiem jest także leczonych operacyjnie. Zob. Chirurgia, s. 1464.

Zapalenie żołądka

Ostre nadżerkowe zapalenie żołądka, zwane też **zapaleniem krwotocznym**. Istotą choroby są liczne powierzchowne ubytki błony śluzowej żołądka zwane nadżerkami. Pojawiają się one nagle, czasem bez wyraźnej przyczyny, ale często w następstwie nadmiernego spożycia alkoholu lub po zażywaniu polopiryny (i innych leków zawierających kwas acetylosalicylowy, np. tabletek od bólu głowy z krzyżykiem), fenylbutazonu (butapirazol), indometacyny (indocid, metindol). Choroba często występuje również u osób z ciężkim stresem w następstwie rozległych oparzeń, urazów, operacji, zakażeń septycznych lub u chorych z niewydolnością oddechową, niewydolnością wątroby albo nerek.

Objawem choroby jest krwawienie z przewodu pokarmowego pod postacią krwawych wymiotów lub czarnych (smolistych) stolców. W zależności od ilości utraconej krwi może występować różnego stopnia osłabienie aż do omdlenia, zawroty głowy, szum w uszach, bladość skóry i poty. Czasami występuje także ból w nadbrzuszu.

Rozpoznanie daje się łatwo ustalić za pomocą wziernikowania żołądka (gastroskopii), jeśli jest wykonane w pierwszej dobie od wystąpienia objawów.

Leczenie, zawsze szpitalne, polega na uzupełnieniu utraconej krwi, płukaniu żołądka lodowato zimnym płynem i stosowaniu leków neutralizujących kwas solny lub hamujących jego wydzielanie. Jeśli leczenie zachowawcze nie jest skuteczne, leczenie operacyjne polega na wycięciu części żołądka i przecięciu nerwów błędnych (wagotomia), unerwiających komórki wydzielające kwas solny. W wyjątkowych sytuacjach usuwa się cały żołądek.

Przewlekłe zapalenie żołądka. Jest to choroba w zasadzie o nieznanych przyczynach, jakkolwiek do czynników wywołujących ją zalicza się: przewlekłe picie alkoholu, zażywanie niektórych leków (np. polopiryna) i zaburzenia immunologiczne, ale ich rola, nie jest pewna. Chorobę można rozpoznać jedynie na podstawie badań mikroskopowych wycinków błony śluzowej żołądka. Badanie radiologiczne żołądka ani gastroskopia (wziernikowanie żołądka) nie są podstawą rozpoznania.

Przewlekłe zapalenie żołądka może być: 1) powierzchowne – dotyczy jedynie powierzchownej warstwy błony śluzowej; 2) zanikowe – proces zapalny sięga warstw głębszych i prowadzi do zaniku gruczołów wydzielniczych żołądka oraz 3) może prowadzić do całkowitego zaniku błony śluzowej bez jakichkolwiek elementów zapalnych. Zmiany chorobowe mogą dotyczyć: górnej i środkowej części żołądka, tzn. jego dna i trzonu, lub części dolnej, czyli komory albo części przedodźwiernikowej.

Zapalenie dna i trzonu, często spotykany stan chorobowy, występuje zwłaszcza u osób starszych, na ogół przebiega bezobjawowo i nie wymaga leczenia. Postać zanikowa może jednak kojarzyć się z niedokrwistością z niedoboru żelaza lub witaminy B_{12}. Obowiązuje wówczas wyrównanie tych niedoborów. Zanik gruczołów wydzielniczych żołądka może prowadzić do obniżenia lub całkowitego zniesienia wydzielania kwasu solnego (niedokwaśność lub bezkwaśność). Mimo to wyrównanie niedoboru kwasu przez jego doustne stosowanie jest zbędne i nie przynosi żadnych korzyści.

Zapalenie części przedodźwiernikowej, podobnie jak zapalenie dna i trzonu, u większości chorych nie wywołuje objawów chorobowych i nie wymaga leczenia. Ten typ zapalenia towarzyszy często chorobie wrzodowej i rakowi żołądka, co nie oznacza jednak, że chorzy z przewlekłym zapaleniem żołądka mają wrzód lub raka, ale że u większości chorych z wrzodem albo z rakiem żołądka występuje równocześnie przewlekłe zapalenie tego narządu.

Zapalenie żółciowe żołądka jest chorobą specyficzną i przypuszczalnie jest ściśle związane z zarzucaniem kwasów żółciowych i innych substancji z dwunastnicy do żołądka. Takie zarzucanie, czyli refluks, występuje u chorych po operacjach polegających na częściowym wycięciu żołądka i zespoleniu żołądkowo-jelitowym oraz u chorych po usunięciu pęcherzyka żółciowego. U części chorych refluks występuje jednak bez żadnej oczywistej przyczyny. Refluks i żółciowe zapalenie żołądka mogą wywoływać takie objawy, jak bóle w nadbrzuszu, nudności, wymioty, osłabienie apetytu. Gdy refluks sięga nie tylko żołądka, ale także przełyku, może również wystąpić zgaga i ból zamostkowy.

Leczenie zachowawcze jest podobne jak w zapaleniu przełyku (zob. s. 731). U chorych z ciężkimi objawami, w razie nieskuteczności leczenia zachowawczego, bywa stosowane leczenie operacyjne, które polega na wytworzeniu takiego połączenia żołądka, dwunastnicy i jelita cienkiego, jakie zapobiega refluksowi.

Zapalenie żołądka wywołane substancjami żrącymi zdarza się w następstwie przypadkowego lub umyślnego połknięcia stężonych kwasów lub ługów i przebiega z martwicą przełyku, żołądka lub obu tych narządów.

Objawy zależą od stopnia uszkodzenia ściany przewodu pokarmowego. W lżejszych przypadkach są to: palenie w ustach i w gardle, palący ból za mostkiem i w nadbrzuszu oraz wymioty. W cięższym uszkodzeniu mogą występować: krwotok, przedziurawienie (perforacja) i zapalenie otrzewnej. Gojenie może przebiegać z wytworzeniem blizn zwężających przełyk lub żołądek.

Leczenie. Jeśli nie występują natychmiastowe samoistne wymioty, należy je sprowokować, aby jak najszybciej usunąć truciznę. W przypadku połknięcia żrącej substancji zasadowej (alkalicznej) należy zastosować środki kwaśne, np. rozcieńczony ocet lub sok pomarańczowy, a w przypadku kwasów – środki zasadowe neutralizujące kwas (zob. Zatrucia, s. 2096). W każdym przypadku połknięcia substancji żrących bezwzględnie obowiązuje leczenie szpitalne.

Zaburzenia trawienia i wchłaniania

Zespół złego wchłaniania nie jest oddzielną jednostką chorobową, lecz zespołem objawów, które występują wskutek zaburzeń procesów trawienia i wchłaniania pokarmu. W warunkach prawidłowych substancje pokarmowe pod wpływem enzymów zawartych w jelicie cienkim ulegają strawieniu, czyli rozłożeniu na składniki proste; w uproszczeniu z białka powstają aminokwasy, z tłuszczów kwasy tłuszczowe, a z węglowodanów cukry proste, w tym głównie glukoza.

Podstawowym źródłem enzymów trawiennych jest trzustka i błona śluzowa jelita cienkiego. Strawienie produktów pokarmowych jest niezbędnym warunkiem ich prawidłowego wchłaniania z przewodu pokarmowego, a sam proces wchłaniania odbywa się przy użyciu skomplikowanych mechanizmów energetycznych. Dla prawidłowego trawienia i wchłaniania tłuszczów oprócz enzymów są niezbędne kwasy żółciowe, czyli składniki żółci wytwarzane przez wątrobę. Procesy trawienia i wchłaniania odbywają się głównie w górnym odcinku jelita cienkiego (jelito czcze). Bardzo ważną rolę pełni także jego końcowy odcinek, ponieważ wchłaniają się w nim wybiórczo kwasy żółciowe i witamina B_{12}.

P r z y c z y n y zespołu złego wchłaniania są bardzo złożone. Zaburzenia trawienia i wchłaniania manifestują się najwyraźniej w chorobach jelita cienkiego, zwłaszcza tych, w których dochodzi do rozległego uszkodzenia błony śluzowej, a tym samym zawartych w niej enzymów i związków energetycznych. Typowym przykładem takiej choroby jest e n t e r o p a t i a g l u t e n o w a (c e l i a k i a, zob. niżej).

Zespół złego wchłaniania występuje również w zaawansowanej niewydolności trzustki, po operacjach całkowitego lub częściowego wycięcia żołądka, po wycięciu dużego odcinka jelita cienkiego, a także w cukrzycy, zwłaszcza gdy nie jest ona należycie leczona. Przyczyną zaburzeń przyswajania pokarmu w jelicie cienkim mogą być także zakażenia pasożytnicze lub bakteryjne.

O b j a w y. Głównym objawem zespołu złego wchłaniania jest przewlekła biegunka z towarzyszącym chudnięciem i zahamowaniem wzrostu u dzieci. Najczęściej w stolcu znajduje się zwiększona ilość niestrawionego tłuszczu i w związku z tym b i e g u n k a nosi nazwę t ł u s z c z o w e j. Kał ma charakterystyczny wygląd, jest jasny, połyskliwy i trudno spłukuje się z miski klozetowej.

Przewlekłej biegunce towarzyszą objawy związane z niedoborem rozmaitych składników pokarmowych i elektrolitów (głównie potasu i wapnia). Najczęściej występuje n i e d o k r w i s t o ś ć z powodu braku żelaza i (lub) witaminy B_{12}. Niedobór białka może być przyczyną o b r z ę k ó w, a niekiedy przesięków do jam ciała (np. w o d o b r z u s z a). Niedobór potasu może powodować znaczne osłabienie mięśniowe i, co ważniejsze, groźne zaburzenia rytmu serca. Obniżone stężenie wapnia we krwi może wywołać tężyczkę (zob. s. 839), a niedobór wapnia i białka może być przyczyną zaburzeń w układzie kostnym, zwłaszcza u dzieci.

Dość charakterystyczne dla zespołu złego wchłaniania są również nawracające zapalenia języka i jamy ustnej. Ponadto występują takie dolegliwości, jak wzdęcia, przelewanie i kruczenie w jamie brzusznej, będące wyrazem wzmożonej fermentacji bakteryjnej w jelitach.

R o z p o z n a n i e zespołu złego wchłaniania może być przeprowadzone tylko w warunkach szpitalnych. Do podstawowych metod diagnostycznych należą testy wchłaniania jelitowego oraz badania radiologiczne jelit (tzw. p a s a ż) i biopsja jelita cienkiego. T e s t y w c h ł a n i a n i a polegają na doustnym podaniu pewnych substancji chemicznych lub radioizotopów i śledzeniu ich wydalania z moczem, kałem lub powietrzem wydechowym. B a d a n i e r a d i o l o g i c z n e jelita wykonuje się po doustnym podaniu papki barytowej (kontrastu). Papka ta przechodząc przez kolejne odcinki jelita obrazuje błonę śluzową i czyni ją widoczną w obrazie rentgenowskim. Tempo przesuwania się kontrastu i rzeźba błony śluzowej są podstawą do oceny jelita. B i o p s j a jelita cienkiego przypomina zgłębnikowanie (sondę) dwunastnicy, z tym że na końcu zgłębnika umocowana jest kapsułka umożliwiająca pobranie drobnego fragmentu błony śluzowej do badania mikroskopowego.

Leczenie zespołu złego wchłaniania zależy od ostatecznej diagnozy. W każdym przypadku obowiązuje jednak uzupełnianie niedoborów przez podawanie płynów, elektrolitów, żelaza, białka oraz witamin.

Glutenozależna choroba trzewna, zwana **celiakią** lub **enteropatią glutenową**, jest najczęściej spotykaną chorobą przebiegającą z zespołem złego wchłaniania (zob. wyżej). Istotą jej jest zanik błony śluzowej jelita cienkiego pod wpływem toksycznego działania glutenu – białkowego składnika pszenicy, żyta, jęczmienia i owsa. Szkodliwy czynnik zawarty jest więc w takich produktach rynkowych, jak pieczywo, makarony, mąka itp.

Choroba ma podłoże dziedziczne i związana jest z zaburzeniami odpornościowymi organizmu i (lub) z wrodzonym defektem enzymatycznym. Ujawnia się przeważnie w dzieciństwie, ale nierzadko i w wieku dojrzałym. Nierozpoznana lub nieprawidłowo leczona przebiega ciężko z biegunką tłuszczową i pełnym zespołem objawów niedoborowych.

W rozpoznaniu największe znaczenie ma biopsja jelita cienkiego i badanie mikroskopowe wycinka błony śluzowej, ale rozpoznanie jest wówczas pewne, kiedy stwierdzi się zależność objawów chorobowych od zawartości glutenu w pożywieniu.

Leczenie polega prawie wyłącznie na wycofaniu z diety produktów zawierających gluten (dieta bezglutenowa). W praktyce oznacza to zastąpienie wszystkich mącznych produktów zbożowych produktami z mąki kukurydzianej, która glutenu nie zawiera. Leczenie jest w większości przypadków skuteczne, przy czym objawy ustępują w różnym okresie – od kilku tygodni do kilkunastu miesięcy. Rzadko dochodzi jednak do całkowitego wyleczenia. Najczęściej odstawienie diety bezglutenowej oznacza nawrót choroby.

Zespół pętli zastoinowej. Choroba ta jest spowodowana rozwojem flory bakteryjnej w dwunastnicy i jelicie czczym, czyli w górnym odcinku przewodu pokarmowego, najczęściej na skutek spowolniałej perystaltyki prowadzącej do zastoju w jelitach (stąd nazwa – zespół pętli zastoinowej). Jest to przewlekły stan chorobowy, którego nie należy utożsamiać z ostrą infekcją pokarmową, trwającą stosunkowo krótko i często potocznie nazywaną zatruciem pokarmowym.

Zespół pętli zastoinowej występuje głównie u osób ze zmianami anatomicznymi jelita cienkiego (zwężenia wywołane zrostami, zwężenia zapalne lub nowotworowe, uchyłki) lub u chorych z innymi schorzeniami, które przebiegają ze zwolnieniem perystaltyki jelit (cukrzyca, niedoczynność tarczycy, sklerodermia). Rozwojowi bakterii sprzyja również brak wydzielania kwasu solnego, który w warunkach normalnych stanowi ważną zaporę przeciwbakteryjną. Dotyczy to chorych z przewlekłym zanikowym zapaleniem błony śluzowej żołądka oraz po częściowym jego wycięciu.

Wzrost flory bakteryjnej w górnym odcinku przewodu pokarmowego prowadzi do zaburzeń trawienia i wchłaniania większości substancji pokarmowych, a zwłaszcza tłuszczów i witaminy B_{12}. Nasilenie objawów złego wchłaniania zależy od ilości namnażających się drobnoustrojów. Gdy przyczyną zespołu są zmiany anatomiczne, choroba przebiega zwykle ciężko z wyraźnymi objawami niedoborowymi. W pozostałych przypadkach może jedynie występować przewlekła lub epizodycznie nawracająca wodnista biegunka z towarzyszącymi stanami podgorączkowymi, a niekiedy z gorączką.

Rozpoznanie zespołu pętli zastoinowej opiera się na badaniu radiologicznym jelit, badaniu bakteriologicznym soku jelitowego oraz na tzw. testach oddechowych*.

Leczenie przeciwbakteryjne, ale efekt jego jest nietrwały. W przypadku zmian anatomicznych w jelicie, leczeniem z wyboru jest zabieg chirurgiczny.

Choroby jelita cienkiego

Uchyłki jelita cienkiego są to pojedyncze lub mnogie woreczkowate uwypuklenia ściany jelita, skierowane na zewnątrz od jego światła, rozmaitej wielkości, ale na ogół nie przekraczające kilku centymetrów. Mogą występować w każdej części jelita, ale – z wyjątkiem tzw. uchyłku Meckela – najczęściej są spotykane w dwunastnicy i jelicie czczym. Uchyłki mogą być wrodzone lub nabyte. Częstość występowania uchyłków nabytych wzrasta wraz z wiekiem, prawdopodobnie w związku z lokalnym zwiotczeniem ściany jelita.

Uchyłki na ogół nie dają objawów, ale czasami ulegają zapaleniu wywołując bóle brzucha, gorączkę, krwawienie z przewodu pokarmowego, a niekiedy perforację (przedziurawienie) z zapaleniem otrzewnej. Krwawienie z uchyłków może też występować jako objaw izolowany, bez towarzyszącego zapalenia. Bardzo duże lub liczne uchyłki sprzyjają nadmiernemu rozwojowi flory bakteryjnej, co może prowadzić do zespołu złego wchłaniania (zob. s. 737) z niedoborem witaminy B_{12} i anemią.

Uchyłek Meckela jest pozostałością płodowego przewodu pępkowo-kreskowego i jest dość częstą anomalią wrodzoną przewodu pokarmowego. Najczęściej uchyłek ten występuje w odległości kilkudziesięciu centymetrów do 1 m od kątnicy. Uchyłek Meckela zazwyczaj nie wywołuje żadnych objawów, ale czasami ulega zapaleniu dając objawy podobne do objawów zapalenia wyrostka robaczkowego lub bywa źródłem krwawienia (szczególnie często u dzieci). Ostre zapalenie uchyłka i krwotok z niego muszą być leczone operacyjnie.

Przewlekłe nieswoiste zapalenie jelita cienkiego, zwane **chorobą Leśniowskiego–Crohna**, zob. s. 745.

Choroby jelita cienkiego na tle niedokrwienia

Ostre niedokrwienie jelita cienkiego może być spowodowane zatorem lub zakrzepem tętnic doprowadzających krew do jelita cienkiego, albo też dużym

* W teście oddechowym podaje się doustnie pewne substancje znakowane np. izotopem węgla. Substancje te pod wpływem bakterii jelitowych ulegają rozkładowi z wytworzeniem dwutlenku węgla zawierającego izotop węgla. Dwutlenek węgla wydobywa się z powietrzem wydechowym. Pomiar radioaktywności wydychanego powietrza jest pośrednią miarą procesów bakteryjnych w jelitach.

obniżeniem przepływu krwi z przyczyn ogólnoustrojowych. Ostre niedokrwienie jelita cienkiego zdarza się najczęściej u osób z zaawansowaną miażdżycą tętnic oraz u chorych z tzw. niemiarowością zupełną serca lub zastoinową niewydolnością krążenia.

Objawy. W pierwszej fazie rozwoju zespołu chorobowego występują bóle brzucha w okolicy pępka i wzmożona perystaltyka jelit. Po paru godzinach perystaltyka ustaje, pojawia się narastające wzdęcie z zatrzymaniem gazów, wzmożone napięcie powłok, gorączka i znaczny spadek ciśnienia tętniczego krwi.

Przebieg choroby jest niepomyślny i stanowi zagrożenie życia. Ustalenie rozpoznania na wcześniejszym etapie stwarza szansę leczenia operacyjnego, jednak nawet wówczas rokowanie jest poważne.

Przewlekłe niedokrwienie jelita cienkiego powstaje przeważnie w następstwie miażdżycy tętnic. Dopływ krwi do jelita nie jest całkowicie przerwany, a jedynie znacznie zmniejszony.

Objawem charakterystycznym jest ból brzucha w okolicy pępka, występujący w 15–30 min po posiłku, zwłaszcza po obfitym, lub gdy po obfitym posiłku podejmowany jest znaczny wysiłek fizyczny. Z obawy przed bólem chorzy powstrzymują się od jedzenia, co prowadzi do wychudzenia. Chudnięcie może być też spowodowane zaburzeniami wchłaniania jelitowego substancji odżywczych.

Rozpoznanie może być pewnie ustalone tylko na podstawie badania radiologicznego naczyń brzusznych (tzw. angiografia trzewna). W dobrze udokumentowanych przypadkach jest podejmowane leczenie operacyjne, które polega na usunięciu z tętnicy przeszkody utrudniającej dopływ krwi do jelit. Innym sposobem jest wytworzenie połączenia naczyniowego omijającego przeszkodę.

Nowotwory jelita cienkiego, zob. Choroby nowotworowe, s. 2044.

Choroby jelita grubego

Uchyłkowatość jelita grubego jest to występowanie woreczkowatych uwypukleń w ścianie jelita na zewnątrz od jego światła, najczęściej umiejscowionych w esicy. Uchyłkowatość jest często spotykaną chorobą w krajach o wysokim stopniu rozwoju cywilizacyjnego i dotyczy 1/3 osób, które ukończyły 50 r. życia. Na odwrót, jest ona rzadkością w krajach rozwijających się. Te różnice geograficzno-epidemiologiczne zależą najprawdopodobniej od odmiennego sposobu życia i żywienia. W odróżnieniu od społeczeństw słabo rozwiniętych, ludność krajów o wysokim stopniu uprzemysłowienia żywi się pokarmami wysoce oczyszczonymi, pozbawionymi włókien roślinnych, czyli tzw. pokarmami ubogoresztkowymi. Dieta ubogoresztkowa jest uważana obecnie za jedną z głównych przyczyn uchyłkowatości.

Ważną rolę w rozwoju uchyłkowatości może także odgrywać stres. Wywołując wzmożone napięcie mięśniówki jelit, zwiększa on ciśnienie jelitowe, które ma być bezpośrednio odpowiedzialne za powstanie lokalnych uwypukleń, czyli uchyłków, w najsłabszych miejscach ściany jelita.

Objawy. Występują bóle brzucha (najczęściej w lewym dole biodrowym), zaparcie stolca lub biegunka, albo też naprzemienne zaparcie i biegunka. Najczęściej spotykanymi powikłaniami są ostre krwawienia z uchyłków, przedziurawienie (perforacja) i ostre zapalenie. Ostre, obfite krwawienie (krwotok) objawia się wypróżnieniami z płynną lub skrzepłą krwią oraz ogólnoustrojowymi następstwami, jakie daje znaczny ubytek krwi.

Ostre zapalenie uchyłka oraz przedziurawienie przebiegają z silnym bólem brzucha umiejscowionym zwykle w lewym dole biodrowym, gorączką oraz objawami zapalenia otrzewnej.

Rozpoznanie niepowikłanej uchyłkowatości jelita grubego opiera się głównie na badaniu radiologicznym (tzw. kontrastowy wlew doodbytniczy). Oprócz wlewu, w celu wykluczenia innych chorób zapalnych i nowotworowych, wykonuje się wziernikowanie części lub całego jelita grubego za pomocą odpowiednich instrumentów optycznych.

W leczeniu niepowikłanej uchyłkowatości jelita grubego zaleca się dietę bogatoresztkową (włókniste jarzyny, razowe pieczywo) oraz otręby pszenne. Pomocnicze znaczenie ma stosowanie leków przeciwbólowych i rozkurczowych. Nie ustępujące ostre zapalenie uchyłków, przedziurawienie i krwotok są wskazaniami do operacji. Krwotok o umiarkowanym natężeniu może zatrzymać się samoistnie, ale zwykle zachodzi potrzeba przetoczenia krwi.

Zaburzenia czynnościowe jelit zwane też **zespołem drażliwego jelita**. Choroba bywa określana wieloma innymi nazwami, m.in. także jako spastyczne zapalenie okrężnicy. Jest to nazwa niesłuszna, gdyż choroba nie ma natury zapalnej. U podłoża zespołu chorobowego leżą zaburzenia kurczliwości jelita grubego i innych części przewodu pokarmowego, które objawiają się bólami brzucha i nieprawidłowymi wypróżnieniami.

Zaburzenia czynnościowe są najczęstszą chorobą przewodu pokarmowego (znacznie częstszą u kobiet niż u mężczyzn) i zwykle występują u osób młodych i w średnim wieku. Choroba ta, podobnie jak uchyłkowatość jelita grubego, jest pospolita w społeczeństwach o wysokim stopniu rozwoju cywilizacyjnego.

Przyczyny zaburzeń czynnościowych jelit nie są pewne, ale wydaje się bardzo prawdopodobne, że zasadniczą rolę odgrywają stres i dieta ubogoresztkowa, zawierająca mało włókien roślinnych. Czasami choroba rozpoczyna się po zatruciu pokarmowym, po przebyciu czerwonki lub zakażenia pasożytniczego. Na ogół jednak nie udaje się uchwycić żadnych czynników inicjujących chorobę.

Objawy są bardzo podobne do spotykanych w uchyłkowatości jelita grubego, przy czym uchyłkowatość bywa często poprzedzona zaburzeniami czynnościowymi. Ze względu na główne objawy, wyróżnia się trzy postacie kliniczne: 1) postać z bólami i zaparciem, 2) postać z biegunką ciągłą lub epizodyczną (z bólami albo bez) oraz 3) postać mieszaną, z naprzemiennym zaparciem i biegunką. Bóle mogą występować w każdej części brzucha, ale stosunkowo najczęściej lokalizują się w lewym dole biodrowym. Poza tym są one odczuwane w obu podżebrzach, prawym dole biodrowym, podbrzuszu i lędźwiach. To rozmaite umiejscowienie nasuwa chorym i lekarzom przypuszczenie, że przyczyną bólów są choroby wątroby, pęcherzyka żółciowego, trzustki, wyrostka robaczkowego, nerek lub choroby ginekologiczne.

W postaci z zaparciem stolce są skąpe, zbite, przypominają „kozie bobki", oddawane są rzadko i z silnym parciem. Wielodniowe zaparcie stolca zmusza chorych do częstego stosowania środków przeczyszczających, których skuteczność maleje z biegiem czasu. To z kolei prowadzi do zwiększenia dawki leku lub poszukiwania nowego specyfiku.

W postaci biegunkowej chorzy mają zwykle kilka (3–5) wypróżnień dziennie, przy czym pierwsze, poranne wypróżnienie jest stosunkowo dobrze uformowane, a następne coraz luźniejsze. Wypróżnienia przeważnie następują w pierwszej połowie dnia i prawie nigdy nie zdarzają się w nocy. Biegunka może być ciągła – występuje dzień po dniu – lub może przebiegać w postaci okresowych, 1–3-dniowych epizodów.

W postaci mieszanej okresy zaparcia występują naprzemiennie z okresami biegunki.

W każdej postaci klinicznej w stolcu często obecny jest śluz w formie białych, szarych lub zielonkawych galaretowatych mas, strzępów albo długich pasm. Pasma śluzu bywają nierzadko mylone przez chorych z robakami jelitowymi. U wielu osób współistnieją inne dolegliwości, takie jak wzdęcie brzucha, kruczenia, przelewania, nadmierne oddawanie gazów, odbijania, zaburzenie nastroju, nerwowość, zły sen, sensacje sercowe. Uporczywe, przewlekle utrzymujące się dolegliwości wzbudzają podejrzenia chorych o chorobę nowotworową. Z kolei lęk przed nieuleczalną chorobą pogłębia dolegliwości, które go wywołały.

Mimo licznych dolegliwości i przewlekłego przebiegu ogólny stan chorych jest dobry, a podstawowe badania laboratoryjne są prawidłowe. Objawy ulegają złagodzeniu w czasie urlopów, pod wpływem relaksu i na odwrót – zaostrzają się pod wpływem przeciążeń psychicznych, stresu. Przyczyną zaostrzeń mogą być także zatrucia pokarmowe, a niekiedy intensywne leczenie antybiotykami.

Rozpoznanie choroby jest trudne, obciążające chorego i kłopotliwe dla lekarza. Różnorodność i nieswoistość objawów zmusza zwykle do wykonania wielu badań krwi, moczu i kału, badań radiologicznych i endoskopowych, badania ginekologicznego i wielu innych. Mnogość badań powoduje, że przeprowadzenie ich w warunkach ambulatoryjnych staje się uciążliwe i dlatego często chorzy trafiają do szpitala. Liczne badania mają sens eliminacyjny. Ich celem jest wykluczenie chorób, które można wiązać z różnorodną lokalizacją bólu. Zaburzenia czynnościowe są chorobą przykrą i przewlekłą, nie grożą jednak poważnymi konsekwencjami ani rozwojem choroby nowotworowej i nie wymagają leczenia operacyjnego. Nie towarzyszą im żadne zmiany organiczne – stąd właśnie nazwa choroby.

Leczenie zaburzeń czynnościowych jest niewdzięczne. U jego podłoża leży staranne wyjaśnienie osobie nimi dotkniętej istoty choroby, zapewnienie o jej łagodności, choć dokuczliwej naturze i uwolnienie od lęku. Chory musi wiedzieć, że choroba przebiega przewlekle i że mimo leczenia mogą zdarzyć się zaostrzenia. Zmiany lekarzy, wizyty u różnych i kolejnych specjalistów, którzy „naprawdę" rozpoznają chorobę, nic nie dadzą, poza zmęczeniem chorego.

W postaci z zaparciem korzystny wpływ wywiera dieta bogatoresztkowa, obfita w jarzyny zawierające dużo włókien roślinnych. Prostym, a często skutecznym sposobem uregulowania wypróżnień jest spożywanie otrąb pszennych z jednoczesnym wypijaniem dużej ilości płynów. W postaci mieszanej i biegunkowej otręby są mniej skuteczne, ale warto je spróbować. Gdy wiodącym objawem jest biegunka, zalecane są środki objawowo hamujące perystaltykę jelit. W przypadku wystąpienia bóli są stosowane leki przeciwbólowe i rozkurczowe. Chorzy z silnie wyrażonym lękiem, depresją lub znacznym pobudzeniem nerwowym są kierowani na poradę do psychologa obeznanego z chorobami przewodu pokarmowego. W razie potrzeby stosuje się środki psychotropowe.

Nieswoiste choroby zapalne jelit

Pojęciem tym określa się dwie jednostki chorobowe: wrzodziejące zapalenie jelita grubego i chorobę Leśniowskiego-Crohna. Pierwotna przyczyna wywołująca te choroby jest nieznana. Ostatnie badania wskazują, że w rozwoju każdej z nich mogą uczestniczyć bliżej nie określone drobnoustroje (bakterie lub wirusy), mechanizmy immunologiczne i czynniki genetyczne. Obie choroby występują dość rzadko, ale dotyczą głównie młodych kobiet i mężczyzn, których wiek w chwili zachorowania waha się od 15 do 40 lat.

Wrzodziejące zapalenie jelita grubego. Istotą tej choroby jest rozlane, powierzchowne zapalenie błony śluzowej odbytnicy albo odbytnicy i okrężnicy, które prowadzi w części przypadków do powstania owrzodzeń.

Głównymi objawami są biegunka i domieszka krwi w kale. Chorzy ze zmianami ograniczonymi do odbytnicy mogą mieć jednak uformowane stolce albo nawet zaparcie i jedynym objawem choroby jest wówczas krwawienie. Z innych objawów należy wymienić bóle, które najczęściej dotyczą podbrzusza i pojawiają się tuż przed wypróżnieniem. W części przypadków dominują objawy ogólne, jak gorączka, osłabienie i spadek wagi.

Przebieg choroby jest przewlekły i nawracający. W okresach zaostrzeń, zwanych rzutami choroby, mogą wystąpić powikłania miejscowe i (lub) pozajelitowe. Do powikłań miejscowych należą masywny krwotok oraz toksyczne rozdęcie i przedziurawienie (perforacja) okrężnicy. Stany te mają ciężki przebieg i stwarzają bezpośrednie zagrożenie dla życia. Występują jednak dość rzadko (w ok. 5% przypadków). Częściej zdarzają się mniej obciążające powikłania pozajelitowe, wśród których na czoło wysuwają się uszkodzenia wątroby i stawów. Rzadszymi powikłaniami są zmiany skórne (rumień guzowaty) i oczne (zapalenie tęczówki).

W rozpoznaniu wrzodziejącego zapalenia jelita grubego zasadniczym badaniem jest wziernikowanie odbytnicy (rektoskopia). W czasie tego badania prawie zawsze pobierany jest wycinek do oceny mikroskopowej. Z innych badań wykonuje się posiewy kału (w celu wykluczenia czerwonki) oraz wlew kontrastowy doodbytniczy. To ostatnie badanie może nie tylko potwierdzić rozpoznanie, ale w wielu przypadkach jest jedyną metodą oceny zakresu zmian jelitowych.

L e c z e n i e wrzodziejącego zapalenia jelita grubego jest zachowawcze i chirurgiczne. Leczenie z a c h o w a w c z e ma na celu jak najszybsze opanowanie ostrego rzutu choroby oraz zapobieganie nawrotom przez stosowanie odpowiednich leków w okresach remisji (zacisza). Sposób leczenia ostrych rzutów zależy od ich ciężkości. W rzutach o lekkim przebiegu wystarcza leczenie ambulatoryjne, rzuty ciężkie wymagają intensywnego leczenia szpitalnego. Po opanowaniu ostrego rzutu chorzy wchodzą w okres remisji. Mimo pozornego zdrowia w tym okresie, powinni nadal przyjmować zalecane leki, aby zmniejszyć ryzyko nawrotu.

Właściwie prowadzone leczenie zachowawcze jest wysoce skuteczne. Jedynie u ok. 15% chorych, nie reagujących na środki farmakologiczne bądź z powikłaniami zagrażającymi życiu, niezbędna staje się o p e r a c j a, polegająca na usunięciu większości lub całego jelita grubego. Dla wielu chorych oznacza to konieczność posiadania sztucznego odbytu.

Choroba Leśniowskiego – Crohna jest to p r z e w l e k ł e n i e s w o i s t e z a p a l e n i e jakiegoś odcinka przewodu pokarmowego, począwszy od jamy ustnej aż do odbytu. Zmiany umiejscawiają się najczęściej w końcowym odcinku jelita cienkiego, a w następnej kolejności w okolicy odbytu i jelicie grubym. Poza dowolną lokalizacją, innymi cechami odróżniającymi tę chorobę od wrzodziejącego zapalenia jelita grubego jest odcinkowy charakter i głębsza penetracja zmian w ścianie jelita.

O b j a w y choroby Crohna zależą od umiejscowienia, rozległości i stopnia zaawansowania procesu zapalnego w przewodzie pokarmowym. U większości chorych w przypadku zajęcia jelita cienkiego lub grubego objawy rozwijają się stopniowo. Rzadziej początek choroby jest ostry i przypomina zapalenie wyrostka robaczkowego. Dominują bóle brzucha i biegunka bez domieszki krwi. Dość często występuje gorączka, brak łaknienia i spadek masy ciała. W części przypadków badanie brzucha ujawnia obecność bolesnego guza. Ważnym objawem są szczeliny, ropnie i przetoki okołoodbytowe, które występują u ponad połowy chorych. U 1/4 osób zmiany te mogą być pierwszym sygnałem choroby, który na długo poprzedza pojawienie się innych objawów ze strony jelit. Charakterystyczną cechą choroby Crohna jest także samoistne tworzenie się nieprawidłowych połączeń (p r z e t o k) między jelitami albo między jelitem i ścianą brzucha. Innymi p o w i k ł a n i a m i choroby Crohna jelita cienkiego są ropnie śródbrzuszne i znaczne zwężenie światła jelita z objawami niepełnej drożności. W przypadku choroby Crohna jelita grubego powikłaniami są krwotoki, perforacje i toksyczne rozdęcie okrężnicy. Powikłania pozajelitowe są takie jak przy wrzodziejącym zapaleniu jelita grubego (zob. s. wyżej).

R o z p o z n a n i e choroby Crohna jest trudne. Spośród badań dodatkowych największą wartość diagnostyczną mają badania radiologiczne jelit (pasaż jelita cienkiego i wlew kontrastowy doodbytniczy). Dużą rolę odgrywa także wziernikowanie jelita grubego połączone z pobraniem wycinków do oceny mikroskopowej. W części przypadków pomocne są biopsja jelita cienkiego i testy wchłaniania jelitowego. Ponadto w celu wyłączenia gruźlicy jelit wykonuje się posiewy kału i odczyn tuberkulinowy. Wyniki wymienionych badań nie zawsze są jednoznaczne i u niektórych chorych rozpoznanie ustalane jest dopiero po operacji brzusznej.

Leczenie. Skutecznego sposobu leczenia choroby Crohna dotychczas nie opracowano. Nawet po doszczętnym usunięciu ogniska chorobowego może wystąpić nawrót zapalenia w innym odcinku jelit. Dlatego też podstawową zasadą postępowania jest zastosowanie wszystkich możliwych metod leczenia zachowawczego oraz podjęcie postępowania wspomagającego, polegającego na stosowaniu odpowiedniej diety, uzupełnieniu niedoborów i na psychoterapii. W okresach zaostrzeń podawane są środki o działaniu przeciwzapalnym i przeciwbakteryjnym. Mimo na ogół dobrych wyników wczesnego leczenia farmakologicznego, dalszy przebieg choroby może być niepomyślny i w wielu przypadkach prowadzi do operacyjnego usunięcia zmienionego odcinka jelit z powodu powtarzających się zaostrzeń i powikłań.

Zapalenie wyrostka robaczkowego, zob. Chirurgia, s. 1478.

Nowotwory jelita grubego, zob. Choroby nowotworowe, s. 2044.

Choroby odbytu, zob. Chirurgia, s. 1482.

Choroby wątroby, pęcherzyka żółciowego i przewodów żółciowych

Wątroba, największy narząd miąższowy organizmu ludzkiego, odgrywa bardzo ważną rolę w trawieniu i wchłanianiu pokarmu, w gospodarce białkowej, węglowodanowej i tłuszczowej. Wytwarza substancje uczestniczące w procesie prawidłowego krzepnięcia krwi, bierze udział w mechanizmach odpornościowych (immunologicznych). Pełni funkcję odtruwającą w organizmie, tj. wychwytuje i rozkłada albo unieczynnia substancje szkodliwe dostające się do organizmu z zewnątrz lub powstające w organizmie i będące końcowymi „odpadkowymi” produktami przemiany materii. Substancje te wydala z żółcią lub przekazuje w postaci zobojętnionej do krwi, skąd są usuwane przez nerki. W wątrobie odbywa się metabolizm wielu leków. Narząd ten również wychwytuje z krwi i wydala bilirubinę – żółty barwnik będący produktem rozpadu hemoglobiny, tj. barwnika zawartego w krwinkach czerwonych.

Z fizjologicznej roli wątroby wynika, że znaczne uszkodzenie tego narządu może powodować poważne i skomplikowane następstwa chorobowe. Objawy chorobowe, bardzo zróżnicowane, często nie korelują ze stopniem uszkodzenia wątroby, dlatego też duże znaczenie w rozpoznawaniu chorób mają badania dodatkowe w formie testów biochemicznych krwi, moczu, kału, zdjęć radiologicznych, ultrasonografii lub scyntygrafii.

W chorobach, które nie mają charakteru ogniskowego, lecz obejmują całą wątrobę, przesądzające znaczenie diagnostyczne ma tzw. biopsja wątr o b y, czyli przezskórne nakłucie wątroby i pobranie wycinka tkanki do badania mikroskopowego (zabieg ten przypomina zastrzyk domięśniowy). Prawidłowe leczenie przewlekłych zapaleń wątroby wymaga powtarzania biopsji. Stosowana bywa także tzw. l a p a r o s k o p i a, czyli zabieg diagnostyczny wykonywany w znieczuleniu miejscowym i polegający na oglądaniu narządów jamy brzusznej za pomocą instrumentu optycznego wprowadzonego do brzucha przez niewielkie nacięcie w powłokach. Gdy wszystkie ww. metody badania nie rozstrzygną o rozpoznaniu choroby, wówczas konieczna bywa tzw. o p e r a c j a z w i a d o w c z a (diagnostyczna), która może przerodzić się w operację leczniczą, jeśli chirurg stwierdzi przyczyny choroby dające się usunąć operacyjnie.

Wirusowe zapalenie wątroby, zob. Choroby zakaźne, s. 979.

Stłuszczenie wątroby polega na nadmiernym odkładaniu się złogów tłuszczu w komórkach wątroby (hepatocytach). Zwykle jest niewielkie, odwracalne i na ogół przebiega bezobjawowo. Zdarzają się jednak postacie ostre, ciężkie, mogące wywołać objawy chorobowe, a nawet powodować trwałe uszkodzenie wątroby (zob. Marskość wątroby, s. 751).

P r z y c z y n y stłuszczenia wątroby są liczne i rozmaite, ale przeważnie powstaje ono w przebiegu przewlekłego alkoholizmu. Dość często rozwija się też w cukrzycy (zwłaszcza gdy ta przebiega z otyłością i nie jest prawidłowo leczona), w otyłości, głodzeniu i przy znacznych niedoborach białkowych w pożywieniu. Stłuszczenie wątroby może być również wywołane działaniem różnych substancji toksycznych i leków oraz przewlekłymi chorobami. Ciężka postać stłuszczenia może zdarzyć się u kobiet ciężarnych w trzecim trymestrze ciąży (w 6–9 miesiącu ciąży) oraz u osób leczonych dużymi dawkami antybiotyków z grupy tetracyklin. W przebiegu tej ostrej postaci występują nudności, wymioty, bóle brzucha, niewydolność nerek i śpiączka.

L e c z e n i e stłuszczenia wątroby polega na usunięciu jego przyczyny, a zatem: wprowadzeniu abstynencji alkoholowej, przywróceniu prawidłowego żywienia, uregulowaniu cukrzycy, systematycznym leczeniu innych przewlekłych chorób.

Toksyczne uszkodzenie wątroby. Większość związków chemicznych wprowadzonych do organizmu (celowo lub przypadkowo) drogą pokarmową, wziewną i przezskórnie ulega w wątrobie swoistej obróbce, mającej na celu przekształcenie w postać możliwą do sprawnego wydalenia z żółcią lub moczem. Niektóre z nich mogą powodować uszkodzenie wątroby. Należą tu substancje pochodzenia przemysłowego, roślinnego oraz niektóre leki (tabela na s. 748).

O b j a w y toksycznego uszkodzenia wątroby są w znacznym stopniu zbliżone do objawów „klasycznych" chorób tego narządu. Dlatego też niezmiernie ważne znaczenie ma przeprowadzony wywiad z chorym lub jego otoczeniem, pozwalający ustalić kontakt chorego z substancjami chemicznymi lub rodzaje zażywanych przez niego leków.

Wyróżnia się d w a p o d s t a w o w e m e c h a n i z m y uszkodzenia wątroby. Pierwszy z nich to d z i a ł a n i e b e z p o ś r e d n i e u s z k a d z a j ą c e komórki wątrobowe, bez współudziału innych mechanizmów pośredniczących.

Drugi, to zmiany zachodzące w wyniku reakcji autoimmunologicznej (reakcja nadwrażliwości) zapoczątkowanej przez toksynę i skierowanej przeciwko tkankom wątrobowym.

Czynniki toksyczne i rodzaj uszkodzenia wątroby

Rodzaj uszkodzenia	Leki i inne czynniki uszkadzające	Przykład
Cholestaza (wewnątrzwątrobowy zastój żółci)	steroidy anaboliczne tyreostatyki chemioterapeutyki antykoncepcyjne środki doustne trankwilizatory	testosteron Metizol erytromycyna Femigen, Lyndiol chloropromazyna (Fenactil)
Stłuszczenie wątroby	chemioterapeutyki	tetracykliny
Zapalenie wątroby	znieczulające przeciwdrgawkowe hipotensyjne chemioterapeutyki moczopędne przeczyszczające	halotan difenylohydantoina alfa-metylodopa (Dopegyt) izoniazyd chlorotiazyd oksyfenizatyna
Martwica wątroby	węglowodory metale ciężkie grzyby leki przeciwbólowe alkohole	czterochlorek węgla żółty fosfor muchomor sromotnikowy acetaminofen alkohol etylowy

Mechanizm uszkodzenia bezpośredniego i stopień zmian patologicznych jest ściśle związany z dawką środka toksycznego i czasem jego działania. Czas, jaki upływa od momentu zadziałania środka do wystąpienia cech uszkodzenia wątroby, nie przekracza na ogół kilku godzin, ale pierwsze objawy kliniczne mogą pojawiać się dopiero po 24–48 godz. Środki o takim mechanizmie działania wywierają wpływ ogólnoustrojowy, uszkodzenie wątroby jest tylko jednym z elementów zatrucia i może pozostawać nierozpoznane w razie niewystąpienia jednoznacznych objawów klinicznych, np. żółtaczki.

Mechanizm uszkodzenia w wyniku reakcji nadwrażliwości nie jest powikłaniem częstym. Występuje niezależnie od dawki podawanego leku, a objawy kliniczne pojawiają się w trakcie leczenia lub w krótkim czasie po jego zaprzestaniu. Ten typ uszkodzenia wątroby nieznacznie różni się od zmian spotykanych w wirusowym zapaleniu wątroby. W niektórych przypadkach występują cechy typowe dla żółtaczki mechanicznej, z zastojem żółci oraz niewielkim uszkodzeniem komórek wątrobowych.

Odrębny mechanizm działania wykazuje grupa doustnych środków antykoncepcyjnych. Wywierają one wpływ na wewnątrzkomórkową przemianę bilirubiny, utrudniając jej wydzielanie do żółci. Stąd głównym objawem jest żółtaczka. Podatność na wystąpienie objawów toksycznych przy stosowaniu doustnych środków antykoncepcyjnych jest uwarunkowana genetycznie.

Leczenie toksycznego uszkodzenia wątroby polega przede wszystkim na odstawieniu czynnika przyczynowego oraz na leczeniu podtrzymującym, ze szczegółową oceną czynności narządów miąższowych, a zwłaszcza nerek.

Toksyczne działanie czterochlorku węgla, zob. Zatrucia, s. 2091.

Toksyczne działanie halotanu. Halotan, lek stosowany w anestezjologii, budową chemiczną jest zbliżony do chloroformu. U osób narażonych w przeszłości na kontakt z tym preparatem może wywołać uszkodzenie wątroby (martwicę) w mechanizmie nadwrażliwości. W przebiegu reakcji toksycznej występuje gorączka, nudności, wymioty i żółtaczka. Badania mikroskopowe tkanki wątrobowej pobranej przez biopsję wykazują podobieństwo zmian do występujących w wirusowym zapaleniu wątroby. Rokowanie jest poważne. Może rozwinąć się marskość wątroby.

Toksyczne działanie izoniazydu. Ten lek przeciwgruźliczy w 1% przypadków powoduje masywne uszkodzenie wątroby porównywalne ze stwierdzanym w przebiegu wirusowego zapalenia. Mechanizm uszkodzenia jest mieszany – z elementami zarówno toksyczności bezpośredniej, jak i nadwrażliwości. Przebieg choroby może być ciężki. Stopień uszkodzenia wątroby zależy od wieku chorego. Najpoważniejsze i najczęstsze zmiany występują w grupie chorych powyżej 50 r. życia, najrzadziej u osób poniżej 20 r. życia.

Toksyczne działanie chloropromazyny. Lek ten u blisko 1% osób wywołuje objawy uszkodzenia wątroby powodowane reakcją nadwrażliwości osobniczej. Przeciętnie w 1–4 tygodni po leczeniu występują cechy wewnątrzwątrobowego zastoju żółci (cholestaza) z towarzyszącą żółtaczką. Często przebieg reakcji toksycznej jest bezżółtaczkowy. Początek choroby może być gwałtowny z gorączką, rumieniem, zapaleniem stawów, powiększeniem węzłów chłonnych, nudnościami, wymiotami, bólami nadbrzusza i dokuczliwym świądem. Objawy ustępują na ogół 4–8 tygodni po odstawieniu leku i nie pozostawiają poważniejszych następstw.

Toksyczne działanie doustnych środków antykoncepcyjnych zawierających hormony: estrogeny i gestageny. Po tygodniach lub miesiącach stosowania środków z tej grupy u niektórych kobiet może wystąpić wewnątrzwątrobowy zastój żółci, świąd skóry oraz żółtaczka. Na wystąpienie tego typu objawów są szczególnie narażone kobiety ze stwierdzaną uprzednio żółtaczką, z uporczywym świądem ciężarnych oraz podatne genetycznie. Rutynowe próby wątrobowe są na ogół prawidłowe. Badanie mikroskopowe tkanki wątrobowej potwierdza wewnątrzwątrobowy zastój żółci i nie wykazuje odczynu zapalnego. Po odstawieniu zażywanych środków wszystkie objawy uboczne ustępują, nie pozostawiając poważniejszych następstw. Mimo to istnieją dane wskazujące na związek występowania pierwotnego raka wątroby oraz zakrzepicy żył wątrobowych ze stosowaniem doustnych środków antykoncepcyjnych.

Przewlekłe zapalenie wątroby jest to choroba, w której zmiany patologiczne w wątrobie pod postacią martwicy komórek, odczynu zapalnego i włóknienia (bliznowacenia) utrzymują się długo, przez miesiące, a nawet lata. Zmiany te mogą być następstwem ostrego wirusowego zapalenia wątroby, wywołanego przez wirusy typów B lub nie-A, nie-B (zob. Choroby zakaźne, s. 979), rzadziej przez inne wirusy. Tak zwane nagminne zapalenie wątroby wywołane przez wirus typu A nie pozostawia trwałych następstw i nie przechodzi w stan przewlekły. Do niewirusowych przyczyn przewlekłego zapalenia wątroby zalicza się alkohol, niektóre leki (izoniazyd, oksyfenizatyna, alfa-metylodopa), niektóre wrodzone zaburzenia metaboliczne oraz zaburzenia immunologiczne. W Polsce najczęstszą przyczyną przewlekłego zapalenia wątroby jest wirus zapalenia wątroby typu B.

Wyróżnia się dwa rodzaje przewlekłego zapalenia wątroby: przewlekłe przetrwałe i przewlekłe aktywne.

Przewlekłe przetrwałe zapalenie ma przebieg prawie bezobjawowy, charakteryzuje się minimalnymi zmianami mikroskopowymi w wątrobie, nie upośledza stanu zdrowia w istotny sposób i nie stwarza zagrożenia na przyszłość.

Przewlekłe aktywne zapalenie u znacznej części chorych prowadzi do marskości wątroby, a jego przebieg, często skryty, wykazuje dużą różnorodność. U większości osób w pierwszych okresach choroby dominują różne nasilone dolegliwości dyspeptyczne, brak apetytu, osłabienie i złe samopoczucie. Te *nieswoiste objawy* przez długi czas mogą nie być wiązane z chorobą wątroby. Dopiero pojawienie się dalszych objawów, jak żółtaczka, powiększenie wątroby, skaza krwotoczna lub wodobrzusze ułatwiają postawienie właściwego rozpoznania. Nierzadko choroba przebiega zupełnie *bezobjawowo* i jest rozpoznawana przypadkowo. Zdarza się jednak, że przewlekłe zapalenie wątroby od początku *przebiega gwałtownie* i ciężko z szybko ujawniającymi się cechami niewydolności wątroby. W obrazie klinicznym niektórych postaci dominują objawy uszkodzenia innych, oprócz wątroby, narządów i układów. Bywa tak zwłaszcza w tzw. *autoimmunologicznym* przewlekłym zapaleniu wątroby.

Badania laboratoryjne z grupy tzw. *testów wątrobowych* są w przewlekłym zapaleniu wątroby prawie zawsze nieprawidłowe. Testy te jednak słabo korelują ze stanem chorego i natężeniem zmian patologicznych w wątrobie, dlatego nie mogą być jedyną podstawą rozpoznawania choroby. *Rozpoznanie* ustala się na podstawie obrazu histopatologicznego wątroby. Materiał do badania uzyskuje się za pomocą przezskórnej biopsji wątroby lub w czasie laparoskopii (zob. s. 747).

Leczenie. Nie ma jednolitej metody leczenia wszystkich postaci choroby. Przewlekłe *przetrwałe zapalenie* wątroby nie wymaga leczenia farmakologicznego. W przewlekłym *aktywnym zapaleniu* wątroby spowodowanym zaburzeniami immunologicznymi (zapalenie autoimmunologiczne) dobre wyniki daje tzw. leczenie immunosupresyjne. Nie ma natomiast przekonywających dowodów na skuteczność takiego leczenia w chorobie o podłożu wirusowym. W tych postaciach przewlekłego zapalenia są podejmowane od niedawna próby leczenia mającego na celu eliminację czynnika zakaźnego z organizmu (np. stosowanie interferonu). Leczenie *dietetycz-*

ne, klimatyczne oraz farmakologiczne tzw. preparatami osłaniającymi wątrobę ma drugorzędne znaczenie. Picie alkoholu jest bezwzględnie przeciwwskazane. Należy unikać stosowania leków o potencjalnie szkodliwym działaniu na wątrobę. Zakażenia pokarmowe mogą pogarszać przebieg choroby, dlatego należy przestrzegać higieny żywienia.

Marskość wątroby jest to przewlekłe uszkodzenie wątroby o różnej przyczynie, charakteryzujące się wieloma zmianami morfologicznymi. Zwykle proces marskiej przebudowy wątroby rozpoczyna się od pojawienia się ubytku w czynnym miąższu (najczęściej w wyniku martwicy komórek) i zastąpienia go tkanką łączną. Zniszczenie komórek wątrobowych (hepatocytów) jest następstwem działania różnych czynników, najczęściej zakaźnych lub chemicznych, i występuje zwykle w całym narządzie, ale o różnym natężeniu zmian w poszczególnych elementach budowy, w tzw. zrazikach. W nie uszkodzonych zrazikach lub w zdrowych częściach zmienionych zrazików dochodzi do regeneracji guzkowej hepatocytów. Jednak odbudowa miąższu następuje w sposób nie podporządkowany precyzyjnym zasadom architektury zdrowej wątroby. Ta cecha pozwala bezsprzecznie rozpoznać marskość. Kolejną zmianą morfologiczną cechującą marskość wątroby są zaburzenia unaczynienia narządu. Guzki regeneracyjne oraz tkanka łączna uciskają na naczynia krwionośne i utrudniają wewnątrzwątrobowy przepływ krwi. Powstają też nowe, nieprawidłowe połączenia naczyniowe. Te zaburzenia w ukrwieniu wątroby dodatkowo zmniejszają jej wydolność metaboliczną.

Objawy marskości wątroby zależą od stopnia zniszczenia czynnego miąższu oraz od rozmiarów i tempa przebudowy marskiej. Przebieg choroby może być zupełnie bezobjawowy lub dawać bogaty zespół objawów, aż do cech niewydolności wątroby i nadciśnienia wrotnego.

Przyczyny. Marskość wątroby nie rozwija się w zdrowym narządzie. Poprzedzają ją zawsze różne formy zapalenia, w znacznej części przypadków zapalenie ostre przechodzi w zapalenie przewlekłe, a to w końcu w marskość. Do najczęstszych przyczyn choroby należą: nadużywanie alkoholu (marskość alkoholowa), zakażenie wirusami zapalenia wątroby B lub nie-A, nie-B (marskość pozapalna), przewlekłe utrudnienie odpływu żółci (marskość żółciowa), niektóre leki, dziedziczne zaburzenia metaboliczne oraz bliżej niezbadane wrodzone nieprawidłowości immunologiczne. U części chorych nie udaje się odkryć czynnika etiologicznego. Te przypadki nazywa się marskością kryptogenną.

Marskość alkoholowa jest nieodwracalnym skutkiem nadużywania alkoholu. Może rozwinąć się ze stłuszczenia wątroby (zob. s. 747), które w zasadzie jest zmianą odwracalną, oraz z alkoholowego zapalenia wątroby, choroby o ciężkim przebiegu i następstwach. Przyjmuje się, że do rozwoju marskości dochodzi u 10–30% osób nadużywających alkoholu. Czynnikiem decydującym jest czas nadużywania i ilość wypijanego alkoholu. Dodatkową ważną rolę odgrywają współistniejące zakażenia wirusem B, nieprawidłowe odżywianie oraz utrudnienie odpływu żółci. Abstynencja może niekiedy zahamować postęp choroby, jakkolwiek bywają przypadki, że nawet po całkowitym zaprzestaniu picia alkoholu choroba szybko postępuje, prowadząc aż do pełnej niewydolności narządu i zgonu chorego.

Marskość żółciowa może być spowodowana dwoma czynnikami: 1) przewlekłym utrudnieniem odpływu żółci na skutek przeszkody mechanicznej w drogach żółciowych (kamień, zwężenie, ucisk z zewnątrz) – jest to tzw. marskość żółciowa wtórna, oraz 2) przewlekłym zapaleniem i włóknieniem drobnych przewodzików żółciowych wewnątrzwątrobowych – powstaje wówczas tzw. marskość żółciowa pierwotna. Drugi rodzaj występuje prawie wyłącznie u kobiet w średnim wieku i przebiega zawsze z pewnymi zaburzeniami immunologicznymi. Często towarzyszą mu objawy świadczące o zaburzonej gospodarce tłuszczowej ustroju, a czasami objawy mówiące o nieprawidłowościach dotyczących tkanki łącznej, tarczycy lub nerek.

Objawy. Marskość wątroby nie daje stałego i jednolitego obrazu chorobowego. W wielu przypadkach może nie wywoływać żadnych objawów i bywa wówczas rozpoznawana przypadkowo. W marskości żółciowej pierwotnej wczesnym objawem jest przewlekły, uporczywy świąd skóry, który występuje na wiele lat przed pojawieniem się cech uszkodzenia wątroby. W zaawansowanej marskości wątroby, niezależnie od jej przyczyny, pojawiają się: narastające osłabienie, utrata łaknienia, chudnięcie, żółtaczka, obrzęki i wodobrzusze. Występuje powiększenie wątroby i śledziony, rumień dłoni, „pajączki" naczyniowe, zanik owłosienia pachowego i łonowego, powiększenie piersi i zanik jąder u mężczyzn. W następstwie nadciśnienia wrotnego powstają żylaki przełyku i dna żołądka, które mogą być przyczyną krwotoków, wreszcie może rozwinąć się tzw. encefalopatia wrotna, objawiająca się różnego stopnia zaburzeniami psychicznymi i neurologicznymi aż do głębokiej śpiączki włącznie.

Leczenie. Wobec zmiennego przebiegu choroby szczegółowe zalecenia lecznicze w każdym przypadku ustala lekarz. Ogólnie jednak, chorzy powinni prowadzić oszczędzający tryb życia, unikać intensywnych, długotrwałych wysiłków fizycznych doprowadzających do wyraźnego zmęczenia, odpoczywać w ciągu dnia w pozycji leżącej, zwłaszcza po posiłkach. Ważne znaczenie lecznicze ma unikanie wszelkich czynników uszkadzających wątrobę, takich jak alkohol (bezwzględna abstynencja), niektóre leki (decyduje lekarz), zakażenia, substancje toksyczne w środowisku zawodowym. Usunięcie szkodliwości zawodowych powinno odbywać się z udziałem wyspecjalizowanych lekarzy Przemysłowej Służby Zdrowia. Zapobieganie zakażeniom można osiągnąć przez przestrzeganie wysokiego standardu higieny życia i żywienia.

Ważną rolę w leczeniu marskości wątroby odgrywa dieta. W okresie wydolności wątroby żywienie nie odbiega zasadniczo od fizjologicznego, natomiast w okresie niewyrównania są konieczne dość znaczne modyfikacje. W przypadkach encefalopatii modyfikacje te polegają na ograniczeniu, a nawet czasowym wyłączeniu białka z diety, a przy wodobrzuszu i obrzękach – na ograniczeniu podaży płynów i soli kuchennej.

Powikłania marskości wątroby, w postaci narastającej encefalopatii i krwotoków z żylaków przełyku, są leczone szpitalnie. Również wodobrzusze wymaga leczenia szpitalnego, jeśli starannie prowadzone leczenie ambulatoryjne nie daje oczekiwanych efektów.

Kamica żółciowa polega na obecności w pęcherzyku żółciowym i (lub) w przewodach żółciowych kamieni (złogów) powstałych przez wytrącanie się składników żółci: cholesterolu, barwników żółciowych i wapnia. Choroba ta występuje dwukrotnie częściej u kobiet niż u mężczyzn. Predysponują do niej ciąże, doustne środki antykoncepcyjne, otyłość, usunięcie końcowego odcinka jelita cienkiego, czynniki geograficzne.

Naturalny przebieg kliczniczny kamicy żółciowej obrazuje poniższy schemat.

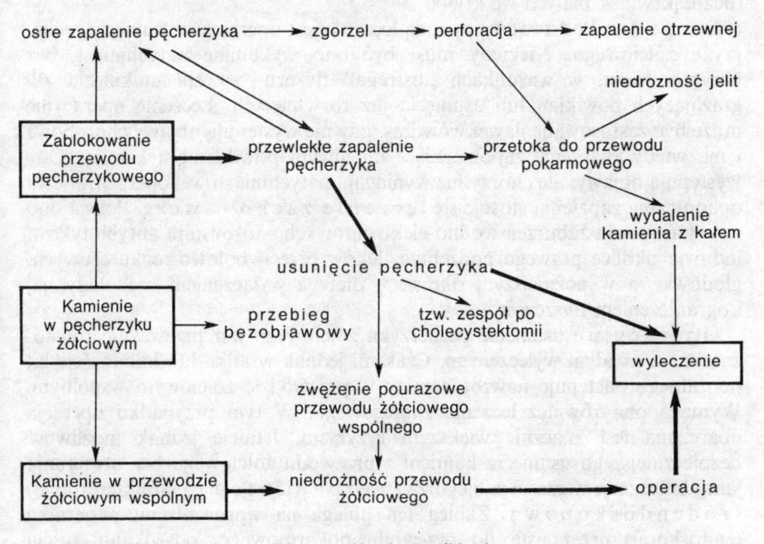

Schemat przebiegu kamicy żółciowej

Objawy. Nierzadko kamienie są wykrywane przypadkowo, a choroba latami może przebiegać bezobjawowo – tzw. kamica niema. Do klasycznych objawów należą: napadowe bóle w prawym podżebrzu lub nadbrzuszu, niekiedy o bardzo znacznej intensywności, promieniujące do pleców i kręgosłupa, opasujące, połączone z nudnościami i wymiotami, gorączka, a w przypadkach zablokowania przewodu żółciowego wspólnego żółtaczka, odbarwione (koloru gliny) stolce, przebarwiony (mocna herbata) mocz. Powikłaniami kamicowego zapalenia pęcherzyka żółciowego mogą być: wodniak, ropniak, zgorzel, pęknięcie pęcherzyka z następowym zapaleniem otrzewnej lub wytworzeniem kanału (przetoki) do przewodu pokarmowego. Powikłaniem zaś kamicy przewodu żółciowego wspólnego, poza jego zapaleniem i żółtaczką, może być zapalenie trzustki, zapalenie przewodów żółciowych wewnątrzwątrobowych, ropnie wątroby.

Rozpoznanie opiera się na obrazie klinicznym oraz na badaniach dodatkowych, takich jak: ultrasonografia i prześwietlenie pęcherzyka żółciowego i dróg żółciowych (cholecystografia, cholangiografia, cholangiografia wstępująca). Inne metody, np. badania izotopowe, tomografia komputerowa, są stosowane jedynie w sytuacjach szczególnych. W przypadkach utrudnienia odpływu żółci do przewodu pokarmowego badania laboratoryjne wykazują wzrost w surowicy krwi bilirubiny (barwnika zawartego w żółci) i enzymu zwanego fosfatazą alkaliczną. W moczu pojawiają się barwniki żółciowe, w kale zaś ich stężenie spada. W okresie ostrego zapalenia wzrasta leukocytoza (liczba krwinek białych we krwi).

Leczenie. Podstawową metodą leczenia jest operacyjne usunięcie pęcherzyka żółciowego. Niekiedy musi być ono wykonane natychmiast, bez przygotowania, w warunkach „ostrego" dyżuru, w celu uniknięcia zagrażających powikłań lub usunięcia już rozwiniętych. Leczenie operacyjne może być zastosowane nawet wówczas, gdy nie występują objawy chorobowe i ma wtedy znaczenie zapobiegające możliwym powikłaniom kamicy. Gdy występują objawy, ale chorzy nie wymagają natychmiastowej operacji, w celu opanowania zapalenia stosuje się leczenie zachowawcze. Polega ono na wyrównaniu zaburzeń wodno-elektrolitowych, stosowaniu antybiotyków, lodu na okolicę prawego podżebrza, leków przeciwbólowo-rozkurczowych, głodówki, a w późniejszym okresie – diety z wyłączeniem czekolady, jaj i ograniczeniem tłuszczów.

Operacyjne usunięcie pęcherzyka żółciowego jest przeważnie równoznaczne z trwałym wyleczeniem. Czasami jednak w kilka lub kilkanaście lat po zabiegu następuje nawrót kamicy w przewodzie żółciowym wspólnym. Wymaga ona również leczenia zabiegowego. W tym przypadku operacja obarczona jest znacznie większym ryzykiem. Istnieje jednak możliwość bezpieczniejszego usunięcia kamieni z przewodu żółciowego bez otwierania jamy brzusznej, w czasie zabiegu zwanego papilotomią (sfinkterotomią) śródendoskopową. Zabieg ten polega na wprowadzeniu wziernika (endoskopu) przez usta do przewodu pokarmowego, odszukaniu ujścia przewodu żółciowego wspólnego do dwunastnicy (brodawki Vatera) i jego nacięciu „nożem" elektrycznym. Poszerzenie ujścia umożliwia swobodne opróżnienie się przewodu żółciowego z kamieni. Zabieg jest niebolesny i nie wymaga znieczulenia ogólnego.

Czy istnieje możliwość nieoperacyjnego leczenia kamicy żółciowej przez rozpuszczanie kamieni? W praktyce leki rozpuszczające kamienie (kwas chenodezoksycholowy, ursodezoksycholowy) mają ograniczone zastosowanie. Rozpuszczają one jedynie kamienie cholesterolowe, leczenie trwa wiele miesięcy, a nawrót kamicy po zaprzestaniu podawania leku następuje szybko, zazwyczaj w ciągu 2 lat. Leki te ponadto wywierają działania niepożądane. W Polsce dotychczas preparaty te nie są produkowane.

Nowotwory wątroby, zob. s. 2047; **nowotwory pęcherzyka żółciowego i przewodów żółciowych**, zob. s. 2048.

Choroby trzustki

Ostre zapalenie trzustki, epizodyczne lub nawracające, jest najczęściej następstwem kamicy żółciowej lub nadużywania alkoholu. Inne przyczyny, jak urazy, wady wrodzone trzustki, czynniki hormonalne, metaboliczne lub zakaźne mają mniejsze znaczenie. Zapalenie powodowane jest patologiczną aktywacją trawiennych enzymów trzustkowych w obrębie tego narządu, co prowadzi do samotrawienia trzustki. Z rozpadających się komórek są uwalniane liczne substancje wywołujące objawy chorobowe.

Objawy. Silny ból występuje zazwyczaj nagle. Towarzyszą mu często nudności, wymioty, gorączka, duszność, niedrożność porażenna jelit (zatrzymanie gazów i stolca, wzdęcie, cisza w jamie brzusznej). W skrajnych przypadkach następuje wstrząs – skóra blada, pokryta zimnym potem, spadek ciśnienia krwi, szybkie tętno, przyspieszony oddech. Niekiedy, zwłaszcza jeśli zapalenie trzustki jest następstwem kamicy żółciowej, może występować żółtaczka.

Rozpoznanie, nierzadko trudne, opiera się na obrazie klinicznym oraz stwierdzeniu wzrostu aktywności diastazy (amylazy) w surowicy krwi i w moczu. Często wzrasta leukocytoza (liczba krwinek białych).

Rokowanie zależy głównie od ciężkości zapalenia i jest dobre w lżejszej, obrzękowej postaci i złe w postaci martwiczej.

Leczenie objawowe polega na stosowaniu środków przeciwbólowych i przeciwwstrząsowych, hamowaniu wydzielania trzustkowego, leczeniu zakażenia bakteryjnego, wyrównywaniu zaburzeń wodno-elektrolitowych, leczeniu powikłań. Leczenie chirurgiczne wykonuje się rzadko, np. w celu odbarczenia przewodów żółciowych, rozstrzygnięcia wątpliwości diagnostycznych itp. U osób wyleczonych dochodzi do całkowitej regeneracji trzustki, tak w sensie morfologicznym, jak i czynnościowym.

Przewlekłe zapalenie trzustki charakteryzuje się postępującym nieodwracalnym uszkodzeniem trzustki prowadzącym do jej niewydolności zewnątrzwydzielniczej (niedostatek enzymów trawiennych) i wewnątrzwydzielniczej (niedostatek hormonów, głównie insuliny). Najczęstszą przyczyną przewlekłego zapalenia trzustki jest alkoholizm. Urazy trzustki, pewne zaburzenia metaboliczne i hormonalne to rzadsze powody przewlekłego zapalenia tego narządu.

W następstwie długotrwałego zapalenia trzustka staje się mała, twarda, włóknieje, a nierzadko wapnieje (szczególnie w zapaleniu alkoholowym). Przewody trzustkowe są poszerzone, nierówne, często zawierają kamienie wapniowo-białkowe. Zanikają struktury gruczołowe wytwarzające enzymy trawienne. Zniszczeniu mogą też ulegać wysepki komórek czynnych hormonalnie. Nacieczona zapalnie i zwłókniała głowa trzustki uciskając przewód żółciowy może powodować żółtaczkę mechaniczną.

Objawy, zwłaszcza w mniej zaawansowanych przypadkach, są nieswoiste i mało pomocne w ustalaniu rozpoznania. Należy do nich ból, często intensywny, stały, zlokalizowany w nadbrzuszu, promieniujący do kręgosłupa.

Charakterystyka bólu jest jednak bardzo zmienna i nie może stanowić podstawy rozpoznania. Niekiedy przewlekłe zapalenie trzustki przebiega bezbólowo. Ważnym objawem jest spadek należnej masy ciała, a w przypadkach zaawansowanej niewydolności zewnątrzwydzielniczej trzustki także tzw. biegunka tłuszczowa. Polega ona na wielokrotnych w ciągu doby nieuformowanych wypróżnieniach cuchnącym, jasnym, połyskliwym, trudno spłukującym się kałem. Z powodu niedoboru enzymów rozkładających tłuszcze kał zawiera większe niż zwykle ilości tłuszczu, co może prowadzić do niedoboru witamin ropuszczalnych w tłuszczach (A, D, E, K). Objawem niewydolności wewnątrzwydzielniczej jest rozwijająca się w części przypadków cukrzyca.

Rozpoznanie przewlekłego zapalenia trzustki jest trudne i wymaga najczęściej wielu skomplikowanych badań w wyspecjalizowanych ośrodkach. Składają się na nie badanie czynności wydzielniczej trzustki, ocena wielkości i struktury narządu oraz rozmiarów i kształtu przewodu trzustkowego. Czynność wydzielnicza jest oceniana przez badanie soku trzustkowego pobieranego z dwunastnicy specjalnym zgłębnikiem (sondą). Stosowane są także inne mniej skomplikowane badania, ale są one mniej dokładne i mają jedynie znaczenie orientacyjne.

Badanie wielkości i budowy trzustki oraz przewodu trzustkowego opiera się głównie na metodach radiologicznych, takich jak przeglądowe zdjęcie jamy brzusznej, cholangiopankreatografia wstępująca i tomografia komputerowa. Współczesna diagnostyka obejmuje także badanie trzustki za pomocą ultradźwięków (tzw. ultrasonografia, zob. Diagnostyka wizualizacyjna, s. 617).

Leczenie przewlekłego zapalenia trzustki jest złożone i trudne. Wymaga ono eliminacji przyczyn choroby, tj. leczenia alkoholizmu i kamicy żółciowej. Ważne jest łagodzenie bólu, stosowanie leków zawierających enzymy trzustkowe, ograniczenie tłuszczu w diecie (jeśli są stolce tłuszczowe i biegunka), leczenie cukrzycy.

W przypadku niepowodzenia leczenia zachowawczego, zwłaszcza przy niemożności opanowania bólu i wyniszczenia, jest możliwe leczenie operacyjne. Polega ono na zespoleniu przewodu trzustkowego z przewodem pokarmowym dla ułatwienia odprowadzania soku trzustkowego lub też na częściowym albo całkowitym wycięciu trzustki.

Torbielowate zwłóknienie trzustki, czyli **mukowiscydoza** to wrodzona choroba gruczołów wydzielających śluz, zlokalizowanych w trzustce, oskrzelach, wątrobie i jelitach. Występuje przede wszystkim we wczesnym dzieciństwie, ale także coraz częściej u osób dorosłych, co wiąże się niewątpliwie z wydłużeniem czasu przeżycia osób dotkniętych tą chorobą.

Głównymi objawami mukowiscydozy są zakażenia płucne uporczywie nawracające od najwcześniejszego dzieciństwa oraz zaburzenia w trawieniu i wchłanianiu pokarmu. U części chorych dochodzi do niedrożności przewodu pokarmowego z powodu jego zatkania gęstymi masami śluzowymi.

Rozpoznanie choroby opiera się na obrazie klinicznym oraz na stwierdzeniu nieprawidłowego składu elektrolitowego potu.

L e c z e n i e polega na zwalczaniu zakażeń płucnych, stosowaniu zabiegów poprawiających wykrztuszanie wydzieliny z oskrzeli oraz preparatów (wyciągów) trzustkowych i witamin.

Nowotwory trzustki, zob. Choroby nowotworowe, s. 2046.

IV. CHOROBY UKŁADU MOCZOWEGO

Społeczne znaczenie chorób układu moczowego

Choroby układu moczowego należą do schorzeń rozpowszechnionych we współczesnym społeczeństwie. Wśród nich pierwsze miejsce zajmują niewątpliwie zakażenia bakteryjne narządu moczowego. Dotyczą one częściej kobiet niż mężczyzn i występują już u ludzi młodych, a nawet u dzieci. W miarę starzenia się częstość zakażeń układu moczowego wzrasta i u kobiet starszych osiąga blisko 30% tej populacji.

W ostatnich latach obserwuje się istotny wzrost częstości występowania chorób nerek będących następstwem działania różnych substancji toksycznych uszkadzających ten narząd. Przyczyną tego jest coraz częstszy kontakt współczesnego człowieka z różnymi substancjami chemicznymi, których liczba wzrasta wraz z gwałtownym rozwojem przemysłu i wielkiej chemii w najszerszym znaczeniu tego słowa, w tym także nowoczesnej, potężnej farmakoterapii. Nadal jedną z najważniejszych grup chorób nerek są ich zapalenia kłębuszkowe. Rozwój bakteriologii, a zwłaszcza immunologii doświadczalnej i klinicznej pozwolił na dokładniejsze poznanie i lepsze zrozumienie przyczyn i przebiegu tych chorób.

Poważny p r o b l e m l e k a r s k o - s p o ł e c z n y s t a n o w i ą c h o r o b y n e r e k. Inne choroby układu moczowego występują rzadziej. Brak dokładnych danych o częstości występowania chorób nerek wynika z różnych przyczyn, m.in. z tego, że dość często choroby te przebiegają albo zupełnie bezobjawowo, albo ze skąpymi objawami, niejednokrotnie odnoszonymi do innych narządów i układów. Analiza przyczyn zgonów, zwłaszcza osób zmarłych poza szpitalem, również nie dostarcza właściwych danych, ponieważ ostateczną przyczyną zgonu może być wtórne powikłanie choroby nerek, np. krwotok z przewodu pokarmowego, udar mózgu w przebiegu nerkowego nadciśnienia tętniczego lub też zapalenia płuc. Nawet badanie sekcyjne często nie może udzielić odpowiedzi na pytanie dotyczące choroby nerek, która doprowadziła do zgonu. Wynika to z tego, że w krańcowej niewydolności nerek, będącej ostateczną przyczyną zgonu, zniszczenie narządu jest tak duże, że anatomopatolog wykonujący sekcję nie jest w stanie rozpoznać pierwotnej choroby nerek.

Z lekarsko-społecznego punktu widzenia najistotniejsze znaczenie mają choroby nerek prowadzące do p r z e w l e k ł e j m o c z n i c y. Są to najczęściej: przewlekłe kłębuszkowe i przewlekłe śródmiąższowe – bakteryjne i niebakteryjne – zapalenia miąższu nerkowego. Jedynie skutecznymi metodami leczenia tych chorób są: dializoterapia i przeszczepienie nerek. Jeśli przyjąć, że rocznie na każdy milion mieszkańców ok. 50 chorych umiera z powodu przewlekłej niewydolności nerek, a jednocześnie wiadomo, że można by uratować 50% tych chorych stosując dializoterapię lub przeszczepienie nerek, to wysoka ranga tych metod leczenia staje się oczywista. Niestety, koszt leczenia tymi metodami jest wysoki; mimo to w wielu krajach zapewniono większości chorym takie leczenie.

Objawy chorób układu moczowego

W przebiegu chorób układu moczowego mogą występować różne dolegliwości i objawy, zarówno ze strony nerek, jak i innych narządów, zwłaszcza wówczas, gdy dochodzi do rozwoju niewydolności nerek ostrej lub przewlekłej. Niektórym chorobom nerek towarzyszą tak charakterystyczne objawy, że często sam chory potrafi trafnie określić ich przyczynę. Dotyczy to np. kolki nerkowej w przebiegu kamicy nerkowej (zob. Urologia, s. 1540) lub zaburzeń w oddawaniu moczu u chorych z przerostem gruczołu krokowego (tamże, s. 1544). W innych przypadkach objawy bywają nietypowe i dopiero wykonanie odpowiednich badań dodatkowych pozwala ustalić ich tło. Istnieją też bardzo ciężkie uszkodzenia nerek, które – mimo rozwiniętej ich niewydolności – przebiegają całkowicie bezobjawowo i są ujawniane zupełnie przypadkowo.

Do objawów chorób układu moczowego należą: 1) bóle o różnym charakterze i lokalizacji, 2) stany podgorączkowe i gorączka, 3) zaburzenia w oddawaniu moczu i zmiany ilości oddawanego moczu, 4) zmiany w moczu, 5) nadciśnienie tętnicze, 6) obrzęki oraz 7) niedokrwistość.

Bóle spowodowane chorobami układu moczowego mogą występować w okolicy lędźwiowej (dość częsty objaw), w brzuchu, zwłaszcza w podbrzuszu oraz w cewce moczowej.

Bóle w okolicy lędźwiowej, jedno- lub obustronne, mogą mieć różny charakter i różne nasilenie. Niejednokrotnie ich przyczyną są zmiany w kręgosłupie lub są to po prostu bóle mięśniowe. Bardzo silne bóle, o charakterze kolki nerkowej, zwykle jednostronne występują w przebiegu kamicy nerkowej lub moczowodowej. Mogą one promieniować wzdłuż moczowodu do spojenia łonowego, a nawet niżej, do wewnętrznej powierzchni uda. Kolka nerkowa może być również spowodowana nagłym zablokowaniem odpływu moczu np. przez fragmenty tkanek lub skrzepy krwi. Silne bóle, najczęściej obustronne, często promieniujące w kierunku pęcherza moczowego, występują w przebiegu ostrych stanów zapalnych górnego odcinka układu moczowego (ostre odmiedniczkowe zapalenie nerek). Podobne bóle, ale najczęściej jednostronne, mogą być wywołane zapaleniem tkanki okołonerkowej. Ostremu, kłębuszkowemu zapaleniu nerek niejednokrotnie towarzyszą silne, obustronne, na ogół tępe bóle, natomiast przewlekłe kłębuszkowe zapalenie nerek przebiega w zasadzie bezbólowo. Jednostronne lub obustronne przewlekłe bóle w okolicy lędźwiowej, ulegające okresowemu nasileniu, mogą występować u chorych z nowotworami, torbielowatością lub gruźlicą nerek.

Bóle w okolicy spojenia łonowego przemawiają za chorobą pęcherza moczowego. Przyczyną silnych bólów jest najczęściej ostre zapalenie pęcherza, natomiast bóle o umiarkowanym nasileniu, tępe, przewlekłe, charakterystyczne są dla nowotworów i gruźlicy pęcherza moczowego. Bóle w tej okolicy mogą być jednak wywołane również innymi chorobami, a mianowicie chorobami odbytnicy i narządu rodnego u kobiet.

Bóle w cewce moczowej, występujące w czasie oddawania moczu, są najczęściej objawem ostrego zapalenia cewki moczowej.

Stany podgorączkowe i gorączka. W chorobach układu moczowego najczęstszą przyczyną wzrostu temperatury ciała są ostre bakteryjne zakażenia tego układu, a zwłaszcza ostre odmiedniczkowe zapalenie nerek. Charakteryzuje się ono wysoką gorączką, niekiedy sięgającą 40°C, której często towarzyszą wstrząsające dreszcze. Podobnie wysoką gorączkę spotyka się w zapaleniu okołonerkowym oraz w martwicy brodawek nerkowych. Ostra posocznica, z punktem wyjścia w narządzie moczowym, charakteryzuje się gorączką o przebiegu trawiącym (duże różnice, niekiedy przekraczające 1°C, pomiędzy pomiarem porannym i wieczornym, a w zapisie gorączkowym charakterystyczne „zęby piły").

Wysoka gorączka może być również objawem – czasami bardzo wczesnym, a niekiedy przez dłuższy okres jedynym – złośliwego nowotworu nerki.

Stany podgorączkowe, niekiedy z dreszczykami, obserwuje się często w przebiegu przewlekłych zakażeń układu moczowego.

Zaburzenia w oddawaniu i ilości oddawanego moczu. Oddawanie moczu w nocy jest jednym z pierwszych objawów przewlekłej niewydolności nerek, ale objaw ten może również występować w przebiegu innych stanów chorobowych, jak np. w niewydolności krążenia i niektórych chorobach gruczołów wydzielania wewnętrznego. Bolesne oddawanie moczu towarzyszy najczęściej ostremu zapaleniu pęcherza lub cewki moczowej, natomiast oddawanie moczu słabym strumieniem lub przerywanym jest częstym objawem przerostu lub nowotworu gruczołu krokowego oraz kamicy pęcherza moczowego. Nietrzymanie moczu jest najczęstszym objawem niedowładu zwieracza cewki moczowej.

Bardzo istotnym objawem chorób narządu moczowego są zmiany w ilości oddawanego moczu. Dorosły, zdrowy człowiek wydala w ciągu doby 1000–1500 ml moczu (diureza dobowa), przy czym ilość ta jest zmienna i zależy od ilości wypijanych płynów. W chorobach nerek diureza dobowa może być prawidłowa, zmniejszona lub zwiększona. Jeśli diureza dobowa ulegnie znacznemu zmniejszeniu, mówimy o skąpomoczu, w krańcowej sytuacji o bezmoczu, natomiast jeśli ulegnie znacznemu zwiększeniu, mówimy o wielomoczu.

Skąpomocz jest to stan, w którym diureza dobowa spada poniżej 400 ml. Pojawienie się skąpomoczu jest równoznaczne z zatrzymywaniem różnych końcowych produktów przemiany materii w organizmie, co prowadzi do rozwoju niewydolności nerek. Bezmoczem określany jest spadek diurezy dobowej poniżej 100 ml. Skąpomocz i bezmocz mogą być spowodowane tymi samymi czynnikami chorobowymi i świadczą o obecności zmian organicznych lub czynnościowych w układzie moczowym. Przyczynami ich mogą być wszystkie rodzaje ostrej niewydolności nerek (zob. s. 770), a w przewlekłej niewydolności nerek (zob. s. 771) następujące stany: a) ostra niewydolność nerek „nałożona" na istniejące już uszkodzenie nerek; b) zaostrzenie przebiegu przewlekłej choroby nerek; c) inne przyczyny, np. faza złośliwa nadciśnienia tętniczego wywołująca nagłe pogorszenie już uprzednio upośledzonej czynności nerek; d) okres schyłkowy przewlekłych chorób nerek. Różnicowanie przyczyn skąpomoczu i bezmoczu bywa trudne. Oba te stany stanowią bezwzględne wskazanie do leczenia szpitalnego, ponieważ określenie przyczyn ich występowania jest możliwe najczęściej tylko w warunkach szpitalnych, a ma to podstawowe znaczenie dla wyboru właściwej metody leczenia, przesądzającej niekiedy o życiu chorego.

Wielomoczem nazywa się znaczne zwiększenie diurezy dobowej (ponad 2000 ml). Wielomocz, który ulega zmniejszeniu po podaniu wazopresyny, tj. hormonu antydiuretycznego, nosi nazwę wielomoczu wazopresynowrażliwego, wielomocz nie reagujący na wazopresynę – wielomoczu wazopresynoopornego. Drugi typ wielomoczu występuje, z wyjątkiem cukrzycy, prawie wyłącznie w chorobach układu moczowego, takich jak torbielowatość nerek, przewlekłe odmiedniczkowe zapalenie nerek, przewlekła niewydolność nerek, po usunięciu przeszkody w odpływie moczu z dróg wyprowadzających układu moczowego, w ostrej niewydolności nerek po okresie skąpomoczu, w uszkodzeniu nerek w przebiegu zaburzeń gospodarki elektrolitowej (niedobór potasu, podwyższony poziom wapnia w surowicy krwi) i w niektórych wrodzonych wadach nerek.

Wielkość wielomoczu w wymienionych stanach chorobowych jest różna, najczęściej diureza dobowa waha się od 2 do 4 l.

Zmiany w moczu są często pierwszym objawem – niekiedy stwierdzonym przypadkowo – wskazującym na chorobę układu moczowego. Jednak brak zmian w moczu nie wyklucza choroby nerek, i to często jej zaawansowanego stanu. Również niektóre zmiany w moczu nie są równoznaczne z istnieniem organicznej choroby układu moczowego.

Podstawowe znaczenie diagnostyczne w chorobach układu moczowego mają: przejrzystość, barwa i ciężar właściwy (gęstość) moczu, obecność białka w moczu oraz zmiany w osadzie moczu.

Barwa prawidłowego moczu jest jasna do ciemnożółtej. W wielomoczu mocz jest wodojasny. Przy krwawieniach w układzie moczowym barwa moczu zmienia się od brudnoczerwonej do brunatnej („popłuczyny mięsne"). Na podstawie samej zmiany zabarwienia moczu nie można wszakże rozpoznawać krwawienia w układzie moczowym, ponieważ takie zmiany zabarwienia mogą powodować niektóre barwniki, zarówno pochodzenia zewnętrznego, jak i wewnętrznego.

Prawidłowy mocz jest przejrzysty, jeśli jednak jest on znacznie zagęszczony lub pozostawiony na pewien czas w naczyniu, dochodzi często do wytworzenia się w nim substancji krystalicznych powodujących zmętnienie, które niekiedy mylnie jest traktowane jako objaw chorobowy. Najczęstszą przyczyną chorobowego zmętnienia moczu jest obecność w nim dużej ilości krwinek białych lub czerwonych.

Ciężar właściwy (gęstość) moczu jest przydatnym, chociaż niezbyt dokładnym wskaźnikiem zagęszczenia moczu. Ciężar właściwy moczu człowieka zdrowego waha się w szerokich granicach, od 1004 do 1035. Tak duże różnice zależą od stopnia nawodnienia organizmu. Jednorazowy pomiar ciężaru właściwego moczu w rutynowym badaniu ogólnym ma niewielką wartość, chyba że jest on większy lub równy 1035 albo mniejszy lub równy 1004 (odpowiednio prawidłowe zagęszczenie i prawidłowe rozcieńczenie). Wartości pośrednie nie pozwalają na wnioskowanie o upośledzeniu zagęszczania lub rozcieńczania moczu.

Białkomocz jest jednym z ważniejszych objawów chorób układu moczowego. Normalnie w moczu ludzi zdrowych wydalane są znikome ilości białka, których praktycznie nie można wykryć za pomocą rutynowych metod badawczych. O białkomoczu jako zjawisku patologicznym mówi się wówczas, gdy ilość wydalanego białka jest wykrywalna w rutynowym ogólnym badaniu moczu. Wahania stężenia białka w moczu w ciągu doby mogą być znaczne u tego samego chorego, dlatego pojedyncze badanie ma wyłącznie znaczenie orientacyjne. Dokładniejsze dane uzyskuje się oznaczając dobowe wydalanie białka w moczu. Na tej podstawie rozróżnia się:

znaczny białkomocz – ilość wydalanego białka na dobę jest większa od 3,5 g,

umiarkowany białkomocz – dobowa strata białka w moczu waha się w granicach 0,5–3,5 g,

znikomy białkomocz – ilość wydalanego białka na dobę jest mniejsza od 0,5 g.

Znaczny białkomocz towarzyszy prawie zawsze zespołowi nerczycowemu (zob. s. 777).

Wielkość białkomoczu może ulegać znacznym wahaniom, nawet z dnia na dzień. Wynika z tego, że niewielki wzrost lub spadek dobowych strat białka w moczu, obserwowany w krótkich odstępach czasu, nie przesądza o istotnym zwiększeniu lub zmniejszeniu białkomoczu i tym samym nie może być pomocny w ocenie klinicznej dynamiki choroby nerek.

Również występowanie białkomoczu nie jest jednoznaczne z rozpoznaniem choroby układu moczowego. Niewielki białkomocz może występować u zupełnie zdrowych, młodych ludzi po wysiłku fizycznym, zwłaszcza znacznym, po dłuższym staniu, niekiedy pod wpływem zimna, a nawet po obmacywaniu nerek przez lekarza w czasie badania. Białkomocz może też być objawem innych chorób aniżeli układu moczowego. Należy tu wymienić niektóre choroby układu krwiotwórczego, ostre stany neurologiczne, niewydolność krążenia i stany gorączkowe różnego pochodzenia. Białkomocz pojawia się również w takich chorobach, w przebiegu których w osoczu krwi pojawiają się nieprawidłowe białka. Do takich chorób należą makroglobulinemia (Waldenströma) i siatkowiak plazmocytowy (szpiczak mnogi, zob. Choroby krwi i układu krwiotwórczego, s. 861).

Krwiomocz, podobnie jak białkomocz, jest częstym i ważnym objawem chorób narządu moczowego. Normalnie mocz ludzi zdrowych zawiera bardzo nieznaczne ilości krwinek czerwonych – 1 – 2 w polu widzenia (w mikroskopie) w osadzie moczu. W stanach patologicznych liczba krwinek wzrasta, co określa się jako krwinkomocz lub krwiomocz mikroskopowy (mikrohematuria). Jeśli wzrost liczby krwinek czerwonych w moczu doprowadza do wyraźnej zmiany jego zabarwienia (w sytuacji krańcowej mocz może mieć nawet barwę czekoladową), stan taki jest nazywany krwiomoczem makroskopowym (makrohematuria). Oba rodzaje krwiomoczu mogą być spowodowane przez te same czynniki. Krwinkomocz występuje znacznie częściej niż krwiomocz makroskopowy.

Uszkodzenie naczyń krwionośnych w obrębie układu moczowego, będące najczęstszą przyczyną krwiomoczu, może być następstwem procesu zapalnego, zwyrodnieniowego lub nowotworowego. Często jednak te stany chorobowe przebiegają bez krwiomoczu, a z kolei krwiomocz może być spowodowany przyczynami pozanerkowymi, np. skazą krwotoczną, wysoką gorączką i pewnymi lekami (np. salicylanami).

Leukocyturia jest to wydalanie w moczu zwiększonej liczby krwinek białych, czyli leukocytów. Obecność krwinek białych w moczu jest zjawiskiem fizjologicznym, jeśli ich liczba w badanym osadzie moczu nie wynosi więcej niż 1 – 5 w polu widzenia. Większe wydalanie leukocytów w moczu jest nieprawidłowością.

Znacznego stopnia leukocyturia nazywana jest ropomoczem.

Najczęstszą przyczyną leukocyturii są ostre lub przewlekłe choroby bakteryjne układu moczowego, ale może ona towarzyszyć i innym chorobom nerek, np. zespołowi nerczycowemu (zob. s. 777). Leukocyturia występuje również w niewydolności krążenia, w stanach odwodnienia i gorączkowych.

Bakteriuria jest to obecność drobnoustrojów w moczu spowodowana zakażeniami układu moczowego.

Wałeczkomocz (cylindruria) jest to pojawienie się w moczu podłużnych, różnego kalibru i kształtu wałeczków. Mogą one być szkliste, ziarniste, szklisto-ziarniste, woskowe, z krwinek białych i czerwonych. Obecność wałeczków w moczu jest dowodem uszkodzenia nerek; jedynie wałeczki szkliste mogą występować w innych stanach chorobowych, np. u chorych wysoko gorączkujących.

Nadciśnienie tętnicze stanowi częsty objaw różnych chorób nerek. Przyczyny jego występowania są dość zróżnicowane. Różne są też mechanizmy jego powstawania i różne rodzaje chorób nerek je wywołujących. Najczęściej nadciśnienie nerkowe ma charakter utrwalony. W jego przebiegu może występować faza złośliwa. Właśnie nadciśnienie tętnicze i objawy mu towarzyszące ze strony ośrodkowego układu nerwowego i serca są często powodem zgłoszenia się chorego z uszkodzeniem nerek na wizytę lekarską (zob. Nadciśnienie objawowe, s. 662).

Obrzęki o różnym nasileniu i lokalizacji pojawiają się zarówno w ostrych, jak i przewlekłych chorobach nerek.

Niedokrwistość jest stałym objawem przewlekłej mocznicy. W odróżnieniu od innej niedokrwistości nie poddaje się ona leczeniu farmakologicznemu.

Przyczyną niedokrwistości w przewlekłej niewydolności nerek jest upośledzenie wytwarzania czynnika krwiotwórczego w nerce oraz skrócenie czasu przeżycia krwinek czerwonych. Nierzadko chorzy zgłaszają się po raz pierwszy do lekarza właśnie z powodu objawów wywołanych przez niedokrwistość, np. bóle i zawroty głowy, osłabienie, łatwość męczenia się, zaburzenia rytmu serca.

Diagnostyka chorób układu moczowego

Do metod mających zasadnicze znaczenie w rozpoznawaniu i różnicowaniu chorób układu moczowego należą: 1) badania czynnościowe nerek, 2) badania radiologiczne układu moczowego, 3) badania radioizotopowe układu moczowego, 4) badania ultradźwiękowe układu moczowego – ultrasonografia, 5) wziernikowanie pęcherza moczowego – cystoskopia, 6) biopsja nerek.

Badania czynnościowe nerek

Celem czynnościowych badań nerek jest oznaczenie wielkości przepływu krwi przez nerki i filtracji, czyli przesączania kłębuszkowego oraz określenie czynności cewek nerkowych. Do badań tych należą: oznaczanie klirensu kreatyniny endogennej (wewnątrzpochodnej), oznaczanie zawartości kreatyniny w surowicy krwi, oznaczanie mocznika w surowicy krwi oraz określanie zdolności zagęszczania moczu, czyli tzw. próba zagęszczania moczu.

Klirens kreatyniny endogennej jest wskaźnikiem filtracji kłębuszkowej. Przez klirens, czyli współczynnik oczyszczania (ang. *clearance* – oczyszczanie) jakiejkolwiek endogennej (wewnątrzpochodnej) lub egzogennej (zewnątrzpochodnej) substancji należy rozumieć tę ilość osocza – wyrażoną w ml – w której znajduje się taka ilość danej substancji, jaka jest wydalona w moczu w jednostce czasu (sekunda, minuta). Innymi słowy, jest to taka ilość osocza, która „pozbywając się" w nerce tej substancji, tym samym niejako się z niej – w określonym czasie – oczyszcza. Dlatego też wielkość klirensu wyrażona jest zawsze w ml/s lub w ml/min. Jeśli zawartość (stężenie) badanej substancji (zwanej substancją klirensową) w osoczu oznaczymy literą P (ang. *plasma* – osocze), stężenie tej substancji w moczu literą U (ang. *urine* – mocz) a wielkość diurezy sekundowej (minutowej) literą V (ang. *volume* – objętość), to klirens C (ang. *clearance*) tej substancji będzie wyrażony wzorem:

$$C = \frac{U \times V}{P}.$$

Dla takich substancji, które ulegają swobodnemu przesączaniu w kłębuszkach nerkowych, a jednocześnie nie ulegają ani wchłanianiu zwrotnemu (reabsorpcji), ani wydzielaniu (sekrecji) w cewkach nerkowych, wielkość klirensu równa się wielkości filtracji kłębuszkowej *FK* lub *GFR* (od ang. *glomerular filtration rate*). Substancją, która spełnia te warunki wprost idealnie jest inulina – wielocukier pochodzenia roślinnego. Klirens inuliny jest dlatego wiernym miernikiem filtracji kłębuszkowej. Wiele trudności metodycznych, związanych z oznaczeniem klirensu inuliny przesądza o tym, że jest on wykonywany wyłącznie do celów naukowych. W codziennej praktyce klinicznej wielkość przesączania kłębuszkowego oznacza się za pomocą *klirensu kreatyniny endogennej* (C_{kr}), co nie nastręcza żadnych trudności metodycznych.

Kreatynina jest końcowym produktem wewnątrzustrojowej przemiany białka (stąd nazwa tej substancji „endogenna"), jej dobowa produkcja w ustroju jest stała (i zależna od wieku), jej wydalanie z moczem odzwierciedla wiernie wielkość tej „produkcji". U ludzi zdrowych kreatynina zachowuje się w nerkach podobnie jak inulina, tzn. ulega swobodnej filtracji kłębuszkowej i w czasie swej wędrówki przez dalsze, pozakłębuszkowe części nefronu nie wchłania się ani nie wydziela w cewkach nerkowych. Tak więc u osób zdrowych, u których poziom kreatyniny w osoczu jest prawidłowy, klirens kreatyniny może być traktowany jako czuły wskaźnik wielkości przesączania kłębuszkowego. Natomiast przy podwyższonej zawartości kreatyniny w osoczu – co jest jednym z biochemicznych objawów niewydolności nerek – kreatynina nie tylko ulega filtracji kłębuszkowej, ale również wydzielaniu cewkowemu, a to powoduje, że klirens tej substancji jest wyższy od istotnego przesączania kłębuszkowego. Rozbieżność ta jest tym większa, im wyższe jest stężenie kreatyniny w osoczu, a więc im bardziej jest nasilona niewydolność nerek. Badanie to pozwala zatem na orientacyjną ocenę przesączania, a tym samym na przybliżoną ocenę stopnia uszkodzenia miąższu nerkowego.

Prawidłowa wielkość klirensu kreatyniny endogennej (C_{kr}) wynosi u kobiet 1,4 – 2,1 ml/s (85 – 125 ml/min), a u mężczyzn 1,7 – 2,5 ml/s (100 – 150 ml/min). W większości chorób nerek obniżenie C_{kr} Jest najwcześniejszym wykładnikiem upośledzenia czynności nerek. Wyprzedza ono pojawienie się różnych zaburzeń metabolicznych u chorych z niewydolnością nerek. Zaburzenia te, podobnie jak zatrzymanie ciał azotowych w osoczu (azotemia, uremia, mocznica), stają się dopiero wtedy uchwytne, gdy wielkość C_{kr} spada do ok. 30% wartości prawidłowej.

Zawartość (stężenie) kreatyniny w surowicy jest wykładnikiem czynności nerek, ale tylko w pewnym stopniu. Prawidłowy poziom kreatyniny wynosi 62 – 124 µmol/l (0,7 – 1,4 mg%). Stężenie kreatyniny w surowicy mieszczące się w granicach normy nie wyklucza upośledzenia czynności nerek, natomiast wzrost poziomu kreatyniny w surowicy krwi powyżej normy wskazuje zawsze na duże obniżenie przesączania kłębuszkowego.

Zawartość (stężenie) mocznika w surowicy krwi jest pośrednim – podobnie jak poziom kreatyniny – wskaźnikiem czynności nerek. Prawidłowy poziom mocznika w surowicy krwi wynosi 3,3 – 6,6 mmol/l (20 – 40 mg%). Stężenie mocznika w surowicy krwi przewyższające górną granicę normy świadczy *o obniżeniu przesączania kłębuszkowego*. W odróżnieniu jednak od kreatyniny, której zawartość w surowicy krwi zależy prawie wyłącznie od filtracji kłębuszkowej, na poziom mocznika wywiera wpływ wiele różnych czynników dodatkowych. Wymienić tu należy dietę bogatobiałkową, zwiększony rozpad tkankowy (katabolizm) w następstwie stanów gorączkowych, niektóre zaburzenia elektrolitowe, stosowanie niektórych leków o działaniu katabolicznym, np. tetracyklin. Dlatego też podwyższenie poziomu mocznika w surowicy krwi jest mniej dokładnym wskaźnikiem stopnia upośledzenia czynności nerek niż podwyższenie stężenia kreatyniny. Pomimo tych zastrzeżeń oznaczenie poziomu mocznika w surowicy krwi pozostaje badaniem o dużym znaczeniu praktycznym.

Próba zagęszczania moczu jest najprostszą metodą służącą do określania czynności cewek nerkowych. Klasyczny sposób wykonania tej prostej próby polega na odwodnieniu chorego przez niepodawanie mu płynów do picia przez różny – w różnych modyfikacjach próby – okres. O prawidłowej zdolności zagęszczania moczu (normostenurii) mówi się wtedy, gdy po niepodawaniu płynów przez okres do 24 godz. ciężar właściwy wydalanego moczu osiąga wartość większą lub równą 1025, a jego osmolalność przekracza 800 mmol/kg. Niższe wartości przemawiają za upośledzeniem zdolności zagęszczania moczu, czyli hipostenurią. Niekiedy, niezależnie od czasu trwania odwodnienia („próba sucha"), chory wydala mocz o stałym ciężarze właściwym, wynoszącym 1011–1012 i stałej osmolalności, mieszczącej się w granicach 300–400 mmol/kg. Objaw ten nosi nazwę izostenurii. Ilustruje on brak zdolności nerek do modyfikowania osmolalności (i tym samym ciężaru właściwego moczu) w zależności od zawartości wody w organizmie i świadczy o znacznym upośledzeniu czynności nerek.

Zdolność do zagęszczania moczu ulega upośledzeniu przede wszystkim w różnych chorobach nerek. W niektórych z nich ulega upośledzeniu wcześniej niż przesączanie kłębuszkowe. Przemawia to za wcześniejszym uszkodzeniem przez proces chorobowy cewek niż kłębuszków nerkowych. Obserwuje się to m.in. w bakteryjnych i niebakteryjnych śródmiąższowych zapaleniach nerek, w niedoborze potasu, w podwyższonym poziomie wapnia w surowicy krwi i w niektórych wrodzonych wadach cewek nerkowych (wrodzone tubulopatie).

Badania radiologiczne układu moczowego

Zdjęcie przeglądowe jamy brzusznej (tzw. puste zdjęcie) jest wykonywane bez podawania środka cieniującego, czyli kontrastu. Umożliwia ono ocenę położenia, kształtu i wielkości nerek oraz pozwala na wykrycie obecności złogów cieniujących (zwapnienia).

Urografia jest podstawowym badaniem radiologicznym układu moczowego, wykonywanym po dożylnym podaniu środka cieniującego. Środki kontrastowe dostają się wraz z krwią do nerek. Silniej pochłaniają promienie rentgenowskie niż czynią to otaczające tkanki, tym samym umożliwiają ocenę wydalania moczu przez obie nerki. Z kolei spływ moczu kontrastowego przez drogi moczowe pozwala na dokładne ich uwidocznienie, co umożliwia wykrycie zmian w ich budowie (zaburzenia rozwojowe, nacieki zapalne lub nowotworowe) oraz znajdujących się w nich złogów moczowych.

Pielografia wstępująca polega na podawaniu środka cieniującego do miedniczki nerkowej przez długi i cienki cewnik, wprowadzony tam przez cewkę moczową, pęcherz i moczowód za pomocą specjalnego przyrządu zwanego cystoskopem, zaopatrzonego w urządzenie optyczne. Badanie to wykonuje z reguły doświadczony urolog. Za pomocą pielografii wstępującej można uzyskać bardziej dokładny wgląd w szczegóły budowy układu kielichowo-miedniczkowego nerki i moczowodu.

Cystografia polega na podaniu środka cieniującego przez cewnik do pęcherza moczowego. Za pomocą tego badania można uwidocznić, a tym samym rozpoznać zmiany chorobowe w pęcherzu (guzy, uchyłki), jak również stwierdzić wsteczny odpływ moczu z pęcherza do moczowodów („refluks pęcherzowo-moczowodowy”).

Arteriografia nerkowa polega na uwidocznieniu tętnic nerkowych i ich rozgałęzień za pomocą środka cieniującego, wstrzykniętego pod ciśnieniem w miejscu odejścia tętnic nerkowych od tętnicy głównej (aorty). Arteriografia nerkowa jest szczególnie przydatna w diagnostyce różnych zwężeń tętnic nerkowych oraz łagodnych i złośliwych guzów nerek.

Tomografia komputerowa. Zdolność rozdzielcza tej techniki badawczej pozwala na uwidocznienie nawet bardzo niewielkich zmian chorobowych w obrębie układu moczowego, których rozpoznanie za pomocą innych metod nie jest możliwe. Badanie to nie obciąża chorego ani bólem, ani ryzykiem wystąpienia poważniejszych powikłań. Zob. też Diagnostyka wizualizacyjna, s. 593.

Nową metodą diagnostyczną jest technika rezonansu magnetycznego (MR), dostępna w naszym kraju w ośrodkach wysoko specjalistycznych.

Badania radioizotopowe układu moczowego

Badania te, charakteryzujące się skądinąd prostotą wykonania i brakiem inwazyjności, mogą być jednak wykonywane tylko w ośrodkach specjalistycznych, wyposażonych w odpowiednią aparaturę, umożliwiającą rejestrację podanych choremu związków znakowanych odpowiednim pierwiastkiem promieniotwórczym. Należy tu wymienić *renografię* (badanie miąższu nerek) i *renocystografię* (badanie nerek i pęcherza moczowego) oraz *scyntygrafię nerek*. Badania te są bardzo przydatne w diagnostyce chorób nerek. I tak, *analiza* oddzielnego dla każdej nerki zapisu w postaci krzywej *renogramu* pozwala na orientacyjne określenie ukrwienia nerek, czynności cewek nerkowych oraz odpływu moczu z nerek. Z kolei analiza rozmieszczenia związków znakowanych za pomocą aparatu zwanego scyntygrafem pozwala na określenie położenia, wielkości i kształtu nerek oraz wykrycie w nich zmian ogniskowych, takich jak guzy i torbiele. Zastosowanie najnowocześniejszej aparatury, zwanej *gammakamerą*, pozwala na dynamiczne rejestrowanie danych i ich analizę komputerową. Zob. Diagnostyka wizualizacyjna. Badania nerek, s. 612.

Ultrasonografia

Badanie przy użyciu ultradźwięków, tzw. ultrasonografia (USG), zob. Diagnostyka wizualizacyjna, s. 617. Technika ta polega na rejestracji „echa” fal ultradźwiękowych, wysyłanych w kierunku nerek i powracających po odbiciu się od prostopadłych do wiązki ultradźwięków płaszczyzn, stanowiących styki dwóch środowisk o różnej gęstości.

Dzięki zastosowaniu techniki ultrasonograficznej, będącej również techniką nieinwazyjną, nastąpił znaczny postęp w rozpoznawaniu guzów i torbieli nerek. Aparatura nowych generacji charakteryzuje się wysokim stopniem doskonałości, zapewniającym optymalizację nieinwazyjnej diagnostyki chorób układu moczowego.

Cystoskopia

C y s t o s k o p i a jest to wziernikowanie pęcherza moczowego. Badanie to wykonuje urolog przy użyciu specjalnego przyrządu – cystoskopu, umożliwiającego – pod kontrolą wzroku – ocenę wnętrza pęcherza moczowego, jego ścian oraz wypływu moczu z obu moczowodów.

Biopsja nerki

B i o p s j a n e r k i jest jedyną metodą pozwalającą na przyżyciową ocenę zmian w nerkach. Pobrany wycinek tkanki nerkowej jest badany przy użyciu mikroskopu. Zwykle wykonuje się nakłucie diagnostyczne nerki metodą przezskórną, przy użyciu specjalnej igły. Igłę tę wkłuwa się w okolicę lędźwiową – w miejsce dokładnie ustalone uprzednio za pomocą wykonanej urografii, scyntygrafii lub „na bieżąco" za pomocą rentgenotelewizji – i wprowadza się do miąższu nerki. Niekiedy wykonuje się tzw. b i o p s j ę o t w a r t ą, chirurgicznie otwierając dostęp do nerki przez okolicę lędźwiową.

W s k a z a n i a d o b i o p s j i nerki są liczne. Najczęściej wykonuje się to badanie w obustronnych, miąższowych chorobach nerek, zwłaszcza pochodzenia zapalnego – w celach diagnostycznych albo dla stwierdzenia skuteczności stosowanego przez dłuższy czas leczenia (kolejne biopsje w odstępie miesięcy lub nawet lat).

Zaburzenia czynności nerek

Nerki pełnią w organizmie trzy główne funkcje:

1) utrzymują stałą objętość i stały skład płynu pozakomórkowego i wewnątrzkomórkowego. Ten udział w utrzymaniu stałości składu środowiska wewnętrznego, czyli h o m e o s t a z y, jest możliwy dzięki c z y n n o ś c i w y d a l n i c z e j nerek;

2) wytwarzają i wydzielają do krwiobiegu biologicznie czynne substancje. Tę funkcję zapewnia nerkom ich c z y n n o ś ć w e w n ą t r z w y d z i e l n i c z a (e n d o k r y n n a);

3) biorą udział w licznych przemianach różnych związków organicznych – jest to c z y n n o ś ć m e t a b o l i c z n a.

Fizjologiczna czynność nerek i wydalanie moczu, zob. Fizjologia, s. 194.

Nieprawidłowa czynność wydalnicza nerek. Zmieniona chorobowo czynność nerek powoduje zaburzenia ich funkcji, co nie jest obojętne dla organizmu i jego działania, a także pociąga za sobą liczne następstwa kliniczne. W przypadkach np. ostrego zatrucia związkami metali, które są wydalane przez nerki niezależnie od tego, czy dostaną się do organizmu przez przewód pokarmowy, czy pozajelitowo, mogą nastąpić ciężkie uszkodzenia nerek lub ostra ich niewydolność (np. w ostrych zatruciach rtęcią). Jeśli związki te są wydalane w niewielkich ilościach, ale przez dłuższy czas, stan ten może prowadzić do przewlekłego uszkodzenia nerek (np. w przebiegu przewlekłego zatrucia ołowiem).

Także przyjmowanie leków wydalanych z organizmu przez nerki, takich jak np. antybiotyki lub leki nasercowe, może mieć duże znaczenie kliniczne. U chorych z upośledzoną funkcją wydalniczą nerek, będącą następstwem zarówno upośledzenia przesączania kłębuszkowego, jak i czynności cewek nerkowych, usuwanie z organizmu różnych leków lub produktów ich przemiany jest wolniejsze niż u osób z prawidłową czynnością nerek. Nawet normalne dawki mogą u tych chorych łatwo doprowadzić do względnego przedawkowania leków i do wystąpienia objawów toksycznych, np. podawanie chorym z upośledzonym przesączaniem kłębuszkowym preparatów naparstnicy (digoksyna) w normalnych dawkach, jakie są stosowane u chorych z prawidłową czynnością nerek, może doprowadzić do niekiedy groźnych objawów toksycznych. Dlatego też u chorych z upośledzoną czynnością wydalniczą nerek lekarz często modyfikuje leczenie, stosując odpowiednio mniejsze dawki leków.

Nieprawidłowa czynność wewnątrzwydzielnicza nerek wynika ze zmienionego chorobowo wydzielania takich czynnych biologicznie substancji, jak renina, prostaglandyny, czynnik krwiotwórczy (erytropoetyczny) oraz 1,25-dihydroksy-witamina D_3, czyli kalcytriol.

R e n i n a jest enzymem wydzielanym przez nerki (komórki aparatu przykłębuszkowego). Powoduje ona powstawanie we krwi hormonu angiotensyny II o silnym działaniu naczyniozwężającym. Wzrost wydzielania reniny w niektórych chorobach nerek może być zatem czynnikiem inicjującym wiele złożonych reakcji, w przebiegu i w wyniku których mogą rozwinąć się pewne postacie kliniczne n a d c i ś n i e n i a t ę t n i c z e g o. Może się tak dziać w różnych zapalnych i metabolicznych chorobach nerek, nowotworach nerek, a zwłaszcza w niedokrwieniu nerek na skutek zwężenia tętnic nerkowych (nadciśnienie naczyniowo-nerkowe, zob. s. 662).

P r o s t a g l a n d y n y, należące do tzw. h o r m o n ó w t k a n k o w y c h (zob. Fizjologia, s. 249), są substancjami o silnym działaniu biologicznym. W rdzeniu nerki są syntetyzowane p r o s t a g l a n d y n y n e r k o w e. Istnieją przesłanki, zgodnie z którymi pewne prostaglandyny odgrywają istotną rolę w regulacji prawidłowego ciśnienia krwi, stanowiąc czynnik obniżający to ciśnienie (rozszerzają naczynia krwionośne). Niedobór prostaglandyn nerkowych, który może występować w pewnych postaciach uszkodzenia nerek (nefropatia powstała po nadużywaniu fenacetyny, polopiryny, pyralginy), jest uważany za istotny czynnik rozwoju nadciśnienia tętniczego w tych przypadkach.

Czynnik erytropoetyczny, podobnie jak renina, jest wydzielany przez komórki aparatu przykłębuszkowego nerki. Po przeniknięciu do krwi substancja ta działa na białko krwi – globulinę osocza, doprowadzając do powstania hormonu erytropoetyny, pobudzającego wytwarzanie krwinek czerwonych (erytrocytów) w szpiku kostnym. Erytropoetyna jest regulatorem procesu powstawania krwinek czerwonych – czyli erytropoezy (zob. s. 841). Niedobór tego hormonu powstający w wyniku zniszczenia nerek przez różne procesy chorobowe – najczęściej pochodzenia zapalnego – jest jedną z przyczyn niedokrwistości, będącej jednym z głównych objawów przewlekłej niewydolności nerek (zob. Choroby krwi i układu krwiotwórczego, s. 849).

Witamina D (kalcyferol) po przemianie w wątrobie dostaje się do nerek, gdzie ulega dalszej przemianie na kalcytriol (rys. na s. 833). Związek ten, będący biologicznie czynną postacią witaminy D, jest jednym z najważniejszych czynników regulujących metabolizm wapniowo-fosforanowy w organizmie. Brak tego czynnika, spowodowany zniszczeniem nerek przez proces chorobowy, powoduje wystąpienie ciężkich zaburzeń w gospodarce wapniowo-fosforanowej, które należą do podstawowych objawów przewlekłej niewydolności nerek. Zob. Mechanizmy regulacji gospodarki wapniowo-fosforanowej, s. 833.

Nieprawidłowa czynność metaboliczna. Nerki biorą udział w przemianie węglowodanowej, tłuszczowej i białkowej. Uszkodzenie ich, a w końcowym okresie choroby – zniszczenie, powoduje wystąpienie różnych zaburzeń przemiany materii, takich jak nieprawidłowa (zbliżona do cukrzycowej) tolerancja glukozy i wzrost poziomu w surowicy krwi niektórych substancji tłuszczowych.

Choroby nerek

Przedstawiony podział chorób nerek jest oparty na lokalizacji najwcześniej występujących zmian w nerkach. W ramach tego podziału wyodrębnia się cztery zasadnicze grupy:

Grupa 1 obejmuje choroby nerek przebiegające z pierwotnym uszkodzeniem kłębuszków nerkowych. Do grupy tej należą wszystkie ostre, podostre i przewlekłe kłębuszkowe zapalenia nerek. Ta grupa chorób jest też nazywana glomerulopatiami (*glomerulus* – kłębuszek).

Grupa 2 obejmuje choroby nerek, w których proces chorobowy jest zlokalizowany pierwotnie w tkance śródmiąższowej. Do grupy tej zalicza się zarówno bakteryjne, jak i niebakteryjne, ostre i przewlekłe śródmiąższowe zapalenie nerek.

Grupa 3 obejmuje choroby nerek charakteryzujące się pierwotnymi zmianami w naczyniach nerek. Należą tu przede wszystkim stwardnienie naczyniowe nerek (łagodne i złośliwe), uszkodzenie nerek w przebiegu układowych chorób tkanki łącznej (kolagenoz) oraz nadciśnienie naczyniowo-nerkowe.

G r u p a 4 obejmuje choroby nerek, w których pierwotne zmiany dotyczą cewek nerkowych (tzw. t u b u l o p a t i e od *tubulus* – cewka). Do grupy tej należą: ostra niezapalna niewydolność nerek, uszkodzenie nerek w następstwie uszkodzenia odpływu moczu z dróg moczowych lub ich niedrożności, jak też wrodzone i nabyte wady cewek nerkowych.

Każda z chorób nerek wymienionych w poszczególnych grupach może prowadzić do niewydolności nerek, będącej najgroźniejszym następstwem zarówno ostrego, jak i przewlekłego uszkodzenia tego narządu. Jest to stan, w którym nerki tracą częściowo lub – w skrajnych przypadkach – całkowicie zdolność regulowania i utrzymywania prawidłowej homeostazy. W stanach niewydolności nerek dochodzi do mniej lub bardziej wyrażonego nagromadzenia się w osoczu różnych produktów przemiany materii w następstwie upośledzonej czynności wydalniczej nerek. Upośledzona czynność wewnątrzwydzielnicza i metaboliczna nerek prowadzą do ciężkich zaburzeń wieloobjawowych i wieloukładowych dających kliniczny obraz mocznicy, będący wyrazem ciężkiego endogennego zatrucia organizmu.

Ostra niewydolność nerek

Ostra niewydolność nerek nie jest jednostką chorobową, lecz z e s p o ł e m o b j a w ó w klinicznych, cechującym się szybko rozwijającą się m o c z n i c ą.

Przyjmuje się, że istnieją cztery m e c h a n i z m y prowadzące do rozwoju tego zespołu: 1) niedrożność lub zwężenie światła cewek nerkowych, 2) bierne przechodzenie przesączu kłębuszkowego z cewek do otoczenia, 3) zaburzenia krążenia krwi w drobnych naczyniach nerek i 4) blokada dróg moczowych.

W zależności od przyczyn wywołujących wyróżnia się następujące rodzaje ostrej niewydolności nerek: 1) p r z e d n e r k o w ą, czyli c z y n n o ś c i o w ą, zwaną również k r ą ż e n i o w ą (hemodynamiczną), 2) n e r k o w ą, czyli prawdziwą, pochodzenia niezapalnego i zapalnego oraz 3) p o z a n e r k o w ą. Objawy, przebieg i leczenie wszystkich rodzajów niewydolności nerek są podobne.

Przyczyny. O s t r a p r z e d n e r k o w a n i e w y d o l n o ś ć n e r e k jest najczęściej wywołana znacznym, ale krótkotrwałym spadkiem ciśnienia tętniczego na skutek krwotoku, biegunki, wymiotów.

O s t r a n e r k o w a n i e w y d o l n o ś ć n i e z a p a l n a n e r e k jest najczęściej następstwem: a) zatrucia różnymi substancjami toksycznymi, takimi jak sole metali ciężkich, grzyby trujące, pewne związki organiczne, niektóre leki, b) przedłużającej się ostrej niewydolności przednerkowej, c) wstrząsu urazowego lub septycznego, d) hemolizy wewnątrznaczyniowej.

O s t r a n e r k o w a n i e w y d o l n o ś ć z a p a l n a n e r e k jest najczęściej spowodowana ostrym kłębuszkowym lub śródmiąższowym – głównie bakteryjnym – zapaleniem nerek.

O s t r a p o z a n e r k o w a n i e w y d o l n o ś ć n e r e k, wywołana nagłym zamknięciem dróg moczowych, najczęściej moczowodów, rzadziej cewki moczowej, powstaje w obustronnej kamicy nerkowej lub chorobie nowotworowej.

Przebieg. Ostra niewydolność nerek przebiega zwykle w czterech fazach:

faza pierwsza – działanie czynnika uszkadzającego – trwa zwykle kilka godzin;

faza druga – skąpomocz (lub bezmocz) – trwa kilka do kilkunastu dni;

faza trzecia – wielomocz – trwa zwykle około tygodnia;

faza czwarta – powolny powrót nerek do prawidłowej czynności; jest to okres najdłuższy, trwający wiele miesięcy.

Ostra niewydolność nerek stanowi zagrożenie dla życia chorego, nawet przed rozwinięciem się pełnego klinicznego obrazu mocznicy. Zagrożenie to jest najczęściej wynikiem zatrucia potasem i przewodnienia organizmu, które prowadzi do ostrej lewokomorowej niewydolności krążenia (obrzęk płuc) i obrzęku mózgu.

Leczenie ostrej niewydolności nerek jest szpitalne i polega na stosowaniu dializy. Wybór rodzaju dializy i momentu jej zastosowania zależą od stanu chorego i wyników przeprowadzonych badań (poziomu potasu i mocznika w surowicy krwi, stężenia dwuwęglanów). Jeśli mocznica nie rozwija się gwałtownie i występuje głównie przewodnienie, jest stosowana dializa otrzewnowa (okresowe lub ciągłe płukanie otrzewnej płynami o określonym składzie). Gdy zaś jest nasilony rozpad tkankowy z szybko narastającym stężeniem potasu (hiperkalemia) i obniżeniem stężenia dwuwęglanów (kwasica metaboliczna) w surowicy krwi, postępowaniem z wyboru jest leczenie za pomocą sztucznej nerki (hemodializa). Wskazaniem do leczenia hemodializą jest wystąpienie takich objawów klinicznych, jak: niepokój, senność, śpiączka, uporczywe wymioty i biegunka, skaza krwotoczna, żółtaczka, niedrożność porażenna jelit, a także utrzymujący się skąpomocz lub bezmocz.

Przewlekła niewydolność nerek

Przewlekła niewydolność nerek, zwana też przewlekłą mocznicą, stanowi zespół objawów klinicznych, będących następstwem głębokich zaburzeń czynności wydalniczej, wewnątrzwydzielniczej i metabolicznej nerek (zob. Zaburzenia czynności nerek, s. 767).

Do mocznicy mogą prowadzić wszystkie choroby nerek, które powodują niszczenie ich czynnego miąższu w stopniu przekraczającym możliwości wyrównawcze pozostałej tkanki nerkowej. Dzięki dużej rezerwie czynnościowej nerek, objawy mocznicy pojawiają się dopiero wtedy, gdy zniszczeniu ulegnie ok. 80% czynnego miąższu nerkowego.

Objawy przewlekłej niewydolności nerek są bardzo zróżnicowane, narastają w miarę postępu choroby i dotyczą właściwie wszystkich narządów i układów: ośrodkowego i obwodowego układu nerwowego, przewodu pokarmowego, układu krwiotwórczego, układu krążenia.

Do najwcześniejszych dolegliwości należy uczucie ogólnego osłabienia i łatwego męczenia się. Stopniowo pojawia się wiele zaburzeń ze strony układu nerwowego i przewodu pokarmowego. Należą do nich: rozdrażnienie, niepokój, zwiększona nerwowość, zaburzenia koncentracji uwagi i rytmu snu, uczucie palenia i drętwienia kończyn, bolesne kurcze mięśni i nóg. Popęd płciowy ulega zmniejszeniu, u kobiet pojawiają się zaburzenia miesiączkowania. Występuje swędzenie skóry. Nasila się apatia, pojawić się mogą objawy psychotyczne z omamami wzrokowymi i słuchowymi. Pragnienie jest wzmożone, łaknienie osłabione. Pojawia się niesmak w ustach, czkawka, nudności, wymioty, zaparcie, niekiedy biegunka. Zaburzenia gospodarki wapniowej mogą prowadzić do bólów kostnych oraz zaburzeń chodzenia. Występuje niedokrwistość i skaza krwotoczna, której pierwszym objawem mogą być krwawienia z nosa, a niekiedy krwotok z przewodu pokarmowego. Pojawia się nadciśnienie tętnicze – niekiedy złośliwe – przewlekła i ostra niewydolność krążenia, mocznicowe zapalenie osierdzia, przebiegające czasami z objawami ostrej tamponady serca (tj. z obecnością w worku osierdziowym płynu uniemożliwiającego pracę serca). W końcowym okresie dochodzi do stanu śpiączkowego, w którym chory ginie.

Przebieg kliniczny przewlekłej mocznicy wikła się często zakażeniami bakteryjnymi, takimi jak zapalenie płuc lub zapalenie trzustki, które przesądzają niekiedy o losie chorego. Występują również zagrożenia z powodu różnych zaburzeń elektrolitowych w surowicy krwi, np. z powodu niskiego stężenia sodu (hiponatremia) lub potasu (hipokalemia), a w końcowym okresie życia z powodu podwyższonego poziomu potasu (hiperkalemia) i obniżonego poziomu dwuwęglanów (nasilona kwasica metaboliczna). Obniżenie poziomu wapnia (hipokalcemia) może powodować wystąpienie tężyczki.

Badanie chemiczne krwi wykrywa zmiany, zależne od zatrzymania w organizmie różnych produktów przemiany materii, głównie azotowej. W surowicy krwi podwyższeniu ulega – w późnym okresie choroby z reguły znacznemu – stężenie następujących substancji: kreatyniny, mocznika, kwasu moczowego, fosforanów i siarczanów, jak również pochodnych fenolowych. Wzrasta też stężenie niektórych hormonów, zwłaszcza peptydowych, a mianowicie parathormonu (hormonu przytarczyc) i insuliny (wydzielanej przez trzustkę). Poziom niektórych substancji tłuszczowych, np. trójglicerydów w osoczu, ulega także podwyższeniu.

Leczenie przewlekłej mocznicy zależy od stopnia jej nasilenia i polega przede wszystkim na stosowaniu odpowiedniej diety i na zwalczaniu dolegliwości oraz objawów. Najlepsze wyniki daje przeszczepienie nerki, bowiem przeszczepiony zdrowy narząd spełnia wszystkie czynności nerki. Stosowanie dializ jedynie usuwa – i to nie wszystkie – zatrzymane produkty przemiany materii.

Leczenie dietetyczne należy rozpoczynać wcześnie, jeszcze przed wystąpieniem jakichkolwiek objawów zatrzymania w organizmie produktów przemiany materii. Jedną z zasad tego leczenia jest ograniczenie podaży fosforanów. Jest to w praktyce trudne, ponieważ pełnowartościowe pokarmy białkowe zawierają dużo fosforu. Najczęściej jest konieczne stosowanie wodorotlenku glinu, np. alusalu, który zmniejsza wchłanianie fosforanów w przewodzie pokarmowym.

We wszystkich okresach przewlekłej mocznicy dieta powinna być bogatoenergetyczna i powinna zawierać pełnowartościowe białka, w tym aminokwasy egzogenne, tzn. takie, których organizm nie jest w stanie syntetyzować, np. histydynę. Wobec „skłonności" chorych do zaburzeń gospodarki tłuszczowej, należy stosować pewne ograniczenia w spożywaniu węglowodanów (cukru, cukierków, słodyczy) oraz nasyconych kwasów tłuszczowych (masła, słoniny, smalcu). Konieczne jest zapewnienie należytej ilości witamin oraz wapnia.

Z punktu widzenia praktycznego, bardzo korzystne są diety ziemniaczane. Zawierają one wszystkie aminokwasy egzogenne, a przy tym mało fosforanów, ponadto działają zasadotwórczo, a więc przeciwdziałają kwasicy. Na specjalne polecenie zasługują diety zawierające białko jaj i ziemniaków w stosunku 2:3, fasoli i jaj 1:1, mleka i pszenicy 3:1 oraz jaj i pszenicy 3:2.

Bardzo istotnym elementem diety jest odpowiednia zawartość elektrolitów. Niedobór sodu (praktycznie soli kuchennej) prowadzi do zmniejszenia ilości płynu pozakomórkowego i powoduje nałożenie się na już istniejącą mocznicę tzw. czynnika przednerkowego (krążeniowego), który przyczynia się do pogorszenia ukrwienia chorych nerek. Przeciwnie – nadmiar sodu bywa przyczyną pojawienia się lub nasilania obrzęków i nadciśnienia tętniczego. W każdym przypadku optymalną ilość sodu w diecie ustala lekarz na podstawie indywidualnej oceny stanu chorego. Wprowadzenie do leczenia silnie działających leków moczopędnych zwiększyło tolerancję chorych na podaż soli kuchennej.

W schyłkowej mocznicy, gdy jest niebezpieczeństwo wystąpienia podwyższonego poziomu potasu w surowicy krwi, co może zagrażać życiu chorego na skutek zaburzeń rytmu serca, szczególnej ostrożności wymaga stosowanie diet zawierających duże ilości potasu (ziemniaki, jarzyny, owoce), a także leków zatrzymujących potas w organizmie.

Chorzy z przewlekłą mocznicą powinni otrzymywać preparat witaminy D oraz preparaty wapnia w celu zapobieżenia wystąpieniu ciężkich zaburzeń w gospodarce wapniowo-fosforanowej (zob. Nieprawidłowa czynność wewnątrzwydzielnicza nerek, s. 768).

Dieta chorych dializowanych musi być odpowiednio zmodyfikowana, gdyż pożądany skład płynów ustrojowych można uzyskać zmieniając odpowiednio skład płynu używanego do dializ.

Poza leczeniem przyczynowym i dietetycznym, ważną rolę w mocznicy odgrywa leczenie jej powikłań i objawów, np. leczenie nadciśnienia tętniczego, niewydolności krążenia i zapalenia osierdzia. Niewskazane jest stosowanie tzw. leków toksycznych dla nerek, do których należą m.in. niektóre antybiotyki, sulfonamidy, niektóre leki przeciwzapalne i przeciwbólowe, jodowane środki kontrastowe do badań rentgenowskich i wiele innych. Dawki poszczególnych leków muszą być dostosowane do stanu czynnościowego nerek w danym okresie mocznicy, odstępy między podawaniem poszczególnych dawek muszą być wydłużone.

Leczenie dializą polega na pozanerkowym oczyszczaniu krwi z substancji toksycznych dla organizmu. Dializa otrzewnowa polega na przemywaniu jamy otrzewnej odpowiednim płynem, lekko hipertonicznym, wprowadzonym przez cewnik, w celu usunięcia z krwi substancji szkodliwych, które przenikają przez otrzewną do płynu przemywającego. Leczenie tą metodą może być prowadzone w każdym szpitalu. Leczenie przy użyciu *dializy zewnątrzustrojowej*, czyli „sztucznej nerki", może być stosowane tylko w niektórych ośrodkach. W Polsce liczba tych ośrodków znacznie wzrosła i dializoterapia stała się dostępniejsza.

Dializoterapia nie rozwiązuje problemów wynikających z upośledzenia czynności wewnątrzwydzielniczej nerki, takich jak niedokrwistość, zmiany kostne, nadczynność przytarczyc z wtórnymi zaburzeniami gospodarki wapniowej. Dlatego też najkorzystniejszą metodą leczenia przewlekłej mocznicy jest *przeszczepienie (transplantacja)* nerki ze zwłok albo od żywego dawcy (najczęściej osoby blisko spokrewnionej). Chorzy będący *kandydatami do przeszczepu* muszą być zarejestrowani w ośrodkach specjalistycznych i przewlekle dializowani, tak aby w chwili transplantacji spełniali określone kryteria optymalnego biorcy nerki. Zabieg przeszczepienia nerki może być wykonany u każdego chorego ze schyłkową niewydolnością nerek, jeśli nie stwierdza się u niego bezwzględnych przeciwwskazań, do których należą m.in.: choroby nowotworowe, rozległa miażdżyca – zwłaszcza tętnic mózgu i serca – zaburzenia psychiczne, podeszły wiek i niezdyscyplinowanie.

Kłębuszkowe zapalenie nerek

Termin ten określa choroby o złożonych przyczynach i mechanizmach, w przebiegu których dochodzi – najczęściej pod wpływem czynników immunologicznych – do zmian w kłębuszkach nerkowych. Zmiany te mogą dotyczyć zrębu miąższu kłębuszkowego (mesangium), komórek śródbłonka oraz nabłonka trzewnego i ściennego torebki Bowmana, a także błony podstawnej włośniczek nerkowych, a nawet cewek.

Wyróżnia się dwie zasadnicze grupy kłębuszkowego zapalenia nerek. Do pierwszej należą te, w których zmiany ograniczają się początkowo głównie do nerek – *pierwotne kłębuszkowe zapalenia nerek (pierwotne glomerulopatie)*. Do drugiej grupy należą zaś te, w których zmiany chorobowe obejmują pierwotnie lub równolegle z nerkami – inne narządy organizmu (*wtórne glomerulopatie*).

Pierwotne kłębuszkowe zapalenia nerek. W powstawaniu tej grupy chorób dominującą rolę odgrywają czynniki immunologiczne, za czym przemawiają liczne spostrzeżenia kliniczne, poparte wynikami badań doświadczalnych. Wyróżnia się tu dwie postacie patogenetyczne: *pierwsza* z nich jest wynikiem krążenia w organizmie lub powstawania w kłębuszkach nerkowych *kompleksów* złożonych z antygenów i przeciwciał – tzw. *kompleksowe zapalenie nerek*; druga jest wywołana przez przeciwciała skierowane przeciw błonom podstawnym kłębuszków – tzw. *przeciwbłonowe zapalenie nerek*.

Z klinicznego punktu widzenia wyodrębnia się:

1) ostre kłębuszkowe zapalenie nerek,
2) podostre kłębuszkowe zapalenie nerek,

3) przewlekłe kłębuszkowe zapalenie nerek,
4) kłębuszkowe zapalenie nerek z napadowym (nawracającym) krwiomoczem,
5) nerczycę lipidową lub submikroskopowe zapalenie nerek.

Ostre kłębuszkowe zapalenie nerek jest ostrą chorobą o podłożu immunologicznym, polegającą na bujaniu pętli kłębuszkowych prowadzącym do czynnościowego ich uszkodzenia. Najczęstszym antygenem bakteryjnym jest antygen paciorkowcowy, rzadziej innego pochodzenia bakteryjnego. Ostatnio podkreśla się wzrastające znaczenie antygenów pochodzenia wirusowego.

Ostre rozlane kłębuszkowe zapalenie nerek jest przeważnie postacią kompleksowego zapalenia nerek. Choroba może wystąpić w każdym wieku, najczęściej jednak spotyka się ją u ludzi młodych. Rozwija się zazwyczaj w 10 do 21 dni po najczęściej paciorkowcowym (streptokokowym) zapaleniu górnych dróg oddechowych. W tym okresie może wystąpić niewielki krwinkomocz.

Objawy. Początek choroby jest zazwyczaj ostry, z bólem w okolicy lędźwiowej, często z obrzękami twarzy, głównie powiek. Towarzyszy temu skąpomocz; mocz ma barwę „popłuczyn mięsnych". Może wystąpić nadciśnienie tętnicze, częściej jednak obserwowana jest niewydolność krążenia, spowodowana głównie zatrzymaniem soli i wody w organizmie – tzw. przewodnienie. W ciężkich przypadkach występują objawy obrzęku mózgu – silne bóle głowy, zamroczenie i drgawki.

Badanie chemiczne krwi może nie wykazywać zmian. Do niewydolności czynnościowej nerek dochodzi stosunkowo rzadko; w tych przypadkach stwierdza się podwyższony poziom kreatyniny, a niekiedy i mocznika w surowicy krwi.

Przebieg choroby jest na ogół łagodny. W ciężkich przypadkach może dochodzić do bezmoczu i ostrej niewydolności nerek. U większości chorych zmiany w moczu cofają się, chociaż białkomocz i krwinkomocz mogą utrzymywać się latami.

Rozpoznanie opiera się na nagłym wystąpieniu ostrych objawów klinicznych i zmian w moczu po – przeciętnie – 14 dniach od przebycia zakażenia bakteryjnego. Wysokie miano przeciwciał przeciwstreptokokowych (antystreptolizyn) w surowicy krwi i niskie miano dopełniacza (komplementu) potwierdzają rozpoznanie.

Leczenie. W ostrym okresie choroby, przez pierwsze 2–3 tygodnie, zaleca się leżenie w łóżku. W razie wystąpienia bezmoczu postępowanie takie samo, jak w ostrej niewydolności nerek innego pochodzenia (zob. s. 770). Podaż soli w diecie i ilości wypijanych płynów zależą od nasilenia obrzęków i nadciśnienia, ilości moczu wydalanego w ciągu doby oraz masy ciała codziennie kontrolowanej. Stosowane są leki moczopędne oraz leki rozszerzające tętniczki (prazosyna), a w przypadkach zakażeń paciorkowcowych – penicylina lub erytromycyna.

Rokowanie jest w większości przypadków dobre.

Podostre kłębuszkowe zapalenie nerek cechuje się szybkim

przebiegim, wiodącym w ciągu paru tygodni lub miesięcy do niewydolności nerek ze skąpomoczem lub bezmoczem. Pod względem morfologicznym ta groźna postać kłębuszkowego zapalenia nerek cechuje się rozlanym bujaniem nabłonków torebki Bowmana, powodującym powstawanie tzw. półksiężyców uciskających włośniczki pętli kłębuszkowych. W części przypadków podostre zapalenie nerek jest zapaleniem kompleksowym, rzadziej zapaleniem przeciwbłonowym, a w większości przypadków antygen chorobotwórczy nie jest znany (gwałtownie postępujące kłębuszkowe zapalenie nerek). Choroba rozwija się bardzo szybko i w ciągu kilku tygodni lub miesięcy prowadzi do schyłkowej mocznicy.

Leczenie jest przeciwzapalne i immunosupresyjne. W okresie niewydolności nerek nie różni się od leczenia innych postaci schyłkowej mocznicy.

Przewlekłe kłębuszkowe zapalenie nerek nie stanowi jednostki chorobowej w ścisłym znaczeniu tego słowa. Jest to raczej duży zespół objawów, występujących w stanach patologicznych o różnej etiologii i różnym obrazie morfologicznym. Przyczyną jest pierwotne, immunologiczne uszkodzenie kłębuszków nerkowych, objawiające się białkomoczem, wałeczkomoczem oraz krwiomoczem, o różnym nasileniu tych objawów.

Początek choroby jest często podstępny, rzadziej ostry. Przebieg jest długotrwały z licznymi zaostrzeniami i okresami poprawy (remisje). W miarę upływu czasu pojawiają się coraz liczniejsze objawy przewlekłej mocznicy z azocicą, niedokrwistością i nadciśnieniem tętniczym. Prowadzi to do stopniowego zmniejszania się ilości czynnych nefronów, a tym samym do schyłkowej niewydolności nerek.

Leczenie przewlekłego kłębuszkowego zapalenia nerek jest przede wszystkim objawowe i ma na celu zmodyfikowanie przebiegu procesów immunologicznych. Stosowane są różne leki przeciwzapalne i immunosupresyjne.

Rokowanie zależy w znacznym stopniu od zmian stwierdzanych pod mikroskopem w uzyskanym za pomocą biopsji fragmencie tkanki nerkowej oraz od nasilenia objawów towarzyszących (nadciśnienie tętnicze, niewydolność krążenia).

Kłębuszkowe zapalenie nerek z nawracającym krwiomoczem cechuje się – jak wynika z nazwy – nawracającym krwiomoczem, którego tło jest również immunologiczne.

Rokowanie jest dość dobre.

Nerczyca lipidowa lub submikroskopowe zapalenie nerek jest to zespół nerczycowy, w którym zmiany w kłębuszkach nerkowych mogą być wykryte jedynie za pomocą mikroskopu elektronowego. Choroba może występować w każdym wieku, najczęściej jednak atakuje dzieci w wieku 2–4 lat.

Przyczyny, objawy i przebieg choroby, zob. niżej Zespół nerczycowy.

Leczenie polega na podawaniu kortykosteroidów, a w przypadkach opornych – w skojarzeniu z innymi lekami.

Rokowanie jest dobre.

Zespół nerczycowy

Zespół nerczycowy jest to stan chorobowy spowodowany nadmierną utratą białka wraz z moczem wskutek zwiększonej przepuszczalności błony sączącej kłębuszków nerkowych. Może występować w bardzo licznych chorobach, najczęściej jednak w różnych postaciach zapalenia kłębuszków nerkowych (pierwotne glomerulopatie), we wtórnych zapaleniach kłębuszków nerkowych w przebiegu chorób układowych tkanki łącznej (kolagenozy), w cukrzycy, zatruciu ciążowym, różnych nowotworach, zakażeniach wirusowych (np. wirusem zapalenia wątroby B), zaburzeniach krążenia (zaciskającym zapaleniu osierdzia), w stanach uczuleniowych (na jad pszczeli, jad węży, pyłki mleczy, niektóre leki), przy odrzuceniu przeszczepionej nerki.

Objawy. Zespół nerczycowy pełnoobjawowy cechuje się dużym białkomoczem – przekraczającym 3,5 g/dobę, obniżeniem poziomu albumin w surowicy krwi (hipoalbuminemia – poniżej 362 μmol/l – 2,5 g%), obniżeniem poziomu białka całkowitego w surowicy krwi (hipoproteinemia), podwyższeniem poziomu cholesterolu w surowicy krwi (hipercholesterolemia – powyżej 6,5 mmol/l – 250 mg%), obecnością substancji tłuszczowatych w moczu (lipiduria), obrzękami i przesiękami do jam ciała (otrzewna, opłucna, osierdzie). Objawy te mogą występować w bardzo różnych kombinacjach, co daje bardzo zróżnicowany obraz kliniczny tego zespołu.

Zespołowi nerczycowemu mogą towarzyszyć liczne powikłania, wywołane zmianami w biochemicznym składzie organizmu. Należą tu m.in. nadciśnienie tętnicze, niedobór potasu z obniżeniem jego stężenia w surowicy krwi (jako wyraz wtórnego, nadmiernego wydzielania aldosteronu przez korę nadnerczy), ostra przednerkowa niewydolność nerek.

Niekiedy pojawiają się tzw. przełomy brzuszne w postaci rozlanych, silnych bólów brzucha, którym mogą towarzyszyć wymioty. Przyczyna ich nie jest jasna, ustępują one zazwyczaj bez leczenia i nie stanowią wskazań do interwencji chirurgicznej.

Do powikłań należą zakrzepy w układzie żylnym. Zakrzepy w żyłach nerkowych mogą nasilać białkomocz i tym samym przyczyniać się do pogłębienia zaburzeń biochemicznych i klinicznych zespołu nerczycowego. Fragmenty skrzeplin, odrywając się z miejsca ich powstawania i wędrując przez układ żylny, mogą powodować zatory w płucach, które często stanowią zagrożenie życia chorego.

Rozpoznanie i różnicowanie pełnoobjawowego zespołu nerczycowego nie nastręcza trudności, zwłaszcza jeśli istnieje wyraźny związek czasowy pomiędzy jego wystąpieniem i uprzednim zadziałaniem określonego czynnika, np. ukąszenie przez pszczołę. Często jednak do ustalenia rozpoznania jest niezbędne wykonanie biopsji nerki.

Leczenie. Podstawą leczenia zespołu nerczycowego jest stosowanie diety wysokobiałkowej (1,5 – 2 g/kg masy ciała). Leczenie farmakologiczne polega na zwalczaniu choroby podstawowej i objawów samego zespołu.

Rokowanie zależy od rodzaju choroby podstawowej.

Śródmiąższowe zapalenie nerek

Śródmiąższowe zapalenie nerek jest to takie uszkodzenie nerek (n e f r o p a t i a), w którym pierwotne zmiany są zlokalizowane wyłącznie lub prawie wyłącznie w tkance śródmiąższowej nerek. W późniejszych etapach choroby pojawiają się również zmiany w kłębuszkach i naczyniach wewnątrznerkowych, mają one jednak charakter wtórny. Przewlekające się zapalenie może prowadzić do uszkodzenia i zniszczenia wszystkich struktur nerkowych.

Śródmiąższowe zapalenie nerek może występować w postaci ostrej lub przewlekłej. Wywołać je mogą różne czynniki, tylko częściowo – jak dotąd – zidentyfikowane. Oto niektóre z nich:

1) zakażenia bakteryjne nerek (ostre i przewlekłe odmiedniczkowe zapalenie nerek),

2) czynniki immunologiczne (odczyny polekowe, zmiany śródmiąższowe w przeszczepionej nerce odrzuconej),

3) czynniki metaboliczne (niedobór potasu, podwyższony poziom wapnia w surowicy krwi, dna moczanowa),

4) czynniki toksyczne (nadużywanie leków przeciwbólowych),

5) czynniki fizyczne (energia promienista).

Nefropatie śródmiąższowe występują bardzo często i stanowią jedną z głównych przyczyn przewlekłej niewydolności nerek. Wśród chorych ze schyłkową niewydolnością nerek, którzy są poddawani przeszczepianiu nerek, ok. 25% stanowią chorzy ze śródmiąższowym zapaleniem. Jeszcze do niedawna panował uproszczony pogląd, że jeśli nie jedyną, to prawie wyłączną przyczyną przewlekłego śródmiąższowego zapalenia nerek jest ich zapalenie odmiedniczkowe. Dopiero doświadczenia ostatnich kilkunastu lat, oparte na badaniach klinicznych i anatomopatologicznych wykazały, że przyczyny są także inne niż tylko bakteryjne.

O s t r e ś r ó d m i ą ż s z o w e z a p a l e n i e n e r e k jest często powikłaniem posocznicy i wielu różnych chorób zakaźnych (płonica, błonica, zakażenie wirusowe).

P r z e w l e k ł e ś r ó d m i ą ż s z o w e z a p a l e n i e n e r e k jest to zespół objawów, będących następstwem utrzymywania się nacieków zapalnych w tkance śródmiąższowej zarówno rdzenia, jak i kory nerek. Zmiany te, powodujące powolne, ale stałe niszczenie narządu, prowadzą do przewlekłej mocznicy.

Tzw. b a ł k a ń s k i e z a p a l e n i e n e r e k jest chorobą o nie ustalonej przyczynie. Występuje głównie w Bułgarii, ale także w Jugosławii i Rumunii.

P o l e k o w e z a p a l e n i e n e r e k jest spowodowane przede wszystkim nadużywaniem niektórych leków przeciwbólowych oraz przeciwzapalnych (salicylany, fenacetyna, aminofenazon, czyli piramidon, metamizol, czyli pyralgina). Choroba ta jest coraz częściej spotykana w związku z większą dostępnością tych leków w handlu i ich nie kontrolowanym przyjmowaniem przez szerokie kręgi społeczeństwa.

M a r t w i c a b r o d a w e k n e r k o w y c h, ostra lub przewlekła, powstaje w następstwie nałożenia się na istniejące uprzednio zmiany śródmiąższowe w nerce procesu bakteryjnego. Ostra martwica brodawek nerkowych występuje najczęściej w cukrzycy oraz jako powikłanie ostrego zatrzymania odpływu moczu z dróg moczowych (nefropatia zaporowa). Postać przewlekła może stanowić powikłanie polekowego zapalenia nerek. Rokowanie w obu postaciach jest bardzo poważne.

Zakażenia układu moczowego

Układ moczowy może ulec zakażeniu przez bakterie, wirusy, pasożyty lub grzyby, najczęściej jednak przyczyną zakażeń są bakterie. Bakteryjne zakażenia układu moczowego mogą przebiegać bez uchwytnych objawów klinicznych, jedynie badanie moczu wykazuje obecność w nim drobnoustrojów. Jest to tzw. bakteriuria bezobjawowa. Choroba może też przebiegać jako zakażenie cewki moczowej lub pęcherza moczowego, jako śródmiąższowe zapalenie nerek ostre – tzw. ostre odmiedniczkowe zapalenie nerek – lub przewlekłe – zwane przewlekłym odmiedniczkowym zapaleniem nerek. Wymienione postacie kliniczne przechodzą niejednokrotnie jedne w drugie, wykazując dużą współzależność.

Zakażenia układu moczowego częściej występują u kobiet niż u mężczyzn i częstość ta wzrasta z wiekiem. Sprzyjają temu odmienności anatomiczne narządu moczowego u kobiet i mężczyzn, a mianowicie krótsza cewka moczowa u kobiet oraz bliskość ujścia pochwy i odbytu. Bogatsza flora bakteryjna w pobliżu ujścia zewnętrznego cewki moczowej u kobiet znajduje łatwiejszą drogę do pęcherza moczowego, zwłaszcza przy wszelkich mikrourazach samej cewki, np. w czasie stosunku płciowego.

Czynnikami sprzyjającymi rozwojowi zakażeń układu moczowego są „przeszkody" w układzie moczowym, utrudniające odpływ moczu. Do „przeszkód" tych zalicza się kamicę układu moczowego, przerost gruczołu krokowego, wady rozwojowe układu moczowego, ucisk ciężarnej macicy na moczowody, guzy macicy. Czynnikiem bakteryjnym będącym najczęstszą przyczyną zakażeń jest Gram-ujemna pałeczka okrężnicy (*Escherichia coli*), następnie pałeczki odmieńca (*Proteus* sp.) i otoczkowce (*Klebsiella* sp.). Zakażenie na ogół następuje drogą wstępującą, tzn. przez cewkę moczową, pęcherz moczowy, moczowody – do nerek, rzadziej drogą krwi (zakażenie krwiopochodne). Nie każde dostanie się bakterii do pęcherza moczowego jest jednoznaczne z rozwinięciem się zakażenia. Prawidłowy układ moczowy dysponuje różnymi mechanizmami obronnymi, z których wymienić należy: mechaniczny spływ moczu, jego właściwości fizyczne oraz przeciwbakteryjne właściwości śluzówki dróg moczowych. Do rozwoju zakażenia dochodzi wtedy, gdy jeden lub kilka z tych mechanizmów ulega osłabieniu.

Bakteriuria bezobjawowa może być wyrazem zakażenia zarówno dróg moczowych, jak i nerek. Wykrycie jej nakazuje wykonanie badań koniecznych do ustalenia przyczyny.

Zapalenie pęcherza moczowego jest bardzo często spotykanym stanem chorobowym, zwłaszcza u kobiet. Objawia się bólami w okolicy łonowej, niekiedy bardzo silnymi, oraz częstym, bolesnym oddawaniem moczu (objawy dyzuryczne). Występują stany podgorączkowe. Badanie moczu wykazuje nikłą ilość białka, obecność leukocytów (leukocyturia), niekiedy ropomocz, nierzadko krwiomocz. Badania mikrobiologiczne ujawniają znamienną bakteriurię (liczba drobnoustrojów sięga 10 000 w 1 mm moczu, a niekiedy nawet 100 000). Rokowanie jest dobre, ale często obserwuje się skłonność do nawrotów.

Ostre odmiedniczkowe zapalenie nerek zaczyna się nagle wysoką gorączką, niekiedy do 40°C, ze wstrząsającymi dreszczami i bólami w okolicy lędźwiowej – jedno- lub obustronnymi. Towarzyszą temu często objawy zapalenia pęcherza, czasami rozlane bóle brzucha z mdłościami i wymiotami. Przy obmacywaniu brzucha, a zwłaszcza przy wstrząsaniu okolicy lędźwiowej, występuje wyraźna, żywa bolesność. Badanie moczu wykazuje niewielki białkomocz, leukocyturię – częściej ropomocz i wałeczki leukocytarne – również krwiomocz oraz znamienną liczbę bakterii. Badanie krwi wykazuje zwiększoną liczbę krwinek białych (leukocytoza) i przyspieszone opadanie krwinek czerwonych (powiększone OB). Czynność nerek jest zwykle prawidłowa, chociaż zdarzają się przypadki przebiegające z niewydolnością nerek, niekiedy pod postacią ostrej mocznicy. Dotyczy to zwłaszcza tych chorych, u których w przebiegu wyjątkowo ciężkiej infekcji dochodzi do martwicy brodawek nerkowych.

Ostre objawy choroby trwają zwykle kilka dni i niekiedy ustępują samoistnie – częściej jednak pod wpływem leczenia przeciwbakteryjnego. U części chorych może dojść do zupełnego wyleczenia i choroba nigdy już się nie powtórzy. Niekiedy jednak ostre odmiedniczkowe zapalenie nerek wykazuje skłonność do nawrotów, a w części przypadków przechodzi w przewlekłe odmiedniczkowe zapalenie nerek.

Przewlekłe odmiedniczkowe zapalenie nerek bywa bardzo zróżnicowane i rozpoznanie tej częstej choroby jest trudne. Przebiega ona niekiedy podstępnie, bez wyraźnych objawów klinicznych, aż do czasu rozwoju niewydolności nerek i pojawienia się objawów przewlekłej mocznicy. U części chorych dochodzi do nadciśnienia tętniczego.

Częstymi objawami choroby są: osłabienie, bóle głowy, pobolewanie w okolicy lędźwiowej, stany podgorączkowe – niekiedy z dreszczykami, bolesne oddawanie moczu, umiarkowana niedokrwistość. Czasami jedynym objawem choroby przez wiele lat są zmiany w moczu, wykrywane niekiedy przypadkowo. Polegają one na występowaniu umiarkowanego białkomoczu oraz leukocyturii (obecność leukocytów) o zmiennym nasileniu. Liczba leukocytów i bakterii w moczu wzrasta w okresie zaostrzeń choroby. Czynność nerek może być prawidłowa pzez dłuższy okres, z wyjątkiem zdolności zagęszczania moczu, która wcześniej ulega upośledzeniu.

Urografia wykazuje często zmiany chorobowe w obrębie układu kielichowo-miedniczkowego, jak też zmniejszenie wymiarów obu nerek, zwykle niesymetryczne.

Rokowanie co do wyleczenia jest niepewne, można jednak uzyskać poprawę, a zwłaszcza opanować zaostrzenie choroby, stosując właściwe leczenie przeciwbakteryjne.

Leczenie wszystkich rodzajów zakażeń układu moczowego polega na stosowaniu środków bakteriobójczych, w tym sulfonamidów i antybiotyków,. W przewlekłym odmiedniczkowym zapaleniu nerek ważne jest picie dużej ilości płynu (3 do 4 l na dobę) w celu zapewnienia znacznej diurezy, warunkującej duży spływ moczu. Duże znaczenie ma też utrzymanie optymalnej kwaśności moczu dla uzyskania maksymalnej efektywności leczenia. W tym celu stosuje się w dużych dawkach witaminę C, metioninę, a także jest zalecane picie soku z żurawin.

Zapobieganie polega przede wszystkim na przestrzeganiu higieny osobistej – zwłaszcza u kobiet.

Inne choroby układu moczowego

Zob. Urologia, s. 1537.

V. ENDOKRYNOLOGIA

Wiadomości ogólne

Endokrynologia jest dziedziną wiedzy zajmującą się humoralną regulacją procesów życiowych organizmu i jej zaburzeniami. Rolę regulacyjną spełniają tu hormony, czyli aktywne związki chemiczne wydzielane bezpośrednio do krwi przez wyspecjalizowane komórki. W klasycznym ujęciu, źródłem hormonów są narządy zwane gruczołami wydzielania wewnętrznego lub dokrewnego, bądź też gruczołami dokrewnymi albo endokrynnymi (zob. Anatomia, s. 233). Nowoczesną wiedzę wzbogaciło pojęcie hormonów tkankowych, tj. związków chemicznych wydzielanych do krwi przez komórki nie uformowane anatomicznie w narząd.

Hormony peptydowe występują w komórce początkowo w postaci białkowego prekursora o większej cząsteczce, czyli prohormonu, z którego następnie powstaje czynny hormon. Część zsyntetyzowanego hormonu jest wydzielana poza obręb komórki, część zostaje zmagazynowana w obrębie gruczołu wydzielania dokrewnego.

Proces wydzielania hormonu poza komórkę określa się jako uwalnianie; podlega on wpływom regulacyjnym typu pobudzania i hamowania. W warunkach fizjologicznych wydzielanie (sekrecja) hormonów ulega wahaniom w ciągu doby, określanym mianem rytmu dobowego, z powtarzającymi się w jednakowych, określonych odstępach czasu wartościami maksymalnymi i minimalnymi. W stanach chorobowych występują nieprawidłowości dobowego rytmu wydzielniczego. Po uwolnieniu do krążenia większość hormonów o niskiej masie cząsteczkowej wiąże się ze specyficznymi białkami surowicy krwi. Ma to znaczenie zarówno transportowe, jak i regulacyjne, w sensie dostępności hormonu na poziomie komórki docelowej.

O działaniu tkankowym hormonów decyduje obecność swoistych receptorów (struktur odbiorczych) w błonie komórkowej albo w cytoplazmie. Hormony peptydowe nie muszą wnikać do komórki, aby ujawnić swe działanie. Wiążą się one z receptorami błony komórkowej, co powoduje uaktywnienie wielu przekaźników (mediatorów) pośredniczących w uzyskaniu efektu biologicznego. Hormony steroidowe wnikają do wnętrza komórki, gdzie łączą się z receptorem cytoplazmatycznym. Wpływ hormonów na przebieg procesów metabolicznych (przemiany materii) odbywa się za pośrednictwem enzymów o swoistym działaniu.

Degradacja, czyli proces rozkładu hormonów, odbywa się w wątrobie oraz w tkankach obwodowych, natomiast wydalanie – głównie przez nerki, a w mniejszym stopniu – przez przewód pokarmowy.

Fizjologia układu wydzielania wewnętrznego, zob. s. 233.

Gruczołami wydzielania wewnętrznego, których zaburzenia mają szczególne znaczenie dla organizmu ludzkiego, są: przysadka, tarczyca, przytarczyce, trzustka (narząd wyspowy), nadnercza oraz gruczoły płciowe – jajniki i jądra. Nadmiernie nasilona czynność wydzielnicza gruczołu dokrewnego wywołuje objawy nadczynności tego gruczołu, natomiast niedostateczna sekrecja hormonalna powoduje wystąpienie objawów jego niedoczynności. Gruczoły wydzielania wewnętrznego mogą także ulegać chorobom nie zakłócającym bezpośrednio ich funkcji wydzielniczych, takim jak np. nieczynne hormonalnie nowotwory i niektóre stany zapalne.

Rozpoznawanie zaburzeń w układzie wydzielania wewnętrznego opiera się na:

a) bezpośrednim badaniu chorego, tzn. na uzyskaniu od niego informacji dotyczących charakteru i przebiegu dolegliwości, oraz na badaniu fizykalnym,

b) na oznaczeniach aktywności wydzielniczej gruczołów i rutynowych analizach biochemicznych oceniających równowagę środowiska wewnętrznego,

c) na badaniach radiologicznych, ultrasonograficznych i obrazowaniu metodą rezonansu magnetycznego,

d) na badaniach konsultacyjnych (okulistycznym, neurologicznym, laryngologicznym).

W przypadkach choroby z pełni rozwiniętymi objawami rozpoznanie opiera się na zebranym wywiadzie i badaniu fizykalnym, natomiast oznaczenia hormonalne spełniają rolę dokumentacyjną i pozwalają ocenić stopień zaawansowania choroby. W przypadkach choroby wczesnej, nietypowej, niepełnoobjawowej badania hormonalne mają główne znaczenie diagnostyczne.

O stanie czynnościowym gruczołu wydzielania wewnętrznego mówią pomiary stężenia hormonu we krwi oraz – w odniesieniu do niektórych hormonów – oznaczenia jego ilości w moczu zebranym w określonym przedziale czasu, np. w ciągu 24 godz. Badania te w większości przypadków mogą być wykonane ambulatoryjnie, pod warunkiem, że chory będzie dobrze współpracować z lekarzem. Chodzi tu zwłaszcza o rzetelne zbieranie moczu dobowego i przestrzeganie określonych warunków. Badań tych nie należy wykonywać w czasie chorób gorączkowych, przy miejscowych zmianach ropnych, odczynach alergicznych, w ciężkich przeżyciach emocjonalnych. Czynniki te, wymienione przykładowo, mogą bowiem wpływać na zmianę wyników. Nie należy także zażywać w tym czasie leków nie zaakceptowanych przez lekarza. Przed oddaniem krwi do badania hormonalnego obowiązuje co najmniej 10-minutowy wypoczynek. Ze względu na złożoną technikę badania hormonalne są wykonywane w seriach obejmujących większą liczbę próbek krwi i moczu. Stosowane obecnie szeroko w endokrynologii metody radioimmunologiczne wymagają użycia specjalnych zestawów hormonu znakowanego radioizotopem, przygotowywanych przez wyspecjalizowane ośrodki (w Polsce niektóre zestawy dostarcza Instytut Badań Jądrowych w Świerku). Dlatego też czas oczekiwania na wyniki tych badań jest znacznie dłuższy niż przy rutynowych badaniach biochemicznych. Wielokrotne oznaczenia stężenia hormonu we krwi w ciągu doby, np. w badaniu rytmu dobowego, wymagają pobytu chorego w szpitalu w celu zapewnienia mu odpowiednich warunków obserwacji klinicznej.

W stanach niedoczynności gruczołu dokrewnego biochemicznym dowodem zaburzeń, oprócz niskiego poziomu hormonu w próbce materiału pobranej w warunkach podstawowych, jest brak odpowiedzi lub niedostateczne zwiększenie czynności wydzielniczej po zastosowaniu typowego bodźca pobudzającego. W nadczynności gruczołu, po stwierdzeniu zwiększonego stężenia hormonu we krwi lub jego zawartości w moczu w warunkach wyjściowych, są wykonywane próby z użyciem środków, które w fizjologicznych warunkach tłumią jego czynność wydzielniczą. Niedostateczny efekt tłumienia wskazuje na zaburzenia regulacji czynności hormonalnej. Wielogodzinne próby czynnościowe – pobudzania bądź hamowania wydzielania hormonów – powinny być wykonywane w warunkach szpitalnych. Do badań o większym stopniu trudności wykonania należy określenie dobowej produkcji hormonów.

Istotnych informacji o czynności hormonów w organizmie mogą dostarczać także rutynowe badania biochemiczne, np. oznaczenia we krwi stężenia glukozy, wapnia, fosforu i potasu, a także zdjęcia rentgenowskie, zwłaszcza układu kostnego. Badania takie są zwykle wykonywane ambulatoryjnie i ułatwiają wydzielenie grupy osób wymagających dalszych, dokładnych badań w warunkach szpitalnych.

W przypadku podejrzenia o nowotwór gruczołu wydzielania dokrewnego ważną rolę spełniają badania pozwalające ustalić położenie i wielkość nieprawidłowej masy tkankowej. Należą do nich: przeglądowe i warstwowe (tomograficzne) zdjęcia rentgenowskie, scyntygrafia przy użyciu izotopów, ultrasonografia, tomografia komputerowa, badania naczyniowe – arteriografia i wenografia oraz badanie metodą rezonansu magnetycznego, szczególnie przydatne w chorobach podwzgórza i przysadki. Niekiedy lokalizację nowotworu pozwala ustalić porównanie stężeń hormonów w próbkach krwi pobranych w różnych punktach układu krwionośnego.

Neuroendokrynologia. Czynność przysadki

Regulacja czynności tkanek i narządów zależy od współdziałania dwóch nadrzędnych układów: wewnątrzwydzielniczego (dokrewnego, endokrynnego) i nerwowego. Gruczoły wydzielania dokrewnego, podobnie jak inne narządy, są unerwione. Unerwienie to wpływa pośrednio na czynność sekrecyjną przez regulowanie przepływu krwi przez tkankę gruczołową, a w niektórych przypadkach także bezpośrednio. Zasadniczą rolę sygnałów informacyjnych pomiędzy układem nerwowym a wewnątrzwydzielniczym spełniają substancje chemiczne wydzielane przez komórki nerwowe (neurony). Substancje te – nazywane neurohormonami – powstają w wyspecjalizowanych komórkach obszaru ośrodkowego układu nerwowego, zwanego podwzgórzem.

Neurohormony podwzgórza kontrolują czynność przysadki. Ich rola polega na pobudzaniu albo hamowaniu syntezy i uwalniania hormonów przysadki. W nazewnictwie angielskim neurohormony o działaniu pobudzającym uwalnianie noszą nazwę *releasing hormone* (RH) lub *releasing factor* (RF), natomiast neurohormony o działaniu hamującym określane są jako *inhibiting hormone* (IH) lub *inhibiting factor* (IF). Według zaleceń Komisji Słownictwa Polskiego Towarzystwa Biochemicznego, opartych na dokumencie międzynarodowym, nazwy neurohormonów podwzgórza typu czynników uwalniających powinny być zaopatrzone w końcówkę „-liberyna", natomiast nazwy czynników hamujących powinny mieć końcówkę „-statyna".

Do neurohormonów o działaniu pobudzającym uwalnianie hormonów przysadkowych należą:

Tyreoliberyna (TRH), neurohormon pobudzający uwalnianie tyreotropiny, pobudza również wydzielanie prolaktyny i wpływa na czynność ośrodkowego układu nerwowego; w diagnostyce jest stosowany związek syntetyczny odpowiadający naturalnemu.

Kortykoliberyna (CRF, CRH), neurohormon pobudzający uwalnianie kortykotropiny (ACTH).

Luliberyna (LHRH), neurohormon pobudzający uwalnianie gonadotropin, określany jest też jako LH/FSH-RH lub Gn-RH, ponieważ stymuluje wydzielanie zarówno hormonu luteinizującego (LH), jak i folikulostymuliny (FSH); preparat syntetyczny luliberyny jest stosowany w diagnostyce i w lecznictwie.

Do neurohormonów hamujących uwalnianie hormonów przysadkowych należą somatostatyna i dopamina.

Somatostatyna (GHIH), czynnik hamujący uwalnianie somatotropiny, czyli hormonu wzrostu (GH), ma również zdolność hamowania uwalniania większości hormonów peptydowych oraz hormonów tkankowych i niektórych enzymów wydzielanych w przewodzie pokarmowym.

Dopamina jest czynnikiem hamującym wybiórczo uwalnianie prolaktyny.

Neurosekrecja w podwzgórzu podlega z kolei wpływom regulacyjnym czynnych biologicznie związków wytwarzanych w mózgu, które przekazują informacje pomiędzy komórkami nerwowymi, z neuronu do neuronu albo do efektora. Do grupy tych związków, zwanych neuroprzekaźnikami, neuromediatorami lub też neurotransmiterami, należy m.in. noradrenalina, dopamina, acetylocholina, serotonina, kwas gamma-aminomasłowy.

Przysadka, będąca jednym z najmniejszych gruczołów dokrewnych, zajmuje kluczową pozycję w układzie wydzielania wewnętrznego. Składa się z dwóch części: przedniej – gruczołowej i tylnej – nerwowej, o odmiennym utkaniu i odmiennej czynności hormonalnej.

W części nerwowej przysadki są uwalniane do krwi dwa hormony: wazopresyna i oksytocyna. Obydwa są syntetyzowane poza przysadką, w komórkach neurowydzielniczych podwzgórza, skąd przedostają się do przysadki drogą wypustek nerwowych.

Część gruczołowa przysadki, będąca pod bezpośrednim wpływem podwzgórza i innych ośrodków mózgu, za pośrednictwem swych hormonów oddziałuje na wiele ważnych czynności biologicznych, takich jak regulacja procesu wzrastania i kontrola aktywności obwodowych gruczołów dokrewnych. Hormony przysadki działają pobudzająco na czynność wydzielniczą tarczycy, kory nadnerczy i gruczołów płciowych; towarzyszy temu wpływ troficzny, zapewniający utrzymanie prawidłowej struktury tych gruczołów. Z tego względu hormony te nazwano ogólnie tropinami lub hormonami tropowymi (tyreotropina, adrenokortykotropina, gonadotropiny).

Hormony przysadki oddziałujące na gruczoły obwodowe należą do układu regulacyjnego określanego mianem ujemnego sprzężenia zwrotnego. W mechanizmie tym nadmiar hormonu obwodowego hamuje wydzielanie odpowiedniej tropiny przysadkowej, natomiast jego niedobór jest czynnikiem pobudzającym wydzielanie hormonu tropowego. Zob. Fizjologia, Hormony przysadki, s. 238.

Choroby części gruczołowej przysadki

Gruczolaki przysadki. Nazwą tą określa się nowotwory wywodzące się z utkania gruczołowego przysadki. Mają one zazwyczaj charakter łagodny, chociaż przy długotrwałym przebiegu choroby może dojść do rozrostu guza poza obręb siodła tureckiego i do niszczenia okolicznej tkanki nerwowej, powodującego trwałe zaburzenia typu neurologicznego. Guzy przysadki mają niekiedy charakter złośliwy, ale oprócz rozległego nacieku miejscowego, rzadko powodują odległe przerzuty.

Gruczolaki przysadki mają najczęściej średnicę kilku milimetrów, choć zdarzają się też mniejsze o średnicy 0,5–1 mm. Guzki o średnicy do 10 mm określa się jako mikrogruczolaki. Guzy, które wypełniają całe siodło tureckie, powiększając jego objętość, a nawet rozprzestrzeniają się na okoliczne tkanki, noszą nazwę gruczolaków olbrzymich.

Ze względu na bliskie sąsiedztwo skrzyżowania nerwów wzrokowych, gruczolaki rozrastające się w tym kierunku mogą powodować ubytki pola widzenia, najwcześniej w zakresie barwy czerwonej. Charakterystyczne dla tych guzów ograniczenie pola widzenia od strony skroni daje wrażenie patrzenia w tunelu. W drastycznych przypadkach mogą wywołać nawet całkowitą ślepotę.

Zależnie od zdolności sekrecyjnej rozróżnia się gruczolaki przysadki nieczynne i czynne hormonalnie. G r u c z o l a k i n i e c z y n n e h o r m o n a l n i e mogą dawać objawy będące wynikiem miejscowego nacieku oraz wtórnych zmian w układzie nerwowym, a mianowicie bóle głowy, zaburzenia widzenia i – rzadko – porażenia nerwów czaszkowych, zlokalizowanych w ich sąsiedztwie. Mogą występować ponadto zmiany ogólne, wywołane niszczeniem prawidłowego utkania gruczołowego. W takim przypadku rozwijają się objawy niedoczynności przysadki z wtórną niedoczynnością tarczycy, kory nadnerczy i gruczołów płciowych, a u dzieci i osobników młodocianych także zaburzeniami wzrastania.

W g r u c z o l a k a c h c z y n n y c h h o r m o n a l n i e objawy są zależne od działania hormonu wytwarzanego w nadmiernych ilościach. Najczęściej hormonem tym jest p r o l a k t y n a (zob. Zespół nieprawidłowej laktacji, s. 791), drugie miejsce co do częstości zajmuje hormon wzrostu, trzecie – kortykotropina. Niezwykle rzadko występują gruczolaki wydzielające pozostałe hormony przysadki. Gruczolaki czynne hormonalnie mogą również powodować objawy wywołane miejscowym rozrostem, tj. zaburzenia widzenia, zmiany w układzie nerwowym oraz zmiany w układzie kostnym siodła tureckiego.

R o z p o z n a n i e gruczolaka przysadki opiera się na wywiadach z chorym oraz na badaniu fizykalnym, badaniu rentgenowskim czaszki, okulistycznym, neurologicznym oraz na badaniach hormonalnych. Tradycyjne badanie rentgenowskie pozwala ocenić strukturę kostną siodła tureckiego, tomografia komputerowa (zdjęcia warstwowe) umożliwia ocenę samej przysadki i może wykazać nieprawidłową masę w jej obrębie. Najbardziej precyzyjny obraz podwzgórza i przysadki można uzyskać metodą rezonansu magnetycznego. Wstrzyknięcie dożylne gadolinium w czasie tego badania pozwala lepiej uwidocznić mikrogruczolak przysadki. Badanie elektroencefalograficzne wykazuje z kolei zaburzenia czynności elektrycznej mózgu, spowodowane obecnością dużego guza.

Takie same objawy miejscowe jak w gruczolakach przysadki mogą wywoływać zmiany nienowotworowe: gruźliczaki, ziarniniaki w przebiegu sarkoidozy, nacieki białaczkowe i nieprawidłowe masy w chorobach typu metabolicznego, będące wynikiem gromadzenia się lipidów. Niszcząc utkanie gruczołu mogą one powodować niedoczynność przysadki.

L e c z e n i e. Zaburzenia hormonalne towarzyszące niektórym gruczolakom przysadki mogą być leczone farmakologicznie. W celu natomiast anatomicznego ograniczenia rozrostu nowotworowego są stosowane zabiegi neurochirurgiczne i leczenie energią promienistą. L e c z e n i e e n e r g i ą p r o m i e n i s t ą polega na naświetlaniu okolicy przysadki promieniami rentgenowskimi, kobaltem promieniotwórczym – 60 Co albo cząstkami ciężkimi (cząstki alfa, protony) z akceleratora. Napromienianie przysadki jest prowadzone w tych przypadkach, w których leczenie neurochirurgiczne jest przeciwwskazane lub gdy chory nie wyraża zgody na leczenie operacyjne. Leczenie energią promienistą może także stanowić uzupełnienie zabiegu neurochirurgicznego. Rzadkim powikłaniem napromieniowania bywa zanik nerwów wzrokowych.

Niedoczynność przysadki

Niedoczynność przysadki jest zespołem objawów zależnych od niedoboru hormonów wytwarzanych przez samą przysadkę oraz przez gruczoły obwodowe pozostające pod jej kontrolą.

Do najczęstszych przyczyn niedoczynności przysadki należą guzy nowotworowe rozwijające się w jej obrębie (gruczolaki) lub w sąsiedztwie (czaszkogardlaki), poporodowa martwica przysadki i urazy czaszki. Rzadziej dochodzi do upośledzenia czynności przysadki w przebiegu miejscowych zmian zapalnych, gruźliczych albo nieswoistych i zaburzeń naczyniowych (udar przysadki). Niedoczynność przysadki mogą również wywołać zabiegi neurochirurgiczne na tym gruczole i jego napromienianie. Czynność przysadki mogą także pogarszać choroby podwzgórza z niedoborem neurohormonów pobudzających wydzielanie jej tropin.

Poporodowa martwica przysadki, czyli zespół Sheehana, może wystąpić w przebiegu porodu lub połogu powikłanego obfitym krwotokiem. Jej przyczyną jest ostre niedokrwienie przysadki, powodujące zmiany wsteczne.

Wtórna niedoczynność tarczycy, kory nadnerczy i gruczołów płciowych rozwija się w przypadku zniszczenia znacznej części przysadki, powodującego niedobór wszystkich tropin.

Wybiórczy niedobór poszczególnych hormonów przysadkowych zdarza się najczęściej na tle genetycznym, głównie w wyniku niedoboru neurohormonów podwzgórzowych.

Objawami typowymi niedoczynności przysadki są: osłabienie, zmniejszenie sprawności fizycznej, spowolnienie, senność, brak miesiączki, osłabienie popędu płciowego, impotencja, upośledzenie pamięci. Skóra staje się sucha, blada, o żółtawym odcieniu. Na łokciach widoczne jest łuszczenie. Brodawki sutkowe i ich otoczki ulegają odbarwieniu. Brak jest owłosienia łonowego i pachowego, brwi ulegają przerzedzeniu. Ciśnienie krwi jest niskie, zwłaszcza w pozycji stojącej. W narządzie rodnym pojawiają się zmiany zanikowe. Typowa jest bezpłodność. Może istnieć skłonność do niedocukrzenia krwi, szczególnie na czczo i po większych wysiłkach fizycznych. Wszystkie te objawy narastają stopniowo, powoli. Niekiedy zdarzają się krótkotrwałe zasłabnięcia, zależne od spadku ciśnienia krwi albo od niedocukrzenia. W poporodowej martwicy przysadki charakterystyczny jest niedobór pokarmu w piersiach wkrótce po porodzie; nie powracają też krwawienia miesięczne.

Rozpoznanie opiera się na informacjach uzyskanych od chorego, badaniu fizykalnym oraz na badaniach hormonalnych. Stężenia we krwi hormonów przysadkowych są bardzo niskie albo nieoznaczalne i nie wzrastają po zastosowaniu preparatów pobudzających ich wydzielanie. Również stężenia hormonów wydzielanych przez gruczoły dokrewne sterowane przez przysadkę, tj. hormonów tarczycy, kory nadnerczy i gruczołów płciowych, są niskie. Dotyczy to też zawartości hormonów kory nadnerczy (kortykosteroidów) w moczu. Jeśli po zastosowaniu kortykotropiny (ACTH) wydalanie kortykosteroidów zwiększa się stopniowo, pozwala to, w sposób biochemiczny, odróżnić tę postać niedoczynności nadnerczy, tj. wtórną, od pierwotnego uszkodzenia nadnerczy, czyli choroby Addisona (zob. s. 795). Najbardziej znamienna różnica kliniczna między tymi dwoma postaciami choroby dotyczy zabarwienia skóry, która ulega odbarwieniu we wtórnej niedoczynności kory nadnerczy, natomiast w pierwotnej sprawia wrażenie mocno opalonej. Również wskaźniki czynności tarczycy, np. zdolność do wychwytywania jodu promieniotwórczego, zwiększają się pod wpływem tyreotropiny egzogennej. Wstrzyknięcie dożylne neurohormonów podwzgórza: tyreoliberyny i luliberyny nie wywołuje z kolei zwiększenia wydzielania hormonów przysadkowych (poza przypadkami niedoczynności przysadki pochodzenia podwzgórzowego). Po zastosowaniu metoklopramidu albo TRH nie wzrasta poziom prolaktyny we krwi. Test z użyciem doustnym metoklopramidu jest uważany za najprostszy i najtańszy sposób oceny funkcji przysadki.

Leczenie niedoczynności przysadki polega na zastępczym, czyli substytucyjnym stosowaniu hormonów gruczołów obwodowych, a więc steroidów nadnerczy i hormonów tarczycy. Stosowanie hormonów gruczołów płciowych zależy od wieku chorych; jeśli jest wskazana tego typu terapia, kobiety są leczone cyklicznie estrogenami i gestagenami, mężczyźni – okresowo testosteronem. Szczególnie ważne jest systematyczne zażywanie kortykosteroidów w fizjologicznych dawkach, odpowiadających dobowej produkcji kortyzolu w korze nadnerczy zdrowego człowieka. Sposób leczenia jest podobny jak w pierwotnej niedoczynności kory nadnerczy (zob. s. 795).

Chorzy z nie wyrównaną niedoczynnością kory nadnerczy, tzn. nie leczeni albo leczeni zbyt małą dawką kortykosteroidów, mogą być narażeni na groźne dla życia powikłania, przede wszystkim w postaci tzw. przełomu nadnerczowego. Czynnikiem wywoławczym są zwykle sytuacje stresowe, np. przeziębienia i inne zakażenia o przebiegu gorączkowym, zabiegi operacyjne, urazy, usuwanie zębów. W takich przypadkach jest konieczne stosowanie dawek steroidów nadnerczowych 2–5 razy wyższych niż normalnie. Chorzy z niedoczynnością przysadki, podobnie jak chorzy z chorobą Addisona, powinni otrzymać od lekarza prowadzącego pisemną instrukcję co do sposobu zwiększania dawek w stanie stresu i zawsze mieć ją przy sobie, dołączoną do dowodu osobistego, na wypadek np. niespodziewanego urazu ulicznego.

Niewyrównana niedoczynność tarczycy może stać się przyczyną tzw. przełomu hipometabolicznego, głównie u osób w podeszłym wieku. Cechą charakterystyczną jest obniżenie temperatury ciała i znaczna senność albo śpiączka. Leczenie, podobnie jak w przełomie nadnerczowym, musi być prowadzone w szpitalu.

Jadłowstręt psychiczny, anoreksja nerwowa. Jest to choroba występująca głównie u dziewcząt i młodych kobiet, mylona z niedoczynnością przysadki i cechująca się znacznym wychudzeniem oraz brakiem miesiączki. Część chorych dochodzi do takiego stanu po okresie świadomego odchudzania się ze względów kosmetycznych. U wielu chorych jednak przyczyną jadłowstrętu jest przebyty stres psychiczny lub niekorzystne wpływy środowiska (np. rozwód rodziców, niesnaski domowe, warunki trudnej konkurencji w szkole).

W badaniu ogólnym zwraca uwagę bardzo niskie ciśnienie krwi, sucha, łuszcząca się skóra, dość często meszek na plecach. Owłosienie płciowe jest zachowane. Zawartość kortykosteroidów w moczu dobowym jest niska i są obniżone we krwi poziomy gonadotropin, hormonów płciowych i trójjodotyroniny. W odróżnieniu od niedoczynności przysadki, stężenie hormonu wzrostu i kortyzolu we krwi jest zwykle zwiększone. W rutynowych badaniach biochemicznych zwraca uwagę niski poziom potasu we krwi. Często występuje też niski poziom białka we krwi oraz obniżenie liczby krwinek białych i czerwonych.

W jadłowstręcie psychicznym nie ma pierwotnych zmian w układzie wydzielania dokrewnego, a zaburzenia hormonalne mają charakter wtórny – są wynikiem upośledzonej czynności neurohormonalnej regulacyjnych ośrodków podwzgórza (zob. Ginekologia i położnictwo, Zespoły endokrynologiczne, s. 1813).

Karłowatość przysadkowa. Niedoczynność przysadki rozwijająca się w dzieciństwie charakteryzuje się przede wszystkim niskim wzrostem i niedorozwojem płciowym, z cechami infantylizmu. Przyczyną zaburzeń mogą być: wrodzone zmiany w podwzgórzu z niedoborem neurohormonów pobudzających uwalnianie hormonów tropowych przysadki, urazy okołoporodowe oraz guzy nowotworowe albo zapalne w obrębie przysadki lub w jej sąsiedztwie, zwłaszcza czaszkogardlaki. Jeśli zaburzenia są spowodowane zmianami genetycznymi lub urazami okołoporodowymi, opóźnienie wzrostu może zaznaczać się już od drugiego roku życia, w innych przypadkach zależy od okresu wystąpienia zmian organicznych. Rozwój intelektualny nie jest zakłócony. Oprócz objawów zależnych od niedoboru hormonu wzrostu i gonadotropin mogą istnieć zmiany wynikające z niedostatecznego wydzielania tyreotropiny i kortykotropiny. Jeśli przyczyną niedoczynności przysadki jest czaszkogardlak, mogą współistnieć objawy uszkodzenia części nerwowej przysadki w postaci moczówki prostej (zob. s.792).

Rozpoznanie opiera się na badaniach hormonalnych, badaniach obrazujących okolicę podwzgórza i przysadki (zdjęcia rentgenowskie czaszki, tomografia komputerowa, rezonans magnetyczny) oraz określeniu wieku szkieletowego na podstawie odpowiednich zdjęć rentgenowskich.

Od karłowatości przysadkowej należy odróżnić rodzinny niski wzrost, niedożywienie, niedorozwój fizyczny wywołany ciężkimi chorobami serca, płuc i nerek, wrodzone skazy przemiany materii, wrodzone zaburzenia w układzie kostnym oraz inne zaburzenia hormonalne, np. pierwotną niedoczynność tarczycy, rzekomą niedoczynność przytarczyc, nadczynność kory nadnerczy, cukrzycę. Jest rzeczą niezwykle ważną, aby – w przypadku zauważenia opóźnionego rozwoju fizycznego dziecka – zasięgnąć bezzwłocznie porady pediatry.

L e c z e n i e karłowatości przysadkowej jest prowadzone wyłącznie w specjalistycznych ośrodkach endokrynologicznych o profilu pediatrycznym. Objawy „niedoboru" wzrostu są leczone podawaniem somatotropiny, a objawy opóźnionego dojrzewania płciowego – hormonów gonadowych (jajników, jąder). Miejsce samototropiny, będącej wyciągiem z przysadek ludzkich, zajął obecnie hormon uzyskiwany przez rekombinację. W razie niedoboru innych hormonów jest prowadzone leczenie substytucyjne odpowiednio hormonami tarczycy lub kory nadnerczy. Jeśli przyczyną karłowatości jest nowotwór przysadki, jest podejmowane leczenie neurochirurgiczne lub radioterapia.

Nadczynność przysadki

Zasadnicze rodzaje nadczynności przysadki, z uwzględnieniem hormonu wywołującego daną chorobę, podano w tabeli.

Nadczynność przysadki

Hormon wydzielany w nadmiarze	Nazwa zespołu chorobowego
Hormon wzrostu (GH)	akromegalia gigantyzm przysadkowy
Prolaktyna (PRL)	zespół nieprawidłowej laktacji i braku miesiączki
Kortykotropina (ACTH)	choroba Cushinga

Akromegalia jest chorobą charakteryzującą się powiększaniem się rąk i stóp oraz rozrostem części kostnych i tkanek miękkich w obrębie głowy, a nierzadko także narządów wewnętrznych, pod wpływem nadmiaru hormonu wzrostu. W większości przypadków przyczyną zaburzeń jest g r u c z o l a k p r z y s a d k i zbudowany z komórek wydzielających somatotropinę, czyli hormon wzrostu, rzadziej rozrost tych komórek, bez uformowanego anatomicznie nowotworu.

O b j a w y. Zmiany somatyczne w akromegalii zależą od pobudzenia syntezy białek i kwasów nukleinowych, a więc od nasilenia procesów anabolicznych w skórze, układzie kostnym i mięśniowym oraz w tkankach podporowych. Często uwagę na postępujący proces chorobowy zwraca konieczność zwiększania rozmiaru rękawiczek, butów i nakrycia głowy. Osoby z otoczenia mogą zauważyć powoli postępujące zniekształcenie rysów twarzy, wywołane rozrostem tkanek miękkich, zwłaszcza nosa i warg, oraz zmianami kostnymi w postaci uwydatnienia się żuchwy i łuków brwiowych (tablica 17 c). Powiększa się też język i małżowiny uszne. Skóra grubieje i staje się szorstka. Zmiany w obrębie chrząstek są przyczyną zniekształceń i bólów stawowych. Charakterystyczne jest obfite pocenie się. Stosunkowo często występuje nadciśnienie tętnicze, cukrzyca i niewydolność krążenia. Może zdarzać się mlekotok. W przypadku niszczenia przysadki przez rozrastający się gruczolak mogą występować objawy niedoczynności gruczołów dokrewnych kontrolowanych przez przysadkę, zwłaszcza gruczołów płciowych.

Rozpoznanie akromegalii opiera się na typowym obrazie klinicznym. W przypadkach wątpliwych pomocne mogą być zdjęcia rentgenowskie rąk, stóp i czaszki; zawsze wykonywane jest zdjęcie rentgenowskie czaszki (ocena siodła tureckiego), tomografia komputerowa i badanie okulistyczne z oceną dna oka i pola widzenia barwy białej i czerwonej. Niezwykle ważne jest ustalenie, czy proces chorobowy jest czynny, czy też występujące zmiany stanowią pozostałość po przebytym w przeszłości okresie nadmiernego wydzielania hormonu wzrostu. O czynnej akromegalii mogą świadczyć postępujące zmiany, obfite poty oraz stałe bóle głowy, jeżeli ich przyczyną nie jest nie leczone nadciśnienie tętnicze. Rozstrzygające znaczenie mają badania poziomu hormonu wzrostu we krwi.

Leczenie. Nieczynną akromegalię można określić jako defekt kosmetyczny, który nie wymaga leczenia, jeżeli nie towarzyszą mu objawy powiększania się guza przysadki. Główną metodą leczenia czynnej akromegalii jest zabieg neurochirurgiczny, uzupełniany – w razie potrzeby – napromienianiem okolicy przysadki. Rzadziej leczenie ogranicza się do stosowania jedynie energii promienistej. Leczenie farmakologiczne bromokryptyną tylko w części przypadków jest skuteczne, przeważnie jest leczeniem uzupełniającym nie w pełni skutecznego zabiegu neurochirurgicznego albo napromieniowań.

Gigantyzm przysadkowy. Terminem tym określa się nadmierny wzrost spowodowany zwiększonym wydzielaniem hormonu wzrostu u osób młodych z nieukończonym wzrostem, zwłaszcza przy opóźnionym pokwitaniu. Na ogół do gigantyzmu dołączają się cechy akromegalii o różnym nasileniu. Czasami nadmiernie wysoki wzrost występuje rodzinnie i jest uwarunkowany genetycznie.

Rozpoznanie i leczenie gigantyzmu przysadkowego są podobne jak w akromegalii (zob. wyżej).

Choroba Cushinga jest to zespół zmian somatycznych i zaburzeń metabolicznych wywołanych nadczynnością kory nadnerczy, zależną od nadmiernego wydzielania hormonu przysadkowego – kortykotropiny (ACTH). Choroba ta jest omówiona z innymi postaciami nadczynności kory nadnerczy na s. 796.

Gruczolak przysadki wydzielający prolaktynę i zespół nieprawidłowej laktacji. Podwyższone stężenie we krwi prolaktyny powoduje u kobiet niedoczynność jajników z zaburzeniami miesiączkowania, a nawet z brakiem miesiączki, natomiast u mężczyzn jest przyczyną osłabienia popędu płciowego i upośledzenia potencji. Zaburzenia te są wynikiem hamującego wpływu prolaktyny na sekrecję podwzgórzowego czynnika uwalniającego hormon luteotropowy i blokowania oddziaływania gonadotropin na gruczoły płciowe. U większości kobiet z nadmiernym wydzielaniem prolaktyny (hiperprolaktynemią) występuje mlekotok nie związany z okresem połogu (zob. też Ginekologia i położnictwo, Zespoły endokrynologiczne, s. 1813).

Przyczyną nadmiernego wydzielania prolaktyny jest często gruczolak przysadki. U kobiet rozpoznanie jest stosunkowo łatwe, nawet gdy guzek przysadki ma jeszcze niewielkie rozmiary, ponieważ zaburzenia cyklu miesiączkowego lub też brak miesiączki dość szybko skłaniają je do szukania pomocy lekarskiej. Z uwagi na pobudzający wpływ ciąży na rozwój gruczolaków przysadki, zawsze zaniepokojenie powinien budzić brak miesiączki po porodzie, po zakończeniu karmienia piersią. U mężczyzn, prawdopodobnie z powodu bardziej skąpych objawów, rozpoznanie nowotworu przysadki wydzielającego prolaktynę często następuje dopiero wówczas, gdy osiągnie on znaczne rozmiary, wywołując zaburzenia widzenia lub zmiany w układzie nerwowym.

Wzmożoną sekrecję prolaktyny mogą również powodować nowotwory podwzgórza i inne zmiany w układzie podwzgórze – przysadka, osłabiające hamujący wpływ dopaminy na wydzielanie prolaktyny. Przyczyną hiperprolaktynemii i mlekotoku mogą być też: pierwotna niedoczynność tarczycy, zespół napięcia przedmiesiączkowego (druga połowa cyklu), a także niektóre leki. Oprócz dużej grupy leków typu psychiatrycznego należą tutaj metoklopramid i cymetydyna, stosowana w leczeniu choroby wrzodowej.

Sporadycznie mlekotok może występować po urazach klatki piersiowej, ale patofizjologia tego zjawiska nie została dotychczas w pełni wyjaśniona.

Stwierdzenie nadmiernego wydzielania prolaktyny może być oparte tylko na podstawie oznaczeń jej stężenia we krwi. Wydzielanie tego hormonu wzrasta w sytuacjach stresowych, dlatego badania nie mogą być przeprowadzone bezpośrednio po przeżyciach emocjonalnych.

Podobnie jak w przypadkach innych gruczolaków przysadki, przeprowadzane są zarówno badania rentgenowskie czaszki, tomografia komputerowa, badanie metodą rezonansu magnetycznego, jak i badanie okulistyczne.

Leczenie. Gruczolaki przysadki wydzielające prolaktynę są leczone przede wszystkim farmakologicznie bromokryptyną. Interwencja neurochirurgiczna daje dobre wyniki w przypadkach niezbyt dużych gruczolaków. Przy dużych guzach wyniki leczenia operacyjnego są gorsze; czasami jako uzupełnienie stosuje się napromienianie okolicy przysadki.

Choroby części nerwowej przysadki

Kliniczne znaczenie mogą mieć stany niedoboru hormonu antydiuretycznego i, znacznie rzadziej, stan nadmiaru tego hormonu. Nie są opisywane zespoły wywołane zaburzeniami wydzielania oksytocyny.

Moczówka prosta, choroba wywołana niedoborem hormonu antydiuretycznego, charakteryzuje się oddawaniem dużych ilości moczu o niskim ciężarze właściwym (niskiej gęstości). Jej przyczyną mogą być uszkodzenia podwzgórza lub szypuły przysadki wywołane zmianami nowotworowymi, naciekami zapalnymi, urazami, zmianami naczyniowymi. Czasami choroba rozwija się bez dostrzegalnych zmian w ośrodkowym układzie nerwowym; może też stanowić powikłanie zabiegów neurochirurgicznych na przysadce.

Objawy. Wskutek niedoboru hormonu antydiuretycznego w nerkach nie dochodzi do prawidłowego wchłaniania wody z przesączu pierwotnego, a więc mocz nie ulega fizjologicznemu zagęszczeniu. Dobowa ilość moczu może wahać się od 3 nawet do 30 l, ciężar właściwy wynosi zwykle poniżej 1005. Następstwem obfitej utraty wody jest wzmożone pragnienie i objawy odwodnienia.

Rozpoznanie. Objawy podobne do moczówki prostej może dawać wiele innych zaburzeń, takich jak nawykowe picie dużych ilości płynów, moczówka pochodzenia nerkowego spowodowana niewrażliwością nabłonka cewek nerkowych na działanie hormonu antydiuretycznego, cukrzyca, nadmiar wapnia we krwi, niedobór potasu, dlatego rozpoznanie opiera się na oznaczeniu poziomu mocznika, kreatyniny, glukozy, potasu i wapnia we krwi oraz jej osmolalności.

Nawykowe nadmierne picie płynów można wykluczyć za pomocą próby zagęszczenia moczu, polegającej na odstawieniu płynów przez kilka do kilkunastu godzin, mierzeniu w tym czasie ilości oddanego moczu, jego ciężaru właściwego oraz ważeniu chorego. W nawykowym piciu dużej ilości płynów w czasie tej próby zmniejsza się ilość oddawanego moczu, a jego ciężar właściwy wzrasta. W moczówce prostej tak się nie dzieje, toteż chorzy źle znoszą tę próbę z powodu postępującego odwodnienia. Dlatego próba taka może być przeprowadzona tylko w warunkach szpitalnych.

Biologicznym potwierdzeniem moczówki prostej jest przywrócenie zdolności zagęszczenia pod wpływem hormonu antydiuretycznego, czyli wazopresyny wstrzykniętej domięśniowo albo jej syntetycznych analogów podanych donosowo. Przeprowadzane są także badania rentgenowskie czaszki, tomografia komputerowa i badanie okulistyczne, w celu wykluczenia lub odkrycia ewentualnego guza przysadki lub okolicznych tkanek. Szczególnie cennych informacji dostarcza badanie metodą rezonansu magnetycznego.

Leczenie. W długotrwałym leczeniu jest stosowana donosowo, w kroplach, syntetyczna pochodna wazopresyny. Wstrzykiwań domięśniowych nie stosuje się ze względu na niewygodę chorego.

Zespół nadmiaru wody, czyli **zespół Schwartz–Barttera**. Jest to rzadko występujący zespół zaburzeń wywołanych zwiększonym wytwarzaniem hormonu antydiuretycznego. Charakteryzuje się nadmiernym zatrzymywaniem wody w organizmie, obniżeniem poziomu sodu i zmniejszoną osmolalnością osocza, przy jednoczesnym wzroście osmolalności moczu i zwiększeniu stężenia w nim sodu.

Przyczyną nadmiernego wydzielania hormonu antydiuretycznego może być zmieniony chorobowo układ podwzgórzowo-przysadkowy, jak również czynne hormonalnie nowotwory innych narządów.

Objawami przewodnienia organizmu są mdłości, wymioty, zmiany osobowości i zaburzenia świadomości. Ilość oddawanego moczu ulega zmniejszeniu.

Leczenie wyłącznie szpitalne.

Choroby kory nadnerczy

Kora nadnerczy położona obwodowo w stosunku do rdzenia wydziela hormony steroidowe, tzw. kortykosteroidy, które – zależnie od typu działania – dzieli się na trzy grupy: glikokortykosteroidy, mineralokortykosteroidy i androgeny. Ponadto, z pośrednich metabolitów syntetyzowanych w nadnerczach są tworzone w nikłych ilościach estrogeny.

Hormony kory nadnerczy, zob. Fizjologia, s. 242. Wydzielanie hormonów kory nadnerczy pozostaje pod kontrolą hormonu adrenokortykotropowego (kortykotropiny, ACTH) przysadki. W największych ilościach hormony nadnerczy są wydzielane we wczesnych godzinach rannych, a w najmniejszych około północy – jest to tzw. rytm dobowy.

W warunkach fizjologicznych równowagę w układzie podwzgórzowo-przysadkowo-nadnerczowym utrzymuje mechanizm ujemnego sprzężenia zwrotnego, oparty na zasadzie, że niedobór kortyzolu pobudza, natomiast nadmiar hamuje wydzielanie kortykotropiny. Pod wpływem stresów, takich jak zabiegi chirurgiczne, gorączka, urazy, ciężkie przeżycia psychiczne, zwiększa się znacznie wydzielanie zarówno ACTH, jak i kortyzolu, aby umożliwić przystosowanie organizmu do zmienionych warunków. Oznaczenia dobowej produkcji kortyzolu wykazały, że w sytuacjach stresowych może ona wzrastać nawet dziesięciokrotnie.

Podstawowe badania czynności kory nadnerczy obejmują badania na zawartość hormonów steroidowych w moczu dobowym oraz we krwi.

W moczu dobowym jest oznaczana zawartość metabolitów kortyzolu, czyli 17-hydroksykortykosteroidów (17-OHCS), zawartość androgenów nadnerczowych, tj. 17-ketosteroidów (17-KS), oraz frakcji tzw. wolnych kortykosteroidów. Niskie wartości kortykosteroidów, poza niedoczynnością kory nadnerczy, mogą zależeć od niedokładnego zbierania moczu w ciągu doby (w czasie krótszym niż doba). Podwyższone wartości 17-OHCS wskazują na nadczynność kory nadnerczy, występują też u osób otyłych i w sytuacjach stresowych. Zbyt wysokie wartości mogą być wynikiem stosowania leków z grupy kortykosteroidów w czasie przeprowadzania badań lub pomyłkowego zebrania moczu w przedziale czasowym wyraźnie przekraczającym 24 godz. Nieprawidłowo wysokie wartości wolnych kortykosteroidów w moczu mogą być spowodowane stosowaniem równocześnie leków np. z grupy azotynów.

We krwi jest oznaczane stężenie kortyzolu. Z uwagi na dobowe wahania wydzielania tego hormonu, próbki krwi do badań muszą być pobierane kilkakrotnie w ciągu dnia. Fałszywie wysokie wartości kortyzolu mogą być spowodowane stosowaniem leków, zwłaszcza antybiotyków.

Niedoczynność kory nadnerczy

Przewlekła niedoczynność kory nadnerczy jest zespołem objawów klinicznych zależnych od długotrwałego niedoboru kortykosteroidów, zwłaszcza kortyzolu, i charakteryzuje się przede wszystkim niedociśnieniem, zaburzeniami gospodarki wodno-elektrolitowej i węglowodanowej oraz upośledzeniem zdolności adaptacyjnych w sytuacjach stresowych. Może być spowodowana bezpośrednim uszkodzeniem nadnerczy – postać pierwotna, czyli choroba Addisona lub cisawica – albo niedostatecznym wydzielaniem hormonu adrenokortykotropowego (ACTH) przysadki – wtórna niedoczynność kory nadnerczy.

Najczęstszą przyczyną pierwotnej niedoczynności kory nadnerczy są procesy chorobowe uszkadzające nadnercza, tj. gruźlica i tzw. samoistny zanik o podłożu autoimmunizacyjnym. W drugim przypadku organizm wytwarza przeciwciała wobec własnych tkanek, mogą zatem współistnieć zmiany tego samego pochodzenia w innych narządach, powodując np. współistniejącą niedoczynność tarczycy, przytarczyc, jajników lub niedokrwistość Addisona–Biermera. Rzadziej nadnercza ulegają uszkodzeniu w przebiegu grzybic, skrobiawicy i przy przerzutach nowotworowych, Wyraźne objawy niedoczynności kory nadnerczy występują dopiero wówczas, gdy ulegnie zniszczeniu ok. 90% utkania gruczołów, a więc w późnym okresie choroby.

Przyczyny wtórnej niedoczynności kory nadnerczy, zob. Niedoczynność przysadki, s. 787. Obecnie najczęstszą przyczyną wybiórczego niedoboru hormonu adrenokortykotropowego przysadki, prowadzącego wtórnie do upośledzenia czynności nadnerczy, są stany po długotrwałym stosowaniu leków z grupy kortykosteroidów w dużych dawkach. Z przyczyn organicznych należy wymienić guzy przysadki i interwencje lecznicze stosowane wobec nich, przebyte urazy czaszki i zmiany zapalne oraz poporodową martwicę przysadki.

Objawy. Do typowych dolegliwości w pierwotnej niedoczynności kory nadnerczy należy znaczne osłabienie, zła tolerancja wysiłków fizycznych i dłuższego przebywania na słońcu, mdłości, wymioty, chudnięcie.

Najbardziej znamiennym objawem jest ciemne zabarwienie skóry, przypominające opaleniznę, szczególnie intensywne w okolicach eksponowanych na światło słoneczne (twarz, dekolt) i częste urazy (łokcie, miejsca ocierania się bielizny osobistej, okolica zgięć stawów międzypaliczkowych rąk). W około połowie przypadków występują też plamiste przebarwienia śluzówki jamy ustnej i warg. Zmiany barwnikowe zależą od wzrostu wydzielania hormonów przysadki: ACTH i melanotropiny, spowodowanego niedoborem kortyzolu (zasada ujemnego sprzężenia zwrotnego).

Ciśnienie krwi w pozycji leżącej i siedzącej jest zwykle niskie i obniża się jeszcze bardziej w pozycji stojącej. Objaw ten nazywa się hipotensją ortostatyczną lub niedociśnieniem ortostatycznym.

Badania biochemiczne krwi często wykazują obniżenie poziomu sodu i podwyższenie poziomu potasu we krwi. Obniżenie poziomu glukozy we krwi może występować na czczo lub 2–3 godz. po spożyciu posiłku węglowodanowego (niedocukrzenie, czyli hipoglikemia reaktywna).

Objawy wtórnej niedoczynności kory nadnerczy są podobne jak niedoczynności pierwotnej, ale w chorobie Addisona szybciej osiągają groźne dla życia nasilenie. Zasadnicza różnica kliniczna dotyczy zabarwienia powłok ciała, mianowicie w postaci wtórnej skóra ulega odbarwieniu, szczególnie wyraźnie jest to widoczne w obrębie brodawek sutkowych i ich otoczek, które w warunkach prawidłowych są silniej pigmentowane niż otoczenie. Ponadto we wtórnej niedoczynności kory nadnerczy mogą współistnieć inne objawy upośledzenia czynności przysadki.

Leczenie niedoczynności kory nadnerczy, tzw. zastępcze lub substytucyjne, polega na stosowaniu odpowiedników naturalnych hormonów, zwłaszcza hydrokortyzonu, w dawkach odpowiadających dobowemu wydzielaniu tego hormonu, oraz mineralokortykosteroidów. Okresowo są wyrównane niedobory androgenów nadnerczowych lekami o działaniu anabolizującym, tj. pobudzającym biosyntezę związków organicznych, co w fizjologicznych warunkach prawidłowych czynią androgeny.

Ostra niewydolność kory nadnerczy, czyli **przełom nadnerczowy** rozwija się najczęściej w przewlekłej niedoczynności kory nadnerczy w sytuacjach stresowych, w przypadku niedostatecznej osłony hydrokortyzonem. Rzadziej powstaje w następstwie nagłego uszkodzenia nadnerczy, np. w wyniku urazów, w przebiegu ciężkich zakażeń bakteryjnych lub w razie wylewu krwi będącego powikłaniem leczenia przeciwzakrzepowego.

Objawy. Zagrażający przełom nadnerczowy charakteryzuje się postępującym osłabieniem, mdłościami, luźnymi stolcami i bólami mięśniowo-kostnymi przypominającymi grypę. W pełnoobjawowym przełomie występują wymioty, znaczny spadek ciśnienia krwi i przyspieszenie tętna.

Leczenie zagrażającego przełomu nadnerczowego polega na domięśniowym lub dożylnym podaniu kortykosteroidów. W pełni rozwinięty przełom stanowi bezpośrednie zagrożenie życia i jest leczony wyłącznie szpitalnie. Dlatego też każdy chory z niedoczynnością kory nadnerczy powinien zawsze mieć przy sobie zaświadczenie lekarskie zawierające dane personalne, rozpoznanie i zalecenia dotyczące dawek leków hormonalnych w warunkach zwykłych i w sytuacjach stresowych, a także adnotację, że nagłe zasłabnięcie jest wskazaniem do skierowania go do szpitala.

Nadczynność kory nadnerczy

Kliniczny obraz nadczynności kory nadnerczy zależy od tego, która z grup hormonalnych jest wytwarzana w nadmiernych ilościach. W tabeli podano rodzaje hormonów wydzielanych w nadmiarze i odpowiadające im zespoły chorobowe.

Zespół Cushinga. Jest to zespół zmian somatycznych i zaburzeń metabolicznych powstałych w wyniku przewlekłego, nadmiernego wydzielania kortykosteroidów, głównie kortyzolu.

Przyczyną tych zaburzeń jest najczęściej mikrogruczolak albo gruczolak

Nadczynność kory nadnerczy

Hormon wydzielany w nadmiarze	Nazwa zespołu chorobowego
Kortyzol i inne kortykosteroidy	zespół Cushinga
Aldosteron	hiperaldosteronizm pierwotny
Androgeny	zespół nadnerczowo-płciowy
Estrogeny	zespół feminizacji

przysadki, rzadziej rozrost komórek kortykotropowych, powodujący nadmierne wydzielanie hormonu kortykotropiny (ACTH) prowadzące do obustronnego rozrostu kory nadnerczy. Ta postać zespołu Cushinga nosi nazwę choroby Cushinga (tablica 17 a, b), w której zmiany nadnerczowe są zależne od układu podwzgórzowo-przysadkowego. Ponadto przyczyną zespołu Cushinga mogą być guzy nowotworowe kory nadnerczy – gruczolak albo rak. Dochodzi wówczas do znacznego ograniczenia wydzielania ACTH, powodującego zanik drugiego nadnercza. W rzadkich przypadkach nadczynność kory nadnerczy rozwija się w przebiegu niektórych nowotworów pozaprzysadkowych wytwarzających substancję ACTH-podobną (zespół ektopowego ACTH).

Objawami typowymi zespołu Cushinga są: osłabienie mięśniowe, postępujące zmiany wyglądu twarzy i sylwetki ciała, nieregularne, nikłe krwawienia miesięczne albo brak miesiączki u kobiet, osłabienie potencji u mężczyzn, bóle kręgosłupa, skłonność do zakażeń ropnych i grzybiczych oraz do zakrzepów żylnych. Występują: otyłość (głównie tułowia), otłuszczenie karku, zaokrąglenie i zaczerwienienie twarzy, czerwone rozstępy skóry, wybroczyny, zaniki mięśni, nadciśnienie tętnicze. Często u kobiet zdarza się nieprawidłowe owłosienie ciała o różnym nasileniu, szczególnie obfite w przypadkach raka kory nadnerczy. U mężczyzn rak kory nadnerczy może wywołać objawy feminizacji. Zespół Cushinga u dzieci powoduje niski wzrost, nie zakłóca zaś rozwoju intelektualnego.

Rozpoznanie potwierdza zespół badań biochemicznych, radiologicznych i hormonalnych. Z zaburzeń metabolicznych często występuje zmniejszona tolerancja glukozy lub cukrzyca, niedobór fosforu i potasu. Zdjęcia rentgenowskie układu kostnego mogą ujawnić cechy zaniku kostnego ze złamaniami patologicznymi trzonów kręgowych, żeber i kości miednicy. Badania hormonalne wykazują zwykle zwiększoną zawartość wolnych kortykosteroidów i 17-hydroksykortykosteroidów w moczu dobowym. Stężenie kortyzolu we krwi jest zwiększone i nie obniża się w godzinach wieczornych, zakłócony jest zatem dobowy rytm wydzielania kortyzolu. Poziom ACTH we krwi jest umiarkowanie podwyższony w chorobie Cushinga, niski w przypadkach guzów kory nadnerczy i zazwyczaj bardzo wysoki w zespole ektopowej sekrecji ACTH.

W chorobie Cushinga wykonuje się ponadto badania, które mogą ujawnić obecność gruczolaka przysadki: zdjęcie rentgenowskie czaszki, warstwowe zdjęcie siodła tureckiego, tomografię komputerową oraz badanie metodą rezonansu magnetycznego oraz kontrolę okulistyczną. W celu wykrycia guza kory nadnerczy wykonuje się ultrasonografię, tomografię komputerową, a w razie potrzeby także scyntygrafię.

Leczenie choroby Cushinga polega przede wszystkim na neurochirurgicznym usunięciu mikrogruczolaka lub też gruczolaka przysadki. Jeśli występuje pojedynczy guzek, operacja daje całkowite wyleczenie, nie powodując zakłócenia wydzielania innych hormonów przysadki. W przypadku istnienia kilku mikrogruczolaków lub rozrostu komórek kortykotropowych jedynie subtotalne usunięcie przysadki prowadzi do ustąpienia objawów choroby Cushinga, ale może wywołać równocześnie objawy niedoczynności przysadki. W przypadku niepowodzenia zabiegu neurochirurgicznego stosuje się napromienianie przysadki, najczęściej promieniotwórczym kobaltem. Rzadziej radioterapia jest jedyną metodą leczenia.

Radykalną metodą leczenia choroby Cushinga była tzw. obustronna adrenalektomia polegająca na chirurgicznym usunięciu nadnerczy. Jednak u 10–50% osób tak leczonych w ciągu kilku następnych lat występują objawy gruczolaka przysadki z intensywnie brunatnym przebarwieniem skóry (zespół Nelsona), dlatego operacje takie są wykonywane jedynie w chorobie o ciężkim przebiegu, gdy zawodzą wszystkie inne metody leczenia.

Leczenie farmakologiczne choroby Cushinga polega na stosowaniu preparatów hamujących syntezę hormonów kory nadnerczy. Ma ono na celu przygotowanie chorego do operacji lub jest przejściowym uzupełnieniem innych form leczenia. Żaden jednak z tych leków nie jest skuteczny we wszystkich przypadkach choroby i nie daje trwałych efektów leczenia.

U chorych z guzem nadnerczy metodą z wyboru jest leczenie chirurgiczne (zob. Chirurgia endokrynologiczna, s. 1534). W przypadkach gruczolaka zabieg ten powoduje trwałe wyleczenie, w przypadku raka stosuje się uzupełniające leczenie farmakologiczne. Jeżeli stopień zaawansowania procesu nowotworowego nie pozwala na zabieg chirurgiczny, pozostaje tylko farmakoterapia.

Hiperaldosteronizm pierwotny, czyli **zespół Conna**. Jest to zespół objawów wywołanych nadmiernym wydzielaniem aldosteronu, stanowiący jedną z hormonalnie uwarunkowanych postaci nadciśnienia tętniczego (ok. 1% wszystkich przypadków nadciśnienia). Najczęstszą przyczyną zaburzeń jest pojedynczy gruczolak, rzadziej mnogie gruczolaki albo rozrost kory nadnerczy.

W warunkach fizjologicznych wydzielanie aldosteronu pozostaje pod kontrolą trzech mechanizmów pobudzających: układu renina – angiotensyna, jonów potasu i kortykotropiny przysadkowej. Renina jest enzymem uwalnianym w nerkach wówczas, gdy zmniejsza się przepływ krwi przez te narządy. Działa ona na białkowy substrat we krwi tworząc angiotensynę I, która ulega przekształceniu do postaci zwanej angiotensyną II. Ten właśnie związek pobudza wydzielanie aldosteronu, który zatrzymuje w nerkach sód oraz wodę i w ten sposób wyrównuje niedobory płynu pozakomórkowego. Równocześnie zwiększa wydalanie potasu wraz z moczem.

Objawami charakterystycznymi hiperaldosteronizmu pierwotnego są: nadciśnienie tętnicze spowodowane zatrzymaniem sodu i wody w organizmie oraz osłabienie mięśniowe wywołane niedoborem potasu. Ciężar właściwy moczu jest niski, a odczyn – zasadowy. Poziom aldosteronu we krwi i w moczu jest podwyższony i nie daje się obniżyć podaniem mineralokortykosteroidu.

Rozpoznanie hiperaldosteronizmu pierwotnego opiera się głównie na badaniach krwi i moczu wykazujących: niski poziom potasu we krwi, zwiększone wydalanie potasu w moczu, niską aktywność reniny w osoczu, zwiększone wydzielanie aldosteronu. Wykonuje się ponadto (w wybranych przypadkach) scyntygrafię i tomografię komputerową kory nadnerczy oraz wenografię.

Leczenie chirurgiczne polega na usunięciu gruczolaka lub gruczolaków nadnerczy (adrenalektomia). W przypadkach rozrostu kory nadnerczy prowadzi się leczenie farmakologiczne. W celu wyrównywania niedoboru potasu są stosowane doustnie preparaty potasu oraz leki zatrzymujące potas w organizmie.

Zespół nadnerczowo-płciowy jest to stan, w którym występuje nadmierne wydzielanie androgenów nadnerczowych, co u dziewcząt i kobiet prowadzi do rozwoju męskich cech płciowych (cechy wirylizacji).

Najczęstszą przyczyną tych zaburzeń są niedobory enzymów biorących udział w procesie syntezy kortyzolu, co z kolei powoduje obniżenie jego stężenia we krwi, wzmożone wydzielanie hormonu adrenokortykotropowego przez przysadkę oraz zwiększoną produkcję androgenów. Jako zaburzenie wrodzone zespół ten ujawnia się zwykle w dzieciństwie i powoduje rzekome przedwczesne dojrzewanie płciowe dziewcząt, bez pojawienia się miesiączki. U noworodków mogą istnieć trudności z ustaleniem płci. Źródłem nadmiaru androgenów może być także guz nowotworowy nadnercza powodujący występowanie cech męskich u dorosłych kobiet (tablica 17 d).

Objawem zaburzeń u dziewcząt i kobiet są męskie cechy płciowe: zarost na twarzy, nadmierne owłosienie ciała, przerost łechtaczki, męski typ sylwetki oraz niedostateczny rozwój gruczołów piersiowych i brak miesiączki (wynik niedoboru żeńskich hormonów płciowych). U chłopców zaznacza się nadmierny rozwój zewnętrznych narządów płciowych. Przyspieszony początkowo wzrost chłopców zostaje przedwcześnie zahamowany wskutek wczesnego zrastania się nasad kości z trzonami pod anabolicznym wpływem androgenów. Ostateczny wzrost tych osobników jest niski. W przypadkach bloku enzymatycznego mogą występować też objawy niedoboru kortyzolu, głównie zła tolerancja sytuacji stresowych.

Rozpoznanie potwierdzają przeprowadzone badania hormonalne (zwiększone wydalanie 17-ketosteroidów). W razie podejrzenia guza nadnercza wykonuje się ultrasonografię i tomografię komputerową.

Leczenie postaci wrodzonej jest farmakologiczne i polega na stosowaniu doustnie kortykosteroidów w dawkach fizjologicznych, ze zwiększaniem ich w sytuacjach stresowych. Guzy nadnercza wywołujące wirylizację są leczone operacyjnie.

Problemy kortykoterapii

Kortykoterapia jest to stosowanie hormonów kory nadnerczy, czyli kortykosteroidów, w celach leczniczych, w dawkach znacznie przekraczających ich dobową produkcję w organizmie. Hormony te wykazują wielokierunkowe działania biologiczne, a mianowicie przeciwzapalne i przeciwalergiczne, a ponadto wpływają na podwyższenie poziomu glukozy we krwi i zwiększenie liczby płytek krwi. Są stosowane we wszystkich niemal dziedzinach medycyny, a zwłaszcza w transplantologii, hematologii, alergologii, chorobach wewnętrznych, reumatologii. Mogą być podawane doustnie, dożylnie, domięśniowo, dostawowo, doodbytniczo, dospojówkowo, mogą być też stosowane zewnętrznie w chorobach skóry.

Kortykoterapia – oprócz efektów korzystnych – wywołuje wiele objawów niepożądanych, a niektóre z nich mogą być bardziej niebezpieczne niż choroba podstawowa, skłaniająca do tego typu leczenia.

Do najgroźniejszych powikłań kortykoterapii należą: owrzodzenia w przewodzie pokarmowym, zwłaszcza w części przedodźwiernikowej żołądka i w opuszce dwunastnicy, ze skłonnością do krwawień i perforacji, skaza krwotoczna wywołana zwiększoną kruchością naczyń, zmniejszenie odporności na zakażenia, z możliwością rozsiewu zakażeń bakteryjnych, grzybiczych i pełzakowych oraz zanik kostny prowadzący do patologicznych złamań kości.

Zmiany somatyczne są podobne jak w nadczynności kory nadnerczy; występuje otyłość, rozstępy skóry, zaniki mięśni, nieprawidłowe owłosienie ciała, obrzęki, nadciśnienie tętnicze. Badania wykazują zmniejszoną tolerancję glukozy lub cukrzycę, niedobór potasu i fosforu w organizmie. U kobiet mogą występować zaburzenia cyklu miesiączkowego. U dzieci zwalnia się tempo wzrostu. Istnieje skłonność do zapalenia trzustki i zakrzepów żylnych. Większość chorych ma zaburzenia snu, mogą też występować zaburzenia psychiczne. Dość często rozwija się jaskra i zaćma.

Równoczesnym, niekorzystnym zjawiskiem jest stłumienie czynności układu podwzgórzowo-przysadkowo-nadnerczowego. Powstaje paradoksalna sytuacja, w której objawy nadmiaru glikortykosteroidów towarzyszą wtórnej niedoczynności kory nadnerczy. W razie stresu chorzy z tej grupy wymagają osłony steroidowej, podobnie jak osoby z chorobą Addisona.

Leczenie kortykosteroidami może być prowadzone wyłącznie na zlecenia lekarza i pod ścisłą jego kontrolą. Leków tych nigdy chorzy nie powinni zażywać samorzutnie i w sposób niekontrolowany.

Przeciwwskazanie do kortykoterapii stanowią zakażenia, zwłaszcza grzybicze, mocznica, cukrzyca, wrzód żołądka i dwunastnicy, zaawansowany zanik kostny, psychozy.

W czasie kortykoterapii powinna być prowadzona okresowa kontrola masy ciała, ciśnienia krwi, wyglądu powłok ciała, stężenia potasu i fosforu we krwi, poziomu glukozy we krwi w 2 godz. po śniadaniu, kału na obecność krwi utajonej. Ze specjalnych wskazań wykonuje się też badania rentgenowskie żołądka i dwunastnicy, klatki piersiowej i kręgosłupa. Dieta powinna być bogatobiałkowa, ubogoenergetyczna u osób z tendencją do otyłości, obfita w jarzyny i owoce. Okresowo bywają stosowane preparaty wapnia, fosforu i potasu, witamina D_3 oraz leki anabolizujące.

Choroby rdzenia nadnerczy

W rdzeniu nadnerczy są wytwarzane hormony o budowie amin katecholowych: noradrenalina i adrenalina. Noradrenalina jest wydzielana także w obrębie zakończeń nerwowych wegetatywnego układu współczulnego i spełnia rolę neuroprzekaźnika w ośrodkowym układzie nerwowym. Aminy katecholowe lub katecholaminy są hormonami pierwszej linii obrony w sytuacjach zagrożenia stałości środowiska wewnętrznego, przede wszystkim w przypadku nadmiernego obniżenia ciśnienia krwi i spadku stężenia glukozy.

Guz chromochłonny nadnerczy. Jest to nowotwór wytwarzający w nadmiarze katecholaminy, wywodzący się z rdzenia nadnerczy albo z pozanadnerczowej tkanki chromochłonnej zwojów nerwowych. Lokalizacja pozanadnerczowa guza zdarza się u ok. 10% przypadków. Jest to zazwyczaj nowotwór łagodny i tylko u 10% chorych ma charakter złośliwy.

Działanie katecholamin zależy od wiązania się ich ze swoistymi receptorami w narządach, określanymi jako receptory alfa- i beta-adrenergiczne. Obraz kliniczny zależy od rodzaju i ilości wydzielanych hormonów. Noradrenalina podnosi głównie ciśnienie krwi, natomiast adrenalina wpływa w większym stopniu na procesy metaboliczne.

Objawami najczęstszymi guza jest nadciśnienie tętnicze napadowe albo utrwalone (ok. 0,5% wszystkich przypadków nadciśnienia), przyspieszone tętno, wzmożona potliwość, drżenie rąk, blednięcie skóry, niepokój, mdłości, bóle brzucha i klatki piersiowej. Mogą też występować objawy uszkodzenia mięśnia sercowego, z cechami niedokrwienia, oraz osłabienie perystaltyki jelit, z zaparciami stolca. W ponad połowie przypadków ciśnienie krwi obniża się w pozycji stojącej. Częstym objawem jest też podwyższony poziom glukozy we krwi (hiperglikemia).

Rozpoznanie opiera się głównie na stwierdzeniu zwiększonego stężenia katecholamin we krwi lub zawartości katecholamin i ich metabolitów w moczu zebranym w umownym czasie. Przy nadciśnieniu napadowym badania te wykonuje się w czasie takiego napadu i bezpośrednio po nim. Poza tym wykonuje się ultrasonografię, arteriografię, tomografię komputerową lub scyntygrafię nadnerczy.

Leczenie jest wyłącznie operacyjne, po odpowiednim przygotowaniu farmakologicznym lekami blokującymi receptory adrenergiczne. Leki te w sposób krótkotrwały eliminują ujemne skutki działania na organizm nadmiaru katecholamin, jednak nie mogą zastąpić leczenia przyczynowego, którym jest zabieg chirurgiczny.

Zaburzenia wydzielania wewnętrznego trzustki

Trzustka, obok czynności zewnątrzwydzielniczej (wydziela sok trzustkowy, zob. Fizjologia, s. 231), pełni również funkcję gruczołu wydzielania wewnętrznego. Czynność wewnątrzwydzielnicza jest związana z tzw. aparatem wyspowym (wyspy Langerhansa, tablica 18 a), zawierającym kilka typów komórek wydzielających hormony peptydowe (zob. Hormony trzustki, s. 244).

Komórki A wysp wytwarzają glukagon, komórki B produkują insulinę. Zarówno glukagon, jak i insulina są hormonami regulującymi gospodarkę węglowodanową (warunkują poziom glukozy we krwi). Ich działanie jest przeciwstawne: glukagon powoduje podwyższenie poziomu glukozy we krwi (przecukrzenie – hiperglikemia), insulina obniża poziom glukozy (niedocukrzenie – hipoglikemia). Od współdziałania tych hormonów zależy m.in. prawidłowy poziom glukozy we krwi.

Stan hipoglikemiczny

Stan hipoglikemiczny jest to zespół objawów spowodowanych zmniejszeniem się stężenia glukozy we krwi poniżej wartości niezbędnej do utrzymania prawidłowej czynności ośrodkowego układu nerwowego. W odróżnieniu od innych narządów, mózg wykorzystuje prawie wyłącznie glukozę w komórkowych procesach energetycznych.

U osób dorosłych fizjologiczne stężenie glukozy we krwi, oznaczone metodą enzymatyczną, waha się rano na czczo od 65 do 95 mg% (od 3,6 do 5,3 mmol/l), a po posiłku może sięgać 160 mg% (8,9 mmol/l). Objawy hipoglikemii pojawiają się zwykle dopiero po obniżeniu poziomu glukozy we krwi poniżej 45 mg% (2,5 mmol/l). Stężenie glukozy we krwi zależy od dowozu węglowodanów w pokarmach, wewnątrzustrojowej produkcji glukozy i stopnia jej zużycia.

Hipoglikemia wywołuje w organizmie „mobilizację" mechanizmów wyrównawczych, tzn. następuje wzmożone wydzielanie hormonów o działaniu przeciwstawnym do insuliny, która jest hormonem obniżającym poziom glukozy we krwi. Najwcześniej zaznacza się działanie adrenaliny. Hamuje ona wydzielanie insuliny i pobudza uwalnianie glukozy z glikogenu, głównego węglowodanu zapasowego organizmu.

Objawy hipoglikemii we wczesnym okresie są przeważnie ubocznym efektem działania adrenaliny. Są to: poty, drżenie rąk, niepokój, przyspieszenie tętna, uczucie kołatania serca. Mogą pojawiać się też objawy zależne od niedoboru glukozy w ośrodkowym układzie nerwowym, czyli od tzw. neuroglikopenii, a mianowicie uczucie zmęczenia, osłabienie, ból głowy, uczucie głodu, senność, opóźnienie reakcji psychicznych, chwiejność emocjonalna, upośledzenie koordynacji ruchów, dziwaczne zachowanie się. Niekiedy stan taki bywa fałszywie interpretowany jako upojenie alkoholowe, co jest szczególnie niebezpieczne, ponieważ opóźnia udzielenie właściwej pomocy. W przypadku pogłębiania się niedoboru glukozy może dojść do zaburzeń świadomości, a nawet do całkowitej utraty przytomności. U osób z chorobą wieńcową incydenty hipoglikemii sprzyjają występowaniu bólów wieńcowych. Zwiększone łaknienie towarzyszące hipoglikemii może prowadzić do znacznej otyłości, zwłaszcza przy nadużywaniu pokarmów węglowodanowych.

Wyróżnia się 3 rodzaje stanów hipoglikemicznych: 1) hipoglikemię występującą na czczo, 2) hipoglikemię poposiłkową (reaktywną) oraz 3) hipoglikemię polekową.

Hipoglikemia występująca *na czczo* może zależeć od: a) wzmożonego wydzielania insuliny w nowotworach trzustki (tzw. wyspiak wydzielający insulinę) albo w rozroście komórek B, b) niedostatecznego wchłaniania glukozy w jelitach i zbyt małego wytwarzania jej w organizmie w przypadku niedoboru hormonów działających przeciwstawnie do insuliny (niedoczynność kory nadnerczy, tarczycy, przysadki), c) zaburzeń metabolizmu glikogenu, zwłaszcza w chorobach wątroby, d) przedłużonego głodowania i e) nadużycia alkoholu u osób z predyspozycją wynikającą z innych przyczyn.

Wyspiak wydzielający insulinę jest rzadkim nowotworem, ale jest niebezpieczny, ponieważ może powodować *stany śpiączkowe* (śpiączka hipoglikemiczna) zagrażające bezpośrednio życiu. Objawy towarzyszące mu mają charakter zmienny, występują nie tylko na czczo, ale także w czasie dłuższej przerwy między posiłkami i po wysiłku fizycznym; dominują objawy ze strony układu nerwowego. W hipoglikemii po zatruciu alkoholowym cechą typową jest obniżenie temperatury ciała.

Hipoglikemia poposiłkowa (*reaktywna*). Objawy pojawiają się po 1–4 godz. po posiłku zawierającym głównie węglowodany proste, nigdy na czczo, głównie u osób ze znaczną chwiejnością emocjonalną i wegetatywną, częściej u kobiet niż u mężczyzn. Objawy te są skutkiem ubocznego działania adrenaliny; w tej postaci nigdy nie dochodzi do śpiączki, jeżeli nie współistnieją inne predysponujące czynniki. Hipoglikemia reaktywna może występować też u chorych po operacji częściowego usunięcia żołądka oraz w niedoczynności kory nadnerczy i przysadki.

Hipoglikemia polekowa występuje najczęściej u chorych na cukrzycę po przedawkowaniu insuliny albo doustnych leków przeciwcukrzycowych i może spowodować śpiączkę. Przyczynia się do tego pomijanie posiłków w czasie leczenia przeciwcukrzycowego.

Rozpoznanie określonego stanu hipoglikemicznego w bardzo dużym stopniu zależy od informacji uzyskanej od chorego, dotyczącej rodzaju i czasu występowania objawów, ewentualnych dodatkowych chorób i zażywanych leków. *Badania* obejmują oznaczenie poziomu glukozy we krwi na czczo oraz przez 4–6 godz. po podaniu doustnie glukozy (w hipoglikemii reaktywnej), a także kontrolę wskaźników funkcji wątroby. Przy podejrzeniu wyspiaka przeprowadza się 24–48-godzinną próbę głodową z kontrolą poziomu glukozy i insuliny we krwi. Wykonywana jest ultrasonografia, tomografia komputerowa, arteriografia, scyntygrafia trzustki.

Leczenie. Śpiączkę hipoglikemiczną leczy się wyłącznie szpitalnie. W napadzie hipoglikemii, z wyjątkiem postaci poposiłkowej, podaje się osłodzony płyn i posiłek. Leczenie przyczynowe w wyspiaku trzustki jest chirurgiczne. W niedoczynności przysadki i kory nadnerczy stosuje się leczenie hormonalne substytucyjne.

Napadom hipoglikemii poposiłkowej można zapobiec stosując odpowiedni skład posiłków i odpowiednią porę ich spożywania. Należy znacznie ograniczyć w diecie węglowodany proste, a więc cukier, słodycze, miód, dżemy, marmoladę, wyroby cukiernicze. Produkty tego rodzaju można spożywać w niewielkich ilościach pod koniec posiłku zawierającego węglowodany złożone, białko i tłuszcze. Nie powinno się ich spożywać między posiłkami jako jedynego rodzaju pokarmu, nie wolno też opanowywać napadu hipoglikemii poposiłkowej podaniem słodyczy, gdyż hiperglikemia powstająca po ich spożyciu wywołuje wzmożone wydzielanie insuliny i w konsekwencji dochodzi do ponownego spadku poziomu glukozy. Nie powinno się także używać alkoholu i czarnej kawy, które sprzyjają hipoglikemii.

Zespoły zaburzeń wielogruczołowych

Zaburzenie czynności co najmniej dwóch gruczołów dokrewnych określa się mianem zespołów zaburzeń wielogruczołowych.

Nadczynność wielogruczołowa jest wywołana gruczolakami lub rozrostem czynnych hormonalnie komórek w różnych narządach wydzielania wewnętrznego, na podłożu genetycznym. Zazwyczaj występują dwa typy skojarzeń. W jednym z nich mogą występować gruczolaki przysadki, tarczycy, przytarczyc, wysp trzustki i kory nadnerczy. W typie drugim kojarzy się zwykle rak rdzeniasty tarczycy z guzem chromochłonnym rdzenia nadnerczy. Rozpoznanie i leczenie tych zaburzeń opiera się na tych samych zasadach, co przy gruczolaku pojedynczego narządu.

Zespół niedoczynności wielogruczołowej zdarza się w przebiegu autoimmunizacji, gdy organizm wytwarza przeciwciała przeciwko własnym narządom. Skojarzenie zaburzeń może obejmować chorobę Addisona, pierwotną niedoczynność tarczycy, przytarczyc, przysadki i gruczołów płciowych, nadczynność tarczycy, cukrzycę, a także łysienie plackowate i bielactwo.

Rozpoznawanie i leczenie nie różnią się od sposobu postępowania w niedoczynności poszczególnych gruczołów dokrewnych.

Cukrzyca

Komitet Ekspertów Światowej Organizacji Zdrowia w 1979 r. przyjął, że cukrzyca jest zespołem różnych genetycznie uwarunkowanych i różnych nabytych zaburzeń metabolicznych, których wspólną cechą jest nietolerancja glukozy oraz wynikające stąd podwyższenie jej poziomu we krwi i pojawienie się w moczu. Towarzyszą temu objawy kliniczne, które zależą od zaburzeń przemiany glukozy, a z czasem rozwijają się też nieprawidłowe zmiany w układzie naczyniowym, nerwowym i w innych narządach, określane wspólnym mianem zmian przewlekłych albo późnych powikłań cukrzycy. Zgodnie z nową klasyfikacją, nazwę cukrzyca (*diabetes mellitus* – w dosłownym tłumaczeniu: „słodkie przeciekanie") zarezerwowano wyłącznie dla choroby o pełnym obrazie klinicznym, natomiast łagodne zaburzenia przemiany glukozy, rozpoznawane tylko na podstawie badań laboratoryjnych, określono mianem nieprawidłowej tolerancji glukozy (zob. s. 809, tabela).

Epidemiologia

Chorobowość i zapadalność na cukrzycę wykazują dość duże różnice w zależności od szerokości geograficznej, grupy etnicznej i stanu odżywienia. Są one np. bardzo niskie wśród Eskimosów, natomiast sięgają blisko połowy dorosłej populacji Indian Północnoamerykańskich (Pima). Jeżeli chodzi o kaukaską grupę etniczną, to z przeprowadzonych w różnych krajach Europy i Ameryki Północnej badań wynika, że chorobowość na cukrzycę między 14 a 60 r. życia wynosi 1–3%, powyżej tego wieku gwałtownie się zwiększa i może sięgać nawet 7–9%. Tak zwana cukrzyca dziecięca, tzn. postać choroby ujawniającej się poniżej 15 r. życia, występuje rzadko. Dzieci chore na cukrzycę w zależności od kraju stanowią 1–5% wszystkich chorych na tę chorobę.

W Polsce przybliżoną częstość występowania cukrzycy jawnej, obliczoną na podstawie badań przeprowadzonych w różnych grupach ludności, a także analizy przyczyn zgonów, ocenia się na około 2% ogółu ludności (1991 r.). W liczbach bezwzględnych oznacza to, że chorych na cukrzycę w naszym kraju jest około 800 tys., z czego blisko 500 tys. to ludzie w wieku powyżej 50 roku życia. Dzieci chorych na cukrzycę jest około 7 tys. Co najmniej tyle samo co chorych na cukrzycę jawną jest osób z tzw. nieprawidłową tolerancją glukozy wg definicji Światowej Organizacji Zdrowia (zob. s. 809), czyli że łączna liczba ludzi z zaburzeniem przemiany węglowodanów przekracza w Polsce półtora miliona. Umieralność wśród chorych na cukrzycę jest ciągle wyższa niż wśród członków ogólnej populacji. Nawet w społeczeństwach o wysokim poziomie organizacji opieki nad chorymi na cukrzycę tzw. oczekiwany okres przeżycia jest o kilkanaście lat krótszy w cukrzycy typu 1 i o kilka lat krótszy w cukrzycy typu 2 w porównaniu z analogicznym okresem przeżycia ogółu społeczeństwa, w którym ci chorzy żyją.

Klasyfikacja cukrzycy

Najogólniej cukrzycę można podzielić na: cukrzycę „idiopatyczną", tj. taką, której przyczyny dotąd jednoznacznie nie wyjaśniono i jest ciągle przedmiotem różnych hipotez, cukrzycę „wtórną" oraz cukrzycę „skojarzoną", których przyczyna jest najczęściej znana. Cukrzyca idiopatyczna jest chorobą nieuleczalną i chociaż jej nasilenie może ulegać dużym zmianom, sama choroba utrzymuje się do śmierci. Cukrzyca wtórna, w razie dostatecznie wczesnego usunięcia przyczyny, jest chorobą uleczalną. Najczęściej spotykaną postacią cukrzycy jest cukrzyca idiopatyczna, stanowiąca ok. 95% wszystkich znanych przypadków tej choroby w naszej szerokości geograficznej. Cukrzycę tę dzieli się na dwie zasadnicze postacie: cukrzycę typu 1 i cukrzycę typu 2 (nomenklatura wg nowej klasyfikacji Światowej Organizacji Zdrowia).

Cukrzyca typu 1, czyli **insulinozależna**, stanowi ok. 10% wszystkich przypadków cukrzycy idiopatycznej i najczęściej występuje w młodości (stąd dawna nazwa: cukrzyca młodzieńcza), poniżej 30 r. życia. Do tej grupy należy też większość przypadków cukrzycy dziecięcej.

Przyczyną choroby, jak się obecnie uważa, przynajmniej w części przypadków jest zakażenie wirusem Coxsackie B4, który w odpowiednio podatnym organizmie wywołuje swoiste zaburzenia odporności (autoimmunizacja), doprowadzające do zniszczenia komórek B wytwarzających insulinę w wyspach Langerhansa trzustki (tablica 18 a). W tej postaci cukrzycy występuje bezwzględny niedobór insuliny.

Objawy występują najczęściej dość nagle i w krótkim czasie osiągają znaczne nasilenie. Są to: wysychanie w ustach, pragnienie, a zarazem znaczny wielomocz, który może osiągać objętość kilku litrów na dobę, duży apetyt, a równocześnie chudnięcie połączone ze znacznym osłabieniem i utratą sił. Z reguły występuje niedobór masy ciała, suchość błon śluzowych i skóry, która ujęta w fałd długo się tak utrzymuje. Ponadto na skórze występują czyraki oraz zadrapania spowodowane świądem. Dość częstym objawem jest powiększenie wątroby, a także zmiany neurologiczne, takie jak zaburzenia czucia i zniesienie prawidłowych odruchów nerwowych. W razie nierozpoczęcia w porę leczenia, stan chorego szybko się pogarsza i dochodzi do zaburzeń świadomości i ostatecznie do śpiączki na tle rozwijającej się kwasicy ketonowej (zob. s. 817), stanowiącej bezpośrednie zagrożenie życia. Leczenie tej postaci cukrzycy insuliną od początku choroby jest bezwzględnie konieczne. Z chwilą podjęcia właściwej terapii stan chorych szybko się poprawia, dolegliwości ustępują. Dopiero z upływem lat mogą ujawniać się dolegliwości i objawy związane z przewlekłymi powikłaniami cukrzycy (zob. s. 816). W długotrwałej cukrzycy typu 1 mogą wystąpić zaburzenia widzenia, zaburzenia czynności nerek, a także zaburzenia ze strony układu krążenia (serca).

Cukrzyca typu 2, czyli **insulinoniezależna**, stanowi ok. 90% przypadków cukrzycy idiopatycznej, jest więc najczęstszą postacią tej choroby. Występuje u ludzi dorosłych (stąd dawna nazwa: cukrzyca typu dorosłych), na ogół powyżej 40 r. życia, chociaż sporadycznie może pojawić się i w młodszym wieku.

Przyczyną choroby nie jest zniszczenie komórek B wydzielających insulinę, ale ich uwarunkowane dziedzicznie niewłaściwe funkcjonowanie, które w określonych warunkach prowadzi do względnego niedoboru insuliny. Prawdopodobnie istotne znaczenie ma tu zmniejszenie wrażliwości tkanek na działanie insuliny. „Siła” penetracyjna genotypu cukrzycorodnego jest nieduża, dlatego szczególnego znaczenia w występowaniu tej postaci cukrzycy nabierają czynniki środowiskowe, spośród których największe znaczenie ma stopień, długotrwałość utrzymywania się i typ otyłości. W rzeczywistości edpidemiologia tej postaci cukrzycy w dużym stopniu pokrywa się z rozprzestrzenieniem otyłości w świecie. Pewne znaczenie może mieć także przestrojenie hormonalne organizmu doprowadzające do zwiększenia wydzielania hormonów działających antagonistycznie wobec insuliny (ciąża, okres pokwitania, starość), zakażenia, choroby wątroby, niektóre leki, głównie hormonalne (enkorton, pigułki antykoncepcyjne).

Objawy w tej postaci cukrzycy mogą być takie same, jak w cukrzycy typu 1, jednak są one przeważnie znacznie mniej nasilone i nieraz upływa kilka lat, zanim chory zwróci się z ich powodu do lekarza. Częściej natomiast występują tu dolegliwości ze strony narządów płciowych: u mężczyzn pod postacią zapalenia żołędzi, u kobiet pod postacią świądu sromu, i one właśnie nieraz naprowadzają na rozpoznanie cukrzycy. Z reguły otyłość, niekiedy bardzo znaczna, występuje u 80% mężczyzn i 90% kobiet. Nadmierne gromadzenie tłuszczu, głównie na tułowiu (otyłość brzuszna) i twarzy, przy stosunkowo cienkich kończynach, nadaje chorym charakterystyczną sylwetkę. Często w skórze twarzy ulegają rozszerzeniu naczynia, dając obraz rumienia. Mogą też istnieć inne przewlekłe zmiany skórne (zob. s. 818). U kobiet nieraz występuje nadmierne uwłosienie górnej wargi i brody („cukrzyca kobiet brodatych”). Dość często tej postaci cukrzycy towarzyszą: nadciśnienie i wynikające z niego zmiany w układzie krążenia (powiększenie serca, zmiany w EKG). Ostre powikłania pod postacią śpiączki ketonowej w tej postaci cukrzycy występują rzadko, a jeżeli do nich dochodzi, dają obraz śpiączki osmotycznej (zob. s. 817).

Leczenie. Choroba z reguły może być leczona, przynajmniej w początkowym okresie, wyłącznie dietą lub dietą i lekami doustnymi. Leczenie insuliną jest stosowane dopiero w cukrzycy długo trwającej. Wówczas też głównym problemem stają się zaburzenia ze strony układu krążenia, a mianowicie choroba niedokrwienna serca i zawał serca, który ma na ogół cięższy przebieg aniżeli u ludzi bez cukrzycy, niewydolność krążenia oraz zaburzenia w ukrwieniu mózgu, dające większą skłonność do udarów. U ludzi starszych szczególne zagrożenie stanowią zaburzenia ukrwienia kończyn dolnych, które w razie nieostrożnego skaleczenia mogą powodować występowanie nie gojących się owrzodzeń i zmian martwiczych, wymagających w stanach zaawansowanych radykalnego leczenia operacyjnego.

Cukrzyca wtórna i cukrzyca skojarzona. Te dwa rodzaje cukrzycy stanowią jedynie niewielką grupę wszystkich zachorowań na tę chorobę. Przyczyna cukrzycy wtórnej jest znana, natomiast drugi rodzaj cukrzycy kojarzy się z jakąś inną chorobą, przy czym sam mechanizm doprowadzający do wystąpienia cukrzycy w tym skojarzeniu nie zawsze jest w pełni wyjaśniony.

Klasycznym przykładem cukrzycy wtórnej jest cukrzyca występująca po chirurgicznym wycięciu trzustki lub w następstwie rozległego jej zapalenia, albo zniszczenia przez nowotwór lub rozległy uraz. Do wtórnych postaci zalicza się także cukrzycę występującą w niektórych guzach (dobrotliwych i złośliwych) gruczołów wewnętrznego wydzielania, wytwarzających hormony działające antagonistycznie wobec insuliny. Należą tu guzy przysadki (wywołujące akromegalię lub chorobę Cushinga), guzy nadnerczy (zespół Cushinga, gruczolak chromochłonny rdzenia nadnerczy), guzy utworzone przez komórki A wysp trzustki wytwarzające glukagon (glukagoniaki). W tych przypadkach po wczesnym chirurgicznym usunięciu guza cukrzyca może ustąpić. Jeżeli jednak doszło już do trwałego wyczerpania i uszkodzenia komórek B wydzielających insulinę, nawet udana operacja nie jest w stanie wyleczyć chorego z cukrzycy.

C u k r z y c a s k o j a r z o n a występuje w różnych zespołach genetycznych (dziedzicznych), w których do zaburzenia przemiany glukozy doprowadzają różne mechanizmy. Dużą grupę tych zespołów stanowią wrodzone zaburzenia nerwowo-mięśniowe, w których mechanizm nietolerancji glukozy pozostaje nadal nie wyjaśniony. Ten typ cukrzycy spotyka się bardzo rzadko.

O b j a w y. We wszystkich postaciach cukrzycy wtórnej i skojarzonej na pierwszy plan wysuwają się dolegliwości i objawy choroby podstawowej. Dolegliwości i objawy typowe dla cukrzycy (pragnienie, wielomocz, duży apetyt, chudnięcie i inne – zob. s. 807) ujawniają się w miarę narastania niedoboru insuliny, wzrostu poziomu glukozy we krwi i zwiększenia cukromoczu.

L e c z e n i e. W cukrzycy wtórnej najczęściej jest konieczne leczenie insuliną. W cukrzycy skojarzonej niekiedy wystarcza stosowanie diety i leki doustne, ale w postaciach choroby cechujących się dużą insulinooporonością zachodzi potrzeba stosowania bardzo dużych dawek insuliny. Nie leczone cukrzyca wtórna i skojarzona mogą doprowadzić do kwasicy ketonowej i śpiączki cukrzycowej.

Rozpoznanie cukrzycy (metody badań laboratoryjnych)

Wstępne rozpoznanie cukrzycy ustala się na podstawie objawów chorobowych. Rozpoznanie ostateczne jest dokonywane na podstawie wyników badań laboratoryjnych, spośród których najważniejsze to oznaczenie zawartości cukru w moczu i we krwi,

M o c z ludzi zdrowych n i e z a w i e r a c u k r u i dlatego też obecność w nim cukru glukozy (c u k r o m o c z – glukozuria) jest znamienna dla cukrzycy, jakkolwiek zdarzają się (bardzo rzadko) przypadki cukromoczu spowodowanego nieprawidłową funkcją nerek, czy c u k r o m o c z u n e r k o w e g o. Przy nieprawidłowej tolerancji glukozy, w cukrzycy łagodnej, a często w cukrzycy u ludzi starych, może nie być cukru (glukozy) w moczu, bądź też może on się pojawiać tylko w niektórych porcjach moczu. Dlatego też w rozpoznaniu cukrzycy, a przede wszystkim w kontroli jej wyrównania, określa się zawartość cukru w moczu dobowym (zbieranym przez 24 godz.). Badanie cukru w moczu przy użyciu metod konwencjonalnych (próba Nylandera, próba Fehlinga) może dawać tzw. fałszywy wynik dodatni w przypadku obecności w moczu innych niż glukoza cukrów (fruktoza, pentozy), a także w razie obecności innych substancji redukujących, mogących pojawiać się w moczu u osób przyjmujących niektóre leki (większe ilości hydrazydu kwasu izonikotynowego, streptomycyny, oksyterracyny, związków salicylu, witaminy C i innych), dlatego obecnie coraz częściej stosuje się w tym celu swoiste dla glukozy „suche testy" enzymatyczne.

Glukoza jest niezbędnym składnikiem krwi i od jej poziomu we krwi zależy zaopatrzenie mózgu w ten cukier. Prawidłowy poziom glukozy we krwi żylnej oznaczony metodą enzymatyczną wynosi na czczo 65–95 mg% (3,6–5,3 mmol/l), we krwi kapilarnej (pobranej z opuszki palca lub płatka ucha) jest o 10–15 mg% (o 0,55–0,83 mmol/l) wyższy. W ciągu dnia (doby) poziom ten wzrasta po posiłkach, z tym, że u ludzi zdrowych nie przekracza we krwi żylnej 160 mg% (8,9 mmol/l) w godzinę i 120 mg% (6,7 mmol/l) w 2 godz. po posiłku.

W cukrzycy typu 1 poziom glukozy we krwi na czczo jest z reguły znacznie podwyższony (hiperglikemia), na ogół przekracza 200 mg% (11,1 mmol/l), i ten wynik wraz z równoczesnym stwierdzeniem obecność cukru w moczu pozwala potwierdzić rozpoznanie choroby. W cukrzycy typu 2 poziom glukozy we krwi na czczo bywa najczęściej również podwyższony, jednak nieraz może być prawidłowy, natomiast zawsze jest podwyższony po posiłkach. Dlatego powszechnie oznacza się, zwłaszcza w warunkach ambulatoryjnych, poziom glukozy w 2 godz. po śniadaniu. W razie trudności diagnostycznych wykonuje się test doustnego obciążenia glukozą. Wg zaleceń Komitetu Ekspertów Światowej Organizacji Zdrowia z 1979 r. osobom dorosłym podaje się do wypicia roztwór zawierający 75 g glukozy rozpuszczonej w 250–300 ml wody (dzieciom podaje się 1,75 g glukozy na kg masy ciała do maksymalnej dawki 75 g) i oznacza poziom glukozy we krwi przed i w 2 godz. po spożyciu testowej dawki glukozy. Badanie to pozwala nie tylko rozpoznać (lub wykluczyć) cukrzycę, ale także

Kryteria oceny doustnego testu tolerancji glukozy wg WHO
(75 g glukozy doustnie, u dzieci 1,75 g/kg m.c.)

Rozpoznanie	Poziom glukozy we krwi	
	żylnej	naczyń włosowatych
Cukrzyca		
na czczo	powyżej 120 mg% (7 mmol/l)	powyżej 120 mg% (7 mmol/l)
i(lub) 2 godz. po spożyciu glukozy	powyżej 180 mg% (10 mmol/l)	powyżej 200 mg% (11 mmol/l)
Nieprawidłowa tolerancja glukozy		
na czczo	poniżej 120 mg% (7 mmol/l)	poniżej 120 mg% (7 mmol/l)
i(lub) 2 godz. po spożyciu glukozy	120–180 mg% (7–10 mmol/l)	140–200 mg% (8–11 mmol/l)

łagodniejsze zaburzenie określone mianem nieprawidłowej tolerancji glukozy (tabela na s. 809).

W kontroli cukrzycy znaczenie ma także badanie moczu na obecność acetonu. Wykonuje się je przy użyciu ketotestu, przy czym dodatni wynik tej próby charakteryzuje się wystąpieniem zabarwienia od lawendowego (1+) do purpurowofioletowego (4+). Obecność acetonu w moczu chorego na cukrzycę dowodzi głębokich zaburzeń metabolicznych i wymaga natychmiastowej konsultacji lekarskiej. Niewielkie ilości acetonu (1+) mogą pojawiać się w moczu u ludzi zdrowych po dłuższym głodzeniu.

Leczenie cukrzycy

Leczenie cukrzycy jest zawsze kompleksowe i obejmuje: 1) przestrzeganie odpowiedniej diety; 2) stosowanie właściwych leków – insuliny lub doustnych leków przeciwcukrzycowych; 3) wykorzystanie pracy mięśniowej do poprawienia przemiany węglowodanów; 4) odpowiednie szkolenie chorych w zakresie zachowania zdrowotnego.

Leczenie dietą. Właściwe żywienie stanowi bardzo ważny element leczenia cukrzycy i nie straciło na aktualności pomimo wprowadzenia do terapii tej choroby nowoczesnych leków. W żywieniu chorych na cukrzycę istotne są: 1) wartość energetyczna dziennej racji pokarmowej; 2) skład jakościowy diety; 3) rozkład posiłków w ciągu dnia.

Wartość energetyczna dziennej racji pokarmowej. Dobowe zapotrzebowanie energetyczne zależy od wieku, płci, wzrostu masy ciała, zawodu. W przybliżeniu wynosi ono 25–40 kcal (105 do 168 kilodżuli – kJ) na kg należnej masy ciała (n.m.c.); u osób otyłych może być mniejsze, a u ciężko pracujących jest nawet wyższe. Znaczna większość chorych na cukrzycę to osoby otyłe, a więc w praktyce najczęściej w rachubę wchodzą diety ubogoenergetyczne (np. 20 kcal, czyli 84 kJ na kg n.m.c.), a nawet prowadzi się kuracje odchudzające. Należną masę ciała oblicza się wg wzorów podanych w rozdziale: Przemiana materii; bilans energetyczny organizmu i jego ocena, s. 218.

Skład jakościowy diety. Odpowiednio dobrane składniki pokarmowe powinny mieścić się w ramach określonego zapotrzebowania energetycznego. Białko zaleca się w ilości 0,8–1,0 g na kg n.m.c., ale dzieciom, rekonwalescentom i pracownikom fizycznym nawet do 2 g na kg n.m.c. Połowę spożywanego białka powinny stanowić produkty pochodzenia zwierzęcego (mięso, jaja, mleko, ser). Należy spożywać duże ilości jarzyn (250–500 g dziennie) ze względu na niewielką ich wartość energetyczną i znajdujące się w nich witaminy oraz błonnik i inne tzw. substancje resztkowe (tzn. nie ulegające trawieniu), które poprawiają tolerancję glukozy w cukrzycy. Zaleca się także spożywanie owoców, przeciętnie 250 g dziennie. Ilość tłuszczu ogranicza się do ok. 50 g dziennie, u osób szczupłych lub pracujących fizycznie i dzieci – do 70 g dziennie. Spożywanie oleju (nienasycone kwasy tłuszczowe) wywiera pewne działanie ochronne przed rozwojem miażdżycy, dlatego co najmniej 1/3 dziennej porcji tłuszczu powinien stanowić olej. Pokarmy węglowodanowe dzieli się na zawierające cukry proste (cukier buraczany i trzcinowy, miód, dżemy, ciasta, cukierki, czekolada) i na zawierające węglowodany złożone, czyli skrobię (produkty zbożowe, ziemniaki, ryż). Te ostatnie zaleca się w dostatecznej ilości, dostosowanej do dobowego zapotrzebowania energetycznego, przeciętnie 200–250 g dziennie, a w pewnych przypadkach więcej. Ogranicza się natomiast spożywanie cukrów prostych, gdyż powodują one znaczne zwyżki poziomu glukozy we krwi i nasilenie cukromoczu. Niewielkie ilości cukru w diecie chorego na cukrzycę są dopuszczalne zarówno ze względów smakowych (ważne u dzieci!), jak i dlatego, że ich spożycie nie wpływa w zasadniczy sposób na pogorszenie klinicznego przebiegu choroby. W cukrzycy typu 1 można spożywać do 6 łyżeczek (do herbaty) „słodkich" (30 g) cukru lub miodu, w cukrzycy typu 2 nie należy przekraczać 3 łyżeczek „słodkich" (15 g) dziennie. Osobom przyzwyczajonym do słodzenia napojów zaleca się sztuczne środki słodzące. W Polsce na rynek jest dopuszczona jedynie sacharyna mająca siłę słodzenia 400–500 razy większą od cukru (1 tabletka zawierająca 12 mg sacharyny ma siłę słodzenia 1 łyżeczki do herbaty cukru). Spożywanie większej ilości fruktozy (miodu) w cukrzycy nie znajduje uzasadnienia, gdyż cukier ten w wątrobie ulega szybkiej przemianie do glukozy.

Rozkład posiłków w ciągu dnia. W prawidłowym żywieniu chorych na cukrzycę duże znaczenie ma właściwy rozkład spożycia pokarmów, zwłaszcza węglowodanowych. Najbardziej celowe jest rozłożenie dziennej racji węglowodanów na 5 posiłków, w tym po 25% na posiłki główne (śniadanie, obiad, kolacja) i po 10–15% na posiłki dodatkowe (II śniadanie, podwieczorek). Osobom skłonnym do stanów niedocukrzenia krwi w godzinach nocnych zaleca się spożycie dodatkowego posiłku (szóstego) ok. godz. 23.

Wobec konieczności wieloletniego przestrzegania diety chory musi dobrze poznać jej zasady. Ważenie produktów pokarmowych jest potrzebne tylko w okresie początkowym, by później móc swobodnie posługiwać się miarami domowymi, jak łyżeczka, łyżka (płaska, czubata), szklanka itp., z uwzględnieniem masy produktów w stanie surowym i po ugotowaniu. Możliwie najwcześniej chory powinien przyswoić sobie pojęcie „zamienników pokarmowych", tzn. orientować się, w jakim stosunku można zamienić jedne produkty na inne. Pozwala to na urozmaicenie diety przy zachowaniu tej samej wartości energetycznej i składu jakościowego. W niektórych krajach przemysł podjął produkcję produktów przeznaczonych dla chorych na cukrzycę, co ułatwia sporządzanie właściwego jadłospisu. Trzeba jednak wyraźnie zaznaczyć, że człowiek chory na cukrzycę może spożywać te same produkty co człowiek zdrowy, powinien wszakże kierować się w ustaleniu ich ilości i proporcji wyżej podanymi zasadami.

Leczenie insuliną. Przeciętnie ok. 20% chorych na cukrzycę wymaga obecnie leczenia insuliną. Należą tu chorzy z cukrzycą typu 1, większość chorych z cukrzycą wtórną lub skojarzoną, a spośród chorych z cukrzycą typu 2 ci, u których stosowane uprzednio leczenie preparatami doustnymi przestało być skuteczne.

Insulina jest polipeptydem składającym się z 51 aminokwasów i w związku z tym działa wyłącznie podana pozajelitowo, tzn. w formie wstrzyknięć. Z reguły wstrzykuje się ją podskórnie (rys.), natomiast domięśniowo albo dożylnie tylko wyjątkowo i w zasadzie wyłącznie w warunkach szpitalnych. Insulina jest mianowana w jednostkach – 1 mg IV międzynarodowego standardu insuliny, zatwierdzonego w 1959 r. przez Światową Organizację Zdrowia, zawiera 24 jednostki insuliny, czyli 1 jednostka insuliny odpowiada 0,04167 mg tego standardu. Produkowane w Polsce preparaty insuliny zawierają 40 lub 80 jednostek tego hormonu w 1 ml, fiolki zaś zawierają po 10 ml. Ostatnio w wielu krajach zaczyna się przechodzić – zgodnie z ogólnoświatową tendencją – do produkowania preparatów zawierających 100 jednostek insuliny w 1 ml.

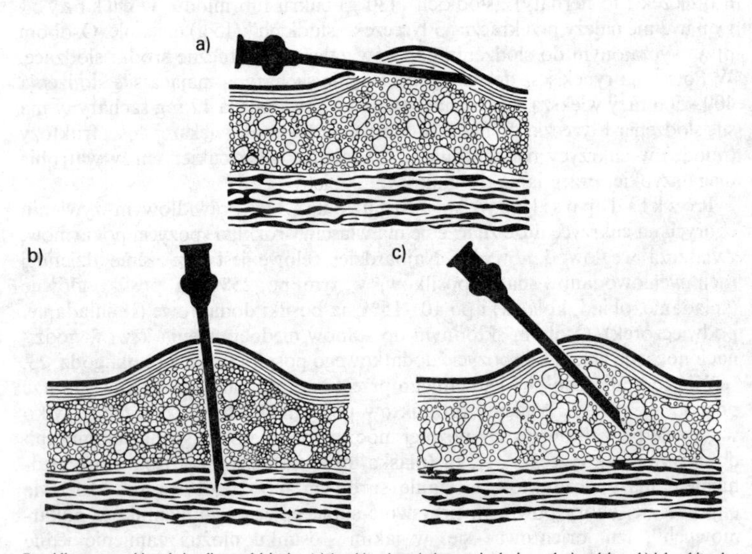

Prawidłowe wstrzykiwanie insuliny podskórnie: a) igła wbita zbyt płytko, swoim końcem tkwi w skórze; b) igła wbita zbyt głęboko, swoim końcem tkwi w mięśniu; c) igła wbita właściwie, swoim końcem tkwi w tkance podskórnej

Insulina reguluje w organizmie prawidłowe zużytkowanie i wykorzystanie glukozy, co prowadzi do obniżenia poziomu tego cukru we krwi. Dlatego po każdym wstrzyknięciu insuliny należy w ciągu 30–60 min (nie później!) spożyć przewidziany w jadłospisie posiłek. Nieprzestrzeganie tej zasady może spowodować nadmierne i groźne w skutkach niedocukrzenie krwi.

Obecnie w Polsce są produkowane 3 grupy preparatów insuliny:

1) Insuliny o krótkim okresie działania, trwającym 6–12 godz. Należy tu insulina zwykła (krystaliczna obojętna niebuforowana), insulina maxirapid i insulina semilente, wszystkie wytwarzane z trzustek

wieprzowych. Jeżeli w leczeniu cukrzycy są stosowane tylko te rodzaje insuliny, należy je wstrzykiwać 2–3 razy dziennie.

2) Insuliny o przedłużonym okresie działania, przekraczającym 24 godz. Zawierają dodatek innych substancji (insulina cynkowo-protaminowa) lub są otrzymane drogą specjalnej technologii krystalizacji (insulina ultralente). Insuliny o przedłużonym działaniu są wytwarzane z trzustek bydlęcych i w zasadzie nigdy nie są stosowane jako leki wyłączne.

3) Insuliny o pośrednim okresie działania, trwającym do 24 godz., co umożliwia u części pacjentów ich stosowanie w postaci jednego wstrzyknięcia dziennie przed śniadaniem. Uzyskuje się je przez zmieszanie insulin grupy 1 i 2. Może to być mieszanina stała (insulina lente, insulina izofanowa), często jednak jest to mieszanina indywidualna insuliny krótko i długo działającej, dostosowana do aktualnego zapotrzebowania chorego.

Podejmowane są próby optymalizacji leczenia cukrzycy insuliną, zmierzające do naśladowania wydzielania insuliny przez trzustkę. Nie znalazły, jak dotąd, szerszego praktycznego zastosowania urządzenia (pompy) do ciągłego wlewu insuliny (np. dożylnego, podskórnego), natomiast coraz powszechniej stosuje się – głównie w cukrzycy typu 1 (u dzieci, kobiet w ciąży) system wielokrotnych w ciągu dnia wstrzyknięć insuliny krótko działającej, co jest ułatwione w razie posługiwania się odpowiednimi wstrzykiwaczami insuliny (penami). Wyrazem optymalizacji leczenia cukrzycy insuliną jest stopniowe zastępowanie insuliny konwencjonalnej preparatami insuliny chromatograficznie oczyszczonej (ChOS, WOS) oraz wprowadzenie insuliny identycznej pod względem budowy chemicznej z insuliną ludzką (otrzymanej drogą półsyntezy lub inżynierii genetycznej, wykorzystując w tym celu bakterie lub drożdże). Insulina, mimo że jest fizjologicznym, a więc najlepszym lekiem przeciwcukrzycowym, może spowodować wystąpienie powikłań.

Powikłaniem leczenia insuliną, najczęstszym i najważniejszym, jest niedocukrzenie krwi, czyli hipoglikemia. Glukoza, nieodzowny składnik krwi, stanowi główny substrat energetyczny dla mózgu. Dobowe zapotrzebowanie mózgu dorosłego człowieka na ten cukier wynosi ok. 150 g. W stanach niedocukrzenia (na ogół poniżej 45 mg%, tj. 2,5 mmol/l glukozy w krwi żylnej) bardzo znacznie zmniejsza się dopływ glukozy do mózgu i występują objawy ze strony ośrodkowego układu nerwowego, takie jak zaburzenia myślenia, niemożność skupienia się, zachowanie maniakalne, zaburzenia mowy, widzenia, drgawki toniczne i kloniczne, utrata przytomności. Ciężkie stany niedocukrzenia krwi stanowią bezpośrednie zagrożenie życia i wymagają natychmiastowej interwencji: podania do wypicia płynu mocno osłodzonego cukrem, a w razie braku natychmiastowej poprawy – przewiezienia chorego do najbliższego szpitala lub innej placówki służby zdrowia.

Aby ułatwić rozpoznanie stanu niedocukrzenia krwi (który może być przez otoczenie mylnie interpretowany np. jako stan upojenia alkoholowego), chorzy na cukrzycę leczeni insuliną powinny zawsze mieć przy sobie książeczkę i (lub) kartę cukrzycową z danymi personalnymi, stwierdzeniem chorowania na cukrzycę i podaniem dawek insuliny oraz adresem placówki leczniczej, pod której opieką pozostają.

Z innych powikłań insulinoterapii do częściej występujących i mających głównie znaczenie kosmetyczne należą zaniki tkanki tłuszczowej podskórnej w miejscach wstrzykiwania insuliny. To powikłanie, obserwowane przede wszystkim u kobiet i dzieci, ustępuje z chwilą zamiany insuliny zwykłej na insulinę o wysokim stopniu czystości.

Leczenie lekami doustnymi. Doustne leki przeciwcukrzycowe należą do dwóch grup związków, które różnią się strukturą chemiczną, mechanizmem działania i zakresem wskazań do ich stosowania. Są to: 1) pochodne sulfonylomocznika oraz 2) pochodne biguanidu (tabela).

Polskie doustne leki przeciwcukrzycowe

Nazwa polska	Nazwa preparatu	Czas działania pojedynczej dawki (w godz.)
Pochodne sulfonylomocznika		
Tolbutamid	Diabetol	6–12
Chloropropamid	Chlorpropamid	do 60
Glibenoklamid	Euclamin	12–24
Pochodne biguanidu		
Fenformina	Phenformin	4– 6
	Phenformin prolongatum	12–24
Metformina	Metformin	4– 6

M e c h a n i z m d z i a ł a n i a p o c h o d n y c h s u l f o n y l o m o c z n i k a, obniżających poziom glukozy we krwi, jest jednakowy dla całej grupy tych leków i polega głównie na pobudzeniu komórek B wysp trzustkowych do zwiększonego wydzielania insuliny. Żaden z tych leków, także najsilniej działających, nie jest skuteczny w cukrzycy typu 1, w której komórki B wysp trzustkowych ulegają zniszczeniu. W Polsce leki tej grupy przyjmuje większość chorych na cukrzycę i są to chorzy z cukrzycą typu 2. Leków tych nie należy „nadużywać", tzn. stosować tam, gdzie przy ścisłym przestrzeganiu diety można się bez nich obejść.

L e c z e n i e cukrzycy p o c h o d n y m i s u l f o n y l o m o c z n i k a rozpoczyna się od stosowania związków słabiej działających i dopiero gdy nie obniżają one w sposób zadowalający poziomu glukozy we krwi, podawane są leki silniej działające. Po upływie 5–7 lat, gdy leki te przestają być skuteczne i dochodzi do stopniowego podwyższania się poziomu glukozy we krwi i narastania cukromoczu, konieczne staje się stosowanie insuliny.

U niektórych chorych można uzyskać poprawę i przedłużyć okres leczenia doustnego, najczęściej o 1–2 lata, przez dołączenie do leku będącego pochodną sulfonylomocznika drugiego leku – z grupy biguanidów. Jeżeli to skojarzone leczenie okaże się nieskuteczne, należy podjąć leczenie insuliną. Próby kontynuowania „na siłę" leczenia doustnego stwarzają ryzyko wystąpienia ostrych powikłań cukrzycy lub narastania powikłań przewlekłych.

Pochodne sulfonylomocznika, stosowane od ponad 35 lat, są dobrze tolerowane i tylko w ok. 1% przypadków mogą wywoływać uczulenie. Stany niedocukrzenia krwi u chorych leczonych tymi lekami zdarzają się bardzo rzadko, i to głównie u osób starszych oraz podczas stosowania leków silnie działających (chloropropamid, glibenoklamid).

Mechanizm działania pochodnych biguanidu nie jest ostatecznie wyjaśniony, wiadomo jednak, że leki z tej grupy obniżają poziom glukozy we krwi, nie powodując zwiększonego wydzielania insuliny. Hamują one wchłanianie glukozy w przewodzie pokarmowym, zmniejszają wytwarzanie glukozy w wątrobie, a ponadto wywierają przypuszczalnie działanie insulinopodobne w tkankach. Pochodne biguanidu wywierają ponadto korzystny wpływ na przemianę tłuszczową, sprzyjają chudnięciu oraz obniżeniu poziomu cholesterolu i trójglicerydów we krwi. Z reguły są stosowane w cukrzycy typu 2 skojarzonej ze znaczną otyłością i innymi zaburzeniami gospodarki tłuszczowej (hiperlipoproteinemią), a ponadto wówczas, gdy leczenie pochodnymi sulfonylomocznika przestaje być skuteczne. W rzadkich przypadkach kojarzy się je z równoczesnym wstrzykiwaniem insuliny, gdy wyłączne leczenie insuliną nie daje pożądanego efektu (znaczna otyłość, insulinooporność).

W latach siedemdziesiątych pochodne biguanidu przyjmowało ok. 30% chorych na cukrzycę typu 2 i ok. 1% chorych leczonych insuliną. Obecnie leki te stosuje się rzadziej, ponieważ wywołują one objawy nietolerancji i powikłań. Objawy nietolerancji występują głównie ze strony przewodu pokarmowego i manifestują się uczuciem metalicznego smaku, brakiem apetytu, nudnościami, wymiotami, bólami brzucha i biegunką. O wiele groźniejsze są powikłania przemiany materii, które mogą doprowadzić do znacznego wzrostu poziomu kwasu mlekowego we krwi, kwasicy mleczanowej, a nawet do śpiączki mleczanowej. Szczególnie zagrożeni możliwością wystąpienia takiego powikłania są chorzy na cukrzycę z równoczesną poważną chorobą nerek, wątroby, astmą oskrzelową, niewydolnością krążenia. Chorzy ci z reguły wymagają leczenia insuliną.

Znaczenie pracy mięśniowej w leczeniu cukrzycy. To, że umiarkowany wysiłek fizyczny poprawia tolerancję węglowodanową w cukrzycy, wynika głównie z obserwacji klinicznych i dotychczas nie zostało w pełni wyjaśnione. Mięśnie stanowią jedną z głównych tkanek zużywających glukozę. Przypuszcza się, że w czasie pracy zwiększa się ich wrażliwość na działanie insuliny, wskutek czego mniejsza ilość tego hormonu daje większy efekt metaboliczny. Korzystny wpływ pracy mięśniowej zaznacza się głównie w cukrzycy dobrze wyrównanej, natomiast w cukrzycy niedostatecznie kontrolowanej wysiłek fizyczny może pogorszyć ogólny stan metaboliczny. Do programu leczenia chorych na cukrzycę należy zatem włączać umiarkowaną pracę mięśniową, np. w postaci regularnego półgodzinnego spaceru dwa razy dziennie o tej samej porze, pracy w ogródku lub innej systematycznej i stale powtarzanej pracy domowej. Wysiłki nadmierne, zwłaszcza przed posiłkami, mogą jednak doprowadzić do wystąpienia stanu niedocukrzenia krwi!

Kryteria oceny leczenia cukrzycy. Prawidłowe leczenie cukrzycy ma na celu przywrócenie chorym sprawności życiowej i możliwości pełnego uczestniczenia w życiu społecznym („zdrowie uwarunkowane") oraz zapewnienie dostatecznie długiego okresu przeżycia. Głównym kryterium leczenia jest zatem osiągnięcie i zachowanie dobrej sprawności fizycznej oraz prawidłowego stanu psychicznego. W tym programie mieści się uzyskanie należnej masy ciała, tzn. zrzucenie nadwagi u osób otyłych i przyrost masy ciała u osób szczupłych. Ze wskaźników biochemicznych (laboratoryjnych) mówiących o wyrównaniu cukrzycy do najważniejszych należą cukromocz i poziom glukozy we krwi. W cukrzycy leczonej insuliną dobowa utrata cukru (glukozy) z moczem nie powinna przekraczać 30 g, a poziom glukozy we krwi w ciągu doby (w profilu dobowym glikemii) powinien mieścić się w granicach 120–200 mg% (6,7–11,1 mmol/l). W cukrzycy leczonej doustnymi lekami przeciwcukrzycowymi dobowa utrata cukru (glukozy) z moczem nie powinna przekraczać 10 g, a poziom glukozy we krwi w ciągu doby (w profilu dobowym glikemii) powinien pozostawać w granicach 100–180 mg% (5,5–10 mmol/l).

Powikłania cukrzycy

Powikłania występujące w przebiegu cukrzycy, które w istotny sposób determinują inwalidztwo i umieralność w tej chorobie, dzieli się na ostre i przewlekłe.

Ostre powikłania cukrzycy są to stany głębokich zaburzeń przemiany węglowodanów, tłuszczów i białek, jak również zaburzeń wodno-elektrolitowych, gwałtownie upośledzające stan ogólny i doprowadzające do śpiączki cukrzycowej, w której śmiertelność jest ciągle jeszcze wysoka. Przed wykryciem insuliny śpiączka cukrzycowa była przyczyną zgonu ok. 60% chorych na cukrzycę. Obecnie w krajach, w których jest dobrze zorganizowana opieka nad chorymi na cukrzycę, występuje ona rzadko, a odsetek zgonów z powodu tego powikłania nie przekracza kilku procent i w dalszym ciągu wykazuje tendencję spadkową.

Najczęstszą przyczyną śpiączki cukrzycowej jest przerwanie leczenia insuliną, co chorzy czasem czynią w czasie podróży, wycieczki, a także w chorobach gorączkowych, w których z powodu utraty apetytu obawiają się stanu niedocukrzenia krwi. Takie postępowanie jest szczególnie niebezpieczne w ostrych zakażeniach ropnych, w których zapotrzebowanie organizmu na insulinę gwałtownie wzrasta. W chorobach tych leczeni insuliną powinni być także ci chorzy, którzy uprzednio byli skutecznie leczeni doustnymi lekami przeciwcukrzycowymi. Przy braku apetytu zamiast normalnych posiłków należy wypić dobrze osłodzoną herbatę i spożyć jakąś lekką potrawę (kasza manna lub płatki owsiane na mleku, biszkopty itp.).

W śpiączce cukrzycowej ogólny stan chorego jest ciężki. Występują zaburzenia świadomości, oddech jest przyśpieszony i głęboki o charakterystycznym zapachu zgniłych jabłek (acetonu). Oznaką znacznego odwodnienia jest suchość skóry i języka. Badania laboratoryjne wykazują znaczny cukromocz (do 10%) oraz obecność acetonu w moczu (4+), a we krwi duże podwyższenie poziomu glukozy, przekraczające z reguły 600 mg% (33,3 mmol/l). Najczęstszą postacią śpiączki cukrzycowej jest tzw. śpiączka ketonowa, w której kwaśne produkty przemiany tłuszczów (ciała ketonowe) powodują groźne dla życia obniżenie pH krwi i płynów ustrojowych (kwasica ketonowa). U ludzi starszych może występować tzw. śpiączka osmotyczna (hipermolalna), w której nie stwierdza się kwasicy ani obecności acetonu w moczu, natomiast poziom glukozy we krwi jest bardzo wysoki i przekracza najczęściej 1000 mg% (55,5 mmol/l). Nazwa tej postaci śpiączki wywodzi się stąd, że w jej rozwoju głównym ogniwem jest nadmiernie wysoka i spowodowana dużym stężeniem glukozy molalność krwi i płynu mózgowo-rdzeniowego.

Zaburzenia świadomości, zarówno w śpiączce ketonowej, jak i osmotycznej, mogą być różnego stopnia, od stanu lekkiego zamroczenia po stan głębokiej nieprzytomności. Niezależnie od ich stopnia, każda postać śpiączki, jak również każdy stan przedśpiączkowy, stanowią bezpośrednie zagrożenie życia i bezwzględnie wymagają przewiezienia chorego do najbliższego szpitala. Skuteczność leczenia zależy od szybkości jego podjęcia! Po wyprowadzeniu chorego ze śpiączki stan krytyczny utrzymuje się jeszcze przez pewien czas, dlatego też chory taki, zwłaszcza w starszym wieku, wymaga starannej i dostatecznie długiej rekonwalescencji.

Przewlekłe powikłania cukrzycy. Dotyczą one naczyń krwionośnych, głównie tętnic i naczyń włosowatych (angiopatia cukrzycowa), oraz nerwów obwodowych (neuropatia cukrzycowa), a także niektórych innych tkanek. Te zmiany występują dopiero po dłuższym okresie trwania cukrzycy, obejmującym najczęściej kilkanaście lat (stąd inna nazwa: późne powikłania cukrzycy), przy czym ich częstość i nasilenie zależą w dużym stopniu od poprawności leczenia choroby, tzn. są znacznie rzadsze u tych chorych, którzy starannie przestrzegają zaleceń leczniczych. Także w razie wystąpienia późnych powikłań pierwszym warunkiem ich leczenia jest przywrócenie prawidłowego wyrównania cukrzycy.

Przewlekłe powikłania cukrzycy, zarówno typu angiopatii, jak i neuropatii, doprowadzają do upośledzenia funkcji niektórych narządów, co znajduje wyraz w obrazie choroby. Do takich narządów należą: oczy, nerki, nerwy obwodowe, serce, mózg, stopa i skóra.

Powikłania oczne to upośledzenie wzroku wskutek zmian w siatkówce (wybroczyny i wylewy krwawe, wysięk) i w soczewce (zaćma cukrzycowa), a w szczególnych przypadkach nawet ślepota. Wybroczyny i ogniska krwawienia są leczone fotokoagulacją laserową, a zaćma operacyjnie.

Powikłania nerkowe w cukrzycy objawiają się pojawieniem się w moczu białka (przy czym stopień białkomoczu na ogół odzwierciedla postęp zmian), a także występowaniem uporczywych, ciastowatych obrzęków na kończynach dolnych, tułowiu i twarzy. Do upośledzenia czynności nerek przyczynia się także zakażenie dróg moczowych, na które chorzy na cukrzycę są bardzo podatni. Leczenie polega na optymalizacji leczenia cukrzycy, obniżeniu często podwyższonego ciśnienia krwi i leczeniu ewentualnych zakażeń.

Powikłania ze strony nerwów obwodowych to przede wszystkim bardzo dokuczliwe pieczenie stóp, zaburzenia czucia stóp i podudzi, rzadziej ostra neuralgia.

Uszkodzenie autonomicznego układu nerwowego może spowodować zaburzenia czynności różnych narządów wewnętrznych, jak żołądka (wymioty), jelit (biegunka), pęcherza moczowego (zaleganie moczu), narządów płciowych (zaburzenia potencji), serca (przyśpieszenie czynności). W leczeniu tych zaburzeń poza wyrównaniem samej cukrzycy pewną poprawę może przynieść stosowanie witamin, zwłaszcza z grupy B.

Choroba niedokrwienna serca i zawał serca jak również udar mózgu częściej występują u chorych na cukrzycę i mają u nich przebieg cięższy aniżeli u ludzi bez cukrzycy.

Zaburzenie ukrwienia kończyn dolnych. Początkowo przejawia się ono tzw. chromaniem przestankowym, czyli występowaniem bólu w łydce podczas chodzenia, co zmusza chorego do zatrzymania się. W miarę postępu zmian w tętnicach, naczyniach włosowatych i nerwach kończyny może dojść do obumarcia najbardziej odległych części stopy, jak palucha, V palca lub pięty, czyli do pojawienia się zgorzeli cukrzycowej stopy. Występuje ona u chorych na cukrzycę 20 razy częściej niż wśród ogółu społeczeństwa. Leczenie zgorzeli cukrzycowej jest długotrwałe i nieraz mimo dużych wysiłków zachodzi konieczność amputacji chorej stopy lub nawet kończyny. Dlatego też u chorych na cukrzycę, zwłaszcza w starszym wieku, szczególne znaczenie ma właściwe pielęgnowanie i higiena stóp. Polegają one na codziennym myciu nóg w letniej wodzie, dokładnym ich wysuszeniu miękkim ręcznikiem, natłuszczaniu skóry, ostrożnym obcinaniu paznokci, noszeniu wełnianych skarpet i wygodnych butów, unikaniu urazów, ziębnięcia, oparzenia i skaleczenia.

Powikłania skórne w cukrzycy to zanikowe przebarwienia i płaskie wypukłości pokryte łuskami z widocznymi rozszerzeniami naczyń na podudziach, różnego rodzaju zmiany zapalne, różowożółtawe zabarwienie fałdów skórnych (na twarzy, dłoniach, podeszwach), a nawet plamiste odbarwienia (bielactwo). Leczenia wymagają tylko zakażenia i zmiany zapalne skóry stanowiące zagrożenia zdrowotne.

Szczególne stany i sytuacje życiowe u chorych na cukrzycę

Ustalone leczenie cukrzycy daje pełne wyrównanie choroby w normalnych warunkach życiowych. Gdy jednak na skutek działania różnych czynników dochodzi do zmiany zapotrzebowania organizmu na insulinę zarówno „własną", jak i podawaną w postaci wstrzykiwań, dochodzi do zaburzeń metabolicznych. Zjawisko takie występuje w przebiegu zakażeń, w następstwie dużych zabiegów operacyjnych wymagających ogólnego znieczulenia oraz u kobiet w ciąży.

Zakażenia. Podatność chorych na cukrzycę na zakażenia wynika prawdopodobnie stąd, że krwinki białe biorące „udział" w zwalczaniu zakażenia są szczególnie wrażliwe na niedobór insuliny. Do najczęstszych należą zakażenia dróg moczowych, tj. zapalenie pęcherza, miedniczek nerkowych i odmiedniczkowe zapalenie nerek, zakażenia skóry oraz gruźlica. Zakażenia skóry, bakteryjne i grzybicze, mogą występować jako czyraki, rozległe zapalenia skóry i tkanki podskórnej oraz jako zakażenia grzybicze w fałdach skórnych, okolicy sromu (świąd sromu), pachwinach, bardzo często między palcami stóp, a także jako grzybica paznokci. Gruźlica płuc u osób chorych na cukrzycę występuje ciągle jeszcze nieco częściej niż wśród ogółu społeczeństwa. Z tego względu chorzy ci są poddawani raz w roku kontrolnemu badaniu radiologicznemu klatki piersiowej. Zakażenia ostre, zwłaszcza ropne, prowadzą do zwiększenia zapotrzebowania na insulinę, pogorszenia tolerancji węglowodanowej i mogą być nawet przyczyną śpiączki cukrzycowej. Dlatego w stanach tych insulina jest stosowana u wszystkich chorych na cukrzycę (najlepiej krótko działająca kilka razy dziennie), w tym także u tych, którzy przed zakażeniem otrzymywali doustne leki przeciwcukrzycowe.

Operacje chirurgiczne. Wszyscy chorzy na cukrzycę, którzy mają być poddani dużym zabiegom chirurgicznym, są także leczeni insuliną, przy czym jest stosowana wówczas, podobnie jak w czasie zakażeń, insulina krótko działająca. U chorych z cukrzycą typu 2, leczonych dotychczas doustnymi lekami przeciwcukrzycowymi, te ostatnie są odstawiane na kilka dni przed operacją i wprowadzane ponownie dopiero po wygojeniu się rany operacyjnej.

Ciąża. Wskazaniem do leczenia cukrzycy insuliną jest zawsze ciąża. W zasadzie nie ma z tym większego problemu, ponieważ młode dziewczęta i kobiety z reguły chorują na cukrzycę typu 1, wymagającą leczenia insuliną. Właśnie dzięki insulinie młode dziewczęta dotknięte cukrzycą osiągają dojrzałość płciową, a młode kobiety mogą zachodzić w ciążę i rodzić dzieci. Mimo to cukrzyca nadal zwiększa ryzyko niedonoszenia ciąży, a także częstość występowania powikłań ciążowych (zatrucie ciążowe, wielowodzie). Ciągle też powoduje wyższą niż u ogółu społeczeństwa umieralność okołoporodową noworodków urodzonych przez matki chore na cukrzycę. Noworodki te mają najczęściej wyższą masę ciała (powyżej 4,5 kg), a zarazem ujawniają cechy wcześniactwa i wymagają z tego względu szczególnej opieki. Okres krytyczny trwa od kilku dni do kilku tygodni, po czym niemowlęta te rozwijają się jak ich rówieśnicy urodzeni przez matki zdrowe. Czasem jednak mogą u nich wystąpić wady rozwojowe. Tym wszystkich powikłaniom może w dużym stopniu zapobiec ścisły nadzór lekarski ciąży i cukrzycy. U kobiet w ciąży insulina jest stosowana w kilku wstrzyknięciach dziennie, w dawkach większych, tak aby poziom glukozy we krwi był w ciągu całej doby zbliżony do prawidłowego. Kontrolne badania lekarskie powinny być przeprowadzane co dwa tygodnie, a w 32–34 tygodniu ciąży kobieta powinna być przyjęta na oddział położniczy i przebywać w nim do porodu, który powinien być kontrolowany równocześnie przez położnika, internistę i pediatrę. Po porodzie zapotrzebowanie kobiety na insulinę gwałtownie obniża się i wielkość wstrzykiwanych dawek insuliny powinna być ustalana w zależności od poziomu glukozy we krwi.

Cukrzyca u dzieci, zob. Pediatria, s. 1189.

Problemy socjalne chorych na cukrzycę

Spośród problemów socjalnych ludzi chorych na cukrzycę największe znaczenie mają małżeństwo i planowanie rodziny oraz praca zawodowa.

Małżeństwo i planowanie rodziny. Cukrzyca nie jest przeciwwskazaniem do zawarcia związku małżeńskiego, ponieważ dzięki prawidłowemu leczeniu zarówno kobieta, jak i mężczyzna zachowują zdolności rozrodcze. Ze względu jednak na to, że predyspozycja do cukrzycy jest przekazywana dziedzicznie, nie powinni wchodzić ze sobą w związki małżeńskie partnerzy, którzy oboje chorują na cukrzycę i chcą mieć potomstwo. Istnieje bowiem wówczas duże ryzyko, że któreś z ich dzieci również zachoruje na cukrzycę. Ryzyko to jest znikome, jeżeli osoba chora na cukrzycę (mężczyzna bądź kobieta) wstępuje w związek małżeński z partnerem zdrowym i nie obciążonym rodzinnie tą chorobą i jeżeli małżeństwo to ograniczy liczbę potomstwa do jednego lub dwojga dzieci.

Praca zawodowa. Osoby chore na cukrzycę, u których nie występują poważniejsze powikłania chorobowe mogą wykonywać większość zawodów. Wybór właściwego zawodu jest sprawą zasadniczą dla chorych młodocianych, natomiast zmiana zawodu na bardziej odpowiedni dotyczy zwykle chorych w wieku dojrzałym. Chorzy leczeni insuliną – wobec możliwości wystąpienia u nich nagłego niedocukrzenia krwi z utratą przytomności – powinni unikać lub zaniechać zawodów, które narażają na niebezpieczeństwo ich własne życie lub życie osób powierzonych ich pieczy, takich jak zawód kierowcy, pilota, sternika, zwrotniczego, dróżnika, a także zawodów związanych z przebywaniem na wysokościach (budowlani itp.). We wszystkich krajach chorzy na cukrzycę otrzymują prawo prowadzenia pojazdów mechanicznych kategorii amatorskiej, natomiast w niektórych krajach chorym tym nie zezwala się na prowadzenie dużych środków komunikacji (autobusy) i transportu (samochody ciężarowe). Chorzy na cukrzycę powinni szukać zawodów, które pozwalają na prowadzenie unormowanego trybu życia. Szczególnie dobre są dla nich zawody połączone z umiarkowanym wysiłkiem fizycznym, pozwalające na regularne rozłożenie pracy, posiłków i wypoczynku.

Organizacja opieki nad chorymi na cukrzycę

Przebieg cukrzycy i rokowanie w tej chorobie zależą w dużym stopniu od organizacji opieki zdrowotnej. W krajach, w których chorym na cukrzycę zapewniono wysoki poziom tej opieki, uzyskano najdłuższe przeżycia i najniższą częstość powikłań, zwłaszcza ostrych, tej choroby.

Leczenie szpitalne jest wskazane tylko w początkowym okresie cukrzycy typu 1, później zaś w przypadkach powikłań, zakażeń, w ciąży itp. Dla okresowych kontroli stanu metabolicznego bardziej przydatne jest leczenie uzdrowiskowe, ponieważ do programu terapeutycznego można włączyć wysiłek fizyczny, np. w formie kontrolowanych spacerów „ścieżkami zdrowia". Główny jednak ciężar leczenia cukrzycy spoczywa na lecznictwie ambulatoryjnym, w którego sprawnym funkcjonowaniu szczególnie odpowiedzialną rolę spełnia poradnia cukrzycowa. Jest ona w zasadzie placówką konsultacyjną dla lekarza pierwszego kontaktu, tj. lekarza domowego lub rejonowego, z tym że pewną grupę chorych przejmuje pod bezpośrednią opiekę leczniczą. Są to chorzy wymagający leczenia insuliną z chwiejnym przebiegiem choroby, z cukrzycą długotrwałą i klinicznymi objawami przewlekłych powikłań bądź z innymi chorobami, które mogą wpływać niekorzystnie na przebieg cukrzycy. Poza tym w zakres zadań poradni cukrzycowej wchodzi działalność rehabilitacyjna i profilaktyczna.

Rehabilitacja w cukrzycy polega na maksymalnym zmniejszeniu niedogodności i ograniczeń wynikających z tej choroby oraz na stworzeniu choremu możliwości pełnego uczestnictwa w życiu społecznym. Podstawowe znaczenie ma – obok udzielania właściwych zaleceń medycznych – przeszkolenie chorych, aby wiedzieli wszystko, co trzeba o cukrzycy, potrafili przestrzegać odpowiedniej diety, wykonywać wstrzyknięcia insuliny, prowadzić samokontrolę (tj. badać mocz na obecność cukru i acetonu, oznaczać poziom glukozy we krwi za pomocą suchych testów i podręcznych fotometrów odbiciowych, dokonywać niewielkich korekt w dawkowaniu insuliny, postępować właściwie w stanie niedocukrzenia krwi), dokonać wyboru zawodu lub jego zmiany, planować rodzinę.

Działalność profilaktyczna polega na wczesnym rozpoznaniu cukrzycy – m.in. wśród rodzin chorych na cukrzycę – oraz na zapobieganiu powikłaniom, co sprowadza się do optymalnego leczenia i wyrównania tej choroby.

Zakres działalności poradni cukrzycowej jest więc rozległy, a jego realizacja jest możliwa tylko w warunkach ścisłej współpracy z lekarzem pierwszego kontaktu, pod którego bezpośrednią opieką chory powinien pozostawać przez całe życie.

Choroby tarczycy

Duże rozpowszechnienie chorób tarczycy sprawia, że są one najczęściej spotykanymi chorobami układu wydzielania wewnętrznego, czyli dokrewnego. Ich częstość jest kilkakrotnie większa u kobiet niż u mężczyzn. Nie wyjaśniono w pełni przyczyny tego zjawiska. Istotną rolę odgrywa tu przypuszczalnie genetycznie uwarunkowana predyspozycja, związana z dziedziczeniem płci oraz, w pewnym stopniu, cykliczne przemiany w hormonalnej czynności jajników.

Choroby tarczycy przejawiają się na ogół zmianami w budowie tego gruczołu, nie wywołującymi zaburzeń jego czynności wydzielniczej. Pojawienie się zaburzeń czynności tarczycy powoduje zwykle poważne upośledzenie ogólnego stanu zdrowia.

Wole obojętne

Powiększona tarczyca nosi nazwę wola. Tarczyca nieco powiększająca się okresowo nie jest objawem choroby. Wole może rozwinąć się w przebiegu różnych chorób tarczycy. Jeśli stanowi jedyny przejaw choroby, a tak jest najczęściej, mówi się o wolu obojętnym (tablica 18). Wydziela ono hormony w dostatecznej ilości i u osób dotkniętych tą chorobą nie stwierdza się objawów zaburzeń czynności tarczycy. Wole obojętne występuje sporadycznie lub endemicznie (nagminnie). W przypadku sporadycznego występowania wola liczba osób z powiększoną tarczycą nie przekracza 10% ludności danego obszaru. Częstsze występowanie wola jest traktowane jako endemia. Wole obojętne należy do najbardziej rozpowszechnionych chorób.

Przyczyną bezpośrednią rozwinięcia się wola obojętnego jest głównie działanie hormonu tyreotropowego (tyreotropiny) wydzielanego przez przysadkę. Hormon ten pobudza zarówno rozrost tarczycy, jak i wydzielanie przez nią hormonów. Wole obojętne wykazuje prawidłową czynność dokrewną, powstaje więc pytanie, w jaki sposób hormon tyreotropowy działa wolotwórczo nie wywołując jednocześnie nadmiernego wydzielania hormonów tarczycy. Zjawisko to próbuje się wyjaśnić działaniem czynników utrudniających wytwarzanie hormonów tarczycy lub powodujących okresowe zwiększenie zużycia tych hormonów przez organizm. Gdy wskutek utrudnionego wytwarzania hormonów tarczycy lub ich zwiększonego zużycia poziom tych hormonów we krwi nawet nieznacznie się obniża, przysadka natychmiast wydziela więcej tyreotropiny. Powoduje to z jednej strony zwiększenie wytwarzania hormonów tarczycy i przywrócenie ich prawidłowego stężenia we krwi, a z drugiej rozrost tkanki tarczycowej. Tarczyca wydziela dostateczną ilość hormonów, ale jednocześnie rozwija się wole.

Utrudnione wytwarzanie hormonów tarczycy ma różne przyczyny. Najczęściej zaburzenie to jest spowodowane niedostatecznym zaopatrzeniem organizmu w jod niezbędny do syntezy hormonów tarczycy. Znaczny niedobór jodu wywołuje endemiczne występowanie wola.

Wolotwórcze działanie niedostatecznej zawartości jodu w pożywieniu jest znane od dawna. Wole endemiczne występuje niemal z reguły na obszarach ubogich w jod. Pierwiastek ten znajduje się tam w wodzie i w glebie jedynie w bardzo małych ilościach. Dotyczy to najczęściej górskich terenów polodowcowych, gdzie lodowiec zniszczył glebę o normalnej zawartości jodu, a woda pochodząca z lodowca zawiera znikome ilości jodu.

Przyczyną utrudnionego wytwarzania hormonów tarczycy może być też działanie tzw. substancji wolotwórczych, występujących jako produkty naturalne, np. w pokarmie, bądź też trafiających do organizmu jako związki sztuczne, np. w formie leków.

Zwiększone zużycie hormonów tarczycy powodują w organizmie procesy fizjologiczne i patologiczne. Zachodzi ono np. w okresie rozwoju i intensywnego wzrostu u dzieci i młodzieży oraz w czasie różnych chorób.

Pomimo poznania licznych czynników sprzyjających rozwojowi wola obojętnego, przyczyny tej choroby nie zdołano całkowicie wyjaśnić. Rozwija się ona bowiem tylko u części spośród osób żyjących w podobnych warunkach, sprzyjających powiększeniu się tarczycy. Wydaje się zatem, że ważną rolę w rozwoju wola obojętnego odgrywa indywidualna skłonność. Polegać może ona np. na zwiększonej wrażliwości tkanki tarczycowej na działanie tyreotropiny.

Rozwój wola. W początkowym okresie tworzenia się wola obojętnego tarczyca powiększa się równomiernie; rzadziej rozrasta się tylko jeden płat. Po pewnym czasie wskutek nierównomiernego rozrostu miąższu tarczycy powstają w nim guzki. Zmiany guzkowe już się nie cofają, a istniejące od dłuższego czasu wole zwykle się nie zmniejsza.

Obok guzków powstających ze zmienionego miąższu tarczycy, mogą tworzyć się, zarówno w niepowiększonej tarczycy, jak i w wolu, guzki pochodzenia nowotworowego. Są to najczęściej łagodne gruczolaki. Niezależnie od tego, jaka jest geneza guzków tarczycy, ich obecność jest niekorzystna, ponieważ mogą powodować rozwój powikłań, które polegają na uciskaniu sąsiednich tkanek lub rozwinięciu się nadczynności tarczycy.

Oprócz wola w obrębie szyi spotyka się niekiedy tzw. wole zamostkowe, które powstaje na skutek obsunięcia się gruczołu za mostek. Wole takie szczególnie często wywiera ucisk na tchawicę.

Wole obojętne jest najczęściej chorobą niegroźną. Nie należy jej jednak lekceważyć, ponieważ powikłania wywołane wolem dotyczą dość dużej liczby chorych. Ponadto wole często upośledza wygląd osób nim dotkniętych, co szczególnie przykro odczuwają kobiety. W zaniedbanych przypadkach jedyną drogą poprawienia tego defektu może być tylko zabieg operacyjny.

Leczenie wola obojętnego jest zachowawcze lub operacyjne. Leczenie zachowawcze polega przede wszystkim na stosowaniu preparatów zawierających hormony tarczycy. Jod powoduje poprawę tylko we wczesnym okresie choroby. Leczenie preparatami zawierającymi hormony tarczycy trwa zwykle do kilku lat. Przerwy w leczeniu mogą spowodować szybkie powiększenie się gruczołu. Leczenie rozpoczęte we wczesnym okresie choroby może prowadzić do zupełnego cofnięcia się rozrostu tarczycy, jeśli nie rozwinęły się jeszcze guzki. Leczenie wola utrzymującego się od dłuższego czasu powoduje już tylko zmniejszenie się wola lub zahamowanie jego rozrostu.

Leczenie chirurgiczne wola obojętnego, zob. Chirurgia tarczycy, s. 1528.

Operacja wola obojętnego prowadzi najczęściej do wyleczenia. Operacja pozwala ponadto ocenić budowę mikroskopową wola, a zwłaszcza zawartych w tarczycy guzków. Ocena ta jest bardzo ważna, ułatwia bowiem dalsze leczenie, które mimo operacji czasami okazuje się konieczne. Zdarza się, że wole po pewnym czasie może odrastać (tablica 18 c), dlatego osoby, które przebyły operację, powinny być systematycznie kontrolowane, aby w razie powiększenia się tarczycy mogły być natychmiast odpowiednio leczone. Wczesne zastosowanie preparatów tarczycy może zapobiec w tych przypadkach ponownemu rozwinięciu się wola. Powtórne wycięcie tkanki tarczycowej jest bowiem trudniejsze od operacji wykonywanej po raz pierwszy i częściej powoduje powikłania, niekiedy w znacznym nasileniu.

Zapobieganie wolu obojętnemu polega na zwiększeniu ilości spożywanego jodu. Bogate w jod są potrawy z ryb morskich. Na terenach, gdzie występuje wole endemiczne, ludność jest zaopatrywana w sól kuchenną zawierającą domieszkę jodku potasu.

Nadczynność tarczycy

Pojęciem nadczynności tarczycy określa się ogólnoustrojowe skutki nadmiernego wydzielania hormonów przez tarczycę.

Przyczyny nadczynności tarczycy mogą być różne. Najczęściej występuje ona w przebiegu choroby Gravesa–Basedowa lub wola guzkowego nadczynnego, czyli wskutek intensywnego wydzielania hormonów przez guzki tarczycy. Nadczynność tarczycy jest chorobą dość rozpowszechnioną. Statystyki wykazują, że w ciągu roku zapada na tę chorobę ok. 45 spośród 100 tys. osób, w tym 37 kobiet. Pojawia się ona u osób w różnym wieku, najczęściej jednak w wieku średnim.

Choroba Gravesa–Basedowa jest następstwem zaburzeń w układzie immunokompetentnym. W następstwie działania antygenu, który jest substancją wchodzącą w skład nabłonka pęcherzykowego tarczycy, powstają w organizmie przeciwciała wywierające silne działanie pobudzające rozrost tarczycy i wydzielanie przez nią hormonów. Przeciwciała te działają więc podobnie jak tyreotropina. Jednak hormony tarczycy nie hamują ich powstawania, w przeciwieństwie do hamującego wpływu, jaki wywierają na wydzielanie tyreotropiny. W tych warunkach substancje te pobudzają nadmiernie tarczycę, powodując jej powiększenie i nadczynność.

W chorobie Gravesa–Basedowa mogą również powstawać w układzie immunokompetentnym patologiczne substancje działające destrukcyjnie na tkanki oczodołu i na skórę goleni. Wywołują one wytrzeszcz oczu (tablica 18 e) i obrzęk przedgoleniowy (tablica 18 f). Zaburzenia te występują rzadziej niż nadczynność tarczycy.

Niektóre spostrzeżenia wskazują na genetycznie uwarunkowaną skłonność do występowania choroby Gravesa–Basedowa.

Przyczyna bezpośrednia choroby Gravesa–Basedowa jest przeważnie nieuchwytna. Niekiedy wystąpienie objawów poprzedzają: uraz fizyczny, wstrząs psychiczny, gorączka, znaczny spadek masy ciała, przyjmowanie leków zawierających jod (tzw. jod – Basedow). Początek choroby może być dość nagły. Chorzy odczuwają wzmożoną pobudliwość nerwową, uskarżają się na wychudzenie mimo dobrego lub zwiększonego apetytu, źle śpią. Następnie dołącza się dokuczliwe kołatanie serca, zadyszka wysiłkowa, osłabienie, stałe odczuwanie gorąca, nadmierna potliwość. Chorzy mogą zaobserwować powiększenie się tarczycy i zmianę wyglądu oczu. Szpary powiekowe rozszerzają się. Często pojawia się wytrzeszcz oczu powodujący wiele dalszych zaburzeń, takich jak pieczenie, a nawet ból oczu. Dolegliwości powyższe są wynikiem zarówno działania nadmiaru hormonów tarczycy, jak i zaburzeń wywołanych przez patologiczne czynniki pobudzające czynność tarczycy lub rozwój wytrzeszczu.

Nadczynność wola guzkowego, zwana jest niekiedy chorobą Plummera. Przyczyny tej choroby nie wyjaśniono w pełni. Wiadomo jednak, że nadmiar hormonów wydzielają guzki tarczycy, które są często gruczolakami, tj. łagodnymi nowotworami. Guzki takie wydzielają hormony autonomicznie, tzn. bez właściwego udziału tyreotropiny.

Nadczynność wola guzkowego pojawia się zwykle w wiele lat po rozwinięciu się guzków tarczycy. Dolegliwości chorych są związane wyłącznie z nadmiernym wydzielaniem hormonów tarczycy. Choroba rozwija się najczęściej powoli; jej nasilenie narasta stopniowo.

Objawy nadczynności tarczycy. W przebiegu tyreotoksykozy objawy są wywołane działaniem nadmiaru hormonów tarczycy. Następuje znaczny wzrost przemiany materii, wskutek czego nasilają się procesy spalania i wzrasta gwałtownie zużycie tlenu. W rezultacie zwiększonego metabolizmu powstaje znaczny nadmiar energii cieplnej. Chorzy stale odczuwają gorąco, chudną pomimo dobrego apetytu. Organizm wyzbywa się nadmiaru wytworzonego ciepła przez zwiększoną potliwość, rozszerzenie naczyń krwionośnych, zwłaszcza skóry, i wiele innych reakcji wyrównawczych dotyczących przede wszystkim układu krążenia. Tym też można tłumaczyć, dlaczego tyreotoksykoza, z wyjątkiem przypadków o szczególnie ciężkim przebiegu, nie powoduje na ogół podwyższenia temperatury ciała.

Konieczność zaopatrzenia organizmu w znacznie zwiększone ilości tlenu i usunięcie nadmiaru ciepła szczególnie obarcza układ krążenia. Powstają zaburzenia w układzie krążenia, przejawiające się stałym przyspieszeniem czynności serca (częstoskurczem), zwiększeniem pracy serca, niekiedy jego niemiarową czynnością, bólami, a nawet niewydolnością całego układu.

Nadczynność tarczycy wpływa szkodliwie na układ nerwowy. Chorzy są niespokojni, podnieceni, pobudzeni ruchowo, wykazują zwiększoną wrażliwość i skłonność do płaczu. Pojawia się drżenie rąk, a czasami nóg. Dochodzi do znacznego osłabienia siły mięśniowej. Mięśnie, zwłaszcza kończyn, łatwo ulegają zmęczeniu. Szpary powiekowe ulegają rozszerzeniu. Choroba nasila również perystaltykę jelit, wskutek czego dość często występują biegunki. U kobiet krwawienia miesięczne są skąpe lub nawet ustają.

Opisane wyżej zmiany w organizmie występują zarówno w chorobie Gravesa – Basedowa, jak i w wolu guzkowym. W chorobie Gravesa – Basedowa rozwijają się ponadto inne zaburzenia charakterystyczne dla tej choroby. Tarczyca zwykle powiększa się, tworząc obustronne wole. Choroba Gravesa – Basedova może się również rozwinąć u osób, które miały uprzednio wole guzkowe.

W chorobie Gravesa – Basedowa rozwijają się zmiany w obrębie narządu wzroku. W zależności od nasilenia tych zmian, zalicza się je do lekkich, łagodnych lub ciężkich, zwanych postępującymi albo złośliwymi. Zmiany oczne charakterystyczne są następstwem obrzęku i nacieków zapalnych powstających w obrębie powiek, w tkance oczodołu oraz w mięśniach poruszających gałkę oczną. Wytrzeszcz polega na nadmiernym wysunięciu gałki ocznej poza brzeg kostny oczodołu. W przypadkach zmian łagodnych przesunięcie gałki ocznej do przodu jest spowodowane obrzękiem lub nieznacznym nacieczeniem zapalnym pozagałkowej tkanki oczodołu. W zmianach postępujących (naciekowych) oprócz obrzęku dochodzi do znacznego nacieczenia zapalnego i gromadzenia się nieprawidłowych substancji uciskających gałkę oczną od tyłu. Przejawem wytrzeszczu naciekowego jest również znaczny obrzęk powiek i uszkodzenie mięśni poruszających gałkę oczną. Wytrzeszcz przeważnie występuje obustronnie, zdarza się jednak, że dotyczy jednego oka.

Wytrzeszcz łagodny sprawia nieznaczne dolegliwości spowodowane podrażnieniem spojówek. Wytrzeszcz ten nie upośledza widzenia i jest głównie defektem kosmetycznym.

Wytrzeszcz naciekowy (postępujący) jest ciężkim schorzeniem upośledzającym sprawność oczu. Chorzy odczuwają podrażnienie oczu, dwojenie się obrazu, bóle gałek ocznych; może dojść do znacznego upośledzenia wzroku.

Innym objawem choroby Gravesa–Basedowa, rzadko spotykanym, jest obrzęk przedgoleniowy. Na przedniej stronie skóry podudzi, zwykle w pobliżu grzbietu stopy, pojawia się obrzęk i zaczerwienienie. Zmiany są zwykle dość dobrze odgraniczone. Mogą się stopniowo rozszerzać, przechodząc na skórę grzbietu stopy, a nawet palce. Skóra dotknięta obrzękiem staje się stopniowo zgrubiała, twarda, napięta i brunatno przebarwiona. Często pojawia się na goleniach nadmierne owłosienie, niekiedy tworzą się guzy. Chorzy odczuwają świąd, następnie bóle. Obrzęk skóry stóp może utrudniać noszenie obuwia i chodzenie.

Rozpoznanie nadczynności tarczycy odbywa się przede wszystkim na podstawie wywiadu z chorymi i charakterystycznych objawów klinicznych, stwierdzonych badaniem przedmiotowym. Rozpoznanie nietypowych przypadków jest trudne i wymaga przeprowadzenia badań pomocniczych, które polegają najczęściej na oznaczaniu w surowicy krwi stężenia hormonów tarczycy; stężenia te w nadczynności tarczycy wzrastają. Prawidłowe stężenie tyroksyny wynosi 4,5 do 11,5 μg/100 ml (od 51 do 148 nmol/l), a trójjodotyroniny od 80 do 190 μg/100 ml (od 1,2 do 2,9 nmol/l). Normy tych stężeń mogą być nieco odmienne w poszczególnych pracowniach.

Poza oznaczaniem stężenia w surowicy krwi hormonów tarczycy, ważne znaczenie diagnostyczne ma oznaczenie stężenia tyreotropiny (TSH), które jest obniżone (poniżej 0,3 milijednostek na litr).

Rozpoznanie choroby Gravesa–Basedowa nie zawsze jest proste, ponieważ choroba ta może mieć przebieg nietypowy. Zdarza się, że spośród trzech zasadniczych objawów klinicznych tej choroby, jakimi są: nadczynność tarczycy, wole i zmiany oczne, występują dwa, a nawet tylko jeden z nich, np. wyłącznie zmiany oczne.

Leczenie nadczynności tarczycy obejmuje następujące metody postępowania: 1) leczenie zachowawcze środkami hamującymi syntezę hormonów tarczycy oraz 2) leczenie radykalne, które dzieli się z kolei na leczenie chirurgiczne i leczenie jodem promieniotwórczym.

Leczenie zachowawcze polega na stosowaniu leków przeciwtarczycowych, hamujących syntezę hormonów w tarczycy. Podawanie tych leków prawie zawsze powoduje poprawę, a niekiedy daje nawet trwałe ustąpienie choroby. Do leczenia zachowawczego kwalifikują się przede wszystkim chorzy z chorobą Gravesa – Basedowa. Poprawa występuje u ponad połowy tych chorych. U chorych z wolem guzkowym nadczynnym leki przeciwtarczycowe powodują znaczną poprawę, ale po odstawieniu ich następuje często nawrót choroby. Leczenie tego rodzaju nadczynnego wola guzkowego jest zwykle traktowane jako postępowanie wstępne, przed leczeniem radykalnym.

Chorzy z nadczynnością tarczycy powinni mieć zapewniony spokój, wypoczynek i właściwą opiekę. Leczenie musi być prowadzone systematycznie. Niekiedy jest konieczne podawanie również leków uspokajających i nasennych. W trakcie leczenia jest prowadzona okresowa kontrola morfologii krwi. Leczenie odpowiednimi dawkami środka przeciwtarczycowego trwa aż do uzyskania zdecydowanej poprawy. Następnie dawka leku zostaje zmniejszona i leczenie jest kontynuowane przez wiele miesięcy. W przypadku zadziałania czynników stresowych, takich jak uraz fizyczny, gorączka, a nawet wstrząs psychiczny, może nastąpić nasilenie tyreotoksykozy, a tym samym konieczność zwiększenia dawki leku. Po upływie około roku leki stopniowo są odstawiane. Wynik leczenia zachowawczego można uznać za pomyślny, jeśli w okresie 12 miesięcy po zakończeniu leczenia utrzymuje się prawidłowa funkcja tarczycy (eutyreoza).

W trakcie leczenia mogą wystąpić toksyczne odczyny polekowe, np. wysypka na skórze lub zmiana liczby białych krwinek. Odczyny te ustępują zwykle samoistnie po odstawieniu danego leku, a ponadto mogą być stosowane skuteczne środki zwalczające następstwa toksycznego działania leków przeciwtarczycowych.

Leczenie chirurgiczne. Do operacji są kwalifikowani chorzy, u których leczenie zachowawcze nie dało rezultatów lub okazało się niewskazane, a z różnych względów nie można u nich zastosować leczenia promieniotwórczym izotopem jodu. Operuje się przede wszystkim osoby młode oraz chorych z bardzo dużym, uciskającycm lub szpecącym wolem, a także z wolem guzkowym. Przeciwwskazaniem do operacji może być podeszły wiek, zły stan ogólny organizmu wynikający np. z przewlekłych chorób układu krążenia, nerek lub współistnienia gruźlicy, a także przebyta już raz operacja tarczycy, ponieważ ponowny zabieg stwarza stosunkowo duże niebezpieczeństwo powikłań.

Operacja – prowadzona w znieczuleniu ogólnym – polega na rozległym wycięciu tarczycy wraz z guzkami; rzadziej zabieg ogranicza się do usunięcia samego guzka. Leczenie chirurgiczne prowadzi zwykle do definitywnego ustąpienia choroby, przy czym następuje to na ogół szybciej niż przy stosowaniu innych metod leczenia. Powikłania zdarzają się rzadko. Najczęściej dotyczą one jednostronnego uszkodzenia tzw. nerwu zwrotnego, przebiegającego w pobliżu tarczycy i unerwiającego krtań. Uszkodzenie tego nerwu może powodować osłabienie głosu, a czasami nawet trwałą chrypkę. Nawroty choroby lub rozwinięcie się po operacji niedoczynności tarczycy zdarzają się stosunkowo rzadko. Znacznie częściej, pomimo przebytej pomyślnie operacji, pozostaje zwiększona pobudliwość nerwowa. Macierzyństwo można realizować w około rok po operacji, przy czym w trakcie ciąży jest wskazana obserwacja w celu wykrycia ewentualnej niedoczynności tarczycy.

Leczenie jodem promieniotwórczym. Tę metodę leczenia stosuje się zarówno u chorych uprzednio już leczonych lekami przeciwtarczycowymi, jak i u chorych nie leczonych, dotkniętych ciężką tyreotoksykozą, u których zabieg operacyjny tarczycy jest przeciwwskazany. Polega ona na podaniu drogą doustną w niewielkiej ilości wody ściśle określonej dawki promieniotwórczego izotopu jodu 131. Poprawa po podaniu dawki leczniczej izotopu jodu następuje powoli, zwykle po kilku tygodniach, czasami nawet po upływie kilku miesięcy. Dlatego też jest konieczne, najczęściej systematyczne, leczenie uzupełniające.

Izotop jodu gromadzi się w znacznej ilości w tarczycy, reszta zostaje wydalona z organizmu, głównie z moczem. Jod promieniotwórczy zgromadzony w tarczycy emituje promieniowanie jonizujące, które działa na komórki tarczycy z wnętrza gruczołu, przy czym te obszary tarczycy, które wykazują zwiększoną czynność, gromadzą dużo izotopu i zostają szczególnie intensywnie napromieniowane.

Spośród promieniotwórczych izotopów jodu najbardziej przydatny w leczeniu chorób tarczycy jest jod 131, emitujący promieniowanie beta i gamma. Szczególne znaczenie ma silnie jonizujące promieniowanie beta, o małej przenikliwości wynoszącej mniej niż 2 mm, wskutek czego są napromieniowane intensywnie tylko komórki tarczycy gromadzące jod, natomiast tkanki otaczające tarczycę nie ulegają uszkodzeniu.

Wieloletnie obserwacje wykazały, że leczenie nadczynności tarczycy jodem promieniotwórczym nie powoduje trwałych skutków ujemnych w czynności różnych narządów. Po wydaleniu izotopu z organizmu i powrocie do zdrowia osoby leczone jodem promieniotwórczym mogą mieć zdrowe potomstwo. Oczywiście, planowanie rodziny musi być w tych przypadkach uzgodnione z lekarzem. Macierzyństwo lub ojcostwo w trakcie trwania choroby, lub wkrótce po przyjęciu dawki leczniczej radioizotopu, może okazać się groźne dla zdrowia potomstwa. Jodem promieniotwórczym nie powinno się leczyć kobiet ciężarnych.

Leczenie jodem promieniotwórczym, mimo bardzo dobrych wyników początkowych, u niektórych chorych po wielu latach może spowodować rozwój niedoczynności tarczycy wymagającej leczenia.

Leczenie ciężkich postaci wytrzeszczu musi być prowadzone przy ścisłej współpracy z okulistą. Leczenie ogólne polega zwykle na wyrównaniu nadczynności tarczycy, podawaniu środków moczopędnych i dużych dawek hormonu steroidowego, zwykle prednizonu. Stosowanie dużych dawek steroidu wymaga stałej kontroli, dlatego leczenie jest prowadzone zwykle w warunkach szpitalnych. Aby ochronić oczy przed zakażeniem, stosuje się pod kontrolą okulisty antybiotyki, leki przeciwzapalne i osłaniające spojówki. W niektórych przypadkach wytrzeszcz jest leczony operacyjnie.

Systematyczne leczenie wytrzeszczu postępującego chroni zwykle przed znacznym upośledzeniem wzroku.

Niedoczynność tarczycy

Niedoczynność tarczycy jest chorobą polegającą na niedostatecznym wydzielaniu hormonów przez ten gruczoł, przejawiającą się ogólnoustrojowymi zaburzeniami wynikającymi z niedoboru tych hormonów.

Przyczyną choroby jest najczęściej uszkodzenie tarczycy wywołane jej przewlekłym zapaleniem, leczeniem nadczynności tarczycy jodem promieniotwórczym lub operacją tarczycy. W nielicznych przypadkach niedoczynność mogą spowodować: naświetlania okolicy szyi promieniami rentgena, wady rozwojowe tarczycy oraz zaburzenia czynności tego gruczołu mające podłoże genetyczne (dziedziczne). Uszkodzenie tarczycy powoduje tzw. niedoczynność pierwotną. Jeśli tarczyca nie jest uszkodzona, jej niedoczynność rozwija się w wyniku choroby przysadki, która nie wydziela dostatecznych ilości hormonu pobudzającego czynność tarczycy, tj. tyreotropiny. Tego rodzaju niedoczynność jest określana jako wtórna.

Zaburzenia ogólnoustrojowe wywołane brakiem hormonów tarczycy wykazują znaczne różnice w zależności od tego, czy rozwijają się u płodu lub u niemowląt, u młodzieży czy u osób dorosłych.

Niedoczynnością tarczycy wrodzoną jest niedoczynność, która rozwinęła się w okresie życia płodowego lub w pierwszym roku życia. Powoduje ona przede wszystkim niedorozwój mózgu i ciężkie upośledzenie rozwoju kośćca. Dzieci są tak upośledzone w rozwoju psychicznym i fizycznym, że stan ich określa się jako matołectwo.

Niedoczynność tarczycy młodzieńcza rozwija się u dzieci starszych, np. w okresie dojrzewania, a jej nasilona postać nosi nazwę obrzęku śluzowatego młodzieńczego. Następuje wówczas przede wszystkim zahamowanie wzrostu oraz inne cechy choroby spotykane u osób dorosłych. Zaburzenia czynności mózgu „ograniczają się” do ociężałości psychicznej.

Obrzęk śluzowaty u osób dorosłych jest ciężką postacią niedoczynności tarczycy. Brak hormonów tego gruczołu powoduje drastyczne zwolnienie procesów utleniania. Przemiana materii znacznie się zmniejsza, niekiedy nawet o połowę. Równolegle zmniejsza się zużycie tlenu i ilość wytworzonej energii cieplnej. Chorzy skarżą się na stałe odczuwanie zimna, osłabienie, senność, spowolnienie psychiczne i fizyczne, dokuczliwe bóle mięśni. U kobiet mogą wystąpić bardzo obfite krwawienia miesięczne, a u mężczyzn znaczne osłabienie potencji płciowej. Występują obrzęki, zwłaszcza twarzy, suchość skóry, obniżenie temperatury ciała (np. do 35°C), przerzedzenie owłosienia, zwłaszcza brwi. Język chorych jest obrzmiały, głos gruby, mowa spowolniała. Czynność serca jest wolna, sylwetka serca powiększona.

Rozpoznanie niedoczynności opiera się na wywiadach, badaniu przedmiotowym i badaniach pomocniczych wykazujących obniżenie stężenia tyroksyny w surowicy poniżej 4,5 μg/100 ml (51 nmol/l) i, w przypadkach pierwotnej niedoczynności tarczycy, wysoki poziom tyreotropiny w surowicy (powyżej 6 mU/l). W przypadkach wtórnej niedoczynności tarczycy zawartość tyreotropiny w surowicy jest oczywiście bardzo niska. Poziom cholesterolu w surowicy zwykle wzrasta powyżej 300 mg% (7,8 mmol/l). Elektrokardiogram charakteryzuje się płaskimi załamkami krzywej.

Niedoczynność tarczycy nieznacznie nasilona. Dolegliwości ograniczają się do wrażliwości na chłód, umiarkowanego osłabienia i ociężałości psychicznej.

Leczenie niedoczynności tarczycy polega na stałym przyjmowaniu hormonu tarczycy – tyroksyny. Początkowo lek jest stosowany ostrożnie i dopiero stopniowo dawki są zwiększane.

W przypadkach niedoczynności wrodzonej pełna poprawa nie często następuje, zwłaszcza jeśli chodzi o wzrost i rozwój intelektualny dzieci. U dzieci starszych i młodzieży rokowanie jest znacznie lepsze, jednak pod warunkiem, że leczenie zostanie podjęte wcześniej. U dorosłych na ogół dolegliwości pod wpływem leczenia ustępują, choć w przypadkach zaniedbanych i u osób w wieku podeszłym często leczenie ogranicza się do uzyskania tylko częściowej poprawy ze względu na złą tolerancję leków przez układ krążenia.

Chorzy z niewyrównaną niedoczynnością tarczycy powinni zachować szczególną ostrożność w przyjmowaniu leków uspokajających i nasennych.

Nowotwory tarczycy, zob. Choroby nowotworowe, s. 2072 oraz Chirurgia endokrynologiczna, s. 1530.

Zapalenie tarczycy

Pojęcie z a p a l e n i e t a r c z y c y obejmuje wiele chorób tarczycy, wywołujących w gruczole zmiany zapalne lub zbliżone do zapalnych. Zmiany te, jeśli nawet rozwijają się w niepowiększonej tarczycy, powodują często r o z w i n i ę c i e s i ę w o l a.

Zapalenie tarczycy w zależności od przebiegu choroby dzieli się na ostre, podostre oraz przewlekłe.

Ostre zapalenie tarczycy. O s t r e z a k a ź n e z a p a l e n i e t a r c z y c y jest rzadko spotykaną chorobą, wywołaną najczęściej przez bakterie, np. gronkowce lub paciorkowce. Bakterie przedostają się do tarczycy przeważnie z ognisk zakaźnych, umiejscowionych w obrębie szyi, jamy ustnej lub dróg oddechowych. Ostre zakaźne zapalenie tarczycy obejmuje cały gruczoł lub ogranicza się do jego części. W zmienionej zapalnie tkance tarczycowej mogą powstać ogniska martwicy i ropnie.

Choroba o b j a w i a s i ę początkowo osłabieniem i nieznaczną gorączką. Później występuje ból i obrzęk tarczycy oraz wysoka gorączka. Skóra nad gruczołem jest zaczerwieniona i gorąca, tarczyca staje się twarda, bardzo bolesna na dotyk i ulega zropnieniu. Połykanie jest zwykle utrudnione.

L e c z e n i e ostrego zakaźnego zapalenia tarczycy polega na podawaniu dużych dawek antybiotyków, leków przeciwbólowych oraz stosowaniu ciepłych, wilgotnych okładów na szyję. W razie zropienia gruczołu jest konieczna interwencja chirurgiczna. Wyniki leczenia są zwykle dobre.

O s t r e z a p a l e n i e t a r c z y c y może powstać w s k u t e k k r w o t o k u do tarczycy, występującego samoistnie lub po urazie szyi. Wylew krwi do wola objawia się jego nagłym obrzmieniem i bólem szyi.

Podostre zapalenie tarczycy, zwane również **chorobą de Quervaina**, polega na rozwinięciu się w tarczycy zmian zapalnych, które przebiegają z dość burzliwymi objawami miejscowymi, nie powodują jednak zropienia gruczołu. Chorobę tę wywołują wirusy. Kobiety chorują czterokrotnie częściej niż mężczyźni. Podostre zapalenie tarczycy zwykle obejmuje cały gruczoł, czasami jednak tylko jego część.

O b j a w y. Na początku choroby występuje ból szyi, promieniujący zwykle do ucha. Czasami ból jest nietypowy i dotyczy tylko uszu lub zębów. Tarczyca obrzmiewa i twardnieje. Najczęściej pojawia się gorączka. Choroba trwa od kilku tygodni do kilku miesięcy.

L e c z e n i e polega na podawaniu leków przeciwzapalnych i stosowaniu ciepłych, wilgotnych okładów na szyję. W celu szybkiego zmniejszenia dolegliwości miejscowych podaje się czasami prednizon. W niektórych przypadkach następstwem choroby jest niedoczynność tarczycy. Dlatego też chorzy, którzy przebyli podostre zapalenie tarczycy, są okresowo poddawani badaniom kontrolnym.

Przewlekłe zapalenie tarczycy. Najczęściej spotykaną postacią przewlekłego zapalenia tarczycy jest c h o r o b a H a s h i m o t o, zwana również z a p a l e n i e m t a r c z y c y a u t o i m m u n i z a c y j n y m lub z a p a l e n i e m l i m f o c y t o w y m. Przyczyny tej choroby w pełni nie wyjaśniono, ustalono jednak, że rozwija się ona na podłożu zaburzeń układu immunologicznego, czyli odpornościowego. Zaburzenia te prowadzą do a u t o a g r e s j i, która polega na tym, że substancje pochodzące z własnej tarczycy są traktowane przez organizm jak ciała obce (a n t y g e n y). Antygeny tarczycowe pobudzają wytwarzanie przeciwciał, powodujących uszkodzenie lub nawet powolne zniszczenie tkanki tarczycowej. Jednocześnie pod wpływem autoagresji dochodzi do uczulenia komórek układu odpornościowego (np. limfocytów), które naciekają tarczycę i powodują w niej zmiany chorobowe.

Skłonność do wystąpienia zaburzeń immunologicznych prowadzących do choroby Hashimoto jest w znacznym stopniu uwarunkowana genetycznie. Skłonność ta może być więc przekazywana potomstwu. Na chorobę Hashimoto chorują prawie dziesięciokrotnie częściej kobiety niż mężczyźni, w ciągu roku zapada na nią 69 na 100 000 kobiet.

Choroba Hashimoto przejawia się powstaniem charakterystycznych zmian zapalnych w obrębie tarczycy i może spowodować zarówno r o z r o s t, jak i z a n i k tego gruczołu. Choroba może przebiegać w postaci ogniskowej lub rozsianej.

O g n i s k o w a p o s t a ć choroby Hashimoto powoduje umiarkowane zmiany w tarczycy i zwykle nie wywołuje jej zniszczenia. Kliniczne zmiany ograniczają się często do rozrostu gruczołu. Choroba może być wówczas rozpoznawana jako wole obojętne. Ta postać choroby Hashimoto występuje stosunkowo często u dzieci i młodzieży i kończy się na ogół pomyślnie, wygaśnięciem zmian zapalnych.

Rozsiana, uogólniona postać choroby Hashimoto obejmuje całą tarczycę lub znaczną jej część. Zmieniona zapalnie tarczyca powiększa się stopniowo tworząc wole. Czasami tworzy się wole guzowate lub jednostronne. Po dłuższym czasie wielkość wola może się stopniowo zmniejszać. Niekiedy dochodzi do zaniku tarczycy. W początkowym okresie choroby chorzy mogą odczuwać ból lub ucisk w obrębie szyi. Po pewnym czasie dolegliwości te ustępują, ale jeśli wole ma znaczne rozmiary, ucisk w obrębie szyi może się utrzymać.

We wczesnym okresie choroby czynność dokrewna tarczycy jest prawidłowa lub nawet dochodzi do nadmiernego wydzielania hormonów przez ten gruczoł. Po wielu miesiącach lub nawet latach rozwija się niedoczynność tarczycy, która znacznie upośledza ogólny stan zdrowia.

Znana jest również postać choroby Hashimoto, która powoduje początkowo nieznaczne objawy lub nawet przebiega bezobjawowo. Tarczyca w tych przypadkach nie tylko nie ulega powiększeniu, lecz po kilku latach zanika i przestaje wydzielać hormony.

Rozpoznanie wola Hashimoto opiera się zarówno na badaniu fizycznym, jak i ocenie komórek tarczycy uzyskanych punkcją wola. Innym badaniem wskazującym na chorobę Hashimoto jest stwierdzenie przeciwciał tarczycowych w surowicy krwi. Wystąpienie niedoczynności tarczycy w przebiegu choroby Hashimoto można wykryć stosunkowo wcześnie dzięki badaniu zawartości hormonów w surowicy.

Leczenie ogniskowej postaci wola Hashimoto, zwłaszcza u młodzieży, polega na przewlekłym podawaniu preparatów hormonów tarczycy. Leczenie to trwa od roku do kilku lat i prowadzi zwykle do zmniejszenia tarczycy.

Leczenie rozsianej postaci choroby Hashimoto jest na ogół nieskuteczne. Podstawową metodą leczenia jest stosowanie preparatów hormonów tarczycy, które, zwalczając niedoczynność tarczycy, działają korzystnie na ogólny stan chorych.

Leczenie operacyjne wola Hashimoto stosuje się bardzo rzadko, tylko wówczas, gdy wole wywiera znaczny ucisk lub nasuwa podejrzenie współistnienia zmian złośliwych.

Tzw. wole Riedla. Jest to bardzo rzadka postać przewlekłego zapalenia tarczycy o nie wyjaśnionym podłożu. Tarczyca rozrasta się i przybiera twardą, deskowatą spoistość. Początkowo choroba przebiega z prawidłową czynnością tarczycy, po dłuższym okresie może dojść do niedoczynności tarczycy, wymagającej stałego leczenia preparatami hormonów tarczycy. Jeśli wole wywołuje ucisk, jest wskazane leczenie operacyjne.

Choroby przytarczyc. Gospodarka wapniowo-fosforanowa. Mechanizmy regulacji gospodarki wapniowo-fosforanowej

O stężeniu wapnia i fosforanów we krwi decydują trzy hormony: p a r a t h o r m o n (PTH) wydzielany przez przytarczyce, k a l c y t o n i n a (CT) wydzielana przez komórki C tarczycy oraz hormon będący pochodną witaminy D_3 powstający w nerkach i określany jako k a l c y t r i o l (1,25-dihydroksycholekalcyferol = 1,25-dihydroksy-witamina D_3. W razie spadku stężenia wapnia w surowicy krwi przytarczyce, czyli gruczoły przytarczowe,wydzielają parathormon, który resorbuje wapń i fosforany z kości i poziom wapnia wraca do normy. Nadmiar fosforanów jest wydalany przez nerki pod wpływem parathormonu. Zbyt wysoki z kolei poziom wapnia w surowicy krwi jest bodźcem dla komórek C w tarczycy do wydzielania kalcytoniny, która przyspiesza odkładanie nadmiaru wapnia w kościach. Kalcytriol powstaje w nerkach pod wpływem parathormonu z prohormonu określanego jako k a l c y f e d i o l (25-hydroksycholekalcyferol); prohormon ten jest wytwarzany w wątrobie z witaminy D_3. Kalcytriol zwiększa wchła-

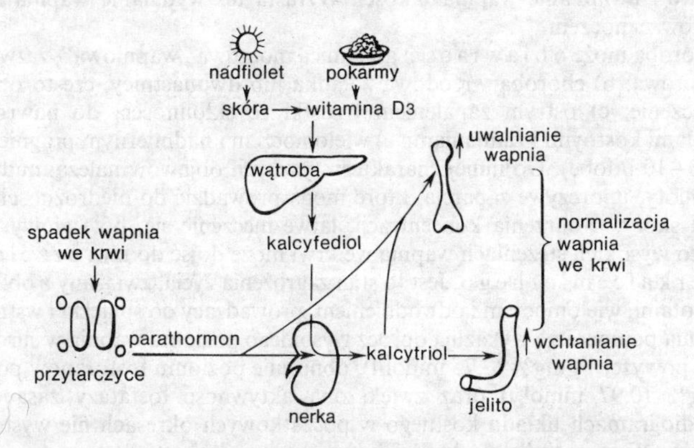

Przemiana witaminy D_3 w czynną jej postać, czyli w hormon kalcytriol (1,25-dihydroksy-witamina D_3) oraz udział tego hormonu i hormonu przytarczyc – parathormonu – w regulacji poziomu wapnia we krwi

nianie wapnia w jelitach, a tym samym zwiększa dopływ tego jonu do krwi i tkanki kostnej. Ponadto hormon ten potęguje działanie parathormonu i stopniuje uwalnianie wapnia z kości. Jak z tego wynika, w trzech gruczołach: przytarczycach, tarczycy, nerkach – powstają trzy hormony: parathormon, kalcytonina i kalcytriol, które oddziałują na trzy narządy: jelito, kość i nerkę, co pozwala na utrzymanie odpowiedniego bilansu wapnia i fosforu w organizmie oraz na ich dopływ do krwi, tkanek i kośćca w warunkach zdrowia (rys. na s. 833).

Zaburzenia gospodarki wapniowo-fosforanowej mogą być związane ze zmienioną czynnością przytarczyc, tzn. z ich nadczynnością lub niedoczynnością. Znacznie częściej jednak nieprawidłowy metabolizm wapniowo-fosforanowy jest związany z zaburzeniami: 1) wchłaniania wapnia i fosforu lub magnezu w przewodzie pokarmowym, 2) odkładania lub uwalniania tych jonów z kości, 3) ich transportu do tkanek oraz 4) nadmierną utratą przez nerki. Wynikają stąd określone zaburzenia metaboliczne, mogące objawiać się zanikiem kostnym, kamicą moczową „wapniową", tężyczką (spazmofilią).

Nadczynność przytarczyc

Nadczynność przytarczyc polega na nadmiernym wydzielaniu parathormonu. Rozróżnia się dwie główne postacie tej choroby: nadczynność pierwotną i nadczynność wtórną.

Pierwotna nadczynność przytarczyc jest najczęściej wywołana przez łagodny gruczolak, nieco rzadziej – przez przerost, a jedynie wyjątkowo przez raka przytarczyc. Pojedynczy zazwyczaj gruczolak, umiejscowiony w okolicy tarczycy, wydziela w nadmiarze parathormon, który zwiększa wchłanianie jelitowe i uwalnianie wapnia z kości. Wzrasta też wydalanie wapnia i fosforanów z moczem.

Choroba może objawiać się: a) kamicą moczową „wapniową", zazwyczaj nawrotową: b) chorobą wrzodową żołądka lub dwunastnicy, często oporną na leczenie; c) ostrym zapaleniem trzustki ze skłonnością do nawrotów; d) bólami kostnymi i złamaniami; e) wielomoczem i nadmiernym pragnieniem (ok. 3 – 10 l/dobę). Do mniej charakterystycznych objawów należą: nudności i wymioty, uporczywe zaparcia, które mogą prowadzić do niedrożności jelit, świąd skóry, zaburzenia koncentracji, łatwe męczenie się, bóle głowy. Przy bardzo wysokich stężeniach wapnia we krwi może dojść do tzw. przełomu hiperkalcemicznego. Jest to stan zagrożenia życia, związany z obfitymi wymiotami, wielomoczem i odwodnieniem, prowadzący do śpiączki i wstrząsu. Badania pomocnicze wykazują oprócz wysokiego poziomu wapnia w surowicy krwi, powyżej 11 mg% (2,75 mmol/l), obniżenie poziomu fosforanów poniżej 3 mg% (0,97 mmol/l) oraz zwiększoną aktywność fosfatazy zasadowej. W radiogramach układu kostnego w początkowych okresach nie występują zmiany. W przypadkach bardziej zaawansowanych obserwuje się zanik kostny, zwiększoną resorpcję (niszczenie kości, zwłaszcza rąk), a następnie torbiele kostne.

Leczenie operacyjne polega na usunięciu gruczolaka przytarczyc. Zob. też Chirurgia przytarczyc, s. 1532.

Wtórna nadczynność przytarczyc rozwija się jako mechanizm obronny, zapobiegający obniżeniu poziomu wapnia we krwi. Najczęściej jest związana z upośledzeniem jelitowego wchłaniania wapnia przy niedoborze witaminy D, w zespołach złego wchłaniania, w przewlekłej mocznicy. Wobec mniejszego dopływu wapnia z przewodu pokarmowego wzrasta wydzielanie parathormonu, który resorbuje wapń z kości, a tym samym wyrównuje poziom wapnia w surowicy krwi.

L e c z e n i e polega na leczeniu choroby podstawowej oraz podawaniu witaminy D_3 i wapnia, co na ogół prowadzi do normalizacji gospodarki wapniowej i cofnięcia się wtórnej nadczynności przytarczyc. W szczególnych przypadkach może być stosowane leczenie operacyjne.

Niedoczynność przytarczyc

Niedoczynność przytarczyc jest związana z niedoborem lub brakiem parathormonu. Najczęściej występuje po operacjach tarczycy, zwłaszcza z powodu jej nowotworów, czasami po napromieniowaniu tarczycy lub leczeniu jodem promieniotwórczym. P r z y c z y n ą choroby może być również wrodzony brak przytarczyc lub ich zniszczenie w przebiegu np. zakażenia. Brak parathormonu prowadzi do zmniejszenia dopływu wapnia z przewodu pokarmowego i kośćca oraz obniżenia stężenia tego jonu we krwi.

O b j a w y. Wśród dolegliwości dominują objawy tężyczkowe pod postacią mrowień i drętwień, zwłaszcza kończyn i wokół ust, skłonności do kurczów mięśni. Przy znacznie obniżonym poziomie wapnia we krwi mogą wystąpić napady tężyczki z bardzo silnymi i bolesnymi kurczami kończyn. Dłonie mogą układać się w kształcie „ręki położnika". Występuje końsko-szpotawe ustawienie stóp. Pomimo dramatycznego obrazu i znacznego cierpienia, napad tężyczki zazwyczaj nie zagraża życiu chorego, jeżeli nie dojdzie do kurczu oskrzeli lub zaburzeń czynności serca.

Poważnym p o w i k ł a n i e m niedoczynności przytarczyc jest często zaćma, czyli zmętnienie soczewek oka, zazwyczaj obustronne i szybko postępujące, co prowadzi do pełnej utraty ostrości wzroku. Badania dodatkowe wykazują obniżenie poziomu wapnia oraz podwyższenie poziomu fosforanów we krwi.

L e c z e n i e przewlekłej, utrwalonej niedoczynności przytarczyc polega na stosowaniu witaminy D_3 oraz jej aktywnych metabolitów w indywidualnie dobranych dawkach w połączeniu z wapniem i alusalem. Bardzo ważne jest ograniczenie nabiału (!) w celu zmniejszenia podaży fosforanów w diecie. W napadzie tężyczki są podawane preparaty wapnia.

Rzekoma niedoczynność przytarczyc jest zazwyczaj chorobą wrodzoną. P r z y c z y n ą jej jest oporność nerek, a czasami również tkanki kostnej, na działanie parathormonu, co prowadzi do takich samych skutków, jak brak tego hormonu. O b j a w y choroby są takie jak w pooperacyjnej niedoczynności przytarczyc (tężyczka, zaćma, obniżenie poziomu wapnia w surowicy krwi), a ponadto występuje niski wzrost, krępa budowa ciała, otyłość, okrągła twarz, skrócenie kości śródręcza imitujące skrócenie palców (objaw Albrighta), upośledzenie umysłowe. U części chorych występuje ponadto zanik kostny, a nawet torbiele kostne, jak w pierwotnej nadczynności przytarczyc.

L e c z e n i e jak wyżej.

Zanik kostny

Z wielu przyczyn zaniku kości do najczęstszych należą: o s t e o p o r o z a, czyli z r z e s z o t n i e n i e k o ś c i, oraz o s t e o m a l a c j a, czyli r o z m i ę - k a n i e k o ś c i. Osteoporoza jest uogólnioną chorobą kości charakteryzującą się małą masą tkanki kostnej oraz pogorszeniem jej mikroarchitektury, wtórnie prowadzącymi do zmniejszenia wytrzymałości kości oraz nadmiernej skłonności do złamań. Rozróżnia się osteoporozę pierwotną i wtórną.

Osteoporoza pierwotna może wystąpić w każdym wieku, wyjątkowo rzadko jednak zdarza się u dzieci. Najczęściej dotyczy kobiet po 45 r. życia (o s t e o - p o r o z a m e n o p a u z a l n a) oraz obu płci po 70 r. życia (o s t e o p o r o z a s t a r c z a). Do czynników wyzwalających wystąpienie lub przyspieszających rozwój osteoporozy pierwotnej zalicza się: zmniejszoną podaż wapnia, niedostateczną aktywność fizyczną, choroby – zwłaszcza nerek i przewodu pokarmowego – zaburzające wchłanianie białek, witamin, wapnia i fosforanów, zaburzenia hormonalne i metaboliczne w okresie wzrostu, niedobory hormonalne w okresie przekwitania u kobiet. Zasadniczą p r z y c z y n ą osteoporozy pomenopauzalnej jest niedobór estrogenów, w wyniku którego dochodzi do nadmiernej resorpcji kości przez komórki kościogubne (osteoklastów) oraz niedostatecznej czynności komórek kościotwórczych (osteoblastów), co prowadzi do ujemnego bilansu zarówno macierzy, jak i substancji mineralnych. Powolny ubytek masy kostnej dotyczy szczególnie tkanki kostnej beleczkowej, czyli gąbczastej (kręgi, miednica, szyjka kości udowej). W miarę nasilenia osteoporozy zanika również tkanka kostna zbita (kości długie, żebra).

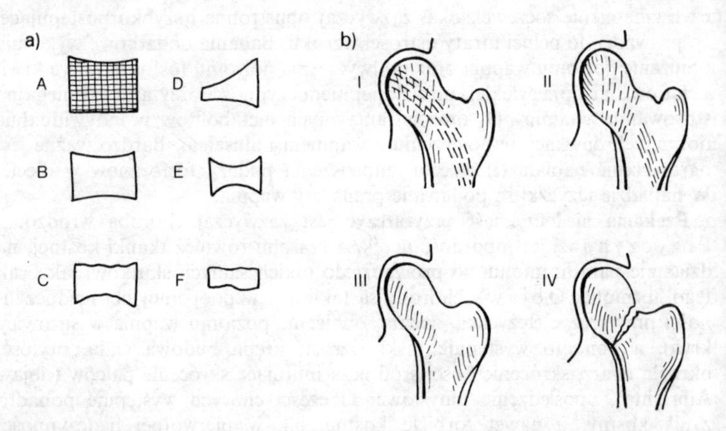

Powstawanie złamań kręgów (a) i szyjki kości udowej (b) w osteoporozie. A – prawidłowy trzon kręgu, B – trzon kręgu bez beleczek kostnych, C – nadłamania płytek górnych i dolnych kręgu, D – kręg złamany klinowo, E – kręg dwuwklęsły, F – kręg zmiażdżony, I – szyjka prawidłowa, II i III – ubytek beleczek kostnych podporowych w szyjce, IV – typowe złamanie szyjki

Objawy kliniczne przez wiele lat są skąpe i najczęściej występują jako niezbyt nasilone, ale uporczywe bóle kręgosłupa. Stopniowo narasta pochylenie i uwypuklenie pleców, skrzywienie kręgosłupa. Dopiero przy utracie ok. 1/3 masy kostnej pojawiają się zmiany widoczne na zdjęciu rentgenowskim kości, a następnie złamania i zmniejszenie wzrostu. Najwcześniejsze są złamania trzonów kręgów i szyjki kości udowej (rys. na s. 836), a następnie kości długich i miednicy, zazwyczaj samoistne lub po niewielkich urazach. U części chorych występuje kamica moczowa. Badania gospodarki wapniowej nie wykazują zazwyczaj istotnych odchyleń, poza okresowym, nadmiernym wydalaniem wapnia z moczem.

Zapobieganie i leczenie osteoporozy to przede wszystkim zwiększenie aktywności fizycznej, dieta urozmaicona z dostateczną ilością nabiału, leczenie chorób współistniejących, fizykoterapia. Wzrastają ostatnio możliwości skutecznego leczenia, pozwalające na zatrzymanie postępu zmian oraz na istotne zwiększenie masy kości. Leczenie hormonami płciowymi (estrogenami, gestagenami, androgenami, kalcytoniną, bifosfonianami, witaminą D_3, solami wapnia, fosforanów i magnezu. Stosowanie fluorku sodu może być skuteczne w osteoporozie ze złamaniami kości, wymaga jednak ścisłej kontroli lekarskiej ze względu na toksyczność fluoru i zagrożenie fluorozą. Raz rozpoznana osteoporoza wymaga stałego leczenia metodą ciągłą lub przerywaną, przez wiele lat.

Osteoporozy wtórne. Do zaniku kostnego może prowadzić wiele chorób. Objawy ich dominują nad osteoporozą, dlatego może ona objawić się złamaniami dopiero w późniejszym okresie i zadecydować o inwalidztwie chorego. Najczęściej osteoporoza wtórna pojawia się w wyniku zaburzeń czynności wydzielania gruczołów dokrewnych; w nadczynności tarczycy, nadczynności kory nadnerczy (zespół Cushinga), podczas stosowania kortykosteroidów (leki pochodne hormonów nadnerczy), po usunięciu jajników, w cukrzycy. Występuje również w zespołach złego wchłaniania, marskości wątroby, w alkoholizmie, szkorbucie, w stanach przewlekłego unieruchomienia (np. w ciężkiej niewydolności krążenia, niewydolności oddechowej, udarze mózgu).

Objawy wtórnych postaci osteoporozy są podobne do objawów osteoporozy pierwotnej, ale zazwyczaj na czoło wysuwają się dolegliwości choroby podstawowej.

Leczenie polega przede wszystkim na usunięciu przyczyny wywołującej, a następnie jest zbliżone do leczenia osteoporozy pierwotnej, chociaż nie musi być tak długotrwałe.

Osteomalacja u osób dorosłych charakteryzuje się demineralizacją tkanki kostnej przy zwiększonej ilości macierzy kostnej, co prowadzi do powstawania miękkiej, bo nieuwapnionej tkanki kostnawej, ulegającej łatwo wygięciu i złamaniu. Ze względu na przyczynę, rozróżnia się osteomalacje: 1) z niedoboru witaminy D_3; 2) z zaburzeń przemiany witaminy D_3 oraz 3) postacie tzw. hipofosfatemiczne witamino-D-oporne, tj. związane z obniżonym poziomem fosforanów we krwi i opornością na witaminę D.

Niedobór witaminy D_3 może wynikać z niedostatecznej jej podaży lub z niedostatecznego wchłaniania (przewlekłe niedożywienie, dieta jarska, zespoły złego wchłaniania) lub częściej – ze zbyt małej jej syntezy w skórze przy niedostatecznej ekspozycji na słońce (ciemne pomieszczenia, długotrwałe unieruchomienie, pobyty w szpitalach, chorzy lub starcy pozostający w domu przez dłuższy czas).

W a d l i w a p r z e m i a n a witaminy D_3 (rys. na s. 833) może zachodzić w wątrobie lub w nerkach. Przy wadliwej przemianie w w ą t r o b i e przestaje powstawać prohormon kalcyfediol, np. w marskości wątroby, lub też gdy jego przemiana do nieczynnych metabolitów ulega przyspieszeniu np. pod wpływem leków przeciwpadaczkowych.

Przy wadliwej przemianie witaminy D_3 w n e r k a c h, zachodzącej częściej – gdyż nawet mierne lub krótkotrwałe uszkodzenie miąższu nerek odbija się na przemianie tej witaminy – dochodzi do niedostatecznej syntezy czynnego metabolitu witaminy D_3, tj. kalcytriolu. Stąd większości chorób nerek przebiegających z zanikami miąższu nerkowego towarzyszy osteomalacja z niedoboru kalcytriolu.

O s t e o m a l a c j e h i p o f o s f a t e m i c z n e witamino-D-oporne występują bardzo rzadko, są uwarunkowane genetycznie i związane z niepowstawaniem w nerkach kalcytriolu lub z niezdolnością nerek do zatrzymywania fosforanów w organizmie. Przy niedoborze witaminy D_3 lub jej czynnych metabolitów zmniejsza się wchłanianie wapnia i fosforanów w jelitach oraz dopływ tych minerałów do kośćca i pogarsza się mineralizacja młodej, nieuwapnionej kostniny.

O b j a w y kliniczne osteomalacji poza objawami choroby podstawowej są często bardzo dramatyczne i występują pod postacią: 1) uogólnionych, bardzo silnych bólów kostnych, 2) osłabienia mięśni, szczególnie obręczy biodrowej („kaczkowaty" chód) i barkowej, aż do pełnego unieruchomienia z powodu niezdolności do wysiłku, 3) wygięć i złamań kości, zwłaszcza kręgosłupa (kręgi rybie), szyjek kości udowych, żeber i mostka (kurza lub szewska klatka piersiowa), miednicy (złamania kości kulszowych, łonowych). Badania dodatkowe wykazują wysoką aktywność fosfatazy zasadowej, niski poziom fosforanów we krwi i zmniejszone wydalanie wapnia z moczem. W obrazie rentgenowskim kości, oprócz zaniku kostnego, złamań i wygięć, występują charakterystyczne tzw. z ł a m a n i a r z e k o m e, tj. linijne odwapnienia części kości, przypominające szczelinę złamania.

L e c z e n i e polega na usunięciu przyczyny niedoboru witaminy D, leczeniu choroby podstawowej oraz podawaniu witaminy D_3, czasami z fosforanami i wapniem. Przynosi ono szybką poprawę, ale – zależnie od przyczyny – musi być stosowane co najmniej kilka miesięcy lub stale.

Kamica moczowa „wapniowa"

Kamica moczowa „wapniowa" często jest spowodowana zaburzeniami gospodarki wapniowej zależnymi od czynników hormonalnych lub metabolicznych. Wykazuje ona znaczną skłonność do nawrotów pomimo skutecznego leczenia operacyjnego (zob. Urologia, s. 1540). U ok. 1/2–2/3 chorych występuje samoistne, nadmierne wydalanie wapnia z moczem (hiperkalciuria) o złożonych i nie w pełni poznanych przyczynach. Przyczyną kamicy może być również nadmierne wydalanie z moczem kwasu szczawiowego, który łącząc się z wapniem tworzy złogi wapniowe. Do „uleczalnych" przyczyn należą: pierwotna nadczynność przytarczyc, nadczynność tarczycy i nadnerczy oraz przedawkowanie witaminy D_3.

Leczenie każdej kamicy polega przede wszystkim na wypijaniu takich ilości płynów o niskiej zawartości wapnia (np. przegotowanej wody), aby dobowe wydalanie moczu nie było niższe niż 1,5 l, a najlepiej, aby wynosiło ok. 2–3 l, co chorzy mogą sami kontrolować. W kamicy „wapniowej" z hiperkalciurią należy ograniczyć nabiał w diecie, przeciwwskazane są też: nadmierne opalanie, leki napotne, sauna, a z leków: preparaty wapnia, furosemid, witamina D_3 (również w preparatach wielowitaminowych). Podawane są zaś fosforany nieorganiczne, leki moczopędne tiazydowe, sole magnezu. W kamicy wapniowo-szczawianowej, oprócz powyższych zaleceń, ograniczenia dietetyczne dotyczą pokarmów zawierających szczawiany (szpinak, szczaw, rabarbar, buraczki, owoce i soki cytrusowe, mocna herbata, kawa, czekolada, kakao). Konieczne jest leczenie każdej biegunki, zwłaszcza przewlekłej.

Zapobieganiu nawrotom kamicy szczawianowej sprzyja podawanie witaminy B_6.

Tężyczka

Tężyczka, zwana też spazmofilią, jest wieloobjawowym zespołem, polegającym na zwiększonej gotowości (tężyczka utajona) do występowania napadów tężyczki (tężyczka jawna). Może ona być spowodowana – poza niedoczynnością przytarczyc – niedoborem wapnia z innych przyczyn (zob. Tężyczka krzywiczopochodna, s. 835), jak również niedoborem potasu i magnezu, chorobami ośrodkowego układu nerwowego i innymi przyczynami.

Objawy kliniczne mogą być podobne do spotykanych w niedoczynności przytarczyc (zob. s. 835), mogą też występować inne zależnie od przyczyny wywołującej. Do głównych objawów tężyczki zalicza się: objawy tężyczkowe, rzekomonerwicowe i związane z zaburzeniami przemiany mineralnej.

1) Objawy tężyczkowe. Występuje mrowienie i drętwienie kończyn, kurcze różnych grup mięśni: „kurcz pisarski", wrażenie obecności gałki w przełyku, kurcze mięśni, stóp, podudzi, rąk, zwłaszcza nocne lub pod wpływem zimna, kurcze krtani, oskrzeli, jelit. U ok. 1/3 chorych następuje pełny napad tężyczkowy (tężyczka jawna) o typowym przebiegu: niepokój lub lęk, przyspieszony i pogłębiony oddech (hiperwentylacja), następnie mrowienie i drętwienie kończyn, kolejno bolesne kurcze mięśni narastające do przymusowego ułożenia rąk w kształcie „ręki położnika" i końsko-szpotawego stóp. Napad nie zależy od woli chorego.

2) Objawy rzekomonerwicowe. Najistotniejsze wśród nich jest uczucie przewlekłego zmęczenia (astenia); chorzy często budzą się już znużeni. Poza tym występują: męczliwość umysłowa (psychastenia),

niepokój, lęki, zawroty i bóle głowy, kołatania serca i bóle w okolicy sercowej, zmienność nastroju, skłonność do nadpobudliwości, albo wręcz agresywność – często naprzemiennie z okresami depresji.

3) Objawy związane z nieprawidłowym metabolizmem mineralnym to: bóle kręgosłupa, odwapnienie kośćca, kamica moczowa, zaćma, paradontoza.

Leczenie zależy od nasilenia objawów i charakteru choroby podstawowej.

VI. CHOROBY KRWI I UKŁADU KRWIOTWÓRCZEGO

Choroby krwi i układu krwiotwórczego są przedmiotem zainteresowań hematologii. Hematologia jest zarazem specjalnością kliniczną, należącą do rozległej dziedziny chorób wewnętrznych, i nauką zajmującą się fizjologią, biochemią i morfologią komórek krwi, układu krwiotwórczego, węzłów chłonnych i śledziony. W zakres hematologii wchodzi również proces krzepnięcia krwi i jego zaburzenia.

Do chorób krwi i układu krwiotwórczego należą zarówno stany chorobowe powstające na skutek niedoboru krwinek czerwonych, białych i płytek krwi lub rozrostu nieprawidłowych komórek w układzie krwiotwórczym i węzłach chłonnych, jak i zaburzenia w układzie krzepnięcia krwi, powodujące skłonność do krwawień, czyli tzw. skazy krwotoczne.

Każda niekorzystna zmiana we krwi odbija się na czynnościach różnych – zwykle wielu – narządów w organizmie człowieka, powodując zachwianie równowagi ustroju. Często zatem objawami chorób krwi są dolegliwości ze strony innych układów, np. bóle głowy, różne dolegliwości serca, bóle kości, gorączka itp. Z kolei we krwi, która przepływa przez wszystkie tkanki organizmu, odbijają się, jak w zwierciadle, wszystkie nieprawidłowości występujące w innych narządach. Niedokrwistość np. nie musi być objawem choroby układu krwinek czerwonych, a może rozwijać się na skutek choroby wątroby, nerek lub stawów. Zwiększenie liczby krwinek białych we krwi jest często sygnałem stanu zapalnego rozgrywającego się gdzieś w organizmie. Dlatego też badania krwi są dla lekarza podstawowymi badaniami laboratoryjnymi. Każdy nieprawidłowy wynik badania krwi jest bowiem skutkiem zaistniałej nieprawidłowości w samej krwi, w układzie krwiotwórczym lub poza nimi, w innych narządach organizmu.

Powstawanie komórek krwi

U człowieka po okresie życia płodowego komórki krwi powstają w szpiku kostnym w procesie krwiotworzenia, czyli hemopoezy. Wszystkie komórki krwi, a więc erytrocyty, czyli krwinki czerwone, granulocyty, monocyty i płytki krwi wywodzą się ze wspólnej komórki macierzystej zwanej przez niektórych badaczy komórką pnia (rys.). Z tej samej komórki, również w szpiku, powstają limfocyty, czyli komórki należące także do układu chłonnego.

Hemopoetyczne komórki macierzyste odznaczają się zdolnością reagowania na specyficzne bodźce powodujące zmianę właściwości komórki macierzystej i skierowanie jej na drogę prowadzącą do określonej linii komórkowej. Bodźcami tymi są różne, nie zawsze już poznane, substancje chemiczne pochodzące z wewnątrz lub zewnątrz organizmu.

Bodźcem „popychającym" komórkę macierzystą np. w kierunku układu krwinek czerwonych jest erytropoetyna – hormon powstający w nerkach w zależności od stężenia tlenu we krwi dopływającej do tkanki nerkowej. Im mniej jest tlenu we krwi dopływającej do nerek, czy to

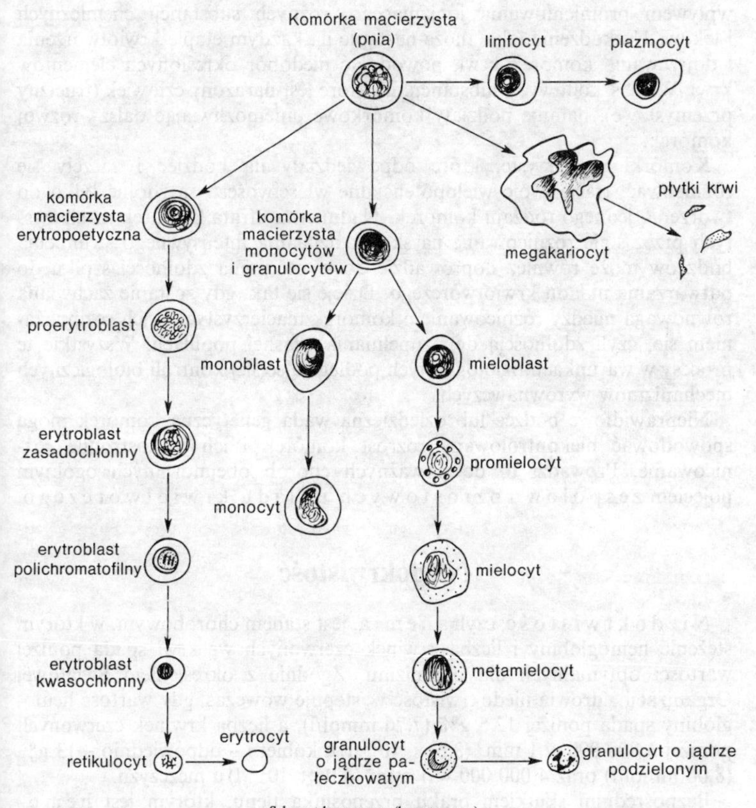

Schemat hemopoezy (hematopoezy)

z powodu niższego ciśnienia tlenu w atmosferze otaczającej (np. w wysokich górach), czy też mniejszej liczby krwinek czerwonych przenoszących tlen we krwi krążącej (na skutek krwotoku lub rozpadu krwinek), tym więcej wytwarza się erytropoetyny i tym więcej komórek macierzystych zaczyna przechodzić do grupy tzw. komórek ukierunkowanych, z których powstają komórki prekursorowe erytrocytów. Jest to fizjologiczny proces uzupełniania niedoborów. Podobne mechanizmy powodują kierowanie komórek macierzystych do układów pozostałych komórek krwi.

Przemiany wyzwalane w komórkach macierzystych przez działanie określonych bodźców noszą nazwę różnicowania. U jego podłoża leży nabieranie przez komórkę zdolności wytwarzania białka specyficznego dla danej linii komórkowej (np. hemoglobiny w krwinkach czerwonych). Zahamowanie procesu różnicowania lub zniszczenie komórek macierzystych przez jakiś czynnik szkodliwy uniemożliwia krwiotworzenie. Tak może się stać pod wpływem promieniowania jonizującego, różnych substancji chemicznych i leków. Uszkodzenie takie może nastąpić na każdym etapie krwiotworzenia i dojrzewania komórek krwi, powodując niedobór określonych elementów krwi. Wiele szkodliwych substancji, na które jest narażony człowiek (trucizny przemysłowe), hamuje podziały komórkowe uniemożliwiając dalszy rozwój komórek.

Komórki macierzyste, które odpowiedziały na bodziec i zaczęły się różnicować, tracą swoje wielopotencjalne właściwości i są zdolne tylko do tworzenia jednego rodzaju komórek. Nadmierna utrata komórek macierzystych przez stałe różnicowanie na skutek działania intensywnego strumienia bodźców może również doprowadzić do wyczerpania zdolności szpiku do odtwarzania układu krwiotwórczego. Dzieje się tak, gdy zostanie zachwiana równowaga między różnicowaniem komórek macierzystych a ich rozmnażaniem się, czyli zdolnością do uzupełniania własnej populacji. Wszystkie te procesy w warunkach fizjologicznych podlegają ścisłej kontroli biologicznych mechanizmów wyrównawczych.

Nieprawidłowe bodźce lub dziedziczna wada genetyczna komórek mogą spowodować niekontrolowany rozrost komórek i ich jednostronne różnicowanie. Prowadzi to do poważnych chorób obejmowanych ogólnym pojęciem zespołów rozrostowych układu krwiotwórczego.

Niedokrwistość

Niedokrwistość, czyli anemia, jest stanem chorobowym, w którym stężenie hemoglobiny i liczba krwinek czerwonych we krwi spada poniżej wartości optymalnych dla organizmu. Zgodnie z określeniem Światowej Organizacji Zdrowia niedokrwistość występuje wówczas, gdy wartość hemoglobiny spada poniżej 12,5 g% (7,76 mmol/l), a liczba krwinek czerwonych poniżej 3 800 000 w 1 mm^3 ($3,8 \times 10^{12}$/l) u kobiet i – odpowiednio – 13 g% (8,06 mmol/l) oraz 4 000 000 w 1 mm^3 ($4,0 \times 10^{12}$/l) u mężczyzn.

Bezpośrednim skutkiem braku przenośnika tlenu, którym jest hemoglobina zawarta w krwinkach czerwonych, jest niedotlenienie tkanek, co się odbija przede wszystkim na tak wrażliwych na niedobór tlenu narządach, jak mózg i serce.

Przyczyny niedokrwistości są bardzo różne, jednak bardzo rzadko zależy ona od choroby układu krwiotwórczego, najczęściej zaś jest wynikiem lub objawem chorób innych narządów. Każda próba leczenia samej niedokrwistości może pociągnąć za sobą nieodwracalne skutki w postaci zamazania obrazu choroby i uniemożliwienia lub opóźnienia rozpoznania właściwej przyczyny niedokrwistości.

Niedokrwistość może być spowodowana:

1) nadmierną nagłą lub długo trwającą utratą krwi – są to tzw. niedokrwistości pokrwotoczne;

2) niedostatecznym wytwarzaniem krwinek przez szpik kostny na skutek:

a) niedoboru czynników niezbędnych do budowy krwinek lub hemoglobiny – są to niedokrwistości niedoborowe z braku żelaza, witaminy B_{12}, kwasu foliowego, witaminy B_6;

b) niewydolności komórek macierzystych – są to niedokrwistości aplastyczne;

c) niedoboru erytropoetyny i (lub) innych stymulatorów krwiotworzenia – są to niedokrwistości w niewydolności nerek;

d) wyparcia układu czerwonokrwinkowego ze szpiku lub powstawania czynników hamujących dojrzewanie erytroblastów – należą tu zespoły rozrostowe, nowotwory i przewlekłe zapalenia;

3) zwiększonym rozpadem krwinek występującym nagle lub w sposób przewlekły – tzw. niedokrwistości hemolityczne;

4) wystąpieniem kilku wymienionych czynników naraz.

Podstawowe objawy niedokrwistości zależą od stopnia niedokrwistości i szybkości jej rozwoju, a nie zależą od przyczyny. Do objawów tych należą: bóle i zawroty głowy, uczucie osłabienia, łatwe omdlenia i zasłabnięcia, zmiany nastroju, osłabienie pamięci i trudność skupienia się, senność, bóle w okolicy serca, przyśpieszona czynność serca, bladość skóry, spojówek i błon śluzowych, stopniowo pogarszająca się wydolność fizyczna i psychiczna. Jednocześnie wynik badania morfologicznego krwi obwodowej wskazuje na zmniejszenie stężenia hemoglobiny i liczby krwinek czerwonych.

Niedokrwistości pokrwotoczne

Niedokrwistości te powstają na skutek utraty krwi krążącej, a w tym krwinek czerwonych, w przebiegu krwotoku (postać ostra) lub krwawienia (postać przewlekła). Utrata krwi jest wówczas tak duża, że proces wytwarzania nowych krwinek nie zdąży jej wyrównać.

Ostra niedokrwistość pokrwotoczna występuje w następstwie: 1) krwotoku z tkanek miękkich i mięśni po rozległych urazach, 2) krwotoku z górnego i dolnego odcinka przewodu pokarmowego, 3) krwotoku z dróg rodnych u kobiet, 4) rzadko krwotoku z dróg moczowych, 5) krwawienia wewnętrznego po pęknięciu śledziony lub wątroby, 6) krwawienia po zabiegach operacyjnych, gdy źle „zaopatrzono" naczynia, 7) krwawienia w przebiegu ciąży pozamacicznej i różnych powikłań położniczych. Przy ciężkich skazach krwotocznych, np. w hemofilii, ostra niedokrwistość pokrwotoczna może rozwinąć się po krwawieniach samoistnych do stawów lub po usunięciu zębów.

O b j a w y występują szybko w postaci nagłego zasłabnięcia lub utraty przytomności, zblednięcia, przyśpieszenia czynności serca ze spadkiem ciśnienia tętniczego krwi, aż do wstrząsu włącznie.

R o z p o z n a n i e na ogół nie nastręcza wątpliwości, chociaż w przypadku krwotoku wewnętrznego może być utrudnione.

L e c z e n i e musi być szybkie i intensywne w warunkach szpitalnych – przetoczenie krwi, zatrzymanie krwawienia. Jeżeli krwawienie zostanie zatrzymane, a utracona krew uzupełniona przed okresem tzw. wstrząsu nieodwracalnego – r o k o w a n i e jest bardzo dobre.

Przewlekła niedokrwistość pokrwotoczna jest najczęściej spotykaną postacią niedokrwistości. Krwawienie powodujące niedokrwistość może być utajone, i chory go nie dostrzega, lub takie, na które nie zwraca uwagi – jak to bywa w przypadku nadmiernych krwawień miesiączkowych, traktowanych przez kobiety jako prawidłowe. Tego rodzaju krwawienia mogą całymi latami uchodzić uwadze chorego i lekarza.

P r z y c z y n ą niedokrwistości są najczęściej przewlekłe krwawienia z przewodu pokarmowego (choroba wrzodowa, uchyłkowatość, nowotwory, pasożyty) i z żylaków odbytu, czyli hemoroidów, a u kobiet krwawienia z dróg rodnych. Przewlekła niedokrwistość może być też spowodowana krwawieniami z nerek, płuc, nosa oraz częstymi wylewami do tkanek miękkich i śluzówek w przypadkach skaz krwotocznych. Z traconą krwią następuje ucieczka żelaza z organizmu, której nie można uzupełnić żelazem spożywanym z pokarmami, dlatego przewlekła niedokrwistość pokrwotoczna ma zawsze cechy niedokrwistości z niedoboru żelaza.

O b j a w y choroby, z wyjątkiem okresów poprawy, kiedy chory nie krwawi, są takie, jak wymieniono dla całej grupy niedokrwistości (zob. s. 843).

R o z p o z n a n i e przewlekłego krwawienia i wykrycie jego źródła ma podstawowe znaczenie dla leczenia i rokowania tej postaci anemii, która jest właściwie zespołem objawowym innej, podstawowej choroby. Najczęściej przyczyną jest utajone krwawienie z przewodu pokarmowego, a więc należy zwracać baczną uwagę na oddawany stolec. Zwłaszcza pojawienie się czarnego stolca, jeżeli chory w tym czasie nie brał preparatów żelaza, bizmutu lub węgla, wymaga natychmiastowego zgłoszenia się do lekarza i wykonania badań kału na obecność krwi utajonej. Badanie takie powinno być wykonywane kilkakrotnie, w każdym przypadku podejrzenia krwawienia z przewodu pokarmowego, nawet przy prawidłowo zabarwionym stolcu.

U kobiet jest konieczne badanie ginekologiczne i zwrócenie uwagi na częstość, czas trwania i obfitość krwawień miesięcznych. Wszelkie krwawienia poza okresem miesiączkowania i po okresie przekwitania są bezwzględnym wskazaniem do kontroli ginekologicznej.

L e c z e n i e przewlekłej niedokrwistości pokrwotocznej polega przede wszystkim na leczeniu choroby podstawowej. Podawanie preparatów żelaza jest niezbędne dopiero wtedy, gdy przyczyna niedokrwistości jest ustalona i gdy trzeba uzupełnić jego niedobór.

Niedokrwistość z niedoboru żelaza

Niedobór żelaza jest częstym stanem chorobowym, zwłaszcza w krajach, w których z przyczyn ekonomicznych lub tradycyjno-religijnych podaż żelaza z pokarmami jest niedostateczna. Ponieważ żelazo wchodzi w skład cząsteczki hemoglobiny, w przypadku jego braku synteza hemoglobiny jest zahamowana. Powoduje to zatrzymanie procesu wytwarzania czerwonych krwinek na etapie erytroblastów zasadochłonnych (rys. na s. 841), kiedy synteza hemoglobiny jest najżywsza. Krwinek czerwonych powstaje mniej, te zaś, które tworzą się, zawierają mniej hemoglobiny – są jaśniejsze i mniejsze. W badaniach laboratoryjnych stwierdza się niedokrwistość, niedobarwliwość, czyli hipochromię krwinek, oraz mikrocytozę, tj. zmniejszenie wielkości krwinek.

P r z y c z y n ą niedokrwistości z niedoboru żelaza może być: 1) nadmierna utrata żelaza (przewlekłe krwawienia); 2) nadmierne, przekraczające podaż zużycie żelaza (ciąża i okres karmienia, okres dojrzewania, regeneracja krwinek w przypadkach różnych niedokrwistości); 3) niedostateczna podaż żelaza z pokarmami; 4) złe wchłanianie żelaza (choroby jelit, wątroby i trzustki, alkoholizm); 5) nieprawidłowe zużycie żelaza poza układem krwiotwórczym (przewlekłe stany zapalne, nowotwory).

Największą wrażliwość na niedobór żelaza obserwuje się w ciąży, w okresie pokwitania obu płci (szczególnie u dziewcząt) oraz u ludzi starych.

Żelazo, poza hemoglobiną, wchodzi w skład enzymów biorących udział w procesie utleniania biologicznego oraz w skład mioglobiny – barwnego białka mięśni o budowie zbliżonej do hemoglobiny. Enzymy zawierające żelazo mają szczególne znaczenie w przemianach biochemicznych w mózgu, sercu i błonach śluzowych. Upośledzona czynność tych narządów w przypadku niedoboru żelaza powoduje, że chorzy szczególnie źle znoszą niedokrwistość z niedoboru żelaza, mają cięższe objawy chorobowe niż chorzy z innymi typami anemii przy tej samej lub mniejszej liczbie krwinek czerwonych.

Głównymi o b j a w a m i niedokrwistości z niedoboru żelaza są bóle i zawroty głowy, drażliwość, apatia, trudności w uczeniu się, bóle i bicie serca, uczucie duszności, osłabienie, łamliwość i wypadanie włosów, zmiany w paznokciach z ich łatwym kruszeniem się, zajady w kącikach ust, zmiany w śluzówkach jamy ustnej i gardła. Charakterystyczna jest porcelanowa bladość skóry.

Badania krwi obwodowej wykazują: spadek liczby krwinek czerwonych, wyraźnie niskie stężenie hemoglobiny, niedobarwliwość i mikrocytozę (zmniejszenie wielkości) krwinek. Stężenie żelaza w surowicy jest mniejsze w stosunku do normy, która wynosi 80 – 120 μg% (14,3 – 21,5 mmol/l).

Zdarza się często, że okres jawnej niedokrwistości jest poprzedzony stanem niedoboru żelaza bez niedokrwistości, gdy na potrzeby krwiotworzenia, których nie pokrywa podaż, zostaje zużyte żelazo ustrojowe. Ujawniają się wówczas niektóre objawy kliniczne spowodowane niskim stężeniem żelaza we krwi. Rozpoznanie tego stanu ma duże znaczenie dla zapobiegania rozwojowi niedokrwistości, ponieważ pozwala usunąć przyczynę i uzupełnić niedobory.

W zapobieganiu niedoborowi żelaza, poza usuwaniem chorób będących jego przyczyną, podstawowe znaczenie ma dieta. Dzienne zapotrzebowanie człowieka zdrowego na żelazo wynosi:

mężczyźni dorośli	1,0–1,5 mg
dziewczęta w okresie dojrzewania	1,2–2,5 mg
chłopcy w okresie dojrzewania	1,0–2,9 mg
kobiety miesiączkujące	1,0–2,5 mg
kobiety w ciąży	1,5–5,0 mg

Zapotrzebowanie to powinno być z łatwością pokryte przez prawidłową dietę, w razie zwiększonego zapotrzebowania wzbogaconą w obfitujące w żelazo pokarmy.

Główne źródło łatwo przyswajalnego żelaza to: mięso, ryby i wątroba, czyli pokarmy zawierające hemoglobinę lub mioglobinę, oraz żółtko jaj. Najlepszym źródłem żelaza pochodzenia roślinnego, gorzej wykorzystywanego, jest fasola, soja oraz rośliny zielone. Wchłanianie żelaza przyspiesza witamina C, zawarta w wielu sokach owocowych i roślinach surowych.

Leczenie jawnych postaci niedokrwistości polega na podawaniu preparatów żelaza doustnie oraz witamin B_2 i B_6 poprawiających jego wykorzystanie. Leczenie to jest długotrwałe i wymaga nieraz wielotygodniowego lub nawet wielomiesięcznego przyjmowania odpowiednich leków.

U chorych, u których przyczyną niedokrwistości z niedoboru żelaza jest złe wchłanianie z przewodu pokarmowego, stwierdzone na podstawie badania wchłaniania żelaza za pomocą tzw. krzywej obciążenia żelazem – preparaty żelaza są stosowane dożylnie lub domięśniowo.

Niedokrwistości z niedoboru witaminy B_{12} (niedokrwistości megaloblastyczne)

Niedokrwistość Addisona–Biermera, zwana dawniej **„niedokrwistością (anemią) złośliwą"**, jest główną chorobą w tej grupie niedokrwistości. Historyczna nazwa tej choroby, jak się wydawało do lat 30-tych bieżącego stulecia – nieuleczalnej, straciła sens, gdy w 1926 r. Minot i Murphy stwierdzili, że chorzy z niedokrwistością tą, nawet w postaci bardzo ciężkiej, wracają do zdrowia, gdy spożywają surową wątrobę; choroba nie powraca, jeśli pokarm ten jest stosowany przez całe życie. Wkrótce stwierdzono, że przyczyną niedokrwistości tego typu jest brak witaminy B_{12}, niezbędnej do prawidłowego przebiegu procesu krwiotworzenia.

Witamina B_{12} (cyjanokobalamina) wchłania się z przewodu pokarmowego w postaci kompleksu (połączenia) z białkiem wytwarzanym przez komórki okładzinowe błony śluzowej żołądka. Białko to zwane jest czynnikiem wewnętrznym lub czynnikiem Castle'a. Chorzy na chorobę

Addisona – Biermera nie wytwarzają czynnika wewnętrznego, w związku z czym nie mogą wchłaniać zawartej w różnych pokarmach witaminy B_{12}. W wątrobie witamina ta jest związana z czynnikiem białkowym o właściwościach podobnych do właściwości czynnika wewnętrznego. Czynnik ten ulega rozpadowi pod wpływem wysokiej temperatury, dlatego dodatni wynik leczniczy osiągnięto dopiero po zastosowaniu surowej wątroby. Dziś surowa wątroba ma tylko znaczenie historyczne jako czynnik, który wykreślił z nazwy choroby przymiotnik „złośliwa".

Witamina B_{12} jest niezbędna do prawidłowej syntezy kwasów nukleinowych w komórkach, przede wszystkim zaś w komórkach szpiku kostnego, które dzielą się szybko i często. Brak tej witaminy powoduje zahamowanie dojrzewania komórek, co prowadzi do ciężkiej anemii, a w mniejszym stopniu również do zmniejszenia liczby krwinek białych i płytek krwi. Młode komórki prekursorowe w szpiku nabierają charakterystycznego wyglądu i kształtu. Zarówno one, jak i ich jądra stają się „olbrzymie" (*gr. megalos*) (tablica XVIII). Stąd pochodzą określenia hemopoeza megaloblastyczna i niedokrwistości megaloblastyczne. Oprócz szpiku, uszkodzeniu ulegają również komórki przewodu pokarmowego i układu nerwowego, zwłaszcza zaś rdzenia kręgowego, co może powodować objawy kliniczne.

Przyczyną niedokrwistości megaloblastycznych jest nie tylko brak czynnika wewnętrznego, jak w chorobie Addisona – Biermera. Wywołują je i inne zaburzenia wchłaniania i wykorzystywania witaminy B_{12}, występujące w różnych chorobach jelit i żołądka, w chorobach wątroby i trzustki, po podawaniu niektórych leków, w tasiemczycy i w przypadku niedoborów pokarmowych. Niedokrwistość megaloblastyczną może powodować również niedobór kwasu foliowego, często zdarzający się u kobiet w ciąży, u alkoholików i u ludzi starych, po licznych lekach, w przewlekłych chorobach zapalnych i nowotworowych.

Objawy niedokrwistości megaloblastycznych są ogólne, tzn. takie, jak w innych postaciach niedokrwistości (zob. s. 843), chorzy czują się jednak dużo lepiej niż przy niedokrwistości z niedoboru żelaza i dlatego zgłaszając się po raz pierwszy do lekarza mają nieraz anemię znacznie większego stopnia.

Bladość skóry w niedokrwistościach megaloblastycznych ma odcień żółtawo-brązowy (kolor mlecznej kawy), co różni ją od porcelanowego odcienia skóry w anemii z niedoboru żelaza. Częste są biegunki oraz zespół objawów neurologicznych polegających na zaburzeniach równowagi w związku z osłabieniem czucia głębokiego. Charakterystyczne są trudności w wykonywaniu drobnych działań arytmetycznych, przed chorobą nie sprawiających kłopotu.

Rozpoznanie. Badanie morfologiczne krwi obwodowej wykazuje: obniżenie liczby krwinek czerwonych znacznego nieraz stopnia, ze słabszym w stosunku do niego zmniejszeniem stężenia hemoglobiny (synteza hemoglobiny w zasadzie nie jest zaburzona), zmniejszenie liczby krwinek białych (zwykle ok. 3000 – 4000/mm^3, czyli $3{,}0 - 4{,}0 \times 10^9$/l) i płytek krwi (do ok. 100 000/mm^3, tj. 100×10^9/l). Krwinki czerwone są duże (makrocytoza) i silnie wybarwione, gdyż zawierają więcej hemoglobiny (nadbarwliwość, czyli hiperchromatofilia), poza tym występuje sporo krwinek o zmienionych kształtach (poikilocytoza) z powodu łatwiejszego rozpadu krwinek w krążeniu. Stężenie żelaza w surowicy krwi jest zwiększone. Zastosowanie testu z witaminą B_{12}, znakowaną radioaktywnym kobaltem, pozwala stwierdzić jej złe wchłanianie. W chorobie Addisona – Biermera występuje ponadto całkowity brak wydzielania kwasu solnego w żołądku. Rozpoznanie opiera się przede wszystkim na zbadaniu rozmazu szpiku kostnego i stwierdzeniu w nich charakterystycznej megaloblastozy.

Leczenie polega na podawaniu witaminy B_{12} w zastrzykach domięśniowo przez odpowiednio długi czas i w odpowiedniej dawce – w przypadku choroby Addisona – Biermera przez całe życie. Jeżeli niedokrwistość megaloblastyczna jest spowodowana niedoborem kwasu foliowego, w leczeniu stosuje się ten związek. W ciąży dochodzi bardzo często do niedoboru jednocześnie i żelaza i kwasu foliowego, toteż leczenie polega na uzupełnianiu obu tych składników przez cały czas ciąży.

Niedokrwistość aplastyczna

Jest to najcięższy rodzaj niedokrwistości rozwijający się wtedy, gdy szpik przestaje wytwarzać komórki krwi. Następuje to w wyniku utraty przez komórki macierzyste zdolności do różnicowania się i podziałów.

Przyczyną choroby jest najczęściej uszkodzenie komórek macierzystych przez szkodliwy czynnik pochodzący z zewnątrz lub wewnątrz organizmu, czasem ich wrodzona wada – wówczas choroba ujawnia się we wczesnym dzieciństwie lub wada ta stwarza szczególną wrażliwość na działanie zewnętrznych czynników uszkadzających.

Do najlepiej poznanych szkodliwych czynników wywołujących niedokrwistość aplastyczną należą: promieniowanie jonizujące (aplazja, czyli zanik szpiku jest głównym objawem zespołu ostrej choroby popromiennej rozwijającej się po napromienieniu wskutek wybuchów jądrowych lub wypadków przy pracy ze źródłami promieniotwórczymi), różne trucizny przemysłowe, środki owadobójcze, niektóre leki, toksyny bakteryjne oraz zakażenia pewnymi odmianami wirusów. Czynniki hamujące funkcję komórek macierzystych mogą również powstawać w samym organizmie, jako wyraz nieprawidłowej reakcji odpornościowej. Jeśli czynnika wywołującego niedokrwistość aplastyczną nie udaje się wykryć, mówi się o niedokrwistości „samoistnej".

W ostatnich latach okazało się, że przyczyną niedokrwistości aplastycznej mogą być wirusy należące do grupy tzw. parvowirusów. Są one najmniejsze ze wszystkich znanych wirusów chorobotwórczych dla człowieka. Wywołują lekką chorobę zakaźną, tzw. gorączkę pięciodniową, częstą u dzieci, na ogół mijającą bez leczenia. Wirusy te łączą się z niedojrzałymi komórkami układu czerwonokrwinkowego w szpiku hamując ich dalsze dojrzewanie. W niektórych przypadkach, np. u dzieci z wrodzoną niedokrwistością hemolityczną, powodują aplazję. Wydaje się, że ta postać aplazji może być częstsza niż dotąd sądzono.

Znaczne skażenie atmosfery, gleby i roślin jadalnych różnymi szkodliwymi czynnikami przemysłowymi sprawia, że częstość występowania niedokrwistości aplastycznej wzrasta wyraźnie w krajach uprzemysłowionych w ostatnich dziesięcioleciach. Również w każdej postaci samoistnej anemii aplastycznej można podejrzewać działanie takiego czynnika.

Objawy niedokrwistości aplastycznej są różnorodne. Uszkodzeniu ulegają komórki macierzyste, dlatego choroba rzadko objawia się jako czysta niedokrwistość. Zazwyczaj jednocześnie występuje zmniejszenie liczby krwinek białych i płytek krwi. Oprócz opisanych ogólnych objawów niedokrwistości (zob. s. 843), na skutek braku granulocytów łatwo rozwijają się zakażenia, nieraz bardzo ciężkie, powstają wylewy krwawe w skórze (siniaki) i krwawienia ze śluzówek wywołane niedoborem płytek krwi. Choroba ma początek skryty, rozwija się powoli i podstępnie, w sposób niezauważalny dla chorego. Zmiany wykrywane są przy przypadkowym badaniu morfologii krwi.

Rozpoznanie niedokrwistości aplastycznej jest możliwe tylko po zbadaniu szpiku kostnego. Im wcześniej choroba zostaje wykryta, tym lepsze są wyniki leczenia i tym większe szanse na wyleczenie.

Leczenie niedokrwistości aplastycznej jest żmudne, długie i trwa często latami. Poza stosowaniem różnych leków właściwych w tej chorobie, jest konieczne wczesne zwalczanie wszelkich zakażeń i przeciwdziałanie urazom. W wielu przypadkach niezbędne bywa wielokrotne przetaczanie krwi w celu uzupełnienia brakujących składników. Ciężkie postacie niedokrwistości aplastycznej leczy się przeszczepianiem szpiku. Jest to możliwe i skuteczne tylko wtedy, gdy dawcą szpiku jest osoba o identycznym układzie antygenowym, czyli brat lub siostra chorego. W innych przypadkach przeszczepiony szpik nie przyjmuje się, albo rozwija się ciężka, często śmiertelna choroba zależna od szkodliwego wpływu obcych komórek na organizm biorcy.

Zapobieganie polega na unikaniu czynników mogących uszkadzać szpik i natychmiastowym ich usunięciu w razie wystąpienia pierwszych objawów. Ma to szczególne znaczenie w tych zakładach przemysłowych, w których pracownicy stykają się z tego typu szkodliwościami zawodowymi. Szczególna rola powinna przypadać tutaj służbom bhp i kontroli ekspozycji pracownika na niebezpieczne związki chemiczne oraz specjalistom od ochrony środowiska przed skażeniami. W związku z ogromnym zanieczyszczeniem środowiska naturalnego w Polsce istnieje obecnie duże zagrożenie ludzi zachorowaniami na tego rodzaju schorzenia.

Niedokrwistość w ciężkiej niewydolności nerek jest szczególną postacią niedokrwistości aplastycznej i dotyczy tylko wytwarzania czerwonych krwinek. Główną jej p r z y c z y n ą jest niemożność różnicowania się komórek macierzystych w kierunku układu czerwonokrwinkowego na skutek braku fizjologicznego bodźca do różnicowania, jakim jest wytwarzana przez nerki erytropoetyna. Ciężko chore nerki nie mogą wytwarzać tego hormonu w wystarczającej ilości, co powoduje niedokrwistość. Od niedawna istnieje możliwość leczenia preparatem erytropoetyny otrzymanym dzięki inżynierii genetycznej.

Niedokrwistości hemolityczne

Jest to grupa niedokrwistości spowodowanych przedwczesnym, nadmiernym rozpadem krwinek czerwonych. Rozpad ten, hemoliza, może nastąpić w krążeniu ogólnym lub w śledzionie. Hemoliza krwinek jest fizjologicznym procesem zachodzącym w śledzionie, który prowadzi do usunięcia z organizmu starych lub uszkodzonych erytrocytów. Jeżeli jednak rozpadowi ulegają duże ilości krwinek, które nie doszły do kresu swojego fizjologicznego życia (120 dni), lub rozpad ten odbywa się poza śledzioną, następuje nadmierna utrata krwinek. Pomimo wzmożonej czynności układu krwiotwórczego, utraty tej nie udaje się wyrównać i szybko ujawnia się niedokrwistość. W krwi pojawiają się uwolnione z krwinek substancje, przede wszystkim bilirubina powstająca z przemiany hemoglobiny. Mechanizmy usuwające z krwi nadmiar bilirubiny również nie nadążają za jej powstawaniem, co powoduje żółtaczkę, stanowiącą podstawowy objaw niedokrwistości hemolitycznej.

Hemoliza dużej liczby krwinek prowadzi do:

1) niedokrwistości, której stopień zależy od: szybkości, z jaką krwinki ulegają rozpadowi, liczby utraconych krwinek oraz od zdolności wyrównywania ich niedoboru przez szpik kostny;

2) żółtaczki spowodowanej zwiększonym stężeniem bilirubiny we krwi i odkładaniem się jej w skórze i tkankach;

3) wybitnego pobudzenia młodych komórek układu erytrocytarnego w szpiku. Jest ono objawem tendencji wyrównawczej w stosunku do utraty erytrocytów. Często jednocześnie pojawiają się we krwi obwodowej młode komórki szeregu czerwonokrwinkowego – erytroblasty oraz zwiększa się odsetek retikulocytów, co jest przejawem pośpiesznego wyrzucania ze szpiku do krążenia jeszcze niezupełnie dojrzałych form komórkowych;

4) skrócenia czasu przeżycia krwinek czerwonych nawet do kilku lub kilkunastu dni;

5) pojawienia się w krwi obwodowej krwinek czerwonych o nieprawidłowych kształtach lub zmienionym wyglądzie oraz fragmentów rozpadłych krwinek;

6) zwiększenia stężenia żelaza w surowicy na skutek rozpadu hemoglobiny;

7) powiększenia śledziony (często!) wykonującej wzmożoną pracę, polegającą na niszczeniu krwinek lub usuwaniu z krwi ich resztek.

Jeżeli hemoliza wewnątrz naczyń krwionośnych występuje nagle, może jej towarzyszyć wysoka gorączka, dreszcze, bóle mięśni, a także bóle w okolicy nerek. Czasem dochodzi do ostrej niewydolności nerek z bezmoczem, spowodowanej zatkaniem kanalików nerkowych resztkami rozpadłych krwinek.

Niedokrwistości hemolityczne mogą być wrodzone lub nabyte.

Wrodzone niedokrwistości hemolityczne są spowodowane dziedzicznie uwarunkowanymi wadami budowy błony komórkowej krwinki lub niektórych jej składników biochemicznych. Wady te sprawiają, że krwinki stają się nieodporne na zmiany w środowisku panującym wewnątrz organizmu (np. na zmiany temperatury, stężenia tlenu, zakwaszenie spowodowane zbierającym się we krwi dwutlenkiem węgla lub na dostające się do krwi różne substancje chemiczne) i w określonych warunkach ulegają rozpadowi w naczyniach krwionośnych. Wady struktury morfologicznej lub biochemicznej krwinek mogą powodować wychwytywanie i niszczenie ich przez śledzionę, bez rozpadu w krwi krążącej.

Sferocytoza wrodzona, czyli choroba Minkowskiego-Chauffarda jest najczęściej występującą w Polsce postacią wrodzonej niedokrwistości hemolitycznej. Istotą choroby jest dziedziczona w sposób dominujący wada błony komórkowej, która sprawia, iż krwinki nabierają kulistego kształtu, bez charakterystycznego wklęśnięcia (przejaśnienia) w środku,. Zmienione krwinki – tzw. sferocyty – są przedwcześnie niszczone w śledzionie oraz przejawiają większą wrażliwość na różnego rodzaju uszkodzenia.

Objawy. Sferocytoza wrodzona zazwyczaj ujawnia się zaraz po urodzeniu w postaci wybitnie nasilonej żółtaczki hemolitycznej noworodków, co często prowadzi do wymiennej transfuzji krwi. W okresie niemowlęcym i dziecięco-młodzieńczym zazwyczaj hemoliza jest skompensowana, nie powodując na co dzień większych objawów. Od czasu do czasu jednak występują nagłe rzuty hemolizy powodujące żółtaczkę i anemię. Często rzuty te są wywoływane zakażeniami bakteryjnymi lub wirusowymi. Stały zwiększony rozpad krwinek w śledzionie powoduje jej powiększenie i nadmierną czynność. Stąd pochodzą odczuwane przez chorego bóle w lewym podżebrzu oraz dające się stwierdzić powiększenie śledziony. Następstwem zwiększonego tworzenia bilirubiny jest nierzadko spotykana kamica żółciowa.

Leczenie sferocytozy wrodzonej polega na usunięciu śledziony, przeważnie w okresie późnego dzieciństwa. Operacja ta nie likwiduje wady krwinek, lecz usuwa miejsce ich rozpadu, uwalniając chorego od przykrych i niebezpiecznych następstw hemolizy.

Wady wrodzone hemoglobiny, szeroko rozpowszechnione na świecie, szczególnie w krajach basenu Morza Śródziemnego, Czarnej Afryki i Dalekiego Wschodu, polegają na błędzie w budowie cząsteczki białkowej hemoglobiny, który powoduje łatwe wytrącanie się hemoglobiny lub jej części składowych w postaci nierozpuszczalnych złogów w krwinkach czerwonych. Krwinki, w których wykrystalizowała się hemoglobina – normalnie rozpuszczona w ich wnętrzu – rozpadają się łatwo w naczyniach pod wpływem różnych czynników, np. wyższej temperatury lub kwaśnego odczynu, albo ulegają niszczeniu w śledzionie.

Niedokrwistość sierpowata jest najcięższą i najlepiej poznaną chorobą spowodowaną wrodzoną wadą budowy hemoglobiny. W chorobie tej bardzo niewielka zmiana w budowie łańcucha białkowego hemoglobiny (zmiana tylko jednego aminokwasu w jednym miejscu łańcucha na inny o odmiennych właściwościach biochemicznych) powoduje ciężkie objawy kliniczne, od niedokrwistości hemolitycznej począwszy, przez uszkodzenie nerek i zaburzenia rozwoju kośćca, na ślepocie skończywszy. Ciężkie objawy występują u tych ludzi, którzy wadę tę dziedziczą po obojgu rodzicach, u tych, którzy dziedziczą tylko częściowy defekt (tzw. znamię sierpowatości), choroba jest w formie utajonej, a ciężkie objawy hemolizy występują tylko pod wpływem takich bodźców, jak gorączka, niskie ciśnienie tlenu w otoczeniu, narkoza itp.

Podobnych wad hemoglobiny znanych jest obecnie ok. 200, lecz nie zawsze powodują one objawy chorobowe, często są tylko znaleziskiem biochemicznym.

Wrodzony brak jednego z enzymów, biorących udział w przemianach biochemicznych wewnątrz krwinki i dostarczających krwinkom niezbędnej energii, powoduje również niedokrwistości hemolityczne. Wadą enzymatyczną, którą dotknięte są miliony ludzi na świecie (głównie w krajach południowych i tropikalnych), jest niedobór enzymu dehydrogenazy glukozo-6-fosforanu. Niedokrwistość hemolityczna w przypadku niedoboru tego enzymu ujawnia się dopiero po zadziałaniu dodatkowego czynnika z zewnątrz. Jednym z czynników wywołujących gwałtowny rozpad krwinek u ludzi z tą wadą wrodzoną są substancje zawarte w nasionach i pyle kwiatowym takich roślin strączkowych, jak bób, fasola lub groch. Nieznoszenie bobu, objawiające się ciężką chorobą, znane już Hipokratesowi, nazywane było fawizmem (od nazwy łac. bobu *Vicia faba*). Podobne przełomy hemolityczne w tej chorobie mogą wywoływać niektóre leki (sulfonamidy, leki przeciwmalaryczne i przeciwbólowe).

Leczenie we wszystkich wadach wrodzonych powodujących różne postacie anemii polega na podawaniu środków usuwających objawy i zapobiegających napadom hemolizy.

Nabyte niedokrwistości hemolityczne mogą być spowodowane czynnikami bezpośrednio uszkadzającymi krwinki (np. benzen), nieprawidłową funkcją śledziony (w przypadku chorób wątroby, nowotworów, zakrzepów w żyle śledzionowej) albo reakcją układu odpornościowego organizmu skierowaną przeciw własnym krwinkom – tzw. niedokrwistość immunohemolityczna. Szczególną postacią immunologicznej niedokrwistości hemolitycznej jest hemoliza występująca w następstwie przetaczania krwi niezgodnej grupowo lub w przypadku urodzenia dziecka z tzw. ciąży konfliktowej (matka RH–, ojciec Rh+).

Niedokrwistość immunohemolityczna występuje wtedy, gdy układ odpornościowy, traktując krwinki czerwone własnego organizmu jako obce, wytworzy skierowane przeciw nim przeciwciała. Zazwyczaj dzieje się tak, gdy inna substancja wprowadzona z zewnątrz wiąże się z krwinką czerwoną tworząc kompleks, który jest obcym składnikiem dla układu odpornościowego, lub gdy substancja ta wskutek reakcji z krwinką zmieni jej normalne właściwości. Substancjami tymi najczęściej są leki, trucizny bakteryjne, pasożyty lub wirusy. Przeciwciała przeciw krwinkom czerwonym mogą również wytwarzać się w przypadku nowotworów i w tzw. chorobach z autoagresji (autoimmunizacyjnych) (zob. Patologia, s. 313).

Leczenie nabytej niedokrwistości hemolitycznej polega przede wszystkim na wykryciu i usunięciu przyczyny wywołującej hemolizę. W stanie ostrej hemolizy jest konieczna szybka pomoc, często przetoczenie specjalnie przygotowanej krwi. Stosowane są również odpowiednie leki, czasem usunięcie śledziony. Na ogół wyniki leczenia są dobre.

Czerwienica

Czerwienica jest stanem, w którym liczba krwinek czerwonych w organizmie ulega trwałemu zwiększeniu powyżej 5 600 000 w 1 mm^3 ($5,6 \times 10^{12}$/l), stężenie hemoglobiny powyżej 17 g% (10,55 mmol/l) i hematokryt powyżej 49 vol%. Wyróżnia się trzy postacie czerwienicy: wtórną, rzekomą i prawdziwą.

Czerwienica wtórna rozwija się w wyniku zwiększonego wytwarzania czerwonych krwinek na skutek stałej stymulacji szpiku kostnego przez erytropoetynę wydzielającą się w zwiększonej ilości. Przyczyną może być: a) niedotlenienie w przypadkach zaawansowanych zmian w płucach i drzewie oskrzelowym, w niektórych tzw. siniczych wadach serca, przy przebywaniu przez czas dłuższy w atmosferze obniżonego ciśnienia parcjalnego tlenu (czerwienica górska); b) nieprawidłowe, nadmierne wytwarzanie erytropoetyny w chorobach nerek i naczyń nerkowych, guzach wątroby, w chorobach nadnerczy i przysadki, włókniakach macicy, po podawaniu męskich hormonów płciowych, w niektórych przypadkach wrodzonych wad hemoglobiny ze zwiększonym powinowactwem do tlenu.

Czerwienica rzekoma powstaje na skutek utraty wody (wymioty, biegunki, pocenie się) lub osocza (rozległe oparzenia, choroby jelit). Wytwarzanie czerwonych krwinek nie jest zwiększone, zostaje tylko zachwiana proporcja pomiędzy krwinkami a osoczem, która ustępuje po nawodnieniu. Czerwienica rzekoma nie jest w istocie chorobą krwi.

Czerwienica prawdziwa. W chorobie tej nadmierne patologiczne wytwarzanie czerwonych krwinek przebiega poza kontrolą normalnych mechanizmów regulacyjnych. Choroba ta należy do zespołów rozrostowych szpiku kostnego (zob. niżej), stanowi osobną jednostkę i nie jest objawem innych schorzeń, jak poprzednie postacie czerwienicy. Rozrostowi układu czerwonokrwinkowego w czerwienicy prawdziwej często towarzyszy rozrost układu płytkotwórczego ze zwiększoną liczbą płytek we krwi obwodowej i w mniejszym stopniu pobudzenie układu białokrwinkowego. Szpik już nie wystarcza do tworzenia krwinek, układ krwiotwórczy zaczyna rozrastać się w śledzionie i wątrobie.

Objawy. Wspólnym objawem czerwienicy wtórnej i prawdziwej jest czerwone lub czerwonosine zabarwienie skóry, zwłaszcza twarzy, oraz przekrwienie śluzówek jamy ustnej i spojówek oczu. W związku z dużą liczbą krwinek czerwonych we krwi, osiągającą czasem wartość 10 000 000 w 1 mm^3 (10×10^{12}/l), zwiększa się lepkość krwi, powodując objawy tzw. zespołu nadlepkości. Są to: bóle i zawroty głowy, szum w głowie, swędzenie skóry, duszność, drętwienie rąk i nóg, tendencja do zakrzepów w różnych miejscach układu naczyniowego, zaburzenia widzenia, zakłócenia rytmu snu (senność dzienna i bezsenność nocna).

Przekrwienie narządów, związane z masą zalegającej w nich krwi z trudem przepychającej się przez naczynia krwionośne, powoduje częste krwawienia, z jednocześnie występującymi zmianami zakrzepowymi. Chorzy często krwawią z nosa, mają krwioplucia, krwawienia z żylaków odbytu i wyżej położonych odcinków przewodu pokarmowego.

W czerwienicy wtórnej, związanej z chorobami serca i płuc, zwiększenie masy krwinek czerwonych nasila objawy niewydolności oddechowej i krążenia przez tworzenie dodatkowych oporów w naczyniach. Duszność, obrzęki i objawy przekrwienia narządów wewnętrznych są w tej postaci szczególnie wyraźnie zaznaczone, powodując całkowite nieraz inwalidztwo chorych.

Obrazowy jest tzw. zespół Pickwicka, polegający na nagłym zasypianiu chorego w pozycji siedzącej, występującym kilka razy w ciągu dnia niezależnie od okoliczności. Wszyscy chorzy z zespołem Pickwicka są otyli, czerwoni na twarzy, cierpią na rozedmę płuc z czerwienicą wtórną. Nazwę „zespół Pickwicka" zaczerpnięto z książki Dickensa „Klub Pickwicka", z tym że na dolegliwości opisane wyżej cierpiał nie sam Pickwick, lecz jego stangret Joe – czerwony grubas zasypiający z lejcami w ręku. Wielokrotnie na kartach książki powtarza się zdanie pana Pickwicka – „Ach, ten Joe znowu śpi".

W czerwienicy wtórnej występuje zwiększona liczba krwinek czerwonych i zwiększone stężenie hemoglobiny we krwi obwodowej oraz podwyższony hematokryt. Liczba krwinek białych i płytek krwi jest w granicach normy. Wyraźnie obniżone jest wysycenie tlenem krwi tętniczej. W szpiku występuje zwiększony odsetek młodych komórek układu czerwonokrwinkowego, krwiotworzenie nie przenosi się jednak do innych narządów, dlatego śledziona i wątroba nie są powiększone.

W czerwienicy prawdziwej jest charakterystyczne zwiększenie aktywności fosfatazy zasadowej w krwinkach białych. Wykonanie badania fosfatazy (tzw. FAG) bardzo pomaga w rozpoznaniu choroby. Wysycenie krwi tlenem jest prawidłowe. Śledziona jest często znacznie zwiększona. W związku z tendencją do powstawania zawałów w śledzionie, mogą występować nagłe, silne bóle w okolicy lewego podżebrza, którym czasem towarzyszą objawy zapaści.

Leczenie czerwienicy wtórnej jest związane z leczeniem choroby podstawowej. W cely przyniesienia ulgi choremu wykonuje się upusty krwi i rozcieńcza krew krążącą przez stosowanie kroplówek z płynów leczniczych (np. dekstran). Zabiegi te powodują znaczną, ale tylko przejściową ulgę. Całkowite ustąpienie czerwienicy następuje jedynie po usunięciu przyczyny choroby, tj. np. operacji chorej nerki lub operacji wady serca.

Leczenie czerwienicy prawdziwej jest przewlekłe. Choroba wymaga stałego leczenia farmakologicznego i okresowych upustów krwi pod ścisłą kontrolą lekarza.

Zespoły rozrostowe układu krwiotwórczego i limfatycznego (zespoły mielo- i limfoproliferacyjne)

Pojęciem zespoły rozrostowe określa się choroby, które polegają na nadmiernym, niekontrolowanym rozrastaniu się komórek jednego układu lub jednego etapu rozwojowego tych samych komórek. Jest to proces typu nowotworowego, gdyż rozrastające się komórki rządzą się własnymi prawami, nie podlegając wpływowi fizjologicznych bodźców przyspieszających lub hamujących ich wzrost w normalnych warunkach.

Białaczki

Najważniejszymi chorobami z grupy zespołów rozrostowych są białaczki. Zależnie od dynamiki rozwoju, można podzielić białaczki na ostre i przewlekłe. Zależnie zaś od układu, z którego pochodzą patologiczne komórki, na białaczki szpikowe i limfatyczne. Dalszy podział oparty jest na rodzaju komórek, które uległy patologicznemu rozrostowi. Wszystkie białaczki, a zwłaszcza ostre, można obecnie w większości przypadków skutecznie leczyć, osiągając długotrwałą poprawę lub całkowite wyleczenie.

Ostra białaczka szpikowa. We wszystkich białaczkach ostrych patologicznemu rozrostowi ulegają komórki jednego rodzaju, znajdujące się na jednym szczeblu rozwojowym, zazwyczaj bardzo wczesnym, czyli komórki o małym stopniu zróżnicowania. Podstawową cechą komórek białaczkowych jest ich niezdolność do dalszego różnicowania się i dojrzewania. Ta cecha procesu białaczkowego powoduje, że powstające patologiczne komórki, nie mogąc dalej się wykształcać, nagromadzają się w szpiku i we krwi obwodowej i nie nabierają normalnych funkcji obronnych, właściwych białym krwinkom. Z racji tego nagromadzenia patologiczne komórki zaczynają szybko dominować nad prawidłowymi. Liczba dojrzałych granulocytów szybko spada. Wszystkie dojrzałe granulocyty spotykane w krwi chorych na ostrą białaczkę pochodzą z prawidłowej populacji granulocytarnej wypieranej przez komórki patologiczne.

Zależnie od rodzaju patologicznych komórek wyróżnia się ostrą białaczkę mieloblastyczną, w której rozrostowi ulegają mieloblasty, najwcześniejsza forma rozwojowa zaliczana do układu granulocytarnego, oraz ostrą białaczkę promielocytarną, znacznie rzadszą, w której rozrost dotyczy nieco dojrzalszej formy granulocytarnej – promielocytów.

Ostra białaczka mieloblastyczna jest najczęstszą postacią ostrej białaczki u dorosłych. Choroba może rozwijać się w każdym wieku, najczęściej jednak dotyczy ludzi młodych, między 20 a 35 r. życia. Początek choroby przypomina ostre zakażenia górnych dróg oddechowych lub anginę – występuje gorączka, ból gardła; nierzadko już we wczesnym okresie choroby powstają bolesne owrzodzenia w jamie ustnej lub zapalenie dziąseł. Często pierwszym lekarzem, do którego trafia chory, jest stomatolog. Wraz z rozwojem niedokrwistości, której może długo nie być lub która pojawia się późno, występuje uczucie postępującego osłabienia, a zmniejszeniu liczby płytek krwi towarzyszą objawy skazy krwotocznej (siniaki, drobne wybroczyny krwawe na skórze, krwawienia z błon śluzowych). Odporność chorego na zakażenia jest wybitnie osłabiona, stąd duża skłonność do różnych stanów ropnych.

Liczba krwinek białych we krwi jest na ogół (choć nie zawsze) wyraźnie zwiększona. W rozmazie krwi obwodowej pojawia się charakterystyczny obraz tzw. przerwy białaczkowej – tzn. widoczne są bardzo młode komórki mieloblasty, które przeważają, i najstarsze granulocyty o jądrze podzielonym.

Rozpoznanie ostrej białaczki opiera się na podstawie badania szpiku, w którym występuje jednorodny naciek z młodych komórek o charakterystycznych cechach (tablica XIX).

Leczenie ostrej białaczki może odbywać się tylko w szpitalu przy bardzo ścisłym kontrolowaniu obrazu krwi i szpiku. Stosowanych jest jednocześnie kilka leków przeciwbiałaczkowych, leki przeciwbakteryjne i przeciwgrzybicze, przetaczanie krwi oraz postępowanie mające na celu maksymalną ochronę chorego przed dodatkowym zakażeniem z zewnątrz. Leki podawane w czasie leczenia wstępnego (indukcyjnego) – najważniejszego dla przyszłości chorego – wywołują zwykle wiele przykrych objawów ubocznych, ponadto niszcząc nie tylko komórki chore, ale i zdrowe, osłabiają przejściowo i tak już upośledzoną odporność organizmu. Dlatego też leczenie to wymaga ogromnej cierpliwości ze strony chorego, dużej współpracy z lekarzem i ścisłego przestrzegania narzuconego koniecznością, a niezbyt przyjemnego reżimu leczniczego i zapobiegawczego.

Po ustąpieniu objawów choroby wskutek postępowania początkowego (indukcyjnego), które trwa krócej lub dłużej, dalsze leczenie może już odbywać się w dużym stopniu ambulatoryjnie, jedynie z okresowymi, krótkimi pobytami w szpitalu. W sumie leczenie jest długotrwałe i żmudne, trwa średnio ok. 12 miesięcy. Następnie jest konieczny okres ścisłej kontroli hematologicznej – nawet wtedy, gdy chory jest już faktycznie zdrowy i nie ma żadnych objawów choroby – często z okresowymi wstawkami leczenia podtrzymującego.

Ostra białaczka limfoblastyczna. Ten rodzaj białaczki jest typowy dla wieku dziecięcego i występuje najczęściej między 3 a 7 r. życia, jakkolwiek zdarza się również u dorosłych, a nawet w wieku podeszłym. Komórki patologiczne wywodzą się z niedojrzałych form prekursorowych dla limfocytów, czyli z limfoblastów.

Objawy choroby są bardzo podobne do objawów ostrej białaczki szpikowej, z tą różnicą, że cechą charakterystyczną są powiększone, często bolesne węzły chłonne, co nie występuje w ostrej białaczce szpikowej. Szczególnie u dzieci powiększenie węzłów chłonnych jest bardzo znaczne; powiększone węzły chłonne szyjne, karkowe i podszczękowe nadają im charakterystyczny, obrzęknięty wygląd. Jednak powiększenie węzłów chłonnych może się zdarzyć w bardzo wielu innych chorobach, głównie zapalnych, dlatego objaw ten nie świadczy jeszcze o białaczce. Częstym objawem białaczki limfoblastycznej jest również powiększenie śledziony – zazwyczaj niewiele lub wcale niepowiększonej w ostrej białaczce szpikowej.

Rozrost białaczkowy w ostrej białaczce limfoblastycznej z reguły dotyczy opon mózgowych i mózgu. Wynika stąd bezwzględna konieczność częstego nakłuwania kanału rdzeniowego i podawania do płynu mózgowo-rdzeniowego odpowiednich leków. W obrazie szpiku i krwi obwodowej, podobnie jak w białaczce szpikowej, dominuje naciek z niezróżnicowanych komórek odpowiadających limfoblastom.

Leczenie. Zasady leczenia ostrych białaczek limfoblastycznych są takie same, jak białaczek szpikowych, z tym że są podawane inne rodzaje leków. U dzieci wyniki leczenia są na ogół dobre, w dużym odsetku przypadków osiąga się całkowite wyleczenie, bez poźniejszych nawrotów choroby.

W obu rodzajach białaczek w okresie remisji całkowitej stosuje się przeszczepienie szpiku od zgodnego dawcy. Po takim postępowaniu można uzyskać całkowite wyleczenie.

Przewlekła białaczka szpikowa. Jest to choroba zupełnie odmienna od ostrej białaczki szpikowej, nie jest też etapem w jej przebiegu, lecz stanowi osobną jednostkę chorobową. Istotą choroby jest niekontrolowany rozrost komórek układu granulocytarnego na wszystkich etapach rozwoju młodych granulocytów. Ta podstawowa cecha odróżnia pod względem histologicznym białaczkę szpikową przewlekłą od ostrej, w której rozrost dotyczy tylko jednego rodzaju komórek na jednym, wczesnym etapie dojrzewania.

W przewlekłej białaczce defekt powodujący rozrost układu białokrwinkowego pojawia się w komórkach macierzystych, które tracą zdolność reagowania na normalne bodźce powodujące różnicowanie lub hamujące je. Poza rozrostem granulocytów można bowiem w tej chorobie zaobserwować również nadmierne rozmnażanie się komórek wytwarzających płytki krwi, a także w niektórych przypadkach wyraźne zmiany patologiczne w układzie czerwonokrwinkowym.

Zmiana dotyczy aparatu genetycznego komórek, czego dowodem jest pojawienie się nieprawidłowego chromosomu w komórkach układu krwiotwórczego, tzw. chromosomu Filadelfia (wg przyjętego skrótu – chromosom Ph^1). Chromosom ten pojawia się w komórce macierzystej i jest przekazywany kolejno komórkom potomnym. Anomalia chromosomalna, która staje się, jak się przypuszcza, przyczyną niekontrolowanego rozrostu komórek układu granulocytarnego, nie jest wadą wrodzoną. Przewlekła białaczka szpikowa nie jest chorobą dziedziczną i nie przenosi się z pokolenia na pokolenie. Przekazują ją sobie wyłącznie komórki tego samego osobnika.

Przyczyna powstawania tej anomalii nie jest wyjaśniona. Prawdopodobnie wywołać ją może wiele różnych czynników pochodzących z zewnątrz i działających na układ genetyczny komórek. Jedynym, jak dotąd, czynnikiem, co do którego nie ma wątpliwości, że sprzyja rozwojowi przewlekłej białaczki szpikowej, jest promieniowanie jonizujące. Badania przeprowadzone w Japonii (w Hiroszimie i Nagasaki) wykazały znaczną zapadalność na przewlekłą białaczkę szpikową ludzi, którzy ulegli napromieniowaniu i przeżyli wybuch bomb atomowych. Zachorowania wśród tych osób rozpoczęły się w 2 lata po wybuchu, a szczyt swój osiągnęły w 6–7 lat potem. Opóźnienie zachorowania w stosunku do chwili ekspozycji na promieniowanie jest spowodowane okresem, jaki musi upłynąć między zadziałaniem czynnika szkodliwego, a ujawnieniem się zmiany w układzie chromosomalnym.

Inną możliwą przyczyną może być zakażenie wirusami, których udział w wyzwalaniu wszelkich procesów białaczkowych i nowotworowych zdaje się nie ulegać wątpliwości.

Objawy przewlekłej białaczki szpikowej rozwijają się powoli i skrycie. Na początku są zupełnie niecharakterystyczne. Są to: osłabienie, stany podgorączkowe, brak apetytu, chudnięcie, objawy takie jak w zespole nadlepkości (zob. s. 853) oraz często bóle i uczucie ciężaru w lewym podżebrzu związane z powiększeniem śledzony, bóle kości, czasem napady dny.

Zespół nadlepkości występuje wtedy, gdy liczba krwinek białych w krwi obwodowej przekracza 200 000 w 1 mm^3 (22×10^9/l). W przewlekłej białaczce szpikowej liczba krwinek białych może być niezwykle wysoka i sięga nawet wartości bliskich 1 mln w 1 mm^3. Rozmazy krwi obwodowej wykazują obecność wszystkich form rozwojowych granulocytów – od mieloblastów, przez promielocyty, metamielocyty i mielocyty, aż po formy dojrzałe. Zwiększa się odsetek granulocytów kwasochłonnych, a także pojawiają się – rzadko na ogół spotykane w krwi obwodowej – granulocyty zasadochłonne. Często w rozmazach krwi obwodowej występują erytroblasty. Liczba płytek krwi często jest wybitnie zwiększona, ale może być również zmniejszona.

Barwny, urozmaicony obraz krwinek białych jest charakterystyczny również dla szpiku kostnego, różni się więc zasadniczo od jednostajnego nacieku z komórek jednego rodzaju w ostrej białaczce szpikowej (tablica XX). Zachowane są prawidłowe proporcje liczbowe komórek w różnych etapach dojrzewania, tzn. wcześniejszych form komórkowych jest mniej niż późniejszych, dojrzalszych.

Rozrost układu granulocytarnego odbywa się nie tylko w szpiku, lecz również w śledzionie i wątrobie, co jest przyczyną znacznego powiększenia się tych narządów, zwłaszcza śledziony. Rozmiary śledziony w tej chorobie mogą być olbrzymie, tak że w niektórych przypadkach narząd ten wypełnia niemal całą jamę brzuszną, co sprawia chorym znaczne dolegliwości. Często występują – w miarę rozwoju choroby – objawy skazy krwotocznej (małopłytkowość). Choroba ma charakter przewlekły, wieloletni.

Niebezpiecznym powikłaniem przewlekłej białaczki szpikowej jest tzw. przełom blastyczny, polegający na zmianie charakteru choroby, która w tej fazie przypomina ostrą białaczkę mieloblastyczną. Następuje bowiem nagły wyrzut mieloblastów, a znikają pośrednie formy rozwojowe granulocytów, tak charakterystyczne dla przewlekłej białaczki. Przyczyny wystąpienia przełomu blastycznego nie są znane. Przełom zdarza się nawet u chorych prawidłowo i skutecznie leczonych.

Leczenie przewlekłej białaczki szpikowej jest długotrwałe. Obecnie metodą z wyboru w leczeniu przewlekłej białaczki szpikowej jest podawanie alfa-interferonu, co przedłuża znacznie życie chorych. Nie w każdym jednak przypadku można ten preparat zastosować.

Przewlekła białaczka limfatyczna. W chorobie tej następuje rozrost limfocytów, obejmujący szpik, węzły chłonne, często śledzionę. Choroba dotyczy przede wszystkim ludzi starszych, powyżej 60 r. życia, bardzo rzadko zdarza się natomiast u ludzi młodych. Jest to najłagodniejsza choroba ze wszystkich chorób rozrostowych układu krwiotwórczego i limfatycznego, w wielu przypadkach nie wymagająca nawet leczenia.

Proces chorobowy rozpoczyna się skrycie, często przez długi czas nie powoduje żadnych objawów, jest wykrywany przy okazji przypadkowego badania krwi. W krwi występuje zwiększona liczba leukocytów, zwykle 40 000 – 100 000 w 1 mm^3 (40×10^9/l do 100×10^9/l), przy czym ok. 80 – 90% krwinek białych stanowią limfocyty. Badanie szpiku kostnego ujawnia monotonny obraz limfocytów przeważających nad wszystkimi innymi komórkami (tablica XX).

Objawy, które mogą zwrócić uwagę chorego lub lekarza, polegają na: łatwym zapadaniu na różne wirusowe lub bakteryjne zakażenia dróg oddechowych, osłabieniu, niewielkiej utracie masy ciała, często powiększeniu węzłów chłonnych szyjnych, pachowych i pachwinowych, które mogą być wielkości ziarna grochu do dużych pakietów. Węzły chłonne są niebolesne. Często powiększa się śledziona.

Limfocyty powstające w tej chorobie w nadmiarze nie są zdolne do pełnienia swoich funkcji odpornościowych (stąd łatwa zapadalność na zakażenia) i nie ulegają przekształceniu w komórki wytwarzające białka odpornościowe. Często więc w przewlekłej białaczce limfatycznej ulega zmniejszeniu stężenie gamma-globulin w surowicy krwi. Jednocześnie mogą wystąpić objawy zależne od powstawania przeciwciał skierowanych przeciw własnym komórkom, takie jak niedokrwistość hemolityczna lub małopłytkowość autoimmunologiczna.

Niedokrwistość i małopłytkowość mogą pojawiać się na skutek wyparcia układu czerwonokrwinkowego i płytkotwórczego ze szpiku przez rozrastające się limfocyty.

Dla prawidłowego rozpoznania choroby podstawowe znaczenie ma badanie histopatologiczne usuniętego operacyjnie węzła chłonnego.

Leczenia wymagają ci chorzy na przewlekłą białaczkę limfatyczną, u których choroba przebiega z wyraźnymi objawami ogólnymi, z dużą liczbą krwinek białych lub z wyraźnym powiększeniem węzłów chłonnych, oraz wtedy, gdy występuje niedokrwistość i (lub) małopłytkowość. Zależnie od postaci i przebiegu choroby, leczenie jest bardziej lub mniej intensywne. W leczeniu stosuje się leki cytotoksyczne, kortykosteroidy oraz radioterapię.

Ziarnica złośliwa

Ziarnica złośliwa, zwana też chorobą Hodgkina, jest chorobą rozrostową zajmującą przede wszystkim węzły chłonne. Przyczyna wywołująca nie została dotąd wyjaśniona, jednak nie ulega wątpliwości, że rozwój ziarnicy ma związek z zaburzeniami w układzie odpornościowym, które polegają na osłabieniu odporności komórkowej.

Zmiany histopatologiczne w węzłach chłonnych przypominają przewlekły proces zapalny. Na rozrostowy charakter choroby wskazuje obecność patologicznych „olbrzymich" wielojądrzastych komórek, tzw. komórek Reed-Sternberga i nieco mniejszych komórek Hodgkina. Komórki te, w przypadkach uogólnienia choroby, mogą również występować w szpiku kostnym i w śledzionie.

Choroba może obejmować tylko jeden węzeł chłonny, całą grupę węzłów i grupy sąsiadujące ze sobą lub wszystkie węzły chłonne. Proces chorobowy może toczyć się w węzłach położonych zewnętrznie, np. szyjnych, pachowych, pachwinowych, lub w węzłach wewnętrznych, takich jak śródpiersiowe, zaotrzewnowe itp. Często zajęta jest również śledziona. Ponadto nacieki ziarnicze mogą pojawiać się w wątrobie, płucach, kościach, rzadko w nerkach.

Na ziarnicę złośliwą chorują najczęściej ludzie młodzi, między 20 a 35 r. życia. Drugi szczyt zachorowań przypada po 50 r. życia. Dzieci chorują rzadko (zob. Pediatria, s. 1287).

O b j a w a m i choroby, poza powiększeniem węzłów chłonnych (jednego, kilku lub wielu) są: gorączka występująca nagle, ustępująca bez leczenia i nawracająca ponownie; swędzenie skóry, poty nocne, chudnięcie, osłabienie; często jest powiększona śledziona i wątroba. Badanie krwi nie wykazuje specjalnych zmian – w niektórych przypadkach rozwija się niedokrwistość. Odczyn opadania krwinek (OB) jest przyspieszony. Próba tuberkulinowa u chorych na ziarnicę, nawet u tych, którzy przeszli dawniej zakażenie gruźlicze lub byli w niedalekiej przeszłości szczepieni na gruźlicę szczepionką BCG, daje wynik ujemny. Jest to wyraz charakterystycznych dla ziarnicy zaburzeń odporności typu komórkowego. Wykonanie próby tuberkulinowej jest tym ważniejsze, iż objawy ogólne ziarnicy są bardzo podobne do objawów gruźlicy. Odróżnienie tych stanów ma ogromne znaczenie dla przyszłości chorego.

Jeżeli powiększeniu ulegają węzły chłonne w śródpiersiu, może wystąpić duszność i poszerzenie żył klatki piersiowej i szyi (zespół żyły głównej górnej) na skutek ucisku oskrzeli i naczyń. W przypadku powiększenia węzłów chłonnych jamy brzusznej chory skarży się na bóle brzucha. Bóle są zawsze wyrazem ucisku węzłów na inne narządy, gdyż same węzły ziarnicze nie bolą.

R o z p o z n a n i e ziarnicy można ustalić tylko na podstawie histopatologicznego badania usuniętego węzła chłonnego. Badanie takie jest konieczne w każdym przypadku powiększenia węzłów chłonnych bez widocznej przyczyny, jaką jest stan zapalny w najbliższej okolicy. Badanie węzła chłonnego ma ogromne znaczenie, ponieważ powiększenie węzłów – poza ziarnicą – może zależeć od tak różnych chorób, jak: gruźlica, toksoplazmoza, przewlekłe zakażenia wirusowe, przerzuty nowotworowe, chłoniaki, choroba AIDS. Każda z tych chorób wymaga innego leczenia, które decyduje o życiu. Czasem w celach diagnostycznych jest niezbędne usunięcie śledziony.

Poza rozpoznaniem ziarnicy, ważne jest ustalenie, jakie węzły chłonne lub narządy zostały objęte procesem chorobowym, gdyż od tego zależy rodzaj stosowanego leczenia. Zależnie od rozległości procesu, wyróżnia się cztery stadia klinicznego zaawansowania ziarnicy, określane cyframi rzymskimi od I do IV. W celu ich określenia przeprowadza się wiele badań rentgenowskich, izotopowych, badanie szpiku kostnego itp.

Im wcześniej rozpoczęto leczenie, tym lepszy jego wynik, chociaż zdarza się niejednokrotnie, że ziarnica ujawnia się od razu w stadium III lub IV. Mimo to wyniki współczesnego leczenia ziarnicy są bardzo dobre. W ogromnym odsetku przypadków we wszystkich stadiach choroby uzyskuje się całkowite wyleczenie, a w części – wieloletnią znaczną poprawę z zupełnym ustąpieniem objawów klinicznych.

Leczenie polega na radioterapii, chemioterapii lub obu tych metodach stosowanych na przemian, zależnie od stadium zaawansowania klinicznego i objawów.

Szpiczak mnogi

Specjalne miejsce wśród chorób rozrostowych zajmuje szpiczak mnogi, inaczej zwany siatkowiakiem (szpiczakiem) plazmocytowym. Istotą szpiczaka jest nieprawidłowy rozrost komórek plazmatycznych w szpiku kostnym. Odsetek plazmocytów w szpiku w tej chorobie może zwiększać się z prawidłowej wartości 2–4 do 80% wszystkich komórek szpiku. Rozrost plazmocytów jest uogólniony, występuje we wszystkich kościach, w których znajduje się szpik. Bardzo rzadko, zwykle jako faza wstępna, zdarza się odosobniony rozrost w jednym ognisku kostnym.

Plazmocyty są głównymi komórkami wytwarzającymi w organizmie białka odpornościowe, tzw. immunoglobuliny. W warunkach prawidłowych różne populacje plazmocytów wytwarzają różne białka. Zapewnia to możliwość obrony przed nieograniczoną liczbą czynników zakaźnych dzięki tworzeniu rozmaitych przeciwciał będących właśnie immunoglobulinami skierowanymi przeciw tym czynnikom. W szpiczaku plazmocyty rozrastające się w nadmiarze należą wszystkie do jednej, nieprawidłowej populacji komórkowej i syntetyzują tylko jeden rodzaj immunoglobuliny. Takie białko określa się jako białko monoklonalne, gdyż jest produktem jednego rodzaju, tzw. klonu komórkowego i ma cechy fizykochemiczne jednorodnej substancji. Wytwarzanie innych, prawidłowych białek wybitnie zmniejsza się, gdyż rozwój prawidłowych plazmocytów jest stłumiony przez populację patologiczną. Powoduje to obniżenie odporności organizmu na różnego rodzaju zakażenia. Inną konsekwencją rozrostu plazmocytów jest niszczenie kości i ich odwapnienie.

Objawy szpiczaka wynikają z rozrostu plazmocytów. Można wyróżnić następujące zespoły objawowe w tej chorobie:

1) bóle kostne, bóle korzeniowe zależne od zmian w kręgosłupie, łatwe złamania kości, nawet bez urazu (tzw. złamania patologiczne). W obrazie rentgenowskim widoczne są liczne ogniska rozrzedzenia kości, zwłaszcza w czaszce, żebrach i miednicy;

2) częste zapadanie na zakażenie dróg moczowych i zapalenia płuc, jako wyraz osłabionej odporności;

3) objawy zespołu nadlepkości krwi, wtedy gdy stężenie białka w osoczu jest wyraźnie zwiększone (powyżej 10 g%, czyli 100 g/l);

4) uszkodzenie nerek prowadzące w niektórych przypadkach do ciężkiej niewydolności nerek z mocznicą;

5) skaza krwotoczna (w części przypadków);

6) czasem osłabienie, stany podgorączkowe.

Ponadto badania laboratoryjne wykazują często niedokrwistość i(lub) małopłytkowość (zmniejszenie liczby płytek krwi), podwyższone stężenie białka w surowicy, ze znacznym zwiększeniem frakcji gamma-globulin i obecnością białka monoklonalnego, w pewnych przypadkach występuje białkomocz z obecnością tzw. białka Bence–Jonesa w moczu. Odczyn opadania krwinek (OB) jest bardzo przyspieszony, zwykle przekracza 100 mm po 1 godz.

Przy dużym zniszczeniu kości, ze wzmożonym uwalnianiem z nich wapnia, w surowicy krwi zwiększa się stężenie tego pierwiastka. Jeżeli osiąga ono wysokie wartości, sięgające powyżej 12 mg% (2,99 mmol/l), może stanowić zagrożenie dla życia.

Zmiany w szpiku kostnym są bardzo charakterystyczne (tablica XXI). Występuje duża liczba plazmocytów patologicznych, często w skupieniach lub w postaci nacieku.

Szpiczak mnogi jest typową chorobą starszego wieku. Zapadają na nią najczęściej ludzie powyżej 55 r. życia. Główne dolegliwości dotyczą układu kostnego, a więc przez dłuższy czas bywają składane na karb zmian zwyrodnieniowych stawów i rozpoznanie choroby odwleka się.

Rozpoznanie opiera się na wykryciu patologicznych plazmocytów w szpiku kostnym, stwierdzeniu charakterystycznych zmian w kościach oraz na obecności białka monoklonalnego we krwi.

Leczenie powoduje na ogół stosunkowo szybkie zmniejszenie się dolegliwości bólowych, jest jednak długotrwałe. Pomimo zahamowania rozrostu plazmocytów najtrudniej jest uzyskać naprawę zmian w kościach. Podawane są leki cytostatyczne i hormonalne. W zespole nadlepkości dobre wyniki dają zabiegi p l a z m a f e r e z y – polegające na usuwaniu z krwi osoby chorej nadmiaru białka. Zabiegi te dają okresową poprawę, co jest szczególnie ważne w okresie, zanim rozrost plazmocytów nie zmniejszy się pod wpływem leczenia.

Agranulocytoza

Brak krwinek białych w krwi obwodowej, czyli a g r a n u l o c y t o z a, jest ostrą, ciężką chorobą wymagającą szybkiego i intensywnego leczenia. Istotą choroby jest nagłe zahamowanie wytwarzania lub dojrzewania granulocytów w szpiku kostnym, albo szybki ich rozpad już po wydostaniu się dojrzałych komórek z układu krwiotwórczego do krwi.

Przyczyny agranulocytozy są różne. Zwykle rozpad granulocytów jest spowodowany r e a k c j ą a u t o i m m u n o l o g i c z n ą, polegającą na wytwarzaniu w organizmie przeciwciał skierowanych przeciwko własnym krwinkom białym. Reakcję taką najczęściej wyzwalają różne leki lub zakażenia, głównie wirusowe. Może to być reakcja spontaniczna, która jest elementem choroby autoimmunologicznej (np. w liszaju rumieniowatym uogólnionym, układowym, zob. s. 883 i 1965). Agranulocytoza może być również spowodowana bezpośrednim wpływem różnych toksycznych środków chemicznych, owadobójczych, metali ciężkich, leków, bakterii, jadów żmij oraz działaniem promieniowania jonizującego. Nierzadko czynnika wywołującego nie udaje się wykryć. Ponowne zetknięcie się z czynnikiem szkodliwym, który wywołał chorobę, powoduje jej nawrót, niezależnie od czasu, jaki upłynął od pierwszego rzutu agranulocytozy.

Objawy. Granulocyty są głównymi komórkami pierwszej linii obrony organizmu przed bakteriami, dlatego podstawowym objawem agranulocytozy są ciężkie, szybko szerzące się zakażenia. Zwykle pierwszym objawem choroby są: ciężkie, ropne zapalenie migdałków, wrzodziejące zapalenie jamy ustnej i gardła oraz łatwo tworzące się ropnie skóry i tkanki podskórnej. Ropnie te następnie zlewają się ze sobą i przechodzą w głąb tkanek tworząc rozległe ropowice. Chorzy wysoko gorączkują, skarżą się na ból gardła uniemożliwiający przełykanie. Na dalszym etapie choroby dołącza się zapalenie płuc, często z mnogimi ropniami.

Rozpoznanie opiera się przede wszystkim na wynikach badania morfologicznego krwi oraz szpiku kostnego. Występuje znacznie zmniejszona liczba krwinek białych – poniżej 1000 w 1 mm^3 ($1{,}0 \times 10^6$/l) – przy prawidłowej – przynajmniej na początku choroby, liczbie krwinek czerwonych i płytek. W rozmazie krwi widoczne są zaledwie pojedyncze granulocyty lub nie ma ich w ogóle. Czasem pojawiają się młodsze niedojrzałe formy krwinek białych, co jest zwykle objawem regeneracji układu białokrwinkowego. Ponieważ objawy agranulocytozy przypominają objawy ostrej białaczki, odróżnienie tych dwóch stanów – czasem trudne – decyduje o właściwym leczeniu i o jego wynikach. Duże znaczenie diagnostyczne ma więc badanie szpiku kostnego. W agranulocytozie dojrzewanie układu granulocytarnego zostaje zahamowane, brakuje zupełnie dojrzałych granulocytów o jądrze podzielonym lub pałeczkowatym, gromadzą się natomiast we względnym nadmiarze młodsze formy rozwojowe – promielocyty i mielocyty.

Leczenie. Chorzy na agranulocytozę wymagają natychmiastowego leczenia szpitalnego. Konieczne jest szybkie usunięcie czynnika szkodliwego, tj. odstawienie wszystkich leków dotychczas zażywanych przez chorego, a podejrzanych o wywołanie choroby, oraz usunięcie czynnika toksycznego, jeśli ten czynnik jest znany. W leczeniu są stosowane duże dawki steroidów, antybiotyki bakteriobójcze o szerokim zakresie działania, lecz małej potencjalnej toksyczności dla układu krwiotwórczego, witaminy grupy B. W ciężkich agranulocytozach przetacza się masę granulocytarną. Niezbędne jest dbanie o odkażanie jamy ustnej oraz łagodzenie objawów bólowych i unikanie urazów uszkadzających śluzówkę. Podawane są pokarmy tylko płynne lub papkowate, nie gorące. Jeżeli chory z powodu bólu nie może przełykać nawet płynów, stosuje się odżywianie pozajelitowe.

W większości przypadków agranulocytoza jest stanem odwracalnym. Rozpad krwinek białych ulega zahamowaniu, a wytwarzanie i dojrzewanie granulocytów powraca do normy, szybko wyrównując braki. Powraca naturalna obrona organizmu, jaką zapewniają krwinki białe. Poprawa zwykle następuje w ciągu kilku dni lub tygodnia od chwili rozpoczęcia leczenia i chorzy szybko powracają do pełnego zdrowia.

Skazy krwotoczne

Układ hemostazy i krzepnięcia

Ciągłe krążenie krwi w naczyniach krwionośnych, prawidłowe utlenienie i odżywianie tkanek jest możliwe tylko wówczas, gdy krew znajduje się w stanie płynnym. Każde uszkodzenie naczynia krwionośnego wyzwala natychmiast proces krzepnięcia, prowadzący do jak najszybszego „zatkania" ubytku w naczyniu, co chroni organizm przed utratą krwi, czyli przed śmiercią. Utrzymanie krwi w stanie płynnym oraz możność szybkiego jej skrzepnięcia w razie potrzeby i zatrzymania krwawienia zapewnione są przez układ hemostazy.

W skład *układu hemostazy* wchodzą następujące elementy:

1) ściana naczyń krwionośnych. Komórki śródbłonka naczyń i substancje czynne wydzielane w naczyniach z jednej strony zapobiegają tworzeniu zakrzepów w naczyniach, z drugiej zaś sprzyjają aktywacji układu krzepnięcia;

2) płytki krwi;

3) osoczowy układ krzepnięcia. Składa się z wielu białek aktywujących się stopniowo przy udziale różnych czynników pomocniczych, aż do utworzenia nierozpuszczalnej siatki fibryny stanowiącej podstawę skrzepu;

4) układ fibrynolizy prowadzący do rozpuszczenia już istniejącego skrzepu. Jest to ważny mechanizm obronny, chroniący organizm przed: a) zgubnymi skutkami nieuchronnego tworzenia się skrzepów w ścianie naczyń; b) pozostawaniem zbyt długo w ranie twardego skrzepu, który stałby się szybko balastem, obcym ciałem utrudniającym gojenie.

W przypadku złego funkcjonowania lub braku któregokolwiek z czynników biorących udział w układzie hemostazy, krew przestaje krzepnąć, albo proces krzepnięcia wydłuża się. Następuje wówczas wzmożona tendencja do krwawień, a w razie urazu – trudne do opanowania krwawienia. Stan ten nazywa się *skazą krwotoczną*.

Podział skaz krwotocznych

Zależnie od tego, jakiego ogniwa układu krzepnięcia dotyczy uszkodzenie, wyróżnia się skazy krwotoczne: 1) *z niedoboru osoczowych czynników krzepnięcia*, 2) *płytkowe*, 3) *naczyniowe*, 4) *o charakterze mieszanym*, 5) *zespół śródnaczyniowego wykrzepiania* i 6) *z aktywacji fibrynolizy*.

Skazy można podzielić ponadto na *wrodzone*, czyli *dziedziczne*, oraz *nabyte*, występujące na ogół w przebiegu różnych chorób ogólnoustrojowych, np. zakażeń, uszkodzeń wątroby, chorób immunologicznych, zatruć. Najczęściej skazy wrodzone zależą od niedoboru lub wady jednego określonego czynnika układu hemostazy, co jest spowodowane wadą w układzie genetycznym, skazy nabyte zaś od braku lub wadliwego funkcjonowania kilku czynników lub mechanizmów naraz.

U dzieci do najczęstszych skaz krwotocznych, zarówno dziedzicznych, jak i nabytych, należą skazy małopłytkowe (spowodowane najczęściej brakiem lub obniżeniem liczby płytek krwi) oraz skazy z niedoboru osoczowych czynników krzepnięcia (zob. Pediatria, s. 1290).

Skazy wrodzone – z niedoboru osoczowych czynników krzepnięcia

Osoczowy układ krzepnięcia składa się z wielu czynników wzajemnie na siebie wpływających w taki sposób, iż każde świeżo zaktywowane białko uczynnia następne, aż do utworzenia czynnej trombiny – podstawowego enzymu proteolitycznego układu krzepnięcia. Trombina powoduje przejście rozpuszczalnego białka fibrynogenu, znajdującego się zawsze w osoczu krwi, w nierozpuszczalną fibrynę.

Niedobór każdego z czynników krzepnięcia zaburza przebieg tego tzw. kaskadowego mechanizmu aktywacji i może spowodować wystąpienie objawów skazy krwotocznej. W rzeczywistości niedobory niektórych czynników można wykazać tylko za pomocą badań laboratoryjnych, a objawy skazy nie pojawiają się wcale lub dają o sobie znać tylko po ciężkich urazach. Natomiast niedobory innych białek osoczowego układu krzepnięcia powodują bardzo ciężkie krwotoki.

Poznanie przebiegu aktywacji układu krzepnięcia i mechanizmu powstawania skaz krwotocznych było możliwe dzięki obserwacji chorych na wrodzone wady krzepnięcia. Wady te są spowodowane defektem genetycznym uniemożliwiającym prawidłową syntezę określonego białka czynnego w procesie krzepnięcia. Znane są już wady krzepnięcia zależne od wrodzonego braku właściwie wszystkich czynników osoczowych. Niektóre z nich zdarzają się bardzo rzadko, inne nie powodują objawów skazy krwotocznej.

Hemofilia jest najbardziej znaną i najcięższą wrodzoną skazą krwotoczną. Choroba ta była znana już od dawna ze względu na jej występowanie wśród europejskich rodów królewskich. Nie bez wpływu na dalszy tok wydarzeń historycznych była hemofilia następcy tronu rosyjskiego – Aleksego „leczonego" przez słynnego Rasputina. Hemofilię wśród koronowanych głów Europy rozsiała brytyjska królowa Wiktoria, która odziedziczyła tę wadę po swoich przodkach.

Hemofilia dziedziczy się w sposób recesywny, związany z płcią. Wada związana jest z chromosomem X. Oznacza to, iż chorują na tę chorobę mężczyźni dziedziczący defekt po swych matkach. Kobiety na hemofilię nie chorują – są tylko jej bezwiednymi przenosicielkami.

Wyróżnia się dwie główne postacie hemofilii – A i B. W hemofilii A wada krzepnięcia polega na wrodzonym niedoborze globuliny antyhemofilowej (AHG), czyli tzw. części koagulacyjnej czynnika VIII. W hemofilii B brakuje czynnika IX, inaczej zwanego czynnikiem Christmasa, od nazwiska chorego, we krwi którego po raz pierwszy wykryto brak tej właśnie składowej krzepnięcia.

Obraz kliniczny obu tych hemofilii nie różni się od siebie. Częstszą wadą jest hemofilia A, której występowanie w Polsce ocenia się jako jeden przypadek na 12 000 mieszkańców. Hemofilia B zdarza się 7 do 10 razy rzadziej.

Objawy hemofilii zależą od stopnia niedoboru czynnika niezbędnego do krzepnięcia krwi. Podzielono zatem hemofilię A na 4 stopnie ciężkości zależnie od tego, jak duży jest niedobór globuliny antyhemofilowej – AHG:

1) hemofilia ciężka – stężenie AHG stanowi mniej niż 1% normy;
2) hemofilia względnie łagodna – stężenie AHG wynosi 1–5% normy;
3) hemofilia łagodna – stężenie AHG wynosi 5–25% normy;
4) hemofilia utajona – stężenie AHG wynosi 25–60% normy.

Objawy. Typowymi objawami ciężkiej hemofilii są krwawienia do stawów i mięśni występujące bez wyraźnych urazów. Choroba ujawnia się najczęściej w pierwszym roku życia, gdy dziecko zaczyna raczkować opierając się na kolanach i łokciach. W tych właśnie stawach pojawiają się wylewy. Nawracające wylewy dostawowe powodują, poza bardzo silnym bólem, zniekształcenia i usztywnienia w stawach, prowadząc do trwałego kalectwa. Częstym objawem są krwawienia do ośrodkowego układu nerwowego, krwawienia z nerek i przewodu pokarmowego. W przypadku urazów i zabiegów operacyjnych występują ciężkie, groźne dla życia krwotoki. W lżejszych postaciach hemofilii krwawienia są związane z urazami. Do bardzo ciężkich krwotoków może dochodzić po usunięciu zęba, przy czym krwotok występuje po kilku godzinach, gdyż najwcześniejsza faza hemostazy jest sprawna, obkurczają się naczynia krwionośne i tworzy się czop płytkowy. Nie powstaje jednak aktywna trombina – nie może dojść do utworzenia pełnowartościowego skrzepu i rozpoczyna się niepowstrzymane krwawienie.

Leczenie chorego zależy od rozpoznania rodzaju wady krzepnięcia. Dokładne określenie typu skazy jest możliwe po zbadaniu stężenia poszczególnych czynników.

Jedynym leczeniem hemofilii jest szybkie uzupełnienie brakującego składnika przez przetoczenie odpowiedniego preparatu otrzymanego z krwi (w Polsce tzw. krioprecypitatu). W razie konieczności przeprowadzenia u chorego na hemofilię operacji, brakujący czynnik podawany jest w odpowiednim czasie przed i po operacji. Najtrudniejsze jest zapobieganie samoistnym wylewom dostawowym w ciężkiej hemofilii, co może wymagać okresowych przetaczań preparatów czynnika VIII.

Chorzy na hemofilię w Polsce podlegają rejestracji w specjalnych poradniach znajdujących się przy Akademiach Medycznych w całej Polsce oraz w Instytucie Hematologii (dorośli) i Instytucie Matki i Dziecka (dzieci) w Warszawie. Otrzymują oni specjalną legitymację, w której wpisany jest rodzaj i stopień ciężkości skazy, grupa krwi oraz liczne wskazówki dla chorego i lekarza.

Zapobieganie szerzeniu się tej choroby polega na uświadomieniu potencjalnych nosicieli o niebezpieczeństwie przekazywania dziedzicznego.

Istnieje możliwość wykrycia nosicielstwa u kobiety za pomocą specjalnych badań, a także stwierdzenia, czy płód znajdujący się wewnątrz macicy ma cechy hemofilii, czy też nie.

Choroba von Willebrandta jest wrodzoną skazą krwotoczną nazywaną czasem pseudohemofilią.

Przyczyną tej choroby jest wrodzony brak tzw. czynnika von Willebrandta. Czynnik ten wchodzi wraz z globuliną antyhemofilową (AHG) w skład czynnika VIII i jest niezbędny dla prawidłowej czynności płytek krwi. Ponadto stabilizuje cząstkę koagulacyjną, czyli AHG, tak iż w nieobecności czynnika von Willebrandta czynność AHG jest albo niemożliwa, albo znacznie upośledzona. Wadę dziedziczy się w sposób dominujący i nie związany z płcią – chorują zatem na tę chorobę zarówno mężczyźni, jak i kobiety.

Objawy kliniczne są takie jak w hemofilii – wylewy dostawowe i do mięśni – oraz takie jak w małopłytkowościach, tzn. łatwe krwawienia ze śluzówek, obfite krwawienia miesiączkowe u kobiet, wybroczyny na skórze. Wyniki badań laboratoryjnych są podobne jak w hemofilii, i jak w małopłytkowości, przy prawidłowej liczbie płytek krwi. Choroba ma lżejszy przebieg niż hemofilia, rzadko prowadzi do kalectwa.

Leczenie polega również na uzupełnieniu niedoboru czynnika VIII.

Skazy krwotoczne nabyte

Skazy krwotoczne nabyte spowodowane niedoborem czynników osoczowych są najczęściej związane z chorobami wątroby lub z podawaniem leków zmniejszających krzepliwość krwi.

Najczęstszą przyczyną tych skaz jest niedobór czynników grupy protrombiny, syntetyzowanych w wątrobie przy udziale witaminy K. Niedobór tych czynników może być wywołany: a) niewydolnością komórek wątrobowych, niezdolnych do ich syntezy (marskość wątroby, ciężkie zapalenie wątroby); b) upośledzeniem wchłaniania witaminy K, co dzieje się w przypadkach żółtaczki mechanicznej z zastojem żółci lub w zespołach złego wchłaniania; c) brakiem witaminy K w pożywieniu; d) stosowaniem preparatów leczniczych z grupy dikumarolu będących antagonistami witaminy K.

Skaza objawia się powstawaniem krwawych wylewów i siniaków w skórze i tkance podskórnej. Częste są krwawienia z przewodu pokarmowego.

Leczenie polega na podawaniu witaminy K w zastrzykach domięśniowo lub dożylnie oraz na leczeniu choroby podstawowej. W przypadkach niewydolności wątroby podawanie witaminy K nie przynosi poprawy, gdyż chora komórka nie wykorzystuje jej, nie mając zdolności do syntezy białka. Skaza wywołana podawaniem pochodnych dikumarolu zazwyczaj szybko ustępuje po odstawieniu leku.

Skazy z niedoboru czynników grupy protrombiny są jedynym wskazaniem do stosowania witaminy K. W żadnym innym przypadku nie jest ona skuteczna.

Małopłytkowość

Niedobór płytek krwi jest częstą przyczyną skazy krwotocznej – głównie nabytej – u dzieci i dorosłych.

Przyczyny. Małopłytkowość może być spowodowana: a) niedostatecznym wytwarzaniem płytek w szpiku kostnym (aplazja szpiku lub wybiórcze uszkodzenie układu płytkotwórczego, wyparcie utkania płytkotwórczego ze szpiku przez rozrastające się inne układy, np. w białaczkach lub szpiczaku); b) zwiększonym niszczeniem płytek we krwi lub w śledzionie (czynniki immunologiczne, leki, powiększenie śledziony) oraz c) nadmiernym zużyciem płytek (zespół rozsianego wykrzepiania śródnaczyniowego) (tablica XXI).

Najczęściej występującą postacią choroby jest małopłytkowość polekowa i tzw. małopłytkowość samoistna autoimmunologiczna, której ostrą postać, charakterystyczną dla dzieci, nazywa się chorobą Werhoffa. Przewlekła samoistna małopłytkowość zdarza się głównie w okresie późnego dzieciństwa i u ludzi młodych – głównie kobiet. Często rozpoczyna się ona po przebyciu zakażenia górnych dróg oddechowych i gardła.

Objawy. Charakterystycznymi objawami małopłytkowości są liczne drobne wybroczyny, czyli petocie, zwykle na początku występujące na kończynach, potem na tułowiu, w miarę postępu choroby zlewające się ze sobą. Podobne wybroczyny pojawiają się na śluzówkach i spojówkach. Niewielki ucisk powoduje powstawanie siniaków. Częstym objawem są krwawienia z nosa, obfite miesiączki i krwotoki z dróg rodnych u kobiet, krwawienia ze śluzówki przewodu pokarmowego, rzadko nerek. Znaczne niebezpieczeństwo stwarzają wybroczyny pojawiające się w mózgu w ciężkich przypadkach małopłytkowości.

Badania laboratoryjne krwi pozwalają stwierdzić zmniejszenie liczby płytek krwi – za krytyczną liczbę płytek, poniżej której istnieje duże niebezpieczeństwo krwawień, przyjmuje się 50 000 w 1 mm^3 (50×10^9/l) – wydłużenie czasu krwawienia i dodatni objaw opaskowy, tzn. pojawianie się wybroczyn na przedramieniu po ucisku ramienia opaską.

Leczenie i **rokowanie** zależą od przyczyny choroby. Stosuje się kortykosteroidy. Gdy istnieje podejrzenie dużego niszczenia płytek w śledzionie, jest niezbędne usunięcie śledziony. W przypadku groźnego dla życia krwawienia lub konieczności operacji przetacza się masę płytkową w celu czasowego przywrócenia prawidłowej hemostazy. Małopłytkowości polekowe i toksyczne ustępują na ogół całkowicie po usunięciu przyczyny.

Skazy naczyniowe

Są to zaburzenia hemostazy występujące bardzo często, szczególnie u kobiet i u ludzi w wieku podeszłym. Ten rodzaj skaz na ogół nie wymaga leczenia. Skazy naczyniowe mogą być również spowodowane działaniem czynników toksycznych pochodzenia chemicznego lub bakteryjnego i wówczas musi być leczona ich przyczyna.

Zespół Schoenleina–Henocha jest szczególną postacią skazy naczyniowej na tle alergicznym – immunologicznym. Zespół ten rozpoczyna się nagle. Wybroczynom na skórze towarzyszy gorączka i bóle stawów, nierzadko z ich obrzękiem i zaczerwienieniem, często pokrzywka. Mogą wystąpić silne bóle brzucha spowodowane wybroczynami na otrzewnej oraz krwiomocz.

Choroba rokuje pomyślnie, choć zdarzają się okresowe nawroty.

Leczenie jest zwykle czysto objawowe, tylko ciężkie przypadki wymagają bardziej intensywnego postępowania.

Wrodzone krwotoczne rozszerzenie naczyń jest skazą naczyniową polegającą na rozszerzeniu drobnych żył i naczyń kapilarnych w różnych miejscach ciała: na skórze, śluzówce i w narządach wewnętrznych. Ponieważ najczęstszym umiejscowieniem tych rozszerzeń naczyniowych jest śluzówka nosa – krwawienia z nosa są objawem występującym u większości osób.

Leczenie. W przypadku silnego krwawienia leczenie jest miejscowe (elektrokoagulacja lub usunięcie chirurgiczne). Często jest konieczne podawanie preparatów żelaza z powodu niedoboru tego pierwiastka na skutek przewlekłych krwawień.

Zespół śródnaczyniowego wykrzepiania

Zespół śródnaczyniowego wykrzepiania jest ciężką, a zarazem szczególną postacią skazy krwotocznej. Polega on na tworzeniu się licznych, drobnych zakrzepów w naczyniach krwionośnych, co łączy się ze zużyciem czynników krzepnięcia i płytek krwi, a to z kolei powoduje ich niewystarczającą ilość do prawidłowego krzepnięcia. Jest to stan bardzo dynamiczny i niebezpieczny dla życia. Wymaga intensywnego leczenia.

VII. CHOROBY REUMATYCZNE

Co to jest reumatyzm

Termin reumatyzm pochodzi od gr. słowa *rheuma* oznaczającego prąd, płynięcie. Skojarzenie dolegliwości i zapaleń stawowych ze zjawiskiem przepływu cieczy wywodzi się z panującego w starożytności przekonania o wpływie cieczy organizmu na występowanie pewnych chorób. Terminu reumatyzm – w znaczeniu podobnym jak obecnie – użył po raz pierwszy prawdopodobnie lekarz rzymski Galen (II w. n.e.). Obecnie słowem reumatyzm określa się całą grupę różnych chorób mających różne przyczyny (w wielu chorobach zresztą nieznane) i wymagających różnych sposobów postępowania leczniczego.

Do grupy chorób reumatycznych są zaliczane umownie bardzo różne nieurazowe choroby narządu ruchu, objawiające się dolegliwościami w jego obrębie, a przede wszystkim, bólem. Należą do nich choroby, które uszkadzają serce, a nie zagrażają narządowi ruchu, choroby, które mogą być przyczyną kalectwa, a także choroby objawiające się jedynie częstymi dolegliwościami bólowymi, nie grożące natomiast żadnymi trwałymi ani niebezpiecznymi zmianami (tych jest najwięcej).

Istnieje też wiele chorób wewnętrznych oraz chorób narządu ruchu imitujących swymi objawami choroby reumatyczne, ale w istocie nie mających z nimi nic wspólnego. Są to m.in. różne wady budowy, wady rozwojowe, zakażenia, zaburzenia przemiany materii, choroby krwi, choroby naczyń krwionośnych tętniczych lub żylnych, choroby układu nerwowego.

Narząd ruchu

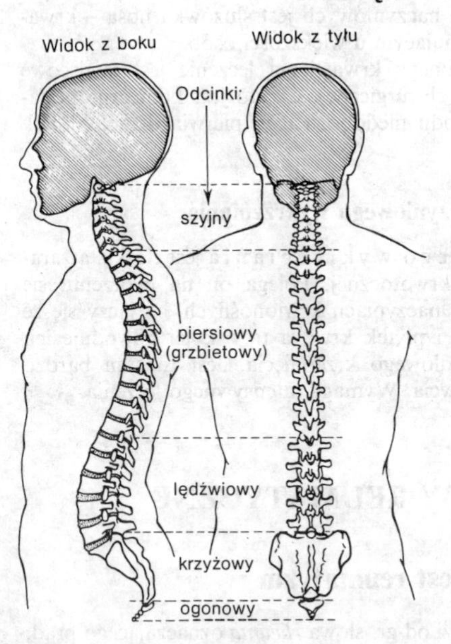

Odcinki i krzywizny fizjologiczne kręgosłupa

N a r z ą d r u c h u jest strukturalnym i dynamicznym zespołem złożonym z u k ł a d u k o s t n e g o (szkieletu) i m i ę ś n i o w e g o, umożliwiającym utrzymanie postawy ciała, przemieszczanie się względem podłoża (ruch lokomocyjny, czyli chód) oraz zmianę ustawienia względem siebie poszczególnych części zewnętrznej budowy ciała z odpowiednią stałą lub zmienną siłą i szybkością w celu wykonania określonej czynności.

Układ kostno-stawowy

Układ kostno-stawowy jest podstawowym strukturalnym elementem narządu ruchu. Jego centralną i ruchomą oś stanowi k r ę g o s ł u p, tworzący wraz z żebrami i mostkiem tzw. k o ś c i e c o s i o w y. Poszczególne odcinki kręgosłupa składają się z określonej liczby kręgów: 7 szyjnych, 12 piersiowych, 5 lędźwiowych, 5 krzyżowych zrośniętych w kość krzyżową i 4 szczątkowych kręgów ogonowych (rys.). Pomiędzy kręgami znajdują się tzw. krążki międzykręgowe. Obwodową część każdego krążka stanowi pierścień włóknisty, a centralną – jądro miażdżyste (galaretowate). Niekiedy pod wpływem silnych, zwłaszcza nagłych przeciążeń kręgosłupa jądro miażdżyste, wypełnione nieściśliwą galaretowatą zawartością, uwypukla się przez pierścień włóknisty drażniąc mechanicznie korzeń nerwowy i wywołując dotkliwy ból. Jest to tzw. p r z e p u k l i n a j ą d r a m i a ż d ż y s t e g o.

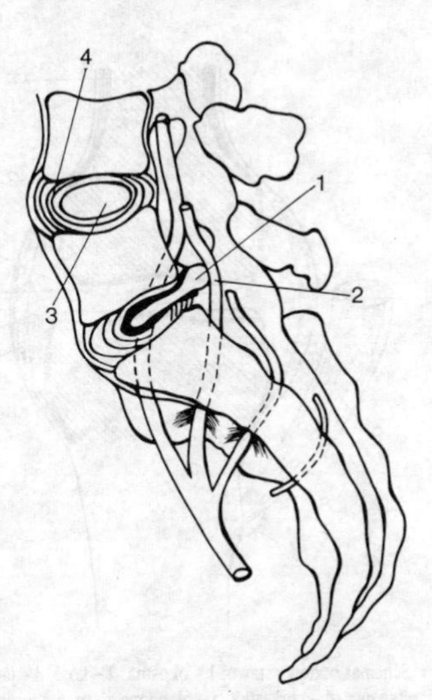

Schemat przekroju podłużnego (widok z boku) dolnej części kręgosłupa lędźwiowego i kości krzyżowej; widać przepuklinę jądra miażdżystego (1) uciskającą korzeń nerwowy (2), a także prawidłowy obraz krążka międzykręgowego IV i V kręgu lędźwiowego, zbudowanego z jądra miażdżystego (3) i pierścienia włóknistego (4)

Naprzemienne krzywizny kręgosłupa w płaszczyźnie przednio-tylnej, upodabniające go do sprężystego resora, amortyzują wstrząsy i chronią przed nimi kręgosłup i ośrodkowy układ nerwowy. Ochronnie działają również krążki międzykręgowe z zawartymi w nich sprężystymi jądrami miażdżystymi. Skrzywienie kręgosłupa w kierunku bocznym – tzw. skolioza – jest zawsze zjawiskiem nieprawidłowym.

Wszystkie kości tworzące szkielet są połączone stawami. Niektóre spośród nich są nieruchome, np. szwy czaszki, niektóre mają bardzo małą ruchomość, jak połączenie spojenia łonowego lub stawy łączące kość krzyżową z talerzami biodrowymi, większość jednak stawów – a dotyczy to przede wszystkim połączeń kości kończyn – jest ruchoma. Noszą one nazwę stawów maziowych lub wolnych.

Staw ruchomy, czyli **wolny**, jest zbudowany z następujących elementów: powierzchni stawowych sąsiednich kości, torebki stawowej, która przyrasta ściśle do okostnej obu kości i otaczając staw tworzy tzw. jamę stawową, niewielkiej ilości płynnej mazi stawowej wypełniającej jamę stawową oraz więzadeł łączących kości. Powierzchnie stawowe pokryte są chrząstką stawową. W niektórych stawach znajdują się ponadto śródstawowe twory chrząstkowe, takie jak krążki, łąkotki, obrąbki lub zlokalizowane również śródstawowo kostki, tzw. trzeszczki. W tkankach miękkich okołostawowych są spotykane kaletki maziowe, które bywają uwypukleniem błony maziowej poza jamę stawu; czasem są one położone osobno i nie łączą się z tą jamą.

Chrząstka stawowa, w porównaniu z innymi tkankami, zawiera mało komórek, a więcej substancji podstawowej (międzykomórkowej) i włó-

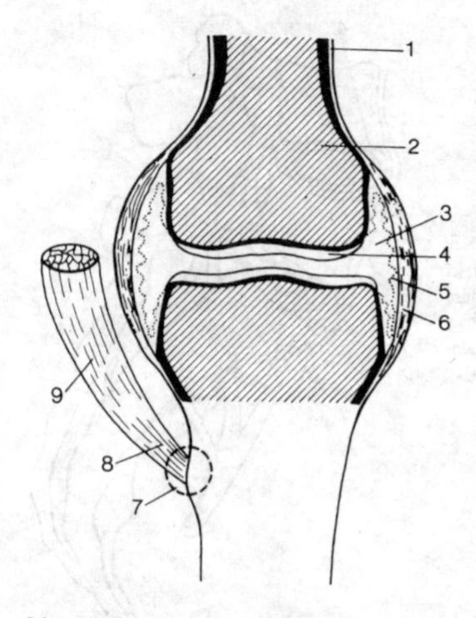

Schemat budowy stawu: 1 – okostna, 2 – kość, 3 – jama stawowa, 4 – chrząstka, 5 – błona maziowa, 6 – torebka stawowa, 7 – przyczep ścięgna, 8 – ścięgno, 9 – mięsień

kien kolagenowych o określonym układzie, innym w warstwie głębszej chrząstki, a innym w warstwie powierzchniowej. Mikroarchitektonika tej tkanki, a więc proporcja i układ trzech elementów jej budowy: komórek, włókien i substancji podstawowej – decyduje o dużej wytrzymałości i elastyczności chrząstki stawowej. Dzięki tym właściwościom fizycznym pełni ona niejako rolę b u f o r a w stosunku do kości, którą chroni przed obciążeniami i różnymi „fizjologicznymi" urazami związanymi z codziennym życiem (mikrourazy). Powierzchnia chrząstki stawowej jest jak gdyby powierzchnią łożyska smarowanego stale mazią stawową. Chrząstka nie jest unerwiona, a więc jest niebolesna, a jej zewnętrzne warstwy nie mają naczyń krwionośnych. Jedynym źródłem odżywiania tej tkanki jest maź stawowa, z której czerpie ona substancje odżywcze drogą dyfuzji oraz zasysania i wyciskania płynu przy ruchu stawu lub jego obciążeniu.

T o r e b k a s t a w o w a składa się z dwóch warstw: zewnętrznej zwanej b ł o n ą w ł ó k n i s t ą i wewnętrznej zwanej b ł o n ą m a z i o w ą. Warstwa włóknista decyduje o wytrzymałości mechanicznej torebki, która jest jednym z czynników zespalających kości i stanowiących ścianę jamy stawowej. W miejscach przyczepu do kości torebka stawowa przechodzi w okostną. Warstwa włóknista bywa miejscem przyczepu ścięgien mięśni. Jest ona unerwiona, wskutek czego mogą powstawać reakcje bólowe przy jej napięciu lub innym drażnieniu mechanicznym. B ł o n a m a z i o w a stanowi wewnętrzną wyściółkę torebki stawowej (ale nie chrząstek stawowych!). Liczne fałdy

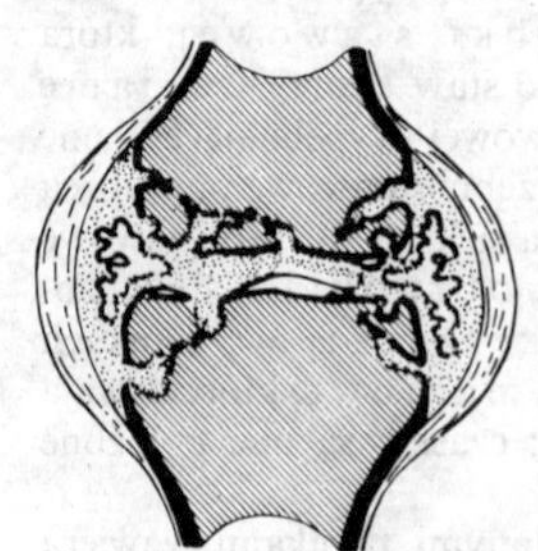

Schemat zaawansowanych zmian chorobowych w stawie w przebiegu zapalenia reumatoidalnego. Widoczne zgrubienie zarysów stawu spowodowane wysiękiem, zgrubienie błony maziowej i rozrost w niej ziarninowej tkanki zapalnej, niszczącej chrząstkę i stawowe powierzchnie kości (zob. tekst na s. 885)

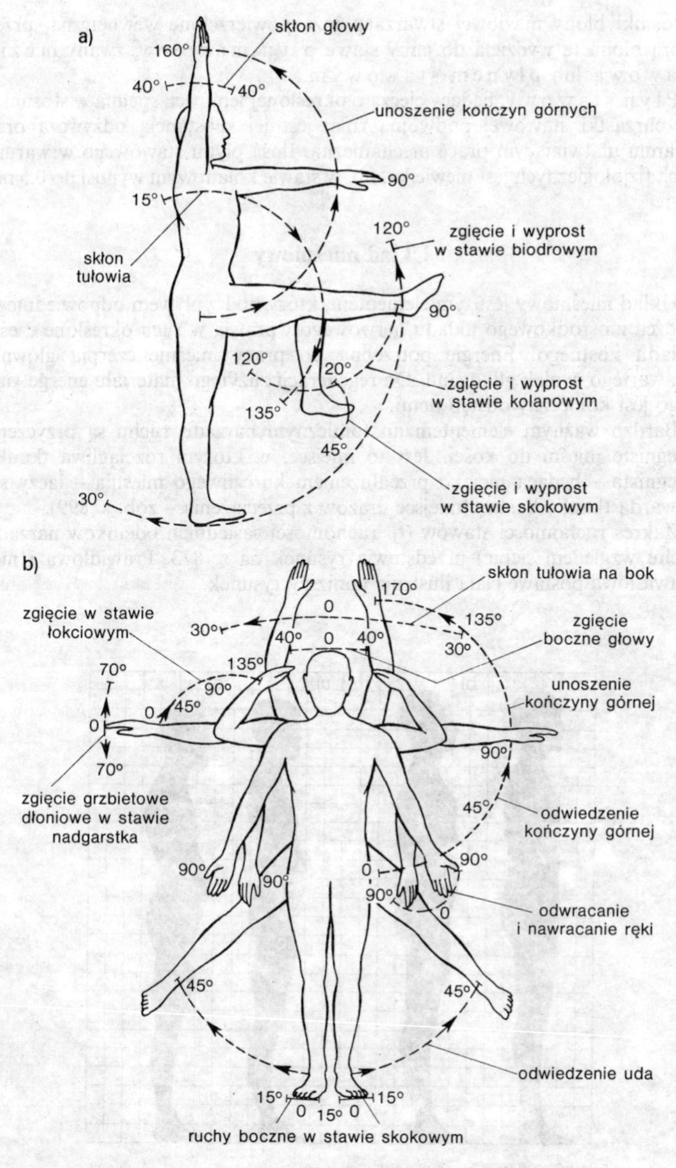

Zakres ruchomości stawów: a) w płaszczyźnie strzałkowej, b) w płaszczyźnie czołowej

i kosmki błony maziowej stwarzają dużą powierzchnię wewnętrzną, przez którą błona ta wydziela do jamy stawu płyn maziowy, zwany mazią stawową lub płynem stawowym.

Płyn stawowy, będący cieczą o określonej lepkości, spełnia w stosunku do chrząstki stawowej podwójną rolę: jest jej substancją odżywczą oraz smarem ułatwiającym pracę mechaniczną. Ilość płynu stawowego w warunkach fizjologicznych jest niewielka, np. w stawie kolanowym wynosi do 0,5 ml.

Układ mięśniowy

Układ mięśniowy jest tym elementem, który pod wpływem odpowiedniego bodźca z ośrodkowego układu nerwowego wprawia w ruch określone części układu kostnego. Energię potrzebną do pracy mięśnie czerpią głównie z zawartego w nich glikogenu. Do regeneracji zużytego materiału energetycznego jest konieczny dostęp tlenu.

Bardzo ważnym elementem anatomicznym narządu ruchu są przyczepy ścięgniste mięśni do kości. Jest to miejsce, w którym rozciągliwa tkanka ścięgnista – będąca niejako przedłużeniem kurczliwego mięśnia – łączy się z twardą tkanką kostną (miejsce urazów z przeciążenia – zob. s. 899).

Zakres ruchomości stawów (tj. ruchomości sąsiednich odcinków narządu ruchu względem siebie) przedstawia rysunek na s. 873. Prawidłową i nieprawidłową postawę ciała ilustruje poniższy rysunek.

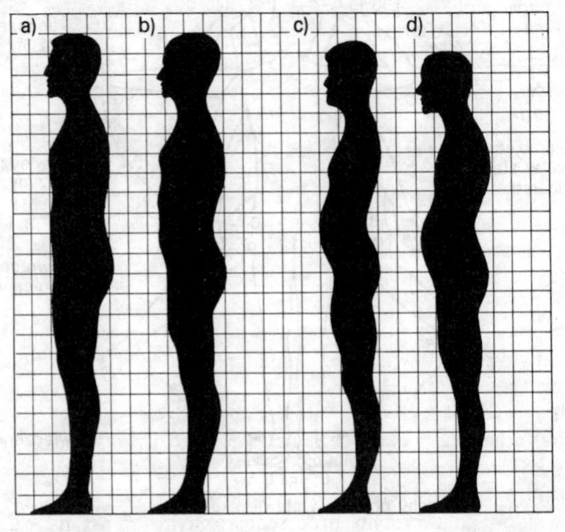

Sylwetki charakteryzujące postawę ciała: a, b) postawy prawidłowe; c, d) postawy wadliwe

Tkanka łączna

Wszystkie struktury i części narządu ruchu są zbudowane niemal wyłącznie z tkanki łącznej, która składa się z trzech rodzajów elementów: 1) komórek – różnych w tkance włóknistej, chrzęstnej i w kości, 2) substancji międzykomórkowej zbudowanej ze związków białkowo-cukrowych oraz 3) białek włókienkowych tworzących włókna tkanki łącznej; główny z tych białek – kolagen – stanowi ok. 30% wszystkich białek ustrojowych.

Tkanka łączna jest nie tylko strukturą łączącą poszczególne elementy narządów i układów organizmu w jedną „anatomiczną" całość. Również w obrębie określonego narządu nie jest wyłącznie strukturą podporową, a więc „rusztowaniem" obejmującym w całość skupiska komórek danego narządu. Tkanka łączna reaguje bardzo żywo na różne czynniki. To właśnie może być przyczyną uszkodzenia nie tylko narządu ruchu, ale również wielu narządów wewnętrznych (zob. Układowe choroby tkanki łącznej, s. 882).

Klasyfikacja i ogólna charakterystyka chorób reumatycznych

Klasyfikacja chorób reumatycznych ma charakter umowny, gdyż brak jest jednoznacznego kryterium, które można by przyjąć jako zasadę podziału. Nie znane są bowiem dotychczas przyczyny wielu spośród tych chorób. Ze względów praktycznych przyjęto podany na s. 876 podział chorób będących głównym przedmiotem zainteresowania reumatologii.

Przyczyny chorób reumatycznych

Wspólną cechą chorób reumatycznych jest ból w obrębie stawów bądź tkanek miękkich narządu ruchu. Bezpośrednią przyczyną tego bólu jest najczęściej odczyn zapalny, czasem mechaniczne drażnienie korzenia nerwowego lub nerwu obwodowego. Pytanie, co jest przyczyną chorób reumatycznych, sprowadza się właściwie do kwestii: jakie czynniki powodują rozwój procesu zapalnego w różnych chorobach reumatycznych? Mogą tu odgrywać rolę bardzo różne czynniki:

1) przyczyny nieznane; dotyczy to zwłaszcza reumatoidalnego zapalenia stawów, zesztywniającego zapalenia stawów kręgosłupa i układowych chorób tkanki łącznej (kolagenoz);

2) czynniki zakaźne. Jak dotychczas jedynie w przypadku gorączki reumatycznej udało się ustalić bezspornie rolę zakażenia paciorkowcowego jako czynnika inicjującego tę chorobę. W przebiegu niektórych zakażeń jelitowych lub też niektórych chorób wirusowych zapalne odczyny stawowe nie są wywołane bakteryjnym procesem ropnym, a jedynie są objawem towarzyszącym (bakteryjnymi zakażeniami stawów lub kości, tj. rzeczywistymi

Skrócona klasyfikacja chorób reumatycznych z uwzględnieniem charakterystyki tych chorób

Stawowe	Zapalne		układowe choroby tkanki łącznej (kolagenozy)
			reumatoidalne zapalenie stawów (i zespoły pokrewne)
			zesztywniejące zapalenie stawów kręgosłupa
			zespoły „reumatyczne” towarzyszące zakażeniom: – infekcyjne, – poinfekcyjne, czyli reaktywne (np. gorączka reumatyczna lub po infekcjach jelitowych)
	Zwyrodnieniowe		choroba zwyrodnieniowa (osteoartroza)
Pozastawowe			mięśniobóle, zespoły okołostawowe, korzeniowe
Choroby i zaburzenia ze zmianami w narządzie ruchu			metaboliczne (dna), statyki, gruczołów dokrewnych, neurologiczne, nerwowo-naczyniowe, hematologiczne, psychiczne, nowotworowe, inne

zakażeniami narządu ruchu, zajmuje się chirurgia ortopedyczna, a nie reumatologia);

3) zmiany zwyrodnieniowe stawów (artroza), będące procesem starzenia się tkanek (zob. s. 893);

4) urazy najczęściej „przewlekłe”, będące sumą powtarzających się „mikrourazów”. Przyczyną takich urazów mogą być: a) powtarzające się przeciążenia i nadwyrężenia miękkich tkanek w toku codziennych czynności domowych lub zawodowych; b) zmiany zwyrodnieniowe układu kostno-stawowego; c) nieprawidłowości budowy lub funkcji narządu ruchu, np. wady wrodzone, asymetrie, skrzywienia kręgosłupa, płaskostopie, porażenia; d) stresy nerwowe powodujące napięcie mięśni; e) wysunięcie się krążka międzykręgowego bądź przepuklina jego jądra miażdżystego (dyskopatia), co drażni mechanicznie korzeń nerwowy (najczęściej w lędźwiowym odcinku kręgosłupa);

5) zaburzenia przemiany materii (metaboliczne), najczęściej zaburzenia syntezy i przemiany kwasu moczowego, które prowadzą do wzrostu stężenia tego kwasu we krwi i odkładania się jego soli w tkankach (zob. Dna moczanowa, s. 905).

Dolegliwości w obrębie narządu ruchu, a nawet odczyny zapalne, bywają niekiedy objawem innych chorób, przyjmujących jedynie „maskę" schorzenia reumatycznego.

Odczynowość organizmu

Odczynowość organizmu jest to sposób jego reagowania na działające nań czynniki zewnętrzne. Są to reakcje indywidualne, tak, że ten sam szkodliwy czynnik (np. zakaźny lub fizyczny) może u jednego człowieka wywołać chorobę, a drugiemu człowiekowi kontakt z nim uchodzi bezkarnie.

Na czym polegają zjawiska odczynowości (odporności) organizmu i jakie są ich zaburzenia?

Każdy organizm „troszczy się" o rozwój własnych tkanek, a zwalcza i eliminuje obce substancje lub szkodliwe mikroorganizmy, które go atakują. Robi to, aby utrzymać własną integralność, aby w zmieniającym się środowisku biologicznym – nie zawsze mu przychylnym – pozostać odpornym, nieobarczonym, wolnym (łac. *immunis*, stąd immunologia, nauka o odporności i sposobach swoistego reagowania organizmu na obce czynniki). Zjawiska te szczegółowo omówiono w Immunopatologii, zob. s. 306.

Zjawiska odczynowości immunologicznej decydujące o obronności organizmu ulegają zaburzeniom, powodującym albo niedostateczną odczynowość albo nadmierną reakcję, niekorzystną dla organizmu. Czasami kontrola immunologiczna, rozpoznająca i zwalczająca zasadniczo tylko obce antygeny, zaczyna szwankować do tego stopnia, że organizm zaczyna atakować własne tkanki. Mówimy wówczas o procesie autoimmunologicznym albo o autoagresji. Przyczyny tego mogą być różne. Może to być jakieś centralne zaburzenie układu immunologicznego, może być jednak i tak, że własne elementy organizmu zmienione przez jakieś procesy chorobowe stają się na tyle inne niż w stanie zdrowia albo tak podobne do obcych elementów, iż są rozpoznawane i traktowane przez organizm jak obce antygeny, przeciwko którym powstają przeciwciała, albo które są niszczone przez własne komórki. Zrozumienie tego skomplikowanego procesu autoagresji, toczącego się w wielu zapalnych chorobach reumatycznych i w chorobach tkanki łącznej, może ułatwić rysunek na s. 878–879.

Na skutek połączenia się antygenu (niezależnie od jego pochodzenia) ze skierowanym przeciwko niemu przeciwciałem powstają tzw. kompleksy immunologiczne, które są szybko trawione i eliminowane z organizmu. Niekiedy jednak kompleksy te odkładają się w tkankach, co prowadzi do uszkodzenia narządów.

W normalnym, zdrowym organizmie procesy immunologiczne przebiegają sprawnie i są nieustającymi czynnościami ustroju, które decydują o stanie naszego zdrowia. „Uprzątane" tą drogą są nie tylko obce czynniki, ale

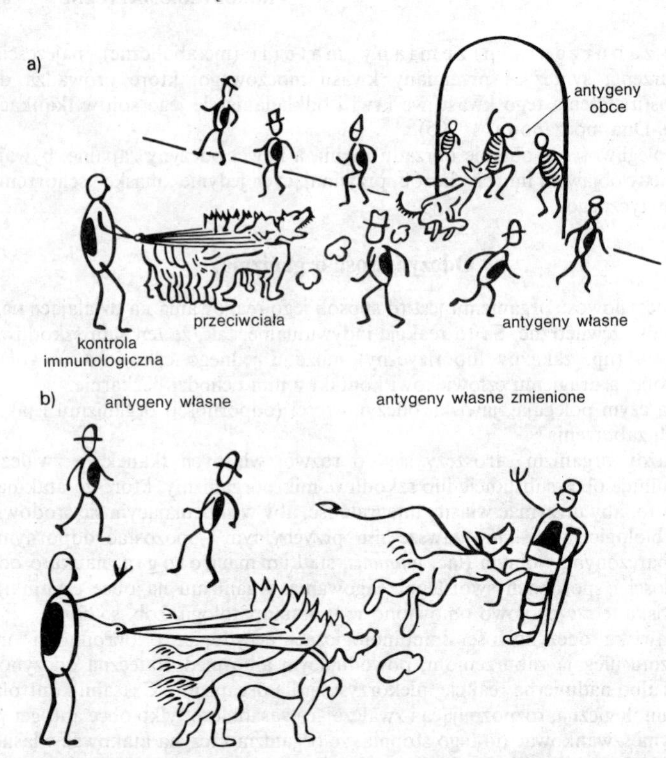

Odczynowość immunologiczna: a) normalny układ immunologiczny rozpoznaje składniki antygenowe organizmu jako własne, a wytwarza przeciwciała tylko przeciw antygenom obcym; b) struktura antygenu ustrojowego została zmieniona; układ immunologiczny ocenia własny antygen jako obcy; c) organizm atakowany przez antygen obcy (np. drobnoustrój) wytwarza przeciw niemu przeciwciała, ale również uszkadza tkanki ustrojowe mające z antygenem obcym podobieństwo strukturalne; d) zdezorganizowany układ immunologiczny nie rozpoznaje tkanek organizmu jako własnych i niektóre z nich atakuje

i własne, uszkodzone lub zmienione tkanki. Do a u t o a g r e s j i d o c h o d z i w ó w c z a s, gdy następuje zasadnicze ilościowe i jakościowe zakłócenie tych zjawisk, gdy przeważają procesy niszczenia nad procesami odnowy i gdy sterujący tymi zjawiskami układ immunologiczny traci nad nimi kontrolę umożliwiając przewlekłe, nieopanowane trwanie tych zaburzeń, toczących się na zasadzie błędnego koła. Trudno powiedzieć, co wywołuje takie zaburzenia: nieznane zakażenie (może wirusowe), zaburzenia w odczynowości ustroju lub inne czynniki. Prowadzone na całym świecie intensywne badania immunologiczne (nie tylko w reumatologii) wyjaśnią zapewne genezę zjawisk autoagresyjnych. Dotychczasowa wiedza w tej dziedzinie pozwala na stosowanie leków tłumiących bądź regulujących nadmierną lub spaczoną odczynowość immunologiczną organizmu.

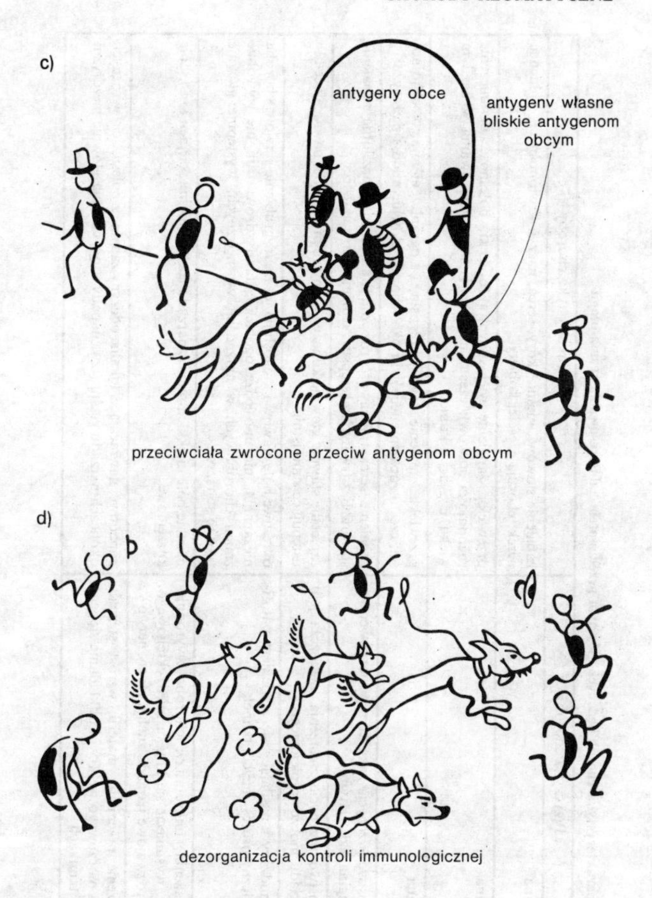

Czynniki usposabiające do występowania chorób reumatycznych

Czynniki genetyczne. Współczesne badania genetyczne pozwoliły ustalić, że na powierzchni niektórych komórek organizmu ludzkiego (przede wszystkim pewnego typu krwinek białych) istnieją możliwe do rozpoznania cechy, tzw. antygeny HLA (antygeny zgodności tkankowej), które – jakkolwiek nie decydują o zachorowaniu – świadczą o podatności na występowanie pewnych

Ogólna charakterystyka chorób będących głównym przedmiotem zainteresowania reumatologii

Choroba		Przyczyna choroby	Charakterystyka choroby
Układowe choroby tkanki łącznej (kolagenozy)		nieznana	zapalenie stawów, mięśni, skóry, serca, naczyń krwionośnych, opłucnej, nerek; chorują częściej kobiety
Reumatoidalne zapalenie stawów		nieznana	przewlekłe zapalenie wielostawowe (obrzęki, bolesność, ograniczenie ruchomości stawów); często niedokrwistość; zachorowania w każdym wieku, częściej u kobiet
Zesztywniające zapalenie stawów kręgosłupa		nieznana	przewlekłe zapalenie stawów kręgosłupa z ograniczeniem jego ruchomości; często zapalenie tęczówki oka; chorują głównie młodzi mężczyźni
Odczynowe zapalenia stawów	Gorączka reumatyczna	następstwo przebycia zakażenia paciorkowcowego (angina, szkarlatyna)	zapalenie serca (możliwość rozwoju wady serca), przelotne zapalenie stawów bez trwałych następstw; chorują głównie dzieci
	Po różnych zakażeniach	następstwo przebycia zakażenia, zwłaszcza jelit lub układu moczowo-płciowego	zapalenie stawów głównie kończyn dolnych, przewlekłe, nawracające lub ustępujące samoistnie
Choroba zwyrodnieniowa układu kostno-stawowego (artroza)		przychodzący i nasilający się z wiekiem patofizjologiczny proces zużycia tkanek	okresowe bóle stawów i kręgosłupa, czasem zgrubienie stawów; choroba niezapalna, nie upośledza ogólnego stanu zdrowia ani nie wywołuje zmian chorobowych w narządach wewnętrznych; występuje głównie u osób starszych
Różne zespoły bólowe tkanek miękkich narządu ruchu i objawy korzeniowe		przeciążenia, mikrourazy, choroba zwyrodnieniowa, wysunięcie się krążka międzykręgowego, wady rozwojowe narządu ruchu, stresy nerwowe	niestałe bóle miękkich tkanek narządu ruchu (mięśni, ścięgien i in.); bóle korzeniowe
Dna moczanowa		zaburzenie przemiany materii; wzrost stężenia kwasu moczowego we krwi i odkładanie się jego soli w tkankach	napadowe, nawracające, lokalne odczyny zapalne z bolesnością w różnych okolicach narządu ruchu (tzw. napady dny); chorują głównie mężczyźni

Zmiany chorobowe w narządzie ruchu i w narządach wewnętrznych w przebiegu chorób reumatycznych

Choroba		Zmiany chorobowe w narządzie ruchu		Najczęstsze zmiany w narządach wewnętrznych (związane z daną chorobą)
		Główne umiejscowienie zmian i objawów	Możliwość trwałych zmian (upośledzenia funkcji lub zniekształcenia)	
Układowe choroby tkanki łącznej (kolagenozy)		czasem podobne zmiany jak w reumatoidalnym zapaleniu stawów	bardzo rzadko zmiany w obrębie miękkich tkanek okołostawowych	zapalenie serca, opłucnej, skóry, naczyń krwionośnych, nerek
Reumatoidalne zapalenie stawów		stawy kończyn, przede wszystkim i najwcześniej obwodowe (drobne stawy rąk, stóp, nadgarstki)	ograniczenia ruchomości i zniekształcenia stawów, tzw. zaniki mięśni (tj. zmniejszenie ich objętości)	niedokrwistość, w cięższych i długotrwałych przypadkach – uszkodzenie nerek
Zesztywniające zapalenie stawów kręgosłupa		stawy krzyżowo-biodrowe, drobne międzykręgowe, biodrowe, miękkie tkanki okołokręgosłupowe	ograniczenie ruchomości kręgosłupa, klatki piersiowej i ewent. dużych stawów (np. biodrowych)	zapalenie tęczówki oka, niedokrwistość, kamica nerkowa i (lub) inne zmiany w nerkach
Odczynowe zapalenie stawów	Gorączka reumatyczna	przelotnie – stawy	nie ma	w czasie rzutu choroby – zapalenie którejś z warstw serca (najczęściej wsierdzia i/lub mięśnia); możliwość wytworzenia się wady zastawkowej
	Po różnych zakażeniach	zwłaszcza duże stawy kończyn dolnych, czasem stawy kręgosłupa i przyczep ścięgna Achillesa (pięta)	w części przypadków – ograniczenia ruchomości i zniekształcenia; w części – samowyleczenie	czasem: niedokrwistość, zapalenie spojówek, cewki moczowej, serca
Choroba zwyrodnieniowa układu kostno-stawowego (artroza)		stawy noszące masę ciała: kręgosłup, stawy kolanowe, stawy miedzy końcowymi paliczkami palców rąk (najbliższe paznokci)	na ogół nie ma ograniczeń ruchomości, z wyjątkiem przypadków zwyrodnienia stawu biodrowego i cięższych zmian zwyrodnieniowych stawu kolanowego; zgrubienia zarysów stawów, np. stawów międzypaliczkowych palców rąk	nie ma
Różne pozastawowe zespoły bólowe		tkanki miękkie narządu ruchu (mięśnie, ścięgna, torebki stawowe, kaletki maziowe i in.); przy chorobie krążka międzykręgowego – bóle korzeniowe, częściej w odcinku lędźwiowym, rzadziej – szyjnym	wyjątkowo	nie ma
Dna moczanowa		staw podstawowy palucha stopy (podagra); możliwe inne umiejscowienie	przy długotrwałej nie leczonej chorobie i częstych napadach – możliwość przewlekłych zmian zapalnych w stawach	kamica nerkowa, odmiedniczkowe zapalenie nerek, nierzadko współistnienie nadciśnienia

chorób. Dalszy postęp w tej dziedzinie pozwoli zapewne lepiej zrozumieć powstawanie procesów chorobowych oraz łatwiej i wcześniej ustalać diagnozę. Udział czynników genetycznych w procesach powstawania niektórych chorób wydaje się bowiem niewątpliwy. Odnosi się to zresztą nie tylko do cech związanych z obecnością antygenów HLA. Najczęściej wchodzi tu w grę nie zjawisko dziedziczenia wprost, według praw Mendla, ale skłonność rodzinna do występowania pewnych chorób.

Zewnętrzne czynniki fizyczne. Suma tych czynników składa się na warunki naszego bytowania. Są to wpływy klimatu, temperatury, wilgotności. Wbrew częstemu mniemaniu, czynniki te nie są przyczyną chorób reumatycznych, jakkolwiek sprzyjają nasilaniu się istniejących dolegliwości w narządzie ruchu.

Czynniki cywilizacyjne. Przeciążenia, urazy lub proces starzenia się towarzyszą istotom żyjącym od początku ich istnienia na Ziemi. Znaleziska kości zwierząt z cechami zmian zwyrodnieniowych pochodzą sprzed ok. 600 000 lat. Zmiany zwyrodnieniowe są stwierdzane również w najstarszych znalezionych szkieletach ludzkich. Nie różnimy się przeto od pierwotnego człowieka tym, że się starzejemy. Różnimy się czymś, co rzutuje na nasz narząd ruchu – jesteśmy w warunkach naszej cywilizacji mniej sprawni fizycznie, za mało używamy ruchu, co niewątpliwie osłabia nasze narządy lokomocyjne. Przypuszczalnie jesteśmy również bardziej napięci nerwowo, co sprzyja odruchowym napięciom mięśni i – w efekcie – powoduje u niektórych osób bóle mięśniowe.

Układowe choroby tkanki łącznej tzw. kolagenozy

Układowe choroby tkanki łącznej są ogólnoustrojowymi chorobami zapalnymi, mogącymi obejmować wiele narządów wewnętrznych, skórę i narząd ruchu, a w jego obrębie zarówno stawy, jak i mięśnie. Do grupy tych chorób zalicza się: 1) liszaj (toczeń) rumieniowaty uogólniony, 2) guzkowe zapalenie wielotętnicze, 3) zapalenie skórno-mięśniowe oraz 4) twardzinę (sklerodermę) uogólnioną. Wspólnymi cechami tych chorób – wykazujących pewne odrębności – są:

a) podobne zaburzenia biochemiczne i zapalne w tkance łącznej, która wchodzi w skład budowy niemal wszystkich narządów ustroju;

b) podobne zaburzenia odczynowości organizmu, która zostaje skierowana przeciwko własnym tkankom, a więc wytwarzanie autoprzeciwciał i zapalnych odczynów komórkowych uszkadzających własne tkanki;

c) najczęściej – współistnienie odczynów zapalnych w skórze, w stawach, mięśniach i w naczyniach krwionośnych różnych narządów;

d) niekiedy – uszkodzenie nerwów obwodowych bądź ośrodkowego układu nerwowego;

e) podobny przebieg kliniczny ze skłonnością do obostrzeń przebiegających z podniesieniem temperatury ciała, niedokrwistością, upośledzeniem ogólnego stanu i przyspieszeniem OB;

f) podatność na leczenie przeciwzapalne i tłumiące nadmierną odczynowość organizmu, a niepodatność na leczenie antybiotykami.

Przyczyny układowych chorób tkanki łącznej są nieznane. Zapadają na te choroby częściej kobiety niż mężczyźni. Zob. też Choroby skóry, s. 1965.

Mechanizm powstawania

Zasadniczy proces patologiczny w układowych chorobach tkanki łącznej rozpoczyna i toczy się w tej tkance. Tkanka łączna jest strukturą podporową różnych narządów. Stanowi ona jak gdyby szkielet budowli wypełniony skupiskiem komórek charakterystycznych dla danego narządu. Tkanka ta reaguje bardzo żywo na różne znane i nieznane czynniki. „Wszechobecność" jej w organizmie sprawia, że rozgrywające się w jej obrębie procesy patologiczne mogą doprowadzić do uszkodzenia bardzo wielu narządów nie mających ze sobą na pozór nic wspólnego. Zmiany patologiczne tkanki łącznej wchodzącej w skład budowy ścian naczyń krwionośnych, które odżywiają wszystkie narządy i układy organizmu mogą być zatem przyczyną bardzo różnych objawów klinicznych.

Zasadniczą zmianą patologiczną w układowych chorobach tkanki łącznej jest tzw. martwica włóknikowata, której drobne ogniska powstają w obrębie substancji podstawowej (międzykomórkowej) tkanki łącznej. Martwica ta jest wynikiem rozszczepiania substancji podstawowej i włókien kolagenu – białka stanowiącego główny składnik podporowy tkanki łącznej – na prostsze składniki biochemiczne, jak również następstwem gromadzenia się pewnych białek surowicy krwi, które przekroczyły barierę uszkodzonej ściany naczyń krwionośnych. Wiąże się to z lokalnym zakwaszeniem. Wokół ogniska martwicy tworzy się odczyn zapalny, a gromadzące się komórki zapalne trawią i „uprzątają" martwicę włóknikowatą. W konsekwencji wytwarza się blizna. Pojedyncze zmiany tego rodzaju są mikroskopowe, jednak mnogość ich i to, że umiejscawiają się w ścianach naczyń krwionośnych i w wielu innych miejscach różnych narządów prowadzi do występowania rozmaitych zaburzeń chorobowych.

Liszaj (toczeń) rumieniowaty uogólniony. Jest to narządowa (układowa) odmiana liszaja rumieniowatego (zob. Choroby skóry, s. 1965). Choroba występuje zwykle u kobiet między 20 a 40 r. życia, a nazwa jej pochodzi od rumienia (w kształcie motyla) pojawiającego się niekiedy na twarzy. Czasem współistnieją inne zmiany skórne, takie jak: sinoczerwone plamy na końcowych paliczkach palców rąk, drobne wybroczyny i ograniczone obrzęki. Często natomiast występuje przelotne lub przewlekłe zapalenie stawów, które może łudząco przypominać reumatoidalne zapalenie stawów.

Częstym objawem choroby jest niedokrwistość oraz obniżenie we krwi liczby krwinek białych (leukocytów) i płytek krwi. Obniżenie liczby leukocytów jest następstwem pojawienia się we krwi przeciwciał przeciwko substancjom jąder komórkowych krwinek białych. Jest to zjawisko „autoagresji". Morfologicznym – dostrzegalnym w badaniu mikroskopowym – wyrazem uszkodzenia leukocytów przez autoprzeciwciała jest obecność we krwi tzw.

komórek LE (od łac. nazwy choroby, tj. liszaja rumieniowatego – *lupus erythematodes*). Komórki LE są to leukocyty, które „popełniły kanibalizm" pożerając resztki jąder komórkowych innych uszkodzonych leukocytów.

W przebiegu choroby występują zapalenia narządów wewnętrznych, przede wszystkim nerek, opłucnej, osierdzia, wsierdzia oraz zmiany zapalne naczyń krwionośnych. Czasem ulega powiększeniu śledziona i węzły chłonne. W rzadkich przypadkach występują zaburzenia neurologiczne lub psychiczne na skutek zmian w ośrodkowym układzie nerwowym.

Zarówno zmiany skórne, jak i objawy ogólne i narządowe mogą zaostrzyć się lub wyzwolić pod wpływem nasłonecznienia albo naświetlań lampą kwarcową (promieniowanie nadfioletowe). Chorobie towarzyszy wówczas gorączka, przyspieszone OB, złe samopoczucie.

W rozpoznaniu liszaja rumieniowatego mają duże znaczenie badania krwi na obecność komórek LE oraz na obecność przeciwciał przeciwko substancjom jąder komórkowych, a także mikroskopowe badania wycinka skóry, w celu wykrycia w niej złogów globulin odpornościowych.

Guzkowe zapalenie wielotętnicze. Choroba ta najczęściej atakuje mężczyzn. Zasadniczymi zmianami patologicznymi w tej chorobie są ogniska zapalne wokół miejsc martwicy włóknikowatej w ścianach naczyń krwionośnych. W zależności od umiejscowienia tych zmian naczyniowych, mogą występować objawy chorobowe ze strony różnych narządów. Mogą to być: zapalenie kłębuszków nerkowych, choroba nadciśnieniowa, choroba wieńcowa, różne zaburzenia ze strony przewodu pokarmowego połączone z ostrymi bólami, zapalenie nerwów obwodowych, zapalenie płuc, napady dychawicy oskrzelowej, wreszcie – bóle i odczyny zapalne mięśni i stawów. Chorzy często gorączkują. Odczyn OB jest przyspieszony.

W celu ustalenia rozpoznania choroby jest konieczne badanie mikroskopowe małego wycinka mięśnia pobranego chirurgicznie z miejsca, gdzie wyczuwa się lub podejrzewa zmiany guzkowe.

Zapalenie skórno-mięśniowe. Zasadniczym objawem tej choroby są bóle mięśni, ich obrzęk i stwardnienie, najczęściej symetrycznie w obrębie pasa barkowego i biodrowego, co powoduje pewne utrudnienie ruchów. Podobne zmiany mięśniowe mogą wystąpić w krtani i gardle. Typową zmianą skórną jest obrzęk i rumień powiek i policzków z sinawym zabarwieniem.

Objawy te i ich lokalizacja są uwarunkowane takim właśnie rozmieszczeniem ognisk martwicy włóknikowatej i będących jej następstwem odczynów zapalnych. Tak jak w innych układowych chorobach tkanki łącznej, występuje gorączka, osłabienie, niedokrwistość, przyspieszone OB. Ostateczne rozpoznanie opiera się na mikroskopowym badaniu zmian mięśniowych w wycinku pobranym przez chirurga.

Twardzina (skleroderma) uogólniona. Choroba ta występuje częściej u kobiet, a jej obrazem są zmiany bliznowato-stwardnieniowe w skórze, tkance podskórnej i w tkankach wielu narządów wewnętrznych. Zmiany zanikowe, tj. ścieńczenie skóry i stwardnienie tkanki podskórnej, są widoczne zwłaszcza na palcach rąk, na szyi, klatce piersiowej i twarzy, której mimika staje się skąpa, nos zaostrza się, wargi ulegają ścieńczeniu. Podobne zmiany bliznowate występują również w przełyku (co jest przyczyną trudności w połykaniu), w płucach, w sercu i w nerkach. Zmiany chorobowe w narządach wewnętrznych upośledzają ogólny stan chorego.

W odróżnieniu od innych kolagenoz, temperatura ciała i OB bywają prawidłowe, ponieważ w chorobie tej dominują procesy zwłóknienia podścieliska łącznotkankowego nad komórkowymi odczynami zapalnymi, które są niewielkie.

Leczenie kolagenoz

Układowe choroby tkanki łącznej wymagają bardzo starannego leczenia farmakologicznego, a w okresie zaostrzeń – leczenia szpitalnego. Różnorodne objawy tych chorób sprawiają, że w zależności od obrazu klinicznego choroby i rodzaju dominujących w danym przypadku objawów (np. zajęcie serca, nerek, skóry, stawów, mięśni itd.) stan chorego może wymagać konsultacji bądź opieki lekarskiej ze strony różnych specjalistów (reumatologa, kardiologa, dermatologa i in.). Chorzy bywają leczeni w różnych oddziałach specjalistycznych.

Osoby cierpiące na układowe choroby tkanki łącznej, a zwłaszcza na liszaj rumieniowaty uogólniony, nie powinny być naświetlane lampą kwarcową, oraz powinny unikać promieni słonecznych i oświetlenia świetlówką.

Reumatoidalne zapalenie stawów

Reumatoidalne zapalenie stawów, zwane dawniej *gośćcem przewlekłym postępującym*, jest chorobą zapalną przede wszystkim narządu ruchu. Prowadzi do wytwarzania się trwałych i najczęściej symetrycznych zmian zapalnych w stawach, czego wyrazem są utrzymujące się przez dłuższy czas obrzęki, ograniczenie ruchomości, zniekształcenia, przykurcz, a czasem nawet zesztywnienie stawów. W typowych przypadkach i najwcześniej zajęte są stawy palców rąk, stawy nadgarstków i stawy stóp. Choroba występuje rzadko (ok. 0,25–1,0% ludności), ale z uwagi na konieczność długotrwałego leczenia i to różnymi metodami, często długotrwałą niezdolność do pracy, a czasem inwalidztwo – ma cechy choroby społecznej. Częściej atakuje kobiety niż mężczyzn (3,5:1), a wiek zachorowania bywa różny – od dziecięcego do starszego.

Przyczyna choroby jest nieznana. Pojawiające się od wielu lat coraz to nowe hipotezy na temat wirusowej lub bakteryjnej etiologii nie znajdują potwierdzenia. W procesie chorobowym i w mechanizmie powstawania zmian niszczących w obrębie stawów zasadniczą rolę odgrywają zaburzenia odczynowości ustroju i zjawiska autoimmunologiczne (zob. s. 877). Nie wiadomo wszakże dotychczas, jaki czynnik jest odpowiedzialny za powstanie tych zaburzeń, które dotyczą zarówno odczynowości humoralnej, jak i komórkowej, chociaż ustalono bezspornie, że ich ofiarą padają własne tkanki stawowe.

Zmiany chorobowe w stawie polegają na: gromadzeniu się komórek zapalnych w błonie maziowej, jej zgrubieniu i rozroście jej kosmków, wytworzeniu się w jamie stawowej wysięku będącego produktem zmienionej zapalnie błony maziowej i powstaniu włóknistych zrostów wewnątrzstawowych (zob. rys. na s. 872). W następstwie nasilania się tych zmian rozrastająca się od strony błony maziowej w głąb jamy stawowej ziarnina zapalna (nacieki komórek zapalnych) pokrywa chrząstkę prowadząc do jej zaniku, a następnie wnika w głąb kości, co powoduje powstanie na jej powierzchni nadżerek. Ogniska ziarniny zapalnej powstają również w podchrzęstnej warstwie kości. Do niszczenia elementów stawu, przede wszystkim chrząstki, przyczyniają się nie tylko nacieki zapalne, ale i enzymy trawiące białka a uwalniające się z leukocytów (krwinek białych) znajdujących się w wysięku reumatoidalnym.

Objawy i przebieg choroby

Początek choroby jest zwykle powolny i objawia się bolesnością oraz obrzękiem stawów przy ruchu i w spoczynku. Najwcześniej, co jest bardzo charakterystyczne, zmiany pojawiają się w stawach międzypaliczkowych i śródręcznopalcowych II i III palca obu rąk, w nadgarstkach, stawach śródstopopalcowych, a następnie w stawach kolanowych i innych (tablica 19). Skóra dłoni staje się „wydelikacona" i potliwa, skóra opuszek palców i kłębu kciuka po stronie dłoniowej zaczerwieniona, mięśnie dłoni cieńczeją. To cieńczenie mięśni, określane „zanikiem", nie oznacza całkowitego ich zaniku w potocznym sensie tego słowa, ale zmniejszenie ich masy w następstwie zmian wegetatywno-odżywczych. Niejednokrotnie IV i V palec ulegają w całości odchyleniu.

Stawy objęte procesem zapalnym mogą mieć w różnym stopniu ograniczoną ruchomość, co objawia się np. niemożnością zaciśnięcia pięści, ograniczeniem wyprostu w stawie łokciowym, przykurczem kolana itp. Typowym objawem jest uczucie tzw. porannej sztywności, mijającej po „rozruszaniu się" bądź przyjęciu leków.

Do bardzo charakterystycznych zmian pozastawowych zalicza się tzw. guzki reumatoidalne, umiejscowione podskórnie najczęściej w okolicy stawów łokciowych. Nierzadko występuje zapalenie kaletek maziowych (np. w okolicy podkolanowej) lub zapalenie pochewek ścięgnistych, najczęściej w okolicy grzbietowej strony nadgarstka, które może być czasem pierwszym objawem choroby.

Reumatoidalne zapalenie stawów nie jest jednak wyłącznie chorobą narządu ruchu, chociaż zmiany chorobowe są tu zasadnicze i najczęściej trwałe. Poza stanami podgorączkowymi (a okresowo i gorączkowymi) chorzy uskarżają się często na ubytek sił, a nierzadko stwierdza się u nich także niedokrwistość. Po dłuższym (wieloletnim) okresie choroby mogą wystąpić zmiany chorobowe w nerkach.

Przebieg choroby i jej rozwój (tzn. ogólny stan chorych, stopień zmian w narządzie ruchu i ewentualnie w narządach wewnętrznych) przedstawiają się różnie u poszczególnych chorych. Niektórzy prowadzą aktywny tryb życia (praca zawodowa, domowa, życie rodzinne), podczas gdy inni aktywność swą muszą bardzo ograniczyć. Zależy to przypuszczalnie nie tylko od stopnia uszkodzeń fizycznych spowodowanych chorobą, ale i od postawy psychicznej.

W rozpoznaniu choroby i ocenie stanu chorych na reumatoidalne zapalenie stawów pomocne są – poza oględzinami lekarskimi – następujące badania diagnostyczne:

1) testy służące do oceny „stopnia" procesu zapalnego, takie jak odczyn Biernackiego (opadanie krwinek, OB) i oznaczenie poziomu białka i jego frakcji w surowicy krwi;

2) testy serologiczne służące do wykrywania w surowicy krwi tzw. czynnika reumatoidalnego, który jest białkiem odpornościowym skierowanym przeciwko innej klasie białek odpornościowych surowicy krwi; testami tymi są: odczyn Waalera–Rosego i odczyn lateksowy RA. Ponieważ czynnik reumatoidalny nie jest czynnikiem chorobotwórczym, ale cechą choroby, występującą zresztą nie we wszystkich jej przypadkach, testy serologiczne nie wykrywają i nie wykluczają choroby, ale jedynie są pomocne w jej rozpoznaniu;

3) zdjęcia rentgenowskie stawów; pozwalają one ocenić stopień uszkodzenia stawów. Nie powinny być wykonywane częściej niż co 1–2 lata;

4) wszelkie badania dotyczące ogólnego stanu chorych i stanu narządów wewnętrznych (krwi, wątroby, nerek itp.).

Leczenie i zapobieganie

Leczenie reumatoidalnego zapalenia stawów powinno być kompleksowe i powinno uwzględniać: 1) leczenie farmakologiczne, 2) leczenie usprawniające (ćwiczenia) i fizykoterapeutyczne, 3) leczenie prowadzące do poprawy ogólnego stanu organizmu, 4) leczenie chirurgiczno-ortopedyczne (w niektórych przypadkach), 5) leczenie balneologiczno-uzdrowiskowe. Zob. Metody leczenia stosowane w reumatologii, s. 907.

Leczenie farmakologiczne polega przede wszystkim na stosowaniu leków przeciwzapalnych działających również przeciwbólowo; należy do nich m.in. polopiryna. Utrzymywanie się stanu zapalnego i związane z tym bóle stwarzają najczęściej konieczność długotrwałego stosowania tych leków i ich zmiany. Leki te mogą drażnić żołądek, dlatego jest wskazane stosowanie środków osłaniających błonę śluzową (środki alkalizujące, mleko).

Poza doraźnie i szybko działającymi lekami przeciwzapalnymi są stosowane specjalne leki działające w tej chorobie długotrwale, jak np. preparaty złota lub penicylamina.

Leczenie usprawniające polega na wykonywaniu określonych, specjalnych ćwiczeń ruchowych zaleconych przez lekarza, jak też gimnastyki ogólnej nawet parę razy dziennie. Leczenie ruchem, nazywane *kinezyterapią*, ma wielkie znaczenie w leczeniu reumatoidalnego zapalenia stawów. Pomocne są również zabiegi *fizykoterapeutyczne*, takie jak zabiegi cieplne, kąpiele, ćwiczenia pod wodą, masaże, jakkolwiek ustępują one roli ćwiczeń czynnych. W każdym przypadku stosowanie kinezyterapii lub fizykoterapii musi być uzgodnione z lekarzem prowadzącym (specjalistą w dziedzinie reumatologii, rehabilitacji lub fizykoterapii).

L e c z e n i e prowadzące do p o p r a w y o g ó l n e g o s t a n u organizmu powinno być dostosowane do konkretnych niedoborów istniejących u danego chorego. Wchodzić tu może w grę np. poprawa stanu odżywiania chorego, leczenie niedokrwistości, leczenie zakażeń, psychoterapia.

L e c z e n i e c h i r u r g i c z n o - o r t o p e d y c z n e. We wczesnych stadiach choroby jest ono prowadzone w celu usunięcia przerośniętej i zmienionej zapalnie błony maziowej stawów lub pochewek ścięgnistych. W późniejszych okresach choroby celem leczenia operacyjnego jest korekcja utrwalonych zniekształceń lub przykurczów, bądź zastąpienie np. „zniszczonego" stawu biodrowego jego wewnętrzną protezą (tzw. e n d o p r o t e z a).

L e c z e n i e b a l n e o l o g i c z n o - u z d r o w i s k o w e jest metodą pomocniczą. Zaletą tej metody, poza zabiegami balneologicznymi, jest wypoczynek w atrakcyjnej zwykle miejscowości i możliwość systematycznego stosowania różnych zabiegów kinezyterapeutycznych i fizykoterapeutycznych w oderwaniu od codziennych obowiązków.

K i n e z y t e r a p i a – ewentualnie przy użyciu odpowiednich urządzeń – i l e c z e n i e c h i r u r g i c z n o - o r t o p e d y c z n e mają szczególne znaczenie w przypadku zagrażających lub zaistniałych ograniczeń ruchomości stawów lub ich zniekształceń.

Zesztywniające zapalenie stawów kręgosłupa

Zesztywniające zapalenie stawów kręgosłupa jest to przewlekła choroba zapalna o nieznanej przyczynie, atakująca przede wszystkim – zwykle najwcześniej – stawy krzyżowo-biodrowe (między kością krzyżową a talerzami biodrowymi), a następnie drobne stawy międzykręgowe i żebrowo-kręgowe. Wymienione zmiany chorobowe prowadzą do różnego stopnia ograniczenia ruchomości kręgosłupa i zmniejszenia rozszerzalności oddechowej klatki piersiowej. Choroba ta występuje u ok. 0,25–0,5% ludności, atakuje prawie sześciokrotnie częściej mężczyzn niż kobiety, rozpoczyna się zwykle w wieku młodym, nawet młodzieńczym. U chorych są obserwowane nierzadko nawroty zapalenia tęczówki oka.

P r z y c z y n a zesztywniającego zapalenia stawów kręgosłupa jest nieznana. Istniejące w tej chorobie zaburzenia odczynowości organizmu, prowadzące do odczynów zapalnych, są mniej zbadane niż w innych układowych chorobach zapalnych. Wiadomo już jednak, że u ponad 90% osób zapadających na tę chorobę komórki są nośnikami jednego z tzw. a n t y g e n ó w z g o d n o ś c i t k a n k o w e j, a mianowicie a n t y g e n u HLA–B27 (zob. s. 879). W populacji ludzi zdrowych antygen ten występuje zaledwie u kilku procent osób.

Przewlekłe zmiany zapalne w stawach krzyżowo-biodrowych oraz w drobnych stawach międzykręgowych prowadzą zawsze do skostnienia tych stawów. W miękkich tkankach okołokręgosłupowych (m.in. w więzadłach) odkładają się złogi soli wapnia i tworzą się odcinkowe skostnienia.

Objawy i przebieg choroby

Choroba rozpoczyna się najczęściej (zwłaszcza u młodzieńców lub młodych mężczyzn) bólami w okolicy krzyżowej, pośladkowej, lędźwiowej, czasem promieniującymi od okolicy krzyżowej wzdłuż tylnej powierzchni kończyny dolnej, jak przy „rwie kulszowej" wywołanej patologią krążka międzykręgowego. Może jednak rozpocząć się również bólami i odczynami zapalnymi (obrzękiem, wysiękiem) w dużych stawach kończyn dolnych, zwłaszcza kolanowych, rzadziej w skokowych i biodrowych. Nawet przy takiej lokalizacji objawów proces zapalny może toczyć się w stawach krzyżowo-biodrowych nie dając o sobie znać.

W miarę rozwoju choroby zmiany zapalne rozwijają się w wyższych odcinkach kręgosłupa (w lędźwiowym, piersiowym i szyjnym) wywołując w nich bóle i ograniczenie ruchomości – połączone z ograniczeniem ruchów głową i z trudnością pochylania się – oraz charakterystyczne bóle opasujące klatkę piersiową. Często chorzy nie mogą przyjąć w pełni wyprostowanej postawy i przy staniu oraz chodzeniu pochylają się do przodu. Czasem dołączają się zmiany zapalne, bolesność i ograniczenie ruchomości w dużych stawach kończyn, częściej dolnych (zwłaszcza w stawie biodrowym), nawet wówczas, gdy stawy te nie były miejscem początkowych objawów choroby. Jedynie bardzo rzadko atakowane są drobne stawy rąk i stóp.

W zajętych odcinkach kręgosłupa ulegają wyrównaniu krzywizny fizjologiczne. Następuje upośledzenie ruchomości oddechowej klatki piersiowej i zmniejszenie pojemności życiowej płuc. Oddychanie odbywa się dzięki ruchom przepony i mięśni brzucha. Napięcie mięśni okołokręgosłupowych i mięśni prostych brzucha jest wzmożone. Bardzo charakterystyczną zmianą chorobową jest również zapalenie tęczówki oka ze skłonnością do nawrotów. U większości chorych występują różne objawy świadczące o ogólnym osłabieniu, jak szybkie męczenie się, spadek masy ciała, niedokrwistość niedobarwliwa i podwyższona temperatura ciała. U niektórych chorych rozwija się niedomykalność zastawek aorty. Czasem – zwłaszcza w przypadkach o cięższym przebiegu – dochodzi do uszkodzenia nerek.

R o z p o z n a n i a choroby i oceny stopnia jej rozwoju lekarz dokonuje – poza wnioskami wynikającymi z bezpośrednich oględzin lekarskich – na podstawie zdjęć rentgenowskich, przede wszystkim stawów krzyżowo-biodrowych i kręgosłupa, badań krwi, takich jak opad (OB), poziom i skład frakcji białek surowicy, morfologia krwi oraz badania moczu.

Leczenie i zapobieganie

Do głównych metod postępowania, które powinny być zawsze stosowane w leczeniu zesztywniającego zapalenia stawów kręgosłupa, należą: a) ćwiczenia usprawniające, a więc gimnastyka uprawiana indywidualnie i ćwiczenia ruchowe (kinezyterapia) stosowane okresowo pod kierunkiem kinezyterapeuty lub specjalisty w dziedzinie rehabilitacji albo reumatologii; b) leczenie farmakologiczne środkami przeciwzapalnymi; c) leczenie balneologiczno--uzdrowiskowe, najlepiej co roku.

Ćwiczenia usprawniające zapobiegają ograniczeniom ruchomości przede wszystkim kręgosłupa we wszystkich jego odcinkach, zapobiegają tendencji ustawienia głowy i tułowia w pozycji pochylenia ku przodowi, pozwalają utrzymać prostą sylwetkę oraz pełną sprawność ruchową.

Leczenie farmakologiczne polega na stosowaniu niesteroidowych leków przeciwzapalnych, działających jednocześnie przeciwbólowo, niekiedy również na podawaniu środków osłaniających błonę śluzową żołądka.

W przypadkach upośledzenia ogólnego stanu chorego, niedokrwistości, choroby nerek, zapalenia tęczówki oka lub innych zaburzeń współistniejących, jest stosowane równocześnie odpowiednie leczenie.

Leczenie balneologiczno-uzdrowiskowe, z pełnym zakresem zabiegów kąpielowych, borowinowych, ćwiczeń w basenie i innych jest w tym schorzeniu bardzo korzystne.

Pomocne w leczeniu są zabiegi fizykoterapeutyczne, np. diatermia krótkofalowa, podczerwień, ultradźwięki, masaże i inne.

Leczenie chirurgiczno-ortopedyczne prowadzi się w przypadkach, gdy doszło do wadliwego ustawienia stawów kończyn dolnych lub znacznego ograniczenia ich ruchomości.

Odczynowe (reaktywne, poinfekcyjne) zapalenia stawów

Odczynowe zapalenia stawów nie są procesem infekcyjnym w ścisłym sensie, gdyż nie są spowodowane zasiedleniem i namnażaniem się infekcji w obrębie jamy stawowej. Zapalenia odczynowe występują po przebyciu, a nawet po zupełnym wygaśnięciu poprzedzającego je zakażenia, np. po przebyciu anginy, po zakażeniach jelit lub układu moczopłciowego, po infekcji przenoszonej przez kleszcze (tzw. borelioza, czyli choroba z Lyme), a także po niektórych zakażeniach wirusowych. Najczęściej spotykanymi typami odczynowych zapaleń stawów są: tzw. gorączka reumatyczna i zapalenia stawów po infekcjach jelitowych.

Gorączka reumatyczna

Gorączka reumatyczna, występująca głównie u dzieci i młodzieży, jest chorobą zapalną, będącą szczególną formą reakcji organizmu na przebycie zakażenia paciorkowcowego, najczęściej pod postacią anginy. Atakuje głównie serce, chociaż bardziej rzucającym się objawem, zwłaszcza u dzieci starszych i u dorosłych, aczkolwiek nie zawsze występującym, jest ostre zapalenie stawów, które pod wpływem leczenia przeciwzapalnego ustępuje szybko i nie pozostawia trwałych zmian chorobowych w narządzie ruchu. Trwałym natomiast następstwem gorączki reumatycznej może być niekiedy zastawkowa wada serca. Gorączka reumatyczna jest tą właśnie chorobą, do której odnosi się powiedzenie: „liże stawy, a kąsa serce". W ostatnich dziesięcioleciach częstość występowania tej choroby, nazywanej także chorobą reumatyczną, bardzo zmniejszyła się.

Zasadniczą rolę w zapoczątkowaniu procesu chorobowego odgrywa zakażenie górnych dróg oddechowych paciorkowcem beta-hemolizującym grupy A, jakkolwiek w momencie rozpoczęcia się lub trwania ostrego rzutu choroby bakterie te zwykle już nie występują w organizmie (nie można ich wyhodować z materiałów biologicznych pobranych od chorego). Gorączka reumatyczna jest zatem niewątpliwie chorobą pozakaźną, popaciorkowcową, chociaż mechanizm tej zależności nie jest dotychczas dostatecznie wyjaśniony. Przypuszcza się, że przeciwciała przeciwpaciorkowcowe, wytwarzane do obronnej walki z tymi bakteriami, atakują również komórki mięśnia serca, których budowa biochemiczna jest podobna do budowy biochemicznej ściany komórki paciorkowca. Możliwość takich niekorzystnych, autoagresyjnych reakcji przedstawiono na rysunku na s. 878 i 879.

Proces reumatyczny, będący następstwem zakażenia paciorkowcowego, rozwija się u ok. 3% zakażonych. Zakażenie takie inicjuje pierwszy rzut choroby, a każde następne tego typu zakażenie może być przyczyną ostrych nawrotów. Wady zastawkowe serca, a więc zniekształcenia i wadliwa funkcja zastawek powstają w wyniku zmian bliznowatych rozwijających się jako następstwo miejscowego odczynu zapalnego, czyli gromadzenia się komórek zapalnych; jest to tzw. ziarnina reumatyczna, ulegająca zbliznowaceniu.

Objawy i przebieg choroby

Rzut gorączki reumatycznej rozpoczyna się zwykle w 10–20 dni po przebyciu zakażenia paciorkowcem górnych dróg oddechowych, najczęściej anginy lub zapalenia zatok. Zakażenia te bywają niekiedy przeoczane przez chorego i jego otoczenie. W okresie poprzedzającym rzut choroby chory skarży się często na ogólne osłabienie, bóle stawów i mięśni, a czasem również bóle brzucha. Nierzadko występują krwawienia z nosa.

Właściwy rzut choroby, przebiegający najczęściej z gorączką, może przybierać różne formy. U dzieci niemal z reguły występuje zapalenie którejś z warstw serca (najczęściej wsierdzia i mięśnia serca), a słabiej wyrażony jest zapalny odczyn stawowy. U młodzieży i u dorosłych zapalenie stawów jest wyraźniejsze, a zapalenie serca występuje tylko czasem lub przebiega skrycie.

Na obraz reumatycznego zapalenia serca składa się wiele objawów, które nie zawsze występują razem. Chorzy odczuwają ucisk lub ból w okolicy serca, bicie serca, lekką duszność, a badaniem stwierdza się szmer (nie od początku choroby!), najczęściej skurczowy, zaburzenia rytmu pracy serca i przyspieszenie (rzadziej zwolnienie) jego akcji oraz pewne objawy elektrokardiograficzne przeważnie o charakterze zaburzeń przewodzenia. Pojawienie się *szmeru skurczowego* nie oznacza istnienia wady serca. Szmer taki, będący objawem zapalenia serca, może cofnąć się w toku leczenia. Szmer skurczowy bywa czasem tzw. *szmerem niewinnym*, a więc objawem przygodnym, nie będącym wyrazem choroby serca. *Zapalenie stawów* w przebiegu gorączki reumatycznej cechuje się szybką zmiennością nasilenia i umiejscowienia objawów oraz szybkim ich ustępowaniem pod wpływem leczenia przeciwzapalnego. Nie pozostawia żadnych trwałych uszkodzeń narządu ruchu i mija znacznie szybciej niż zmiany zapalne w sercu. Do objawów bardzo rzadkich, ale charakterystycznych dla gorączki reumatycznej, należy *pląsawica* i *rumień obrączkowaty na skórze*. Gorączka reumatyczna usposabia do nawrotu rzutów tej choroby. Skłonność do nawrotów maleje z wiekiem i z upływem czasu od ostatniego rzutu.

Podstawowymi *badaniami* laboratoryjnymi w gorączce reumatycznej są: test szybkości opadania krwinek (odczyn Biernackiego, OB), będący miernikiem aktywności procesu zapalnego, oraz określenie stężenia (aktywności) przeciwciał przeciwpaciorkowcowych, tj. *antystreptolizyn* (ASO). Podwyższone miano ASO nie jest jednoznacznym ani specyficznym testem na rozpoznanie rzutu choroby, jest jednak bardzo charakterystycznym jego objawem. Wysokie miano ASO jest wyrazem nadwrażliwości na antygeny paciorkowcowe. W większości przypadków jest ono wyższe niż w przebiegu samego tylko zakażenia paciorkowcowego i utrzymuje się nawet wtedy, gdy poprzedzające rzut zakażenie już ustąpiło. Podwyższone miano ASO utrzymuje się niekiedy dłuższy czas po ustąpieniu rzutu choroby i przy prawidłowym OB. Miano ASO nie jest przeto wyrazem aktywności procesu reumatycznego. Bardzo istotne badania diagnostyczne w tej chorobie stanowią badania kardiologiczne (elektrofizjologiczne).

Leczenie i zapobieganie

Program leczenia rzutu gorączki reumatycznej obejmuje następujące elementy:

1) zapewnienie choremu bezwzględnego spokoju w okresie ostrego rzutu (pozostawanie w łóżku) i stopniowe przywracanie go do normalnej aktywności po przebyciu rzutu;

2) leczenie przeciwzapalne hormonami kory nadnerczy i kwasem acetylosalicylowym, np. polopiryną;

3) stosowanie penicyliny, początkowo w celu wyeliminowania paciorkowców, a następnie stosowanie przez dłuższy czas (nawet do kilku lat) penicyliny o przedłużonym działaniu w celu zapobiegania nawrotom zakażenia paciorkowcowego, co równa się zapobieganiu nawrotom rzutów gorączki reumatycznej.

Różne względy kliniczne, jak np. uczulenie na penicylinę lub wiek chorego, nakazują czasem zmianę przedstawionego wyżej schematu leczenia, zwłaszcza jeśli chodzi o punkt trzeci.

Po przebyciu ostrego rzutu gorączki reumatycznej chory powinien nadal podlegać obserwacji lekarskiej, ponieważ chodzi o:

1) pokierowanie chorym w celu stopniowego jego powrotu do zwykłej aktywności życiowej, zwykle w ciągu 3–4 miesięcy od początku rzutu;

2) stosowanie salicylanów (np. polopiryny) w mniejszych dawkach przez okres paru miesięcy po przebyciu ostrego rzutu i później, w okresach, kiedy chory jest bardziej narażony na tzw. przeziębienia, tj. zwłaszcza na wiosnę i późną jesienią;

3) obserwację stanu serca;

4) okresową kontrolę biologicznych wskaźników aktywności procesu reumatycznego (przede wszystkim OB i miana ASO w surowicy);

5) zapobiegawcze stosowanie penicyliny o przedłużonym działaniu;

6) w razie zakażenia nosogardła stosowanie penicyliny, niezależnie od profilaktycznego podawania penicyliny o przedłużonym działaniu.

Niekiedy istnieją wskazania do chirurgicznego leczenia utrwalonych wad serca będących następstwem gorączki reumatycznej.

Odczynowe zapalenia stawów po zakażeniach jelitowych lub układu moczowo-płciowego

Stany te bywają następstwem przebycia zakażenia niektórymi zwłaszcza drobnoustrojami, jak: *Yersinia, Shigella, Salmonella, Campylobacter, Chlamydia*.

Zapalne odczyny stawowe występują najczęściej w dużych stawach zwykle kończyn dolnych. Proces zapalny może rozwinąć się także w stawach kręgosłupa i w obrębie przyczepu ścięgna piętowego (Achillesa) do guza kości piętowej. Przebieg kliniczny bywa różny. Niekiedy dochodzi do samowyleczenia po okresie tygodni, miesięcy lub nawet paru lat, czasem następują po sobie nawroty i remisje choroby, ale bywają również przypadki przewlekłego utrzymywania się procesu bądź przejścia w zesztywniające zapalenie stawów kręgosłupa. W niektórych przypadkach współistnieje zapalenie spojówek lub cewki moczowej, różne zmiany skórne, a czasem nawet zmiany chorobowe w sercu.

Leczenie musi być prowadzone pod kierunkiem lekarzy specjalistów. Głównymi elementami leczenia są: stosowanie we wszystkich przypadkach leków przeciwzapalnych, a w niektórych również antybiotyków bądź innych leków przeciwbakteryjnych oraz leczenie ogólne i usprawniające. Wyjątkowo może być wskazane stosowanie pewnych leków drogą wstrzyknięć dostawowych lub okołostawowych.

Choroba zwyrodnieniowa układu kostno-stawowego – artroza

Zmiany zwyrodnieniowe, związane z zaburzeniami wewnętrznej struktury tkanki i powstawaniem nieprawidłowości anatomicznych stawu, rozwijają się z wiekiem u każdego człowieka. Są one równoznaczne z procesem „starzenia się” chrząstek stawowych, które tracą z wiekiem właściwą im sprężystość i gładkość powierzchni. Na brzegach stawowych kości lub kręgów powstają wyrośla kostne. Jeśli zmiany zwyrodnieniowe są przyczyną bólu i zaburzeń funkcji ruchu, mówi się wówczas o chorobie zwyrodnieniowej. Choroba ta nie upośledza ogólnego stanu zdrowia. Występuje u około kilkunastu procent populacji ludzkiej.

Przyczyna zmian zwyrodnieniowych w stawach

Powstawanie zmian zwyrodnieniowych w stawach (zwłaszcza noszących masę ciała) jest uwarunkowane wieloma narastającymi z wiekiem i przebiegającymi równolegle zaburzeniami. Należą do nich:

1) „Mikroskopowe" nadłamania beleczek kostnych w podchrzęstnej warstwie kości, wywołane siłami zgniatającymi. Pobudzone tymi nadmiernymi siłami komórki kostne „budują" grubszą i bardziej zbitą podchrzęstną warstwę kości oraz brzeżne wyrośla kostne. Prowadzi to do utraty amortyzacyjnej funkcji nasad kostnych i do zwiększenia działania sił zgniatających na chrząstkę.

2) Zmiany zwyrodnieniowe wewnętrznej struktury chrząstki. Chrząstka ulega zmętnieniu, pękaniu i dalszemu uszkodzeniu przez wnikające do niej enzymy zawarte w mazi stawowej. Powierzchnia chrząstki ściera się i staje się nierówna. Prowadzi to do upośledzenia wytrzymałości mechanicznej chrząstki, która traci właściwości amortyzacyjne „bufora" chroniącego tkankę kostną i wychwytującego nadmierne przeciążenia, co z kolei odbija się niekorzystnie na kości.

3) Zmiany składu chemicznego i właściwości fizycznych mazi stawowej. W miarę postępu wieku maź ta gorzej odżywia chrząstkę i jest dla jej powierzchni gorszym „smarem".

Proces zwyrodnienia stawu polega zatem na destrukcyjnych zmianach chrząstki stawowej i reperacyjnej „odpowiedzi" komórek kostnych, wyrażającej się sklerotyzacją podchrzęstnej warstwy kości i budowaniem wyrośli kostnych (tablica 19). Proces ten, przychodzący z wiekiem, bywa jednak u niektórych osób i w niektórych stawach bardziej nasilony. Przyczyną tego są najczęściej nadmierne przeciążenia spowodowane różnymi czynnikami, m.in. wadami postawy, wrodzonymi wadami budowy, silnymi urazami lub sumującymi się mikrourazami, zaburzeniami neurologicznymi, otyłością.

Choroba zwyrodnieniowa nie jest ogólną chorobą zapalną, mimo to może dojść niekiedy w najbliższym sąsiedztwie zmian zwyrodnieniowych, w stawie lub okołostawowo, do powstania ograniczonego odczynu zapalnego wskutek mechanicznego drażnienia.

Objawy i przebieg choroby

Podstawowym objawem choroby zwyrodnieniowej jest ból zmienionego stawu przy ruchu, zwłaszcza na jego początku (ból rozruchowy) lub po dłuższym trwaniu. Ograniczenia ruchowości, jeśli w ogóle występują, są zwykle niewielkie. Nigdy nie dochodzi do zesztywnień. Chory często wyczuwa lub nawet słyszy ciągłe trzeszczenia – a nie pojedyncze, krótkie trzaski – podczas ruchu w danym stawie. Czasem zmienione stawy są nieco zgrubiałe. Do wyraźnego ograniczenia ruchomości lub wręcz inwalidztwa dochodzi rzadko. Zdarzyć się to może w przypadkach zwyrodnienia stawu biodrowego lub wybitnego nasilenia zmian zwyrodnieniowych w stawach kolanowych – a więc stawów noszących masę ciała.

Artroza nie powoduje zmian w narządach wewnętrznych, niedokrwistości ani wzrostu temperatury ciała.

Objawy i leczenie choroby zwyrodnieniowej zależą w pewnym stopniu od umiejscowienia zmian zwyrodnieniowych. Najczęstszą lokalizacją tych zmian są: kręgosłup, stawy biodrowe, stawy kolanowe i niektóre stawy rąk – co nie oznacza, że zmiany te nie mogą powstać w każdym innym stawie. W kręgosłupie zmiany te mogą się rozwijać w obrębie krążków międzykręgowych i trzonów kręgów oraz drobnych stawów międzykręgowych.

Choroba zwyrodnieniowa kręgosłupa

Choroba zwyrodnieniowa kręgosłupa szyjnego. Przy ruchach głową występują trzeszczenia w karku, a czasem – przy nagłym zwrocie – lekki zawrót głowy. Bóle karku promieniują do okolicy potylicy lub pasa barkowego, a czasem wzdłuż całej kończyny górnej. Ból karku może się nasilać przy większym skręcie bocznym głowy (tzw. objaw „wstecznego biegu" u kierowców). Nierzadkim objawem jest drętwienie palców rąk w pozycji leżącej, zwykle w nocy. Wszystkie te objawy najczęściej nie występują razem.

Choroba zwyrodnieniowa kręgosłupa piersiowego. Wystąpieniu zmian sprzyja skrzywienie kręgosłupa. Bóle są zwykle niewielkie i niekiedy promieniują wzdłuż żeber. Promieniowanie w kierunku lewej połowy klatki piersiowej stwarza podobieństwo do objawów choroby serca, czego chory sam bez badań lekarskich nie jest w stanie zróżnicować.

Choroba zwyrodnieniowa kręgosłupa lędźwiowego. Do powstania zmian zwyrodnieniowych usposabiają: wady budowy – najczęściej V kręgu, choroby krążka międzykręgowego i skrzywienia kręgosłupa. Typową dolegliwością jest ból w okolicy tego odcinka kręgosłupa (tzw. lumbago). W przypadku drażnienia przez krążek międzykręgowy korzeni nerwowych, ból ten promieniuje jednostronnie przez pośladek wzdłuż tylnej powierzchni kończyny dolnej do różnej jej wysokości, czasem nawet do stopy (tzw. rwa kulszowa, ischias, zob. s. 902).

Choroba zwyrodnieniowa stawu biodrowego w połowie przypadków występuje na tle wrodzonych i nie leczonych we wczesnym dzieciństwie wad budowy tego stawu. Typowym objawem jest ból miejscowy, odczuwany zwłaszcza przy wstawaniu, po dłuższym chodzeniu i wchodzeniu w górę po schodach. Ból ten promieniuje do pachwiny i pośladka, czasem do uda i okolicy kolana. Z reguły dochodzi do ograniczenia ruchomości stawu biodrowego. Chory miewa trudności z założeniem nogi na nogę (chorej na zdrową). Częste jest skrócenie chorej kończyny rzeczywiste lub funkcjonalne (tj. na skutek przykurczu w stawie).

Choroba zwyrodnieniowa stawu kolanowego występuje przeważnie u osób starszych i otyłych, częściej u kobiet. Ból zmienionego stawu kolanowego nasila się zwłaszcza przy wstawaniu z pozycji siedzącej, przy schodzeniu po schodach oraz po dłużej trwającym staniu lub chodzeniu. Występowanie niekiedy tej choroby u osób młodych bywa następstwem wad budowy, przebytych urazów, zaburzeń neurologicznych, wylewów krwi do stawów w przebiegu hemofilii.

Zmiany zwyrodnieniowe drobnych stawów rąk. Dotyczy to zwłaszcza dalszych stawów międzypaliczkowych palców rąk, tj. najbliższych paznokci. Zarysy tych drobnych stawów zwiększają się i przyjmują postać podwójnego guzka (tzw. guzki Heberdena – tablica 19). Tworzeniu się tych guzków towarzyszy ból, który najczęściej ustępuje po zakończeniu wzrostu tych guzków, stanowiących wszakże trwały defekt kosmetyczny. Często artroza atakuje również staw, jaki tworzy I kość śródręcza z nadgarstkiem, powodując lokalną bolesność z uwypukleniem zarysów tego stawu. Niekiedy istnieje rodzinna skłonność – nawet u osób w średnim wieku – do tworzenia się guzków Herberdena w skojarzeniu ze zmianami zwyrodnieniowymi szyjnego odcinka kręgosłupa.

Rozpoznanie choroby zwyrodnieniowej

Rozpoznanie i ocena stopnia zaawansowania zmian zwyrodnieniowych w układzie kostno-stawowym w sposób pewny jest dokonywana na podstawie zdjęć rentgenowskich stawów lub kręgosłupa. Wielkość wyrośli kostnych nie zawsze jednak jest proporcjonalna do stopnia odczuwanych dolegliwości. Niekiedy duże wyrośla lub mostki kostne powodują niewielkie bóle albo nawet nie dają ich wcale i – przeciwnie – silne bóle mogą być czasem następstwem zmian zwyrodnieniowych wyrażających się w obrazie rentgenowskim niewielkimi odchyleniami anatomicznymi. Badania laboratoryjne pozwalają na ocenę stanu ogólnego organizmu i wykluczenie innych chorób układowych, które mogłyby objawiać się podobnymi dolegliwościami.

Leczenie i zapobieganie

Największe znaczenie mają tu te metody postępowania, które zastosowane odpowiednio wcześnie mogą: a) zapobiec powstaniu zmian zwyrodnieniowych, b) opóźnić ich rozwój, c) w razie ich zaistnienia – zmniejszyć nasilenie dolegliwości. Chodzi tu o wykluczenie bądź zmniejszenie nadmiernych i niesymetrycznych przeciążeń kręgosłupa oraz stawów przez: korygowanie od dzieciństwa wad budowy i wad postawy, wyrównywanie podkładką długości nierównych kończyn dolnych, unikanie nadmiernych zwłaszcza niesymetrycznych przeciążeń, odciążanie zmienionego stawu przez odpowiednie noszenie laski (rys. na s. 910), walkę z otyłością itp.

Równie ważną metodą postępowania są ćwiczenia usprawniające mięśnie w warunkach odciążenia chorych stawów, a więc np. przy zwyrodnieniu stawu biodrowego – ćwiczenia kończyn dolnych w pozycji leżącej lub przez jazdę na rowerze (a nie przez przysiady i chodzenie). Ćwiczenia powinny być przeprowadzane w przychodniach rehabilitacji, w gabinetach fizykoterapii, a także w domu przy zaimprowizowaniu prostych stosunkowo urządzeń.

Na równi z ćwiczeniami jest konieczne racjonalne stosowanie odpoczynku.

Duże znaczenie usprawniające, łagodzące odruchowe napięcia mięśniowe, oraz przeciwzapalne mają zabiegi fizykoterapeutyczne stosowane okresowo, przede wszystkim zabiegi cieplne, takie jak nagrzewania, ciepła kąpiel, masaż (nacieranie), a także inne zabiegi zalecone przez lekarza i możliwe do stosowania tylko w odpowiednich przychodniach.

Bóle spowodowane chorobą zwyrodnieniową wymagają niejednokrotnie stosowania leków przeciwzapalnych i przeciwbólowych wg zaleceń lekarza.

W przypadkach bardziej nasilonych zmian zwyrodnieniowych bądź uporczywych dolegliwości bywa pomocne leczenie uzdrowiskowe.

Leczenie operacyjne stosuje się jedynie w ciężkich przypadkach procesu zwyrodnieniowego w stawie biodrowym i polega ono na wstawieniu sztucznego stawu, czyli wewnętrznej jego protezy (endoprotezy).

Różne zespoły bólowe tkanek miękkich narządu ruchu (pozastawowe). „Reumatyzm tkanek miękkich"

Bóle tkanek okołostawowych lub mięśni odczuwane przy ruchu, przy wysiłku, bądź nawet w warunkach spokoju są bardzo często spotykanymi dolegliwościami. Dolegliwości te mają wspólne cechy, dlatego ze względów czysto praktycznych zaliczono je do jednej grupy tzw. różnych zespołów bólowych tkanek miękkich narządu ruchu (tabela na s. 898). Bóle lokalizują się w mięśniach, ścięgnach i ich pochewkach, kaletkach, więzadłach, torebkach stawowych, a ich przyczyną są najczęściej nadwerężenia mechaniczne związane z nadmiernymi wysiłkami fizycznymi bądź przeciążeniami.

Umownie do grupy zespołów bólowych tkanek miękkich narządu ruchu zalicza się również stany bólowe będące następstwem mechanicznego drażnienia korzeni nerwowych i nerwów obwodowych.

Wszystkie wymienione dolegliwości bywają czasem mylnie przyjmowane za objaw chorób stawowych, którym jedynie często towarzyszą.

Przyczyny zespołów bólowych

Bóle tkanek miękkich narządu ruchu są najczęściej następstwem działania czynników mechanicznych powodujących przeciążenia. Zwykle są to sumujące się przewlekłe mikrourazy. Źródłem tych mikrourazów mogą być: zaburzenia statyki (np. skrzywienie kręgosłupa, skrócenie kończyny dolnej,

Różne zespoły bólowe tkanek miękkich narządu ruchu (pozastawowe)

Tkanki i elementy anatomiczne pozastawowe narządu ruchu (lub z nim związane)			Rodzaje uszkodzeń lokalnych	Niektóre złożone zespoły bólowe
	Aparat mięśniowy	mięśnie	mięśnioból w następstwie nadmiernego wysiłku, przeciążenia, napięcia	
Tkanki okołostawowe	Aparat mięśniowy	ścięgna mięśni	nadwerężenie (naderwanie włókien) zapalenie, gangliony	
Tkanki okołostawowe	Aparat mięśniowy	pochewki ścięgniste		
Tkanki okołostawowe	Aparat mięśniowy	przyczepy ścięgien	nadwerężenie (naderwanie włókien) zapalenie (tzw. choroba przyczepów – entezopatia)	zapalenie okołostawowe, np. zespół bolesnego barku
Tkanki okołostawowe		kaletki maziowe	zapalenie	
Tkanki okołostawowe		torebki stawowe (warstwa włóknista)	naderwanie zapalenie torebki stawowej	
Tkanki okołostawowe		więzadła	naderwanie włókien, zwłaszcza ich przyczepów (choroba przyczepów – entezopatia)	
Elementy układu nerwowego		układ nerwowy wegetatywny	zaburzenia nerwowoodżywcze, naczynioruchowe i termoregulacji w obrębie skóry, mięśni, kości	zespół algodystroficzny (dotyczy skóry, mięśni, kości)
Elementy układu nerwowego		korzenie nerwowe	drażnienie mechaniczne przez krążek międzykręgowy lub przez zmiany zwyrodnieniowe	zespoły korzeniowe (dyskopatie) z napięciem mięśni
Elementy układu nerwowego		nerwy obwodowe	drażnienie mechaniczne (ucisk), np. przez obrzęknięte tkanki	

płaskostopie), wady postawy, nadmierne przeciążenia określonych mięśni lub ścięgien wskutek wykonywanej pracy zawodowej, domowej, uprawiania sportu albo ćwiczeń rekreacyjnych. Rzadziej wchodzi w grę pojedynczy silny uraz mechaniczny (m a k r o u r a z).

Przeciążenia mięśni na ogół wywołują tylko ich bolesność, bez uszkodzeń struktury włókien mięśniowych i bez odczynów zapalnych. Podobne przeciążenia przyczepów ścięgnistych lub więzadeł, których niekurczliwa i słabo rozciągalna tkanka włóknista łączy się z tkanką kostną, mogą powodować uszkodzenia mikrostruktury włókien. Ta postać „reumatyzmu tkanek miękkich" jest określana jako choroba przyczepów, czyli e n t e z o p a t i a (z gr. *enthesis* – wstawienie, wszczepienie, *pathe* – cierpienie).

Nadmierne siły napinające działające na p r z y c z e p y, zwłaszcza nagle, mogą spowodować naderwanie pojedynczych włókien. Tego rodzaju pourazowe zmiany mikrostruktury prowadzą do lokalnych zmian zwyrodnieniowych, a w następstwie – do miejscowych odczynów zapalnych.

Podobne zwyrodnieniowo-zapalne zmiany, będące następstwem przeciążeń lub innego rodzaju urazów mechanicznych, mogą występować także w p o c h e w k a c h ś c i ę g n i s t y c h i k a l e t k a c h m a z i o w y c h.

Źródłem urazów mechanicznych, którym ulegają tkanki okołostawowe, mogą być również z m i a n y z w y r o d n i e n i o w e s t a w u. Przypuszczalnie większą rolę odgrywa tu pewna n i e s t a b i l n o ś ć lub n i e z b o r n o ś ć r u c h ó w stawu zmienionego zwyrodnieniowo, niż drażnienie mechaniczne miękkich tkanek przez wyrośle kostne.

Nierzadko przyczyną bólów tkanek miękkich, zwłaszcza dużych grup mięśniowych pasa barkowego i mięśni utrzymujących postawę ciała, są przewlekłe napięcia tych mięśni wskutek przeżywanych s t r e s ó w n e r w o w y c h.

Niewątpliwy wpływ na nasilenie dolegliwości „reumatyzmu tkanek miękkich" ma też działanie chłodu oraz przebywane zakażenia, jakkolwiek wydaje się, że same nie mogą być ich wyłączną przyczyną.

Objawy zespołów bólowych pozastawowych

Prawie nie zdarza się, aby dolegliwości tego typu obejmowały wyłącznie jeden element anatomiczny, np. tylko określony mięsień lub tylko torebkę stawową. Bardzo często wchodzi tu w grę zespół zaburzeń większej liczby elementów powiązanych ze sobą funkcjonalnie. Rzadko kiedy też ból jest ściśle zlokalizowany; częściej promieniuje na okoliczne tkanki, a w przypadku drażnienia nerwu lub korzenia nerwowego – promieniowanie bywa dosyć odległe.

Zespół bolesnego barku objawia się bolesnością stawu barkowego, często z ograniczeniem jego ruchomości w następstwie zmian urazowych, zapalnych bądź zwyrodnieniowych w obrębie tkanek okołostawowych: mięśni, ścięgien, pochewek ścięgnistych, kaletek maziowych i torebki stawowej. B ó l o p o d o b n e j l o k a l i z a c j i, nie będący wszakże następstwem zmian w tkankach okołostawowych, może być spowodowany drażnieniem szyjnych korzeni nerwowych – tworzących splot barkowy – przez zmiany zwyrodnieniowe w szyjnym odcinku kręgosłupa. Ból barku bywa też niekiedy objawem zmian chorobowych w narządach wewnętrznych klatki piersiowej. Ustalenie odpowiedniej diagnozy i właściwego leczenia wymaga porady lekarskiej. Doraźnie można przyjąć łagodny środek przeciwbólowy oraz unikać trzymania ramienia tuż przy klatce piersiowej, co chwilowo zmniejsza ból. Zespół bolesnego barku jest czasem sprawą uporczywą, trwającą miesiącami. Konieczne jest systematyczne i aktywne stosowanie ćwiczeń usprawniających i masowanie bolesnych okolic.

Zespół algodystroficzny „bark–ręka" („ramię–ręka"). Czynnikami wyzwalającymi ten zespół bywają: uraz kończyny górnej (niekoniecznie ciężki), choroba wieńcowa, choroby płuc, opłucnej, osierdzia. Czasem przyczyna jest nieuchwytna. Wymienione stany chorobowe prowadzą do miejscowego podrażnienia nerwów układu wegetatywnego. Dochodzi do reakcji algodystroficznej, w której dominującym objawem jest ból (gr. *algos*, a wyrazem miejscowych zaburzeń nerwoodżywczych (dystroficznych), naczynioruchowych i zaburzeń termoregulacji są: obrzęk i zaczerwienienie, zwiększenie ucieplenia kończyny, jej potliwość, ścieńczenie skóry i tkanki podskórnej oraz lokalne odwapnienia kości. Zaburzenia te rozwijają się kolejno w obszarze barku i ręki, czasem odwrotnie, lub tylko w ręce. Dolegliwości z tym związane są uporczywe. Chorzy nie gorączkują. Podobny zespół może wystąpić w stopie.

Właściwe rozpoznanie i leczenie ustala lekarz. Ważnym elementem leczenia są ćwiczenia usprawniające.

Choroba przyczepów ścięgnistych, zwana **entezopatią** lub **zapaleniem okołostawowym**, cechuje się bolesnością przyczepów ścięgnistych, nasilającą się podczas ruchów, przy których dochodzi do napięcia mięśnia i jego ścięgna o nadwerężonym przyczepie. Dolegliwości tego typu, na ogół uporczywe, występują najczęściej w okolicy stawów: łokciowego, nadgarstkowego, biodrowego, kolanowego i w obrębie stopy. Entezopatia współistnieje często w innych zespołach bólowych, np. w zespole bolesnego barku.

W zapaleniu okołostawowym łokcia są bolesne przyczepy mięśni przedramienia do nadkłykci kości ramiennej. Ból ten nasila się przy ruchach w stawie nadgarstkowym i łokciowym, zwłaszcza przy dźwiganiu bądź wykonywaniu ruchów mechanicznych przykręcania lub odkręcania ręką albo śrubokrętem (odwracanie i nawracanie ramienia i ręki). Dolegliwość ta często występuje u osób noszących ciężkie paczki, torby albo narażonych na inne przeciążenia mięśni kończyny górnej (np. „łokieć tenisisty").

Leczenie polega na oszczędzaniu kończyny, a nawet krótkotrwałym jej unieruchomieniu. bandażowaniu opaską elastyczną mięśni przedramienia, także łokcia, oraz stosowaniu łagodnych środków przeciwbólowych.

Zapalenie okołostawowe w okolicy nadgarstka powstaje na skutek nadwerężenia przyczepów ścięgnistych przy długotrwałym wykonywaniu pewnych prac powodujących znaczne napięcie mięśni ręki i przedramienia (pisanie ręczne i na maszynie, pranie, rąbanie drzewa i in.).

Wskazane jest zmniejszenie lub czasowe przerwanie wykonywania tych prac i stosowanie bandaża elastycznego.

W zapaleniu okołostawowym biodra nadwerężeniu ulega przyczep ścięgna mięśnia pośladkowego średniego do krętarza wielkiego kości udowej (rys.). Dolegliwości mogą być podobne do choroby zwyrodnieniowej stawu biodrowego (zob. s. 895).

Leczenie polega na stosowaniu wypoczynku. Celowe jest czasem odciążenie mięśni przez noszenie laski w drugiej ręce (biodro lewe – ręka prawa, rys. na s. 910).

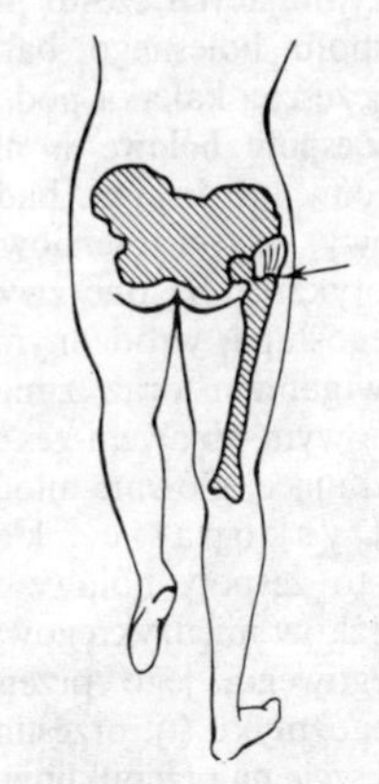

Miejsce bolesności przyczepu mięśnia pośladkowego średniego do krętarza wielkiego kości udowej (schemat), czyli zapalenie okołostawowe biodra, entezopatia

Zapalenie okołostawowe kolana cechuje się bolesnością kłykcia przyśrodkowego kości udowej, zwłaszcza przy ucisku i chodzeniu po nierównym terenie bądź przy jeździe na nartach. Są to objawy nadwerężenia przyczepu mięśnia przywodziciela wielkiego uda. Przy silniejszym bólu jest konieczne kilkudniowe leżenie.

Zapalenie okołostawowe w obrębie stopy. Przyczyną dolegliwości są najczęściej urazy przyczepów, do czego usposabiają zaburzenia statyki stopy, takie jak płaskostopie podłużne i poprzeczne oraz tzw. koślawość stóp. Najwięcej urazów doznają przyczepy na kości piętowej: po stronie podeszwowej – rozcięgna stopy, a po stronie tylnej kości piętowej – ścięgno Achillesa. Przyczepy te ulegają niekiedy zwapnieniu, co jest określane jako „ostrogi piętowe". Zapobieganie i leczenie polega przede wszystkim na noszeniu odpowiednich wkładek ortopedycznych przeciwdziałających ww. zaburzeniom statyki stóp.

Zapalenie pochewek ścięgnistych. Choroba najczęściej atakuje pochewki ścięgien mięśni zginaczy palców ręki i zginaczy nadgarstka oraz mięśnia piszczelowego przedniego prostującego stopę i mięśni prostowników palców stóp. Bóle są odczuwane, odpowiednio, w okolicy ręki i nadgarstka bądź po grzbietowej stronie stopy i w przedniej dolnej części podudzia. W okolicach tych występują charakterystyczne trzeszczenia towarzyszące ruchom zginania i prostowania. Najczęstszą przyczyną bólu ręki jest nadwerężenie pracą, a bólu kończyny dolnej – dłuższy marsz w niewygodnym lub mocno zasznurowanym obuwiu.

Leczenie polega na krótkotrwałym unieruchomieniu, bandażowaniu opaską elastyczną, łagodnym nagrzewaniu, a w przypadku dolegliwości stóp – zmianie obuwia. Stosowane są też środki przeciwbólowe.

Zapalenie kaletek maziowych może towarzyszyć chorobom zapalnym, np. reumatoidalnemu zapaleniu stawów, lub może być pourazowe. Przy reumatoidalnym zapaleniu stawów są atakowane kaletki łokciowe (nawet obustronne zapalenia kaletek łokciowych) oraz kaletki podkolanowe – zwykle jednostronnie. Zmieniona zapalnie kaletka podkolanowa przekształca się w dużą torbiel wypełnioną wysiękiem, uwypuklającą się po stronie tylnej stawu kolanowego i w górnej części łydki. Przykładem pourazowego zapalenia kaletki jest bolesne i utrudniające nieco ruchy zapalenie kaletki przedrzepkowej (po stronie przedniej stawu kolanowego), występujące u osób przyjmujących często pozycję klęczącą (brukarze, zakonnice). W przypadku zespołu bolesnego barku (zob. s. 899) procesem zapalnym jest objęta najczęściej kaletka pod mięśniem naramiennym.

Zespoły bólowe w obszarze różnych odcinków kręgosłupa. Bóle karku, pleców lub krzyża, bądź też bóle promieniujące z tych okolic w kierunku głowy, klatki piersiowej albo kończyn, są dolegliwością bardzo często spotykaną. Są one zwykle spowodowane: złą postawą ciała, skrzywieniem kręgosłupa, wrodzonymi wadami budowy kręgów, pracą w pochyleniu lub dźwiganiem oraz zmianami zwyrodnieniowymi kręgosłupa. Bóle te są typowym objawem zesztywniającego zapalenia stawów kręgosłupa, choroby atakującej głównie młodych mężczyzn.

Dyskopatie i korzeniowe zespoły bólowe. Dyskopatie są to zespoły bólowe spowodowane zmianami patologicznymi w obrębie krążków międzykręgowych. Mogą polegać na: zwyrodnieniu krążka międzykręgowego, jego przemieszczeniu na skutek wady budowy kręgów lub kręgozmyku (tj. przesunięciu się względem siebie dwóch sąsiednich kręgów), wreszcie na przepuklinie jądra miażdżystego (zob. s. 870). Chorzy z dyskopatią

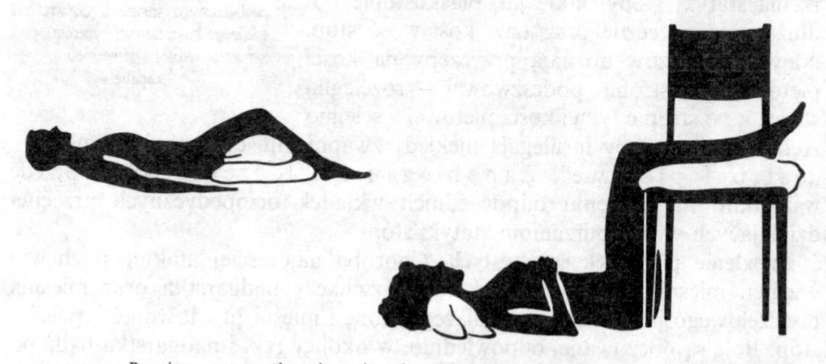

Pozycje przynoszące ulgę w korzeniowych zespołach bólowych z odcinka lędźwiowego

odczuwają rozlany ból w okolicy danego odcinka kręgosłupa, najczęściej lędźwiowego. Bardzo często dochodzi do drażnienia korzeni nerwowych, dlatego ból może promieniować od okolicy krzyżowej, przez pośladek, wzdłuż tylnobocznej powierzchni kończyny dolnej nawet do stopy i palców (tzw. rwa kulszowa). Przy dyskopatii szyjnego odcinka kręgosłupa bóle mogą promieniować do ręki (tzw. rwa ramieniowa). Bóle te nasilają się przy kaszlu, przy oddawaniu stolca, czasem nawet przy śmiechu. W tych momentach na skutek działania tłoczni brzusznej dochodzi do zwiększenia ciśnienia płynu mózgowo-rdzeniowego w obrębie czaszki i kanału kręgowego, co wzmaga drażnienie danego korzenia nerwowego.

Rady dla osób odczuwających bóle w okolicy lędźwiowo-krzyżowej. Układ ciała przy pracy w pozycji stojącej i siedzącej (wg wzorów Szwajcarskiej Ligi do Walki z Reumatyzmem)

L e c z e n i e i z a p o b i e g a n i e. Przy korzeniowych zespołach bólowych zalecane jest sypianie i leżenie w ciągu dnia na równym, twardym podłożu (materac na desce lub podłodze), trzymanie w cieple bolesnych okolic, „rozciąganie" kręgosłupa drogą specjalnych zabiegów (trakcji) lub przez zwieszanie się na rękach na trapezie lub futrynie drzwi (dotyczy to osób młodszych, o odpowiedniej kondycji fizycznej). Stosowane są środki przeciwbólowe i przeciwzapalne oraz inne leki, a ponadto zabiegi fizykoterapeutyczne i usprawniające. Osoby ze skłonnością do nawrotów dolegliwości o charakterze dyskopatii lędźwiowej z objawami korzeniowymi powinny przestrzegać utrzymywania określonych pozycji przy staniu, siedzeniu i ruchu, aby zmniejszyć możliwość drażnienia uszkodzonego krążka międzykręgowego i korzenia nerwowego (rys. na s. 903). W uporczywych przypadkach przepukliny jądra miażdżystego nie poddających się leczeniu zachowawczemu może być zastosowane leczenie operacyjne.

Inną przyczyną bólów różnych odcinków kręgosłupa mogą być choroby kości kręgosłupa, np. ich zakażenia lub odwapnienie. Nierzadko też bóle te są objawem choroby narządów wewnętrznych jamy brzusznej, klatki piersiowej lub narządów płciowych i jedynie promieniują w kierunku któregoś z odcinków kręgosłupa.

Zasady leczenia zespołów bólowych pozastawowych i zapobiegania im

Ogólne zasady leczenia zespołów bólowych pozastawowych i zapobiegania im powinny obejmować:

1) korekcję wad budowy i postawy (np. odpowiednie ćwiczenia, wkładki ortopedyczne), co ma znaczenie zwłaszcza jako działanie profilaktyczne;

2) stosowanie ćwiczeń usprawniających, które dotyczą nie tylko odcinka narządu ruchu objętego dolegliwościami, ale pozwalają również na utrzymanie dobrej kondycji całego narządu ruchu;

3) stosowanie łagodnych zabiegów cieplnych (nagrzewanie, ciepła kąpiel, naświetlanie słoneczne i in.), których jednak należy zaniechać, jeśli okaże się, że powodują one nasilenie bólu, jak to bywa czasem np. przy bólu płytko położonych przyczepów ścięgnistych lub w zespołach algodystroficznych (zob. s. 900);

4) masowanie bolesnych okolic (nawet „niefachowe"), którego skutek – w odczuciu wielu pacjentów – jest większy, jeśli połączyć to z wcieraniem różnych mazideł;

5) krótkotrwałe lub okresowe odciążenie albo podpieranie bolesnych odcinków narządu ruchu (odpoczynek, krótkotrwałe leżenie lub lokalne unieruchomienie, bandażowanie elastyczną opaską, noszenie laski, kołnierza – przy bólach z szyjnego odcinka kręgosłupa itp.);

6) stosowanie środków przeciwbólowych, które nie tylko usuwają przykre doznania, ale również zmniejszają niekorzystne napięcia mięśniowe, powstające odruchowo na skutek bólu.

Inne metody leczenia, np. różne leki przeciwzapalne, zabiegi operacyjne lub innego rodzaju postępowanie pozostają w gestii lekarza.

Dna moczanowa

D n a m o c z a n o w a jest chorobą spowodowaną zaburzeniami przemiany kwasu moczowego. Kwas ten jest końcowym produktem przemiany tzw. związków purynowych, które są jednym z głównych składników jąder komórkowych i pochodzą zarówno z rozpadu własnych tkanek organizmu, jak i ze spożywanych pokarmów. Kwas moczowy jest substancją bezużyteczną dla organizmu i w warunkach prawidłowych jest wydalany przez nerki. Gdy występują zaburzenia metabolizmu kwasu moczowego, poziom tego kwasu wzrasta i ulega on – a także jego sole – mikrokrystalizacji w tkankach stawowych i okołostawowych. Osadzając się w nich wywołuje lokalne nagłe i nawracające odczyny zapalne objawiające się dużą bolesnością – tzw. n a p a d y, czyli a t a k i d n y.

Podwyższenie poziomu kwasu moczowego może być spowodowane: a) wzmożonym rozpadem związków purynowych (w chorobach, w których następuje rozpad bardzo wielkiej liczby komórek) bądź też b) niedostatecznym wydalaniem kwasu moczowego przez nerki przy ich niewydolności. Obydwie te przyczyny warunkują powstanie tzw. d n y w t ó r n e j, występującej u ok. 10% wszystkich chorych na dnę. U ok. 90% chorych na dnę zaburzenie metabolizmu kwasu moczowego jest uwarunkowane s k a z ą m o c z a n o w ą. Mechanizm jej polega na wzmożonej syntezie kwasu moczowego lub na wrodzonym, wybiórczym upośledzeniu zdolności wydalania kwasu moczowego przez nerki. Skaza moczanowa – wyrażająca się podwyższonym poziomem kwasu moczowego we krwi – nie zawsze wywołuje dnę. Choroba ta występuje u ok. 20% osób dotkniętych tą skazą.

N a p a d y d n y, będące głównymi objawami tej choroby, uwarunkowane są dwoma czynnikami: 1) podwyższonym poziomem kwasu moczowego i jego soli sodowej w płynach ustrojowych i w tkankach oraz 2) indywidualną – i występującą niekiedy rodzinnie – skłonnością do reagowania zapalnymi odczynami stawowymi na lokalną mikrokrystalizację kwasu moczowego w tkankach stawowych i okołostawowych.

M i k r o k r y s t a l i z a c j a kwasu moczowego w tkankach może prowadzić nie tylko do przemijających, chociaż nierzadko nawracających napadów dny, ale również do przewlekłych uszkodzeń tkankowych. Typowymi tego rodzaju zmianami – występującymi zresztą nie u wszystkich chorych – są: p r z e w l e k ł e z m i a n y z a p a l n e w tkankach stawowych i okołostawowych, podskórne g u z k i d n a w e oraz zmiany w układzie moczowym pod postacią k a m i c y n e r k o w e j m o c z a n o w e j lub (i) przewlekłego zapalenia nerek.

Objawy i przebieg choroby

N a p a d d n y objawia się ściśle umiejscowionym bólem występującym nagle i narastającym w ciągu godzin lub nawet kwadransów. Ból jest zlokalizowany najczęściej w obrębie stawu śródstopno-paliczkowego palucha (tej lokalizacji przysługuje nazwa p o d a g r a) lub w okolicy śródstopia, stawu skokowego, kolanowego, nadgarstka, ręki, ale także w okolicy innych stawów. Dotkliwemu bólowi towarzyszą objawy miejscowego odczynu zapalnego – sinoczerwone zabarwienie, ucieplenie i obrzęk. Może wystąpić gorączka. Przyczyna wywołująca napad jest często nieuchwytna. Niekiedy jednak jest widoczny wpływ spożycia obfitych posiłków, zwłaszcza tłustych, picia alkoholu, urazów fizycznych, a nawet psychicznych. Czasem objawami poprzedzającymi napad są: podniecenie, zmęczenie, nudności, lokalne drętwienie.

Napad dny trwa zwykle od kilku do kilkunastu dni. N a w r o t y zachodzą z bardzo różną częstością, przerwy między nimi mogą być – zwłaszcza początkowo – nawet kilkuletnie. Pojedyncze i rzadko występujące napady nie pozostawiają żadnych trwałych następstw. Jednak napady powtarzające się częściej w tych samych miejscach mogą doprowadzić z upływem lat do p r z e w l e k ł y c h z a p a l n y c h z m i a n w s t a w a c h i tkankach okołostawowych, przypominających nawet reumatoidalne zapalenie stawów.

W okolicy zajętych stawów, jak również w okolicy ścięgien i na małżowinach usznych, mogą wytwarzać się – zwłaszcza w późniejszych okresach choroby – tzw. g u z k i d n a w e. W przebijającej się niekiedy na zewnątrz białawej, kaszowatej zawartości guzka znajdują się kryształy kwasu moczowego.

Dnie towarzyszy często k a m i c a n e r k o w a m o c z a n o w a. Choroba ta może ujawnić się na wiele lat przed wystąpieniem napadów dny. Kamica dróg moczowych, odkładanie się złogów kwasu moczowego w tkance śródmiąższowej nerek, wreszcie zakażeniowe powikłania tych zaburzeń są czasem przyczyną p r z e w l e k ł e g o z a p a l e n i a n e r e k. U chorych na dnę często współistnieją: otyłość, nadciśnienie tętnicze, choroba wieńcowa, a czasem i cukrzyca. Na dnę chorują głównie mężczyźni w wieku 30–50 lat. Choroba ta występuje przypuszczalnie u 0,3% ludzi.

R o z p o z n a n i e opiera się na stwierdzeniu charakterystycznych napadów dny poddających się typowemu leczeniu, a także podwyższonego poziomu kwasu moczowego we krwi w czasie napadu lub w okresach między napadami. W zaawansowanej chorobie w wydzielinie z podskórnych guzków dnawych lub w płynie stawowym występują kryształy kwasu moczowego. Przy przewlekłym zajęciu stawów widoczne są na zdjęciach rentgenowskich ubytki kostne będące niejako „wewnętrznymi" guzkami dnawymi na powierzchni stawowej lub w obrębie kości. W trakcie napadu dny i przy istnieniu przewlekłych zmian stawowych OB bywa przyspieszone. Stan ogólny chorych – zwłaszcza przy powtarzających się rzadko napadach – może być dość dobry.

Leczenie i zapobieganie

Leczenie dny musi odbywać się wg ścisłych zaleceń lekarza. W ostrym napadzie jest konieczny spokój, a nawet leżenie, picie dużej ilości płynów i ograniczenie ilości pokarmów. Ustąpienie napadu nie oznacza wyleczenia choroby. Nawet w okresie dobrego samopoczucia, a więc bez napadów, jest konieczne stosowanie leków zapobiegających podwyższeniu się poziomu kwasu moczowego we krwi, co ma znaczenie dla z a p o b i e g a n i a n a w r o t o m. Zapobieganie nawrotom to również higieniczny tryb życia, nieprzejadanie się, unikanie pokarmów tłustych i bogatych w puryny (np. podrobów, móżdżku, kawioru), unikanie napojów alkoholowych oraz wypijanie przynajmniej 1,5 l płynów dziennie.

Przewlekłe dnawe zapalenie stawów wymaga leczenia przeciwzapalnego i fizykoterapeutycznego, uwzględniającego ogólny stan chorego i jego nerek.

Metody leczenia stosowane w reumatologii

Ogólne wytyczne leczenia i tryb życia chorych

W leczeniu chorób reumatycznych obowiązuje zasada leczenia kompleksowego, obejmującego różne sposoby postępowania leczniczego, zapobiegawczego i usprawniającego. Leczenie kompleksowe wymaga od chorego świadomego i aktywnego uczestniczenia w tym procesie. Odnosi się to szczególnie do stosowania ćwiczeń i czynnych zabiegów usprawniających, a także do psychoterapii. Psychoterapia musi bowiem obejmować również „autopsychoterapię", a więc aktywną postawę psychiczną chorego, wyrażającą się w chęci pokonywania trudności oraz w narzuceniu sobie pewnej dyscypliny, ale jednocześnie nie wymaganiu od siebie zbyt wiele. Bardzo duże znaczenie ma również właściwe odżywianie się i dbanie o utrzymanie należnej masy ciała (wagi). Zarówno przekarmianie, jak i niedożywianie jest dla narządu ruchu niekorzystne. Stosowanie pełnowartościowej diety, z wystarczającą zawartością białka, wapnia (mleko, twaróg) jest koniecznym warunkiem ogólnej higieny życia zarówno osób zdrowych, jak i tych, którzy mają dolegliwości reumatyczne. Podobnie rzecz ma się ze sposobem ubierania się. Tu także chodzi o tzw. złoty środek. Równie niedobre jest zbyt lekkie ubieranie się (i np. chodzenie w zimie bez nakrycia głowy), jak i zbytnie przegrzewanie się.

Leczenie farmakologiczne

Leczenie farmakologiczne jest jednym z najistotniejszych sposobów terapii chorób reumatycznych. W niektórych chorobach obowiązuje stosowanie jednego z leków uznanych w danych jednostkach chorobowych za podstawowe, np. w reumatoidalnym zapaleniu stawów – preparatów złota, Cuprenilu, Arechiny, a w gorączce reumatycznej – penicyliny, która zapobiega skutecznie nawrotom rzutów tej choroby.

Środki przeciwbólowe nie tylko uwalniają chorego od przykrości, jaką jest ból, ale zapobiegają też napięciom mięśniowym wywoływanym przez ból na drodze odruchowej, nie rejestrowanej przez naszą świadomość. Napięcia te wzmagając ból utrzymują błędne koło: „ból – napięcie – ból – napięcie" itd. W stanach tych jest pomocne również stosowanie środków rozluźniających napięcie mięśniowe, powstające zwłaszcza w dyskopatiach i innych zespołach bólowych z lędźwiowego lub szyjnego odcinka kręgosłupa.

Leki przeciwzapalne oraz leki tłumiące nadmierną odczynowość organizmu w zależności od rodzaju choroby są stosowane okresowo bądź niemal stale. Ponieważ mogą one wywierać drażniący wpływ na błonę śluzową żołądka, zwłaszcza gdy współistnieje choroba wrzodowa żołądka lub dwunastnicy, powinno się wówczas jednocześnie stosować środki osłaniające, takie jak wywar siemienia lnianego, mleko bądź specjalne leki działające ochronnie na błonę śluzową żołądka, np. Gelatum aluminii phosphorici, Linal, Aluphos.

Leki przeciwbakteryjne mają zastosowanie w zasadzie tylko w gorączce reumatycznej. Zwalczanie zakażenia paciorkowcowego za pomocą penicyliny jest w tym przypadku koniecznym warunkiem leczenia i skutecznym sposobem zapobiegania nawrotom tej choroby. We wszystkich innych chorobach reumatycznych zastosowanie antybiotyków lub innych środków przeciwbakteryjnych może wynikać jedynie ze współistnienia jakiegoś procesu zakaźnego.

Metody fizykalne

Obok farmakoterapii bardzo duże znaczenie w leczeniu chorób reumatycznych mają różne metody fizykalne. Wśród tych metod wyróżnia się:

1) leczenie ciepłem – czyli po prostu nagrzewanie (np. poduszką elektryczną, termoforem z ciepłą wodą itp.);

2) światłolecznictwo – stosowanie promieni widzialnych (lampa Sollux) i podczerwonych (działających drogą przegrzewania) oraz promieni nadfioletowych wykazujących bardziej złożone działanie biologiczne (aktywowanie witaminy D, działanie bakteriobójcze, nasilanie pigmentacji i in.);

3) elektrolecznictwo – elektryzacje, elektrostymulacje, jontoforezę, czyli wprowadzanie przez skórę różnych substancji za pomocą prądu stałego (galwanicznego);

4) leczenie prądami wielkiej częstotliwości – diatermie długofalowa i krótkofalowa, których efektem jest głębsze przegrzanie tkanek;

5) leczenie ultradźwiękami;

6) kinezyterapię, czyli leczenie ruchem – ma ono na celu usprawnienie narządu ruchu drogą ćwiczeń czynnych – wykonywanych przez samego chorego – lub ćwiczeń biernych, gdy dany odcinek narządu ruchu jest poruszany nie siłą własnych jego mięśni, ale przez drugą osobę lub nawet przez samego chorego (np. ćwiczenia samowspomagane na bloczkach); do metod kinezyterapii należy również terapia zajęciowa (wykonywanie pewnych prac) i sportowa;

7) leczenie masażem, czyli bierne ćwiczenie masowanych mięśni; może być wykonywane nie tylko przez fachowców, ale przez samego chorego lub kogoś z jego otoczenia po uzyskaniu odpowiedniej instrukcji; niekiedy przy okazji masażu wciera się różne mazidła, samo masowanie ma jednak większe znaczenie niż rodzaj wcieranego środka;

8) w o d o l e c z n i c t w o – może ono być skojarzeniem różnych metod fizykalnych, a więc leczenia ciepłem, ruchem, masażem i to w warunkach odbarczających masę ciała, czyli w wodzie;

9) l e c z e n i e b a l n e o l o g i c z n o - u z d r o w i s k o w e; leczenie balneologiczne polega na stosowaniu kąpieli mineralnych i naturalnych tworzyw leczniczych: borowiny, mułu z jezior słonych, gliny leczniczej; nie bez znaczenia jest jednoczesny wpływ klimatyczny uzdrowiska i możliwość stosowania innych metod, jak kinezyterapii i fizykoterapii w warunkach ogólnego odprężenia, poza męczącym stereotypem codziennych obowiązków.

Gimnastyka. Podstawową sprawą w zwalczaniu chorób reumatycznych i ich następstw jest troska o utrzymanie ogólnej sprawności ruchowej. Wielką rolę spełnia tutaj codzienna, systematyczna gimnastyka poranna i dbanie o to, aby nie „zasiedzieć się". Aktywność ruchowa związana z wykonywaniem pracy zawodowej lub domowej nie może zastąpić ćwiczeń gimnastycznych, gdyż w stereotypie ruchowym związanym z codziennymi obowiązkami pracują jednokierunkowo – niekiedy zresztą nadmiernie – tylko niektóre grupy mięśniowe i tylko pewne odcinki narządu ruchu.

Gimnastyka ma na celu zapobieganie przeciążeniom i innym niekorzystnym następstwom pracy wykonywanej stereotypowo przez dłuższy czas w ciągu dnia, w określonej pozycji: siedzącej lub jakiejkolwiek innej. Zaletą zestawu

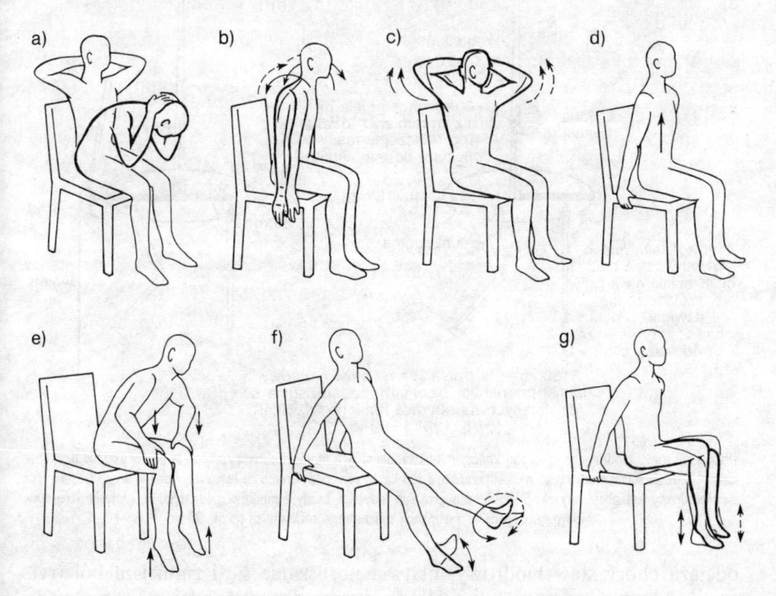

Najprostsze ćwiczenia gimnastyczne w pozycji siedzącej, wykonywane w przerwie dłużej trwającej pracy. Całkowity czas ćwiczeń ok. 5 min (wg wzorów Szwajcarskiej Ligi do Walki z Reumatyzmem)

ćwiczeń przedstawionych na rysunku na s. 909 jest możliwość wykonania ich bez żadnych urządzeń, na bardzo ograniczonej przestrzeni, w miejscu pracy, w ciągu 5 min; jest wskazane wykonywanie tych ćwiczeń przy otwartym oknie. Dla utrzymania sprawności ruchowej jest konieczny także r u c h n a ś w i e ż y m p o w i e t r z u oraz o d p o c z y n e k. Proporcje między tymi czynnikami powinny być rozsądne i zgodne z indywidualnymi cechami organizmu oraz z wiekiem.

Zaopatrzenie ortopedyczne

Dla ustalenia diagnozy i oceny stanu chorego jest niezbędne czasem „spojrzenie" na narząd ruchu jak na układ dźwigniowy, który „powinien być" odpowiednio zbudowany i „powinien" funkcjonować symetrycznie. Stąd konieczność konsultacji nie tylko u reumatologa, ale i u ortopedy lub specjalisty rehabilitacji. Zastosowanie odpowiednich w k ł a d e k o r t o p e d y c z n y c h, odpowiedniego o b u w i a, pewnych ćwiczeń lub choćby używanie l a s k i jest czasem skuteczniejsze niż lekarstwa. Laska doskonale

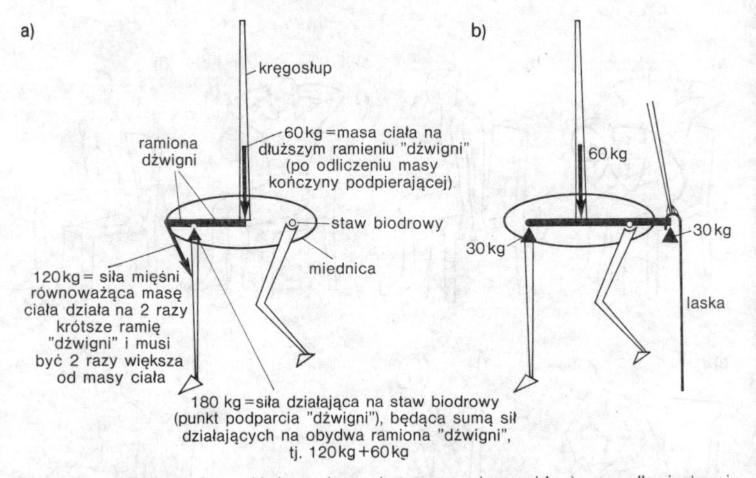

Obciążenie stawu biodrowego kroczącej kończyny obarczonej w tym momencie masą ciała: a) w przypadku nie używania laski obciążenie stawu biodrowego wynosi przeciętnie 180 kg; b) przy podpieraniu się laską trzymaną w drugostronnej ręce staw biodrowy jest obciążony ok. 6-krotnie mniejszą siłą, gdyż na każdy z punktów podparcia, tj. na laskę i na staw biodrowy, wypada w warunkach zmienionego rozkładu sił po ok. 30 kg

odciąża chory staw biodrowy, ułatwia poruszanie się i zmniejsza ból (rys. powyżej), z tym że musi być niesiona w ręce drugostronnej w stosunku do chorego stawu (prawa ręka – lewy chory staw).

Leczenie operacyjne

Leczenie operacyjne jest wskazane w niektórych przypadkach reumatoidalnego zapalenia stawów i w chorobie zwyrodnieniowej stawu biodrowego. W drugim przypadku są stosowane m.in. z powodzeniem tzw. endoprotezy, czyli wstawione operacyjnie sztuczne stawy.

Metody pozanaukowe

Nie ma obecnie racjonalnych podstaw do zalecania takich metod leczniczych, jak: leki homeopatyczne, noszenie siarki w skarpetkach, spanie na kasztanach lub noszenie miedzianych przedmiotów. Niekiedy wartość stosowania tych metod polega na działaniu psychoterapeutycznym.

Niektóre problemy inwalidztwa

Inwalidztwo powstaje wówczas, gdy występują różnego stopnia ograniczenia sprawności ruchowej. Na przykład niewielkie ograniczenie ruchomości

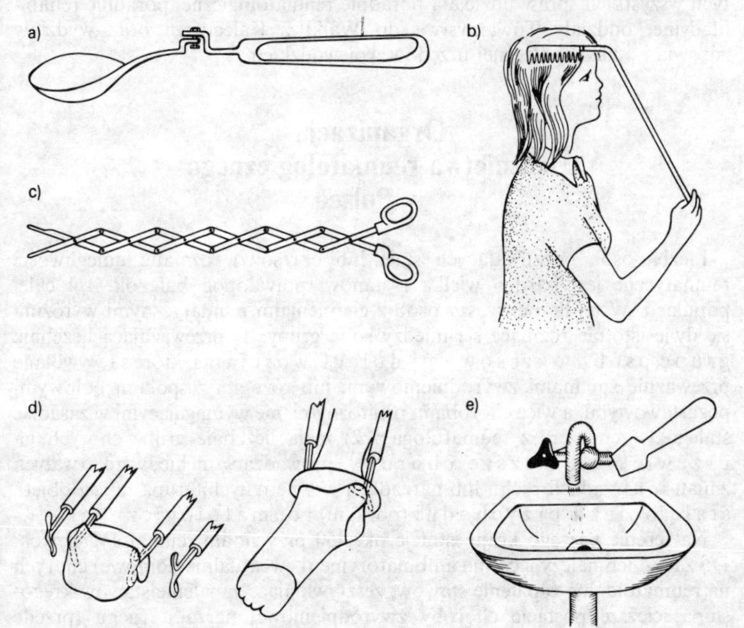

Osobisty sprzęt pomocniczy ułatwiający wykonywanie codziennych czynności przy ograniczeniu ruchów w niektórych stawach: a) łyżka samonastawna z pogrubionym trzonkiem i regulacją kąta jego ustawienia; b) grzebień na przedłużaczu; c) szczypce składane do podnoszenia przedmiotów; d) nakładacze skarpet; e) uchwyt przy kranie

drobnych stawów ręki lub stawu łokciowego, tylko nieznacznie utrudniające pracę urzędnikowi, może wszakże uniemożliwić pracę pianiście albo rzemieślnikowi. Jest to rodzaj inwalidztwa, w którym konieczna może być zmiana pracy lub nawet zmiana zawodu.

Całokształt działań związanych z tzw. produktywizacją inwalidów zmierza do tego, aby w miarę możności inwalidztwo nie wyłączało człowieka z czynnego udziału w życiu zawodowym i społecznym oraz z samodzielnego zaspokajania własnych potrzeb. Wiąże się z tym nie tylko sprawa wykonywania zawodu, ale także codziennych czynności związanych z samoobsługą, a więc samodzielnego ubierania się, czesania, jedzenia, posługiwania się urządzeniami domowymi. W tym celu są produkowane specjalne pomoce ułatwiające choremu wykonywanie tych czynności, np. sztućce i grzebienie na przedłużaczu, szczypce do podnoszenia przedmiotów z podłogi, proste przyrządy do wkładania skarpet lub pończoch, uchwyty do kranów i wiele innych (rys. na str. 911), nie mówiąc już o wózkach inwalidzkich, a nawet samochodach umożliwiających poruszanie się. Istnieje również możliwość adaptacji mieszkania i jego urządzeń (kuchni, łazienki) do potrzeb inwalidy. Informacji i wskazówek dotyczących tych wszystkich spraw udzielają poradnie reumatologiczne, poradnie rehabilitacyjne, oddziały Towarzystwa do Walki z Kalectwem oraz wydziały zdrowia i opieki społecznej urzędów wojewódzkich.

Organizacja lecznictwa reumatologicznego w Polsce

Liczba osób odczuwających stale lub okresowo rozmaite dolegliwości reumatyczne jest bardzo wielka i stanowi prawdopodobnie ok. 1/4 całej populacji. W tej licznej rzeszy osób z cierpieniami reumatycznymi wyróżnia się dwie istotnie różniące się między sobą grupy: 1) przeważającą liczebnie grupę osób z okresowymi dolegliwościami, które są wywołane przeważnie zmianami zwyrodnieniowymi lub różnymi zespołami bólowymi pozastawowymi, a więc chorobami niegroźnymi, nie wymagającymi w zasadzie stałego leczenia przez reumatologa i 2) małą liczebnie grupę chorych na przewlekłe i cięższe choroby, prowadzące niekiedy do trwałych zmian w narządach ruchu lub narządach wewnętrznych; grupa ta jest objęta stałą opieką przychodni (poradni) reumatologicznych.

Na terenie naszego kraju istnieje ok. 450 przychodni reumatologicznych. Do zadań ich należy leczenie ambulatoryjne (i ewentualnie domowe) chorych na reumatoidalne zapalenie stawów, zesztywniajace zapalenie stawów kręgosłupa, cięższe postacie choroby zwyrodnieniowej narządu ruchu (przede wszystkim stawu biodrowego), chorych na niektóre postacie kolagenoz i chorych na dnę. Przychodnie reumatologiczne konsultują także, a w cięższych lub uporczywszych przypadkach również leczą inne choroby należące do reumatologii. Kompetencje tej specjalności zazębiają się niekiedy z innymi dziedzinami medycyny. Na przykład chorzy z zespołami „dyskowymi" i dolegliwościami korzeniowymi muszą być leczeni nie tylko przez lekarza reumatologa, ale i neurologa, a chorzy ze skrzywieniem kręgosłupa lub płaskostopiem wymagają porady reumatologa i chirurga-ortopedy. Stąd wynika konieczność współpracy przychodni reumatologicznych z innymi przychodniami specjalistycznymi. Na konsultacje lub na stałe leczenie ambulatoryjne do przychodni reumatologicznej kierują lekarze rejonowi, zakładowi, specjaliści i inni.

Terenowe przychodnie reumatologiczne podlegają wojewódzkim przychodniom reumatologicznym. Wojewódzkie przychodnie specjalistyczne są nie tylko wyższym szczeblem „drugiej instancji" decydującym w sprawach konsultacyjnych i leczniczych, ale sprawują także nadzór specjalistyczny, prowadzą szkolenie kadr medycznych, wnioskują w sprawach zaopatrzenia w sprzęt pomocniczy i rozwiązania problemów socjalnych chorych leczonych ambulatoryjnie (zagadnienia opieki społecznej, rehabilitacji zawodowej i socjalnej itp.).

Nad organizacją i całokształtem działalności pionu lecznictwa reumatologicznego na terenie województwa czuwa i jest za ten pion odpowiedzialny konsultant wojewódzki mianowany przez Ministra Zdrowia i Opieki Społecznej.

W województwach istnieje też możliwość leczenia szpitalnego w specjalistycznym oddziale reumatologicznym. Oddziały takie mieszczą się w klinikach akademii medycznych, w szpitalach specjalistycznych, niekiedy są częścią oddziałów wewnętrznych (tzw. łóżka wydzielone). Województwa, które nie dysponują na swoim terenie szpitalnymi łóżkami reumatologicznymi, korzystają z pomocy innych województw.

Placówki reumatologiczne są wyposażone w urządzenia umożliwiające leczenie fizykoterapeutyczne i rehabilitacyjne lub też współpracują z przychodniami rehabilitacji albo gabinetami fizykoterapii.

Chorzy, u których szczególnie trudno jest ustalić diagnozę lub którzy wymagają skomplikowanego leczenia, mogą być skierowani przez wojewódzkie przychodnie reumatologiczne do Instytutu Reumatologicznego w Warszawie, który jest centralną placówką kliniczną i naukową w dziedzinie reumatologii. Instytut Reumatologiczny prowadzi specjalistyczny szpital kliniczny, inspiruje, koordynuje i nadzoruje działalność pionu lecznictwa reumatologicznego w skali krajowej, prowadzi badania naukowe nad przyczynami chorób reumatycznych, metodami zapobiegania im oraz ich leczenia, a także zajmuje się działalnością szkoleniową obejmującą zarówno lekarzy ogólnych, jak i specjalistów.

STAROŚĆ

Życie człowieka jest nierozłącznie związane ze zjawiskiem starzenia się organizmu, a naturalnym końcowym okresem życia jest starość. S t a r o ś ć jest pojęciem statycznym, określającym w sposób umowny końcowy okres życia. Za p o c z ą t e k s t a r o ś c i przyjmuje się umownie określony wiek kalendarzowy, koniec starości wyznacza śmierć. S t a r z e n i e s i ę jest pojęciem dynamicznym, określającym proces degradacji biologicznej organizmu, związany z biegiem czasu. Czas, jako czynnik stały i nieodwracalny, determinuje zarówno starość, jak i starzenie się.

Wielkie cywilizacje świata starożytnego, grecka w Europie, a chińska w Azji, podkreślały wartość ludzi starych dla społeczeństwa, uważając ich za źródło wiedzy i doświadczenia. Trudne warunki dawały małe prawdopodobieństwo dożycia wieku starszego, wobec tego ludzi starych nazywano wybrańcami bogów, a sam fakt dożycia starości traktowano jako szczególne wyróżnienie przez los. Dopiero w ostatnich 150 latach postęp w medycynie oraz ogólna poprawa warunków życiowych wpłynęły na znaczne przedłużenie średniego czasu trwania życia oraz na zwiększenie odsetka ludzi starych w społeczeństwach cywilizowanych. Dziś starość nie jest zjawiskiem wyjątkowym i większość ludzi dożywa wieku emerytalnego.

Zmiana sytuacji demograficznej oraz dynamiczny rozwój biologii i medycyny spowodowały wyodrębnienie nowej gałęzi wiedzy zwanej g e r o n t o l o g i ą. Jest to nauka interdyscyplinarna zajmująca się badaniem problemów związanych ze starzeniem się i starością nie tylko od strony biologicznej (gerontologia doświadczalna) i medycznej (gerontologia kliniczna, czyli g e r i a t r i a), ale także od strony problemów demograficznych, socjologicznych i psychologicznych (gerontologia społeczna).

Ze względu na charakter publikacji omówiono głównie sprawy geriatrii, i to w jej praktycznym aspekcie.

I. STARZENIE SIĘ JAKO ZJAWISKO BIOLOGICZNE

Poznanie istoty starzenia się zawsze było problemem pasjonującym ludzkość. Przypuszczano, że znajomość mechanizmów starzenia umożliwi odkrycie środków, które pozwoliłyby uniknąć starości i zapewniłyby „wieczną”, a w każdym razie długą młodość. Wielki biolog końca XIX w. J.J. Miecznikow wyrażał nadzieję, że „medycyna nauczy człowieka żyć długo i umierać bez strachu”. Te nadzieje nie spełniły się i mimo wielu badań do dziś nie poznano dokładnie mechanizmów biologicznych, które powodują starzenie się, tak że tylko w niewielkim stopniu możemy wpływać na przebieg tego procesu.

Wysunięto wiele teorii tłumaczących istotę starzenia i stale powstają nowe. Przede wszystkim zwraca uwagę fakt, że istnieją organizmy, które nie starzeją się i nie umierają w potocznym tego słowa znaczeniu. Są to organizmy jednokomórkowe rozmnażające się przez podział (np. bakterie). Wśród nieskończenie długiego ciągu komórek pochodzących od jednej komórki macierzystej nie ma osobników „starych”, ponieważ sam podział jest czynnikiem zmieniającym komórkę dojrzałą na dwie komórki młode. A zatem podział komórki jest czynnikiem odmładzającym. Komórki, które utraciły tę zdolność, starzeją się i giną.

W niektórych tkankach organizmów wyższych istnieją komórki, które wcześniej tracą zdolność podziału mitotycznego. Najbardziej typowym przykładem są komórki ośrodkowego układu nerwowego – neurocyty. U człowieka tracą one zdolność podziału już w pierwszych miesiącach życia. M ó z g nie ma żadnej zdolności odtwarzania zniszczonych neurocytów. Poza ośrodkowym układem nerwowym komórkami, które w miarę wieku tracą zdolność regeneracji, są w ł ó k n a m i ę ś n i a s e r c o w e g o. Od dawna wysuwano zatem przypuszczenie, że istotą starzenia jest nagromadzenie się w komórkach zbędnych produktów przemiany materii, które „zanieczyszczają” wnętrze komórek, prowadząc do ich starzenia się i obumierania.

Badania nad mechanizmami przekazywania informacji genetycznych (zob. Fizjologia, Jądro komórkowe, s. 86 w nieco innym świetle przedstawiają r o l ę p o d z i a ł u k o m ó r k o w e g o w p r o c e s i e s t a r z e n i a. Szwajcarski gerontolog F. Verzar uważa, że kwas dezoksyrybonukleinowy (DNA) jądra komórkowego, który jest nosicielem informacji sterujących wytwarzaniem białek komórkowych, może ulegać odnowie jedynie w procesie mitozy. W komórkach, które utraciły zdolność mitozy, „stary” kwas dezoksyrybonukleinowy staje się źródłem fałszywych informacji i prowadzi do wytwarzania usterkowych białek. To właśnie uważa Verzar za jeden z głównych czynników starzenia się organizmu.

Współczesna gerontologia podkreśla rolę wielu czynników uszkadzających materiał genetyczny komórek: promieniowania kosmicznego, aktywnych związków chemicznych, procesów immunologicznych. W świetle dotychczasowych badań uważa się, że starzenie się jest zjawiskiem złożonym i nie można wskazać na jeden dominujący czynnik, który decyduje o przebiegu tego procesu.

Zmiany starcze są potocznie rozumiane jako stopniowy zanik tkanek i narządów, prowadzący do obniżenia sprawności organizmu. I rzeczywiście, wiele funkcji organizmu obniża się znamiennie w miarę starzenia. Dotyczy to np. siły mięśni, pojemności życiowej płuc, zdolności adaptacyjnej soczewek ocznych, szybkości przebiegu bodźców we włóknach nerwowych, przesączania nerkowego, podstawowej przemiany materii i wielu innych. Kilka typowych przykładów przedstawiono na rysunku. Wszystkie ilustrowane krzywe mają podobny przebieg: od pierwszych miesięcy życia następuje szybki wzrost parametrów czynnościowych, aż do osiągnięcia maksymalnej sprawności organizmu człowieka między 15 a 25 r. życia. Od tego okresu aż do późnej starości następuje stopniowy spadek funkcji organizmu.

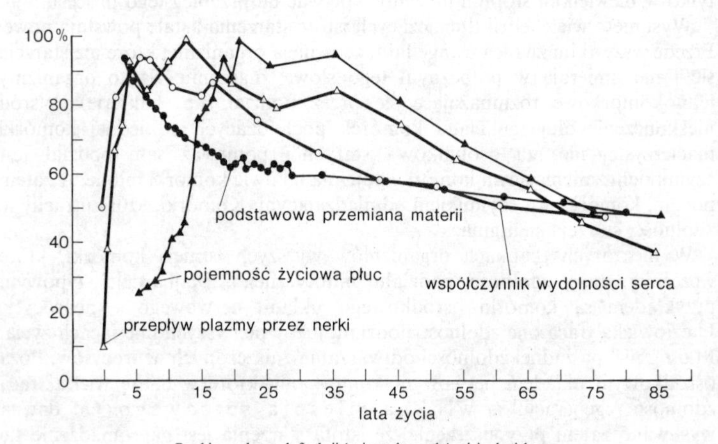

Przebieg wybranych funkcji życiowych w zależności od wieku

Jednak nie wszystkie parametry biologiczne obniżają się w miarę starzenia się organizmu. Temperatura ciała, równowaga kwasowo-zasadowa, stężenie elektrolitów w surowicy krwi nie ulegają zmianie do późnej starości. Jest to oczywiste, ponieważ organizm dla utrzymania się przy życiu musi zachować stałość środowiska wewnętrznego, czyli homeostazę. Zachowanie homeostazy, mimo starczego wygasania wielu funkcji organizmu, jest możliwe na skutek wykorzystania różnych mechanizmów wyrównawczych. Cytując kijowskiego gerontologa A. Frolkisa można powiedzieć, że starzenie jest „długotrwałym procesem biologicznym, rozwijającym się w różnych układach czynnościowych i w całym ustroju, któremu towarzyszy wiele zjawisk adaptacyjnych i kompensacyjnych".

Możliwości kompensacyjne mają jednak swoje granice. Starczy organizm utrzymuje wprawdzie stałość środowiska wewnętrznego, jednak ta równowaga jest coraz bardziej nietrwała. Wraz z zaawansowaniem starości wyczerpuje się „pojemność adaptacyjna" organizmu i coraz słabsze bodźce zewnętrzne mogą w stopniu nieodwracalnym wytrącić organizm ze stanu równowagi. Inaczej mówiąc, nawet niewielki uraz lub lekka (dla osób młodych) choroba może okazać się zabójcza dla człowieka starego.

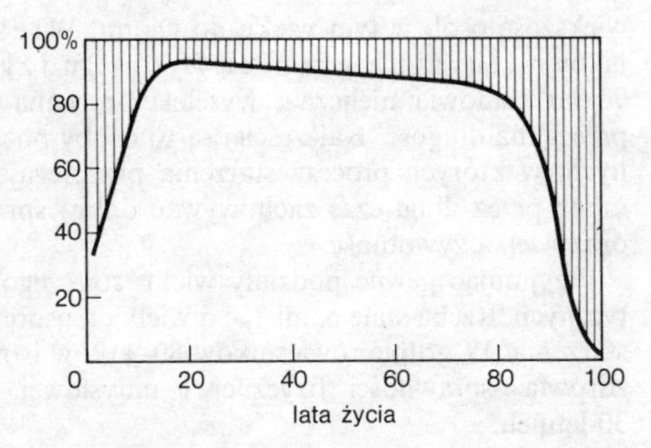

Prawdopodobieństwo utrzymania homeostazy w zależności od wieku

P r o c e s s t a r z e n i a s i ę charakteryzują dwie cechy: 1) stopniowe zmniejszanie się zdolności utrzymania homeostazy oraz 2) stopniowe zwiększanie się prawdopodobieństwa śmierci. Zależność tę przedstawia załączony rysunek. Chwiejna w pierwszym okresie życia równowaga środowiska wewnętrznego szybko ulega stabilizacji i dopiero w okresie starości ponownie staje się coraz mniej stabilna, prowadząc nieuchronnie do śmierci. Ta m a l e j ą c a z d o l n o ś ć z a c h o w a n i a h o m e o s t a z y jest zapewne najistotniejszą cechą procesu starzenia się.

Podziały wieku starczego

Proces starzenia się rozpoczyna się u człowieka już około trzydziestego roku życia. Jednak jako umowny początek starości (lub wieku starczego) przyjmuje się 60 lub 65 r. życia. Oczywiście, wiek metrykalny nie pokrywa się z „wiekiem biologicznym" i okres życia określany mianem s t a r o ś c i nie jest okresem jednolitym. Sprawność fizyczna i psychiczna maleje wraz z upływem lat, tak że „starość" 60-latka różni się zasadniczo od „starości" człowieka 80-letniego. Z tego względu wprowadzono podział starości na krótsze podokresy.

Na ogół starość dzieli się na dwa okresy: w c z e s n ą s t a r o ś ć i p ó ź n ą s t a r o ś ć, a ich przedziałem jest 75 r. życia. Jest to podział szeroko stosowany, choć nieco uproszczony. Trafniejszy wydaje się podział zaproponowany przez geriatrów kijowskich, którzy dzielą starość na trzy okresy:

w i e k p o d e s z ł y – od 60 do 74 r. życia,
w i e k s t a r c z y – od 75 do 89 r. życia,
d ł u g o w i e c z n o ś ć – powyżej 90 r. życia.

Podział ten podkreśla biologiczne i kliniczne różnice trzech okresów starości. W i e k p o d e s z ł y jest jakby wstępem do starości. Jest to okres, w którym zachowuje się jeszcze dość znaczną sprawność, a śmierć w tym wieku może być spowodowana jedynie chorobą lub wypadkiem, a nie samymi zmianami starczymi. W przyszłości ludzie powinni z reguły przekraczać ten wiek. S t a r o ś ć w ł a ś c i w a to okres dość późny, w którym istnieje już znaczne ograniczenie sprawności, a zaawansowane procesy starzenia doprowadzają większość osób w tym wieku do zgonu. Wiek 90 lat jest w tym podziale jakby naturalną granicą życia ludzkiego. Osoby przekraczające 90 lat stanowią nieliczną, wyselekcjonowaną grupę ludzi żyjących ponad przeciętną długość. Najczęściej są to osoby pochodzące z rodzin długowiecznych, w których procesy starzenia przebiegają znacznie wolniej. Osoby te mogą przez długi czas zachowywać dobrą sprawność fizyczną i psychiczną oraz wielką żywotność.

Przyjmując pewne podziały wieku starczego, przydatne do celów statystycznych, trzeba stale pamiętać o wielkich osobniczych różnicach w przebiegu starzenia. W grupie rówieśników 80-latków istnieją większe różnice w stanie zdrowia, sprawności fizycznej i umysłowej, niż w grupie rówieśników 30-letnich.

Procesy starzenia przebiegają w sposób bardzo indywidualny, ale mają jedną bardzo istotną wspólną cechę. Oto starość rozpoczęta najczęściej jeszcze w okresie dobrego stanu fizycznego i psychicznego zawsze kończy się śmiercią. Nieuchronność śmierci jako naturalnego zakończenia starości różni w najistotniejszy sposób starość od wcześniejszych okresów życia.

Czynniki warunkujące starzenie

Procesy starzenia przebiegają z różną szybkością u poszczególnych osobników tego samego gatunku. Osobnicza szybkość starzenia się jest wypadkową oddziaływania czynników genetycznych (gatunkowy program starzenia), czynników wewnętrznych (np. choroby) oraz czynników zewnętrznych (np. warunki środowiskowe). Szybkość procesów starzenia może ulegać przyśpieszeniu bądź zwolnieniu pod wpływem czynników wewnętrznych i zewnętrznych. Czas biologiczny, w jakim toczą się zjawiska rozwoju i starzenia, nie posuwa się zgodnie z czasem astronomicznym, ma swoje przyśpieszenia i zahamowania.

Wyróżnia się starzenie fizjologiczne, zachodzące w czasie i w stopniu właściwym dla danego gatunku, starzenie przedwczesne, które ma cechy starzenia fizjologicznego, lecz występuje we wcześniejszym wieku, oraz starzenie patologiczne, przyśpieszające się w związku z niekorzystnym wpływem chorób lub środowiska. Miarą przebiegu starzenia może być zgodność wieku metrykalnego z wiekiem biologicznym. Ocena wieku biologicznego opiera się na porównywaniu wyników odpowiednio dobranych testów czynnościowych badanej osoby ze standardami ustalonymi dla zdrowych osób w określonych przedziałach wieku. Osoby wykazujące cechy przedwczesnego starzenia mają wiek biologiczny wyższy od ich wieku metrykalnego (są „starsze" niż ich metryka). Zgodność wieku metrykalnego i wieku biologicznego wskazuje na fizjologiczny przebieg starzenia.

Czynniki genetyczne determinują starzenie się zarówno całego gatunku, jak i pojedynczych osobników. Gatunkowa długość życia zwierząt, zwłaszcza zwierząt laboratoryjnych będących modelem badań gerontologii doświadczalnej, jest dobrze znana. Trudno jest natomiast określić gatunkową długość życia człowieka.

Ludzie żyjący w warunkach pierwotnych nie dożywają 50 lat, w krajach cywilizowanych średnia długość życia ludzi sięga 80 lat. Gerontolog A. Comfort powiedzeniem: „Prawdopodobnie starzejemy się dlatego, że wykroczyliśmy poza program ewolucji", sugeruje, iż cywilizowany człowiek żyje dłużej niż wynosi jego gatunkowa długość życia. Obecnie można przypuszczać, że realną długością życia, jaką może osiągnąć człowiek, jest wiek 90 lat. Polski demograf E. Rosset sądzi jednak, że dalszy postęp cywilizacji pozwoli dużemu odsetkowi ludzi przekroczyć ten wiek.

Genetyczny program starzenia może u poszczególnych osób znacznie odbiegać od średniej. Istnieją rodziny długowieczne, których członkowie dożywają 90, a nawet 100 lat, oraz rodziny, w których większość osób umiera między 60 a 70 r. życia z objawami zaawansowanego starzenia. Szczególnymi postaciami przedwczesnego starzenia o niewątpliwym uwarunkowaniu genetycznym są: zespół Huthinsona-Gilforda oraz zespół Wernera. W zespole Huthinsona-Gilforda objawy starzenia występują już w pierwszym 10-leciu życia i przebiegają tak szybko, że ok. 20 r. życia dochodzi już do zaawansowanej starości z jej wszystkimi konsekwencjami, prowadzącymi do uwiądu starczego i śmierci. W zespole Wernera objawy przedwczesnego starzenia występują rodzinnie u kilku członków rodziny, manifestują się zmianami zanikowymi skóry, siwieniem włosów, zaćmą i innymi zmianami przypominającymi zmiany starcze. Nie jest to w pełnym tego słowa znaczeniu starzenie przedwczesne, lecz raczej „karykatura starzenia". Mechanizm prowadzący do występowania opisanych wyżej zespołów nie jest znany. Nie ma też dotychczas żadnych możliwości ingerowania w program genetyczny regulujący szybkość starzenia.

Czynniki chorobowe mają niewątpliwy wpływ na rozwój przedwczesnego starzenia. Chodzi tu zwłaszcza o choroby przewlekłe, pojawiające się we wcześniejszym okresie życia, od dzieciństwa do wieku średniego, zwłaszcza o choroby zaburzające przemianę materii. Jednym z tych niekorzystnych procesów jest otyłość, i to nie tylko spowodowana zaburzeniami hormonalnymi, ale także będąca wynikiem zwykłego przekarmiania. Niekorzystny wpływ otyłości na przebieg starzenia rozpoczyna się w wieku dziecięcym i młodzieńczym. Podobnie ujemnie wpływa cukrzyca, niedoczynność tarczycy oraz choroby układu sercowo-naczyniowego, np. wrodzone wady serca, zaburzenia przemiany i transportu lipidów, mogące stanowić istotne ryzyko choroby wieńcowej i jej powikłań, oraz miażdżyca tętnic. Choroby te określa się jako czynniki ryzyka przedwczesnego starzenia.

Czynniki środowiskowe wpływają zarówno na długowieczność, jak i na przedwczesne starzenie. Wpływ na długowieczność wywierają głównie czynniki klimatyczne i ekologiczne, oddziałujące długotrwale, przez okres wielu pokoleń. Natomiast wpływ przyspieszający pojawienie się przedwczesnego starzenia mogą wywierać także czynniki działające krótko. Szczególne znaczenie mają tutaj ilościowe i jakościowe niedobory pokarmowe, przeciążenia fizyczne nadmierną pracą, przewlekłe zatrucia i szkodliwości zawodowe, wreszcie niekorzystne urazy psychiczne. Dramatyczne przeżycia, kłopoty, okresy długotrwałych napięć nerwowych przyspieszają starzenie. Powiedzenie, że ktoś „osiwiał ze zmartwienia" jest prawdziwe nie tylko w przenośni, lecz i w rzeczywistości.

Starzenie patologiczne ma szczególny związek z chorobami. U niektórych osób starszych w okresie wystąpienia lub zaostrzenia procesów chorobowych dochodzi do widocznego przyśpieszenia procesów starzenia. Lekarze często obserwują nagłe, jakby skokowe nasilenie się starzenia w czasie ciężkiej choroby. Człowiek starszy, ale jeszcze w pełni sił, po kilku tygodniach choroby może stać się niezaradnym, zgrzybiałym starcem. Gra tu rolę niekorzystny wpływ samych chorób, jak i długotrwałych okresów hipokinezji, tj. ograniczenia aktywności ruchowej spowodowanego chorobą. Szczególnego znaczenia nabiera zatem sprawa aktywnego i konsekwentnego leczenia ostrych i wikłających chorób wieku przedstarczego i starczego.

II. PROFILAKTYKA STARZENIA

Profilaktyka jest to zapobieganie czemuś, co może, ale nie musi się zdarzyć. Na przykład profilaktyka chorób zakaźnych oznacza różne poczynania, które mają na celu uniknięcie zachorowania na choroby zakaźne. Aby profilaktyka była skuteczna, musi być prowadzona systematycznie i powszechnie, co – przynajmniej w odniesieniu do chorób zakaźnych – łączy się ze stosowaniem przymusu administracyjnego. O skuteczności profilaktyki świadczy niezaistnienie faktu, któremu chce się zapobiec.

Pojęcie profilaktyki starzenia różni się bardzo w swojej istocie od pojęcia profilaktyki chorób. Przede wszystkim słowo „profilaktyka" musi być w tym przypadku brane w cudzysłowie. Składa się na to kilka powodów. Po pierwsze, starzenie jest procesem nieuchronnym, który musi się zdarzyć. Wobec tego profilaktyka starzenia nie może mieć na celu uniknięcia starzenia lub uniknięcia starości, w przeciwieństwie do profilaktyki chorób zakaźnych, która mą na celu uniknięcie choroby zakaźnej. Po drugie, zapobieganie starzeniu się jest sprawą indywidualną poszczególnych osób. Nie ma realnej możliwości, aby profilaktyką starzenia objąć wszystkich członków społeczeństwa. Profilaktyka starzenia nie ma więc cechy powszechności. Po trzecie, w profilaktyce starzenia nie można stosować żadnego przymusu administracyjnego.

W profilaktyce geriatrycznej wyróżnia się dwa cele: 1) profilaktykę przedwczesnego starzenia oraz 2) profilaktykę niedołęstwa starczego.

Profilaktyka przedwczesnego starzenia ma na celu zwalnianie procesów starzenia i utrzymanie sprawności psychicznej i fizycznej we wczesnym okresie starości. Ten rodzaj profilaktyki odnosi się w zasadzie do wszystkich osób w wieku średnim, ale nade wszystko do osób pochodzących z rodzin krótko żyjących, osób z objawami lub czynnikami ryzyka przedwczesnego starzenia (zob. wyżej).

Profilaktyka niedołęstwa starczego ma na celu uniknięcie dużego stopnia bezradności, spowodowanej zaawansowanymi procesami starzenia. Nie jest to profilaktyka w ścisłym znaczeniu, a raczej postępowanie leczniczo-rehabilitacyjne stosowane już w okresie starości, zwłaszcza u osób z nasilającymi się objawami starzenia, ograniczającymi sprawność ruchową i zdolność do samoobsługi.

Kiedy należy rozpocząć profilaktykę starzenia? Najlepiej uczynić to w wieku wczesnośrednim, ok. 30 r. życia, kiedy przynosi ona najlepsze rezultaty.

Jakie są elementy profilaktyki geriatrycznej? Jest ich wiele i dotyczą nie tylko problemów biologicznych, ale także psychologicznych, społecznych i obyczajowych. Można je podzielić na zalecenia ogólne, odnoszące się do każdego człowieka, i zalecenia indywidualne, wynikające z osobniczej sytuacji poszczególnych osób. Do najważniejszych zasad ogólnej profilaktyki starzenia zalicza się: 1) ruchliwy tryb życia, 2) właściwe odżywianie się, 3) czynną postawę psychiczną oraz 4) utrzymanie kontaktów środowiskowych. Przestrzeganie tych zasad zależy nie tylko od dobrej woli poszczególnych osób, ale także od świadomości społecznej i nieodzownie prowadzonej okresowej kontroli lekarskiej, nawet osób nie odczuwających żadnych dolegliwości.

Ruchliwy tryb życia

Jest to najważniejszy czynnik zapobiegający starzeniu. Składają się nań: gimnastyka oraz czynny wypoczynek. Gimnastyka powinna być uprawiania indywidualnie i zbiorowo.

Gimnastykę indywidualną należy uprawiać w określonych porach, np. rano. Jeśli gimnastyka poranna nadawana w radio okaże się za intensywna, zbyt męcząca, należy wykonywać mniej męczący program ćwiczeń, dobrany indywidualnie. Właściwie zawsze ludzie w średnim wieku i starsi powinni rozpoczynać dzień od gimnastyki, przezwyciężając opory własnego lenistwa i opory środowiskowe. Przezwyciężenie własnego lenistwa jest sprawą dyscypliny wewnętrznej. Należy sobie powiedzieć: to jest pożyteczne, trzeba to robić. Należy stopniowo przyzwyczajać się do wysiłku, zaczynając od gimnastykowania się przez pierwszy tydzień przez 2 min, następny – przez 4 min, kolejny przez 6 min, aż się dojdzie do 10 min codziennie. Trudniejsze do przezwyciężenia są opory środowiskowe: reakcja otoczenia, rodziny, z którą się mieszka, współlokatorów tego samego pokoju lub wspólnego mieszkania. Należy to jednak uczynić.

Gimnastyka poranna powinna być ruchem planowanym, powinna dotyczyć wszystkich kończyn, wszystkich stawów, a nie ograniczać się tylko do takich ruchów, jakie wykonuje się przy pracy domowej. Nawyk gimnastyki porannej najlepiej wyrobić za młodu. Wówczas w starszym wieku ćwiczenia mogą być bardziej intensywne. Równie dobrze jednak można rozpocząć ćwiczenia po 50 r. życia, a nawet już po przejściu na emeryturę, dostosowując ich program do możliwości organizmu.

Gimnastyka zbiorowa jest drugą formą ruchu. Można ją uprawiać w klubach seniora, w klubach rencistów, w świetlicach osiedlowych itp. Zbiorowe zajęcia gimnastyczne odbywają się 2 razy w tygodniu. Osoby ćwiczące zbierają się co najmniej na jedną godzinę, przebierają w sportowe stroje i pod kierunkiem instruktura wychowania fizycznego (często emerytowanego) lub kinezyterapeuty uprawiają zbiorową gimnastykę i gry sportowe.

Czynny wypoczynek. Jest to przede wszystkim organizowanie wypoczynku niedzielnego. Odnosi się to głównie do ludzi na „przedpolu starości", jeszcze pracujących, powiedzmy 50-letnich. Jest sprawą bardzo istotną, aby w tym wieku wyrobić sobie nawyk czynnego wypoczynku, uprawiania turystyki pieszej lub rowerowej. Ludzie starsi powinni przyzwyczaić się do tego, że niedziela ma być przeznaczona na czynny wypoczynek. Również 70-latkowie, jeśli nie są chorzy, powinni w niedzielę wyjeżdżać za miasto, chodzić po lesie, zbierać grzyby, chodzić na spacery, pracować w ogródku.

Kluby seniora i świetlice osiedlowe powinny również organizować różne formy czynnego wypoczynku, np. wycieczki niedzielne połączone z ruchem pieszym, z odpowiednio dawkowanym wysiłkiem fizycznym.

Właściwe odżywianie

Właściwe odżywianie jest drugim ważnym elementem profilaktyki geriatrycznej. Wiele pisze się o diecie przeciwmiażdżycowej, o konieczności ograniczenia tłuszczów i słodyczy. Są to sprawy powszechnie znane. Ograniczenia te powinni stosować ludzie w wieku średnim i we wczesnej starości. Nie jest to jednak dieta geriatryczna! Ma ona znaczenie w profilaktyce miażdżycy, a pośrednio w profilaktyce przedwczesnego starzenia, natomiast nie jest odpowiednia dla osób w późniejszej starości. Obawa przed miażdżycą, różne dolegliwości ze strony przewodu pokarmowego, jak i względy ekonomiczne sprawiają, że człowiek stary często przechodzi na dietę nadmiernie monotonną, przeważnie węglowodanową, niesmaczną i prowadzącą do niedoborów pokarmowych. Tymczasem dieta ludzi starszych powinna być dietą nakazów, a nie dietą zakazów! Starszy człowiek powinien jeść potrawy smaczne, urozmaicone, bogate w witaminy i białko, a zatem sery, mięso, owoce.

W profilaktyce starzenia ważne jest nie tylko to, co się je, ale także, jak się je. Ludzie starsi powinni mieć stały rozkład posiłków, również dlatego, aby organizacja posiłków była jednym z elementów ich czynnego stosunku do życia. Posiłki właściwe powinny przeplatać się z ruchem fizycznym. Po posiłku i po krótkim wypoczynku, nawet po drzemce poobiedniej, należy wyjść na spacer. Trzeba by to czynić także po wcześnie zjedzonej kolacji.

Niezwykle ważną sprawą jest utrzymanie właściwej masy ciała. Otyłość, będąca jednym z czynników ryzyka przedwczesnego starzenia się, wpływa niekorzystnie na przebieg starzenia. Toteż już w wieku średnim, zbliżając się do „przedpola starości”, należy zrzucić zbędne kilogramy stosując właściwą dietę i ruch, aby w wiek emerytalny wejść z prawidłową wagą. Zaawansowana starość nie jest już wiekiem właściwym na odchudzanie, toteż po 70 r. życia nawet osoby otyłe powinny zrezygnować z intensywniejszej walki z nadwagą.

Palenie tytoniu ma niekorzystny wpływ na przebieg starzenia oraz na rozwój miażdżycy. Zaprzestać palenia należy w wieku średnim, natomiast nie powinno się robić z tego pierwszoplanowego problemu w późnej starości. Jeżeli ktoś palił przez całe życie, trudno mu będzie wyrzec się palenia w wieku emerytalnym.

Czynna postawa psychiczna

Najpiękniejszym jej przejawem jest uprawianie jakiejś formy działalności społecznej, np. działalności w klubie rencistów, w klubie seniora lub w jakichś innych organizacjach. Jest to bardzo ważne, aby mieć czynne nastawienie psychiczne, nie zamykać się w sytuacji człowieka na emeryturze, starać się wykorzystać swoje dotychczasowe umiejętności.

Jednym z przejawów czynnej postawy życiowej są zajęcia hobbistyczne, tzn. różne ulubione zajęcia rekreacyjne. Uprawianie tego rodzaju zajęć po przejściu na emeryturę zastępuje jak gdyby dotychczasową pracę zawodową. Najlepiej, aby zajęcia te były związane z ruchem i z pracą umysłową.

Wyrazem czynnej postawy życiowej jest też lektura książek i czasopism, chodzenie do teatru i kina, słuchanie radia, wreszcie oglądanie telewizji. Człowiek starszy zwykle podziela pod tym względem upodobania młodszych członków rodziny.

Telewizja gra wątpliwą rolę w życiu starszego człowieka oraz w profilaktyce geriatrycznej. Przy telewizorze spędza się zwykle wiele godzin bez ruchu, oglądając programy dość bezmyślnie, „tak jak leci”, drzemiąc w fotelu. Z tego względu telewizja jest najmniej wartościową rozrywką dla ludzi starszego pokolenia.

Utrzymanie kontaktów środowiskowych

Ludzie starsi zaprzestając pracy zawodowej zostają jak gdyby wyłączeni ze swego dotychczasowego środowiska. W to miejsce powinni znaleźć sobie nowe środowisko, w którym będą mogli przejawiać swoją aktywność życiową. Dla niektórych osób tym środowiskiem może być rodzina, zwłaszcza jeśli to jest rodzina liczna. Tam, gdzie żyje w jednym domu wiele pokoleń, dużo dzieci i wnuków, człowiek starszy nie musi szukać żadnego środowiska zastępczego. Niestety, model rodziny wielopokoleniowej należy już do przeszłości. Toteż w większości przypadków ludzie odchodzący na emeryturę czują się osamotnieni, pozbawieni dotychczasowego środowiska zawodowego i muszą sobie stworzyć nowe, zastępcze środowisko.

Doświadczenia ostatnich lat wskazują, że najodpowiedniejsze są środowiska organizowane według wieku i zainteresowań życiowych. Ogromnie cenną rolę mogą odegrać *kluby seniora*, jako miejsce spotkań, wymiany towarzyskiej, życia kulturalnego i aktywności. Znakomitą rolę w organizowaniu życia kulturalnego oraz podtrzymywania aktywności fizycznej i psychicznej ludzi starszych mogą grać świetlice, zespoły zainteresowań, a przede wszystkim Uniwersytety Trzeciego Wieku. Są to związki oświatowe, grupujące ludzi starszych, umożliwiające dokształcanie się i zdobywanie różnych umiejętności, także fizycznych (np. ćwiczenia rekreacyjne, wycieczki itd.). W Polsce istnieje coraz większa sieć Uniwersytetów Trzeciego Wieku, przede wszystkim w miastach akademickich. Ważne jest, aby była to aktywność rzeczywista, obrócona nie tylko na własny użytek, ale także na użytek całego kolektywu. Ludzie starsi powinni być nie tylko użytkownikami tych środowisk, nie tylko powinni chodzić do klubu seniora, ale także starać się aktywnie w klubie pracować. Po prostu należy starać się do końca swoich dni żyć nie tylko na swoją korzyść, ale także na korzyść innych, tzn. nie tylko brać od innych, ale także dawać im coś od siebie. I to jest właśnie ogólna recepta na profilaktykę starzenia.

Szersze omówienie tych zagadnień, związanych z właściwym stylem życia i umiejętnością odnalezienia swojego miejsca w starszym wieku, można znaleźć w popularnej książce „Sztuka starzenia się”, wydanej w 1993 r. przez Polskie Towarzystwo Gerontologiczne. Jest ona dostępna głównie w Uniwersytetach Trzeciego Wieku.

III. CZŁOWIEK STARY JAKO PACJENT

W świadomości większości osób *starość* łączy się z pojęciem trosk, dolegliwości i kalectwa. Tak pesymistyczny pogląd nie jest jednak zgodny z rzeczywistością. Wielu badaczy zajmowało się zagadnieniem sprawności życiowej ludzi starszych. Wyniki tych badań mówią, że jedynie ok. 10% ludzi

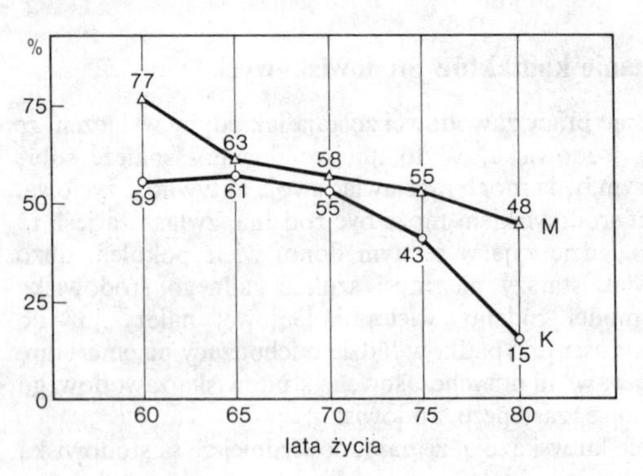

Zdolność do wykonywania cięższych zajęć domowych w zależności od płci i wieku: M – mężczyźni, K – kobiety

starych wykazuje tak znaczne upośledzenie stanu zdrowia, że nie może samodzielnie opuszczać domu. Większość ludzi po 60 r. życia jest zdolna do pracy i samodzielnego życia. Naturalnie wraz z wiekiem wzrasta odsetek osób niesprawnych. Problem ten ilustruje rysunek, który przedstawia procent osób zdolnych do samodzielnego wykonywania cięższych prac domowych (np. pranie, palenie w piecu), w zależności od wieku i płci. Wyniki pochodzą z badań 1000 osób w wieku od 60 do 80 lat w Białymstoku. Zwraca uwagę gorsza sprawność kobiet, co jest szczególnie wyraźne w bardziej zaawansowanej starości.

Dolegliwości trzeciego wieku

Dolegliwości osób starszych mogą być następstwem procesów starzenia, jednak częściej wiążą się przyczynowo z występującymi chorobami. Trudno jest w praktyce rozdzielić dolegliwości związane z wiekiem i starzeniem od dolegliwości spowodowanych chorobą. Wraz z zaawansowaniem wieku zwiększa się częstość i nasilenie wszystkich dolegliwości.

Dolegliwości związane przyczynowo z miażdżycą. Należą tutaj bóle i zawroty głowy oraz szum w głowie, przypominający niekiedy tykanie zegarka lub ruch jakiejś maszyny. Bóle serca, zwłaszcza bóle dławiące za mostkiem w czasie wysiłku fizycznego, będące wynikiem miażdżycy tętnic wieńcowych serca. Miażdżycowy charakter mogą mieć także zaburzenia snu, i to zarówno bezsenność, jak i nadmierna skłonność do zasypiania. Drzemiący przed telewizorem staruszek jest typowym tego przykładem.

Dolegliwości wywołane zniekształceniem stawów. Dolegliwości te częściej występują u kobiet. Są to bóle stawowe, przeważnie stawów biodrowych i kolanowych, ale mogą być też lokalizowane w kręgosłupie lub w drobnych stawach rąk. Stopień zaawansowania tych dolegliwości zależy często od warunków pracy we wcześniejszym okresie życia. Duże zniekształcenia stawów i związane z tym znaczne dolegliwości bólowe mają zwłaszcza osoby, które pracowały fizycznie w wilgoci i zimnie (np. kobiety wiejskie).

Duszność. Ludzie starzy, częściej mężczyźni, mogą odczuwać duszność pojawiającą się przy pracy, przy chodzeniu, a w cięższych przypadkach także w spoczynku. Zadyszka ta jest związana z rozedmą płuc, przewlekłymi nieżytami oskrzeli lub ze zwyrodnieniem mięśnia sercowego i niewydolnością krążenia. Choroby układu oddechowego i układu krążenia są najczęstszą przyczyną inwalidztwa, obłożnej choroby oraz śmierci ludzi starych.

Dolegliwości ze strony przewodu pokarmowego to przede wszystkim zaparcia, które można regulować stosowaniem łagodnych ziołowych środków przeczyszczających.

Trudności w oddawaniu moczu są typową dolegliwością starych mężczyzn, spowodowaną najczęściej przerostem gruczołu krokowego. Choroba ta wymaga leczenia u specjalisty urologa.

Upośledzenie wzroku i słuchu. Ok. 70% osób starych ma upośledzony wzrok i musi posługiwać się okularami. Ok. 40% osób skarży się na u p o ś l e d z e n i e s ł u c h u. Niektórym z nich można by poprawić słuch za pomocą aparatów wzmacniających, jednak ich stosowanie musi być poprzedzone dokładnym badaniem słuchu przez specjalistę laryngologa.

Zaburzenia pamięci są jedną z częstych dolegliwości starszego wieku, a zwłaszcza zaawansowanej starości. Charakteryzują się one n i e p a m i ę c i ą z d a r z e ń n o w y c h, bieżących, z poprzedniego dnia lub ostatnich godzin, przy jednoczesnym „odkrywaniu" dawnych i już zapomnianych wydarzeń. Zaburzenia pamięci mogą być przyczyną nieporozumień z młodszymi osobami, zwłaszcza sprawującymi opiekę nad ludźmi starymi. Czasami zaburzenia pamięci prowadzą do dezorientacji i trudności w rozpoznawaniu znanych miejsc. Takie osoby łatwo mogą zgubić się na ulicy, nawet w pobliżu swojego domu.

Patologia wieku starczego

Dolegliwości starego człowieka są następstwem dość specyficznych zmian w jego organizmie. Na tle powoli postępujących zmian wstecznych, spowodowanych starzeniem, toczą się w jego organizmie różne p r z e w l e k ł e c h o r o b y, w dużym stopniu tzw. choroby ze zużycia, tzn. spowodowane wieloletnią pracą organizmu w niekorzystnych warunkach. Choroby te z reguły prowadzą do nieodwracalnych zmian anatomicznych i trwale zaburzają czynności narządów. Przykładem tych procesów jest m i a ż d ż y c a t ę t n i c, r o z e d m a p ł u c, c h o r o b a z w y r o d n i e n i o w a u k ł a d u k o s t n o - s t a w o w e g o. Jednocześnie stary człowiek jest narażony na różne ostre zakażenia i inne szkodliwości ze strony otaczającego świata, wskutek zmniejszonej obronności organizmu i z trudem utrzymywanej równowagi wewnętrznej (homeostazy). Ta złożona sytuacja sprawia, że objawy i przebieg chorób, leczenie i rokowanie wykazują pewną odmienność w wieku starszym.

Patologię wieku starczego charakteryzuje kilka cech: 1) zmiana zapadalności na poszczególne choroby, 2) wielonarządowość zmian chorobowych, 3) zatarcie charakterystycznych objawów i zmiana dynamiki przebiegu chorób, 4) zmiana oddziaływania na środki farmakologiczne, 5) gorsze rokowanie co do wyleczenia i co do życia.

Zapadalność na choroby w wieku starczym zmienia się. Dominują w tym okresie życia te stany patologiczne, które wiążą się przyczynowo z rozwojem m i a ż d ż y c y, np. zawał serca, udary mózgowe, otępienie starcze. Na drugim miejscu co do częstości występują c h o r o b y z w y r o d n i e n i o w e, dotyczące głównie narządu ruchu i układu płucno-sercowego, na trzecim – c h o r o b y n o w o t w o r o w e. Rzadziej niż w wieku młodym występują choroby o mechanizmie alergicznym oraz związane z odpornością i reaktywnością ustroju, np. choroba reumatyczna, dychawica oskrzelowa, ostre zapalenie kłębuszków nerkowych.

G ł ó w n ą p r z y c z y n ą z g o n ó w ludzi starych są powikłania związane z miażdżycą i nowotworami, z tym że „udział" powikłań miażdżycy wzrasta proporcjonalnie do wieku. Częstą bezpośrednią przyczyną śmierci osób starych są także powikłania zapalne ze strony układu oddechowego. Zgony „ze starości" należą do bardzo rzadkich, a wielu lekarzy uważa, że w istocie nie zdarzają się w ogóle.

Wielonarządowość zmian chorobowych jest charakterystyczną cechą patologii wieku starczego. Człowiek stary zgłasza się do lekarza najczęściej z powodu jednej dominującej dolegliwości, z reguły jednak lekarz stwierdza obok tej dolegliwości wiele innych przewlekłych procesów chorobowych, stanowiących jakby tło, na którym toczy się główna choroba. Lekarz geriatra ma zatem do czynienia nie z pojedynczymi „jednostkami chorobowymi", lecz ze schorowanym człowiekiem, którego organizm osłabiony wskutek przewlekłych zmian wstecznych i chorobowych został dotknięty wieloma procesami chorobowymi. Właściwa ocena znaczenia poszczególnych spraw chorobowych oraz znalezienie odpowiedniego sposobu leczenia tych złożonych procesów wymaga dużego doświadczenia lekarskiego i znajomości patologii geriatrycznej.

Zmiana reaktywności starego organizmu oraz wielonarządowość procesów chorobowych powodują zatarcie charakterystycznych objawów choroby, co stanowi duże trudności rozpoznawcze. Ludzie starzy z reguły słabiej reagują bólem i dlatego często bezbólowo przebiegają u nich ostre stany zapalne w jamie brzusznej lub zawał serca. Słabiej także są wyrażone ogólnoustrojowe reakcje, np. gorączka, wzrost liczby białych krwinek itp.

Objawy ze strony jednego narządu mogą być maskowane przez objawy spowodowane towarzyszącymi chorobami innych narządów. Dynamika przebiegu chorób ulega zwolnieniu. Niektóre ostre choroby, np. zapalenie wyrostka robaczkowego, rozpoczynają się skrycie, bez typowych objawów i pełny obraz choroby rozwija się dopiero w fazie zaawansowania lub nie występuje nigdy. Wiedzie to do trudności diagnostycznych i opóźnienia skutecznego leczenia.

Leczenie ludzi starych ma swoje odrębności. Gorsze wyniki lecznicze są związane nie tylko ze zmniejszoną obronnością organizmu oraz wielonarządowymi zmianami patologicznymi, ale także ze *zmienionym oddziaływaniem na leki*. W wieku starczym na ogół wzrasta wrażliwość na leki, pogarsza się ich metabolizm i wydalanie. Częściej występują objawy niepożądane.

Ogólnie biorąc, ludzie starzy wymagają mniejszych dawek leków oraz muszą być bardzo dokładnie poinformowani o sposobie stosowania leków. Tymczasem w praktyce często można spotykać zjawisko wręcz przeciwne – nadmiernego stosowania wielu leków (*polipragmazja*), bez liczenia się z ich wzajemnym wpływem, tolerancją i działaniem niepożądanym. Ludzie starsi przeważnie lubią się leczyć. Najczęściej mają dolegliwości ze strony różnych narządów, wobec tego leczą się u kilku specjalistów jednocześnie, przeważnie nie informując ich o tym. Otrzymują od nich różne leki, niekiedy przeciwstawne lub sumujące się, co prowadzi do zjawiska nazywanego *interakcją leków*, czyli wzajemnym oddziaływaniem na siebie. Wyniki leczenia pogarszają się i poniesione szkody mogą być większe niż korzyści. Niejednokrotnie odstawienie leków może dać lepsze efekty niż ich zalecenie.

L e c z e n i e f a r m a k o l o g i c z n e ludzi starych powinno być prowadzone bardzo ostrożnie. Chory zawsze musi poinformować lekarza, jakie leki brał dotychczas, jakie środki otrzymuje od innego lekarza. Jest to zasada, której należy bezwzględnie przestrzegać. Szczególnie niebezpieczne jest stosowanie leków na własną rękę albo za poradą niefachowych osób. Lekarstwo może bowiem wywrzeć korzystny skutek tylko wtedy, gdy jest zastosowane we właściwy sposób, we właściwych dawkach i we właściwym przypadku.

Dotychczasowe nadzieje na możliwość zahamowania procesów starzenia za pomocą l e k ó w r e w i t a l i z u j ą c y c h, tj. przywracających żywotność, witalność, są złudne. Istnieje wiele leków, które mogą zmniejszyć dolegliwości wieku starczego, nie ma jednak żadnego środka farmakologicznego, który w sposób istotny wpływałby na przebieg starzenia biologicznego. Jest też mało prawdopodobne, aby w wieloczynnikowym procesie starzenia mógł być zastosowany jeden „cudowny" lek, który zahamowałby ten proces.

W leczeniu dolegliwości starczych oraz w zapobieganiu starczemu zniedołężnieniu bardzo istotną rolę spełniają ć w i c z e n i a r u c h o w e i inne m e t o d y r e h a b i l i t a c y j n e. Powinny one uzupełniać leczenie farmakologiczne, zarówno w czasie obłożnej choroby, jak i w okresie rekonwalescencji.

Rokowanie

Mała odporność starego organizmu, słabe reakcje obronne i przystosowawcze, duża chwiejność środowiska wewnętrznego i trudności w zachowaniu równowagi (homeostazy) powodują wydłużenie okresu rekonwalescencji i większą śmiertelność. Cofanie się procesów chorobowych u ludzi starych przedłuża się, często pozostają trwałe następstwa przebytych chorób.

Każda cięższa, obłożna choroba naraża chorego na groźne, nieraz śmiertelne powikłania ze strony ośrodkowego układu nerwowego oraz ze strony płuc i serca. Wzrasta z wiekiem odsetek chorób kończących się śmiercią. Jest to zjawisko naturalne. Starość jest ostatnim okresem życia i śmierć jest naturalnym kresem starości. Medycyna stara się ją oddalić, ale nie można jej uniknąć. Obawa przed śmiercią jest biologicznie związana z samym życiem. Nie można więc dziwić się, że myśl o śmierci budzi lęk. Nie należy jednak z trwogą przymykać oczu na fakt, że człowiek stary, schorowany, zniszczony życiem, wyczerpał już zapas sił. Trzeba podjąć wszelkie wysiłki, aby zapewnić mu troskliwą opiekę w końcowym okresie życia.

IV. ZADANIA SŁUŻBY ZDROWIA WOBEC LUDZI STARYCH

Rozwój ochrony zdrowia oraz poprawa ogólnych warunków życiowych spowodowały we wszystkich krajach znaczny spadek umieralności oraz przedłużenie życia ludzkiego. W społeczeństwach zwiększył się odsetek ludzi starych, zmienił się przekrój wieku osób zgłaszających się do placówek służby zdrowia. Stopniowo zwiększa się liczba osób starszych leczonych w przychodniach lekarskich i w oddziałach szpitalnych.

Cały personel służby zdrowia, lekarze i pielęgniarki, w coraz większym stopniu stykają się z problemami biologii, patologii, leczenia i pielęgnowania ludzi starych. Każdy lekarz i każda pielęgniarka powinni obecnie posiadać dostateczną znajomość zagadnień geriatrii. Jest to uwzględnione w nauczaniu studenckim i dokształcaniu podyplomowym. Konieczne staje się dostosowanie struktury służby zdrowia do potrzeb chorych w starszym wieku. Zwiększanie się liczby ludzi w wieku emerytalnym oraz przedłużanie się średniej długości życia wpływają też na wzrost zapotrzebowania na różne formy pomocy społecznej dla ludzi starych.

Podstawowa opieka zdrowotna

Starzenie się jest procesem przewlekłym, dlatego też i leczenie chorób wieku podeszłego powinno być prowadzone tak jak leczenie chorób przewlekłych, a więc powinno być długotrwałym leczeniem ambulatoryjnym i domowym. Organizacja lecznictwa powinna być taka, aby zapewnić ludziom starym łatwy dostęp do lekarza, systematyczne i długotrwałe leczenie ambulatoryjne, domową opiekę lekarską i pielęgniarską na wypadek obłożnej choroby. W mieście zadania te spełnia przychodnia rejonowa, a na wsi ośrodek zdrowia.

Człowiek starszy w razie choroby powinien szukać pomocy przede wszystkim u lekarza rejonowego, a po zreformowaniu struktury służby zdrowia u lekarza rodzinnego, który będzie zajmował się opieką nad wszystkimi członkami rodziny. Współpracujące z lekarzem pielęgniarki środowiskowe mogą ułatwić pielęgnację domową obłożnie chorych.

W razie konieczności domowej opieki pielęgniarskiej, za pośrednictwem poradni rejonowej można uzyskać pomoc sióstr PCK. Są to kobiety przyuczone do pracy pielęgnacyjnej w domu obłożnie chorego. Pomagają w toalecie chorego, prześcielają łóżko, opiekują się chorym przez kilka godzin dziennie, osobom samotnym mogą zrobić zakupy oraz sprzątnąć mieszkanie. Usługi te siostry PCK wykonują za niewielką odpłatnością. W przypadku osób źle sytuowanych materialnie są opłacane ze środków samorządu terytorialnego.

Jeżeli przewlekła choroba wpływa na pogorszenie sytuacji materialnej starego człowieka, może on otrzymać pomoc finansową lub pomoc w usługach. Możliwe jest też uzyskanie zniżkowych lub bezpłatnych posiłków, pomocy w zakresie prania i sprzątania, zakupu węgla na zimę itp. Zakres świadczonej pomocy społecznej jest niejednakowy w różnych miejscowościach, ponieważ zależy od kadry i środków finansowych, jakimi dysponują służby opieki społecznej. W tych sprawach należy zwracać się do lokalnego Ośrodka Pomocy Społecznej, który dysponuje fachowym personelem i materialnymi możliwościami udzielenia pomocy.

Opieka specjalistyczna i geriatryczna

Ludzie starzy chorują częściej niż młodzi, choroby ich mają przebieg mniej korzystny, łatwo ulegają powikłaniom. Z tego względu częściej wymagają leczenia specjalistycznego, w zależności od rodzaju choroby. Są wtedy kierowani odpowiednio do poradni kardiologicznej (choroby serca), diabetologicznej (cukrzyca), nefrologicznej (choroby nerek) lub innych poradni specjalistycznych. Wszystkie one mają w zasadzie charakter konsultacyjny, tzn. że chory jest w tych poradniach okresowo kontrolowany, nadal zaś jest leczony przez swojego lekarza rejonowego (domowego, rodzinnego).

Spośród poradni specjalistycznych szczególną rolę pełnią *poradnie geriatryczne*. Zajmują się one leczeniem dolegliwości wieku starczego oraz profilaktyką przedwczesnego starzenia się i niedołęstwa starczego. Do poradni geriatrycznych powinny być kierowane osoby w starszym wieku, u których proces starzenia przebiega szybciej lub powoduje znaczniejsze dolegliwości. *Leczenie geriatryczne* nie jest leczeniem określonej choroby, lecz oddziaływaniem na cały starzejący się organizm. Jest to leczenie wielokierunkowe, łączące leczenie farmakologiczne z leczeniem ruchem, fizykoterapią, leczeniem dietetycznym i innymi pomocniczymi metodami. Zakres działalności poradni geriatrycznych może być różny, zależnie od lokalnych potrzeb, ale w żadnym razie nie mają one na celu wyręczać poradni rejonowych w świadczeniu podstawowej pomocy medycznej ludziom starym.

Opieka domowa

Z leczenia w przychodniach rejonowych, poradniach specjalistycznych lub poradniach geriatrycznych mogą korzystać jedynie ci starsi ludzie, których stan zdrowia pozwala na chodzenie do przychodni. Opiekę lekarską nad obłożnie chorymi w domu sprawuje lekarz rejonowy.

Obłożna choroba trwająca jedynie kilka dni nie powoduje zwykle większych kłopotów. Nawet ludzie samotni mają jakichś sąsiadów lub przyjaciół, którzy zamówią wizytę lekarską, kupią lekarstwa i zorganizują posiłki. Więcej problemów stwarzają obłożnie chorzy przewlekle, przykuci do łóżka na wiele miesięcy, ponieważ muszą mieć zapewnioną ciągłą odpowiednią opiekę domową.

Pielęgnowanie obłożnie chorego przewlekle, zob. Pielęgnowanie chorego w domu, s. 567.

Zakłady opieki społecznej dla przewlekle chorych

Osoby obłożnie chore przewlekle, których stan zdrowia lub warunki socjalne nie pozwalają na zorganizowanie leczenia domowego, mogą zostać umieszczone w zakładzie pomocy społecznej dla przewlekle chorych. Ten typ zakładów pomocy społecznej jest przystosowany do opieki i pielęgnowania osób z nieuleczalnymi przewlekłymi chorobami. Także głęboka starość z objawami otępienia umysłowego lub dużą bezradnością fizyczną może stanowić wskazanie do umieszczenia chorego w zakładzie.

Domy dla przewlekle chorych są w każdym województwie, jednak liczba miejsc w nich jest zbyt mała w stosunku do potrzeb. Dlatego też okres oczekiwania na miejsce wynosi przeważnie kilka miesięcy. Z tego względu starania o umieszczenie chorego w domu opieki muszą być rozpoczęte wcześnie, jeszcze w okresie, gdy chory przebywa w szpitalu lub pozostaje w leczeniu domowym. *Wniosek* o umieszczenie chorego w domu opieki społecznej *wystawia lekarz rejonowy* lub *szpital*. Należy uzyskać też *opinię terenowego pracownika socjalnego*. Odpowiednio umotywowane wnioski składa się w ośrodku pomocy społecznej szczebla gminnego lub wojewódzkiego i tam podejmowane są decyzje o przyznaniu miejsca w zakładzie.

Chory umieszczony w zakładzie dla przewlekle chorych otrzymuje wyżywienie i ubranie, ma zapewnioną opiekę lekarską i pielęgniarską, bierze udział w życiu kulturalnym zakładu. Poziom większości zakładów jest dobry. W ostatnich latach włożono wiele wysiłku w modernizację domów opieki społecznej. Nie ulega wątpliwości, że ciężko przewlekle chorzy, a zwłaszcza osoby znacznie upośledzone fizycznie i psychicznie lub w bardzo zaawansowanej starości, znajdą lepszą opiekę i lepsze warunki życiowe w zakładzie pomocy społecznej niż we własnym domu. Odnosi się to zwłaszcza do osób samotnych lub w ogóle nie wstających z łóżka, których pielęgnowanie w warunkach domowych jest bardzo trudne.

Umieszczenie chorego w zakładzie pomocy społecznej nie zwalnia rodziny i przyjaciół od obowiązku odwiedzania chorego i interesowania się jego losem. Zakłady pomocy społecznej są otwarte, odwiedziny łatwo dostępne i bardzo pożądane. Zakład pomocy społecznej może być azylem dla starego i schorowanego człowieka, ale nie powinien go izolować od rodziny i społeczeństwa.

CHOROBY ZAKAŹNE

Choroby zakaźne jest to grupa chorób wywołanych przez drobnoustroje chorobotwórcze, zwane potocznie zarazkami. W szerszym ujęciu do chorób tych zalicza się również choroby pasożytnicze, zwane inwazyjnymi.

Czynniki biologiczne wywołujące choroby zakaźne, pochodzące głównie ze środowiska zewnętrznego, określa się jako bezwzględnie patogenne. Jeśli natrafią one na organizmy niewrażliwe, nie stwarzające im możliwości rozwoju, do zachorowań nie dochodzi. Zdarza się jednak, że spośród licznej, normalnej flory człowieka, bytującej w jego przewodzie pokarmowym, w drogach oddechowych, na skórze jako komensale lub nawet symbionty, niektóre drobnoustroje stają się w pewnych warunkach pasożytami i działają chorobotwórczo. Nazywa się je wówczas czynnikami względnie lub warunkowo patogennymi.

Jeśli patogenne zarazki przebywają w organizmie nie czyniąc mu wyraźnych szkód (zachowują się jako komensale), organizm taki (osoba) nazywa się nosicielem zarazków. Tak bywa również w tzw. stanach utajonych.

I. EPIDEMIOLOGIA CHORÓB ZAKAŹNYCH

Jest to dział medycyny zajmujący się prawidłowościami pojawiania się i szerzenia chorób zakaźnych. Podstawowe znaczenie ma wiedza o procesach epidemicznych, uwarunkowanych istnieniem trzech wzajemnie ze sobą powiązanych ogniw: 1) źródła zakażenia, 2) drogi przenoszenia zakażenia oraz 3) wrażliwej populacji ludzkiej na zakażenie.

Źródła zakażenia

Ź r ó d ł a m i z a k a ż e n i a mogą być: a) ludzie zakaźnie chorzy i chore zwierzęta (w chorobach odzwierzęcych), b) ludzie i zwierzęta będące nosicielami zarazków, c) czasem zwłoki ludzi lub zwierząt krótko po śmierci.

O k r e s z a r a ź l i w o ś c i jest to czas, w którym zakażenie może być przeniesione na ludzi zdrowych. W różnych chorobach zakaźnych okres ten ma różną długość. Niektóre choroby zakaźne, np. tężec i botulizm, są niezaraźliwe, ponieważ czynnik zakaźny nie jest w nich przekazywany z człowieka na człowieka.

W zjawisku n o s i c i e l s t w a z a r a z k ó w w organizmie wytwarza się stan specyficznej równowagi, rodzaj współżycia bliski komensalizmowi. Zarazki namnażają się, lecz nie działają chorobotwórczo na żywiciela. Wydalane z kałem, moczem, plwociną lub łuszczącą się skórą stanowią jednak zagrożenie dla innych organizmów. Nosicielstwo może być: 1) p o c h o r o b o w e, krótkotrwałe (np. po błonicy) lub długotrwałe (np. stałe po durze brzusznym) oraz 2) w z a k a ż e n i a c h p r z e b i e g a j ą c y c h b e z o b j a w o w o; możliwe jest też zakażenie się od osób w końcowych dniach okresu wylęgania choroby. W w e w n ę t r z n y c h, e n d o g e n n y c h z a k a ż e n i a c h sprawcami zachorowań ludzi są drobnoustroje przebywające w stanie utajonym w ich organizmie. Tak wywoływane są: półpasiec, późne nawroty duru wysypkowego (plamistego), nawroty malarii. Powstaje wtedy możliwość szerzenia zakażenia w otoczeniu. Ze źródeł endogennych mogą również rozwijać się choroby wywołane przez drobnoustroje warunkowo patogenne, zwłaszcza komensale, stanowiące główną część flory normalnej. Przy uszkodzeniach błon śluzowych (np. przez wirusy, niektóre pierwotniaki) może dochodzić do rozwoju zakażeń bakteriami bytującymi w drogach oddechowych lub przewodzie pokarmowym. Także bytujące na skórze niektóre saprofity (gronkowce i paciorkowce) stają się nierzadko patogenne dla żywiciela i następnie przy łuszczeniu skóry z jej zmienionymi częściami, ropą itp. dostają się obficie do otoczenia. Przedostanie się drobnoustrojów z miejsca zwykłego bytowania do krwi i tkanek narządów o odmiennych warunkach środowiskowych powoduje niejednokrotnie ich uzjadliwienie i działanie chorobotwórcze.

Drogi przenoszenia zakażeń

Drogi bezpośrednie

Do grupy dróg bezpośredniego szerzenia się zakażenia należą:

1) b e z p o ś r e d n i a s t y c z n o ś ć z c h o r y m l u b n o s i c i e l e m przy pocałunkach, w czasie stosunków płciowych, podczas pielęgnacji i leczenia chorych;

2) b e z p o ś r e d n i a s t y c z n o ś ć z c h o r y m z w i e r z ę c i e m (np. ukąszenia, zadrapania);

3) droga łożyskowa (wrodzone postacie chorób, np. różyczka, toksoplazmoza) i droga pochwowa (np. zakażenie opryszczkowe);

4) zakażenia własnymi pasożytami (np. jajami owsika przenoszonymi na własnych rękach do ust).

Drogi pośrednie

Do grupy chorób pośredniego szerzenia zakażenia należą:

1) droga powietrzna (wziewna): a) najczęściej kropelkowa, gdy zarazki dostają się do dróg oddechowych wraz z kropelkami wydzielin od chorych podczas kaszlu, kichania, głośnego mówienia; b) rzadziej pyłowa, gdy wraz z pyłem są przenoszone zarazki bardziej oporne na czynniki środowiskowe (np. wirusy ospy wietrznej, gronkowce, jaja niektórych robaków);

2) droga pokarmowa i wodna: a) przez zakażone pokarmy, b) przez zakażoną wodę, przy czym dochodzi czasem do dużych epidemii o szczególnej dynamice (masowość zachorowań w krótkim czasie i zwykle krótkotrwałość);

3) zakażenie poprzez glebę, w której znajdują się zarazki, zwykle w postaci przetrwalnikowej (np. tężca, jaja pasożytów wielokomórkowych);

4) przenoszenie przez stawonogi, głównie owady, ale także przez kleszcze i rzadziej roztocze. Sposób przenoszenia może być: a) bierny, mechaniczny (np. na odnóżach much) lub b) czynny, gdy u przenosiciela dochodzi do namnożenia zarazków (np. riketsji u wszy) albo do przemian będących częścią cyklu rozwojowego (np. sporogonia zarodźców malarii u komarów);

5) przenoszenie przez przedmioty w otoczeniu człowieka (zakażona bielizna osobista, pościelowa, środki toaletowe, książki, zabawki dziecięce, niedostatecznie wyjałowiony sprzęt medyczny i inne). Niekiedy zakażenie może być przenoszone na znaczne odległości, z jednego kraju do drugiego, np. przez importowaną wełnę, skóry itp.

Wrażliwość populacji ludzkiej na zakażenie

Częstość zachorowań na poszczególne choroby jest różna w zależności od stopnia wrażliwości naturalnej, czyli podatności. Na przykład na odrę zachorują prawie wszyscy narażeni (ściślej 97%), jeśli nie nabyli odporności wskutek przebycia choroby lub zaszczepienia szczepionką, natomiast na błonicę zachoruje tylko 20% ludzi narażonych na zakażenie. Tę częstość wyraża się liczbą ułamkową i nazywa się wskaźnikiem podatności – dla odry wynosi on 0,97, a dla błonicy 0,2. Cecha podatności lub niepodatności jest przekazywana dziedzicznie.

Niepodatność może być zupełna, charakterystyczna dla danego gatunku, np. ludzie są zupełnie niewrażliwi na pewne choroby zwierząt i odwrotnie.

Może też mieć charakter względny i zmienny. U osób niepodatnych nie występują zachorowania, lecz mogą zdarzyć się zakażenia bezobjawowe.

Niewrażliwość naturalna zależy od barier i mechanizmów obronnych skóry, błon śluzowych oraz poszczególnych układów i narządów. Należą tu: całość powłok skóry ze złuszczaniem się naskórka, płaszcz tłuszczowy, kwasota soku żołądkowego, fagocytoza, obecność nieswoiście działających na zarazki substancji chemicznych (np. lizozym, interferon) i inne czynniki o charakterze nieswoistym. Wszystkie te mechanizmy i zjawiska określa się razem jako odporność naturalną lub odporność organizmu. W poszczególnych okresach życia niektóre właściwości biologiczne i morfologiczne mogą się różnić, co warunkuje różną zachorowalność na niektóre choroby.

Czynniki obronne o charakterze swoistym. Czynniki te są ukierunkowane na przeciwdziałanie szkodliwej działalności poszczególnych zarazków. Organizm może je uzyskać: a) w sposób bierny (w okresie niemowlęcym przeciwciała z mlekiem matki, później swoiste przeciwciała we wstrzyknięciach surowicy odpornościowej), b) w sposób czynny naturalny (przechorowanie i zakażenie bezobjawowe) albo sztuczny (wytworzenie w organizmie odporności swoistej poprzez szczepionki).

W odpowiedzi na zakażenie i działanie zarazków i ich składników antygenowych, czyli na skutek stymulacji immunologicznej, powstają w organizmie zjawiska o charakterze swoistym: 1) typu humoralnego (wytwarzanie przeciwciał – immunoglobulin) lub 2) typu komórkowego. Zwykle oba typy odpowiedzi występują łącznie, chociaż w różnych zakażeniach ich znaczenie obronne może mieć różną wagę. Odporność komórkowa odgrywa większą rolę w zakażeniach, w których dochodzi do rozwoju zarazków wewnątrz komórek (np. w gruźlicy, brucelozie), a więc w zakażeniach bakteryjnych, wirusowych, a także pierwotniakowych.

Czynniki procesu epidemicznego

W epidemiologii ogromne znaczenie ma wiedza o różnych aspektach życia społecznego, o rozwoju ekonomicznym, demografii, stanie higieny społeczeństwa, o służbie zdrowia. Czynniki te wpływając na poszczególne ogniwa procesu epidemicznego działają hamująco na szerzenie się chorób zakaźnych lub ułatwiają ich rozpowszechnianie. Urbanizacja np. i związane z nią warunki bytowania ludności ułatwiają szerzenie się niektórych zakażeń, zwłaszcza wśród dzieci, natomiast lepsze warunki mieszkaniowe, odpowiedni stan higieny komunalnej (kanalizacja, wodociągi), higieny żywienia przyczyniają się w znacznym stopniu do ograniczenia występowania wielu chorób, głównie szerzących się drogą pokarmową i wodną.

Zasięg chorób zakaźnych może być różny. Zachorowania pojedyncze, odosobnione, nazywa się sporadycznymi. Jeśli choroba utrzymuje się na pewnym obszarze stale, dając podobną liczbę zachorowań, mówi się o endemii. Występowanie znacznie większej niż zwykle liczby zachorowań na pewnym obszarze i w danym czasie określa się epidemią. Jeżeli epidemia szerzy się szybko i ogarnia swym zasięgiem duże obszary kraju, kilka lub więcej krajów – nazywa się ją pandemią.

Środowisko ludzkie lub zwierzęce na pewnym obszarze, na którym utrzymuje się i krąży drobnoustrój stale znajdując ku temu sprzyjające warunki, określa się jako rezerwuar lub zbiornik zarazka. Miejsce, w którym znajduje się jeden lub więcej chorych zakaźnie, wraz z otoczeniem ludzkim i całym bliskim środowiskiem (dom, wieś itp.), nazywa się ogniskiem epidemicznym. Miejsce przeniknięcia zarazka do organizmu nosi nazwę wrót zakażenia. Wiele zarazków może zakażać człowieka tylko przez określone wrota zakażenia. Od umiejscowienia wrót zakażenia może zależeć postać kliniczna wielu zakażeń.

Od momentu zakażenia do wystąpienia pierwszych objawów chorobowych upływa pewien czas, który zwany jest okresem wylęgania, czyli okresem inkubacji. W większości chorób trwa on od kilku dni do kilku tygodni, lecz może być znacznie krótszy lub znacznie dłuższy. W tym czasie następuje namnażanie zarazka i tworzenie chorobotwórczo działających substancji, a ze strony organizmu – zapoczątkowanie uruchamiania mechanizmów obronnych. W dalszym rozwoju zakażenia dochodzi do choroby, której przebieg zależy od działań szkodliwych zarazka i od różnego rodzaju odczynów i mechanizmów obronnych organizmu.

Zwalczanie chorób zakaźnych i zapobieganie im

Sprawne działanie w zwalczaniu chorób zakaźnych polega na: 1) możliwie wczesnym prawidłowym rozpoznaniu choroby, wykryciu źródła lub źródeł zakażenia i unieszkodliwianiu ich, 2) przerwaniu, a gdy to jest niemożliwe – ograniczeniu dróg szerzenia się choroby, 3) ochronie ludzi z otoczenia, a niekiedy większej populacji, przed zachorowaniami.

Unieszkodliwienie źródeł zakażenia to przede wszystkim izolacja chorych (w szpitalu lub innych pomieszczeniach) oraz ich leczenie, które obok innych pozytywnych wyników może skrócić okres zaraźliwości i w ten sposób ograniczyć rozwój procesu epidemicznego. Eliminacja zwierzęcych źródeł zakażeń jest regulowana odpowiednimi przepisami sanitarno-weterynaryjnymi.

Unieszkodliwianie nosicielstwa to rejestracja nosicieli zarazków i epidemiologiczny nad nimi nadzór, badania kontrolne, odsuwanie od pewnych zajęć oraz próby leczenia. W wielu chorobach zakaźnych istnieje przymusowe leczenie szpitalne, w niektórych obowiązkowe leczenie w placówkach lecznictwa otwartego.

Przerywanie dróg szerzenia choroby polega na stosowaniu różnych metod postępowania, w zależności od sposobu przenoszenia poszczególnych zakażeń. W zwalczaniu chorób przenoszonych drogą wodną i pokarmową istotne znaczenie ma dostarczenie czystej lub chlorowanej wody, odkażanie wydalin i ustępów, walka z muchami, przestrzeganie zasad higieny żywienia i higieny osobistej. W ognisku zakażenia (epidemicznym) w celu unieszkodliwienia zarazków przeprowadza się odkażanie bieżące, a po wyzdrowieniu lub przeniesieniu chorych w inne miejsce – końcowe. W walce ze stawonogami będącymi źródłem zakażenia (wszawica, komary) przeprowadza się masowe akcje dezynsekcyjne, a w walce z gryzoniami (szczury) – deratyzacyjne.

Zapobieganie chorobom zakaźnym. Do celów profilaktycznych korzysta się ze zjawiska powstawania odporności swoistej w organizmie w następstwie antygenowego działania zarazków. W celu uodpornienia przeciw wielu już chorobom stosuje się szczepienia ochronne, polegające na wprowadzeniu do organizmu materiałów biologicznych w postaci szczepionek zawierających zabite lub unieczynnione (inaktywowane) zarazki, zarazki żywe, lecz pozbawione zjadliwości (atenuowane) lub też jady tak zmienione, że tracą one jadowitość (toksyczność), a zachowują właściwości antygenowe; z toksyn otrzymuje się w ten sposób anatoksyny. Antygeny szczepionek pobudzają organizm do wytwarzania swoistych przeciwciał bez powodowania odczynów chorobowych lub wywołujących tylko ich postać poronną.

Szczepienia przeciw niektórym chorobom są obowiązkowe i przeprowadza się je według tzw. kalendarza szczepień (zob. Pediatria, Szczepienia ochronne, s. 1153). Do celów ochronnych mogą być też stosowane surowice odpornościowe u ludzi narażonych na zakażenie lub zagrożonych chorobą po zakażeniu. Okres działania ochronnego przeciwciał zawartych w surowicach trwa 12–14 dni. W tych samych celach podaje się również frakcję gamma-globulinową surowicy ludzkiej lub gamma-globulinową hiperimunizowaną, uzyskaną od osób specjalnie szczepionych. W pewnych przypadkach stosuje się tzw. chemioprofilaktykę, np. podawanie w odpowiednio małych dawkach chlorochiny w celu zapobiegania zachorowaniu na malarię.

II. GRUŹLICA

Gruźlica, dawniej nazywana tuberkulozą, jest chorobą zakaźną wywołaną przez prątki gruźlicy, zwane od nazwiska ich odkrywcy prątkami Kocha. Nazwa choroby wywodzi się od charakterystycznych zmian odczynowych na prątki, tzw. gruzełków, tj. guzków wielkości główki szpilki, rozsianych w narządach dotkniętych chorobą. Gruzełki nie są unaczynione (nie dopływa do nich krew) i kiedy osiągną wielkość paru mm obumierają; dochodzi do powstawania miejscowej martwicy typu serowatego.

Prątek gruźlicy

Prątek gruźlicy (*Mycobacterium tuberculosis*) jest bakterią kwasooporną, Gram-dodatnią, rozpoznawaną pod mikroskopem w badaniu bezpośrednim. W celu potwierdzenia żywotności prątków lub w ogóle wykrycia ich w badanym materiale, oprócz badania bezpośredniego pod mikroskopem wykonuje się posiewy badanych materiałów na odpowiednie podłoża. Metoda ta pozwala na wykrycie bardzo niewielu prątków i potwierdzenie ich obecności nawet przy ujemnych badaniach bezpośrednich. Z powodu powolnego wzrostu prątków gruźlicy, czym odróżniają się one m.in. od innych bakterii, na dodatni wynik hodowli czeka się zwykle 6–10, a nawet do 12 tygodni.

Spośród bardzo licznych prątków najbardziej chorobotwórcze dla człowieka są dwa typy i one najczęściej wywołują gruźlicę płuc i innych narządów. Są to prątek ludzki i prątek bydlęcy. Znacznie rzadziej patogenne dla człowieka mogą być prątki: ptasi i tzw. prątki niegruźlicze, dawniej zwane „atypowymi". Charakterystyczną cechą prątków gruźlicy jest ich bardzo duża wytrzymałość na różne czynniki zewnętrzne, co stwarza dodatkowe trudności w zwalczaniu tej choroby. Na przykład w wyschniętej plwocinie mogą żyć kilka miesięcy chronione przez warstwę otaczającego śluzu, na kartkach książek, na ubraniu zachowują żywotność i chorobotwórczość przez kilka dni. Również słabo reagują na silne kwasy, np. pod działaniem 15–30% kwasu siarkowego giną dopiero po kilkudziesięciu minutach. Skutecznie natomiast są niszczone przez promienie słoneczne już w ciągu 5–10 min, a ze środków odkażających przez chloraminę – jej 5% roztwór dodany do spluwaczki z plwociną zakażoną prątkami zabija je w ciągu 4 godz. W warunkach życia rodzinnego, jeżeli osoba prątkująca nie może być przez jakiś czas odosobniona, np. w szpitalu lub sanatorium, najlepszym sposobem niszczenia zakażonej plwociny jest zbieranie jej do papierowych spluwaczek i codzienne palenie.

Gruźlica chorobą społeczną

Gruźlica jest w Polsce traktowana jako choroba społeczna, gdyż nadal jeszcze zachorowalność na nią jest duża. Duża zakaźność, przewlekły zwykle przebieg, długotrwałe i kosztowne leczenie i nieobecność w pracy przez dłuższy okres osób najczęściej w wieku produkcyjnym – stwarzają poważny problem ekonomiczny, powodują straty biologiczne i finansowe.

Walka z gruźlicą wymaga specjalnych rozwiązań organizacyjnych oraz udziału nie tylko lekarzy i innych pracowników służby zdrowia, ale całego społeczeństwa.

Zakażenie a zachorowanie

Zakażenie gruźlicą nie zawsze równa się zachorowaniu. W niekorzystnych warunkach epidemiologicznych wtargnięcie i zagnieżdżenie się zarazka gruźlicy w organizmie może być zjawiskiem dość powszechnym. Zakażenie takie może trwać nawet całe życie i nie oznacza wcale zachorowania na gruźlicę.

Do rozwoju choroby dochodzi wówczas, gdy organizm znajdując się w niekorzystnych dla siebie warunkach nie ma sił biologicznych do obrony przed zachorowaniem. Może to być wynikiem niskoenergetycznego lub nieregularnego odżywiania, niehigienicznego trybu życia, przepracowania fizycznego lub umysłowego, dużych napięć i stresów psychicznych, niedosypiania i braku wypoczynku. Zachorowaniu na gruźlicę sprzyjają również: przewlekły alkoholizm, cukrzyca, pylica płuc, nowotwory, a zwłaszcza AIDS.

Badania Światowej Organizacji Zdrowia wykazały, że obok wyżej wymienionych czynników zachorowalność na gruźlicę zależy od wieku i płci. Największym ryzykiem zagrożeni są mężczyźni w wieku powyżej 45 lat i kobiety w wieku powyżej 65 lat oraz osoby z przebytą przed laty i zaleczoną gruźlicą. Ryzyko zachorowania po zakażeniu dla osób rasy białej sięga do 10%.

Bezobjawowe zakażenie gruźlicą lub też zachorowanie na gruźlicę zależy od wzajemnego stosunku sił obronnych organizmu i sił atakujących organizm. Siły obronne uwarunkowane są odpornością naturalną, wrodzoną lub odpornością swoistą, nabytą, np. po szczepieniu BCG. Siły atakujące organizm zależą od liczby prątków wdychanych, ich zjadliwości i częstotliwości zakażenia. Zakażenie bezobjawowe może być wykryte za pomocą np. próby tuberkulinowej, dającej odczyn dodatni u osoby, u której był on ujemny, lub wyraźne zwiększenie się dotychczasowego odczynu dodatniego.

Dane epidemiologiczne o gruźlicy w Polsce

Dane szacunkowe określają zakażenia prątkiem gruźlicy w Polsce na ok. 35% ludności, co nie jest równoznaczne z zachorowaniem na tę chorobę. O rozpowszechnieniu gruźlicy w Polsce i o postępach w walce z nią mówią dane liczbowe dotyczące zapadalności, chorobowości i umieralności na tę chorobę.

Zapadalność na gruźlicę wszystkich postaci, tj. liczba nowych zachorowań w ciągu danego roku na 100 000 ludności, wynosiła: w 1970 r. – 128,5 (ogółem 42 142 osoby), w 1980 r. – 72,5 (ogółem 25 807 osób), w 1990 r. – 42,3 (ogółem 16 136), w 1992 r. – 43,1 (ogółem 16 551 osób).

Zapadalność na gruźlicę płuc na 100 000 ludności wynosiła: w 1970 r. – 120,9, w 1980 r. – 68,6, w 1990 r. – 40,6 (ogółem 15 484 osoby), w 1992 r. – 41,3 (ogółem 15 843 osoby), w tym 68% stanowili mężczyźni i 32% kobiety.

Zapadalność na gruźlicze zapalenie opon mózgowo-rdzeniowych na 100 000 ludności wynosiła: w 1970 r. – 0,4 (ogółem 135 osób), w 1980 r. – 0,2 (ogółem 54 osoby), w 1990 – 0,07 (ogółem 25 osób), w tym 4 do lat 14, w 1992 r. – 0,09 (34 osoby), w tym 2 do lat 14.

Chorzy prątkujący wśród nowo zarejestrowanych w 1980 r. stanowili 56%, w 1990 r. – 53%, w 1992 r. – 54%.

Chorobowość na gruźlicę czynną wszystkich postaci, tj. liczba chorych na czynną gruźlicę wg stanu na koniec danego roku, na 100 000 ludności, wynosiła: w 1970 r. – 494 (ogółem 161 323 osoby), w 1980 r. – 154,8 (ogółem 55 304), w 1989 – 81,5 (ogółem 30 927 osób), w tym chorych na gruźlicę płuc w 1989 r. było 76,0 (ogółem 28 840 osób).

Umieralność na gruźlicę, tj. liczba zgonów z powodu gruźlicy w ciągu danego roku na 100 000 ludności wynosiła: w 1970 r. – 25,3 (ogółem 8306 osób), w 1980 r. – 8,3 (ogółem 2945 osób), w 1990 r. – 3,5 (ogółem 1349 osób), w 1992 r. – 3,6 (ogółem 1379 osób).

Źródła i drogi zakażenia

Ź r ó d ł a z a k a ż e n i a g r u ź l i c ą. Najczęstszymi źródłami zakażenia człowieka są: chorzy prątkujący, chore zwierzęta, głównie krowy (zakażenie w tym przypadku następuje przez mleko, w którym znajdują się prątki) oraz materiały do badania pobrane od chorych (na zakażenia narażeni są pracownicy laboratoriów bakteriologicznych).

M a t e r i a ł e m z a k a ź n y m jest plwocina chorych na gruźlicę płuc, mocz chorych na gruźlicę narządów moczowo-płciowych, kał chorych na gruźlicę jelit, wydzielina ran i przetok powstających czasem w przebiegu gruźlicy węzłów chłonnych obwodowych, gruźlicy skóry lub gruźlicy kostno-stawowej. „Siewcą" prątków jest często człowiek nieświadomy jeszcze swej choroby i swej zakażalności dla otoczenia, chociaż zdarza się, że niektórzy chorzy świadomie ukrywają chorobę, nie leczą się, biorą czynny udział w życiu społecznym nie dbając o to, że mogą zakazić inne osoby.

Nieświadomość choroby i nieświadome zakażenie otoczenia wynika z podstępnego rozwoju gruźlicy, rozwijającej się zwykle powoli i nie dającej początkowo żadnych dolegliwości. Obecnie większość zachorowań na gruźlicę dotyczy osób starszych, rzadziej kontrolowanych radiologicznie (emerytów), u których początek choroby może być częściej nie zauważony. Ludzie starsi bowiem, a zwłaszcza palący tytoń, cierpią prawie powszechnie na mniejsze lub większe dolegliwości ze strony układu oddechowego, takie jak kaszel, wykrztuszanie flegmy, duszność, i dlatego też objawy te są po prostu lekceważone i nie inspirują do intensywnych badań lekarskich.

Drogi zakażenia. Z a k a ż e n i e k r o p e l k o w e następuje wówczas, gdy chory prątkujący wydala na zewnątrz podczas kaszlu, kichania, plucia, a nawet mówienia, prątki gruźlicy w mikroskopijnej wielkości kropelkach śluzu. Unoszą się one w powietrzu i są wdychane przez osoby znajdujące się w pobliżu. Im bliższy i częstszy jest kontakt z chorym prątkującym, czyli im większa jest liczba atakujących prątków, tym większe jest niebezpieczeństwo zakażenia i zachorowania.

Z a k a ż e n i e p o k a r m o w e następuje przez picie surowego mleka, jedzenie sera, śmietany, masła i innych przetworów uzyskanych z mleka pochodzącego od krów chorych na gruźlicę. Do zakażenia takiego prowadzi również zjadanie resztek pokarmów po chorym prątkującym, a także spożywanie pokarmów przygotowanych przez osoby chore prątkujące.

Zakażenie kontaktowe zagraża pracownikom laboratoriów bakteriologicznych, lekarzom i studentom wykonującym sekcję zwłok zmarłych na czynną gruźlicę, lekarzom weterynarii, dojarkom, oborowym, pracownikom rzeźni.

Zapobieganie gruźlicy

Szczepienia przeciwgruźlicze są podstawową metodą zapobiegania zachorowaniu na gruźlicę. Stosuje się szczepionkę BCG (skrót od nazwy *Bacille Calmette–Guérin*), którą otrzymali francuscy lekarze: bakteriolog Albert Calmette i lekarz weterynarii A. Guérin w 1921 r. W wyniku 13-letniego pasażowania szczepu prątka typu bydlęcego uzyskali oni szczep pozbawiony zjadliwości, czyli chorobotwórczości, który jednocześnie zachował cechy antygenu, co pozwala na wytworzenie przez organizm odporności przeciwgruźliczej. Wskaźnikiem skuteczności szczepienia jest dodatni odczyn tuberkulinowy u osoby szczepionej, czyli tzw. alergia poszczepienna. Alergia poszczepienna, a więc i odporność na zakażenie gruźlicą występuje nie wcześniej niż po 6–12 tygodniach, dlatego należy przez ten okres szczególnie chronić zaszczepione dziecko, gdyż jest ono w tym czasie podatne na zachorowanie.

Szczepienia noworodków szczepionką BCG w niektórych krajach, m.in. i w Polsce, są obowiązkowe i wykonywane u ok. 95% noworodków. Dają one odporność przeciw gruźlicy w ok. 80%, a tym samym znacznie zmniejszają zachorowalność na tę chorobę. W przypadku zachorowania przebieg gruźlicy u osoby zaszczepionej jest znacznie lżejszy niż u osoby nieszczepionej, a ciężkie postacie choroby (np. gruźlica prosówkowa oraz gruźlicze zapalenie mózgu i opon mózgowo-rdzeniowych) u dzieci szczepionych BCG występują nadzwyczaj rzadko.

Utrzymywanie się alergii poszczepiennej, a więc i odporności poszczepiennej u dzieci i młodzieży sprawdza się w odpowiednich okresach życia za pomocą odczynów tuberkulinowych. W przypadkach wygaśnięcia alergii (ujemny odczyn tuberkulinowy) stosuje się tzw. rewakcynację, czyli doszczepienie.

Przestrzeganie zasad higieny, zarówno fizycznej, jak i psychicznej, pozwala na unikanie sytuacji i czynników sprzyjających zakażeniu i zachorowaniu na gruźlicę. Szczególnie ważne jest zachowanie czystości osobistej, czystości mieszkania i ubrania oraz czystości w procesie przygotowania pokarmów i ich spożywania. Równie ważne jest zachowanie ostrożności w kontaktach z chorymi na gruźlicę oraz z materiałem pobieranym od nich do badań (ostrożność personelu służby zdrowia, zwłaszcza pracowników laboratoriów bakteriologicznych). Przed zachorowaniem chroni również regularny wypoczynek, unikanie stresów i przepracowania.

Badania radiofotograficzne i radiologiczne, przeprowadzane systematycznie w określonych odstępach czasu, w pewnych grupach ludności, pozwalają na wczesne wykrywanie gruźlicy u osób, które z punktu widzenia epidemiologicznego mogą być źródłem dalszych zakażeń. Wykrycie gruźlicy we wczesnym stadium pozwala na szybkie odprątkowanie chorych i skuteczne ich wyleczenie. Badaniami radiofotograficznymi są objęci przede wszystkim ludzie pracujący z młodzieżą, pracownicy zakładów gastronomicznych, sklepów spożywczych, pracownicy służby zdrowia oraz inne osoby, które albo same są bardziej narażone na zachorowanie, albo ich ewentualne zachorowanie zagrażałoby innej dużej grupie społecznej.

Chemioterapia, czyli **leczenie lekami przeciwprątkowymi**, pozwala na szybkie odprątkowanie chorych, a tym samym na usuwanie źródeł zakażenia. Leczenie chemiczne gruźlicy za pomocą leków przeciwprątkowych jest praktycznie zdobyczą ostatniego 40-lecia.

Chemioprofilaktyka jest metodą pokrewną chemioterapii. Polega na zapobiegawczym stosowaniu leków przeciwprątkowych w celach ochronnych przed rozwojem zakażenia gruźliczego u osób z ujemnym odczynem tuberkulinowym lub w celu zapobieżenia rozwojowi ewentualnej choroby u osób już zakażonych gruźlicą, z dodatnim pozakaźnym odczynem tuberkulinowym, lecz bez klinicznych objawów choroby. Chemioprofilaktyka powinna być stosowana u osób o zwiększonym ryzyku zachorowania na gruźlicę (osób podwójnie zakażonych – prątkiem gruźlicy i HIV), w szczególności u dzieci.

Rozpoznawanie gruźlicy

W roku 1920 Alfred Sokołowski opisał skryte postacie „suchot płucnych", zwane później *maskami gruźliczymi* Sokołowskiego. Są to odczyny ze strony rozmaitych narządów i układów na zakażenie gruźlicze, objawiające się początkowo różnymi dolegliwościami niezależnie od umiejscowienia zasadniczej zmiany chorobowej. W pierwotnym opisie Sokołowskiego były to maski: „nerwowa, gastryczna, reumatyczna, kataralna, malaryczna". Są one aktualne do dziś.

Gruźlica jest chorobą podstępną i w początkowej fazie daje różne dolegliwości ze strony różnych narządów, co może sugerować rozwój innych chorób. Istnieją jednak pewne *objawy*, które nasuwają przypuszczenie zachorowania na gruźlicę. Są to: ogólne osłabienie, brak sił do pracy i łatwe męczenie się, ustawiczna senność, powolna utrata apetytu, stany podgorączkowe, zwłaszcza w godzinach popołudniowych, nocne poty. Objawy te są często przez chorych lekceważone, jedynie stany podgorączkowe budzą pewien niepokój i skłaniają do zgłoszenia się do lekarza. *Kaszel*, początkowo suchy, a następnie z wykrztuszaniem wydzieliny, *krwioplucie* częściej zmuszają chorego do poddania się badaniom. Zdarza się też, że gruźlica rozwija się bez dolegliwości.

Badanie radiologiczne klatki piersiowej (zdjęcie przeglądowe przednio-tylne i boczne lub również tomograficzne) pozwala dosyć precyzyjnie określić lokalizację, rozległość i charakter zmian płucnych od małych nacieków, przez zmiany zapalne dotyczące całego płata, zmiany rozsiane drobno lub gruboplamiste, do zmian włóknisto-jamistych i marskich oraz zmian opłucnowych. Na podstawie zdjęcia radiologicznego klatki piersiowej można ocenić stan zaawansowania choroby, w przybliżeniu ustalić czas jej trwania (ocenić, czy zmiany są „świeże" czy „stare"), a także możliwości leczenia i rokowanie.

Badanie radiologiczne jest również bardzo pomocne w ustaleniu rozpoznania gruźlicy nerek i pęcherza moczowego, gruźlicy kości, gruźliczego wysiękowego zapalenia opłucnej, a nawet gruźliczego zapalenia osierdzia.

Bronchoskopia lub bronchofiberoskopia jest to wziernikowanie oskrzeli pozwalające na wizualną ocenę gruźliczych zmian oskrzelowych oraz na pobranie wydzieliny oskrzelowej do badania bakteriologicznego umożliwiającego wykrycie prątków gruźlicy.

Potwierdzeniem rozpoznania gruźlicy płuc lub innych narządów jest wykrycie obecności prątków gruźlicy w materiałach pobranych z tych narządów. Materiały te bada się pod mikroskopem, drogą hodowli lub w tzw. próbie biologicznej.

W podejrzeniu gruźlicy płuc i(lub) oskrzeli jest badana plwocina, a jeśli chory nie wykrztusza – popłuczyny oskrzelowe pobrane po podaniu roztworu fizjologicznego soli do tchawicy zakrzywioną strzykawką laryngologiczną lub w czasie bronchoskopii. W gruźlicy płuc prątki można również znaleźć w popłuczynach żołądkowych pobranych sondą z żołądka na czczo.

W podejrzeniu gruźliczego zapalenia opłucnej bada się na obecność prątków płyn uzyskany drogą nakłuć opłucnej. Może być wykonana biopsja igłowa opłucnej oraz badanie bakteriologiczne i histopatologiczne uzyskanego wycinka. W podejrzeniu gruźlicy narządów moczowo-płciowych jest badany mocz (próba biologiczna), a w podejrzeniu rzadko obecnie stwierdzanej gruźlicy jelit – kał chorego.

W podejrzeniu gruźliczego zapalenia opon mózgowo-rdzeniowych jest poddawany badaniu płyn mózgowo-rdzeniowy pobrany drogą punkcji lędźwiowej, a gruźlicy węzłów chłonnych obwodowych – treść (często ropa) lub wycinek powiększonego węzła chłonnego pobrane drogą punkcji lub biopsji.

Różne umiejscowienie gruźlicy

Gruźlica może atakować różne narządy człowieka. Zwykle rozwija się w płucach, na drugim miejscu atakuje układ moczowo-płciowy, a na trzecim kości i stawy, dość często opłucną, oskrzela, skórę, jelita i cały przewód pokarmowy, mózg i opony mózgowo-rdzeniowe, węzły chłonne wewnętrzne i obwodowe, oczy, krtań, śledzionę, wątrobę, nadnercza, osierdzie i szpik kostny. Teoretycznie gruźlica może rozwinąć się w każdym narządzie naszego organizmu. Dość często współistnieje w różnych narządach.

Poza opisanymi wyżej ogólnymi objawami choroby, w gruźlicy określonych narządów występują dolegliwości specyficzne dla tych narządów, np. bóle brzucha i biegunki na przemian z zaparciami w gruźlicy jelit, chrypka w gruźlicy krtani, bóle głowy i ciężkie zaburzenia świadomości w gruźlicy opon mózgowo-rdzeniowych.

Gruźlica płuc

Zakażenie pierwotne prątkiem gruźlicy nie zawsze równa się zachorowaniu.

Gruźlica pierwotna bez uchwytnych zmian narządowych występuje głównie u dzieci. Zmiany, wykrywalne zwykle badaniem radiologicznym, takie jak powiększenie przytchawiczych i przyoskrzelowych węzłów chłonnych oraz minimalne ogniska zapalne głównie w szczytach płuc, mogą początkowo nie być widoczne lub występować dopiero w okresie późniejszym. Wyrazem zakażenia pierwotnego, obok dodatniego odczynu tuberkulinowego, mogą być takie objawy, jak gorączka, przyspieszenie tętna, osłabienie, przyspieszone opadanie krwinek w odczynie Biernackiego (OB).

Gruźlica bez uchwytnych zmian w narządach kryje w sobie niebezpieczeństwo rozsiania i rozwinięcia się w zmiany bardziej rozległe i dlatego powinna być jak najszybciej poddana leczeniu.

Gruźlica pierwotna węzłowo-płucna występuje w formie tzw. zespołu pierwotnego, tj. zmian w węzłach chłonnych tchawiczo-oskrzelowych z towarzyszącym ogniskiem w miąższu płucnym, zwykle na obwodzie płuca lub w formie jedynie powiększonych węzłów chłonnych wnęki. Postać ta występuje częściej u dzieci, rzadziej u dorosłych. Serowate, rozmiękninięte węzły chłonne mogą czasami przebijać się do światła oskrzeli, powodując rozsiew wewnątrzoskrzelowy i gruźlicę oskrzeli, lub rzadziej do światła naczyń krwionośnych powodując gruźlicę prosówkową płuc lub uogólniony proces gruźliczy w całym organizmie, z rozwojem gruźlicy mózgu i opon mózgowo-rdzeniowych. Leczenie gruźlicy węzłowej i węzłowo-płucnej jest takie jak gruźlicy płuc.

Gruźlica prosówkowa ostra. Jest to gruźlica rozsiana drogą krwi, zlokalizowana czasem tylko w płucach, oskrzelach i krtani, ale często dotycząca wszystkich narządów, łącznie z mózgiem i oponami mózgowo-rdzeniowymi. Każda z form gruźlicy prosówkowej objawia się bardzo ciężkim stanem chorego, wysoką gorączką, dusznością, sinicą i ogólnym zatruciem produktami rozpadu prątków. Ze względu na zbyt drobne, radioskopowo często niewidoczne zmiany, gruźlica prosówkowa jest nierozpoznawana przy prześwietleniu płuc, dopiero wykonanie i dokładne obejrzenie zdjęcia klatki piersiowej pozwala wykryć drobnoplamiste rozsiane zmiany w obu płucach. Przy wczesnym zastosowaniu leków choroba jest prawie w 100% wyleczalna. Leczenie lekami przeciwprątkowymi przedłużone do 12 miesięcy.

Gruźlica płuc rozsiana podostra i przewlekła należy do rzadziej występujących i mniej ostrych postaci gruźlicy płuc. Powstaje przez limfo- i krwiopochodne zakażenie, przeważnie po przebiciu serowatych węzłów chłonnych do naczyń.

Gruźlica płuc guzkowa i włóknisto-guzkowa ograniczona. W tej postaci gruźlicy w polu szczytowym lub podobojczykowym płuc występuje kilka lub kilkanaście guzków o charakterze zmian zapalnych świeżych lub zwłókniałych. Te tzw. d r o b n e z m i a n y wymagają leczenia, gdyż nie leczone zagrażają rozwinięciem się ostrej choroby, z ewentualnym przejściem w inną postać, np. gruźlicę naciekową, jamistą lub prosówkową płuc i innych narządów. Około 20% chorych okresowo prątkuje, będąc skrytymi siewcami zakażenia.

Gruźlica płuc naciekowa. Jest to najczęściej rejestrowana postać gruźlicy płuc w Polsce. W obrazie radiologicznym płuc stwierdza się nacieki w formie zacienień plamkowatych pojedynczych lub mnogich, słabo wysyconych, nieostro odgraniczonych od otoczenia, leżących oddzielnie lub zlewających się w większe konglomeraty. Nacieki lokalizują się zwykle w szczytach lub górnych polach płuc oraz w okolicach podobojczykowych. Wielkość zacienień jest bardzo różna – od 0,5 cm do obejmujących całe segmenty, a nawet płaty płucne. Nie leczona gruźlica naciekowa prowadzi do serowacenia, rozmiękania nacieków i rozpadu miąższu płucnego, czyli do powstawania j a m.

Postać naciekowa gruźlicy może stopniowo przejść w postać włóknisto-jamistą przewlekłą. Do postaci naciekowej zalicza się również g u z y s e r o w a t e oraz g r u ź l i c z a k i.

L e c z e n i e gruźlicy naciekowej wcześnie rozpoczęte i prawidłowo prowadzone daje całkowite cofnięcie się zmiany.

Serowate zapalenie płuc występuje stosunkowo rzadko wśród innych postaci gruźlicy. Powstaje na skutek masywnego, odoskrzelowego rozsiewu prątków. W obrazie radiologicznym zacienienie obejmuje zwykle cały, najczęściej górny płat płuca prawego, co odpowiada tzw. p ł a t o w e m u z a p a l e n i u p ł u c. Ze względu na dużą rozległość zmiany, serowate zapalenie płuc jest postacią bardzo ciężką i wymaga szybkiego wkroczenia z pełnym leczeniem przeciwprątkowym.

Gruźlica płuc włóknisto-jamista przewlekła jest zejściem niepomyślnego przebiegu innych postaci gruźlicy, np. przewlekłej gruźlicy rozsianej, gruźlicy guzkowej i włóknisto-guzkowej, naciekowej i serowatego zapalenia płuc. Występują zmiany jamiste z sąsiadującymi obszarami włóknienia oraz z obszarami wtórnej rozedmy. Ta postać gruźlicy jest wyrazem niepomyślnego przebiegu leczenia lub wynikiem naturalnego przebiegu gruźlicy nie leczonej.

R o k o w a n i e jest gorsze niż np. w gruźlicy naciekowej. Mimo możliwości odprątkowania chorych, zmiany w płucach jako „zastarzałe" i zwłókniałe są w dużym stopniu nieodwracalne. Może dochodzić do wtórnego zakażenia innymi drobnoustrojami lub nawet do niewydolności oddechowej, mimo nieczynnego procesu gruźliczego.

Marskość pogruźlicza płuc. Jest to masywny rozrost tkanki łącznej w segmencie, płacie lub w kilku płatach płuc, z częściową lub całkowitą bezpowietrznością rozrośniętego odcinka i z zanikiem elementów miąższu i zrębu płuca. Gruźlica w tej postaci nie jest na ogół gruźlicą czynną, jest natomiast dość niekorzystnym zejściem wielu innych postaci gruźlicy. Powoduje defekt oddechowy w obszarze objętego nią płuca, prowadzi do zniekształceń tchawicy i oskrzeli oraz do powstawania rozstrzeni oskrzeli w tym rejonie.

Gruźlicze zapalenie opłucnej. Choroba współistnieje często (w 75%) z gruźlicą płuc. Zakażenie szerzy się na opłucną przez krwiopochodny rozsiew prątków lub przez ciągłość z ogniska w miąższu płucnym. O b j a w y w odróżnieniu od gruźlicy płuc (poza prosówkową i serowatym zapaleniem płatowym) są na ogół burzliwe. Występuje wysoka gorączka, dość nagłe bóle w klatce piersiowej w czasie kaszlu i głębokiego wdechu, szybkie gromadzenie się płynu surowiczo--włóknikowego w jamie opłucnej prowadzące do narastającej duszności.

L e c z e n i e, poza stosowaniem leków przeciwprątkowych, polega na usuwaniu płynu drogą punkcji opłucnej, aż do całkowitego wysuszenia, odpowiednim ułożeniu chorego i – w odpowiednim okresie choroby – gimnastyce oddechowej.

Gruźlica pozapłucna

Gruźlica pozapłucna m o ż e d o t y c z y ć praktycznie w s z y s t k i c h n a r z ą d ó w organizmu. W Polsce jest najbardziej rozpowszechniona g r u ź l i c a u k ł a d u m o c z o w o - p ł c i o w e g o oraz k o ś c i i s t a w ó w. Często współistnieje z gruźlicą płuc, ale może również rozwinąć się niezależnie. Atakuje najczęściej kręgosłup, staw biodrowy lub kolanowy (zob. Ortopedia, s. 1599. Z kolei najgroźniejsza dla życia jest g r u ź l i c a m ó z g u i o p o n m ó z g o w o - r d z e n i o w y c h (przed erą leków przeciwprątkowych powodowała zgon w 100%).

Gruźlica mózgu i opon mózgowo-rdzeniowych. Jest to postać niezwykle ciężka, niedostatecznie lub zbyt późno leczona prowadzi do śmierci. Atakuje częściej dzieci niż dorosłych i przeważnie jest powikłaniem gruźlicy prosówkowej. Może występować w formie zapalenia opon mózgowo-rdzeniowych lub niekiedy w formie gruźliczaka mózgu albo rdzenia kręgowego. Ta ostatnia forma może być leczona także chirurgicznie (obok intensywnego leczenia przeciwprątkowego).

Gruźlica mózgu i opon mózgowo-rdzeniowych, zwłaszcza nie leczona lub leczona niedostatecznie wcześnie, może dawać nieodwracalne uszkodzenia neurologiczne, psychiczne, charakterologiczne.

W efekcie szeroko stosowanych szczepień ochronnych, skutecznych leków przeciwprątkowych i innych metod zwalczania gruźlicy, nastąpił ogromny spadek liczby zachorowań i zgonów na tę ciężką postać choroby, zwłaszcza wśród dzieci, ale również u młodzieży i dorosłych.

Gruźlica skóry, zob. Choroby skóry, s. 1950.

Leczenie gruźlicy

Niespecyficzne leczenie ogólne jest leczeniem podstawowym w początkowym okresie gruźlicy, zwłaszcza w ciężkiej gruźlicy prosówkowej, serowatym gruźliczym zapaleniu płuc lub w gruźliczym zapaleniu opon mózgowo--rdzeniowych. Polega ono na położeniu chorego do łóżka, zapewnieniu mu całkowitego spokoju oraz, w niektórych przypadkach, na stosowaniu steroidów.

Leczenie przeciwprątkowe jest leczeniem przyczynowym gruźlicy. W każdej nowo wykrytej, otwartej, tj. „prątkującej” gruźlicy stosowane są trzy jego zasady, gwarantujące uzyskanie odpowiedniego efektu leczniczego oraz zapobiegające rozwijaniu się wtórnej oporności prątków przeciw stosowanym lekom.

Leczenie skojarzone jest główną zasadą leczenia gruźlicy, niezależnie od jej postaci i umiejscowienia. W pierwszej fazie leczenia gruźlicy czynnej są jednocześnie podawane trzy lub cztery leki. Pozwala to na szybkie odprątkowanie chorego, czyli zlikwidowanie niewielkiej liczby prątków pierwotnie opornych, żyjących w danej populacji bakterii, oraz na szybkie zabiciej pozostałej, znacznie większej części tej populacji, tj. prątków wrażliwych na leki. Z punktu widzenia epidemiologii i zapadalności na gruźlicę jest to moment docelowy leczenia.

Stosowanie leków zgodnie z wrażliwością prątków określoną bakteriologicznie. Jest to druga istotna zasada leczenia gruźlicy, wymagająca wstępnego badania wrażliwości prątków i okresowych badań późniejszych. W miarę potrzeby, np. przy zmianie tej wrażliwości, stosowane leki mogą być wymieniane.

Dostateczna długotrwałość i regularność leczenia, bez nieuzasadnionych przerw, to trzecia podstawowa zasada leczenia gruźlicy.

W świeżo wykrytej czynnej gruźlicy jest prowadzone leczenie skojarzone, polegające na jednoczesnym stosowaniu: hydrazydu kwasu izonikotynowego (INH), ryfampicyny (RMP) i pirazynamidu (PZA), z ewentualnym dodaniem streptomycyny (SM) lub etambutolu (EMB). Takie intensywne leczenie powinno być prowadzone przez 2 miesiące. Skojarzenie trzech pierwszych leków działa bakteriobójczo, a tym samym daje szansę odprątkowania organizmu. Dalsze leczenie przez 4 miesiące hydrazydem i ryfampicyną pozwala na zakończenie całej kuracji po 6 miesiącach. Jeżeli jednak z jakichś względów nie można stosować jednego lub obu wymienionych leków (INH i RMP), okres leczenia należy przedłużyć zgodnie z decyzją lekarza.

Sposób i długotrwałość leczenia przeciwprątkowego powinny być dostosowywane do postaci gruźlicy, do jej zaawansowania, do stanu chorego oraz do efektywności bakteriologicznej, radiologicznej i klinicznej uzyskiwanej w trakcie leczenia.

Leki przeciwgruźlicze. Grupę leków najbardziej skutecznych w leczeniu gruźlicy stanowią: hydrazyd kwasu izonikotynowego (INH), ryfampicyna (RMP), pirazynamid (PZA) i streptomycyna (SM).

Drugą grupę leków przeciwgruźliczych co do skuteczności stanowią: kapreomycyna (CM lub CAP), kwas para-aminosalicylowy (PAS), cykloseryna (CS), wiomycyna (VM), kanamycyna (KM) i etionamid (ETA). Leki tej grupy są wprowadzane do leczenia w przypadkach stwierdzenia lekooporności prątków na leki główne (pierwszej grupy) lub w przypadkach niemożności ich stosowania z innych przyczyn.

Leczenie klimatyczne, wysokoenergetyczne odżywianie chorych oraz tzw.

leżakowanie jest stosowane i dziś, odgrywa jednak przy stosowaniu leków przeciwprątkowych, zwłaszcza w dalszej fazie leczenia, znacznie mniejszą rolę.

Leczenie odmą opłucną lub brzuszną, tzw. **zapadowe**, w dobie skutecznie działających leków przeciwprątkowych należy praktycznie do przeszłości.

Leczenie chirurgiczne gruźlicy płuc, polegające na resekcji objętych chorobą obszarów (segmentów, płatów, a nawet całego płuca) lub też na stosowaniu torakoplastyki, czyli tzw. odmy chirurgicznej zewnątrzpłucnej, jest obecnie bardzo rzadko stosowane. Znaczenie częściej zabiegi chirurgiczne stosuje się w leczeniu gruźlicy innych narządów, np. w gruźlicy kości i stawów (zob. Ortopedia, s. 1599).

Rokowanie

Rokowanie w gruźlicy, dzięki odkryciu i stosowaniu leków przeciwprątkowych, jest dobre, ponieważ istnieją możliwości całkowitego wyleczenia chorych. Zależy to jednak od stadium choroby. Gruźlica wcześnie wykryta i prawidłowo leczona nie zagraża życiu.

Znacznie gorsze rokowanie jest w gruźlicy zaawansowanej. Chorzy z gruźlicą płuc zaawansowaną, późno wykrytą, mogą być wyleczeni z punktu widzenia bakteriologicznego, czyli mogą być „odprątkowani", ale pozostają w miąższu ich płuc nieodwracalne zmiany anatomiczne i uszkodzenia czynnościowe mogące powodować inwalidztwo oddechowe.

W zasadzie u chorych, którzy zachorowali po raz pierwszy na gruźlicę i byli prawidłowo i dostatecznie długo leczeni przeciwprątkowo, nie powinno być nawrotów choroby. Nawroty zdarzają się u osób leczonych nieprawidłowo. Choroba przechodzi wówczas w stan chroniczny, pojawia się oporność prątków na jeden lub dwa stosowane leki. Efekty leczenia chorych chronicznie, tj. prątkujących dłużej niż 2 lata, są znacznie gorsze niż efekty leczenia w świeżo wykrytej gruźlicy.

Gruźlica u dzieci

Odrębności anatomiczne i fizjologiczne układu oddechowego dziecka, a zwłaszcza niemowlęcia, warunkują inny przebieg zakażenia gruźlicą niż u dorosłych, chociaż podobnie jak u dorosłych 94–96% przypadków gruźlicy dotyczy układu oddechowego. Tylko 4–6% stanowią wszystkie inne, pozapłucne postacie gruźlicy. U dzieci do 10 r. życia obserwuje się prawie wyłącznie gruźlicę pierwotną węzłowo-płucną.

Rodzaje gruźlicy

Gruźlica pierwotna węzłowo-płucna jest to zespół zmian powstających w ciągu 3 tygodni do 12 miesięcy od chwili wtargnięcia prątka gruźlicy do organizmu dziecka. Zagnieżdżenie się prątka w organizmie powoduje wytworzenie się wrażliwości na jad tych bakterii – tuberkulinę. Wrażliwość ta zwana jest alergią tuberkulinową i można ją wykazać za pomocą odczynu tuberkulinowego: naskórnego Moro lub śródskórnego Mantoux. Alergia tuberkulinowa jest w pewnym stopniu związana z odpornością, jest jej wykładnikiem, ale nie pozwala jej dokładnie określić.

Odporność w gruźlicy jest zjawiskiem złożonym i zależy przede wszystkim od odporności komórkowej (zob. Immunopatologia, s. 307); jest również odpornością śródzakaźną, tzn. że osoba, która zetknęła się uprzednio z prątkiem chorobotwórczym lub prątkiem BCG i wytworzyła alergię tuberkulinową, jest mniej podatna na zakażenie gruźlicą.

Konwersja odczynu tuberkulinowego jest to wystąpienie dodatniego odczynu tuberkulinowego u osoby uprzednio mającej odczyn ujemny. Brak reakcji na tuberkulinę określa się jako anergię. W ciężkich postaciach gruźlicy może wystąpić zjawisko anergii ujemnej, tzn. brak reakcji na wstrzyknięcie śródskórne tuberkuliny na skutek załamania odporności organizmu. Niektóre choroby zakaźne wieku dziecięcego, np. odra, ospa wietrzna, różyczka, świnka, mogą powodować anergię przejściową, tzn. wygaszać na 3–6 tygodni dodatni uprzednio odczyn tuberkulinowy.

Przebieg zakażenia gruźliczego u dzieci zależy od dawki zakażającej oraz częstości i masywności zakażeń. Zakażenie gruźlicą jest najbardziej niebezpieczne w okresie niemowlęcym i w okresie dojrzewania płciowego. Do zakażenia dziecka wystarcza nawet bardzo niewielka dawka prątków. Nie każde dziecko zakażone musi zachorować na jawną postać gruźlicy. Zakażenie „udowodnione" za pomocą dodatniego odczynu tuberkulinowego wymaga tzw. chemioprofilaktyki, tzn. leczenia hydrazydem kwasu izonikotynowego (INH) przez minimum 6 miesięcy.

Gruźlica u dziecka przebiega z dużym odczynem wysiękowym, skłonnością do serowacenia (martwica rozpływna typowa dla gruźlicy) oraz szybkiego szerzenia się procesu chorobowego. Zmiany najczęściej lokalizują się w węzłach tchawiczo-śródpiersiowych. Rzadziej powstaje równocześnie ognisko w płucu: ognisko pierwotne, naciek okołownękowy lub zaburzenia wentylacji w postaci rozedmy płatowej lub niedodmy. Po przebiciu się zmienionego gruźliczo węzła do oskrzeli może powstać odoskrzelowy rozsiew.

W większości przypadków choroba przebiega bezobjawowo i rozpoznaje się ją na podstawie przypadkowo wykonanego zdjęcia klatki piersiowej lub świadomej kontroli odczynu tuberkulinowego i badania rentgenowskiego płuc przy podejrzeniu styczności z gruźlicą. Czasami mogą wystąpić takie objawy, jak stany podgorączkowe, osłabienie, nadmierne pocenie się, utrata łaknienia, ubytek na wadze.

Rozpoznanie gruźlicy węzłowo-płucnej powinno być potwierdzone badaniami bakteriologicznymi i bronchoskopią, dlatego jest wskazany krótkotrwały pobyt dziecka w oddziale zamkniętym – w szpitalu lub sanatorium.

Gruźlica pierwotna dziecięca jest gruźlicą skąpoprątkową i zakażenie się dziecka od dziecka jest mało prawdopodobne, jednak każde dziecko z gruźlicą węzłowo-płucną powinno być izolowane od środowiska dzieci zdrowych przez okres pierwszych miesięcy leczenia.

Gruźlica pierwotna u niemowląt i małych dzieci, zwłaszcza z masywnej styczności z chorym dorosłym, może przebiegać bardzo ostro i ciężko pod postacią gruźlicy uogólnionej lub serowatego zapalenia płuc. Jeżeli rozpoznanie nie zostanie ustalone wcześniej, rokowanie może być złe.

Gruźlicze zapalenie opon mózgowo-rdzeniowych i mózgu jest najcięższą postacią gruźlicy dziecięcej. Do czasu wprowadzenia leków przeciwprątkowych była to, obok gruźlicy uogólnionej, choroba dająca 100% śmiertelności. Obecnie wynik leczenia zależy przede wszystkim od okresu choroby, w którym zostanie ustalone rozpoznanie i rozpoczęte leczenie. Leczenie rozpoczęte w drugim tygodniu choroby nie zapobiega nieodwracalnym zmianom w ośrodkowym układzie nerwowym, choć życie dziecka udaje się na ogół uratować. Zapadalność na gruźlicze zapalenie opon mózgowo-rdzeniowych i mózgu u dzieci szczepionych BCG jest niewielka.

Gruźlica węzłów chłonnych obwodowych, układu moczowego i gruźlica kostno-stawowa należą obecnie do rzadko spotykanych postaci gruźlicy pozapłucnej u dzieci.

Leczenie i zapobieganie

Leczenie. Wszystkie przypadki gruźlicy wymagają leczenia. Tak zwane zakażenie gruźlicze bez uchwytnej lokalizacji narządowej powinno być leczone hydrazydem kwasu izonikotynowego (INH) przez 6 miesięcy. Inne postacie gruźlicy wymagają leczenia równoczesnego dwoma lub trzema lekami przeciwprątkowymi (hydrazyd, ryfampicyna, pyrazynamid, streptomycyna, etionamid, rzadko u dzieci etambutol). Leczenie musi trwać 12 miesięcy, w wyjątkowych przypadkach – 18, zależnie od postaci gruźlicy.

Zapobieganie. Najskuteczniejszym sposobem zapobiegania gruźlicy u dzieci jest wczesne wykrywanie gruźlicy u dorosłych i izolowanie chorej osoby ze środowiska. Niezmiernie ważną rolę odgrywa szczepienie przeciwgruźlicze – szczepionka BCG (zob. Pediatria, Szczepienia ochronne, s. 1154). W Polsce jest ono obowiązkowe od 1955 r. Szczepione są wszystkie noworodki, dzieci bez wyraźnej blizny poszczepiennej i z ujemnym odczynem tuberkulinowym w 2 r. życia oraz 6-, 12- i 18-latki. Przyjmuje się, że alergia, a więc i odporność poszczepienna po stosowanej w Polsce szczepionce BCG utrzymuje się 2 – 5 lat.

III. CHOROBY ZAKAŹNE DRÓG ODDECHOWYCH I PŁUC

Choroby te u ludzi są bardzo częste i stanowią poważny problem zdrowotny i społeczny. Szerzą się drogą powietrzną i są wywoływane najczęściej przez wirusy. Wirusy należą do różnych grup i gatunków, a w ich obrębie występują mniej lub bardziej liczne odmiany (typy), zawierające antygeny swoiste dla grupy, gatunku i typu. Powstająca w odpowiedzi immunologicznej odporność jest najczęściej krótkotrwała i ma głównie typowo swoisty charakter. To sprawia, że ludzie chorują na skutek zakażeń nie tylko różnymi gatunkami wirusów, ale także naprzemiennie w wyniku zakażenia różnymi odmianami tego samego gatunku wirusa lub tej samej grupy wirusów. Rozpoznanie etiologiczne (przyczynowe) na podstawie zespołu objawów chorobowych jest często trudne lub niemożliwe w poszczególnych przypadkach, bez specjalnych badań wiruso- i serologicznych, te zaś są dość skomplikowane i kosztowne. Z reguły wykonuje się je w okresach epidemii (np. grypy). Ze względu na przytoczone właściwości wirusów, trudne są do uzyskania szczepionki do celów zapobiegawczych, a wartość ochronna tych szczepionek jest często ograniczona.

Zakażenia bakteryjne występują rzadziej, lecz przebiegają z reguły ciężej. Mogą być wtórne, w następstwie uszkodzeń błon śluzowych przez wirusy, lub też samoistne, pierwotne.

Zmiany zwykle typu nieżytowego mogą ograniczać się do poszczególnych odcinków układu oddechowego lub obejmować większe jego obszary, a nawet cały układ (np. w grypie). Wrota zakażenia dla dużej liczby zarazków stanowią błony śluzowe nosa i gardła. Dobre ich unaczynienie i obfitość tkanki limfatycznej ułatwiają namnażanie zarazków, przedostawanie się do krwi jadów bakteryjnych, bakterii i wirusów.

Ostry nieżyt nosa, czyli **ostre zapalenie błony śluzowej nosa.** Jest to choroba zakaźna o łagodnym przebiegu, wywoływana przez rinowirusy (*Rhinovirus hominis*, 113 typów).

Objawy i przebieg. Po krótkim czasie okres wylęgania (24–48 godz.) występuje przekrwienie i obrzęk błony śluzowej przewodów nosa, pojawia się obfita wydzielina płynna surowicza, potem bardziej śluzowa, w końcu czasem ropna, wydalana do otoczenia przez częste odruchy kichania (z początku wycieka samoistnie). Tym objawom towarzyszą: podrażnienie spojówek, ogólne gorsze samopoczucie, uczucie jakby ogłuszenia. Stan zapalny trwa do 7 dni u ludzi dorosłych i u dzieci od 2 r. życia. Wystąpienie bólów głowy, gorączki i przedłużanie się choroby mogą być oznakami powikłania. U noworodków i niemowląt ostry nieżyt nosa ma przebieg cięższy, połączony z większym utrudnieniem oddychania i ssania.

Rzadziej podobne objawy wywołują inne wirusy (niektóre typy wirusów *Coxsackie*, adenowirusów, paragrypy, wirus RS). Częściej w tych zakażeniach dochodzi do zajęcia także innych odcinków błon śluzowych – zatok przynosowych, gardła, ucha środkowego, a u niemowląt i małych dzieci także krtani i oskrzeli.

W leczeniu stosuje się leki w kroplach zmniejszające ukrwienie i obrzęk błony śluzowej. Utrzymanie drożności przewodów nosowych jest szczególnie ważne u osesków. Ponadto zaleca się przebywanie w łóżku, zwłaszcza dzieciom, oraz podawanie witamin. Do wycierania nosa wskazane są płatki ligniny, mocnej bibułki do jednorazowego użytku, potem palone. Ze względu na wybitną zaraźliwość zalecane jest wstrzymanie się w pierwszych dniach choroby od bliższej styczności z otoczeniem. Przy zagrożeniu powikłaniami bakteryjnymi stosuje się antybiotyki o szerokim zakresie działania. Dotyczy to zwłaszcza zapalenia zatok przynosowych (silny ból głowy, twarzy, wzrost temperatury ciała) i ucha środkowego (ostry ból ucha i głowy, gorączka, ogłuchnięcie), które mogą przechodzić w stan zapalny przewlekły, zaostrzający się przy każdym kolejnym przeziębieniu lub w trakcie innych chorób.

Zapalenia gardła wirusowe. Najczęstszym czynnikiem etiologicznym są adenowirusy (*Adenovirus hominis*), zwłaszcza u dzieci poniżej 5 r. życia.

Objawy. Uczucie drapania w gardle, gorączka, bóle głowy, złe samopoczucie, zmiany nieżytowe gardła (zaczerwienienie i obrzęk), utrudnione połykanie, suchy, niezbyt nasilony kaszel, czasem drobne naloty na grudkach chłonnych gardła. U dzieci dołączają się niewielkie nudności, wymioty, bóle brzucha lub objawy uszne. Choroba trwa zazwyczaj kilka dni.

W zakażeniach wirusem opryszczki (*Herpesvirus hominis*) poza wymienionymi objawami są widoczne białawe nadżerki na błonie śluzowej tylnej ściany gardła i na podniebieniu.

Herpangina jest to zespół objawów wywoływanych przez wirusy z grupy *Coxsackie* A. Zdarza się w porze letnio-jesiennej. W przebiegu choroby oprócz ww. objawów nieżytowych, gorączki, pojawiają się na przednich łukach podniebiennych i migdałkach dość liczne małe pęcherzyki otoczone czerwoną obwódką i przechodzące następnie w nadżerki.

Leczenie zapaleń gardła jest objawowe. Stosuje się witaminy, w okresie ostrych objawów przebywanie w łóżku, płukanie gardła łagodnymi środkami odkażającymi (rumianek, soda oczyszczana).

Ostre zapalenia migdałków bakteryjne. W migdałkach, oprócz zmian głównie nieżytowych jak w zakażeniach wirusowych, często dochodzi do cięższych zmian zapalnych wywoływanych przez bakterie. Zmiany te mogą przebiegać bez wytworzenia nalotów, jednak z reguły po krótkim okresie przekrwienia i obrzmienia migdałków pojawiają się na nich naloty.

Paciorkowcowe zapalenie migdałków jest nazywane anginą. Chorobę tę wywołuje paciorkowiec ropotwórczy z grupy A (*Streptococcus pyogenes*). Angina należy do chorób częstych, występuje w zachorowaniach sporadycznych, mogą też zdarzać się epidemie. Obserwacje epidemiologiczne wykazują, że w ciągu roku choruje na nią 10–30% dzieci i młodzieży w wieku szkolnym. Dość często zdarzają się również zachorowania u dorosłych. Choroba może przebiegać w postaci grudkowej lub zatokowej.

Objawy i przebieg. Początek choroby jest nagły, z dreszczami, wysoką gorączką, bólem gardła nasilającym się przy łykaniu. Język obłożony, na powiększonych i obrzmiałych migdałkach są widoczne szklistoszare grudki limfatyczne lub czopy ropne, albo płaszczyznowe białawożółtawe naloty wychodzące z zatok migdałkowych. Błona śluzowa całego gardła żywo czerwona. Węzły chłonne podżuchwowe są powiększone, bolesne. Samopoczucie chorych jest złe. Choroba utrzymuje się zazwyczaj do 7 dni, czasem dłużej. Jej przebieg może wikłać powstanie ropnia okołomigdałkowego lub rozszerzenie się zmian na otoczenie migdałków (angina ropowicza), co nasila i przedłuża gorączkę oraz powoduje dotkliwy ból i utrudnia otwieranie ust (szczękościsk).

Angina paciorkowcowa, zwłaszcza w razie powtarzania się, może spowodować gorączkę reumatyczną (zapalenie stawów, mięśnia sercowego, wsierdzia z następowymi wadami serca, zob. Choroby reumatyczne, s. 890) lub kłębuszkowe zapalenie nerek. Pozostałością powtarzających się ostrych stanów zapalnych może być przewlekłe zapalenie migdałków.

W leczeniu przyczynowym stosuje się z dobrymi wynikami penicylinę przez 7–10 dni, w razie uczulenia na nią – erytromycynę. Ponadto leżenie w łóżku, salicylany, witaminy. W razie zmian martwiczych z przykrym zapachem jest wskazane płukanie gardła łagodnymi środkami odkażającymi (rumianek, soda oczyszczana).

Znacznie rzadziej ostre zapalenie migdałków, nie różniące się istotnie od paciorkowcowego (zaczerwienienie i przekrwienie gardła są mniej silne), wywołują pneumokoki (skuteczna penicylina) i gronkowce. Przy podejrzeniu o gronkowce stosuje się inne niż penicylina antybiotyki z uwagi na penicylinooporność, np. makrolidy, cefalosporyny.

Angina wrzodziejąco-błoniasta, angina Plauta–Vincenta. Chorobę wywołują dwa współdziałające zarazki: krętek *Treponema Vicentii* i pałeczka wrzecionowata (*Bacillus fusiformis*). Charakterystyczną cechą tej anginy jest powstawanie ognisk zmian martwiczych, z reguły jednostronnych, z owrzodzeniami pokrytymi brudnoszarymi nalotami, ze skłonnością do krwawień. Poza migdałkami podobne owrzodzenia mogą tworzyć się na śluzówce dziąseł i jamy ustnej. Do rozwoju choroby przyczynia się zły stan higieniczny jamy ustnej i uzębienia. Z ust wydobywa się cuchnąca woń. Gorączka jest niska lub jej brak, ogólne samopoczucie dość dobre.

Leczenie polega na płukaniu jamy ustnej i gardła, ewentualnym usunięciu zepsutego uzębienia, podawaniu antybiotyków.

Inne anginy, zob. Płonica (s. 964), Błonica (s. 965), Mononukleoza zakaźna (s. 978).

Ostre zapalenia krtani i tchawicy. Zmiany mogą dotyczyć tylko krtani lub krtani i tchawicy, lecz na ogół są częścią bardziej rozległych zmian w drogach oddechowych. Czynniki wywołujące chorobę są różnorodne, głównie są to wirusy (*Paramyxovirus parainfluenzae*, 4 typy, niektóre typy adenowirusów, w przebiegu odry, grypy), rzadziej bakterie (paciorkowce, niektóre pałeczki, maczugowiec błonicy).

Objawy i przebieg. Choroba zaczyna się z reguły objawami ostrego nieżytu nosogardzieli, gorączką, następnie suchym kaszlem i chrypką. Przy nasilaniu się zmian i rozprzestrzenianiu się ich w dół gardła pojawia się duszność (utrudniony wdech i wydech), głośny, szczekający kaszel oraz świst krtaniowy. Stwierdzenie umiejscowienia i rodzaju zmian (obrzęk, śluz bez lub z domieszką ropy, włóknika) umożliwia specjalistyczne badanie laryngoskopowe, w czasie którego może być pobrany materiał do badań mikrobiologicznych.

Leczenie polega na stosowaniu antybiotyków ogólnie i miejscowo, środków przeciwzapalnych i przeciwobrzękowych, w razie podejrzenia błonicy krtani (krupu) – surowicy przeciwbłoniczej (antytoksyny błoniczej). W ciężkich przypadkach duszności może być konieczne rozcięcie tchawicy (tracheostomia).

Ostre złośliwe zapalenie krtani, tchawicy i **oskrzeli** jest ciężką chorobą, występującą u dzieci do 6 r. życia. W krótkim czasie, obok gorączki i objawów nieżytowych krtani i dalszych odcinków dróg oddechowych, pojawia się duszność wdechowa, przechodząca w nasilającą się coraz bardziej duszność wdechowo-wydechową na skutek wytwarzania się błon rzekomych i wtórnych zakażeń bakteryjnych, co doprowadza do zatykania obfitą wydzieliną światła oskrzeli. Zaburzenia oddychania mogą być powodem powikłań w postaci niedodmy (całkowita lub częściowa bezpowietrzność tkanki płucnej), miejscami rozedmy, zaburzeń krążenia i oznak niedotlenienia mózgu.

Leczenie jak w ostrych zapaleniach krtani i tchawicy. W przypadkach niedomogi oddechowej leczenie szpitalne i stosowanie metod intensywnej terapii, wśród nich nacięcia tchawicy (zabieg często ratujący życie).

Zapalenia oskrzeli i płuc stanowią ważny dział patologii zakaźnej i są wywoływane przez różne czynniki: bakterie, wirusy, mikoplazy, riteksje, a nawet grzyby i pasożyty. Samoistne zapalenia oskrzeli i płuc, zob. Choroby układu oddechowego, s. 695. Zapalenia występujące w przebiegu różnych chorób zakaźnych są omówione przy opisie tych chorób.

Grypa. Tę chorobę zakaźną wywołuje wirus zaliczany do myksowirusów. Z trzech typów szczególne znaczenie ma wirus typu A o dużej zmienności antygenowej, w wyniku czego powstają podtypy, cechujące się także zmiennością prowadzącą do powstawania szczepów. Nowe podtypy pojawiają się co kilkanaście lat i są przyczyną pandemii. Szczepy należące do podtypu są przyczyną epidemii w okresach międzypandemicznych. Wirus typu B powoduje lokalne i ograniczone obszarowo epidemie, wirus typu C – sporadyczne zachorowania lub małe, miejscowe epidemie.

Duża podatność na zachorowania (wskaźnik 0,85), zmienność antygenowa wirusa grypy, niedostateczna odporność (lub jej brak), przenoszenie zakażenia drogą powietrzno-kropelkową oraz krótki okres wylęgania (od kilkunastu godzin do 3 dni, średnio 36 godz.) powodują, że epidemie grypy szerzą się łatwo i szybko. W jednym ośrodku epidemia trwa 2–3 tygodnie, w kraju kilkanaście tygodni. Zachorowania szerzą się szybciej i na większą skalę w mieście niż na wsi. Choroba może się szerzyć bez względu na porę roku, lecz w klimacie umiarkowanym częściej w chłodnej porze.

Objawy i przebieg. Choroba zaczyna się nagle ziębnieniem, rzadziej dreszczami, wzrostem temperatury do 38–39°C, bólami mięśniowymi, łamaniem w kościach, uczuciem ogólnego rozbicia i osłabienia. Występuje też brak łaknienia, ból i zawroty głowy, bóle w klatce piersiowej, duszność, Pojawiają się niekiedy krwawienia z nosa, u dzieci bóle brzucha, czasem nudności, wymioty, a nawet drgawki. Objawy nieżytowe w początkowym okresie są niewielkie (wysięk z nosa, zaczerwienienie i pobolewanie gardła, suchy kaszel), potem są wyraźniejsze. Okres gorączkowy trwa do 5 dni. W przebiegu choroby może już wcześnie rozwinąć się śródmiąższowe grypowe (wywołane tym samym wirusem) zapalenie płuc. Częściej dochodzi do różnych innych powikłań, jak odoskrzelowe zapalenie płuc, zapalenie zatok przynosowych, mięśnia sercowego, a nawet mózgu. Grypa może spowodować również wznowy lub zaostrzenia przewlekłych procesów chorobowych, zwłaszcza u ludzi starszych ze zmianami oskrzelowymi, sercowymi, cukrzycą itp. Dlatego też – choć śmiertelność w grypie niepowikłanej jest niska (poniżej 0,006%) – umieralność ludzi w okresie epidemicznym wyraźnie wzrasta.

Grypa jest nierzadko mylona z chorobami grypopodobnymi, w których wyraźne lub nasilone objawy nieżytowe występują już od początku choroby, a ogólnoustrojowe są słabiej zaznaczone. W rozpoznaniu są przydatne badania laboratoryjne, zwłaszcza wirusologiczne i serologiczne.

Leczenie przyczynowe grypy nie istnieje. Niektóre leki działają wyłącznie zapobiegawczo. Zaleca się leżenie w łóżku co najmniej 4–5 dni, w cięższych przypadkach dłużej. Stosuje się leki działające objawowo (polopiryna, asprocol i in.), gorące płyny, witaminy, zwłaszcza duże ilości witaminy C. Małe dzieci i osoby starsze z chorobami układu krążenia i oddychania, a także osoby z wtórnymi zakażeniami bakteryjnymi muszą być często leczone szpitalnie.

Zapobieganie szerzeniu się epidemii polega na zaleceniu chorym: pozostawania w domu, niestykania się z ludźmi zdrowymi, stosowania, podobnie jak w innych chorobach, zasad higieny osobistej przy kichaniu, kaszlu, mówieniu itp. Mogą być wydawane przez władze specjalne przepisy przeciwepidemiczne. Szczepienia ochronne, na ogół skuteczne, są dobrowolne. Zaleca się je osobom z wysokim ryzykiem oraz grupom szczególnie narażonym (służba zdrowia, komunikacja, transport itp.).

Zakażenia mikoplazmowe. Wywoływane są przez drobnoustroje z grupy *Mycoplasma*, różniące się od bakterii mniejszymi wymiarami (150–250 nm) i bardziej prymitywną budową, od riketsji – wzrostem na pożywkach bezkomórkowych, a od wirusów – posiadaniem obu rodzajów kwasu nukleinowego (DNA i RNA) oraz wrażliwością na antybiotyki.

Mycoplasma pneumoniae wywołuje u człowieka zmiany zapalne w układzie oddechowym: zapalenie oskrzeli, oskrzelików, gardła, a także zapalenie płuc. Choroba występuje w małych lub bardziej nasilonych epidemiach, zwykle w środowiskach rodzinnych, a zwłaszcza w nowo organizowanych zespołach ludzkich, np. wśród rekrutów w koszarach, wśród uczniów w internatach, najczęściej na początku i w końcu zimy. Okres wylęgania 12–14 dni.

Objawy i przebieg. Choroba zaczyna się męczącym, nasilającym się i uporczywym kaszlem, bólami głowy i powoli narastającą gorączką. Mogą wystąpić również zaburzenia żołądkowo-jelitowe i objawy oponowe. U małych dzieci częste są sinica i duszność. Zapalenia płuc cechują, biorąc histopatologicznie, zmiany śródmiąższowe z obfitym wysiękiem do pęcherzyków płucnych, co powoduje, że objawy osłuchowe i opukowe są słabo wyrażone. Charakterystyczną cechą tego zapalenia, zwanego również atypowym zapaleniem płuc, jest powstawanie tzw. zimnych aglutynin (izoaglutynin, zlepiających własne krwinki w niskich temperaturach). Wykrywanie tych aglutynin oraz swoistych przeciwciał ułatwia rozpoznanie.

Mycoplasma fermentans wykazuje względną chorobotwórczość i może wywołać zapalenie cewki moczowej, a także stany zapalne narządu płciowego u kobiet. Inne gatunki mikoplazm są tylko komensalami – oportunistami.

W leczeniu najlepsze wyniki daje wczesne zastosowanie odpowiednich antybiotyków. W przypadkach ciężkiego zapalenia płuc są stosowane kortykosteroidy, tlen w razie duszności i sinicy, w wysokiej gorączce salicylany. Rokowanie na ogół dobre, notuje się jednak zgony w okresie wczesnego niemowlęctwa.

Krztusiec, czyli **koklusz.** Jest to choroba wieku dziecięcego, szczególnie ciężko przebiegająca u niemowląt, wywołana przez pałeczkę *Bordetella pertussis*. Po wprowadzeniu w 1960 r. obowiązku szczepienia ochronnego występuje rzadko, na ogół sporadycznie. Zachorowania szczepionych dzieci cechują się łagodnym, nietypowym przebiegiem i są trudne do odróżnienia od krztuśca rzekomego, choroby o lekkim przebiegu, wywołanego przez *Bordetella parapertussis*. Zakażenie przenosi się drogą kropelkową. Przebycie choroby daje trwałą odporność. Okres wylęgania od kilku do 14 dni.

Objawy i przebieg. W pierwszym okresie występują w drogach oddechowych niecharakterystyczne objawy nieżytowe, którym towarzyszy niewysoka gorączka i niedomaganie ogólne. Kaszel stopniowo nasila się, staje się męczący, zwłaszcza w nocy, zaczynają się trudności z odkrztuszaniem gęstej wydzieliny. Okres pierwszy przechodzi nieostro w okres kaszlu napadowego. Napad kaszlowy zaczyna się głębokim wdechem, po którym następuje szereg krótkich urywanych wydechów wstrząsających całym dzieckiem. Po krótkiej przerwie zjawia się głęboki wdech, w czasie którego powietrze przechodzi z oporem i świstem przez zwężoną i zaciśniętą głośnię. Dźwięk ten przypomina pianie koguta i jest określany jako zanoszenie się. Podobny napad może powtarzać się kilkakrotnie i kończyć odkrztuszaniem małej ilości gęstej i lepkiej plwociny, a często również wymiotami. W ciągu doby występuje od kilku do nawet kilkudziesięciu napadów. Na szczycie wydechu może wystąpić bezdech, utrata przytomności, oddawanie moczu i stolca pod siebie. Dzieci stają się zmęczone i nerwowe, bledną i chudną, twarz jest obrzmiała, z wyborczynami na spojówkach. W napadach łagodniejszych w kilka minut po napadzie dzieci są w stosunkowo dobrym stanie i bawią się. W końcu 4 tygodnia lub później rozpoczyna się długotrwały okres zdrowienia, kaszel łagodnieje, napady występują coraz rzadziej. Charakterystyczną cechą kokluszu jest duża leukocytoza z wysokim odsetkiem limfocytów we krwi.

Najczęstszym powikłaniem jest zapalenie płuc. Może je wywołać pałeczka krztuściowa, lecz znacznie częściej inne bakterie. Powikłania płucne mogą prowadzić do zgonu. Do innych powikłań należą: krwawienia z różnych narządów, przepuklina pępkowa, wypadnięcie kiszki stolcowej, zapalenie ucha środkowego, odmiedniczkowe zapalenie nerek. Najcięższym, choć rzadkim, powikłaniem jest zespół uszkodzenia mózgu, zwany encefalopatią, doprowadzający w ponad 50% do zgonu.

Leczenie chorych, zwłaszcza niemowląt i małych dzieci, a także z powikłaniami powinno być prowadzone w szpitalu, gdzie są możliwe takie metody, jak tlenoterapia, odsysanie wydzielin z dróg oddechowych i odpowiednie odżywianie. Leczenie przyczynowe uzasadnione jest w pierwszych tygodniach choroby, przed rozwinięciem się w pełni napadów kaszlowych. Skuteczne są aminopenicyliny, np. ampicylina. Niezbędna jest właściwa pielęgnacja i odpowiednie karmienie. Należy unikać pokarmów stałych, suchych jako pobudzających do kaszlu. Posiłki powinny być treściwe, częste, płynno-papkowate, w małych porcjach, najlepiej wkrótce po napadach, niezbędne są witaminy i surówki. Szczególne znaczenie ma działane świeżego, czystego powietrza, zainteresowanie dzieci lubianymi przez nie zabawami oraz spokojne zachowanie się rodziców i innych osób z otoczenia.

W zapobieganiu najskuteczniejsze jest szczepienie ochronne, w Polsce obowiązkowe.

IV. CHOROBY ZAKAŹNE UKŁADU POKARMOWEGO

Dur brzuszny, nazywany też tyfusem brzusznym. Chorobę wywołuje pałeczka durowa (*Salmonella typhi*). Źródłem zakażenia jest człowiek chory lub nosiciel zarazków, a przenoszenie zachodzi poprzez zakażoną żywność i wodę. Niekiedy łańcuchy zakażenia są dłuższe, gdy w przenoszeniu zakażenia biorą udział muchy i przedmioty codziennego użytku. Choroba łatwiej szerzy się w złych warunkach sanitarno-higienicznych, w czasie klęsk żywiołowych (np. powodzi), przy złym zaopatrzeniu w wodę pitną, przy zanieczyszczeniu wody ściekami (awarie sieci wodociągowo-kanalizacyjnej). Wskaźnik podatności wynosi 0,45. Zachorowania w Polsce – dawniej częste – obecnie są sporadyczne, choć zdarzają się od czasu do czasu stosunkowo niewielkie epidemie.

Główne zmiany anatomopatologiczne występują w jelicie cienkim. Polegają na obrzmieniu i nacieczeniu elementów tkanki limfatycznej ściany jelita, następnie na powstaniu licznych martwiczych ognisk i tworzeniu się strupów. W końcowym okresie dochodzi do oddzielania się strupów i gojenia przez wytworzenie delikatnych blizn. Z przewodu pokarmowego zarazki przedostają się do krwi (bakteriemia) i mogą umiejscawiać się w różnych narządach. Przy rozpadzie bakterii uwalniają się toksyny i powodują zatrucie organizmu (intoksykacja). Okres wylęgania choroby wynosi 1 – 3 tygodni, zwykle 10 – 14 dni.

Objawy i przebieg. Choroba zaczyna się stopniowym wzrostem temperatury ciała, pobolewaniem brzucha, głowy i ogólnym niedomaganiem. Z końcem tygodnia obraz choroby jest już typowy. Temperatura ciała wzrasta do 39 – 40°C i ma charakter ciągły (małe wahania w ciągu doby). Chory staje się apatyczny, odurzony, bóle głowy nasilają się, apetyt zły, język suchy, obłożony białym, wkrótce brunatnym nalotem. Pojawia się suchy kaszel jako wyraz nieżytu oskrzeli, tętno jest przyspieszone, lecz nieproporcjonalnie niskie do wysokości gorączki. Na skórze brzucha i dolnej części klatki piersiowej pojawia się wysypka w postaci drobnych bladoróżowych plamek, zwykle po 3–5 dniach ustępuje, przy pojawieniu się innych plamek (rzuty wysypki). Brzuch jest wzdęty, ruchy robaczkowe jelit leniwe, ulegają powiększeniu wątroba i śledziona. U 1/3 chorych występuje biegunka, stolce są półpłynne, obfite, cuchnące o „grochówkowatym" wyglądzie. We krwi zmniejsza się liczba granulocytów, a zwiększa się procent limfocytów (leukopenia ze względną limfocytozą). Z końcem trzeciego tygodnia lub później gorączka stopniowo opada i stopniowo ustępują inne objawy.

Dur brzuszny może przebiegać lekko, przy braku niektórych typowych objawów lub z małym ich nasileniem. W „durze ambulatoryjnym" chory może nie przerywać codziennych zajęć. Zdarzają się też ciężkie postacie choroby, z durowym zapaleniem płuc, objawami mózgowymi i psychozą.

U około 1/3 chorych występują nawroty choroby, zwykle w 10–14 dni od spadku gorączki, czasem później. Może ich być więcej niż jeden. Dość częste są różne powikłania. W okresie oczyszczania się owrzodzeń ze strupów może wystąpić groźny dla życia krwotok jelitowy i przedziurawienie jelita prowadzące do uogólnionego zapalenia otrzewnej. Do mniej niebezpiecznych należą: odoskrzelowe zapalenie płuc, zapalenie mięśnia sercowego, pęcherzyka żółciowego, dróg moczowych, zakrzepowe zapalenie żył (zwykle kończyn dolnych).

Rozpoznanie na początku choroby i w lżejszych, nietypowych przypadkach może być trudne lub niemożliwe bez specjalnych badań, do których należą: badania bakteriologiczne próbek krwi, moczu oraz badanie serologiczne w celu wykrycia i oznaczenia poziomu przeciwciał (swoistych aglutynin).

Leczenie i postępowanie. Obowiązkowe jest leczenie szpitalne. Do szpitala kierowani są również chorzy z podejrzeniem duru brzusznego. W leczeniu stosuje się odpowiednie sulfonamidy lub antybiotyki oraz odpowiednią dietę. Ponadto leczenie objawowe, uzupełniające z podawaniem dostatecznej ilości witamin i staranna pielęgnacja. W powikłaniach leczenie zależy od ich rodzaju. W przypadku perforacji jelita jest konieczny zabieg operacyjny. Właściwe leczenie, a zwłaszcza stosowanie antybiotyków, zmniejsza częstość powikłań, łagodzi i skraca przebieg choroby. Śmiertelność z ok. 10% u nie leczonych przyczynowo spadła do poniżej 2% u leczonych.

Zapobieganie. Oprócz izolacji chorych obowiązuje odkażanie w ognisku epidemicznym, obserwacja osób z kontaktu, próba ustalenia źródła i drogi przenoszenia zakażenia. Może być stosowane szczepienie ochronne w razie większych ognisk choroby i dużego zagrożenia (np. w czasie wylewów rzek). Podstawowe znaczenie ma higiena osobista, komunalna, wykrywanie i nadzór nad nosicielami zarazków.

Dury rzekome lub **paradury.** W Polsce występują znacznie rzadziej niż dur brzuszny. Przeważnie zachorowania są wywołane przez *Salmonella paratyphi* B, wyjątkowo przez *S. paratyphi* A. Epidemiologia jest podobna jak w durze brzusznym. Podobne są objawy, a przebieg na ogół łagodniejszy. Rozpoznanie ustala się głównie opierając się na badaniach bakteriologicznych i serologicznych. Postępowanie i leczenie jak w durze brzusznym (zob. wyżej).

Czerwonka bakteryjna. Zachorowania są wywołane przez pałeczki z rodzaju *Shigella*, w Polsce najczęściej *S. sonnei* i *S. flexneri*, rzadziej *S. boydii*, wyjątkowo *S. shigae* (*dysenteriae*). Ta ostatnia wytwarza obok endotoksyny także silnie działającą egzotokosynę. Niegdyś była częstym zarazkiem i wywoływała chorobę o ciężkim przebiegu z wysoką śmiertelnością. Czerwonka występuje sporadycznie, endemicznie i epidemicznie. W Polsce rejestruje się do 10 000 zachorowań rocznie. Źródła zakażenia i sposoby przenoszenia są podobne jak w durze brzusznym (zob. s. 957). Zaraźliwość duża w okresie biegunki, ale istnieje także po chorobie i przeciętnie trwa 14 dni do 3 miesięcy. Przebycie choroby nie powoduje uodpornienia. Zmiany zapalne występują w jelicie grubym, głównie w jego końcowym odcinku. Są to zmiany zapalno-nieżytowe, z obfitą wydzieliną surowiczo-śluzową i śluzową. W cięższych przypadkach, obecnie rzadszych, powstają ogniska martwicze i owrzodzenie pokryte błoniastym nalotem. Okres wylęgania wynosi 1–7 dni, przeciętnie 2–5 dni.

O b j a w y i p r z e b i e g. Choroba zaczyna się nagle dreszczami, wysoką gorączką, bólami kurczowymi brzucha, występuje biegunka z częstymi wypróżnieniami (do kilkudziesięciu na dobę) i dokuczliwymi parciami, także po oddaniu stolca. Stolce początkowo kałowe, papkowate, stają się skąpe, śluzowe, z małą lub obfitą domieszką krwi. Następuje odwodnienie i utrata elektrolitów, chory staje się bardzo słyby, wyczerpany. Przy dużych zaburzeniach wodno-elektrolitowych występują: suchość błon śluzowych, mała elastyczność skóry, bóle mięśniowe, niedomoga krążenia, apatia, senność. Ciężki przebieg choroby, zwłaszcza u niemowląt, a także u starych osób, może być zagrożeniem dla życia. Niekiedy ostra postać czerwonki może przejść w postać przewlekłą; u osób prawidłowo leczonych zdarza się to w ok. 1% przypadków.

R o z p o z n a n i e czerwonki na ogół nie stwarza trudności, chociaż podobny zespół objawów występuje także w innych chorobach, takich jak np. zatrucie pokarmowe, pełzakowica, balantidioza, wrzodziejące zapalenie jelita grubego, rak esicy i odbytu. Pomocne są badania endoskopowe (rektoskopowe) i bakteriologiczne.

L e c z e n i e czerwonki jest obowiązkowe. W cięższych lub zaniedbanych przypadkach leczenie jest szpitalne. Jeśli chory nie wymiotuje, straty wodno-elektrolitowe wyrównuje się drogą doustną. Niekiedy w cięższych przypadkach jest konieczne podanie roztworów wodno-elektrolitowych w dożylnych wlewach kroplowych (w szpitalu). Podawane są odpowiednie sulfonamidy (Biseptol) lub antybiotyki (chloramfenikol, tetracykliny) oraz środki rozkurczowe. Istotne znaczenie ma właściwa dieta. Z a p o b i e g a n i e jak w durze brzusznym (zob. s. 958).

Zatrucia pokarmowe zakaźne. Są to ostre krótkotrwałe choroby, występujące w krótkim czasie po spożyciu pokarmów zawierających drobnoustroje i ich jady. P r z y c z y n y są zróżnicowane, lecz cechy epidemiologiczne i objawy chorobowe podobne, z wyjątkiem zatrucia jadem kiełbasianym. Najczęstszą przyczyną są p a ł e c z k i z grupy *Salmonella* (*S. typhimurium, S. enteritidis, S. dublin, S. cholerae suis*, rzadziej inne. Po spożyciu dużej liczby zarazków uwolniona z rozpadających się zarazków endotoksyna powoduje silne podrażnienie błon śluzowych jelit. Często przyczyną zatruć są też niektóre szczepy gronkowca złocistego (*Staphylococcus aureus*) wytwarzające enterotoksynę – jad odporny na 30-minutowe gotowanie i na enzymy trawienne. Rzadziej zatrucie wywołują inne bakterie (z rodzajów *Shigella, Clostridium*), w tym także warunkowo chorobotwórcze, gdy namnożą się nadmiernie w produktach spożywczych. W zatruciach salmonellozowych mogą być zakażone produkty żywnościowe pochodzące od chorych zwierząt. Większość zatruć wywołują produkty zakażone z zewnątrz – przez ludzi chorych lub nosicieli zarazków, a także przez gryzonie (myszy, szczury). W zatruciach salmonellozowych są to głównie produkty i przetwory mięsne, w gronkowcowych zaś – produkty węglowodanowe i przetwory mleczne (ciastka, kremy, lody). Zachorowania występują sporadycznie, rodzinnie lub masowo w postaci mniejszych lub większych epidemii. Okres wylęgania jest krótki, średnio 2–4 godz. w zatruciach enterotoksyną, w innych 6–8 do 24, rzadziej do 48 godz.

Objawy. Początek choroby jest nagły, często burzliwy wśród różnych objawów, do których należą: bóle brzucha, nudności, wymioty, biegunka, bóle i zawroty głowy, często gorączka, ogólne osłabienie, objawy odwodnienia, w rzadkich ciężkich przypadkach objawy wstrząsu (zob. Patologia, s. 342). Czasem biegunka może być podobna do biegunki w czerwonce, a niekiedy – w cholerze. Objawy te w ciągu paru lub kilku dni cofają się i szybko następuje zdrowienie. Niekiedy w salmonellozowym zatruciu gorączka i inne objawy trwają 7–10 dni – jest to postać durowata. W zatruciach enterotoksyną zwykle początek jest burzliwy, z gwałtownymi, wielokrotnymi wymiotami, bólami w górnej części brzucha, często biegunki brak; przebieg choroby krótkotrwały – 1–2 dni.

Leczenie zatruć pokarmowych jest podobne jak w czerwonce (zob. wyżej). Na początku choroby jest wskazane płukanie żołądka, podawanie węgla leczniczego, a przy silnych wymiotach – środków przeciwwymiotnych. W ciężkim przebiegu jest niezbędne leczenie szpitalne.

V. CHOROBY ZAKAŹNE ZE ZMIANAMI SKÓRNYMI

Opryszczka zwykła. Tę chorobę zakaźną wywołuje wirus *Herpes virus hominis* (2 typy). Objawia się zwykle pęcherzykami na wargach lub w miejscu przejścia warg w skórę twarzy, ale może się też umiejscowić w innych okolicach na pograniczu śluzówki i skóry, np. na skrzydełkach nosa, na spojówkach i rogówce, na śluzówce i skórze zewnętrznych narządów płciowych. Wirusem typu 1 człowiek zaraża się zazwyczaj w wieku dziecięcym, przeważnie od 6 miesiąca do 5 r. życia. Tylko 10–15% zakażeń pierwotnych przebiega jako ostra choroba z gorączką, z opryszczkowym zapaleniem dziąseł i jamy ustnej. Zdarzający się u niemowląt (rzadko) zespół uogólnionej wysypki pęcherzykowej, podobny do ospy, zwany jest wypryskiem opryszczkowym. Opryszczkowe zapalenie sromu, wywołane przez wirus typu 2 u dziewcząt i młodych kobiet w wieku 14–29 lat, może być pierwotne lub nawracające.

Objawy opryszczki są na ogół lekkie. Drobne pęcherzyki na rumieniowo zmienionym podłożu szybko przysychają w strupki, które odpadają do tygodnia od wystąpienia zmian. W zapaleniu jamy ustnej i dziąseł występuje gorączka, ślinotok, a płytkie, powstałe w następstwie pęcherzyków nadżerki goją się zwykle w ciągu 2 tygodni. Nawroty opryszczki występują zazwyczaj w okresach obniżonej ogólnej odporności i w trakcie innych chorób, głównie bakteryjnych.

Przebieg choroby u starszych dzieci i osób dorosłych bywa cięższy. Z reguły występuje wysoka gorączka i inne objawy ogólnoustrojowe. Okres odpadania strupów i gojenia trwa do 3 tygodni. Jeśli nie dojdzie do wtórnych zakażeń bakteryjnych, nie powstają trwałe blizny. Zmiany opryszczkowe narządu rodnego w końcowym okresie ciąży stanowią duże zagrożenie dla noworodków, u których może rozwinąć się ciężka postać uogólnionej choroby z możliwym zapaleniem mózgu. Nawracająca opryszczka tego typu może być jedną z przyczyn raka szyjki macicy.

Leczenia przyczynowego nie ma. Jedynie w zapaleniu rogówki podaje się miejscowo odpowiedni lek przeciwwirusowy w kroplach. W zależności od umiejscowienia zmian stosuje się boraks z gliceryną, fiolet goryczki, rywanol. Antybiotyki bywają stosowane tylko w przypadkach powikłań bakteryjnych (zakażenia gronkowcowe) wyprysku opryszczkowego.

Ospa wietrzna oraz półpasiec. Są to choroby wywołane przez tego samego wirusa – *Virus varicellae-zoster*.

Ospa wietrzna jest chorobą pospolitą (wskaźnik podatności 0,97), pozostawiającą trwałą odporność, wskutek czego chorują na nią głównie dzieci, rzadziej młodzi dorośli. Choroba o bardzo wysokiej zaraźliwości, zaczynającej się na 2–3 dni przed wysypką, jest przenoszona głównie drogą kropelkowa, ale możliwe są też zakażenia przez pył i artykuły świeżo zanieczyszczone zawartością pęcherzyków. Źródłem zakażenia mogą być także chorzy na półpasiec. Okres wylęgania trwa 14–21 dni.

Objawy i przebieg. Po krótkim okresie wstępnym z gorączką, czasem krótkotrwałą wysypką płonicopodobną pojawiają się plamki, przechodzące szybko w grudki, następnie pęcherzyki i czasem w krosty (treść mętna), zasychające w strupy, a po ich odpadnięciu nie pozostają na ogół blizny. Wykwity pojawiają się rzutami, w związku z czym widoczne są równocześnie różne stadia rozwojowe. Zmiany są obfitsze na zakrytych częściach ciała. Mniej liczne są na skórze głowy, błonach śluzowych jamy ustnej i w górnych częściach dróg oddechowych. Przebieg choroby z reguły łagodny, może być cięższy u dorosłych i małych niemowląt. Najciężej choroba przebiega u osób leczonych hormonami i lekami cystostatycznymi (np. w białaczkach), a rozwijająca się wtedy postać krwotoczna może być niebezpieczna dla życia. Powikłania są rzadkie: zapalenie mózgu, nerek oraz wtórne bakteryjne zapalenie skóry.

Półpasiec jest chorobą występującą sporadycznie, głównie u osób dorosłych, rzadziej u starszych dzieci. Cechują go zmiany zapalne skóry unerwionej przez chorobowo zmienione nerwy czuciowe, wychodzące ze zwojów międzykręgowych lub zwojów nerwów czaszkowych. W tych częściach układu nerwowego dochodzi do przetrwania wirusa po ospie wietrznej (zakażenie utajone). Przy spadku odporności w przebiegu ciężkich chorób lub przy styczności z wirusem ospy wietrznej utajone zakażenie może przejść w postać objawową.

Objawy i przebieg. Z początku choroby pojawiają się bóle o charakterze piekącym i rwącym w obrębie segmentu skóry unerwionej przez zmieniony zapalnie nerw, następnie pojawiają się na rumieniowym podłożu wykwity pęcherzykowe o wyglądzie i ewolucji podobnych do wysypki w ospie wietrznej. Zmiany skórne nie przekraczają linii środkowej ciała (stąd nazwa choroby). Rzadkie są przypadki z zajęciem większego obszaru jako wyraz zmian w kilku segmentach. U ludzi starych i osłabionych innymi chorobami, zwłaszcza chorobą nowotworową, może dojść do wysypki uogólnionej. Półpasiec oczny może spowodować owrzodzenie rogówki (groźba utraty wzroku) i zmiany w tęczówce.

Leczenia przyczynowego nie ma. Należy wystrzegać się drapania skóry i chronić przed nim dzieci (ze względu na swędzenie w okresie przysychania pęcherzyków). Leczenie objawowe, utrzymywanie skóry w czystości, witaminy, środki przeciwbólowe, miejscowo okłady i zasypki.

Odra, podobnie jak ospa wietrzna, jest wirusową chorobą zakaźną występującą głównie u dzieci, zwłaszcza w wieku 2 – 5 lat. Podatność jest powszechna (wskaźnik podatności 0,97). W ostatnich latach w Polsce w następstwie szczepień na dużą skalę liczba zachorowań wyraźnie zmniejszyła się. Wirus wywołujący chorobę jest wrażliwy na działanie światła, temperatury i wysychanie, przeżywa dłużej w mikrokropelkach śluzu zawieszonych w powietrzu. Odra należy do ciężkich chorób wieku dziecięcego. Okres wylęgania wynosi 9 – 11 dni.

Objawy i przebieg. Objawy początkowe to wysoka gorączka poprzedzona czasem dreszczami, zaczerwienienie twarzy, przekrwienie oczu, łzawienie i nadwrażliwość na światło, silny nieżyt nosogardzieli, krtani, tchawicy i oskrzeli. Dziecko męczy suchy, uporczywy kaszel. Na 2 – 3 dni przed wysypką na błonie śluzowej policzków naprzeciw zębów trzonowych pojawiają się u ok. 60 – 70% chorych małe, białe, czerwono obrzeżone plamki, zwane plamkami Fiłatowa-Koplika, utrzymujące się 2 – 3 dni. Objaw ten występuje tylko w odrze (jest patognomiczny). W 3 – 4 dniu choroby gorączka obniża się, lecz wkrótce podnosi się, często do poziomu wyższego niż poprzednio i rozpoczyna się okres wysypkowy. Początkowo za płatkami usznymi, na szyi, twarzy, a później, w następnym dniu, na tułowiu i kończynach pojawiają się bladoczerwone grudki i drobne plamki, które szybko powiększają się i ciemnieją, przybierając barwę ciemnoczerwoną. Na szczycie rozwoju wysypka jest obfita, gruboplamista (tablica XXII a), wykwity w wielu miejscach łączą się, jednak widoczne są między nimi części skóry o wyglądzie prawidłowym. Objawy nieżytowe utrzymują się, samopoczucie dziecka jest złe. Na 8–9 dzień choroby gorączka opada, wysypka zaczyna blednąć, objawy kataralne ustępują i chory wchodzi w okres zdrowienia, w czasie którego widoczne są przemijające przebarwienia i otrąbiaste łuszczenie skóry.

Powikłania odry są częste. Może wystąpić: 1) zapalenie płuc pierwotne, wywołane wirusem odry, i wtórne, bakteryjne, 2) zapalenie ucha środkowego, 3) ostre zapalenie krtani (dławiec rzekomy). Zdarzają się powikłania ze strony układu nerwowego, w tym rzadko (w ok. 0,1%) ciężkie zapalenie mózgu. Za odległe następstwo przebytej odry uznaje się podostre, twardniejące zapalenie mózgu, zwykle w 4–10 lat po chorobie.

Leczenie tylko objawowe. Podaje się leki przeciwgorączkowe i łagodzące inne objawy. Chory wymaga starannej pielęgnacji. W łóżku powinien pozostawać w czasie gorączki i tydzień po jej opadnięciu. W razie poważniejszych powikłań konieczne może być umieszczenie dziecka w szpitalu.

Zapobieganie polega na stosowaniu szczepień ochronnych. Szczepionka zawiera żywy, osłabiony wirus i jest podawana jednorazowo we wstrzyknięciu. U około 10–15% szczepionych występuje krótkotrwały odczyn gorączkowy, niekiedy z objawami nieżytowymi, a nawet poronną wysypką.

Różyczka. Jest to częsta wirusowa choroba zakaźna (wskaźnik podatności 0,6) o dużej zaraźliwości, chociaż mniejszej niż w odrze, na co wskazują zachorowania dzieci starszych i młodzieży. Powyżej 20 r. życia choruje ok. 2% młodych ludzi. Zaraźliwość występuje na kilka dni przed wysypką i trwa ok. 4 dni od początku wysypki. Zakażenie przenosi się drogą powietrzno-kropelkową. Okres wylęgania dość długi – 14–21 dni, średnio 16–18.

Objawy i przebieg. Choroba ma przebieg łagodny. Po 1–2 dniach niewielkich, łatwych do przeoczenia objawów nieżytowych z gorszym samopoczuciem pojawia się wysypka rozwijająca się w pełni w ciągu doby. Może przybierać różny wygląd, może przypominać raczej wysypkę odrową, w innych przypadkach – płoniczą, na twarzy jest bardziej podobna do odrowej, na kończynach raczej do płoniczej (tablica XXII f). Plamki różowoczerwonawe wykazują małą tendencję do zlewania się, choć zdarza się to czasem na twarzy. Wysypka jest krótkotrwała, utrzymuje się 2–3 dni, nie pozostawia przebarwień. Punkcikowata wysypka może czasem pojawić się na podniebieniu. Objawem typowym jest wyraźne powiększenie węzłów chłonnych za uszami i w okolicy podpotylicznej, ustępujące do 2 tygodni. Gorączka z reguły jest niska i krótkotrwała, choć może zdarzyć się także i wysoka. Do rzadko zdarzających się powikłań należy przemijające zapalenie stawów, skaza krwotoczna małopłytkowa i wyjątkowo (1 na 6000) zapalenie mózgu.

Poważną sprawą jest różyczka u kobiet w ciąży, zwłaszcza w pierwszych 3 miesiącach, gdyż może prowadzić do wewnątrzmacicznego uogólnionego zakażenia płodu, poronień, martwych urodzeń i wad rozwojowych u noworodków. Wady są zwykle mnogie i ciężkie: wady serca, zaćma, małoocze, głuchota, rozszczep warg i podniebienia i in. Urodzeniowa masa ciała dzieci z wrodzoną różyczką jest niska.

Leczenia choroba właściwie nie wymaga. Zaleca się izolację domową przez 4 dni od wystąpienia wysypki. W celach zapobiegawczych stosuje się w wielu krajach szczepionki z żywych atenuowanych, tj. osłabionych wirusów. Szczególnie godne zalecenia jest szczepienie dziewcząt zbliżających się do okresu pokwitania. Celowe jest też narażenie dziewcząt w tym wieku na zakażenie.

Płonica. Chorobę, zwaną także szkarlatyną, wywołują niektóre typy paciorkowca *Streptococcus pyogenes*, wytwarzające toksynę erytrogenną, tj. uszkadzającą krwinki czerwone. Toksyna ta, u ludzi na nią wrażliwych, powoduje ogólne zatrucie i zmiany wysypkowe skóry. Powstająca w wyniku choroby odporność jest typu antytoksycznego. Wskaźnik podatności ok. 0,5. Zakażenie przenosi się drogą powietrzną przy bliskim kontakcie z chorym na płonicę, ale także z chorym na anginę, jeśli jest on niepodatny lub posiada nabytą odporność antytoksyczną. Możliwe jest też zakażenie przyranne (szczególnie w oparzeniach) – jest to tzw. płonica przyranna. Na płonicę chorują przede wszystkim dzieci w wieku 2–14 lat. Okres wylęgania trwa 4–7 dni.

Objawy i przebieg. Początek choroby jest nagły z szybkim wzrostem temperatury do 39–40°C, często wymiotami, niezbyt silnym bólem gardła. Rzadziej występują bóle brzucha, głowy, biegunka. Już w pierwszej dobie, zwykle po 10–12 godz., mniej często na początku drugiej doby, pojawia się charakterystyczna wysypka (tablica XXII b), złożona z drobnych punkcikowatych żywoczerwonych plamek na podłożu lekko zaczerwienionej skóry. Wysypka jest najobfitsza na dolnych częściach brzucha, pośladkach, a zwłaszcza w zgięciach stawowych. Twarz jest żywoczerwona, lecz bez wyraźnych plamek. Zaczerwienienie twarzy wyraźnie kontrastuje z bladością okolic ust, tj. w tzw. trójkącie Fiłatowa. Wysypka w lżejszych przypadkach może być słabo wyrażona i łatwo o jej przeoczenie. W gardle jest widoczne intensywne, rozlane zaczerwienienie i obrzmienie migdałków, jednak rzadko występują naloty. W płonicy przyrannej w okolicy wrót zakażenia występuje mniej lub bardziej rozległy intensywny rumień, poza tym wysypka ma cechy najczęściej typowe, anginy może nie być. Język w płonicy jest obłożony. Od czwartego dnia oczyszcza się z nalotu, obnażając silnie zaczerwienioną powierzchnię z powiększonymi brodawkami (wygląd „języka malinowego"). Następstwem zmian skórnych jest łuszczenie skóry, najpierw otrębiaste na twarzy i tułowiu, potem w 3–4 tygodniu płatowate na dłoniach i stopach. Obok zwykłych, typowych przebiegów i lekkich, może się zdarzyć ciężka, toksyczna postać płonicy z bardzo wysoką gorączką (40–41°C), wielokrotnymi wymiotami, zaburzeniami świadomości, wysypką krwotoczną, uszkodzeniem mięśnia sercowego i niedomogą krążenia.

Powikłania w płonicy mogą być: 1) nieropne, jak przemijający odczyn zapalny stawowy (reumatoid), zapalenie węzłów chłonnych szyi lub 2) ropne – zapalenie ucha środkowego, zatok przynosowych, a w tzw. septycznej postaci ogniska przerzutowe w różnych narządach. Z płonicą wiążą się jako jej następstwa również dwie choroby, zwane też późnymi powikłaniami płonicy, występujące w 2–5 tygodni po chorobie. Są to gorączka reumatyczna i kłębuszkowe zapalenie nerek.

Przyjmuje się, że powstają u niektórych ludzi w wyniku reakcji immunologicznych po zakażeniach paciorkowcowych (płonica, angina i in.), a chorobę nerek wiąże się z tzw. nefrogennymi typami zarazka.

L e c z e n i e i p o s t ę p o w a n i e. Od 1963 r. w Polsce nie obowiązuje leczenie szpitalne. Obowiązkowe jest jednak leczenie w otwartej służbie zdrowia. Stosuje się penicylinę przez co najmniej 7 dni, a w razie uczulenia na nią – inne antybiotyki. W razie ciężkiego przebiegu choroby i poważniejszych powikłań chorzy są umieszczani w szpitalu. Po ostrym okresie choroby jest konieczny dalszy nadzór lekarski, badanie m.in. moczu, wykonanie elektrokardiogramu z uwagi na możliwość późniejszych powikłań.

W z a p o b i e g a n i u ma znaczenie wczesne rozpoznanie i szybkie wdrożenie leczenia oraz izolacja chorego przez co najmniej 7 dni od rozpoczęcia leczenia. Szczepionek skutecznych dotychczas nie ma.

Róża jest ostrym stanem zapalnym skóry spowodowanym przez paciorkowce. Choroba częsta, występuje w każdym wieku. Zmiany umiejscawiają się najczęściej na twarzy (mikrourazy) i na podudziach (czynnikiem usposabiającym są żylaki). Okres wylęgania jest krótki, wynosi 1 – 3 dni.

O b j a w y. Początek choroby jest ostry z dreszczami, gorączką, u dzieci z wymiotami. Intensywne zaczerwienienie w sąsiedztwie wrót zakażenia szerzy się szybko i ogarnia znaczną powierzchnię. Na obwodzie rumienia występuje wałowate obrzmienie i ostre odgraniczenie od skóry zdrowej. W cięższych przypadkach występują pęcherze z płynem surowiczym (r ó ż a p ę c h e r z o w a). U ludzi starych i wyniszczonych mogą wytworzyć się zmiany martwicze. W części przypadków występują powikłania – przenoszenie zmian wzdłuż naczyń chłonnych skóry z miejsca na miejsce (r ó ż a w ę d r u j ą c a), zropienie (r ó ż a r o p o w i c z a), zakrzepowe zapalenie żył, może także dojść do uogólnienia zakażenia (p o s o c z n i c a). Przebyta róża nie daje odporności i częste na nią zachorowania u tych samych osób nie należą do wyjątków.

L e c z e n i e przyczynowe antybiotykami skraca czas choroby i zmniejsza liczbę powikłań. Miejscowo stosuje się odpowiednie okłady, w razie zropienia nacięcia itp.

VI. CHOROBY WYWOŁANE PRZEZ BAKTERIE WYTWARZAJĄCE EGZOTOKSYNY

Błonica. Chorobę, zwaną też d y f t e r y t e m, wywołuje maczugowiec błonicy (*Corynebacterium diphteriae*). Pewne szczepy tych pałeczek, często ze zgrubieniem na biegunach, wytwarzają jad, t o k s y n ę b ł o n i c z ą, główny czynnik chorobotwórczy, i mogą być w badaniach laboratoryjnych odróżnione od szczepów nietoksycznych. Od czasu wprowadzenia w Polsce szczepienia obowiązkowego choroba występuje wyjątkowo. Zdarzają się jedynie sporadyczne zachorowania, jakkolwiek ciągle istnieje możliwość pojawienia się ognisk w następstwie zaniedbań w przeprowadzaniu szczepień lub nieszczepienia przy przeciwwskazaniach. Podatność na zachorowania stosunkowo niska (wskaźnik 0,2). Choroba przenosi się głównie drogą kropelkową, chociaż są możliwe zakażenia przyranne. Źródłem zakażenia jest chory człowiek lub nosiciel zarazków. Okres wylęgania wynosi zwykle 2–6 dni, u szczepionych może być dłuższy. Zależnie od umiejscowienia zmian martwiczo-zapalnych w okolicach wrót zakażenia rozwijają się różne postacie choroby.

B ł o n i c a g a r d ł a jest postacią najczęstszą. Cechuje ją umiarkowana gorączka, bladość twarzy, niezbyt duże bóle gardła, utrudnione połykanie, mowa „kluskowata", obrzmienie węzłów chłonnych podżuchwowych i tworzenie się nalotów w gardle. Te ostatnie pojawiają się na obrzmiałych migdałkach, początkowo niewielkie, punktowate, czasem z jednej, częściej z obu stron, powiększają się i łączą w jednolitą błonę rzekomą o barwie białawoszarej, często przechodzącą na najbliższe otoczenie migdałków. Błoniaste naloty są mocno związane z podłożem. Wokół nalotów widać rąbek przekrwienia i zaczerwienienia, reszta gardła z reguły nie jest zmieniona, stosunkowo blada.

W ciężkim przebiegu błonicy naloty w gardle są rozległe, o wyglądzie krwistobrunatnych. Towarzyszące powiększenie węzłów chłonnych i obrzmienie otaczającej je tkanki, zwykle umiarkowane, są wybitnie duże, powstaje szczególny wygląd szyi, stąd określenia „s z y j a p r o k o n s u l a" lub „s z y j a N e r o n a". W tej ciężkiej postaci dochodzi do dużego, ogólnego zatrucia organizmu (intoksykacji) – tętno jest bardzo szybkie, miękkie, występują zaburzenia czynności serca na skutek zmian martwiczo-zapalnych mięśnia sercowego i cięższe, rozleglejsze niż zwykle porażenia mięśni. Ciężkie uszkodzenia mięśnia sercowego, zwłaszcza jego układu przewodzącego są zagrożeniem dla życia i stanowią najczęstszą przyczynę zgonów w błonicy. Uszkodzenia obwodowych nerwów ruchowych prowadzą do porażeń.

Z d r o w i e n i e jest długotrwałe i powolne, lecz wszystkie zmiany narządowe, w tym sercowe i porażenia, cofają się i następuje zupełny powrót do zdrowia.

B ł o n i c a k r t a n i, zwana także k r u p e m, występuje rzadziej, zwykle w pierwszych latach życia. Doprowadza do zwężenia szpary głośni na skutek obrzęku i pokrycia nalotami strun głosowych i rzekomych. Pojawia się stale nasilająca się duszność, głośny, szczekający kaszel i stale narastająca chrypka, przechodząca w końcowym stadium w bezgłos. Przy braku odpowiedniej pomocy dochodzi do uduszenia. Przy zdarzającym się równoczesnym zajęciu gardła dołączają się objawy ogólnego zatrucia organizmu.

B ł o n i c a n o s a jest lekką postacią choroby, bez objawów zatrucia. Zmiany błony śluzowej nosa, często jednostronne, są niewielkie, towarzyszy im wyciek śluzowo-krwisty, czasem ropno-krwisty, nadżerki nozdrzy, wargi górnej. Choroba może się przewlekać, co ma znaczenie epidemiologiczne.

B ł o n i c a s p o j ó w e k o k a lub s k ó r y zdarza się wyjątkowo.

L e c z e n i e i p o s t ę p o w a n i e. Przy podejrzeniu błonicy konieczne jest szybkie wezwanie lekarza, gdyż od wczesnego rozpoznania i rozpoczęcia leczenia zależy w dużym stopniu wynik leczenia i życie chorego. Swoiste leczenie polega na wstrzyknięciu odpowiednio dużej dawki (w zależności od ciężkości i dnia choroby) surowicy, zawierającej antytoksynę błoniczą (surowicę przeciwbłoniczą). Leczenie antybiotykami (erytromycyna, penicylina) ma znaczenie drugorzędne, większe tylko przy współistnieniu innego zakażenia gardła (zwykle paciorkowcami – streptokokami). Ponadto podaje się witaminę C, zespół witamin B, kokarboksylazę. W błonicy krtani, obok surowicy, może być konieczna intubacja lub tracheostomia jako ratujące życie. Leczenie szpitalne jest konieczne.

Zapobieganie polega na obowiązkowych szczepieniach dzieci według aktualnego kalendarza szczepień. Osoby, które stykały się z chorym, izoluje się od środowisk dziecięcych i młodzieżowych do czasu uzyskania ujemnych wyników z dwóch kolejnych badań posiewów z wymazów jamy nosogardłowej i przeprowadzenia odkażenia w ognisku zakażenia.

Tężec. Jest to choroba zakaźna wywołana przez laseczkę tężca (*Clostridium tetani*), rozwijającą się w warunkach beztlenowych i wytwarzającą na jednym z biegunów zarodniki. Rezerwuarem drobnoustroju jest przewód pokarmowy zwierząt, głównie koni, a także ludzi, oraz gleba nawożona lub zanieczyszczona wydalinami. Do zakażenia dochodzi przez zanieczyszczenie ran glebą, kurzem lub przez ciała obce zakażone zarodnikami. Szczególnie niebezpieczne są zakażenia ran głębokich i miażdżonych, ale w czasach pokojowych częstsze są zakażenia drobnych ran i skaleczeń, które jednak ze względu na masowość występowania są groźne. Choroba nie przenosi się z człowieka na człowieka, ani ze zwierząt na człowieka. Przebycie choroby nie powoduje odporności, natomiast uzyskuje się ją w następstwie szczepienia anatoksyną tężcową.

W Polsce notuje się obecnie do stu kilkudziesięciu zachorowań rocznie, częściej na wsi (ok. 75%) niż w mieście, najwięcej (ok. 50%) u ludzi po 60 r. życia. Czynnikiem chorobotwórczym jest egzotoksyna, tzw. tetanospazmina, wytwarzana przez laseczkę tężca we wrotach zakażenia, skąd wzdłuż nerwów obwodowych przenika do ośrodkowego układu nerwowego i powoduje blokowanie procesów hamowania pobudzenia nerwowego. Wskutek braku hamowania dochodzi do wzmożenia napięcia i kurczów mięśni.

Objawy i przebieg. Okres wylęgania wynosi przeciętnie 7–14 dni, ale może być dłuższy i krótszy. Na ogół im krótszy jest okres wylęgania, tym cięższy przebieg choroby. Początkowo chory może być niespokojny, rozdrażniony, poci się, ma bóle głowy i sensacje w okolicy rany. Wkrótce występują objawy typowe: wzmożone napięcie mięśni żwaczy, doprowadzające do szczękościsku, skurczu mięśni mimicznych twarzy, co nadaje jej charakterystyczny wyraz (uśmiech ironiczny, zwany też sardonicznym). Kolejno objęte są nasilającym się napięciem mięśnie karku i grzbietu, wreszcie mięśnie brzucha, a także kończyn dolnych.

Obok napięcia tonicznego, drugim typowym objawem są napady kurczowe (prężenia). Obejmują one różne grupy mięśniowe i są bardzo bolesne. W czasie napadu chory ma zaciśnięte szczęki i przybiera przymusowe ułożenie z głową wciśniętą w poduszkę, wygiętym łukowato grzbietem i wyprostnym położeniem kończyn dolnych. Najgroźniejsze są kurcze mięśni oddechowych. Prężenia mogą być wywołane nawet niewielkimi bodźcami świetlnymi, hałasem, poruszeniem łóżka itp. Na ciężkość przebiegu choroby wskazuje liczba, nasilenie i częstość prężeń. Gorączka jest wysoka lub nadmiernie wysoka, do 41–42°C. Udoskonalenie metod leczenia obniżyło śmiertelność, lecz jest ona jeszcze wysoka i dochodzi do 40%. Zgon może nastąpić już we wczesnym okresie na skutek ostrej niewydolności oddychania, ale częściej zdarza się na skutek licznych powikłań w późniejszym czasie.

Leczenie i postępowanie. Obowiązuje leczenie szpitalne. Chorzy powinni być przewiezieni karetką „R" (reanimacyjną) i umieszczeni w ośrodkach intensywnej opieki medycznej (OIOM). Stosuje się obowiązkowo swoistą surowicę; obecnie coraz częściej wprowadza się immunoglobulinę przeciwtężcową ludzką. Równocześnie stosuje się szczepionkę anatoksyczną w celu uzyskania uodpornienia. Antybiotyki są podawane przy zagrożeniu powikłaniami. Podstawą leczenia jest wykonanie zabiegu intubacji lub tracheotomii, wspomagane lub nawet sztuczne oddychanie przy użyciu aparatu zwanego respiratorem, właściwa pielęgnacja, umiejętne karmienie, środki uspokajające, i działające zwiotczająco na mięśnie, witaminy, czasem także plazma i krew.

Zapobieganie polega przede wszystkim na czynnym uodpornieniu za pomocą szczepień według obowiązkowego kalendarza szczepień. Ponadto niezwykle ważne jest odkażenie i właściwe medyczne zaopatrzenie skaleczeń i ran, zwłaszcza cięższych, głębszych i rozleglejszych, które muszą być opracowane chirurgicznie w celu usunięcia zarodników, ciał obcych i martwiczych części tkanek oraz poprawy ukrwienia i utlenienia. U osób narażonych na zakażenie tężcem i nie uodpornionych lub z niepełnym uodpornieniem, a także po 8 latach od szczepienia stosuje się uodpornienie bierno-czynne surowicą antytoksyczną oraz anatoksyną tężcową. Osobom uodpornionym podaje się samą anatoksynę.

Zatrucie jadem kiełbasianym, czyli **botulizm.** Chorobę tę wywołuje laseczka botulinowa (*Clostridium botulinum*), zarodnikująca i wytwarzająca egzotoksynę, będąca czynnikiem chorobotwórczym. Z kilku typów znaczenie dla ludzi mają typy A, B i E. Zarazki żyją jako komensale w przewodzie pokarmowym zwierząt i człowieka, stąd dostają się do wierzchnich warstw ziemi. Mogą też znajdować się w mule dennym zbiorników wodnych. Toksyna botulinowa należy do najsilniejszych trucizn. Jest to białko, które może być unieczynnione pod wpływem ciepła i tlenu atmosferycznego. Do zatrucia dochodzi na skutek spożycia głównie konserw mięsnych, rzadziej jarzynowych, owocowych i rybnych, do których dostały się zarodniki. W warunkach beztlenowych rozwijają się postacie wegetatywne bakterii, które wytwarzają jad. W Polsce rejestruje się rocznie kilkaset zachorowań, najwięcej w Wielkopolsce, na Pomorzu i w rejonie białostockim, głównie wskutek spożycia mięsa wekowanego. Konserwy przemysłowe powodują ok. 1/3 wszystkich zatruć. Toksyna hamuje uwalnianie acetylocholiny na zakończeniach neuronów, co prowadzi do blokowania przenoszenia bodźców i funkcji nerwów ruchowych (motorycznych). Okres wylęgania wynosi od kilku do 48 godz., ale może być i dłuższy.

Objawy i przebieg. Po krótkotrwałych objawach dyspeptycznych, lub bez nich, występują charakterystyczne objawy. Chory odczuwa narastającą suchość w jamie ustnej i gardle (przy braku gorączki), równocześnie lub nieco później zaburzenia wzrokowe w postaci zamglonego widzenia albo widzenia podwójnego. Występują: opadnięcie powiek, zez zbieżny, rozszerzenie źrenic i brak ich reakcji na światło. Błona śluzowa jamy ustnej jest sucha, połykanie trudne, mowa staje się cicha i ochrypła. Porażenie ruchów robaczkowych (perystaltyki) jelit powoduje wzdęcie brzucha i uporczywe zaparcia, a porażenie mięśni wypierających mocz – zaleganie moczu w pęcherzu. Zjawia się też osłabienie mięśni poprzecznie prążkowanych – trudność w siadaniu, utrudnione oddychanie, łatwe męczenie się.

W ciężkim przebiegu choroby dochodzi do porażeń, także mięśni oddechowych i ostrej niewydolności oddechowej. Gorączka pojawia się przy powikłaniach (zapalenie zachłystowe płuc, zakażenie dróg moczowych). W lekkim przebiegu choroby objawy mogą ograniczać się do nieznacznych zaburzeń widzenia oraz uczucia suchości w jamie ustnej; chory z reguły nie zgłasza się do lekarza.

Leczenie i postępowanie. Obowiązuje leczenie szpitalne. W pierwszych godzinach choroby celowe jest płukanie żołądka i głęboka lewatywa. W celu zobojętnienia jadu podaje się możliwie wcześnie surowicę antytoksyczną A + B + E; po określeniu typu toksyny – surowicę jednoważną, typowo swoistą. W karmieniu chorego należy zachować ostrożność, ponieważ występuje zachłystywanie się. Konieczne może być cewnikowanie pęcherza, lewatywa itp. W zagrożeniu powikłaniami stosuje się chemioterapeutyki, w razie potrzeby intubację, a nawet tracheostomię i wspomagane lub kontrolowane oddychanie. Śmiertelność dość znaczna. Zdrowienie jest powolne i długotrwałe, szczególnie zaburzenia widzenia i osłabienie siły mięśniowej utrzymują się długo.

Zapobieganie polega przede wszystkim na ochronie produktów spożywczych przed zanieczyszczeniem przez ludzi i zwierzęta, na właściwej technologii produkcji, zwłaszcza na właściwej sterylizacji konserw domowych (weków) i przemysłowych. Przechowywanie konserw w niskiej temperaturze hamuje rozwój bakterii i wytwarzanie jadu. Konserwy z puszek rozdętych gazem („bombaż”) należy zniszczyć, produkty konserwowane należy gotować bezpośrednio przed spożyciem. Szczepienia ochronne stosuje się jedynie u ludzi szczególnie narażonych na zatrucie.

VII. ZAKAŻENIA OŚRODKOWEGO UKŁADU NERWOWEGO

W przebiegu zakażeń ośrodkowego układu nerwowego dochodzi zazwyczaj do jednoczesnego zajęcia różnych części tego układu. Wyróżnia się: 1) zapalenia opon mózgowo-rdzeniowych, gdy na pierwszy plan wysuwają się objawy oponowe, a objawy mózgowe są mniej zaznaczone; 2) zapalenia mózgu, gdy dominują objawy mózgowe, czemu zwykle towarzyszą słabo zaznaczone objawy oponowe i niewielkie zmiany w płynie mózgowo-rdzeniowym; 3) zapalenie rdzenia.

Do głównych objawów oponowych zalicza się: a) sztywność karku i sztywność kręgosłupa, b) objawy Kerniga (tj. opór przy prostowaniu kończyn dolnych zgiętych pod kątem prostym w stawach kolanowych), c) objawy Brudzińskiego karkowy i łonowy – uginanie kończyn dolnych w stawach kolanowych przy próbie przyginania głowy ku przodowi lub przy ucisku w okolicy łonowej. Łączne występowanie tych objawów stanowi pełny zespół oponowy, części z nich – niepełny zespół. Do objawów oponowych u niemowląt należy zwiększone napięcie ciemiączka. Do charakterystycznych objawów zalicza się też: silne, stałe bóle głowy, nadwrażliwość na światło, bodźce słuchowe i dotykowe, wymioty, ułożenie na boku na kształt litery S, z wygięciem głowy do tyłu. Należą tu również zaburzenia przytomności – ograniczenia świadomości przy zachowanym kontakcie, okresowym braku kontaktu, zwykle z majaczeniem i ograniczeniem reagowania na bodźce zewnętrzne, wreszcie zupełna utrata przytomności, czyli śpiączka.

W zespole mózgowym występują drgawki, cięższe zaburzenia świadomości, objawy porażenne.

W zapaleniach rdzenia, bez równoczesnego wyraźnego zajęcia mózgu, zaburzenia świadomości nie występują.

Zakażenia ośrodkowego układu nerwowego stanowią poważny problem epidemiologiczny, kliniczny i społeczny. Częstość występowania chorób utrzymuje się na bardzo wysokim poziomie. Mimo postępów w leczeniu śmiertelność jest duża (ropne zapalenie opon) lub bardzo wysoka (zapalenie mózgu), a następstwa pochorobowe mogą być trwałe i bardzo obciążające. Obowiązkowe są zgłoszenia zachorowań, ich rejestracja i leczenie szpitalne.

Ropne zapalenia opon mózgowo-rdzeniowych. Jest to grupa chorób wywołanych przez różne bakterie, lecz o podobnym zespole objawów i podobnym, na ogół ciężkim, przebiegu. Zmiany w płynie mózgowo-rdzeniowym wykazują te same lub podobne cechy zapalenia ropnego. Rozpoznanie przyczyny (bakterii) jest możliwe w badaniu bakteriologicznym płynu mózgowo-rdzeniowego. Chorobę wywołują przede wszystkim ropotwórcze ziarniaki: dwoinki zapalenia opon mózgowo-rdzeniowych, czyli meningokoki (*Neisseria meningitidis*), dwoinki zapalenia płuc, czyli pneumokoki (*Diplococcus pneumoniae*), gronkowce (gronkowiec złocisty *Staphylococcus aureus*), paciorkowce (streptokoki), pałeczki hemofilne. U noworodków i niemowląt dość częstą przyczyną są pałeczki okrężnicy (*Escherichia coli*) i pałeczki innych rodzajów: odmieńca (*Proteus*), *Salmonella*, ropy błękitnej (*Pseudomonas*). Po urazach czaszki chorobę wywołują przede wszystkim głównie dwoinki zapalenia płuc, a w zranieniach otwartych – gronkowce i różne pałeczki.

Największa zapadalność i śmiertelność na ropne zapalenie opon przypada na wiek niemowlęcy. Niepomyślne zejścia zdarzają się często u ludzi starych. Zakażenia następują najczęściej od ludzi chorych lub nosicieli (na drodze kropelkowej), lecz mogą być wywoływane przez własne zarazki z różnych ognisk i w różnych stanach chorobowych (zapalenie zatok przynosowych, zapalenie nosogardzieli i dalszych części dróg oddechowych, zapalenie uszu). Okres wylęgania bywa różny. W meningokokowym zapaleniu, tj. wywołanym przez dwoinki zapalenia opon, trwa przeciętnie 3–5 dni, po urazach – kilka dni do 2 tygodni.

Objawy i przebieg. Choroba zaczyna się ostrą gorączką, dreszczami (u małych dzieci drgawkami), bólem głowy, wymiotami; szybko występuje pełny zespół oponowy. W bardzo ciężkim przebiegu chorzy mają zaburzenia świadomości i wykazują pobudzenie psychoruchowe. U niektórych chorych z równoczesną posocznicą występują wysypki o różnym wyglądzie, także krwotoczne. Choroba może mieć przebieg bardzo gwałtowny i kończy się często w krótkim czasie śmiercią, jeśli nie ma natychmiastowej pomocy. Płyn mózgowo-rdzeniowy pobrany nakłuciem lędźwiowym ma wygląd mleczny, wkrótce ropiasty lub ropny. W badaniu mikroskopowym płynu stwierdza się dużą liczbę komórek, z reguły ponad 2000 w 1 ml (wysoka pleocytoza). Rozmazy osadu po odwirowaniu płynu poddaje się badaniom jakościowym. Wykazują one głównie tzw. komórki wielojądrzaste (granulocyty), odsetek limfocytów jest niewielki. Poziom białek jest znacznie podwyższony, a cukru obniżony.

W leczeniu, w zależności od wyniku posiewu, stosuje się odpowiednie antybiotyki. Stosuje się również leki przeciwobrzękowe, uspokajające i inne działające objawowo, czasem kortykosteroidy. Ważne też jest leczenie uzupełniające, umiejętne karmienie.

Wirusowe zapalenia opon mózgowo-rdzeniowych. Chorobę wywołują różne wirusy: z grupy ECHO (skrót: *Enteric, Cytopatogenic, Human, Orphan*), Coxsackie (od miejscowości w Stanach Zjednoczonych), wirus świnki, arbowirus kleszczowego zapalenia mózgu i opon, wirus LCM, niekiedy inne. Wyjątkowo choroba może wystąpić po szczepieniu przeciw wściekliźnie. Zapalenia opon ze zmianami w płynie mózgowo-rdzeniowym typu limfocytarnego mogą występować w pewnych chorobach bakteryjnych (np. w leptospirozach, brucelozie, kile). Źródłem zakażenia jest zwykle człowiek chory, rzadziej ozdrowieniec lub nosiciel. Rezerwuarem wirusa LCM są myszy domowe, arbowirusa – dzikie zwierzęta leśne. Dla większości wirusów wrotami zakażenia są śluzówki jamy ustnej, nosogardzieli i przewodu pokarmowego, w arbowirusowym zakażeniu – miejsce ukłucia przez kleszcza, będącego przenosicielem. Okres wylęgania jest różny, od 3–5 dni w zakażeniach wirusem Coxsackie, do 10–14 dni w zakażeniach innymi wirusami.

Na ogół choroba, niezależnie od czynnika wywołującego, przebiega podobnie. Również zmiany w płynie mózgowo-rdzeniowym są podobne – typu limfocytarnego. Płyn jest wodojasny, przejrzysty, pleocytoza (zob. wyżej) niewielka lub umiarkowana, odsetkowo przeważają komórki jednojądrzaste (limfocyty), poziom białka nieznacznie podwyższony, poziom cukru prawidłowy.

W Polsce rejestruje się rocznie 2000–4000 zachorowań, największa zapadalność występuje u dzieci w wieku 5–9 lat. Zachorowania są sporadyczne lub w znaczniejszych ogniskach epidemicznych. Kleszczowe zapalenie opon i mózgu występuje sporadycznie, rejestruje się rocznie ok. 30–40 przypadków, głównie u ludzi dorosłych.

Objawy i przebieg. Wirusowe zapalenia opon mają z reguły przebieg łagodniejszy niż ropne, zwykle dwufazowy. W pierwszej fazie wirusy z miejsc namnażania przechodzą do krwi (wirusemia) i dochodzi do objawów ogólnych, takich jak gorączka, bóle głowy, mięśni, często objawy nieżytowe w drogach oddechowych, jelitowe. Po krótkotrwałym okresie złagodzenia objawów lub po ich ustąpieniu występuje druga faza. Niekiedy objawy w pierwszej fazie są niewielkie i mogą być przeoczone. Początek drugiej fazy jest ostry, z bólami głowy i objawami oponowymi, czasami w niepełnym zespole. U małych dzieci częste są drgawki, lecz objawy oponowe mogą być słabo zaznaczone. Choroba kończy się przeważnie pomyślnie, rzadko zaburzenia snu i osłabienie ogólne mogą trwać kilka miesięcy. Zdarzające się czasem poważniejsze następstwa wirusowego zapalenia opon są wyrazem uszkodzeń mózgu.

Rozpoznanie może ułatwić wywiad epidemiologiczny, np. narażenie zawodowe pracowników leśnych, ukłucie przez kleszcza u ludzi okazjonalnie przebywających w lesie, kontakt z myszami i ich wydalinami (w limfocytowym zapaleniu opon), kontakt z ludźmi z ognisk choroby o znanej już etiologii (przyczynie). Dokładne rozpoznanie opiera się jednak na odpowiednich badaniach mikrobiologicznych i serologicznych.

Leczenie przyczynowe nie istnieje. Inne sposoby leczenia, zob. wyżej Ropne zapalenie opon mózgowo-rdzeniowych.

Zapalenia mózgu. Niezależnie od przyczyny, objawy i przebieg choroby są podobne (z wyjątkiem wścieklizny). Większość zachorowań wywołują wirusy: enterowirusy (ECHO, Coxsackie, poliowirusy), arbowirusy, herpeswirusy, czasem wirus świnki, wyjątkowo wirus wścieklizny. Mogą też zdarzać się zapalenia mózgu jako powikłania poszczepienne (np. przeciw wściekliźnie) albo częściej – w przebiegu takich chorób, jak odra, różyczka, ospa wietrzna, grypa (tzw. zapalenia mózgu przyzakaźne). Zapalenia mózgu o etiologii bakteryjnej, pierwotniakowej i grzybiczej są rzadkie.

Uszkodzenia mózgu w przebiegu jego zapalenia mogą być dwojakiego rodzaju. W zakażeniach wirusami tzw. neurotropowymi dochodzi do uszkodzeń samych komórek nerwowych (neurocytów) w wyniku namnożenia się w nich zarazków. Wkrótce pojawia się wysięk, obrzęk i nacieki, głównie w istocie szarej mózgu i w pniu mózgowia. Wreszcie tworzy się (przy pomyślnym zejściu choroby) blizna glejowa, a w niepomyślnym – powstają ogniska krwotoczne i martwicze. W zapaleniach mózgu przyzakaźnych i poszczepiennych proces chorobowy ma charakter zapalenia okołożylnego, dotyczy głównie istoty białej i przejawia się naciekami okołożylnymi oraz ogniskami demielinizacyjnymi z odczynem glejowym.

W poszczególnych zakażeniach wirusowych mózgu umiejscowienie zmian w tkance mózgowej może być mniej lub bardziej wybiórcze, a w niektórych mogą być obecne w komórkach twory zwane ciałkami wtrętowymi. W zapaleniach przyzakaźnych i poszczepiennych mechanizm uszkadzający mózg jest inny. Procesy chorobowe w tych przypadkach powstają u niektórych osób w wyniku reakcji autoimmunologicznych.

W Polsce rejestruje się rocznie ok. 300 do 400 zachorowań. Zgłoszone zachorowania dotyczą w większości dzieci do lat 5, z czego 40% do lat 2. Śmiertelność jest bardzo wysoka. Kleszczowe zapalenie mózgu występuje u ludzi dorosłych, głównie w województwach białostockim, suwalskim, olsztyńskim i opolskim, gdzie istnieją ogniska przyrodnicze tej choroby. Zapalenia poszczepienne są nieliczne, liczba zapaleń przyzakaźnych nie jest znana.

Wrota zakażenia i sposoby przenoszenia zakażeń i okresy wylęgania, zob. wyżej Wirusowe zapalenia opon mózgowo-rdzeniowych.

Objawy i przebieg. Często przebieg choroby jest dwufazowy. Początkowo występują nieżyty górnych dróg oddechowych, zaburzenia żołądkowo-jelitowe i krótkotrwała gorączka. Następnie, po chwilowym spadku gorączki, pojawia się ona ponownie, występują objawy neurologiczne o charakterze ogólnym i ogniskowym: silne bóle głowy, wymioty, drgawki, ciężkie zaburzenia świadomości, w lżejszych przypadkach osłabienie pamięci i zdolności rozumowania, senność, stany pomroczne, objawy móżdżkowe (oczopląs, mowa skandowana, drżenie rąk), napady padaczkowe i porażenia na skutek uszkodzenia jąder nerwów czaszkowych. Mogą wystąpić mniej lub bardziej zaznaczone objawy oponowe i zmiany zapalne płynu mózgowo-rdzeniowego typu limfocytarnego.

Leczenie i postępowanie. Obowiązkowe jest leczenie szpitalne. Leczenia przyczynowego w zakażeniach wirusowych nie ma. Inne metody leczenia, takie jak w ropnym zapaleniu opon mózgowo-rdzeniowych (s. 970).

Zapobieganie kleszczowemu zapaleniu mózgu to stosowanie repelentów, noszenie odpowiedniego ubrania, zwłaszcza po zachodzie słońca, częste oglądanie własnego ciała w celu poszukiwania kleszczy oraz usuwanie ich bez uszkodzenia skóry. Istnieje inaktywowana szczepionka, zalecana dla osób szczególnie narażonych na tę chorobę. W innych zakażeniach postępowanie zapobiegawcze zależy od ich rodzaju i sposobów przenoszenia.

Zapalenie rdzenia kręgowego. Objawy ze strony rdzenia występują w przebiegu zakażeń obejmujących swym zasięgiem zazwyczaj także inne części ośrodkowego układu nerwowego i najczęściej nie wysuwają się na pierwszy plan. Wyodrębniający się zespół objawów rdzeniowych – w postaci niedowładów i porażeń wiotkich, z obniżeniem napięcia mięśni i osłabieniem lub zniesieniem odruchów ścięgnistych – zdarza się w zakażeniach enterowirusowych (wirusy Coxsackie i ECHO, rzadziej poliowirusy) oraz w rdzeniowym zakażeniu arbowirusowym. Może też wystąpić jako powikłanie (choroba przyzakaźna) w przebiegu chorób wirusowych w niektórych epidemiach, np. grypy, także w odrze i półpaścu. Wyjątkowo zdarza się po szczepieniach, zwłaszcza jako poprzeczne zapalenie rdzenia po szczepionce przeciw wściekliźnie, w którym obok porażeń kończyn dochodzi do zaburzeń w oddawaniu stolca i moczu (śmiertelność ok. 5%).

Objawy rdzeniowe, wraz z mniej lub bardziej zaznaczonymi objawami oponowymi, przy braku zaburzeń świadomości, są poprzedzone najczęściej niecharakterystycznymi objawami ogólnymi innych chorób lub określonej choroby zakaźnej.

Leczenie szpitalne na oddziałach zakaźnych.

VIII. CHOROBY ENTEROWIRUSOWE

Zakażenia enterowirusami przebiegają najczęściej bezobjawowo. Wirusy namnażają się w przewodzie pokarmowym i są przez pewien czas wydalane wraz z kałem (nosicielstwo). Dość często dochodzi do poronnego przebiegu choroby w postaci zaburzeń żołądkowo-jelitowych, zwłaszcza u dzieci. W niektórych zakażeniach wirusy przenikają do krwiobiegu i powodują mało charakterystyczne objawy chorobowe (gorączka, objawy nieżytowe, bóle głowy, ogólne niedomaganie), bez dalszych następstw. Wreszcie zdarza się, że po krótkotrwałej „ciszy", w czasie której wirusy osiedlają się w tkankach różnych narządów, dochodzi do ich ponownego namnożenia i rozwoju mniej lub bardziej charakterystycznych zespołów objawowych. Do nich należą, mające szczególne znaczenie ze względu na lokalizację i rodzaj zmian, zespoły neurologiczne.

Źródłem zakażenia jest najczęściej nosiciel tzw. bezobjawowy, rzadziej osoba chora, niezależnie od ciężkości i postaci choroby, oraz nosiciel po przebytej chorobie (pochorobowy). Wydalanie wirusów trwa długo – kilka i więcej tygodni. Wirusy mogą być obecne przez krótki czas (2–5 dni) w jamie nosogardzielowej i niższych odcinkach dróg oddechowych. W tych przypadkach mogą być przenoszone drogą kropelkową. Ma to stosunkowo niewielkie znaczenie epidemiologiczne, w porównaniu z przenoszeniem za pośrednictwem pokarmów i materiałów zakażonych wirusami, które są oporne na czynniki zewnętrzne.

Choroba Heinego–Medina, czyli **zapalenie rogów przednich rdzenia, nagminne porażenie dziecięce, poliomyelitis.** Choroba jest wywołana przez poliowirus typów 1, 2, 3. Obecnie w krajach, gdzie przeprowadza się systematyczne szczepienia ochronne, sytuacja epidemiologiczna jest korzystna. W Polsce po wprowadzeniu obowiązkowych szczepień liczba zachorowań znacznie się zmniejszyła i notuje się ich tylko 20–40 rocznie. Okres wylęgania wynosi 7–14 dni, ale może być krótszy lub przedłużony do 3 tygodni.

Objawy i przebieg. W typowej porażennej postaci wyróżnia się cztery okresy: 1) okres wstępny z gorączką w ciągu paru dni, nieżytem gardła i nosa, bólami głowy, ogólnym osłabieniem i przeczulicą skóry; 2) okres bezgorączkowy i bezobjawowy, od 1 do 8 dni, zwykle 2–5 dni; 3) okres zajęcia ośrodkowego układu nerwowego, trwa zwykle 3–5 dni, oraz 4) okres zdrowienia. W okresie trzecim ponownie występuje gorączka, objawy nieżytowe nasilają się, dołączają się objawy oponowe z silną przeczulicą, obfite poty. Po 1–3 dniach pojawia się ogólne osłabienie mięśni (adynamia), bolesne kurcze mięśniowe. Jednocześnie lub wkrótce potem rozwijają się porażenia typu wiotkiego mięśni prążkowanych (zapalenie rdzenia). Są one z reguły niesymetryczne, dotyczą różnych mięśni, ale bywają też porażenia obu kończyn dolnych lub górnych, czasem są skrzyżowane. Niebezpieczne dla życia są porażenia mięśni oddechowych. Okres czwarty – zdrowienia, zaczyna się w 2–3 dni po spadku gorączki i trwa do 2 lat, jednakże na wyraźną poprawę można liczyć do 6 miesięcy.

W wyjątkowych przypadkach dochodzi do zajęcia jąder nerwów wychodzących z rdzenia przedłużonego i do uszkodzenia ośrodków oddechowego i naczyniowego – postać opuszkowa. Niebezpieczny przebieg ma również rzadka postać mózgowa. Mniej ciężki przebieg mają postać oponowa oraz te przypadki, gdy porażenia są ograniczone (czasem do jednego nerwu, np. twarzowego) lub niezupełne, w postaci osłabienia mięśni (niedowłady).

W rozpoznaniu jest pomocne mikroskopowe i biochemiczne badanie płynu mózgowo-rdzeniowego, ale przede wszystkim wirusologiczne badanie płynu, kału i popłuczyn z gardła. Jest ono obowiązkowe w każdym podejrzeniu o chorobę Heinego–Medina.

Leczenie i postępowanie. Leczenie szpitalne jest obowiązkowe. Leczenie ogólne i objawowe jak w innych zakażeniach ośrodkowego układu nerwowego. Już w okresie izolacji i leczenia szpitalnego zapoczątkowuje się leczenie rehabilitacyjne. W zagrożeniu życia niedomogą oddechową wykonuje się tracheostomię, wspomagane lub sztuczne oddychanie przy użyciu respiratora. W razie utrzymywania się porażeń jest konieczne dalsze leczenie w ośrodku rehabilitacyjnym.

Zapobieganie polega na przeprowadzeniu szczepień ochronnych. Obowiązuje odkażanie w domu chorego i odkażanie bieżące w miejscu jego pobytu przez okres choroby.

Zakażenia wywołane wirusami Coxsackie. Istnieją dwie grupy tych wirusów – grupa A obejmująca 24 grupy i grupa B z 6 typami. Wywołują one opisane wyżej zespoły neurologiczne (wirusowe zapalenia opon, mózgu, rdzenia), biegunki u dzieci, stany gorączkowe grypopodobne oraz dwa inne zespoły chorobowe. Wirusy z grupy B mogą wywołać chorobę bornholmską oraz zapalenie mózgu i mięśnia sercowego u noworodków.

Choroba bornholmska. W chorobie tej oprócz wysokiej gorączki, często dwufazowej, występują ostre, bardzo dokuczliwe napady bólów, umiejscowionych w dolnej części klatki piersiowej i w nadbrzuszu, rzadziej w podbrzuszu. Trwają one od kilku do kilkunastu godzin, czasem do kilku dni. Mogą pojawiać się parokrotnie. Może równocześnie wystąpić zapalenie opłucnej, osierdzia, a także zapalenie opon mózgowo-rdzeniowych.

Zapalenie mózgu i mięśnia sercowego u noworodków. Chorobę tę cechuje nagły początek z gorączką, niepokojem, bladością, sinicą i dusznością; następuje uszkodzenie układu krążenia, zwłaszcza zapalenie mięśnia sercowego. Objawy narastają dramatycznie i z reguły dochodzi do zgonu. Tylko w rzadkich przypadkach, po ustąpieniu ostrych objawów, dziecko może powrócić do zdrowia. Konieczna jest szybka pomoc lekarska i leczenie szpitalne.

Zakażenia wywołane wirusami ECHO. Ta grupa wirusów liczy trzydzieści kilka typów. Wirusy te, podobnie jak wirusy Coxsackie, są przyczyną poważnych zespołów neurologicznych (zob. Zakażenia ośrodkowego układu nerwowego, s. 969), a także łagodnie przebiegających zachorowań, takich jak gorączka z wysypką różyczkopodobną lub bez wysypki, biegunki u dzieci, nieżyty dróg oddechowych.

IX. INNE CHOROBY ZAKAŹNE

Posocznice. Są to choroby zakaźne o objawach i przebiegu podobnym, lecz o różnorodnych przyczynach, czyli różnej etiologii. Do rozwoju choroby dochodzi wówczas, gdy bakterie z pierwotnie powstałych ognisk zapalnych dostają się do krwiobiegu stale lub okresowo i następnie osiedlają się w różnych tkankach narządów, wywołując wtórne zmiany zapalne. Te wtórne nowe ogniska stanowią podłoże ciężkich objawów chorobowych, z nich też wysiewają się nowe pokolenia bakterii do krwi. Posocznica, w której przebiegu dochodzi do powstania ropnych ognisk przerzutowych, nazywa się posocznico-ropnicą.

Posocznice najczęściej wywołują ropotwórcze ziarniaki: gronkowce, paciorkowce, pneumokoki i meningokoki. Stosunkowo częstą przyczyną są pałeczki okrężnicy, ropy błękitnej, odmieńca, jak również grup *Klebsiella* i *Salmonella* (te ostatnie głównie u niemowląt i małych dzieci). Rzadziej posocznicę wywołują inne bakterie – *Enterobacter aerogenes* i *Seratia marcescens*.

Źródłem zakażenia mogą być chorzy i nosiciele zarazków (zakażenia egzogenne) lub ogniska pierwotne we własnym organizmie (zakażenia endogenne), np. w tkance przyzębnej, w gardle, uchu środkowym, w drogach żółciowych, moczowych, oddechowych i innych. Wrotami zakażenia są: skóra uszkodzona lub ze zmianami zapalnymi, błony śluzowe dróg oddechowych, pokarmowych, drogi rodne (poronienia, połóg) itp. Rozwój leczenia przyczynowego nie doprowadził do zmniejszenia częstości zachorowań na posocznicę, zmienił się tylko profil etiologiczny. Częstsze stały się posocznice wywołane przez gronkowce i różne pałeczki, zwłaszcza zaś przez warunkowo chorobotwórcze drobnoustroje.

Objawy i przebieg. W zależności od szybkości rozwoju choroby wyróżnia się: posocznice ostre, powstające nagle wśród gwałtownie narastających objawów i mogące w krótkim czasie lub w ciągu kilku dni doprowadzić do zgonu, oraz posocznice przewlekłe, przebiegające stosunkowo łagodnie, lecz ze skłonnością do zaostrzeń, przy pogarszaniu się zdolności obronnych organizmu.

Początek choroby bywa powolny, ze stopniowym rozwojem zespołu objawów, lub nagły z silnymi dreszczami, szybkim wzrostem temperatury ciała. Gorączka może utrzymywać się przez wiele dni, czasem tygodni, na wysokim poziomie, częściej jednak jest nieregularna, przerywana, wykazująca duże wahania dobowe. Uderza nasilająca się bladość z sinawym odcieniem, wyraz twarzy staje się apatyczny i cierpiący. Na skórze mogą pojawiać się wysypki płoniczopodobne, odropodobne, plamiastowybroczynowe i wylewy krwawe, a także zmiany ropne. Chory traci łaknienie, zdarzają się nudności, wymioty, zaparcie stolca, czasem biegunka. Skóra może przybierać odcień żółtawy lub żółtaczkowy (uszkodzenie wątroby, krwinek czerwonych).

Przy umiejscowieniu zmian we wsierdziu zastawek serca dochodzi do ciężkich ich uszkodzeń i obfitego rozsiewu zarazków w organizmie. Tworzą się ogniska zatorowe w naczyniach krwionośnych i nowe ogniska w różnych narządach: nerkach, oponach mózgowo-rdzeniowych i w mózgu, w wątrobie, śledzionie, płucach. Rozwija się narastająca niedokrwistość, ogólna liczba leukocytów na ogół wzrasta, lecz bywa i obniżona (zwłaszcza u ludzi starszych, wyniszczonych). Dokładne etiologiczne rozpoznanie jest możliwe na podstawie badań bakteriologicznych.

Leczenie i postępowanie. Nie ma obowiązku zgłaszania posocznic i ich leczenia szpitalnego, lecz istnieją z reguły wskazania do takiego leczenia. Przed leczeniem przyczynowym wykonuje się posiew (przede wszystkim krwi) i antybiogram. Wyniki antybiogramu ułatwiają wybór odpowiednich antybiotyków. Istotne jest wykrycie ewentualnego pierwotnego ogniska rozsiewu i, jeśli to możliwe, jego usunięcie. Stosowane mogą być antybiotyki z różnych grup i o różnym zakresie działania oraz chemioterapeutyki nieantybiotyczne. Ważne jest również leczenie zmian miejscowych, objawowe, podawanie leków krążeniowych, przeciwzakrzepowych, niekiedy przeciwwstrząsowych.

Zapobieganie wynika z danych epidemiologicznych i ma szczególne znaczenie na oddziałach szpitalnych (wykrywanie źródeł i dróg przenoszenia zakażeń i odpowiednie do tego postępowanie, antyseptyka, aseptyka).

Nagminne zapalenie przyusznic, czyli **świnka.** Jest to uogólniona choroba zakaźna wywołana przez wirus świnki (*Paramyxovirus parotidis*). Drobnoustroje te dostają się do organizmu przede wszystkim drogą kropelkową. Umiejscawiają się w komórkach górnych dróg oddechowych i głównie w gruczołach ślinowych, gdzie namnażają się. Przechodzą stąd do krwi i do tkanek różnych narządów. Zaraźliwość zaczyna się na kilka dni przed objawami i utrzymuje się do 9 dni od początku choroby. Przeniesienie wirusa jest możliwe także przez pokarmy i przedmioty zanieczyszczone śliną chorego. Wskaźnik podatności wynosi ok. 0,8.

Świnka atakuje głównie dzieci w wieku od 5 do 15 r. życia, rzadziej młodsze i dorosłych. Okresowy wzrost zapadalności występuje co 2–3 lata. Okres wylęgania wynosi 12–22 dni.

Objawy i przebieg. Typowym i najczęstszym objawem świnki jest zapalne obrzmienie obu ślinianek przyusznych. Znaczniejsze ich obrzmienie nadaje twarzy charakterystyczny wygląd (stąd nazwa – świnka). Ujścia przewodów przyusznic są obrzękłe i zaczerwienione. Gorączka zwykle średnio wysoka. Mniej często obrzękają ślinianki podżuchwowe, a rzadko podjęzykowe. Drugim co do częstości zajętym narządem są opony mózgowo-rdzeniowe. Zapalenie opon może wystąpić: równocześnie z obrzmieniem ślinianek, w 6–12 dni później lub nieco wcześniej. Niekiedy zdarza się, że zapalenie opon jest jedynym umiejscowieniem zmian chorobowych (bez zapalenia ślinianek). Przebieg świnki jest na ogół łagodny. Mogą jednak wystąpić powikłania w formie zapalenia: trzustki, jąder i nadjądrzy, jajników, gruczołu krokowego, tarczycy, gruczołów sutkowych, gruczołów łzowych. Zdarzają się niekiedy zapalenia mózgu, rdzenia kręgowego, nerwu słuchowego (z następową głuchotą). Wyjątkowo obustronne zapalenie jąder może być powodem bezpłodności. Świnka u kobiety ciężarnej może spowodować zakażenie płodu w pierwszych miesiącach ciąży, co prowadzi do poronienia lub wad wrodzonych.

Leczenie jest objawowe. Miejscowo stosuje się okłady, ważna jest właściwa pielęgnacja chorego. W zapaleniu trzustki i uporczywych wymiotach są podawane kroplówki i środki hamujące działanie enzymów trzustkowych. W takich przypadkach i innych ciężkich jest wskazane leczenie szpitalne.

Zapobieganie. W niektórych krajach stosuje się szczepionkę atenuowaną (żywy osłabiony wirus), pojedynczo lub wraz ze szczepieniem przeciw odrze i różyczce.

Mononukleoza zakaźna. Jest to choroba o przebiegu łagodnym i mało zaraźliwa, wywołana przez wirus EB (Epsteina–Barra). Zakażenie następuje głównie drogą kropelkową oraz przez bliską styczność (zakaźność śliny, wydzielin z dróg oddechowych). W mononukleozie zakaźnej dochodzi do wirusemii i namnażania zarazków w tkanach układu limfatycznego, skupionych w węzłach chłonnych, migdałkach, śledzionie i rozrzuconych w różnych narządach. Następuje rozrost w utkaniu limfatycznym i nacieki komórek jednojądrzastych wokół naczyń. Zachorowania występują sporadycznie, rzadziej rodzinnie. Dość częste są zakażenia bezobjawowe lub o przebiegu poronnym. Przebieg jest cięższy u młodzieży i młodych dorosłych niż u dzieci. Okres wylęgania jest długi, do 2 miesięcy lub nawet dłuższy.

Objawy i przebieg. Na typowy zespół chorobowy składają się: gorączka, powiększenie węzłów chłonnych, angina, powiększenie śledziony, wątroby i zmiany we krwi. Gorączka o zwykle nieregularnym przebiegu, średnio wysoka, utrzymuje się u dorosłych 2–3 tygodnie, u dzieci zwykle 7–10 dni. Ogólny stan chorego, nawet przy wyższej gorączce, jest dość dobry, poza osłabieniem i sennością. Równocześnie z początkiem gorączki powiększają się węzły chłonne szyjne, w okolicy kątów żuchwy, często pachowe i pachwinowe. Zmiany zapalne w gardle mają różne nasilenie: od lekkiego nieżytu do ciężkiej anginy z rozległymi nalotami, podobnymi do nalotów w anginie wywołanej przez paciorkowce lub anginie błoniczej. Do częstych objawów należy powiększenie śledziony i wątroby, której uszkodzenie może powodować bóle, wzdęcia, niekiedy żółtaczkę. Mniej częste to: nieżyt nosa, obrzęki wokół oczu, wybroczynki na podniebieniu twardym, wysypka skórna o różnym wyglądzie, czasem zmiany płucne śródmiąższowe, sercowe i w ok. 1% przypadków objawy neurologiczne (zapalenie opon mózgowo-rdzeniowych, zapalenie mózgu z przejściowymi porażeniami). Zmiany we krwi cechuje duży wzrost liczby limfocytów (50–90%), wśród których wiele jest większych o wyglądzie nietypowym (monocytoidy). Zmiany tego typu ułatwiają rozpoznanie, do którego może się też przyczynić wykrycie w surowicy krwi tzw. heterofilnych przeciwciał (zlepiających krwinki barana).

Leczenie objawowe. Pozostawanie w łóżku zależy od ciężkości choroby. Niekiedy jest wskazane leczenie szpitalne.

Dur wysypkowy, czyli **plamisty**, nazywany też tyfusem plamistym. Choroba ta, wywołana przez *Rickettsia provazeki*, występuje w dwu postaciach: duru epidemicznego, przenoszonego przez wszy, i nawrotów w kilka, kilkanaście lub nawet w kilkadziesiąt lat po durze epidemicznym. Dawniej była to choroba częsta. Obecnie w Europie, także w Polsce, notuje się sporadyczne zachorowania na postać nawrotową.

Dur epidemiczny przenosi wesz odzieżowa, która po zakażeniu się od chorego i po 6 dniach okresu wylęgania choruje i wydala zarazki ze swoim kałem. Do zakażenia człowieka dochodzi przez wtarcie kału wszy w czasie drapania skóry. Główne zmiany powstają w drobnych tętnicach i naczyniach włosowatych, co powoduje uszkodzenie narządów, zwłaszcza obficie unaczynionych: ośrodkowego układu nerwowego, nerek, nadnerczy, skóry, mięśnia sercowego. Po chorobie dochodzi do odporności śródzakaźnej. Okres wylęgania u człowieka wynosi 7–15 dni, przeważnie 12 dni. U niektórych osób, przy upośledzonej z różnych przyczyn odporności, pojawiają się późne nawroty (zakażenie endogenne). Te zachorowania w środowisku zawszonym stanowią zagrożenie powstania większych ognisk epidemicznych.

Objawy i przebieg. Zachorowania pierwotne cechuje nagły początek, z dreszczami i wysoką gorączką (utrzymuje się przez ok. 2 tygodnie na stale wysokim poziomie ok. 40°C), silne bóle głowy, uczucie rozbicia i wyczerpania. W 5 lub 6 dniu pojawiają się: wysypka plamista, która przybiera postać krwotoczną, oraz narastające odurzenie, często przechodzące w nieprzytomność z zaburzeniami psychicznymi (psychoza). U chorych nie leczonych przyczynowo ogólna śmiertelność jest wysoka, u dzieci nie przekracza kilku procent, u ludzi starych dochodzi do 25%. Nawroty występują u osób starszych lub starych. Przebieg jest stosunkowo łagodny lub lekki. Gorączka trwa 7–11 dni, wysypka jest skąpa, rzadko krwotoczna, odurzenia brak lub jest nieznaczne. Śmiertelność nie przekracza 1–2%. Rozpoznanie potwierdzają dodatnie wyniki badań serologicznych (odczyn wiązania dopełniacza, mikroaglutynacyjny).

Leczenie i postępowanie. Leczenie przyczynowe przy użyciu antybiotyków zmienia w istotny sposób przebieg choroby, powodując w ciągu ok. 2 dni spadek gorączki i przyspieszone zdrowienie, oraz zmniejsza liczbę powikłań i obniża śmiertelność. Obowiązuje leczenie szpitalne oraz nadzór epidemiologiczny nad osobami ze styczności, a także dezynsekcja i odkażanie w ognisku epidemicznym. Istnieją skuteczne szczepionki uodporniające. W roku 1971 dur wysypkowy (obok duru powrotnego) skreślono w Polsce z listy tzw. chorób kwarantannowych.

Wirusowe zapalenie wątroby. Jest to choroba zakaźna i zaraźliwa, wywołana przez wirusy zapalenia wątroby typu A i typu B i – może mniej często – przez wirusy tzw. typu nie-A, nie-B. Podatność jest wysoka, wskaźnik zachorowalności wynosi ok. 0,8. Ze względu na podobne objawy i przebieg oraz trudności ścisłej diagnostyki rejestruje się w Polsce łącznie wszystkie postacie choroby. Ocenia się, że zachorowania na postać A są około dwukrotnie częstsze niż na postać B. W obu postaciach źródłem zakażenia jest człowiek chory lub będący nosicielem, ale epidemiologicznie postacie te różnią się od siebie dość istotnie.

Wirusowe zapalenie wątroby typu A w większości dotyczy dzieci, zwłaszcza w wieku 7–10 lat, i młodzieży; dość często notuje się je także u młodych dorosłych. Szerzy się drogą pokarmową przez produkty spożywcze, wodę, rzadziej przez styczność bezpośrednią, choć jest możliwe też zakażenie drogą pozajelitową przez uszkodzone tkanki. Okres wylęgania choroby przeciętnie wynosi 28–30 dni, ale bywa również krótszy (od 2 tygodni) albo dłuższy (do 7 tygodni). Wirus typu A jest wydalany z kałem już pod koniec okresu wylęgania i w ostrym okresie choroby. Przebycie choroby powoduje trwałe uodpornienie.

Wirusowe zapalenie wątroby typu B przenosi się przede wszystkim drogą pozajelitową. Zakażenie następuje przez przetoczenie krwi i preparatów krwiopochodnych oraz zabiegi naruszające ciągłość tkanek, wykonywane narzędziami niedostatecznie sterylizowanymi (także wstrzyknięcia). Możliwe są zakażenia przez bliski kontakt osobisty (droga płciowa, dziecka przez matkę karmiącą piersią, w czasie porodu), a wyjątkowo także drogą jelitową. Nie ma tu sezonowych i okresowych nasileń zachorowań, jak to się dzieje w zakażeniach typu A (wzrost zachorowań w sezonie letnio-jesiennym). Okres wylęgania jest długi, od 2 do 6 miesięcy. Zaraźliwość – związana z obecnością wirusa we krwi – występuje na kilka tygodni przed chorobą w czasie choroby (w jej ostrej fazie), w chorobie przewlekłej przez całe lata. Możliwe jest też nosicielstwo we krwi przez osoby w ogóle nie chorujące. Badania na obecność tzw. antygenu HBs (powierzchniowego) wirusa wykazały, że nosicielami tego antygenu jest 0,5–1,0% osób zdrowych.

Objawy i przebieg. W typowym przebiegu choroby wyróżnia się okresy: wstępny, żółtaczkowy i zdrowienia. W okresie wstępnym, w związku z nasiloną wirusemią i umiejscowieniem wirusów w różnych narządach, występują objawy ogólne: złe samopoczucie, osłabienie, apatia, ból głowy, zaburzenia dyspeptyczne (żołądkowe) z brakiem łaknienia, nudnościami, często wymiotami, wstrętem do pokarmów tłustych i ciężko strawnych, niekiedy wolne stolce. Czasem przeważają objawy grypopodobne: ogólne rozbicie, bóle mięśniowe, kości, stawów. U dużej części chorych, zwłaszcza u dzieci, występuje w tym okresie kilkudniowa gorączka. W końcu zaczyna się pobolewanie i uczucie gniecenia w górnym śróbrzuszu lub w prawym podżebrzu. Krótkotrwały okres wstępny, z mniej nasilonymi objawami, wskazuje raczej na wirusowe zapalenie wątroby typu B.

Po krótkotrwałej poprawie (1–2 dni) i ustąpieniu gorączki ponownie nasilają się objawy ogólne i dyspeptyczne, pojawia się zespół żółtaczkowy: ciemnieje mocz, odbarwiają się stolce i pojawia się zażółcenie skóry o różnej intensywności, zwykle w zależności do ciężkości przypadku. Wątroba, powiększona już poprzednio, ulega dalszemu powiększeniu. Okres ten trwa 1–3 tygodnie, po czym następuje okres zdrowienia, z dość wolnym powrotem do sił i pełnego zdrowia. Zależnie od stopnia uszkodzenia wątroby i różnych jej zdolności regeneracyjnych, przebieg choroby może być lekki, ze słabo nasilonymi objawami (częściej u dzieci i młodzieży), lub ciężki, z dużą żółtaczką i przedłużonym okresem trwania choroby. Cięższy przebieg ma się wiązać z zakażeniem wirusem B (HBV). Wirus ten jest również „odpowiedzialny" za najcięższe przypadki choroby, z rozwojem rozlanej, masywnej martwicy komórek wątrobowych (hepatocytów) oraz ich autolizą. Powoduje to ostry zanik wątroby i śpiączkę wątrobową, co zwykle, przy pełnym rozwoju śpiączki, kończy się zgonem. Śmiertelność ogólna w ostrym zapaleniu wątroby nie jest duża i zwykle nie przekracza 0,5%. Poważnym następstwem może być rozwój przewlekłego zapalenia wątroby, co zdarza się u ok. 3–4% chorych na typ B.

Do celów rozpoznawczych i oceny przebiegu choroby, stopnia uszkodzenia wątroby i zaburzeń jej czynności wykonuje się dość liczne badania, zwłaszcza biochemiczne. Oznacza się we krwi poziom bilirubiny, aktywność aminotransferaz (która wybitnie w tej chorobie wzrasta) i innych enzymów, czynniki układu krzepnięcia krwi (protrombiny, fibrynogenu), skład białek surowicy, wykonuje próby na chwiejność koloidową białek i inne. Do rutynowych badań należy także wykrywanie antygenu *s* wirusa B (HBsAg). W niektórych stacjach sanitarno-epidemiologicznych wprowadzono też metody wykrywania antygenu *e* (HBeAg).

Postępowanie i leczenie. Zgłoszenie, rejestracja, jak również leczenie szpitalne są w Polsce obowiązkowe. W ostrym okresie jest konieczne pozostawanie w łóżku. Niezbędne jest unikanie wysiłków fizycznych i psychicznych, także w czasie zdrowienia. Musi być stosowana odpowiednia dieta. Zaspokojenie potrzeb energetycznych wymaga zwiększonej podaży węglowodanów, gdyż podaż białek powinna być ograniczona do minimum fizjologicznego, a tłuszcze praktycznie wyeliminowane z uwagi na upośledzone wchłanianie i obciążający wpływ na metabolizm komórek wątrobowych. Posiłki powinny być możliwie lekkie, gotowane, nie smażone, urozmaicone i smaczne. W uzupełnieniu diety stosuje się glukozę i preparaty witaminowe. Niedozwolone są używki oraz wszelkie środki (w tym leki) mogące spowodować uszkodzenie wątroby. W razie zagrażającej śpiączki są stosowane kortykosteroidy i inne środki oraz specjalne metody leczenia.

Ozdrowieńcy przechodzą pod nadzór lekarski ambulatoryjny, najlepiej w poradniach hepatologicznych (wątrobowych), na określony czas, a w razie przewlekłego zapalenia wątroby – pod stałą opiekę tych poradni. Ze względu na częstość zachorowań, długie okresy zaraźliwości (także przy braku objawów), zdrowienia i niezdolności do pracy oraz nierzadko poważne następstwa, wirusowe zapalenie wątroby ma duże znaczenie biologiczne i stanowi ważny problem społeczny, kliniczny i epidemiologiczny.

Zapobieganie wirusowemu zapaleniu wątroby i jego zwalczanie nie są łatwe i różnią się w zależności od typu zakażenia. W zakażeniach wirusem A (HAV) postępowanie przeciwepidemiczne jest podobne jak w durze brzusznym. Do odkażania zaleca się używanie preparatów działających przez czynny chlor. Zwiększenie odporności na zakażenie można uzyskać podając gamma-globulinę ludzką. Stosuje się ją u dzieci do lat 14, zwłaszcza w środowiskach dziecięco-młodzieżowych, w okresie do 6 dni od ostatniej styczności z chorym. W celach wykrycia źródeł zakażenia obowiązują w Polsce badania na nosicielstwo antygenu *s* wirusa B (HBsAg) u krwiodawców, kobiet w ciąży, chorych i ozdrowieńców, u osób ze styczności z chorymi na wirusowe zapalenie wątroby i z otoczenia nosicieli, personelu i chorych ośrodków leczących metodą dializ. Krwiodawcami nie mogą być: nosiciele tego antygenu, osoby po przebyciu choroby, ze styczności z chorymi i chorzy z żółtaczką o niejasnej etiologii (przez okres 6 miesięcy). Do zabiegów drobniejszych powinien być stosowany sprzęt jednorazowego użytku, a sprzęt wielorazowego użytku sterylizowany w odpowiednich warunkach (autoklawy, sterylizatory termiczne na suche, gorące powietrze). Ze względu na trudności w otrzymaniu swoistej immunoglobuliny, zawierającej przeciwciała anty-HBs, zaleca się ją do stosowania u ludzi szczególnie narażonych.

Problem długości utrzymywania się uodpornienia po wirusowym zapaleniu wątroby typu B nie jest jednoznacznie rozstrzygnięty. Stosowanie szczepionek wyszło już poza stadium doświadczeń. Szczepienia przeprowadza się obecnie na coraz szerszą skalę.

X. CHOROBY ODZWIERZĘCE

Bruceloza. W Polsce tę chorobę odzwierzęcą, nazywaną też chorobą Banga, wywołuje drobna bakteria – pałeczka ronienia bydła (*Brucella abortus bovis*). W niektórych innych krajach występują ciężej przebiegające zachorowania, wywołane przez *B. melitensis* (gorączka maltańska) i *B. abortus suis* (zakażenia od świń). Na brucelozę chorują głównie ludzie narażeni zawodowo: pracownicy służby weterynaryjnej i zatrudnieni przy hodowli bydła i jego obsłudze (zwłaszcza w hodowli wielkostadnej). Zakażenie następuje przeważnie przez skórę w czasie styczności bezpośredniej z zakażonym łożyskiem, poronionym płodem i wodami płodowymi przy zabiegach położniczych u krów, ale także z innymi materiałami zakażonymi brucelami. Zakażenie przez nie gotowane mleko i jego przetwory należy do rzadkości. Zachorowania są z reguły sporadyczne. Nie ma zakażeń człowieka od człowieka. Stosunkowo liczne zakażenia przebiegają bezobjawowo. Podobnie jak zakażenia objawowe, prowadzą one do wytworzenia przeciwciał i przede wszystkim do nadwrażliwości komórkowej, której wyrazem jest m.in. dodatnia próba brucelinowa (analogiczna do tuberkulinowej). Okres wylęgania jest różnie długi, od kilku dni do kilku miesięcy.

Objawy i przebieg. Po namnożeniu zarazków w węzłach chłonnych bliskich wrotom zakażenia, następuje ich wysiew do krwi i przeniesienie do różnych tkanek narządów. Okres uogólnienia może być bezobjawowy, czasem przejawia się ostrą postacią choroby, częściej jednak proces chorobowy od początku jest niezbyt nasilony i przewleka się (postać przewlekła).

W postaci ostrej gorączka może stopniowo narastać i po osiągnięciu szczytu stopniowo spada, zazwyczaj jednak ma przebieg nieregularny. Zespół objawów może przypominać objawy w durze brzusznym lub w posocznicy. Jako powikłanie zdarza się zapalenie jąder, czasem stawów krzyżowo-biodrowych, wyjątkowo zapalenie opon mózgowo-rdzeniowych. Może dojść do samowyleczenia lub przejścia w postać przewlekłą z nawrotami.

W postaci przewlekłej dolegliwości są zwykle niewielkie. Choroba może przebiegać bezgorączkowo lub w różnie długich odstępach czasowych występują krótkotrwałe stany gorączkowe i nieco dłużej utrzymujące się objawy: gorsze samopoczucie, łatwość pocenia się, bóle głowy, niepokój, rozdrażnienie lub apatia. Chorzy najczęściej nie przerywają pracy, choć łatwo męczą się fizycznie i umysłowo. W miarę trwania choroby pojawiają się objawy związane z uszkodzeniami zapalno-zwyrodnieniowymi narządów i układów. Występują uporczywe bóle kostno-stawowe i mięśniowe o różnym nasileniu, czasem z upośledzeniem ruchów w niektórych stawach. Dotyczą one głównie kręgosłupa i dużych stawów obwodowych. Częste są zaburzenia o charakterze neurologicznym, spowodowane głównie uszkodzeniem układu wegetatywnego: zaburzenia czucia, osłabienie potencji, oziębłość płciowa, zespół rzekomonerwicowy, często osłabienie słuchu (uszkodzenie nerwu słuchowego). Występują: powiększenie i uszkodzenie wątroby, zmiany kostne przystawowe, zmiany i zaburzenia neurologiczne.

Postępowanie i leczenie. Obowiązuje zgłoszenie choroby i leczenie w zakładach lecznictwa otwartego. Ze względu na trudności diagnostyczne, potrzebę oceny charakteru i ciężkości zmian w związku z roszczeniami wynikającymi z narażenia zawodowego, chorzy często są poddawani obserwacji i leczeniu szpitalnemu. Leczenie przyczynowe polega na stosowaniu odpowiednich antybiotyków. W ostrej postaci jest ono bardziej skuteczne niż w przewlekłej. Stosuje się również środki działające objawowo, witaminy oraz fizyko- i balneoterapię.

Krętkowice, czyli **leptospirozy.** Są to choroby odzwierzęce wywoływane przez krętki z rodzaju *Leptospira*, bakterie o kształcie falistej nitki, długości średnio 7–20 μm. W Polsce występują dwie ostro przebiegające leptospirozy: choroba Weila oraz gorączka błotna.

Chorobę Weila wywołuje *L. icterohaemorrhagiae*. Głównym źródłem zakażenia są szczury wydalające zarazki z moczem i zakażające otaczające środowisko, wodę, środki spożywcze. Chorują przeważnie pracownicy ziemni, kanalizacyjni, portowi, rzeźni, hodowcy świń, czasem także kąpiący się w stawach i innych zbiornikach wodnych zakażonych wydalinami gryzoni. Zakażenie następuje drogą pokarmową i przez uszkodzoną skórę. Okres wylęgania wynosi zwykle kilka dni.

Objawy i przebieg. Choroba zaczyna się gwałtownie dreszczami i gorączką do 40°C, występują bóle głowy, nudności, wymioty, silne bóle łydek, ud i okolicy krzyżowej. Spojówki są przekrwione, twarz czerwona, dość często występuje opryszczka wargowa. Od ok. 3 dnia pojawia się żółtaczka o różnym nasileniu. Może występować wysypka odro- lub różyczkopodobna, a w ciężkich przypadkach zmiany krwotoczne na skórze i błonach śluzowych. Powiększa się wątroba i śledziona, w płynie mózgowo-rdzeniowym występują zmiany typu limfocytarnego, niekiedy zjawiają się także zmiany mózgowe. Szczególnie niebezpieczne są zaburzenia czynności nerek – zmniejsza się ilość dobowa moczu (o l i g u r i a), przy czym, co jest znamienne, ciężar właściwy moczu jest obniżony (zwiększona resorpcja zwrotna w kanalikach nerkowych), we krwi gromadzą się w nadmiarze ciała azotowe (a z o t e m i a), zwłaszcza mocznik. W bardzo ciężkich stanach dochodzi do b e z m o c z u (a n u r i i). W rezultacie powstaje z e s p ó ł o s t r e j n i e d o m o g i n e r e k, najczęstsza przyczyna zgonów w tej leptospirozie.

Przy braku powikłań gorączka ustępuje w ciągu 4–8 dni. U części chorych po paru dniach obserwuje się nawrót niezbyt wysokiej i krótkotrwałej gorączki. Następuje stopniowa poprawa stanu zdrowia. Poprawia się bardzo upośledzony w tej chorobie stan krążenia, wzrasta ciśnienie krwi (powraca do normy), ustępuje skąpomocz, a nawet krótkotrwały bezmocz, obniża się azotemia. Część zachorowań może mieć przebieg lżejszy lub zupełnie lekki, bez wyraźnych cech uszkodzenia nerek. Utrudnia to rozpoznanie choroby, zwłaszcza w postaci bezżółtaczkowej. W rozpoznaniu przydatny jest dokładnie zebrany wywiad epidemiologiczny (narażenia zawodowe, kąpiel itp.) oraz badanie serologiczne.

L e c z e n i e i p o s t ę p o w a n i e. Obowiązuje rejestracja choroby i leczenie szpitalne. W leczeniu przyczynowym stosuje się duże dawki określonych antybiotyków, zwłaszcza we wczesnym okresie (w czasie bakteriemii, przed rozwojem ciężkich uszkodzeń narządowych). Istotne znaczenie ma odpowiednia pielęgnacja, właściwe odżywianie, duże dawki witamin i wyrównywanie zaburzeń elektrolitowych. Niekiedy dla ratowania życia w niewydolności nerek jest konieczna hemodializa przy użyciu sztucznej nerki.

G o r ą c z k a b ł o t n a jest wywołana przez *L. grippotyphosa*. Źródłem zakażenia są głównie myszy polne i leśne, także szczury wodne. Na zakażenie narażeni są ludzie pracujący na terenach podmokłych, zwłaszcza pracujący boso, np. w czasie prac żniwnych, sianokosów, przy kopaniu rowów, a także kąpiący się w zbiornikach wodnych zanieczyszczonych moczem gryzoni. Dotyczy to przede wszystkim ludności wiejskiej. Sposób przenoszenia i wrota zakażenia, jak w chorobie Weila (zob. wyżej).

O b j a w y. Początek choroby jest nagły, a wysoka gorączka trwa zwykle 7 dni. Po 1–2 dniach bezgorączkowych może ona pojawić się ponownie na okres 2–5 dni (gorączka dwufazowa, charakterystyczna dla krętkowic). W 5–6 dniu choroby mogą wystąpić na skórze plamiste wykwity podobne do odrowych lub różyczkowych. Twarz i spojówki są czerwone. Występują silne bóle głowy i zespół oponowy ze zmianami typu limfocytarnego w płynie mózgowo-rdzeniowym. Mogą, choć rzadziej, wystąpić bóle łydek i okolicy krzyżowej. Tylko u nie więcej niż 2% chorych zdarza się niewielkie zażółcenie i występują nieznaczne zmiany w moczu.

P o s t ę p o w a n i e i l e c z e n i e jak w chorobie Weila (zob. wyżej).

I n n e l e p t o s p i r o z y, wywołane np. przez *L. canicola, L. sejroe, L. cynopteri* i *L. pomona*, występują w Polsce rzadko, sporadycznie. Przebieg choroby jest z reguły lekki lub średnio ciężki, przypomina przebieg gorączki błotnej, choć mogą się zdarzyć wyjątkowo cięższe uszkodzenia narządowe. Rozpoznanie jest możliwe na podstawie badań serologicznych. Rokowanie jest dobre. P o s t ę p o w a n i e i l e c z e n i e jak w chorobie Weila (zob. wyżej).

Pryszczyca. Jest to bardzo zaraźliwa i ciężka choroba parzystokopytnych zwierząt domowych i dzikich (bydło, owce, kozy), wywołana przez wirusy z grupy *Picorna*. Wyróżniono 7 ich typów, różniących się antygenowo i nie powodujących odporności krzyżowej. W przeciwieństwie do zwierząt, podatność gatunkowa człowieka jest niska, zachorowania u ludzi są pojedyncze, sporadyczne, o przebiegu łagodnym lub poronnym. Zdrowy człowiek może być biernym przenosicielem zakażenia od jednego do innego zwierzęcia. Stąd przy zwalczaniu epizoocji tej choroby mogą być stosowane m.in. ograniczenia w ruchu ludności, zwłaszcza w ruchu międzynarodowym. Człowiek zakaża się spożywając nie gotowane mleko lub przez styczność bezpośrednią. Okres wylęgania u ludzi wynosi zwykle 3 – 8 dni.

O b j a w y. Pojawia się suchość w jamie ustnej, uczucie ogólnego niedomagania i stan podgorączkowy. Po 1 – 2 dniach występują mniej lub bardziej liczne pęcherzyki na błonie śluzowej dziąseł, policzków, warg, czasem gardła oraz na skórze warg, rąk i nóg, zwłaszcza w sąsiedztwie paznokci. Może się zdarzyć nietypowy przebieg z gorączką i zapaleniem spojówek. Okres zdrowienia zwykle się przedłuża ze względu na tworzenie się nadżerek i powolne ich gojenie, zwłaszcza jeśli dojdzie do wtórnego zakażenia bakteryjnego.

L e c z e n i e objawowe: płukanie jamy ustnej łagodnymi środkami odkażającymi, pędzlowanie zmian skórnych, dieta płynna, płynno-papkowata, bez kwasów i ostrych przypraw.

Choroba papuzia lub **choroba ptasia**, czyli **ornitoza.** Chorobę wywołuje *Chlamydia psittaci*, drobna bakteria będąca bezwzględnym pasożytem komórkowym o swoistym cyklu rozwojowym. U różnych ptaków z rodziny papugowatych, a także u ptactwa domowego (kury, kaczki, indyki, gołębie i in.) zakażenie przebiega najczęściej bezobjawowo. Człowiek zakaża się głównie przez wdychanie kurzu zawierającego cząstki wysuszonego kału ptaków lub przez bliską styczność z zakażonymi papugami, hodowanymi gołębiami, ptactwem domowym lub w zakładach przetwórczych drobiu. Wrotami zakażenia są drogi oddechowe i uszkodzona skóra. Okres wylęgania wynosi średnio 5 – 15 dni.

O b j a w y i p r z e b i e g. Zakażenie u dzieci przebiega bezobjawowo lub lekko, łagodniej u ludzi młodych niż u osób starszych. W chorobie dochodzi do krążenia zarazka we krwi, uszkodzeń naczyń i zmian narządowych, lecz najbardziej charakterystyczne zmiany zachodzą w płucach. Choroba rozwija się ostro wśród dreszczy, wysokiej gorączki, bólów głowy – w ciągu 1 – 4 dni. W płucach dochodzi do zapalenia śródmiąższowego, trudnego do rozpoznania i oceny rozległości zmian bez badania rentgenowskiego. Kaszel jest niewielki, ze skąpą wydzieliną. Choroba trwa 2 – 3 tygodnie, zdrowienie może przeciągać się do 6 – 8 tygodni.

L e c z e n i e i p o s t ę p o w a n i e. Obowiązuje rejestracja i leczenie szpitalne. Skuteczne są określone antybiotyki (tetracykliny). W następstwie ich stosowania śmiertelność, dawniej dość wysoka, wybitnie zmniejszyła się.

Różyca. Tę chorobę zakaźną wywołuje włoskowiec różycy (*Erysipelothrix insidiosa*), mała, włosowata pałeczka oporna na wysychanie, gnicie, wędzenie, solenie i peklowanie. Może utrzymywać się długo w wędlinach. Człowiek zakaża się głównie od świń chorych lub będących nosicielami, czasem od ryb. Zakażenie następuje przede wszystkim przez skaleczoną skórę, wyjątkowo drogą pokarmową. W Polsce rejestruje się kilkaset zachorowań rocznie, głównie u rzeźników, kucharzy, rybaków. Okres wylęgania 1 – 5 dni.

Objawy. W miejscu wniknięcia zarazka pojawia się piekący ból, silny świąd, a wkrótce potem sinawoczerwona plama, szerząca się stopniowo na obwodzie, na obrzękłym podłożu. Zmiany zlokalizowane są z reguły na rękach, głównie na I i II palcu. Najbliższe stawy są obrzmiałe i bolesne. Rzadko występuje krótkotrwała gorączka, stan ogólny jest dobry. Wyjątkowo zdarza się postać jelitowa (jedzenie surowego mięsa chorych zwierząt) z parodniową biegunką, a niezwykle rzadko dochodzi do posocznicy z wysypką skórną, zajęciem stawów i zapaleniem wsierdzia.

Leczenie. Bardzo skutecznym lekiem są antybiotyki.

Zapobieganie zależy głównie od służby weterynaryjnej. Indywidualnie polega na opatrzeniu nawet drobnych skaleczeń, a u osób narażonych zawodowo – na noszeniu rękawic przy pracy.

Tularemia. Chorobę tę wywołuje mała pałeczka *Francisella tularensis*, pokrewna zarazkom brucelozy i dżumy. W niektórych krajach jest to choroba szeroko rozpowszechniona wśród wielu gatunków dzikich zwierząt i dość często także u ludzi. W Polsce występuje głównie w północnej części kraju, czasem w niezbyt dużych ogniskach epidemicznych; głównym źródłem zakażenia jest chory zając. Zarazek wnika przez skórę, rzadziej przez spojówki, śluzówki przewodu pokarmowego, dróg oddechowych. Zakażenie nie przenosi się z człowieka na człowieka. Okres wylęgania 3 – 7 dni.

Objawy. Cechą szczególną jest uszkodzenie skóry lub błony śluzowej w okolicy wrót zakażenia i zapalne powiększenie okolicznych węzłów chłonnych. Wyróżnia się następujące postacie choroby: 1) wrzodziejąco-węzłową, najczęstszą (ok. 85% zachorowań), gdy na skórze, głównie rąk, pojawia się zaczerwienienie, czasem grudka, z następowym owrzodzeniem i równoczesnym bolesnym obrzmieniem najbliższych węzłów chłonnych (niekiedy ich rozmiękanie i nawet zropienie); 2) węzłową, gdy występuje obrzmienie węzłów chłonnych, bez uchwytnych oznak zmian skórnych; 3) oczno-węzłową, z zapaleniem spojówek, zaczerwienieniem twarzy i obrzękiem węzłów chłonnych przedusznych (z reguły jednostronnie); 4) anginową, ze zmianami na migdałkach i obrzmieniem węzłów chłonnych podszczękowych; 5) trzewną (durowatą), cechującą się cięższym przebiegiem, dreszczami wyższą niż zwykle gorączką oraz objawami ogólnego zatrucia; mogą też być bóle brzucha i biegunka; 6) płucną, w której dochodzi do zapalenia płuc, śródmiąższowego lub płatowego.

Rozpoznanie tylko w rzadkich, cięższych przypadkach może być trudniejsze i wymaga w razie podejrzenia specjalnych badań (hodowla zarazków, badanie serologiczne, skórna próba tularynowa).

W leczeniu przyczynowym są stosowane antybiotyki. U leczonych przyczynowo tylko wyjątkowo może dojść do zgonu. Ludzie narażeni zawodowo mogą być poddani szczepieniu ochronnemu.

Wścieklizna, czyli **wodowstręt**. Rezerwuarem wirusa wścieklizny, należącego do rabdowirusów, są dzikie zwierzęta drapieżne, w Polsce głównie lisy, a następnie borsuki. Wrażliwe na zakażenie są wszystkie ssaki, w mniejszym stopniu ptaki. Od dzikich zwierząt zakażenie może się szerzyć na nie szczepione psy, koty, bydło, konie. Od czasu wprowadzenia obowiązkowego szczepienia psów notuje się od wielu lat tylko pojedyncze zgony ludzi z powodu tej choroby, głównie u nie szczepionych po ukąszeniu przez chore zwierzę.

Wirus wścieklizny jest najbardziej ze wszystkich mikroorganizmów neurotropowym zarazkiem. Z miejsca uszkodzenia powłok, a właściwie z zakończeń nerwowych, przenosi się wzdłuż nerwów do ośrodkowego układu nerwowego i namnaża się w komórkach nerwowych, w których powstają twory zwane ciałkami Negriego. Wtórnemu zakażeniu ulegają gruczoły ślinowe, gdzie również dochodzi do namnażania i do wydalania wirusa wścieklizny. Okres wylęgania u człowieka wynosi przeciętnie 4–12 tygodni, lecz może być krótszy lub – rzadziej – dłuższy.

Objawy. Początkowo najczęściej występują objawy podrażnienia czuciowego w miejscu pokąsania (mrowienie, kłucie, palenie, pieczenie) i inne objawy mało charakterystyczne, takie jak gorączka, bóle głowy, złe samopoczucie, mdłości, uporczywy kaszel. Wkrótce pojawia się i szybko narasta silne podniecenie, niepokój ruchowy, zaburzenia mowy, omamy wzrokowe i słuchowe. Różne bodźce, nawet słabe, wywołują drgawki, bolesne skurcze mięśni jamy ustnej, gardła i krtani, zazwyczaj przy próbach łykania płynów, nieco później na sam widok lub szmer lejącej się wody. Na przemian występują napady szału i depresji. W ostatnim stadium dochodzi do porażeń i po kilku dniach choroba, której istotą jest niezmiernie ciężkie, rozlane zapalenie mózgu i rdzenia, kończy się zgonem.

Leczenie. Chorego należy izolować. Leczenie ogranicza się do łagodzenia objawów. Odżywianie odbywa się drogą pozajelitową.

Szczepieniom poddawane są osoby podejrzane o zakażenie wirusem wścieklizny, tzn.: a) pokąsane przez zwierzę wściekłe lub podejrzane o tę chorobę, b) pokąsane przez zwierzę dzikie lub nieznane, które zbiegło albo po pokąsaniu padło lub zostało zabite; c) u których nastąpiło zanieczyszczenie błon śluzowych spojówek lub uszkodzonej skóry śliną albo substancją mózgową zwierzęcia wściekłego lub podejrzanego o wściekliznę. Rana, nawet niewielka, powinna być niezwłocznie przemyta strumieniem wody z mydłem. Krwawienia, jeśli nie jest nadmierne, nie należy hamować. W Polsce stosuje się szczepionkę zawierającą zabity (inaktywowany) wirus o ustalonej zjadliwości (*wirus fixe*). Podaje się ją we wstrzyknięciach podskórnych codziennie przez 14 dni po 2 ml, a u dzieci do lat 5 połowę tej dawki. Po 10 i 20 dniach od zakończenia cyklu wstrzyknięć podaje się dawki uzupełniające.

U osób z ciężkimi pokąsaniami w okolicach głowy, szyi, twarzy, palców rąk i narządów płciowych stosuje się uodpornienie bierno-czynne: jednorazowo wstrzykuje się surowicę przeciw wściekliźnie i równocześnie rozpoczyna się cykl szczepień. Tego rodzaju uodpornienie przeprowadza się w szpitalu. Do szpitala są kierowane również osoby z poważniejszymi odczynami poszczepiennymi i z powikłaniami neurologicznymi.

Zwierzęcia, które pokąsało, nie należy zabijać, lecz poddać je obserwacji weterynaryjno-lekarskiej (do 10 dni). Jeśli u zwierzęcia nie stwierdza się podejrzanych objawów, osoba pokąsana może uniknąć szczepień lub cykl ich może być skrócony do 5 wstrzyknięć. Badania mózgu zwierząt zabitych po pokąsaniu wykonują lekarze weterynarii.

XI. CHOROBY PIERWOTNIAKOWE

Lamblioza jest chorobą pierwotniakową o powszechnym zasięgu geograficznym. Wywołuje ją wiciowiec *Lamblia intestinalis* (*Giardia lambdia*), w kształcie przeciętej wzdłuż gruszki, wielkości dwukrotnie większej od krwinki czerwonej. Wiciowiec ma 4 pary wici umożliwiające mu poruszanie się i rodzaj przyssawki, którą przyczepia się do błony śluzowej. Postać otorbiona pasożyta – cysta jest wydalana z kałem i stanowi formę inwazyjną. Źródłem zakażenia jest człowiek chory i nosiciel. Zakażenie częściej występuje u dzieci niż u osób dorosłych. W Polsce co najmniej 5% ludności jest zarażone tym pasożytem. U ok. 10% zarażonych dochodzi do objawów chorobowych. Zespoły objawowe zależą od głównego umiejscowienia i rozmnażania się pasożyta.

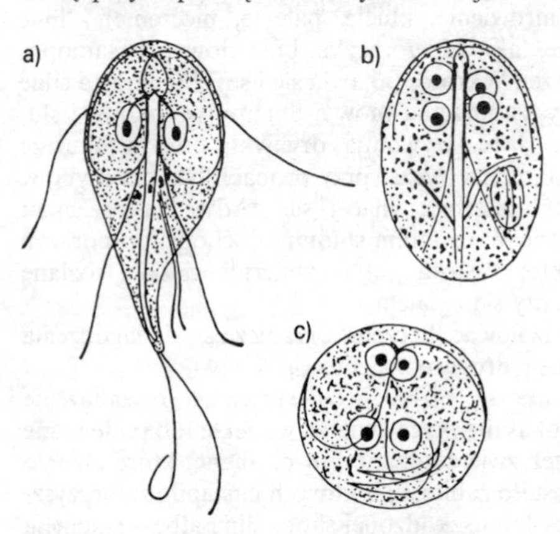

Lamblia jelitowa (*Lamblia intestinalis*, *Giardia lamblia*): a) postać dorosła (trofozoit), b) cysta, c) cysta od strony bieguna

O b j a w y. W postaci najczęstszej, jelitowej, występuje brak łaknienia, bóle brzucha, nudności, wzdęcia, wymioty i uporczywa, nawracająca biegunka. W innych postaciach objawy występują ze strony dróg żółciowych: pobolewania lub bóle w prawym podżebrzu, nudności i wzdęcia, stany podgorączkowe, czasem również żółtaczka o różnym nasileniu. Rzadziej zespół objawów może imitować chorobę wrzodową. Niekiedy przeważają objawy ogólnoustrojowe, takie jak bóle głowy, zmęczenie, roztargnienie, bezsenność, albo uczuleniowe z różnego rodzaju wysypką, gorączką, zaburzeniami naczyniowo-ruchowymi i ze wzrostem leukocytów kwasochłonnych we krwi (eozynofilia).

Rozpoznanie potwierdzają badania mikroskopowe treści dwunastniczej i kału.

Leczenie farmakologiczne przeciwpierwotniakowe.

Zapobieganie polega na przestrzeganiu zasad higieny osobistej oraz wykrywaniu i zwalczaniu nosicielstwa, zwłaszcza u pracowników zatrudnionych w działach spożywczych.

Balantidioza. Chorobę wywołuje pierwotniak *Balantidium coli*, zwany szparkoszem okrężnicy. Pierwotniak pokryty jest rzęskami, umożliwiającymi mu poruszanie się. Rezerwuarem i źródłem zakażenia są świnie wydalające ze stolcami cysty (postać przetrwalnikowa). Do zakażeń dochodzi przez pokarmy zanieczyszczone cystami. Z cyst rozwijają się trofozoity (postać wegetatywna), które osiedlają się w jelicie grubym. Dzięki enzymom proteolitycznym mogą przenikać do przestrzeni międzykomórkowych i wywoływać owrzodzenia.

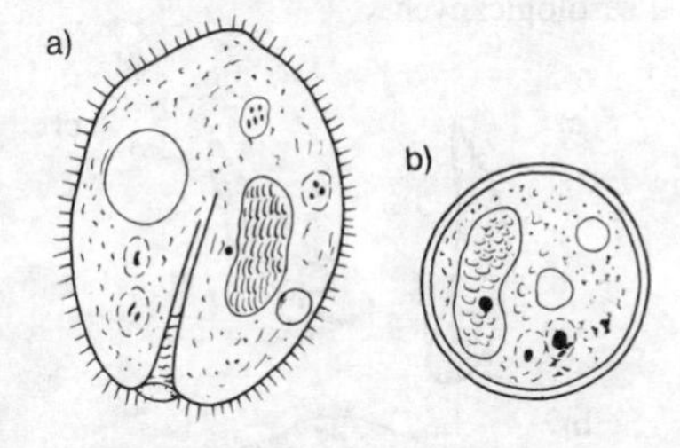

Pierwotniak *Balantidium coli*; a) postać dorosła (trofozoit), b) cysta

Objawy. Długotrwała biegunka ze stolcami wodnisto-śluzowymi lub śluzowo-ropno-krwistymi, postępujący spadek sił i stanu odżywienia, brak gorączki.

Rozpoznanie potwierdzają badania mikroskopowe stolców biegunkowych, w których występują formy wegetatywne pierwotniaka.

Leczenie antybiotykami.

Zapobieganie to przede wszystkim przestrzeganie higieny osobistej przez osoby stykające się z trzodą.

Toksoplazmoza. Chorobę wywołuje pierwotniak *Toxoplasma gondii*. Wyróżnia się dwie postacie tej choroby: nabytą oraz wrodzoną. Postać nabyta jest szeroko rozpowszechniona wśród ssaków i ptaków. Ważnym źródłem zakażenia jest kot, w którego organizmie przebiega pełny cykl rozwojowy pasożyta. Rozwój płciowy pierwotniaka odbywa się w nabłonku jelita cienkiego, gdzie powstają oocysty wydalane z kałem, które po kilku dniach uzyskują cechy inwazyjne. Inną postacią inwazyjną są cysty zawarte w tkankach zwierzęcych, głównie w mięsie, mózgu i sercu. Zakażenie człowieka następuje przez spożywanie surowych i półsurowych produktów zwierzęcych, jak również drogą doustną w środowisku, w którym znajduje się koci kał. W toksoplazmozie wrodzonej zakażenie płodu następuje drogą łożyskową.

U człowieka występują dwie postacie pasożyta: wolna (trofozoit), o rozmiarach $2-4 \times 4-7$ µm, mająca kształt rogalika, i otorbiona (cysta) o średnicy $30-200$ µm. W przewodzie pokarmowym pasożyty przenikają do błony podśluzówkowej jelit, następnie drogą limfatyczną i krwionośną do tkanek różnych narządów, w których rozwijają się w żywych komórkach; nie znajdowano ich tylko w bezjądrowych krwinkach czerwonych. W komórkach tworzą się pseudocysty, które z kolei przechodzą pod wpływem powstających w organizmie przeciwciał w pozakomórkowe cysty. Cysty mają otoczkę i zawierają bardzo liczne pasożyty, zdolne do zakażania nawet po wielu latach. Powstające w tkankach ogniska zapalno-martwicze mogą, w zależności od ich umiejscowienia i wielkości, nie powodować objawów chorobowych, lub też prowadzą do powstania różnych zespołów chorobowych. Najczęściej jest to zakażenie bezobjawowe, a o przebyciu inwazji można sądzić jedynie na podstawie wyników badań immunologicznych i serologicznych.

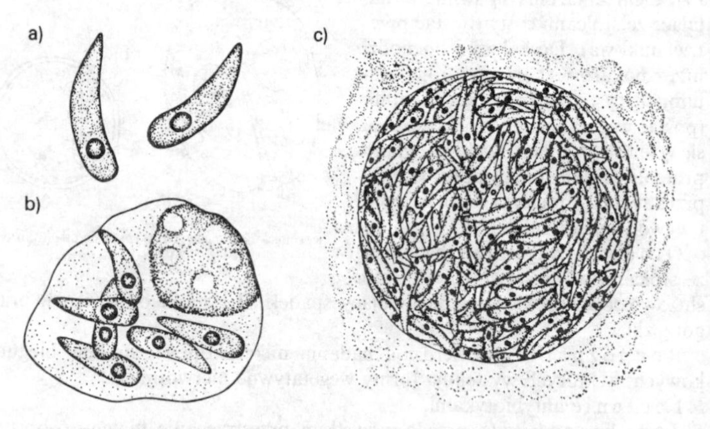

Pierwotniak *Toxoplasma gondii*; a) postacie dorosłe (trofozoity), b) w komórce, c) w cyście

Objawy i przebieg choroby zależą od lokalizacji zmian w narządach i są niejednolite. Najczęściej występuje postać węzłowa toksoplazmozy. Cechuje ją powiększenie węzłów chłonnych, głównie szyjnych i karkowych, które są twarde, niebolesne na ucisk, nie ulegają zropieniu. Towarzyszą temu bóle głowy, stawów, stan podgorączkowy, a także skłonność do potów. Rzadko występują nieznaczne objawy oponowe oraz wysypka plamisto-grudkowa. We krwi wzrasta liczba limfocytów (do 70%).

Toksoplazmoza oczna rozwija się w późniejszych okresach choroby. Powstają zmiany na dnie oczu (zapalenie siatkówki i naczyniówki) przejawiające się zaburzeniami widzenia.

Toksoplazmoza wielonarządowa jest chorobą o ciężkim przebiegu z zapaleniem opon i mózgu, płuc, mięśnia sercowego i innymi zmianami narządowymi. U dorosłych zdarza się rzadko, zwykle w zakażeniach laboratoryjnych.

T o k s o p l a z m o z a p r z e w l e k ł a przebiega rzutami gorączki, bólami stawów i mięśni, bólami głowy. Węzły chłonne przejściowo powiększają się nieznacznie, powiększa się również wątroba, występują zaburzenia miesiączkowania i psychiczne.

T o k s o p l a z m o z a w r o d z o n a jest następstwem zakażenia płodu drogą łożyskową. Stosunkowo rzadko dochodzi do obumarcia płodu i poronienia. Jeśli płód został zakażony w środkowym okresie ciąży, dzieci rodzą się ze zwapnieniami śródmózgowymi, bliznami pozapalnymi siatkówki i naczyniówki oka, wodogłowiem, drgawkami. Ich rozwój psychiczny jest upośledzony. Jeśli płód został zakażony w ostatnich tygodniach ciąży, u noworodków występuje zapalenie mózgu i objawy chorobowe ze strony innych narządów. Zdarza się też, że noworodki rodzą się pozornie zdrowe i dopiero po pewnym czasie ujawniają się następstwa przebytej choroby (wodogłowie, zaburzenia wzrokowe, psychoruchowe).

R o z p o z n a n i e toksoplazmozy odbywa się na podstawie badań laboratoryjnych, z których w praktyce podstawowe znaczenie mają testy serologiczne, wykazujące obecność i poziom (miano) przeciwciał. Wczesne rozpoznanie, już w 8–12 dni po zarażeniu, umożliwiają odczyny: barwny i fluorescencji pośredniej. Narastanie miana przeciwciał w tych odczynach świadczy o czynnym procesie zakażenia. Na świeże zakażenie wskazuje również stwierdzenie podwyższonego miana przeciwciał klasy IgM. Wykrycie przeciwciał IgM u noworodka jest wskazaniem do leczenia dziecka i matki. Pomocne są także odczyn wiązania dopełniacza i odczyn hemaglutynacji biernej.

L e c z e n i e. W ostrych postaciach choroby i w przewlekłych, gdy występują objawy procesu czynnego i potwierdzają to badania serologiczne – stosuje się odpowiednie leczenie farmakologiczne, m.in. sulfonamidy, antybiotyki i witaminy. W razie zmian ocznych leczenie okulistyczne. U kobiet ciężarnych, gdy wyniki badań serologicznych są dodatnie, stosuje się tylko antybiotyk spiramycynę i powtarza się ją w odstępach paru tygodni. Zakażenie utajone z niskimi mianami odczynów serologicznych nie wymaga leczenia.

Z a p o b i e g a n i e polega na: a) niszczeniu płodów i popłodów zakażonych zwierząt oraz niedopuszczaniu do spożycia tusz tych zwierząt; b) odkażaniu kociego kału i umiejętnym jego usuwaniu; c) unikaniu spożywania surowych i półsurowych produktów zwierzęcych; d) myciu rąk i owoców po styczności z kotem. Szczególna ostrożność obowiązuje kobiety w ciąży przebywające w środowiskach, w których żyją koty. Kobiety takie w okresie ciąży powinny być trzykrotnie poddane badaniom serologicznym.

XII. ROBACZYCE – HELMINTOZY

Robaki, pasożyty wielokomórkowe, różnią się od innych chorobotwórczych czynników biologicznych wieloma cechami, a c h o r o b y przez nie wywoływane są nazywane p a s o ż y t n i c z y m i lub i n w a z y j n y m i. Robaki pasożytnicze należą do dwóch grup: robaków płaskich, zwanych płazińcami, oraz robaków obłych, zwanych obleńcami. W zależności od form rozwojowych pasożyta, wyróżnia się żywiciela ostatecznego, w którym bytuje pasożyt dojrzały, oraz żywiciela pośredniego, w którym rozwijają się postacie larwalne. Szkodliwość pasożytnictwa zależy od: 1) liczby pasożytów (przebieg małej inwazji może być bezobjawowy), 2) gatunku robaka, 3) osobniczych właściwości i wieku człowieka (dzieci są bardziej wrażliwe na niektóre inwazje), 4) uszkodzeń mechanicznych, zatruwania organizmu produktami przemiany materii, wywołania reakcji alergicznych oraz zubożenia organizmu żywiciela w istotne dla życia substancje, co powoduje niekiedy ich niedobory.

Z wyjątkiem włośnicy, właściwie wszystkie inne robaczyce dają podobny zespół objawów chorobowych. Występują:

1) objawy ze strony przewodu pokarmowego: zmiana łaknienia (brak apetytu lub nadmierny głód), apetyt spaczony (nadmierny na potrawy kwaśne lub słodkie), nudności, wymioty, bóle brzucha, biegunka lub zaparcie stolca;

2) objawy ogólne: osłabienie, nieprzybieranie na wadze, czasem chudnięcie, bladość, sińce pod oczami;

3) objawy typu nerwicowego: nadmierna pobudliwość lub apatia, zgrzytanie zębami, zawroty głowy, nierzadko pobolewanie głowy, u dzieci czasem drgawki;

4) objawy uczuleniowe: zmiany skórne i swędzące wysypki, obrzęki alergiczne;

5) zwiększona liczba leukocytów kwasochłonnych.

Choroby wywołane przez płazińce

Tasiemczyce. Tasiemce (*Taenia*) mają kształt wydłużonej, płaskiej tasiemki czy wstążki. Składają się z małej główki zaopatrzonej w narządy czepne, krótkiej szyjki i przeważnie licznych członów. Pokarm pobierają powierzchnią całego ciała na drodze osmozy. Mają dość dobrze rozwinięty układ wydalniczy i najlepiej rozwinięty układ rozrodczy, przy czym w każdym członie znajduje się narząd męski i żeński (obojnactwo). Dojrzałe człony, wypełnione dużą ilością jaj, odrywają się od wstążki tasiemca (strobili) i są wydalane z kałem. Dalszy rozwój do postaci inwazyjnego wągra odbywa się w żywicielu pośrednim, głównie w mięśniach, ale także w wątrobie, mózgu i innych narządach. Wągier ma kształt pęcherzyka i zawiera płyn oraz główkę. Choroba wywołana przez wągry nazywa się wągrzycą. Tasiemczyce mają powszechny zasięg geograficzny. W Polsce poważniejsze znaczenie mają choroby wywołane przez tasiemce: nieuzbrojonego, uzbrojonego i karłowatego.

Tasiemiec nieuzbrojony (*T. saginata*) ma na główce 4 przyssawki, nie ma haczyków. Długość jego wynosi 3 – 10 m. Człony przejrzałe odrywają się pojedynczo i mogą czynnie wypełzać przez odbyt. Człowiek zaraża się jedząc surowe mięso wołowe („tatara”) lub nie dogotowane.

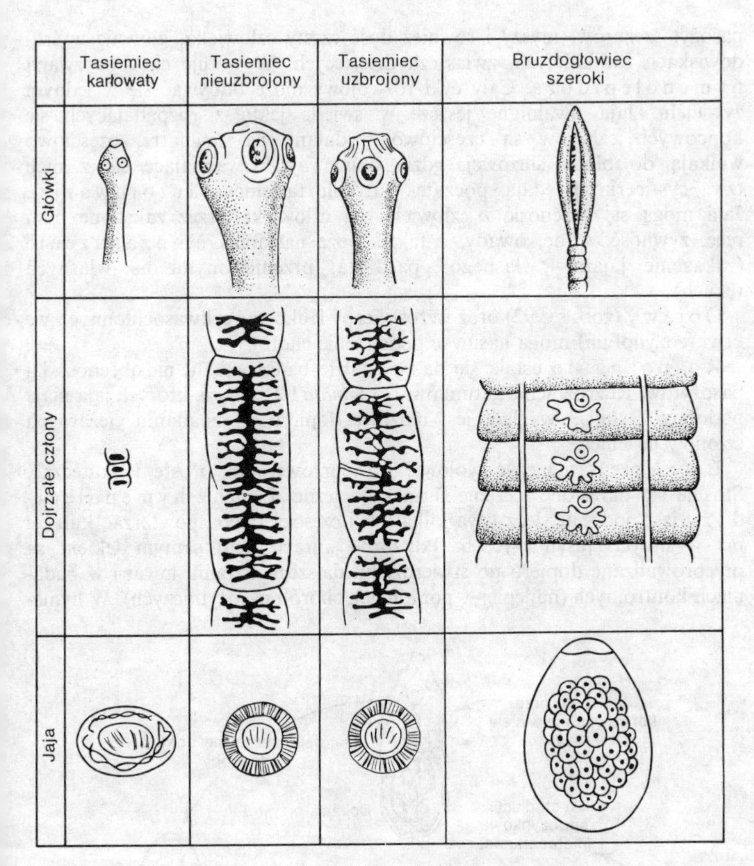

Tasiemce żyjące w człowieku

T a s i e m i e c u z b r o j o n y (*T. solium*) ma główkę zaopatrzoną w 4 przyssawki oraz podwójny wieniec haczyków („uzbrojony"). Jego długość wynosi 2–6 m. Człony przejrzałe są wydalane z kałem. Człowiek zaraża się jedząc surowe lub nie dogotowane mięso wieprzowe, także jego przetwory. Może również zarazić się bezpośrednio jajami tasiemca drogą ustną lub przez autoinwazję w przewodzie pokarmowym. Rozwijające się z jaj wągry mogą się umiejscawiać w różnych tkankach. Wągrzyca narządów miąższowych, mięśni, tkanki podskórnej przebiega zwykle bezobjawowo, natomiast zmiany wągrzycowe w m ó z g u lub g a ł c e o c z n e j powodują ciężkie następstwa.

T a s i e m i e c k a r ł o w a t y (*Hymenolepis nana*), stosunkowo mały, o długości 2–5 cm, ma główkę zaopatrzoną w przyssawki i haczyki. Jest to częsty pasożyt szczurów, myszy i również dość częsty człowieka, głównie w środowiskach zamkniętych, zwłaszcza dziecięcych. Wywołuje chorobę zwaną hymenolepidozą. Cały cykl rozwojowy może odbywać się w jednym żywicielu. Jaja uwalniane jeszcze w świetle jelita z rozpadających się końcowych członów są częściowo wydalane na zewnątrz, częściowo wnikają do błony śluzowej, gdzie dojrzewają. Uwalniające się z nich tzw. cysticerkoidy dają początek strobili tasiemca (autoinwazja). Jaja mogą się przenosić z człowieka na człowieka przez zakażone nimi ręce, żywność, wodę, owady, a także może nastąpić samozakażenie (zakażenie jajami „własnego" pasożyta, przeniesionymi na własnych rękach).

Objawy (zob. s. 992) oraz wzrost liczby leukocytów kwasochłonnych we krwi (eozynofilia) mogą nasuwać podejrzenie choroby.

Rozpoznanie ustala się na podstawie badania kału na obecność jaj pasożytów. Rozróżnienie gatunków *T. saginata* i *T. solium*, których jaja mają podobny kształt i wygląd, jest możliwe dopiero po zbadaniu ciężarnych członów tasiemca.

Leczenie tasiemczyc wołowej i wieprzowej jest proste i skuteczne. Stosuje się określone leczenie farmakologiczne. Leczenie hymenolepidozy jest podobne, lecz trwa kilka dni i częściej trzeba powtarzać kurację niż w innych tasiemczycach. Powtórne kuracje tym samym lekiem są przeprowadzane dopiero po stwierdzeniu dalszego trwania inwazji w badaniach kontrolnych (najlepiej w poradniach chorób pasożytniczych). W hyme-

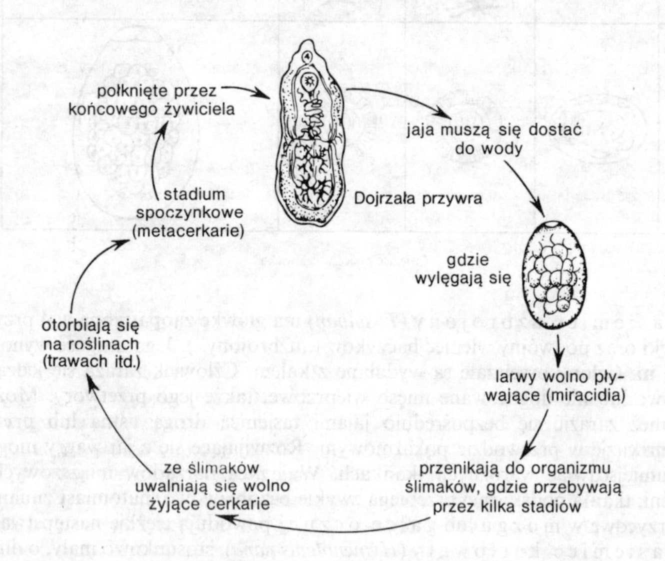

Cykl rozwojowy motylicy wątrobowej

nolepidozie obowiązują także badania środowiskowe, dość długi nadzór nad ogniskami choroby oraz określone postępowanie sanitarne.

Motylicza choroba. Tę chorobę inwazyjną – częstą u zwierząt trawożernych, rzadką u ludzi – wywołuje przywra motylica wątrobowa (*Fasciola hepatica*) o kształcie listkowatym (ok. 25 × 10 mm), mająca 2 przyssawki: gębową i nieco większą brzuszną. Jaja jej wydostają się wraz z kałem na zewnątrz i dopiero w środowisku wodnym następuje rozwój zarodkowy (rys.). Po uwolnieniu się z ciała ślimaka (różne ślimaki słodkowodne są tu żywicielami pośrednimi) ogoniaste cerkarie poruszają się swobodnie i za pomocą lepkiej wydzieliny przytwierdzają się do roślin wodnych lub zalewanych wodą. Tracąc ogonek i otorbiając się, stają się metacerkariami (postać inwazyjna).

Człowiek zaraża się pijąc wodę z metacerkariami lub spożywając surowe jarzyny podlewane wodą zanieczyszczoną larwami. W przewodzie pokarmowym larwy tracą otoczkę, wnikają do jamy otrzewnej, następnie do wątroby i osiedlają się w kanalikach żółciowych, gdzie osiągają dojrzałość płciową (przywra jest obupłciowa).

Pierwsze objawy choroby pojawiają się po 1–2 miesiącach od inwazji. Początkowo są to: brak łaknienia, nudności, ogólne osłabienie, bóle głowy i w okolicy nadbrzusza, wysypka pokrzywkowa, gorączka. Wkrótce następuje wzrost liczby leukocytów we krwi i eozynofilia; stopniowo powiększa się wątroba. Po paru lub kilku tygodniach pozostają niewielkie tylko dolegliwości. W intensywnej inwazji dochodzi czasem do niedrożności przewodów żółciowych i żółtaczki. Małe inwazje mogą nie powodować poważniejszych objawów.

Rozpoznanie ustala się wykrywając w kale lub w treści dwunastniczej charakterystyczne jaja.

Leczenie polega na stosowaniu odpowiednich środków farmakologicznych.

Zapobieganie zarażeniu to przede wszystkim niepicie wody z otwartych zbiorników i niepodlewanie nią spożywanych na surowo jarzyn. Zapobieganie na szerszą skalę polega na ochronie tych zbiorników przed zanieczyszczeniem fekaliami żywicieli ostatecznych (tj. głównie zwierząt trawożernych).

Choroby wywołane przez nicienie

Owsica jest szeroko rozpowszechnioną, najczęściej występującą robaczycą, zwłaszcza wśród dzieci. Wywołuje ją owsik (*Oxyuris vernicularis*), niewielki nicień (5–10 mm) przypominający nitkę bawełny. Owsiki bytują w końcowym odcinku jelita cienkiego, w kątnicy, w wyrostku robaczkowym i jelicie grubym.

Wśród objawów (zob. s. 992) szczególnie dokuczliwy jest świąd w okolicy odbytu, co powoduje drapanie w czasie snu i przenoszenie inwazyjnych jaj do ust (samozarażenie), a tym samym i przewlekanie się choroby. Przy intensywnej inwazji może dojść do zapalenia sromu i pochwy oraz moczenia nocnego. Człowiek jest jedynym żywicielem pasożyta. Zakażenie łatwo szerzy się w środowisku za pośrednictwem zanieczyszczonej jajami bielizny, odzieży, pokarmów i przedmiotów.

Rozpoznanie opiera się na stwierdzeniu robaków w kale lub w okolicy odbytu, gdzie samice składają jaja u śpiących dzieci. Najczęściej rozpoznanie ustala się na podstawie badania kału na obecność jaj.

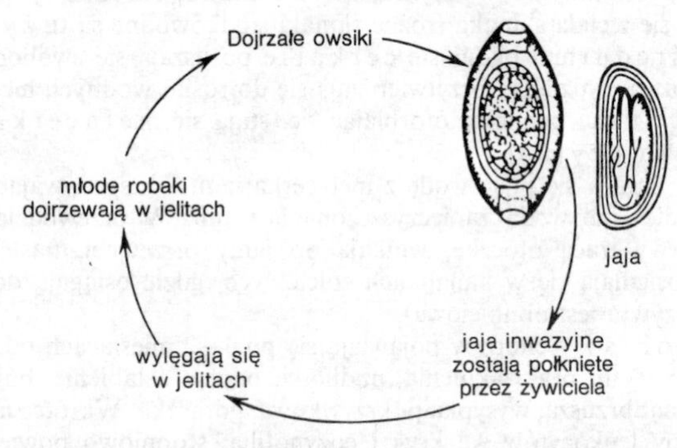

Cykl rozwojowy nicieni (prosty)

Leczenie powinno być przeprowadzone nie tylko indywidualnie, ale i środowiskowo. Dotyczy to członków rodziny, dzieci i personelu w zakładach dziecięcych, przedszkolach, szkołach itp., u których stwierdzono inwazję owsików. Podaje się określone leki. Kurację zwykle powtarza się po 2 tygodniach. Zabiegi sanitarno-porządkowe oraz przestrzeganie skrupulatne zasad higieny osobistej niszczą jaja, a także zapobiegają ich rozprzestrzenianiu się.

Glistnica jest chorobą inwazyjną, rzadziej występującą niż owsica (u ok. 1,5% ludności), częściej notowaną na wsi (do 6–7%) i na ogół u dzieci w wieku 7–14 lat). Pasożytem wywołującym jest glista ludzka (*Ascaris lumbricoides*), o długości 20–40 cm, należąca również do nicieni. Larwy jaj wydalonych z kałem ludzkim dojrzewają w glebie do postaci inwazyjnej w ciągu 3–6 tygodni. Człowiek zaraża się inwazyjnymi jajami spożywając surowe warzywa i niektóre owoce z ogrodów nawożonych odchodami ludzkimi. Jaja mogą się też dostać z gleby i wody na ręce dzieci w czasie zabaw, a dorosłych przy pracach polowych. W jelicie cienkim człowieka larwy wydostają się z otoczki jaj, czynnie dostają do krwi i przez wątrobę, prawe serce wędrują do płuc. Tutaj odbywa się dalsze ich przeobrażenie. Stąd przez pęcherzyki płucne pasożyty przenikają do dróg oddechowych. Odkrztuszanie powoduje przejście ich do gardzieli i połykanie. Tak trafiają ponownie do przewodu pokarmowego, w którym przekształcają się w dojrzałe glisty.

Objawy zob. s. 992. Wyjątkowo mogą zdarzać się powikłania typu chirurgicznego na skutek zatkania pasożytami dróg żółciowych, trzustkowych lub nawet jelit (niedrożność jelit). Częstsze są przypadki niewielkiej inwazji bezobjawowej, w której można przypadkowo stwierdzić robaki w stolcu lub wymiocinach.

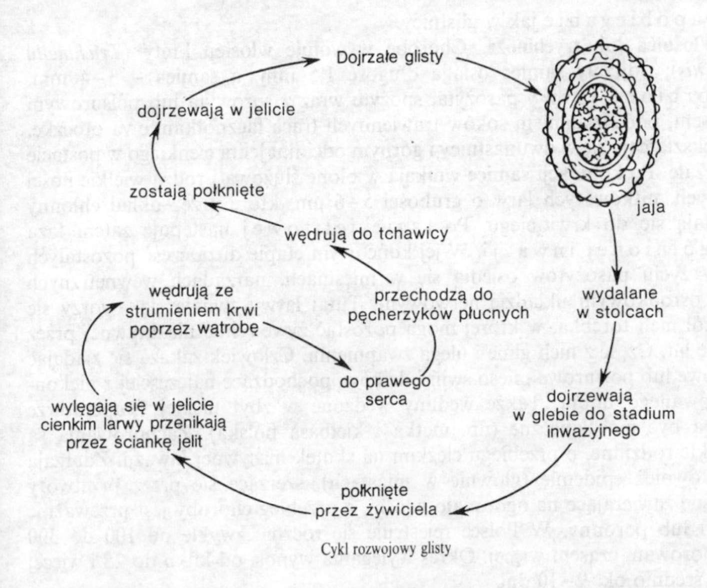

Cykl rozwojowy glisty

R o z p o z n a n i e polega na wykonaniu badania kału na obecność jaj pasożytów.

L e c z e n i e jest farmakologiczne.

Z a p o b i e g a n i e wynika ze sposobów przenoszenia zakażenia i polega na szerzeniu oświaty sanitarnej.

Włosogłówczyca. Chorobę wywołuje włosogłówka (*Trichuris trichiura*), pasożyt o długości 3 – 5 cm, w swej dłuższej, przedniej części włosowato cienki (stąd nazwa), w tylnej zaś kilkakrotnie grubszy. Wydalane z kałem jaja o beczułkowatym kształcie zawierają larwy, których rozwój do postaci inwazyjnej odbywa się w glebie (jak u glisty ludzkiej). Człowiek zaraża się podobnie jak w glistnicy. Dojrzałe pasożyty umiejscawiają się w dolnej części jelita cienkiego, w jelicie ślepym, a w intensywniejszej inwazji także w jelicie grubym. W Polsce jest to po owsicy najczęstsza inwazja robaczycowa. Na wsi jest parokrotnie częstsza niż w mieście, najczęstsza u dzieci w wieku 7 – 14 lat (w ponad 10%). Z reguły występują małe, bezobjawowe inwazje i przypadkowe stwierdzenie nielicznych jaj w kale przy badaniu mikroskopowym nie stanowi wskazań do leczenia. Raczej wyjątkowo zdarzają się w Polsce intensywne inwazje, mogące powodować niecharakterystyczne objawy i wydalanie większej liczby jaj. Zachodzi wtedy potrzeba leczenia, które w tej inwazji jest mniej skuteczne niż w innych robaczycach. Jednak nawet częściowe zmniejszenie intensywności inwazji może spowodować ustąpienie objawów.

Leczenie farmakologiczne. Po 2 tygodniach przeprowadza się kontrolne badanie kału.

Zapobieganie jak w glistnicy.

Włośnica lub **trychinoza.** Chorobę wywołuje włosień kręty (*Trichinella spiralis*); dojrzały samiec osiąga długość 1,5 mm, a samica – 3–4 mm. Otorbione larwy pasożyta, spożyte wraz z surowym lub półsurowym mięsem, pod działaniem soków trawiennych tracą łącznotkankową otoczkę, przekształcają się w dwunastnicy i górnym odcinku jelita cienkiego w postacie dojrzałe. Po kopulacji samice wnikają w błonę śluzową i rodzą wielkie ilości żywych, nitkowatych larw o grubości 5–6 µm, które przez układ chłonny dostają się do krwiobiegu. Po fazie jelitowej następuje zatem faza uogólnionej inwazji. W jej końcowym etapie duża część pozostałych przy życiu pasożytów osiedla się w mięśniach, narządach wewnętrznych i w ośrodkowym układzie nerwowym. Tutaj larwy zwijają się, tworzy się wokół nich torebka, w której mogą pozostać żywe (choć nieaktywne) przez wiele lat. Część z nich ginie i ulega zwapnieniu. Człowiek zakaża się zjadając surowe lub półsurowe mięso świń i dzików, pochodzące najczęściej z niekontrolowanego uboju. Także wędliny wędzone w zbyt niskiej temperaturze mogą być niebezpieczne (np. metka i kiełbasa polska). Zachorowania są zwykle rodzinne, o przebiegu ciężkim na skutek masywnej inwazji. Zdarzają się również epidemie (głównie w miastach), szerzące się przez przetwory mięsne zawierające na ogół mało włośni, a przebieg choroby jest przeważnie lekki lub poronny. W Polsce rejestruje się rocznie zwykle od 100 do 300 zachorowań, czasem więcej. Okres wylęgania wynosi od kilku do 25 i więcej dni, średnio ok. 9–10 dni.

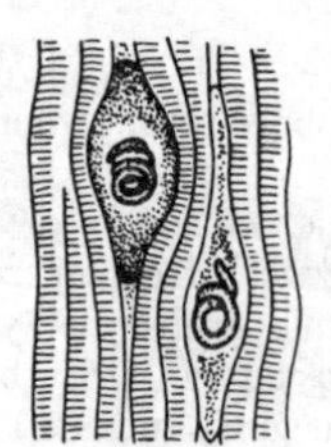

Włośnie (trychiny) w mięśniach

Objawy i przebieg. W okresie inwazji jelitowej brak jest wyraźnych objawów lub są one krótkotrwałe i niecharakterystyczne. Występują mdłości, wymioty, wolne stolce, bóle brzucha. Wraz z inwazją uogólnioną pojawia się gorączka, czasem z dreszczami, obrzęki powiek i tkanki oczodołowej (tzw. żabie oczy), często obrzęki twarzy, przekrwienie i wybroczyny spojówkowe, nasilające się szybko bóle różnych grup mięśni, dotkliwe zwłaszcza przy ruchach i ucisku. Na skórze mogą być widoczne wykwity wysypkowe różnego typu. Do typowych zmian (cennych do celów rozpoznawczych) należą: znaczny wzrost ogólnej liczby leukocytów (leukocytoza) i znamiennie wysoki odsetek w obrazie krwi liczby granulocytów kwasochłonnych (eozynofilia – do kilkudziesięciu procent). W ciężkich przypadkach występują objawy ze strony układów: oddechowego, krążenia i ośrodkowego układu nerwowego, które mogą być przyczyną zgonów.

L e c z e n i e. W fazie jelitowej mogą mieć znaczenie środki przeczyszczające i przeciwrobaczycowe. W okresie uogólnionej inwazji stosuje się leczenie objawowe, zwłaszcza środki przeciwbólowe, a w razie ciężkiego przebiegu kortykosteroidy ze względu na działanie przeciwzapalne i przeciwalergiczne. Właściwa opieka i dieta bogatoenergetyczna, uwzględniająca podawanie płynów i białek oraz witamin, mają podstawowe znaczenie.

Z a p o b i e g a n i e polega na przeprowadzaniu obowiązkowego w Polsce poubojowego badania mięsa świń i dzików.

XIII. NIEKTÓRE CHOROBY TROPIKALNE

Pewne choroby nie występują w Polsce, ale mogą być zawlekane przez cudzoziemców lub obywateli polskich przebywających okresowo w krajach, w których te choroby występują endemicznie lub epidemicznie. Dotyczy to

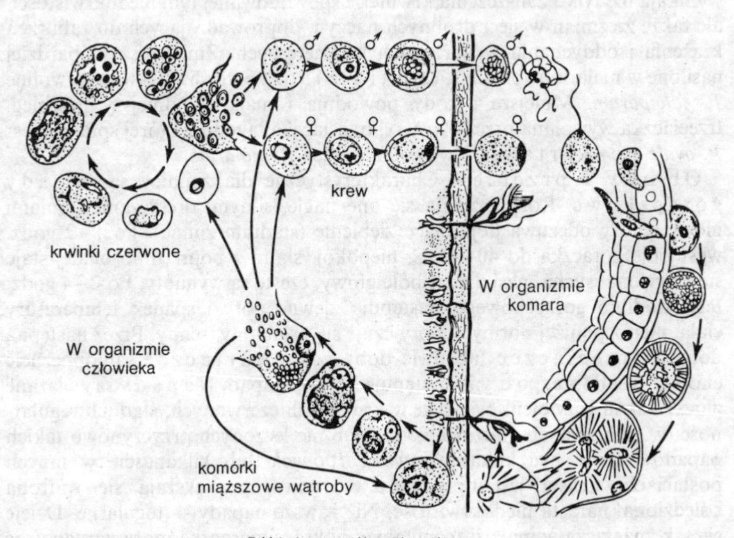

Cykl życiowy zarodźca (*Plasmodium*)

przede wszystkim tzw. chorób tropikalnych, a wśród nich malarii (zimnicy) i pełzakowicy oraz wysoce zaraźliwych tzw. chorób kwarantannowych: cholery i dżumy, stanowiących zagrożenie ze względu na możliwość szerzenia się epidemicznego.

Malaria, czyli **zimnica.** Tę chorobę pasożytniczą wywołują aż 4 gatunki pierwotniaków zarodźców z rodzaju *Plasmodium*, a mianowicie: *P. vivax, P. ovale, P. falciparum* oraz *P. malariae*. Choroba jest bardzo rozpowszechniona w strefie równikowej i podzwrotnikowej, powoduje duże szkody biologiczne u ludności i przynosi duże straty społeczno-ekonomiczne. Zwalczanie jej napotyka ogromne trudności, a wysiłki w tym kierunku Światowej Organizacji Zdrowia dały tylko częściowe rezultaty. W Polsce w wyniku zorganizowanego zwalczania (przy sprzyjającym temu umiarkowanym klimacie) nastąpił zanik tej choroby, dawniej rodzimej, choć na ogół niezbyt częstej.

Rozwój pasożytów jest złożony, przebiega przy udziale dwóch żywicieli: człowieka, u którego rozmnażają się przez bezpośredni podział (schizogonia), i komara widliszka (*Anopheles*), w którym zarodźce przechodzą rozwój płciowy (sporogonia). Pasożyty w postaci tzw. sporozoitów z gruczołów ślinowych samicy komara są wstrzykiwane do skóry człowieka w czasie ssania krwi. Z krwią przenikają do wątroby, gdzie w komórkach miąższowych namnażają się. Następnie po okresie wylęgania, wynoszącym ok. 2 tygodnie przy inwazji *P. vivax, P. ovale* i *P. falciparum* i ok. miesiąca w zakażeniu *P. malariae*, atakują krwinki czerwone wywołując chorobę. Po 1–2 tygodniach we krwi obwodowej pojawiają się gametocyty (postacie płciowe), a dalszy ich rozwój możliwy jest w komarze. Szkody w organizmie wynikają nie tylko z niszczenia krwinek i spowodowanej tym niedokrwistości, ale także ze zmian w sieci drobnych naczyń, doprowadzających do zaburzeń krążenia i oddychania w narządach wewnętrznych. Zmiany są najbardziej nasilone w malarii tropikalnej, czyli trzeciaczce złośliwej, którą wywołuje *P. falciparum*. Mniejsze szkody powodują i mają łagodniejszy przebieg: trzeciaczka wywołana przez *P. vivax*, trzeciaczka łagodna, której sprawcą jest *P. ovale* i czwartaczka wywołana przez *P. malariae*.

Objawy i przebieg. Charakterystyczne dla zimnicy są napady gorączkowe. Rozpoczynają się one nagle, silnymi dreszczami i bólami głowy, chory odczuwa dojmujące ziębienie (stadium zimne). Po 1–2 godz. występuje gorączka do 40–41°C, niepokój, skóra z poprzednio bladej staje się czerwona, sucha, nasilają się bóle głowy, częste są wymioty. Po 2–4 godz. tego stadium gorączkowego następują zlewne poty i spadek temperatury ciała, nieraz poniżej normy. Chory czuje się osłabiony, senny. Przez następną dobę w trzeciaczce lub dwie doby po czwartaczce samopoczucie chorego jest dobre, po czym występuje kolejny napad. Napady są związane z cyklicznym rozwojem pasożyta w krwinkach czerwonych, stąd ich regularność (w tych samych godzinach). U osób nie leczonych przyczynowo takich napadów może być kilka w inwazji *P. ovale* lub kilkanaście w innych postaciach. Częsta jest opryszczka wargowa, powiększają się wątroba i śledziona, narasta niedokrwistość. Nie zawsze napady są regularne. Dzieje się tak zwłaszcza w malarii tropikalnej, w której gorączka może występować nieco wcześniej lub nieco później niż 48 godz. albo przebiega nieregularnie. W tej inwazji występują zespoły objawów mogące przypominać inne choroby. Najgroźniejsze dla życia chorego są: postać mózgowa z zaburzeniami świadomości i śpiączką oraz postać wstrząsowa ze spadkiem ciśnienia i niewydolnością krążenia. Mogą zdarzać się również inwazje z objawami płucnymi lub żołądkowo-jelitowymi. Po okresie napadów i ustąpieniu gorączki występują po pewnym czasie, różnie długim u poszczególnych osób, nawroty choroby, zazwyczaj przez 2–3 lata. Nawroty czwartaczki mogą zdarzać się po wielu latach.

Postępowanie i leczenie. Osoby podejrzane o malarię (stany gorączkowe u ludzi przebywających poprzednio w krajach z malarią endemiczną) poddawane są badaniom krwi na obecność postaci rozwojowych pasożyta w krwinkach czerwonych, często także gametocytów (krew pobiera się w czasie gorączki, najlepiej podczas dreszczy). Chorzy są leczeni szpitalnie, a choroba musi być zgłoszona w sanepidzie. W leczeniu stosuje się doustnie chlorochinę (arechinę) lub amodiachinę. W zespole mózgowym jest niezbędne najpierw możliwie wczesne podanie dożylnie chininy lub chlorochiny.

Po zakończonym leczeniu zimnicy wywołanej przez *P. vivax* lub *P. ovale* jest podawana dodatkowo primachina w celu zapobieżenia nawrotom. Osoby czasowo przebywające w okolicach z endemiczną malarią powinny zapobiegawczo przyjmować chlorochinę (arechinę) po 300 mg tygodniowo przez cały okres narażenia i jeszcze w ciągu 6–8 tygodni po opuszczeniu tych okolic. Te małe dawki nie chronią przed inwazją, lecz zapobiegają zachorowaniu. Na niektórych obszarach (głównie w południowo-wschodniej Azji) może być zlecony inny lek przeciwmalaryczny ze względu na występowanie szczepów chlorochino-opornych.

Pełzakowica lub **ameboza**, czyli **czerwonka pełzakowa.** Chorobę wywołuje pełzak czerwonki (*Entamoeba histolytica*), pierwotniak poruszający się przez wytwarzanie wypustek (nibynóżek). Trofozoit, tj. wegetatywna postać duża (25–30 μm), pasożytuje w ścianie jelita grubego, gdzie powoduje powstawanie głębokich owrzodzeń. Czasami pełzaki mogą wraz z prądem krwi układu wrotnego przedostać się do wątroby i spowodować rozwój drobnych ropni lub pojedynczego większego ropnia. Rzadko lokalizują się w płucach, wyjątkowo (w przypadkach zaniedbanych) w skórze lub mózgu. Mała postać trofozoita (ok. 15 μm) bytuje w świetle jelita grubego i jest nieszkodliwa, ma stanowić formę przejściową do cysty (forma przetrwalnikowa), która jest postacią inwazyjną po wydaleniu z kałem. Okres wylęgania wynosi od kilku dni do kilku miesięcy. Choroba jest szeroko rozpowszechniona

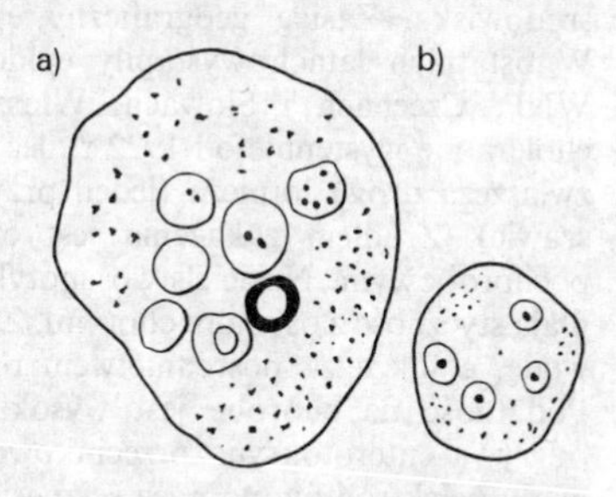

Pełzak czerwonki (*Entamoeba histolytica*): a) postać dorosła (trofozat), b) cysta

w wielu krajach o ciepłym klimacie. Zawleczona do Polski przebiega najczęściej bezobjawowo.

O b j a w y. W inwazji objawowej choroba najczęściej przebiega w p o s t a c i j e l i t o w e j i manifestuje się bólami brzucha, niekiedy silnymi o charakterze kolki, nasilającymi się po spożyciu jarzyn, owoców i potraw smażonych lub po wysiłku. Jednocześnie lub nieco później występują męczące parcia i biegunka ze stolcami śluzowo-krwistymi. Ta faza czerwonkowa mija. Po okresie złagodzenia (remisji) dalszy przebieg jest przewlekły, z zaostrzeniami i remisjami, z okresowymi bólami brzucha i biegunką, zwykle bez krwi w stolcu, oraz okresowymi zaparciami. W p o s t a c i w ą t r o b o w e j dominują silne bóle w prawym podżebrzu, gorączka, dreszcze, wymioty, utrata apetytu, wychudzenie. Pomocne w rozpoznaniu są badania parazytologiczne.

L e c z e n i e. W inwazji bezobjawowej leczenie ogranicza się do podawania tzw. leków kontaktowych. W postaciach objawowych stosuje się leki we wstrzyknięciach lub doustnie, podaje witaminy z grupy B i witaminę C oraz stosuje dietę bez jarzyn, owoców, potraw smażonych i ciężko strawnych. W ropniu wątroby może być konieczne leczenie operacyjne.

Z a p o b i e g a n i e to przede wszystkim przestrzeganie zasad higieny osobistej oraz dokładne mycie warzyw. W Polsce chorzy podlegają rejestracji i przymusowemu leczeniu w opiece zdrowotnej otwartej. Istnieje również obowiązek poddawania badaniu parazytologicznemu osób delegowanych do krajów, w których istnieje możliwość zarażenia się, zarówno przed wyjazdem z kraju, jak i po powrocie.

Cholera. Chorobę wywołuje przecinkowiec cholery, pałeczka często podobna do przecinka, występująca w dwóch biotypach. Jeden z nich (*Vibrio cholerae*) dominował w dawnych epidemiach i był stale rozprzestrzeniony na Półwyspie Indyjskim. Ostatnio rozpowszechnił się szeroko i jest częściej spotykany przecinkowiec typu *El Tor*, bardziej oporny na czynniki fizykochemiczne środowiska. Zasięg geograficzny epidemii na świecie nie zmniejsza się. W ostatnich latach wystąpiły epidemie również w krajach europejskich: WNP, Czechach i Słowacji, Włoszech, Portugalii, Hiszpanii. W Polsce cholera nie występuje od 1922 r., lecz w każdej chwili może być zawleczona, zwłaszcza drogą lotniczą (jeden przypadek zanotowano w 1981 r. w Warszawie). Źródłem zakażenia jest człowiek chory lub nosiciel w okresie pochorobowym. Nosicielstwo spotyka się również u osób zdrowych, które mają styczność z osobami chorymi. Zakażenie jest przenoszone przez pokarm, wodę, a także za pośrednictwem przedmiotów używanych przez chorych. Podatność na chorobę jest wysoka. W powstaniu choroby główną rolę odgrywa enterotoksyna przecinkowca, działająca zaburzająco na transport wody i elektrolitów poprzez ścianę jelita cienkiego. Okres wylęgania wynosi od kilku godzin do 5 dni.

O b j a w y. Choroba ma nagły początek i gwałtowny przebieg bezgorączkowy, z szybko narastającą biegunką, bez bólów brzucha. Stolce szybko tracą charakter kałowy i przybierają wygląd wodnisto-ryżowaty, są wydalane bez parcia w dużych ilościach (kilka, kilkanaście lub nawet więcej litrów w ciągu doby). Obok biegunki charakterystyczne są obfite chlustające (jak fontanna) wymioty bez poprzedzających nudności. Silne odwodnienie i utrata elektrolitów powodują suchość błon śluzowych i skóry, kurczowe bóle mięśni i prowadzą do zapaści oraz bezmoczu, co może się skończyć śmiercią. Często choroba ma przebieg łagodniejszy lub nawet zupełnie lekki, przypominający zatrucie enterotoksyną gronkowcową. Bardzo rzadko przebieg jest piorunujący, gdy z powodu porażenia jelit brak jest biegunki (postać sucha); przy bardzo silnym zatruciu organizmu zgon następuje w ciągu kilku godzin. Wywiad epidemiologiczny i zespół objawów pozwalają na powzięcie podejrzenia choroby, lecz rozpoznanie ustala się na podstawie badania bakteriologicznego stolców i wymiocin.

Postępowanie. Każdy przypadek podejrzenia lub rozpoznania cholery wymaga natychmiastowego zgłoszenia (np. telefonicznego) wojewódzkiemu inspektorowi sanitarnemu lub dyżurnemu lekarzowi wojewódzkiemu. Lekarz badający chorego wydaje zakaz opuszczania przez chorego i osoby ze stycznością z nim pomieszczenia oraz wstępu do tego pomieszczenia innym osobom. Następuje od razu przymusowe leczenie szpitalne na oddziale wskazanym przez władze, jak również izolacja osób ze styczności z chorym w tzw. izolatorium w celu obserwacji lekarskiej w ciągu co najmniej 5 dni (ścisła kwarantanna). Przepisy międzynarodowe przewidują zgłoszenia telegraficzne przez władze państwowe do Światowej Organizacji Zdrowia.

Leczenie. W pierwszym okresie najważniejsze jest uzupełnianie strat płynów ustrojowych i elektrolitów. Stosuje się „kroplówki" roztworów wodnych zawierających elektrolity (chlorek sodu, potasu, kwaśny węglan sodu). Po wyprowadzeniu chorego ze wstrząsu – leczenie antybiotykami.

Leczenie dietetyczne jest zbliżone do żywienia chorych z czerwonką lub z zatruciem pokarmowym. Istnieje możliwość uodpornienia szczepionką z zabitym zarazkiem, lecz odporność jest krótkotrwała (do 6 miesięcy).

Dżuma. Chorobę wywołuje pałeczka *Yersinia pestis*, wrażliwa na ogrzewanie oraz środki odkażające, a oporna na niskie temperatury. Choroba należy do najbardziej zaraźliwych, zwłaszcza w postaci płucnej. W ubiegłych wiekach powodowała największe ze znanych w dziejach świata epidemie i masowe zgony. Niebezpieczeństwo nie wygasło do dzisiaj, gdyż w wielu częściach świata dżuma występuje na określonych terenach wśród dzikich gryzoni, stanowiących rezerwuar zarazka. W pewnych warunkach zakażenie przenosi się na szczury domowe i wędrowne, które stają się źródłem zakażenia dla człowieka. Wskaźnik podatności wynosi 0,85. Przenosicielem dżumy gruczołowej (dymieniczej) jest pchła szczura (*Xenopsylla cheopis*). Zarazki z wrót zakażenia w nakłutej skórze przenikają do węzłów chłonnych, a także do krwi. U niektórych chorych dochodzi wtórnie do rozwoju dżumy płucnej, w której zakażenie bardzo łatwo przenosi się na ludzi na drodze kropelkowej i może dojść do szybko szerzącej się epidemii. Okres wylęgania w dżumie gruczołowej wynosi 3–6 dni, w płucnej – 2–3 dni.

Dżuma gruczołowa zaczyna się nagle dreszczami, gorączką, bólami głowy, odurzeniem i podnieceniem. Na błonach śluzowych i skórze powstają zmiany krwotoczne. Między 2 a 5 dniem tworzą się bolesne obrzmienia węzłów chłonnych (*dymienice*), w zależności od umiejscowienia wrót zakażenia – pachwinowych, pachowych lub karkowych. Zwykle ulegają one zropieniu i przebiciu. W pomyślnym przebiegu gorączka i inne objawy ustępują powoli, w ciągu 2 tygodni.

Dżuma płucna (wtórna i pierwotna) rozpoczyna się nagle gorączką, silną dusznością i suchym kaszlem. Wkrótce występuje krwioplucie i sinica, po 2–5 dniach następuje obrzęk płuc i śmierć.

Dżuma posocznicowa (pierwotna lub rozwijająca się w przebiegu innych postaci dżumy) jest stanem ciężkiego zatrucia. Zgon może nastąpić w ciągu 1–2 dni.

Postępowanie w podejrzeniu lub rozpoznaniu dżumy jest podobne jak w cholerze. Okres kwarantannowy trwa co najmniej 6 dni.

Leczenie przyczynowe polega na stosowaniu dużych dawek określonych antybiotyków, w ciężkich przypadkach w połączeniu z innymi antybiotykami. *Leczenie objawowe* i opieka są analogiczne jak w innych ciężkich chorobach zakaźnych. Jednorazowe *szczepienie ochronne* może zapewnić odporność na stosunkowo krótki czas (do 8 miesięcy lub niewiele dłuższy).

CHOROBY UKŁADU NERWOWEGO

Chorobami ośrodkowego i obwodowego układu nerwowego, ich rozpoznawaniem, leczeniem zachowawczym, czynnikami wywołującymi i sposobami zapobiegania zajmuje się dział medycyny nazywany n e u r o l o g i ą. Leczeniem operacyjnym niektórych chorób układu nerwowego zajmuje się odrębny dział nauk medycznych – n e u r o c h i r u r g i a. Chorobami układu nerwowego u dzieci i młodzieży zajmuje się n e u r o p e d i a t r i a, a chorobami układu nerwowego u osób w podeszłym wieku – n e u r o g e r i a t r i a.

I. OBJAWY CHORÓB UKŁADU NERWOWEGO

Neurologia zajmuje się chorobami mózgu, móżdżku, rdzenia kręgowego, nerwów obwodowych oraz niektórymi chorobami mięśni i nerwowego układu autonomicznego. Układ nerwowy jest najbardziej złożonym pod względem strukturalnym i czynnościowym układem organizmu ludzkiego, dlatego procesy chorobowe toczące się w jego obrębie wywołują liczne objawy związane z uszkodzeniem różnych struktur anatomicznych.

Zaburzenia czynności ruchowych

Z a b u r z e n i a r u c h o w e mogą powstać w wyniku uszkodzenia neuronu obwodowego, neuronu ośrodkowego, układu pozapiramidowego i móżdżku.

Objawy uszkodzeń układu ruchowego

Objawy uszkodzenia neuronu obwodowego – tzw. **porażenie wiotkie**
a) porażenie lub niedowład mięśni,
b) zanik mięśni,
c) obniżenie napięcia mięśniowego,

d) osłabienie lub zniesienie odruchów fizjologicznych.

Objawy uszkodzenia neuronu ośrodkowego – tzw. **porażenie kurczowe**

a) porażenie lub niedowład mięśni,
b) wzmożenie napięcia mięśniowego,
c) wygórowane odruchy fizjologiczne,
d) obecność odruchów patologicznych, np. odruchu Babińskiego,
e) osłabienie lub zniesienie odruchów brzusznych.

Objawy uszkodzenia układu pozapiramidowego. Uszkodzenie układu pozapiramidowego (zob. Anatomia, s. 61) powoduje przede wszystkim zmiany napięcia mięśniowego i spontanicznej czynności ruchowej, dotyczącej w jednakowym stopniu wszystkich grup mięśniowych.

Zaburzenie napięcia mięśniowego objawia się:
a) wzmożeniem napięcia mięśniowego lub
b) obniżeniem napięcia mięśniowego.

Zaburzenia ruchowe przejawiają się:
a) zubożeniem czynności ruchowej pod postacią spowolnienia i ubóstwa ruchowego lub zniesieniem ruchów dowolnych pod postacią bezruchu,
b) nadmiarem ruchów, tj. ruchami mimowolnymi, których wykonywanie nie zależy od woli chorego. Różne rodzaje ruchów mimowolnych występujące przy uszkodzeniu układu pozapiramidowego przedstawiono w tabeli.

Ważniejsze ruchy mimowolne występujące w uszkodzeniu układu pozapiramidowego

Nazwa	Opis
Ruchy pląsawicze	szybkie ruchy kończyn (głównie mięśni ksobnych, tj. przywodzących ku osi ciała), grymasy twarzy karykaturalnie naśladujące ruchy dowolne
Ruchy atetotyczne	powolne ruchy palców rąk lub stóp, doprowadzające do ich dziwacznych ułożeń
Ruchy torsyjne	powolne, skręcające ruchy kończyn lub tułowia
Ruchy baliczne	obszerne, gwałtowne ruchy kończyn o charakterze wyrzucania
Drżenie	szybkie i rytmiczne; może przybrać postać kręcenia pigułek lub liczenia pieniędzy
Mioklonie	nagłe, szybkie i nieregularne skurcze mięśniowe

Objawy uszkodzenia móżdżku. Występują zaburzenia w wykonywaniu ruchów prostych i złożonych oraz w postawie ciała, zwane ataksją (bezładem, niezbornością) móżdżkową. Chory nie może utrzymać równowagi, chwieje się lub pada, zatacza się jak pijany. Ruchy kończyn są niezborne i nieskoordynowane, zbyt „obszerne", a przy zbliżaniu się do celu występuje drżenie. Mowa jest wybuchowa, skandowana, chory traci zdolność płynnego mówienia i płynnego wykonywania ruchów dowolnych. Występuje oczopląs.

Objawy podrażnieniowe w niektórych typach uszkodzeń układu ruchowego

Drgawki. Są to szybko po sobie następujące skurcze mięśni prążkowanych, wywołane patologicznymi wyładowaniami w pewnych grupach komórek nerwowych. Mogą mieć charakter ograniczony (dotyczą np. jednej kończyny, twarzy, połowy ciała) lub uogólniony.

Mioklonie, czyli zrywania mięśniowe. Są to krótkotrwałe skurcze pojedynczych mięśni z niewielkim efektem ruchowym.

Skurcz mięśni. Jest to długotrwały stan nadmiernego napięcia mięśniowego, mięśnia lub grupy mięśni w różnych stanach patologicznych.

Drżenia. Są to rytmiczne ruchy naprzemienne o niewielkiej amplitudzie, dotyczące głównie odsiebnych odcinków kończyn, głowy lub języka. Drżenie patologiczne może mieć różny charakter i może ujawniać się jako:

drżenie spoczynkowe, czyli statyczne, pojawiające się w spoczynku;

drżenie postawne, czyli posturalne, występujące przy przyjęciu określonej pozycji ciała;

drżenie zamiarowe – pojawia się w czasie ruchu i nasila się ku jego końcowi.

Zaburzenia czucia

Objawy uszkodzenia dróg czuciowych zależą od lokalizacji i rodzaju uszkodzenia. Wyróżnia się objawy podmiotowe i przedmiotowe zaburzeń czuciowych.

Objawy podmiotowe zaburzeń czuciowych

Ból. Mechanizm powstawania bólu nie jest zupełnie jasny, pewną rolę odgrywają substancje bólotwórcze, jak histamina, bradykinina, serotonina i prostaglandyny. W zależności od pochodzenia można wyróżnić wiele rodzajów bólu.

Ból z uszkodzenia tkanek miękkich, związany ze zmianami patologicznymi w obrębie skóry, stawów, mięśni, jest ściśle zlokalizowany; nasilają go ruchy i dotyk.

Nerwoból jest związany z częściowym uszkodzeniem lub podrażnieniem nerwu obwodowego. Ma charakter ostry, rwący i piekący oraz promieniuje wzdłuż przebiegu nerwu obejmując okolicę przez niego unerwioną.

Ból korzeniowy bywa spowodowany przez różne stany patologiczne tylnych korzeni rdzeniowych. Charakteryzuje się promieniowaniem w okolice unerwione przez dany korzeń.

Ból wegetatywny występuje przy uszkodzeniu lub podrażnieniu nerwowego układu wegetatywnego. Ma charakter piekący, parzący, jest zwykle rozlany. Środki przeciwbólowe zmniejszają jego natężenie w niewielkim stopniu.

Ból trzewny jest związany z procesami chorobowymi w obrębie narządów wewnętrznych; jest rozlany, ćmiący, tętniący, gdy bywa pochodzenia naczyniowego.

Ból tzw. psychogenny występuje w niektórych nerwicach, ma różny charakter i umiejscowienie, nie towarzyszą mu żadne zmiany organiczne.

Bóle fantomowe występują po amputacji kończyn. Są odczuwane w nie istniejącej kończynie.

Parestezje. Są to przykre wrażenia pojawiające się w postaci drętwienia, mrowienia, uczucia przebiegania prądu i zimna. Są znamienne dla uszkodzenia neuronu obwodowego.

Objawy przedmiotowe zaburzeń czuciowych

Uszkodzenia dróg czuciowych mogą spowodować powstawanie ubytków czucia lub całkowitego znieczulenia. Zjawisko to może dotyczyć jednego rodzaju czucia, np. bólu lub temperatury, albo wszystkich rodzajów czucia. W zależności od rozległości ubytków czucia może wystąpić np. niedoczulica połowicza, korzeniowa lub inna. Przeczulica zaś jest to stan, w którym bodźce fizjologiczne są odczuwane przesadnie mocno lub przykro.

Objawy uszkodzenia dróg czuciowych w zależności od lokalizacji uszkodzenia

Uszkodzenie nerwu obwodowego charakteryzuje się bólami i parastezjami (zob. wyżej) oraz ubytkami wszystkich rodzajów czucia w obszarze unerwionym przez dany nerw.

Uszkodzenie korzeni tylnych. Zaburzenia czucia są identyczne jak w uszkodzeniu nerwu obwodowego, lecz rozkładają się w obszarze unerwienia korzeniowego; bóle nasilają się przy kaszlu i kichaniu.

Uszkodzenie rdzenia kręgowego. Zaburzenia czucia kształtują się różnie w zależności od rodzaju uszkodzenia.

Poprzeczne uszkodzenie rdzenia znamionuje m.in. obustronne zniesienie czucia wszystkich rodzajów.

Połowicze uszkodzenie rdzenia powoduje wystąpienie zespołu Brown–Sequarda. W zespole tym poniżej poziomu uszkodzenia występuje zniesienie czucia głębokiego i przeczulica na bodźce dotykowe po stronie uszkodzenia, a po stronie przeciwnej zniesienie czucia bólu i temperatury. Zespołowi temu towarzyszą jeszcze inne objawy uszkodzenia rdzenia kręgowego, takie jak porażenia ruchowe i objawy wegetatywne.

Uszkodzenie rdzenia w okolicy kanału środkowego, tzw. śródrdzeniowe, powoduje zniesienie czucia bólu i temperatury, przy zachowanym obustronnie czuciu dotyku i czuciu głębokim poniżej miejsca uszkodzenia.

Uszkodzenie powrózków tylnych, tzw. ataksja tylnopowrózkowa, charakteryzuje się zaburzeniami czucia głębokiego polegającymi na utracie płynności ruchów dowolnych. Ruchy są niezborne, nieskoordynowane, jednak wyrównują się pod kontrolą wzroku.

Uszkodzenie dróg czuciowych w pniu mózgu powoduje powstanie różnych zespołów zaburzeń czucia, które występują po stronie przeciwnej do uszkodzenia.

Uszkodzenie wzgórza powoduje m.in. zaburzenia czucia cechujące się przede wszystkim bardzo silnymi bólami, zwykle obejmującymi połowę ciała, oraz zaburzeniami czucia głębokiego.

Uszkodzenie pól czuciowych kory mózgowej powoduje przede wszystkim niemożność oceny nasilenia i umiejscowienia bodźców oraz upośledzenie czucia głębokiego po stronie przeciwnej do uszkodzenia, ograniczając się często do jednej kończyny lub tylko jej części. Ponadto mogą wystąpić m.in.:

astereognozja, czyli niezdolność do rozpoznawania za pomocą dotyku znajomych przedmiotów;

atopognozja, tj. utrata zdolności do lokalizowania bodźców dotykowych;

ekstynkcja – przy jednoczesnym działaniu dwóch bodźców tylko jeden jest dobrze odczuwany i lokalizowany;

baragnozja, tj. utrata umiejętności rozróżniania ciężaru przedmiotów.

Objawy uszkodzenia układu wegetatywnego

Objawy te bywają różne. Są to:

a) zaburzenia naczynioruchowe, charakteryzujące się zblednięciem skóry, zasinieniem jej lub przekrwieniem;

b) zaburzenia wydzielania potu, czyli brak pocenia lub nadmierna potliwość;

c) zaburzenia troficzne dotyczące głównie kończyn i przejawiające się w formie obrzęku, owrzodzenia, zmian skórnych i paznokci;

d) bóle zwykle o charakterze pieczenia i palenia, często bardzo silne;

e) różne zaburzenia metaboliczne i gospodarki wodno-elektrolitowej;

f) zaburzenia w prawidłowym funkcjonowaniu narządów wewnątrzwydzielniczych;

g) zaburzenia termoregulacji;

h) zaburzenia snu.

Zaburzenia czynności zwieraczy pęcherza moczowego i odbytu

Zaburzenia te występują w wielu chorobach układu nerwowego i mogą się przejawiać: nietrzymaniem moczu lub(i) stolca, zatrzymaniem moczu lub(i) stolca.

Zaburzenia niektórych wyższych czynności nerwowych

Afazja. Jest to zaburzenie mowy powstające w wyniku uszkodzenia ośrodków mowy w korze mózgu. Dochodzi do niemożności wyrażenia myśli słowami – afazja motoryczna – lub do niemożności rozumienia mowy – afazja czuciowa.

Apraksja polega na utracie zdolności wykonywania złożonych ruchów celowych, takich jak np. zapięcie guzika lub zapalenie zapałki. Przy zaburzeniu tym nie ma niedowładów ani nie występują objawy niezborności.

Agnozja polega na utracie zdolności identyfikacji przedmiotu lub symbolu za pomocą jednego ze zmysłów, przy zachowaniu możności rozpoznawania ich innymi zmysłami.

Aleksja to utrata zdolności czytania.

Agrafia jest to niemożność pisania.

Akalkulia polega na utracie zdolności liczenia.

Amnezja jest to stan, w którym pojawia się luka pamięciowa, a chory nie może sobie przypomnieć pewnego przedziału czasu ze swojego życia.

Objawy uszkodzenia nerwów czaszkowych

I nerw węchowy. Objawy chorobowe wynikające z uszkodzenia tego nerwu manifestują się osłabieniem lub utratą węchu.

II nerw wzrokowy. W zależności od umiejscowienia i rozległości zmian może wystąpić m.in. ślepota jednego oka, niedowidzenie połowicze, niedowidzenie kwadrantowe.

II, IV i VI nerwy: okoruchowy, bloczkowy i odwodzący. Uszkodzenie tych nerwów gałkoruchowych, jak i uszkodzenie mięśni przez nie unerwionych, może powodować następujące objawy lub niektóre z nich: a) podwójne widzenie, b) nieprawidłowe ustawienie gałki ocznej, c) upośledzenie ruchów gałki ocznej, d) skojarzone zbaczanie gałek ocznych, e) zmiany w szerokości źrenic i upośledzenie akomodacji.

V nerw trójdzielny. Uszkodzenie tego nerwu charakteryzuje się przede wszystkim bólami twarzy, upośledzeniem czucia w obszarze jego unerwienia, zaburzeniami czynności i zanikiem mięśni żwaczy.

VII nerw twarzowy. W zależności od lokalizacji uszkodzenia występuje połowicze porażenie mięśni twarzy lub tylko jej dolnej części.

VIII nerw przedsionkowo-ślimakowy. Uszkodzenie części ślimakowej powoduje upośledzenie słuchu lub głuchotę. Uszkodzenie różnych odcinków układu przedsionkowego powoduje wystąpienie różnych objawów złożonych, takich jak: a) zawroty głowy, b) nudności i wymioty, c) zaburzenia równowagi, d) oczopląs, tj. mimowolne, rytmiczne oscylacje gałek ocznych, e) zbaczanie wyciągniętych kończyn.

IX i X nerwy: językowo-gardłowy i błędny. Uszkodzenie obu tych nerwów przejawia się przede wszystkim w upośledzeniu ruchomości krtani, podniebienia i gardła, co objawia się zaburzeniem połykania i mowy.

XI nerw dodatkowy. Uszkodzenie tego nerwu wywołuje upośledzenie ruchów skręcania głowy w stronę zdrową i trudności w unoszeniu i opuszczaniu barku po stronie chorej.

XII nerw podjęzykowy. Porażenie tego nerwu powoduje zbaczanie języka i jego zanik, natomiast uszkodzenie połączeń ośrodkowych tego nerwu ujawnia się tylko zbaczaniem języka.

Dyzartia. Jest to zaburzenie mowy powstające w wyniku uszkodzenia trzech nerwów: IX, X, XII, czyli na skutek upośledzenia czynności aparatu wykonawczego, tzn. mięśni języka, podniebienia, gardła i krtani. Mowa dyzartryczna jest zamazana, niewyraźna, powolna i bezdźwięczna.

Objawy oponowe

Objawy oponowe rozwijają się w wyniku zajęcia przez proces patologiczny opon mózgowo-rdzeniowych. Manifestują się one: a) sztywnością karku, czyli ograniczeniem zgięcia głowy ku przodowi wskutek napięcia mięśni karku w wyniku podrażnienia korzeni rdzeniowych: b) objawem Kerniga będącym wynikiem odruchowego przykurczu zginaczy podudzi; c) innymi objawami, jak np. objaw Brudzińskiego (zob. Choroby zakaźne, s. 970).

Badania w diagnostyce chorób układu nerwowego

Badanie płynu mózgowo-rdzeniowego. Płyn ten uzyskuje się drogą nakłucia lędźwiowego (NL) lub podpotylicznego. Oznacza się podstawowy skład płynu, a w wybranych przypadkach wykonuje się badania bakteriologiczne, histochemiczne, biochemiczne, cytologiczne i immunologiczne.

Badanie dna oka. Badanie to zawsze powinno być przeprowadzone przed badaniem płynu mózgowo-rdzeniowego. Dno oka bada się za pomocą wziernika ocznego (oftalmoskopu) po uprzednim podaniu środków rozszerzających źrenicę. Ocenie podlegają m.in. stan tarczy nerwu wzrokowego, naczynia tętnicze i żylne, siatkówka.

Badania radiologiczne

W zależności od rodzaju choroby wykonuje się: a) zdjęcia przeglądowe czaszki i kręgosłupa, b) zdjęcia celowane czaszki i kręgosłupa, c) badania kontrastowe oraz d) tomografię komputerową osiową.

Badania kontrastowe pozwalają uzyskać dane o lokalizacji, stopniu zaawansowania i rodzaju zmian patologicznych. Badania te polegają na: a) wprowadzeniu kontrastu (powietrza) do mózgowego układu komorowego drogą nakłucia lędźwiowego lub przez otwory trepanacyjne w czaszce (tzw. pneumoencefalografia); b) wprowadzeniu kontrastu (powietrza) do przedniego śródpiersia (tzw. pneumomediastinografia); c) wprowadzeniu kontrastu do naczyń mózgu lub rdzenia (angiografia mózgowa lub rdzeniowa); d) wprowadzeniu kontrastu (jodowego środka cieniującego lub powietrza) do przestrzeni podpajęczynówkowej drogą nakłucia lędźwiowego lub rzadko, podpotylicznego (tzw. mielografia, czyli badanie kanału rdzenia kręgowego).

Tomografia komputerowa osiowa polega na zobrazowaniu wnętrza czaszki w szeregu warstw grubości 8 – 13 mm, w obrębie których są rejestrowane wszelkie różnice gęstości tkanki mózgowej. Badanie to pozwala na bardzo dokładne uwidocznienie położenia prawidłowych i nieprawidłowych struktur wewnątrzczaszkowych. Metoda jest oparta na komputerowym przetwarzaniu wyników prześwietleń skolimowaną wiązką promieni X, która przesuwa się w płaszczyźnie prostopadłej do osi ciała.

Badania elektrofizjologiczne

Elektroencefalografia (EEG) jest metodą umożliwiającą badanie prądów czynnościowych mózgu. Elektroencefalogram (zapis) składa się z różnych elementów graficznych, które odpowiadają pewnym zjawiskom bioelektrycznym mózgu. Zasadniczą częścią składową EEG jest fala, a jego interpretacja jest oparta na analizie częstotliwości, amplitudy, kształtu i rozmieszczenia fal. EEG wykonuje się zawsze w spoczynku, z zamkniętymi oczami oraz po zastosowaniu metod prowokacyjnych, np. hiperwentylacji (głębokie wdechy), fotostymulacji (otwieranie oczu), rzadziej snu fizjologicznego oraz różnych środków farmakologicznych. Prawidłowy elektroencefalogram człowieka dorosłego w stanie czuwania i spokoju wykazuje charakterystyczny rytm podstawowy. W większości chorób układu nerwowego oraz w niektórych chorobach narządów wewnętrznych występują różne zmiany w zapisie EEG.

Elektromiografia (EMG). Istota tego badania polega na rejestracji i badaniu prądów czynnościowych mięśni w spoczynku i przy wysiłku oraz na oznaczeniu szybkości przewodzenia elektrycznego w nerwach obwodowych. Elektromiografia ułatwia rozpoznanie i różnicowanie chorób zarówno mięśni, jak i obwodowego układu nerwowego, a także rdzenia kręgowego.

Reoencefalografia to badanie krążenia krwi w mózgu. Stosowane jest głównie w diagnostyce ostrych i przewlekłych chorób naczyniowych.

Ultrasonografia Dopplera. Metoda ta opiera się na zjawisku odbicia sygnału od drgającej powierzchni. Sygnał po odbiciu wykazuje zmianę częstotliwości. Metodą tą uzyskuje się dane dotyczące przepływu krwi przez naczynia, przede wszystkim zaś można wykazać różne stopnie niedrożności tętnic doprowadzających krew do ośrodkowego układu nerwowego.

Echoencefalografia. Istota tego badania polega na rejestrowaniu fal ultradźwiękowych odbitych od różnych struktur czaszki i mózgu. Najistotniejszym elementem tego badania jest echo środkowe, którego przesunięcie ma duże znaczenie diagnostyczne.

Elektronystagmografia (ENG). Metoda ta służy do oceny układu przedsionkowego i polega na rejestracji zmian natężenia pola elektrycznego, które powstaje przy ruchach gałek ocznych.

Scyntygrafia mózgowa. Metoda ta polega na wykrywaniu i lokalizacji chorób mózgu za pomocą izotopów promieniotwórczych. Scyntygrafia kanału kręgowego polega na wprowadzaniu odpowiednich preparatów izotopowych drogą nakłucia lędźwiowego i badaniu drożności przestrzeni płynowych. Zob. też Diagnostyka wizualizacyjna, s. 615.

Badanie bioptyczne. W diagnostyce neurologicznej wykonuje się biopsje mięśni i nerwów obwodowych. Tylko w szczególnych przypadkach wykonuje się biopsje mózgu. Badanie bioptyczne umożliwia rozpoznanie choroby, a także pozwala ocenić stopień jej zaawansowania. Za pomocą tego badania rozpoznaje się część chorób występujących rodzinnie.

Badania psychologiczne

Badania psychologiczne przeprowadza się opierając się na różnych specjalistycznych testach, których wyniki charakteryzują rodzaj i zaawansowanie zmian funkcji psychicznych.

II. POSTĘPOWANIE W CHOROBACH UKŁADU NERWOWEGO

Postępowanie medyczne w chorobach układu nerwowego natrafia na specyficzne trudności. Często z powodu stanu chorego lekarz nie dysponuje żadnym wywiadem lekarskim lub wywiad jest niewiarygodny. Niejednokrotnie nie może nawet przeprowadzić pełnego badania przedmiotowego.

Jednocześnie tak wydawałoby się typowe objawy neurologiczne, jak bóle lub zawroty głowy, mogą być objawem innych chorób – wewnętrznych, laryngologicznych, okulistycznych, a nawet ginekologicznych, natomiast zupełnie nieneurologiczne objawy, a mianowicie zaburzenia potencji lub oddawania moczu, mogą być objawem organicznego uszkodzenia układu nerwowego.

Kierowanie chorych do szpitala

Większość chorób neurologicznych może być diagnozowana i leczona w warunkach ambulatoryjnych. Do szpitala na oddział neurologiczny chorzy są kierowani z trzech rodzajów wskazań: racjonalnych, względnych i bezwzględnych.

Wskazania racjonalne

1) ostry stan zagrażający życiu chorego, wymagający ciągłej, kwalifikowanej opieki medycznej;

2) konieczność wykonania specjalistycznych badań diagnostycznych, które nie mogą być wykonane w warunkach ambulatoryjnych;

3) konieczność stosowania metod leczniczych niemożliwych lub bardzo trudnych do wykonania w warunkach ambulatoryjnych.

Wskazania względne

1) nieskuteczność metod leczniczych stosowanych ambulatoryjnie;

2) poważne zaburzenia psychofizyczne podostre lub przewlekłe (otępienie, zniedołężnienie starcze, zaburzenia chodu, zanieczyszczanie się, zaburzenia odżywiania); chorzy ci jednak powinni raczej znaleźć się w oddziałach dla przewlekle chorych.

Wskazania bezwzględne

1) nagła utrata przytomności, zwłaszcza pierwsza w życiu; szczególnie groźne jest współistnienie takich objawów, jak wymioty, silne bóle głowy i karku lub zaburzenia oddychania;

2) nagłe wystąpienie niedowładów lub porażeń kończyn;

3) nagłe wystąpienie zaburzeń mowy;

4) nagłe wystąpienie zaburzeń równowagi w stopniu uniemożliwiającym utrzymanie pionowej postawy.

Badania diagnostyczne

Większość badań diagnostycznych kontrastowych może i powinna być wykonywana w warunkach ambulatoryjnych – ale możliwie szybko. Odwlekanie wykonania badań może opóźnić postawienie prawidłowej diagnozy i rozpoczęcie właściwego leczenia. Niektóre neurologiczne badania łączą się z pewnym ryzykiem. Są to głównie kontrastowe badania radiologiczne

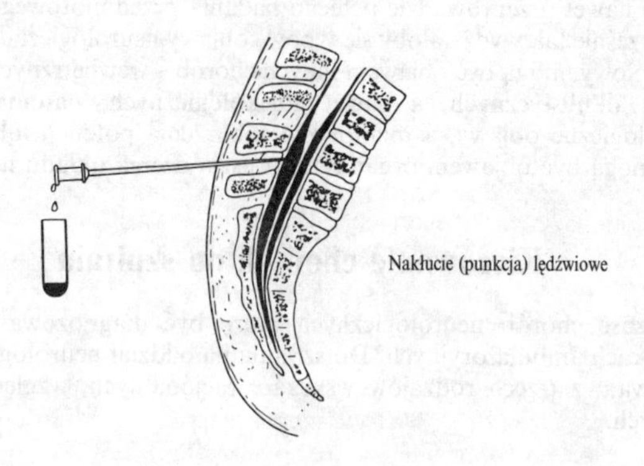

Nakłucie (punkcja) lędźwiowe

mózgowia i rdzenia kręgowego. Natomiast nakłucia lędźwiowe (rys. obok), uważane często przez chorych i ich rodziny za badanie niebezpieczne, jest praktycznie zabiegiem pozbawionym ryzyka, choć dość bolesnym.

Leczenie neurologiczne

Leczenie neurologiczne wymaga przestrzegania kilku podstawowych zasad:

1) powinno być rozpoczęte jak najwcześniej, ponieważ uszkodzenie tkanki nerwowej może stać się po pewnym czasie procesem nieodwracalnym i później nawet najlepsze metody postępowania stają się nieskuteczne;

2) jest długotrwałe – trwa od kilku tygodni do kilku lat, w niektórych chorobach nawet kilkadziesiąt lat. Wymaga to bardzo dużej cierpliwości chorego i zaufania do lekarza – chory musi przyjmować leki nawet wtedy, gdy wydaje mu się, że wyzdrowiał całkowicie. Zażywanie leków może przerwać dopiero za zgodą lekarza (np. leki przeciwpadaczkowe odstawia się całkowicie dopiero po 3 latach od ustania napadów);

3) powinno być systematyczne i dokładne. Chory nie może sam zmieniać dawki leku, sposobu przyjmowania ani robić przerw w leczeniu, np. w padaczce kilkudniowa przerwa może całkowicie zniweczyć wyniki kilkuletniego, pomyślnego leczenia;

4) często wymaga skojarzonego stosowania kilku leków lub kilku różnych metod leczenia.

Metody leczenia

Leczenie farmakologiczne jest leczeniem podstawowym, stosowanym praktycznie we wszystkich chorobach neurologicznych. Polega ono na stosowaniu zarówno leków specyficznych (tzw. leków neurotropowych i psychotropowych), jak i wielu innych grup: steroidów, niesteroidowych leków przeciwzapalnych, leków naczyniowych, przeciwbólowych, antybiotyków i innych.

Leczenie operacyjne w chorobach neurologicznych jest stosowane coraz częściej. Poza klasycznymi wskazaniami do użycia tej metody, które stanowią guzy mózgu i rdzenia, krwiaki, anomalie naczyniowe, dyskopatia, rozwinęło się w ostatnich dziesięcioleciach leczenie operacyjne w: niedrożności naczyń mózgowych w odcinku pozaczaszkowym, padaczce, chorobach układu pozapiramidowego, niektórych chorobach zwyrodnieniowych rdzenia (np. w jamistości rdzenia), zmianach pozapalnych i pourazowych opon mózgowo-rdzeniowych.

Leczenie dietetyczne. Z wyjątkiem metabolicznych chorób dziecięcych, takich jak np. fenyloketonuria lub homocystynuria, oraz niedoborów witaminowych (podaje się brakujące organizmowi składniki) leczenie dietetyczne nie odgrywa większego znaczenia. Ważną rolę natomiast odgrywają *zakazy dietetyczne* – wystrzeganie się pewnych pokarmów przy przyjmowaniu leków i najważniejsze – zakaz spożywania alkoholu. Alkohol jest silną trucizną układu nerwowego i jego przyjmowanie opóźnia, a może nawet uniemożliwiać procesy regeneracyjne w tkance mózgowej, a tym samym powrót do zdrowia. Wykazuje on także niekorzystne interakcje z większością leków psychotropowych i neurotropowych, może zmniejszać ich skuteczność lub, znacznie częściej, potęgować ich działanie aż do wystąpienia objawów groźnych dla zdrowia, a nawet życia chorego.

Rentgenoterapia i leczenie promieniowaniem radioaktywnym ma stosunkowo niewielką przydatność w neurologii. Stosuje się je z miernym skutkiem w leczeniu niektórych nowotworów mózgowia i rdzenia.

Leczenie klimatyczne i uzdrowiskowe odgrywa pewną rolę w leczeniu nerwobólów i nerwic. Zalecane jest głównie dla rekonwalescentów po przebytych chorobach neurologicznych.

Akupunktura jest często stosowana w leczeniu nerwobólów różnego pochodzenia i niekiedy w migrenach i pokrewnych zespołach bólowych. Raczej nieskuteczna jest w ciężkich, organicznych uszkodzeniach mózgowia i rdzenia.

Rehabilitacja. Jest to jedna z podstawowych metod leczenia w wielu chorobach neurologicznych po okresie ostrym. Za pomocą tej metody leczy się nie tylko zaburzenia funkcji ruchu, ale również zaburzenia mowy i innych tzw. wyższych czynności mózgowych (czytanie, liczenie, pisanie).

Rehabilitację rozpoczyna się możliwie wcześnie i kontynuuje długo – doświadczenie uczy, że poprawa funkcji przy prawidłowej rehabilitacji może następować nawet po kilku latach. Rehabilitację rozpoczętą w oddziałach szpitalnych należy kontynuować w specjalnych ośrodkach rehabilitacyjnych lub w warunkach domowych – pod nadzorem personelu fachowego.

Bioenergioterapia. Metoda ta, coraz popularniejsza, wywołuje największe kontrowersje wśród chorych i lekarzy.

Z jednej strony za jej skutecznością w leczeniu rozmaitych chorób na podłożu psychosomatycznym, ostrych i przewlekłych zespołów bólowych (migrena, bóle korzeniowe, nerwoból nerwu trójdzielnego), a nawet zespołów alergicznych, przemawiają coraz liczniejsze i coraz wiarygodniejsze dane. Wydaje się, że metoda ta, u znacznego odsetka chorych, powoduje stymulację mechanizmów autoimmunologicznych, jak również usuwa stany napięcia i lęku, mogące być podłożem (lub skutkiem) choroby.

Z drugiej strony bioenergioterapia podjęta w pierwszym etapie leczenia może opóźnić, a w niektórych przypadkach wręcz uniemożliwić prawidłowe rozpoznanie i konieczne leczenie konwencjonalne, zwłaszcza w ciężkich, organicznych schorzeniach układu nerwowego, z trudnymi do przewidzenia, a zawsze niebezpiecznymi dla chorego następstwami.

Reasumując – decyzja o ewentualnym podjęciu leczenia metodą bioenergioterapii powinna być poprzedzona zawsze konsultacją u lekarza specjalisty, który powinien uświadomić choremu podejmowane przez niego ryzyko.

III. CHOROBY OŚRODKOWEGO UKŁADU NERWOWEGO

Choroby naczyniowe mózgu

Udar mózgu

Mózg, o masie tylko 2% masy całego ciała, otrzymuje ok. 15% krwi wychodzącej z serca. Źródłem ukrwienia są dwie tętnice szyjne wewnętrzne i dwie tętnice kręgowe; te ostatnie zespalają się w tętnicę podstawną. Wymienione naczynia przez swoje odgałęzienia (z możliwością wzajemnych połączeń) zaopatrują w krew obie półkule oraz pień mózgu i móżdżek.

Udar mózgu jest najczęstszą przyczyną zaburzeń czynności mózgu. Niedokrwienie, a nierzadko również zniszczenie jakiegoś obszaru mózgu, występuje na ogół nagle. Następstwem jest porażenie lub niedowład, zaburzenia mowy, niekiedy z towarzyszącymi tzw. objawami ogólnymi, takimi jak utrata przytomności, zaburzenia oddechowe i krążeniowe.

Udar mózgu jest przyczyną ok. 11% zgonów. Podłożem choroby są najczęściej zmiany miażdżycowe tętnic. Powodują one zwężenie tętnic i sprzyjają powstaniu zakrzepu, osłabiają ścianę naczynia, która może ulec przerwaniu, zwłaszcza przy wzroście ciśnienia krwi. Przyczyną zamknięcia naczyń może być również zator cząstkami zakrzepu, które odrywają się od zastawek serca lub jego ścian, a niekiedy od zakrzepów przyściennych w miażdżycy tętnicy głównej i dużych tętnic domózgowych.

Większość udarów mózgu występuje z niedokrwienia, które często doprowadza do zawału i rozmiękania części mózgu. W zawale na tle zakrzepu objawy pojawiają się często w czasie snu lub wkrótce po wstaniu z łóżka, zwykle u osób starszych; zjawiskiem towarzyszącym jest nierzadko spadek ciśnienia krwi. Objawy mogą wystąpić nagle, ale typowe jest ich stopniowe narastanie. Przejściowe zaburzenia ukrwienia mogą powodować drętwienie lub lekkie osłabienie siły kończyn, zaburzenia widzenia, zawroty i bóle głowy. Mogą to być zwiastuny tego typu udaru. W zatorze mózgu objawy pojawiają się nagle, często u osób stosunkowo młodych, które przebyły zawał serca lub zapalenia wsierdzia i u których stwierdzono wadę serca lub arytmię. Przebieg choroby jest różny. Może wystąpić zarówno cofanie się, jak i narastanie niedowładu. Zaburzenia świadomości w przebiegu zakrzepu są zwykle niezbyt nasilone lub przytomność może być zachowana. W przebiegu zawału zatorowego zaburzenia tego typu występują częściej.

Najcięższy jest udar mózgu z krwotokiem mózgowym. Może wystąpić w różnym wieku, nagle w ciągu dnia, zwykle u chorych z nadciśnieniem tętniczym. Często poprzedza go silny ból głowy. Stan chorego jest ciężki, występuje niedowład masywny, często utrata przytomności, nierzadko głęboka śpiączka z zaburzeniami oddechu, a w przebiegu przebicia krwi do komór mózgu – prężenia kończyn i drgawki. Nakłucie lędźwiowe przeważnie wskazuje obecność krwi w płynie mózgowo-rdzeniowym. Do innych objawów należy sztywność karku świadcząca o podrażnieniu opon.

W każdej postaci udaru, zwłaszcza w krwotoku, poza niedokrwieniem rozwija się w różnym stopniu obrzęk mózgu.

Objawy udaru mózgu zależą od tego, która tętnica została zajęta, a co za tym idzie, która okolica mózgu jest uszkodzona. Najczęściej występuje niedowład lub porażenie połowicze, tj. porażenie kończyny górnej i dolnej oraz dolnej części twarzy i połowy języka po stronie przeciwnej do ogniska chorobowego. Kończyny mogą być zajęte w różnym stopniu, niekiedy występują zaburzenia czucia na ich powierzchni. Zaburzenia mowy – tzw. afazja – pojawiają się na skutek uszkodzenia ośrodków mowy w korze lewej półkuli mózgu. Mogą wystąpić jako jedyny objaw lub, częściej, łącznie z niedowładem prawostronnym. Niedowład ograniczony dotyczy częściej kończyn górnych, zwłaszcza upośledzone są ruchy palców. W kończynach dolnych z kolei najbardziej upośledzone bywają ruchy stopą. Lekarz znajduje jeszcze inne objawy w zależności od lokalizacji udaru: zmianę napięcia mięśni, nieprawidłowe objawy (np. tzw. objaw Babińskiego), asymetrię odruchów.

Udar mózgu może powodować ciężkie, często nieodwracalne uszkodzenia układu nerwowego. W przypadkach ograniczonego zakrzepu lub zatoru małego naczynia może nastąpić znaczna poprawa, a nawet całkowite wycofanie się objawów, jeżeli ustąpi obrzęk oraz wytworzy się dobre krążenie zastępcze, tzw. oboczne. Nagłe zamknięcie światła dużego naczynia, a zwłaszcza zniszczenie wywołane krwotokiem mózgowym prowadzi do nieodwracalnych zmian. Duży obrzęk mózgu i pnia (gdzie znajdują się ośrodki regulujące podstawowe czynności życiowe) doprowadza do zgonu.

Leczenie udaru mózgu odbywa się najczęściej w szpitalu. W ostrym okresie choroby, gdy chory jest nieprzytomny, podstawową sprawą jest utrzymanie drożności dróg oddechowych. Aby zapobiec zapadaniu się języka oraz zachłyśnięciu wydzieliną lub wymiotami, chorego należy ułożyć w tzw. pozycji bezpiecznej (np. na prawym boku z prawą ręką wyprostowaną z tyłu tułowia, prawą nogą zgiętą w celu podparcia tułowia, a lewą wyprostowaną, lewą ręką zgiętą, zob. Pierwsza pomoc, s. 2128). Leczenie polega na podawaniu środków przeciwobrzękowych, regulujących ciśnienie krwi i podtrzymujących krążenie. Niezbędna jest częsta zmiana ułożenia chorego, aby zapobiec zapaleniu płuc. Stosowane są antybiotyki, kroplówki nawadniające i regulujące poziom elektrolitów, leki ułatwiające ukrwienie zajętego obszaru i środki rozszerzające naczynia krwionośne. W udarach niekrwotocznych podaje się leki zmniejszające lepkość krwi i zapobiegające tworzeniu się zakrzepów. Wcześnie przeciwdziała się przykurczom porażonych kończyn przez odpowiednie ułożenie, stosuje się masaż i ruchy bierne, a w miarę powrotu czynności, systematyczne ćwiczenia rehabilitacyjne. W zakrzepach uruchamianie rozpoczyna się już po kilku dniach, w zatorach zwykle później i zależy to od wydolności serca i krążenia ogólnego. W krwotokach rehabilitację z czynnym udziałem chorego rozpoczyna się dopiero po kilku tygodniach od początku udaru. Niektóre zakrzepy leczy się chirurgicznie (operacje zwężonej tętnicy lub udrożnienie większych naczyń).

Zapobieganie udarom mózgu polega na: stosowaniu diety zapobiegającej otyłości i miażdżycy, regulacji ciśnienia krwi, kontroli poziomu cukru i w razie ujawnienia cukrzycy systematycznym jej leczeniu, kontroli układu krzepnięcia, leczeniu chorób serca.

Krwotok (wylew) podpajęczynówkowy

Mózg jest osłonięty trzema błonami, tzw. o p o n a m i. Są to od zewnątrz: opona twarda, pajęczynówka i opona miękka. Przestrzeń między pajęczynówką a oponą miękką jest wypełniona p ł y n e m m ó z g o w o - r d z e n i o w y. W przestrzeni tej na podstawie mózgu i w jego szczelinach przebiegają, łączą się i rozgałęziają tętnice doprowadzające krew do mózgu. Ściana tych naczyń, często w miejscu ich rozwidleń, może ulec osłabieniu i mogą wytworzyć się workowate uwypuklenia, które pękają. Jest to najczęstsza przyczyna w y l e w u p o d p a j ę c z y n ó w k o w e g o. Do innych, rzadszych przyczyn przerwania ściany naczyń na podstawie lub powierzchni mózgu, należą: miażdżyca i nadciśnienie tętnicze, nieprawidłowości typu naczyniaka mózgu oraz urazy głowy ze stłuczeniem mózgu.

Objawy wylewu podpajęczynówkowego są bardzo charakterystyczne. W pełnym zdrowiu, często w czasie wysiłku połączonego z podwyższeniem ciśnienia krwi, występuje nagle bardzo silny ból głowy przeważnie promieniujący do karku, wymioty. Zwykle następuje utrata lub ograniczenie świadomości z pobudzeniem. Pojawiają się tzw. o b j a w y o p o n o w e (m.in. sztywność karku), zostają zniesione niektóre odruchy fizjologiczne oraz pojawiają się nieprawidłowe, może wystąpić uszkodzenie niektórych nerwów czaszkowych. W masywnym krwotoku mogą wystąpić prężenia kończyn, a przy jednoczesnym uszkodzeniu mózgu – objawy podobne do krwotoku mózgu z towarzyszącym niedowładem (zob. wyżej). Niekiedy jednak, gdy krwawienie jest niewielkie, objawy ograniczają się do bólu głowy, nudności i niepokoju. Przyczyny takich dolegliwości są bardzo różne, dlatego o rozpoznaniu wylewu podpajęczynówkowego decyduje obecność krwi w płynie mózgowo-rdzeniowym. Najgroźniejszym p o w i k ł a n i e m, obok powtórnego krwawienia, jest skurcz naczyń mózgu, powodujący wystąpienie z a w a ł u m ó z g u.

Leczenie zachowawcze jest podobne do stosowanego w krwotoku mózgowym. Stosuje się leki przeciwobrzękowe oraz obniżające ciśnienie krwi, ponadto leki zwiększające krzepliwość krwi i uszczelniające naczynia. Próbuje się zapobiegać pojawieniu się skurczu naczyń przez podawanie leków „blokujących kanały wapniowe". Chory musi przebywać w łóżku, zachowując bezwzględny spokój, przez okres kilku tygodni. Badanie radiologiczne naczyń mózgu, tzw. arteriografia, pozwala na zlokalizowanie źródła krwawienia i zahamowanie krwotoku drogą operacyjną. Szybkie wykonanie zabiegu operacyjnego (gdy pozwala na to ogólny stan chorego) jest jedyną metodą, która może prowadzić do trwałego wyleczenia.

Guzy mózgu

Pojęciem *guz mózgu* określa się nie tylko guzy nowotworowe, ale wszystkie nieprawidłowe masy powiększające swoją objętość wewnątrz czaszki.

Objawy ogólne są wynikiem narastania ciasnoty wewątrzczaszkowej, łacznie z zaburzeniami w krążeniu płynu mózgowo-rdzeniowego i utrudnieniem jego odpływu poza czaszkę. Często występuje narastający ból głowy, nieco rzadziej nudności lub wymioty i zwolnienie tętna. Może pojawić się tzw. *tarcza zastoinowa*, stwierdzana przy badaniu dna oczu (zob. Choroby układu wzrokowego, s. 1704), będąca wyrazem obrzęku włókien nerwu wzrokowego. Późno mogą wystąpić zaburzenia psychiczne: apatia, senność, otępienie, a nawet stany psychotyczne.

Objawy ogniskowe zależą od umiejscowienia guza. Ból miejscowy jest spowodowany przez ucisk i napinanie wrażliwych struktur opony twardej, naczyń i nerwów czaszkowych. Częstym objawem są *napady padaczkowe*. Narastający niedowład kończyn lub nerwów czaszkowych, zaburzenia czucia, zaburzenia mowy, widzenia, zawroty głowy i zaburzenia równowagi wynikają z uszkodzenia różnych okolic mózgu, nerwów czaszkowych albo móżdżku (np. przy guzach móżdżku występują zaburzenia równowagi, zawroty głowy, stwierdza się oczopląs, a w guzach okolicy przysadki – zaburzenia hormonalne i zaburzenia widzenia).

Nowotwory mózgu są najczęstszymi guzami tego narządu. Mogą być łagodne (rosną powoli i są odgraniczone od zdrowej części mózgu) i złośliwe (rozwijają się szybko i naciekają otoczenie). Z różnych typów guzów nowotworowych najczęstsze są glejaki i oponiaki (zob. Choroby nowotworowe, s. 2068). Bywają też nowotwory przerzutowe.

Ropnie mózgu lub móżdżku rozwijają się w przebiegu zakażeń bakteriami ropotwórczymi. Powstają w następstwie przejścia zakażenia z sąsiedztwa (najczęściej przy zapaleniu ucha środkowego, drogą naczyń z czyraka wargi lub innej części twarzy, w zakażeniach otwartych zranień czaszkowo-mózgowych) albo też drogą przerzutów przez układ krwionośny (np. z płuc).

Wągrzyca mózgu lub **bąblowiec mózgu.** Choroba rozwija się, gdy larwy niektórych tasiemców usadowią się wewnątrz czaszki, dając objawy guza.

Krwiaki podtwardówkowe i nadtwardówkowe, zob. Powikłania pourazowe, s. 1027.

Rozpoznanie guza w jego wczesnej fazie zwiększa szansę wyleczenia. Obok badania neurologicznego, oceny dna oczu, badania płynu mózgowo-rdzeniowego cenne jest badanie czynności bioelektrycznej mózgu (badanie elektroencefalograficzne – EEG). Decydujących danych o umiejscowieniu guza oraz o jego przypuszczalnym charakterze dostarczają badania neuroradiologiczne: arteriografia, odma czaszkowa lub komorowa, scyntygrafia, a przede wszystkim tomografia komputerowa (tablica 20 a). Jedną z najnowszych metod jest badanie za pomocą rezonansu magnetycznego. Zob. Diagnostyka wizualizacyjna, s. 599.

Leczenie jest zasadniczo chirurgiczne. Doszczętne usunięcie operacyjne guza zależy od jego umiejscowienia i jest np. łatwiejsze, gdy leży on powierzchownie, a trudniejsze, gdy leży w głębi mózgu. Zależy też od charakteru guza – lepiej rokują operacje nowotworów łagodnych, torbieli i ropni niż nowotworów złośliwych naciekających tkankę mózgową, a zwłaszcza struktury pnia mózgu. Obok leczenia operacyjnego nowotwory złośliwe leczy się napromienianiem.

Zakażenia układu nerwowego

W przebiegu zakażeń układu nerwowego może dojść do zajęcia opon mózgowo-rdzeniowych, rdzenia kręgowego, nerwów obwodowych mięśni oraz mózgu w sposób ograniczony lub rozlany. Zakażenia te mogą być wywołane przez bakterie, wirusy, pasożyty (pierwotniaki, robaki) oraz grzyby. Ponadto istnieją jednostki chorobowe, w których udział zakaźnego czynnika, prawdopodobnie wirusowego, jest domniemany.

Zakażenia bakteryjne układu nerwowego

Ropne zapalenia opon mózgowo-rdzeniowych. Jest to grupa chorób o ciężkim przebiegu, wywołanych wtargnięciem do opon i komór mózgu bakterii ropotwórczych. Najczęściej są to dwoinki zapalenia opon, zapalenia płuc i paciorkowce, rzadziej gronkowce, pałeczka okrężnicy. Zakażenie jest wtórne, często z ognisk ropnych w gardle, uchu środkowym, w jamie nosowej.

Obraz i przebieg choroby nie zależą zazwyczaj od rodzaju bakterii wywołujących ją. Choroba występuje w postaci odosobnionych przypadków lub jako epidemie. Atakuje dzieci i osoby dorosłe. Początek jest nagły. Zjawiają się bóle głowy, nudności i wymioty, znacznie podwyższona temperatura ciała, a po krótkim czasie mogą się dołączyć zaburzenia świadomości i drgawki. Znamienne są takie objawy oponowe, jak sztywność karku oraz często charakterystyczne ułożenie chorego z odgiętą głową i przykurczonymi kończynami. Konieczne jest szybkie przewiezienie chorego do szpitala, jeżeli to możliwe – na oddział chorób zakaźnych. Choremu wykonuje się natychmiast nakłucie lędźwiowe w celu zbadania płynu mózgowo-rdzeniowego.

Leczenie polega na stosowaniu antybiotyków, o szerokim zakresie działania i, rzadziej, sulfonamidów oraz podawaniu leków objawowych: przeciwgorączkowych, przeciwdrgawkowych, krążeniowych.

Rokowanie jest poważne. U części chorych mogą pozostać różne objawy ubytkowe, jak niedowłady, zaburzenia mowy, głuchota, napady padaczkowe. Zob. też Choroby zakaźne, s. 969.

Gruźlicze zapalenie opon mózgowo-rdzeniowych i mózgu jest wywołane przez prątek gruźlicy. Choroba występuje u dzieci i dorosłych. Zakażenie układu nerwowego jest wtórne. Pojawia się w przebiegu gruźlicy innych narządów lub towarzyszy rozsianej gruźlicy krwiopochodnej.

Objawy. W pierwszym okresie, tzw. zwiastunowym, pojawiają się bóle głowy, apatia, ubytek masy ciała, stany podgorączkowe. Następnie stan chorego ulega pogorszeniu. Występują zaburzenia świadomości, wysoka gorączka, objawy porażenia nerwów czaszkowych, objawy oponowe. Okres końcowy to śpiączka i znaczne wyniszczenie.

Leczenie jest szpitalne. Wykonywane są badania płynu mózgowo-rdzeniowego, próby tuberkulinowe oraz próby biologiczne. Stosuje się leki przeciwgruźlicze co najmniej przez rok, a ponadto leki objawowe: witaminy, leki krążeniowe, przeciwdrgawkowe.

Kiła układu nerwowego. Wywołuje ją krętek blady, który przez naczynia dostaje się do układu nerwowego. Do zajęcia tego układu może dojść we wczesnym okresie choroby lub nawet po 10–20 latach od chwili zakażenia. Decydujące dla rozpoznania jest badanie płynu mózgowo-rdzeniowego i odczynów serologicznych.

Kiłowe zapalenie opon może wystąpić we wczesnym okresie choroby. Objawia się znacznie podwyższoną temperaturą ciała, zaburzeniami oponowymi, ciężkim stanem ogólnym, porażeniem nerwów czaszkowych.

Kiła mózgowo-rdzeniowa może również wystąpić we wczesnym okresie choroby. Objawy świadczą o zajęciu mózgu (niedowłady, zaburzenia mowy, napady drgawkowe) oraz o uszkodzeniu rdzenia kręgowego.

Wiąd rdzenia to późny objaw kiły układu nerwowego, pojawiający się w kilkanaście lat po zakażeniu. W obrazie choroby dominują zaburzenia czucia głębokiego i równowagi pod postacią bezwładu tylnopowrózkowego, silne bóle różnych okolic ciała, tzw. bóle strzelające i zmiany stawowe. U 2–5% chorych występują tzw. przełomy żołądkowe, polegające na napadowych, wielogodzinnych bólach w nadbrzuszu z towarzyszącymi wymiotami. Mogą wystąpić zaburzenia wzroku lub słuchu, a także ubytki czucia powierzchniowego.

Porażenie postępujące. Podobnie jak w wiądzie rdzenia, pierwsze objawy zajęcia układu nerwowego pojawiają się w wiele lat po zakażeniu. Najczęściej są to zmiany w źrenicach, zaburzenia chodu, niedowłady kończyn, zaburzenia mowy z towarzyszącymi zaburzeniami psychicznymi i otępieniem, czasem z napadami padaczkowymi.

Leczenie wszystkich postaci kiły ośrodkowego układu nerwowego opiera się przede wszystkim na podawaniu penicyliny, przy czym rokowanie we wczesnym okresie choroby jest ostrożne, a w kile późnej jest niepomyślne.

Zakażenia wirusowe układu nerwowego

Wirusowe zapalenia opon mózgowo-rdzeniowych. Chorobę wywołują najczęściej wirusy: polio, Coxsackie, ECHO, świnki, półpaśca. W pierwszym okresie choroby występują objawy nieżytowe lub jelitowe z gorączką, a dopiero po kilku dniach dołączają się bóle głowy, ponowny wzrost temperatury ciała, nudności i wymioty. Mogą wystąpić niedowłady, niedoczulica, zaburzenia mowy, objawy oponowe.

Rozpoznanie opiera się na podstawie przebiegu choroby i charakterystycznych zmian w płynie mózgowo-rdzeniowym.

Leczenie. Stosowane są przede wszystkim leki objawowe. Antybiotyki podaje się jedynie w celu uniknięcia powikłań bakteryjnych.

Rokowanie jest dobre, rzadko pozostają drobne objawy ubytkowe (niedowłady, niedoczulica, zaburzenia mowy). Zob. też Choroby zakaźne, s. 970).

Najważniejsze postacie zapaleń mózgu występujące w Polsce

Epidemiczne i endemiczne zapalenia mózgu	Sporadyczne zapalenia mózgu
Śpiączkowe, czyli nagminne zapalenie mózgu (epidemia w 1917 i 1927 r.) Kleszczowe, czyli wiosenno-letnie zapalenie mózgu (okolice Nysy, Białowieży i Olsztyna)	Przyzakaźne zapalenie mózgu Poszczepienne zapalenie mózgu Zapalenie mózgu wywołane przez enterowirusy (Coxsackie, ECHO) Wścieklizna Podostre stwardniające zapalenie mózgu Ostre martwicze zapalenie mózgu

Wirusowe zapalenia mózgu są wywołane przez arbowirusy, enterowirusy, miksowirusy, wirusy grypy i opryszczki. Występują jeszcze formy zapaleń mózgu, w których przyczyna wirusowa jest jedynie domniemana. W zależności od czynnika wywołującego chorują bądź dzieci, bądź dzieci i dorośli. Zapalenia mózgu występują sporadycznie, endemicznie i epidemicznie (tabela). Obraz choroby różni się znacznie w zależności od czynnika wywołującego oraz od wieku chorych. Do najczęściej występujących objawów należą: bóle głowy, gorączka, wymioty, światłowstręt, bóle brzucha, bóle kończyn, zaburzenia snu i świadomości, drgawki, drżenie i kurcze mięśniowe, zaburzenia mowy, otępienie i niedowłady. Do najważniejszych badań należy badanie płynu mózgowo-rdzeniowego i wykonanie elektroencefalogramu. Przeprowadzane są też badania wirusologiczne.

Leczenie jest szpitalne. Stosuje się leczenie objawowe oraz antybiotyki jako osłonę przed powikłaniami. Rokowanie bardzo poważne, śmiertelność duża. Zob. też Choroby zakaźne, s. 971.

Wścieklizna, czyli **wodowstręt.** Chorobę wywołuje wirus wścieklizny, który na człowieka przenosi się przez ukąszenie zakażonego zwierzęcia dzikiego lub domowego albo drogą kropelkową. W obrazie choroby dominują zaburzenia psychiczne, kurcze mięśni szkieletowych, wodowstręt. Zob. Choroby zakaźne, s. 987.

Choroba Heinego – Medina, czyli **zapalenie rogów przednich rdzenia, nagminne porażenie dziecięce, poliomyelitis.** Chorobę wywołują wirusy polio typu 1, 2, 3. Po wprowadzeniu obowiązkowych szczepień zapobiegawczych stanowi ona rzadkość. Zakażenie następuje drogą pokarmową. Z krwią wirusy przedostają się do komórek ruchowych rogów przednich rdzenia kręgowego. Po okresie nieżytowym, przebiegającym z podwyższoną temperaturą ciała i z zaburzeniami ze strony przewodu pokarmowego, występują: bóle głowy, ponowny wzrost temperatury, objawy oponowe. Następnie pojawiają się wiotkie porażenia mięśni, głównie kończyn.

R o z p o z n a n i e opiera się na podstawie badania płynu mózgowo-rdzeniowego.

L e c z e n i e jest szpitalne. Stosuje się tylko leki objawowe. Wcześnie rozpoczyna się rehabilitację. Zob. też Choroby zakaźne, s. 974.

Półpasiec. Choroba rozwija się w wyniku uczynnienia się utajonych wirusów ospy wietrznej bytujących w komórkach zwojów międzykręgowych. Zmiany skórne pod postacią wykwitów plamisto-pęcherzykowych umiejscawiają się wzdłuż przebiegu nerwu na klatce piersiowej, rzadziej na kończynach, czole, rogówce, na uchu. Towarzyszą im silne bóle o charakterze piekącym i zaburzenia czucia powierzchniowego w obrębie zmian skórnych. Zob. Choroby zakaźne, s. 961.

Zespół nabytego upośledzenia odporności – AIDS (zob. s. 1940). Choroba jest wynikiem zakażenia wirusem HIV. W różnym jej okresie rozwoju bywa zajęty również ośrodkowy lub obwodowy układ nerwowy. Objawy neurologiczne są związane z inwazją różnych wirusów do układu nerwowego lub są wynikiem innych zakażeń, które są następstwem obniżonej odporności w AIDS.

Z a k a ż e n i a w i r u s o w e z w i ą z a n e z A I D S. Postępujący zespół otępienia jest spotykany u 50–70% chorych, tzw. ostre nietypowe zapalenie opon mózgowo-rdzeniowych występuje u 5–10% chorych zwykle we wczesnym okresie choroby (gorączka, objawy oponowe, ból głowy, uszkodzenie nerwów czaszkowych, zwłaszcza nerwu twarzowego). Sugeruje się, że w tych przypadkach sam wirus HIV może powodować uszkodzenie układu nerwowego przed załamaniem się całego układu odpornościowego. U kilku procent chorych z zespołem AIDS występuje zapalenie mózgu wywołane przez wirusa opryszczki. Obecność nowotworu – pierwotnego chłoniaka mózgu – wiąże się także z zakażeniem wirusowym. Aż u 30% zakażonych dochodzi do zajęcia nerwów obwodowych pod postacią tzw. bolesnej, czuciowej neuropatii, a u 20% ulega uszkodzeniu rdzeń kręgowy (mielopatia) z wystąpieniem niedowładu kończyn.

Z a k a ż e n i a w y w o ł a n e p r z e z i n n e c z y n n i k i. Układ nerwowy chorych na AIDS ulega najczęściej (blisko 30%) zakażeniu pierwotniakiem wywołującym t o k s o p l a z m o z ę, która powoduje m.in. wystąpienie licznych ropni, zapaleń mózgu i opon. U 10% chorych występuje zapalenie opon na tle zakażenia drożdżakiem – k r y p t o k o k o z a (toluroza). Zdarzają się także inne zakażenia grzybicze. Spotykane są również gruźlicze i bakteryjne zapalenia opon. U 2–3% chorych z AIDS rozwija się tzw. p o s t ę p u j ą c a w i e l o o g n i s k o w a l e u k o e n c e f a l o p a t i a powodująca narastanie z biegiem czasu różnych objawów uszkodzenia mózgu (zaburzenia mowy, niedowład, ataksja).

Należy zaznaczyć, że u części chorych zajęcie układu nerwowego może wystąpić wcześnie, poprzedzając rozwinięcie się objawów zakażenia innych narządów.

Grzybice układu nerwowego

Grzybice układu nerwowego występują u chorych z osłabioną odpornością wskutek długotrwałego stosowania antybiotyków, leków immunosupresyjnych lub u osób wyniszczonych przewlekłymi chorobami. Obrazem choroby jest przewlekłe zapalenie opon mózgowo-rdzeniowych rozwijające się w wyniku uogólnienia zmian z ogniska pierwotnego w skórze, tkance podskórnej lub w płucach. Zakażenia te są wywoływane przez *Torula histolytica, Candida albicans, Histoplasma capsulatum.* Leczenie jest bardzo trudne; pewne efekty daje stosowanie antybiotyku – amfoterycyny B.

Choroby pasożytnicze układu nerwowego

Do ważniejszych w tej grupie chorób należą: toksoplazmoza, wągrzyca mózgu i włośnica.

Toksoplazmoza. Inwazyjna choroba, którą wywołuje pierwotniak *Toksoplasma gondii.* Najczęściej choroba jest wrodzona wskutek zakażenia płodu przez matkę. Obrazem choroby są różnego rodzaju zaburzenia rozwojowe, z dominującymi objawami ze strony ośrodkowego układu nerwowego. Zob. Choroby zakaźne, s. 989.

Wągrzyca mózgu. Zakażenie organizmu następuje w wyniku spożycia pokarmu zakażonego jajami tasiemca uzbrojonego, który pasożytuje w przewodzie pokarmowym człowieka, zwierząt domowych i dzikich. W 1/5 liczbie przypadków „jaja'' przez krew dostają się do ośrodkowego układu nerwowego, gdzie ulegają otorbieniu w postaci wągrów. Obraz choroby najczęściej imituje guz mózgu. Rozpoznanie jest trudne, wymaga wielu badań diagnostycznych. Leczenie operacyjne. Zob. Choroby zakaźne. s. 992.

Włośnica lub **trychinoza.** Choroba pasożytnicza, w której zakażenie następuje przez spożycie mięsa wieprzowego wraz z larwami pasożyta – włośnia krętego. Po namnożeniu w przewodzie pokarmowym larwy przedostają się do krwi i następnie osadzają w narządach wewnętrznych, mięśniach i w ośrodkowym układzie nerwowym. Objawy i przebieg choroby, zob. Choroby zakaźne, s. 998.

Pląsawica mniejsza

Choroba występuje u dzieci w niektórych przypadkach gorączki reumatycznej. W obrazie choroby dominują ruchy mimowolne pląsawicze. Początek choroby jest powolny i skryty. Dziecko zaczyna pisać niedbale, ma niezgrabne, nieskoordynowane ruchy, a mowa staje się niewyraźna, zwykle współistnieją zmiany stawowe lub sercowe.

Leczenie jest takie samo jak gorączki reumatycznej (zob. Choroby reumatyczne, s. 890). Dodatkowo podaje się leki wzmacniające i uspokajające. Rokowanie jest dobre.

Choroby układu nerwowego wywołane urazem

Urazy głowy, a więc i mózgu, stanowią ok. 70% wszystkich urazów. W wyniku urazów dochodzi do uszkodzenia lub zniszczenia elementów komórkowych tkanki mózgowej. Duże znaczenie w patomechanizmie urazów mózgowych mają również uszkodzenia ścian naczyń krwionośnych mózgu i opon. Są one powodem wczesnych powikłań urazów: krwotoku mózgowego (zob. s. 1017), podpajęczynówkowego (zob. s. 1019), krwiaków nadtwardówkowych i podtwardówkowych; odgrywają one również ważną rolę w rozwoju encefalopatii pourazowej (zob. s. 1027).

Zależnie od stopnia uszkodzenia mózgu oraz nasilenia objawów klinicznych wyróżnia się:

wstrząśnienie mózgu, w którym powstają jedynie przejściowe zaburzenia fizykochemiczne w tkance mózgowej;

stłuczenie mózgu, w którym dochodzi do rozległego obrzęku mózgu i krwinkotoków,

zranienie mózgu, w którym następuje przerwanie ciągłości tkanki mózgowej z rozległa martwicą i krwotokiem.

Objawy

Podstawowym objawem po urazach mózgu są zaburzenia przytomności, trwające od kilku sekund do wielu dni, a w skrajnych przypadkach – nawet miesięcy. Cięższym urazom towarzyszą zaburzenia oddechowe i sercowo-naczyniowe, będące skutkiem uszkodzenia odpowiednich ośrodków mózgowych i mogące prowadzić do śmierci chorego. W przypadkach o pomyślnym przebiegu, po odzyskaniu przytomności chory wykazuje pamięć wsteczną (zdarzeń poprzedzających uraz i okoliczności urazu), ma bóle i zawroty głowy, nudności, często wymioty i zaburzenia równowagi. Objawy te mogą utrzymywać się od kilku dni do kilku miesięcy. Stłuczenie i zranienie mózgu mogą być przyczyną niedowładów lub porażeń kończyn, zaburzeń mowy, uszkodzeń nerwów czaszkowych, zaburzeń psychicznych i otępienia. Często w późniejszym okresie występują tzw. objawy rzekomonerwicowe – drażliwość, zmienność nastrojów, zaburzenia koncentracji, męczliwość psychofizyczna, zaburzenia snu.

Leczenie

Zawsze po urazie głowy jest konieczna kontrola lekarska. W zależności od stanu chorego lekarz kwalifikuje go do leczenia szpitalnego lub ambulatoryjnego. Chorzy zakwalifikowani do leczenia szpitalnego powinni być możliwie szybko do niego przetransportowani, ponieważ o wyniku leczenia, np. pourazowego obrzęku mózgu, decyduje w wielu przypadkach bardziej szybkość jego zastosowania niż metoda lecznicza. Transport powinien odbywać się karetką reanimacyjną.

Wszyscy chorzy po urazie głowy leczeni szpitalnie, jak i ambulatoryjnie, powinni być we wczesnej fazie leczenia unieruchomieni w pozycji leżącej – okres unieruchomienia wynosi od kilku (2–3) dni w przypadkach klinicznie lekkich, do kilku tygodni w przypadkach ciężkich. Możliwie wcześnie powinny być wykonane badania elektroencefalograficzne i echoencefalograficzne mózgu. Jeśli badania te wykażą ogniskowe uszkodzenie mózgu, jest celowe wykonanie arteriografii mózgowej lub tomografii komputerowej.

Leczenie farmakologiczne w fazie ostrej urazu polega głównie na podawaniu środków przeciwobrzękowych oraz leków moczopędnych. W stanach pobudzenia stosuje się leki uspokajające. W okresie późniejszym cofanie się zespołu pourazowego mogą przyśpieszać równocześnie podawane doustne leki naczyniowe i psychoenergizujące.

Powikłania pourazowe

Krwotok (wylew) podpajęczynówkowy następuje wskutek uszkodzenia pourazowego naczyń śródczaszkowych. Zob. s. 1019.

Krwiak nadtwardówkowy. Jest to nagromadzenie się krwi w przestrzeni między kością czaszki a oponą twardą mózgu wskutek uszkodzenia tętnicy oponowej. Obrazem choroby są szybko narastające zaburzenia przytomności, zwykle po okresie przejściowej poprawy po urazie (co może wprowadzić laika w błąd), objawy ogniskowe uszkodzenia mózgu (zob. s. 1020). Stan ten wymaga natychmiastowego przewiezienia chorego do szpitala, wykonania badań radiologicznych czaszki, echoencefalografii, arteriografii, tomografii komputerowej mózgu. W razie potwierdzenia rozpoznania, leczenie wyłącznie operacyjne.

Krwiak podtwardówkowy. Jest to nagromadzenie się krwi między oponą twardą a pajęczynówką wskutek uszkodzenia naczyń żylnych podtwardówkowych. Choroba ma przebieg ostry, podostry lub przewlekły. W stanie ostrym zaburzenia przytomności pojawiają się natychmiast po urazie, w podostrym – po kilku dniach, a w przewlekłym po kilku miesiącach, a nawet latach od urazu. Występują ponadto silne bóle głowy, spowolnienie psychoruchowe, niedowłady połowicze, rzadko napady padaczkowe. Postępowanie jak w krwiaku nadtwardówkowym (zob. wyżej).

Padaczka pourazowa. Przyczyną jest pourazowa blizna oponowo-mózgowa. Napady pojawiają się po kilku miesiącach do kilku lat po urazie, według różnych statystyk u kilku do kilkudziesięciu procent wszystkich chorych, którzy przebyli uraz głowy. Zob. Padaczka, s. 1032.

Encefalopatia pourazowa. Jest to proces przewlekły, związany prawdopodobnie z trwałym uszkodzeniem tkanki mózgowej, z procesami tworzenia się mikroblizn glejowych, jak również ze zmianami pourazowymi w ścianach mózgowych naczyń krwionośnych niewielkiego kalibru. Choroba ma przebieg stacjonarny, często powoli ustępujący, rzadziej powoli postępujący.

Objawem są częste, rozlane i ogniskowe bóle głowy, zawroty głowy, zaburzenia równowagi, nadpobudliwość, zaburzenia koncentracji i pamięci świeżej (funkcji zapamiętywania), spowolnienie i męczliwość psychofizyczna.

Badanie przedmiotowe najczęściej wykazuje objawy uszkodzenia móżdżku (zob. s. 1016) i błędnikowo-móżdżkowe, rzadziej dyskretne niedowłady, zaburzenia czucia itp. Najczęściej występują zmiany patologiczne w elektroencefalogramie (EEG).

Rozpoznanie opiera się na wywiadzie z chorym (przebyty uraz głowy), a także na stwierdzeniu obiektywnych odchyleń od normy w badaniu neurologicznym oraz zmian w elektroencefalogramie (EEG).

Leczenie jest zwykle objawowe. Stosuje się leki przeciwbólowe, uspokajające, nasenne, obniżające pobudliwość układu błędnikowego. Dobre wyniki daje niekiedy równoczesne podawanie leków naczyniowych i psychoenergizujących.

Uszkodzenie pourazowe rdzenia kręgowego

Poprzeczne ostre uszkodzenie rdzenia. Jest to pourazowe zniszczenie struktur komórkowych i przerwanie dróg nerwowych rdzenia na poziomie uszkodzenia.

Objawy. Zależnie od poziomu uszkodzenia może wystąpić porażenie czterech kończyn lub tylko kończyn dolnych, zaburzenia czucia, zaburzenia w oddawaniu moczu i stolca. Przy uszkodzeniu rdzenia w górnej części odcinka szyjnego występują zaburzenia oddechowe, mogące spowodować zgon chorego.

Leczenie szpitalne w oddziałach neurochirurgii lub intensywnej opieki medycznej, ewentualnie leczenie operacyjne. W okresie poprawy – rehabilitacja.

Krwotok do rdzenia kręgowego następuje zwykle po urazie, częściej u osób starszych lub u osób z nieprawidłowościami w naczyniach krwionośnych rdzenia. Objawia się ostrym, narastającym bólem, następnie zaburzeniami czucia, porażeniem kończyn, zaburzeniami w oddawaniu moczu i stolca. Leczenie szpitalne, ewentualnie operacyjne. W okresie poprawy rehabilitacja.

Porażenie prądem elektrycznym

Jest to bezpośrednie uszkodzenie układu nerwowego (stosunkowo rzadkie), objawiające się zwykle wtórnie w formie zaburzeń sercowo-naczyniowych i oddechowych. Występuje utrata przytomności, niekiedy do kilkunastu godzin, czasem drgawki toniczne. Po odzyskaniu przytomności chory ma bóle głowy, mdłości, wymioty, rzadziej przejściowo występują zaburzenia psychiczne.

Udar cieplny

Porażenie słoneczne wywołuje bezpośrednio obrzęk mózgu. W udarze cieplnym z przegrzania ogólnego zmiany mózgowe są wtórne do zaburzeń wodno-elektrolitowych i sercowo-naczyniowych. Występuje wysoka gorączka, silne bóle głowy, wymioty, niekiedy utrata przytomności, drgawki, ogniskowe uszkodzenie mózgu (niedowłady, zaburzenia czucia, zaburzenia mowy).

Postępowanie. Chorego należy umieścić w chłodnym i zacienionym pomieszczeniu i możliwie szybko ochłodzić (zimne okłady). W ciężkich przypadkach jest stosowane leczenie szpitalne. Podawane są leki przeciwobrzękowe oraz regulujące bilans płynów i elektrolitów w organizmie.

Choroby zwyrodnieniowe

Choroby zwyrodnieniowe układu nerwowego jest to liczna grupa chorób, w których pierwotnie dochodzi do zmian anatomicznych i upośledzenia czynności określonych struktur. Czynniki przyczynowe nie są znane.

Choroba Parkinsona, czyli **drżączka poraźna**, należy do częstszych chorób ośrodkowego układu nerwowego. Zachorowalność w Polsce wynosi 2000–2500 przypadków rocznie. Istotą choroby są zmiany morfologiczne i biochemiczne, prowadzące do obniżenia zawartości dopaminy (substancji pełniącej rolę przekaźnika w ośrodkowym układzie nerwowym). Choroba ta występuje między 50–60 r. życia, częściej u mężczyzn. Objawia się drżeniem spoczynkowym (spostrzegane w kończynach w czasie ich spoczynku), spowolnieniem ruchowym, ubóstwem mimiki, zgięciową postawą ciała, chodem drobnymi kroczkami, wzmożonym napięciem mięśniowym. Choroba zazwyczaj postępuje powoli przez kilka lub kilkanaście lat.

Leczenie polega na podawaniu prekursorów dopaminy, czasem alkaloidów tropinowych lub ich syntetycznych pochodnych. Niekiedy stosuje się leczenie neurochirurgiczne.

Parkinsonizm. Objawy są podobne jak w chorobie Parkinsona. Mogą powstawać w wyniku uszkodzenia tych samych struktur przez różne procesy chorobowe. Do częstszych przyczyn należą przebyte: nagminne śpiączkowe zapalenie mózgu, zatrucia tlenkiem węgla, dwusiarczkiem węgla, niektórymi lekami (zwłaszcza psychotropowymi), a także miażdżyca. Leczenie jest takie jak w chorobie Parkinsona (zob. wyżej).

Choroba Huntingtona. Jest to rzadka choroba dziedziczna, której pierwsze oznaki pojawiają się pomiędzy 30–40 r. życia pod postacią ruchów pląsawiczych i narastającego otępienia. Leczenie jest tylko objawowe.

Choroba Picka i Alzheimera. Choroby te występują pomiędzy 50–60 r. życia. Charakteryzują się postępującym otępieniem oraz występowaniem objawów ogniskowego uszkodzenia mózgu, takich jak: niedowłady, zaburzenia mowy, apraksja. Leczenie jest tylko objawowe, rokowanie niepomyślne.

Zespół Hakima. Choroba ta polega na narastającym wodogłowiu, spowodowanym zaburzeniami wchłaniania płynu mózgowo-rdzeniowego. Występują narastające zaburzenia równowagi i objawy uszkodzenia ośrodkowego neuronu ruchowego (zob. s. 1006). Chorują głównie osoby dorosłe. Rozpoznanie opiera się na badaniach płynu mózgowo-rdzeniowego oraz izotopowym badaniu mózgu. Leczenie operacyjne.

Stwardnienie boczne zanikowe. Choroba postępująca o nieznanej przyczynie, atakująca ośrodkowy i obwodowy neuron ruchowy. Rozpoczyna się zazwyczaj osłabieniem i zanikiem mięśni kończyn górnych i objawami niedowładu kurczowego kończyn dolnych. Przebieg jest postępujący. Leczenie tylko objawowe.

Jamistość rdzenia kręgowego. Choroba polega na powstawaniu jam w obrębie rdzenia kręgowego, rzadziej przedłużonego. Patomechanizm tych zmian morfologicznych nie jest dokładnie znany. Pierwsze objawy neurologiczne pojawiają się między 20 a 40 r. życia. Są to: zaburzenia czucia bólu i temperatury, zmiany troficzne na kończynach i tułowiu, niedowład kurczowy kończyn dolnych. Przebieg choroby jest powoli postępujący i trwa wiele lat. Leczenie objawowe. W szczególnych przypadkach neurochirurgiczne.

Choroby demielinizacyjne

Jest to grupa chorób, w których pierwotnym zjawiskiem patologicznym jest uszkodzenie i rozpad osłonek mielinowych włókien nerwowych w mózgu i rdzeniu kręgowym (tzw. demielinizacja). Przyczyna tych chorób nie jest wyjaśniona. Obecnie przyjmuje się teorię immunologiczno-wirusową, według której dochodzi do zjawiska autoagresji wyzwolonej przez zakażenie wirusem o działaniu powolnym.

Stwardnienie rozsiane, SM (od *sclerosis multipleks*). Jest to najczęstsza spośród pierwotnych chorób ośrodkowego układu nerwowego. Notuje się 3–5 zachorowań na 10 000 ludności, przede wszystkim w strefie umiarkowanej, sporadycznie w Afryce i w Japonii. Pierwsze objawy choroby pojawiają się najczęściej między 20 a 40 r. życia. Choroba przebiega rzutami, tj. ma okresy zwolnień i zaostrzeń, przy czym odległość czasowa pomiędzy rzutami jest bardzo różna, od kilku tygodni do wielu lat.

Objawy. Do najbardziej typowych objawów należą: pozagałkowe zapalenie nerwu wzrokowego, porażenie nerwów okoruchowych, oczopląs, mowa skandowana, drżenie zamiarowe, inne objawy uszkodzenia móżdżku, kurczowy niedowład, zaburzenia czynności zwieraczy, brak odruchów brzusznych. Ponieważ umiejscowienie ognisk demielinizacji w mózgu i rdzeniu kręgowym może być różne, w przebiegu choroby mogą wystąpić najróżniejsze objawy neurologiczne, co prowadzi do rozmaitych postaci stwardnienia rozsianego. W większości przypadków choroba postępuje, prowadząc do całkowitego inwalidztwa. W 5–10% przypadków ma przebieg łagodny, z wieloletnimi remisjami i nieznacznym nasileniem objawów. Czasem postępuje szybko, prowadząc do zgonu w ciągu kilku miesięcy.

Rozpoznanie stwardnienia rozsianego opiera się na obrazie choroby oraz na badaniu płynu mózgowo-rdzeniowego, w którym stwierdza się zmiany.

Leczenie. Dotychczas nie ma skutecznej metody leczenia. W czasie rzutu choroby podaje się kortykosteroidy, poza tym stosuje się leki objawowe, ogólnie wzmacniające, czasem leki immunosupresyjne, a ostatnio immunostymulujące. Dobre rezultaty daje umiejętnie stosowana rehabilitacja.

Zapalenie rdzenia i nerwów wzrokowych, czyli **choroba Devica.** Występuje rzadko pod postacią ostro przebiegajacych objawów uszkodzenia rdzenia oraz zapalenia nerwów wzrokowych. Rokowanie niepomyślne. Leczenia przyczynowego nie ma.

Stwardnienie rozlane. Jest to choroba bardzo rzadko spotykana, charakteryzująca się szybko narastającym otępieniem, występowaniem napadów padaczkowych oraz objawów uszkodzenia różnych struktur układu nerwowego. Rokowanie niepomyślne. Leczenie objawowe.

Choroby dziedziczne

Choroby dziedziczne układu nerwowego obejmują grupę procesów patologicznych, które są uwarunkowane genetycznie. Uszkodzenie układu nerwowego może być elementem ogólnoustrojowego procesu chorobowego bądź też jego jedynym wykładnikiem.

Zwyrodnienie rdzeniowo-móżdżkowe lub **bezład dziedziczny rdzeniowy**, czyli **choroba Friedreicha.** Jest to rzadka choroba dziedziczno-rodzinna. Zmiany morfologiczne dotyczą struktur rdzeniowych i móżdżku. Pierwsze objawy występują pomiędzy 4 a 20 r. życia pod postacią bezładu móżdżkowego (ataksji móżdżkowej, zob. s. 1006), zwłaszcza z niezdolnością do wykonywania szybkich ruchów naprzemiennych i niezdolnością oceny zakresu ruchu, niedowładu kurczowego i oczopląsu. Przebieg jest powolnie postępujący. Leczenie objawowe.

Dziedziczny bezład kurczowy charakteryzuje się objawami uszkodzenia móżdżku i uszkodzenia ośrodkowego neuronu ruchowego (zob. s. 1006). Pierwsze objawy występują ok. 35 r. życia. Przebieg jest powoli postępujący, a czas trwania 10–15 lat.

Choroby metaboliczne

Są to zaburzenia przemiany aminokwasów i białek, przemiany węglowodanowej, przemiany lipidów, przemiany porfiryn (tj. barwników pirolowych tworzących z białkami tzw. chromoproteidy, np. hemoglobina) i przemiany miedzi. Należą do rzadkich chorób, a objawy kliniczne, wiek, w którym występują, przebieg i rokowanie są różne, w zależności od rodzaju wrodzonego defektu metabolicznego. Zob. też Patologia, Zaburzenia metaboliczne, s. 321 oraz Pediatria, Wrodzone choroby metaboliczne, s. 1326.

Fenyloketonuria. Choroba ta polega na genetycznie uwarunkowanym braku enzymu katalizującego przemianę aminokwasu fenyloalaniny w aminokwas tyrozynę. Objawy występują w 6–12 miesięcy po urodzeniu. Dominuje wśród nich zahamowanie rozwoju, doprowadzające w ciągu 3 lat do głębokiego upośledzenia. Dzieci te mają niebieskie oczy, jasne włosy i jasną cerę, a ich mocz i pot mają charakterystyczny „mysi" zapach. Obecnie zapobiegawczo prowadzi się masowe badania noworodków w celu wykrycia tego defektu metabolicznego, ponieważ wczesne (do

3 miesiąca życia) zastosowanie u chorych dzieci odpowiedniej diety eliminacyjnej prowadzi do niezaburzonego rozwoju.

Ostra porfiria nawrotowa. Jest to zaburzenie przemiany porfiryn, w którym dochodzi do uszkodzenia układu nerwowego. Choroba przebiega napadowo. Rozpoczyna się zazwyczaj ostrymi bólami brzucha, wymiotami, wzrostem ciśnienia tętniczego krwi. Charakteryzuje się różnymi objawami neurologicznymi, takimi jak uszkodzenie nerwów czaszkowych, nerwów obwodowych, objawy uszkodzenia ośrodkowego neuronu ruchowego (zob. s. 1006) oraz zaburzeniami psychicznymi. W czasie napadu barwa moczu jest ciemna. W rozpoznaniu decydujące znaczenie ma badanie biochemiczne moczu. Leczenie w czasie napadu jest objawowe, między napadami zapobiegające im.

Choroba Wilsona, czyli **zwyrodnienie wątrobowo-soczewkowe.** Choroba rozwija się w wyniku zaburzenia przemiany miedzi. Dominującymi objawami są: zespół uszkodzenia układu pozapiramidowego (zob. s. 1006), charakterystyczny pierścień Kaysera–Fleischera na rogówce i zaburzenia psychiczne. Choroba ujawnia się najczęściej w wieku młodzieńczym lub dziecięcym, często towarzyszy jej marskość wątroby. W rozpoznaniu tego wrodzonego defektu metabolicznego istotną rolę odgrywa badanie biochemiczne krwi, wykazujące niski poziom miedzi i ceruloplazminy, oraz badanie moczu (zwiększone wydalanie miedzi). Leczenie farmakologiczne.

Padaczka

Padaczka, czyli epilepsja, jest zespołem objawów zaburzonej czynności mózgu, a nie typową chorobą. Występuje w każdym wieku, częściej u dzieci, i dotyczy 0,5–0,6% ludności. Cechuje się powtarzającymi napadami, powodowanymi przez nadmierne wyładowanie komórek nerwowych. Możliwość pojedynczego napadu, którego jeszcze nie określa się mianem padaczki, jest wielokrotnie częstsza. W czasie napadu występuje jakby uwolnienie większej ilości energii i zakłócenie prawidłowego, elektrycznego rytmu mózgu. W zależności od tego, w jakiej części mózgu istnieje ten nieprawidłowy proces, jakie jest jego nasilenie i rozporzestrzenianie się, mogą wystąpić różnego typu napady. Charakteryzują się one nagle występującymi zaburzeniami świadomości, drgawkami całego ciała lub tylko jego części, mogą występować przejściowe zmiany stanu psychicznego, doznania różnego typu. Objawy te występują oddzielnie lub nakładają się na siebie w różny sposób. Mają one charakter przejściowy i zwykle ustępują samoistnie. Obok napadów mogą jednak występować bardziej stałe objawy uszkodzenia mózgu, np. niedowład.

Padaczka nie jest chorobą psychiczną i jako taka zwykle nie powoduje wystąpienia zmian psychicznych, chyba że napady są tak częste i ciężkie, że prowadzą do uszkodzenia mózgu na tle niedotlenienia lub wskutek częstych urazów głowy. Upośledzenie umysłowe występuje jednak u 10–20% osób cierpiących na tę chorobę, ale jest to zwykle wynikiem szkodliwości działających w życiu płodowym, ciężkich urazów okołoporodowych, szczególnych zaburzeń przemiany materii lub ciężkich, powtarzających się urazów głowy. Upośledzenie występuje zatem wtedy, gdy padaczka jest jednym z objawów choroby mózgowej.

Przyczyny padaczki

Przyczyny padaczki mogą być różne. Są to: urazy mózgu okołoporodowe i późne oraz ich powikłania (blizny między korą i oponą, krwiaki, zakażenia, pourazowy zanik mózgu), guzy nowotworowe, ropnie, zaburzenia naczyniowe (np. w przebiegu udaru, rzadziej miażdżycy, niekiedy naczyniaki lub tętniaki), czynniki zapalne (zapalenie opon i mózgu), ostre niedotlenienie mózgu z jakiejkolwiek przyczyny. Lekkie urazy powierzchowne tylko w ułamku procenta powodują wystąpienie padaczki. Ciężkie urazy są bardziej niebezpieczne. U ponad połowy osób, które przeszły uszkodzenia głowy z głęboką raną otwartą (naruszającą ciągłość opon pokrywających mózg), padaczka występuje jako następstwo urazu. Przyjmuje się, że urazy są przyczyną padaczki u 8% chorych z tym rozpoznaniem. Do tzw. ogólnych przyczyn padaczki zalicza się zaburzenia metaboliczne i hormonalne, np. mocznice, obniżenie poziomu cukru we krwi, obniżenie poziomu wapnia. Większość rozpoznanych przypadków padaczki (ponad 70%) określa się jednak jako samoistną o nie ustalonej przyczynie.

Padaczka nie jest chorobą dziedziczną, ale istnieje tzw. wrodzona, uwarunkowana genetycznie predyspozycja do reagowania napadami na pewne czynniki. Ryzyko wystąpienia padaczki u dziecka, gdy jedno z rodziców ma padaczkę, wynosi tylko 2,5–6%. Ryzyko to wzrasta do 25%, jeśli na tę chorobe cierpią oboje rodzice.

Napady u chorego występują samoistnie, ale do przyczyn mających wpływ na ich wyzwolenie lub prowokujących je należą: alkohol, niektóre leki, cykl snu i czuwania, miesiączka, przerwanie przyjmowania leków przeciwpadaczkowych, stany gorączkowe (zwłaszcza u dzieci), nadmierny wysiłek fizyczny z przedłużonym głębokim oddychaniem, gwałtowne bodźce (zwłaszcza świetlne). Nie bez wpływu pozostają też czynniki emocjonalne.

Padaczka pierwotnie uogólniona

W padaczce tej zaburzenia czynności bioelektrycznej rozprzestrzeniają się na cały mózg.

Napady duże (*grand mal*), typowe, charakteryzują się utratą przytomności z upadkiem, przy czym chory padając często uderza się. Pojawia się tzw. faza skurczu tonicznego mięśni, zwykle ze zgięciem rąk i usztywnieniem nóg, występuje bezdech, a następnie sinica, źrenice są szerokie. Po ok. 30 s następują drgawki całego ciała – faza kloniczna. Może nastąpić przygryzienie języka, pojawia się piana na ustach, często zdarza się bezwiedne oddanie moczu. Stan ten może trwać do kilku minut. Chory odzyskuje świadomość, po czym zwykle zapada w sen ponapadowy. Napady duże poprzedzane są niekiedy zwiastunami, do których należy niepokój, nadwrażliwość, depresja, nieokreślone odczucia.

Napady małe (*petit mal*) cechują się jedynie krótkotrwałą utratą świadomości lub jej zawężeniem. Występują najczęściej u dzieci. Może to być krótkotrwałe przerwanie kontaktu z otoczeniem, objawiające się np. znieruchomieniem lub przerwaniem wykonywanej czynności lub toku wypowiedzi. Zwykle nie dochodzi do upadku. Przyczyną są anatomiczne zmiany w środkowej części mózgowia, w tzw. pniu.

Padaczka ogniskowa

Napady określane jako ogniskowe występują na skutek wyładowań ograniczonych do niektórych okolic mózgu. Jest to zawsze padaczka objawowa, tzn. będąca wyrazem nieprawidłowego procesu toczącego się w części półkuli lub w określonej strukturze mózgowia (np. guza). Napady te mogą przebiegać bez utraty przytomności.

Napady typu Jacksona są to drgawki (napady ruchowe) ograniczone do niektórych tylko grup mięśniowych, mogące rozprzestrzeniać się, np. od palców dłoni lub kąta ust stopniowo na całą kończynę i połowę twarzy – tzw. marsz drgawek. Ognisko mózgowe można zlokalizować wtedy w okolicy kory przeciwstronnej półkuli reprezentującej te właśnie części ciała. Mogą też być analogiczne napady czuciowe, ograniczone lub rozprzestrzeniające się drętwienia lub mrowienia, albo doznania wzrokowe lub słuchowe mające swe anatomiczne podłoże w innych okolicach mózgu.

Napady skroniowe są to różnorakie napady ogniskowe występujące przy uszkodzeniu płata skroniowego, przebiegające zwykle z zaburzeniami świadomości, poznania, efektu, objawami psychicznymi. Mogą im towarzyszyć ruchy automatyczne ust, kończyn, może wystąpić stereotypowe chodzenie, kręcenie się, szukanie czegoś lub wykonywanie nieświadomie różnych czynności (napady psychoruchowe). Charakterystyczne w tej postaci są ponapadowe stany pomroczne, w czasie których chory nieświadomie wykonuje nawet złożone czynności i działania (np. wędrówki).

W napadach skroniowych, określanych jako intelektualne i psychosensoryczne, występują zaburzenia pamięci z jej zafałszowaniem, pojawiają się myśli przymusowe, ulegają porozrywaniu związki myślowe, występują złudzenia, poczucie nierealności, wrażenie zdeformowanego odbicia otoczenia, zaburzenia interpretacji, np. chory ocenia nowe przedmioty i sytuacje jako dobrze znane, już widziane lub przeżyte niegdyś albo odwrotnie, znane poprzednio naprawdę wydają się zupełnie nowe i obce. Dla padaczki skroniowej typowe są też krótkotrwałe stany wyłączenia niekiedy ze znieruchomieniem. Chory może sprawiać wrażenie nieobecnego. Te napady mogą być do złudzenia podobne do opisanych poprzednio typu *petit mal* u dzieci, różnią się jednak lokalizacją ogniska w mózgu.

Napady ogniskowe (np. typu Jacksona lub psychoruchowe) mogą ulec uogólnieniu, tj. rozwija się obraz charakterystyczny dla napadu dużego.

Stan padaczkowy. Jest to stan, w którym napady powtarzają się często, a w przerwach między nimi chory nie odzyskuje świadomości. Stan ten stanowi zagrożenie życia ze względu na możliwość powikłań typu obrzęku mózgu oraz zaburzeń krążeniowo-oddechowych. Konieczne jest leczenie w szpitalu.

Rozpoznanie padaczki

Szczególne znaczenie ma tutaj określenie objawów poprzedzających lub zapoczątkowujących napad. Umożliwia to – łącznie z badaniem neurologicznym – wykrycie pierwotnej lokalizacji zmian (ogniska) w mózgu. Najważniejszą sprawą jest ustalenie przyczyny tego zespołu, np. wykrycie lub wykluczenie procesu uciskowego. Badanie czynności bioelektrycznej mózgu (elektroencefalografia, EEG) określa typ zmian bioelektrycznych i pozwala na śledzenie ich dynamiki. W zestawieniu z obrazem choroby pozwala to na określenie rodzaju padaczki, a co za tym idzie, na ustalenie skutecznych metod leczenia farmakologicznego i dalszych badań diagnostycznych. Pomocne jest badanie płynu mózgowo-rdzeniowego, a także badanie radiologiczne czaszki i badanie echoencefalograficzne. Nierzadko jest niezbędne wykonanie badań kontrastowych (arteriografia) lub badania scyntygraficznego. Metodą z wyboru, pozwalającą wykryć uszkodzenie mózgu, jest tomografia komputerowa.

Leczenie padaczki

Usunięcie wykrytej przyczyny padaczki (operacja nowotworu, krwiaka, blizny, wyrównanie zaburzeń metabolicznych) może doprowadzić do wyleczenia.

Leczenie farmakologiczne ma na celu maksymalne zmniejszenie częstotliwości napadów, przy najmniejszym narażeniu chorego na ryzyko toksycznego wpływu leków, i umożliwienie mu prawidłowego funkcjonowania społecznego. U 30–40% chorych leczenie to doprowadza do wieloletnich przerw w napadach lub do ich bezpowrotnego ustąpienia. U 70–80% chorych leczenie farmakologiczne przynosi poprawę. Stosowane są różne leki, w zależności od typu napadów. Leczenie musi być długotrwałe i systematyczne. Samowolne przerwanie leczenia lub jego zmiana są niebezpieczne.

Leczenie chirurgiczne padaczki bez znanej przyczyny (samoistne) może być wykonane w ściśle określonych przypadkach. Polega ono na usunięciu części mózgu o szczególnie nieprawidłowej czynności bioelektrycznej (ognisko), co zapobiega rozprzestrzenianiu się wyładowań.

Postępowanie chorego. Chorego obowiązuje rygorystyczny zakaz picia alkoholu. Powinien on regularnie sypiać, unikać przemęczenia (np. długiego biegu), unikać stresów i nagłych bodźców (np. oglądanie migających obrazów w telewizji, jazdy na nartach przy błyszczącym śniegu). Nie powinien jadać zbyt słonych potraw. Powinien unikać nadmiernego nasłonecznienia głowy i zbyt gorących kąpieli (zwłaszcza, gdy myje głowę). Nie może pływać na głębokiej wodzie bez opieki, wspinać się, prowadzić samochodu, pracować w niebezpiecznych warunkach. Poza tym może prowadzić normalny tryb życia, tj. chodzić do zwykłej szkoły, studiować, pracować, zawierać związek małżeński i mieć dzieci (chyba że napady są częste i ciężkie, grożą urazami oraz wystąpieniem stanów przedłużającego się niedotlenienia matki i płodu lub padaczka jest jednym z objawów choroby dziedzicznej). Chory na padaczkę powinien nosić przy sobie kartkę z rozpoznaniem choroby. W razie napadu padaczki na ulicy chorego należy chronić przed urazami. Można włożyć mu między zęby miękki przedmiot, aby zapobiec przygryzieniu języka, ale nie należy tego robić na siłę.

Zapobieganie. Istotne znaczenie ma prawidłowa opieka przy porodzie, stosowanie różnych zabezpieczeń zmniejszających skutki urazów (kaski ochronne, pasy bezpieczeństwa), a także dobór właściwego miejsca pracy dla określonej osoby.

Drgawki gorączkowe

Mianem tym określa się drgawki występujące u małych dzieci w przebiegu różnych chorób gorączkowych (np. zapalenia płuc, ostrego nieżytu oskrzeli, zapalenia ucha środkowego), z wyjątkiem chorób mózgu i opon. Drgawki pojawiają się, gdy temperatura ciała wzrasta do 39–40°C. Na ogół drgawki tego typu u dzieci między 6 miesiącem i 4 r. życia nie wróżą rozwoju padaczki w przyszłości, ale możliwość taka istnieje, zwłaszcza gdy napady są częstsze i trwają dłużej oraz gdy pojawiają się przy nie tak wysokich gorączkach. Rokowanie pogarsza powtarzanie się napadów drgawek po 5 r. życia oraz utrzymywanie się nieprawidłowej czynności bioelektrycznej w badaniach elektroencefalograficznych.

Leczenie polega na obniżaniu temperatury ciała za pomocą leków przeciwgorączkowych i chłodnych okładów. W celu przerwania napadu podaje się leki przeciwdrgawkowe.

Omdlenie

Omdlenie jest to krótkotrwała, przejściowa utrata przytomności wskutek szybkiego zmniejszenia się dopływu krwi do mózgu. Powodem może być wyraźny spadek ciśnienia krwi, np. pod wpływem nagłego bólu lub silnych emocji. Dzieje się tak na skutek nadmiernego pobudzenia nerwu błędnego u osób wrażliwych, co prowadzi do zwolnienia czynności serca i rozszerzenia naczyń w jamie brzusznej, do której przemieszcza się krew.

Omdlenie może powstać na podłożu tzw. niedociśnienia ortostatycznego, gdy dochodzi do spadku ciśnienia wskutek szybkiego wstania z pozycji leżącej. Przyczyną są zaburzenia regulacji naczyń obwodowych na różnym tle.

Niekiedy, zwłaszcza u osób starszych z cechami miażdżycy, występuje nadwrażliwość zatoki szyjnej. Uciśnięcie tego miejsca, np. przez twardy kołnierzyk przy ruchu szyją, powoduje odruchowe zwolnienie czynności serca i spadek ciśnienia krwi, co prowadzi do omdlenia.

Omdlenie może wystąpić wskutek zaburzeń pracy serca, np. przy całkowitym bloku przedsionkowo-komorowym (zespół Adamsa – Stokesa), częstoskurczu i arytmii, napadowym migotaniu przedsionków.

Przyczyną krótkotrwałych zaburzeń świadomości, poprzedzonych zawrotami głowy i niekiedy zaburzeniami widzenia, są też stany przemijającego, nagłego niedokrwienia mózgu, np. przy uciśnięciu tętnic kręgowych z nagłym odchyleniem głowy. Może to wystąpić u chorych ze zmianami zwyrodnieniowymi kręgosłupa szyjnego, w którym wyrośla kostne powodują ucisk i przewężenie przebiegających tętnic.

Bóle głowy

Przyczyny bólów głowy są bardzo różnorodne, często trudne do uchwycenia. Ból głowy jest związany z podrażnieniem wrażliwych struktur mających bólowe zakończenia nerwowe. Do struktur tych należą: powłoki czaszki, mięśnie pokrywy czaszki i karku, okostna, tkanki oczodołu, jama nosowa, a zwłaszcza ujście zatok przynosowych, ucho wewnętrzne i środkowe, zęby, część opony twardej (głównie na podstawie mózgu), pnie i zwoje niektórych nerwów czaszkowych oraz górnych nerwów rdzeniowych, a co najważniejsze, naczynia mózgu, zwłaszcza tętnice oponowe, duże pnie naczyniowe na podstawie czaszki oraz pnie tętnicze zewnątrzczaszkowe. Kości czaszki i tkanka mózgowa są niewrażliwe na ból. Ból może wynikać z ucisku, pociągania, przemieszczania i podrażnienia tych wrażliwych struktur.

Do przyczyn ogólnych wywołujących ból głowy należą: choroby zakaźne (np. grypa, w której ból jest zlokalizowany zwykle w okolicy czoła), choroby narządów wewnętrznych (np. niewydolność nerek, wątroby, dolegliwości żołądkowo-jelitowe, choroby układu oddechowego), przewlekłe zatrucia, choroby krwi (np. niedokrwistość), czynniki biometeorologiczne.

Nadciśnienie tętnicze nie należy do najczęstszych przyczyn bólów głowy. Wysokie ciśnienie rozkurczowe, przekraczające 120 – 130 mm Hg, powoduje często charakterystyczne bóle. Są one tępe, nierzadko pulsujące i na ogół rozpoczynają się w okolicy potylicznej. Typowo pojawiają się rano, najwyraźniejsze są w okresie budzenia, potem zmniejszają się. Pochylanie się, kaszel, wysiłek lub napięcie nasilają dolegliwości. Towarzyszą im inne objawy występujące w nadciśnieniu: uczucie przepełnienia w obrębie czaszki, zawroty głowy, zaczerwienienie twarzy, uczucie uderzania fali ciepła do głowy i niepokój. Często nie ma prostej zależności między intensywnością bólów a wzrostem ciśnienia (bóle mogą pojawić się również przy jego spadku). Umiarkowanie podniesione ciśnienie może nie wywoływać bólów głowy. Bóle głowy u osób z takim nadciśnieniem są nierzadko związane z reakcją nerwicową, spowodowaną obawą przed grożącym niebezpieczeństwem skutków dużego wzrostu ciśnienia.

Do przyczyn miejscowych wywołujących bóle głowy należą:

zlokalizowane w obrębie czaszki procesy nowotworowe, krwiaki i ropnie, przy których objawy bólowe są spowodowane przez wzrost ciśnienia śródczaszkowego, a także zmiany pourazowe opon i zmiany pozapalne. Bóle głowy pochodzenia ocznego występują w jaskrze oraz pojawiają się przy wadach wzroku (także w związku ze źle dobranymi szkłami korekcyjnymi). Typowe są bóle głowy w ostrym zapaleniu zatok; zwykle pojawiają się rano, nasilają się, a po południu stopniowo ustępują. W przewlekłym zapaleniu zatok bóle są rzadkie i niezbyt nasilone. Na ogół ból głowy stanowi dolegliwość niegroźną. Niekiedy jednak jest on alarmującym sygnałem choroby układu nerwowego.

B ó l e g ł o w y s a m o i s t n e, najczęstsze, nie mają jednoznacznej przyczyny. Są one zwykle spowodowane z a b u r z e n i a m i n a c z y n i o r u c h o w y m i występującymi w połączeniu z nadmiernym napięciem mięśni karku i głowy oraz z napięciem nerwicowym. Stresy i stany emocjonalne, przemęczenie, brak snu, nadmierne palenie papierosów, alkohol, zmiany atmosferyczne nasilają te bóle lub je wyzwalają. Określa się je jako tzw. z w y k ł e b ó l e n a c z y n i o r u c h o w e. Mają one charakter uporczywy i nawracający. Rozwijają się powoli, obejmują całą głowę lub lokalizują się w okolicy czołowej i w skroniach. Trwają cały dzień, kilka dni, a nawet tygodni.

Migrena. Dolegliwość ta ma nierzadko podłoże dziedziczne i występuje częściej u kobiet. Wywołana jest zaburzeniami naczynioruchowymi dużych tętnic głowy, u osób podatnych na tego typu nieprawidłowe reakcje.

W pierwszej fazie występuje nadmierny skurcz naczyń i spowodowane tym objawy niedokrwienia, przejawiające się najczęściej zaburzeniami widzenia, mroczkami i błyskami przed oczami, niekiedy nawet zaburzeniami mowy albo zaburzeniami czuciowo-ruchowymi kończyn lub twarzy. Następnie pojawia się faza nadmiernego rozszerzenia dużych naczyń, zwłaszcza zewnątrzczaszkowych, w której uderzenia fali krwi w zwiotczałą ścianę naczynia wywołują tętniczy ból. W kolejnej fazie może dojść do obrzęku ściany naczynia i zwiększenia jej przepuszczalności; stan ten utrwala dolegliwości bólowe.

Ból głowy w migrenie ma charakter n a p a d o w y. Często potęguje się stopniowo, zwykle, ale nie jest to reguła, obejmuje jedną połowę głowy (częściej czoło lub skroń); towarzyszą mu światłowstręt, nudności, bladość twarzy. Gdy ściany naczyń stają się sztywne, ból zmienia charakter z pulsującego na uporczywy, stały, tępy lub rozsadzający, niekiedy świdrujący. W czasie bólu chory izoluje się od otoczenia, stara się zwykle leżeć nieruchomo z zamkniętymi oczami w zaciemnionym pokoju. W ciężkich napadach może dołączyć się skurcz mięśni głowy i szyi, co utrwala i przedłuża ból, prawdopodobnie na skutek niedokrwienia i działania czynnika psychicznego. Po kilku lub kilkunastu godzinach zwykle następuje sen.

P r z y c z y n y migreny nie są w pełni wyjaśnione. Najprawdopodobniej są złożone, a także niejednolite u różnych chorych. Badania sugerują zaburzenia wydzielania i przemiany niektórych amin biogennych, np. serotoniny i tyraminy, a także prostaglandyn, co może powodować nieprawidłowe działanie mechanizmu naczynioruchowego. S e r o t o n i n a, będąca hormonem tkankowym (zob. Fizjologia, s. 248), ma wpływ na utrzymanie prawidłowego napięcia ścian naczyń. W mózgu może wywierać działanie hamujące na bodźce bólowe mające swe ośrodki w niektórych strukturach (wzgórze). T y r a m i n a wpływa na uwalnianie serotoniny z płytek krwi. Niektóre pokarmy zawierające tyraminę powodują wystąpienie napadów migreny (ser, czekolada, banany, niektóre wina). Napady migrenowe mogą występować przez wiele lat. Obserwuje się okresy nawet wieloletnich przerw w napadach. Bóle mogą ustępować lub zmniejszać się z wiekiem.

Tzw. migrena szyjna. P r z y c z y n ą tego typu bólów głowy są deformacje kostne i zmiany zwyrodnieniowe w kręgosłupie szyjnym. Ból jest zlokalizowany w potylicy, towarzyszą mu zawroty głowy wyzwalane przez nagły ruch głowy i szyi. Niekiedy występuje szum w uszach i „ciemnienie" przed oczami (skutek ucisku na tętnice kręgowe) oraz bóle promieniujące do barków lub drętwienie rąk (skutek ucisku na korzenie nerwowe). Napad może wystąpić w nocy lub rano po obudzeniu się w niewygodnej pozycji, albo w ciągu dnia po dłuższym unieruchomieniu szyi. Towarzyszą mu często poty, nudności, wymioty, kołatanie serca (skutek podrażnienia splotu współczulnego).

Ból głowy Hortona. Odmienny od migreny, występuje częściej u mężczyzn. Nagle pojawia się bardzo silny, krótkotrwały ból palący lub pulsujący, obejmuje gałkę oczną, skroń i policzek. Towarzyszy mu łzawienie oka, zaczerwienienie twarzy po stronie bólu (odmiennie niż w migrenie, w której zwykle twarz blednie), niekiedy wyciek z nosa i pulsowanie tętnicy skroniowej. Chorzy są pobudzeni. P r z y c z y n ą tego typu bólu jest nadmierne rozszerzenie tętnicy szyjnej zewnętrznej po jednej stronie w związku z wyzwoleniem znacznej ilości histaminy.

Leczenie. Polega ono przede wszystkim na wykryciu pierwotnej przyczyny bólu głowy lub wyłączeniu istnienia tzw. bólu objawowego. Wykonuje się badania neurologiczne i w razie potrzeby – badania pomocnicze. Przeprowadza się zwykle badanie elektroencefalograficzne (EEG), a w razie podejrzenia o ucisk – również badania neuroradiologiczne. Niekiedy są konieczne inne badania specjalistyczne, aby wykryć przyczynę i ukierunkować leczenie. Wyłączenie z jadłospisu pokarmów prowokujących napad (np. czekolada, orzechy, kakao, tłuste potrawy, alkohol) zapobiega jego pojawieniu się. Należy unikać stresów i przykrych przeżyć emocjonalnych, hałasu, silnego światła, długiego oglądania telewizji, wielogodzinnego czytania, zmęczenia, długiej jazdy samochodem. Spośród leków stosowane są środki regulujące zaburzoną czynność naczyń i zmniejszające napięcie układu nerwowego (np. Coffecorn), leki przeciwbólowe i uspokajające, środki mające wpływ na wyrównanie zaburzeń przemiany serotoniny.

Zapobieganie wszystkim bólom głowy samoistnym polega na: prowadzeniu higienicznego trybu życia, uprawianiu sportu, częstym przebywaniu na świeżym powietrzu, usunięciu przyczyn nadmiernego napięcia psychicznego, czasem zmianie klimatu. Gdy przyczyną bólów jest nadmierne napięcie mięśni karku, stosowane są ćwiczenia rozluźniające. Może pomóc zmiana kąta nachylenia pulpitu (stołu) w czasie pracy. Ćwiczenia zapobiegają narastaniu zmian zwyrodnieniowych w kręgosłupie szyjnym, a odpowiednie ułożenie w czasie snu (płaskie z podłożonym wałkiem pod głowę) pozwala na jego odciążanie.

IV. CHOROBY OBWODOWEGO UKŁADU NERWOWEGO

Przyczyną uszkodzenia nerwów obwodowych mogą być różne czynniki miejscowe, a mianowicie: urazowe, ucisk przez procesy rozrostowe lub przez zmiany kostne, procesy zapalne, alergiczne, toksyczne, zaburzenia przemiany materii (np. cukrzyca), niedobory witamin (np. B_1). Uszkodzenie ciągłości włókien nerwu powoduje porażenie lub niedowład mięśni, zaburzenia czucia na określonym obszarze, sensacje bólowe na skutek podrażnienia nerwu, zaburzenia naczynioruchowe wskutek uszkodzenia włókien autonomicznych (sinica, obrzęk, zmiana temperatury i zaburzenia odżywcze).

Najczęstsze uszkodzenia nerwów czaszkowych

Nerwobóle (neuralgia) nerwu trójdzielnego (V). Są to napadowe silne bóle części twarzy i czoła. Najczęstszy jest tzw. nerwoból pierwotny (neuralgia samoistna) występujący na ogół po 50 r. życia. Przyczyna tej dolegliwości jest niejasna. Uważa się, że może to być ucisk nieprawidłowych tętniczek na korzeń czuciowy tego nerwu. Bóle są rwące, bywają piekące lub palące („nie do wytrzymania”). Rozpoczynają się w obrębie jednej lub dwóch gałęzi nerwu V (rys.), zwykle drugiej lub trzeciej, unerwiających szczękę i żuchwę. Odznaczają się wyjątkowo dużym nasileniem. Pojawiają się błyskawicznie i trwają przeważnie kilka lub kilkadziesiąt sekund. Czasem serie bólów trwają kilkanaście minut. Dotknięcie określonej okolicy (policzka, nosa, wargi) wywołuje napad (tzw. strefa spustowa). Napad mogą też wyzwalać ruchy twarzy, gryzienie, mówienie, otwarcie ust, a nawet powiew. Częstotliwość napadów bywa różna, od kilku w miesiącu (lub rzadziej) do kilkunastu (a czasem znacznie częściej) w ciągu dnia. Początkowo między napadami nie występują dolegliwości, z biegiem jednak lat może pojawić się stały, głuchy ból, a napady

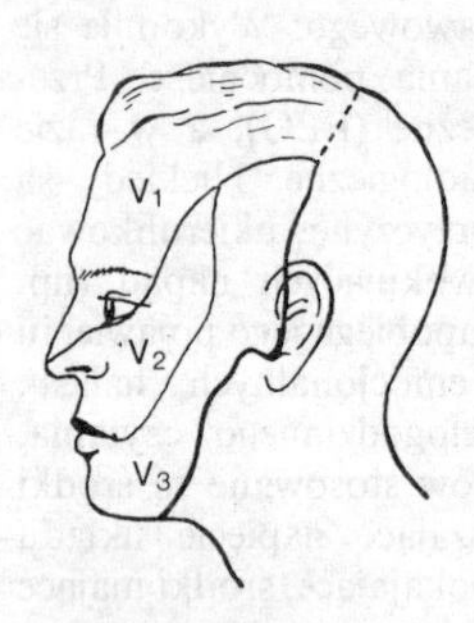

Zakres unerwienia twarzy przez trzy gałęzie nerwu trójdzielnego (V)

mogą stać się dłuższe. Dolegliwościom tym nie towarzyszą żadne zaburzenia ruchowe i czuciowe. Napady mogą ustępować na całe lata i znów wracać.

Neuralgia objawowa (wtórna). Bóle na ogół nie mają tak gwałtownego charakteru jak w neuralgii samoistnej i są długotrwałe. Przyczyną jest uszkodzenie nerwu lub ucisk przez guz, tętniak lub proces zapalny. Bóle mogą być również następstwem półpaśca, mogą towarzyszyć chorobie zwanej stwardnieniem rozsianym. Objawom bólowym towarzyszą odchylenia od normy w badaniu neurologicznym, np. osłabienie czucia na twarzy, zniesienie odruchu rogówkowego, osłabienie mięśni żwaczy.

Rozpoznanie opiera się na badaniach radiologicznych czaszki, mających na celu uwidocznienie ewentualnych zmian kostnych w pobliżu wyjścia lub przebiegu nerwu. Pomocne są badania stomatologiczne i laryngologiczne, mające na celu ewentualne wykluczenie choroby zębów lub zatok przynosowych. Gdy zachodzi podejrzenie procesu uciskowego, jest konieczne przeprowadzenie badań w szpitalu.

Leczenie. W neuralgii samoistnej stosuje się leczenie farmakologiczne (leki stosowane w padaczce, leki przeciwbólowe, niekiedy duże dawki witaminy B_{12}). Jeśli nie przynosi ono poprawy, są stosowane metody chirurgiczne, np. blokada nowokainowa, wstrzyknięcie alkoholu w okolicę nerwu, przecięcie gałęzi nerwu, a nawet operacja wewnątrzczaszkowa.

W neuralgii objawowej stosuje się przede wszystkim leczenie przyczynowe.

Nerwoból pierwotny nerwu językowo-gardłowego (IX) występuje rzadko. Nagłe, bardzo silne bóle pojawiają się jednostronnie u nasady migdałka i promieniują do ucha, niekiedy do żuchwy. Wyzwalać je może połykanie, otwieranie ust, wysuwanie języka.

Uszkodzenie obwodowe nerwu twarzowego (VII). Przejawia się ono na ogół jednostronnym niedowładem lub porażeniem mięśni twarzy.

W porażeniu pierwotnym, samoistnym, objawy występują nagle, bez uchwytnej przyczyny, często jednak bywają poprzedzone ochłodzeniem twarzy. Nerw VII przebiega w wąskim kanale kostnym i jest wrażliwy na różne czynniki, które mogą spowodować zmiany w jego unaczynieniu i w następstwie wywołać obrzęk. Możliwe jest tło alergiczne lub wirusowe. Wszystkie ruchy mimiczne są upośledzone, chory po stronie niedowładu nie marszczy czoła, nie zamyka oka, ma opadnięty kąt ust i wygładzony fałd nosowo-wargowy, policzek jest wiotki.

Objawowe (wtórne) uszkodzenie nerwu VII może być wynikiem różnych procesów chorobowych, np. zakażeń, ucisku przez guz, tętniak lub złamaną kość skroniową.

Leczenie. Większość samoistnych porażeń obowodowych nerwu twarzowego (80%) jest całkowicie wyleczalnych. Lekkie postacie mogą ustąpić samoistnie. Chory powinien chronić twarz przed oziębieniem, wskazane są ciepłe, suche okłady na okolicę ucha i policzka. Stosowane są środki przeciwobrzękowe, poprawiające krążenie, przeciwzapalne, przeciwalergiczne, stymulujące czynność nerwu oraz witaminy. Niedomykające się oko zasłania się opaską (zwłaszcza na noc), aby chronić rogówkę przed wyschnięciem.

Korzystnie działa masaż twarzy i zapobieganie przykurczom przez odpowiednie nałożenie przylepca. W ciężkich przypadkach porażenia samoistnego może być stosowane operacyjne odbarczenie nerwu w kanale kostnym.

Najczęstsze uszkodzenia nerwów rdzeniowych

Zapalenie wielonerwowe, czyli **polineuropatia.** Jest to zespół objawów uszkodzenia wielu nerwów obwodowych, wyrażający się najczęściej symetrycznie i najsilniej w dalszych odcinkach kończyn. Przyczyny są różnorakie; mogą być toksyczne (np. zatrucie talem, arsenem, ołowiem, alkoholem etylowym, niektórymi lekami), zakaźne i neuroalergiczne (np. błonica, bruceloza, dur, odczyny poszczepienne); mogą nimi być zaburzenia metaboliczne (cukrzyca, mocznica, porfiria), niedożywienie i awitaminoza B_1 (beri-beri, pelagra, alkoholizm, ciąża), niektóre choroby nowotworowe, niektóre choroby naczyniowe, czynniki genetyczne oraz inne dotychczas nie wyjaśnione.

Objawy są różnorodne. Mogą to być: niedowład lub porażenie wiotkie, przy czym zwykle najbardziej dotknięte są ręce i stopy, wyjątkowo może dojść nawet do zajęcia mięśni oddechowych; zaburzenia czucia – osłabienie czucia powierzchownego, często obejmujące obszar skarpetek i rękawiczek; mogą też wystąpić zaburzenia tzw. czucia głębokiego (niemożność określenia ułożenia palców, a nawet pozycji rąk i stóp), bóle, przeczulica, drętwienie itp. sensacje; dochodzi niekiedy do zaniku mięśni, zwłaszcza w dalszych odcinkach kończyn; obserwuje się zmiany skórne związane z zaburzeniami odżywczymi (troficznymi), takie jak: ścieńczenie skóry, sinica, oziębienie, odparzenia, pęcherze, pocenie, rogowacenie naskórka, kruchość paznokci itp.; osłabienie lub brak niektórych odruchów w kończynach. Wszystkie te objawy współistnieją rzadko. Na ogół przeważają niektóre z nich, w zależności od rodzaju polineuropatii. Niekiedy dołączają się uszkodzenia nerwów czaszkowych.

Zespół Guillain – Barré jest to rodzaj polineuropatii, w którym objawy poprzedza zwykle nieżyt dróg oddechowych. Stopniowo występuje niedowład wiotki kończyn; stosunkowo często zajęte bywają części bliższe kończyn. Może też wystąpić zjawisko „wstępowania” niedowładu; choroba ta rozpoczyna się osłabieniem kończyn dolnych, następnie niedowład obejmuje wyżej leżące odcinki ciała: mięśnie tułowia i klatki piersiowej, kończyny górne i mięśnie twarzy. Często współistnieją zaburzenia czucia, głównie głębokiego. W płynie mózgowo-rdzeniowym występują charakterystyczne zmiany.

W polineuropatii po błonicy pojawia się niedowład podniebienia i mięśni gardła (zmieniona mowa, utrudnione połykanie), mogą być też uszkodzone inne nerwy czaszkowe (np. w późniejszym okresie charakterystycznym objawem jest porażenie akomodacji oka i chory nie może czytać z bliska). Znacznie później i stosunkowo rzadko dołączają się porażenia kończyn.

Polineuropatia alkoholowa jest skutkiem długotrwałego toksycznego działania alkoholu oraz wtórnego niedostatku witaminy B_1 i innych czynników (niedobory pokarmowe). Cechuje się silnymi bólami kończyn, zwłaszcza dolnych, odsiebnymi zaburzeniami czucia, symetrycznym niedowładem dalszych części kończyn. Mogą dołączyć się zaburzenia czucia ułożenia z niezbornością ruchów, a także zaburzenia psychiczne (tzw. zespół Korsakowa).

Polineuropatia arsenowa rozwija się po nadużywaniu leków z arsenem lub spożywaniu pokarmów zanieczyszczonych niektórymi środkami owadobójczymi. Dominują silne bóle i przeczulica kończyn.

Polineuropatia wywołana talem, znajdującym się w trutkach przeciw szczurom i w środkach grzybobójczych, ma przebieg podobny jak polineuropatia arsenowa. Charakterystyczne jest wypadanie włosów i zmiany troficzne skóry.

Polineuropatia w przewlekłym zatruciu ołowiem. Poza takimi objawami, jak bóle głowy, bóle brzucha i niedokrwistość, występuje zwykle obustronny niedowład prostowników rąk (ręce opadające), bez zaburzeń czucia.

Polineuropatia w przebiegu cukrzycy, zwłaszcza długotrwałej, nie wyrównanej, rozwija się u 20–40% chorych. Przeważają symetryczne zaburzenia czucia (głównie dalszych odcinków kończyn dolnych), pieczenie stóp, mrowienie, cierpnięcie, drętwienie, kurcze (nierzadko w nocy), bywają zaburzenia czucia ułożenia, może dołączyć się niedowład dalszych odcinków kończyn dolnych. Niekiedy zaburzenia występują niesymetrycznie i mogą dotyczyć mięśni bliższych obręczy biodrowej (głównie ud). Mogą wystąpić też niedowłady nerwów gałkoruchowych.

Leczenie. Podstawą leczenia polineuropatii jest wyrównanie zaburzeń choroby zasadniczej. Ponadto podaje się witaminy, preparaty stymulujące, usprawniające obwodowe krążenie, a w niektórych rodzajach polineuropatii – hormony kory nadnerczy. Stosuje się też masaże, a następnie stopniowo gimnastykę.

W zapobieganiu i wczesnym wykrywaniu zaburzeń podstawową rolę odgrywają badania kontrolne osób narażonych na działanie szkodliwych czynników i odpowiednia ochrona, a w razie pojawienia się objawów zmiana rodzaju pracy.

Najczęstsze uszkodzenia pojedynczych nerwów obwodowych

Nerw promieniowy. Przyczyną uszkodzenia tego nerwu może być ucisk na poziomie ramienia, zwykle przez przyciśnięcie do twardego podłoża (często w czasie snu w upojeniu alkoholowym – tzw. porażenie sobotniej nocy). Inną przyczyną bywa ucisk szczudeł (u osób ich używających) w dole pachowym (wtedy zwykle uszkodzeniu ulegają i inne nerwy).

Przerwanie ciągłości nerwu lub jego naruszenie może być spowodowane urazem (np. może towarzyszyć złamaniu kończyny).

Objawem porażenia nerwu promieniowego jest charakterystyczna „ręka opadająca" z niemożnością prostowania w nadgarstku i w podstawowych stawach palców. Ograniczone zaburzenia czuciowe są niewielkie lub nie występują wcale.

Nerw pośrodkowy. Przeważnie ulega on uszkodzeniu wskutek urazów, np. zranienia szkłem w okolicy nadgarstka. Najbardziej widoczne jest upośledzenie niektórych ruchów kciuka (przeciwstawienie do palca V, ruch zgięcia i odwodzenia) oraz zanik mięśni kłębu kciuka (powstaje tzw. ręka małpia). Przy uszkodzeniu na wyższym poziomie, np. stawu łokciowego, jest upośledzone też zginanie palców, najbardziej kciuka, palca wskazującego i środkowego – przy ruchu zginania palców ręka układa się „jak do przysięgi". Czucie jest zaburzone na części dłoni od strony kciuka. Jeśli nerw pośrodkowy ulega uszkodzeniu w tzw. zespole cieśni nadgarstka, zjawiają się często bardzo przykre bóle.

Nerw łokciowy może ulec uszkodzeniu przy złamaniu kości w okolicy stawu łokciowego lub przy zwichnięciu tego stawu. Bywa też narażony na powtarzający się ucisk w rowku nerwu łokciowego, gdzie nie ma osłony tkanek (np. przy pracy połączonej z silnym opieraniem się na zgiętym łokciu). Uszkodzenie nerwu łokciowego osłabia zginanie ręki, powoduje porażenie niektórych drobnych mięśni dłoni. Upośledzony jest ruch przywodzenia kciuka do palca wskazującego, a także ruchy innych palców. Później rozwija się zanik niektórych mięśni, zwłaszcza między kciukiem i palcem wskazującym. Ręka przybiera wygląd szponiasty (tablica 20 b). Czucie jest zaburzone na części ręki od strony palca małego.

Leczenie uszkodzeń nerwów polega na rehabilitacji i zapewnieniu właściwego ułożenia. Stosowane leki mają wpływać na poprawę ukrwienia, stymulację aktywności nerwu oraz jego regenerację. W razie przerwania ciągłości nerwu może zachodzić potrzeba wykonania zabiegu chirurgicznego. Badanie elektromiograficzne (EMG) i badanie szybkości przewodzenia w nerwie umożliwiają ocenę stopnia i miejsca uszkodzenia nerwu, ocenę czynności mięśni oraz dostarczają danych mówiących o postępie procesu odnowy. Odradzające się włókna nerwowe wzrastają z szybkością ok. 1 mm na dobę.

Uszkodzenie splotu ramiennego

Korzenie rdzeniowe zaopatrujące kończynę górną tworzą splot ramienny, z którego wychodzą nerwy obwodowe. Splot może ulec uszkodzeniu (częściowo lub w całości) wskutek urazu, rozciągnięcia, rozerwania lub ucisku. Może się to zdarzyć np. w przebiegu zwichnięcia w stawie barkowym, u noworodka wskutek urazu okołoporodowego. Przy częściowym uszkodzeniu splotu porażenie i inne zaburzenia mogą tworzyć różne zespoły.

Górny zespół korzeniowy. Zaburzenia czuciowo-ruchowe dotyczą głównie ramienia. Zasadnicze objawy to upośledzenie odwodzenia ramienia oraz zginania przedramienia; czucie jest osłabione na zewnętrznej stronie barku i ramienia.

Dolny zespół korzeniowy daje zaburzenia podobne do spotykanych przy mieszanym uszkodzeniu nerwów łokciowego i pośrodkowego.

Rwa splotu ramiennego. Są to bóle w obszarze tego splotu, spowodowane często przez zmiany zwyrodnieniowe części szyjnej kręgosłupa, rzadko z przepukliną jądra miażdżystego. Może się też rozwinąć wtórnie odczyn zapalny osłonek korzeni. Niekiedy tylko przyczyną rwy jest pierwotny proces zapalny tej okolicy. Ból korzeniowy nasila się przy ruchach głową, kaszlu, kichaniu i promieniuje wzdłuż kończyny górnej. Bóle mogą być również wywołane przez nowotwory okolicy splotu, nacieki zapalne itp. W przypadkach takich dolegliwości nasilają się stopniowo, a wraz z nimi narastają zaburzenia czuciowe i ruchowe.

L e c z e n i e. W zwykłej rwie korzeniowej stosuje się środki przeciwbólowe, przeciwzapalne, hormony kory nadnerczy, a następnie zabiegi rehabilitacyjne. Może zajść potrzeba unieruchomienia szyi za pomocą kołnierza. W szczególnych przypadkach jest stosowane leczenie chirurgiczne.

Uszkodzenia nerwu kulszowego

Rwa kulszowa, czyli **ischias.** Jest to często spotykany zespół bólowy w obszarze nerwu kulszowego. Ból rozpoczyna się zwykle w okolicy lędźwiowej i promieniuje wzdłuż nerwu do kończyny dolnej. Najczęstszą p r z y c z y n ą są zmiany w krążkach międzykręgowych, prowadzące do uwypuklenia tzw. j ą d r a m i a ż d ż y s t e g o i ucisku na korzenie rdzeniowe wchodzące w skład nerwu kulszowego. Przyczyną mogą być też zmiany zwyrodnieniowe na brzegach kręgów i inne zniekształcenia tej okolicy kręgosłupa. Także zgrubienia niektórych więzadeł kręgów lub osłon korzeni mogą powodować ucisk korzeni. Niekiedy występuje proces zapalny z obrzmieniem i przekrwieniem samych korzeni tego nerwu. Ból może wystąpić nagle po uniesieniu ciężaru, nagłym ruchu, potknięciu się itp. Zdarza się, że przyczyną bólu jest oziębienie okolicy krzyżowo-lędźwiowej lub nawet zmiany warunków meteorologicznych.

O b j a w y. Chorobę niejednokrotnie zapoczątkowują p o s t r z a ł y, tzw. l u m b a g o, czyli bóle obejmujące okolicę krzyżowo-lędźwiową z usztywnieniem i nadmiernym wyprostowaniem tej części kręgosłupa (odruchowe napięcie mięśni). Często współistnieje boczne skrzywienie kręgosłupa. Każdy ruch jest bolesny. Dołączają się później (albo pojawiają od razu) bóle promieniujące wzdłuż tylno-bocznej strony uda i podudzia, które mogą dochodzić do stopy, zwykle jednostronnie. Dolegliwości są wyzwalane lub nasilane przez kaszel, napięcie mięśni brzucha (drażnienie na skutek wzrostu ciśnienia płynu mózgowo-rdzeniowego), uniesienie wyprostowanej kończyny, zgięcie głowy lub tułowia (mechanizm pociągania korzeni). Mogą dołączyć się też objawy uszkodzenia korzeni: osłabienie czucia (zwykle na tylnej lub bocznej powierzchni i na stopie), osłabienie siły mięśni podudzia i stopy (nawet jej opadanie). W długotrwałym przebiegu choroby niekiedy dołącza się zanik i zwiotczenie mięśni podudzia (zmniejszenie obwodu w porównaniu ze zdrowym).

Przy chodzeniu chorzy oszczędzają zajętą kończynę, utrzymując ją w zgięciu, i unikają opierania się na pięcie. Ruchy wykonują powoli, bardzo ostrożnie. Zmiany chorobowe dotyczą najczęściej tarczy międzykręgowej IV i V kręgu lędźwiowego ($L_4 - L_5$) oraz między ostatnim kręgiem lędźwiowym i pierwszym krzyżowym ($L_5 - S_1$). Częstość nawrotów i czas trwania dolegliwości są bardzo różne i zależą w znacznym stopniu od przyczyn zespołu.

R o z p o z n a n i e opiera się na badaniu neurologicznym (promieniowanie bólu, lokalizacja zaburzeń czucia, zachowanie się odruchów) oraz radiologicznym badaniu kręgosłupa, które zwykle wykazuje obecność zmian zwyrodnieniowych, przewężenie przestrzeni międzykręgowych, asymetrię kręgów, zniszczenia lub złamania. Uszkodzenia mogą być również spowodowane zmianami nowotworowymi lub gruźlicą kręgów. Przy podejrzeniu uwypuklenia lub wypadnięcia krążka międzykręgowego (zwanego też tarczą, a potocznie dyskiem) badania radiologiczne wykonuje się po podaniu kontrastu w celu uwidocznienia korzeni rdzeniowych (r a d i k u l o g r a f i a) lub stwierdzenia uwypuklenia tarczy międzykręgowej (m i e l o g r a f i a).

L e c z e n i e z a c h o w a w c z e zwykłej rwy kulszowej w ostrym okresie polega na leżeniu na wznak na nieuginającym się podłożu (deska podłożona pod materac), niekiedy z nogami zgiętymi w stawach biodrowych i kolanowych prawie pod kątem prostym, przy podpartych łydkach. Podaje się leki przeciwbólowe i rozkurczowe, nierzadko przeciwzapalne, witaminy, niekiedy kortykosteroidy.

Zależnie od stanu i okresu choroby, stosuje się różne z a b i e g i r e h a b i l i t a c y j n e: masaż mięśni przykręgosłupowych i kończyny, ćwiczenia rozluźniające, wyciąg, a także zabiegi fizykoterapeutyczne: nagrzewania (np. diatermia, solux), ultradźwięki, jontoforeza, specjalne kąpiele. W późniejszym okresie zaleca się układ regularnych ćwiczeń korekcyjnych i wzmacniających mięśnie przykręgosłupowe oraz brzucha.

L e c z e n i e o p e r a c y j n e polega na usunięciu zwyrodniałego krążka międzykręgowego. Wskazaniem do leczenia operacyjnego są częste nawroty dolegliwości bólowych, uporczywe utrzymywanie się bólów i narastanie objawów uszkodzenia korzeni (zwłaszcza niedowładów), mimo dłuższego leczenia.

V. CHOROBY NERWOWO-MIĘŚNIOWE

Jest to grupa chorób, w których dochodzi do uszkodzenia wszystkich lub poszczególnych elementów tworzących j e d n o s t k ę r u c h o w ą, którą kolejno stanowią: komórka ruchowa rogu przedniego rdzenia kręgowego, płytka ruchowa i włókno mięśniowe (zob. Fizjologia, Czynności ruchowe, s. 101 oraz Unerwienie mięśni szkieletowych, s. 138).

Choroby uwarunkowane genetycznie

Dystrofia mięśniowa postępująca charakteryzuje się postępującym zwyrodnieniem mięśni uwarunkowanym genetycznie. Pierwsze o b j a w y pojawiają się, w zależności od postaci choroby, między 2 a 25 r. życia. Jest to postępujące osłabienie mięśni z towarzyszącym zanikiem i przykurczami.

Miotonia to rzadka choroba o podłożu genetycznym, cechująca się przetrwałym skurczem mięśniowym, co powoduje, że chory np. po zaciśnięciu pięści nie może szybko rozprostować palców. Istota choroby nie jest znana.

Dziecięcy zanik mięśni pochodzenia rdzeniowego to choroba uwarunkowana genetycznie, której istota polega na uszkodzeniu komórek ruchowych rogów przednich rdzenia kręgowego. Pierwsze o b j a w y pod postacią wiotkości, osłabienia i zaniku mięśni występują od urodzenia. Przebieg choroby jest niepomyślny.

Zanik strzałkowy postępujący, czyli **zanik neuralny mięśni.** Jest to przewlekła, rzadko występująca polineuropatia (zapalenie wielonerwowe, s. 1042), uwarunkowana genetycznie. Pierwsze o b j a w y występują w wieku młodzieńczym pod postacią charakterystycznego zaniku mięśni kończyn dolnych (tzw. b o c i a n i e n o g i) i zaburzeń czucia.

Rozpoznanie tej grupy chorób nerwowo-mięśniowych opiera się na wykonaniu specjalistycznych badań biochemicznych, na badaniach genetycznych, badaniu elektromiograficznym (EMG) i wykonaniu biopsji mięśni.

Leczenie. Stosuje się leki objawowe i rehabilitację. W tej grupie chorób podstawowe znaczenie ma poradnictwo genetyczne.

Inne choroby nerwowo-mięśniowe

Miastenia. Jest to rzadka choroba o nieznanej przyczynie, charakteryzująca się narastającym osłabieniem mięśni szkieletowych po powtarzającym się wysiłku. Istotą są zaburzenia przewodnictwa w obrębie płytki ruchowej, czyli złącza nerwowo-mięśniowego (zob. Fizjologia, s. 138). Choroba rozwija się zwykle w 20–30 latach życia, czasem chorują dzieci. Zwykle do p i e r w s z y c h o b j a w ó w należą: opadanie powiek, podwójne widzenie, cichnący głos, trudności w żuciu i połykaniu. Osłabienie mięśni oddechowych może doprowadzić do trudności w oddychaniu. Przebieg choroby jest postępujący.

L e c z e n i e z a c h o w a w c z e polega na podawaniu leków antycholinesterazowych.

L e c z e n i e o p e r a c y j n e przeprowadza się u chorych z przerostem grasicy lub z grasiczakiem.

Porażenie okresowe napadowe. Choroba rzadka występująca rodzinnie lub sporadycznie. O b j a w i a się napadami wiotkich, symetrycznych porażeń mięśni kończyn. Napady te pojawiają się w 10–20 latach życia, trwają od kilku minut do wielu godzin. Towarzyszy im spadek poziomu potasu we krwi, zmiany w elektrokardiogramie (EKG) i elektromiogramie (EMG).

Leczenie. W czasie napadu podaje się potas i dekstrozę.

Zapobieganie napadom polega na stosowaniu odpowiedniej diety i leczeniu farmakologicznym.

Zapalenie wielomięśniowe należy do grupy chorób zwanych kolagenozami (zob. Choroby reumatyczne, s. 882). Objawia się osłabieniem, zanikiem i bólem mięśni. Częściej występuje u kobiet. Przebieg jest różny, zależnie od postaci choroby. Może być szybki i niepomyślny do łagodnego z nieznacznie narastającymi objawami. Czasami choroba ta towarzyszy nowotworom narządów wewnętrznych. Rozpoznanie opiera się przede wszystkim na biopsji mięśniowej. Leczenie kortykosteroidami.

Uszkodzenie obwodowego układu nerwowego, objawiające się porażeniami i zanikiem mięśni z towarzyszącymi im bólami i przeczulicą, występuje najczęściej (85%) w przebiegu guzkowego zapalenia tętnic (jedna z kolagenoz). W rozpoznaniu tej choroby najważniejszą rolę odgrywa biopsja tkanki podskórnej, czasem biopsja mięśniowa. Przebieg choroby jest postępujący.

Leczenie kortykosteroidami i lekami immunosupresyjnymi.

VI. INNE ZABURZENIA NEUROLOGICZNE

Zaburzenia neurologiczne w niedoborach witaminowych

Witaminy wchodzą w skład enzymów biorących udział w regulacji przemiany materii. Ich niedobór prowadzi do zaburzeń metabolicznych, a po dłuższym czasie – do trwałych uszkodzeń w tkankach organizmu, w tym również niekiedy w ośrodkowym i obwodowym układzie nerwowym.

Niedobór witaminy A powoduje tzw. kurzą ślepotę (niedowidzenie zmierzchowe).

Niedobór witaminy B_1 prowadzi do uszkodzenia górnej części pnia mózgu, do tzw. encefalopatii Wernickiego. W Polsce zdarza się rzadko, zwykle występuje w przewlekłym alkoholizmie. Objawia się nudnościami, wymiotami, bólami i zawrotami głowy, bezsennością. Prowadzi do uszkodzenia nerwów gałkoruchowych, ruchów mimowolnych, niekiedy niedowładu kończyn lub uszkodzenia nerwów obwodowych. Częste są ostre psychozy. Stadium zejściowym jest tzw. zespół psychoorganiczny Korsakowa z głębokimi zaburzeniami pamięci.

Niedobór witaminy B_{12}. Następstwem jest uszkodzenie rdzenia, głównie tzw. sznurów i dróg piramidowych, w mniejszym stopniu nerwów i mózgu.

Objawy neurologiczne to zaburzenia równowagi, osłabienie lub zniesienie odruchów, obniżenie napięcia mięśniowego, niedowłady kończyn, zaburzenia czucia, dotyku, ucisku, wibracji, ułożenia, parestezje (zob. s. 1008). Niekiedy zaburzenia psychiczne.

Leczenie niedoborów witaminowych polega na szybkim podaniu dużych dawek odpowiednich witamin.

Zaburzenia neurologiczne w zatruciach

Zatrucie przewlekłe nikotyną. Nikotynizm u palaczy powoduje powtarzające się skurcze naczyń tętniczych, zwłaszcza wieńcowych i kończyn dolnych, co prowadzi do mikrozawałów mięśnia serca i szybkiego rozwoju miażdżycy naczyń wieńcowych i obwodowych. Ponadto pobudzając zwoje przywspółczulnego układu nerwowego parasympatycznego nasila objawy dychawicy oskrzelowej i choroby wrzodowej żołądka i dwunastnicy.

Zatrucie alkoholem etylowym. Alkohol jest silną trucizną tkankową, działającą hamująco na ośrodkowy układ nerwowy, zwłaszcza na istotę siateczkową pnia mózgu i korę mózgową. Zob. też Zatrucia, s. 2088 oraz Psychiatria, s. 1076.

Zatrucie ostre. W pewnym okresie po wypiciu alkoholu występują zaburzenia złożonych funkcji psychicznych (uwagi, myślenia, pamięci, procesów kojarzenia), następnie zaburzenia koordynacji ruchowej i zaburzenia mowy, zwykle z jednoczesnym pobudzeniem psychoruchowym. W następnej fazie występuje głęboka śpiączka, często z zaburzeniami oddechowymi i sercowo-naczyniowymi. Ostre zatrucie alkoholem etylowym przy stężeniach we krwi powyżej 500 mg% (5‰) powoduje zwykle zejście śmiertelne, najczęściej wskutek porażenia ośrodka oddechowego pnia mózgu.

Zatrucie przewlekłe. Przy częstym nadużywaniu alkoholu etylowego występują zaburzenia wyższych czynności psychicznych, zaburzenia charakterologiczne, następnie ostre i przewlekłe psychozy alkoholowe. Wskutek niedoboru witaminy B_1 (zwykle zaburzenia wchłaniania jelitowego – śluzówka jest uszkodzona przez alkohol) rozwija się encefalopatia niedoborowa i zespół otępienny.

Zatrucie alkoholem metylowym. Alkohol ten wywołuje zaburzenia metabolizmu komórek, również w układzie nerwowym. Objawy neurologiczne to bóle i zawroty głowy, wymioty, zaburzenia przytomności, drgawki, zaburzenia oddechowe, uszkodzenia nerwów wzrokowych z zaburzeniami wzroku aż do trwałej ślepoty włącznie.

Zatrucie barbituranami. Barbiturany, leki nasenne, pochodne kwasu barbiturowego, w dużych dawkach hamują ośrodki mózgowe, zwłaszcza oddechowy, uszkadzają naczynia krwionośne. Objawem zatrucia jest śpiączka, wąskie, nie reagujące na światło źrenice, skóra początkowo zaczerwieniona, potem sinoszarawa.

Zatrucie tlenkiem węgla. Tlenek węgla blokuje oddychanie tkankowe wskutek przemiany hemoglobiny krwi w karboksyhemoglobinę. W mózgu i rdzeniu powoduje obrzęk, liczne drobne ogniska martwicy, zanik elementów komórkowych. Przy lekkim zatruciu występują bóle i zawroty głowy, nudności, wymioty. Przy ciężkim – długotrwała śpiączka, czasem drgawki, wiśnioworóżowe zabarwienie skóry. Następstwem jest trwałe uszkodzenie mózgu, nerwów obwodowych i nerwowego układu autonomicznego. Najbardziej typowe są objawy parkinsonowskie (zob. s. 1029).

Zatrucie pestycydami. Zwykle występuje u osób zatrudnionych w rolnictwie i ogrodnictwie. Pestycydy uszkadzają wiele narządów, w tym również mózg. Objawem zatrucia są bóle i zawroty głowy, osłabienie, wymioty, podrażnienie śluzówek. W cięższych zatruciach występują objawy psychotyczne, drgawki, śpiączka.

Zatrucie talem. Tal uszkadza elementy komórkowe mózgu i nerwów obowodowych. Objawem zatrucia są bóle brzucha, nudności, wymioty, pobudzenie, bóle i parestezje (zob. s. 1008) kończyn. W okresie późniejszym – uszkodzenie wielu nerwów obwodowych, wypadanie włosów.

Zatrucia metalami ciężkimi. Zwykle są to przewlekłe zatrucia zawodowe. Metale ciężkie powodują uszkodzenia ośrodkowego i obwodowego układu nerwowego: mangan uszkadza mózg (encefalopatia), z przewagą objawów parkinsonowskich (zob. s. 1029), ołów wywołuje zapalenie wielonerwowe i encefalopatię, rtęć – encefalopatię i uszkodzenie autonomicznego układu nerwowego.

Postępowanie i leczenie w zatruciach, zob. Zatrucia, s. 2092.

Zaburzenia neurologiczne w chorobach narządów wewnętrznych

Encefalopatia wątrobowa. W wyniku zaburzeń metabolicznych w ostrej i przewlekłej niewydolności wątroby następuje uszkodzenie mózgu (encefalopatia) nadmiarem toksycznych produktów przemiany materii. Występują okresy nawracającej śpiączki, zaburzenia psychiczne, napady padaczkowe, objawy zespołu móżdżkowego (zob. s. 1006). Leczenie przyczynowe, tj. choroby wątroby, oraz objawowe uszkodzeń neurologicznych.

Encefalopatia w niewydolności nerek. Jest to uszkodzenie mózgu (encefalopatia) przez toksyczne, nie wydalane przez nerki produkty przemiany materii. Objawia się obniżeniem aktywności ośrodkowego układu nerwowego (apatią, spowolnieniem, sennością aż do śpiączki mózgowej) lub jej wzmożeniem (niepokój, bezsenność, pobudzenie psychoruchowe, drgawki). Ponadto występują bóle głowy, mdłości, wymioty, niekiedy niedowłady kończyn, zapalenie wielonerwowe. Wcześnie rozpoczęte i systematycznie prowadzone zabiegi dializy znoszą te objawy i zapobiegają powstaniu trwałej encefalopatii.

Nowotwory złośliwe bez przerzutów do mózgu. Uszkodzenie układu nerwowego następuje głównie na drodze toksyczno-immunologicznej. Objawy kliniczne to najczęściej zapalenie wielonerwowe, bóle, parestezje, niedowłady wiotkie kończyn. Występują ponadto zespoły miasteniczne (nadmierna męczliwość mięśni szkieletowych przy powtarzanych ruchach), zespoły móżdżkowe, piramidowe, zaburzenia psychiczne. Leczenie przyczynowe choroby podstawowej, tj. nowotworu, ponadto leczenie objawowe.

Zaburzenia neurologiczne w zespołach hormonalnych

Podwzgórzyca. Jest to zespół neurohormonalny w przebiegu uszkodzenia podwzgórza przez uraz, zakażenie lub czynnik toksyczny. Występuje zwykle u młodych kobiet. Objawia się bólami i zawrotami głowy, zaburzeniami snu, zaburzeniami koncentracji, lękami, ponadto zwiększonym łaknieniem i pragnieniem, zaburzeniami miesiączkowania, bólami brzucha, otyłością. Leczenie objawowe.

Jadłowstręt psychiczny. Jest to zaburzenie przysadkowo-podwzgórzowe. Objawia się brakiem łaknienia, wychudzeniem, zaburzeniami miesiączki u kobiet, zwykle nadpobudliwością, niekiedy lękiem. Leczenie zwykle szpitalne. Stosuje się leki uspokajające, przeciwdepresyjne oraz anaboliczne środki niesteroidowe. Zob. Endokrynologia, s. 789.

Niedoczynność tarczycy. Objawy neurologiczne to spowolnienie, niemożność szybkiego rozkurczu po skurczu mięśnia, senność, drętwienie kończyn dolnych, kurcze nocne mięśni łydek. Leczenie choroby podstawowej. Zob. Endokrynologia, s. 829.

Nadczynność tarczycy. Neurologicznie objawia się nadpobudliwością, drżeniem głowy i kończyn górnych, niekiedy zaburzeniami koncentracji, nadmierną męczliwością, czasami dochodzi do znacznego osłabienia mięśni – tzw. miopatii tyreotoksycznej. Zob. Endokrynologia, s. 824.

Cukrzyca. W chorobie tej dochodzi do zaburzeń w przemianie materii nerwów obwodowych – bezpośrednio lub pośrednio przez zmiany w naczyniach krwionośnych odżywiających nerw. Uszkodzeniu ulegają nerwy obwodowe, niekiedy rdzeń kręgowy. Występują bóle i parestezje (zob. s. 1008) kończyn, zaburzenia czucia w kończynach, zniesienie odruchów, rzadziej niedowład kończyn. Objawem uszkodzenia nerwów czaszkowych jest najczęściej opadanie powiek, zwykle jednej.

Poza bezpośrednim uszkodzeniem tkanki nerwowej cukrzyca jest często pośrednią przyczyną udarów mózgowych, ponieważ uszkodzenia przez nią spowodowane w naczyniach krwionośnych „sprzyjają” powstawaniu zakrzepów tętnic mózgowych. Przewlekłe zarostowe zmiany w drobnych naczyniach mózgowych są również przyczyną tzw. encefalopatii cukrzycowej.

PSYCHIATRIA

Psychiatria zajmuje się leczeniem zaburzeń psychicznych. Jako dziedzina praktyki leczniczej istnieje i gromadzi doświadczenia od czasów najdawniejszych. Jako dziedzina nauki istnieje od niespełna 200 lat, w ciągu których korzystając z wcześniejszych zdobyczy humanistyki i przyrodoznawstwa wyodrębnia z wolna swe własne zainteresowania badawcze i kształtuje własną myśl teoretyczną. W ciągu tych 200 lat umocnił się i utrwalił słaby poprzednio związek psychiatrii z medycyną, co znacznie przyspieszyło i wzbogaciło rozwój wiedzy i praktyki psychiatrycznej.

I. ZDROWIE PSYCHICZNE A ZABURZENIA PSYCHICZNE

Jasne określenie, czym jest zdrowie psychiczne i czym są zaburzenia psychiczne, jest sprawą bardzo trudną, ponieważ pojęcia te dotyczą spraw w znacznym stopniu subiektywnych, rozstrzygnięć zależnych od obranego punktu widzenia oraz uwikłanych w trudne dylematy etyczne.

Zdrowie psychiczne

Zdrowie psychiczne z lekarskiego punktu widzenia jest stanem tożsamym z brakiem zaburzeń psychicznych, tj. brakiem takich zakłóceń czynności psychicznych, które współczesna wiedza medyczna uważa za zjawiska chorobowe. Określenie to posługuje się normą praktyczną, opartą na kryteriach psychiatrycznych uwzględniających różnorodne, głównie jednak indywidualne uwarunkowania działania organizmu ludzkiego.

Inne określenia zdrowia psychicznego odwołują się do: normy statystycznej – zdrowie jako pewna przeciętność, „normalność"; normy idealnej – zdrowie jako optimum lub maksimum pewnych wybranych cech, np. dojrzałości, sprawności życiowej, przystosowania społecznego, dobrego samopoczucia, samorealizacji; normy względnej – zdrowie jako zmieniający się, umowny korelat przekonań, wartości lub stosunków społecznych obowiązujących w pewnej społeczności albo kulturze.

Każde z wyżej wymienionych określeń zdrowia psychicznego ma swych zwolenników i każde zwraca uwagę na pewien ważny jego aspekt – związek z czynnościami organizmu (lekarze), normatywność i rozpowszechnienie (psycholodzy), znaczenie motywacyjne (moraliści) oraz umowność kryteriów (antropolodzy).

Zaburzenia psychiczne

Zaburzenia psychiczne, podobnie jak i inne choroby, są wyrazem utraty zdolności skutecznego regulowania przez organizm swych stosunków wewnętrznych i wymiany ze środowiskiem, sprowadzającej utratę równowagi wewnętrznej lub adaptacji do środowiska, bądź jednego i drugiego. Celom skutecznej regulacji służą liczne układy organizmu, działające za pośrednictwem różnych czynności, m.in. metabolicznych, hormonalnych, nerwowych, psychicznych, powiązanych ze sobą w złożony i nie zawsze jeszcze jasny sposób. W przypadku zaburzeń psychicznych zakłóceniu ulegają głównie lub wyłącznie czynności psychiczne, także wtedy, gdy przyczyna tych zakłóceń tkwi poza organizmem (zaburzenia reaktywne) lub w innych jego czynnościach (zaburzenia organiczne).

Zaburzenia psychiczne, tak jak wszelkie choroby, wymagają kompetentnej pomocy ułatwiającej odzyskanie utraconej równowagi wewnętrznej i adaptacji społecznej. Od innych chorób różnią się sposobem przejawiania – sygnałem zakłócenia są tu zmienione stany psychiczne znajdujące różnorodny wyraz w wypowiedziach i zachowaniach. Inną, specyficzną cechą zaburzeń psychicznych jest to, że ich przejawy i wpływ dezadaptacyjny wiążą się często z niespełnieniem przez chorych szczególnie ważnych oczekiwań społecznych. Budzi to łatwo sprzeciw i potępienie ze strony nie dość życzliwego lub niedostatecznie zorientowanego otoczenia, które też nie zawsze, z tego powodu, skłonne jest uznać chorobową naturę obserwowanych zaburzeń i udzielić choremu niezbędnej pomocy. Dotyczy to różnych zaburzeń w różnym stopniu.

W niektórych zaburzeniach (tzw. psychozach) zakłócenie równowagi psychicznej staje się szczególnie głębokie i całościowe, co zwykle wiąże się ze zmniejszeniem zdolności do krytycznej i realnej oceny sytuacji oraz większym wpływem dezadaptacyjnym.

Indywidualny kontekst zaburzeń psychicznych

Sytuacja osób przeżywających różne zaburzenia psychiczne, mimo swej indywidualności, ma wiele cech wspólnych.

1) Zaburzenia psychiczne stanowią zasadniczą zmianę w sposobie przeżywania. Pojawiają się przeżycia nowe, nieoczekiwane i często

niezwyczajne, a przeżycia znane mogą wygasać, tracić znaczenie lub ulegać zniekształceniom. Zmienia się tematyka, koloryt uczuciowy i tempo przeżywania. Zachodząca przemiana może wzbogacić lub zubożyć świat przeżyć, może uporządkować go w odmienny sposób, a nawet spowodować jego rozpad.

2) Zaburzenia psychiczne sprowadzają zwykle cierpienie wywodzące się albo z samego ich przeżywania, albo z niechętnych reakcji otoczenia.

3) Zaburzeniom psychicznym towarzyszy zwykle utrudnienie lub zerwanie kontaktu chorego z otoczeniem. Może się to wiązać: a) ze zmianą stosunku chorego do samego siebie, gdy czuje się on np. dużo lepszy, dużo gorszy lub gdy traci poczucie tożsamości swych przeżyć z sobą, bądź b) ze zmianą jego stosunku do otoczenia, które wydaje mu się np. zbyt zagrażające, zbyt wymagające lub zbyt banalne.

4) Zaburzenia psychiczne często łączą się z utratą umiejętności oceny swego stanu. Taki brak krytycyzmu może polegać na niedostrzeganiu, bagatelizowaniu lub wyolbrzymianiu rzeczywistego znaczenia przeżywanych zaburzeń.

5) Zaburzenia psychiczne często pociągają za sobą zmiany w systemie wartości organizującym życie chorego. Wprowadzają wartości destrukcyjne, np. obojętność, zwątpienie, nienawiść. System wartości jako całość może ulegać rozchwianiu, usztywnieniu, skrzywieniu, a nawet rozpadowi. Może to prowadzić do konfliktów wewnętrznych lub konfliktów z otoczeniem, gdy chory – zgodnie ze zmienionym systemem wartości – zaniedbuje ważne obowiązki, rewiduje swoje stosunki z otoczeniem albo angażuje się w działania niezgodne z oczekiwaniami społecznymi, obyczajami lub prawem.

Przeżywanie zaburzeń psychicznych może jednak również wzbogacać świat wartości.

Historyczny kontekst zaburzeń psychicznych

Dzieła i dokumenty ze wszystkich epok rozwoju społecznego dowodzą, że zawsze istnieli ludzie, których przeżycia cechowała szczególna odmienność naruszająca oczekiwania, obyczaje i wartości. Rozmaicie ją oceniano, nazywano i wyjaśniano. Różnie też radzono sobie ze stwarzanymi przez nią problemami.

W świadomości społecznej chorzy psychicznie od dawna ucieleśniali pewien rodzaj społecznego „zła". Przez całe wieki trwała dyskusja, czy jest to „zło" zawinione i wymagające kary (jak przestępstwo), czy też niezawinione i wymagające współczucia (jak nieszczęście). Spór ten długo nie znajdował rozstrzygnięcia. Wprawdzie już niektórzy starożytni uważali zaburzenia psychiczne za wynik choroby niezawinionej przez chorego, to jednak dopiero w XIX w. pogląd ten upowszechnił się szerzej. Nadal wszakże z trudem przenika on do potocznych opinii. Silnie wartościujący stosunek do zaburzeń psychicznych przejawia się często i dziś w uczuciowo ujemnym zabarwieniu nadawanych im określeń.

Niejednoznaczność moralna statusu zaburzeń psychicznych

wynikała – i częściowo nadal wynika – z niejasności ich natury i przyczyn. W przeszłości zaburzenia te starano się wyjaśnić albo działaniem czynników naturalnych (np. brakiem równowagi humoralnej w organizmie, urazami psychicznymi, chorobami dziedzicznymi, chorobami mózgu), albo nadnaturalnych (np. działaniem czarów, uroków, złych mocy, wyrokami boskimi). Światłe idee, oparte na racjonalnych przesłankach i wskazujące na naturalność przyczyn, pojawiały się już w starożytności, lecz ich oddziaływanie było przez wiele wieków znikome i dopiero w ostatnich stu latach przyniosło znaczniejszy postęp. O uznaniu takich lub innych wyjaśnień decydowała bowiem nie tyle ich zasadność, co zgodność z duchową i materialną kulturą kolejnych epok.

Postępowanie z chorymi na przestrzeni wieków było różne, co zależało od dominacji często przeciwstawnych tendencji. Jedna z nich dążyła do wykluczenia chorych poza nawias lub na margines społeczności (np. przez wypędzanie, zamykanie, wyśmiewanie, przykuwanie, zabijanie), druga do przywracania tych chorych społecznościom przez stosowanie różnych praktyk uzdrowicielskich. Powołani do spełniania tych praktyk „specjaliści" bywali albo bardziej tolerancyjni i rozumiejący, albo bardziej rygorystyczni i karzący. Pierwsi chętniej stosowali perswazję, sugestię, zabiegi magiczne, medykamenty, ruch, oddziaływali za pomocą piękna, drudzy – odprawiali egzorcyzmy, posługiwali się zadawaniem bólu, wywoływaniem strachu, wstrząsu psychicznego, okaleczającymi zabiegami.

Do rozwiązywania problemów nastręczanych przez zaburzenia psychiczne powoływano różne instytucje. Przez wiele stuleci były to głównie instytucje izolująco-represyjne, np. przytułki, klatki, więzienia, azyle. W wieku XIX pojawiły się instytucje leczniczo-opiekuńcze w postaci szpitali i zakładów opiekuńczych. Ostatnie lata naszego stulecia przynoszą rozwój inicjatyw zrywających z tradycją izolowania chorych. Powstaje lecznictwo ambulatoryjne, tzw. pośrednie formy leczenia, psychiatria środowiskowa.

Kulturowy kontekst zaburzeń psychicznych

Badania porównawcze dowodzą, że nie ma społeczności wolnych od zaburzeń psychicznych. Istnieją natomiast pewne zróżnicowania dotyczące częstości występowania tych zaburzeń i ich obrazu, co niewątpliwie jest uwarunkowane kulturą poszczególnych społeczności. Pewne zaburzenia są np. specyficzne dla określonych kultur i rejonów świata, ale też w wielu kulturach można stwierdzić (pokonawszy bariery językowe i obyczajowe) istotne, strukturalne podobieństwa podstawowych typów zaburzeń.

Poszczególne kultury ukształtowały własne, mniej lub bardziej złożone, kryteria rozpoznawania zaburzeń psychicznych, koncepcje ich wyjaśniania i – niekiedy – swoiste postawy uczuciowo-moralne wobec chorych. Zawsze też dysponują własnymi, czasem bardzo specyficznymi praktykami leczniczymi i izolacyjnymi.

Każda kultura wykształca sposoby zmniejszania zagrożenia, jakie mógłby stworzyć dla zwartości i przetrwania społeczności brak kontroli nad zaburzeniami psychicznymi. Poza leczeniem i izolacją, niektóre kultury dysponują jeszcze innymi środkami działania, np. powierzają chorym szczególne role społeczne (np. szamani), organizują rytuały rozładowujące zbędne napięcia (np. trans taneczny, składanie ofiar i pokuta), tolerują mniej uciążliwe lub zbyt powszechne zaburzenia.

Społeczny kontekst zaburzeń psychicznych

Zaburzenia psychiczne występują we wszystkich grupach społecznych naszego kręgu kulturowego. Ich częstość oraz szczegóły obrazu choroby mogą różnić się w zależności np. od wykształcenia, warunków bytowych, przekonań religijnych, norm środowiskowych, lecz zasadnicza struktura jest niezależna od pozycji społecznej chorego.

Środowisko społeczne stawia przed każdym określone wymagania. Wykonując je spełnia się pewną rolę społeczną i zyskuje społeczną aprobatę. Zaburzenia psychiczne utrudniają, a czasem uniemożliwiają spełnianie społecznych oczekiwań. Chory może np. porzucić pracę, przerwać naukę, zwątpić w sens życia, przejawiać nieuzasadnioną agresję, unikać ludzi, głosić niedozwolone idee, zachowywać się niezrozumiale lub niezgodnie z prawem. Tym samym wypada on ze swej roli, traci częściowo lub całkowicie społeczne przystosowanie, staje się w odczuciu otoczenia kimś „innym". Otoczenie rzadko pozostaje obojętne wobec takiej przemiany, narusza ona bowiem równowagę układu społecznego, którego chory jest częścią.

Społeczna reakcja polega na stopniowej lub gwałtownej reorientacji otoczenia wobec chorego, która doprowadza do opatrzenia go tzw. etykietką „chorego psychicznie", będącą symbolem jego nowej roli społecznej. Rola ta ma atrybuty dodatnie (szansa pomocy, zwolnienie od obowiązków, świadczenia społeczne), ale i ujemne (niechętna postawa otoczenia).

Ustępowanie zaburzeń zwykle wiąże się z powrotem do właściwej roli społecznej. W niepomyślnym przypadku, gdy zaburzenia lub nieprzystosowanie przewlekają się, rola „chorego psychicznie" staje się rolą trwałą. Reakcja społeczna może wtedy prowadzić do instytucjonalizacji losu chorego, uzależniając go od instytucji ubezpieczeniowych, opiekuńczych, charytatywnych lub medycznych.

II. OBRAZ ZABURZEŃ PSYCHICZNYCH

Złożony obraz zaburzeń psychicznych można opisywać dwojako: wskazując na jego składniki elementarne, czyli objawy, albo wskazując na pewne grupy, czyli zespoły objawów, ujmujące te zaburzenia w ich naturalnej i typowej postaci. Obraz ten jest bardziej czytelny na tle prawidłowych czynności psychicznych organizmu ludzkiego.

Prawidłowe czynności psychiczne i ich zaburzenia

Wyróżnia się trzy typy czynności psychicznych: poznawcze, emocjonalne, motywacyjne, opisujące odmienne aspekty ludzkich przeżyć. Warunkiem ich sprawnego, świadomego przebiegu jest stan przytomności. Strukturą organizującą i scalającą czynności psychiczne człowieka jest jego osobowość.

Procesy poznawcze, tj. uwaga, spostrzeganie, pamięć, myślenie, zapewniają działaniu człowieka sprawność dzięki właściwej wymianie informacji między nim a jego środowiskiem, która umożliwia wypracowanie odpowiadającego rzeczywistości obrazu świata i siebie. Ogólny poziom sprawności poznawczej, czyli inteligencji, ulega zaburzeniu w stanach otępienia i w upośledzeniu umysłowym. Zaburzenia uwagi są mało specyficzne i towarzyszą niemal wszystkim zaburzeniom psychicznym. Bardziej specyficzne znaczenie mają zaburzenia spostrzegania (omamy), pamięci (amnezja, konfabulacje) oraz treści myślenia (urojenia) i jego struktury (rozkojarzenie, splątanie, paralogia).

Procesy emocjonalne dynamizują działanie człowieka, zmieniając je odpowiednio do swego zabarwienia, natężenia, trwałości i złożoności. Zaburzenia psychiczne mogą wyrażać się występowaniem specyficznych stanów uczuciowych (lęk, zaburzenia nastroju) bądź odmiennością ich przeżywania (ambiwalencja).

Procesy motywacyjne inicjują i ukierunkowują działanie człowieka stosownie do jego elementarnych potrzeb biologicznych (popędów) oraz bardziej złożonych potrzeb psychologicznych i społecznych (np. potrzeby kontaktu, uznania, wiedzy, dostatku, wolności). Procesy te określają poziom i kierunek jego ruchliwości, aktywności, zainteresowań. Zaburzenia przejawiają się ilościowymi wahaniami tych różnych form działania lub występowaniem stanów odmiennych jakościowo (negatywizm, zobojętnienie).

Stan przytomności to stan optymalnej aktywizacji mózgu. Jego zakłócenie przejawia się różnymi zaburzeniami o charakterze bardziej ilościowym (zespoły wyłączania) lub jakościowym (majaczenie, zamroczenie, splątanie).

Osobowość to pewien zbiór, zespół istotnych właściwości psychicznych człowieka, nadających jego przeżyciom cechy indywidualności i względnej stałości. Osobowość kształtuje się i rozwija w ciągu całego życia w wyniku wzajemnych oddziaływań wrodzonych cech człowieka i nabywanych przezeń doświadczeń. Zarazem porządkuje ona i scala jego przeżycia. Każde zakłócenie zaburza w jakimś stopniu zastaną osobowość, czemu przeciwstawia ona tzw. mechanizmy obronne. Ich rola nie we wszystkich zaburzeniach jest łatwo czytelna. Są zaburzenia (osobowość nieprawidłowa, encefalopatia) polegające na nieprawidłowym ukształtowaniu się osobowości. Niektórym typom osobowości przypisuje się znaczenie w rozwoju różnych zaburzeń. Wielu innym zaburzeniom psychicznym towarzyszy wyraźna, przemijająca lub utrwalająca się zmiana osobowości.

Ważniejsze objawy zaburzeń psychicznych

Ambiwalencja. Jednoczesne występowanie sprzecznych nastawień uczuciowych bez dostrzegania tej sprzeczności. Analogicznie dwuwartościowymi przeżyciami są ambisentencja (sprzeczność sądów) i ambitendencja (sprzecznych dążeń). Często te trzy rodzaje sprzeczności występują razem.

Amnezja, niepamięć. Niemożność odtworzenia wspomnień z jakiegoś odcinka czasu tworzącego tzw. lukę pamięciową.

Automatyzm psychiczny. Objaw polegający na poczuciu obcości własnych przeżyć, które wymykają się kontroli chorego i stają się jakby automatyczne. Często towarzyszy temu przekonanie, iż przeżycia są wynikiem obcego wpływu („nasyłane myśli", „kierowane ruchy", „narzucona mowa"). Do tego kręgu przeżyć należą też omamy rzekome (zob. niżej).

Autyzm. Złożona postawa wobec świata i siebie, charakteryzująca się wycofaniem się z czynnego współżycia z otoczeniem i skupieniem się na własnych przeżyciach odzwierciedlających zachodzące wokół wydarzenia w sposób zniekształcony, wskutek m.in. urojeń, zaburzeń myślenia, omamów, lęku.

Depersonalizacja. Odczucia nierealności własnych przeżyć lub całej osobowości i zachodzącej w nich istotnej, często niezrozumiałej i groźnej przemiany. Podobne uczucia dotyczące otaczającego świata noszą nazwę derealizacji.

Dysocjacyjne objawy. Jak sądzą niektórzy, jest to następstwo odszczepienia, wymknięcia się pewnych przeżyć spod kontroli chorego. Przejawia się ono albo tak prostymi objawami, jak wybiórcza niepamięć zdarzeń, chwilowe znieruchomienie lub wyładowanie emocjonalne, albo bardziej złożonymi zmianami zachowania chorych, które staje się jakby „dziecinne", „dzikie", „otępiałe" lub „zwariowane", bądź też przejawia cechy charakterystyczne dla jakby zupełnie innej osoby (tzw. alternatywne lub wielorakie osobowości). Takie epizody są potem zwykle pokryte niepamięcią.

Fobie. Stała tendencja do unikania pewnych sytuacji, których zaistnienie wywołuje bardzo silny lęk. Sytuacje te mogą być bardzo specyficzne (np. liczba 13) lub bardziej ogólne (np. otwarta przestrzeń). Do częściej spotykanych należą fobie: zabrudzenia, otwartej przestrzeni, zamknięcia, zwierząt, ciemności, wysokości, kontaktu z ludźmi. Fobie często kojarzą się z natręctwami, np. fobia zabrudzenia z natrętnym myciem rąk.

Hipochondria. Przesadna, nieuzasadniona obawa o swoje zdrowie. Może wyrażać się stałym zainteresowaniem sprawami zdrowia, przekonaniem o jego zagrożeniu, dążeniem do poddawania się zbędnym badaniom lub zabiegom, a czasem – niekorygowalnym przekonaniem o ciężkiej chorobie (urojenie hipochondryczne).

Konfabulacje. Rodzaj zafałszowania pamięci, w którym urywkami wspomnień, przypadkowymi zmyśleniami – czasem o fantastycznej treści – zapełnia się lukę pamięciową. Nie ma tu zamiaru kłamstwa, jest raczej zakłopotanie i brak krytycyzmu.

Krytycyzm. Zdolność do zgodnej z rzeczywistością oceny swego stanu. Jego brak jest istotną cechą rozwiniętych zaburzeń psychotycznych.

Lęk. Uczucie niejasnego, nieokreślonego i nieuniknionego zagrożenia, któremu towarzyszą różne odczucia i objawy cielesne – suchość w ustach, duszność, ucisk w klatce piersiowej i brzuchu, kołatanie serca, przyspieszenie oddechu i tętna, drżenie rąk, pocenie się i in. Lęk może występować w postaci napadu lub trwać nieprzerwanie osiągając różne nasilenie, od uczucia nieznośnego napięcia do paniki całkowicie dezorganizującej zachowanie. Lęk jest chorobliwym odpowiednikiem strachu, o ile jednak strach ma zawsze określone źródło, o tyle lęk jest uważany za sygnał niejasnych zagrożeń wewnętrznych o charakterze biologicznym (np. w stanach hipoglikemicznych) lub psychologicznym (np. przewlekły konflikt).

Natręctwa. Przeżycia powracające uporczywie, wbrew woli i pragnieniom chorego. Taki przymus przeżywania może dotyczyć pewnych myśli (natrętne wątpliwości, bluźnierstwa, zbędne rozmyślania), czynności (np. mycie rąk, odliczanie, szczególny gest) lub impulsów, by coś zrobić (np. kogoś zranić, wyskoczyć oknem). Przeżycia te chorzy oceniają jako chorobliwe i bezsensowne. Myśli i impulsy często wiążą się z przeżywaniem silnego lęku, czynności mogą chronić przed jego wystąpieniem.

Negatywizm. Sprzeciw chorego wobec kierowanych doń działań otoczenia, np. poleceń. Bywa bierny (unikanie, brak reakcji) albo czynny (przeciwdziałanie, czasem agresja).

Niedostosowanie. Wewnętrzna niespójność przeżyć chorego lub niezgodność jego wypowiedzi i zachowań z oczekiwaniami otoczenia. Wyraża się m.in. nieodpowiednimi do sytuacji reakcjami uczuciowymi (paratymia) i nieodpowiednią do wypowiadanych uczuć mimiką (paramimia). Niedostosowane gesty, grymasy, cechy ubioru lub postawy ciała mogą utrwalać się w stereotypowej postaci jako tzw. manieryzmy.

Omamy. Doznania zmysłowe odczuwane mimo braku odpowiednich bodźców zewnętrznych przy pełnym przekonaniu o ich realności. Mogą to być proste wrażenia (dźwięki, błyski, ukłucia) lub złożone spostrzeżenia (głos, muzyka, postaci ludzkie, zdzieranie skóry). Mogą dotyczyć doznań słuchowych, wzrokowych, smakowych, węchowych, dotykowych, wewnątrzustrojowych. Omamy rzekome to zbliżone doznania, które chory lokalizuje wewnątrz swego ciała („głosy w głowie", „filmy w oczach").

Paralogia. Myślenie łamiące zasady logiki, a raczej posługujące się swoistą logiką „prywatną", lekceważącą uznane zasady tworzenia i użycia pojęć, nazw oraz sądów. Utrudnia ono lub uniemożliwia rzeczowy kontakt z chorym.

Rozkojarzenie myślenia. Złożone zaburzenia struktury myślenia, na które składają się: jego oderwane od rzeczywistości (dereizm), cechy paralogii (zob. wyżej), zakłócenia toku. Przejawia się ono wypowiedziami zachowującymi formę gramatyczną, lecz pozbawionymi zrozumiałego sensu.

Somatyzacyjne objawy. Różnorodne dolegliwości odczuwane i przedstawiane przez chorych jako objawy zaburzeń somatycznych, lecz nie znajdujące żadnego uzasadnienia w obiektywnym badaniu. Tzw. wielorakie objawy somatyzacyjne to liczne, zmienne, lecz utrzymujące się dolegliwości ze strony różnych narządów wewnętrznych (np. bicie serca, pobolewania brzucha, mdłości, bóle „krzyża", bolesne miesiączki), którymi chorzy starają się zainteresować różnych specjalistów. Tzw. objawy konwersyjne są zwykle mniej liczne i naśladują objawy typowych zaburzeń neurologicznych (np. trudności połykania, niedowłady, drgawki, zaburzenia chodu, ślepota). Mechanizm powstania takich objawów jest nieświadomy. Mają one charakter dolegliwości jak najbardziej rzeczywistych, choć nieuzasadnionych obiektywnym stanem narządów ciała. Niektórzy uważają je za przekształconą, pośrednią formę uzewnętrzniania się lęku.

Splątanie myślenia. Rozerwanie logicznej i gramatycznej struktury myślenia, którego wątki zmieniają się chaotycznie i przypadkowo, kojarząc się co najwyżej według podobieństwa dźwiękowego lub wymogów rytmu. Wypowiedzi tracą sens i formę gramatyczną.

Urojenia. Są to złożone przeżycia, których najistotniejszym składnikiem jest wynikające z chorobowych przesłanek fałszywe przekonanie. Narzuca się ono choremu z pełnym poczuciem oczywistości i nie poddaje się żadnej próbie racjonalnej korekty. Takiemu przekonaniu zwykle towarzyszą mniej lub bardziej nawiązujące do jego treści stany emocjonalne (np. lęk, rozdrażnienie, przygnębienie lub uniesienie) i zachowania (np. unikanie ludzi, agresja, rezygnacja). Czasem urojenia w zrozumiały sposób wypływają z osobowości lub sytuacji życiowej chorych. Częściej jednak ich treść i okoliczności wystąpienia są trudne do wyjaśnienia i zrozumienia.

Mimo wielkiej różnorodności przekonań urojeniowych, pewne wątki przejawiają się w nich częściej: przekonanie chorego o jego nadzwyczajnych zdolnościach, pozycji lub pochodzeniu (urojenia wielkościowe), o jego małej wartości, winie, ruinie materialnej lub ciężkiej chorobie (urojenia depresyjne), o szczególnym zainteresowaniu ludzi jego osobą (urojenie ksobne), o wpływie wywieranym nań lub przez niego na innych za pośrednictwem niezwykłych środków oddziaływania (urojenia oddziaływania), o jawności jego przeżyć dla innych osób (urojenia odsłonięcia), o zagrożeniu jego bezpieczeństwa, wolności, godności lub życia przez inne osoby lub organizacje (urojenia prześladowcze), o dramatycznej zmianie jego wyglądu, zapachu, płci lub nawet całej dotychczasowej tożsamości (urojenia zmiany osoby).

Zaburzenia aktywności. Mogą mieć postać obniżenia lub wzmożenia. Mogą przejawiać się w formie prostej ruchliwości (napęd), w ruchowym wyrazie uczuć, w szybkości wypowiedzi lub aktywności złożonej (praca, zainteresowania). Zmiana tempa tych form ruchu nie musi przebiegać równocześnie. Wzmożenie aktywności rozwija się od różnego stopnia niepokoju ruchowego do chaotycznego pobudzenia, a jej obniżenie – od różnego stopnia zahamowania do pełnego znieruchomienia.

Zaburzenia nastroju. Obniżenie nastroju zwane nastrojem depresyjnym cechuje się złym samopoczuciem, przewagą ujemnie zabarwionych wzruszeń elementarnych (smutek, żal, rozpacz) oraz ujemnym zabarwieniem wszystkich innych przeżyć. Wiążą się z tym zaniżone oceny siebie i swego losu; poczucie małej wartości, niewydolności, winy, bezradności i beznadziejności, niekiedy nabierające cech przekonań urojeniowych.

Obniżenie nastroju określane jako nastrój dysforyczny wyróżnia się rozdrażnieniem, poczuciem krzywdy i żalu wobec ludzi lub losu.

Podwyższenie nastroju zwane nastrojem maniakalnym uzewnętrznia się przesadnie dobrym samopoczuciem, przewagą dodatnio zabarwionych wzruszeń (radość, wesołość, uniesienie) i takimż zabarwieniem wszystkich innych przeżyć. Przejawia się to zwłaszcza w nadzwyczaj dodatniej ocenie swych zdolności i możliwości oraz swego losu w przeszłości, przyszłości i w chwili bieżącej.

Płytkie podwyższenie nastroju, czyli nastrój euforyczny, to bezkrytyczna skłonność do wesołkowatości i dowcipkowania.

Zaburzenia toku myślenia. Przyspieszenie lub zahamowanie myślenia przejawia się odpowiednią zmianą liczby i szybkości skojarzeń, wątków i wypowiedzi. Skrajne zahamowanie cechuje się zaleganiem jednej myśli (monoideizm), a skrajne przyspieszenie – chaotyczną „gonitwą myśli". Innym zaburzeniem toku myślenia jest otamowanie, czyli chwilowa jego przerwa, przejawiająca się takimiż brakiem wypowiedzi.

Zobojętnienie. Ograniczenie odczuwanych przez chorego potrzeb, zmniejszające jego gotowość do działania, czyli aktywność, zainteresowania. Towarzyszy temu również zmniejszenie dynamiki przeżywanych uczuć. Najczęściej pojawiają się też rezygnacyjne przekonania.

Ważniejsze zespoły zaburzeń psychicznych

Zestawiono tu zespoły najważniejsze i najczęściej występujące. Różnorodność tych naturalnych i typowych form przejawiania się zaburzeń psychicznych powiększają ich odmiany i postaci mieszane.

Zespół amnestyczny. Towarzyszy różnym uszkodzeniom okolic mózgu odpowiedzialnych za sprawność pamięci. Przejawia się „luką pamięciową" obejmującą różnie długi odcinek czasu aż do chwili bieżącej. Stare, dobrze utrwalone wspomnienia chory odtwarza lepiej niż niedawne. Nie potrafi zapamiętać wydarzeń aktualnych. Bezkrytycyzm i dezorientacja sprzyjają powstawaniu konfabulacji. Chorzy tracą przystosowanie – są w różnym stopniu zagubieni, bezradni, niesamodzielni. Niekiedy zespół ten cofa się, częściej jednak jest zaburzeniem trwałym.

Zespół cerebrasteniczny (cerebrastenia). Towarzyszy mniej nasilonym, trwałym lub przemijającym uszkodzeniom mózgu. Przejawia się zmiennością nastroju, drażliwością, nadwrażliwością na różne bodźce, poczuciem niewydolności, zaburzeniami snu i licznymi skargami na rozmaite dolegliwości, często o zabarwieniu hipochondrycznym.

Zespół depresyjny (depresja). Dominują tu zaburzenia nastroju. Na typowy obraz depresji składają się: obniżenie nastroju z depresyjną oceną siebie i swego losu, zahamowanie tempa przeżyć (aktywności, myślenia), przeżywanie lęku, często niepokój ruchowy o różnym nasileniu oraz różne objawy cielesne – bóle głowy, osłabienie, ucisk w klatce piersiowej i brzuchu, skrócenie i spłycenie snu, obniżenie łaknienia i popędu seksualnego. Ważnym składnikiem depresji są występujące czasem tendencje samobójcze, zagrażające życiu chorych.

Typowy obraz depresji ulega zmianie, gdy jakaś grupa objawów lub objaw zyskują względną przewagę; mogą to być np. zahamowanie, pobudzenie, urojenia depresyjne. Depresje trwają zwykle długo (tygodnie – miesiące), czasem przewlekają się. Ustępują całkowicie.

Zespół encefalopatyczny (encefalopatia). Towarzyszy mniej rozległym, trwałym uszkodzeniom mózgu i przejawia się – przy zachowanej sprawności intelektu – zaburzeniami sfery emocjonalno-motywacyjnej, zmieniającymi osobowość chorego i powodującymi znaczne trudności przystosowawcze. Chodzi głównie o słabość i nietrwałość dążeń i związków uczuciowych, trudności w wykorzystaniu doświadczeń, skłonność do zaburzeń nastroju (stanów dysforycznych i euforycznych), drażliwość, wybuchowość, zbytnią zmienność lub trwałość reakcji emocjonalnych, stereotypowość i impulsywność postępowania.

Zespół halucynozy (halucynoza). Przejawia się występowaniem omamów, najczęściej słuchowych („głosy"), o przykrej dla chorego treści: poleceń, niechętnych komentarzy, gróźb, wyzwisk. Nierzadkie są wtórne urojenia prześladowcze, lęk, obniżenie nastroju z nasilonymi tendencjami samobójczymi. Może przebiegać z nawrotami, przewlekać się.

Zespół katatoniczny. Przejawia się zanikaniem lub zerwaniem kontaktu chorego z otoczeniem, czemu towarzyszą znaczne zaburzenia aktywności (pobudzenie, zahamowanie) lub – zwykle okresowo – przeżycia oniryczne.

Pobudzenie katatoniczne to chaotyczny, bezcelowy nadmiar ruchów, w którym w różnym stopniu zaznaczają się: negatywizm, brak wypowiedzi (mutyzm), ponawianie niektórych wypowiedzi lub ruchów (perseweracje), naśladowanie niektórych wypowiedzi i ruchów dostrzeżonych w otoczeniu (zjawiska tzw. echa).

Osłupienie katatoniczne (stupor) – to zaznaczające się z różną siłą zahamowanie aktywności z mutyzmem, perseweracjami, zjawiskami echa, negatywizmem lub wzmożoną sugestywnością. Charakterystycznym zjawiskiem jest zastyganie chorych w różnych, często nienaturalnych i niewygodnych pozycjach. Niekiedy dochodzi do pełnego znieruchomienia. Może też występować zaniechanie jedzenia, nawyków higienicznych (zanieczyszczanie się).

Przeżycia oniryczne to zbliżone do marzeń sennych, urojeniowe przeżywanie „dziania się" różnych, niejasnych i niekonsekwentnych a dramatycznych wydarzeń (walki, podróży, ucieczki). Świadczą o tym urywkowe wypowiedzi, a potem również urywkowe wspomnienia z okresu zaburzeń.

Zespół katatoniczny trwa długo (tygodnie – miesiące), a występujące w nim zmiany osobowości i dezadaptacja są w znacznej mierze odwracalne.

Zespół majaczeniowy (majaczenie). Dominuje tu zamącenie przytomności, wskutek czego kontakt z otoczeniem ulega utrudnieniu i zafałszowaniu.

Spostrzeganie, pojmowanie i zapamiętywanie są ograniczone, chaotyczne i niedokładne. Chory nie orientuje się w czasie i miejscu. Najbardziej charakterystycznym objawem są różne omamy i towarzyszące im urojenia. Doznania te mogą być przerażające lub wesołe. Sposób ich przeżywania jest zbliżony do przeżywania marzeń sennych. Zwykle występuje silny lęk, czasem obniżenie lub podwyższenie (euforia) nastroju. Nasilenie majaczenia waha się w ciągu doby, jest większe w nocy. Trwa ono krótko (godziny – dni). Po przeminięciu pozostają tylko urywkowe wspomnienia okresu zaburzeń.

Zespół maniakalny (mania). Jest to jakby odwrócenie zespołu depresyjnego. Przejawia się znacznym podwyższeniem nastroju z wyższościową oceną siebie i swego losu, przyspieszeniem tempa przeżyć, pobudzeniem, obecnością objawów somatycznych – skróceniem snu, wzmożeniem łaknienia i popędu seksualnego. Brak krytycyzmu i lekceważący stosunek do otoczenia bywają źródłem wielu konfliktów, na które chorzy mogą reagować gniewnym rozdrażnieniem. W nasilonej postaci zaburzeń postępowanie chorych staje się chaotyczne i bezproduktywne, w stanach mniej nasilonych możliwości chorych mogą się przejściowo zwiększać. Zespół trwa długo (tygodnie – miesiące). Ustępuje całkowicie.

Zespół natręctw (anankastyczny). Przejawia się występowaniem natrętnych myśli, czynności lub impulsów na tle charakterystycznych cech osobowości – silnego poczucia odpowiedzialności, skrupulatności, dokładności, niepewności, skłonności do wahań i wątpliwości. Czasem natręctwom towarzyszą fobie. Często dołącza się obniżenie nastroju. Czynności natrętne mogą układać się w złożone rytuały i ceremonie chroniące przed występowaniem nasilonego lęku. Zespół natręctw trwa długo i często przewleka się.

Zespół otępienny (otępienie). Towarzyszy rozległym i nieodwracalnym uszkodzeniom mózgu. Przejawia się przede wszystkim spadkiem sprawności intelektu, zwłaszcza myślenia i pamięci, a także zubożeniem uczuć i potrzeb. Chory myśli wolniej, słabiej kojarzy, niepoprawnie rozumuje, z trudem odtwarza, zwłaszcza niedawne wspomnienia. Stopniowo traci orientację w czasie i sytuacji, nie radzi sobie w nowych sytuacjach. Traci wiele ze swych zainteresowań, jego aktywność życiowa staje się mniej celowa i wytrwała, a związki uczuciowe z otoczeniem słabną. Dezadaptacja społeczna chorego przejawia się rosnącą bezradnością, zagubieniem, niesamodzielnością i z czasem – niedołęstwem. Stopień tej dezadaptacji jest miarą otępienia. Bywa on różny i postępuje z różną prędkością.

Zespół paranoiczny (paranoja). Dominującym objawem jest tu system urojeniowy – zespół przekonań urojeniowych, zwartych, konsekwentnych, utrwalonych, silnie wysyconych emocjonalnie i motywujących chorego do wytrwałych działań. Chory jest stale gotów do jego rozbudowy, tj. do włączania w krąg urojeń coraz to nowych osób, wydarzeń i zjawisk. Prawidłowa struktura przeżyć jest tu zachowana, są one spójne i w zasadzie dostosowane. Osobowość, mimo wyostrzenia pewnych cech (np. podejrzliwości, jednostronności zainteresowań, lękliwości, nieufności), pozostaje zwarta.

System urojeniowy najczęściej wiążę się z poczuciem zagrożenia własnego życia, zdrowia lub godności (zespół prześladowczy), z poczuciem doznanej krzywdy i bezkrytycznym dochodzeniem sprawiedliwości (zespół pieniaczy), z poczuciem zdrady małżeńskiej (zespół niewiary). Rzadziej chodzi o przekonania związane z domniemanymi prześladowaniami, z dokonaniem rzekomych wynalazków lub reform społecznych, z rzekomym, nieuleczalnym zachorowaniem, z poczuciem nadmiernego zainteresowania ze strony otoczenia (wrogiego, erotycznego).

Zespoły paranoiczne mają przewlekły przebieg, trwają latami.

Zespół paranoidalny. Zachwianiu, a czasem rozbiciu, ulega tu prawidłowa struktura przeżyć chorego, co silnie narusza zwartość jego osobowości i zaburza jego przystosowanie życiowe. Zmiany te są w różnym stopniu odwracalne. Zespół charakteryzuje się różnorodnością i zmiennością objawów sygnalizujących trudności, jakie mają chorzy z uporządkowaniem własnych przeżyć i odnalezieniem się w realnym świecie, dzielonym z innymi ludźmi.

Ogólnie – przeżycia chorych cechuje wewnętrzna niespójność (paranoidalna ambiwalencja) i sytuacyjne niedostosowanie, które sprawiają, że ich zachowanie się bywa dla otoczenia niezrozumiałe, zaskakujące i dziwaczne. Łatwiej dostrzegalnymi objawami choroby są różnorodne, niezbyt konsekwentne i raczej zmienne w swej treści urojenia (zwłaszcza: oddziaływania, odsłonięcia, ksobne, prześladowcze), omamy i zjawiska z kręgu automatyzmu psychicznego – wraz z towarzyszącymi im stanami uczuciowymi (zaburzenia nastroju, lęk) i działaniami odmieniającymi aktywność chorego. Trudniej dostrzegalne są zaburzenia struktury i funkcji myślenia, które dopiero w nasilonej postaci rozkojarzenia stają się uderzające, bardzo utrudniając rzeczowy kontakt werbalny z chorym. Niektórzy chorzy przejawiają cechy zobojętnienia i autyzmu – uważane czasem za przejaw chorobliwej adaptacji wobec trudnych do znoszenia w inny sposób skutków przewlekających się zaburzeń.

Zespół paranoidalny trwa długo (tygodnie – lata), zmieniając swe nasilenie. W okresach nasilenia się zaburzeń przeważają tzw. objawy wytwórcze (urojenia, omamy, automatyzm), w okresach przewlekania się – niedostosowanie, zaburzenia myślenia, zobojętnienie, autyzm. Istnieją odmiany zespołu różniące się szybkością i siłą wpływu na osobowość i przystosowanie chorych.

Zespół splątania. Dominuje tu przymglenie przytomności o wahającym się nasileniu. Zmienia ono tempo procesów psychicznych, dezorganizuje je, co w sposób najbardziej charakterystyczny przejawia się splątaniem myślenia. Chorzy nie orientują się w czasie i w sytuacji, kontakt z nimi jest bardzo utrudniony, a ich zachowanie – bezcelowe i niekonsekwentne. Na tym tle mogą czasem wystąpić pojedyncze urojenia i omamy, różne zaburzenia nastroju i aktywności. Splątanie trwa zwykle dłużej (dni – tygodnie). Po przeminięciu pozostaje fragmentaryczna niepamięć okresu zaburzeń.

Zespół zamroczenia. Dominuje znaczne zawężenie przytomności. Kontakt chorego z otoczeniem ulega zerwaniu, a jego zachowanie ma, mimo względnego uporządkowania, cechy wybitnej jednokierunkowości i wyjątkowości. Działa on pod wpływem doraźnych i niekontrolowanych podniet wewnętrznych. Jego zachowanie ma czasem charakter gwałtownego działania z silnym lękiem lub gniewem, wyrażającymi się w gestach i mimice (ucieczka, atak i in.). Czasem wykonuje proste czynności orientacyjne lub obronne, kiedy indziej podejmuje bardziej złożone działania typu wędrówek, podróży. Przy mniejszym zawężeniu świadomości mogą wystąpić inne objawy: szczególny nastrój, urojenia, omamy. Zamroczenie jest najczęściej stanem krótkotrwałym (minuty – dni), niekiedy trwa dłużej. Okres zaburzeń jest pokryty potem niepamięcią.

Zespoły afektywne. Jest to zbiorcze określenie zespołów, w których dominują zaburzenia nastroju. Należą do nich: zespół depresyjny i zespół maniakalny, jak również inne ich odmiany wyróżniające się mniejszym nasileniem (subdepresyjny, hypomaniakalny) lub mniej typowym obrazem zaburzeń.

Zespoły urojeniowe. Określa się w ten sposób zespoły, w których pierwszoplanowym objawem są urojenia. Należą do nich zespoły o szczególnej strukturze urojeń (np. paranoidalne, paranoiczne) oraz zespoły o mniej charakterystycznym obrazie, nazywane po prostu urojeniowymi.

Zespoły wyłączenia przytomności. Są to ilościowe zaburzenia przytomności towarzyszące różnym chorobom naruszającym czynność mózgu. Przejawiają się zanikaniem kontaktu z otoczeniem i reakcji na bodźce zewnętrzne. Całkowity ich brak cechuje stan śpiączki (coma). Mniej nasilonym zaburzeniem jest senność nadmierna, patologiczna (ospałość, somnolencja) i patologiczny sen głęboki (odrętwienie, sopor). Są to, z pewnymi wyjątkami, stany krótkotrwałe, zawsze zagrażające życiu, wymagające intensywnego leczenia.

III. PRZYCZYNY I LECZENIE POSZCZEGÓLNYCH ZABURZEŃ PSYCHICZNYCH

O przyczynach somatogennych (pochodzenia cielesnego) mówi się, gdy zaburzenia są spowodowane zmianami anatomiczno-fizjologicznymi, o przyczynach psychogennych, gdy wywodzą się z samych przeżyć, a o przyczynach endogennych, gdy mimo niejasności tła przyczynowego wiąże się je z czynnikami tkwiącymi w organizmie chorego (dziedziczenie, konstytucja psychofizyczna, nieznany proces somatyczny). Obraz poszczególnych zaburzeń jest uwarunkowany na ogół całym splotem czynników, z których jedne tworzą sprzyjające podłoże, inne wyzwalają objawy, a jeszcze inne określają przebieg choroby i jej podatność na leczenie. Czynniki somatogenne dominują wśród przyczyn zaburzeń organicznych, czynniki endogenne – wśród przyczyn zaburzeń schizofrenicznych i afektywnych, a czynniki psychogenne – wśród przyczyn pozostałych z omówionych poniżej grup zaburzeń.

Zaburzenia organiczne

Są to różnorodnie przejawiające się zaburzenia spowodowane przez proces chorobowy zakłócający działanie mózgu lub uszkadzający go.

Objawy i przebieg. Ostre zaburzenia organiczne przejawiają się zaburzeniami przytomności: majaczeniem, zamroczeniem, splątaniem lub różnego stopnia wyłączeniem. Jeśli nie dochodzi do trwałego uszkodzenia mózgu, psychozy te ustępują całkowicie, czasem przez fazę cerebrastenii. Jeśli nastąpiło trwałe uszkodzenie mózgu, to w zależności od jego rozległości i umiejscowienia, mogą obok różnych objawów neurologicznych wystąpić przewlekłe zaburzenia o charakterze zespołów cerebrastenicznego, encefalopatycznego, amnestycznego lub otępiennego. Zaburzenia te mogą też rozwijać się przewlekle od początku, postępując stopniowo wraz z postępem choroby będącej ich podłożem. Ich przebieg mogą też wikłać zaburzenia przytomności, gdy z jakichś powodów działanie mózgu ulegnie gwałtowniejszemu pogorszeniu. Gdy rozległe uszkodzenie mózgu następuje w okresie rozwoju lub jest wrodzone, to – uniemożliwiając prawidłowy rozwój – prowadzi do upośledzenia umysłowego. Niekiedy zaburzenia organiczne przejawiają się objawami halucynozy, zespołów urojeniowych lub afektywnych. Przebieg tych zaburzeń jest zwykle przewlekający się lub nawracający, lecz w zasadzie odwracalny.

Przyczyną organicznych zaburzeń psychicznych mogą być różne choroby mózgu, a także różne choroby ogólne pośrednio zakłócające jego czynność. Są to zwłaszcza: nieprawidłowości rozwojowe mózgu, jego urazy, zapalenia, guzy, zaburzenia ukrwienia, a także zaburzenia przemiany materii, odżywiania, hormonalne, ostre i przewlekłe zatrucia, ogólne infekcje. Podłożem zaburzeń mogą być: zmiany strukturalne tkanki mózgowej, w postaci np. zaniku, martwicy, blizny, nacieku, krwotoku, albo zaburzenia czynności mózgu, spowodowane m.in. niedotlenieniem, gorączką, wpływem hormonów, trucizn, niedoborem niezbędnych substancji, zwłaszcza witamin. Wielu psychiatrów zwraca uwagę na znaczenie czynników psychogennych (osobowościowych, środowiskowych) we współkształtowaniu obrazu zaburzeń organicznych.

Leczenie. W ostrych psychozach organicznych leczenie jest głównie przyczynowe. Stosowane są leki poprawiające krążenie, zwalczające zakażenie. Czasem bywa konieczne użycie leków psychotropowych, w celu zwalczania towarzyszących urojeń, pobudzenia, zaburzeń nastroju. Również leczenie innych zaburzeń organicznych polega na łączeniu specyficznego leczenia ogólnego z objawowym leczeniem psychiatrycznym. W przewlekłych zaburzeniach typu amnestycznego lub otępiennego szczególnie ważna jest właściwa opieka, pomniejszająca rozmiary powstającej dezadaptacji życiowej. W przypadkach upośledzenia umysłowego duże znaczenie ma cierpliwa i umiejętna rehabilitacja.

Zaburzenia schizofreniczne

Grupa zaburzeń o niejasnych przyczynach, których wspólną cechą jest głębokie zakłócenie, a czasem rozbicie integralności przeżyć, wskutek czego tracą one swą wewnętrzną i wzajemną spójność oraz właściwy związek z rzeczywistością.

Objawy i przebieg. Są to przeważnie zaburzenia paranoidalne lub (rzadziej) katatoniczne o różnym nasileniu i w różnych odmianach. Bardzo często dołączają się objawy depresyjne lub (rzadziej) maniakalne, które mogą niekiedy dominować. Choroba zaczyna się najczęściej w dwudziestych latach życia. Może przebiegać ostro lub przewlekle, zwykle jednak przebiega rzutami, tj. w postaci kolejnych epizodów oddzielonych okresami mniejszej lub większej poprawy. Częstość i czas trwania takich nawrotów bywają różne i są trudne do przewidzenia. Choroba może ograniczyć się do jednego rzutu. Czasem ostro zaczynające się zaburzenia później przewlekają się, czasem rozwijają się przewlekle od początku. Przyczyny przewlekania się zaburzeń nie są jasne. Przypuszczalnie decyduje o tym splot różnych uwarunkowań biologiczno-osobowościowych, a także środowiskowych.

Przyczyny nie są dostatecznie znane. Badania trwają i można tu jedynie wyliczyć najważniejsze ze współcześnie wysuwanych hipotez.

Hipotezy genetyczne wskazują na dziedziczenie podatności na zachorowanie. Ryzyko zachorowania wśród członków rodziny chorego jest wyższe niż w całej populacji, gdzie wynosi ok. 1%.

Hipotezy biologiczne wskazują najczęściej na niewłaściwe rozmieszczenie w mózgu substancji pośredniczących w przewodzeniu impulsów nerwowych (neuroprzekaźników). Wskazują też na znaczenie subtelnych odmienności neuroanatomicznych i neurofizjologicznych mózgu osób chorych.

Hipotezy osobowościowe dowodzą wpływu pewnych cech osobowości kształtujących się we wcześniejszych okresach rozwoju i uwrażliwiających ją na późniejsze urazy psychiczne, m.in. niedostatecznego poczucia siły, odrębności lub tożsamości własnego „ja", niewłaściwego stylu porozumienia się z otoczeniem.

Hipotezy środowiskowe dowodzą wpływu różnych czynników sytuacyjnych wadliwie kształtujących osobowość, pełniących rolę urazu psychicznego lub w inny sposób wpływających na przebieg choroby i wyniki leczenia. Wymienia się tu zwłaszcza zakłócenia w kontaktach z najbliższym otoczeniem, wadliwy wzorzec porozumiewania się z innymi ludźmi, wpływ ruchów migracyjnych, pozycji społeczno-ekonomicznej i cech kręgu kulturowego, w którym chory żyje.

Leczenie zaburzeń schizofrenicznych powinno być kompleksowe. W opanowaniu objawów podstawową rolę odgrywa leczenie farmakologiczne, w zapobieganiu nieprzystosowaniu życiowemu i eliminowaniu go – psychoterapia i oddziaływanie społeczne, mające na celu podtrzymanie urywającego się kontaktu z chorym, wzmacnianie jego poczucia rzeczywistości, dostarczenie mu pozytywnych doświadczeń emocjonalnych, uczące radzenia sobie w trudnych sytuacjach. Ostre objawy zaburzeń są zwykle leczone w szpitalu. Po ich ustąpieniu chory wraca do domu i kontynuuje leczenie pod kierunkiem lekarza poradni, korzystając z pomocy różnych form pośrednich leczenia (jeśli są dostępne). Wielu chorych ostatecznie odzyskuje utraconą równowagę i przystosowanie życiowe, niektórzy żyją w zadowalający ich sposób korzystając z różnych ułatwień społecznych (praca chroniona, renta, pomoc bliskich). W przypadku przewlekania się zaburzeń bywa konieczne długotrwałe leczenie szpitalne, co dziś zdarza się wyjątkowo.

Zaburzenia afektywne

Zaburzenia te tworzą grupę zaburzeń o niejasnych przyczynach. Przejawiają się głównie znacznymi wahaniami nastroju rzutującymi na całość przeżyć chorego.

Objawy i przebieg. Występują tu zespoły depresyjne i maniakalne o charakterystycznym okresowym przebiegu, w którym krótsze lub dłuższe okresy zaburzeń są oddzielone okresami pełnego powrotu do zdrowia. Częstość nawrotów bywa różna. U niektórych chorych występują tylko depresje (choroba jednobiegunowa), u innych występują okresy manii i depresji czasem pojawiające się naprzemiennie (choroba dwubiegunowa). Choroby afektywne zaczynają się najczęściej w czwartej i piątej dekadzie życia.

Przyczyny nie są dostatecznie znane. Wysuwane są i sprawdzane różne hipotezy.

Hipotezy genetyczne wskazują na podłoże genetyczne, zwiększające ryzyko zachorowania w rodzinach chorych w porównaniu z ryzykiem dla całej populacji, które wynosi ok. 0,5%.

Hipotezy biologiczne wskazują na rolę wielu nieprawidłowości regulacyjnych stwierdzanych w chorobach afektywnych, zwłaszcza w zakresie procesów biochemicznych, rytmów biologicznych, równowagi wodno-elektrolitowej i mechanizmów hormonalnych.

Hipotezy osobowościowe podkreślają znaczenie pewnych cech osobowości, ukształtowanych w okresach poprzedzających wystąpienie zaburzeń afektywnych, m.in. wrażliwości na utratę istotnych, znaczących osób, przedmiotów lub symboli, zbyt małej elastyczności norm, zasad i celów życiowych, pesymistycznego obrazu świata i własnego w nim losu.

Hipotezy środowiskowe kładą nacisk na znaczenie czynników sytuacyjnych kształtujących osobowość, wyzwalających zaburzenia i określających ich obraz i przebieg, m.in.: utraty bliskich, zmiany środowiska lub sytuacji życiowej, chorób somatycznych, różnych porażek i awansów.

Leczenie. Podstawową rolę odgrywa leczenie farmakologiczne (leki przeciwdepresyjne, neuroleptyczne). W dwubiegunowym przebiegu choroby i częstych nawrotach wskazane może być profilaktyczne stosowanie soli litu. W wyjątkowych przypadkach niektórych depresji psychiatrzy proponują stosowanie elektrowstrząsów.

Psychoterapia w nasilonych zaburzeniach służy jedynie podtrzymaniu kontaktu z chorym. W zaburzeniach mniej głębokich i w okresach poprawy ma ona szersze zastosowanie. Oddziaływania społeczne mają większe znaczenie w przewlekających się depresjach wieku podeszłego. Leczenie zawsze musi brać pod uwagę zagrażające życiu chorego tendencje samobójcze.

Zaburzenia paranoiczne

Tę grupę zaburzeń, o niejasnych przyczynach, cechuje występowanie zwartego systemu urojeniowego. Struktura przeżyć pozostaje spójna.

Objawy i przebieg. Występują tu zespoły paranoiczne o różnej treści, charakterystycznej dla poszczególnych chorych. Choroby te mają tendencję do przewlekłego przebiegu i postępującej rozbudowy systemu urojeniowego, odpowiedniej do stopnia oporu, jaki otoczenie stawia urojeniowym działaniom chorego. Działania te bywają źródłem wielu nieporozumień, zatargów i przewlekających się sporów z otoczeniem. Mogą one być groźne dla otoczenia, gdy chory z jakichś powodów przyjmuje w konflikcie postawę czynnie agresywną.

Przyczyny nie są jasne. Czasem można wskazać na specyficznie trudną sytuację, która inicjuje wystąpienie zaburzeń i stanowi o treści systemu urojeniowego (np. doznana krzywda w zespołach pieniaczych, głuchota w zespołach prześladowczych, niewydolność seksualna w zespole niewiary), lub na specyficzne tło osobowościowe, które zaburzenia podtrzymuje (np. nieufność, upór, zarozumiałość, cechy encefalopatyczne). Z czasem jednak zaburzenia nabierają własnej dynamiki i ustąpienie wywołującej sytuacji nie musi wiązać się z ich wygaśnięciem. W niektórych przypadkach mogą mieć znaczenie czynniki dziedziczno-konstytucjonalne.

Leczenie farmakologiczne często łagodzi objawy zaburzeń – zmniejsza napięcie, poprawia kontakty z otoczeniem, łagodzi drażliwość i agresywność. Pewne znaczenie może mieć również psychoterapia.

Zaburzenia reaktywne

Jest to grupa różnorodnych zaburzeń spowodowanych sytuacją konfliktową przeżywaną jako uraz psychiczny. Zaburzenia te są wyrazem reakcji organizmu na tę sytuację, nieskuteczną próbą jej przyzwyciężenia lub przystosowania się do niej.

Objawy i przebieg. Mniej głębokie zaburzenia mają postać krótkotrwałych epizodów o bardzo różnorodnych objawach. Często są to stany dysforyczne z działaniami agresywnymi lub autoagresywnymi (próby samobójcze, samookaleczenia) oraz pojawiające się przejściowo objawy typowe dla nerwic (tzw. reakcje nerwicowe).

Głębsze zaburzenia mogą mieć różnorodną postać. 1) Mogą to być krótkotrwałe, gwałtowne wyładowania ruchowe lub emocjonalne (paniczna ucieczka, chaotyczne pobudzenie) albo znieruchomienie jako reakcja na tzw. ostry stres, tj. na gwałtowną, nieoczekiwaną sytuację o cechach katastrofy. 2) Mogą to być dłużej trwające i bardziej złożone zaburzenia adaptacyjne występujące w następstwie poważnych strat życiowych (np. u porzuconych, owdowiałych, zrujnowanych, u emigrantów) lub poważnych zagrożeń (np. choroba, kalectwo, samotność). Objawy bywają różne – często pojawia się depresja, urojenia (fantazje podobne do urojeń) i omamy, zaburzenia aktywności. 3) Mogą to być tzw. psychozy sytuacyjne, stanowiące rodzaj „ucieczki w chorobę" jako reakcja na sytuację szczególnie trudną (np. uwięzienie) dla wrażliwej, nieodpornej osobowości chorego. Przejawiają się różnymi objawami dysocjacyjnymi, często zgodnie z wyobrażeniami chorego o zachowaniu się osób chorych psychicznie.

Wszystkie zaburzenia reaktywne są w zasadzie zjawiskiem jednorazowym i ustępują wraz z ustąpieniem sytuacji, która je wywołała. U osób o mało dojrzałej, nieodpornej osobowości mogą się jednak powtarzać.

Przyczyny. Prawdopodobieństwo wystąpienia zaburzeń reaktywnych jest tym większe, im trudniejsza jest sytuacja i im mniej odporna jest, przejściowo lub trwale, osobowość chorego. Są sytuacje, na które reaguje niemal każdy (np. katastrofy, śmierć bliskich). Są też takie, na które reaguje wielu (np. egzamin, więzienie), i są takie, na które reagują tylko jednostki (np. sprzeczka rodzinna). Wszelkie niedomogi osobowościowe sprzyjają występowaniu zaburzeń reaktywnych. Podstawowym zjawiskiem kształtującym ich obraz jest katatymia – zniekształcenie spostrzeżeń, myśli, wspomnień i działań przez aktualnie przeżywane stany uczuciowe. Czasem formy reagowania są pierwotne, zbliżone do stanów „burzy ruchowej" lub „znieruchomienia" u zwierząt, czasem stanowią tzw. krótkie spięcie – gwałtowne, nie kontrolowane przez osobowość wyładowania uczuć i działań pod wpływem stosunkowo słabego bodźca.

Leczenie. W mniej głębokich zaburzeniach często wystarcza krótki kontakt psychoterapeutyczny, czasem – krótkotrwałe podanie leków uspokajających. Jeżeli zaburzenia te powtarzają się, jest wskazana głębsza psychoterapia modyfikująca te cechy osobowości, które utrudniają skuteczne pokonywanie sytuacji konfliktowych. W zaburzeniach głębszych psychotycznych leczenie farmakologiczne jest zwykle konieczne, a psychoterapia w trakcie trwania zaburzeń i ewentualnie po ich ustąpieniu – wskazana.

Zaburzenia nerwicowe

Nerwice to grupa przewlekających się zaburzeń spowodowanych wzajemnym oddziaływaniem szczególnych, pojedynczych lub sumujących się urazów psychicznych i podatnej, wrażliwej osobowości. Taki przewlekły, drążący konflikt wewnętrzny uzewnętrznia się w postaci objawów nerwicowych oraz utrudnia osiągnięcie zadowalającego chorych przystosowania życiowego.

Objawy i przebieg. Wspólną cechą nerwic jest przede wszystkim: występowanie lęku, skupienie się na sobie, chwiejność układu wegetatywnego sprzyjająca odczuwaniu różnorodnych dolegliwości cielesnych, silnie przeżywane cierpienie oraz nieumiejętność spostrzeżenia i rozumienia istotnych źródeł przeżywanych trudności. U poszczególnych chorych obraz zaburzeń nerwicowych bywa bardzo różnorodny. U niektórych chorych konflikty nerwicowe są sygnalizowane głównie poprzez objawy lękowe manifestowane albo w sposób bezpośredni (nawracające epizody paniki lękowej, lęk przewlekły), albo w sposób bardziej przetworzony (fobie, natręctwa). U innych chorych konflikty te mogą przejawiać się głównie zaburzeniem poczucia własnego „ja" ujawnionym przez objawy dysocjacyjne lub depersonalizacyjne. U jeszcze innych drążący konflikt uzewnętrznia się w przesadnym skupieniu uwagi na wątpliwościach dotyczących zdrowia (hipochondria) lub w mnożeniu skarg na funkcjonowanie ciała (objawy somatyzacyjne).

Somatyzacja jest może najczęstszym sposobem manifestowania się konfliktów nerwicowych, na co wskazuje rozpowszechnienie tzw. nerwic narządowych, np. „nerwicy serca", „nerwicy żołądka". Te ostatnie nazwy są jednak bardzo mylące, ponieważ nie chodzi tu o chory narząd, lecz o przewlekły konflikt psychiczny, który jedynie wyraża się przez taki lub inny narząd podporządkowując sobie w jakimś stopniu jego funkcje.

Podobne zależności charakteryzują genezę wielu czynnościowych zaburzeń seksualnych (tzw. nerwic płciowych).

Obok postaci zaburzeń nerwicowych, w których dominuje jeden z wymienionych rodzajów objawów, spotyka się też różnorodne postaci mieszane, o mniej charakterystycznym obrazie. Zaburzenia nerwicowe trwają długo (tygodnie – lata), nasilenie objawów zmienia się jednak w czasie, a okresy względnej lub nawet pełnej, spontanicznej poprawy nie są rzadkie.

Przyczyny. Wystąpienie nerwicy zależy od dwóch czynników – wrażliwej na urazy psychiczne osobowości i konfliktowych bodźców stanowiących taki uraz.

Osobowość u osób chorych na nerwice cechuje wielka różnorodność, której w żadnej mierze nie wyczerpują niektóre, często opisywane jej typy (osobowość histeryczna, niedojrzała, anankastyczna, lękliwa, zależna). Uwrażliwienie na urazy może wynikać z wielu przyczyn, m.in.: ze zbyt słabej lub zbyt silnej kontroli nad emocjami i potrzebami, z zakłócającego wpływu wyniesionych z dzieciństwa kompleksów uczuciowych, z nieustabilizowanej lub niejednoznacznej hierarchii wartości, z jednostronności obrazu samego siebie i świata, z chwiejności lub usztywnienia postaw życiowych. Niektórzy przypuszczają, że szczególna wrażliwość chorych na nerwice jest skutkiem wrodzonych lub wcześnie nabytych właściwości ich układu nerwowego, a inni, że kształtuje się ona pod wpływem urazów psychicznych doznanych we wczesnym dzieciństwie lub późniejszych okresach życia. Niektórzy podkreślają znaczenie procesów fizjologicznych (np. równowagi procesów pobudzenia i hamowania w korze mózgowej, chwiejności nerwowego układu autonomicznego), inni – znaczenie silnych przeżyć emocjonalnych, jeszcze inni – znaczenie wyuczonych wzorców zachowania się w stosunkach z otoczeniem, zwłaszcza stylu porozumiewania się z nim.

Uraz psychiczny nie musi być silny. Wystarcza, aby celnie trafił w nieodporne punkty osobowości. Jego działaniu sprzyjają zwłaszcza różne sytuacje ogólne osłabiające odporność organizmu (np. niedożywienie, wyczerpanie, choroba). Mniej jasne jest znaczenie często podkreślanych czynników społecznych (np. klimatu międzyludzkiego, napięć społecznych, bezpieczeństwa socjalnego), kulturowych (np. granic tolerancji, siły rygoryzmu moralnego) i cywilizacyjnych (np. prymatu technologii, upowszechnienia przemocy). Nie brak autorów skłonnych dostrzegać w konfliktach nerwicowych odbicia podstawowych, egzystencjalnych konfliktów kondycji ludzkiej. Zasadność tego typu uogólnień nie jest jednak powszechniej uznana.

Leczenie. Zasadniczą metodą leczenia jest psychoterapia, rekonstruująca osobowość chorych lub przynajmniej podtrzymująca ich zdolności adaptacyjne. Jej dopełnieniem są różne oddziaływania natury społecznej. Zastosowanie leków psychotropowych (anksjolitycznych) ma charakter jedynie pomocniczy – należy się wystrzegać ich częstego, samowolnego, niekontrolowanego lub bezkrytycznego używania.

Zaburzenia psychosomatyczne

Są to czynnościowe lub czynnościowe i morfologiczne zmiany w różnych narządach i układach organizmu. W powstaniu tych zmian istotną rolę pełnią czynniki psychogenne.

Objawy i przebieg. Typowe zaburzenia psychosomatyczne mają pewne cechy wspólne: zależą od trudnych sytuacji emocjonalnych, często mają okresowy przebieg i występują rodzinnie. Za najbardziej typowe zaburzenia psychosomatyczne uważa się: chorobę wrzodową żołądka i dwunastnicy, wrzodziejące zapalenie jelita grubego, chorobę wieńcową, samoistne nadciśnienie tętnicze, astmę oskrzelową, pewne postaci otyłości. Ponadto należy tu wiele innych chorób z zakresu różnych specjalności lekarskich.

Przyczyny. Są nimi trwające przewlekle sytuacje konfliktowe, na które organizm reaguje m.in. fizjologicznymi mechanizmami adaptacyjnymi za pośrednictwem takich układów regulacyjnych, jak układ krążenia, nerwowy układ wegetatywny (autonomiczny), układ hormonalny. Na przykład strach powoduje podwyższenie ciśnienia krwi, przyspiesza czynność serca, zwęża oskrzela, podwyższa poziom hormonów kory nadnerczy itp. Za niewspółmierną do wartości bodźca trwałość i natężenie reakcji oraz ich specyficzną lokalizację narządową „odpowiedzialne" są nie tylko cechy indywidualnej reakcji fizjologicznej, ale także niesprawne mechanizmy psychiczne organizmu narażające go na przewlekły lub powtarzający się kontakt ze stresem.

Odwrotnością zaburzeń psychosomatycznych są tzw. zaburzenia somatopsychiczne – choroba somatyczna stanowi tu czynnik konfliktowy, a reakcja psychiczna wtórnie wpływa na jej przebieg i wyniki leczenia.

Leczenie. Obok leczenia objawowego powinno być stosowane leczenie przyczynowe, mające na celu łagodzenie napięć psychicznych będących podłożem zaburzeń, psychoterapia, a przynajmniej niespecyficzne oddziaływanie na stan psychiczny (wypoczynek, fizykoterapia, leki psychotropowe).

Zaburzenia osobowości

Jest to grupa zaburzeń wynikających z nieprawidłowego ukształtowania osobowości. Ich zasadniczym przejawem są różnorodne trudności w osiągnięciu właściwego przystosowania życiowego.

Objawy i przebieg. Nieprawidłową osobowość (psychopatię) charakteryzują niedostatki sfery emocjonalno-motywacyjnej: słabość i nietrwałość dążeń i zainteresowań, słabość i nietrwałość związków uczuciowych oraz nie wykształcenie dostatecznie silnej i trwałej hierarchii wartości. W następstwie, postępowanie życiowe tych osób cechuje tymczasowość, doraźność, nieumiejętność wykorzystania posiadanych doświadczeń i uwzględnienia w planach dających się przewidzieć skutków własnych działań. Wynika stąd istotne nieprzystosowanie życiowe przejawiające się najczęściej: brakiem rodziny, brakiem odpowiedniego do zdolności wykształcenia i zawodu, nieuporządkowanym życiem seksualnym, łatwym popadaniem w nałogi, częstymi konfliktami z prawem i obyczajami.

Poza opisaną nieprawidłową osobowością, przedmiotem zainteresowania psychiatrii są także inne, niezbyt liczne odmiany osobowości, których cechy uważa się za przyczyniające się do powstania różnych zaburzeń psychicznych (schizofrenicznych, afektywnych, reaktywnych, nerwicowych) lub też do utrzymywania się tych zaburzeń u niektórych chorych. W opisie odmian osobowości szczególnie zaakcentowane są pewne cechy przeżywania i zachowywania się, które nadają ton całemu postępowaniu i linii życiowej tych osób. Zarazem te szczególne cechy wiążą się w zrozumiały sposób z objawami innych zaburzeń. Może tu chodzić np. o uderzającą ekscentryczność postępowania (chłód uczuciowy, dziwaczność, uraźliwość, nieufność) albo o słabo kontrolowaną żywiołowość reagowania (niestałość, impulsywność, teatralność, brak konsekwencji), albo też o zmniejszającą autonomię działania lękliwość w kontaktach z otoczeniem (wycofywanie się, uzależnianie się, bierność, drobiazgowość). Cechy takie same w sobie nie stanowią żadnej nieprawidłowości. Nabierają jednak znaczenia klinicznego tym bardziej, im bardziej jednostronny i nieelastyczny staje się dzięki nim wzorzec postępowania człowieka w drodze do osiągania własnych celów i przystosowania się do konieczności związanych z życiem wśród innych ludzi.

Pewne znaczenie mają też takie warianty osobowości, które uzewnętrzniają się głównie w odmienności zachowań seksualnych. Czasem polegają one na zaburzeniach tożsamości płciowej, tj. na rozbieżności między płcią biologiczną a poczuciem własnej płci, z następstwami w postaci np. ubierania się zgodnego z tym poczuciem (transwestytyzm) lub nawet w postaci dążenia do zmiany płci przez zabiegi chirurgiczne (transseksualizm). Względnie częstą odmiennością jest dążenie do kontaktów seksualnych z osobami tej samej płci (homoseksualizm). Czasem wreszcie odmienność zachowań seksualnych polega na szczególnych (dewiacyjnych) upodobaniach dotyczących sposobu zaspokajania potrzeb seksualnych, które mogą niekiedy szokować swą niezwykłością lub przejawianą w różny sposób agresywnością. Tego typu odmienności w preferencjach seksualnych mogą (lecz nie muszą) wiązać się z innymi zaburzeniami psychicznymi lub somatycznymi. Czasem stanowią jedynie przemijającą cechę zachowania, czasem trwałą cechę osobowości osób skądinąd zdrowych.

Poza wyżej opisanymi odmianami zaburzeń osobowości, istnieje niezliczona liczba innych jeszcze wariantów osobowości, które wprawdzie odbiegają od przeciętności, lecz nie stanowiąc utrudnienia w rozwoju indywidualnym ani w osiąganiu przystosowania społecznego – pozostają poza zasięgiem zainteresowania psychiatrii klinicznej.

Przyczyny. Kształtowanie się osobowości jest długim procesem, w którym uczestniczą różne czynniki i okoliczności. Trwa ciągle jeszcze nie rozstrzygnięty spór o to, czy ważniejsze znaczenie mają w tym procesie wrodzone właściwości układu nerwowego, czy czynniki działające już po urodzeniu, związane z niekorzystnymi doświadczeniami emocjonalnymi lub społecznymi w różnych późniejszych okresach życia. Raz ukształtowane zaburzenia osobowości pozostają w zasadzie stałą właściwością manifestującego je człowieka, choć mogą ulegać także pewnemu rozwojowi. Przystosowanie życiowe wielu osób z zaburzeniami osobowości ulega pewnej poprawie w wieku starszym.

Leczenie. Zaburzenia osobowości są mało podatne na leczenie. Okresowe zastosowanie leków, psychoterapii lub terapii społecznej może jednak poprawić adaptację dotkniętych nimi osób. Odpowiedniego leczenia wymagają też pojawiające się epizody zaburzeń reaktywnych.

Uzależnienia (toksykomanie, nałogi)

Jest to grupa zaburzeń polegających na chorobliwym uzależnieniu się od różnych substancji psychoaktywnych, przejawiających się w ich nadużywaniu, co prowadzi do wielu szkodliwych następstw.

Objawy i przebieg. Uzależnienie to stan psychicznej albo psychicznej i fizycznej zależności od jakiegoś środka chemicznego (najczęściej leku). Zależność psychiczna przejawia się w przemożnej potrzebie doznawania skutków działania wybranej substancji (np. uspokojenia, poprawy samopoczucia), z czym na ogół wiąże się dążenie do zwiększania jej dawki i zdobywania, mimo rosnących kosztów materialnych i moralnych. Zależność fizyczna jest następstwem wbudowania uzależniającej substancji w cykl przemian ustrojowych, wskutek czego po jej nagłym odstawieniu występują dotkliwe objawy jej braku (objawy abstynencyjne) zmuszające do dalszego jej przyjmowania, ponieważ tylko ona je znosi. Objawy te to różne, bardzo przykre, a czasem groźne dla życia dolegliwości fizyczne i psychiczne.

Można wyróżnić trzy podstawowe grupy substancji uzależniających: środki uspokajające, które uwalniają od lęku, bezsenności lub bólu, środki pobudzające, które dostarczają wrażeń przyjemnych lub ekscytujących, oraz środki psychozotwórcze, które wywołują niezwykłe i szokujące przeżycia, zbliżone do przeżyć występujących w psychozach.

Różne uzależnienia wykazują, obok pewnych podobieństw, wiele różnic związanych z właściwościami uzależniającej substancji, które określają szybkość i typ powstającej zależności, rodzaj następstw i szanse wyleczenia. 1) Substancje opioidowe (naturalne i syntetyczne pochodne opium) powodują szybko postępującą zależność fizyczną, głęboką degradację życiową oraz poważne, skracające życie następstwa cielesne. Pozajelitowe przyjmowanie tych substancji naraża na zakażenie wirusem zapalenia wątroby oraz wirusem HIV powodującym AIDS. 2) Przetwory konopi indyjskich(marihuana, haszysz) powodują silną zależność psychiczną i czasem fizyczną. Często torują drogę do użycia innych, groźniejszych substancji. 3) Leki uspokajające i nasenne przyjmowane długo lub w większych dawkach powodują zależność psychiczną i fizyczną. Niektóre z nich są szczególnie groźne przy przedawkowaniu i próbach nagłego odstawienia. 4) Substancje stymulujące (pochodne amfetaminy) powodują silną zależność fizyczną. Używane dłużej mogą prowadzić do psychoz urojeniowych, a przedawkowane – do groźnych stanów pobudzenia. 5) Substancje halucynogenne (np. LSD, meskalina) powodują silną zależność psychiczną. Działanie daje czasem nieprzewidywalnie groźne lub przedłużające się skutki. Opisano ich działanie teratogenne. 6) Lotne rozpuszczalniki aromatyczne używane w postaci wziewnej powodują silną zależność psychiczną, stwarzają duże ryzyko nagłego zgonu oraz szybkiego i trwałego uszkodzenia narządów miąższowych. 7) Nienarkotyczne leki przeciwbólowe (np. tabletki „z krzyżykiem") łatwo uzależniają psychicznie, przy przewlekłym używaniu mogą uszkadzać narządy miąższowe. 8) Kokaina uzależnia silnie psychicznie, przy długotrwałym używaniu prowadzi do wyniszczenia, zaburzeń psychicznych. Przedawkowanie prowadzi do groźnego pobudzenia, zaburzeń przytomności.

Przyczyny. Rozwój uzależnienia zależy od licznych czynników, a przede wszystkim od: 1) specyficznych właściwości uzależniającej substancji; 2) fizjologicznych właściwości organizmu, warunkujących szybkość powstawania uzależnienia; 3) cech osobowości sprzyjających działaniu uzależniającej substancji (np. niesamodzielność, bierność, nieśmiałość); 4) czynników środowiskowych ułatwiających kontakt z takimi substancjami (np. słabość więzi rodzinnych, brak żywych zainteresowań lub perspektyw życiowych, atrakcyjność środowiska osób uzależnionych, pochopne zastosowanie leku). W ostatnich latach dostępność różnorodnych, także potencjalnie bardzo groźnych substancji uzależniających w Polsce wzrosła. Pojawiły się też zorganizowane grupy osób czerpiących korzyści z rozwijania popytu na nie.

Po kilkuletnim okresie stabilizacji, rozpowszechnienie problemu uzależnień od substancji psychoaktywnych zaczęło wzrastać.

Leczenie. Obejmuje ono trzy okresy: 1) okres odtruwania, tj. odstawienia leku lub podstawienia go mniej szkodliwym i zwalczania objawów abstynencyjnych (podstawową rolę pełni tu farmakoterapia w warunkach ścisłego nadzoru); 2) okres reorientacji, prowadzący przy użyciu różnych metod psychoterapeutycznych i społecznych do zmiany postaw i innych cech osobowości sprzyjających uzależnieniu; 3) okres resocjalizacji, w którym uprzednie oddziaływania są kontynuowane w warunkach stopniowego obciążania chorego wymaganiami codziennego życia.

Uzależnienie od alkoholu

Jest to uzależnienie o największym zasięgu i największej szkodliwości społecznej. Liczbę uzależnionych od alkoholu szacuje się w Polsce na ok. 3 mln osób.

Objawy i przebieg. Uzależnienie jest poprzedzone zwykle okresem nadmiernego picia, w którym alkohol zaczyna stopniowo kształtować zainteresowania, zajęcia i plany pijącego. Wstępem do uzależnienia jest poczucie ulgi towarzyszące piciu oraz rosnąca ilość alkoholu koniecznego do jej osiągnięcia. Zwiastunami rozpoczynającego się uzależnienia są epizody niepamięci pokrywającej okresy nietrzeźwości („przerwy w życiorysie"). Myślenie o alkoholu staje się stałym składnikiem dnia, a fakt zależności – dostrzegalny dla pijącego. Rodzi się poczucie winy powodujące unikanie rozmów o alkoholu i picie w tajemnicy. Momentem krytycznym w kształtowaniu się uzależnienia jest utrata kontroli nad piciem, tj. niemożność jego zaprzestania powodująca picie aż do wystąpienia poważnych objawów zatrucia lub innych powikłań. Takie okresy picia mogą być oddzielone dłuższymi okresami niepicia, lecz każdy wypity kieliszek sprowadza następny ciąg picia. Następuje osłabienie lub zerwanie więzi uczuciowych i kontaktu z otoczeniem rodzinnym, zawodowym, towarzyskim. Pijący szuka winnych i wyjaśnień – oskarża otoczenie, bywa arogancki i agresywny, często traci pracę, źródła utrzymania. Otoczenie przestaje go tolerować, zaczyna potępiać, izolować, karać.

Przewlekłe uzależnienie zaczyna się wraz z regularnym piciem na czczo („klin"), co wiąże się z koniecznością stałego picia i poszukiwania alkoholu, czasem także w postaci nie przeznaczonej do spożycia. Postępuje upadek biologiczny, osobowościowy i społeczny. Występują powikłania cielesne – nieżyt żołądka, marskość wątroby, następstwa zaburzeń wchłaniania w uszkodzonych jelitach: niedożywienie, wyniszczenie, spadek odporności, zapalenie nerwów (polineuropatie) i mięśni (miopatie). Przejawem uszkodzenia mózgu są różnorodne ostre i przewlekłe zaburzenia psychiczne – majaczenie, halucynoza, encefalopatia, zespół amnestyczny, otępienie. Nierzadko występują też powodowane rosnącymi trudnościami życiowymi zaburzenia reaktywne. Postępuje utrata bardziej złożonych potrzeb i zainteresowań, spłycenie uczuciowości, rezygnacja z wielu wartości i zasad moralnych. Pogłębia się izolacja, osamotnienie, utrata środków utrzymania. Czasem dochodzi do włóczęgostwa, konfliktów z prawem. Człowiek stacza się na margines życia.

Przyczyny. Rozpowszechnieniu alkoholizmu sprzyjają różne uwarunkowania środowiskowe (obyczajowy i środowiskowy „przymus" picia, łatwa osiągalność alkoholu, niekorzystny wzorzec picia), które nakładają się na osobowościowe i fizjologiczne uwarunkowania indywidualne.

Leczenie. Podstawowym krokiem pozwalającym na zapoczątkowanie leczenia jest zwykle uznanie przez pijącego faktu swego uzależnienia. Wiąże się to z przełamaniem całego systemu zaprzeczeń i zakłamania, które on utrzymuje (nie jestem alkoholikiem, sam sobie poradzę, inni są winni, że piję). Umożliwia to podjęcie odtrucia, a następnie długotrwałego wysiłku trzeźwienia – odkrywania rzeczywistej roli alkoholu we własnym życiu, odbudowywania zrujnowanych więzi z innymi ludźmi, nauki życia bez alkoholu. Leczenie jest prowadzone w poradniach, oddziałach i zakładach odwykowych. Bardzo pomocne w procesie trzeźwienia są grupy samopomocowe, zwłaszcza Anonimowi Alkoholicy (AA). Istnieją też grupy samopomocowe dla żon alkoholików (AlAnon) oraz dla ich dzieci (Alateen) – oferujące im pomoc w przezwyciężeniu zjawiska tzw. współuzależnienia, tj. pewnych postaw emocjonalnych i życiowych, które mogą utrwalać uzależnienie od alkoholu u pijącego członka rodziny. Poważną trudność w leczeniu stanowi bezkrytyczna postawa wielu chorych i ich niechęć do podjęcia leczenia. W myśl postanowień ustawy „O wychowaniu w trzeźwości i przeciwdziałaniu alkoholizmowi" (28 X 1982) osoby, które „w związku z nadużywaniem alkoholu powodują rozkład życia rodzinnego, demoralizację nieletnich, uchylają się od pracy albo systematycznie zakłócają spokój lub porządek publiczny", mogą zostać zobowiązane przez sąd – na wniosek komisji do spraw przeciwdziałania alkoholizmowi lub prokuratora – do leczenia w poradni lub zakładzie odwykowym. Na okres leczenia sąd może wyznaczyć kuratora.

IV. ZABURZENIA PSYCHICZNE A WIEK

Każdy okres życia ludzkiego ma swe specyficzne zadania, którym człowiek usiłuje sprostać – najpierw jako dziecko rozwijające się do dojrzałości, potem jako dorosły gromadzący doświadczenia i przekazujący je potomstwu, a wreszcie jako starzec rozliczający się z sobą i ze światem. Wynikające przy tym specyficzne trudności bywają źródłem zaburzeń specyficznych dla różnych okresów życia. Zaburzenia charakterystyczne dla wieku dorosłego omówiono wyżej.

Dzieciństwo – wiek rozwoju

Okres ten trwa od urodzenia do osiągnięcia dojrzałości (zwykle ok. 18 r. życia). Cechuje go intensywny rozwój fizyczny i psychiczny, prowadzący do uzyskania niezbędnej sprawności i samodzielności, przy stałej, choć zmniejszającej się zależności od otoczenia (rodziców, opiekunów). Istotny wpływ na wystąpienia i obraz zaburzeń w tym wieku mają: 1) kształtująca się dopiero osobowość dziecka, bardzo plastyczna, ale i bardzo wrażliwa na urazy, a mało odporna na trudności; 2) zmieniające się znaczenie wielu objawów, które zależnie od wieku dziecka mogą być cechą prawidłową, rozwojową lub przejawem choroby; 3) większa prostota (choć nie ubóstwo), a niekiedy odmienność przeżyć dziecka utrudniające dorosłemu dostrzeżenie trudności dziecka, wczucie się w te trudności, zrozumienie ich i przyjście ze skuteczną pomocą; 4) przebieg rozwoju fizycznego, jego kryzysy (np. pokwitanie), zakłócenia (np. niedosłuch) oraz wikłające go ostre i przewlekłe choroby ogólne; 5) klimat emocjonalny, jaki stwarza dziecku środowisko, w którym wzrasta – początkowo rodzinne, potem także inne (przedszkole, szkoła, rówieśnicy).

Zaburzenia w okresie rozwoju mogą rzutować na prawidłowości jego dalszego przebiegu. Stąd tak ważne znaczenie ma wybór właściwej metody leczenia, a zwłaszcza rozsądna, troskliwa i współdziałająca opieka obcujących z dzieckiem na co dzień rodziców i opiekunów.

Upośledzenie umysłowe jest ogólnym zaburzeniem rozwoju, blokującym zdolności przystosowawcze dziecka. Jest to nieosiągnięcie odpowiedniej dla danego wieku sprawności poznawczej, umożliwiającej opanowanie wiadomości i umiejętności niezbędnych do prawidłowego przystosowania życiowego. Zwykle upośledzenie dotyka też emocjonalnych i motywacyjnych składników osobowości.

Stopień upośledzenia mierzy się tzw. *ilorazem inteligencji* (IQ), tj. ilorazem wieku, na który wskazują testowe badania psychologiczne, przez wiek metrykalny, pomnożonym przez 100. Przykład: jeżeli 10-letnie dziecko rozwiązuje co najwyżej testy przeznaczone dla dzieci 5-letnich, to jego $IQ = 5:10 \times 100 = 50$. Za prawidłowy uważa się iloraz przekraczający 67.

Lekkie upośledzenie umysłowe. Iloraz inteligencji $IQ = 67 - 51$. Chory jest zdolny do ukończenia szkoły specjalnej, wyuczenia się prostego zawodu. Radzi sobie względnie samodzielnie, wymaga jednak wsparcia i opieki w trudniejszych sytuacjach. Upośledzenie uczuć i motywacji sprzyja pojawianiu się stanów zaburzenia nastroju: dysforycznych i euforycznych, zbytniej zmienności lub trwałości reakcji uczuciowych, bierności lub impulsywności postępowania. Znaczna sugestywność i bezkrytycyzm chorych bywają przyczyną wielu zbędnych konfliktów.

Umiarkowane upośledzenie umysłowe. Iloraz inteligencji $IQ = 51 - 36$. Chory może ukończyć tzw. szkołę życia, uczącą go opanowania czynności związanych z samoobsługą (jedzenie, ubieranie się, nawyki higieniczne) oraz prostej pracy wykonywanej pod kierunkiem i nadzorem. Mowę ma opóźnioną i ubogą, a ogólną sprawność ruchową często zmniejszoną. Wymaga stałej opieki ze względu na trudności w pokonywaniu nawet niewielkich przeciwności życiowych.

G ł ę b s z e p o s t a c i u p o ś l e d z e n i a: z n a c z n e – iloraz inteligencji IQ = 35 – 20; g ł ę b o k i e – iloraz inteligencji IQ = poniżej 20. Chorzy mają rosnące trudności w opanowaniu nawet najprostszych nawyków i umiejętności. Mowa ich jest uboga lub niewykształcona, niesprawność ruchowa duża aż do niedołęstwa. Często występują wady rozwojowe i inne nieprawidłowości fizyczne. Mała odporność organizmu jest przyczyną wysokiej śmiertelności. Chorzy wymagają stałej opieki, a czasem i stałej pielęgnacji.

P r z y c z y n y są bardzo różne. Obok czynników dziedzicznych (niektóre zaburzenia metabolizmu, wady chromosomów, niektóre wady rozwojowe układu nerwowego) znaczenie mają różne czynniki szkodliwe (toksyczne, urazowe, zakaźne, metaboliczne, odpornościowe) oddziałujące na zarodek, płód i dziecko, a także różnorodne zaniedbania środowiskowe. Około 80% przypadków upośledzenia to upośledzenie lekkie, najczęściej uwarunkowane wieloma przyczynami. W pozostałych 20% przypadków przyczyną jest zwykle pojedynczy czynnik.

Z a p o b i e g a n i e upośledzeniu to poradnictwo genetyczne (ocena ryzyka, diagnostyka prenatalna), wczesne wykrywanie i leczenie niektórych zaburzeń oraz higiena ciąży i okresu okołoporodowego.

L e c z e n i e to troskliwe postępowanie leczniczo-rehabilitacyjne, mające na celu wyzyskanie maksimum tkwiących w dziecku możliwości rozwojowych. Chodzi tu o niedopuszczenie do pogłębiania się upośledzenia, leczenie wikłających zaburzeń, usprawnianie mowy, czynności ruchowych i narządów zmysłów, cierpliwe wychowywanie i uczenie dostosowane do możliwości dziecka.

Specyficzne zaburzenia rozwojowe. Są to zwykle p r z e m i j a j ą c e z a k ł ó c e n i a objawiające się opóźnieniem lub cofnięciem się rozwoju pewnych nawyków lub czynności związanych z: 1) k a r m i e n i e m (odmowa jedzenia, objadanie się i otyłość), 2) s n e m (sen nieregularny, lęki nocne, chodzenie w czasie snu), 3) m o w ą (pewne postaci zaburzeń tworzenia lub rozumienia mowy – d y s f a z j a; bełkotliwa jej artykulacja – d y s l a l i a; trudności w czytaniu – d y s l e k s j a, pisaniu – d y s g r a f i a; zaburzenia płynności wymowy – z a c i n a n i e s i ę, j ą k a n i e), 4) c z y n n o ś c i a m i r u c h o w y m i (nadpobudliwość ruchowa, tiki).

P r z y c z y n y tych zaburzeń są złożone. Obok pewnej niedojrzałości układu nerwowego lub drobnych jego uszkodzeń, istotny jest wpływ czynników środowiskowych – napięć emocjonalnych, postaw rodzicielskich. Wszystkie te zaburzenia mogą też mieć inne, nie związane z rozwojem przyczyny, od których trzeba je starannie odróżnić.

L e c z e n i e. Zaburzenia rozwojowe często m i j a j ą s a m e wraz z dojrzewaniem układu nerwowego lub poprawą klimatu uczuciowego wokół dziecka. Niekiedy jednak wymagają różnych działań wychowawczych, psychoterapeutycznych lub leczenia farmakologicznego. Czasem są zalecane specjalne metody, np. urządzenia sygnalizacyjne w mimowolnym moczeniu, terapia logopedyczna w zaburzeniach mowy.

Zaburzenia organiczne u dzieci mogą mieć postać ostrych psychoz z zaburzeniami przytomności, a także przewlekłych lub przewlekających się zaburzeń towarzyszących różnym chorobom układu nerwowego lub ogólnym chorobom tego wieku. Następstwem powstających bądź wrodzonych uszkodzeń mózgu bywają drobne objawy neurologiczne, różnorodne objawy padaczkowe, nadmierna ruchliwość, stany cerebrasteniczne, encefalopatyczne. Skutkiem rozleglejszych uszkodzeń bywa upośledzenie umysłowe (zob. wyżej). Wszystkie te stany, mogące opóźnić lub utrudniać rozwój dziecka, wymagają stałej uwagi i starannego leczenia.

Psychozy dziecięce o niejasnej etiologii nastręczają szczególnych trudności diagnostycznych – są jednak bardzo rzadkie. Tzw. psychozy wczesnodziecięce (do 6 r. życia) mogą mieć różne objawy, wśród których częściej zwracają uwagę: występujące po okresie normalnego rozwoju wycofanie się dziecka z uczuciowego kontaktu z otoczeniem, nieprawidłowe używanie mowy, stereotypowość i niedostosowanie zachowań, agresywność, zmienność nastrojów, czasem nieprawidłowo silny (symbiotyczny) związek z wybraną osobą. W późniejszym wieku można już dostrzec pojedyncze, proste urojenia i omamy – mówi się wtedy często o schizofrenii dziecięcej, jednak dopiero w okresie dorastania obraz takich psychoz zbliża się do obrazu psychoz schizofrenicznych u dorosłych. Zaburzenia afektywne występują u dzieci wyjątkowo rzadko.

Leczenie. Wszystkie te zaburzenia wymagają specjalistycznego, starannego i długiego leczenia.

Rokowanie nie zawsze jest tak niepomyślne, jak do niedawna sądzono.

Zaburzenia reaktywne pojawiają się u dzieci jako sygnał trudności przekraczających ich zdolności adaptacyjne. Często przybierają formę tzw. reakcji protestu wobec zagrażających sytuacji – braku uczuć rodzicielskich, rozłąki, rywalizacji z rodzeństwem, nadmiaru obowiązków, niepowodzeń szkolnych. U młodszych dzieci mają one prostszy charakter. Jest to odmowa jedzenia, objadanie się, zaburzenia snu, napady lęku, złości, odmowa kontaktu z wybranymi osobami, nawyki likwidujące niepokój (ssanie palców, obgryzanie paznokci, kołysanie się). U dzieci starszych są one bardziej złożone i podobne do występujących u dorosłych.

Leczenie. Najważniejsze jest dostrzeżenie trudności u dziecka, unikanie działań utrwalających protest dziecka (kary, zawstydzania, odrzucenia uczuciowego) i ułatwianie mu jego zaniechania. Często jest konieczne oddziaływanie na całą rodzinę i współdziałanie z nią.

Zaburzenia nerwicowe. Są one u dzieci wynikiem utrwalających się, nieskutecznych sposobów radzenia sobie z niekorzystnymi warunkami rozwoju emocjonalnego. Występują dopiero w wieku szkolnym. Ich objawy – prostsze, bardziej zmienne i podatne na leczenie – są podobne jak u dorosłych.

Leczenie wymaga niekiedy czasowej izolacji dziecka, w celu uwolnienia go od oddziaływania nadmiernie lękliwych, surowych, obojętnych albo jawnie lub skrycie wrogich postaw rodzicielskich.

Zaburzenia psychosomatyczne występują u dzieci dość często. Ich obraz jest podobny do zaburzeń tego rodzaju u dorosłych (zob. s. 1072). Szczególnym rodzajem zaburzeń, dość charakterystycznym dla wieku dorastania są zaburzenia odżywiania się. Występują one niemal wyłącznie u dziewcząt i młodych kobiet i przybierają postać anoreksji (jadłowstrętu psychicznego) lub bulimii (żarłoczności psychicznej). Niekiedy okresy zachowań anorektycznych i bulimicznych występują u tej samej osoby.

Anoreksja przejawia się silną obawą przed przytyciem prowadzącą do unikania jedzenia i innych działań mających na celu obniżenie wagi (wymioty, leki obniżające łaknienie, przeczyszczające, moczopędne, intensywne ćwiczenia fizyczne itp.). Waga spada wyraźnie poniżej należnej wartości, czasem aż do wyniszczenia i wtórnych powikłań (hormonalnych, krążeniowych, metabolicznych). Zaburzenie ma często przebieg wieloletni i dość znaczną śmiertelność (6–21%). Bulimia przejawia się nawracającymi epizodami niepohamowanego, impulsywnego zaspokajania głodu, po których często następują próby przeciwdziałania wzrostowi wagi przez działanie redukujące ją (jak w anoreksji). Prowadzić one mogą do powikłań somatycznych. Waga na ogół pozostaje w bezpiecznych granicach wagi należnej. Przebieg jest najczęściej długotrwały. Przyczyny zaburzeń odżywiania się są upatrywane zarówno w uwarunkowaniach biologicznych (uwarunkowania neurohormonalne), jak i psychologicznych (kryzys tożsamości, wymagań dorosłości i płci), rodzinnych (sprawy zależności i autonomii) i kulturowych (nacisk mody, ideał urody).

Leczenie jest trudne, wymaga dobrego porozumienia z pacjentkami i kompleksowego postępowania z udziałem lekarza, psychoterapeuty. Podkreślana jest szczególnie korzystna rola terapii rodzinnej. Przy znacznym spadku wagi lub powikłaniach somatycznych jest konieczne leczenie w oddziale wewnętrznym.

Zaburzenia zachowania. Są one przejawem zakłócenia rozwoju dopiero co kształtującej się osobowości dziecka. Są to głównie względnie trwałe wzorce postępowania, będące w konflikcie z oczekiwaniami i normami otoczenia: łatwe wycofywanie się, bierność, lękliwość, wagarowanie, ucieczki, agresywność, przedwczesne lub nieprawidłowe zainteresowania seksualne, drobne przestępstwa. Główną ich przyczyną jest niewłaściwy klimat uczuciowy wychowującego środowiska, uniemożliwiający zaspokojenie ważnych potrzeb i wykształcenie koniecznych norm i wzorów postępowania. Występowaniu tych zaburzeń sprzyjają różne – nie zawsze wykrywalne – uszkodzenia mózgu.

Leczenie wymaga długotrwałych oddziaływań psychoterapeutycznych i społecznych, uwzględniających wpływ na otoczenie, w którym dziecko żyje.

Uzależnienia pojawiają się coraz częściej w wieku dorastania, a niekiedy i wcześniej. Sięganie po środki uzależniające jest często wynikiem zbędnej ciekawości, nieznajomości zagrożenia, mody. Sprzyja mu brak oparcia emocjonalnego w rodzinie oraz trwalszych zainteresowań. Środki są często przypadkowe, lecz nawet one mogą wykształcić wzór ułatwiający sięgnięcie po środki bardziej niebezpieczne.

Leczenie jest trudne i długotrwałe.

Starość – wiek podsumowań

Za początek starości przyjęto na ogół uważać 60 r. życia, choć w istocie jest on bardzo zindywidualizowany. Wiek ten cechuje się zmniejszaniem sprawności i samodzielności organizmu, ograniczaniem zakresu wymagań społecznych i coraz bliższą perspektywą zakończenia życia, skłaniającą do nie zawsze łatwego bilansowania osiągnięć i strat życiowych. Na występujące w tym wieku zaburzenia mają wpływ: 1) spadek biologicznych możliwości organizmu, wyrażający się zmniejszaniem wydolności różnych narządów i układów, a także nasilającymi się lub przewlekającymi chorobami; 2) zachowawcze tendencje osobowości, przejawiające się niechęcią do zmian, usztywnieniem przekonań, zainteresowań i reakcji uczuciowych; 3) częste poczucie psychologicznej i społecznej drugoplanowości, a także poczucie niepewności losu związane z zagrażającym niedostatkiem, chorobami, śmiercią; 4) osamotnienie wynikające z usamodzielnienia się dzieci i stopniowego odchodzenia rówieśników. Czynniki te występują w różnym stopniu nadając starości w każdym przypadku indywidualny charakter.

Zaburzenia psychiczne specyficzne dla starości to głównie starcze zmiany osobowości cechujące się zubożeniem i chwiejnością uczuciowości, zainteresowań i aktywności, sztywnością postaw oraz wyostrzeniem pewnych równoważonych dotąd cech (np. nieufności, bierności, agresywności, nadmiaru lub niedostatku krytycyzmu). U około 10–20% osób w wieku starczym rozwijają się zmiany otępienne postępujące z różną szybkością i nasileniem, czasem prowadzące do pełnej niesamodzielności. Większość otępień wynika ze zmian naczyniowych lub zwyrodnieniowych mózgu. Dla otępień naczyniowych charakterystyczne jest skokowe narastanie zaburzeń, związane z kolejnymi epizodami udarowymi mózgu powstającymi w następstwie miażdżycy, nadciśnienia, chorób serca. Dla otępień zwyrodnieniowych (najczęściej: choroba Alzheimera) jest charakterystyczny stopniowy rozwój objawów. Choroba Alzheimera może rozpoczynać się niekiedy przed okresem starości (postać wczesna, 40–60 r. życia). Otępienia są chorobami nieodwracalnymi. O jakości życia chorych decyduje jakość opieki, którą może im zapewnić otoczenie. Badania nad chorobą Alzheimera stwarzają pewną nadzieję na znalezienie w przyszłości sposobu opóźnienia lub spowolnienia jej rozwoju.

Psychozy starcze mogą towarzyszyć otępieniu lub występować samodzielnie. Cechuje je wielopostaciowość zaburzeń. Obok zaburzeń przytomności (majaczenie, splątanie) częste są objawy wytwórcze (omamy, urojenia prześladowcze – okradanie, trucie), zaburzenia nastroju (depresyjne, maniakalne), pamięci (niepamięć, konfabulacje). Często udaje się stwierdzić czynniki reaktywne inicjujące lub modyfikujące przebieg zaburzeń.

Inne zaburzenia psychiczne wieku starczego nie mają cech specyficznych, choć specyficzne mogą być związane ze starością ich przyczyny, zarówno somatogenne (np. stwardnienie tętnic, udary mózgu), jak i psychogenne (np. pogarszanie się sytuacji materialnej, utrata bliskich, długotrwałe osamotnienie).

V. LECZNICTWO PSYCHIATRYCZNE

Współczesna psychiatria dysponuje wieloma uzupełniającymi się metodami leczenia (metody biologiczne, psychoterapia, terapia społeczna) oraz różnorodnymi formami organizacyjnymi (lecznictwo ambulatoryjne, szpitalne, formy pośrednie, działalność środowiskowa).

Biologiczne metody leczenia

Metody biologiczne oddziałują bezpośrednio na czynność układu nerwowego. Psychofarmakoterapia, czyli leczenie za pomocą leków psychotropowych, ma największą wartość i najszersze zastosowanie. Rzadziej stosuje się tzw. elektrowstrząsy i metody chirurgiczne.

Leki psychotropowe to kilka grup leków działających wybiórczo na układ nerwowy i wpływających na stan psychiczny chorego. Leki neuroleptyczne są grupą silnie działających leków stosowanych głównie w leczeniu psychoz. Przeciwdziałają one urojeniom i omamom, stabilizują aktywność i nastrój oraz poprawiają krytycyzm chorych i kontakt z nimi. Leki przeciwdepresyjne stanowią grupę leków stosowanych w depresjach. Podnoszą one obniżony nastrój, a także hamują lub podnoszą zaburzoną aktywność chorych. Leki anksjolityczne to leki o silnym działaniu przeciwlękowym, a także – w różnym stopniu – nasennym, łagodzącym zaburzenia wegetatywne i rozluźniającym napięcia mięśniowe. Stosowane są głównie w różnych zaburzeniach, w których dominują pośrednie lub też bezpośrednie przejawy lęku. Ze względu na często wytwarzające się uzależnienie powinny być stosowane krótko i tylko w uzasadnionych przypadkach. Nie mogą zastąpić umiejętności współżycia z ludźmi, ani usunąć życiowych trudności. Spośród innych leków szczególną wartość mają sole litu stosowane w leczeniu niektórych zespołów maniakalnych i w zapobieganiu częstym nawrotom zaburzeń afektywnych. Ich stosowanie wymaga okresowej kontroli poziomu litu we krwi.

Wszystkie leki psychotropowe są lekami bezpiecznymi, jeśli stosowane są z właściwych wskazań i we właściwych dawkach. Ich działanie (wyjątek: leki anksjolityczne) wymaga pewnego czasu, nie należy ich ani pochopnie stosować, ani pochopnie odstawiać. Poważnym niebezpieczeństwem grozi łączenie ich przyjmowania z piciem alkoholu. Wydłużenie czasu reakcji nakazuje w czasie leczenia ostrożność w prowadzeniu pojazdów lub zaniechanie go. Stosowanie u kobiet w ciąży wymaga zbilansowania korzyści i ryzyka dla płodu.

Elektrowstrząsy polegają na wywołaniu krótkiej utraty przytomności z napadem drgawkowym za pomocą przepływu przez mózg prądu o ściśle określonych i kontrolowanych parametrach. Seria kilku takich wstrząsów sprowadza poprawę w niektórych zaburzeniach. Nowoczesne metody anestezjologiczne bardzo poprawiły bezpieczeństwo tych zabiegów. Mimo to wskazania do tego rodzaju leczenia są ustalane dość rzadko.

Psychoterapia

Psychoterapia jest metodą leczenia wykorzystującą oddziaływanie psychologiczne.

Istotą psychoterapii jest nasycony emocjonalnie i wzbudzający nadzieję kontakt między leczącym (terapeutą) a chorym, w czasie którego terapeuta dobierając umiejętnie słowa i działania stara się pomóc choremu w jego cierpieniu. Istnieją cztery podstawowe źródła inspiracji: teoria psychoanalityczna, behawiorystyczna, interpersonalna i poznawcza, dające początek wielu różnorodnym podejściom psychoterapeutycznym stosowanym w praktyce. Każda z nich w specyficzny sposób wzbudza nadzieje chorego, wyjaśnia jego trudności, wskazuje drogę ich przezwyciężania i mobilizuje do podjęcia koniecznego wysiłku. Podejścia różnią się obieranym celem i proponowanymi zasadami postępowania.

Cele psychoterapii mogą być mniej lub bardziej ambitne.

1) Nawiązanie umiejętnego, pogłębionego kontaktu z chorym, tzw. kontakt psychoterapeutyczny, to najprostsza forma oddziaływania. Może być pomocny terapeucie w leczeniu chorego. Chodzi tu raczej o życzliwą, rzeczową i rozumiejącą postawę niż o umiejętności specjalistyczne. Ta forma oddziaływania może znaleźć zastosowanie w medycynie ogólnej. W psychiatrii wykorzystuje się ją tam, gdzie ambitniejsza psychoterapia jest zbędna lub niemożliwa.

2) Podtrzymywanie zdrowych składników osobowości i wspieranie chorego w jego wysiłkach przystosowawczych, czyli psychoterapia podtrzymująca, to postępowanie potrzebne w wielu głębszych zaburzeniach, gdy działanie leków wymaga uzupełnienia oddziaływaniem ułatwiającym choremu przetrwanie zaburzeń i zapobiegającym ich utrwaleniu się. Stosuje się różne formy aktywności w celu lepszego samopoznania się, zdobycia nowych doświadczeń, opanowania umiejętności lub wypracowania postaw: dyskusje, ruch, inscenizacje, zabawy, pracę, muzykę, twórczość plastyczną i inne.

3) Zmiana istotnych cech osobowości warunkujących powstawanie zaburzeń, czyli psychoterapia rekonstruująca, to wyspecjalizowana forma psychoterapii zmierzająca do gruntownego poszerzenia wiedzy chorego o sobie, skłonienia go do rewizji i zmiany sprawiających trudności postaw, nawyków i systemu wartości oraz do utrwalenia tych zmian. Stosowana jest głównie w leczeniu zaburzeń nerwicowych.

Zasady stosowania psychoterapii są bardzo różnorodne.

1) Psychoterapia indywidualna polega na pracy jednego psychoterapeuty z jednym chorym. Pogłębia to silnie wzajemny ich związek oraz wzmacnia wynikające stąd argumenty i doświadczenia. W psychoterapii grupowej uczestniczy kilku chorych oraz jeden lub kilku terapeutów. Udostępnia to psychoterapię większej liczbie chorych, powiększa możliwości wymiany doświadczeń oraz umożliwia korzystanie z wpływu zjawisk związanych z tworzeniem się i oddziaływaniem więzi grupowej.

2) Czas trwania psychoterapii wynosi tygodnie, miesiące lub nawet lata. Czas efektywnego kontaktu waha się od kilku do kilkuset godzin.

3) Terapeuci różnią się między sobą stopniem przejawianej wobec chorych aktywności, tolerancji, bezpośredniości, a także bardziej emocjonalnym lub intelektualnym stylem pracy. Różnią się też – odpowiednio do uznawanej koncepcji teoretycznej – językiem, sposobem bycia.

4) W związku z tym oczekują oni od swoich pacjentów różnego stopnia: aktywności lub bierności, szczerości albo maskowania uczuć, spontaniczności lub dyscypliny, samodzielności albo podporządkowania, nastawienia twórczego lub treningowego.

5) Tematem spotkań mogą być: doświadczenia z przeszłości, aktualne trudności albo plany na przyszłość. Mogą być omawiane sprawy życia codziennego (dom, rodzina, praca), problemy związane z chorobą, a czasem źródła i mechanizmy przeżywanych objawów. Przedmiotem zainteresowania mogą też stać się marzenia senne, świat fantazji chorego. Praca nad tymi tematami może być prowadzona przy użyciu słów albo bez ich udziału, za pośrednictwem ruchu, ekspresji uczuć, kontaktu. Problemy mogą być poruszane wprost lub w formie symbolicznej – poprzez inscenizacje dramatyczne i pantomimiczne, korzystanie z symboliki muzycznej, plastycznej. Tematy pojawiają się spontanicznie albo wskutek oddziaływania proponowanych zadań: rysowania, odgrywania ról, wysiłku fizycznego, wyobrażeń na jawie, swobodnego kojarzenia, relaksacji mięśniowej, analizy snów, uczenia się itp.

6) Niezależnie od różności tematyki, środki oddziaływania są podobne. Stanowią je: perswazja, doświadczenia emocjonalne i trening umiejętności. Perswazja może różnić się stopniem racjonalności argumentów, bezpośredniości podawanych sugestii i siłą wywieranego przy tym nacisku. Doświadczenia emocjonalne bywają dawkowane z umiarem lub gwałtownie, czasem na zasadzie wstrząsu. Trening umiejętności dotyczyć może umiejętności pozytywnych, umiejętności unikania sytuacji trudnych lub oswajania się z sytuacjami nieuniknionymi.

Terapia społeczna

Terapia społeczna polega na korzystaniu w celach leczniczych z różnych oddziaływań społecznych.

Interwencje społeczne to działania zmierzające do wywarcia bezpośredniego wpływu na układy społeczne otaczające chorego. Może tu chodzić np. o naprawienie krzywd, wyjaśnienie nieporozumień, uzyskanie świadczeń lub skłonienie osób albo instytucji do współpracy w leczeniu.

Treningi społeczne zmierzają do podtrzymywania lub odzyskania traconych umiejętności społecznych, czasem bardzo elementarnych (np. nawiązywania kontaktu wzrokowego z rozmówcą, higieny, ubierania się), czasem bardziej złożonych (np. przygotowania posiłku, rozwiązywania nowych, trudnych sytuacji, umiejętności zawodowych). Treningi mogą mieć formę bardziej spontaniczną, realizowaną w warunkach bliskich naturalnym (np. udział w wieczorkach, wycieczkach, obozach) lub bardzo ściśle zaplanowaną, w postaci tzw. programów terapii behawioralnej, opartej na założeniach wynikających z teorii uczenia się.

Terapia rodzinna. Termin ten obejmuje różne działania zmierzające do przywrócenia równowagi w tym podstawowym mikroukładzie społecznym i do usunięcia tkwiących w nim uwarunkowań inicjujących lub podtrzymujących zaburzenia u chorego. Terapia taka może mieć charakter bardziej edukacyjny lub bardziej systemowy. Podejście edukacyjne poprzestaje na dostarczeniu rodzinie informacji (np. w formie wykładu) na temat choroby i sposobów radzenia sobie z nią, co pozwala jej na przezwyciężenie lub zmniejszenie rozmiarów przeżywanego kryzysu. Podejście systemowe zmierza do rozpoznania zmian w systemie rodzinnym, które sprawiają, że jeden z członków rodziny przejawia zaburzenia psychiczne i do zaproponowania interwencji, które mogą taką sytuację zmienić.

Społeczności lecznicze. Są to takie układy społeczne w instytucjach psychiatrycznych, które maksymalizując terapeutyczny wpływ środowiska instytucjonalnego, minimalizują jego oddziaływania niekorzystne. Zwykle chodzi tu o: poszanowanie godności i indywidualności chorych, szczerość i bezpośredniość kontaktów między chorymi i personelem, aktywne uczestnictwo chorych w życiu instytucji wraz z udziałem w decyzjach administracyjnych, a nawet terapeutycznych, podtrzymanie kontaktu ze światem pozainstytucjonalnym, swobodę w korzystaniu z urządzeń szpitalnych, rezygnację z tradycyjnego w medycynie podporządkowania chorych lekarzowi na rzecz stosunków partnerskich, zasady demokracji w działaniu instytucji. Istnienie społeczności leczniczych przejawia się m.in.: działaniem samorządu chorych, otwartymi drzwiami oddziałów, niemedycznymi akcentami wystroju wnętrz i zachowania się personelu. Istota społeczności tkwi jednak w postawach jej uczestników i klimacie międzyludzkim, jaki potrafią stworzyć i narzucić instytucji.

Środowiska zastępcze są tworzone wówczas, gdy nie można liczyć na zmianę nieprawidłowych stosunków w środowisku chorego. Mogą one uzupełniać jego naturalne układy, albo zastępować je całkowicie (np. kluby pacjentów, stowarzyszenia i wspólnoty samopomocowe). Wielowiekowe tradycje ma tu opieka rodzinna – życie i praca chorych w zastępczych rodzinach, najczęściej wiejskich. Za granicą popularne są hostele – domy lub mieszkania, w których chorzy przygotowują się, przy pomocy terapeutów, do samodzielnego bytowania.

Lecznictwo ambulatoryjne

Lecznictwo ambulatoryjne tworzy w Polsce sieć poradni zdrowia psychicznego. Lekarze udzielają tu porad, prowadzą leczenie, w razie potrzeby kierują chorych do szpitali, interweniują w ich sprawach bytowych i innych. Przy niektórych poradniach zdrowia psychicznego działają oddziały dzienne i środowiskowe o różnym profilu, kluby, grupy psychoterapeutyczne.

Lecznictwo szpitalne

Lecznictwo szpitalne to oddziały psychiatryczne w szpitalach ogólnych i szpitale psychiatryczne. Psychiatryczne leczenie szpitalne bywa konieczne w przypadku nasilonych zaburzeń, których leczenie w poradni byłoby nieskuteczne albo niebezpieczne ze względu na zagrożenie, jakie bezkrytyczni chorzy mogliby stanowić dla siebie lub otoczenia. Według obowiązujących zasad, do szpitala mogą być przyjęci chorzy skierowani do szpitala przez lekarzy (na własną prośbę lub na życzenie rodzin, jeśli nie są w stanie kierować swoim postępowaniem), albo na mocy orzeczenia sądu lub decyzji prokuratora wspartych opinią biegłych. Skierowanie musi zawierać wyraźne stwierdzenie konieczności leczenia lub obserwacji w szpitalu psychiatrycznym oraz ocenę czy pacjent zagraża sobie lub innym. Według wprowadzonej obecnie (styczeń 1995) Ustawy o ochronie zdrowia psychicznego, zasadą ma być przyjmowanie do szpitali psychiatrycznych za pisemną zgodą chorego. Przyjęcie chorego bez jego zgody jest możliwe tylko w wyjątkowych przypadkach i zawsze poddane kontroli sądu opiekuńczego. Natychmiastowe przyjęcie jest możliwe w przypadku, gdy zachowanie chorego zagraża bezpośrednio jego życiu albo zdrowiu lub życiu innych osób. W tym przypadku decyzja taka wymaga późniejszego rozeznania i potwierdzenia przez sąd. W sytuacji gdy podobne niebezpieczeństwo byłoby prawdopodobne w niedalekiej przyszłości lub gdy chory nie byłby zdolny do samodzielnego zaspokajania swoich podstawowych potrzeb życiowych, sąd najpierw rozpatrywałby tę sprawę (na wniosek rodziny lub innych uprawnionych osób) i dopiero potem postanawiał o umieszczeniu w szpitalu psychiatrycznym.

Oddziały psychiatryczne w Polsce obsługują określone rejony kraju. W celu zapewnienia ciągłości opieki współpracują z odpowiednimi poradniami rejonowymi (tzw. subrejonizacja). Dla znacznej większości chorych pobyt w szpitalu jest epizodem w ich życiu, czasem powtarzającym się okresowo. Częste dawniej przewlekanie się leczenia szpitalnego wynikało głównie z braku skutecznych metod leczenia, a także z tzw. hospitalizmu, tj. „choroby szpitalnej”, czyli przesadnego przystosowania się chorych do życia w szpitalu z utratą zdolności do życia poza nim. Współczesne szpitale starają się minimalizować to zjawisko przez stosowanie kompleksowej terapii farmakologicznej i społecznej coraz częściej wspomaganych psychoterapią.

Pośrednie formy lecznictwa

Mają one na celu ograniczenie potrzeby leczenia szpitalnego, czyli hospitalizacji, do niezbędnego minimum. Do form tych należą zwłaszcza: hospitalizacja częściowa (dzienna, nocna), tzw. hospitalizacja domowa (intensywne leczenie w domu chorego), różne inne eksperymentalne formy leczenia, alternatywne wobec hospitalizacji, ośrodki i oddziały środowiskowe, środowiska zastępcze, zakłady pracy chronionej, mieszkania chronione. Istotą tych form leczenia jest stworzenie różnych możliwości wspierania wysiłku adaptacyjnego chorych tak, by ograniczając czas trwania hospitalizacji stopniowo wprowadzać ich w obciążenia związane z warunkami pozaszpitalnymi. Formy pośrednie zwiększają różnorodność sieci dostępnych świadczeń społecznych stanowiących dla potrzebujących tego chorych tzw. system oparcia społecznego.

Psychiatria środowiskowa

Psychiatria środowiskowa to całościowe przedsięwzięcie organizacyjne, mające na celu zmniejszenie rozmiarów zaburzeń psychicznych, a zwiększenie potencjału zdrowia psychicznego w skali całych środowisk (gmin, miast, rejonów wiejskich i in.). Polega ono na oddziaływaniu na te środowiska za pośrednictwem różnych służb społecznych (medycznych, administracyjnych, policyjnych, oświatowych, duszpasterskich i in.) i inicjatyw organizacyjnych, szkoleniowych, propagandowych, a także przez tworzenie różnorodnych form pomocy, w tym także pomocy psychiatrycznej. Idee te, realizowane z różnym powodzeniem od kilkunastu lat za granicą, są przedmiotem eksperymentu w kilku rejonach naszego kraju.

PSYCHOLOGIA

I. PRZEDMIOT I ZAKRES ZAINTERESOWAŃ PSYCHOLOGII

Nazwa psychologia (gr. *psyche* – dusza; *logos* – słowo) wywodzi się z okresu, w którym problemy związane z psychiką człowieka rozważano w ramach filozofii i teologii. Od połowy XIX w. psychologia wyodrębniła się jako samodzielna dyscyplina naukowa. Przedmiotem psychologii współczesnej jest opis i wyjaśnienie zachowania człowieka w jego kontaktach z otoczeniem. Wyróżnia się: psychologię teoretyczną, zwaną także psychologią ogólną, oraz psychologię stosowaną.

Psychologia ogólna zajmuje się badaniem: procesów psychicznych (procesy poznawcze, emocjonalno-motywacyjne, decyzyjne), osobowości, różnic indywidualnych między ludźmi, zachowań społecznych.

Psychologia stosowana to nauka wykorzystująca wiedzę teoretyczną w różnych dziedzinach działalności człowieka. Najbardziej rozwiniętymi działami psychologii stosowanej są: psychologia wychowawcza, psychologia kliniczna, psychologia pracy i psychologia sądowa. Psychologia wychowawcza zajmuje się: doborem treści i optymalnych metod wychowania i nauczania, zasadami organizacji placówek wychowawczych, poradnictwem szkolnym. Psychologia kliniczna zajmuje się: opisem i klasyfikacją zaburzeń zachowania, wyjaśnianiem mechanizmów ich powstawania, wypracowywaniem metod usuwania lub łagodzenia zaburzeń, a także profilaktyką w tym zakresie. Psychologia pracy podejmuje problematykę związaną z przystosowaniem warunków pracy do potrzeb i możliwości pracowników, formułuje kryteria doboru kandydatów na określone stanowiska pracy, zajmuje się wyjaśnianiem i rozwiązywaniem konfliktów wiążących się z pracą w zespole. Psychologia sądowa koncentruje się na badaniu motywacji czynów przestępczych, wiarygodności zeznań świadków, poszukiwaniu metod resocjalizacji i profilaktyki przestępczości. Obok wymienionych działów rozwijają się też takie gałęzie psychologii stosowanej, jak psychologia sztuki, sportu, nauki, handlu.

Ze względu na rozbudowany i zróżnicowany zakres zainteresowań, psychologia jest ściśle związana z takim dziedzinami wiedzy, jak: medycyna (zwłaszcza anatomia układu nerwowego i fizjologia oraz psychopatologia), filozofia (teoria poznania, teoria wartości), socjologia (procesy zachodzące w grupach społecznych, mechanizmy kształtowania się postaw społecznych), pedagogika, matematyka (np. symulowanie procesów myślenia), cybernetyka (prawa przekazywania odbioru i informacji).

II. MODEL CZŁOWIEKA W ŚWIETLE TEORII PSYCHOLOGICZNYCH

Mimo stałego wzrostu wiedzy o człowieku i mechanizmach jego zachowania, psychologia nie opracowała dotąd zwartej i jednolitej koncepcji człowieka. Sposoby pojmowania człowieka różnią się w zależności od teorii psychologicznej, na gruncie której powstały. Można zatem mówić o modelu człowieka w ujęciach: behawioralnym (ang. *behavior* – zachowanie), psychodynamicznym, psychologii poznawczej i psychologii humanistycznej.

Z koncepcji behawioralnych za najbardziej cenną uważa się wiedzę o roli środowiska, kar i nagród w modelowaniu zachowania człowieka, wiedzę o przebiegu i prawach procesu uczenia się. Wiedza z kręgu psychoanalizy na trwałe wprowadziła do psychologii pojęcie nieświadomości, nadała wagę nieświadomym motywom zachowania człowieka, pobudziła zainteresowanie sferą seksualnego funkcjonowania. Koncepcje poznawcze poszerzyły wiedzę o procesach orientacyjnych, decyzyjnych, stylach porozumiewania się ludzi. Psychologia humanistyczna podniosła znaczenie twórczej aktywności człowieka, zaakcentowała niepowtarzalną wartość jednostki, nadała rangę autonomii, sformułowała zasady optymalnego wzorcowego kontaktu między terapeutą a osobą będącą podmiotem jego oddziaływania.

Teorie behawioralne

Behawioryzm. Według tej teorii zachowanie człowieka jest w pełni sterowane przez środowisko zewnętrzne. Każdy bodziec płynący z otoczenia wywołuje wymierną reakcję ze strony organizmu (ruchy mięśni, reakcje sterowane przez autonomiczny układ nerwowy, reakcje słowne). Wśród bodźców wyróżnia się bodźce bezwarunkowe i bodźce warunkowe. Bodźce bezwarunkowe to czynniki wywołujące reakcje wrodzone, zwane także odruchami bezwarunkowymi, np. wydzielanie śliny jako reakcja na widok pokarmu. Bodźce warunkowe wywołują reakcje wyuczone, nabyte. Skojarzenie w czasie dowolnego bodźca obojętnego z bodźcem bezwarunkowym prowadzi do wywołania reakcji warunkowej na obojętny dotąd bodziec – proces ten nosi nazwę warunkowania klasycznego. Innym rodzajem warunkowania jest warunkowanie instrumentalne, zwane również sprawczym, polegające na utrwalaniu pożądanych reakcji przez pozytywne wzmacnianie występujących spontanicznie odruchów. Wzmocnienie pozytywne (nagroda) to specyficzne zdarzenie zwiększające tendencję do powtórzenia reakcji, utrwalające związek między bodźcem a reakcją. Wzmocnienie pozytywne może mieć charakter pierwotny, gdy zaspokaja potrzebę pierwotną (np. pokarm), lub wtórny, gdy zaspokaja potrzebę nabytą w procesie resocjalizacji (np. pochwała słowna). Kara, czyli wzmocnienie negatywne, to zdarzenie niepożądane, niekorzystne dla człowieka. Wzmocnienie negatywne pierwotne mogą stanowić bodźce bólowe, zagrażające organizmowi. Przykładem wtórnego wzmocnienia negatywnego może być dezaprobata słowna. Człowiek w swym zachowaniu dąży do uzyskiwania nagród i unikania kar.

Neobehawioryzm, teoria mniej skrajna od ortodoksyjnego behawioryzmu zakłada, że zachowanie człowieka jest funkcją nie tylko bodźców zewnętrznych, ale i „zmiennych pośredniczących" – osobniczych, takich jak nabyte doświadczenie, stan emocjonalny, motywy działania. Zachowanie człowieka stanowi całość ukierunkowaną na osiągnięcie celu.

Teoria społecznego uczenia się. W myśl tej teorii zachowanie człowieka, jego reakcje, sposoby postępowania w określonych sytuacjach są wynikiem procesu społecznego uczenia się. W procesie uczenia się człowiek przyswaja sobie różne formy zachowań – od prostych, elementarnych czynności do form złożonych. Proces uczenia się przebiega zgodnie z prawami generalizacji, różnicowania, wygaszania. W procesie generalizacji reakcja wyuczona na określony bodziec przenosi się na bodźce do niego podobne. W procesie różnicowania, odwrotnie – wytwarzają się reakcje odmienne na podobne do siebie bodźce. Proces wygaszania prowadzi do zmniejszenia się tendencji do występowania określonej reakcji w miarę jej powtarzania bez wzmocnienia pozytywnego. Utrwalone powiązania między bodźcem a reakcją są nazywane nawykami.

Zaburzenia zachowania w ujęciu teorii uczenia się stanowią rezultat nieprawidłowych, wytworzonych w różnych okresach rozwojowych nawyków.

Terapia oparta na teoriach behawioralnych ma na celu oduczanie lub przeuczanie zachowań niepożądanych i utrwalanie zachowań pożądanych z punktu widzenia przystosowania jednostki do warunków środowiskowych. Terapeuta kontroluje zachowanie chorego, utrwalając zachowania pożądane przez udzielanie nagród (wzmocnienie pozytywne) i wygaszając zachowania nieprzystosowcze przez stosowanie kar (wzmocnienie negatywne bądź brak wzmocnienia pozytywnego). Przykładem takiej terapii może być terapia awersyjna stosowana w leczeniu uzależnienia alkoholowego. Polega ona na jednoczesnym podawaniu alkoholu z bodźcem negatywnym (środki farmakologiczne o działaniu wymiotnym). Postępowanie takie prowadzi do wywołania nowego odruchu, jakim jest odruch wymiotny po spożyciu alkoholu lub na sam jego widok.

Teorie psychodynamiczne

Psychoanaliza w ujęciu klasycznym, związanym z nazwiskiem S. Freuda, zwana również psychologią głębi, przyjmuje, że zachowanie człowieka jest ukierunkowane przez wewnętrzne siły, pozostające ze sobą w stałym konflikcie. Aparat psychiczny człowieka składa się z trzech sfer: Id, Ego i Super-Ego. Sfera Id zawiera wrodzone, nieuświadomione popędy oraz wyparte ze świadomości konflikty wewnętrzne i rządzi się zasadą przyjemności (dążenie do zaspokojenia popędów). W sferze Ego mieszczą się, wyuczone w toku indywidualnego rozwoju, świadome formy zachowania. Super-Ego to przyswojone, uwewnętrznione normy, wymagania i wzorce kulturowe.

W obronie przed naciskami ze strony Id i Super-Ego, Ego uruchamia tzw. mechanizmy obronne umożliwiające kompromisowe, a więc liczące się z wymaganiami rzeczywistości i normami Super-Ego zaspokajanie popędów. Do mechanizmów obronnych należą: represja – wypieranie ze świadomości treści przykrych, zagrażających; stłumienie – niedopuszczanie do świadomości nieaprobowanych uczuć i dążeń w obawie przed negatywną reakcją otoczenia; sublimacja – zastępcze zaspokajanie potrzeb nieakceptowanych społecznie w formie zyskującej uznanie; introjekcja – przyjmowanie za własne cudzych cech, sposobów zachowania; projekcja – przypisywanie innym własnych, nieakceptowanych cech i dążeń; fiksacja – uporczywe powtarzanie pewnych form zachowania bez względu na sytuację; regresja – zaspokajanie popędów przez utrwalone we wcześniejszych fazach rozwoju sposoby zachowania; racjonalizacja – dobieranie rozsądnej, możliwej do zaakceptowania interpretacji do zachowań mających w istocie inne, pozostające w konflikcie z uznawanymi normami, przyczyny.

W swym rozwoju człowiek wiąże się emocjonalnie z coraz to innymi obiektami i przechodzi przez fazy: oralną, analną, falliczną i genitalną. W fazie oralnej sferę, w której gromadzi się energia libidalna (tj. energia psychiczna związana z popędami), stanowią usta, a czynnościami rozładowującymi energię są czynności ssania i gryzienia. W fazie analnej sferą gromadzenia się energii libidalnej jest odbyt, czynnościami rozładowującymi jest zatrzymywanie bądź wydzielanie kału, moczu. W fazie fallicznej sferą erogenną są narządy płciowe, czynnością rozładowującą napięcie jest samogwałt. W fazie genitalnej sferą erogenną są także narządy płciowe, czynnościami rozładowującymi zaś kontakty seksualne z partnerem. Zatrzymanie energii libidalnej na jednej z wcześniejszych faz rozwojowych prowadzi do powstawania zaburzeń psychicznych. Inną przyczynę zaburzeń w prawidłowym rozwoju psychicznym stanowi wadliwe rozwiązanie „sytuacji edypalnej", prowadzące do utrwalania się kompleksu Edypa u chłopców i jego odpowiednika u dziewcząt – kompleksu Elektry. Istotą tych kompleksów jest traktowanie przez dziecko rodzica płci przeciwnej jako obiektu zainteresowania seksualnego i przyjęcie postawy rywala wobec rodzica tej samej płci.

Neopsychoanaliza, psychoanaliza społeczna. W ujęciu tego kierunku zachowaniem człowieka sterują nie tylko wrodzone popędy. Większość popędów ma charakter wtórny, tj. są one nabywane w procesie socjalizacji. Zasadniczy konflikt zachodzi nie między wewnętrznymi siłami człowieka, ale w relacji człowiek – otoczenie. Konsekwencją nierozwiązanych konfliktów jest nasilanie się lęku, stanowiącego podłoże zaburzeń psychicznych. W okresie wczesnego dzieciństwa na skutek odrzucenia ze strony najbliższego otoczenia powstaje tzw. lęk podstawowy leżący u źródeł kształtowania się postaw neurotycznych.

Terapia o psychoanalitycznej orientacji polega na wydobyciu nieświadomych kompleksów i konfliktów, odreagowaniu emocji z nimi związanych (gr. *katharsis* – oczyszczenie) i poddaniu ich świadomej kontroli chorego. Psychoanalitycy stosują w terapii metodę analizy: wolnych skojarzeń, marzeń sennych, czynności pomyłkowych, a także tzw. przeniesienia i przeciwprzeniesienia. Zjawisko przeniesienia polega na przenoszeniu uczuć i postaw, jakie chory żywił w stosunku do własnych rodziców, na osobę terapeuty. Przeciwprzeniesienie to rzutowanie uczuć, postaw terapeuty na chorego.

Teorie poznawcze

Psychologia poznawcza. W świetle tej teorii człowiek stanowi podmiot własnej aktywności i przyjmuje wobec otoczenia postawę badacza, tj. odbiera informacje płynące z otoczenia, rejestruje je w pamięci, formułuje hipotezy wyjaśniające zarejestrowane zjawiska, sprawdza je w procesie przystosowania się i przekształcania rzeczywistości. W toku poznawania rzeczywistości tworzy tzw. konstrukty poznawcze, tj. systemy informacji o sobie i otaczającym świecie. Każdy człowiek tworzy indywidualny system konstruktów, różniący się od systemów innych ludzi poziomem złożoności, abstrakcji, plastyczności.

Zaburzenia w funkcjonowaniu psychiki człowieka powstają zarówno na skutek ograniczenia lub zniekształcenia dopływających informacji, jak i ich nadmiaru (efekt przeciążenia).

Terapia według założeń psychologii poznawczej polega na tym, że terapeuta razem z chorym formułuje problem, stawia hipotezy wyjaśniające jego istotę, podejmuje kolejne próby ich weryfikacji zmierzające do rozwiązania bądź przeformułowania problemu.

Teoria komunikacji wywodzi się z nurtu psychologii poznawczej. Przedstawiciele tej teorii koncentrują się na analizie procesu komunikacji, czyli sposobu porozumiewania się ludzi między sobą.

Terapia opierająca się na założeniach teorii komunikacji koncentruje się na: analizie sposobu, w jaki jednostka porozumiewa się z otoczeniem, wyeksponowaniu istniejących zakłóceń, dostarczeniu wzorów prawidłowego komunikowania się z ludźmi.

Teorie z kręgu psychologii humanistycznej

Psychologia humanistyczna zakłada, że człowiek stanowi jedność składającą się z „Ja psychicznego" i organizmu w rozumieniu biologicznym. Jedność ta ma charakter unikatowy, niepowtarzalny, co stanowi jej niepodważalną wartość. Człowiek z natury jest dobry – jego naturalne dążenia rozwojowe są pozytywne i konstruktywne.

Podstawową właściwością natury ludzkiej jest zdolność do stałego rozwoju, który odbywa się dzięki tkwiącym w każdej jednostce siłom twórczym. Rozwój ten jest możliwy, jeśli człowiek żyje w zgodzie ze swym organizmem i uruchamia cały swój potencjał rozwojowy. Pełną samorealizację utrudnia człowiekowi nieznajomość własnego „Ja", konieczność pełnienia różnorodnych, często ze sobą sprzecznych ról społecznych, życie w nie sprzyjającym klimacie psychologicznym. Człowiek, którego rozwój został zablokowany, nie jest osobą zdrową i wymaga pomocy.

Terapia według koncepcji psychologii humanistycznej ma na celu wyzwolenie możliwości rozwojowych jednostki przez usuwanie czynników blokujących ich rozwój. Podstawą oddziaływań jest nawiązanie właściwego kontaktu między terapeutą o osobą, której udziela on pomocy. Terapeuta powinien w pełni akceptować osobę zwracającą się do niego o pomoc, unikać ocen, wczuwać się w jej przeżycia (empatia), być autentyczny i partnerski. W trakcie sesji terapeuta zachęca osobę, z którą pracuje, do pełnego wyrażenia emocji, poznawania swych prawdziwych odczuć, dążeń i pragnień.

Regulacyjna teoria zachowania

W Polsce dużą popularność zyskała sobie regulacyjna teoria zachowania, wywodząca się z nurtu koncepcji poznawczych, powstała na podstawie oryginalnego wkładu polskich badaczy: T. Tomaszewskiego, J. Reykowskiego, K. Obuchowskiego, J. Kozieleckiego. Według tej teorii zachowanie człowieka jest regulowane przez procesy: orientacyjne, emocjonalno-motywacyjne oraz programująco-kontrolujące.

Procesy orientacyjne. W przebiegu tych procesów człowiek odbiera informacje płynące z otoczenia i wnętrza organizmu, przetwarza je budując jednolity obraz własnej osoby i sytuacji zewnętrznej. Informacje są odbierane za pośrednictwem analizatorów (oko, ucho, zmysł smaku, dotyku). Na podstawie wrażeń zmysłowych powstają spostrzeżenia, czyli odzwierciedlenia obrazów przedmiotów, zjawisk świata zewnętrznego, jak również procesów zachodzących wewnątrz organizmu. Spostrzeżenia te są przechowywane w pamięci. Na podstawie dawnych spostrzeżeń człowiek może odtwarzać obrazy przedmiotów i zjawisk obecnie nie występujących w otoczeniu, czyli tworzyć wyobrażenia. Wyobrażenia mogą mieć nie tylko charakter odtwórczy, ale i wytwórczy – człowiek buduje wyobrażenia przedmiotów, zjawisk nigdy nie oglądanych (np. fikcja literacka).

Przetwarzanie informacji zawartych w spostrzeżeniach i wyobrażeniach dokonuje się przez operacje myślowe. W myśleniu dorosłego człowieka ważną rolę odgrywają pojęcia. W pojęciach są odzwierciedlane ogólne, a zarazem istotne dla danego przedmiotu zjawiska i cechy.

Procesy emocjonalno-motywacyjne. Emocje stanowią odpowiedź organizmu na znaczenie, jakie ma dla przedmiotu określony bodziec. Różnią się one poziomem pobudzenia, znakiem i jakością. Poziom pobudzenia może przyjmować różne wartości – od pobudzenia maksymalnego (stany ekstazy), do stanów głębokiego smutku, apatii. Emocje mogą mieć znak ujemny (cierpienie, przykrość, niezadowolenie) lub dodatni (rozkosz, przyjemność, zadowolenie). Jakość emocji jest związana z charakterem bodźców je wywołujących. Reakcje emocjonalne wyrażają się: zewnętrzną ekspresją (mimika, pantomimika, ton i melodia głosu), zachowaniami wyładowującymi (ruch, mowa, śpiew), zmianami zachodzącymi w świadomości (rozpoznanie i nazwanie emocji), ustosunkowaniem do źródła emocji (podtrzymanie lub przerwanie kontaktu). Utrwalone ustosunkowanie emocjonalne wobec określonych obiektów (osób, przedmiotów, wartości) to uczucia. Uczucia wobec tego samego obiektu mogą być sprzeczne, czyli ambiwalentne (np. miłość i nienawiść, wstręt i pociąg), i wówczas stanowią przyczynę powstawania konfliktów emocjonalnych.

Procesy motywacyjne to wewnętrzne mechanizmy ukierunkowujące zachowania człowieka na osiągnięcie określonego celu. Procesy motywacyjne są uruchamiane w sytuacji zakłócenia równowagi organizmu wskutek niezaspokojenia potrzeb. Stan niezaspokojonej potrzeby, tzw. stan deprywacji, wywołuje napięcie aktywizujące do działania zmierzającego do przywrócenia stanu równowagi, czyli zaspokojenia potrzeby.

Czynnikami aktywizującymi do działania są motywy. Motywy związane z biologicznymi potrzebami organizmu (potrzeba pokarmu, płynu, ciepła, snu, wydalania, oddychania) nazywa się popędami bądź instynktami. Popęd jako samodzielna siła decyduje o zachowaniu człowieka tylko w szczególnych, patologicznych okolicznościach, np. w stanie upojenia alkoholowego, w stanie afektu patologicznego.

Do wrodzonych popędów zalicza się także niektóre, specyficzne dla człowieka potrzeby o charakterze psychospołecznym, jak popęd poznawczy, potrzeba kontaktu. Większość motywów wykształca się jednak w procesie rozwoju jednostki i wiąże się z zaspokajaniem tzw. potrzeb wyższych, społecznych, jak np. potrzeba osiągnięć, stowarzyszania się, aprobaty społecznej itp.

Zachowanie człowieka jest wypadkową wielu motywów o różnym kierunku i natężeniu. Osiągnięcie zamierzonego celu osłabia natężenie motywu i wzbudza emocje o znaku dodatnim. Im silniejszy motyw, tym większą ma zdolność do wyłączania innych, konkurencyjnych motywów. Motywy niezgodne z normami przyjętymi przez jednostkę, z oczekiwaniami społecznymi budzą lęk i są obronnie tłumione. Motywy uruchamiające działania w kierunku zaspokajania sprzecznych potrzeb (np. potrzeba zależności i potrzeba autonomii) prowadzą do powstawania konfliktów wewnętrznych.

Procesy programująco-kontrolujące. Człowiek podejmuje działania na podstawie informacji o własnej osobie i sytuacji zewnętrznej. Zdobywaniu tych informacji towarzyszą emocje będące siłą napędową do działania. Motywy ukierunkowują działanie przypisując wartości poszczególnym celom, ustalają hierarchię tych celów. Podejmując decyzję jednostka wybiera określone działanie na podstawie subiektywnej oceny wartości, jaką stanowi dla niej określony cel, i stopnia prawdopodobieństwa, z jakim ten cel może być osiągnięty. Następnie buduje program działania, czyli plan zsynchronizowanych czynności ukierunkowanych na uzyskanie zamierzonego wyniku. Najprostsze, zautomatyzowane programy działania to nawyki. Skuteczne działanie jest możliwe, jeżeli każda z kolejno wykonanych czynności podlega kontroli i ocenie ze względu na prawidłowość jej przebiegu. W sytuacjach, gdy na drodze do celu pojawiają się przeszkody, sposoby działania ulegają modyfikacji. Po wyczerpaniu możliwości modyfikacji, w sytuacji, gdy prawdopodobieństwo osiągnięcia celu zbliża się do zera, dochodzi zazwyczaj do przeformułowania zadania.

Procesy programująco-kontrolujące to procesy, w toku których człowiek uwzględniając własne pragnienia, ale także i cechy rzeczywistości, opracowuje strategię postępowania i realizuje ją korzystając z informacji zwrotnych o wynikach osiąganych na każdym z etapów działania.

Centralny system regulujący przebieg wszystkich wyżej omówionych procesów i integrujący całokształt zachowania jednostki to osobowość.

Osobowość to właściwy jednostce indywidualny, względnie trwały system potrzeb, nawyków, motywów i schematów działania, system wiedzy o sobie i otaczającym świecie. Osobowość tworzy się i doskonali w toku indywidualnego rozwoju jednostki dzięki procesom dojrzewania, uczenia się i przystosowywania do biologicznych i społeczno-kulturowych wymogów środowiska.

Prawidłowo rozwinięta, dojrzała osobowość to osobowość zintegrowana, zdolna do samokontroli i samoregulacji. Miernikiem integracji jest zdolność do wytworzenia uporządkowanego, uwzględniającego cechy rzeczywistości obrazu własnej osoby, świata, a także względnie trwałego, zhierarchizowanego systemu wartości.

Samokontrola to umiejętność panowania nad impulsami, zdolność do pogodzenia sprzecznych pragnień i motywów, wyboru właściwej strategii prowadzącej do osiągnięcia zamierzonego celu.

Samoregulacja to zdolność do zachowania względnej niezależności od otoczenia. Przy nieprawidłowym rozwoju osobowości, wyjątkowo niekorzystnych czynnikach zewnętrznych dochodzi do zakłócenia w funkcjonowaniu mechanizmów regulujących.

III. ZACHOWANIE CZŁOWIEKA W WARUNKACH STRESU

Wyróżnia się dwa rodzaje stresu: stres biologiczny i stres psychologiczny.

Stres biologiczny, fizyczny, jest spowodowany przez bodźce szkodliwe dla organizmu, tzw. stresory, np. głód, zimno, wtargnięce drobnoustrojów chorobotwórczych. W obronie przed szkodliwymi bodźcami organizm uruchamia siły obronne, wzmagając m.in. wydzielanie hormonów kory nadnerczy. Gdy siła działających stresorów przekracza możliwości przystosowawcze organizmu, następuje faza wyczerpania równoznaczna z chorobą, w przebiegu której może nastąpić zgon.

Reakcja na stres biologiczny to nie tylko określone reakcje fizjologiczne. Towarzyszą jej również takie uczucia, jak ból, cierpienie, lęk przed inwalidztwem, śmiercią, osieroceniem bliskich.

Stres psychologiczny jest spowodowany przez czynniki zewnętrzne utrudniające lub uniemożliwiające zaspokojenie potrzeb, osiągnięcie określonych wartości. Są to najczęściej sytuacje nowe, z którymi jednostka jeszcze się nie zetknęła i nie dysponuje wystarczającą wiedzą o sposobach ich rozwiązywania, lub sytuacje wyjątkowo trudne, konfliktowe (zadania wymagające długotrwałego wysiłku, wyboru strategii działania przy niepewności co do jej skuteczności, świadomości ryzyka poniesienia znacznej straty).

Stres psychologiczny powoduje: wzrost napięcia psychicznego, pojawienie się lęku z towarzyszącymi mu objawami fizjologicznymi (przyspieszenie czynności serca, nadmierne pocenie, parcie na pęcherz, drżenie kończyn), gniew wyrażający się w działaniu agresywnym w stosunku do otoczenia lub własnej osoby.

Reakcja na stres psychologiczny przebiega w trzech fazach. W fazie mobilizacji wzrost napięcia psychicznego popycha do działania, zmusza do poszukiwania kolejnych sposobów zachowania. Po przekroczeniu określonego poziomu pobudzenia następuje faza rozstroju – zachowanie staje się mało plastyczne, nieprecyzyjne, mniej skuteczne. Dalszy wzrost napięcia emocjonalnego utrudnia lub wręcz uniemożliwia efektywne działanie, następuje faza destrukcji – podejmowane działania stają się przypadkowe, doraźne, niedostosowane do sytuacji; dochodzi do zaburzeń w funkcjonowaniu procesów poznawczych (zniekształcenie śladów pamięciowych, nieprawidłowe spostrzeganie, niemożność logicznego wiązania faktów), niechęć do działania i rezygnacja z osiągnięcia wytyczonego celu.

W fazach rozstroju i destrukcji przeważają reakcje obronne, nastawione na zmniejszenie obciążenia psychicznego jednostki bez oddziaływania na sytuację zewnętrzną. Reakcje te mogą mieć charakter ucieczki fizycznej, zmierzającej do wycofania się z pola zasięgu działania zagrażających bodźców, lub reakcji symbolicznych pod postacią różnych mechanizmów obronnych. Mechanizmy obronne uruchamiane zbyt wcześnie (tj. przed dokonaniem analizy sytuacji i przed wykorzystaniem dostępnych sposobów usunięcia przeszkód), stosowane nawykowo w sposób mało plastyczny, tracą swój przystosowawczy charakter prowadząc do zaburzeń, najczęściej o charakterze nerwicowym. Ich występowanie obniża wprawdzie do poziomu tolerowanego przez jednostkę powstałe w warunkach stresu napięcie, ale nie pozwala jej na efektywne, zakończone osiągnięciem zamierzonego celu działanie.

Reakcja na stres psychologiczny zależy od siły bodźców stresujących, ich znaczenia dla jednostki, a także od poziomu odporności jednostki. Odporność na stres jest zmienną indywidualną i zależy od pewnych wrodzonych i nabytych, fizjologicznych właściwości układu nerwowego, całokształtu doświadczenia życiowego, przyjętego systemu wartości. W pewnych granicach odporność na stres można wypracować przez trening w rozwiązywaniu sytuacji trudnych.

Wiele sytuacji stresowych to sytuacje społeczne, w których człowiek nie jest w stanie nawiązać i podtrzymać satysfakcjonujących kontaktów z innymi ludźmi, pełnić w satysfakcjonujący sposób określonych ról społecznych.

IV. PRZYCZYNY ZAKŁÓCEŃ W POROZUMIEWANIU SIĘ LUDZI

W procesie porozumiewania się biorą udział co najmniej dwie osoby: „nadawca" i „odbiorca". Nadawca nawiązuje kontakt w określonym celu (intencja) i przekazuje określone treści (wiadomości) w wybrany przez siebie sposób (sygnały słowne i pozasłowne, jak mimika twarzy, postawa ciała, ton i melodia głosu, reakcje wegetatywne). Odbiorca odbiera nadawane sygnały, odczytuje przekazaną wiadomość i interpretuje ją zgodnie z własną wiedzą i oczekiwaniami, co do przypuszczalnej intencji nadawcy.

Proces porozumiewania się może być zakłócony przez wiele czynników zarówno na etapie nadawania, jak i odbierania komunikatu.

Zakłócenia w nadawaniu informacji. Nadawca nie w pełni świadomy swych intencji może formułować przekazywane informacje nieprecyzyjne, nadawać sygnały sprzeczne lub niezrozumiałe dla odbiorcy. Niepełna świadomość co do intencji nawiązania kontaktu może wypływać z konfliktu między chęcią wyrażenia swych odczuć a potrzebą ich ukrycia, np. w obawie przed krytyką ze strony rozmówcy, ujawnieniem swych słabych stron itp. Tego typu konflikt pociąga za sobą selekcję przekazywanych treści i sprawia, że kontakt staje się pośredni, tj. taki, w którym nadawca nie mówi o sprawach dla siebie najistotniejszych. Taki sposób porozumiewania się spłyca kontakt, obniża atrakcyjność, wygaszając potrzebę jego podtrzymania. W relacjach tego typu dochodzi do narastania napięcia wypływającego z narzuconej sobie kontroli wypowiedzi, wykluczającego możliwość rozładowania emocji.

Utrwalona forma pośredniego porozumiewania się z wybraną osobą lub z wieloma ludźmi może przybierać postać tzw. gry. W grze osoba ją inicjująca ma dwa cele: jawny – społecznie akceptowany, i ukryty – nieakceptowany. W relacji typu „gra" porozumienie jest pozorne, a ewentualna satysfakcja z kontaktu jednostronna – odnosi ją osoba narzucająca grę i kontrolująca jej przebieg. Z kolei nadmierne ujawnianie bardzo osobistych treści także może zakłócać komunikację, budząc u partnera nieufność, znudzenie, zniecierpliwienie bądź poczucie zagrożenia w obawie przed koniecznością rewanżu w efekcie prowadząc do wycofania się z kontaktu.

Nadawanie komunikatów sprzecznych wewnętrznie jest dość często przyczyną braku porozumienia między ludźmi. W komunikatach takich sygnały słowne nie są zgodne w swej wymowie z sygnałami pozasłownymi, np. słowa wyrażają zadowolenie, radość, a mimika znudzenie lub rozdrażnienie. Wobec tak sprzecznych sygnałów odbiorca jest zdezorientowany, nie wie, czy ma zareagować na treść, czy też na formę przekazu. Komunikaty mogą być sprzeczne także w następstwie czasowym, np. matka przywołuje dziecko, aby się z nią przywitało, a następnie odsyła je, by umyło ręce.

Stałe poczucie niejasności co do emocjonalnego znaczenia wymienianych informacji prowadzi u obu stron zaangażowanych w kontakcie do wzrostu napięcia psychicznego, budzi lęk i uczucie zagrożenia. Tego typu komunikacja w rodzinie może stanowić przyczynę powstawania zaburzeń w funkcjonowaniu jej członków, a zwłaszcza partnerów słabszych, jakimi są dzieci. Negatywne doświadczenia emocjonalne z okresu dzieciństwa rzutują na kontakty z ludźmi w późniejszym, dorosłym życiu i są podstawą wielu konfliktów, a czasem nawet tendencji do izolowania się.

Zakłócenia w odbiorze informacji mogą wypływać z braku koncentracji odbiorcy na treści przekazu, z selektywnego odbioru nadawanych sygnałów, z błędnego odtworzenia lub nietrafnej interpretacji przekazywanych wiadomości. Nieuwaga lub uwaga wybiórcza powoduje pominięcie niektórych elementów komunikatu, co może zmieniać jego sens. Niektóre sygnały mogą ulec zniekształceniu, w odbiorze – odbiorca rejestruje nie to, co istotnie zostało powiedziane, lecz to, co chciałby usłyszeć, co byłoby zgodne z jego oczekiwaniami. Informacje niezgodne, sprzeczne z oczekiwaniami nie docierają do odbiorcy lub też ulegają zniekształceniu, zwłaszcza wówczas gdy odbiorca przeżywa silne emocje, jest do nadawcy wrogo ustosunkowany bądź uważa go za niewiarygodne źródło informacji.

Sytuacyjne zniekształcenia informacji. Proces porozumiewania się zachodzi w określonym kontekście sytuacyjnym. Wymiana myśli, poglądów, odczuć w warunkach nacisku czasowego, hałasu, zbyt silnych emocji – nie sprzyja porozumieniu. Zbyt duże napięcie emocjonalne partnerów sprawia, że dążą oni raczej do rozładowania własnych napięć, dania upustu emocjom niż do wymiany informacji.

W prawidłowo przebiegającym procesie porozumiewania się obie strony powinny udzielać sobie informacji o tym, jak zrozumiały i w jaki sposób przyjęły nadawane treści. Nieudzielanie informacji zwrotnych wywołuje u osób próbujących się porozumieć poczucie niepewności, czy i jak zostały zrozumiane, pozbawia je możliwości uzupełnienia wypowiedzi, dostosowania języka wypowiedzi do możliwości i preferencji partnera. Informacje zwrotne zbyt ogólnikowe, z przewagą ocen negatywnych, pouczeń, są odbierane jako atak na własną osobę, i jako takie budzą opór, wyrażający się często zniekształceniem informacji lub ich odrzuceniem.

Niepartnerski styl porozumiewania się. Przy tym stylu porozumiewania się człowiek koncentruje się wyłącznie na tym, co sam chce osiągnąć w kontakcie z rozmówcą lub wyłącznie na zamierzeniach partnera. Koncentracja na własnej osobie prowadzi do nieliczenia się z rozmówcą, jego intencjami i potrzebami. Koncentracja wyłącznie na rozmówcy prowadzi do rezygnacji z własnych potrzeb i dążeń. Niepartnerski styl porozumiewania się nie daje możliwości wyjaśnienia i uzgodnienia znaczeń, ujawnienia odczuć, wymiany informacji zwrotnych. Stwarza niebezpieczeństwo, że kontakt nie doprowadzi do pełnego porozumienia, będzie niesatysfakcjonujący przynajmniej dla jednego z partnerów.

V. ZASTOSOWANIA PSYCHOLOGII

Specjaliści w dziedzinie psychologii – psychologowie – są zatrudniani: w placówkach oświaty i wychowania (poradnie wychowawczo-zawodowe, szkoły), w placówkach służby zdrowia (poradnie zdrowia psychicznego, poradnie rehabilitacyjne, oddziały szpitalne, sanatoria), w placówkach wymiaru sprawiedliwości (zakłady wychowawcze, karne), w różnych instytucjach naukowych, a także w dużych zakładach produkcyjnych.

W placówkach oświaty i wychowania przeprowadza się badania psychologiczne uczniów. Są to badania kwalifikacyjne do określonego typu szkoły, do zajęć o charakterze reedukacyjnym i terapeutycznym. Wyniki tych badań stanowią podstawę do udzielania porad wychowawczych rodzicom i nauczycielom. Psycholog pracujący w szkole zajmuje się diagnozą niepowodzeń szkolnych, zaburzeń zachowania uczniów, służy swą pomocą w wyjaśnianiu i rozwiązywaniu konfliktów między uczniem a nauczycielem, uczniem a grupą rówieśniczą.

W placówkach służby zdrowia psychologowie zajmują się badaniem osób, które zgłaszają się o pomoc do poradni lub już są leczone szpitalnie. Przedmiotem badań są zaburzenia w funkcjonowaniu psychicznym oraz wyjaśnienie mechanizmów, które doprowadziły do powstania tych zaburzeń w powiązaniu z czynnikami sytuacyjnymi. Diagnoza powinna zawierać rokowania co do możliwości usunięcia lub złagodzenia stwierdzonych zaburzeń oraz sugestie odnośnie do sposobu postępowania terapeutycznego.

W placówkach wymiaru sprawiedliwości psychologowie zajmują się badaniem świadków, osób podsądnych lub odbywających karę. W sporządzanej opinii psycholodzy wysuwają hipotezy co do wiarygodności zeznań, motywów dokonywanych czynów przestępczych, opisują cechy osobowości sprawców sugerując właściwe metody resocjalizacji.

W zakładach pracy psychologowie przeprowadzają badania mające na celu uzyskanie wiedzy o właściwościach, jakie powinny posiadać osoby pracujące na danym stanowisku, oraz o zasadach optymalnej organizacji pracy i kierowania zespołem. Psycholog służy swą wiedzą i doświadczeniem w rozwiązywaniu konfliktów między pracownikami oraz pracownikami i kierownictwem.

W placówkach naukowych o różnym charakterze psychologowie zbierają i opracowują dane o psychologicznych aspektach takich zjawisk społecznych, jak przestępczość, uzależnienia (alkoholizm, narkomania), rozluźnienie więzi rodzinnych, społecznych. Na podstawie wiedzy teoretycznej budują programy nauczania szkolnego, formułują zasady organizacji ośrodków zbiorowego nauczania i wychowania, reguły postępowania profilaktycznego, wskazania do terapii przy użyciu metod psychologicznych.

Psychologiczne metody badania

W zależności od warunków, w jakich powstaje, i od celów, jakim ma służyć, zestawiana na podstawie badań psychologicznych diagnoza może mieć różny zakres i charakter. W zależności od postawionego problemu, psycholog dobiera odpowiedni zestaw psychologicznych metod badawczych. Do metod tych należą: 1) wywiad z osobą badaną, poszerzony o wywiad z osobami z jej najbliższego otoczenia, 2) obserwacja, 3) rozmowa psychologiczna, 4) eksperymenty, 5) testy, 6) analiza wytworów osoby badanej.

Wywiad polega na zebraniu informacji dotyczących historii życia osoby badanej, jej aktualnej sytuacji życiowej oraz układu rodzinnego.

Obserwacja to celowe i systematyczne spostrzeganie zachowania osoby badanej w określonych sytuacjach życiowych, rejestrowane w sposób obiektywny.

Rozmowa psychologiczna łączy cechy wywiadu i obserwacji. Osobą kierującą, wprowadzającą wątki tematyczne jest osoba badana, psycholog podtrzymuje rozmowę – zadaje dodatkowe pytania uściślające i wyjaśniające wypowiedzi, dzieli się swymi wrażeniami i odczuciami.

Eksperyment psychologiczny to doświadczenie przeprowadzone w warunkach kontrolowanych, tj. umożliwiających wydzielenie interesującego zjawiska, oddziaływanie na jego przebieg. E k s p e r y m e n t może mieć charakter l a b o r a t o r y j n y (przebiega w warunkach sztucznych, a reakcje osoby badanej są rejestrowane za pomocą aparatury) lub n a t u r a l n y (przebiega w warunkach zbliżonych do sytuacji życiowych). Odmianą eksperymentu naturalnego jest e k s p e r y m e n t k l i n i c z n y, w którym psycholog dobiera zadanie dla określonej osoby, tak aby móc sprawdzić hipotezę postawioną w toku poprzednio wykonanych badań.

Testy to obiektywne próby do badania przebiegu określonych procesów i cech psychicznych, dostarczające wyników dających się ująć liczbowo. Testy powinny spełniać określone wymagania – być: w y s t a n d a r y z o w a n e (zawierać dokładne informacje, co do sposobu ich przeprowadzania i interpretowania wyników), t r a f n e (mierzyć istotnie to zjawisko lub cechę, do pomiaru których zostały skonstruowane), r z e t e l n e (powtórne badanie tej samej osoby powinno dać taki sam lub zbliżony wynik, a błąd pomiaru powinien być niewielki i znany badaczowi), z n o r m a l i z o w a n e (uzyskane przez osobę badaną wyniki można odnieść do wyników uzyskiwanych przez populację, z której osoba badana się wywodzi). Testy można podzielić ze względu: na przedmiot badania, metodykę testu i sposób interpretacji wyników.

P r z e d m i o t b a d a n i a. Wyróżnia się testy do pomiaru ogólnych zdolności, uzdolnień specyficznych, cech osobowości. Do najczęściej stosowanych w praktyce psychologicznej należą testy do badania sprawności intelektualnej, takie jak skale: Wechslera-Bellevue, Binet-Termana, Termana-Merilla, test Ravena.

M e t o d y k a t e s t u. W zależności od zadania, które jest stawiane przed osobą badaną, wyróżnia się: testy typu „papier-ołówek" (inwentarze, kwestionariusze), testy wykonaniowe i testy projekcyjne.

W t e s t a c h t y p u „p a p i e r - o ł ó w e k" zadanie osoby badanej polega na pisemnej odpowiedzi na pytania bądź ustosunkowaniu się do podanych stwierdzeń. Najbardziej popularne kwestionariusze to: Eysencka, Cattella, WISKAD (Wieloobjawowa Skala Diagnostyczna).

T e s t y w y k o n a n i o w e to zadania wymagające wykonania określonych czynności, np. odwzorowania układu z klocków.

T e s t y p r o j e k c y j n e to testy prezentujące materiał niejasny, wieloznaczny (zamazane zdjęcia, obrazki, plamy), któremu osoba badana nadaje postać (strukturalizuje) i który interpretuje zgodnie z przeżyciami i doświadczeniami z przeszłości, nie zawsze wprost wyrażanymi potrzebami. Do najbardziej znanych testów projekcyjnych należą: TAT (Test Apercepcji Tematycznej), test plam barwnych Rorschacha, obrazkowy test frustracji Rosenzweiga, liczne wersje zdań niedokończonych.

Analiza wytworów to metoda badania obejmująca analizę: pisma odręcznego (grafologia), prac malarskich, pamiętników, życiorysów, różnych form literackich.

Diagnoza psychologiczna. Opisane wyżej metody badania nie są metodami samodzielnymi, lecz stanowią jedynie środek do uzyskania określonych informacji, pomagają psychologowi weryfikować kolejne hipotezy, dostarczają przesłanek do zestawienia końcowego podsumowania, czyli d i a g n o z y.

Działalność profilaktyczna

Opierając się na diagnozie osobowości jednostki i jej zachowania psycholog formułuje zasady postępowania zmierzającego do optymalizacji działań osoby badnej, wyeliminowania zaburzeń w jej funkcjonowaniu. Do tego typu działań należą: poradnictwo, reedukacja zaburzeń w procesie czytania, pisania, mowy, organizowanie społeczności leczniczej, prowadzenie grup treningowych.

Poradnictwo dotyczące problemów wychowawczych zmierza do zapewnienia dziecku warunków sprzyjających rozwojowi, do uchronienia go przed zadaniami przekraczającymi możliwości intelektualne i emocjonalne. W rozmowie z rodzicami psycholog ustala poziom wymagań i metody wychowawcze uwzględniające predyspozycje osobowościowe dziecka, takie jak poziom wrażliwości, system potrzeb i nawyków, poziom odporności na stres. Porady te są szczególnie istotne w wychowywaniu dzieci z różnymi formami zaburzeń rozwojowych.

Częstym problemem wychowawczym są niepowodzenia szkolne. Trafna diagnoza ich przyczyn pozwala na wybór właściwego postępowania. Gdy niepowodzenia szkolne są spowodowane globalnym obniżeniem możliwości intelektualnych (zob. Psychiatria, Zespół upośledzenia umysłowego, s. 1078, uczeń zostaje zakwalifikowany do szkoły specjalnej, która ze względu na zmniejszony zakres programu, specyficzne metody nauczania daje dziecku szansę na opanowanie podstawowych wiadomości, przygotowanie do zawodu. Gdy niepowodzenia szkolne są uwarunkowane dysharmoniami rozwojowymi (wybiórczymi obniżeniami takich sprawności, jak np. analiza, synteza wzrokowa, sprawność motoryczna), psycholog prowadzi z uczniem specjalne ćwiczenia usprawniające, udziela nauczycielom wskazówek co do sposobu przekazywania wiedzy i egzekwowania od ucznia wiadomości. Jeśli zaburzenia zachowania dziecka są uzależnione od warunków środowiskowych, jest podejmowana terapia rodzinna. Ma ona na celu poprawę funkcjonowania całej rodziny, zapewnienie każdemu z jej członków warunków do indywidualnego rozwoju, opierając się na silnej więzi rodzinnej.

„Społeczność lecznicza". Organizowanie na terenie oddziałów psychiatrycznych tzw. społeczności leczniczej zmierza do stworzenia atmosfery sprzyjającej leczeniu, w której chorzy czują się aktywnymi współgospodarzami oddziału, wypracowują normy i zasady współżycia, rozwiązują konflikty istniejące między nimi oraz między nimi i personelem. W oddziałach prowadzonych zgodnie z zasadami społeczności chorzy czują się nie tylko przedmiotem, ale i podmiotem oddziaływania, sprawują określone role społeczne nie tracąc kontaktu z realiami życia poza szpitalem, nie uzależniają się nadmiernie od szpitala jako instytucji.

Grupy treningowe są organizowane dla ludzi, którzy poszukują dróg własnego rozwoju, sposobu nawiązywania pełniejszych, bardziej satysfakcjonujących kontaktów z otoczeniem. Celem tych grup jest stworzenie warunków, w których uczestnicy mogliby poznać swe potrzeby, dowiedzieć się, jak są spostrzegani przez innych, zaobserwować formy zachowania innych członków grupy w określonych sytuacjach życiowych. Prowadzący grupę trener proponuje zadania dające uczestnikom szansę na przeżycie kształcących doświadczeń emocjonalnych.

Odmianą grup treningowych są tzw. grupy robocze, organizowane dla członków zespołu realizującego określone zadania. Grupy te są nastawione na doskonalenie sposobu porozumiewania się w zespole, dostarczenie bodźców aktywizujących do działań zmierzających do realizacji zadań stawianych przed zespołem.

Ważną formę działalności profilaktycznej w zakresie higieny psychicznej stanowi akcja oświatowa – odczyty, pogadanki, konsultacje.

Działalność rehabilitacyjna

Objęte są nią osoby z zaburzeniami w określonej sferze funkcjonowania. Jedną z form tego typu działalności jest reedukacja dysleksji i dysgrafii, czyli zaburzeń w procesie opanowywania czynności czytania i pisania. Reedukacja zmierza do usprawnienia obu tak ważnych w przyswajaniu wiedzy procesów poprzez ćwiczenia analizatora wzrokowego, słuchowego, sprawności ruchowej, koordynacji wzrokowo-ruchowej. W podobny sposób przebiegają ćwiczenia rehabilitacyjne prowadzone z osobami, u których stwierdzono zaburzenia funkcji na podłożu organicznego uszkodzenia mózgu. Duże osiągnięcia mają neuropsycholodzy w rehabilitacji zaburzeń o charakterze afazji (zaburzenia mowy). Postępowaniem rehabilitacyjnym są objęte również osoby przewlekle chore fizycznie, np. z chorobami narządów ruchu. Celem oddziaływań jest ułatwienie pacjentowi zaakceptowania choroby i ograniczeń, które ona ze sobą niesie, pomoc w zmianie celów i planów życiowych.

Psychoterapia

W zależności od rodzaju i mechanizmów powstawania zaburzeń w funkcjonowaniu danej osoby, jej możliwości i motywacji do leczenia, a także kwalifikacji zawodowych psychologa i charakteru instytucji, w której jest zatrudniony, psycholog proponuje różne formy oddziaływań o charakterze terapeutycznym. Celem terapii może być: nawiązanie i podtrzymanie kontaktu z osobą poszukującą pomocy, wzmocnienie zdrowych mechanizmów jej osobowości i możliwości przystosowawczych, uzyskanie przez nią wglądu w mechanizmy własnego zachowania, ograniczenie nasilenia i zakresu występowania dysfunkcji.

W zależności od postawionych celów terapia może mieć charakter krótkotrwałych lub systematycznych, planowanych na dłuższy okres oddziaływań. Krótkotrwałe oddziaływania podejmowane są w ramach tzw. interwencji kryzysowych. Są to działania doraźne mające spowodować obniżenie napięcia i podwyższenie nastroju osoby zwracającej się o pomoc, nauczenie jej form zachowania dających szansę na rozwiązanie istniejącej sytuacji konfliktowej. W toku jednego bądź kilku spotkań psycholog wraz z osobą poszukującą porady analizuje jej sytuację życiową, jak również różne warianty rozwiązań istniejących problemów. W celu obniżenia napięcia są stosowane techniki relaksacyjne. Są to ćwiczenia, w trakcie których osoba będąca w kryzysie uczy się kontroli napięcia fizycznego i rytmu oddechowego, osiąga stan odprężenia i wypoczynku.

Terapia długotrwała jest stosowana w stosunku do osób o utrwalonych, niekorzystnych z punktu widzenia przystosowania sposobach zachowania. Terapia polega na systematycznym oddziaływaniu psychologicznym w kontakcie z chorym lub w grupie chorych dobranych według określonych kryteriów. Psycholog w porozumieniu z lekarzem, a często i przy jego współpracy, formułuje cele terapii i dobiera środki do ich realizacji.

Techniki, którymi terapeuta posługuje się w swej pracy z chorym, można podzielić na techniki słowne, niewerbalne i sugestywne. Wśród *technik słownych* wyróżnia się: techniki niesymboliczne (jak np. rozmowa, dyskusja spontaniczna lub prowokowana) i techniki symboliczne, identyfikacyjne (*psychodrama*, tj. odgrywanie proponowanych przez terapeutę sytuacji realnych bądź wyobrażeniowych), dialogi z samym sobą lub realnymi albo fikcyjnymi osobami. Do *technik niewerbalnych* zalicza się: rysunek, muzykę, taniec, pantomimę. Materiał uzyskany w trakcie ustrukturalizowanych zajęć podlega analizie w indywidualnym kontakcie lub w ramach spotkań grupowych. *Techniki sugestywne* to relaks oparty na autosugestii i hipnoza.

AUTORZY

MAŁGORZATA BEDNARSKA - MAKARUK, ZOFIA BILLIP - BONIECKA, ALICJA BLAIM, EUGENIUSZ BUTRUK, KRYSTYNA CEGLECKA - - TOMASZEWSKA, DANUTA CHMIELEWSKA - SZEWCZYK, JOLANTA CHWALBIŃSKA - MONETA, WŁADYSŁAW J. CIASTOŃ, MAŁGORZATA CIŚWICKA - SZNAJDERMAN, WIESŁAW CZERNIKIEWICZ, ARTUR CZYŻYK, ANDRZEJ DANYSZ, ROMUALD DĘBSKI, WACŁAW DROSZCZ, ARTUR DZIAK, STANISŁAW FILIPECKI, MARIA GLIŃSKA - - SERWIN, TADEUSZ GÓROWSKI, WIESŁAW GRABAN, ZBIGNIEW STANISŁAW HERMAN, ANDRZEJ HLINIAK, BARBARA HOPPE, KAZIMIERZ IMIELIŃSKI, LEON JABŁOŃSKI, DANUTA JAKUBICZ, KAZIMIERZ JAKUBOWICZ, WIESŁAW JAKUBOWSKI, ZYGMUNT JANCZEWSKI, PRZEMYSŁAW JANIK, WANDA JARCZYK - CZEKALSKA, JÓZEF JETHON, ZYGMUNT KALICIŃSKI, GRAŻYNA KALIŃSKA - - REWERSKA, ANNA KASPERLIK - ZAŁUSKA, HENRYK KIRSCHNER, JADWIGA KOPCZYŃSKA - SIKORSKA, LECH KORNISZEWSKI, JACEK KORZYCKI, JADWIGA KOWALIK, JACEK W. KOWALSKI, IZABELA KOŻUCHOWSKA - ZACHAJKIEWICZ, LESZEK KRYST, KRYSTYNA KUBICKA, ZOFIA KURATOWSKA, JERZY LEOWSKI, MAŁGORZATA LISOWSKA, ZOFIA LIZINIEWICZ - KRZYWICKA, GRZEGORZ LUBOIŃSKI, KRZYSZTOF LUDWICKI, STANISŁAW LUFT, DANUTA ŁOZIŃSKA, ELŻBIETA ŁUKASZEWICZ, JANUSZ MAJCHRZAK, ANDRZEJ MAKOWSKI, BOGUSŁAW MALIŃSKI, LONGIN MARIANO-WSKI, WITOLD MAZUROWSKI, JACEK MICHAŁOWSKI, TADEUSZ MIKA, ANDRZEJ MUSIEROWICZ, KATARZYNA MUSKAT, KRYSTYNA NAZAR, BOGDANA NIESŁUCHOWSKA - FRYDRYCH, WOJCIECH NOSZCZYK, MIECZYSŁAW NOWAK, BARBARA NOWAKOWSKA - KOSMALSKA, MARIA OCHOCKA, BOGDAN ODYŃSKI, STANISŁAW ORZESZYNA, ALEKSANDER OŻAROWSKI, WOJCIECH PĘDICH, ROMAN POŁEĆ, ANIELA POPIELARSKA, WANDA POPŁAWSKA, JERZY L. POTOCKI, BOGDAN PRUSZYŃSKI, MARIA ROBOWSKA, ROMA ROKICKA - MILEWSKA, WOJCIECH ROWIŃSKI, IRENA RUDOWSKA, JOANNA RUDOWSKA - OKRASKO, BOGDAN SADOWSKI, JANUSZ SADOWSKI, ANDRZEJ SAWICKI, PIOTR SIEDLECKI, MARIA SIENIAWSKA, JAN SOBÓTKA, REGINA STAŃCZYK, ANDRZEJ STAPIŃSKI, EWA SZCZEPAŃSKA - SADOWSKA, MAREK SZNAJDERMAN, WIKTOR B. SZOSTAK, LECH SZTYMIRSKI, ANDRZEJ ŚRÓDKA, JERZY TAJCHERT, BOŻENA TARCHALSKA - - KRYŃSKA, TADEUSZ TOŁŁOCZKO, WACŁAW TORZ, KAZIMIERZ TRACZYK, BRONISŁAW TRZASKA, BOHDAN TRZECIAK, JADWIGA TUR, ALEKSANDER WAGNER, RYSZARD WASILEWSKI, JACEK WCIÓRKA, URSZULA WOJDA - GRADOWSKA, STEFANIA WOŁYNKA, ZBIGNIEW WRONKOWSKI, TADEUSZ ZALEWSKI, WOJCIECH ZAŁUCKI, EWA ZAWADZKA, ANDRZEJ ZAWADZKI

RECENZENCI

STANISŁAW BOGUSŁAWSKI, MARIA CHĄDZYŃSKA, HENRYK CHLEBUS, SABINA CHYREK-BOROWSKA, JANUSZ DASZYŃSKI, ARTUR DZIAK, ZDZISŁAW DZIUBEK, LESZEK GIEC, IRENA HAUSMANOWA-PETRUSEWICZ, JERZY HIGIER, STEFANIA JABŁOŃSKA, ZBIGNIEW KALETA, BOGDAN KAMIŃSKI, RUDOLF KLIMEK, FRANCISZEK KOKOT, TADEUSZ KOSZAROWSKI, MAŁGORZATA KOŚCIELSKA, STANISŁAW KOZŁOWSKI, ALEKSANDER KRAWCZUK, ZOFIA KRAWCZYKOWA, JAN ŁAŃCUCKI, KAZIMIERZ ŁODZIŃSKI, STEFAN MALAWSKI, ANDRZEJ MARCIŃSKI, SŁAWOMIR MAŚLIŃSKI, STEFAN MAZIARKA, JÓZEF MESZAROS, TADEUSZ MIKA, KRYSTYNA MOSKALEWSKA, MACIEJ MURKOWSKI, CZESŁAW NIŻANKOWSKI, ANDRZEJ OBERSZTYN, ZBIGNIEW PIĄTKOWSKI, STANISŁAW PUŻYŃSKI, STEFAN RASZEJA, EWA ROWIŃSKA-ZAKRZEWSKA, TADEUSZ ROŻNIATOWSKI, ALFRED SICIŃSKI, WIKTOR B. SZOSTAK, ZBIGNIEW SZRENIAWSKI, STANISŁAW SZYSZKO, JÓZEF TOWPIK, JACEK WCIÓRKA, TADEUSZ WRÓBLEWSKI, TERESA WYSZYŃSKA, LECH ZDUNKIEWICZ

Tablica 1

Bakterie chorobotwórcze

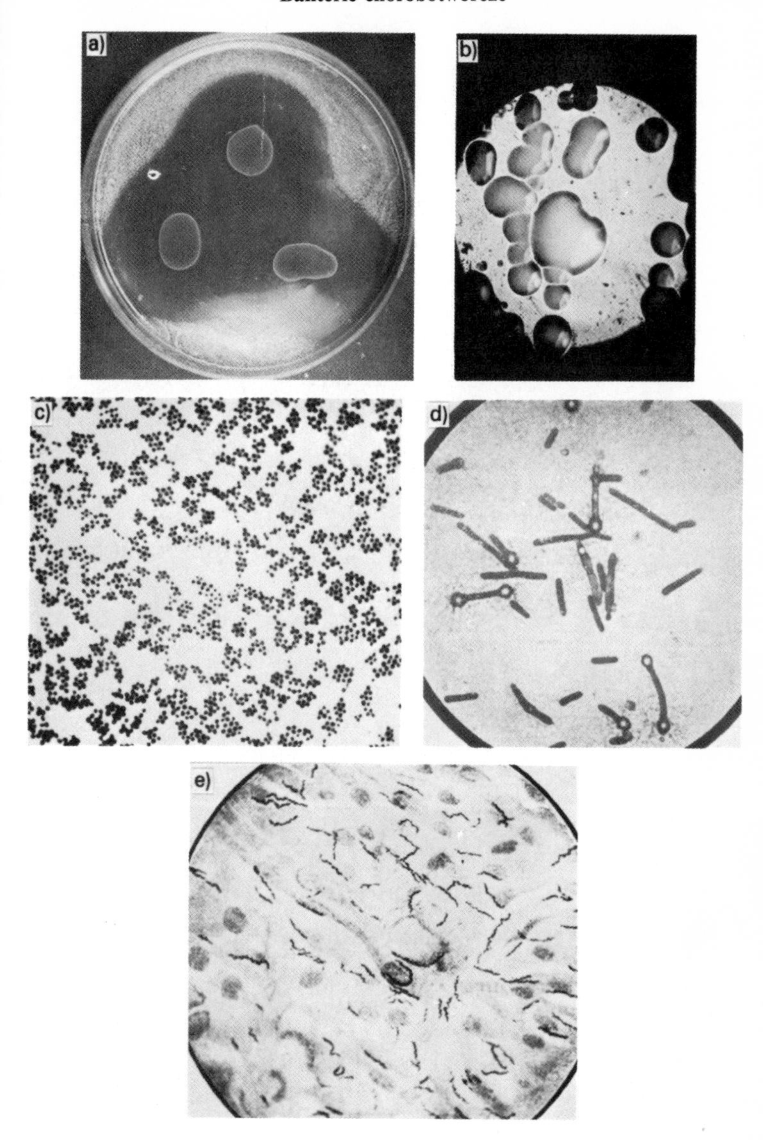

a) Antagonizm wzrostowy między koloniami bakterii (hodowla na płytce Petriego); b) Kolonie pałeczki jelitowej (*Escherichia coli*) (pow. × 4); c) Gronkowce (pow. × 1000); d) Maczugowce błonicy z ciałami wolutynowymi (pow. × 1600); e) Krętki blade, przyczyna kiły (pow. × 1400)

Tablica 2

Fizykoterapia

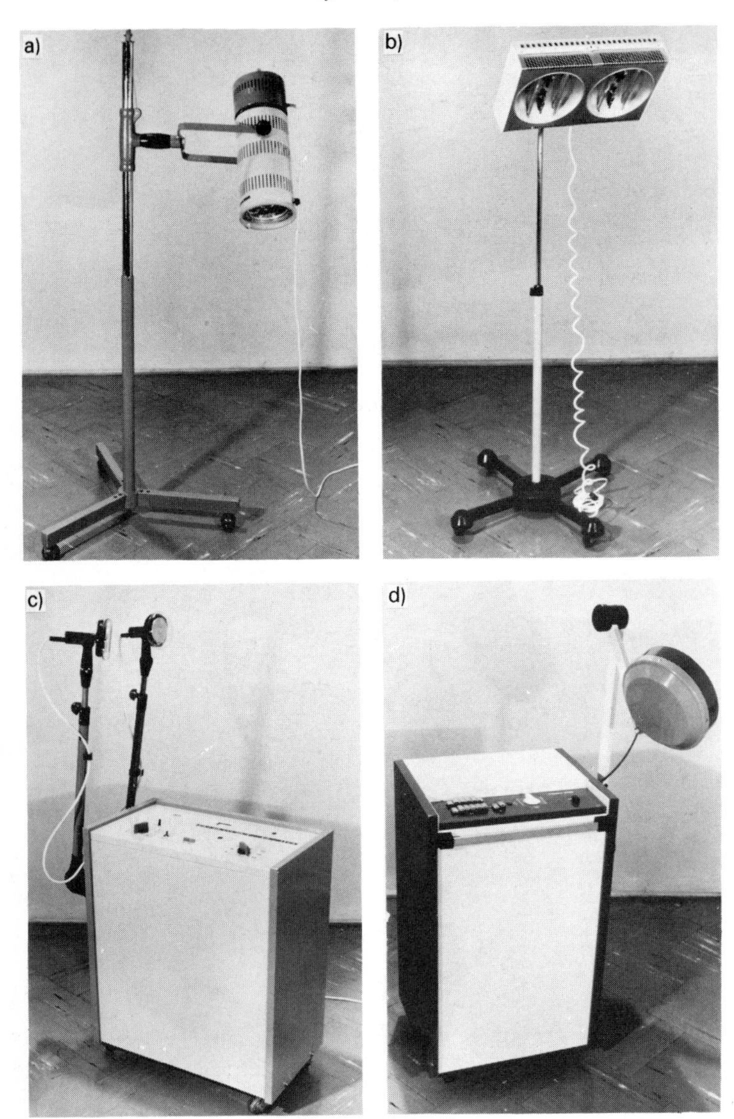

a) Lampa Sollux, typ LSK; b) Lampa kwarcowa, typ Emita VT-410; c) Aparat do diatermii krótkofalowej, Diamat G-10; d) Aparat do leczenia impulsowym polem magnetycznym wielkiej częstotliwości, Terapuls GS-200

Tablica 3

Fizykoterapia

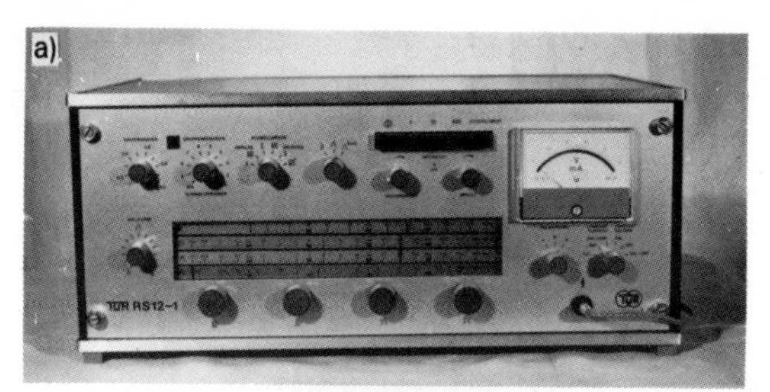

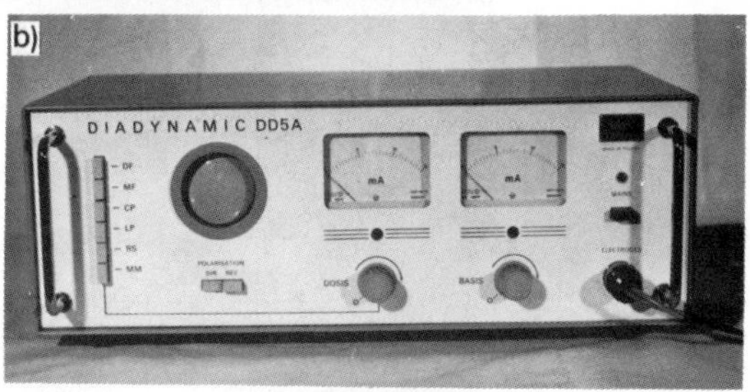

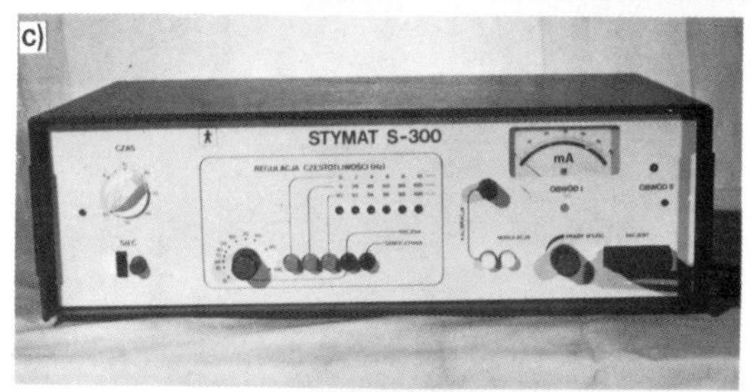

a) Elektrostymulator; b) Aparat do leczenia prądami diadynamicznymi; c) Aparat do leczenia prądami interferencyjnymi; d) Aparat do leczenia ultradźwiękami

Tablica 4

Diagnostyka wizualizacyjna

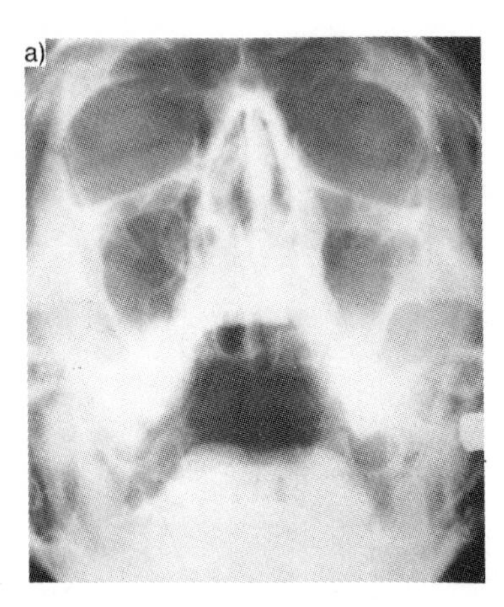

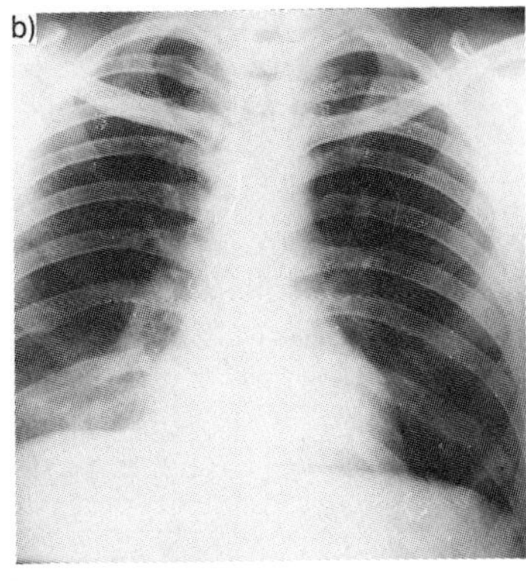

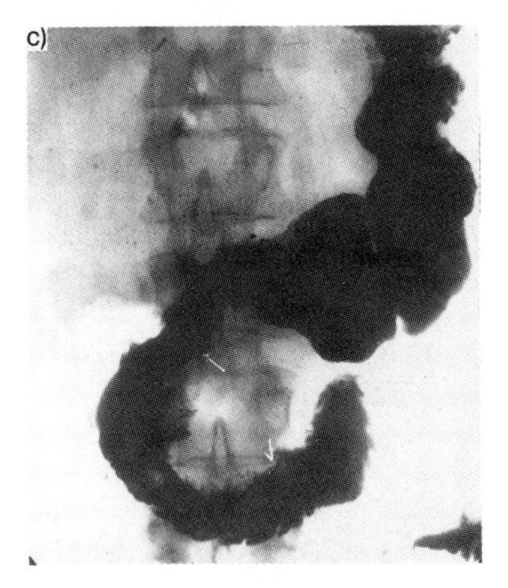

a) Zdjęcie rentgenowskie zatok obocznych nosa; b) Zdjęcie rentgenowskie narządów klatki piersiowej (zapalenie płuc u podstawy płuca prawego); c) Radiologiczne badanie żołądka i dwunastnicy po doustnym podaniu środka cieniującego (zawiesina siarczanu baru)

Tablica 5

Diagnostyka wizualizacyjna

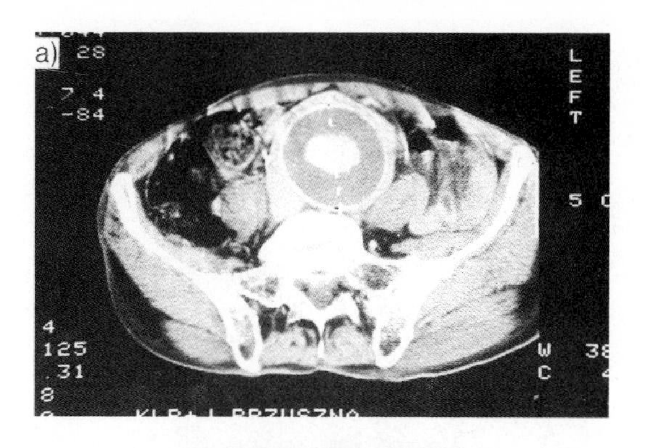

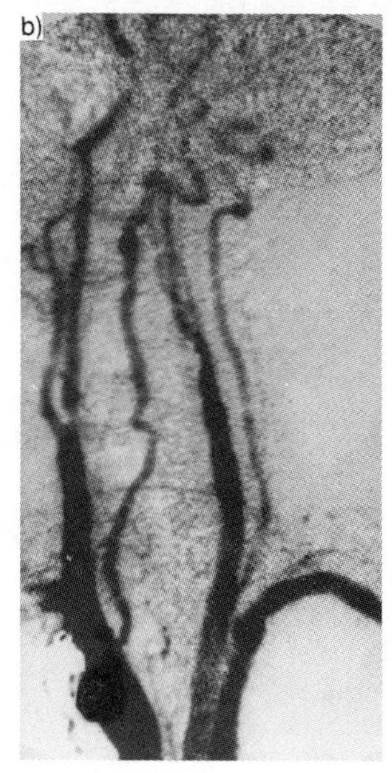

a) Tomografia komputerowa, tętniak aorty brzusznej; b) Cyfrowa angiografia subtrakcyjna, tętnice szyjne po dożylnym podaniu środka cieniującego (rozległe zmiany miażdżycowe)

Tablica 6

Diagnostyka wizualizacyjna

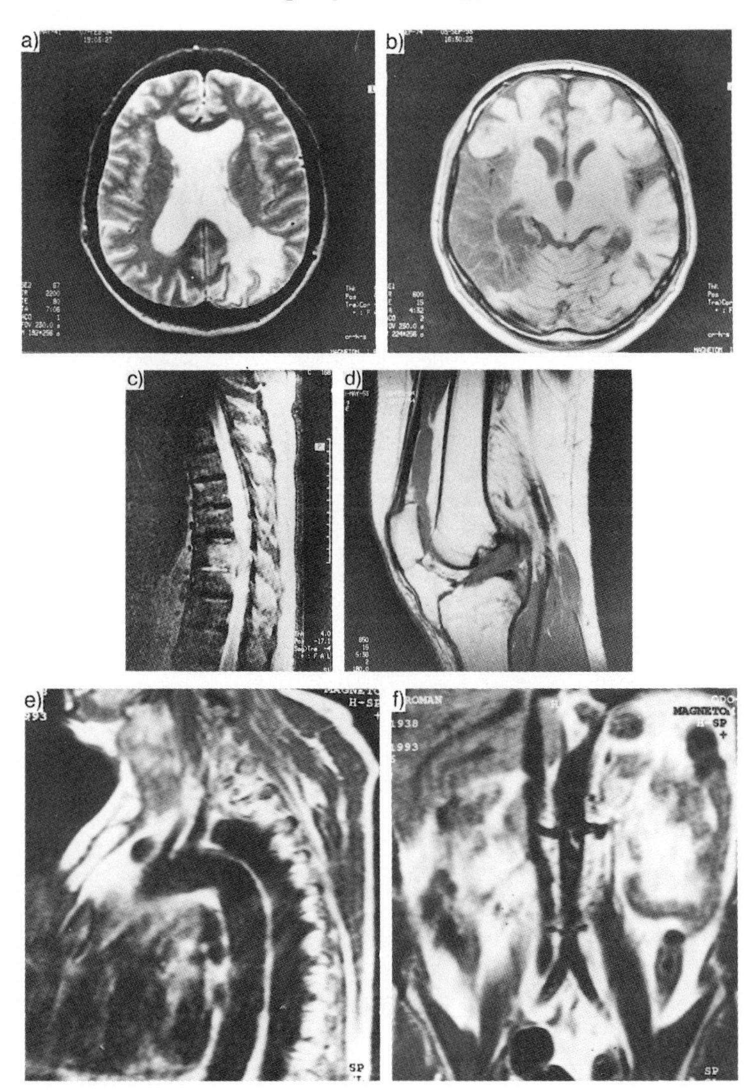

a) Magnetyczny rezonans mózgu, ognisko niedokrwienia w płacie potylicznym; b) Magnetyczny rezonans mózgu, zmiany zapalne po stronie prawej; c) Magnetyczny rezonans kręgosłupa piersiowego, przerzut nowotworowy do trzonu kręgosłupa uciskający rdzeń kręgowy; d) Magnetyczny rezonans stawu kolanowego; e) Magnetyczny rezonans aorty piersiowej; f) Magnetyczny rezonans aorty brzusznej wraz z żyłą główną dolną

Tablica 7

Diagnostyka wizualizacyjna

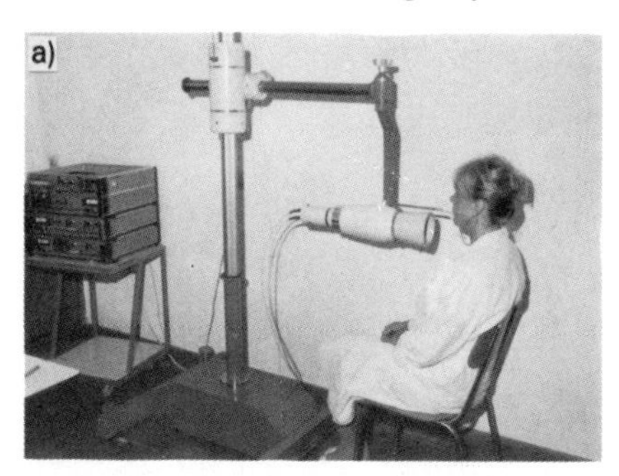

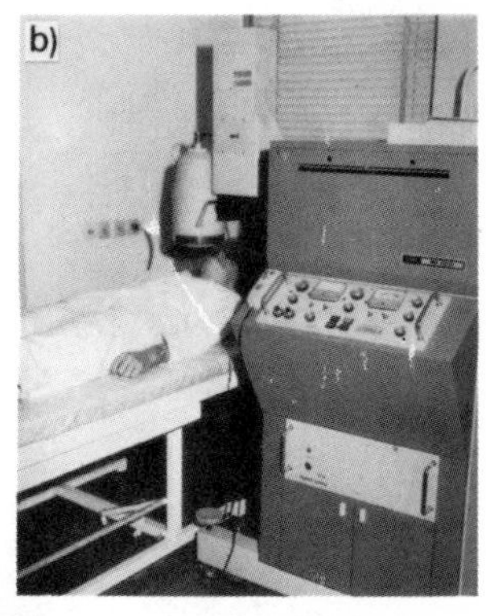

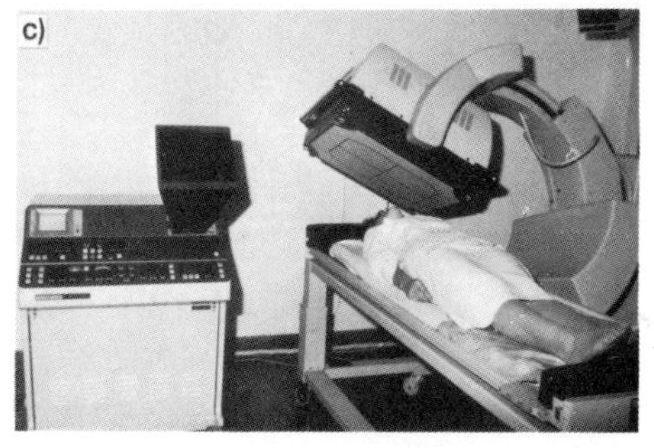

a) Zestaw do prostego pomiaru radioaktywności narządów; b) Scyntygraf liniowy; c) Gammakamera obrotowa; d) Przyrząd do automatycznych pomiarów radioaktywnych próbek

Tablica 8

Diagnostyka wizualizacyjna

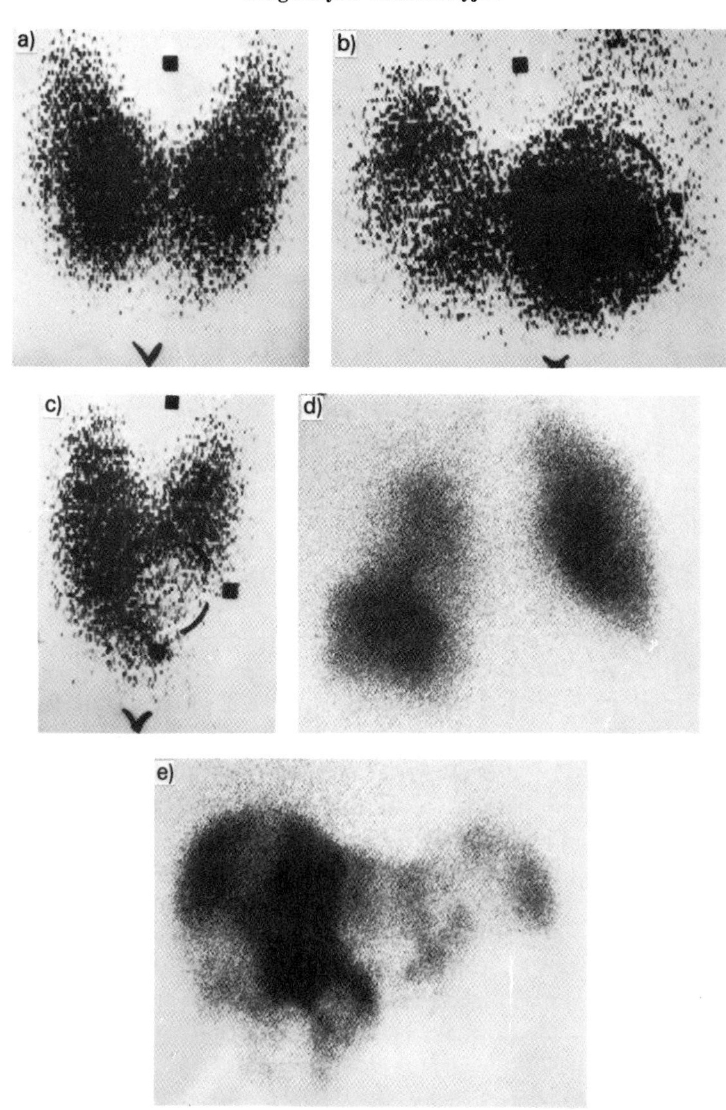

a) Scyntygram prawidłowej tarczycy; b) Scyntygram „gorącego" guzka tarczycy; c) Scyntygram „zimnego" guzka tarczycy; d) Scyntygram płuca w przypadku licznych zatorów płucnych; e) Scyntygram wątroby z licznymi przerzutami nowotworowymi

Tablica 9

Diagnostyka wizualizacyjna

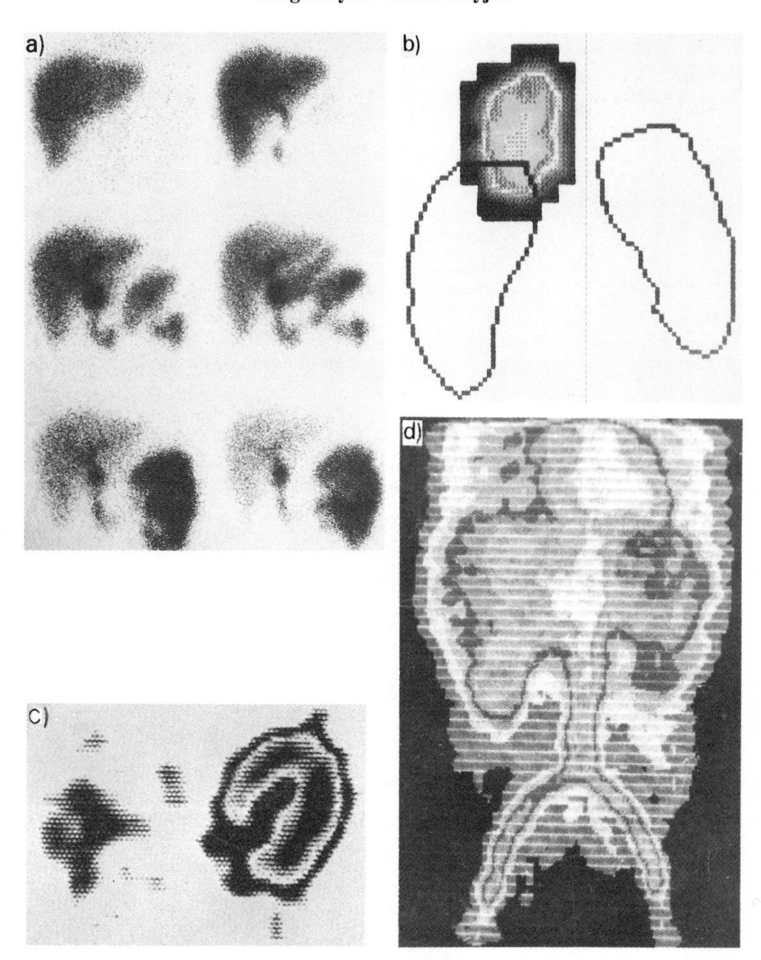

a) Scyntygram czynnościowy wątroby i dróg żółciowych w różnych okresach po wstrzyknięciu związku znakowego; b) Komputerowy scyntygram powiększonego nadnercza na tle obrysów nerek; c) Tomograficzna scyntygrafia serca wykonana przy użyciu promieniotwórczego talu; d) Badanie serca i dużych naczyń krwionośnych przy użyciu izotopów promieniotwórczych (matematyczne opracowanie obrazu)

Tablica 10

Diagnostyka wizualizacyjna

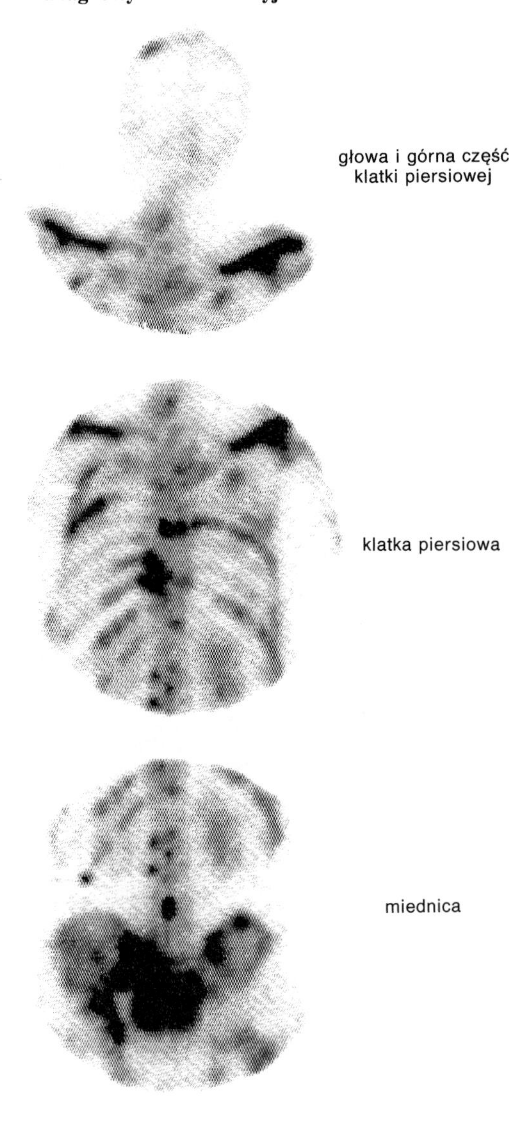

Scyntygrafia różnych obszarów układu kostnego

Tablica 11

Diagnostyka wizualizacyjna

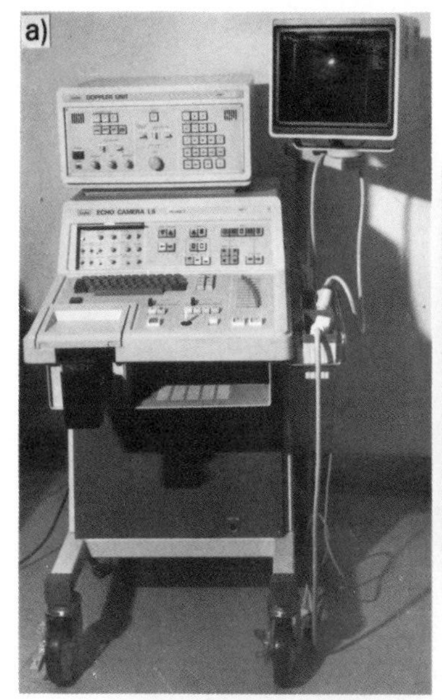

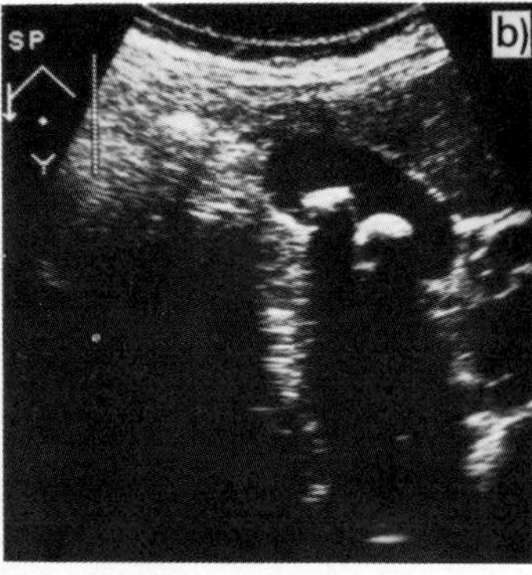

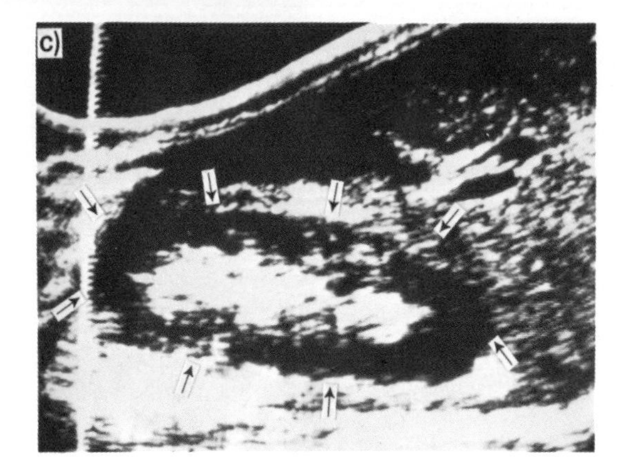

a) Aparat do badań ultradźwiękowych; b) Obraz ultradźwiękowy kamicy pęcherzyka żółciowego; c) Obraz ultradźwiękowy nerki. Zarysy nerki oznaczono strzałkami

Tablica 12

Diagnostyka wizualizacyjna

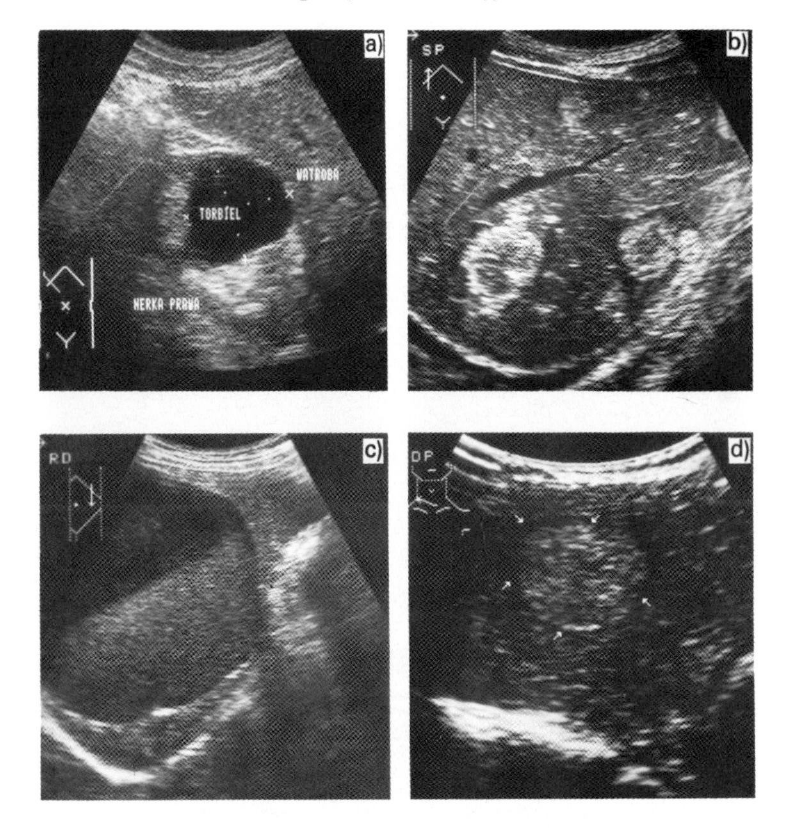

a) Obraz ultradźwiękowy torbieli nerki prawej; b) Obraz ultradźwiękowy przerzutów do miąższu wątroby; c) Obraz pourazowego krwiaka śledziony; d) Obraz gruczolaka tarczycy

Tablica 13

Choroby serca

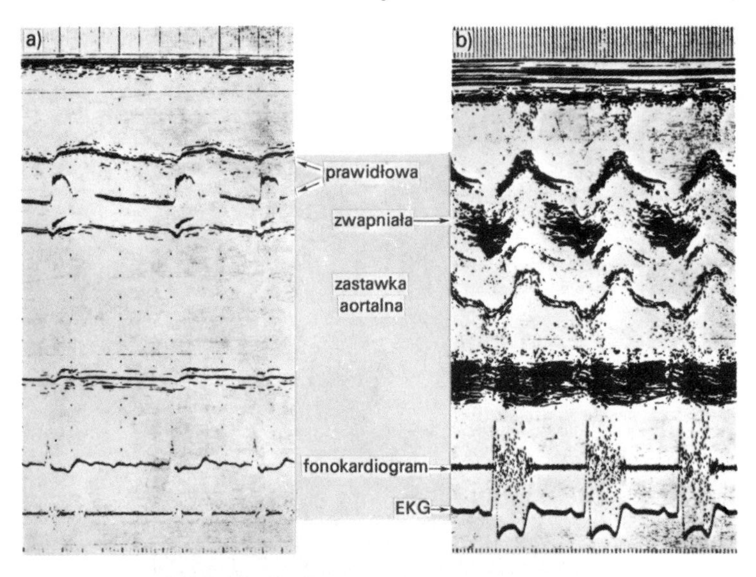

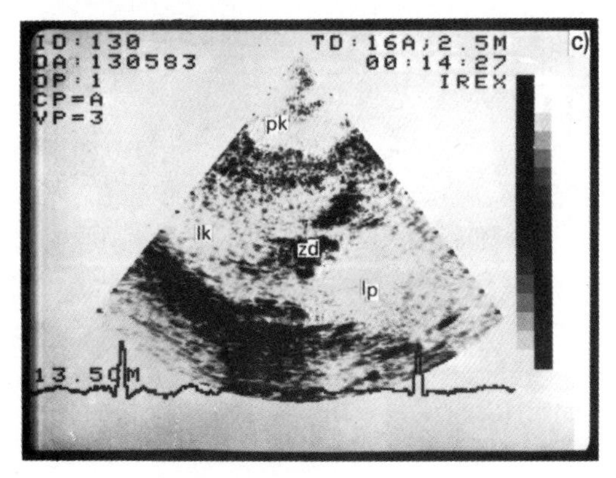

Echokardiogram prawidłowej (a) i zwapniałej (b) zastawki aortalnej oraz prawidłowy fonokardiogram i elektrokardiogram; c) Echokardiogram dwuwymiarowy; pk – prawa komora, lk– lewa komora, lp – lewy przedsionek, zd – zwapniała zastawka dwudzielna (mitralna)

Tablica 14

Choroby serca

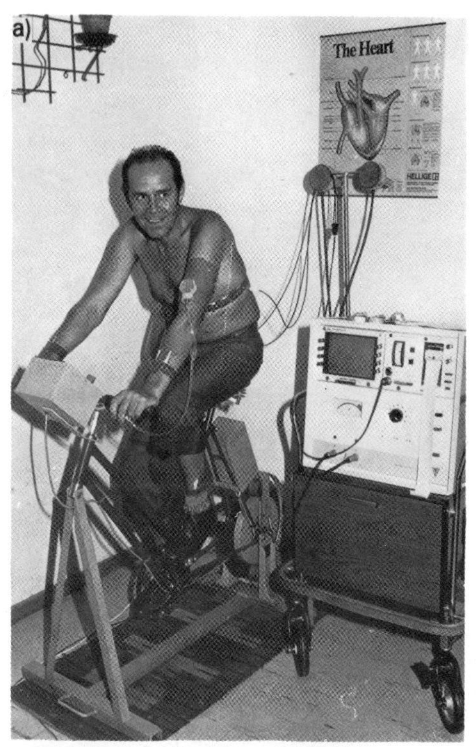

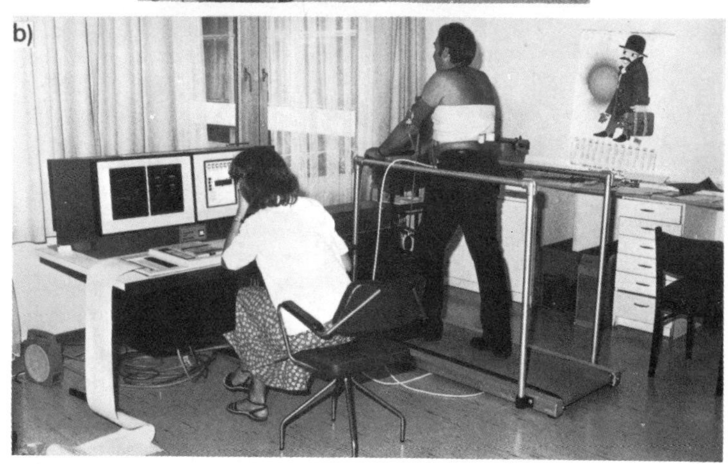

Tablica 15

Nadciśnienie tętnicze

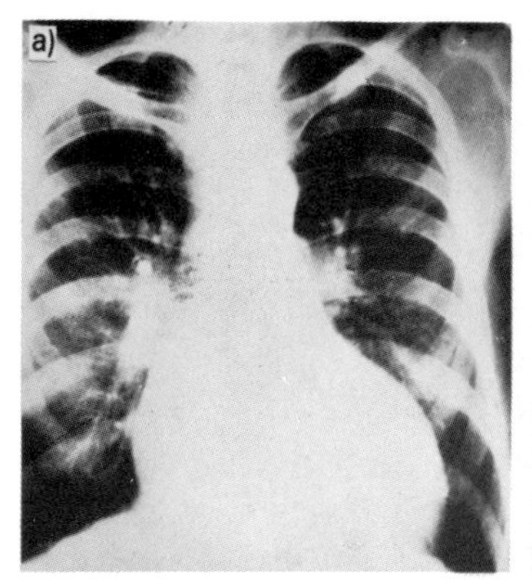

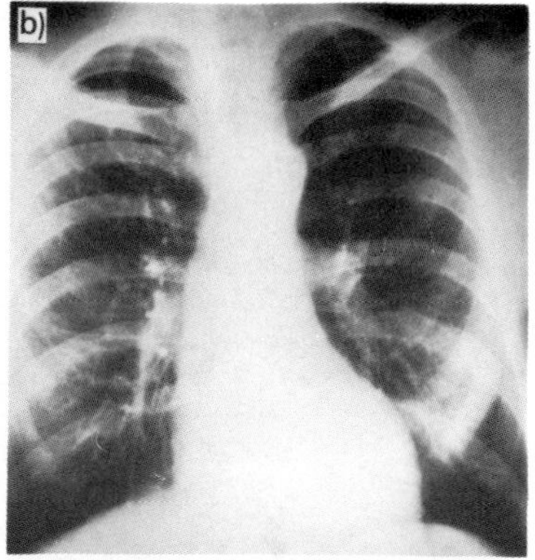

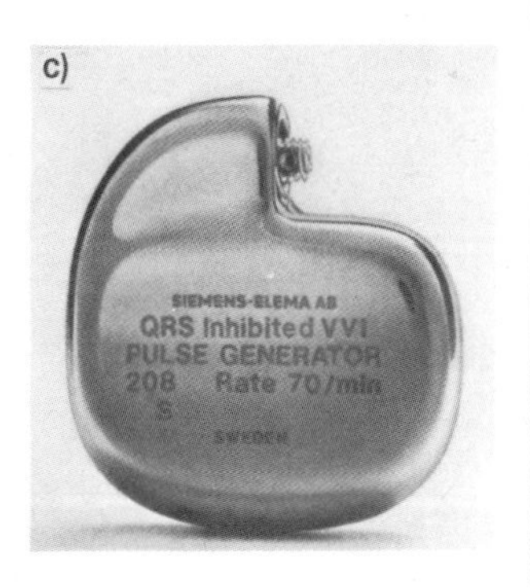

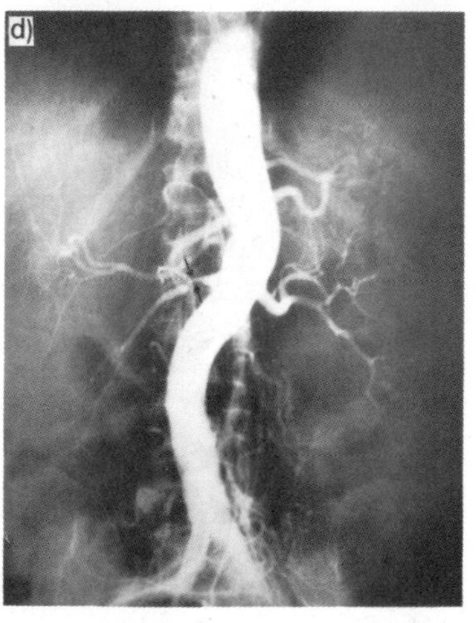

a) Serce chorego z nadciśnieniem tętniczym – lewa komora powiększona; b) Serce tego samego chorego w trakcie leczenia obniżającego ciśnienia krwi – wymiary serca uległy zmniejszeniu; c) Stymulator serca – wielkość naturalna; d) Arteriografia nerkowa – zwężenie prawej tętnicy nerkowej (strzałki)

←

Próba wysiłkowa: a) na ergometrze rowerowym, b) na chodniku ruchomym (bieżni mechanicznej)

Tablica 16

Choroby alergiczne

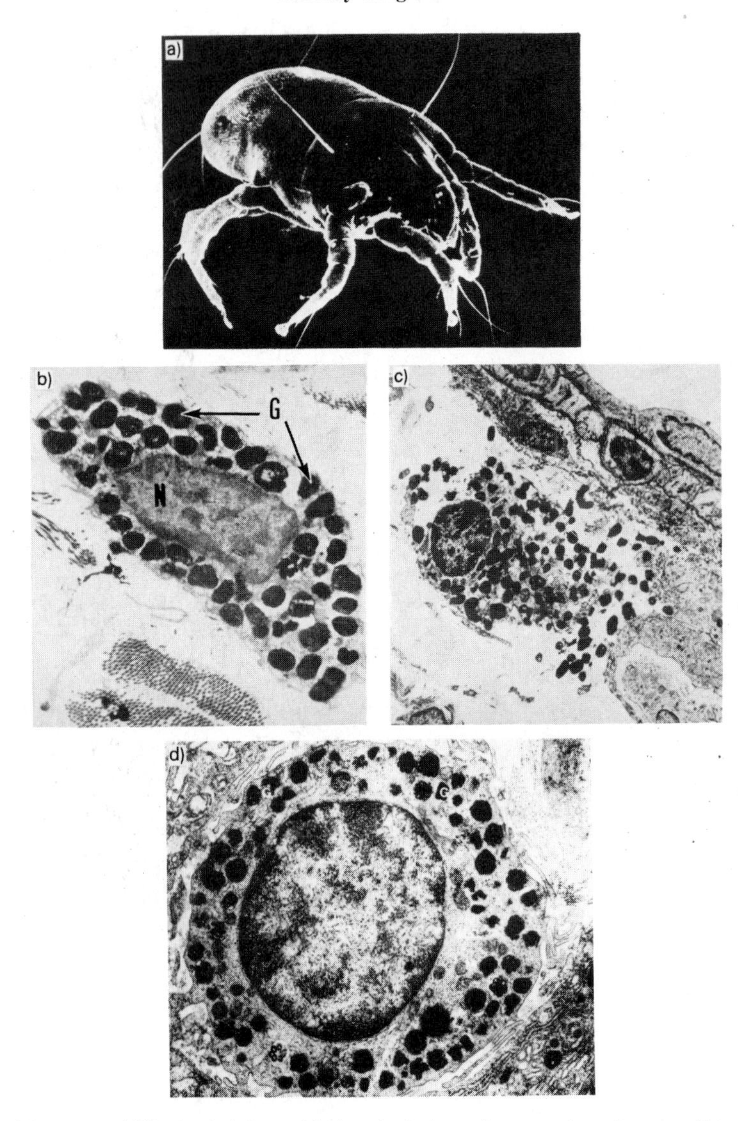

a) Roztocze, maleńki pajęczak, którego odchody są dominującym alergenem w kurzu domowym. Fot. z mikroskopu (wg Bencarda); b) c) d) Komórka tuczna: b) z normalnymi ziarnistościami: N – jądro komórkowe, G – ziarnistości; c) po zadziałaniu alergenu ziarnistości wydostały się poza komórkę; d) po ochronnym zastosowaniu intalu przed zadziałaniem alergenu – ziarnistości są prawidłowe i znajdują się wewnątrz komórki. Fot. z mikroskopu elektronowego (wg Fisonsa)

Tablica 17

Choroby przysadki i nadnerczy

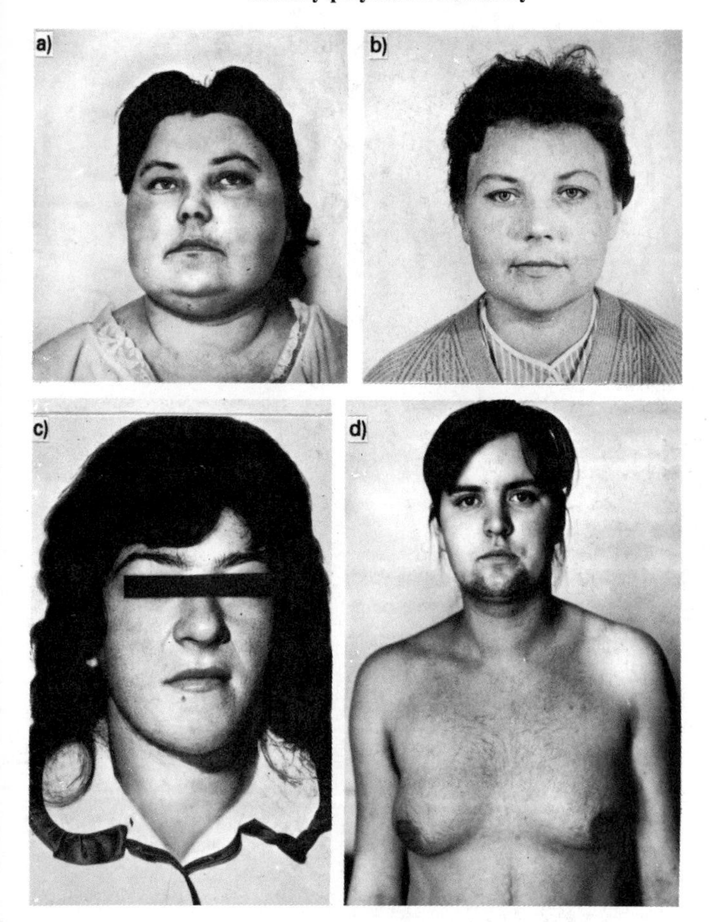

a) Choroba Cushinga przed leczeniem, b) po obustronnej adrenalektomii, czyli po chirurgicznym usunięciu obu nadnerczy (ta sama chora); c) Akromegalia; d) Zespół wirylizacji, czyli występowanie cech męskich u kobiet wywołane gruczolakiem kory nadnercza

Tablica 18

Cukrzyca i choroby tarczycy

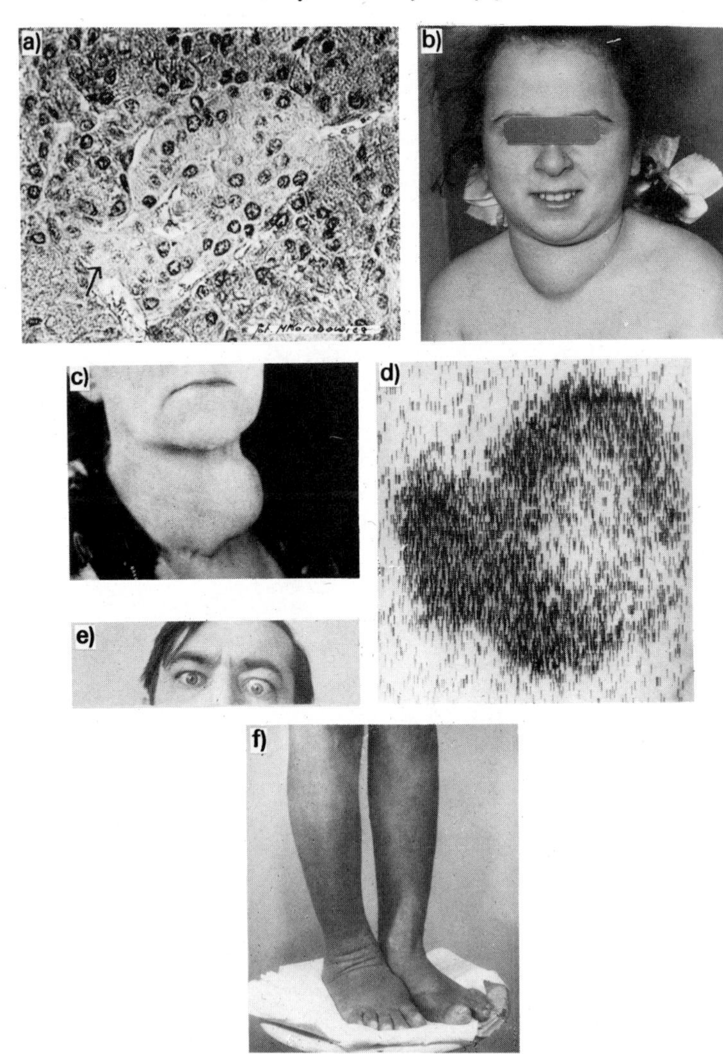

a) Wyspa Langerhansa w trzustce (strzałka) (pow. × ok. 800); b) Wole młodzieńcze miąższowe. Rozrost prawego płata tarczycy większy niż płata lewego; c) Guzowaty odrost lewego płata tarczycy po wycięciu wola. U podstawy szyi widoczna blizna pooperacyjna; d) Scyntygram („mapa") tarczycy u tej samej chorej po podaniu promieniotwórczego izotopu jodu. Prawy płat tarczycy gromadzi jod promieniotwórczy, guz lewego płata jodu nie gromadzi – jest „zimny"; e) Wytrzeszcz oczny (większy po lewej stronie) w chorobie Gravesa – Basedowa; f) Obrzęk przedgoleniowy w chorobie Gravesa – Basedowa. Widoczne przebarwienie i zwiększone owłosienie w obrębie podudzi, dobrze odgraniczone od góry, zwłaszcza na prawej nodze. Dobrze widoczny jest obrzęk górnych powierzchni stóp

Tablica 19

Choroby reumatyczne

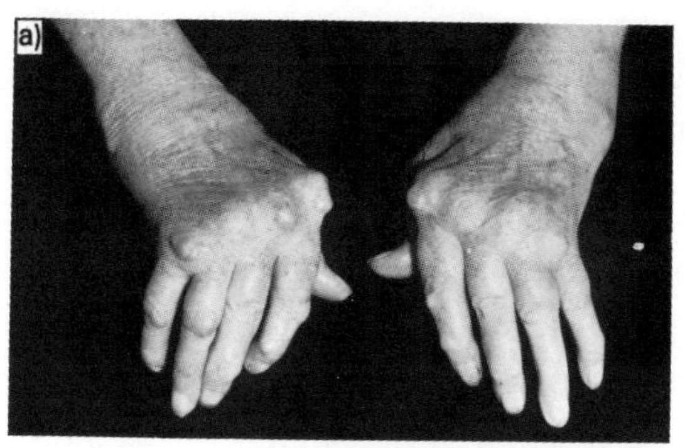

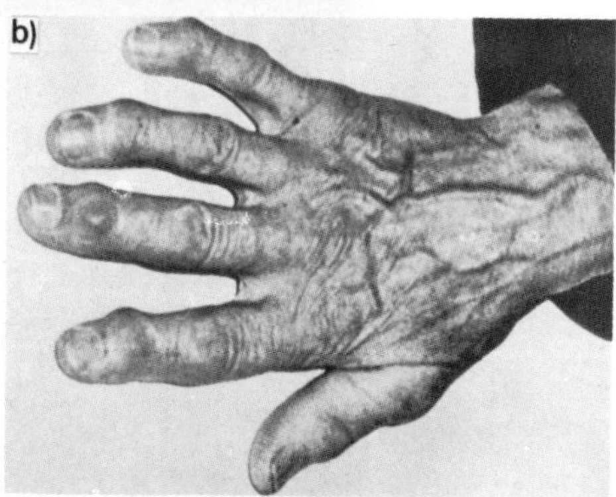

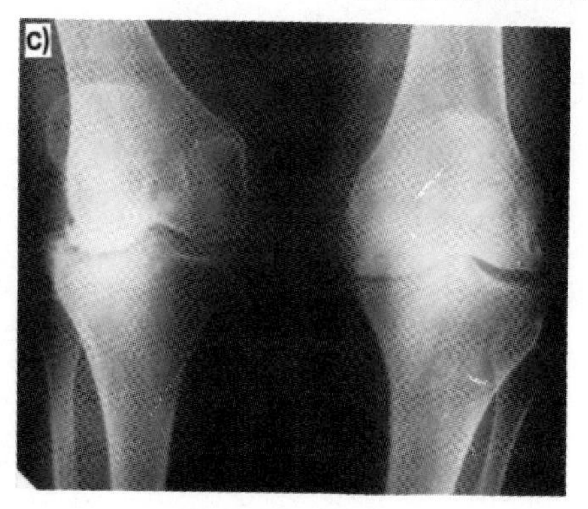

a) Wygląd rąk chorego na reumatoidalne zapalenie stawów (zmiany bardzo zaawansowane); b) Zmiany zwyrodnieniowe stawów międzypaliczkowych dalszych – tzw. guzki Heberdena; c) Zmiany zwyrodnieniowe stawów kolanowych (wyraźniejsze w stawie prawym)

Tablica 20

Choroby układu nerwowego

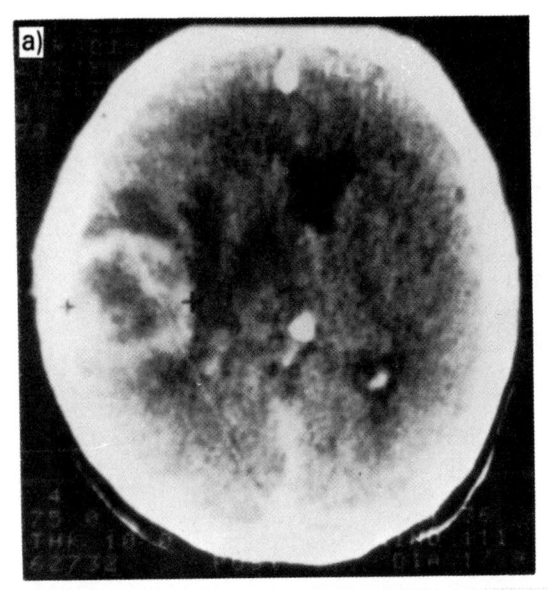

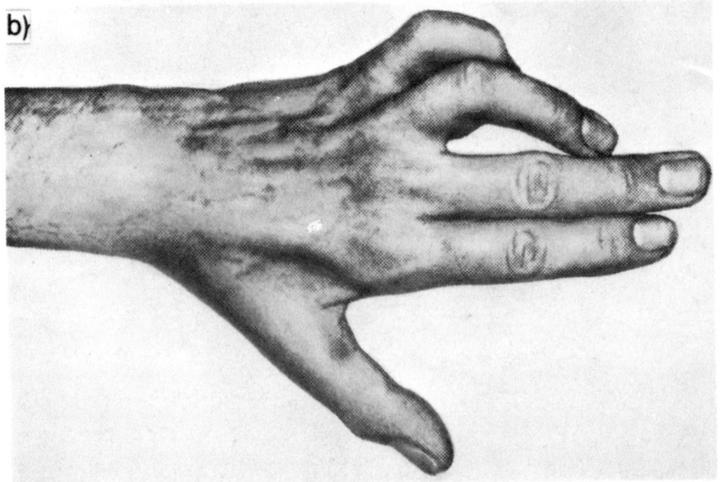

a) Guz płata skroniowego prawego; umiejscowienie oznaczono krzyżykami (tomografia komputerowa);
b) ręka szponiasta – obraz typowy przy uszkodzeniu nerwu łokciowego

Tablica 21

Noworodek

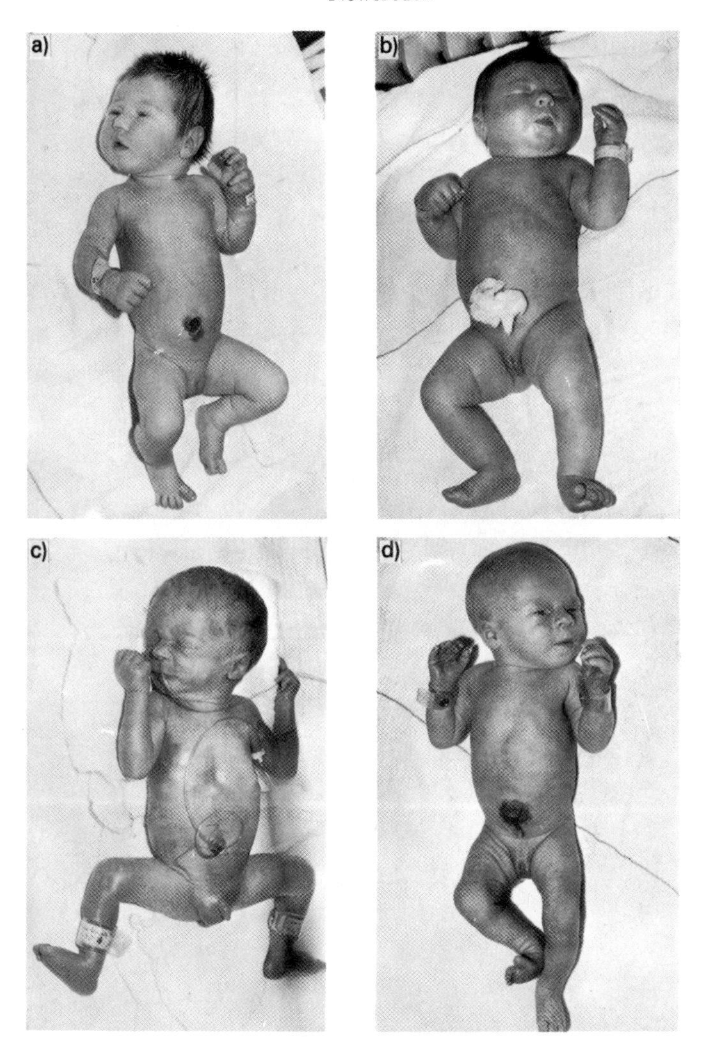

a) Donoszony, zdrowy noworodek. 39 tygodni ciąży, masa ciała (waga) 3500 g, długość 52 cm; b) Donoszony noworodek z nadmierną masą ciała. Cukrzyca u matki, 37 tygodni ciąży, masa ciała 4900 g, długość 56 cm; c) Wcześniak z zespołem zaburzeń oddechowych. 31 tygodni ciąży, masa ciała 1100 g, długość 40 cm; d) Noworodek donoszony hypotroficzny. 40 tygodni ciąży, masa ciała 2350 g, długość 47 cm

Tablica 22

Choroby dzieci

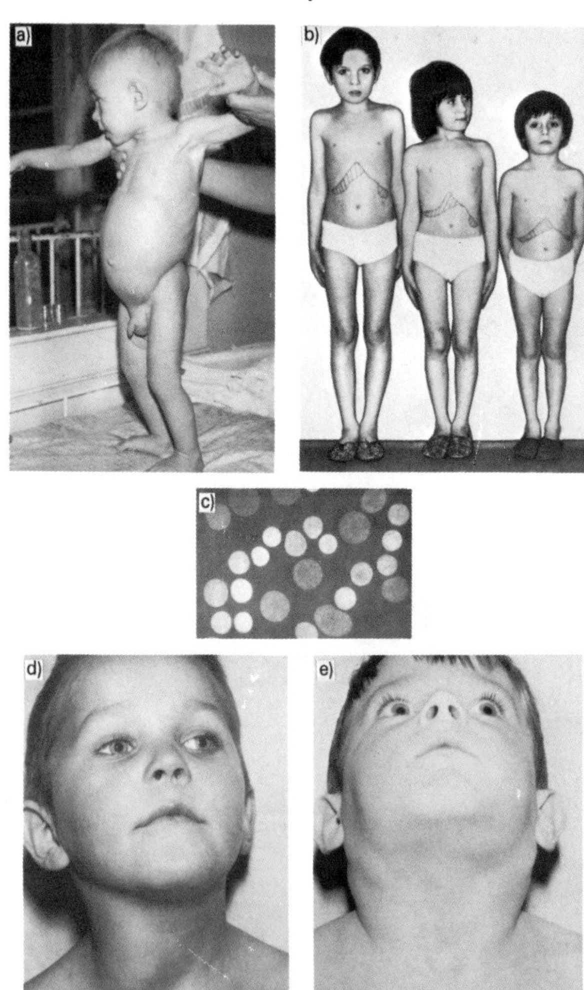

a) Charakterystyczny wygląd dziecka z celiakią (zespół trzewny – m.in. duży, obwisły brzuch); b) Trójka rodzeństwa; wszystkie dzieci chore na sferocytozę wrodzoną; c) mikrosferocyty – krwinki małe, ciemniejsze; d) Ziarnica złośliwa – powiększenie węzłów chłonnych szyjnych po stronie prawej; e) Nieziarniczy chłoniak złośliwy. Znaczne powiększenie wszystkich węzłów chłonnych zniekształcające szyję

Tablica 23

Choroby dzieci

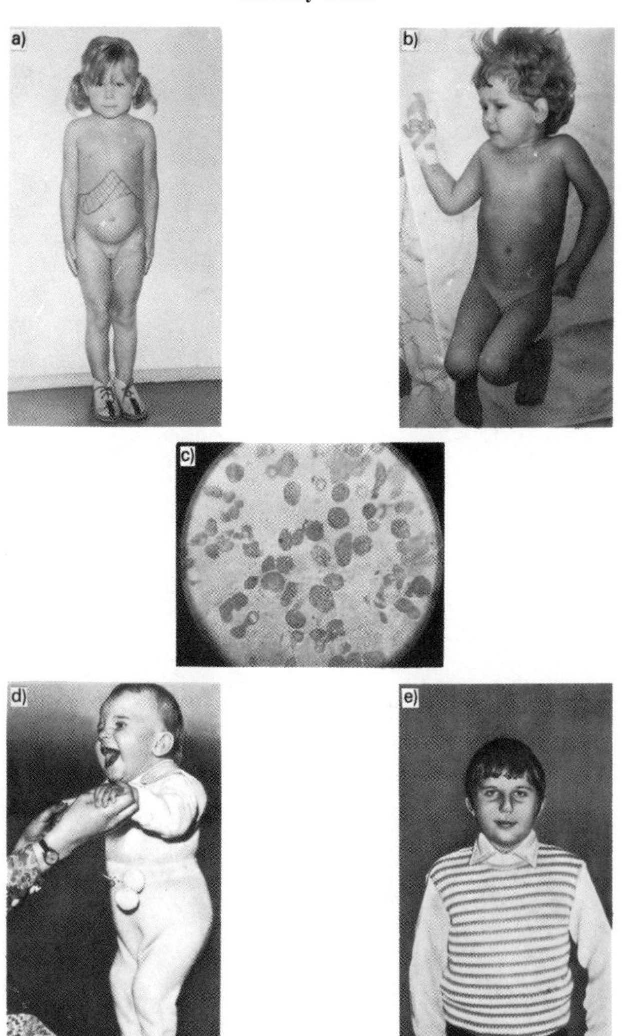

a) Powiększenie wątroby i śledziony w przebiegu białaczki limfoblastycznej; b) Dziecko chore na białaczkę. Przykurczone kończyny dolne z powodu silnych bólów kostnych. Ropny stan zapalny palca prawej ręki; c) Komórki białaczkowe w szpiku; d) Dziecko mające rok, tuż przed zachorowaniem na białaczkę; e) Ten sam chłopczyk mający 13 lat, wyleczony z ostrej białaczki limfoblastycznej

Tablica 24

Choroby dzieci

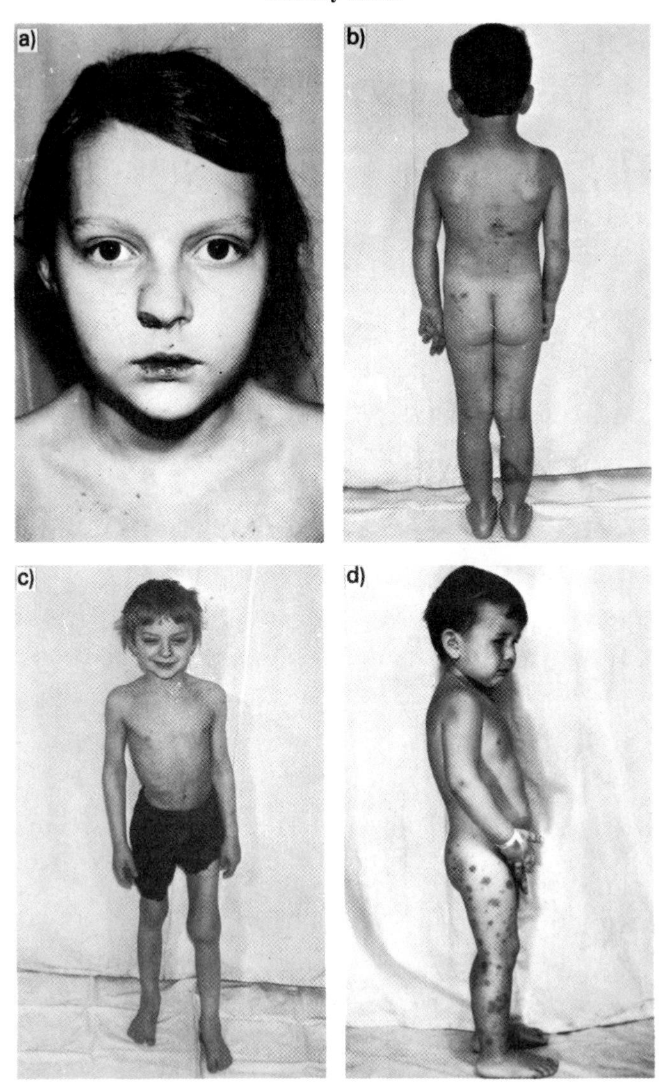

a) Wybroczyny na tułowiu i twarzy u dziewczynki w przebiegu ostrej małopłytkowości. Widoczna tamponada prawego przewodu nosowego założona z powodu krwawienia z nosa; b) Wybroczyny oraz wylewy krwawe na tułowiu i kończynach u chłopca w przebiegu ostrej małopłytkowości; c) Deformacja kolana po wylewie u chłopca chorego na hemofilię A; d) Charakterystyczna lokalizacja wykwitów na podudziach, udach i pośladkach w przypadku choroby Schoenleina–Henocha. Zaznaczony obrzęk stawów skokowych

Tablica 25

Chirurgia serca

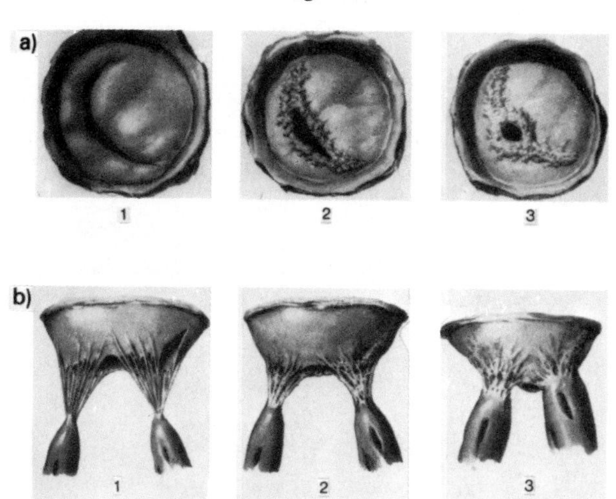

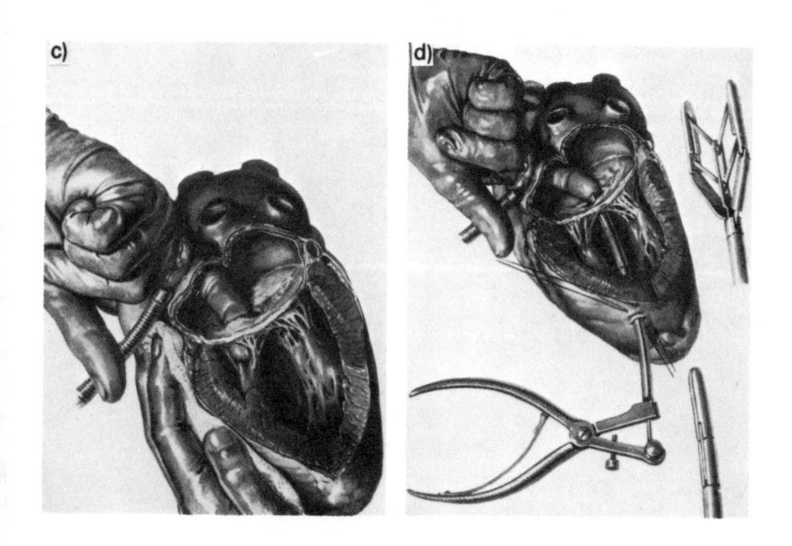

a) Zastawka dwudzielna, widok z góry; 1 – prawidłowa, 2 – zwężona; 3 – zwężona i niedomykalna; b) Zastawka dwudzielna, widok z boku; 1 – prawidłowa, 2 – zwężona, 3 – znacznie zwężona; c) Schemat komisurotomii „ślepej" wykonanej palcem; podłużny przekrój serca; d) Schemat komisurotomii „ślepej" wykonanej rozwieraczem; podłużny przekrój serca

Tablica 26

Chirurgia serca

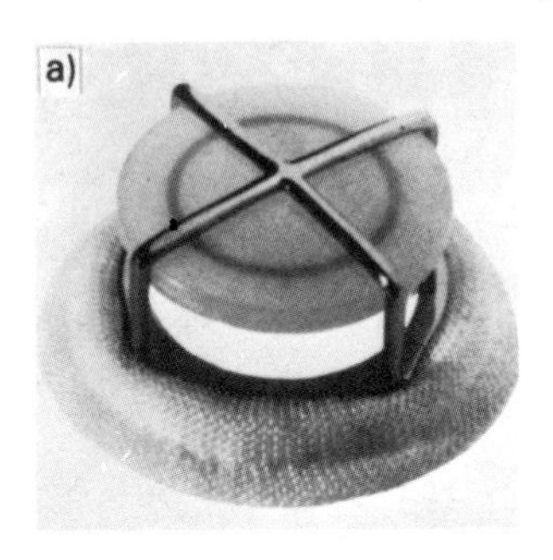

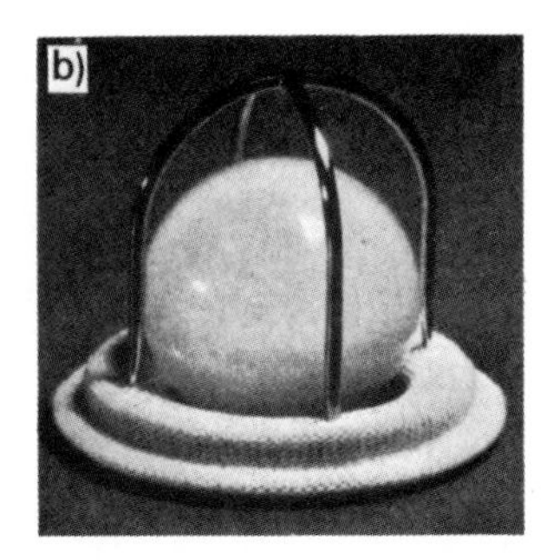

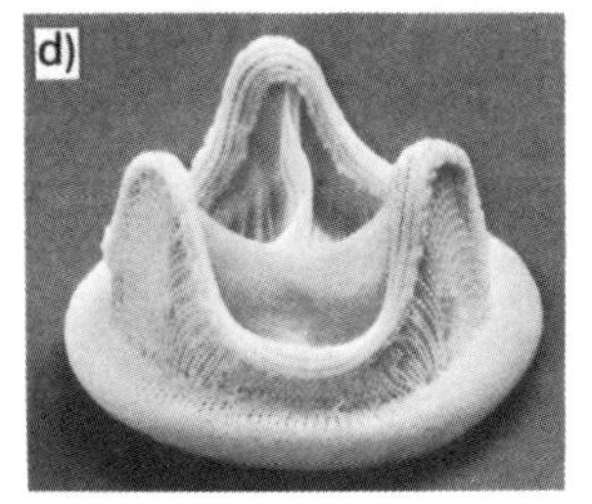

Sztuczne zastawki serca: a) mechaniczna z zaworem dyskowym, b) mechaniczna z zaworem kulkowym, c) mechaniczna z zaworem uchylnym, d) zastawka biologiczna

Tablica 27

Chirurgia serca

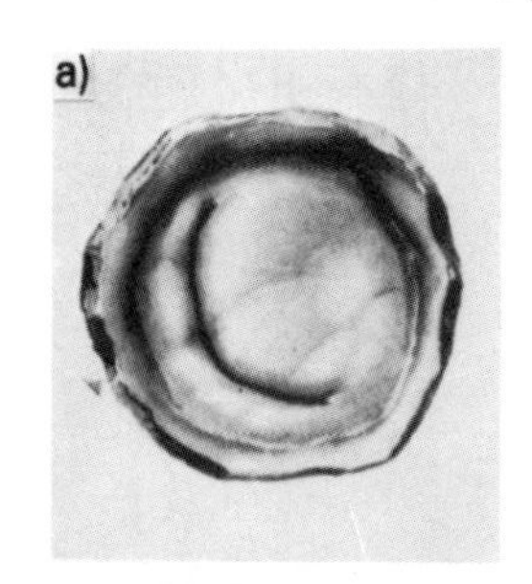

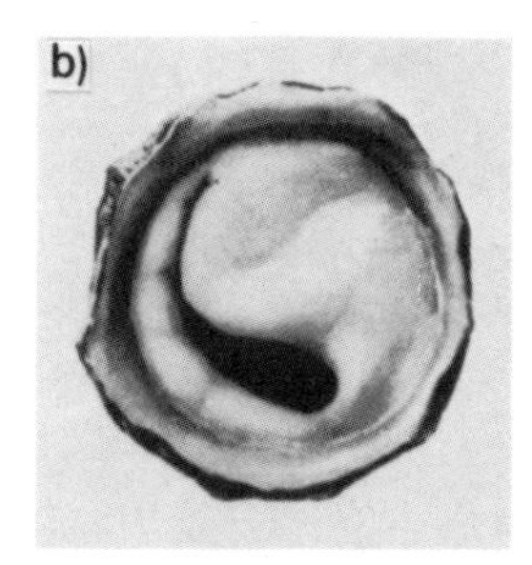

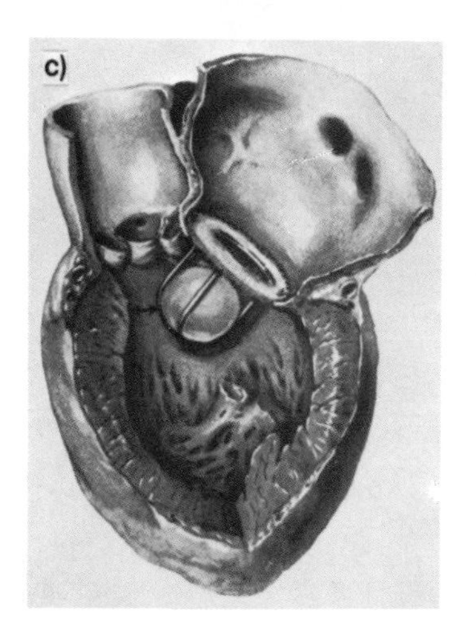

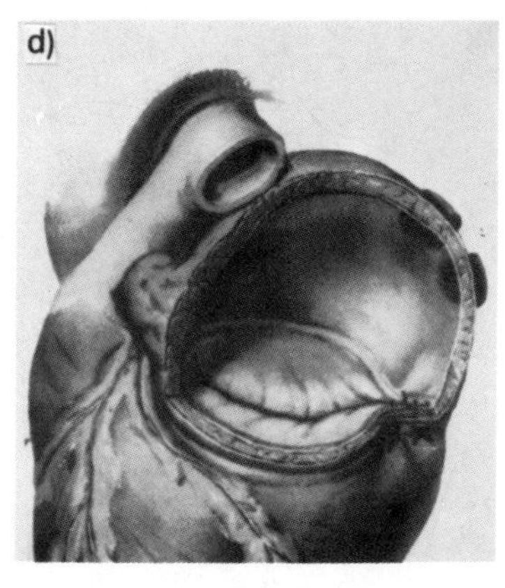

a) Zastawka dwudzielna prawidłowa; b) Zastawka dwudzielna niedomykalna; c) Sztuczna zastawka wszyta w miejsce zastawki dwudzielnej (podłużny przekrój serca); d) Schemat naprawy „plastycznej" (poprzeczny przekrój serca)

Chirurgia

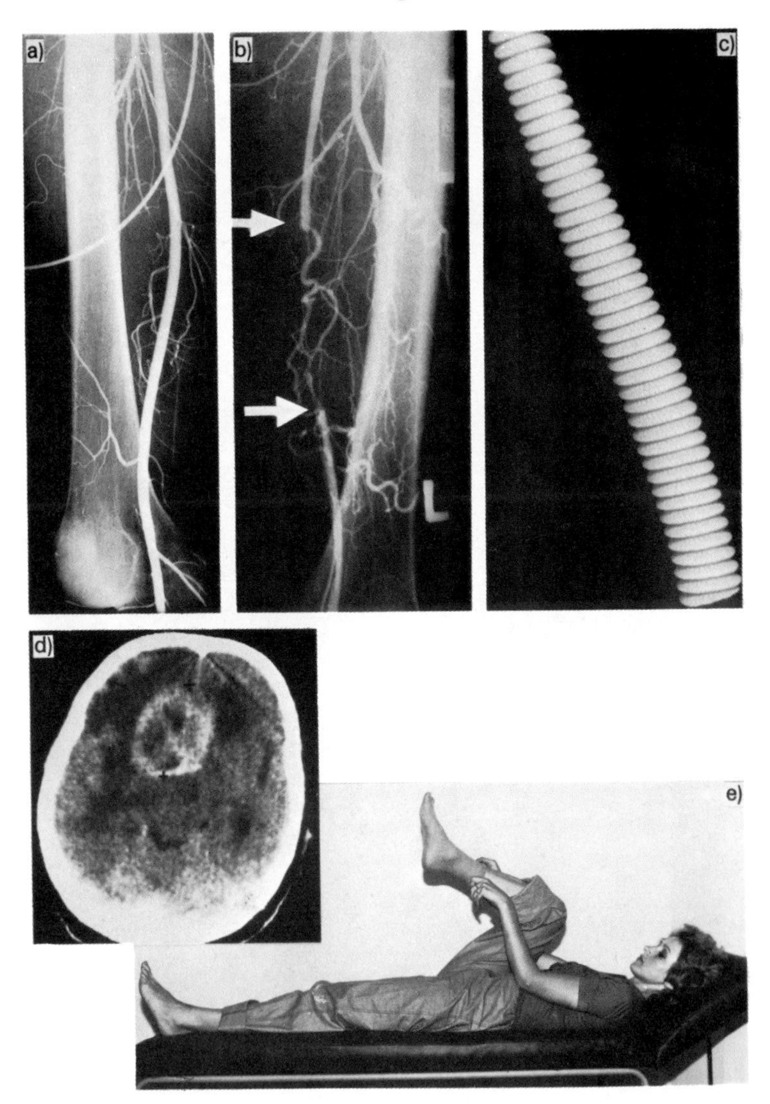

a) b) Arteriografia tętnicy udowej: a) prawidłowy rysunek tętnicy i jej odgałęzień, b) niedrożność tętnicy (zaznaczona strzałkami) i dobrze rozwinięte krążenie oboczne; c) Proteza tętnicza polskiej produkcji; d) Tomografia komputerowa mózgu wykazująca guz przedniego dołu czaszki, otoczony obrzękiem tkanki nerwowej; e) Właściwy sposób zakładania pończochy elastycznej

Tablica 29

Chirurgia wieku rozwojowego

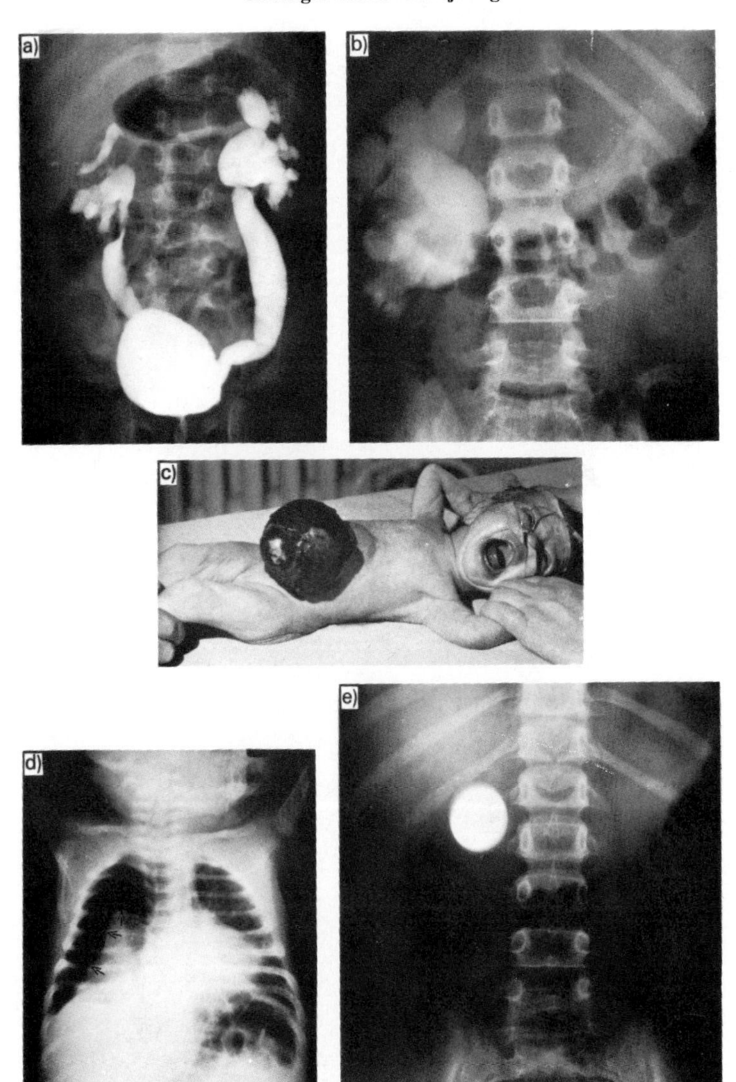

a) Obustronne odpływy pęcherzowo-moczowodowe. Badanie cystograficzne wykazuje cofanie się moczu z pęcherza do moczowodów i nerek (tzw. refluks); b) Wodonercze nerki prawej. Urografia wykazuje poszerzenie układu kielichowo-miedniczkowego spowodowane przeszkodą podmiedniczkową; c) Noworodek z przepukliną pępowinową; d) Prawostronna odma opłucnej. Strzałkami zaznaczono boczną granicę spadniętego płuca; e) Moneta w przewodzie pokarmowym, widoczna na zdjęciu przeglądowym jamy brzusznej

Choroby jamy ustnej i zębów

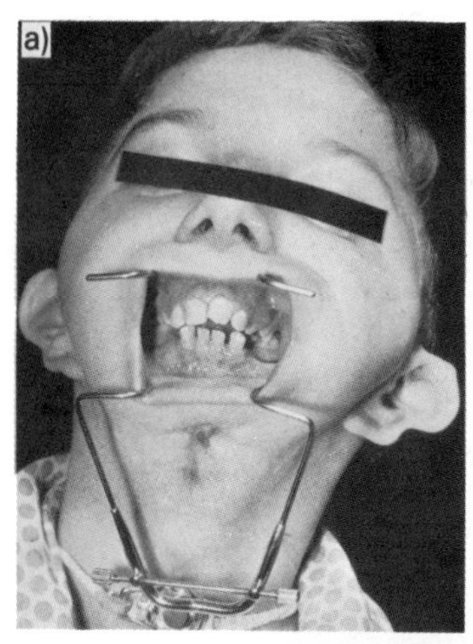

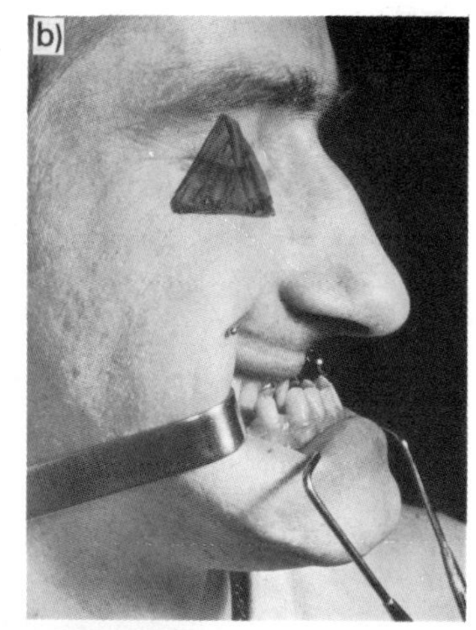

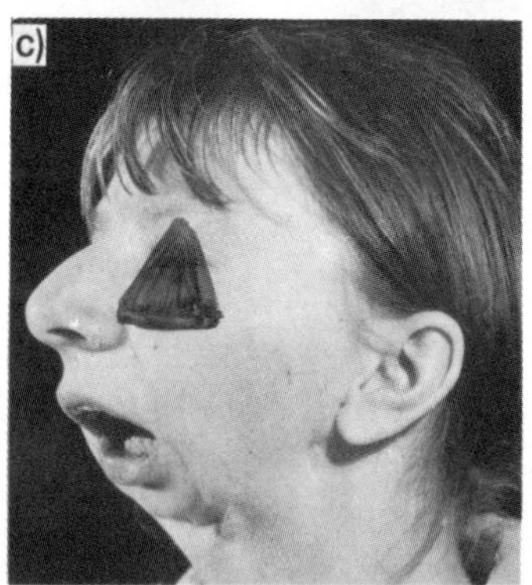

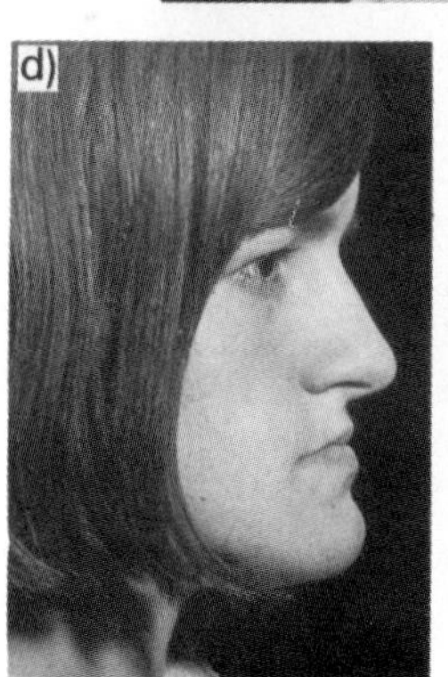

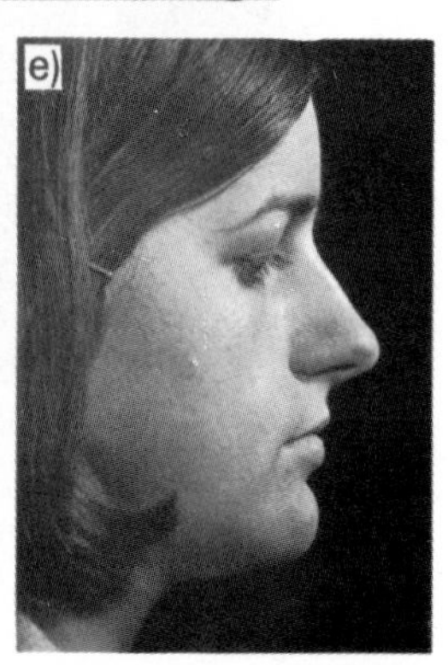

Tablica 31

Ultrasonografia ciąży

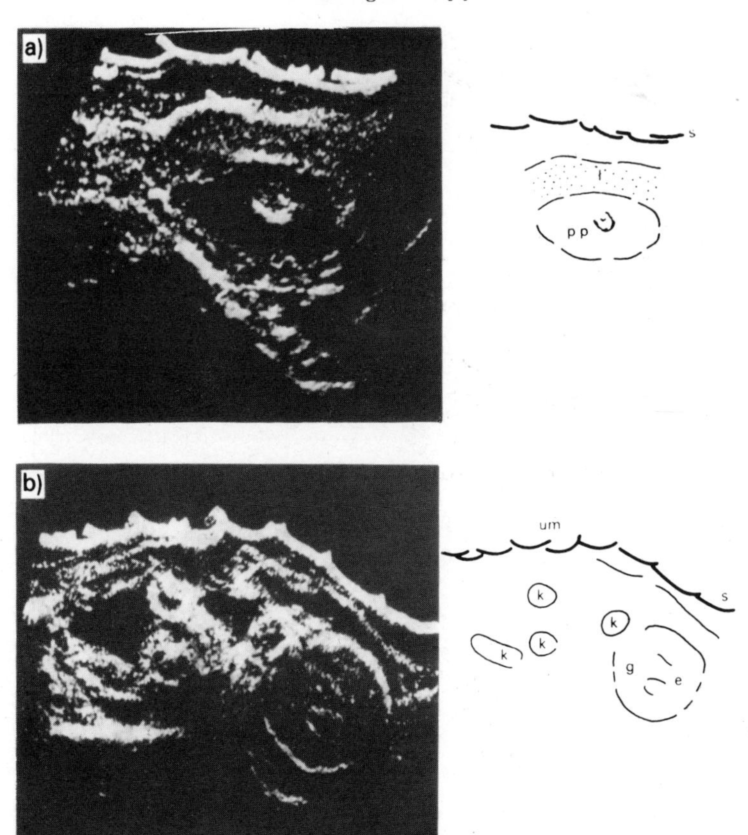

a) Ultrasonografia ciąży 11-tygodniowej. Obok przekrój podłużny w linii środkowej. Częściowe zatarcie obrazu pęcherzyka płodowego (pp) znajdującego się wewnątrz powiększonej macicy. Na przedniej ścianie macicy widoczne łożysko (ł). b) Ultrasonografia ciąży 38-tygodniowej. Obok przekrój podłużny środkowy. Płód w położeniu podłużnym, główkowym. Główka (g) nad wchodem z widocznymi komorami bocznymi. Dobrze widoczne zarysy kończyn płodu (k)

←

a) b) c) Różne rodzaje wad zgryzowo-szczękowo-twarzowych; d) Chora z progenicznym ustawieniem żuchwy; e) ta sama osoba po zabiegu operacyjnym

Tablica 32

Kosmetyka lekarska

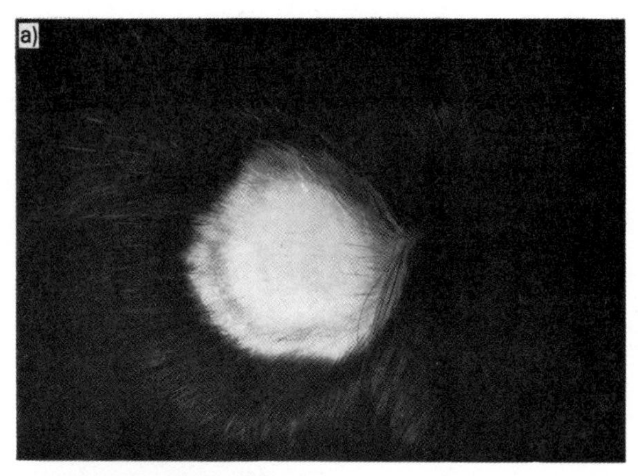

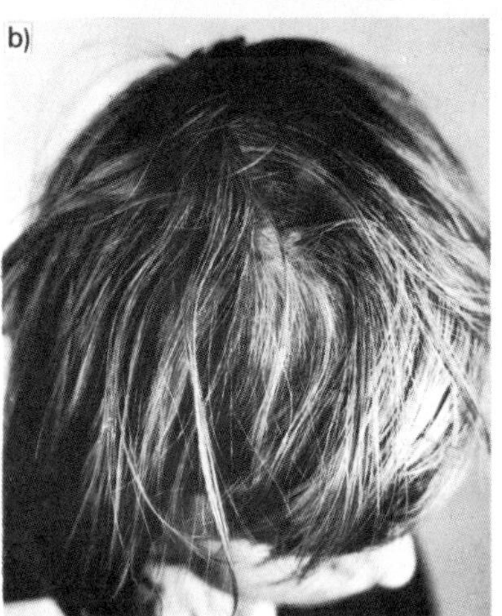

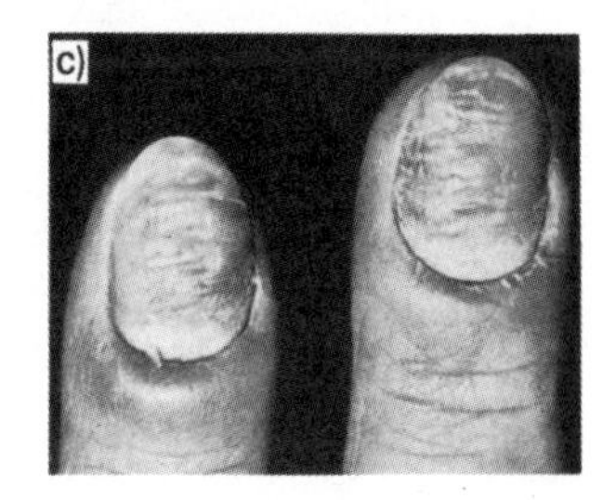

a) Łysienie plackowate; b) Siwienie; c) Uszkodzenie paznokci fryzjera płynem do trwałej ondulacji

Tablica I

Układ trawienny

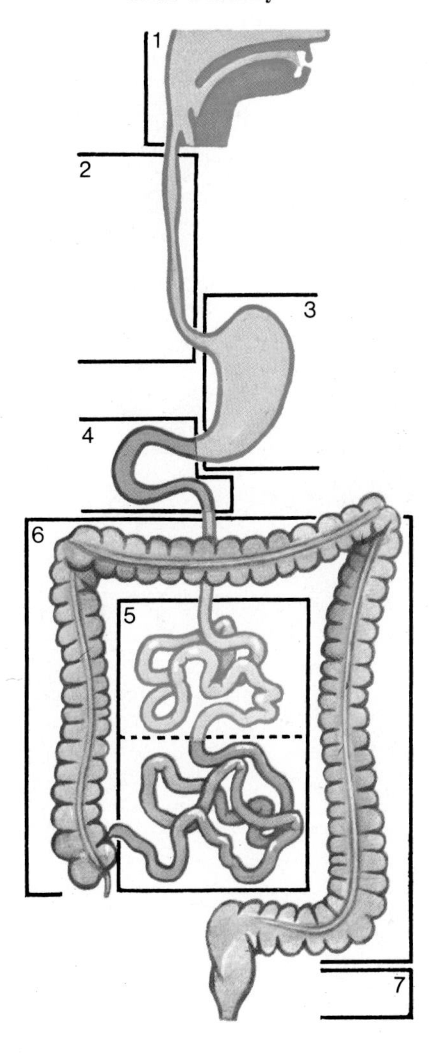

Przewód pokarmowy

1 – jama ustna i gardło
2 – przełyk
3 – żołądek
4 – dwunastnica
5 – jelito czcze i kręte
6 – okrężnica
7 – odbytnica

Tablica II

Układ trawienny

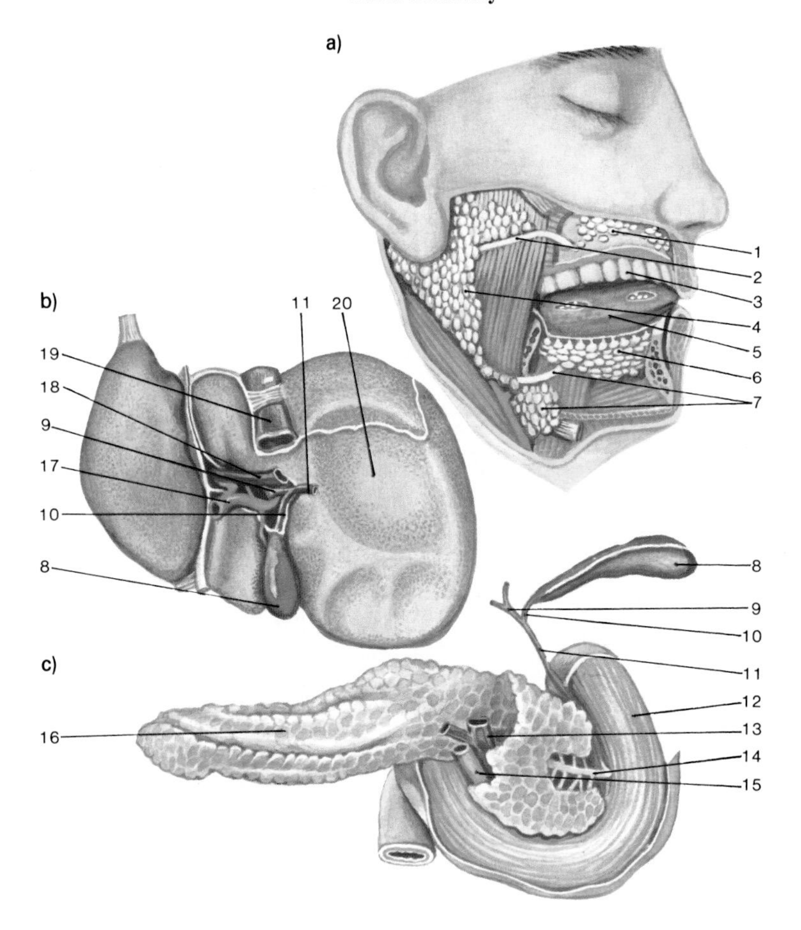

Narządy układu trawiennego: a) jama ustna; b) wątroba; c) dwunastnica i trzustka

1 – gruczoły wargowe górne
2 – przewód ślinianki przyusznej
3 – zęby szczęki
4 – ślinianka przyuszna
5 – język
6 – ślinianka podjęzykowa
7 – ślinianka podżuchwowa i jej przewód
8 – pęcherzyk żółciowy
9 – przewód wątrobowy wspólny
10 – przewód pęcherzykowy
11 – przewód żółciowy wspólny
12 – dwunastnica
13 – żyła krezkowa górna
14 – przewód trzustkowy
15 – tętnica krezkowa górna
16 – trzustka, widok od tyłu
17 – tętnica wątrobowa właściwa
18 – żyła wrotna
19 – żyła główna dolna
20 – powierzchnia trzewna wątroby

Tablica III

Układ moczowo-płciowy

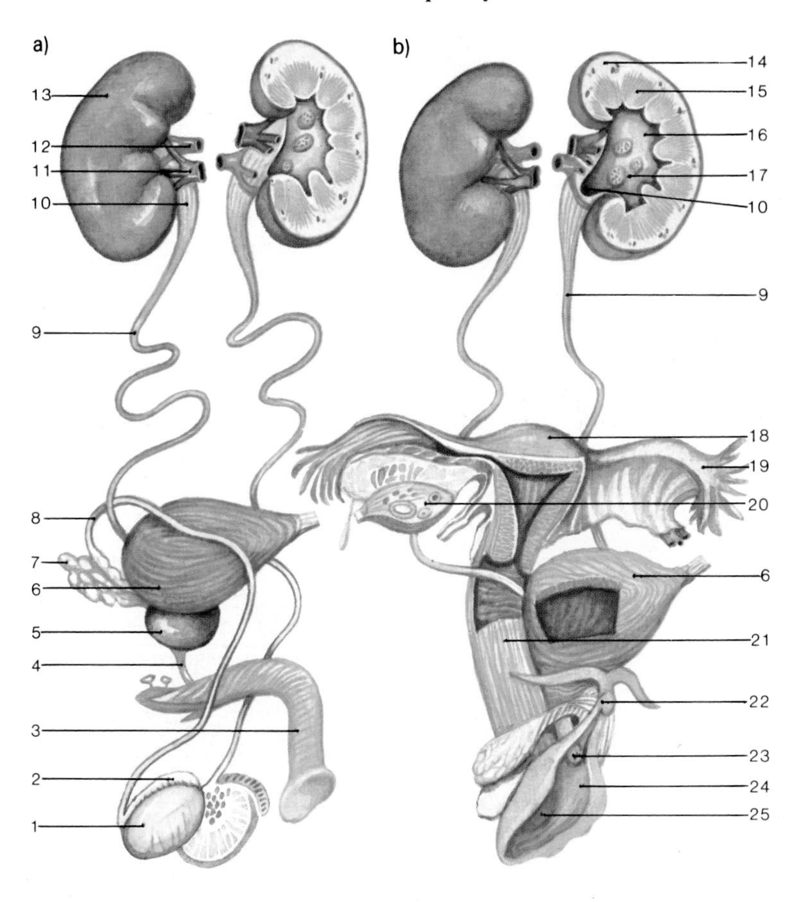

Narządy moczowo-płciowe: a) męskie; b) żeńskie

1 – jądro
2 – nadjądrze
3 – prącie
4 – cewka moczowa męska
5 – gruczoł krokowy (stercz)
6 – pęcherz moczowy
7 – pęcherzyk nasienny
8 – nasieniowód
9 – moczowód
10 – miedniczka nerkowa
11 – żyła nerkowa
12 – tętnica nerkowa
13 – nerka
14 – kora nerki
15 – rdzeń nerki (piramida)
16 – kielich nerkowy mniejszy
17 – kielich nerkowy większy
18 – macica
19 – jajowód
20 – jajnik
21 – pochwa
22 – łechtaczka
23 – ujście zewnętrzne cewki moczowej
24 – przedsionek pochwy
25 – ujście pochwy

Tablica IV

Nerka

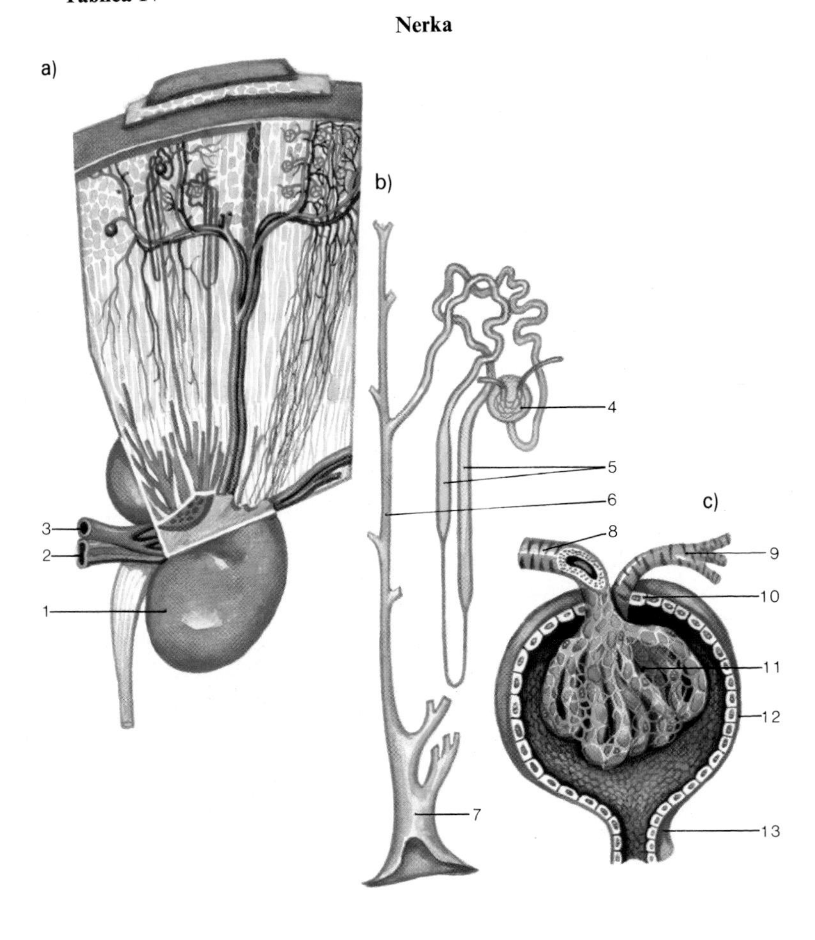

Budowa nerki: a) schemat unaczynienia; b) schemat nefronu; c) schemat kłębuszka nerkowego

1 – nerka
2 – żyła nerkowa
3 – tętnica nerkowa
4 – część kłębuszkowa nefronu
5 – część kanalikowa nefronu
6 – kanalik zbiorczy (prosty)
7 – przewód brodawkowaty
8 – naczynia doprowadzające
9 – naczynia odprowadzające
10 – biegun naczyniowy torebki kłębuszka
11 – kłębuszek nerkowy
12 – torebka kłębuszka
13 – biegun kanalikowy torebki kłębuszka

Tablica V

Serce

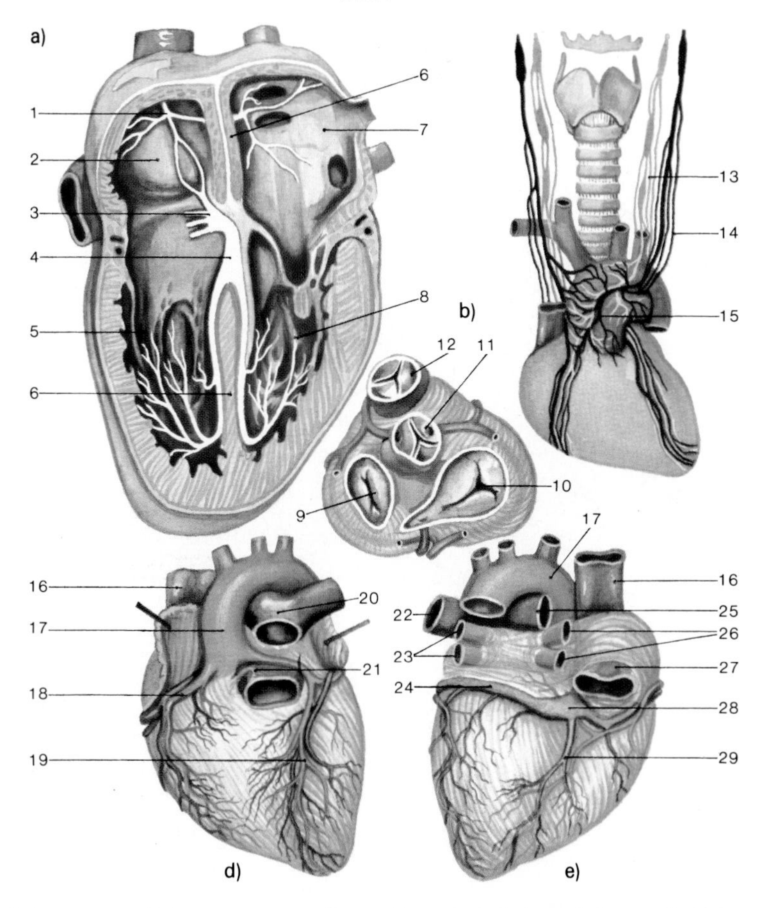

Budowa serca: a) układ przewodzący serca; b) zastawki serca (z góry); c) unerwienie serca; d) widok serca od przodu; e) widok serca od tyłu

1 – węzeł zatokowo-przedsionkowy
2 – przedsionek prawy
3 – węzeł przedsionkowo--komorowy
4 – pęczek przedsionkowo-komorowy
5 – komora prawa
6 – przegroda międzykomorowa
7 – przedsionek lewy
8 – komora lewa
9 – zastawka przedsionkowo--komorowa lewa (dwudzielna)
10 – zastawka przedsionkowo--komorowa prawa (trójdzielna)
11 – zastawka aorty
12 – zastawka pnia płucnego
13 – nerwy sercowe (współczulne)
14 – gałęzie sercowe (przywspółczulne)
15 – splot sercowy
16 – żyła główna górna
17 – aorta
18 – tętnica wieńcowa prawa
19 – gałąź międzykomorowa przednia tętnicy wieńcowej lewej
20 – pień płucny
21 – pień płucny
22 – tętnica płucna lewa
23 – żyły płucne lewe
24 – żyła sercowa wielka
25 – tętnica płucna prawa
26 – żyły płucne prawe
27 – żyła główna dolna
28 – zatoka wieńcowa
29 – gałąź międzykomorowa tylna i żyła sercowa średnia

Tablica VI

Układ krążenia krwi

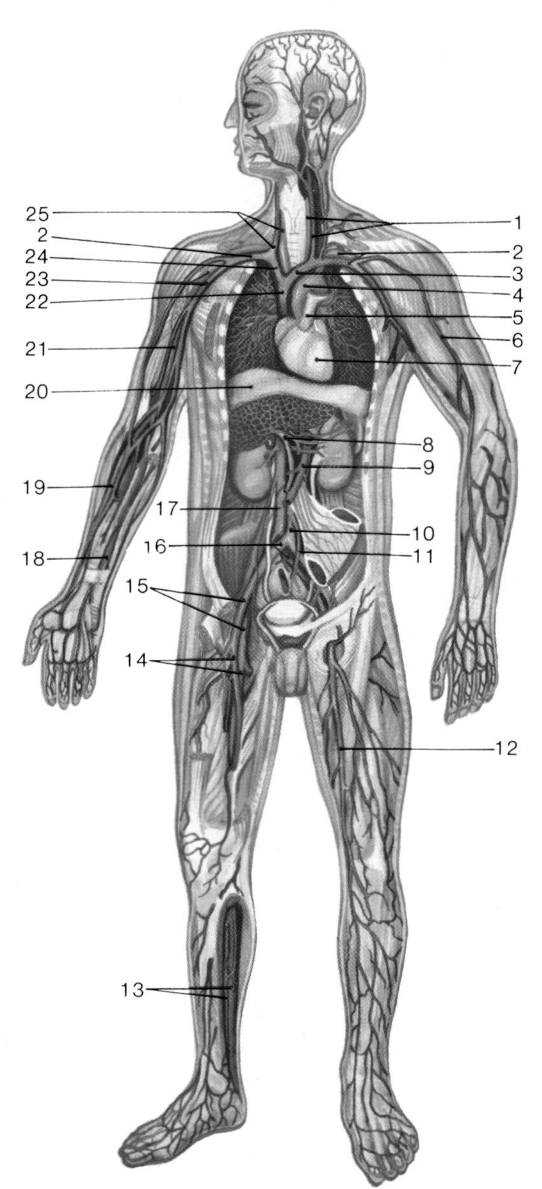

Schemat krążenia

1 – tętnica szyjna wspólna lewa i żyła szyjna wewnętrzna lewa
2 – tętnica i żyła podobojczykowa
3 – żyła ramienno-głowowa lewa
4 – łuk aorty
5 – pień płucny
6 – żyła odpromieniowa
7 – serce
8 – żyła wrotna
9 – tętnica krezkowa górna
10 – aorta brzuszna
11 – tętnica krezkowa dolna
12 – żyła odpiszczelowa
13 – tętnica i żyła piszczelowa tylna
14 – tętnica i żyła udowa
15 – tętnica i żyła biodrowa zewnętrzna
16 – tętnica i żyła biodrowa wspólna
17 – żyła główna dolna
18 – tętnica łokciowa
19 – tętnica promieniowa
20 – przepona
21 – tętnica ramienna
22 – żyła główna górna
23 – tętnica i żyła pachowa
24 – żyła ramienno-głowowa prawa
25 – tętnica szyjna wspólna prawa i żyła szyjna prawa

Tablica VII

Układ nerwowy obwodowy

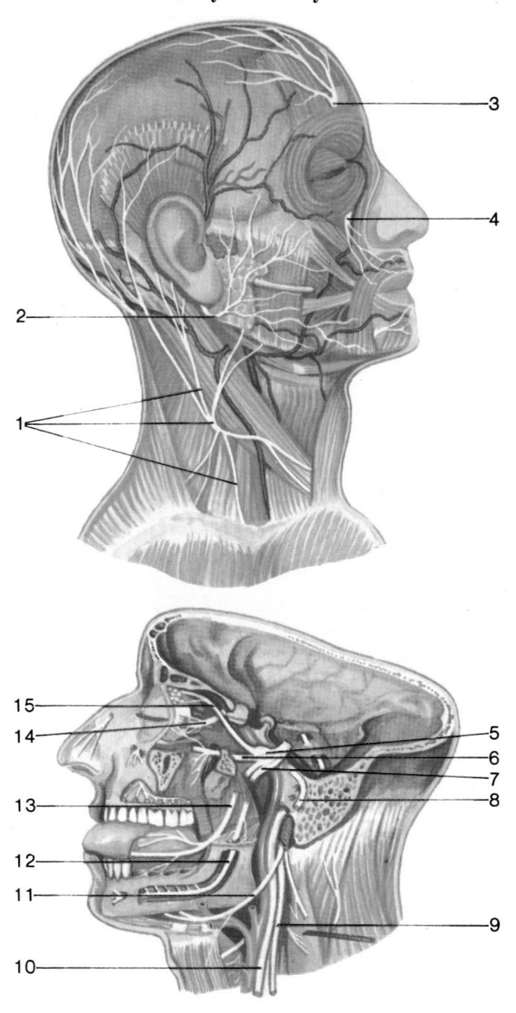

Nerwy czaszkowe i nerwy skórne splotu szyjnego

1 – nerwy skórne splotu szyjnego
2 – splot przyuszniczy nerwu twarzowego
3 – nerw nadoczodołowy
4 – nerw podoczodołowy
5 – zwój nerwu trójdzielnego (V)
6 – nerw szczękowy (V_2)
7 – nerw żuchwowy (V_3)
8 – nerw twarzowy (VII)
9 – pień współczulny
10 – nerw błędny (X)
11 – nerw podjęzykowy (XII)
12 – nerw zębodołowy dolny
13 – nerw językowo-gardłowy (IX)
14 – nerw wzrokowy (II)
15 – nerw czołowy (V_1)

Tablica VIII

Układ nerwowy obwodowy

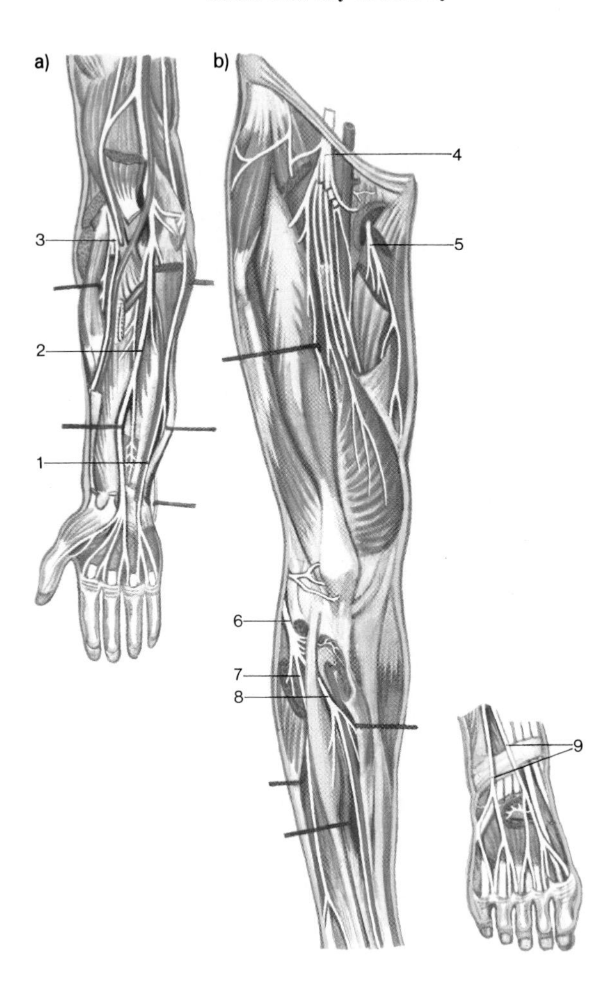

Nerwy kończyny górnej (a) i dolnej (b); widok od przodu

1 – nerw łokciowy
2 – nerw pośrodkowy
3 – nerw promieniowy
4 – nerw udowy
5 – nerw zasłonowy
6 – nerw strzałkowy wspólny
7 – nerw strzałkowy powierzchowny
8 – nerw strzałkowy głęboki
9 – nerwy skórne grzbietowe stopy

Tablica IX

Układ nerwowy obwodowy

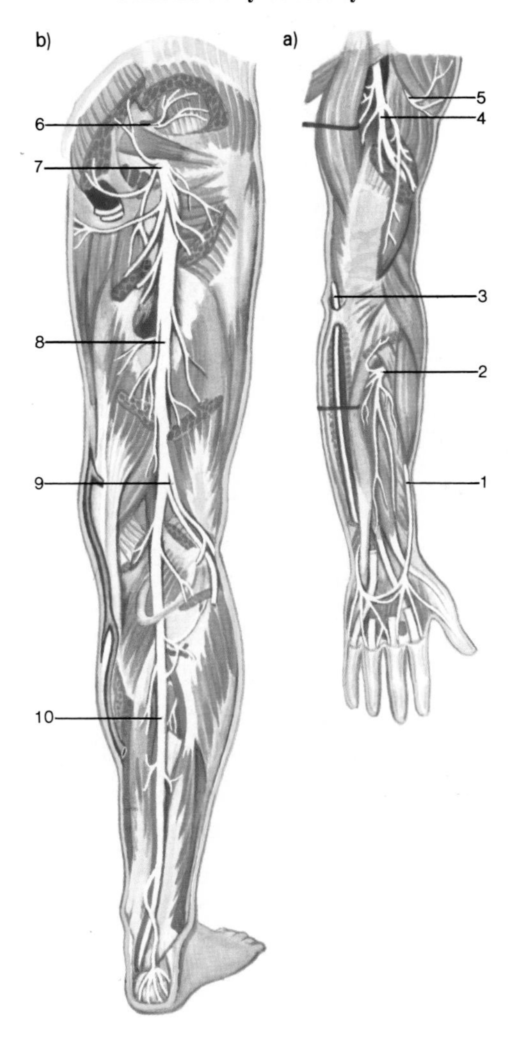

Nerwy kończyny górnej (a) i dolnej (b); widok od tyłu

1 – gałąź powierzchowna nerwu promieniowego
2 – gałąź głęboka nerwu promieniowego
3 – nerw łokciowy
4 – nerw promieniowy
5 – nerw pachowy
6 – nerw pośladkowy górny
7 – nerw pośladkowy dolny
8 – nerw kulszowy
9 – nerw strzałkowy wspólny
10 – nerw piszczelowy

Tablica X

Układ nerwowy autonomiczny

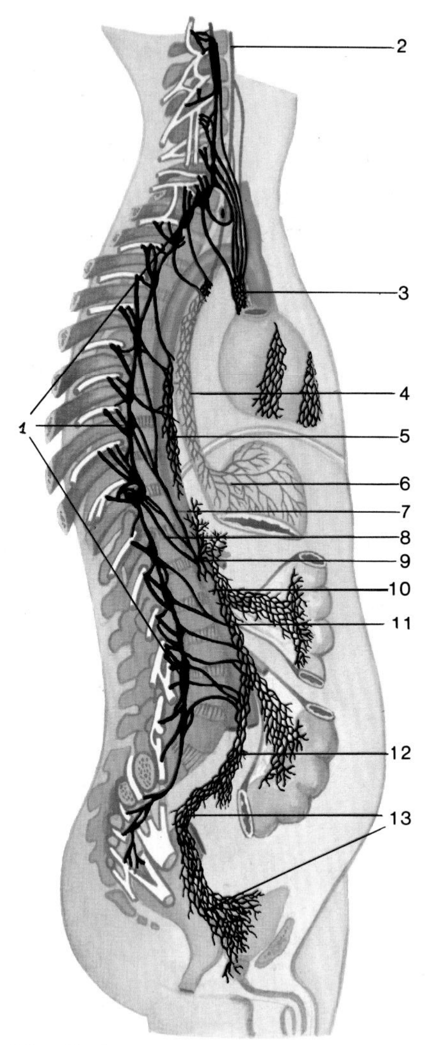

1 – pień współczulny
2 – nerw błędny
3 – splot sercowy
4 – splot przełykowy
5 – splot aortowy piersiowy
6 – gałęzie żołądkowe nerwu błędnego
7 – nerw trzewny większy
8 – nerw trzewny mniejszy
9 – splot trzewny
10 – splot aortowy brzuszny
11 – splot międzykrezkowy
12 – splot podbrzuszny górny (nerw przedkrzyżowy)
13 – splot podbrzuszny dolny (splot miedniczny)

Tablica XI

Narząd wzroku

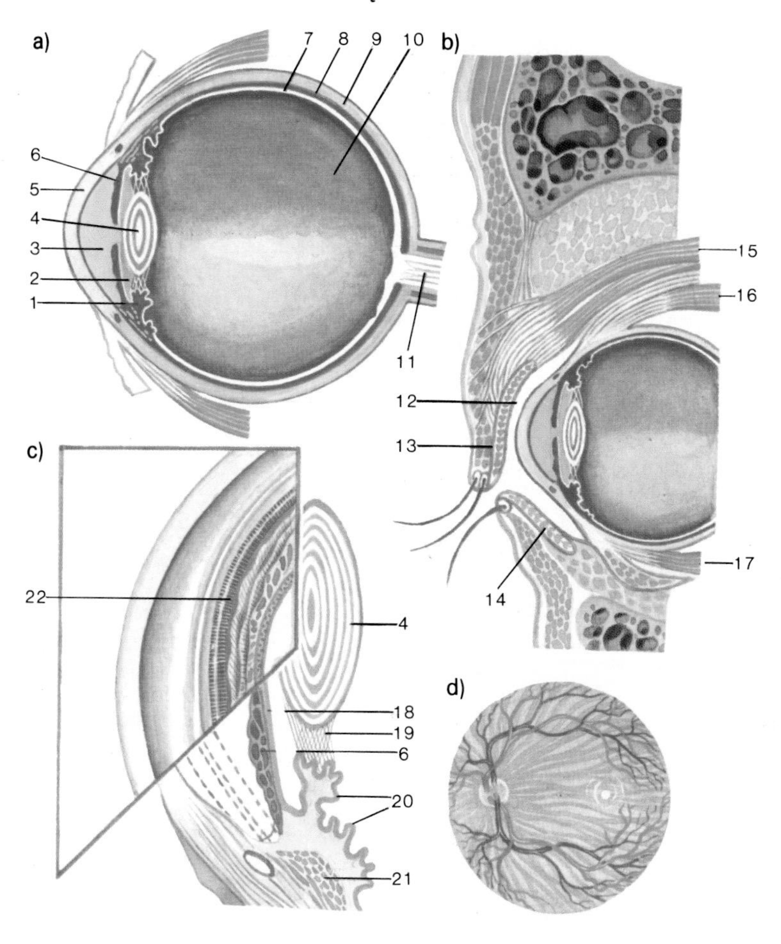

Budowa oka: a) przekrój poziomy lewej gałki ocznej; b) przekrój strzałkowy przez worek spojówkowy; c) przekrój przez przednią część gałki ocznej; d) dno gałki ocznej (dno oka)

1 – ciało rzęskowe
2 – komora tylna
3 – komora przednia
4 – soczewka
5 – rogówka
6 – tęczówka
7 – siatkówka
8 – naczyniówka
9 – twardówka
10 – ciało szkliste
11 – nerw wzrokowy
12 – worek spojówkowy
13 – powieka górna
14 – powieka dolna
15 – mięsień dźwigacz powieki górnej
16 – mięsień prosty górny
17 – mięsień prosty dolny
18 – mięsień zwieracz źrenicy
19 – obwódka rzęskowa
20 – wyrostki rzęskowe
21 – mięsień rzęskowy
22 – fragment soczewki w powiększeniu

Tablica XII

Narząd wzroku

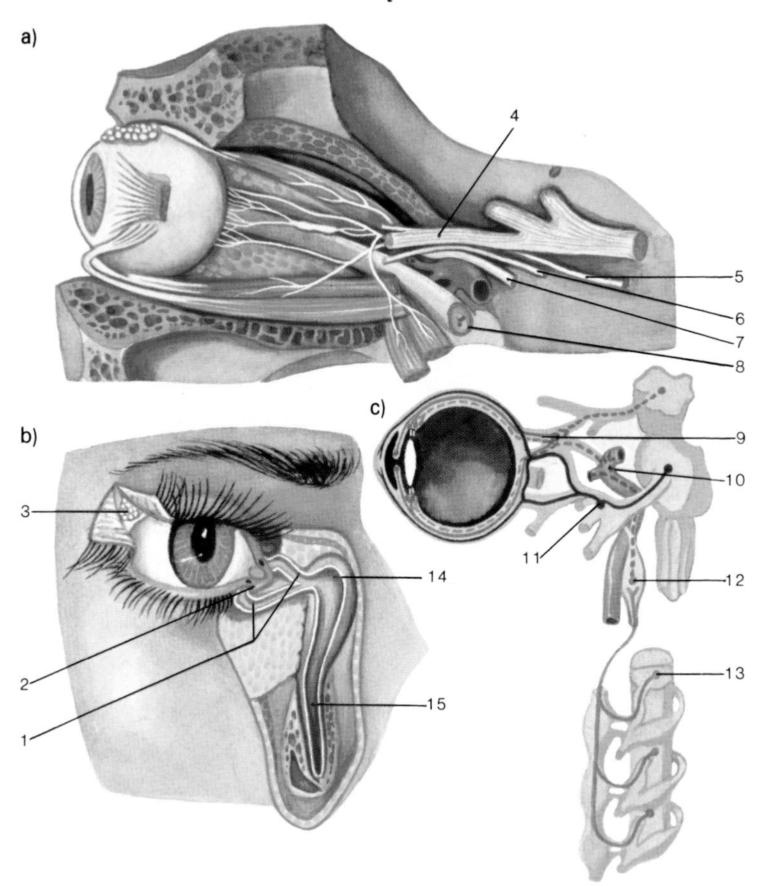

Budowa narządu wzroku: a) nerwy gałki ocznej; b) narząd łzowy – widok z przodu; c) unerwienie mięśni źrenicy i mięśnia rzęskowego

1 – kanaliki łzowe górny i dolny
2 – brodawka łzowa z punktem łzowym
3 – gruczoł łzowy
4 – nerw oczny
5 – nerw odwodzący
6 – nerw bloczkowy
7 – nerw okoruchowy
8 – nerw wzrokowy
9 – zwój rzęskowy
10 – splot szyjno-tętniczy wewnętrzny
11 – zwój nerwu trójdzielnego
12 – zwój szyjny górny
13 – jądro pośrednio-boczne rogu bocznego istoty szarej rdzenia kręgowego (C_8)
14 – woreczek łzowy
15 – przewód nosowo-łzowy

Tablica XIII

Narząd słuchu i równowagi

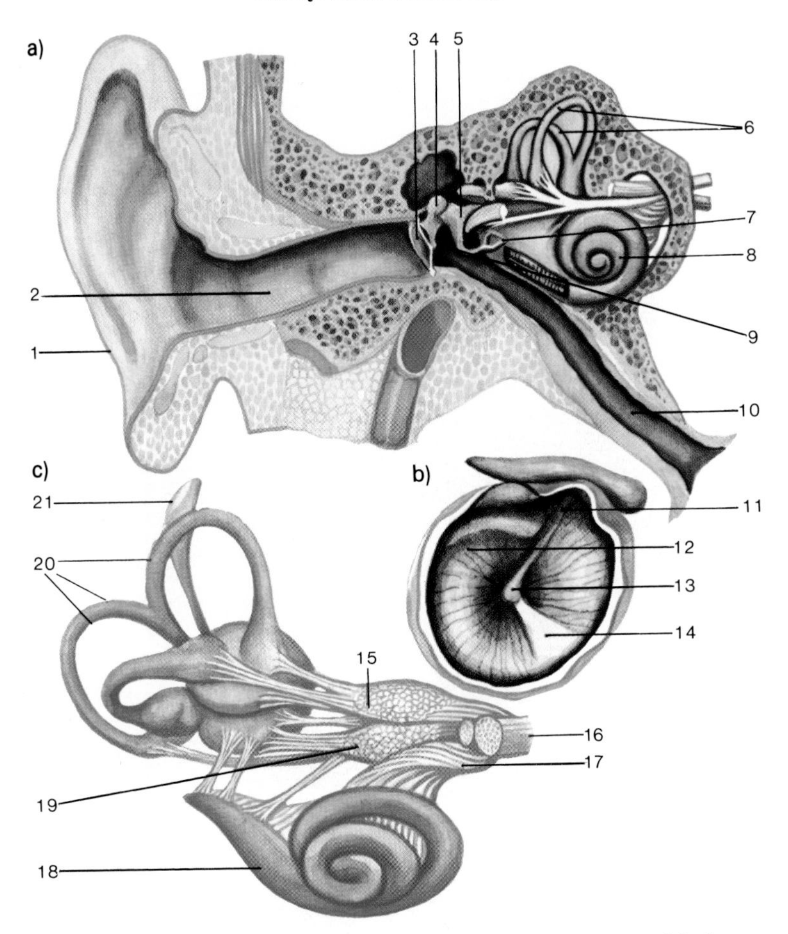

Budowa ucha: a) ucho zewnętrzne, środkowe i wewnętrzne w przekroju; b) błona bębenkowa; c) błędnik błoniasty ucha wewnętrznego

1 – małżowina uszna
2 – przewód słuchowy zewnętrzny
3 – błona bębenkowa
4 – młoteczek
5 – kowadełko
6 – kanały półkoliste
7 – strzemiączko
8 – ślimak
9 – jama bębenkowa
10 – trąbka słuchowa Eustachiusza
11 – część wiotka błony bębenkowej
12 – część napięta błony bębenkowej
13 – pępek błony bębenkowej
14 – stożek świetlny błony bębenkowej
15 – nerw przedsionkowy
16 – nerw przedsionkowo-ślimakowy (VIII)
17 – część ślimakowa nerwu VIII
18 – przewód ślimakowy
19 – nerw woreczkowy
20 – przewody półkoliste
21 – worek śródchłonki

Tablica XIV

Diagnostyka wizualizacyjna

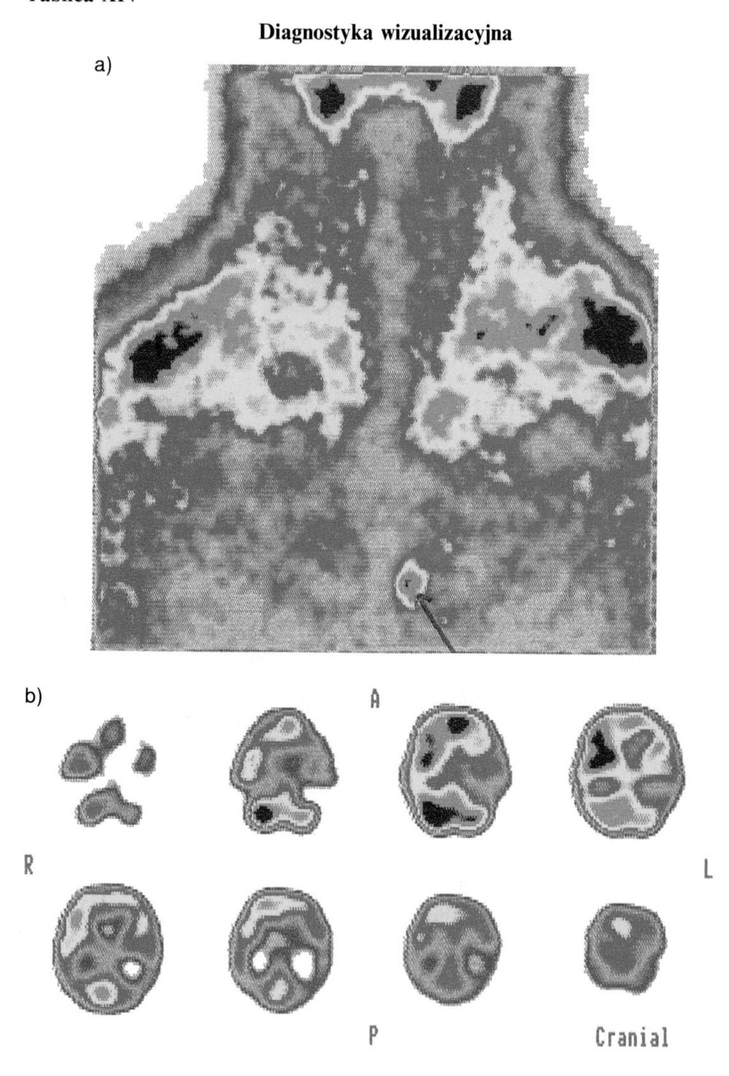

a) Scyntygrafia przytarczyc, przytarczyca położona poza tarczycą w śródpiersiu; b) Scyntygrafia dynamiczna mózgu metodą warstwową, widoczne ogniska niedokrwienia w okolicy skroniowej

Tablica XV

Diagnostyka wizualizacyjna

a)

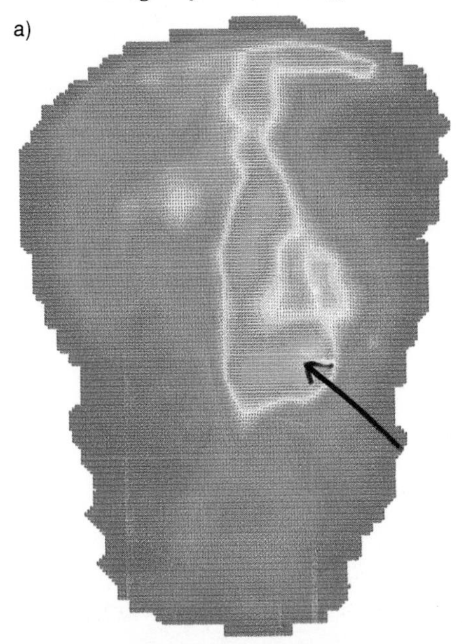

b)

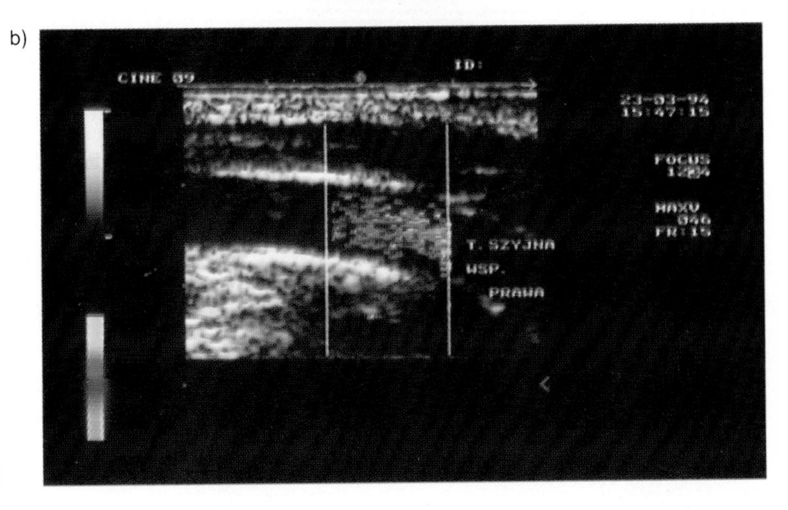

a) Nietypowe położenie guza chromochłonnego nadnercza; b) Ultrasonografia, przepływ krwi w tętnicy szyjnej określony metodą dopplerowską

Tablica XVI

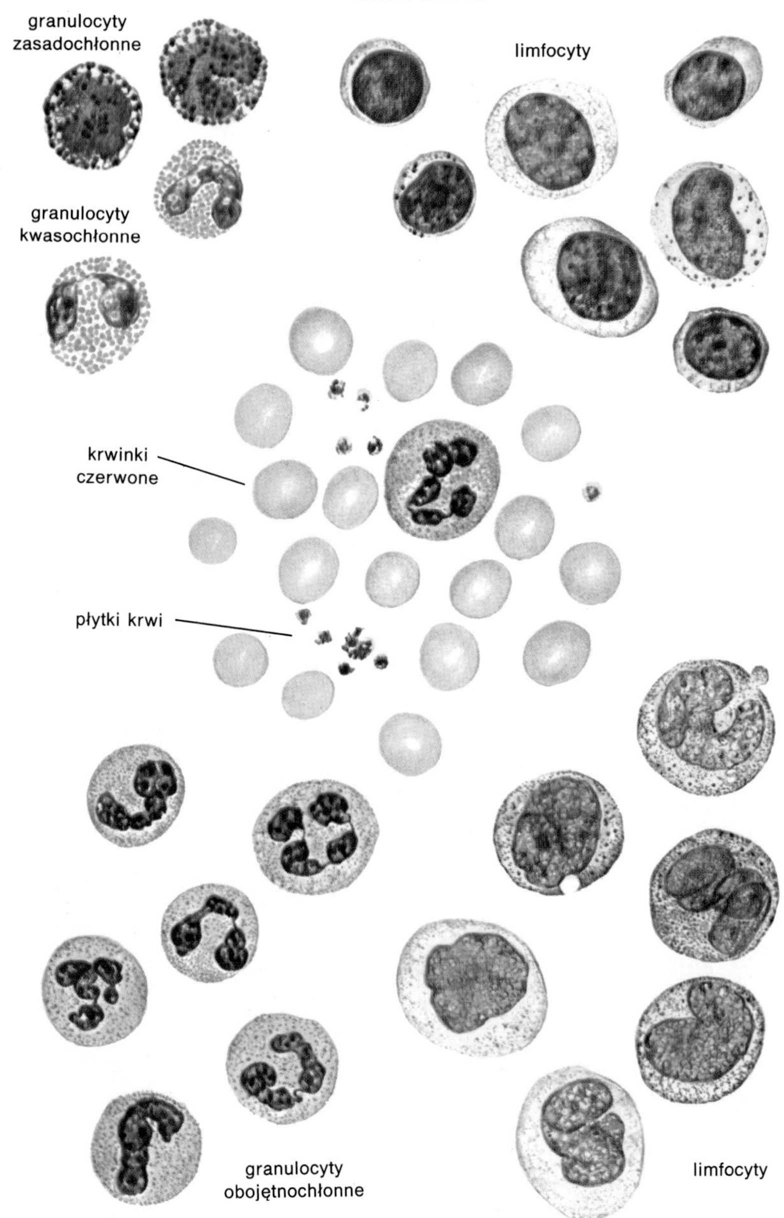
Komórki krwi
granulocyty zasadochłonne
limfocyty
granulocyty kwasochłonne
krwinki czerwone
płytki krwi
granulocyty obojętnochłonne
limfocyty

Tablica XVII

Rośliny lecznicze

1 – miodunka plamista (*Pulmonaria efficinalis* L.)
2 – mak polny (*Papaver rhoeas* L.)
3 – fiołek trójbarwny (*Viola tricolor* L.)
4 – berberys zwyczajny (*Berberis vulgaris* L.)
5 – róża dzika (*Rosa canina* L.)
6 – miłek wiosenny (*Adonis vernalis* L.)
7 – nagietek lekarski (*Calendula officinalis* L.)
8 – jeżyna popielica (*Rubus caebius* L.)
9 – prawoślaz ogrodowy odm. czarna (*Althaca robea* Cav. var. *nigra bort.*)
10 – borówka czarna (*Vaccinium myrtillus* L.)

Choroby krwi

a)

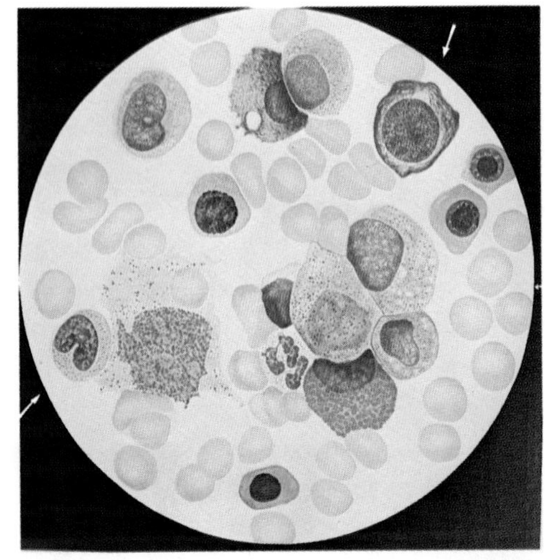

b)

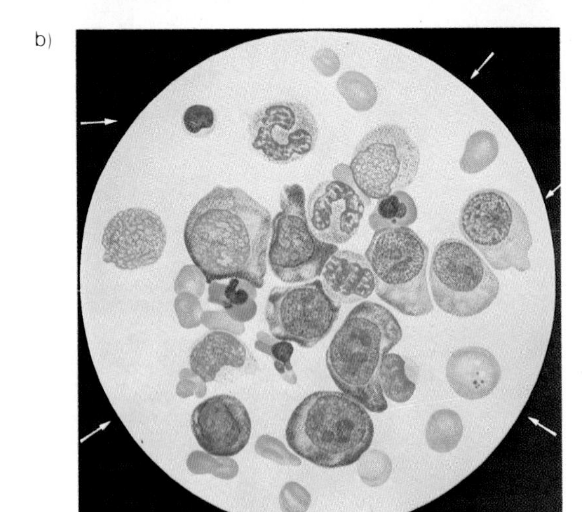

Obraz szpiku kostnego: a) zdrowego; b) w niedokrwistości megaloblastycznej (pow. × 1100)

Choroby krwi

a)

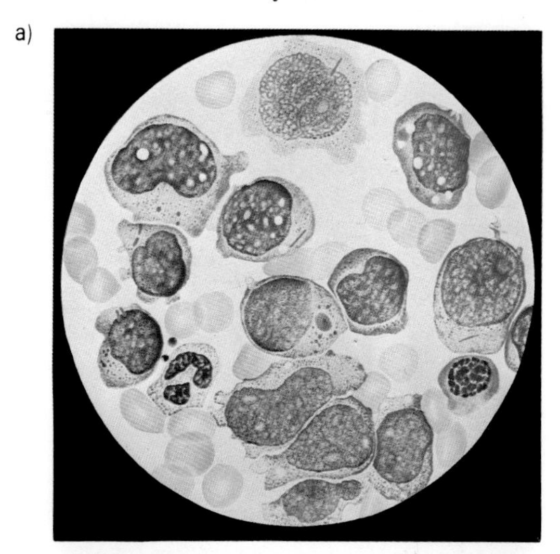

b)

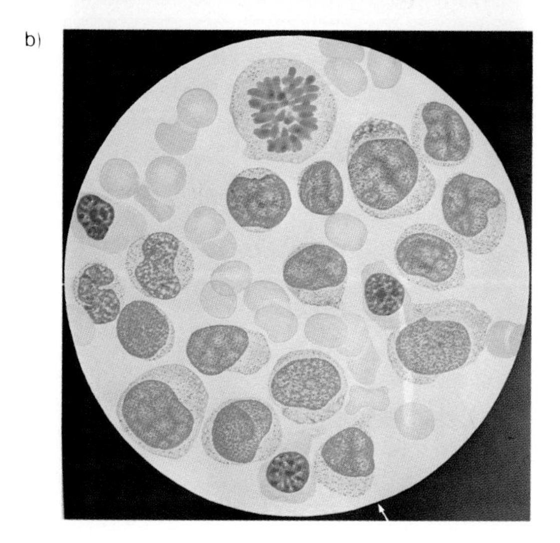

Obraz szpiku w ostrej białaczce szpikowej: a) i b) pow. × 1100

Tablica XX

Choroby krwi

a)

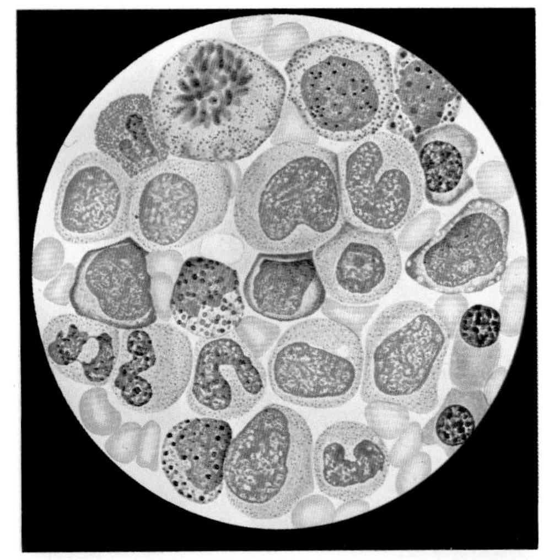

b)

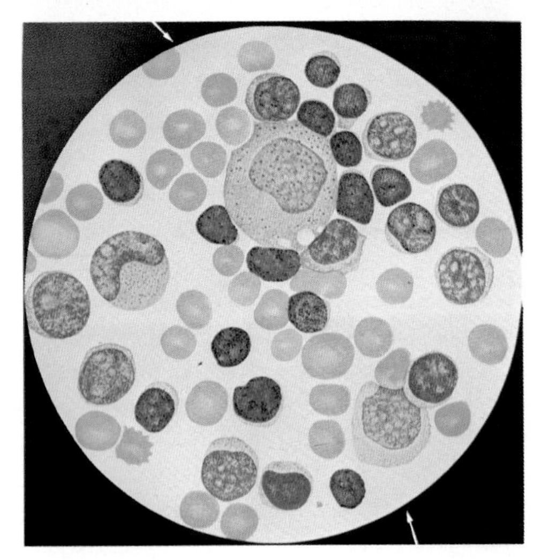

ıiku: a) w przewlekłej białaczce szpikowej; b) w przewlekłej białaczce limfatycznej (pow. × 1100)

Choroby krwi

a)

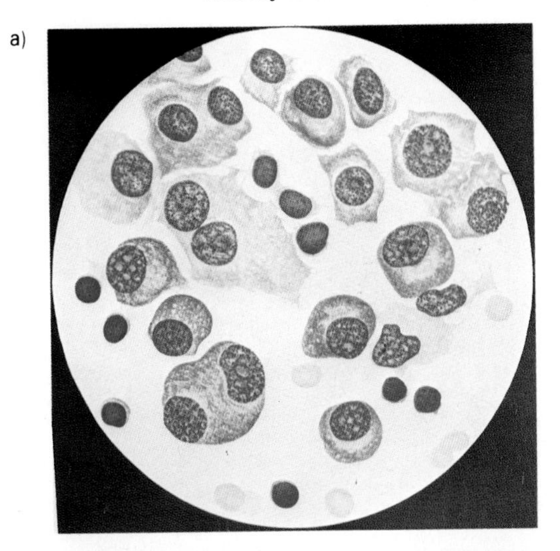

b)

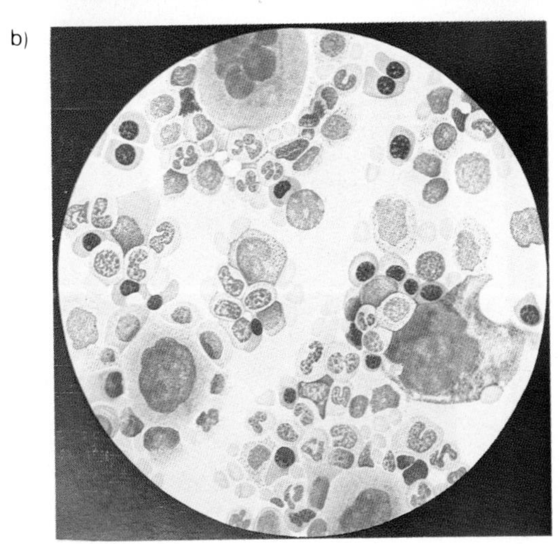

a) Naciek z plazmocytów w szpiku kostnym chorego na szpiczaka mnogiego (pow. × 1100); b) Obraz szpiku w małopłytkowości (pow. × 600)

Tablica XXII

Choroby zakaźne

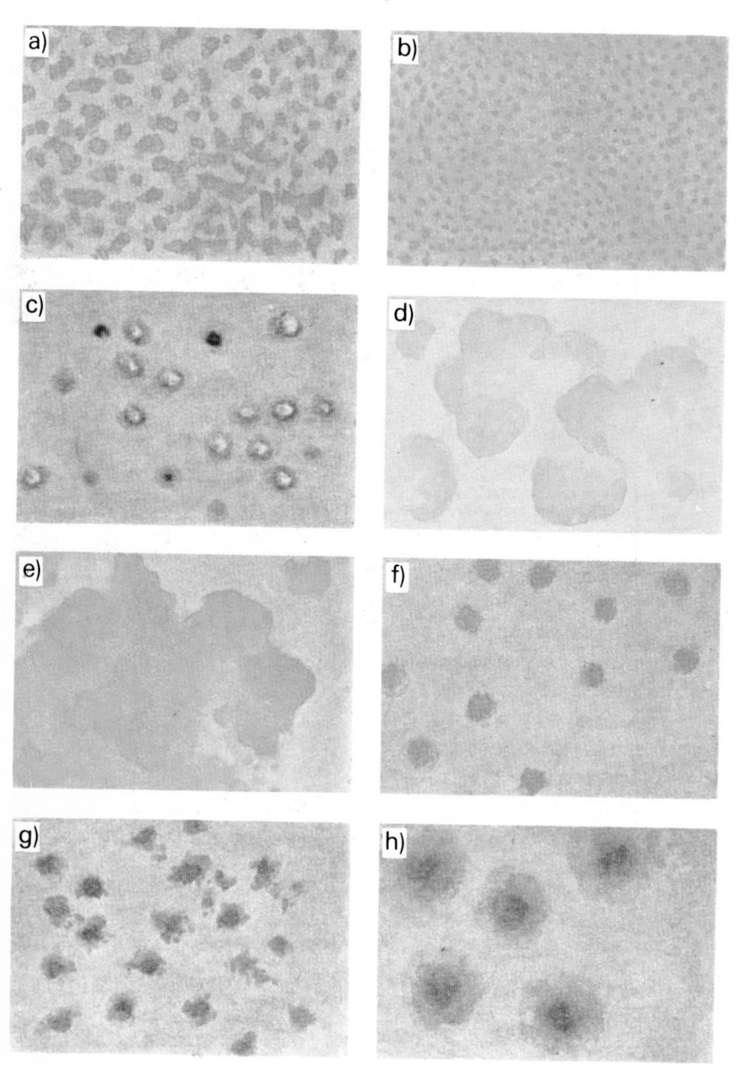

Typy wysypek: a) odrowa, b) płonicza, c) pęcherzykowa, d) pokrzywkowa, e) rumieniowa, f) różyczkowa, g) wybroczynowa, h) guzowata

Tablica XXIII

Choroby skóry

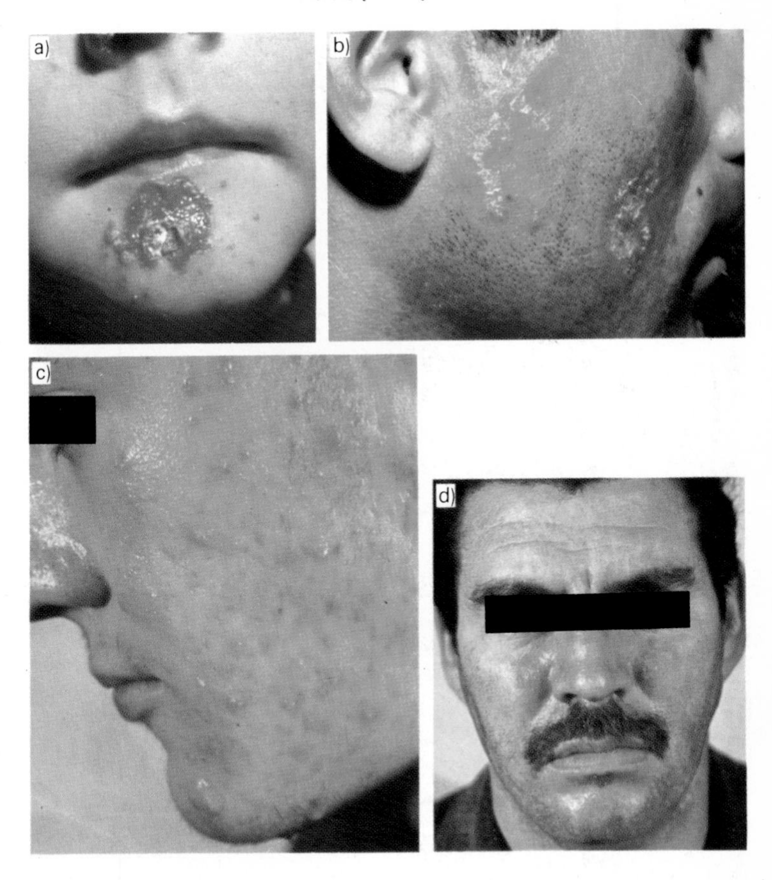

a) Liszajec; b) Liszaj (toczeń) rumieniowaty ogniskowy (przewlekły); c) Trądzik pospolity; d) Trądzik różowaty

Choroby skóry

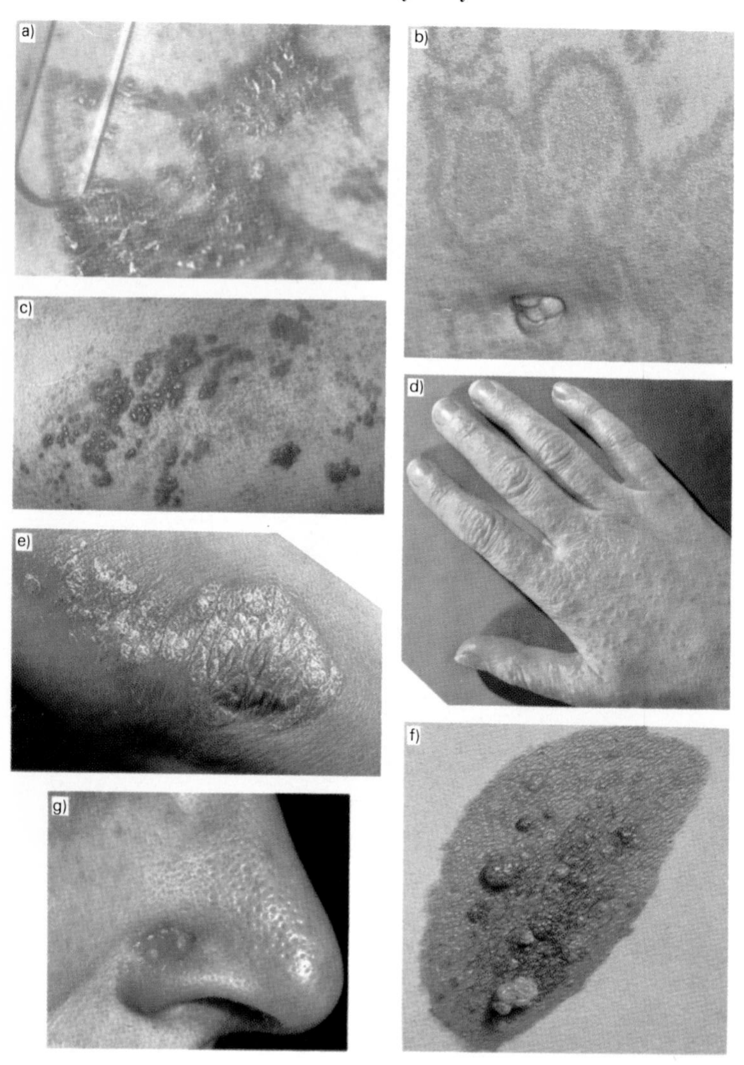

a) Gruźlica toczniowa – widoczny dodatni objaw diaskopii (ucisk łopatką plastykową); b) Grzybica skóry gładkiej; c) Półpasiec; d) Wyprysk kontaktowy (uczulenie); e) Łuszczyca zwykła; f) Znamię barwnikowe; g) Nabłoniak podstawnokomórkowy